日本語語感の辞典

中村明 著

岩波書店

装丁　森　裕昌

まえがき

表現選択の諸レベル

ことばが運ぶのは、伝えようとする情報だけではない。当人の意図とは関係なく、その事柄を選び、そんなふうに表現したその人自身の、立場や態度や評価や配慮、性別や年齢、感じ方や考え方、価値観や教養や品性を含めた人間性が相手に否応なく伝わってしまう。

ひとつの文章が生まれるまでには、無意識のうちに発想や表現のさまざまなレベルでの選択が積み重ねられる。その過程での人間の在り方が、結果として姿を現す言語作品に映っているからである。表現の外面から発想の内面へとそのレベルを順にたどってみよう。

もっとも浅いレベルは、あることばをどんな文字で記すかという選択だ。何の変哲もない「中村」も「ナカムラ」と書けば日系人めいて見えるし、「中むら」という看板は何やら料亭じみた雰囲気を漂わせる。外来語は通常カタカナで書くが、慣用を破って「ふらんす」と書くとやわらかい感じになり、「仏蘭西料理」という看板を見ると何だか高級そうで財布の中身が心配になる。「倫敦」や「巴里」という表記は昔懐かしい感じを誘う。「コーヒー」も「珈琲」と書くと、紙コップ入りのインスタントではイメージが合わない。逆に、「総理」も「ソーリ」では権威ががた落ちになり、「芸術」も「ゲージツ」と書かれると鑑賞する気にもならない。「広島」も「ヒロシマ」と書いたとたんに被爆の連想が強くなり、「風俗」も「フーゾク」と書けばいかがわしい響きに変わる。これらはいずれも、文字表記の選択が独特の語感をかもしだしている例である。

このような文字選びより少し深いレベルに、ことば選びがある。この用語選択にまた深浅のレベル差がある。伝達したい意味内容に関係なく、自分の品格や態度、相手への配慮に応じてことばを選ぶのは、表面に近い比較的浅いレベルだろう。「きょうは九月九日だ」と言えば、相手と膝を交えてしゃべるような親しい感じだが、「です」にすると、いくぶん改まって相手と少し距離を置いた感じになる。そこを「でございます」にすると、相手をさらに丁重に扱った感じになり、大勢の人の前で礼儀正しく話しているような雰囲気が出る。そして、そこをもし「である」と結べば、話している感じは消え去り、不特定の読み手に向けた、硬い書きことばの、やや冷たい、きっぱりとした、堂々たる調子に変わる。

「あした」も「あす」も「明日《みょうにち》」も、きょうの次の日をさす点で基本的な意味はまったく同じだ。しかし、どんな場合にどれを使っても常にしっくり来るわけではない。「あした」は親しい人たちの間の日常会話でふつうに使われる、くだけた感じのことばだ。「あす」はそれより少し改まった感じがあり、家族や親友などのごく親しい人に向かって使うと、若干取り澄ました響きがあって水くさい印象を与えかねない。「明日」はさらに改まった感じが強く、格式ばった雰囲気になる。

「ふくらむ」と「ふくれる」も似たような意味だが、微妙な違いがあって、もう少し深いレベルの用語選択となる。「ふくれる」のほうがくだけた感じがいくらか強いことを別にしても、「ふくらむ」が自然に起こる全体的な膨張をさすことが多いのに対し、「ふくれる」はやや不自然で部分的な膨張をさすことが多い。そのため、「ふくらむ」は正常な変化ということから好ましい連想が働きやすく、「ふくれる」は異常な変化を思わせて悪い連想と結びつきやすい。そのため、事実を伝えるだけの「予算がふくらむ」に比べ、「予算がふくれる」という表現はその膨張を好ましくないと考えているようなニュアンスがともなう。これもまた語感の違いではあるが、意味とからみあう面もあり、単なる同義語の選択として片づけるわけにはいかない。

自分の伝えたい意味合いを正確に表すのにもっとも適切な表現を探そう。正確なことばというのは、単に誤りを含んでいないというだけでは不十分だ。「休憩」か「休息」かと迷ったとき、両方やめて「休み」という語で間に合わせれば、そんな微妙な意味の違いに悩まずに済む。「休み」には「休憩」も「休息」も含まれるから、たしかにそれでも間違いではない。が、「休み」は、その「休憩」と「休息」だけではなく「休暇」「休日」「休業」から「欠席」「欠勤」「欠場」までを含む広い意味のことばだ。そういう区別をせずに単に「休み」とするのは、松も欅も楓も桜も白樺も無差別に「木」で片づけ、小腸と大腸どころか胃も肝臓も膵臓も区別せずに「消化器」で間に合わせるような、そんな粗っぽさで現実を切り取ったことになる。

目的によってはそれで済む場合もあり、もっときめ細かく表すべき時もある。場面や文脈などに応じて、自分の感覚・感情・認識をどこまで細かくとらえ、それをどれほど忠実に伝えたいかという、その時その場の表現意図に的確に対応する表現を追い求める。

表現したい何かがはじめから明確なことばの形で存在することはめったにない。ほのぼのとした感情が胸に広がるとしよう。「うれしい」ということばしか頭に浮かばない人はためらわずにそう書く。「楽しい」ということばも頭に浮かぶ人はどちらが適切かを考え、好ましいことが起こったのを知った瞬間に始まる喜びであれば「うれしい」を選び、実際の行動をとおして継続的に感じる満ち足りた快さであれば「楽しい」を選ぶはずだ。ある人はさらに「喜ばしい」「愉快だ」「痛快だ」といったことばを含めた中から最適の一語を探すだろう。同じ「喜び」であっても、その多様なあり方を「わく」「みなぎる」「こみあげる」「ほとばしる」と描き分ける。

ことばを選び、表現を練るのは、ことばをいじりまわすことではない。文章を飾って知識をひけらかすためでもない。表現しようとする対象のひだに分け入り、実際のイメージに接近しようとする努力なのだ。とすれば、人間がことばを選ぶとき、その奥にある表現すべき対象や現実のとらえ方をも同時に選んでいることになる。ものの見方や考え方をはっきりさせ、何を対象にどの面をどう描くかという選択をとおして、その人自身が姿を現すのである。そういう人間の行動の反映として、表現は豊かな広がりを見せるのだろう。

ことばの「意味」と「語感」の関係

「医者」と「医師」、「勝手」と「台所」と「キッチン」、「ごはん」と「めし」と「ライス」、「青年」と「若人」と「若者」、「女」と「女性」と「女子」、「結婚式」と「婚礼」と「祝言」、「尿」と「小便」と「おしっこ」と「小水」、「牧場」と「まきば」は、それぞれ似たようなものをさすが、ことばによってみな感じが違う。各グループに共通する、そのことばが何をさすかという部分を「意味」と呼び、同じグループでも単語ごとに異なる、どんな感じのことばかという部分を「語感」と呼ぶ。

このような典型的な例では、意味と語感とが明確に区別できるように見える。しかし、実際の境界線はそう単純ではない。「ごはん」には茶碗、「めし」には丼、「ライス」には平たい皿のイメージがぴったりする。「女」は子供でも違和感がないのに、「女性」は大人を、「女子」は比較的若い女性を連想させやすい。「工場」も「こうば」と読むと小規模で近代的な設備がそなわっていない雰囲気になる。「出身地」に比べ、「ふるさと」として懐かしく思い浮かべる地域は狭い。「いでゆ」は「温泉」より違和感なく使える文脈の範囲が小さい。カメラに装塡するものを「フイルム」、テレビで放映するものを「フィルム」と言い分ける人もある。こうして、ことばの感触としての語感が、何をさすかという意味の領域にも微妙にからんでくる。

「大工」や「熱血教師」ということばを聞くと直感的に男を思い浮かべるが、女であっていけない道理はない。「あたし」や「かしら?」は男性でも使うのに、すぐ女性の話し手を想像してしまう。常に女性をさし、あるいは、必ず女性が用い、男性をさしたり男性が用いたりすれば誤りだとまで判断できれば「意味」の問題だが、「主として」「多くは」「傾向がある」「どちらかといえば」といった段階では「語感」の域を出ない。「どちらかといえば」から「必ず」までの間はほとんど連続的で、現実には微妙な場合が少なくない。そのため、語感を中心とするこの辞典では、そういう境界線上の微妙な意味の違いにも積極的に言及した。

表現対象の性質や場面の状況や自身の気持ちなどを総合判断して、話し手や書き手は最適の表現を心がける。その際、事柄寄りの深いレベルでの表現選択が甘いと、何のどの側面を取り上げ、どこに重点を置いて述べているかが不明確になる。ことば寄りの浅いレベルでの表現選択が甘いと、その内容に対する当人の気持ち、あるいは聞き手や読み手に対する態度が曖昧になる。一方、派手な技巧が目立たないのにどこか勘の利いたスピーチや文章というものがある。それは右に述べた各レベルでの選択が的確におこなわれ、均衡のとれた表現感覚が言語作品の隅々まで通っているのである。適切という一事を離れて、万能のすぐれた表現などというものは存在しない。

言語感覚の鋭い人は、適切な表現を的確に判断し、きっぱりと最適の一語をしぼりきる。最適の一語にたどりつく道筋は二つある。一方で「意味」の面から、「人類」「人間」「人」「人物」「人材」、「宵」「晩」「夜」、「本降り」「大降り」「土砂降り」「ざあざあ降り」といった語のそれぞれの違いを明確に識別し、「ふれる」と「さわる」、「ふくらむ」と「ふくれる」の微妙なずれを見分ける。と同時に、他方で「語感」の面から、「夕方」「夕刻」「夕暮れ」「夕間暮れ」「日暮れ」「たそがれ」、「妻」「家内」「細君」「かみさん」「ワイフ」「家の者」といった同義語群からそれぞれの感覚の差を感じとって使い分ける。職人の芸だ。

本書の特色と使い方

こうして最適の一語をめざして候補をしぼりこむ過程で迷ったときに、「意味」を調べる国語辞典は数多く出ているが、「語感」を探る手がかりとなる専門辞典は存在しなかった。微妙なニュアンスはとらえにくく、また、ことばで説明しがたく、どうしても感覚的・主観的になりやすいからだろう。しかし、「意味」と「語感」の一方の知識が欠落していては最適の一語にたどりつけない。そこで、欠落している半面の「語感」についてその実態を探るため、大胆にも辞書の姿でそれに果敢に挑んでみたのが本書である。

そのため、この辞典の主たる内容は、「教師」と「教員」と「先生」、「未婚の母」と「シングルマザー」、「ピザ」と「ピッツァ」、「叱る」と「怒《おこ》る」、「永久」と「永遠」、「素っ裸」と

「真っ裸」のように、意味が似ていてどのように使い分けるか紛らわしい類義語の組み合わせを中心に、「大丈夫」「普通に」「こだわる」「鳥肌が立つ」「おもむろに」「わくわく」のように近年その用法に変化の生じた問題のことばなどを含めて幅広く約一万語を取り上げ、各語の使用領域を規定し、具体例とともにそれぞれの感触や連想の違いなどを分析し、さらに意味・用法の微妙な差に言及するという踏み込んだ解説となっている。

以下、項目解説の順を追って具体的に収載情報と利用法を説明しよう。

① 見出し語の次に、漢字を用いる場合の表記形を、【慌(周章/狼狽)てる】や【陰影(翳)】のように示した。それによって、漢字で書く場合の、現代における標準的な用字を知り、その他の表記や当て字、本来の用字などのバリエーションがわかる。

② 次に、「薄い」には「厚み・色・味・密度・濃度・可能性などが少ない意」、「絵」には「対象の姿かたちやようすなどを線や色で平面上に視覚的に表現したもの」、「大っぴら」には「通常なら隠すことをあからさまにする意」というふうに語義を簡潔に示した。その語の意味を明確にするとともに、同じ単語でも意味・用法によって語感が違うことがあるため、ここではどのような場合の語感を問題にしているかが明白になる。

③ 次に、「相手」や「厚い」には「くだけた会話から硬い文章まで幅広く使われる日常の基本的な和語」、「勤《いそ》しむ」には「主として文章中に用いられる、やや古風な和語」、「うずうず」には「主に会話に使われる感覚的な和語表現」、「永劫」には「仏教的・哲学的な雰囲気をもつ硬い漢語の文章語」、「えにし」には「古めかしい文学的な文章にまれに用いられる、古語に近い雅やかな和語」、「幼子」には「主として文章に用いられる古風で美化した感じの和語」、「おセンチ」には「主に女性がくだけた会話に使った古めかしいことば」、「自署」には「法律関係の文章などに用いられる専門的な漢語」というふうに、和語か漢語か外来語かというそのことばの語種、俗語か口頭語か文章語か雅語かといった文体的なレベル、専門語か一般語か、幼児語か女性語か方言か、丁寧かぞんざいかなどを示し、古風、詩的、美化といった感じを添えた。これによって、その語をどのような場合にどういう感じで使うとしっくり来るかがわかる。

④ 次に、「犯す」には〈過ちを―〉〈罪を―〉〈女性を―〉〈―・しがたい気品〉、「侵す」には〈国境を―〉〈権利を―〉〈表現の自由を―〉〈―べからざる権限〉、「冒す」には〈危

険を—〉〈風雨を—・して強行する〉〈病に—・される〉を並べ、また、「押さえる」には〈腕を—〉〈犯人を—〉〈物件を—〉〈証拠を—〉〈力で—〉、「抑える」には〈欲望を—〉〈感情を—〉〈出費を—〉〈値段を—〉〈—・えた色調〉を列挙するなど、簡潔な使用例を豊富に掲げることで、慣用的な用法が自然に浮かび上がり、漢字の違いによる使い分けの勘どころがつかめるように配慮した。

⑤ さらに、「愛くるしい」には「類義の「愛らしい」よりも幼児性を強く感じさせ、赤ん坊か幼い子供について、特に性別を意識せずに使う傾向がある」、「いきなり」には「通常の過程を経ないで、という省略に対する驚きが感じられる」、「失う」には「「事故」「火事」「戦争」「失敗」「無駄」などのように減少することが望ましい対象については「無くす」を用い、この「失う」は使えない」、「英雄」には「通常は男性をさす。「雄」とあることもあり、女性を連想しにくい」、「教える」には「客観的・中立的な「知らせる」と違って、伝達する側が上位の、あるいは優位な立場にあり、相手のために行動を起こすという感じが強い。そのため、単なる情報伝達というよりそのことをとおして指導する雰囲気が漂い、相手は恩義に感じる」といった補足的説明を注記し、その語の適切な使用に役立つさまざまな情報を提供した。

⑥ 参考資料としてもう一つ、その語の意味用法や特に語感を深く味わい取るために、文学作品に出てくる生きた実例を添えた。このたび新たに採集した用例のほか、すでに公刊した著書『感情表現辞典』『感覚表現辞典』『日本語の文体・レトリック辞典』(いずれも東京堂出版)、『名文』『現代名文案内』『人物表現辞典』『笑いの日本語事典』(いずれも筑摩書房)、『比喩表現辞典』『手で書き写したい名文』(ともに角川書店)、『日本語レトリックの体系』『日本語の文体』『文章読本 笑いのセンス』『文の彩り』(いずれも岩波書店)などの著書に引用した例を再掲した。一部、国語辞典類をヒントに原典にさかのぼってたどりついた例を補充した項目もある。この実例の選択にあたっては、そのことばの語感がよくにじみ出ていてわかりやすい箇所を中心として採集したが、そこに注目すべき内容が語られていたり興味深い言及があったりして選んだ例もある。夏目漱石・森鷗外・芥川龍之介・志賀直哉・谷崎潤一郎・川端康成から藤沢周平・村上春樹・川上弘美・小川洋子に至る近代・現代の数多くの作家の手になる大量の実例を収録できたのは、この辞典の宝である。

⑦ 著者が『小津の魔法つかい』(明治書院)を執筆する際に小津安二郎・野田高梧の共同シナリオを熟読玩味した経験を活用し、小津監督の映画から多数の用例を引用・紹介した。

これは日本語が凜としていた時代の話しことばの響きを今に伝える。

⑧　雑誌の作家訪問の企画その他で、武者小路実篤・堀口大学・里見弴・瀧井孝作・井伏鱒二・尾崎一雄・網野菊・小林秀雄・永井龍男・円地文子・田宮虎彦・大岡昇平・小島信夫・小沼丹・吉行淳之介・庄野潤三ら多くの作家から、実作の現場での生の声を聞くことができた。この得がたい体験を生かし、本書のそここに、作家自身から直接聞いた言語意識や表現感覚に関する貴重な発言を紹介した。インタビューの詳細は『作家の文体』(ちくま学芸文庫)としてまとめた対談記録とその解説を参照されたい。

⑨　各項目の末尾に、意味の似た語群を列挙し、特に関連の深い項目に印を付した。互いに参照することによって類義語辞典の役を兼ね、それぞれの語感の違いや微妙な意味合いの差を感じとるヒントが得られる。

⑩　以上のように、本書は、最適の一語を探すプロセスで、ことばの「意味」を説明する国語辞典では解決できない部分、すなわち「語感」を知る目的で引くための辞典である。と同時に、思い思いにページを繰りながら⑥⑦⑧の特色を楽しむ本でもある。楽しんでいるうちに無性に本が読みたくなるかもしれない。知らず知らず言語感覚が鍛えられ、いつか日本語を味わう喜びにひたることになれば理想的である。

筑摩書房の雑誌『言語生活』の一九八〇年五月号に「語感とイメージ」と題する座談会が載っている。大岡信さんが「生きざま」ということばの語感を嫌い、谷川俊太郎さんが「しなやか」という語に含まれる勁《つよ》さが理解できなくなった時代を嘆き、辻邦生さんが小都市を意味するときは「街」でも「町」でもしっくりせず「都市《まち》」と表記すると実作者の繊細な表現感覚を吐露した。司会者としてその現場に居合わせ、語感についてともに語り合ったあの日から三十年、それをきっかけに折々考えてきた多彩な語感のヒントを集大成したこの辞典が、多くの読者にとって日本語の表現の勘をみがく刺激になればと願う。

二〇一〇年一〇月

著　者

凡例

一　収録したことば

1　本辞典には日常の言語生活で広く使われることばの中から、同じ事柄をさす類義語の使い分けや特に語感の解説が必要と思われる語を中心として選択し、連語や成句も含め、古風な雅語から近年用いられる俗語まで約一万を収録した。

2　見出し語は原則として一単語のものとしたが、日常の言語生活でまとめてよく使われる、単語が慣用的に結びついたことばもそのまま見出し語として採用し、「愛」「明るい」「会う」などのほか、「全力投球」「ペーパードライバー」のような複合語や、必要に応じ「所帯を持つ」「露と消える」などの連語や慣用句も、通常の見出し語として掲げてある。

二　見出し

1　見出し語は原則として平仮名を用い、現代仮名遣いで示した。

2　外来語は片仮名で示し、長音は「ー」を用いた。

メリケンこ【メリケン粉】　**ゴージャス**

3　表記形態によって語感の異なるものは別項目として扱った。

フイルム　フィルム

コンピュータ　コンピューター

4　見出し語はすべて独立項目とし、その見出し語を含む複合語を一項目の中に追い込む方式は採らなかった。見出し語・表記形が同一の語で、著しく異なる語義が複数あるものは、同一見出しの中で語義ごとに①②…として解説し、それぞれの類義語を掲げた。さらに細かく㋐㋑…として分類した項目もある。また、同語であっても意味により表記形が異なる場合は原則として別項目とした。

5　見出し語、表記形の後に矢印(↓)で示し、解説を他の項目に委ねたものもある。

こくかん【酷寒】↓こっかん

6　見出し語の配列は五十音順とした。

・同じ仮名の語は、清音・濁音・半濁音の順に並べ、拗音(きゃ・きゅ・きょ、など)や促音(っ)、外来語に用いる小さい仮名の表記(ファ・ティ、など)は普通の大きさで表す直音の後ろに置き、平仮名・片仮名の順とした。

きょうし【教師】　**きょうじ**【矜持】　**ぎょうし**【凝

視】　**ぎょうじ**【行事】

いりよう【入り用】　**いりょう**【衣料】

かつて【嘗て】　**かって**【勝手】

ふあん【不安】　**ファン**　**ファン**

・見出し語が同一の場合は、活用語の動詞・形容詞を先に掲げ、次いで表記形の記載がない項目、表記形の文字数が少ない項目の順とした。

こい【濃い】　**こい**【恋】　**こい**【故意】

・長音(ー)は直前の仮名の母音として配列した。(「ケータリング」は「ケエタリング」の位置となる)

三　表記形

1　【　】の中に、その語の書き表し方を示した。ただし、表記形が見出し語の仮名と全く同じ場合は省略した。

2　【　】内の表記形は、常用漢字を主体とする現代の標準的な表記を第一に挙げたが、現在通行の他の表記や文学作品などに頻出する表記も並べて挙げ、(　)／〔　〕を用いて以下の通り示した。

ア　(　)内には、第一の表記に準じて用いられる漢字を挙げ、複数ある場合には「・」を用いて併記した。なお、(　)内は直前の一文字に対応した表記を原則としたが、簡略を旨として誤解のない範囲で複数の文字に対応させたものもある。

なかみ【中身(味)】　＝中身、中味　(上記二種の表記が通行であることを示す、以下同様)

いつわり【偽(詐・佯)り】　＝偽り、詐り、佯り

ひざし【日(陽)差(射)し】　＝日差し、日射し、陽差し、陽射し

あいぎ【合い着(間着)】　＝合い着、間着

うすのろ【薄鈍(野呂)】　＝薄鈍、薄野呂

みえ【見え(見栄)】　＝見え、見栄

ていねい【丁寧(叮嚀)】　＝丁寧、叮嚀

イ　／で区切ったものは、同格に用いられる表記を示し、当て字なども含め、文字遣いが異なるタイプであるものを示した。

あいびき【逢引／媾曳】　**おっと**【夫／良人】

ことば【言葉／詞】

こだま【木霊(魂・精)／谺】　＝木霊、木魂、木精、谺

ウ　〔　〕内には、現在の「常用漢字表」に掲げられた漢字に対応して、旧字とされている正字体の中で、本来は別字であるものや、略体を新字体として採用したため対応する旧字が一様でないもの、誤って混用されているものなどのうち、現在でも用いられている旧字(本来の字体)を参考のため掲げた。

げいのう【芸〔藝〕能】　**とうか**【灯〔燈〕火】
やかん【薬缶〔罐〕】　**たべん**【多弁〔辯〕】
べんべつ【弁〔辨〕別】

3　送り仮名は、内閣告示「送り仮名の付け方」を参考としたうえで、省くことのできる送り仮名まで付けることを原則としたが、両方を掲げたものもある。

うかぶ【浮かぶ】　**くらす**【暮らす】
おどり【踊り】　**こたえ**【答え】
とどけ【届(届け)】

4　外来語で、表記にローマ字(アルファベット)を用いるのが普通である場合はその形で示した。

エスピー【SP】

5　表記形の表示に際しては原則として繰り返し符号「々」などを用いずに文字を重ねる形で表したが、見出し語が本来漢字一文字に対する読みであるにもかかわらず、文字を重ねた表記も横行しているものに限り「々」を用いた。

しょうしょう【少少】　**たびたび**【度度】
ますます【益益／益】(見出し語が漢字一文字にも二文字にも対応する場合の表記)
おのおの【各(各々)】　**しばしば**【屢(屢々)】(本来一文字に対応する場合の表記)

四　解説

見出し語、表記形のあとに、(1)語義、言語表現の場面など、(2)用例、(3)語感や用法に関する注記や文学作品の用例、その他の参考情報など、を掲げた。

1　語義はそこで扱う語感に則した簡潔な記述を心掛けた。言語表現の使われ方の情報は、口頭語か文章語か、日常語か専門語か、語種は、和語か漢語か外来語かなどを明記し、混種語等については省略した。外来語は言語名にも言及したが、英語については省略した。

語種の別については、古く中国から伝わった狭義の「漢語」のほか、和製漢語などを含む字音語全体を広義の「漢語」として表示し、和語・漢語・外来語の複合した「混種語」や、連語や句のような長い単位には、原則として「語」または「表現」と記した。

2　用例は〈 〉でくくり、典型的な例のほか、語感のイメージを反映させた比較的長いものを多数掲げた。

ア　見出し語の部分を「—」に置き換え、活用語(動詞・形容詞)の見出し語と異なる活用形は、語幹相当部分を「—・」で示し、活用語尾は文字にして表した。

イ　語幹と語尾の区別のない活用語や動詞から転じた名詞、活用語の語幹に「さ」「げ」「み」「がる」などの付いた派生語を用例に用いる場合は、そのまま文字で表した。

ウ　漢字の使い分けを示す場合は文字で表した。

きにいる【気に入る】…〈—・った店〉〈これならきっと—よ〉〈お気に入りの相手〉

にる【似る】…〈子供が親に—〉〈似た者夫婦〉〈服装も鞄もよく似ている〉

やるせない【遣る瀬無い】…〈—思い〉〈日ごとにやるせなさが募る〉

べし【可し】…〈後世恐る—〉〈驚くべき事実〉〈立ち入るべからず〉

こす【越す／超す】…〈冬を越す〉〈山を二つ越したその先にある〉〈出費は二万円をはるかに超す〉〈身長一九〇センチを超す大男〉

3　語感や用法に関する注記や文学作品の実例、その他の参考情報などを🖊(ペンマーク)以下に解説した。

ア　文学作品を出典とする実例は、作者名、『　』でくくった作品名や詩題、「　」でくくった引用文の順で掲げた。引用文中の見出し語の掲げ方は〈　〉で示した用例と同様にした。引用文中では適宜省略をし、(　)を用いて内容の補足を試みた。

イ　出典の書名・引用文とも原則として、新字体・現代(新)仮名遣いで記述したが、詩などの韻文は歴史的(旧)仮名遣いのままにしたものもある。また「／」印は原典における改行を示す。

ウ　振りがなは全般的に読みにくいものに付してあるが、出典引用では控えめに示した。これは、文庫版などでは、便宜上振りがなを推定して付してあるものが多いが、原典の作者の意図した読み方は正確にはわからないものがあるからである。

エ　解説のなかで、見出し語を含む語句を示す場合も「—」を用い、掲げ方は用例と同様にした。

五　類義語グループ

1　項目の最後に一連の類義語を⇩(太矢印)以下に掲げた。相互に参照して語感の違いを確認していただきたい。また、理解を深めるために、特に読み比べていただきたい語にはQ(ルーペマーク)を付してある。

2　類義語は五十音順に並べた。表記はわかりやすさを優先しており、その項目の表記形と一致しない場合もある。

あ

アート 「芸術」の意で会話や軽い文章に使われる新しい感じの外来語。〈モダン―〉〈ポップ―〉〈―ディレクター〉✎「芸術」に比べて軽く斬新な語感で用いられ、ベートーベン・ミケランジェロ・北斎などのクラシック作品とはイメージが合わない。文学は含まず、「現代―」の中に音楽も含まれない傾向が強い。⇩芸術

あい【愛】 相手をいとしく思い大切に慈しむ気持ちをさし、会話にも文章にも広く使われる基本的な漢語。〈母性―〉〈―を打ち明ける〉〈―の結晶〉〈親の―に飢える〉✎井上靖の『猟銃』に「―というものは、太陽のように明るく、輝かしく、神にも人にも、永遠に祝福されるべきもの」とある。「恋」や「恋愛」が男女間に限られるのに対し、この語は色恋に限らず、親子の間の愛、兄弟愛、隣人愛、人類愛から、万物への博愛、郷土愛、愛国心、神の愛まで、さまざまな形の愛情を表すのに用いられている。恥じらいを知る日本人はこのようなあからさまな語を人前で発することを伝統的に照れてきた。⇩Q恋・恋愛

あいかた【相方】 二人で組んでやるときの相手をさし、会話にも文章にも使われる、いくぶん古風な和語。〈漫才の―をつとめる〉✎客の相手をする遊女をさす用法では古めかしい感じになる。⇩相手・Q相棒・パートナー

あいかわらず【相変わらず】 いつもと同じようにの意で、会話やさほど硬くない文章に使われる和語表現。〈―独身だ〉〈―元気に飛びまわっている〉〈―安月給でこき使われている〉〈―みごとな腕前だ〉✎いい意味でも悪い意味でも使うが、自然・当然な状態について「あなたは―お元気ですか」などと尋ねるのは日本語として不自然。⇩依然

あいかん【哀感】 もの悲しい気分をさし、主に文章中に用いられる漢語。〈―が漂う〉〈―を催す〉〈―をそそる〉✎松本清張は『或る「小倉日記」伝』で、かぼそく消える鈴の音が「子供心に甘い―を誘った」と書いている。⇩Q哀愁・悲哀・物悲しい・憂愁

あいぎ【合い着(間着)】 寒い冬と暑い夏との間の季節、春や秋に着る衣服の意で、会話にも文章にも使われる和語。〈温暖な日が続き、春物の―に替える〉✎和服も洋服も含まれる。まれに、上着と下着の間に着る衣類をさす場合もある。⇩合い服

あいきょう【愛嬌(敬)】 顔つきやしぐさなどに自然な親しみやかわいらしさの感じられる場合に、会話にも文章にも使われる漢語。〈―者〉〈―がある〉〈―がこぼれる〉〈―をふりまく〉✎意識的な「愛想」に比べ、その人間に具わったものをさし、徳永直の『太陽のない街』に「道化師のように―のある医師」とあるが、多く女性の態度について用いる傾向が強い。ただし、「男は度胸、女は―」という区別は感覚の古さを印象づける。⇩あいそ・愛想

あいくち【匕首】 つばのない短刀をさし、会話でも文章でも使う、やや古い連想のある和語。〈隠し持った―で切りつける〉✎梶井基次郎の『冬の日』に「突然―のような悲しみが

心に触れた」という比喩表現が出る。刀身の長さから俗に「九寸五分《くすんごぶ》」ともいう。「短刀」などに比べ、どこか犯罪の雰囲気がにおう。⇩懐剣・こがたな・小刀・短剣・Q短刀・どす・ふところがたな・脇差

あいくるしい【愛くるしい】 容姿やしぐさがあどけなくかわいい意で、やや改まった会話やさほど硬くない文章などで用いられる、やや古風なことば。〈—しぐさ〉〈見るからに—顔立ち〉🖉水上勉の『越前竹人形』に「丸顔のぽっちゃりとした—顔だ」とある。類義の「愛らしい」よりも幼児性を強く感じさせ、赤ん坊か幼い子供について、特に性別を意識せずに使う傾向がある。⇩Q愛らしい・可愛い

あいこう【愛好】 物事を好き好む意で、改まった会話や文章に用いられる硬い感じの漢語。〈印象派の絵画を—する〉〈クラシック音楽を—する〉🖉「好き」や「好む」と違って、対象はもっぱら物事であり、通常、人や品物などには用いないから、いくら「愛し」ていて「好き」であっても、うっかり恋人にこの語を使ったら険悪な空気になりかねない。⇩Q好む・好き

あいさつ【挨拶】 出会いや別れの際に互いに交わす社会的儀礼としての慣習的な動作や短いことばの意で、くだけた会話から硬い文章まで幅広く使われる日常の基本的な漢語。〈—状〉〈時候の—〉〈転勤の—〉〈丁寧に—を交わす〉〈軽く手を上げて—する〉🖉夏目漱石の『坊っちゃん』に「義理一遍の—」とある。「季節の—を欠かさない」「お礼の—に伺う」のように、敬意や感謝の意を表す行為の意にも、「来賓の—」「結婚披露宴で—に立つ」のように、公的な場での儀礼上のスピーチの意にも用いる。小沼丹は『黒と白の猫』で「—無しに死ぬから困ります」と、妻の急死に慟哭《どうこく》する心を呆れるほどのんびりと描いてみせた。⇩Q会釈・お辞儀・敬礼・最敬礼・目礼・黙礼・礼②

あいじゃく【愛着(著)】「あいちゃく」の古めかしい表現。〈深い—を覚える〉🖉もと仏教語で、世間の欲にとらわれて思いを断ち切れない意。「執着」と同様、「じゃく」と読むと相当の高齢者と思われやすい。⇩Qあいちゃく・しゅうじゃく

あいしゅう【哀愁】 わけもなく心にしみてくるうら寂しい感じをさし、改まった会話や文章に用いられる、いくぶん趣のある漢語。〈一抹の—〉〈—を帯びたメロディー〉〈—を帯びた節まわし〉〈—を誘う情景〉🖉川端康成の『名人』に「生きて眠るように閉じた瞼の線に、深い—がこもった」とある。⇩Q哀感・うら悲しい・憂い・愁い・寂しい・寂寞《せきばく》・寂寥《せきりょう》・物悲しい・憂愁

あいしょう【愛称】 親しみをこめた呼び名をさし、会話にも文章にも使われる漢語。〈—で親しまれている〉🖉「新商品の—を募る」のように、人間以外にも用いる。軽蔑のニュアンスがあれば使わない。⇩あざな・あだな・Qニックネーム

あいじょう【愛情】 特に親子や恋人・夫婦の間で相手をいとおしみ大切にしようと思う気持ちをさして、やや改まった会話や文章に用いられる漢語。〈深い—〉〈—を抱く〉〈—を注ぐ〉〈—を寄せる〉〈—にほだされる〉〈—のもつれ〉🖉室生犀星の『杏っ子』に「女の人の心にはいつもピアノのような音色がある。(略)—だってピアノが鳴るようなもの」と

ある。「愛」ほど気障《ざき》な響きは感じない。⇩情愛

あいじん【愛人】 世間をはばかる恋愛関係の異性をさす形式的な婉曲《えんきょく》表現。社会の良識に反するとして非難の対象になる「情夫」「情婦」「情人」「いろ」といった露骨な表現を避け、上位概念に置き換えて関係をぼかすことで抽象化し、下品な感じを薄めた漢語。〈―関係にある〉〈―にする〉〈―を持つ〉 ✒井伏鱒二が『鯉』で「君の―の家では泉水が広いようだが、鯉をあずかってくれないかね?」「青木の―に手紙を送った」「青木の霊魂が彼の―を誤解してはいけない」というふうに「愛人」という語を単なる「恋人」という意味で用いているように、この語はもともと、恋愛関係にある異性一般をさしたが、現在では、陰湿でなくむしろ明るく健康的な語感を持つ「恋人」という語とは区別して使われる。太宰治の『斜陽』にある「私は将来、そのお方の―として暮すつもりだ」という箇所はそのような例である。現在は、正式の夫や妻以外にひそかに関係を持っている相手として、人前に出しにくい存在を連想させるが、そういう認識を示すだけで、それに対する軽蔑の気持ちまでは表明していない。⇩いい人・Qいろ・恋人・情人・情夫・情婦

あいず【合図】 あらかじめ約束した方法で一定の情報を知らせる意で、くだけた会話から硬い文章まで幅広く使われる日常語。〈―を送る〉〈目で―する〉〈笛を―に始める〉⇩サイン②・Qシグナル・信号

あいする【愛する】 大切に思う相手に愛情を注ぐ意で、会話より文章に使われる表現。〈心から―〉〈死ぬほど―〉〈―わが子の寝顔〉 ✒高橋和巳の『悲の器』に「無限の感情を以てわが娘を―・していた」とある。小説やドラマなどに「あたしのこと、今でも―・してる?」「ああ、―・してるよ」といったやりとりが出てくるが、この語をくだけた会話で使うと気障《ざき》で浮ついた感じに響く。また、「―犬」「わが―町」「音楽を―」のように人間以外の対象にも用いるが、その用法では気障《ざき》な感じが目立たない。⇩Q恋する・慕う・好く・惚《ほ》れる

あいせき【愛惜】 大切に思い手放したくない気持ちをさし、改まった会話や文章に用いられる漢語。〈―の品〉〈―の念〉 ✒永井荷風の『日和下駄』に「―の情はおのずから人をしてこの堀に藕花の馥郁とした昔を思わしめる」とある。⇩未練

あいそ【愛想】「あいそう」の意で会話や軽い文章に使われる漢語。〈―笑い〉〈―がない〉 ✒日常会話では「あいそう」よりもよく使う。「―を尽かす」「―もこそも尽き果てる」の形で、呆れて見限る意を表す場合は特にこの形が一般的。主に「お―を言う」の形で「おせじ」を意味する用法もある。⇩愛嬌・Qあいそう

あいそう【愛想】 相手に好感を与える表情・態度・応対などをさし、会話にも文章にも使われる漢語。〈―笑い〉〈―の悪い店員〉〈―を言う〉 ✒太宰治の『人間失格』に「皆に―がいいかわりに、「友情」というものを、いちども実感した事が無く」とある。自然に具わった感じの「愛嬌」に比べ、相手をいい気分にさせたり相手に取り入ったりするために意図的にとることが多い。「無愛想」と対立。⇩Q愛嬌・あいそ

あいだ【間】 二つの物体や時刻に挟まれている部分や、連続

する対象に含まれる部分などをさし、くだけた会話から硬い文章まで幅広く使われる日常の基本的な和語。〈男女の—〉〈留守の—〉〈物と物との—〉〈木の—から海が見える〉〈仕事をしている—〉〈—に立つ〉〈—を離す〉〈—をつなぐ〉〈休みの—〉上林暁の『月魄《つきしろ》』に「私の家の便所と西隣の家の—に残っている雪」とある。漢字表記は「ま」と紛らわしい場合もある。⇩Q合間・間《ま》①

あいだがら【間柄】 人と人との関係をさし、会話にも文章にも使われるいくらか古風な感じのする和語。〈親子の—〉〈師弟の—〉〈親密な—〉夏目漱石の『草枕』に「余と銀杏返しの—」とある。⇩関係①・関連・続柄・Q続き柄

あいちゃく【愛着(著)】 心を惹《ひ》かれて思い切れない意で、会話にも文章にも使われる漢語。〈この鞄には—がある〉〈この万年筆には人一倍—が強い〉「執着」ほど強いこだわりは感じさせない。⇩あいじゃく・Q執着

あいて【相手】 物事を一緒にする仲間や、行為の対象となり時には対抗する人間やその団体をさし、くだけた会話から硬い文章まで幅広く使われる日常の基本的な和語。〈—役〉〈—次第〉〈相談—〉〈結婚—〉〈対戦—〉〈—をする〉〈—になる〉〈—にしない〉〈それは—が悪い〉夏目漱石の『坊っちゃん』に「中学の先生なんて、どこへ行っても、こんなものを—にするなら気の毒なものだ」とある。「手ごわい—に当たる」「—をやっつける」のように張り合う相手の意では「対手」と書く例もある。⇩相方・相棒・Q先方・対象・パートナー・向こう②

アイディア 頭に浮かんだ考えの意で、会話にも文章にも使われる外来語。〈—倒れ〉〈—が浮かぶ〉〈ちょっとした—だ〉「着想」「発想」ほどではないが、単なる「思いつき」よりも思考過程を連想させる。スケールの大きな深い考えをさす場合は日本語では軽く扱った感じになりやすい。「アイデア」と書くと少し古い感じが出る。⇩Q思い付き・着想・発想

アイテム 項目、特に品目あるいは単品をさし、主に会話に使われる新しい感じの外来語。〈必須—をそろえる〉近年、小物のような具体物をさして不必要によく使われる。⇩項目・事項

あいにく【生憎】 都合の悪い場合や期待に反する時などに、会話にも文章にも広く使われる日常の和語。〈—の雨〉〈—時間がない〉〈—品切れだ〉〈—旅行中で出席できない〉小沼丹の『エジプトの涙壺』に「リルケに「涙壺」って云う詩があるのを知らないかね？」「お—さまだな」「お—は淋しいね」というやりとりが出てくる。⇩折悪しく

あいのこ【合いの子(間の子)】 混血児の意で主に会話に使われる古風で俗っぽい和語。〈日本人とフランス人との—〉「ラバはロバと馬との—だ」などと人間以外にも使うが、人間の場合は「混血児」に近いマイナスイメージが付着し、差別意識が問題になるにつれて、この語も次第に使用を控えるようになってきている。⇩混血児・ハーフ

あいのり【相乗り】 一つの乗り物に連れでない複数の人間が一緒に乗る意で、会話にも文章にも使われる和語。〈タクシーに—する〉夏目漱石の『三四郎』に「女とは京都からの—」とある。通常は一人で乗る乗り物の場合に言うことが

多い。⇩Ｑ同乗・乗り合わせる

あいびき【逢引／媾曳】愛し合う男女がひそかに約束して人目を忍んで逢う意で、会話にも文章にも使われる古めかしい和語。〈―を重ねる〉〈―が人に知れる〉✎島崎藤村の『新生』に「―する男女の客」とある。「逢瀬《おうせ》」が密会している時間に焦点が当たっているのに対し、逢う行動を中心に言及している感じがある。⇩逢瀬・忍び合い・デート・Ｑ密会・ランデブー

あいふく【合い服(間服)】寒い冬と暑い夏の間の季節、春や秋に着る洋服の意で、会話にも文章にも使われる日常語。〈秋になって―を取り出す〉✎和服も含む「合い着」より狭義。⇩合い着

あいぼ【愛慕】主に異性を愛し慕う意で、主として文章中に用いられる古風な漢語。〈―の情やみがたく〉〈―の情が募る〉✎北杜夫の『幽霊』に「父は心の底でひそかな―をよせていたらしいこの世に別れを告げた」とある。⇩懸想《けそう》・思慕・Ｑ恋慕

あいぼう【相棒】一緒に仕事などをする相手をさし、会話や軽い文章に使われるくだけた感じの表現。〈息の合う―〉✎大岡昇平の『俘虜記』に「比島脱出の―」とある。二人で駕籠《かご》を担ぐ相手の意から。⇩Ｑ相方・相手・パートナー

あいま【合間】物事の間をさし、会話にも文章にも使われる和語。〈―を見て〉〈―を縫って〉〈仕事の―に連絡する〉✎夏目漱石の『坊っちゃん』に「おれと山嵐は校長と教頭に時間の―を見計って、嘘のない所を一応説明した」とある。⇩Ｑ間《あい》・間《ま》①

あいまい【曖昧】明瞭でなく的確な理解を妨げる意で、会話にも文章にもよく使われる漢語。〈―模糊《もこ》〉〈―な態度をとる〉〈返事が―でよくわからない〉✎「―という語自体も―である」と言え、いくつかの意味合いに分かれる。曖昧さの諸相は、A不明確。「説明が―だ」「結果を―なままにしておく」のように、茫漠《ぼうばく》としていたり抽象的だったりして具体的な理解に到達しない場合。B多義的。「「二人の母」という言い方は―だ」のように、(a)二人の子供の母親、(b)ある人の実母と養母・義母、(c)それぞれ子供のいる二人の女性といった複数の意味に対応する場合。C中間的。「金茶とも黄金色とも決めがたい―な色」のように、両者の中間に位置する場合。「「情熱に燃える」という表現はすでに慣用化しており、比喩表現であるかは―だ」のように比喩性の程度という連続的な関係の中に位置する場合も同様。⇩Ｑ多義的・中間的・不明確・不明瞭

あいよく【愛欲】異性に対する欲望をさし、主として文章に用いられる漢語。〈―の日々〉〈―にとらわれる〉✎芥川龍之介の『偸盗』に「女の眼は、侮蔑と―とに燃えて」とある。意味の共通部分をもつ「情欲」「色欲」「性欲」「淫欲」「肉欲」「獣欲」に比べると、語の意味というより、「欲」と組み合わさるもう一つの漢字のイメージの差で、この語は厭《いや》らしさが比較的少ない。⇩淫欲・色欲・獣欲・Ｑ情欲・性欲・肉欲

あいらしい【愛らしい】かわいらしく好感がもてるようすをさし、やや改まった会話や文章で用いられる、いくらか古風な感じのすることば。〈―少女〉〈―目元〉✎類義の「愛くるしい」に比べ、より年上の主として女の子に使う傾向が

見られる。⇩Q愛くるしい・可愛い

アイロニー 伝達したい内容をその逆の意味になるようなことばを用いて遠まわしに述べる表現法をさして、会話にも文章にも使われる専門的な外来語。〈—は皮肉な響きがある〉卑劣な行為を「偉い」とか「立派」とかと評し、文脈や場面との違和感をとおして相手に感づかせる類。⇩反語

アイロン 熱と蒸気で衣類の皺《しわ》を伸ばす道具をさし、会話にも文章にも使われる外来語。〈洗ったシャツに—をかける〉⇩こて

あう【会う】 ある場所で誰かといっしょになる、何かに出会うといった意味合いで、くだけた会話から硬い文章まで幅広く使われる日常生活の最も基本的な和語。〈三時に人に—〉〈今度の日曜にみんなで—〉〈—は別れの始め〉夏目漱石の『坊っちゃん』に「少々憎らしかったから、昨夕《ゆうべ》は二返—・いましたねと云ったら」とある。「忍びあう」という意味合いの場合に「愛人とひそかに逢う」、「ぶつかる」という意味合いの場合に「交通事故に遭う」、「偶然あう」という意味合いの場合に「街角でばったり遇う」、「巡りあう」という意味合いの場合に「思いがけない土地で、別れた妻に邂(逅)う」のように、ニュアンスを漢字で表現し分けることもある。⇩出会う

あう【合う】 物や事が一つになったり矛盾なく一致したり調和したりする意味で、くだけた会話から硬い文章まで幅広く使われる日常の基本的な和語。〈寸法が—〉〈計算が—〉〈目が—〉〈ピントが—〉〈答えが—〉〈話が—〉〈ネクタイがジャケットに—〉〈酒のさかなに—〉〈希望に—〉谷崎潤一郎の『細雪』に「もともと雪子ちゃんという人が、東京の水に—・わん人や」とある。⇩一致・合致・Qなじむ

アウト 駄目になる意で、主としてくだけた会話で使う俗っぽい外来語。〈せっかくの計画が—になる〉〈期限切れで完全に—〉球技、特に野球の用語の拡大用法として、「権利や資格を失う」「駄目になる」といった意味合いで広く使われる。比喩性は薄い。「セーフ」と対立。⇩駄目・ばつ

あえて【敢えて】 困難を承知で、無理にでもの意で、改まった会話や文章に用いられる硬い感じの和語。〈—断行する〉〈—忠告しておく〉〈—難関に挑む〉〈—買い換えることはない〉井伏鱒二の『荻窪風土記』に「不況と左翼運動とで軋き合う混乱の世界に—突入する」とある。⇩故意・Q強いて・わざと・わざわざ

あえなくなる【敢え無くなる】「死ぬ」意の和語による間接表現。死を忌む気持ちから、それを露骨に表現することを控え、「敢え無い」すなわち、あっけなく気力を喪失した状態への変化ととらえ直すことで衝撃をやわらげる婉曲《えんきょく》表現。⇩上がる②・あの世に行く・息が切れる・息が絶える・息を引き取る・往く・いけなくなる・永眠・往生・お隠れになる・落ちる②・おめでたくなる・帰らぬ人となる・くたばる・死去・Q死ぬ・死亡・昇天・逝去・斃《たお》れる・他界・長逝・露と消える・天に召される・亡くなる・儚《はかな》くなる・不帰の客となる・不幸がある・崩御・没する・仏になる・身罷《みまか》る・脈が上がる・空しくなる・藻屑となる・逝く・臨死・臨終

あおい【青い】 三原色の一つで、海や晴れた秋空のような色をしている意で、くだけた会話から硬い文章まで幅広く使われる日常生活の基本的な和語。〈秋晴れの—空〉〈眼下に

広がる―海〉✎宮本輝の『道頓堀川』に「座敷には表通りからのネオンの灯と、石油ストーブの炎の―ゆらめきだけが、ぼっと薄く靄のようにけぶっているだけだった」とある。青白い色の場合に「顔色が蒼い」、緑がかっている場合に「目の碧い人」のように、ニュアンスを漢字で表現し分けることもある。伝統的に、日本語の「青」は晴れた空のようなブルーの意にも、若葉のようなグリーンの意にも、青信号や海のような緑がかった青の意にも使われ、また、青と緑との総称ともなるが、現代人特に若い世代は「緑」だけをさす用法を避ける傾向が強い。

あおじゃしん【青写真】未来に関するおおよその案の意で、会話や硬くない文章に使われる比喩的な表現。〈将来の―を描く〉〈再開発の―ができあがる〉〈まだ―の段階だ〉✎本来、青地に図面や文字が白く浮き出すように仕上げる写真の一種をさし、それが設計図などに用いられたところから、計画の意に転じた。⇩企画・計画・構想・Qプラン

あおすじ【青筋】皮膚の表面に青く透けて見える静脈をさし、会話にも文章にも使われる和語。〈―を立てる〉✎嘉村礒多の『秋立つまで』に「蟀谷《こめかみ》にむくむくと幾条もの―を這わして」とある。⇩静脈

あおぞら【青(蒼)空】よく晴れた青い空をさし、会話にも文章にも使われる日常の和語。〈雲ひとつない―が広がる〉〈澄み切った抜けるような―〉〈雲の切れ間から―がのぞく〉✎永井龍男の『風ふたたび』に「ひさしぶりの―が見える。夜中の豪雨が、重苦しい梅雨空を、どうやら切り放したらしい」とある。⇩青天井・Q碧空《へきくう》

あおてんじょう【青天井】「青空」の意で文章に用いられる古風な表現。〈―が広がる〉✎上方に広がる大空を天井に見立てた詩的な表現。⇩Q青空・碧空《へきくう》

あおば【青葉】初夏に青々と生い茂ったみずみずしい木の葉をさし、やや改まった会話や文章に用いられる和語。〈―のころ〉〈―が茂る〉〈―が目にしみる〉✎「若葉」に続き盛んに茂り始める季節で、「目には―山郭公《ほととぎす》初松魚《はつがつお》」という山口素堂の句が有名。⇩新緑・Q若葉

あおもの【青物】緑色の野菜または野菜一般を意味するやや古風な和語。〈―市場〉〈―を商う〉⇩野菜

あおる【呷る】一気に飲む意で会話や文章に用いられる、いくぶん古風な和語。〈酒をコップに注いで―〉〈立て続けに―〉✎徳田秋声の『縮図』に「本来そう好きでもない酒を―・って」とある。飲みきる意の「飲み干す」に対し、仰向いて勢いよく飲むところに重点がある。⇩飲み干す

あおる【煽る】おだててその気にさせる意で、会話やさほど硬くない文章に使われる和語。〈購買心を―〉〈人気を―〉〈競争心を―〉✎「ドアが風に―・られて音を立てる」「風に―・られて燃え広がる」のように、風が物や火などを揺り動かす意からの比喩的な拡大用法。「そそのかす」のような犯罪行為の連想はなく、「けしかける」「たきつける」と違って必ずしも悪事とは限らない。⇩けしかける・指嗾《しそう》・扇動・そそのかす・Qたきつける

あか【赤】三原色の一つである血や火のような色をさし、くだけた会話から硬い文章まで幅広く使われる基本的な日常語。〈―と黄色〉〈白地に―で丸を描く〉✎高樹のぶ子の

『遠すぎる友』に「ひとを憎んだり妬む気持が、血の―を少しずつ濁らせている」とある。広義には赤系統として茶色まで含む。漢字に「紅」をあてると「べに」か「くれない」と読まれやすく、「朱」をあてると「しゅ」と読まれやすい。「―旗」「―の広場」などから共産主義の連想も起こりやすい。

あかい【赤い】燃える火や熟した柿のような色をしている意で、くだけた会話から硬い文章まで幅広く使われる日常生活の基本的な和語。〈―花〉〈―帽子〉〈顔が―・くなる〉✎円地文子の『女坂』に「血はいくつもいくつも小さい―花のように畳廊下に滴っていた」とある。純粋の赤であることを特にはっきりさせたい場合に「紅い唇」、濃い鮮やかな赤の場合に「緋い毛氈《もうせん》」、やや黄色みを帯びた赤の場合に「朱い柿」、茶色がかった赤の場合に「赭い顔」などと、漢字でニュアンスを書き分けることもある。

あかぎれ【皸（皹）】ひどい「ひび」の意で、会話や文章に使われる和語。〈―だらけの手〉✎内部が赤く見えるほどに深く切れた割れ目という意味のことば。⇩ひび

あがく【足掻く】危機を脱しようと手脚をばたばたさせて抵抗する意で、会話や改まらない文章に使われる和語。〈何とか逃れようと―〉〈最後まで無駄に―〉✎椎名麟三の『美しい女』に「思いをつくし、力をつくして、蟻のように―・いてやるつもり」とある。「最後のあがき」「無駄なあがき」というように、ほとんど逃れられない状況でしばしば使われる。「どう―・いてみても、もうおしまいだ」のような形で、比喩的に、肉体的以外の抵抗についても用いる。⇩じたばたする・Qもがく

あかご【赤子（児）】生まれて間もない子供の意で、会話にも文章にも使われる古風な和語。〈―の泣き声〉〈―の世話に明け暮れる〉✎志賀直哉の『暗夜行路』に「―は指でも触れたら、一緒に皮がむけて来そうな唇を一種の鋭敏さをもって動かして居た」とある。⇩赤ちゃん・Q赤ん坊・嬰児《えいじ》・みどりご

あかし【証】確かな拠りどころの意で、改まった会話や文章に用いられる古風でいくぶん詩的な和語。〈身の―を立てる〉〈愛の―となる〉〈この世に生きた―〉⇩Q証拠・証左

あかちゃん【赤ちゃん】生まれて間もない子供の意で、会話や改まらない文章によく使われる日常の和語。〈―が生まれる〉〈―を抱く〉〈―をおんぶする〉✎「―ができる」「おなかの―」のように、胎児など生まれる前の状態をさす用法もあり、「赤ん坊」より例が多い。かわいいと思う気持ちが「赤ん坊」より前面に出ている。⇩赤子・Q赤ん坊・嬰児《えいじ》・みどりご

あかつき【暁】「夜明け前」の意。雅語に近い古風な和風文章語。〈―闇〉〈―近くに〉✎太宰治の『富嶽百景』に「―、小用に立って、アパートの便所の金網張られた四角い窓から、富士が見えた」とある。「成功の―には」のように、何かが実現した時をさす比喩的用法もある。⇩明け方・曙・朝ぼらけ・Q朝まだき・しののめ・払暁・未明・夜明け・黎明《れいめい》

あかてん【赤点】「落第点」の古い俗称。〈―だけは取らないように〉✎目立つように赤い色で記したところから。若い世代には通じにくくなりつつある。⇩落第点

あかぬけた【垢抜けた】 容姿や行いが都会的に洗練されている意で、会話にも文章にも使われる和語表現。〈―服装〉〈―身のこなし〉〈気品があって―文章〉〈―都会的なセンス〉⇩洗練

あかぬけない【垢抜けない】 都会的に洗練されておらず粋という感じからほど遠い場合に用い、会話でも文章でも使われる表現。〈―身なり〉〈化粧がどことなく―〉✎「野暮」とは違って、男女間のことについて感覚が鈍いといった意味合いでは使わない。⇩田舎じみる・ださい・泥臭い・野暮・Q野暮ったい

あかはだか【赤裸】「全裸」の意の古めかしい和語。〈身ぐるみ剝がされ―にされる〉✎「赤」は肌の色でなく強調の役目。⇩素っ裸・素裸・全裸・裸・真っ裸・真裸・Q丸裸

あがめる【崇める】 尊いものとして敬う意で、会話にも文章にも使われるやや古風な和語。〈神仏を―〉〈先祖を―〉✎佐藤春夫の『田園の憂鬱』に「未開の人たちが神と―・めたその燃える火」とある。「敬う」より尊敬の度合いが大きい。⇩Q敬う・崇敬・崇拝・尊敬・たっとぶ・とうとぶ

あかり【灯〔燈〕／明かり】 照明用の光をさして、くだけた会話から硬い文章まで幅広く使われる日常の基本的な和語。〈街の―〉〈―がともる〉〈家の―が点《つ》く〉〈―がもれる〉✎「灯」の表記は「ひ」との区別が困難。永井龍男の『風ふたたび』に仕掛け花火の白煙の描写があり、「対岸のビルの灯も、川を渡る総武線の灯も、その中に見えがくれした」という一節が出てくる。前者を「ひ」、後者を「あかり」と読みたくなるが、いろいろな読みが可能だろう。⇩照明・灯火・ともし火・Q灯《ひ》・ライト

あがり【上がり】 鮨《すし》屋《や》などで食事の後に出されるお茶をさし、主に会話に使う和語。〈店員に―を頼む〉✎もと遊郭や料亭などで入れたての煎茶をさした「上がり花」の略。⇩Qお茶・玉露・煎茶・茶・日本茶・番茶・碾《ひ》き茶・焙《ほう》じ茶・抹茶・緑茶

あがる ①【上がる／挙がる／揚がる】低い所から高い所に移るという基本的な意味をもち、くだけた会話から硬い文章まで幅広く使われる基本的な日常生活の和語。〈幕が上がる〉〈座敷に上がる〉〈屋根に上がる〉〈地位が上がる〉〈給料が上がる〉〈成績が上がる〉〈風呂から上がる〉〈子供が学校に上がる〉〈雨が上がる〉〈候補に名が挙がる〉〈凧が揚がる〉✎夏目漱石の『坊っちゃん』に「やな女が声を揃えて御―・りなさいと云うので、―のがいやになった」とある。「のぼる」が「日がのぼる」「木にのぼる」「梯子《はしご》をのぼる」のように少しずつ高くなって行くその経過が意識されるのに対して、「あがる」の場合は一気に上に行くか、今は前より上にあるというふうに結果の状態に重点があるとされる。したがって、「山にのぼる」の場合は登山の過程に表現の重点があり、「山に―」の場合は、ロープウエーでもヘリコプターでも手段は問わず、山頂にいるという状態を中心に表現している、といった違いが感じられる。⇩のぼる
②【上がる】魚などが「死ぬ」意の和風間接表現。✎死を忌む気持ちから、直接それと明言せず、その結果として体が水面に浮くという形態に着目してイメージを置換することで衝撃をやわらげる婉曲《えんきょく》表現。⇩敢え無くなる・あの世に行く・息が切れる・息が絶える・息を引き取る・往く・いけなくなる・永

眠・往生・お隠れになる・落ちる②・おめでたくなる・帰らぬ人となる・くたばる・死去・Q死ぬ・死亡・昇天・逝去・斃《たお》れる・他界・長逝・露と消える・天に召される・亡くなる・儚《はかな》くなる・不帰の客となる・不幸がある・崩御・没する・仏になる・身罷《みまか》る・脈が上がる・空しくなる・藻屑となる・逝く・臨死・臨終

あかるい【明るい】光の量が十分で物がよく見える状態をさし、くだけた会話から硬い文章まで幅広く使われる日常の基本的な和語。〈―部屋〉〈月が―〉〈外はまだ―〉〈―光が差し込む〉✎井上靖の『小磐梯』に「戸外は真昼のように―月夜で、庭先きの南天の木の葉の裏表まで一枚一枚はっきり見える程でした」とある。「―性格」「―・くふるまう」「見通しが―」「経済に―」のように比喩的にも広い意味で使う。「暗い」と対立。⇩まばゆい・Qまぶしい

あかん「だめだ」の意の関西方言。〈こりゃ、―わ〉✎「いかん」ほどきつくなく、むしろ軽い感じで使う。⇩いかん

あかんぼう【赤ん坊】生まれて間もない子供の意で、くだけた会話から硬い文章まで幅広く使われる日常語。〈―をあやす〉〈―を寝かしつける〉〈―に泣かれて、昨夜はろくに眠っていない〉✎「赤ちゃん」ほどは感情がこもらず少し客観的なとらえ方。「あかんぼ」とも言い、山本有三の『波』にも「赤んぼは(略)火にあぶったスルメのように、ふんぞり返って」とある。⇩赤子・Q赤ちゃん・嬰児《えいじ》・みどりご

あき【秋】夏と冬の間にあり、穀物や果実が実り落葉樹が紅葉・黄葉する涼しい季節をさし、くだけた会話から硬い文章まで幅広く使われる日常の基本的な和語。〈―日和〉〈実りの―〉〈行楽の―〉〈読書の―〉〈芸術の―〉〈―を思わせる涼しい風〉〈天高く馬肥ゆる―〉〈―の暮れ〉〈―が深まる〉✎収穫の秋で気温の点でもよい季節ながら、厳しい冬に向かうためもあり、淋しい感じが伴う。永井荷風の『雨瀟瀟』に「立つ―の俄に肌寒く覚える夕」とある。⇩オータム

あきあきする【飽(厭)き飽(厭)きする】すっかり飽きてしまい厭《いや》になる意で、会話や硬くない文章に使われる和語。〈毎日芋を食わされて―〉〈だらだら長いだけで―〉✎丹羽文雄の『厭がらせの年齢』に「生きてたって、何の役にも立たず、当人ももう生きることに―・しているんですけどね」とある。⇩Q飽きる・倦《う》む・うんざり・倦怠《けんたい》

あきらか【明らか】はっきりしていて疑う余地のない意で、会話にも文章にも使われる和語。〈―な間違い〉〈火を見るより―だ〉〈―に損だ〉〈真相を―にする〉✎大岡昇平の『俘虜記』に「自分が他人を殺すと想像して感じる嫌悪と、他人が他人を殺すと想像して感じる嫌悪が、ひとしいのを見ても―である」とある。石川淳の『紫苑物語』に「月―な夜、空には光がみち、谷は闇にとざされるころ」とあるように、本来の「明るい」意に用いる用法は古風な感じになる。⇩はっきり・明快・明確・Q明白・明瞭

あきらめ【諦め】仕方がないと思いを断ち切る意で、会話やさほど硬くない文章に使われる日常の和語。〈―がつく〉〈―が早い〉〈人間―が肝腎だ〉⇩Q断念・諦念

あきらめる【諦める】実現を期待した事柄について望みを捨てる意で、くだけた会話から文章まで幅広く使われる日常の基本的な和語。〈潔く―〉〈家庭の事情で進学を―〉〈夢が―・めきれない〉✎「これも運命と―」「済んだことは元

に戻せないと―」のように、不本意な事態を仕方なく受け入れる意にも使う。⇩断念・諦念

あきる【飽(厭)きる】もう十分だとうんざりする意で、くだけた会話から硬い文章まで幅広く使われる日常の基本的な和語。〈毎日同じ料理が続いていいかげん―〉〈読書に―〉〈熱中してもすぐ―〉大岡昇平の『野火』に「私は既に昨日から二度往復してその道に―・きていた」とある。⇩飽き飽きする・Q飽く・倦《う》む・うんざり・倦怠《けんたい》

あく【開く】閉じた状態から開いた状態に変わる意で、くだけた会話でも文章でも幅広く使われる、日常生活の基本的な和語。〈扉が―〉〈蓋《ふた》が―〉〈眠くてなかなか目が―・かない〉水上瀧太郎の『大阪の宿』に「今にも涎のたれそうな口を―・いて、げらげら笑った」とある。漢字表記は「ひらく」と区別がつきにくい。空間を閉じている物が移動して外部または内部と通じるようになる現象をさし、「ひらく」と違って、移動の方向は特に問題にならない。「幕が―」だと幕が上に上がってもよいが、「幕がひらく」の場合は幕の中央から左右に分かれて移動するイメージが強い。⇩ひらく

あく【飽く】「飽きる」意で会話にも文章にも使われる古めかしい和語。〈―ことを知らない〉「あくまで」の「飽く」で、今でも関西や九州の方面でよく聞かれる語形という。その場合は特に古い響きはないと思われる。⇩飽きる・倦《う》む

あくい【悪意】他人に対して抱く意地悪な気持ちの意で、会話にも文章にも使われる漢語。〈人に―を持つ〉〈―に満ちた仕打ち〉「相手の言を―にとる」のように、悪い意味という意味でも使われる。法的な専門語としては、道徳的な善悪とは関係なく、「―の占有」のように、その事実を当人が認識している意に用いるという。「善意」と対立。⇩悪気

あくえいきょう【悪影響】結果として生じる悪い影響をさし、会話にも文章にも使われる漢語。〈周囲に―を及ぼす〉〈健康に―をもたらす〉⇩皺寄《しわよ》せ・そばづえ・とばっちり・巻き添え

あぎょう【悪行】悪い行いを意味して、会話にも文章にも使われる古めかしい漢語。〈―の数々〉〈―の報い〉〈―の限りを尽くす〉⇩Q悪事・凶行

あくじ【悪事】法律や人の道に外れた悪い行為の意で、改まった会話や文章に用いられる漢語。〈―の数々〉〈―を働く〉〈―に荷担する〉〈―が露見する〉「悪さ」より悪意が強く、「凶行」などまでを含む広い概念。⇩Q悪行・凶行

あくしつ【悪質】たちの悪い意で、いくぶん改まった会話や文章に用いられる漢語。〈―ないたずら〉〈―な犯罪行為〉⇩Q悪辣・悪い

あくしゅう【悪臭】不快な臭いをさし、やや改まった会話や文章に用いられる漢語。〈―を放つ〉〈―が鼻をつく〉〈―が立ちこめる〉「臭気」に比べ不快感を表に出した感じが強い。宮本輝の『道頓堀川』に「客たちが食べ残して捨てていった汁のかすが、―をはなつ大きなぬかるみ」とある。ごみの臭いや食品の腐敗臭など、物質の変化に伴って生ずるにおいを連想させやすい。⇩Q異臭・臭気

あくじょ【悪女】主として器量の悪い女をさし、文章中に用いる古風で硬い感じの漢語。〈―の深情け〉「不器量な女の意のほか、他の類語と違い、性格の悪い女にも用いる。⇩お

かちめんこ・しこめ・醜女・Q醜婦・すべた・ぶす・不美人

あくせく【齷齪】心に余裕がなくせかせか行動する意で、改まった会話や文章に用いられる古風な漢語。〈―働いて金を貯める〉〈人生そんなに―することはない〉✎田山花袋の『田舎教師』に「名誉を逐って一生を―暮す」とある。⇩Q営々・汲々《きゅうきゅう》・こつこつと・せっせと

アクセサリー 服装につける装飾品の意で、会話にも文章にも使われる外来語。〈―に凝る〉〈気の利いた―〉✎会話では漢語の「装身具」よりよく使う。⇩装身具

あくた【芥】ごみとして捨ててある切れ端や壊れた物などをさし、もっと細かい「塵《ちり》」と一緒に古風な文章などに用いられる和語。〈塵―〉✎単独ではあまり使わない。⇩屑《くず》・Qごみ・塵・埃《ほこり》

あくだま【悪玉】いつもきまって悪いことをする側の中心人物をさし、主にくだけた会話で使われる俗っぽいことば。〈―に仕立てる〉〈―をやっつける痛快な場面〉✎江戸時代の勧善懲悪を説く草双紙の挿絵で、丸く輪郭を示した人の顔に「悪」と書いて悪事を働く役柄を象徴的に表したところから出た語。それと対立するのが「善玉」。⇩悪党・Q悪人・悪漢・悪《わる》・悪者

あくとう【悪党】悪事を働く人間の意で、主に改まらない会話などに使われる少し古風な漢語。〈名代《なだい》の―〉〈―ぶりを遺憾なく発揮する〉〈―がはびこる〉✎井伏鱒二の『山椒魚』に「誤ってすべり落ちれば、そこには山椒魚の―が待っている」とある。「党」とあるように、本来は支配者が禁圧の対象とした武装集団の意で、その後も悪事を働く集団をさしてきたが、現代では個人をさすのが普通。⇩悪玉・Q悪人・悪漢・悪《わる》・悪者

あくにん【悪人】さまざまな局面で背徳的な行為や悪事を働く人の意で、会話にも文章にも広く使われる漢語。〈天下を騒がす大―〉〈―がのさばる〉〈―を退治する〉〈―を懲らしめる〉✎「善人」と対立する語。「生まれついての―は居ない」という見方もあるが、この語には、その時その時の立場や局面に限らず一人の人間として総合評価される感じが伴う。⇩悪玉・悪党・悪漢《あっかん》・悪《わる》・Q悪者

あくぶん【悪文】用字・用語・語順・文構成・文章構造などが不適切で、文意が通らなかったり誤解を招いたり情報が曖昧になったりする下手な文章をさし、会話にも文章にも使われる漢語。〈―家として知られる〉〈何回読んでも意味の通じない―〉✎文章に限らず、一つ一つの文の評価に使うこともある。なお、表現技術の低劣なためでなく、作家の個性や表現対象の性格などにより必然的に生じた、リズム感とスマートさの欠如した晦渋《かいじゅう》な文章をさすこともある。瀧井孝作などはあくの強い独特の文章として知られ、その場合は粗削りの表現が独特の文学効果を果たすため、むしろ特殊な名文として位置づけられる。その点で「駄文」と決定的に違う。⇩駄文

あくま【悪魔】人間に災いを与え、あるいは悪の道に誘う魔物をさし、会話にも文章にも使われる漢語。〈―のしわざ〉〈―の誘惑〉〈―を祓《はら》う〉✎井上靖の『猟銃』に「その一行の文字だけが―のように息づいて、今にも跳びかからんばかりに、こちらを怖ろしい顔をして窺っている」とある。⇩

魔・Q魔物

あくやく【悪役】映画や演劇での悪人の役柄をさし、会話にも文章にも使われる漢語。〈―を引き受ける〉〈―専門の俳優〉✎一作品に何人も出ることがある。⇩敵役《かたき》

あくらつ【悪辣】たちが悪くあくどい意で、改まった会話や文章に用いられる硬い漢語。〈―なやり口〉〈―な違反〉✎「悪質」以上にひどい感じがある。⇩Q悪質・邪悪・悪い

あくるひ【明くる日】「翌日」の意で、会話にも文章にも使われる、いくぶん古風でやわらかい感じの和語。〈休みの―〉〈―の朝早く〉✎芥川龍之介の『鼻』に「一晩寝て―早く眼がさめると」とある。日常語としては「次の日」のほうが一般的な表現。一夜明けた次の日の意から。⇩あした・あす・みょうにち・Q翌日

あけがた【明け方】夜が明けかかる時刻をさし、会話でも文章でも使う最もふつうの和語。〈ゆうべは―近くまで起きていた〉✎志賀直哉の『焚火』に「寝込んで了うと、―は随分寒いでしょうよ」とある。⇩暁・曙・Q朝ぼらけ・朝まだき・しののめ・払暁・未明・夜明け・黎明《れいめい》

あけしめ【開け閉め】「開閉」の意で、会話にも文章にも使われる比較的新しい感じの和語。〈ドアの―〉〈簞笥《たんす》の―〉〈ふたの―〉✎戸や襖《ふすま》・障子などの建具については「開けたて」のほうが伝統的。⇩Q開けたて・開閉

あけすけ【明け透け】包み隠さず遠慮なく露骨な意で、主に会話に使われる和語。〈―に物を言う〉⇩有り体・ありのまま・あるがまま・Qざっくばらん・率直

あけたて【開け閉て】「開閉」の意で、会話にも文章にも使われる和語。〈障子の―〉〈雨戸を―する音〉✎箱の蓋《ふた》や簞笥《たんす》の引き出しなどについては使いにくい。建具については伝統的にこの語を用いてきたが、今は「開け閉め」のほうが一般的になりつつあるせいで、古風な響きを感じさせることもある。⇩Q開け閉め・開閉

あけはなす【開(明)け放す】いっぱいに開ける、しばらく開けたままにしておく意で、いくぶん改まった会話や文章に用いられる和語。〈戸を―〉〈窓を一斉に―〉⇩開け放つ・開放

あけはなつ【開(明)け放つ】「開け放す」意で、改まった会話や文章に用いられる古風な和語。〈しばらく窓を―・って部屋の空気を入れ換える〉✎夏目漱石の『硝子戸の中』に「硝子戸を―・って、静かな春の光に包まれながら、恍惚《うっとり》と此稿を書き終る」とある。⇩開け放す・開放

あけぼの【曙】「暁」の終わりごろで、「朝ぼらけ」の前にあたる時間帯をさす古風な和風文章語。〈―の空〉〈―の光〉✎詩的な感じもある。「明け仄」の意から。⇩Q暁・明け方・朝ぼらけ・朝まだき・しののめ・払暁・未明・夜明け・黎明《れいめい》

あける【開ける】閉じた状態を開いた状態に変える意で、会話やさほど硬くない文章に広く使われる、日常生活の基本的な和語。同じ日常語の「開く」より、くだけた会話でよく使われる。〈戸を―〉〈箱を―〉〈朝早く店を―〉〈口を―〉✎閉じた状態を開放状態に移行させることに注目した表現で、手段や方向はあまり意識されない。安岡章太郎の『ガラスの靴』に「毀れた人形みたいに両眼をポッカリ―・けて」とある。⇩ひらく

あげる【上げる】下から上へ移動させる意で、くだけた会話

から硬い文章まで幅広く使われる日常の基本的な和語。〈顔を—〉〈友達に—〉〈給料を—〉〈棚に—〉伊藤整の『鳴海仙吉』に「うるんだ、放心したような眼を—・げて私を見た」とある。「君にいい物を—・げよう」のように「与える」意に使う場合は、「遣る②」に比べて謙遜の気持ちが含まれる。「やる」より丁寧な表現。近年、「やる」のぞんざいな感じを嫌って「子供にお年玉を—」「犬にえさを—」「花に水を—」のような用法が広がり問題になっている。そのほか「声を—」「安く—」「効果を—」「スピードを—」など多様な意味合いで使う。「手を—」「例を—」「式を—」「犯人を—」などでは「挙げる」、「凧を—」「花火を—」「てんぷらを—」などでは「揚げる」と書くことが多い。基本的な用法では「下げる」「下ろす」と対立。⇩与える・呉れる・差し上げる・授ける・Q引き上げる・施す・やる②

あご【顎(頤・頷)】口を囲む上下の硬い部分をさし、くだけた会話から硬い文章まで幅広く使われる日常の和語。〈—をなでる〉〈—を出す〉〈人を—で使う〉上あごと下あごの総称だが、「口ひげ」と「—ひげ」に分けるように、通常は下あごをさす。夏目漱石の『道草』に「猫のように—の詰った姉」とある。⇩おとがい

あこがれ【憧(憬)れ】ぜひ自分もと心惹かれる意で、会話にも文章にも使われる和語。〈—のエーゲ海の旅〉〈—の的〉〈—の先輩〉〈—を抱く〉望みがかなうあてがないときによく使うプラスイメージの語。⇩憧憬《しょうけい》

あさ【朝】日の出から正午までの時間、特にその前半をさし、くだけた会話から硬い文章まで幅広く使われる日常の基本的な和語。〈—の爽やかな空気〉〈すがすがしい—を迎える〉〈—早く目を覚ます〉〈—早くから騒がしい〉岡本かの子の『やがて五月に』に「晩春の花の蕚をまだつけている新果のような五月のある—であった」とある。「昼」「晩」と対立する場合と、「夕」または「晩」と対立する場合とがある。⇩Q朝方・朝っぱら・朝のうち

あさい【浅い】周囲・表面・入り口から奥や底までの距離が短い意で、くだけた会話から文章まで幅広く使われる基本的な和語。〈—川〉〈底が—〉〈—鍋〉〈帽子を—・くかぶる〉夏目漱石の『坊っちゃん』に「川の流れは—けれども早いから」とある。「傷が—」「歴史が—」「眠りが—」「経験が—」「考えが—」のように、程度が軽い意にも使う。「—緑」のように「薄い」意に使う用法は古風。「日が—」「春もまだ—」のような時間的な用法はいくぶん文学的。「深い」と対立。⇩淡い・Q薄い

あさがた【朝方】朝の早いうちをさし、会話やさほど硬くない文章に使われる、いくぶん古風な和語。〈—に雨がぱらつく〉具体的には日の出から二、三時間程度を連想しやすい。「夕方」と対立。⇩Q朝・朝っぱら・朝のうち

あさからぬ【浅からぬ】「深い」に近い意味合いで、いくぶん優雅な感じの慣用的な文語的表現。〈—縁〉⇩深い

あざける【嘲る】相手をせせら笑うように小ばかにする意で、会話にも文章にも使われる和語。〈人の失敗を—〉態度や口調の形容に使う例も多い。⇩Qあざわらう・せせら笑う・嘲笑・嘲弄・冷笑

あさごはん【朝御飯】朝の食事の意で、会話や軽い文章に使

われる、少し丁寧な日常語。〈—を簡単に済ませる〉✎「御飯」とあるが、パン食にも使う。⇩朝はん・朝めし・Q朝食

あさって【明後日】明日の次の日の意で、会話やさほど硬くない文章に使われる日常の和語。〈—まで待つ〉〈—までには着くだろう〉✎「—の方を向く」のように、まるで見当違いの方角をさす古くて俗な用法もある。「おととい」と対立。漢字表記は「みょうごにち」と読まれやすい。⇩明後日

あさっぱら【朝っぱら】朝早くの意で、主として会話に使われる、やや俗っぽい和語。〈こんな—から仕事が舞い込む〉〈—から電話が鳴りっぱなしだ〉✎こんな早朝にはふさわしくないという意外感が伴う。「朝腹」の転。⇩朝・Q朝方・朝のうち

あざな【字】昔、文人や学者などが実名以外につけた別名をさし、会話にも文章にも使われる古めかしい和語。〈孔子は名を丘《きゅう》、—を仲尼《ちゅうじ》という〉✎中国で男が成人後につけた習慣をまねたものという。⇩愛称・Qあだな・ニックネーム

あさのうち【朝の内】午前中の比較的早いほうをさし、会話やさほど硬くない文章に用いられる和語。〈—雲が多いが次第に晴れてくる〉✎具体的には日の出から三時間程度を連想しやすい。⇩Q朝・朝方・朝っぱら

あさはか【浅はか】思慮の足りない意で、会話やさほど硬くない文章に使われる和語。〈—な考え〉〈—にもうまく話に乗せられる〉✎福原麟太郎の『四十歳の歌』に「—な人生観を赤いネクタイに結びつけて」とある。⇩軽はずみ・軽率・Q軽薄・浮薄

あさはん【朝飯】朝の食事の意で、くだけた会話に使われる比較的新しい俗っぽい表現。〈—もまだだ〉✎パン食をも含む。⇩Q朝御飯・朝めし・朝食

あさぼらけ【朝ぼらけ】夜明けの雲が薄赤くなりかける時刻をさす、古めかしくやや詩的な和風表現。〈—の雲〉⇩暁・Q明け方・曙・朝まだき・しののめ・払暁・未明・夜明け・黎明《れいめい》

あさましい【浅ましい】品性が下劣でみじめで情けない意で、会話にも文章にも使われる、いくぶん古風な和語。〈—姿〉〈—態度〉〈—考え〉〈—遺産相続争い〉✎呆れ果てたような響きを伴いやすい。⇩意地汚い・卑しい・Qさもしい

あさまだき【朝まだき】夜が明けきらずまだ薄暗い時刻をさす、古語的な和風表現。✎国木田独歩の『武蔵野』に「—霧の晴れぬ間に家を出で野を歩み林を訪う」とある。⇩暁・Q明け方・曙・朝ぼらけ・しののめ・払暁・未明・夜明け・黎明《れいめい》

あざむく【欺く】相手の期待や信頼を裏切ってだます意で、改まった会話や文章に用いられる硬い感じの和語。〈人を—行為〉〈敵を—手段〉✎夏目漱石の『こころ』に「自分が—かれた返報に、残酷な復讐をするようになる」とある。「昼を—」「雪を—」のように、思い違いさせるほど似ている意にも使う。⇩いつわる・かたる・担ぐ・ごまかす・たぶらかす・だまくらかす・Qだます・ちょろまかす

あさめし【朝飯】朝の食事の意で、主にくだけた会話や軽い文章に主として男性の使う、ぞんざいでくつろいだ感じの日常の和語。〈—に納豆を食う〉〈—前に一仕事済ませる〉✎古くは今よりぞんざいな感じが薄かった。高田保の『ホテル』に「起き出してから喰うのが—だと信じている私は、—を喰うために起き出すという気持には仲々なれない」と

あり、いつもホテルで朝食を取りそこなう背景を語っている。⇩朝御飯・朝はん・Q朝食

あざやか【鮮やか】形や色などがはっきりしている意で、会話にも文章にも使われる和語。〈―な色〉〈―に写っている〉✎大仏次郎の『帰郷』に「(スコールの後の町は)洗い出されたように目に―な色彩を一面に燃立たせていた」とある。「―な身のこなし」「手並みが―だ」「―にやってのける」のように、きわめてみごとの意でも使う。⇩くっきり・Q鮮明

あざわらう【嘲笑う／嘲う】あざけって笑う意で、やや改まった会話や文章に用いられる和語。〈他人の失態を―〉✎「わらう」に「嗤」の字をあてて、この意味を出すこともある。⇩Qせせら笑う・嘲笑・冷笑

あし【足】股《もも》から足の指まで、または、足首から下の部分をさし、くだけた会話から硬い文章まで幅広く使われる日常生活の基本的な和語。〈―の裏〉〈大きな―〉〈―が速い〉〈―には自信がある〉〈―が弱る〉〈―の向くまま〉〈―を運ぶ〉〈―が棒になる〉✎永井龍男の『往来』に「靴下も足袋も履かず、汚れた―をしていた」とある。尾崎一雄の『まぼろしの記』に「私の―は、ふくらはぎは勿論、太腿も、膝の骨より細くなっていた」とあるように、足首から先の部分でなく、脚部全体をさすことを明確にするために「脚が太い」「すらりと長い脚」「テーブルの脚」と書き、人間以外の哺乳類の場合に特に「肢」と書く場合もある。⇩あんよ

あし【葦／芦】水辺に群生する、すすきに似たイネ科の多年草をさし、会話でも文章でも幅広く使われる和語。〈水辺の―が風にそよぐ〉✎長塚節の『土』に「彼らは沼辺の―のように集まれば互いにただざわざわと騒ぐ」という比喩表現が出る。かつては、生え始めから生育段階に応じて順に「葭」「蘆(芦)」「葦」という漢字を使い分けたという。「アシ」の音が「悪し」に通じるため、逆の「よし」と言い換える例もある。⇩よし

あじ【味】飲み物や食べ物が舌に与える味覚上の特徴の意で、くだけた会話から硬い文章まで広く使える日常の基本的な和語。〈―が濃い〉〈―をつける〉〈―を見る〉〈なかなか―がある〉✎中谷宇吉郎は『立春の卵』を「立春の卵の話は、人類の盲点の存在を示す一例と考えると、なかなか―のある話である」として結ぶ。このように、比喩的に面白み・趣の意を表す抽象的な用法もある。⇩Q味わい・風味

アしきしゅうきゅう【ア式蹴球】「サッカー」の別称。主として文章中に用いられ、会話ではほとんど使わない。✎「ア」はアソシエーションの略。⇩Qサッカー・蹴球・フットボール

あした【明日】「あす」の意。「あす」より口頭語的で、くだけた日常会話でよく用いられる和語。硬い文章にはふさわしくない。〈―になればわかるさ〉〈―が待ち遠しいな〉〈―天気になあれ〉✎夏目漱石の『坊っちゃん』に「―勝つ。―勝てなければ、あさって勝つ」とある。漢字表記は、多く「みょうにち」と読まれ、さもなければ「あす」と読まれるため、「あした」と読ませたい場合は振り仮名が必要で、仮名書きが無難。古語では「朝」「翌朝」をさす。⇩Qあす・みょうにち

あしだ【足駄】高い歯を入れた下駄をさし、会話にも文章に

も使われる古風な感じの日常語。〈雨の中を―で急ぐ〉〈腰手拭に―履きのバンカラ学生〉✎幸田文の『おとうと』に「歯のへった歩きにくい―で、駈けるように砂利道を行く」とある。⇩下駄

あじみ【味見】調理中に味加減を調べるためにごく少量口に含むことをさして、会話にも文章にも使われる日常の和語。〈料理の―〉⇩Q試食・試し食い

あじわい【味わい】プラスイメージの風味や趣に対して用いる、やや文章語寄りの日常的な和語。〈深い―〉〈何ともいえない―〉✎林芙美子の『茶色の目』に「まるで煮出昆布のように―があった」とある。芸術作品など食品の味以外の趣をさす例が多い。⇩Q味・風味

あす【明日】「きょう」の次の日をさす。「みょうにち」ほどは改まらず、会話的な「あした」よりは少し改まった感じの語。〈―の空模様〉〈きょう―に迫る〉〈―までには必ず仕上げます〉✎ごく親しい間柄でのうちとけた会話で使うと、若干取り澄ました感じに響くこともある。夏目漱石の『坊っちゃん』に「今日見て、―移って、あさってから学校へ行けば極りがいい」とある。「―はわが身」「―の日本をしょって立つ」のように抽象的な意味合いで用いる場合もある。そのような例では「みょうにち」は不適切で、近年時折見られる「あした」も伝統的にぴったりしない。漢字表記は「みょうにち」と読まれやすく、確実に「あす」と読ませたい場合は仮名書きが無難。⇩Qあした・みょうにち

あずける【預ける】他人に保管してもらう意で、くだけた会話から硬い文章まで幅広く使われる日常の基本的な和語。〈荷物を―〉〈銀行に金を―〉〈託児所に子供を―〉✎「壁に上体を―」のように、もたせかける意にも、「委員長に判断を―」のように、任せるの意にも使う。⇩託する

あすこ「あそこ」の意で、くだけた会話に使われる俗っぽい語形。〈―が怪しい〉〈―は駄目だ〉⇩あそこ・かしこ

あせだく【汗だく】汗でひどく濡れる意で、会話にも文章にも使われる和語。〈弁解に追われ―になる〉✎大量の汗で濡れた人体に注目した表現。「汗だくだく」の略。⇩汗まみれ・汗みずく・汗みどろ

あせまみれ【汗塗れ】多くの汗で汚れた状態をさし、やや改まった会話や文章に用いられる和語。〈―の顔〉〈―の下着〉✎身につけている衣類までも汗でひどく濡れる不快感に注目していうこともある。⇩汗だく・Q汗みずく・汗みどろ

あせみずく【汗水漬く】水に浸ったように汗びっしょりになる意で、主に文章に用いられる、やや古風な和語。〈―になって奮闘する〉⇩汗だく・Q汗まみれ・汗みどろ

あせみどろ【汗みどろ】汗みずくと同義で、主に文章に用いられる古風な和語。〈真夏の重労働に―になる〉✎通常、衣類については用いない。⇩汗だく・Q汗まみれ・汗みずく

あせり【焦り】心が先走って平静さを失う意で、会話にも文章にも使われる和語。〈試合の終盤で―が出る〉〈締切が近づいて―の色が見える〉✎室生犀星の『舌を嚙み切った女』に「手綱を取っている手の平の汗までわかるような―」とある。⇩焦慮

あせる【焦る】思いどおりに事が運ばずに落ち着きを失いいらつく意で、くだけた会話から硬い文章まで幅広く使われ

る日常の基本的な和語。〈気ばかり―〉〈勝ちを―〉〈功を―〉〈相手が意外に手ごわくて―〉〈いい手が見つからず―〉〈―・って間違える〉🖋石原慎太郎の『行為と死』に「自分の行方のつかめぬまま、彼はただ自分に向って―・っていた」とある。「急《せ》く」に比べ、時間に追われる感じは薄く、うまく行かないためにいらいらする感じが強い。⇩急く

あせる【褪せる】時間が経って色が薄くなる意で、会話でも文章でも幅広く使われる和語。〈日向《ひなた》に干すと色が―〉〈長く着ているので少し柄が―・せてきた〉🖋完全に「褪《さ》める」と言えるまでの途中の段階に着目した褪色《たいしょく》の表現。何らかの事情で急に「褪める」こともありそうだが、「褪せる」にはかなりの時間の経過が必要な感じがある。小沼丹の『マロニエの葉』に「日が経つにつれて緑色は次第に色―・せて」とある。⇩褪める

あぜん【唖然】驚き呆《あき》れてものも言えない意で、改まった会話や文章に用いられる漢語。〈あまりのことに一同―とする〉〈―として顔を見合わす〉🖋「呆然《ぼうぜん》」より瞬間的な感じがある。⇩Q呆然・茫然《ぼうぜん》

あそこ【彼処(所)】自分や相手から遠い場所、または、話し手も聞き手も知っている場所を漠然とさし、会話や硬くない文章に使われる日常の基本的な和語。〈―にある〉〈―はまだ行ったことがない〉🖋「正直―までやれるとは思わなかった」のように評価できる段階・程度をさす抽象的な用法もある。また、人前で口にしたくない刑務所・売春宿・陰部などの婉曲《えんきょく》表現ともなる。⇩Qあすこ・かしこ

あそびにん【遊び人】仕事も持たずにぶらぶら遊んでいる人をさす古風な用語。〈一見―風の男〉🖋「プレーボーイ」に比べ、定職を持たない点が強調される。⇩プレーボーイ

あそぶ【遊ぶ】自分のしたいことをして楽しむ意で、くだけた会話から硬い文章まで幅広く使われる日常の基本的な和語。〈仲良く―〉〈子供と―〉〈―金が欲しい〉🖋大人が「―・びに来いよ」と言うときは、単に仕事や用事を離れてのんびりする意味合いが強い。渋谷実監督の映画『好人好日』で笠智衆の扮する文化勲章を受賞する数学者が、訪問客として娘の恋人が「―・びに来ました」と挨拶するのに「何して―？」と応じる場面は、大学者の世間音痴ぶりで笑いを誘う。「卒業しても家でぶらぶら―・んでいる」「―・んで暮らす」のように、仕事も勉強もしないで無駄に時間を費やす意にも使う。「紅灯の巷《ちまた》に―」のように、特に酒色にふける意に使う用法は古風。「オックスフォードに―」のように「留学する」意、「パリに―」のように「観光する」意に用いる用法は主に文章に用い、古風で改まった感じでいくぶん雅語的に響く。「働く」と対立。⇩Q娯楽・趣味・たわむれる・道楽①

あたい【価】値段の意で、主に丁寧な会話に使われる古風な和語。〈商品に―をつける〉〈適正な―で取引する〉〈―はいかほどでしょう〉🖋「一読の―がある」のように価値の意で使う場合や、数学で条件に当てはまる数値を意味する場合は「値」と書く。⇩値《あたい》・価格・価額・値《ね》・Q値段

あたい【値】値打ちや数値の意味で、改まった会話や文章に用いる和語。〈一読の―がある名著〉〈Xの―を求めよ〉🖋「春宵一刻―千金」の場合は本来「直」と書く。⇩Q価《あたい》・価

値・値打ち

あたえる【与える】 その所有権を相手に移す意で、いくぶん改まった会話や文章に用いられる硬い感じの和語。〈ペットにえさを―〉〈子供に小遣いを―〉〈必要な資金を―〉〈権利を―〉✒日常生活では、上位者から下位者に渡す感じがあるが、上下関係の配慮を含む「差し上げる」「上げる」「やる」に対し、所有権の移転自体を客観的に表す場合にも使うため、「仕事を―」「利益を―」「損害を―」「ショックを―」「機会を―」のように抽象的な対象に用いることもできる。「授ける」より個人的な感じが薄く、中立的な総称ともなる。そのため、「市町村に損害を―」「業界に不安を―」のように、結果としてある状態を招く意にも使う。⇩上げる・呉れる・差し上げる・**Q**授ける・施す・やる②

あたかも【恰(宛)も】 まさにそっくりの意で主として文章に用いられる古めかしい和語。〈―夢の如し〉〈町は―死に絶えたように森閑としている〉✒三島由紀夫の『金閣寺』に「叡山の頂きは突兀《とつこつ》としていたが、その裾のひろがりは限りなく、―一つの主題の余韻が、いつまでも鳴りひびいていたようであった」とある。「時―春」のように、ちょうどその時という意味でも用い、その場合はさらに古い感じに響く。明治期には「あだかも」とも。⇩**Q**さながら・丁度・まるで②

あたくし 上品な女性が「わたくし」をやわらかくちょっと崩した感じに発音する和語の語形。〈―何も存じません〉〈―でおよろしかったら〉✒小津安二郎監督の映画『お早よう』に、三宅邦子の演ずる林民子がこの語を使うのを、上品ぶっていると近所の主婦連中が批判する場面がある。井伏鱒二の『珍品堂主人』にも、茶の師匠で顧問格として料亭に入った蘭々女というしたたかな女性が、上品ぶって「―が悪うございました」と心にもなく頭を下げる場面が出る。繊細な言語感覚の名文家として定評のある永井龍男は、都会人の甘えと教養をやわらかくしたようなこの語が東京の女性の会話から消えかかっているのを惜しんだ。そんな場合に「わたくし」で代用するとやぼったくなり都会的な感じが失われるのだという。⇩あたし・おいら・俺・僕・わし・**Q**わたくし・わたし

あたし くだけた会話で、女の「わたし」の代わりに用いられる和語。一部の芸人などを除き、一般に男は用いない。〈ねえ、―、わかる?〉〈―って、ばかね〉✒井伏鱒二の『貸間あり』に「―いろいろ考えたんですけれど」とある。⇩あたくし・おいら・俺・僕・わし・わたくし・**Q**わたし

あたたかい【温かい】 冷たくも熱くもない心地よい物の温度の感じをさし、会話でも文章でも広く使われる日常生活の基本的な和語。〈―スープ〉〈―肌〉〈―言葉〉〈―もてなし〉〈―心〉✒有吉佐和子の『水と宝石』に「ジャーの飯が―のを確かめると、掌を叮嚀に洗って塩をつけた」とある。くだけた会話では「あったかい」となることが多い。「冷たい」の反対の意味合いで主に食べ物や気持ちについて使われる。⇩**Q**暖かい・温暖

あたたかい【暖かい】 寒くも暑くもない快適な気温の感じをさし、会話でも文章でも広く使われる日常生活の基本的な和語。〈―部屋〉〈―気候〉〈日ざしがぽかぽかと―〉〈―・

くして寝る〉〈―色〉✎阿川佐和子の『走って、ころんで、さあ大変』に「南風が肌にやさしく日射しは―・く、街中ではTシャツ姿の人をたくさん見かけた」とある。くだけた会話では「あったかい」となることが多い。「寒い」の反対の意味合いで気温などによく使われる。⇩Q温かい・温暖

あたたかさ【暖かさ】気温などが暖かく感じられることをさして、会話にも文章にも使われる日常の和語。〈連日の―に蕾《つぼみ》がふくらむ〉〈しばらく―が続く〉✎実際の温度についての感じを言う例が多い。⇩Q温かみ・ぬくもり

あたたかみ【温かみ】心地よい温かさ、人をほのぼのと幸せな気分に誘う思いやりをさし、会話でも文章でも使う日常の和語。〈冷め切らずほんのりと―を残している〉✎「どことなく―の感じられる町」「―のある人柄」「家庭の―が恋しい」のように、心の和むような好ましさや懐かしさをさす比喩的拡大用法の例も多い。「温かさ」以上にしっとりとした感じがある。⇩Q暖かさ・ぬくもり

アタック　攻撃・挑戦の意で、主に会話に使われる外来語。〈敵に―をかける〉〈再度の―で登頂に成功する〉〈あえて難関に―を試みる〉✎「すごい美人に―する」など、目標に猛烈に働きかける意の俗な用法もある。⇩チャレンジ・Q挑戦

あだっぽい【仇(婀娜)っぽい】女の姿や物腰やしぐさなどが色っぽくなまめかしい意で、会話にも文章にも使われる、古めかしく少し俗っぽい和語。〈―着物姿〉〈―・くしなだれかかる〉✎井伏鱒二の『珍品堂主人』に「色けに欠けている。ことに後姿に仇っぽさが乏しくなる」とある。それ相当の年齢が必要で、ごく若い女には使わない。⇩婀娜な・色っぽい・Q艶っぽい・なまめかしい・妖艶

あだな【婀娜な】「あだっぽい」の意で、会話にも文章にも使われるいかにも古めかしい表現。〈―姿〉〈―年増〉⇩あだっぽい・Q色っぽい・艶っぽい・なまめかしい・妖艶

あだな【渾(綽・仇)名】本名とは別に、その人の姓名を簡略化したり特徴をとらえたりしてつけた名前。〈―をつける〉〈―で呼ぶ〉✎親しみまたは軽蔑の感情が伴いやすい。夏目漱石の『坊っちゃん』に「みんなに―をつけてやった。校長は狸、教頭は赤シャツ、英語の教師はうらなり、数学は山嵐、画学はのだいこ」とあり、軽蔑の響きが目立つ。⇩愛称・あざな・Qニックネーム

あたふた　あわてふためく意で、主として改まらない会話に使われる和語。〈突然の来客に―する〉〈―と駆けつける〉⇩せかせか・Qそそくさ・そわそわ

あたま【頭】①人間や動物の頸《くび》より先の部分をさし、くだけた会話から硬い文章まで幅広く使われる日常の基本的な和語。〈―のてっぺん〉〈―が大きい〉✎井伏鱒二の『さざなみ軍記』に「―の髪のあるべき部分がつるつるに禿げ、ねじり鉢巻をしていたと見える跡だけ皮膚が正常に残って」とあり、檀一雄の『花筐』に「畸形のように巨《おお》きな―」とある。⇩頭部　②脳の活動をさし、くだけた会話から硬い文章まで幅広く使われる日常の基本的な和語。〈―がいい〉〈―がよくまわる〉〈ぼうっとして―が働かない〉✎寺田寅彦は『科学者とあたま』で「科学者は―が悪くなければいけない」と主張した。⇩Q頭脳・脳・脳髄・脳味噌・脳裏

あたまかず【頭数】何かをするための人数の意で、会話や軽

い文章に使われる和語。〈—をそろえる〉〈—が不足だ〉✎野球やマージャンなど一定の人数が必要な場面でよく用い、学生数や乗客数のような一般的な人数については使わない。⇩人数

あたまきん【頭金】高額にわたる売買契約の際に分割払いの初回分として支払う代金の意で、会話にも文章にも使われる表現。〈これを—として新築の家を購入する〉⇩Q内金・手金《てきん》・手付け・手付金

あたまごなし【頭ごなし】相手の考えや気持ちへの配慮がなく上から一方的に押さえつけるような態度の意で、会話や軽い文章に使われる和語。〈—にどなりつける〉〈—に決め付ける〉⇩横柄・Q高圧的・尊大・高飛車

あたらしい【新しい】できてから時間が経っていない、今までと違う、といった意味合いで、くだけた会話から硬い文章まで幅広く使われる日常の最も基本的な和語。〈—服〉〈—品物〉〈—家〉〈—・く始める〉〈考え方が—〉〈—感覚〉〈記憶に—〉✎小津安二郎監督は映画『宗方姉妹《きょうだい》』で田中絹代の扮する節子の口を借りて「ほんとに—ことは、いつまでたっても古くならないこと」という持論を展開した。「新た」に比べ、具体物にも抽象概念にも広く使える。「古い」と対立。⇩新た・斬新

あたり【辺り】その付近やそこにいる人々をさし、くだけた会話から硬い文章まで幅広く使われる日常の和語。〈あの—〉〈—を見まわす〉〈—が寝静まる〉〈—に気兼ねをする〉〈—の様子をうかがう〉✎高樹のぶ子の『その細き道』に「—の音をすべて持ち去られたように静かになった」とある。⇩Q周囲・周辺

あたりまえ【当たり前】道理的に当然そうすべきだの意で、会話や軽い文章に使われる和語。〈迷惑をかけたら謝罪するのが—だ〉〈—のことをしたまでだ〉〈冬は寒いのが—だ〉✎夏目漱石の『坊っちゃん』に「東京はよい所で御座いましょうと云ったから—だと答えてやった」とある。「—の服装」のようにごくありふれたの意にも、「—の結果になる」のように当然予想されたとおりの意にも使われる。「当然」を誤って「当前」と書いたのを訓読みしてできた俗っぽい語形という。⇩当然

あたる【当たる】対象と一瞬接触する、「対する」意で、くだけた会話から硬い文章まで幅広く使われる日常の生活和語。〈ボールが背中に—〉〈—を幸いなぎ倒す〉〈雨に—〉〈焚き火に—〉〈つらく—〉✎他の物体との接触に伴う衝撃の強い「ぶつかる」に比べ、この語は衝撃の大小より接触の有無に重点を置いた表現。志賀直哉の『城の崎にて』の中に、蠑螈《いもり》を驚かして水に入れようと思い、まったく狙わずに小石を投げる場面があり、「自分はそれが—事などは全く考えなかった」とある。それが偶然に当たって蠑螈は死んでしまうのだが、ここにもし「ぶつかる」という語を用いたら、自分と関係なくどこかから飛んで来た石による偶然の事故のような感じに変わるだろう。⇩ぶつかる

あちこち【彼方此方】「あちらこちら」の意で、主にくだけた会話に使われる和語。〈—うろつく〉〈—探し回る〉⇩Qあちらこちら・ここかしこ・そこかしこ

あちら【彼方】①話し手・聞き手から離れた場所をさし、会話

や硬くない文章に使われる和語。〈—の席〉〈—からお出でになる〉〈—に見えますのは〉✎「—の生活に慣れている」の形でそれとなく外国をにおわせる用法もある。「こちら」と対立。⇩あっち・Q向こう① ②相手方の意で、会話や硬くない文章に使われる和語。〈—のお気持ちもあるからすぐには決められない〉✎「向こう」より少し丁寧な感じがある。「こちら」と対立。⇩あっち・Q先方・向こう②

あちらこちら【彼方此方】 いろいろな場所の意で、会話にも文章にも使われる和語。〈—歩き回る〉〈—問い合わせる〉✎類語の中で最も標準的。⇩Qあちこち・ここかしこ・そこかしこ

あつあつ【熱熱】 飲食物などがきわめて高温である意で、主に会話に使われる和語。〈—のうどんをかき込む〉⇩熱い

あつい【厚い】 厚みがある、心がこもっているといった意味合いで、くだけた会話から硬い文章まで幅広く使われる日常の基本的な和語。〈—本〉〈—雲に覆われる〉〈層が—〉〈パンを—・く切る〉〈信仰心が—〉〈人情が—〉〈—・く御礼申し上げます〉✎島木健作の『生活の探求』に「はだけた胸はおどろくほど—・くがっしりしてはいる」とある。心情などが深く細やかである意で用いる場合、その点を特に強める意図で「篤い」と書くこともある。⇩篤い

あつい【篤い】 心のこもったの意で、主として改まった文章に用いる和語。〈—もてなし〉〈—志〉✎「厚い」とも書くが、この表記のほうが心のこもった感じが強い。「—病の床《とこ》に臥《ふ》す」のように病気が重いという意味の場合はもっぱらこの漢字を用いる。⇩厚い

あつい【熱い】 物の温度が通常より著しく高い意で、くだけた会話から硬い文章まで幅広く使われる日常の基本的な和語。〈—湯に入る〉〈—番茶をすする〉〈額が—〉〈目頭が—・くなる〉✎阿部昭の『海の子』に「—砂に首まで埋まっていると、しまいにはなんだかうつらうつらしてくる」とある。一般に「暑い」より高温。「冷たい」と対立。⇩Q熱々・暑い

あつい【暑い】 不快なほど気温が高い意で、くだけた会話から硬い文章まで幅広く使われる日常の基本的な和語。〈—・くて眠れない〉〈焼け付くように—真夏の日ざし〉✎庄野潤三の『秋風と二人の男』に「家を出る時には、空に太陽が照っていた。そうして、確かに—・かった」とある。「寒い」と対立。⇩熱い・暑さ・蒸し暑い

あつかう【扱う】 物事を担当・操作・処理・対応する意で、会話にも文章にも広く使われる和語。〈危険物を—〉〈もっぱら衣料品を—〉〈年金関係の書類を—〉〈丁寧に—〉✎「取り扱う」とほぼ同義であるが、「一人前の大人として—」のように待遇する意では「取り扱う」は使いにくい。⇩取り扱う

あつかましい【厚かましい】 恥じらいを忘れ相手の迷惑も顧みず遠慮のない意で、くだけた会話から文章まで広く使われる日常の和語。〈態度が—〉〈—お願いですが〉〈—・くそのまま居座る〉✎川端康成の『雪国』に「男の厚かましさをさらけ出しているだけなのに」とある。⇩Q厚顔無恥・図々しい・鉄面皮・恥曝し・恥知らず・破廉恥

あっかん【悪漢】 悪事を働く乱暴な男の意で、主として文章中に使われる古風な漢語。〈—と格闘する〉〈—に立ち向か

う〉✍梶井基次郎の『檸檬』に「黄金色に輝く恐ろしい爆弾を仕掛て来た奇怪な—」とある。「悪人」や「悪者」がそのような人間一般をさすのとは対照的に、この語は特定の個人を問題にする。ピカレスクロマンが「—小説」と訳されるように、この語は結婚詐欺や不倫を繰り返すタイプの悪い男のイメージからは遠く、札付きのならず者などを連想させやすい。⇩悪玉・Q悪党・悪人・悪《わる》・悪者

あっき【悪鬼】 人間に害悪を及ぼす鬼の意で、主として文章に用いられる漢語。〈—のしわざ〉✍石川淳の『紫苑物語』に「—はぬっと首を突き出して、四方のけしきを見わたしていた」とある。⇩鬼

あっけない【呆気無い】 予想や期待より意外に短かったり手応えがなかったり簡単だったりして、張り合いのない様子をさし、会話や硬くない文章に使われる和語。〈—結果に終わる〉〈—幕切れ〉〈—・くけりがつく〉✍庄野潤三の『秋風と二人の男』に「(こわれた入れ歯が)どこかへ消えて無くなってしまうのかと思ったら、何だか—・くて」とある。「はかない」に比べ、現象よりものごとによく使う傾向がある。⇩はかない・物足りない

あっけらかん 開けっ広げでものにこだわらない意で、もっぱらくだけた会話に使われる俗語。〈もともと—とした性格だ〉〈当人は—としている〉✍「ただ—と眺めているだけ」のように、口を開けてぼんやりしている意にも使う。⇩けろり

あっこう【悪口】「わるくち」の意で改まった会話や文章に用いられる古風で硬い漢語。〈聞き捨てならない—雑言〉〈—を吐く〉〈—を浴びせる〉⇩陰口・Qわるくち

あつさ【厚さ】 物体の一つの面から反対の面までの直線距離をさし、くだけた会話から硬い文章まで幅広く使われる日常の和語。〈壁の—を測る〉〈十センチに近い—の辞典〉〈大根を—三センチ程度に切る〉✍「厚み」に比べ、数字で計測できる客観的な存在としてとらえた感じがあり、「人間としての—」といった比喩的用法には適さない。⇩厚み

あつさ【暑さ】 気温の高い不快な感じをさし、くだけた会話から硬い文章まで幅広く使われる日常の基本的な和語。〈真夏の焼けるような—〉✍壺井栄の『母のない子と子のない母と』に「じりじり照りつける八月の—は、前夜の大雨にもかかわらず、焼けた炎のあつさもくわわって、からだじゅう、汗がしたたりました」とある。「寒さ」と対立。⇩暑い・蒸し暑い

あっさり 淡泊な意で、会話や軽い文章に使われる和語。〈—した態度〉〈—諦める〉〈—断られる〉✍ごてごてした、濃厚な状態の反対。「—した料理」は鮑《あわび》の刺身や白身の焼き魚など、「—した化粧」は口紅や白粉《おしろい》を厚く塗りたくっていない軽い化粧、「—した性格の人」は熱中するほど対象に深く入り込まず、物に対するこだわりの少ない人物を連想させる。⇩さっぱり①

あっせん【斡旋】 両者の間に立って紹介したりよい関係をつくったりするために尽力する意で、会話にも文章にも使われる漢語。〈仕事を—する〉〈就職先の—を依頼する〉✍物や人の紹介の際に使うことが多いが、労働争議の解決に際して調停のような意味合いで使うこともある。⇩周旋《しゅうせん》

あっち「あちら」のぞんざいな形で、くだけた会話に使われる。〈―からやって来る〉〈―にちっちゃく見える〉〈―がどう思おうとかまやしない〉⇩Qあちら・先方・向こう

あっというま【あっと言う間】「アッ」と叫ぶのに要するほどのごく短い時間をさし、会話や軽い文章に使われる日常の表現。〈―の出来事〉〈―に終わる〉✎所要時間の短さを強調するための慣用的な誇張表現で、「―に短編を書き上げる」のように、実際にはある程度長い時間に相当する例もある。⇩一瞬・瞬間・瞬時・Q瞬く間

あつぼったい【厚ぼったい】「厚い」に近い意の和語。「厚い」より重さと不快感が強く、会話的。〈―唇〉⇩厚い

あつまる【集まる】生きものや物体や抽象体がある場所に集中する意で、くだけた会話から硬い文章まで幅広く使われる日常の基本的な和語。〈客が大勢―〉〈資金が―〉〈寄付が―〉〈情報が―〉〈世間の注目が―〉✎「散らばる」「散ずる」と対立。⇩集合・たかる・Qつどう・群がる・群れる

あつみ【厚み】厚さを感じさせる意で、くだけた会話から文章まで幅広く使われる日常の基本的な和語。〈かなり―のある本〉〈―のあるしっかりした板〉✎「板の―」にしろ「胸の―」にしろ、客観的な感じの「厚さ」に比べ、計測された数値だけでなく、その厚いものが与える頑丈さ・頼もしさ・信頼感といった感触や雰囲気を含めてとらえた主観性の強い語。「人間としての―を増す」のように、味わいのある重厚さを意味する用法が生まれるのもそのためである。⇩厚さ

あつらえむき【誂え向き】ぴったり合っている意で、会話や軽い文章に使われる和語。〈―の仕事が舞い込む〉〈―の相手が見つかる〉〈出発には―の風だ〉✎まるで注文して作らせたように偶然希望どおりになっている意から。しばしば「お―」の形で使う。⇩うってつけ

あつらえる【誂える】注文して作らせる意で、会話にも文章にも使われる、やや古風な和語。〈春の訪問着を―〉〈特別料理を―〉✎永井荷風の『ひかげの花』に「天どんを―・えて昼飯をすます」とある。「注文」や「オーダー」に比べ、特別なものというニュアンスが強い。⇩注文

あつれき【軋轢】互いの仲が悪くなる意で、改まった会話や文章に用いられる硬い漢語。〈嫁と姑の―〉〈両者の間に―が生ずる〉✎原義は、車輪のきしる意。⇩仲違い・Q反目・不仲・不和

あてこすり【当て擦り】悪口や非難を露骨に表現せず、他の何かにかこつけてそれとなく感じ取らせる意で、会話や軽い文章に使われる和語。〈―を言う〉〈―としか聞こえない〉✎「あてつけ」よりさらに婉曲《えんきょく》で皮肉っぽい感じがある。⇩あてつけ・Q皮肉

あてこむ【当て込む】好ましい結果を期待し、それを当てにする意で、会話やさほど改まらない文章に使われる和語。〈多額の収入を―〉〈劇場の帰り客を―・んでタクシーが並ぶ〉✎「見込む」よりも楽観的。⇩見込む

あてつけ【当て付け】はっきりと相手を非難したり不満をぶつけたりする代わりに、他のことにかこつけて間接的にそういう気持ちを示す意で、会話や軽い文章に使われる和語。〈―がましい〉〈痛烈な―〉〈上司への―〉✎「あてこすり」

と違い、言語表現だけでなく態度や行為で示す場合も含まれる。ことばの場合は「あてこすり」ほど遠まわしではない感じがある。⇩Qあてこすり・皮肉

あてはまる【当て嵌まる】 物事がある条件に適合する意で、くだけた会話から硬い文章まで幅広く使われる和語。〈ちょうどこれに―〉〈まさにその形容が―〉〈批評がぴったり―〉〈まさにこのケースに―〉⇩該当・はまる

あてる【当てる】 ねらったものにぶつける、予想などを的中させるの意で、くだけた会話から硬い文章まで幅広く使われる日常生活の基本的な和語。〈日に―〉〈手を―〉〈クイズで答えを―〉〈生徒に―〉〈事業を興して一発―〉✎夏目漱石の『草枕』に「股引の膝頭に継布《つぎ》を―」とある。弓で矢を的に命中させるという意味では特に「中てる」と書くこともある。「宛てる」「充てる」の代わりを含め、広い意味で使われる。⇩Q充てる・宛てる

あてる【宛てる】「あてはめる」に近い意味で、主として改まった会話や文章に用いる和語。〈コーヒーに珈琲という漢字を―〉〈帰省先に―・てて手紙を出す〉✎この漢字が改定前の常用漢字表になかったため、「当てる」で代用していたが、今後は書き分ける例が増えるはずである。⇩Q当てる・充てる

あてる【充てる】「割り当てる」に近い意味で、会話でも文章でも使われる和語。〈余暇を趣味の時間に―〉〈銀行から融資を受けて運転資金に―〉〈余剰人員を警備要員に―〉✎「当てる」と書くと意味が広いため、「充てる」のほうが的確に伝わりやすい。⇩Q当てる・宛てる

あと【後】「後ろ」「のち」に近い意味で、くだけた会話から硬い文章まで幅広く使われる日常生活の最も基本的な和語。〈―でやる〉〈―で面倒なことになる〉〈―を引き受ける〉〈故郷を―にする〉〈ここまで来たら―へは引けない〉✎小沼丹の『喧嘩』に「女の子は素早く親分のバンドを拾い上げて、親分の―を追って行った」とある。「―を追う」の場合、単にある人を追いかけるという意味であればこの「後」を用い、そこを通った証拠などを探しながら経路をたどるような意味合いでは「跡」を用いる。「うしろ」や「のち」と紛らわしい場合は仮名書きが無難。「戦いの―」のように「跡」と紛らわしい場合は漢字表記のほうが明確。⇩Q跡・痕

あと【痕】 物事の「痕跡」の意で、会話でも文章でも使われる和語。〈弾の―〉〈血の―〉〈墨の―〉✎広範囲にわたり、また輪郭が必ずしも明確でない「跡」に対し、具体的な痕跡の場合に用いられる。「弾痕」「血痕」「墨痕」という漢語が背景となって、いかにも適切な用字という印象を与えやすい。⇩後・Q跡・痕跡《こんせき》

あと【跡(迹)】 過去に何かがあったことを示すヒントとなるしるしをさし、くだけた会話から文章まで幅広く使われる日常の基本的な和語。〈城の本丸の―〉〈焼けた―が残る〉〈タイヤの―が残る〉〈努力の―が見られる〉〈―をくらます〉〈―をつける〉✎具体的には、足跡のほか土台石や焦げたり掘ったりした痕跡《こんせき》など。入水した太宰治を偲ぶ井伏鱒二の『点滴』に、「その死場所を見ると、彼の下駄で土を深くえぐりとった―が二条のこっていて、いよいよのとき彼が死ぬまいと抵抗したのを偲ぶことが出来る」とある。

「―を継ぐ」の場合、家督を継ぐ、跡目相続の意ではこの「跡」を用いるが、単なる後継者の意では「後」でよい。「城の―」のように昔、建物などが存在した場所をさす場合は特に「址」と書いて「城址」という語を背景にして雰囲気を出すこともある。⇩後・痕・Q形跡・痕跡

あとがき【後書き】 書物や学術論文などで本文の後に付ける、執筆事情や謝辞などを記す挨拶の文章をさし、会話にも文章にも使われる和語。〈―に謝辞を述べる〉✎現代では最も普通に使われる用語。⇩Q後記・跋《ばつ》・跋文《ばつぶん》

あとがま【後釜】「後任」の意で、会話や軽い文章に使われる、やや俗っぽい和語。〈現社長の―をめぐる話題〉〈息子を―に据える〉⇩後任

あどけない　いかにも幼い感じでかわいい様子をさし、会話でも文章でも使われる和語。〈―寝顔〉〈―笑顔〉〈―しぐさ〉〈どことなくあどけなさが残る〉✎大人の目にかわいく見えるようす。⇩Qいじらしい・いたいけ・いとけない

あとで【後で】 その時より後の時刻や遠くない日にの意で、会話や軽い文章に使われる和語。〈また―会おう〉〈―また連絡する〉〈―片づける〉✎「後ほど」の意の会話的な表現で、同じ日とは限らないが、近くまた接触する機会が予定されている場合に使う。⇩後刻《ごこく》・Qのちほど

アトラクション　主要な催しのほかに、客寄せをねらって添える出し物をさし、会話にも文章にも使われる外来語。〈会食後の―〉✎「座興」や「余興」が素人の隠し芸を連想させるのに対し、この語は俳優の挨拶や寸芸などプロに近い人が行う場合が多い。⇩座興・Q余興

あな【穴(孔)】 深くえぐれたくぼみや、物を突き抜けている空間をさして、くだけた会話から硬い文章に至るまで幅広く使われる日常の基本的な和語。〈地面に―があく〉〈―を埋める〉〈ズボンの―を繕う〉〈―に入り込む〉✎「帳簿の―」「舞台に―があく」のような比喩的な「空き」の意でも用い、また、「この論文は―だらけだ」のように、足りないところや欠点の意で使うこともある。⇩穴ぼこ

アナ　「アナウンサー」の短縮形として、改まらない会話や字数制限の厳しい文章などで使われる略式の語形。〈志村―の名調子〉〈ベテランの―でも時にはトチることもある〉〈女子―がタレント化する〉✎もとの「アナウンサー」の場合より軽い感じで、時に同音の「穴」を連想しやすく滑稽に響くこともある。⇩アナウンサー

あなうま【穴馬】「ダークホース」の訳語。競馬用語で、「ダークホース」のような比喩的拡大用法はない。⇩ダークホース

アナウンサー　テレビやラジオなどで口頭での報道を担当し番組の司会なども務める職務の人をさし、会話でも文章でも普通に使われる外来語。〈―がニュースを読む〉〈スポーツ担当の―〉✎略語「アナ」との対照から、略されず満足な姿で残っている正式のことばという表現価値が生ずる。⇩アナ

あながち【強ち】「必ずしも」の意で、改まった会話や文章に用いられる、いくらか古風で硬い和語。〈―悪いとばかりは言いきれない〉✎夏目漱石の『吾輩は猫である』に「―主人が好きという訳ではないが」とある。⇩Q一概に・必ずしも・まんざら

あなた【**貴方(貴男／貴女)**】同等以下の相手を呼ぶ丁寧な感じの二人称で、会話にも文章にも使われる和語。〈―任せ〉〈―とわたし〉〈―からどうぞ〉〈―にだけ知らせる〉〈―こそ偉いわ〉✎男性が男性に対して使うとより丁寧な感じが伴う。夏目漱石の『坊っちゃん』で校長の狸が主人公に「―が希望通り出来ないのはよく知っているから心配しなくていい」と言う。二人称としては最も丁重な形でも、明らかな目上に対して用いると面と向かって相手を指差す感じがあるため、さらに「様」をつけて丁重にしても、やはり完全な目上の個人には使いにくく、「先生」「社長」「お客様」といった役職や立場をさす名詞に置き換えたり、「そちら」(この語も語源的には同様)のように方向を指示して間接的に相手をさしたりするケースが多い。ただし、「―の一票が国を変えます」「さあ、そんなとき、―ならどうなさいますか」というふうに、不特定多数のうちの一人ひとりに呼びかける場合には、その中に上位者が含まれていても違和感なく用いられる。学生が学長や教授に向かって、あるいは組合員が社長に対して、あえて「あなたは」と言う例もあるが、対等な立場で交渉のテーブルに着くために意識的にこの語を用いるのだと考えられる。『坊っちゃん』で坊っちゃんが教頭の赤シャツに向かって「―の云う事は本当かも知れないですが――とにかく増給は御免蒙ります」と反発するのも類例。表現者も相手も男女を問わず用いるが、男性の話し手の場合は「君」「お前」などとの使い分けがあってかなり丁寧な響きがあり、女性のほうが気軽に広く用い、使用頻度も高い。「ねえ、―、お風呂になさる？ それとも御飯？」というふうに妻が夫に呼びかける際に使う例は、今では古めかしく響く。なお、相手の性別に応じて「貴君」「貴男」「貴女」などと書き分けるのは古風な表記。「わたし」と対立。もと、「あちら」という方角の意。⇩あなた様・Qあんた・おまえ・貴様・君・てめえ

あなたさま【**貴方(貴男／貴女)様**】「あなた」の丁寧な表現として、会話にも文章にも使われる和語。〈―のお越しを心よりお待ち申し上げております〉✎商店やサービス業などで、「お客様」より個人的に話しかける感じを出すために用いる。⇩Qあなた・あんた・お前・貴様・君・てめえ

あなどる【**侮る**】相手の力を低いと考えてあまくみる意で、会話にも文章にも使われる和語。〈対戦相手を弱いと見て―〉〈―りがたい相手だ〉⇩軽蔑・さげすむ・なめる②・見下す・Qみくびる・見下げる

あなぼこ【**穴ぼこ**】地面などの穴の意で、くだけた会話に使われる幼稚な感じの俗語。〈―だらけ〉〈道に―ができる〉〈―に落ちる〉✎「穴」と違い、空間的なへこみについてのみ用いる。⇩穴

あに【**兄**】同じ親から自分より先に生まれた男をさし、やや改まった会話や文章にも使われる和語。〈―夫婦〉〈一番上の―〉〈医者をしている―〉✎夏目漱石の『坊っちゃん』に「なまじい保護を受ければこそ、こんな―に頭を下げなければならない」とある。配偶者の兄や姉の夫を含むこともある。「姉」または「弟」と対立。⇩Q兄貴・実兄

あにき【**兄貴**】兄を親しみをこめて呼ぶ語で、会話や軽い文章に使われるくだけた表現。〈―に教わる〉〈―の世話にな

る〉✎通常は実兄をさす。やくざ仲間などの年長者・上位者をさす拡大用法もある。⇩Q兄・実兄

あにはからんや【豈図らんや】「実に意外なことに」という意味の文語的な言いまわし。〈―、それがとんでもない事態へと発展する〉〈―、当人が自分で言いふらしていたとは〉⇩意外・思いの外・存外

アニメ 「アニメーション」の略で、会話や軽い文章によく使われる。⇩アニメーション・Q劇画・動画

アニメーション 動きの少しずつ異なる絵を連続撮影して画面上に動きを感じさせる技法やその作品をさし、会話にも文章にも使われる専門的な外来語。〈―映画〉〈立体―〉✎一般には「アニメ」という省略形が使われる。⇩アニメ・Q劇画・動画

あね【姉】同じ親から自分より先に生まれた女をさし、やや改まった会話や文章に用いられる和語。〈―の嫁ぎ先〉〈―に面倒を見てもらう〉✎幸田文の『おとうと』に「なまじっか―になど優しくしてもらいたくないのだ」とある。配偶者の姉や兄の妻を含むこともある。「妹」または「兄」と対立。⇩実姉

あの【彼の】話し手からも聞き手からも遠い場所にある、また、両者が共通して知っているものをさし、くだけた会話から硬い文章まで幅広く使われる日常の基本的な和語。〈―山の向こうに海がある〉〈―人、どっかで見たことある〉〈―歌、知ってる〉〈―話題でもちきりだ〉✎仮名書きが普通。⇩かの

あのよにいく【あの世に行く】「死ぬ」意の古めかしい日常の和風間接表現。✎死を忌む気持ちから、それをストレートに表現せず、この世からあの世へ、現世から来世への移行という点に中心をずらした婉曲《えんきょく》表現。⇩敢え無くなる・上がる②・息が切れる・息が絶える・息を引き取る・往く・いけなくなる・永眠・往生・お隠れになる・落ちる②・おめでたくなる・帰らぬ人となる・くたばる・死去・死ぬ・死亡・昇天・逝去・斃《たお》れる・他界・長逝・露と消える・Q天に召される・亡くなる・儚《はかな》くなる・不帰の客となる・不幸がある・崩御・没する・仏になる・身罷《みまか》る・脈が上がる・空しくなる・藻屑となる・逝く・臨死・臨終

アパート 内部がいくつかの独立した居住部分に分かれた賃貸用の建物をさし、会話でも文章でも使われる外来語の略形。〈―暮らし〉〈―を経営する〉✎「アパートメントハウス」の略。丹羽文雄の『顔』に「―群の配置は、製図のように美しい」とある。当初はハイカラな語感があったはずだが、現代では古くて安っぽい感じの木造モルタルの二階建てを連想しやすい。⇩マンション

アバウト 「大体のところ」「おおざっぱ」「いいかげん」といった意味合いで、近年くだけた会話に使われるようになった俗語。〈やり方が―だ〉〈―な考え方〉〈もっと―でいい〉✎英語の前置詞・副詞を日本語の形容動詞のように使った和製語。⇩Qおおざっぱ・おおまか

あばく【暴(曝)く】悪事や秘密、それまで知られていなかったことなどを探り出して明るみに出す意で、会話にも文章にも使われる和語。〈不正を―〉〈秘密を―〉〈陰謀を―〉〈論理の矛盾を―〉✎夏目漱石の『坊っちゃん』に「山嵐の卑劣を―・いて」とある。「墓を―」のように、土を掘って中

のものを外に出す意でも使い、その用法では「発く」と書くこともある。⇩すっぱ抜く・暴露・Qばらす①

アフターサービス　商品の購入後に店や製造元が責任を持って行うサービスをさす和製英語。〈—がしっかりしている〉〈—が万全だから安心して買える〉✎近年は、治癒した患者の社会復帰へ向けての世話の意でも使われる「アフターケア」という外来語をこの意味でも用いるケースが増えている。一般に和製英語を乱発すると、和製英語だと気がつかない人には気障《ざき》に聞こえ、和製英語とわかる人には教養が疑われやすい。ただし、「コンセント」「シュークリーム」「ハンドル」「フライパン」といった長い伝統のある語で、それに相当する適切な日本語の見当たらない場合は、そのような特別の語感は働きにくい。

あぶない【危ない】　心配ではらはらする感じをさし、会話でも文章でも広く使われる日常の和語。〈命が—〉〈経営状態が—〉〈—ところを助けられる〉〈—橋を渡る〉✎牧野信一の『ゼーロン』に「懸命にゼーロン(馬)を操りながら綱渡りでもしているような—心地で」とある。「危うい」より具体的な危険について用いる例が多い。⇩Q危うい・危険

あぶなっかしい【危なっかしい】　見るからに危ない感じだという意味で、会話や軽い文章に使われる俗っぽい和語。〈—歩き方〉〈こわれかかった—椅子〉〈—運営〉⇩覚束《おぼつか》ない

あぶら【油】　石油や植物油など液体の脂肪をさし、くだけた会話から硬い文章まで幅広く使われる日常生活の基本的な和語。〈菜種から—を搾り取る〉〈機械に—を差す〉〈—で揚げる〉〈水と—〉✎永井荷風の『濹東綺譚』に「—の匂で結ったばかりと知られる大きな潰《つぶし》島田」とある。本来は常温で液体のものをさすが、「脂」や「膏」の意を含む一般的な表記として用いられることもある。⇩Q脂・膏《あぶら》

あぶら【脂】　動物などの固体の脂肪をさし、会話でも文章でも使われる和語。〈—身〉〈豚の—〉〈—の乗った魚〉✎常温で固体のものをさす。幸田文は『流れる』で「つめたいコロッケは—臭く葱臭くざっかけない味がする」とこの字を用いている。⇩油・膏《あぶら》

あぶら【膏】　肉の脂肪をさし、会話でも文章でも使われる和語。〈—薬《あぶらぐすり》〉〈蝦蟇《がま》の—〉✎もともと肉のあぶらをさすが用法は狭く、この漢字が常用漢字表にないこともあって用例は少ない。「油」や「脂」で代用することもある。⇩Q油・脂

あぶる【炙(焙)る】　火に当てて乾かしたり温めたり軽く焼いたりする意で、会話にも文章にも使われる和語。〈海苔を—〉〈するめをさっと—〉〈火鉢で手を—〉✎梶井基次郎の『冬の日』に「肉を—香ばしい匂」とある。火にかざして湿り気を除く意では「焙る」、薄く色が着く程度にこんがりと焦がす意では「炙る」と書き分けることもある。⇩焚《た》く・Q焼く

あぶれる　仕事にありつけない意味で改まらない会話で使われる俗っぽい口頭語。〈仕事に—〉

あべこべ　くだけた会話で「逆」「反対」の意に使われる、いくらか古い感じになりかけている口頭語。〈それじゃあ、順番が—だ〉〈やっつけるつもりが、—にやられた〉✎夏目漱石の『坊っちゃん』に「生意気におれを遣り込めた。(略)—

に遣り込めてやったら」とある。⇩逆・逆さ・Q逆様・反対

アベック 「カップル」を意味する戦後一時期の呼称。〈公園を散歩中の―〉🖊木山捷平の『遅刻結婚』に「(口)を吸ったり吸われたりしているうちに、やっと一人前の―になれたような気がした」とある。現代では廃語に近い。「…とともに」の意のフランス語の前置詞から。⇩Qカップル・二人連れ

あほ 関西地方の会話で「愚か」の意で使われる俗っぽいことば。〈ほんまに、―やなあ〉〈―！ どついたろか〉🖊「あほう」の短縮形。「あほう」より多用される。「ばか」より軽い感じという。⇩Qあほう・たわけ・とんま・ばか・まぬけ

アポ 「アポイントメント」の略として、くだけた会話などに使われる俗っぽい感じの新しい語。〈―無しで会う〉〈―を入れる〉⇩アポイントメント・予約

アポイントメント 面会や会合などの約束をさし、会話や軽い文章に使われる新しい外来語。〈―を取る〉⇩アポ・予約

あほう【阿呆】 主として関西地方の会話に「愚か」の意で使われる俗っぽいことば。〈―を言う〉〈―づらして、ぼうっと立っている〉〈踊る―に、見る―〉🖊「ばか」ほどきつく響かないとされるが、接辞をつけて「ど―」と語頭を濁音にすると、意味が強調されるだけでなく響きもきつくなる。ちなみに、芥川龍之介の『侏儒の言葉』に「―はいつも彼以外の人々を悉く―と考えている」とある。⇩あほ・たわけ・Qばか・まぬけ

あま【阿魔】 女性を卑しめて言う古い俗語。特に若い女性に対して用いることが多い。〈この―、何しやがる〉〈あの―、とんだ食わせ者だ〉🖊芥川龍之介の『アグニの神』に「この―め」とある。男性版の「野郎」と違って、親しみをこめて用いる例はほとんど見られない。海にもぐる「海女」ではなく、仏に仕える「尼」の系統の語というが、読経をするような殊勝な女とは無縁なので、「阿魔」という漢字をあてて区別する例が多かった。もはや婦人に対しておおっぴらに言える時世ではないので、近年はめったに使われない。⇩女

アマ 「アマチュア」の簡略形で、主に改まらない会話に使われる。〈―とは思えない腕前〉🖊「アマチュア」より会話的。⇩Qアマチュア・素人・とうしろう・ノンプロ

あまい【甘い】 砂糖や蜜のような味や匂いをさし、くだけた会話から硬い文章まで幅広く使われる日常の和語。〈―味〉〈―蜂蜜〉〈柿が―・く熟す〉〈花の―匂い〉🖊小川国夫の『役者たち』に「口の中に、キャラメルの―汁が味わわれずに滞っているのに気づき、それを味わった」とある。「―塩鮭」のように塩気が足りない意にも使う。「―ことばに乗る」「ねじが―」「評価が―」「考えが―」のように、きつくない・厳しくない意の比喩的・派生的な用法も多い。「からい」と対立。⇩甘ったるい

あまいもの【甘い物】 甘い菓子などを漠然とさし、改まらない会話や軽い文章で使う日常の言いまわし。〈好物の―〉〈何か―がほしい〉⇩スイーツ

あまえる【甘える】 相手の好意を期待して必要以上に頼ったり任せたりする意で、会話にも文章にも幅広く使われる日常の基本的な和語。〈親に―〉〈先輩に―〉〈―・えた声を出す〉🖊「甘ったれる」と違い、「お言葉に―」「ご好意に―」のように、相手の好意を遠慮なく受ける意にも使われる。

⇩甘ったれる

あまがさ【雨傘】雨の日に使う傘をさし、改まった会話や文章に用いられる和語。〈―の用意がある〉〈―を携えて家を出る〉✎永井龍男の『傘のありか』に「―としては少し値が張るかな」とある。ふだんは単に「傘」と言い、日傘と区別する意識のときに使う。「日傘」と対立。⇩傘

アマチュア　芸術やスポーツなどを職業としてでなく趣味としてやっている意で、会話にも文章にも使われる外来語。〈―無線〉〈―スポーツ〉〈―精神〉〈―の資格を失う〉✎漠然とした「素人」より明確に規定されている感じがある。技術や知識のレベルとしては「素人」より詳しく、「ノンプロ」より若干低い雰囲気を連想させる。略して「アマ」とも言い、その場合は会話的な響きがある。⇩アマ・Q素人・とうしろう・ノンプロ

あまったるい【甘ったるい】やたらに甘く味にしまりがない意で、会話や軽い文章に使われるくだけた感じの和語。〈―お菓子〉〈―だけで味に深みがない〉✎小川国夫の『スパルタ』に「油っこく、―、ギリシャの菓子だった」とある。客観的な感じの「甘い」に比べ、不快感を伴う。井伏鱒二の『珍品堂主人』に「声に艶がある上に―猫撫声だから一種独特です」とあるように比喩的用法も多い。⇩甘い

あまったれる【甘ったれる】ひどく甘える意で、主に会話に使われる口頭語的な和語。〈母親に―・れてばかりいる〉〈そういつまでも親に―わけにもいかない〉〈―・れた考え〉✎堀田善衛の『広場の孤独』に「猫が片手をあげてふざける時のような甘たれた表情」とあるように、「甘たれる」ともいう。客観的な「甘える」と比べ、甘え方が度を越しているという若干の非難が含まれる傾向がある。⇩甘える

あまのがわ【天の川(河)】夜空に白い川のように帯状に光って見える銀河系の無数の恒星の集合をさし、会話にも文章にも使われる和語。〈晴れた夜空に―がかかる〉✎川端康成の『雪国』は「踏みこたえて目を上げた途端、さあと音を立てて―が島村のなかへ流れ落ちるようであった」として結ばれる。⇩銀河

あまり【余り】①「それほど」の意で、会話でも文章でも幅広く使われる日常の和語。〈―大したことはない〉〈成績は―よくない〉〈―自慢できた出来ではない〉⇩Qあんまり・さほど　②必要な分を使ったり取ったりした後に残った余分をさし、くだけた会話から硬い文章まで幅広く使われる日常の基本的な和語。〈字―〉〈―が出る〉〈―をもらう〉✎「残り」と違い、不要な部分という感じが強い。⇩剰余・残り・Q余計・余剰・余地・余分

あまる【余る】必要な量を超えて余分が出る、妥当な程度を超えて過分だの意で、くだけた会話から硬い文章まで幅広く使われる日常の和語。〈材料が―〉〈御飯が―〉〈時間が―〉〈予算が―〉〈手に―仕事〉〈身に―光栄〉✎谷崎潤一郎の『蓼喰う虫』に「十年に―歳月」とある。⇩有り余る・残存・Q残る

あみ【網】鳥・魚・虫などを捕まえたりするために糸や針金などを編んで作ったものをさし、会話にも文章にも使われる和語。〈底引き―〉〈―で掬《すく》う〉〈―を打つ〉✎庄野潤三の『静物』に「(―を)ばしっと投げて川に落ちる時に、弓のよ

うにすぼまっていないといけない」とある。⇩ネット

あむ【編む】 毛糸・竹・草・針金・髪などの細い素材を組み合わせて製品を作る意で、会話にも文章にも使われる和語。〈セーターを―〉〈毛糸で手袋を―〉〈竹で籠を―〉〈髪をお下げに―〉✎「辞書を―」のように編集する意に使う用法は古風。⇩織る

あめ【雨】 空気中の水蒸気が凝結し水滴となって地上に落ちてくるものをさし、くだけた会話から硬い文章まで幅広く使われる日常の基本的な和語。〈―が降る〉〈―がやむ〉〈―が上がる〉〈―になる〉✎雨の降る天気をさすこともある。吉行淳之介の『驟雨』に「色めき立った女たちの呼び声が、地面をはげしく叩く―の音を圧倒し、白い―の幕を突破った」とある。日本語には雨をさす語が多く「お湿り」「小雨」「霧雨」「小糠雨」「豪雨」「雷雨」「にわか雨」「通り雨」「村雨」「夕立」「天気雨」「春雨」「さみだれ」「長雨」「秋雨」「しぐれ」「氷雨」など数十種を数える。⇩Q雨天・お湿り

あめ【飴】 でんぷんを糖分に変化させた粘りけのある甘い菓子をさし、会話にも文章にも使われる和語。〈水―〉〈千歳―〉〈金太郎―〉〈―細工〉〈―をなめる〉✎石川淳の『普賢』に「白栲《しろたえ》の腕《ただむき》は―のようにとろけて頸筋にねばりつく」とあるように、軟らかく粘りつく連想がある。キャンデーやドロップを含めた飴菓子類の総称ともなる。⇩飴玉

アメション 外国に足を踏み入れたことを自慢する人を軽蔑して用いる、軽い揶揄《やゆ》の含まれたユーモラスな古めかしい俗語。〈洋行といっても、やっこさんの場合は―てやつでね〉✎文明の発達したアメリカに渡っても、ただ小便をして帰って来ただけ、という意味。留学して本場の芸術や学問を吸収するわけでもなく、単に海外の土を踏んだというだけで「洋行帰り」として尊敬のまなざしを向けた時代の風潮をからかう気持ちが含まれていたにちがいない。自分の場合を謙遜してそう言った場合もあっただろう。⇩洋行

あめだま【飴玉】 球状の飴をさし、会話やさほど硬くない文章に使われる和語。〈―をしゃぶる〉✎木山捷平の『大陸の細道』に「刀剣をとり出すと、子供に―でも与えるように逸見の手にわたした」とあるように、手軽な子供菓子という雰囲気がある。⇩飴

アメフト 「アメリカンフットボール」の日本式略語でその俗称。⇩アメリカンフットボール

あめふり【雨降り】 雨が降ることをさし、会話や硬くない文章に使われる日常の和語。〈―続きの毎日〉〈―の日は退屈だ〉⇩雨天

アメリカンフットボール 「アメフト」の正式名称。攻撃と守備に分かれ、防具をつけて行う、サッカーやラグビーに類似した球技をさす外来語。⇩アメフト

あやうい【危うい】 存立や安全がおびやかされそうな感じをさす、「危ない」より文章語寄りの和語。「うっかり」の意では会話でも使う。〈―ところを救われる〉〈―・く命を落とすところだった〉〈―・く通り過ぎそうになる〉✎中村真一郎の『遠隔感応』に「ある夕方、薄い硝子のように―・く光る、消える直前の日射し」とある。新聞などでは近年、「危ない」の露骨さを薄める目的で多用される傾向があると

いう。⇩Q危ない・危険

あやしい【怪しい】正体不明で不気味だ、悪事を働く雰囲気があるといった意味合いで、くだけた会話から文章まで広く使われる日常の和語。〈―物音〉〈―人影を見かける〉〈どうも彼あたりが―〉✎小沼丹の『山のある風景』に「話が少し―と思う」とあるように、信用できない意にも使う。「どうやらあの二人の仲は―」のように、恋愛関係にあるらしいの意を表す用法や、「酔って足元が―」「実現できるかどうか、甚だ―」のように、心もとないの意を表す用法もある。⇩疑わしい・おかしい②

あやしむ【怪しむ】怪しいと不審に思う意で、やや改まった会話や文章に用いられる和語。〈驚き―表情〉〈挙動を―〉〈通行人に―・まれる〉〈なんら―に足りない〉⇩いぶかる・疑う・Q疑《うたぐ》る

あやつる【操る】小規模な仕掛けを上手に扱って動かす意で、会話や硬くない文章に使われる、いくぶん古風な和語。〈人形を―〉〈意のままに―〉〈道具を巧みに―〉〈棹を―・って小舟を進める〉〈言葉を巧みに―〉✎「操作」より身近にある簡単な仕掛けのものに使うことが多く、大仕掛けな機械にはなじまない。また、あやつり人形の連想から、「社長を陰で―人物」のように、自分は表に出ないで陰で糸を引く意のマイナスイメージの例も多いが、不正とか違法行為とかといった連想は薄い。⇩操作・操縦

あやふや はっきりせず当てにならない意で、会話や軽い文章に使われる和語。〈―な態度〉〈―な答え〉〈記憶が―だ〉⇩曖昧・うやむや・Qおぼろげ

あやまち【過ち】失敗、特に、知らずにやってしまった道徳面などの間違ったことをさして、やや改まった会話や文章に使われる和語。〈若気の―〉〈―を犯す〉〈―を悔い改める〉✎「誤り」「間違い」より深刻に感じられ、単なる不注意によるしくじりでは済まされないような、強い後悔の念も伝わってくる。「若き日の―」のような形で特に男女関係の過失を婉曲《えんきょく》にさす用法もあり、その場合は古風な感じがある。⇩誤り・過失・誤謬《ごびゅう》・Q間違い

あやまり【誤り】間違い、失敗の意で、やや改まった会話や文章に用いられる和語。〈―を見つける〉〈―を指摘する〉〈―を訂正する〉〈人選の―〉✎正しくないというだけで、「過ち」ほどの深刻さは感じられない。⇩過ち・過失・Q誤謬《ごびゅう》・間違い

あやまる【誤る】「間違う」に近い意で、改まった会話や文章に用いられる、硬い感じの和語表現。〈―・って穴に落ちる〉〈判断を―〉〈手段を―〉〈見通しを―〉✎島崎藤村の『桜の実の熟する時』に「―・って自分は洗礼なぞを受けた」とある。⇩Q間違う・間違える

あやまる【謝る】自分の過失などについて相手の赦《ゆる》しを請う意で、会話にも文章にも使われる和語。〈待ち合わせに遅れて友達に―〉〈平謝りに―〉〈口先で―・って済む問題ではない〉✎「誤る」意から、相手の前で自らそれを認めて容赦を願う意に転じたとされる。「詫《わ》びろ」より「謝れ」のほうが要求として自然であり、「心の中で詫びる」のような場合に「謝る」に置き換えにくいように、この語はお辞儀など相手に謝罪とわかる態度や行為を伴う際に使う傾向がある。

そのため、「詫びる」に比べ時に表面的な印象を与えることもある。夏目漱石の『坊っちゃん』に主人公が職員会議で「宿直中に温泉へ行きました。是は全くわるい。―・ります」と率直に謝る場面がある。坊っちゃんの率直な性格から、この例では形式的な印象を受けない。⇩御免・失礼・謝罪・済まない・陳謝・申し訳ない・Q詫《わ》びる

あゆみ【歩み】「歩行」「移行」の意で、主として文章に使われる古風で優雅な和語。〈―がのろい〉〈近代日本の―〉✎動詞の場合と同様、意味が抽象化すると「歩き」とは表現しにくく、この語が用いられる。⇩歩む・Q歩き・歩く・徒歩

あゆむ【歩む】「歩く」の意で、主として文章に用いる古風で優雅な和語。〈湖畔を静かに―〉〈友と語らいつつ―〉✎有島武郎の『或る女』に「影が―ように音もなく静かに―・みながら」とある。日常語の「歩く」ならどんな歩行でも違和感がないが、「あゆむ」の場合は、三好達治の詩『甃《いし》のうへ』に「をみなごしめやかに語らひ―・み」とあるように、桜散る甃の上をしとやかな女性がしめやかに語らいながら静かに歩を運ぶイメージがあり、せかせかと急ぎ足になったり、がにまたで歩いたりすると雰囲気がこわれる感じになるのはこのことばの優雅な語感が働くからである。「芸道を」「苦難の道を」のように意味が抽象化すると、この「あゆむ」がぴったりし、逆に「歩く」だと不自然に響く。ただし、「双方が歩み寄る」のような場合は「歩き寄る」とは言えないだけに、優雅な語感は薄れる。⇩歩く

あらあらしい【荒荒しい】「荒っぽい」をさらに強調した表現で、会話にも文章にも使われる和語。〈―振る舞い〉〈―・く戸を叩く〉⇩荒い・Q荒っぽい・がさつ・粗暴・粗野・野蛮・乱暴①

あらい【荒い】度を越して激しい意で、会話にも文章にも使われる和語。〈息遣いが―〉〈金遣いが―〉〈気性が―〉〈波が―〉✎林芙美子の『茶色の目』に「夜風が波のように―・く吹き込み」とある。⇩Q荒々しい・荒っぽい・がさつ・粗暴・粗野・野蛮・乱暴①

あらう【洗う】①水や湯で汚れを落とす意で、くだけた会話から文章まで幅広く使われる日常の基本的な和語。〈顔を―〉〈せっけんで手をよく―〉✎「岸を―波」のような比喩的用法もある。⇩濯《すす》ぐ・ゆすぐ ②「捜して調べる」意をさす。警察関係を連想させる俗語のにおいがあるため、改まった場面での会話や硬い文章では使用を控える。〈身元を―〉〈過去を―・い出す〉✎尾崎士郎の『人生劇場』に「素性を―・えば」とある。⇩調べる

あらかじめ【予め】事の起こる前にそれに備えての意で、やや改まった会話や文章に用いられる和語。〈―準備しておく〉〈―知らせておいたほうがいい〉⇩事前に・Q前もって

あらかた【粗方】会話や改まらない文章に「大体のところ」といった意味合いで使われる古風な和語。〈引っ越しの準備は―済んだ〉〈仕事は―片づいた〉〈―出来上がっている〉✎全体の七、八割ほどの感じ。小津安二郎監督の映画『一人息子』で良助(日守新一)が「借りた金も―使っちゃったし」と言う。⇩Q大方・大よそ・大概・大体・大抵・大部分・ほとんど

あらし【嵐】暴風や暴風雨をさし、会話にも文章にも使われる和語。〈―が吹き荒れる〉〈―が静まる〉〈―が通り過ぎる〉✎「砂―」「花―」のように雨を伴わない風をさす例も

少なくない。「―を呼ぶ」「激情の―」「不況の―が吹く」のような比喩的な表現も多い。⇩おおかぜ・強風・颶風《ぐふう》・時化《しけ》・疾風・陣風・大風・台風・突風・はやて・Q暴風・暴風雨・烈風

あらそう【争う】何かを得るために相手に負けまいと頑張る意で、会話にも文章にも広く使われる日常の和語。〈先を―〉〈縄張りを―〉〈優勝を―〉〈賞金を―〉〈親の遺産を―〉✎狙っているものを手に入れようとすることに重点がある。⇩競う

あらた【新た】「新しい」の意で、改まった会話や文章に用いられる、やや古風な硬い和語。〈―な出発〉〈―な問題〉〈―に判明する〉〈―な気持ちで出直す〉〈認識を―にする〉✎「新しい」と違い、品物のような具体物でなく抽象的・精神的な対象に用いる。「新しい」は程度が連続的なので「きわめて」「比較的」「いくらか」といった限定が可能だが、この語はまったく新しいか改めて始めるかの際に用いるので、そのような程度の限定がつかない。「―なる旅立ち」のような文語的な響きがあり、「思いを―にする」「装いも―に」のように美化した用法も目立つ。⇩新しい・斬新

あらためる【改める】それまでの問題点を解決して新しいものにする意で、会話にも文章にも使われる和語。〈制度を―〉〈規則を―〉〈行いを―〉〈心を―〉〈表現を―〉〈日を―・めて会う〉✎「新たにする」意から。⇩改正・改訂・改定・変える・Q直す・変更

あらっぽい【荒っぽい】「荒い」の強調表現で、会話や改まらない文章に使われる和語。〈物の扱いが―〉〈やり方が―〉〈ことば遣いが―〉〈―性格〉✎川端康成の『雪国』に「若葉の匂いの強い裏山を見上げると（略）―・く登って行った」とある。⇩荒々しい・Q荒い・がさつ・粗暴・粗野・野蛮・乱暴①

あらなみ【荒波（浪）】激しく荒れて騒ぐ波をさし、会話にも文章にも使われる和語。〈船が沖で―にもまれる〉〈―が押し寄せる〉〈―を越えて〉✎田宮虎彦の『足摺岬』に「遠い磯を嚙んでいる―の音」とある。「激浪」や「怒濤《どとう》」に至るまでさまざまな程度の荒れ方を含む。「世間の―」のように比喩的に厳しさを表す。⇩Q激浪・怒濤・波・波濤《はとう》・Q波浪

アラビアすうじ【アラビア数字】0から9までの数字をさし、会話にも文章にも使われることば。〈横書きでは漢数字でなく―を使う〉✎起源はインドだが、アラビアを経てヨーロッパに伝えられたところから。現代の算用数字。⇩算用数字

あられ【霰】欠き餅《もち》を細かく砕いた形のものをさし、会話にも文章にも使われる和語。〈茶請けに―をつまむ〉✎降る霰に似ているところから。⇩おかき・Qかきもち・せんべい

あらわす【表す】抽象的な内容を感覚でとらえられるように表情・態度・行動・言語で表現する意で、くだけた会話から硬い文章まで幅広く使われる日常の基本的な和語。〈喜びを素直に―〉〈怒りを態度に―〉〈記号で―〉✎永井龍男の『朝霧』に「いつまで経っても承諾の意を―・さない」とある。⇩えがく・表現・Q表出

あらわれる【表れる】感情や考えなどが外に出る意で、会話でも文章でも使われる日常の基本的な和語。〈顔に感情が―・れやすい〉〈効果が―〉〈不満が態度に―〉〈書き手の熱い思いが文章にはっきりと―〉✎島崎藤村の『破戒』に

「時々深い憂愁の色が其顔に―・れたりした」とある。思考や感情などが表面に出る意で使われる用字。⇩Q現れる・顕れる・露れる

あらわれる【現れる】姿や形が目に見えるようになる意で、会話でも文章でも使われる日常の基本的な和語。〈雲の間から月が―〉〈約束の場所に遅れて―〉〈天才が―〉〈兆しが―〉✎小沼丹の『型録漫録』に「研究室で二人の先生と雑談していた。そこへ某書店の編輯長なる人が―・れた」とある。それまで存在しなかったり隠れていたりしたものが見えるようになる意で使われる用字。⇩Q表れる・顕れる・露れる

あらわれる【顕れる】目立たなかったものが「明らかになる」意で、主として改まった感じの文章に使われる古風な和語。〈善行が世に―〉〈次第にその名が―〉✎すぐれた行為などが世の中に知られるようになるといった意味合いで特に用いられることのある用字。⇩Q表れる・現れる・露れる

あらわれる【露れる】隠していたことが知られる意で、会話でも文章でも使われる古風な和語。〈悪事が―〉〈陰謀が―〉✎悪いことがばれる意で特に使われることのある用字。⇩Q表れる・現れる・顕れる

あり【有り】「存在する」意の文語的な表現。〈異議―〉〈落石―、注意〉〈何でも―、の世の中だ。別に驚くことはない〉✎「なし」と対立。

ありあまる【有り余る】使い道に困るほどたくさんある意で、会話やさほど硬くない文章に使われる和語。〈―ほどの金〉〈時間が―〉✎有島武郎の『宣言』に「―気力と自負心」とある。⇩余る

ありえない【あり得ない】近年になって、「信じられない」意で使われるようになった新しい俗語表現。〈あの子、結婚して子供がいるんだって、―!〉✎論理的に不可能であるという従来の意味を、あるはずがないという程度まで緩めて拡大した用法で、意味上の連続性が認められるので、驚きの気持ちを強調する意図による誇張表現と考えることもできる。

ありか【在り処】人や物の存在する場所の意で、主として文章中に用いられる古風なやわらかい感じの和語。〈写本の―〉〈いまだ―が知れない〉〈―を突き止める〉✎夏目漱石の『こころ』に「魂の―が判然する」とある。「問題の―」のように抽象的な対象に使うこともある。⇩所在

ありがたい【有り難い】好意や幸運に恵まれ感謝しないでいられない気持ちの意で、くだけた会話から文章まで幅広く使われる日常の基本的な和語。〈―お言葉〉〈おっと、こいつは―〉〈―・く頂戴する〉✎小林秀雄の『私の人生観』に「どこでも拙い話を熱心に聞いてもらって、―ことだと思っている」とある。有ることが難い、めったにないの意から。⇩Q痛み入る・恐れ入る・忝《かたじけな》い・恐縮

ありきたり【在り来り】どこにでもある特徴のないの意で、会話やさほど改まらない文章に使われる和語。〈―の服〉〈―の発想〉〈―の人生〉✎「ありふれた」に比べ、評価の低さが含まれている感じが強い。⇩Qありふれた・陳腐・月並み・平凡・凡庸

ありさま【有り様】ものごとのようすの意で、ごく硬い学術

論文などを除き、会話から文章まで使えるが、会話でよく使う和風の語。〈飯を食う金もないという―〉〈何という―だ〉〈ちょっと目を離すと、もうこの―だ〉🖊室生犀星の『杏っ子』に「―が、縮んだ動かない写真のように見えて来た」とあるように、単に状態をさす例もあるが、一般に、「情けない―」「思わず目を覆いたくなるような―」のように、よくない状態に対して用いる傾向がある。そのため、「世の中の―」というふうに無評価の場合は問題ないが、「目の覚めるような」「輝かしい」のように明らかなプラス評価の形容のあとには使わない。⇨ざま・様相

ありしひ【在りし日】故人がこの世に生きていた頃の意の詩的な文語的慣用表現。〈―の姿〉〈―の思い出〉〈―の面影〉🖊この表現では必ずこのとおりの表記を用いる。中原中也に『在りし日の歌』と題する詩集がある。⇨生前

ありてい【有り体】言い方が率直な意で、会話にも文章にも使われる古風な表現。〈―に申し上げれば〉⇨Qあけすけ・ありのまま・あるがまま・ざっくばらん・率直

ありのまま【有りの儘】実際にあるとおりで飾らない意として、会話にも文章にも使われるやや古風な和語表現。〈―を包み隠さずに話す〉〈―の姿を描く〉🖊谷崎潤一郎の『痴人の愛』に「ざっくばらんに、―の事実を書いて見よう」とある。⇨あけすけ・有り体・Qあるがまま・ざっくばらん・率直

ありふれた【有り触れた】どこにでもよくあるの意で、会話やさほど硬くない文章に使われる日常の和語。〈―話〉〈―結末〉〈ごく―事件〉🖊評価よりも、珍しくない点に中心がある。⇨ありきたり・陳腐・Q月並み・平凡・凡庸

ある【有る／在る】「存在する」、自分との関係で思考・感覚の対象となっているという意味合いで、くだけた会話から硬い文章まで幅広く使われる日常生活の最も基本的な和語。〈用事が―〉〈会議が―〉〈電話が―〉〈連絡が―〉〈価値が―〉〈縁が―〉〈机の上に本が―〉〈自宅は鎌倉に―〉〈不幸な境遇に―〉〈ものには順序というものが―〉🖊仮名書きが一般的だが、「―こと無いこと」のように、物や事それ自体よりもその有無に意識の重点がある場合は漢字で書くことが多い。夏目漱石の『坊っちゃん』に「この男が一番生徒に人望が―のだそうだ」とある。小津安二郎監督の映画『秋刀魚の味』で平山(笠智衆)と次男(三上真一郎)との間で繰り広げられる、「姉さんね、誰か好きな人でも―のかな」「―だろう」「―かい」「おれだって―もの」「お前、―のか」「―よ」という親子の対話が出てくる。連発される「ある」の部分は現代なら「いる」のほうが一般的だろう。当時でも特定の個人を意識する場合は「いる」と言うこともあるが、そのような存在というふうに多少とも抽象化される場合は今と違って「兄が―」「妻が―」「恋人が―」という表現が普通だったと思われる。『彼岸花』で久子(桑野みゆき)が言うように、娘のボーイフレンドは親として「―・っても心配、なくても心配」なのである。このように「ある」という語も用法によって随分と古い感じに響くことになる。「無い」と対立。⇨いる

ある【或る】時・所・人などを「その」と限定せずに漠然とさし、くだけた会話から硬い文章まで幅広く使われる日常の基本的な和語。〈―日のこと〉〈昔むかし―所に〉〈ギリシ

ャの—哲学者〉〈—わけがあって名前を伏せておく〉✐芥川龍之介の『蜘蛛の糸』は「—日の事でございます」と始まる。空間限定の「とある」と違い、人にも時にも広く使う。仮名書きが普通。⇩然《さ》る・とある

あるいは【或いは】①複数の候補や可能性の中からどれか一つを選択する場合に、改まった会話や文章に用いられる和語。〈温泉—冷泉〉〈卓球またはテニス、—バドミントン〉✐日常的な「または」よりも硬い感じの表現。他と併用する場合は、「鯛か平目、または、鰹か鮪、—、烏賊《いか》か蛸《たこ》」のように、「か」「または」「あるいは」の順に次第に大きなまとまりで用いる。その場合、「または」に比べ、後で追加した感じになりやすく、「伝統のある能または歌舞伎、—相撲」のように、それだけ異質なものに視点を変えた感じも出やすい。⇩または・ないし・Qもしくは ②事によるとの意で、改まった会話や文章に用いられる、やや硬い感じの和語。〈—奈良あたりへ足を伸ばすかもしれない〉〈そんなことも—あるかもしれない〉✐「ひょっとしたら」はもちろん「もしかすると」よりも文体的に改まりが大きく、想定する事態の可能性も高い。⇩ひょっとしたら・ひょっとすると・Qもしかしたら・もしかすると

あるがまま【在(有)るが儘】事実そのままで手を加えない意として、主に文章中に用いる古風な和語表現。〈—の姿を伝える〉⇩あけすけ・有り体・Qありのまま・ざっくばらん・率直

あるき【歩き】「歩行」の意で、くだけた会話に使われる和語の俗っぽい用法。〈今日は車をやめて駅まで—だ〉〈—だとたっぷり二十分はかかる〉⇩Q歩み・徒歩

あるく【歩く】脚を交互に動かして前に進む意で、くだけた会話から硬い文章まで幅広く使われる日常の基本的な和語。〈遊び—〉〈駅まで—〉〈山道をとぼとぼ—〉✐山本有三の『波』に「女王のようにゆったりと丘のほうに—・いて行く」とある。⇩歩む

あるじ【主】一家の主人や持ち主をさし、会話にも文章にも使われるいくぶん古風な和語。〈女—〉〈この家の—〉〈店の—〉⇩主人①・亭主・ぬし

アルバイター 本業ではなく臨時に仕事をする人をさし、一部の役所などで使われる外来語。〈長期の—〉〈学生—を雇う〉✐「アルバイト」という語が仕事や雇用形態をさすことが多いのに対し、それに従事する人間をさすことが明確になる語形。⇩Qアルバイト・バイト

アルバイト 本業ではない臨時の仕事をさし、最も普通に広く使われている外来語。〈—学生〉〈—の口を見つける〉〈—で学資を稼ぐ〉〈—から契約社員に身分を変更する〉⇩アルバイター・Qバイト

あれる【荒れる】天候・自然現象・建物・催し・生活・心などが平穏でない好ましからぬ状態に変わる意で、くだけた会話から硬い文章まで幅広く使われる日常の基本的な和語。〈海が—〉〈庭が—〉〈冬は肌が—〉〈生活が—〉〈気持ちが—〉✐小沼丹の『大先輩』に「妙な事情があって会が—・れて、青野さんは憤然として席を立った」とあるように雰囲気にも使うなど、「すさむ」や「荒廃」より幅広い対象に違和感なく用いられるが、具体物の場合はまったくの日常語で、抽象的な対象になるにつれて少しずつ文章語に近づく。⇩荒廃・

荒涼・Ｑすさむ

あわ【泡(沫)】液体の表面に浮かぶ気体の玉をさし、くだけた会話から硬い文章まで幅広く使われる日常の和語。〈―だらけ〉〈石鹸《せっけん》の―〉〈―が立つ〉✎林芙美子の『めし』に「あられのようにハジキかえるサイダーの―」とある。⇩うたかた・Ｑ水泡・泡沫《ほうまつ》・みなわ

あわい【淡い】色や味が薄くほんのり感じられる意で、主として文章に用いられる、やや美的な感じの和語。〈―紅色〉〈―甘さ〉〈―光が残る〉✎川上弘美の『溺レる』に「―雪が降っていて、積もったばかりの雪には、何の跡もついていなかった」とある。「―恋心を抱く」のように、ぼんやりとしたの意にも、「―望みをつなぐ」のように、可能性の少ない意にも使う。苦み・臭気のようなマイナスイメージの感覚には使いにくく、コーヒー・味噌汁のような生活上の具体物にもなじまない。「記憶」「反抗心」のような抽象体に用いると、「薄い」より美化や気取りが感じられる。川端康成の『雪国』に「山それぞれの遠近や高低につれて、さまざまの襞の陰を深めて行き、峰にだけ―日向を残す頃」とある。⇩浅い・薄い

あわただしい【慌ただしい】大事な用や急ぎの仕事などがたてこんで急いだりあわてたりする様子をさし、会話にも文章にも使われる和語。〈―毎日〉〈―・く駆けて行く足音〉〈―・く過ぎていく〉✎島崎藤村の『新生』に「画家と―・い別れの言葉を交した」とある。⇩忙しい・気ぜわしい・Ｑせわしい・せわしない

あわてもの【慌て者】よく慌てて失敗する落ち着きのない人の意で、会話や改まらない文章に使われる和語。〈たいへんな―〉✎他の類義語と違い、単にせっかちな人をさす場合もある。⇩Ｑおっちょこちょい・軽はずみ・軽率・粗忽《そこつ》・そそっかしい

あわてる【慌(周章／狼狽)てる】驚いて落ち着きを失う意で、くだけた会話から文章まで幅広く使われる日常の基本的な和語。〈不意の来客に―〉〈―・てて飛び出す〉〈―・てて取り違える〉⇩うろたえる・ろうばい

あわれ【哀れ】悲しみの感情をさして改まった会話や文章に用いられる和語。〈―を催す〉〈そこはかとなく―を感じる〉✎庄野潤三の『プールサイド小景』に「暑気とさまざまな憂苦とで萎えてしまっている―な勤め人たち」とある。物悲しい感じを表す場合の用字。「ものの―」のように、しみじみとした情趣を意味する場合はしばしば仮名書きする。⇩憐れ

あわれ【憐れ】不憫《ふびん》な感情をさして会話でも文章でも使われる和語。〈―な姿〉〈―を誘う〉〈―をかける〉✎夏目漱石の『坊っちゃん』に「外に何にも芸がないから、天麩羅事件を日露戦争の様に触れちらかすんだろう。―な奴等だ」とある。悲しみの感情のうち、みじめでかわいそう、同情心の意を明確にするための表記。⇩哀れ

あんうつ【暗鬱】気持ちが暗くなって沈む意で、改まった会話や文章に用いられる硬い漢語。〈―な気分〉〈―な雲に覆われる〉✎横光利一の『日輪』に「影のように―な顔の色」とある。⇩Ｑ陰鬱・沈鬱・憂鬱

あんか【安価】値段や価値の低い意で、改まった会話や文章に用いられる硬い漢語。〈―な商品〉✎「―な同情」のよう

に安っぽい意にも用い、谷崎潤一郎の『細雪』にも「―な感傷に陶酔したがる」とある。「高価」と対立。⇩低価格・安い・Q廉価

あんがい【案外】予想とは違っての意で、くだけた会話によく使われる日常的な漢語。〈―早くできた〉〈―てこずった〉〈―な結果〉✎小沼丹の『黒と白の猫』に「あの猫は―たいへんな婆さん猫だったので、それで図図しかったのだろう」とある。⇩Q意外・思いの外・存外

あんかん【安閑】のんびり安らかにの意で、会話にも文章にも使われる古風な漢語。〈―として日を暮らす〉〈―とばかりはしていられない〉✎宇野浩二の『蔵の中』に「如何に無神経であるとしても、―とおちついていられる筈がない」とある。⇩のんき・Qのんびり・安らか

あんこく【暗(闇)黒】真っ暗な状態や暗闇そのものをさして、改まった会話や文章に用いられる硬い漢語。〈あたりは一面の―〉✎森鷗外の『阿部一族』に「―な前途を照らす光明のように照らした」とある。「―街」のように、道徳が通用せず治安の失われた状態をさしたり、「―の時代」のように、文化は衰退し民衆が希望を失った状態をさしたりする比喩的用法も多い。⇩暗澹《あんたん》・暗い・暗がり・真っ暗

あんじ【暗示】それとなく知らせる意で、会話にも文章にも使われる漢語。〈自己―〉〈―にかかる〉〈―を与える〉〈将来を―する〉⇩示唆・Qヒント

あんしん【安心】気がかりな事がなくて心が安らかな意で、くだけた会話から硬い文章まで幅広く使われる日常の基本的な漢語。〈ここまで来れば―だ〉〈これでやっと―できる〉〈まだ―できない〉〈もう当人は―しきっている〉✎尾崎一雄の『暢気眼鏡』に「そんなら―だわ。あたし―したわ」芳枝は実際に―したような顔をした」とある。⇩安堵

あんぜん【安全】害を受ける危険がなく安心できる意で、会話にも文章にも使われる日常の漢語。〈交通―〉〈―地帯〉〈―な場所に避難する〉〈―保障条約〉〈身の―を図る〉✎「危険」と対立。⇩Q安泰・安寧

あんた「あなた」のくだけた言い方で、親しい間での会話に使われる和語。〈―に任せる〉〈―は暢気《のんき》でいいね〉〈―なんかに出来っこないよ〉〈そりゃ、―、びっくりしたのなんのって〉✎夏目漱石の『坊っちゃん』に「卑怯でも―、月給を上げておくれたら、大人しく頂いて置く方が得ぞなもし」とある。なお、「ねえ、―ったら」のように妻が夫にぞんざいに呼びかけるときにも使う。⇩Qあなた・あなた様・おまえ・貴様・君・てめえ

アンダーライン 横書きの文章で文字の下に引く線をさし、会話にも文章にも使われる日常の外来語。〈大事なことばに―を引く〉〈―の箇所を訳せ〉⇩Q下線・傍線

あんたい【安泰】危ないところがなく無事である意で、改まった会話や文章に用いられる漢語。〈首位の座は―だ〉〈国家の―を祈願する〉⇩安全・Q安寧

あんたん【暗澹】暗くて見通しが利かない意で、改まった会話や文章に用いられるやや古風な漢語。〈―たる気分〉〈―たる時代〉✎国木田独歩の『武蔵野』に「連山の頂は白銀の鎖の様な雪が次第に遠く北に走て、終は―たる雲のうちに没してしまう」と具体的な視覚を描いた例もあるが、現代

では未来に希望が持てないような心理面で使うのが一般的。⇩暗黒・暗い・暗闇

あんてい【安定】激しい変化がなく物事が落ち着いた状態にある意で、会話にも文章にも使われる漢語。〈—政権〉〈机の—が悪い〉〈物価が—する〉〈生活が—する〉〈—した収入が得られる〉〈成績が—している〉✎中谷宇吉郎の『立春の卵』に「一たん立った卵は、一度くらい傾くまでは—であって、それ以上傾くと倒れるはずである」とある。⇩落ち着く

アンティーク　古美術品をさし、会話にも文章にも使われる、やや斬新な感じのフランス語からの外来語。〈—専門のしゃれた店〉✎本来はギリシャ・ローマ時代の古典美術をさす。近年は西洋風でしゃれた雰囲気のものをイメージさせる。⇩Q骨董《こっとう》・古道具

あんど【安堵】心配していた状態から抜け出してほっとする意で、主に文章に用いられるやや古風な漢語。〈ほっと—の溜《た》め息をもらす〉〈—の胸をなでおろす〉〈ようやく—の表情を浮かべる〉✎菊池寛の『ある恋の話』に「ホッと—の胸を撫でずにはいられませんでした」とある。「安心」は初めからそういう心理状態のこともあり、また、長く続くこともあるが、この語は心配事が消えたばかりの時に用いる。⇩安心

あんない【案内】説明しながら人を導く意で、会話にも文章にも使われる日常の漢語。〈道—〉〈観光—〉〈—書〉〈名所を—する〉〈先に立って—する〉〈—を乞う〉⇩ガイド

あんに【暗に】真意を目立たないように含ませる意味合いで、会話にも文章にも使われる表現。〈—示す〉〈—批判する〉〈—辞意をほのめかす〉✎マイナスイメージが漂い、賞讃すべき行為にはなじまない。⇩それとなく

アンニュイ　明確な原因のない倦怠感をさし、会話にも文章にも使われる今では古風な感じのフランス語からの外来語。〈気分は—そのもので何をする気にもならない〉✎柳田国男の『雪国の春』に「近代人の—のように、余裕の乏しい苦悶」とある。⇩Q倦怠感・ふさぐ・めいる・物憂い

あんねい【安寧】平和で穏やかな意で、主に文章中に用いられる硬い漢語。〈—秩序〉〈社会の—を保つ〉✎世の中や社会といった大きなスケールで問題にする。⇩安全・Q安泰

あんのじょう【案の定】思ったとおりにの意で、会話やさほど硬くない文章に使われる、やや古風な感じのことば。〈—天気は崩れてきた〉〈あれは—にせものだった〉✎「—その企画は大成功を収めた」などとも言えないわけではないが、他の類語に比べ、現代では予想が悪いほうに外れた場合に用いる例が多いようである。そのため、「—あの会社は」とくると、次が「繁栄を極めた」「すぐに持ち直した」といった展開より、「業績が悪化した」「経営難に陥った」「倒産した」といった方向の展開を予測しやすいように思われる。競馬で「—あの馬が一着だった」というと、大金を手にしたという喜びの声よりも、その馬の馬券を買おうと思ったが、途中で変更したので儲《もう》けそこなったと残念がる響きが感じられる。意味ではなく語感から来る傾向なのであろう。⇩Q果たして・やっぱ・やっぱし・やっぱり・やはり

あんばい【按(安)配(排)／塩梅】不都合が生じないように全

体の割合や順序などに気を配って処理する意で、改まらない会話や軽い文章に使われる古風な漢語。〈いい―に〉〈ほどよく―する〉✎「味見をして―を見る」「今度の勤めはどんな―ですか」「どうも体の―が芳しくない」「いい―に晴れてきた」のように、料理・調子・天候・健康などの具合をさす用法もある。「案配」で代用することもある。⇩具合・コンディション・調子

あんまり 「あまり」の転で、くだけた会話で使う強調ぎみの語形。〈そりゃ、―だ〉〈―ぱっとしないな〉〈―きつく言うと逆効果になるよ〉〈―自慢にはなんないけどね〉⇩Qあまり①・さほど

あんゆ【暗喩】「隠喩」の古風な用語として会話にも文章にも使われる漢語。〈「文は人なり畢竟《ひっきょう》これ命なり人生なり」という高山樗牛の名言は―に属する〉✎「明喩」と対立。⇩Q隠喩

あんよ 「足」の意の幼児語。〈赤ちゃんの―〉〈―が汚れている〉✎「―は上手」のように歩く意にも使う。⇩足

あんらくし【安楽死】 助かる見込みの皆無な病人や怪我人などをその激しい苦しみから解放するために比較的苦痛の少ない方法で死なせることをさし、会話にも文章にも使われる漢語。〈一瞬―という考えがひらめいてはっとする〉✎手段としては薬物投与などの連想がある。「尊厳死」と違って人間だけでなく動物についても使われる。⇩尊厳死

い

い【胃】 食道と十二指腸との間にある袋状の消化管をさし、会話にも文章にも広く使われる漢語。〈―下垂〉〈―の検査〉〈―が丈夫だ〉〈―がきりきり痛む〉✎吉行理恵の『赤い花を吐いた猫』に「三時間も―がしくしく痛み続ける」とある。⇩胃袋

いい →よ(良)い

いいあい【言い合い】 互いに意見をぶつけ合って譲らない意で、会話や軽い文章に使われる日常の和語。〈見たいテレビ番組のことで―をする〉〈激しい―になる〉⇩Q言い争い・言う・口喧嘩・口論・話し合い

いいあらそい【言い争い】 自分の要求を通そうと互いに正当性を主張して言い合う意で、会話や軽い文章に使われる日常の和語。〈つまらないことで―になる〉⇩Q言い合い・口喧嘩・口論

いいかえる【言い換(替)える】 同じ内容を別のことばで表現する意で、会話にも文章にも使われる日常の和語。〈差し障りがないよう別の言葉に―〉〈子供にもわかるよう平易に―〉✎「言い直す」と違い、例を差し替えたり順序を逆にしたり情報を増減するなど、内容の一部に変更のある場合も含まれる感じがある。語句レベルの「換言」と違い、もっと長い単位の変更もありうる。⇩Q言い直す・換言

いいがかり【言い掛かり】 相手を困らせるために勝手な口実

を設けたり根も葉もないことを言い出したりする意で、会話や改まらない文章に使われる和語。〈―をつける〉〈とんだ―だ〉✎「―上あとへは引けない」のように、一度口に出した自分の立場といった意味合いでも使う。⇩Qいちゃもん・因縁②・難癖

いいかげん【好い加減】きちんとしていない、大雑把で不正確、無責任なといった意味合いで、主に会話や軽い文章に使われる表現。〈―に答える〉〈―なやり方〉〈―な人〉✎芥川龍之介の『ひょっとこ』に「踊りはもちろんでたらめである。ただ、―に(略)身ぶりだとか、手つきだとかを、くり返しているにすぎない」とある。「ふざけるのも―にしろ」のように「ほどほど」の意や、「―くたびれた」のように「かなりの程度」の意で使うこともある。⇩疎《おろ》か・いけぞんざい・ぞんざい・Qちゃらんぽらん・ないがしろ・なおざり・なげやり・忽《ゆるが》せ

いいかた【言い方】口頭での表現の意で、会話にも文章にも使われる和語。〈―が悪い〉〈―に気をつける〉〈ものは―次第だ〉✎「言いぐさ」と違い評価を伴わない。⇩言い種《ぐさ》

いいきる【言い切る】「断言する」意で、会話にも文章にも使われる和語。〈自信たっぷりにそう―〉〈確信ありげにはっきりと―〉✎「まだ―・らないうちに時間になる」のように、言い終わる意でも使う。⇩Q断言・明言

いいぐさ【言い種】広く使われる一般語である「言い方」に比べ、会話などでよく使われる和語。〈何という―だ〉〈相手の―に腹を立てる〉〈第一、その―が気に入らない〉✎夏目漱石の『坊っちゃん』に「生徒の―も一寸聞いた」とある。評価の含まれていない「言い方」に対し、好ましくないという響きを感じさせる。また、「言い方」が純粋に発言の仕方だけを問題にしているのに比べ、話の内容を含めて評価しているというニュアンスが感じられるケースもある。⇩言い方

いいすぎ【言い過ぎ】量的・質的に必要以上に言う意で、会話にも文章にも使われる和語。〈いくら何でもそこまで言ったら―だ〉〈政治の貧困と言っても―ではない〉✎実際以上におおげさに言う「過言」の意のほか、調子に乗ったり興奮したりして、言わなくてもいいことまで口走る意にも使う。⇩過言

イーゼル「画架」の意で会話にも文章にも使われる外来語。〈―を抱えて湖畔を歩く〉⇩画架

いいそこなう【言い損なう】言いたいことを言い出す機会を逃す意で、主に会話に使われる和語。〈気が引けてつい―〉〈タイミングを失して―〉✎「せりふを―」のように、言い間違える意にも、また、「夢中でつい―」のように、失言などの不適切な表現をうっかりしてしまう意にも用いる。⇩Q言いそびれる・言いはぐれる

いいそびれる【言いそびれる】言おうと思いながら言う機会を逃す意で、会話にも文章にも使われる和語。〈肝心なことをつい―〉⇩言い損なう・Q言いはぐれる

いいつける【言い付ける】他人に何かをするように言う意で、会話やさほど硬くない文章に使われる日常の和語。〈用を―〉〈仕事を―〉✎子供に勉強するように言うとか、学生に出席するように言うとか、その人間の本分となっていること

とには用いないが、義務であっても「部下に新しい任務を―」のように新たに負わせる場合には使える。「命ずる」と比べ、私的な用事にも使える雰囲気がある。また、「先生に―」「部長に―」のように、告げ口をする意にも使う。⇩Q命じる・命ずる・命令

いいつたえ【言い伝え】昔から代々語り継がれてきた俗信などをさし、会話やさほど硬くない文章に用いられる、やや古風な和語。〈昔からの―〉〈―に従う〉〈この地方の―〉〈不思議な―がある〉野上弥生子の『海神丸』に「昔からの―を守って」とある。「伝説」ほどまとまった話でなく断片的なことでも言う。⇩Q伝説・民話・昔話②

いいなおす【言い直す】改めてもう一度言う意で、会話にも文章にも使われる日常の和語。〈わかりやすく―〉〈途中でつかえたので最初から―〉「換言」より長い単位の変更もありうる。「言い換える」と違い、不適切な表現などを改めて言う場合のほか、相手に通じない部分があって再度同じことを言う場合もある。⇩Q言い換える・換言

いいなずけ【許婚】夫婦になると言い交わした相手の意で、会話にも文章にも使われる古風な和語。〈―がいる〉〈―のある身〉相手が女性である場合は「許嫁」とも書く。武者小路実篤の『お目出たき人』の「女に餓えていた自分は一日も早く鶴とせめて―になりたかった」の例でもそういう表記になっている。⇩Q婚約者・フィアンセ

いいね【言い値】売り手の要求する値段の意で、会話にも文章にも使われる専門的な和語。〈―で買うのは素人だ〉この値段なら売ってもいいという、売る側の一方的な主張という響きがあり、交渉の余地があるという前提に立つ。⇩Q売値・売価《かばい》

いいはぐれる【言いはぐれる】「言いそびれる」の意で、会話にも文章にも使われる、やや古風な和語。〈ついお礼を―〉⇩言い損なう・Q言いそびれる

いいはる【言い張る】周囲に対抗して自分の考えを強く主張する意で、会話や硬くない文章に使われる和語。〈自分のものだと―〉〈あくまで自分は無実だと―〉⇩強調・Q主張・提言・力説

いいひと【好い人】特定の恋人を遠まわしに言うときに、会話や硬くない文章に使われる和語表現。〈―ができる〉〈わたしの―〉太宰治は愛人の太田静子宛ての書簡を「一ばん―として、ひつそり命がけで生きてゐて下さい」と結んで改行し、もう一言「コヒシイ」と添えた。⇩愛人・Q恋人

いいふらす【言い触らす】無責任に誰彼となく伝えて話が広まるようにする意で、会話や硬くない文章に使われる日常の和語。〈有りもしない噂を―〉〈他人の失敗をみんなに―〉当人にとって好ましくない話の場合が多い。井伏鱒二の『岬の風景』に抱擁の現場を見られた男が、目撃した娘に、耳掃除をしていたのだとごまかし、「耳の中は衛生上清潔にすべきだ」と自説を主張した直後に「他人のことを―のはよくない」と小声で言う場面がある。⇩吹聴・Q触れ回る

いいわけ【言い訳】事情を述べて自分が悪くないことを説明する意で、会話や軽い文章に使われる日常の和語。〈―は聞きたくない〉〈―は見苦しい〉〈そんな―は通らない〉久保田万太郎の『市井人』に「そこに女房子の待ってる家があ

るといったって、そんな—なんぞ疾渡《とわた》る風だ」とある。⇩釈明・弁解・弁明・Q申し開き

いいん【委員】特定の事項の審議や調査・処理などを任された人をさし、会話にも文章にも使われる漢語。〈運営—〉〈編集—を務める〉✎正式な感じがあるため、小沼丹の『銀色の鈴』に出る「大寺さんが気に入った女性を見附けて再婚したいと思った場合は、この—会で審査して、そこを通過したら結婚してもいい」という例は大仰な感じで読者の笑いを誘う。⇩係・幹事・Q役員

いいん【医院】医者が個人経営している診療所をさし、改まった会話や文章に用いられる正式な感じの漢語。〈今井—〉〈—の看板を出す〉〈—に通う〉✎井伏鱒二の『本日休診』に「三雲産婦人科—を開業して早々に、最初の第一番に来た患者である」とある。⇩Qクリニック・診療所・病院

いう【言う】ことばを発する意で、くだけた会話から硬い文章まで幅広く使われる日常生活の最も基本的な和語。〈口に出して—〉〈ひとの—ことをよく聞く〉〈改めて—までもない〉〈ああ言えばこう—〉〈—だけ野暮〉〈—・わぬが花〉✎夏目漱石の『坊っちゃん』に「仰《おっしゃ》る通りにゃ、出来ません、この辞令は返しますと—・ったら」とある。小説などでは「云う」という表記がよく使用される。「話す」と違って、「ひとりごとを—」とも言えるように相手を意識しない場合にも使えるし、「洒落を—」のように情報の伝達を意図しない場合でも使え、「せりふを台本どおりに—」のように口頭で表出する行為自体に焦点を当てた表現となる。相手に対する配慮もなく一方的に発言し合うのが「言い合い」で、友好的な「話し合い」とは別の口喧嘩に近くなる。⇩Qしゃべる・話す

いえ【家】人間が生活するための建物の意で、くだけた会話から文章まで幅広く使われる日常の最も基本的な和語。〈建築中の—〉〈郊外に—を構える〉〈瀟洒《しょうしゃ》な—〉〈—に帰る〉✎上林暁の『聖ヨハネ病院にて』に「—そのものが一つの押入れのようで、戸を開けて入って来たとたん、黴臭い匂いがむっと立ちこめている」とある。「—制度」「—を継ぐ」「医者の—に生まれる」のように、家系・血筋・家名などをさす用法もある。⇩Qうち・家屋・居宅・豪邸・住居・住宅・人家・住まい・邸宅・民家・屋敷

いえじ【家路】家に帰る道の意で、主として文章に用いられる古風で詩的な和語。〈—に就く〉〈—をたどる〉〈—を急ぐ人々の群れ〉⇩帰り・帰り道・帰途・Q帰路・復路

いえで【家出】家族が家庭からひそかに抜け出す意で、くだけた会話から文章まで使われる日常の和語。〈—人〉〈親に叱られて—をする〉〈—同然に飛び出す〉✎「出奔」とは違う個人的な動機、例えば家族関係などに嫌気がさし、二度と戻らないつもりで、行く先も告げずに一人だけ突然姿を消すイメージが強い。⇩失跡・失踪・Q出奔・蒸発・逐電・行方不明・夜逃げ

いえなみ【家並み】家が立ち並ぶ様子をさして、改まった会話や文章に用いられる、やや古風で趣のある和語。〈—がまばらになる〉〈趣のある—が続く〉✎阿刀田高の『Y字路の街』に「毒茸のようにけばけばしい—」とある。⇩やなみ

いえぬし【家主】家屋の所有者の意で、会話にも文章にも使

われる古い感じの和語。〈―の承諾が必要〉✎所有する貸家について使うと「大家」「家主《しゃぬし》」と同義。⇩大家・Qやぬし

いえのもの【家の者】家族に同居人や使用人を含む意味合いで個人を特定しない謙称。〈―を大勢引き連れて〉〈―を差し向ける〉✎稀にそれとなく妻をさす場合もある。Qうちの者・お上さん・奥方・奥様・奥さん・お内儀・家内・かみさん・愚妻・細君・妻・女房・伴侶・ベターハーフ・令閨・令室・令夫人・ワイフ

いえる【癒える】病気や傷などが治る意で、改まった会話や文章に用いられる古風な和語。〈傷が―〉〈病が―〉✎「心が―」「悲しみが―」「悩みが―」のように精神的な痛みが消える場合に使う拡大用法もある。⇩回復・治癒・Q治る・平癒

いがい【意外】予想とは異なる意で、会話でも文章でも広く使われる日常語。〈―に難しい〉〈―に手間取る〉〈―にあっさり承諾した〉✎小沼丹の『黒と白の猫』に「―なほどその話を面白がった。多分、奥さんが面白がる分も一緒にして、二人分面白がっているのかもしれぬ」とある。⇩あにはからんや・Q案外・思いの外・存外

いがい【遺骸】人間の「死体」をさす漢語。「遺体」よりやや改まった文章語寄りの表現。〈―を引き取る〉〈―を茶毘《だび》に付す〉✎島崎藤村の『新生』に「―の始末まで病院の方の世話に成る」とある。その死者に対して敬意や親愛の情をこめた言い方。「遺体」に比べ、死後若干の時間が経過した雰囲気が伴う。⇩Q遺体・かばね・死骸・しかばね・死屍・死者・死体・しにん・しびと・亡骸・むくろ

いかく【威嚇】自分の意に従わせる目的で相手に恐怖感を与える意で、いくらか改まった会話や文章に用いられる漢語。〈―射撃〉〈大量の武器で敵を―する〉✎戦闘場面や、人間どうしの喧嘩、猫が背中を丸くしたり猛獣が吠えたりする場合などを連想しやすく、不倫現場の写真をたねに相手を追い詰めるような陰湿な行為にはなじまない。⇩おどす・恐喝・Q脅迫

いかさま【如何様】どう見ても本物に見える偽物で相手を騙《だま》す意で、会話や軽い文章に使われる古風で俗っぽい和語。〈―師〉〈―博打《ばくち》〉〈―を見破る〉✎夏目漱石の『坊っちゃん』に「世の中は―師許《ばか》りで、御互に乗せっこをして居るのかも知れない」とある。「いかにも、なるほど」の意の「いかなるさま」から。片仮名表記で目立たせる例も。⇩Qいんちき・詐欺・ぺてん

いかす「粋で気が利いている」意の、ひところ流行し今では古い感じになった俗語。〈―格好で現れる〉〈スタイルがなかなか―〉✎「行かす」からというが例はほとんどが仮名書きで、「イカす」という表記例も見られる。⇩ナウい

いかずち【雷】「雷《かみなり》」の意で、まれに詩などに用いられる古語に近い古めかしい和語。〈―が轟《とどろ》く〉⇩稲妻・稲光・雷

いかなる【如何なる】内容・状態・程度などがわからない意を示すときに、改まった会話や文章に用いられる古風で硬い和語。〈―困難があろうとも〉〈―根拠があってかくの如き結論に達するのか〉⇩どういう・Qどのような・どんな

いかに【如何に】状態や程度の疑問や仮定を表し、改まった会話や文章に用いられる古風で硬い和語。〈我々は―なすべきか〉〈―多忙とはいえ〉✎文語的な響きがあり、類語より強調した雰囲気が出やすい。⇩どう・どのように・Qどんなに

いかばかり【如何許り】「どれほど」の意の丁寧な感じの古語的表現。〈悲しみは―かとお察し申し上げます〉〈そのお喜びたるや―でございましょう〉✎程度についてよく使う。⇩いかほど

いかほど【如何程】「どのぐらい」の意の古風な丁寧表現。〈―差し上げましょうか〉〈お値段のほうは―でしょう〉✎数量・値段に使う。⇩いかばかり

いカメラ【胃カメラ】胃の内壁を直接撮影して病変を調べるために口から挿入する超小型のカメラをさし、会話や軽い文章に使われる、いくぶん古風でやや俗っぽい表現。〈―をのむ〉✎開発された当初はこの名称でよく使われたが、近年は胃に限らない「内視鏡」が一般的。⇩内視鏡

いかものぐい【如何物食い】普通の人が見向きもしない物を好んで食う意で、主に会話に使われる俗っぽい和語。〈―の言うことだから味のほうは当てにならない〉✎「如何物」は皆がどうかと怪しむような偽物や珍奇な物の意。⇩げてもの食い

いかり【怒り】不満から腹を立て気が荒くなる意で、やや改まった会話や文章に用いられる和語。〈―を覚える〉〈―をあらわにする〉〈―をぶちまける〉〈―心頭に発する〉〈―を買う〉✎遠藤周作の『海と毒薬』に「白々とした空虚感が、時には黒い―に変る」とある。⇩Q腹立ち・立腹

いかる【怒る】「おこる」意の和語の文語的表現。〈―・り狂う〉〈烈火のごとくに―〉✎有島武郎の『或る女』に「火と涙とを眼から迸らせて、打ちもすえかねぬまでに狂い―・った」とある。名詞形の「怒り」は「怒りを覚える」「怒りがこみあげる」「怒りに震える」「怒り心頭に発する」などと現代でもふつうに使われる、やや文章語的な表現。漢字表記は「おこる」との区別に文体上の判断が必要で、紛らわしい場合もある。⇩Qおこる・叱る

いかん「いけない」意の古い感じの口頭語形。〈そりゃ、断じて―！〉✎関西で軽い感じの「あかん」と使い分ける場合はきつい響きがあるという。⇩あかん

いかん【遺憾】好ましからぬ事態に際し心残りに思う意で、かなり改まった会話や文章に用いられる、やや形式的な漢語。〈まことに―に思う〉〈―の意を表する〉〈―の極みである〉✎井伏鱒二の『追剝の話』に「無断で名前を変えられたのは、―なことじゃ」とある。公の謝罪会見などの場で、心から詫びているのかどうか明確でない形で、体面を保つ際にしばしば利用されることば。⇩Q残念・無念

いき【息】呼吸、特に呼気の意で、くだけた会話から硬い文章まで幅広く使われる日常の基本的な和語。〈―が苦しい〉〈―が切れる〉〈―が弾む〉〈―を殺す〉✎久保田万太郎の『うしろかげ』に「ゆかた一枚になって、細く長い―を糸のように吐く」とある。「―が合う」「―が長い」などさまざまな比喩的慣用句がある。⇩呼吸①

いき【粋】容姿・態度・行為や街・建物などが洗練されている中にも品のいい色気がある意、人情に通じていてしかもすっきりとしている意で、会話にも文章にも使われる、ちょっと垢抜けたことば。〈―な姿〉〈―な小部屋〉〈―な計らい〉〈―な年増《としま》〉✎織田作之助の『夫婦善哉』に「白い料理着に高下駄という―な恰好」とある。漢語「意気」から出たと

されるが、「粋」と書けば和語として意識され、江戸時代後期の美意識を表す。「―筋」もその延長で花柳界をさす。「野暮」の対極にある。⇩小粋・小じゃれた・洒落た・Qすい・風流

いぎ【意義】 ことばの中心的意味をさして、学術的な会話や文章に用いられる専門的な硬い漢語。〈語本来の―を明らかにする〉「意味」と同様、「大きな―を認める」「何の―もない雑事」のように物事の価値をさす用法もある。⇩意味

いぎ【異議】 示された意見に同意しないことの意思表示、または、その反対意見をさし、改まった会話や文章に用いられる硬い漢語。「異論」に比べ、考えの内容より反対する意思表示に重点がある。〈御―はありませんか?〉〈―なし!〉〈―を唱える〉夏目漱石の『坊っちゃん』に「釣をするには、あまり岸じゃいけないですと赤シャツが―を申し立てた」とある。会議や裁判などの連想があり、「―申し立て」は専門語。⇩Q異論・抗議

いきうつし【生き写し】 姿形などがきわめてよく似ている意で、会話にも文章にも使われる、やや古風な和語。〈顔は亡くなった母親に―だ〉通常、血縁関係の近い場合に用いる。⇩Q瓜《うり》二つ・そっくり

いきおい【勢い】 他を圧倒する激しい力をさし、会話にも文章にも使われる日常の和語。〈―がある〉〈―を増す〉〈一時の―が衰える〉〈―を盛り返す〉〈破竹の―〉〈火の―が弱まる〉和田伝の『沃土』に「急に起きあがった。ものの弾みのようなきつい―であった」とある。⇩勢力

いきかえる【生き返る】 息を吹き返す意で、会話にも文章にも使われる和語。〈死人が―〉〈久しぶりの雨で草木が―〉〈冷たいビールをあおって―・った思いをする〉⇩蘇生・Q蘇る

いきがきれる【息が切れる】「死ぬ」意の和風の間接表現。死を忌む気持ちから、それを全面的に取り上げず、それまで続いていた息がそこで切れて呼吸が止まるという側面だけを言語化した換喩《かんゆ》的な婉曲《えんきょく》表現。「息切れ」の意でも用いる。⇩敢え無くなる・上がる②・あの世に行く・息が絶える・息を引き取る・往く・いけなくなる・永眠・往生・お隠れになる・落ちる②・おめでたくなる・帰らぬ人となる・くたばる・死去・Q死ぬ・死亡・昇天・逝去・斃《たお》れる・他界・長逝・露と消える・天に召される・亡くなる・儚《はかな》くなる・不帰の客となる・不幸がある・崩御・没する・仏になる・身罷《みまか》る・脈が上がる・空しくなる・藻屑となる・逝く・臨死・臨終

いきがたえる【息が絶える】「死ぬ」意の和風の間接表現。死を忌む気持ちから、死という現象を正面からとらえず、息が無くなる呼吸停止の側面だけを取り上げた換喩《かんゆ》的な婉曲《えんきょく》表現。⇩敢え無くなる・上がる②・あの世に行く・息が切れる・息を引き取る・往く・いけなくなる・永眠・往生・お隠れになる・落ちる②・おめでたくなる・帰らぬ人となる・くたばる・死去・Q死ぬ・死亡・昇天・逝去・斃《たお》れる・他界・長逝・露と消える・天に召される・亡くなる・儚《はかな》くなる・不帰の客となる・不幸がある・崩御・没する・仏になる・身罷《みまか》る・脈が上がる・空しくなる・藻屑となる・逝く・臨死・臨終

いきごみ【意気込み】 積極的にやろうとする気持ちの意で、会話にも文章にも使われる表現。〈仕事に対する―が違う〉〈―が伝わってくる〉〈大変な―だ〉〈―だけは立派だ〉⇩Q意欲・意力・気概・気骨・気迫・気力・根性・精神力・ど根性・やる気

いきさつ【経緯】 物事の経過や背後の事情をさし、会話やさほど硬くない文章に使われる和語。〈事の―を述べる〉〈こ

れまでの―をかいつまんで話す〉✎「経緯《けいい》」より日常的な話題について使う傾向がある。漢字表記は「けいい」との区別が困難。⇩経緯

いきざま【生き様】「生き方」やそのありさまをさし、近年、マスコミなどで強烈な印象を与えるために使われる、俗っぽい表現。〈壮絶な―〉✎「死にざま」からの類推で生まれた比較的新しい表現であるが、「ざま」にマイナスイメージが付着しているため、「死にざま」はぴったりするが、明らかなプラス評価とともに感動的に用いる「生きざま」という用法には違和感を覚える人が多い。

いきだおれ【行き倒れ】↓ゆきだおれ

いぎたない【居穢(汚)い】恰好がだらしない様子をさし、主として会話に使われる古風な和語。〈―座り方〉✎東京方言という。本来は「寝穢い」と書き、眠りをむさぼりなかなか目を覚まさない意。⇩だらしない

いきづくり【生き造り】「生け造り」の別称。⇩生け造り

いきどおり【憤り】怒りに興奮する意で、やや改まった会話や文章に用いられる和語。〈―を覚える〉〈―を鎮める〉✎小島信夫の『小銃』に「血管を逆流してくる―のために、その場で私は昏倒してしまった」とある。⇩激怒・Q憤慨・憤激・憤怒

いきなり 前ぶれなしにの意で、会話やさほど改まらない文章に使われる日常の和語。〈―ドアを開ける〉〈―どなりつける〉〈ものも言わずに―殴りかかる〉〈入社してわずか三ヶ月で―主任に抜擢《ばってき》される〉〈ろくに稽古もせずに―本番に入る〉✎小沼丹の『猿』に「引っぱたこうとでもするらしく進み出たとき、洟垂れ君が―相手のバンドを引ったくって地面に叩き附けた」とある。「準備運動もせずに―プールに飛び込む」というように、通常の過程を経ないで、という省略に対する驚きが感じられる。⇩急に・だしぬけに・Q突然・不意に

いきぬき【息抜き】仕事や緊張から解放されてしばらく休む意で、会話にも文章にもよく使われる日常の和語。〈仕事の途中で―をする〉〈たまには―が必要だ〉〈―に散歩をする〉✎精神的な開放のニュアンスが強い。⇩骨休め

いきのこす【生き残す】「生き残る」の他動詞形で創作的な複合動詞。✎円地文子の『花散里』の末尾に「まだ何か―・している」という表現が出る。上野の通称くらやみ坂の円地邸を訪問した折、「生き残る」という既成の自動詞だと生かされている感じが強いのに対して、こういうふうに「生き残す」という他動詞にすると、生きることに対する意思みたいな積極的な気持ちをうまく伝える表現に変わる、という私見を述べると、この作家は「それは私がこしらえてるかもしれませんね。私としては実感なんですよ。文法的には違っているかもしれないけど、使えばわかってくれると思うんです」と、意識的な逸脱の試みであったことを明かした。ちなみに、この小説は、この作家が愛情を持って現代語訳に挑んだ『源氏物語』の巻名を採用したタイトルになっている。

いきまく【息巻く】息遣いも荒く強い口調で言う意で、会話にも文章にも使われる和語。〈ただでは済まさぬと―〉✎怒っている場合のほか、「今に見ていろ絶対優勝してみせる

と盛んに—」のように意気盛んな場合にも使われる。井伏鱒二の『集金旅行』に「アパートの窮状を見すてるか見すてないかの人道上の問題であると—・いた」とある。⇩いきり立つ・激昂《げきこう》・激情・激する・興奮・高揚・高ぶる・むきになる

いきもの【生き物】 生命のある存在をさし、会話にも文章にも使われる日常の基本的な和語。〈—の命〉〈—を飼う〉〈—を大切にする〉🖊広義には人間を含めた動植物全体をさすが、特に人間以外の動物をさすことが多い。「生物」と違い、まるで生きて動くように絶えず変化する意に使う「ことばは—だ」「経済は—だ」のような比喩的用法もある。大原富枝の『婉という女』に「気味悪いうごめく—のようであったあの乳房」という比喩表現の例もある。なお、井伏鱒二の『山椒魚』に「蝦くらい濁った水のなかでよく笑う生物はいない」という例があるが、このように送り仮名がないと「せいぶつ」との区別が困難である。⇩生物

いきょう【異郷】 故郷を離れた場所をさし、硬い文章に用いられる、やや古い感じの漢語。〈旅に出て車窓からひとり、—の景色を眺める〉〈—にありて故郷を思う〉🖊生まれ故郷を遠く離れた国内のどこかという感じが強く、「異境」ほど海外を連想させにくい。⇩Q異境・異国・異土

いきょう【異境】 母国を離れた場所をさし、硬い文章に用いられる古風な漢語。〈—の空を見て母国を偲ぶ〉〈—に骨を埋める〉🖊「異郷」より、外国を連想させる傾向が強い。⇩Q異郷・異国・異土

いきりたつ【熱り立つ】 怒りに興奮する意で、改まった会話や文章に使われる和語。〈ばかにされて—〉〈—・って抗弁する〉🖊二葉亭四迷の『平凡』に「今夜こそはと—・っていた気が忽ち萎えて」とある。⇩息巻く・激昂《げきこう》・激情・激する・興奮・高揚・高ぶる・むきになる

いきる【生きる】 生命を保ち生活する意で、くだけた会話から硬い文章まで幅広く使われる日常の基本的な和語。〈健康に—〉〈正直に—〉〈百歳まで—〉〈—か死ぬかの瀬戸際〉🖊大岡昇平の『花影』に「死んだようになって—・きている」とある。「生存」と違い、「芸術に—」「経験が—」「この法律はまだ—・きている」のような比喩的・派生的用法が広い。「死ぬ」と対立。⇩生存

いきをひきとる【息を引き取る】「死ぬ」意の和風の間接表現。🖊死を忌む気持ちから、それを正面からとらえず、息をしなくなるという面だけ取り上げた換喩《かんゆ》的な婉曲《えんきょく》表現。⇩敢え無くなる・上がる②・あの世に行く・息が切れる・息が絶える・往く・いけなくなる・永眠・往生・お隠れになる・落ちる②・おめでたくなる・帰らぬ人となる・くたばる・死去・Q死ぬ・死亡・昇天・逝去・斃《たお》れる・他界・長逝・露と消える・天に召される・亡くなる・儚《はかな》くなる・不帰の客となる・不幸がある・崩御・没する・仏になる・身罷《みまか》る・脈が上がる・空しくなる・藻屑となる・逝く・臨死・臨終

いく【往く】 主としてくだけた会話で用いる、「死ぬ」意の俗っぽい和語表現。〈ぽっくり—〉〈あいつもとうとう—・っちゃったか〉🖊死を忌む発想は「逝く」と同様で、この世を通り過ぎてどこかへ立ち去るという意味にとらえ直した婉曲《えんきょく》表現。古風な「逝く」が「ゆく」と発音するのに対し、俗っぽいこの語は通常「いく」と発音する。⇩敢え無くなる・上がる②・あの世に行く・息が切れる・息が絶える・息を引き取る・いけ

なくなる・永眠・往生・お隠れになる・落ちる②・おめでたくなる・帰らぬ人となる・くたばる・死去・Q死ぬ・死亡・昇天・逝去・斃《おた》れる・他界・長逝・露と消える・天に召される・亡くなる・儚《はかな》くなる・不帰の客となる・不幸がある・崩御・没する・仏になる・身罷《みまか》る・脈が上がる・空しくなる・藻屑となる・逝く・臨死・臨終

いく【行く】「ゆく」の日常語的な表現。〈早く―・こうよ〉〈遊びに―・ったっきりまだ戻らない〉✎網野菊の『パーマネント』に「あんまり暑かったので銭湯へ―・って汗を流したいと思った」とある。改まった会話や古風な文章にはなじみにくい。⇩赴く・出向く・Qゆく

いくさ【戦／軍】「戦い」の意で、会話でも文章でも使われる古風な和語。〈負け―〉〈―が始まる〉〈―に勝つ〉✎現代では通常「戦」と書くが、伝統的に「軍」と書いてきたため、「―物語」の場合は現在でも「軍」を用い、「―の神様」などでもそのほうが正式な感じがある。⇩戦役・戦争・戦闘・戦い

いくじ【幾時】「何時」の意の古風で少し丁寧な表現。〈―ごろまででしたらお伺いしてもよろしいかしら〉✎小津安二郎監督の映画『淑女は何を忘れたか』でドクトル夫人の時子(栗島すみ子)が「遅いわね、節ちゃん。いったい―頃に出かけたの?」と言う。今ではほとんどが「何時」となるので、古めかしい感じに響く。

いくじ【育児】子供を育てる意で、会話にも文章にも使われる漢語。〈―休暇〉〈―に専念する〉〈―に追われる〉⇩子育て

いくじなし【意気地無し】勇気がなくて物事をやりとおせない意で、会話や硬くない文章に使われるくだけた表現。〈ここで撤退すると―と思われる〉⇩Q臆病・腰抜け・怖がり・小心・腑抜《ふぬ》け・女々しい・弱虫

いくたり【幾人】改まった会話で用いられる、「何人」の意の古めかしく丁寧な和風の表現。〈強敵が―現れようと断じて後へは退《ひ》かない〉✎現代ではめったに耳にしないだけに、「幾人《いくにん》」よりもさらに古風で奥ゆかしい優雅な感じに響く。小津安二郎監督の映画『麦秋』で紀子(原節子)は「お子さんお―?って聞いたら、三人でございます、って済ましてるの」と友人との対話を兄嫁に伝えている。

いくぶん【幾分】程度が少しばかりという意味合いで、会話にも文章にも使われる表現。〈昨日に比べれば―しのぎやすい〉〈―改善された〉〈―なめらかになった〉✎「いくらか」と違って、少数・少量のように計測可能な対象には用いない。「熱が―下がった感じがする」と言うことも可能だが、それは体温計の目盛りを基準にした表現でなく、当人の感じをもとにした表現の場合である。⇩Q幾らか・若干・少々・少し・多少・やや

いくらか【幾らか】数量や程度が少しばかりといった意味合いで、会話にも文章にも使われる和語。〈まだ―残っているはずだ〉〈前より―進歩した〉〈生活も―楽になった〉⇩Q幾分・若干・少々・少し・多少・やや

いけ【池】地面からくぼんで水を湛《たた》えている場所をさし、くだけた会話から硬い文章まで幅広く使われる日常の和語。〈溜め―〉〈―に鯉を放す〉✎谷崎潤一郎の『細雪』に「花時になるときっと此の―のほとりへ来、此の桜の樹の下に立って水の面をみつめる」とある。雨水などがたまって自然

にできたもののほか、観賞用に庭の土を掘って造ることも多い。前者のうち比較的大きなものは「沼」とも言う。⇩Q沼・湖

いけい【畏敬】相手の偉大さに畏れ多くて思わずかしこまるまでに敬服する意で、改まった会話や文章に用いられる硬い感じの漢語。〈―の念を抱く〉〈―してやまない〉✎「尊敬」が同等の人物の優れた点をとりあげる場合にも使えるのに対し、この語は対象とする人物自体をはるか上の存在と見ている感じが強い。⇩崇敬・尊敬

いけがき【生垣】樹木を列状に並べた垣根をさし、会話にも文章にも使われる和語。〈かなめもちの―が続く〉⇩Q垣・垣根・囲い・柵・フェンス・塀

いけずうずうしい【いけ図図しい】しゃくにさわるほど厚かましく見える意で、やや古い感じの俗っぽい口頭語。〈―野郎だ〉〈よくも―・くあんなポストにおさまりやがったもんだ〉✎「いけしゃあしゃあ」などと同様、接辞の「いけ」に相手をののしる感じがあり、ここでも単に「ずうずうしい」という評価を客観的に伝えるのではなく、我慢ができないような気持ちがこもっている。

いけすかない【いけ好かない】感じが悪くて嫌いだの意で、改まらない会話で使われる、いくぶん古い感じになりかけている和語。〈どうも―奴だ〉〈ものの言いようからして、何とも―〉✎夏目漱石の『坊っちゃん』に「―連中だ。バッタだろうが雪踏《せった》だろうが、非はおれにある事じゃない」とある。接辞の「いけ」に対象をののしる感じがあり、単に「好きでない」という好悪の情を客観的に伝える「好かない」と比べ、理由が明確でなくてもどうしても生理的に好きになれないといった感情的なニュアンスが加わる。

いけぞんざい いかにも投げやりで扱いが乱暴な意で、古めかしい感じの俗っぽい口頭語。〈―な対応が気に食わない〉〈―な口を利く〉✎接辞の「いけ」に相手をののしる意味合いがあり、この語も単なる「ぞんざい」という評価だけでなく、癪《しゃく》に障るといった不快感をこめた主観的な感じの表現となっている。東京方言という。⇩いいかげん・Qぞんざい・なげやり

いけづくり【生け造り】生きている魚の肉で刺身につくり元の姿に整えた料理をさす和語。〈鯛の―〉✎「生き造り」とも言うが、このほうが正統的で広く使われている。⇩生き造り

いけてる 近年、若年層の間で、「一定の水準を超えている」「期待以上に達している」といった意味合いで褒めことばとして使われている俗語。〈この店なかなか―〉✎「このギョーザはなかなか行ける」「行ける口」の「行ける」がそういう状態をさす形で転用されたものだとすると、意味の上ではさほどはみだしていない。しばしば「イケてる」と書く例も見かける。⇩行ける

いけなくなる「死ぬ」意の和語による間接表現。✎死を忌む気持ちから、直接それと表現せず、だめな状態への変化と広くとらえることで衝撃をやわらげる婉曲《えんきょく》表現。⇩敢え無くなる・上がる②・あの世に行く・息が切れる・息が絶える・息を引き取る・往く・永眠・往生・お隠れになる・落ちる②・おめでたくなる・帰らぬ人となる・くたばる・死去・Q死ぬ・死亡・昇天・逝去・斃《おた》れる・

他界・長逝・露と消える・天に召される・亡くなる・儚《はかな》くなる・不帰の客となる・不幸がある・崩御・没する・仏になる・身罷《みまか》る・脈が上がる・空しくなる・藻屑となる・逝く・臨死・臨終

いけにえ【生贄】「犠牲」の意で会話にも文章にも使われる古風な和語。〈自分の身を―にして社会の発展に尽くす〉「神に―を捧げる」のように、昔、宗教的行事として獣などを生きたまま神への供え物として差し出したことから。⇩犠牲

いけめん 男性の整った顔立ちの意で、近年くだけた会話で使うようになった俗語。〈―選手〉〈―の新入社員〉「いけ」は俗語「行けてる」からという。「めん」は「面相」の意か。男のものの意の英語「メンズ」からという説も。「イケメン」と片仮名書きする例が多い。⇩男前・好男子・ハンサム・美男子

いける【行ける】進行できる、かなりの程度だといった意味合いで、主として会話に使われる和語。〈この調子なら、このままー〉〈あの料理はちょっと―〉〈酒のほうはなかなか―口だ〉⇩いけてる

いけん【意見】一定の事柄に関する個別の考えの意で、会話にも文章にも使われる日常的な漢語。〈―交換の場〉〈少数―を尊重する〉〈―が対立する〉〈―が出尽くす〉〈さまざまな―を集約する〉夏目漱石の『坊っちゃん』に「野だの癖に―を述べるなんて生意気だ」とある。「生徒に―する」のように、自分の考えを述べて戒《いま》しめる意の用法もある。⇩考え・Q見解・思考・思索・思想

いご【以後】過去・現在・未来のある時点より後のすべての期間やその一部をさし、会話にも文章にも使われる日常の漢語。〈―十分に気をつける〉〈あれ―随分変わった〉〈優勝したら、それ―の行動が注目される〉何事かの起こった時点を基準にする傾向が強い。⇩Q以降・以来・今後・先行き・将来・未来・行く末

いご【囲(圍)碁】碁の意で、改まった会話や文章に用いられる、正式な感じの漢語。〈いささか―をたしなむ〉〈―の名人位に就く〉五目並べを含まない。庶民派の将棋や俳句に対し、やや庶民離れした上品な和歌と似た感触を意識する人もある。⇩碁・本碁

いこい【憩い】くつろいで過ごすことをさし、主として文章に用いられる古風で優雅な感じの和語。〈―の場所〉〈―のひととき〉意味よりも語感によって品物の命名がきまるケースは多い。昔「いこい」という名のタバコがあり、ふだんは「ピース」を吸う人も給料前にはこれに切り替えるほど人気があった。よく売れたのは、四分休符の記号をあしらったデザインのせいばかりでなく、優雅な語感をもつこのことばの好感度が高かったせいもあったにちがいない。もし「一休み」とか「暫時休憩」とかといった名づけだったら、あれほどの売り上げは期待できなかっただろう。⇩Q休憩・休息

いこう【憩う】ゆっくりと休む意で、主として文章に用いられる古風で優雅な感じの和語。「休む」よりも積極的にのんびりくつろぐ感じが強い。〈緑陰に―〉〈―間もあらばこそ〉⇩休む①

いこう【以降】過去・現在・未来のある時点より後の期間をさ

し、会話にも文章にも使われる漢語。〈明治―今日まで〉〈あれ―真面目に働いている〉〈来年―の予定は立っていない〉✎「以後」より連続性が強調されている。⇩以後・Q以来・先行き・将来・未来・行く末

いこう【衣桁】着物を掛けるための鳥居型の家具をさし、会話にも文章にも使われる古風な漢語。〈振袖を―に掛けて眺める〉✎ついたて式と折りたたみ式とがある。⇩Q衣紋掛《えもんか》け・ハンガー

いこう【移行】それまでと別の状態に移る意で、やや改まった会話や文章に用いられる漢語。〈―措置〉〈新制度に―する〉〈次の段階に―する〉⇩移動・移る

いこう【意向(嚮)】ある件についてどうするかというその人間の考えをさし、改まった会話や文章に用いられる漢語。〈本人の―を確かめる〉〈先方の―を尊重する〉〈こちらの―を伝える〉✎夏目漱石の『こころ』に「本人の―さえたしかめるに及ばない」とある。「意図」ほど能動的でなく「意思」より希望・期待の面が強い。⇩意図・魂胆・Q積もり

いこく【異国】「外国」の意で、改まった会話や比較的硬い文章に用いられる、やや古い感じの漢語。〈―情緒〉〈―の土を踏む〉〈―の厳しい自然に耐える〉✎吉本ばななの『哀しい予感』に「寝ぼけたまま降り立った昼ちかくの上野駅は、―のようだった」とある。⇩異郷・Q異境・異土

いこじ【意固地／依怙地】→えこじ

いごん【遺言】「ゆいごん」を意味する法律関係者の専門的な読み方。〈―執行者〉〈―証書〉〈―能力〉〈重大な不備があり―として認定しがたい〉⇩ゆいごん

いさかい【諍い】言い争いの意で、会話にも文章にも使われる、やや古風な和語。〈―を起こす〉〈夫婦間に―が絶えない〉⇩いざこざ・ごたごた・トラブル・Q揉《も》め事

いさぎよい【潔い】心が清く未練がましくなく思い切りのよい意で、会話にも文章にも使われる和語。〈―態度〉〈―最期を遂げる〉〈―・く自分の非を認める〉〈―・くあきらめる〉〈―・く謝罪する〉✎「清廉」や「廉潔」が多く人物評であるのに対し、この語は個々の態度や行動の評価。「未練がましい」と対立。幸田文の『蜜柑の花まで』に「雪が降るからこそ湯気の鍋よりむしろ―・く青い野菜などが膳へつけたかった」とある。⇩Q高潔・清廉・廉潔

いさご【砂(沙)子／砂】「砂」の意でまれに文章中に用いられる古めかしい雅語的な和語。〈―の上を歩む〉⇩Q砂・まさご

いざこざ 小規模の争いの意で、会話や軽い文章に使われる和語。〈―を起こす〉〈―が絶えない〉〈社内の―に巻き込まれる〉⇩諍《いさか》い・Qごたごた・トラブル・揉《も》め事

いささか【些(聊)か】「わずかばかり」といった意味合いで、やや改まった会話や文章に用いられる、いくぶん古風な和語。〈腕には―自信がある〉〈今日は―機嫌が悪い〉〈あれには―驚いた〉〈―の悪意もない〉✎表面上の語義としては「ごくわずか」でも、実際に使用する人の気持ちとしては、むしろ「少なからず」程度の本音が隠されているケースが多い。⇩一抹

いざなう【誘う】「誘《さそ》う」意で、文章に用いる古風で文学的な和語。〈友を観劇に―〉〈幻想の世界へと―〉〈悪の道へ―こととなる〉✎現代では、具体的な行動としてよりも抽

象的な意味合いで用いる例が多い。⇩勧誘・Qさそう

いさみあし【勇み足】やりすぎてうっかり失敗することをさす、相撲《すもう》用語の拡大用法。〈大臣の―〉✎本来は相撲で、相手を土俵際に追い込みながら、勢いあまって自分が先に俵を踏み越し、負けになること。そこから転じて、一般に調子に乗ってやりすぎたり思わぬ失敗をしでかしたりする意でも使う。語源となった相撲の意識が若干残っている。⇩土俵を割る

いさめる【諫める】その行為を改めるよう忠告する意で、会話にも文章にも使われる、いくぶん古風な和語。〈上司を―〉✎多く目上の人に向かって行う場合に用いる。⇩たしなめる

いし【石】岩石のうち砂より大きく岩より小さいものをさし、くだけた会話から硬い文章まで幅広く使われる日常の基本的な和語。〈墓―〉〈―造りの家〉〈―を投げる〉〈―を切り出す〉〈河原で―を拾う〉✎室生犀星の『杏っ子』に「―のように硬い頭」とあるように、硬いイメージの比喩に使われる。⇩石ころ・Q岩・岩石

いし【医師】「医者」の意で、改まった表現の中に用いる正式な感じの硬い漢語。〈―免許を取得する〉〈―が不足している〉〈―が同行する〉〈―の診察を受ける〉〈―の所見を仰ぐ〉✎徳永直の『太陽のない街』に「道化師のように愛嬌のある―」とある。正式の職業名としてはこの語を用いるのが通例。「息子が医者になる」「医者の家に生まれる」のような例に用いるのは不自然。「医者に相談する」の場合は「医師」も使えるが、大仰な感じから重篤な病状が想像される。⇩医者・女医

いし【意志／意思】あることを行おうとする積極的な気持ちをさし、やや改まった会話や文章に使われる漢語。〈―薄弱〉〈―が強い〉〈当人の―を尊重する〉〈―の疎通を図る〉✎大仏次郎の『宗方姉妹』に「姉に向けて、かすかに意地悪い―が心に動いた」とある。一般には「意志」と書くが、「国家の―」「公式の場で―を表明する」のように法令などの正式の場では「意思」と表記。「自由―」などの場合、「意思」と書くと正式な雰囲気が強くなり、改まって感じられるため、語の文体的レベルも高くなる。⇩意向・意図

いし【縊死】自ら首をくくって死ぬ意で、主として硬い文章に用いられる漢語。〈―を図る〉〈―を遂げる〉✎太宰治の『狂言の神』に「その夜の私にとって、―は、健康の処世術に酷似していた」という一文がある。⇩首くくり・Q首吊り

いじ【維持】物事をそのままの状態に保つ意で、会話にも文章にも使われる漢語。〈―費〉〈―会員〉〈現状―〉〈財産を―する〉〈健康を―する〉〈治安を―する〉✎具体物の保存よりも抽象体・状態・性質を保つ意味合いで使う。⇩Q保持・保存

いしき【意識】物事に対する明確な自覚をさし、会話にも文章にも使われる漢語。〈潜在―〉〈問題―〉〈―過剰〉〈―を失う〉〈エリート―が抜けない〉〈相手を変に―する〉✎徳永直の『太陽のない街』に「―が朦朧としてきて」とある。⇩思考・Q認識

いじきたない【意地汚い】飲食や金銭に対する執着心が強く卑しくむさぼる意で、会話や軽い文章に使われる日常語。

〈根性が—〉〈—まねはよせ、みっともない〉⇩浅ましい・Ｑ卑しい・さもしい

いじくる【弄くる**】**「いじる」意で主にくだけた会話に使われる俗っぽい和語。〈茶道具を—〉太宰治の『斜陽』に「弥次馬たちに死骸を—・り廻される」とある。⇩Ｑいじる・ひねくる・まさぐる・もてあそぶ

いしころ【石塊**】**小さな石や石のかけらをさして、会話や硬くない文章に使われる日常語。〈道端の—〉〈—が転がっている〉「小石」に比べ、価値のないという意識が強い。林芙美子の『放浪記』に「雑然と風呂敷包みが—のように四囲に転がっていて」とある。⇩石・小石・砂利

いしずえ【礎**】**建造物を支える大元の意で、主として文章に用いる古風な和語。〈—を築く〉〈—が崩れる〉比喩的に単に「土台」の意でも使う。⇩基礎・基本・根本・土台

いじっぱり【意地っ張り**】**強情であくまで自分の考えを変更しない意で、硬い文章には適さない会話的なことば。〈—な男〉類義の「頑固」などが年齢と無関係に抵抗なく使えるのとは違って、「おやじは—なところがある」ぐらいが自然な用法の限界で、「—な祖父」となると微妙にしっくりしない感じがある。「強情っ張り」に比べれば、いくらかマイナスイメージが少ない。⇩依怙地《えこじ》・片意地・頑な・頑固・強情・Ｑ強情っ張り

いじめる【苛(虐)める**】**自分より弱い存在を不当に苦しめる意で、会話やさほど硬くない文章に用いられる日常の和語。〈小さい子を—〉〈弱い者を—〉〈猫を—〉陰湿な感じの「いびる」に比べ、さほどの悪意なくふざける場合も含まれる。また、人間専用の「いびる」と違い、人間のほか犬や猫にも使い、「下請け企業を—」のように生物以外の組織などにも用いることがある。⇩いびる

いしゃ【医者**】**病気や怪我の診察・治療を職業とする人をさし、会話から文章まで幅広く使われる日常の基本的な漢語。「医師」ほど改まった感じがない。〈近所の—〉〈かかりつけの—〉〈—にかかる〉〈—に通う〉〈息子を一人前の—にする〉〈—の診察を受ける〉川端康成の『千羽鶴』に「—が来ていないのかと菊治は驚いたが、はっと気がついた。／夫人は自殺なのだ」とある。伝統的に男性が圧倒的に多かった影響で今でも男性を連想させやすい。その証拠に「女医」として区別することがあっても「男医」という区分けは一般的でない。医者の息子が自分の父は弁護士だと言うと、聞いていて奇妙な感じがする。「—の息子」という表現から自然に、父親が医者だと思い込み、母親が医者であるケースが頭に浮かばないからである。⇩Ｑ医師・女医

いしゅう【異臭**】**日常生活で嗅ぎ慣れない変な臭いをさし、改まった会話や文章に用いられるやや専門的な感じの漢語。〈—騒ぎ〉〈—を放つ〉〈—が漂う〉長与善郎の『青銅の基督』に「火葬場の煙の如き—が風に送られて来る」とある。単なる悪臭というより、得体の知れない薬品のにおいなど、通常その場にあるはずのないという驚きが伴う。糞尿の臭いも便所まわりでない意外な場所で発すればこの語がぴったりする。⇩Ｑ悪臭・臭気

いしょう【衣裳(装)**】**普段とは違う衣服をさし、改まった会話や文章に使われる漢語。〈花嫁—〉〈舞台—〉〈—道楽〉

〈新しい—に袖を通す〉〈派手な—を身にまとう〉✎石川淳の『列子』に「—を下着から上着まで、一枚一枚、月に雲がかかるように、おもわせぶりに着て見せて」とある。日常生活での普段着よりも、特別の衣服や舞台などで役柄に合わせて身にまとう衣服などのイメージが強い。⇩Q衣服・衣類・着物・服装・身なり・装い

いじょう【異常】 通常とは異なる状態をさし、会話でも文章でも使われる漢語。〈—気象〉〈—事態〉〈—な性格〉✎高見順の『故旧忘れ得べき』に「頭が—に大きかったので(略)異様な大頭が駈け出すときの形について」とある。「正常」と対立。⇩異状

いじょう【異状】「異常な状態」をさし、改まった会話や文章に用いられる漢語。〈—なし〉〈—をきたす〉〈体の—を訴える〉⇩異常

いじょう【委譲】 他に委ね譲る意で、主として硬い文章で用いられる漢語。〈権限を—する〉✎「移譲」と比べ、他に委ねる意に重点がある。⇩移譲

いじょう【移譲】 他に移し譲る意で、主として硬い文章に用いられる漢語。〈所有権を—する〉✎「委譲」と比べ、権利を移す意に重点がある。⇩委譲

いじらしい けなげでかわいい意で、会話にも文章にも使われる和語。〈見るからに—〉〈—様子がたまらない〉✎徳田秋声の『縮図』に「母を捜して(略)抱きつきたがる—姿」とある。⇩あどけない・Qいたいけ・いとけない

いじる【弄る】 指先で触って撫《な》でたり軽く動かしたり部分的・表面的に手を加えたりする意で、会話やさほど硬くない文章に使われる日常の和語。〈子供が玩具を—〉〈髪を—〉〈傷口を—〉✎堀辰雄の『風立ちぬ』に「ベッドの上で、いつもしているように髪の先きを手で—・りながら、いくぶん悲しげな目つきで空《くう》を見つめていた」とある。「機械を—」「楽器を—」「パソコンを—」「骨董《こっとう》を—」のように、「操る」意のへりくだった表現としても使う。「庭を—」「制度を—」「文章を—」のように、姿や表現を変える意にも使うが、いずれも大幅な変更には用いない。本格的にやるわけではないという意味合いで謙遜の気持ちで用いることもある。⇩いじくる・ひねくる・まさぐる・Qもてあそぶ

いじん【異人】 外国人、特に欧米人をさして昔使った古めかしい漢語。〈—船〉〈—の館〉✎野口雨情作詞の童謡『赤い靴』の歌詞に「赤い靴はいてた女の子—さんにつれられて行っちゃった」という箇所が出てくる。⇩Q異邦人・外国人・外人

いじん【偉人】 偉大な人物をさし、会話にも文章にも使われる漢語。〈—伝〉〈—の足跡〉✎川端康成は『山の音』で、みごとなひまわりの花を主人公に「—の頭のようじゃないか」と言わせる。華々しい活躍を連想させる「英雄」に対し、業績だけでなく能力や人格を総合評価している感じがある。⇩英雄

いす【椅子】 腰を掛けるための家具の総称として、くだけた会話から硬い文章まで幅広く使われる最も一般的な日常漢語。〈安楽—〉〈三人掛けの—〉〈待合室の—に掛ける〉〈—に腰を下ろす〉〈—に座る〉✎小沼丹の『猿』に「衣装を着けて貰った猿は、女の傍の木の丸—の上に坐って、何やら憂

鬱そうに空を仰いだりしていた」とある。比較的簡単な造りを連想させる「腰掛け」に対し、ベンチのような簡単な造りのものから、凝った造りの高価なソファまでどんな家具に用いても特に違和感のない広い意味のことば。⇨腰掛け

いずこ【何処】「どこ」の意で、改まった文章にまれに用いられる、古語に近い古めかしい和語。〈今―〉〈―も同じ〉〈―へ参りましょうや〉✎「どこへ？」と聞かれたら、ごみの集積場でもパチンコでも芋掘りでもいいが、「―へ」と問われたあかつきには、松島とか紅葉狩りとかせめて散策とかと風流な答えをしたくなるのは、両語の意味の違いによるわけではなく、「いずこ」ということばの優雅な語感の働きによる。⇨Ｑどこ・どちら②

いずみ【泉】地中から水の湧き出ている場所をさし、会話にも文章にも使われる美的な和語。〈森と―の里〉〈清らかな―のほとり〉✎福永武彦の『草の花』に「静寂は―のように胸の中に溢れて来る」とあるのは、滾々《こんこん》と湧き出るイメージからの比喩的発想。「出づ水」の意から。⇨清水・Ｑ湧き水

いずれ【何（孰）れ】①「どこ」「どちら」の意で、改まった会話や文章に用いられる、古風で硬い感じの和語。〈―の方角〉〈―劣らぬ腕利き〉〈―の道を選ぶべきか〉✎「いずれにしても」と同様、どちらにしても必ずの意でも用いる。⇨どこ・Ｑどちら①　②近いうちにの意で、会話にも文章にも使われる、古風で改まった感じの和語。〈―改めてご挨拶に伺います〉〈―そうなるだろう〉〈―は滅びゆく運命にある〉⇨追って・近々《きんきん》・Ｑそのうち・近ぢか・程なく・間もなく・やがて

いぜん【以前】今またはある基準の時より前、または、今からかなり前の時をさし、やや改まった会話や文章に用いられる漢語。〈平安時代―〉〈―からの知り合い〉〈―からとかくの噂のあった人物〉〈―一度行ったことがある〉✎過ぎ去って間もない時には使わないが、「昔」ほどは古くない時を連想させ、特に懐かしいという感じを伴わない。瀧井孝作の『慾呆け』に「このあたりは―に三菱で試掘権をとって広く網をかけた場所でまんざら出ない山でもない」とある。井伏鱒二の『川』には「よほど―には、この二軒の庭から庭に通ずる橋があった」とある。「以後」と対立。⇨往時・Ｑ過去・前・昔

いぜん【依然】以前の状態がまだ続いている場合に会話にも文章にも使われる漢語。〈旧態―〉〈雨は―激しく降っている〉〈景気は―として悪い〉✎「相変わらず」に比べ、好ましくない状態に使う例が多い。⇨相変わらず

いそ【磯（礒）】岩だらけの海岸をさし、会話にも文章にも使われる、いくらか古風な和語。〈―遊び〉〈―釣り〉〈―のかおり〉〈―伝いに行く〉⇨うみべ・沿岸・Ｑ海岸・海浜・かいへん・岸・岸辺・なぎさ・波打ち際・浜・浜辺・みぎわ・水際・水辺

いそいそ　期待や嬉《うれ》しさに心が弾んで調子づく意で、主に会話に使われる和語。〈―と文度をする〉〈―と出かける〉✎鈴木三重吉の『桑の実』に「―して、手拭いのきれいなのを絞ってお盆に載せて来たりした」とある。気分だけを表す「うきうき」や「わくわく」に比べ、この語はむしろそういう気分の感じられる行動のほうに重点がある。⇨浮き浮き・Ｑわくわく

いそがしい【忙しい】やらなければいけないことが多過ぎて

ゆっくりする時間がとれない意で、くだけた会話から文章まで幅広く使われる日常の基本的な和語。〈仕事で―〉〈年末は特に―〉〈会の準備で―〉〈目が回るほど―〉✎「せわしい」より客観的。「―性分」のように、落ち着きがない意にも使い、「―人」という表現はその両方の意味に解釈できる。動詞「急ぐ」が形容詞化した語。志賀直哉の『城の崎にて』に「―・く立働いている蜂は如何にも生きている物という感じを与えた」とあるように、人間以外に使う例もある。⇩慌ただしい・気ぜわしい・せわしい・せわしない・多事・多端・Q多忙・多用

いそぐ【急ぐ】 通常より短い時間で事を行う意で、会話にも文章にも広く使われる日常の和語。〈道を―〉〈―・いで帰る〉〈―仕事〉〈完成を―〉〈解決を―問題〉✎幸田文の『おとうと』に「足達者な人たちを追い抜き追い抜き、げんは―・いでいる」とある。⇩急《せ》く

いそしむ【勤しむ】 忠実に努める意で、主として文章中に用いられる、やや古風な和語。〈勉学に―〉〈読書に―〉✎「励む」以上に、自分の本分ともいうべき勉強や仕事に精進する意味合いが強く、遊びや悪事に使うと違和感が伴う。⇩頑張る・精進・努力・励む

いそん【依存】 存在や生活・活動などを他に頼る意で、主に文章中に用いられる硬い感じの漢語。〈相互―の関係にある〉〈生活費は親元に―する〉〈熱源を天然ガスに―する〉✎現在では「いぞん」と読む例が多いため、この語形はいささか古風な印象を与えやすい。⇩いぞん・頼る

いぞん【依存】「いそん」の慣用読み。〈供給のほとんどを輸入に―する〉✎本来は「いそん」。この語形は古風な感じがない。⇩Qいそん・頼る

いた【板】 木材を薄く平らに切った建材などをさし、会話にも文章にも使われる和語。〈棚―を渡す〉〈―張りの床〉✎板状であれば金属やガラスでもこの語を使う。徳田秋声の『風呂桶』に「大工が張って行った、湯殿の―敷を鍬で叩きこわしていた」とある。⇩ボード

いたい【痛い】 体のある箇所に耐え難い刺激を受ける、痛みを感じる意で、くだけた会話から硬い文章まで幅広く使われる日常の和語。〈頭が割れるように―〉〈腰が―〉〈―ところをさする〉✎井伏鱒二の『黒い雨』に「体に力を入れると、足の指がきりきり―」とある。⇩痛む・疼《うず》く

いたい【遺体】 人間の「死体」をさす漢語。「死体」より丁重な感じで、やや文章語的。〈―を運ぶ〉〈―を収容する〉✎阿部昭の『訣別』に「小雨もよいのその朝、父の―は藤沢火葬所の「い」号焼却炉というもので、九時半から約五十分間かかって処理された」とある。「死体」より、死者に対する敬意や親愛の情が感じられる表現。そのため、「被害者の死体が発見された」のような一般的な死者の場合には「遺体」は使いにくい。⇩Q遺骸・かばね・死骸・しかばね・死屍・死者・死体・しにん・しびと・亡骸・むくろ

いだい【偉大】 きわめて優れていて立派な意で、いくぶん改まった会話や文章に用いられる漢語。〈―な人物〉〈―な業績〉〈―な記録〉〈―な足跡を残す〉✎人間そのものに使う「偉い」と違い、社会的地位とは無関係で、人間の行為や作品についても用いる。夏目漱石の『吾輩は猫である』に「吾

輩は此―なる鼻に敬意を表する為め、以来此女を称して鼻子鼻子と呼ぶ積りである」とあるのは誇張の皮肉。⇨偉い①・立派

いたいけ【幼気】幼くて手を差し伸べたくなるほどかわいい意で、改まった会話や文章に用いられる古風な和語。〈―な幼子〉〈―盛り〉⇨あどけない・Qいじらしい・いとけない

いたいたしい【痛痛しい】いかにも痛そうな、かわいそうで見ていられない感じをさし、会話にも文章にも使われる和語。〈見るも―包帯姿〉〈―傷跡〉〈―・くやつれる〉✎村上春樹の『ノルウェイの森』に「生まれおちて間のない新しい肉体のようにつややかで―・かった」とある。「痛ましい」に比べ、外見から受ける場合に多く使う。⇨Q痛ましい・気の毒

いたく【委託】物事を他人に任せてやってもらう意で、改まった会話や文章で用いられる漢語。〈―販売〉〈業務を―する〉✎「依託学生」のように、他を頼る意を表に出して「依託」と書くこともある。⇨委任

いだく【抱く】胸に抱える、心の中に持つ意で、主として文章に用いられる硬い和語。〈赤子を胸に―〉〈野心を―〉〈不満を―〉〈疑問を―〉〈夢を―〉✎有島武郎の『或る女』に「膝の上に巣喰うように―・かれて」とある。抽象的な意味合いでは改まった会話に用いるが、具体的な動作をさす用法は文語的な響きがある。「だく」や「かかえる」と比べ、やや詩的な表現となりやすい。⇨抱える・Qだく①

いたずら【悪戯】特に目的もなくふざけて、他人にちょっとした迷惑の掛かることをわざとやって楽しむ意で、会話や軽い文章に使われる和語。〈―が過ぎる〉〈たちの悪い―〉〈―が見つかって叱られる〉✎夏目漱石の『坊っちゃん』に「―と罰はつきもんだ。罰があるから―も心持ちよく出来る」とある。「火を―する」「機械を―する」のように、目的もなくいじる意にも用いる。⇨悪さ・悪ふざけ

いただき【頂】「頂上」の意で、やや改まった会話や文章で用いられる、わずかに古風なやわらかい和語表現。〈山の―をめざす〉〈はるかに―を望む〉✎三島由紀夫の『金閣寺』に「叡山の―は突兀《とつこつ》としていたが、その裾のひろがりは限りなく、あたかも一つの主題の余韻が、いつまでも鳴りひびいているようであった」とある。「頂上」より緊張度が下がり、「てっぺん」のような俗っぽさを感じさせない。使用頻度が落ちて若干古風な感じが生じるにつれて、わずかに詩的な趣を持ち始めた感がある。⇨山頂・山巓《さんてん》・Q頂上・頂点・てっぺん

いただきもの【頂き物】「もらい物」の謙譲表現。相手や与え手の待遇とは無関係に、話し手自身の品格を保持するためにつねにこの語を用いる人もある。〈上司からの―〉〈―ですけれど、よろしかったら召し上がって〉⇨到来物・Qもらい物

いただく【頂く】「飲み食いする」意の謙譲語。単に「食べる」より上品な言い方としても使われる。〈遠慮なく―〉〈おいしく―〉⇨食う・食する・Q食べる・召し上がる

いただく【頂(戴)く】上に置く意では改まった会話や文章に用い、頂戴するの意や飲む・食うの謙譲語としては日常の表現。〈山頂に雪を―〉〈大臣を会長に―〉〈お土産を―〉✎

「冠を—」の場合は「戴冠式」に、「共に天を—・かず」の場合は「不倶戴天」に合わせて、必ず「戴」の漢字を用いる。「見て—」「お教え—」のような補助動詞の用法の場合は、実質的な意味が稀薄になっているため仮名書きが一般的。

いたば【板場】上方などで「板前」の意として、主に会話に使われる和語。〈—の修業〉🖋もと、俎板《まないた》を置く場所の意から料理場をさし、さらにそこに立つ料理人の意にも広がった。⇩板前・コック・シェフ・調理師

いたまえ【板前】板場の頭、すなわち、日本料理の料理長をさし、会話にも文章にも使われる和語。〈割烹《かっぽう》の腕のいい—〉⇩Q板場・コック・シェフ・調理師

いたましい【痛(傷)ましい】直接見たりその心情を推し量ったりして不幸な状態に胸が締めつけられ、わが身を切られる思いになる気持ちをさし、改まった会話や文章に用いられる和語。〈—姿〉〈—事件〉〈—知らせ〉〈末路が—〉🖋永井荷風の『日和下駄』に「現在の東京を歩むほど無残に—思いをさせるところはあるまい」とある。幸田文の『流れる』には「コッペパンをたべる横顔には、もぐもぐとやるたびに顎骨《あご》《ぼね》が形なりに浮きだして見えて、なんとも—・く眼を刺す」とある。⇩Q痛々しい・気の毒

いたみいる【痛み入る】過分の配慮を受けすっかり恐縮する意で、改まった会話や文章に用いられる丁重な和語。〈まことに丁重なる御挨拶—・ります〉〈このたびはあのような高価なものを賜り、—・ります〉🖋「恐縮」や「恐れ入る」以上にかしこまった感じが強い。⇩有り難い・恐れ入る・忝《かたじ》《けな》い・Q恐縮

いたむ【痛む】くだけた会話から硬い文章まで、苦痛を感じる意に、幅広く使われる日常生活の基本的な和語。〈歯が—〉〈胃が—〉〈古傷が—〉🖋幸田文の『流れる』に「あくる日もみりみりと骨が—・んでいる」とある。「心が—」「胸が—」のように精神的な苦痛を意味する場合は「傷む」とも書き、文体的なレベルが少し高まる。⇩痛い・Q傷む・悼む・疼《ず》《う》く

いたむ【傷む】損なわれる意で、くだけた会話から硬い文章まで幅広く使われる日常の和語。〈家が—〉〈衣服が—〉〈食べ物が—〉⇩Q痛む・悼む・腐る・腐食・腐敗・腐乱

いたむ【悼む】他人の死を嘆き悲しむ意で、主として文章に用いられる和語。〈死を—〉⇩痛む・Q傷む

いためる【炒める】熱した鍋や鉄板で食材を少量の油を加えて加熱する調理法をさし、会話にも文章にも使われる日常の和語。〈肉をフライパンで—〉〈野菜を油で—〉⇩Q煎《い》る・煎《せ》《ん》じる・煎ずる・焙《ほ》《う》じる・焙ずる

いたる【至る】「達する」意で一般に改まった会話や文章に用いられる和語。〈現在に—〉〈大事に—〉〈子供に—まで〉〈事ここに—・って〉〈—所に〉🖋記号的に「至鎌倉」のように送り仮名を省いて用いることもある。「目的地に—」のように到達する意では「到る」とも書く。⇩及ぶ・達する・届く

いたわる【労る】慰労する意で、会話にも文章にも使われる、やや古風な和語。〈永年の苦労を—〉🖋嘉村儀多の『業苦』に「嬰児《あか》《ご》のように愛し—・ってくれた」とある。「病人を—」「年寄りを—」のように、弱者を思いやって手厚くもてなす意に使う例が多い。⇩Q思いやる・ねぎらう

いち【市】毎日または一定の期日に戸外や屋根つきの広場な

どに大勢の人々が集まって売買をする場所をさし、会話にも文章にも使われる古風な和語。〈朝―〉〈羽子板―〉〈馬―〉〈―が立つ〉久保田万太郎の『末枯』に「べったら―が来た」「来月はもう酉の―かと思った」とある。⇨いちば①・マーケット②

いち【位置】全体または他との関係から見た場所や地点をさし、会話にも文章にも使われる基本的な漢語。〈―関係〉〈―を占める〉〈―を変える〉〈指定の―につく〉〈台風の―〉〈街の西北に―する〉庄野潤三の『静物』に「お腹の横に両方の手を持って行って、大体の―を父親に示した」とある。⇨場所

いちおう【一往(応)】十分ではないがひとわたり、ひとまず、の意で、会話にも文章にも使われる日常の漢語。〈―調べる〉〈―知らせておく〉〈―もっともな説明になっている〉〈―話は通してある〉もと、一度行ってみる意という。⇨一通り

いちがいに【一概に】下に打消しの語を伴って、すべてにわたって一般にそうであるとまでは言えないという意味を表し、やや改まった会話や文章に用いられる少し硬めの表現。〈―どちらがいいと断定できない〉⇨Qあながち・必ずしも・まんざら

いちぐう【一隅】場所や部屋などの一方の隅をさし、主に文章中に用いられる硬い漢語。〈公園の―〉〈会場の―〉〈―を照らす〉梶井基次郎の『雪後』に「研究所の―に彼のための椅子を設けてくれた」とある。⇨一角・Q片隅

いちこじん【一個人】私人としての一人の人間をさし、改まった会話や文章に用いられる硬い漢語。〈―の意思〉〈―の考えを述べる〉「個人」の強調。所属する組織とは離れて自由に行動することの表明に用いることが多い。「いっこじん」とも言う。⇨個人

いちじ【一時】短い時間や期間をさし、くだけた会話から硬い文章まで幅広く使われる日常語。〈―しのぎ〉〈―の勢い〉〈曇り―雨〉〈―の気の迷い〉〈―はどうなることかと思った〉〈―栄えたこともある〉永井荷風の『濹東綺譚』に「―姿を晦すんだな」とある。「先頃」が時刻的な発想であり、「ひところ」もそういう傾向があるのに対し、この語は長さが相対的に短いことを主張する時間的な発想に立つ。また、「ひところ」は数日以上の幅を問題にするのに対し、「一時」は現在との間に断絶があれば数分間でも数十年間でも使える点で違う。⇨いっとき・過日・この間・先頃・先日・Q一頃

いちず【一途】一つのことだけに集中し他を顧みない意で、会話にも文章にも使われる漢語。〈仕事―に生きてきた〉〈―に思い詰める〉〈―にそう思い込む〉⇨Qひたすら・ひたむき・もっぱら

いちど【一度】物事が起こって同じ事を繰り返さない意で、くだけた会話から硬い文章まで幅広く使われる日常の基本的な漢語。〈年に―〉〈―も見たことがない〉〈―行ってみたい〉〈―でいいから〉〈―ならず二度までも〉〈―これたら元に戻らない〉〈―言い出したら絶対引っこめない〉夏目漱石の『倫敦塔』の冒頭段落に「―で得た記憶を二返目に打壊すのは惜い、三たび目に拭い去るのは尤も残念だ」とある。同じ意味でも同じ単語を繰り返さず、「度」「返」

(遍)」「たび」と換言している。なお、「打壊す」と「拭い去る」、「惜しい」と「残念だ」との間にも同語を回避する美意識が感じられる。⇩Q一回・一旦・一遍・ひとたび

いちどう【一同】 その場に居合わせたすべての人の意で、改まった会話や文章に用いられる硬い漢語。〈御一様〉〈社員一〉〈一、起立〉〈一を見回す〉✎一つの枠におさまる人々をまとめて「親戚一」「卒業生一」「有志一」のように用いることが多い。⇩Q全員・皆・みんな

いちどく【一読】 一度読んでみる意で、会話にも文章にも使われる、やや硬い感じの漢語。〈一して損はない〉〈一を勧める〉〈一の価値のある名作〉✎「通読」に比べ、ともかく読んでみることを勧める感じが強い。⇩通読

いちば【市場】 ①「市《ちい》」の意で、会話にも文章にも使われるやや古風な和語。〈魚一〉〈青物一〉〈青空一〉⇩市《ちい》
②「マーケット②」の意で、会話にも文章にも使われる古風な和語。〈一の中の魚屋〉⇩マーケット②

いちばん【一番】「最も」の意で、会話や改まらない文章で使われる日常漢語。〈そうなってくれれば一いいんだけど〉〈なんてったって健康が一大事だ〉〈今が一忙しい時期だよ〉✎内田百閒の『特別阿房列車』に「一いけないのは、必要なお金を借りようとする事である」とある。漢語でも和語の「最も」より会話的。⇩一等・Q最も

いちぶ【一部】 全体のうちのある部分の意で、会話にも文章にも広く使われる日常の基本的な漢語。〈ほんの一〉〈一の人が反対する〉〈一の例外を除き〉✎「全部」と対立。一般的には半分に満たない小さな部分をさす。大部分の場合でもこの語を使うのは法律関係の専門的な用法。⇩Q一部分・部分

いちぶぶん【一部分】 全体の中の一つの部分をさし、会話にも文章にも使われる漢語。〈一が欠けている〉〈ほんの一に過ぎない〉✎「部分」のうち、それほど大きくない範囲を連想させる。「大部分」と対立。⇩Q一部・部分

いちまつ【一抹】「わずか」の意で、改まった会話や文章に用いられる古風な漢語。〈一の不安は隠せない〉〈立ち去った後に一の寂寥《せきりょう》感が残る〉✎恐れや悲しみや寂しさといったマイナス感情を表すことばに続く用例が多い。原義は筆のひとはけの意。⇩いささか

いちみ【一味】 悪事を働く仲間をさし、会話にも文章にも使われる漢語。〈一徒党〉〈盗賊の一〉〈一に加わる〉✎夏目漱石の『坊っちゃん』に「即座に一に加盟した」とあるように、古くは悪事に限らず「同志」という程度の意味で使ったが、今はいい意味では使わない。⇩同志・同僚・友達・Q仲間

いちもつ【一物】 間接的に「陰茎」をさすこともある俗語的で古風な漢語表現。✎語義としては「一つのもの」という漠然とした意味に過ぎず、はっきりと言いにくい内容だからそういう抽象的な言い方をしたのだろうと相手がそれを類推するように運ぶ思わせぶりな表現。「胸に一ある」という慣用表現では「たくらみ」や「わだかまり」などの気持ちをさし、その他「金銭」を意味する用法もある。⇩Q陰部・隠し所・下半身②・下腹部・局所・局部・金玉・睾丸《こうがん》・性器・生殖器・恥部

いちゃもん 道理の通らないことを理由にして相手を非難することをさし、くだけた会話に使われる俗語。〈一をつけ

る〉✎「いちゃいちゃする」「いちゃつく」の戯れの意の「いちゃ」と「文句」の「モン」を結びつけた語形か。⇩言い掛かり・Q因縁②・難癖

いちり【一理】一つの理屈の意で、会話にも文章にも使われる漢語。〈先方の言い分にも―ある〉⇩一利

いちり【一利】一つの利益の意で主に文章に用いる漢語。〈百害あって―なし〉⇩一理

いちりつ【一律】同じ決まり・基準の意で、改まった会話や文章に使われる漢語。〈千篇―〉〈すべて―に扱う〉✎「―二万円のアップ」のように、同じ割合の意で用いる場合も、広い意味でこの中に含まれる。⇩一率

いちりつ【一率】割合が同じである意で会話でも文章でも使われる漢語。〈―減免〉〈―五パーセントの値引き〉✎「一律」のうち、同じ割合の意に限定して明確にする場合に、特にこう表記して区別する。⇩一律

いちりつ【市立】「市立」の特殊な読み。口頭語。〈私大ではなく―大学を受ける〉✎会話で「私立」と区別するための読み。⇩しりつ

いちれい【一例】一つの例の意で、会話にも文章にも使われる漢語。〈―を挙げる〉〈ほんの―に過ぎない〉✎多くの例の中から特に選ばないで一つの例を取り出した感じがある。⇩ケース②・作例・サンプル・実例・事例・例え・標本・文例・見本・用例・類例・Q例・例文

いつ【何時】「どの時」の意で、くだけた会話から硬い文章まで幅広く使われる日常の基本的な和語。〈―までも待つ〉〈―ご出発ですか〉〈―にしようか〉〈―なら都合がいい？・〉〈―でもいいよ〉✎武者小路実篤の『お目出たき人』に「結婚するのは―まで待ってもいい」とある。⇩いついつ

いついつ【何時何時】「いつ」を狭く限定した言い方で、会話や硬くない文章に使われる和語。〈―までとはっきり期限を区切る〉✎「―までもお幸せに」のように「いつ」の強調としても使う。⇩いつ

いつか【何時か】過去や未来の不定な時をさし、会話でも文章でも広く用いる和語。〈―きっと会える〉〈―一度来たことがある〉〈―雨はやんでいた〉✎夏目漱石の『草枕』に「桜は―見えなくなった」とある。「いつのまにか」に比べてやや詩的・抒情的。⇩何時ぞや・何時の日か・Qいつの間にか

いっかい【一回】「一度」の意で、会話やさほど硬くない文章に使われる日常の漢語。〈前に―聞いた〉〈―で済ませる〉〈―にたくさん食べる〉〈―やるとくせになる〉✎「一度」よりやわらかく「一遍」より硬い。⇩Q一度・一旦・一遍・ひとたび

いっかく【一角】一つの角または一部分の意で、改まった会話や文章に用いられる漢語。〈氷山の―〉〈町の―〉〈高級ブランドの―を占める〉〈有力候補の―を崩す〉⇩一隅・Q一画・一郭・片隅

いっかく【一画】漢字を構成する一筆で書く線、また、一つの区画の意で、会話でも文章でも使われる漢語。〈一点―を丁寧に書く〉〈―が三十坪単位の分譲地〉✎「一角」があくまで全体の一部分であるのに対し、これはそこだけ独立して考えることができる場合に用いる。⇩Q一角・一郭

いっかく【一郭／一廓】囲いの中、または、同じ性質のものが集まっている区域の意で、会話でも文章でも使われる硬

い感じの漢語。〈―をなす〉〈古い民家が軒を連ねる―〉⇩一角・Ⓠ一画

いっきに【一気に】 途中休まずあっという間にの意で、会話にも文章にも使われる漢語的表現。〈コップ酒を―飲み干す〉〈―まくしたてる〉〈―書き上げる〉〈―追い抜く〉✎「一挙に」「一息に」よりもさまざまな場合に幅広く使う。⇩Ⓠ一挙に・一息に

いっきょに【一挙に】 物事が一度に、または速やかに進行する場合に、会話にも文章にも使われる漢語的表現。〈―片づける〉〈難問題が―解決する〉〈―部長に昇格する〉〈積もり積もった不満が―爆発する〉✎「一気に」「一息に」に比べ、スピードだけでなくいくつもの段階を跳び越えたり数多くのことがまとめて起こったりする感じが強い。⇩Ⓠ一気に・一息に

いっこうに【一向に】 下に打消しの語を伴って、少しもの意を表し、改まった会話や文章に用いられる、いくぶん古風な表現。〈―覚えがない〉〈―構わない〉〈―埒《らち》が明かない〉✎永井龍男の『道徳教育』では、食用蛙に対して「彼らの反省を求めていますが、―態度を改めません」と擬人化してユーモラスに述べている。⇩からきし・からっきし・さっぱり②・全然・Ⓠちっとも・てんで・全く・まるっきり・まるで①

いっこく【一刻】 わずかな時間をさし、改まった会話や文章に用いられる硬い漢語。〈―を争う〉〈―も早く〉〈―の猶予もならない〉〈刻―と近づく〉✎「一時」「ひととき」より短く切羽詰った感じがあるが、「―千金」「春宵―直《あたい》千金」のような慣用的な句では追い詰められた雰囲気はない。⇩いちじ・Ⓠいっとき・ひととき

いっさくじつ【一昨日】「おととい」の意で、改まった会話や文章で用いられる漢語。〈―の早朝のことである〉〈期間は―より明後日まで〉⇩おとつい・Ⓠおととい

いつしか【何時しか】「いつの間にか」の意で、主に文章中に用いられる古風で思い入れたっぷりな表現。〈日は―西に傾いていた〉〈―年も暮れかかっていた〉⇩いつか・Ⓠいつの間にか

いっしゅう【一蹴】 上位者が相手からの要求などを一切問題にせず即座に撥《は》ね付ける意で、会話にも文章にも使われる漢語。〈抗議を―する〉〈申し出を―する〉✎「挑戦者を―」のように、向かってくる相手を簡単に打ち負かす意にも使う。⇩拒絶・拒否・断る・拒む・Ⓠはねつける

いっしゅん【一瞬】 一回瞬きをするぐらいのほんの僅《わず》かな時間の意で、会話にも文章にも使われる漢語。〈緊張の―〉〈―の出来事〉〈―気を抜く〉〈―にして財を失う〉✎永井龍男の『風ふたたび』に「人の一生の中にも、あの花火のように、張りつめた―があり得るのだろうか?」とある。語義としては「瞬間」と差がないが、実際の使い方としては、「―見失う」「―立ち止まる」のような副詞的な用例が多く、短いながらある時間の幅を意識させることも少なくない。ただし、「その―」のような用法では「瞬間」と同様。⇩あっという間・Ⓠ瞬間・瞬時・瞬く間

いっしょ【一緒】「ともに」といった意味合いで、会話でも文章でも広く使われる生活的な日常語。〈―に遊ぶ〉〈―に暮らす〉〈両方―にまとめて扱う〉〈その辺までご―しましょ

う〉〈何をするのもいつも―だ〉〈二人は近く晴れて―になるらしい〉✎上方方言の影響か、近年しばしば「時間は―でも距離が違う」「あれもこれも値段は―だ」のように「等しい」「同じである」という意味合いで使われるが、その用法はまだ俗語的。

いっしょう【一生】生まれてから死ぬまでの間の意で、くだけた会話から硬い文章まで幅広く使われる日常の基本的な漢語。〈幸せな―を送る〉〈―遊んで暮せる〉〈―の思い出〉〈―のお願い〉✎「君のことは―忘れない」のように、今から死ぬまでの間をさすこともある。室生犀星は萩原朔太郎にあてた手紙を「僕は酒に―を托する気にはならないが、一晩や二晩は托する気持になる」と結んでいる。⇩Q生涯・人生・生

いっしょうけんめい【一生懸命】「一所懸命」の意で、会話から文章まで幅広く使われている日常語。〈―勉強する〉〈―に努力した賜物《たまもの》〉✎芥川龍之介の『杜子春』に「このけしきを見た杜子春は、思わずあっと叫びそうにしましたが、(略)―にだまっていました」とある。「一所懸命」の転。「一所」の意味が次第に忘れられ、多用される類音の「一生」と混同されるに至った。本来の語形でないという知識のある人には若干違和感がある。教養がないという印象を与える場合だけでなく、語源にこだわらず世間の通用語を使用する穏やかな性格をうかがわせる場合もあるかもしれない。⇩一所懸命

いっしょけんめい【一所懸命】命がけで打ち込むさまをさす漢語。「一生懸命」の本来の語形で、ふつう学術的な硬い文章などで用いる。〈―勤め上げる〉✎梶井基次郎の『路上』に「高みの舞台で一人滑稽な芸当を―やっているように見える」とある。語源的には、武士が賜った一箇所の領地を命にかけて守り、生活の頼りとしたことをさす。現在、日常会話で使うと衒学《げんがく》的に響く場合もあり、類音のため「一生懸命」と区別されないことも多い。あえて用いると、知識をひけらかしている印象を与える恐れがあり、慣用的な「一生懸命」で済ませると無知と思われる危険があって、なまじ知ってしまうと現実の使用によけいな神経を遣うこともある。⇩一生懸命・熱心

いっそう【一掃】すっかり除き去る意で、会話にも文章にも使われる漢語。〈走者―の二塁打〉〈悪を―する〉〈不安を―する〉⇩払拭《ふっしょく》

いっそう【一層】さらに一段との意で、会話にも文章にも使われる、いくぶん古風な感じの漢語。〈なお―努力する〉〈―の御発展を〉〈普段より―美しく見える〉⇩いよいよ①・ひときわ・ひとしお・Qますます

いつぞや【何時ぞや】不定の過去をさす「いつか」の丁重な表現。〈―は失礼しました〉〈―お目にかかった方〉⇩Q何時か・何時の日か・いつの間にか

いつだつ【逸脱】本筋や標準、あるいは、あるべき範囲から外れる意で、改まった会話や文章に用いられる硬い漢語。〈本分を―する〉〈職権を―する〉〈常軌を―した行動〉✎そのことを好ましくないとする評価が含まれている。⇩脱線

いったん【一旦】「一度」の意で、会話にも文章にも使われる、やや改まった感じの漢語。〈―停止する〉〈このへんで―休

憩する〉〈—こうと決めたら絶対やりぬく〉✎単なる回数ではなく、一時的に、始めたからには、といった気持ちが背景となっている。「—緩急あれば」の形で使えば古めかしい感じに響く。⇩Q一度・一回・一遍・ひとたび

いっち【一致】 複数の物事の形・量・内容などに違いがなくきちんと合う意で、会話にも文章にも使われる漢語。〈—団結〉〈言文—〉〈満場—〉〈長さが—する〉〈ぴたりと—する〉〈意見の—を見る〉〈両者の利害が—する〉✎「合致」と違い、「靴のサイズが—する」「指紋が—する」のように具体的な物にも用いる。⇩合う・Q合致・整合・符合

いっちょくせん【一直線】「まっすぐ」の意で、会話にも文章にも使われる漢語。〈—に突き進む〉〈ここからは—だ〉✎「まっすぐ」以上に曲がらず休まずスピードを感じさせる。⇩真直ぐ

いってん【一転】 急にがらりと変わる意で、やや改まった会話や文章に用いられる漢語。〈形勢が—する〉〈事情が—する〉〈—して親しげな態度をとる〉✎変化の急激さに重点がある。⇩一変

いっとう【一等】「一番」の意で、主として会話で使う古めかしい漢語。〈家じゅうで—涼しい部屋〉〈これが—似合う〉⇩Q一番・最も

いっとき【一時】 短い時間やしばらくの間をさし、会話にも文章にも使われる古風な表現。〈ほんの—〉〈—の辛抱だ〉〈—の猶予もならぬ〉✎数分の場合も数ヶ月の場合もあり、「—流行した歌」「—の勢いはもうない」のように、過去の一時期をさす場合は年単位の長さにもなりうるが、短かったという気持ちは共通して感じられる。漢字表記は「いちじ」と読まれやすい。⇩Qいちじ・一刻・ひところ・ひととき

いつのひか【何時の日か】 未来の不定の時をさす「いつか」の意の文語的な表現。〈—再会の折もあろう〉✎「いつか」より詩的で、やや感傷的な雰囲気を漂わせる。⇩Q何時か・何時ぞや・いつの間にか

いつのまにか【何時の間にか】 気がつかないうちにという意味での「いつか」とほぼ同義だが、「いつか」ほどの情緒を伴わない客観的な日常の和語表現。〈—眠ってしまう〉〈あたりは—薄暗くなっていた〉✎小沼丹の『揺り椅子』に「その線路が次第に高くなる。—、窓外に見えるのは屋根ばかりになった」とある。⇩Q何時か・何時ぞや・何時の日か

いっぱい【一杯】 きわめて沢山の意で、主に会話に使われる漢語。〈会場は観客で—だ〉〈仕事が—残っている〉〈このリュックは物が—入る〉〈元気—〉〈腹—食べる〉✎この語には、容量ぎりぎりまで満ちていてこれ以上になると溢《あふ》れ出しそうな感じがあるため、「友達が—いる」は自然だが、「きょうだいが—いる」という言い方は、多くてもせいぜい十人程度なので少し抵抗がある。⇩うんと・多い・しこたま・Q沢山・たっぷり・たんと・たんまり・どっさり

いっぱんに【一般に】 細かい点や例外は別として、といった意味合いで、会話にも文章にも使われる表現。〈野菜は—ビタミンが豊富だ〉〈大通りは—車の通行量が多い〉⇩Q概して・総じて

いっぺん【一変】 すっかり変わってしまう意で、会話にも文章にも使われる漢語。〈状況が—する〉〈態度が—する〉✎

変化の大きさに重点がある。⇩一転

いっぺん【一遍】「一度」の意で、会話や軽い文章に使われる、いくぶん古風な漢語。〈―食ってみたい〉〈―読んだだけじゃ頭に入らない〉〈―に形勢が悪くなる〉✎「一度」よりはもちろん「一回」よりもくだけた感じ。⇩一度・Q一回・一旦・ひとたび

いっぽう【一方】一つの方向、または、対をなすもののどちらか一つをさし、会話にも文章にも使われる、やや改まった漢語。〈―の意見〉〈―が欠ける〉〈どちらか―でいい〉〈―は山、もう―は海に囲まれた町〉〈非難する―、賞讃することもある〉〈―、そうすることのデメリットもある〉✎「増加する―」「経営は苦しくなる―だ」のように、一つの側に傾く意にも用いる。「両方」と対立。「他方」と対になる。⇩片一方・Q片方・他方

いっぽんぢょうし【一本調子】初めから終わりまで同じ調子で通す意で、会話やさほど改まらない文章に使われる日常の漢語。〈―の歌い方〉〈話の進め方が―で聞くほうが退屈する〉✎「単調」が一つの物事を対象としてそう感じることを話題にしているのに対し、この語は「いつでもこの調子だ」という潜在的なニュアンスがある。⇩単調

いつまでも【何時までも】「永久」や「恒久」より短い非限定の時間をさす日常の和語。〈―お元気で〉〈そう―甘えていられない〉✎田宮虎彦の『千恵子の生き方』に「―、おばさまのお世話になっているわけにも行きません」とある。⇩永遠・Q永久・永劫・恒久・とこしえ・とこしなえ・とわ・悠遠・悠久

いつも【何時も】どのような時でもの意で、くだけた会話から文章まで幅広く使われる日常の和語。〈―帰りが遅い〉〈日曜は―家にいる〉✎語義としては「いかなる時も必ず」の意だが、実際の表現としては「あの二人は―一緒に歩いている」のように、「原則として」「よく」という程度の緩さで用いる例が多い。「果物は―この店で買う」「―この道を通る」のように、あることをする場合には常に、という限定付きで使うこともある。また、「―の道」のように、「普段」の意にも用いる。「―のように」「―と違う」⇩始終・Q常時・しょっちゅう・絶えず・常に・日常茶飯事・のべつ・普段

いつわ【逸話】人や事柄に関する主要な情報ではなく、それに付随する話をさし、会話にも文章にも使われる漢語。〈昔の大臣にこんな―が残っている〉〈―の多い人物〉✎表に出ないため世間であまり知られていない話であることが多い。⇩裏話・Qエピソード・こぼれ話・挿話・余話

いつわり【偽(詐・佯)り】自分に都合のよいように事実を改変して伝える意で、改まった会話や文章に用いられる、やや古風で硬い感じの和語。〈―の証言〉〈嘘―は申しません〉✎横光利一の『紋章』に「説明したところは正しく、一点の―はなかった」とある。無邪気な場合を含み時に陽気な「ほら」と違い、自己弁護や中傷など悪意や陰険な感じを伴う傾向がある。⇩嘘・嘘っぱち・Q虚偽・ほら

いつわる【偽(詐・佯)る】事実でないことを言って人をだます意で、改まった会話や文章に用いられる硬い感じの和語。〈成人と―〉〈夫婦と―〉〈年齢を―〉〈本心を―〉〈―・らざる事実〉⇩Q欺く・かたる・担ぐ・ごまかす・たぶらかす・だまくらかす・だます・ちょろまかす

イディオム 熟語や慣用句をさして、会話にも文章にも使われる専門的な外来語。〈英語の―を暗記する〉⇩格言・Q慣用句・諺《ことわざ》・成句

いてつく【凍て付く】「凍りつく」意で、会話にも文章にも使われる古風な和語。〈―夜〉〈あまりの寒さに手足が―〉✎梶井基次郎の『冬の蠅』に「山の―・いた空気のなかを暗をわけて歩き出した」とある。⇩凍り付く

いでゆ【出で湯】主として文章中で「温泉」をさして用いる古風で美的な和語表現。〈―が湧く〉〈―めぐり〉✎夏目漱石の『草枕』に「啼くは鳥、落つるは花、湧くは―」とある。古めかしく雅語に近い雰囲気があるため、「温泉の成分」「温泉使用料」「温泉が噴き出る」「温泉を引く」というように温泉を物質的にとらえる生活語彙として事務的に使う場合に「いでゆ」を用いると、誤用とまではいえないにしても、ちぐはぐな感じがあってしっくりしない。この語は「―の旅」「―のけむり」というふうに温泉のもっぱら美的でのんびりした側面をとらえて用いてきたからである。そのため、「温泉につかる」より「―につかる」ほうがくつろげそうな感じがある。「温泉饅頭《まんじゅう》」が庶民的で「―蒸し羊羹《ようかん》」のほうが上品に響くのも、そういう用例の偏向から来る語感の違いによる。⇩温泉

いてる【凍てる】凍るように冷たく感じられる意で、会話にも文章にも使われる古めかしい和語。〈―月の光〉✎小川国夫の『ゲラサ人の岸』に「二月初旬の風のない―夜」とある。⇩凍る

いてん【移転】住居・事務所・店舗などを他の場所に移すことをさし、やや改まった会話から文章まで広く使われる漢語。〈―通知〉〈事務局―のお知らせ〉〈支店の―先を問い合わせる〉✎個人の住宅より役場や会社や事務所などの場合によく使う。⇩Q転居・転宅・引っ越し

いと 「非常に」という意味でふざけて使うことのある古語的表現。〈そんなことをされては、―困る〉〈君にそう言われると、―悲しい〉✎前後の表現との違和感が目立つと滑稽な響きを感じさせ、目立たない場合は筆者がいい気分にひたりながら表現を楽しんでいるように受けとられやすい。⇩たいへん・甚だ・非常に

いと【意図】行動を通じて実現すべく心の中で狙っている内容の意で、会話にも文章にも使われる漢語。〈制作―〉〈表現―〉〈―不明〉〈―を明確にする〉〈―的に省く〉✎漠然と考えているのではなく意識的な狙いというところに重点がある。⇩意向・ターゲット・積もり・Q狙い・目当て・目的・目標

いど【異土】なじみのない土地、特に異国の土地をさし、硬い文章に用いられる古めかしい漢語。〈ひっそりと―に生きる〉〈―に果てる〉✎外国をさすことが多い。室生犀星の『小景異情』中「ふるさとは遠きにありて思ふもの」で始まる有名な詩の中に「よしや／うらぶれて―の乞食《かたゐ》となるとても」という一節が出てくる。「よしや」とあるからここも外国の意にとれないこともないが、「ひとり都のゆふぐれに／ふるさと思ひ涙ぐむ」心境だから、ここは国内の土地と解するのが自然。⇩Q異郷・異境・異国

いとう【厭う】煩わしく思って避ける意で、主として文章中に用いられる古風な和語。〈世間を―〉〈雨を―〉〈苦労を

―・わずに〉✎谷崎潤一郎の『春琴抄』に「夫婦らしく見られるのを―こと甚しく」とある。「お体をお―・い下さい」のように、健康に気をつける、大事にするの意を表す用法もある。⇩嫌がる・嫌う

いどう【移動】位置が変わる意で、会話でも文章でも広く使われる漢語。〈平行―〉〈―性高気圧〉〈車で―する〉〈部隊が―する〉✎梅崎春生の『桜島』に「ゆるやかに―して行く紫色の微光」とある。⇩異動・移す・移る・移ろう

いどう【異動】職場内での所属変更の意で、改まった会話や文章で使われる正式な感じの漢語。〈人事―〉〈総務から経理に―になる〉⇩移動

いとおしい【愛おしい】弱く脆《もろ》い存在に対して愛情を注ぎたくなる気持ちをさして、主に文章に用いられる古風でいくぶん詩的な感じの和語。〈一人っ子だけによけいに―〉✎谷崎潤一郎の『細雪』に「郷土を追われて行くように感じている姉の胸のうちも―・く」とある。「親を亡くした子を―・く思う」のように、不憫《ふびん》の意を表す用法もある。「いとしい」と違って、「幼時を過ごした街が―」「過ぎ去った日々が―」のように人間以外に対して用いる文学的な例もある。⇩いとしい

いとけない【幼い／稚い】「あどけない」に近い意で、雅語に近い古風な和語。〈まだ―子〉⇩あどけない・いじらしい・いたいけ

いどころ【居所】住んでいる場所の意で、会話や軽い文章に使われる和語。〈親にすぐ―を知らせる〉〈やっと―を突き止める〉✎詳しい住居表示をさすとは限らない。⇩Q居場所・居住地・住所・所番地

いとしい【愛しい】愛情を持って抱き締めたい気持ちをさして、改まった会話や文章に用いられる、やや古風な和語。〈―わが子へ〉〈別れた恋人が今となって―・く思われる〉✎島尾敏雄の『島の果て』に「つと胸がつきあげられ、トエが―・くてたまらなくなりました」とある。⇩いとおしい

いとなみ【営み】物事をすることを漠然とさす中で特に「性交」をほのめかすことのある、やや古風で上品な和風の表現。〈愛の―〉〈男女の―〉〈夫婦の―〉✎生活上の行為全般をさし示す漠然としたことばに広げて提示し、具体的な行為をその中から選んで相手に想像してもらう婉曲《えんきょく》表現。「やる」が俗語的なのと対照的に、この語はむしろ雅語的な雰囲気を感じさせる。⇩エッチ・関係②・合歓・交合・交接・情交・情を通じる・Q性交・性行為・性交渉・性的行為・セックス・抱く②・契る・同衾《どうきん》・共寝・寝る②・懇ろになる・ファック・深い仲になる・房事・枕を交わす・交わる・やる③・夜伽《よとぎ》

いどむ【挑む】相手に争いを仕掛ける意で、会話にも文章にも使われる和語。〈戦いを―〉✎小林多喜二の『蟹工船』に「海は(略)ガツ、ガツに飢えている獅子のように、―・みかかってきた」とある。「難問に―」のように、困難なことに立ち向かう意に使う用法もある。⇩Q挑戦・チャレンジ

いなか【田舎】都会から離れていてあまり発展していない土地をさし、会話やさほど改まらない文章でよく使う日常の和語。〈―暮らし〉〈―から出て来る〉〈お盆に―へ帰る〉✎谷崎潤一郎の『細雪』に「―の割烹店で作るお定まりの会席料理」とある。「野暮ったく―くさい服装」「―者で礼儀を

知らない」といった田舎を小ばかにする表現から、この語自体に地方蔑視の差別意識がしみついているとされる。軽井沢から山を下って東京方面に向かう列車を「上り」と呼ぶのも、東京都の地図が五十音順でも歴史の古い順でもなくて必ず二十三区それも千代田区から始まるのも、ある意味では格差の意識から出ている。郵便番号も同様だ。中央と地方という考え方にもたしかに差別意識が感じられ、それが「田舎」ということばの一つの語感をつくりだしているのは事実である。そのようなマイナスイメージを消すために「田園」と言い換えたり、「アーバン」(都市の)などという外国語を借りて付加価値をつけようとする試みも見られる。しかし一方、地方出身者には懐かしい感じも強い。そのため、「―料理」を「地方料理」と言い換えると家庭的な素朴な感じが薄れ、味も落ちるような気がする。この語には、ふるさとのぬくもりを感じさせ、人の心をなごませるプラスの語感もあるため、「信州の―に帰る」と言う場合に「地方」や「地域」に換言したのでは、帰りたい気持ちが萎えてしまうのも事実である。⇩田舎じみる・Q片田舎・田園

いなかじみる【田舎じみる】田舎っぽく垢抜けしない意で、会話でも文章でも使われる表現。〈立ち居振る舞いがどこか―・みている〉〈―・みた暮らし〉✎田舎そのものについて言う場合もある。⇩垢抜けない・田舎・ださい・Q泥臭い・野暮・野暮ったい

いなずま【稲妻/電】空中放電で雷の鳴る前に出る光の筋をさし、会話にも文章にも使われる和語。〈―が光る〉〈―が走る〉✎川端康成の『古都』に「杉山の木末が、雨にざわめき、―のたびに、そのほのおは、地上までひらめき、二人の娘のまわりの杉の幹まで照らした」とある。古く、稲は雷と結ばれて実ると考えたことからという。⇩いかずち・Q稲光・かみなり

いななく【嘶く】馬が声高く鳴く意で、会話にも文章にも使われる和語。〈馬が―〉✎一説に、「い」はヒヒーンという鳴き声とも。⇩さえずる・Q鳴く・吠える

いなびかり【稲光】「稲妻」の意で、会話にも文章にも使われる日常の和語。〈遠くで―がする〉〈―に照らされる〉✎芝木好子の『禁断の人』に「雨は沛然《はいぜん》と降りつづいて、暗黒の空に―がぴりぴり裂け、雷鳴が耳を聾した」とある。「稲妻」と違い、「光る」「走る」という動詞と結びつきにくい。⇩いかずち・Q稲妻・雷

いにしえ【古】「昔」「往時」の意の詩的な雰囲気をもつ古語的表現。〈―の都〉〈はるか―より〉〈―を偲《しの》ぶ〉✎「往《い》にし方《へ》」の意で、遠く過ぎ去った昔をさした。⇩往時・Q昔

いにょう【遺尿】寝小便の意で、学術的な会話や文章に用いられる硬い専門漢語。〈―症〉⇩おねしょ・Q寝小便

いぬ【犬】刑事やスパイをさす隠語。〈サツの―〉✎他人の隠し事を嗅《か》ぎまわる職業なので、習性としてよく嗅ぎまわる嗅覚《きゅうかく》の発達した犬にたとえたものと思われる。漢字で書くことはめったになく、通常は片仮名表記をとる。⇩Q刑事・スパイ

いねむりする【居眠りする】座ったまま浅く眠る意で、会話でも文章でも使う生活上の日常表現。〈炬燵《こたつ》で―〉〈教室で―〉⇩うたた寝・Qうとうとする・仮睡・仮眠・仮寝・まどろむ

いのち【命】 生物が生きている源となる力をさし、くだけた会話から文章まで幅広く使われる基本的な日常の和語。〈―にかかわる〉〈―取りになりかねない〉〈―が危ない〉〈―を粗末にするな〉〈尊い―を落とす〉〈―の恩人〉〈―からがら逃げる〉〈―を助ける〉〈―あってのものだね〉〈―をかけてやりぬく〉✎川端康成の『雪国』に「駒子の生きようとしている―が裸の肌のように触れて来もする」とある。「生命」よりやわらかい感じを与えるため、「生命保険」のような正式名称には不適で、「―の保険」という言い方は商品名を連想させる。⇩生命

いのちがけ【命懸け】 生命の危険を賭して事に当たる意で、会話やさほど硬くない文章に使われる和語。〈文字通り―の危険な作業〉〈―で家族を守る〉〈―で救助に当たる〉✎そのぐらいの覚悟をもってといった主観的な評価でもしばしば使われるが、「死に物狂い」や「必死」と違って、実際に生命の危険が及ぶ用例もある。⇩Q死に物狂い・必死

いのる【祈る】 神仏などに向って心から切に願う意で、くだけた会話から硬い文章まで幅広く使われる和語。〈成功を―〉〈平和を―〉〈神に―〉〈―ような気持ち〉✎「願う」や「念ずる」と比べ、実現の難しい事柄について使う傾向が強い。川端康成は盟友横光利一の死に際し、「知友の愛の集まりを柩とした君の霊に、雨過ぎて洗える如き山の姿を―・って、僕の弔辞とするほかはないであろうか」と述べた。⇩頼む・Q願う・念じる・念ずる

いばしょ【居場所】 居る場所の意で、通常は居住地をさし、会話や軽い文章に使われる日常表現。〈なかなか―を教えない〉〈―がわからず連絡ができない〉✎居住地をさすほか、「自分の―がない」のように、落ち着いていられる環境をさすこともある。⇩Q居所《いどころ》・居住地・住所・所番地

いばる【威張る】 他人の前で偉そうにふるまう意で、会話や硬くない文章に使われる和語。〈権力をかさにきて―〉〈成績がいいのを―〉✎野間宏の『真空地帯』に「顎を上へあげて、子供のように―・りちらしそうにみえた」とある。「誇る」と違って、自分に誇るべき点がなくても相手を見下げる態度をとればこの語が使える。⇩思い上がる・自慢・見下す

いはん【違反】 決まりや約束を破る意で、会話でも文章でも使われる漢語。〈交通―〉〈契約―〉〈条約に―する〉〈―を取り締まる〉⇩違犯

いはん【違犯】 法に背き罪を犯す意で、主に法律関係の改まった文章で用いられる硬い感じの漢語。〈―者〉〈―行為に当たる〉⇩違反

いびつ【歪】 形がゆがんでいる意で、会話や硬くない文章に使われる和語。〈―な形にできあがる〉〈へこんで―になる〉✎上林暁の『月魄《つきしろ》』に「満月にはまだ二三夜あるかと思われる―な月だった」とある。「飯櫃《いびつ》」が楕円形であったところからという。⇩ひずむ・ゆがむ

いびる 立場の弱い人間を陰険なやり方でいじめる意で、会話や軽い文章に使われる和語。〈嫁を―〉〈転校生を―〉〈先輩社員に―・られる〉✎「いじめる」にはさほど悪意のない軽い気持ちの場合も含まれるが、この語は陰湿な雰囲気が強い。⇩いじめる

いぶかる【訝る】 疑わしく思う意で、主に文章に用いられる

古風で硬い和語。〈―ような目つき〉〈真意を―〉✎小林秀雄の『ゴッホの手紙』に「僕等は―、ああ、これは長い事なのか、永遠にそうなのか、と。」とある。⇩怪しむ・Q疑う・疑《うた》ぐる

いふく【衣服】身にまとうものをさし、改まった会話や文章に幅広く使われる漢語。〈―を改める〉〈―を着用する〉〈―を収納する〉✎永井荷風の『あめりか物語』に「薄い霞のような―」とある。⇩Q衣装・衣料・衣類・着物・服装・身なり・装い

いぶくろ【胃袋】「胃」をさし、会話や軽い文章に使われるいくぶん俗っぽい表現。〈いくらか―の足しになる〉〈―のあたりが重い〉✎男性のほうが多く使う傾向が感じられる。井上光晴の『地の群れ』に「急に―のまうしろの神経痛が弓でもひっぱるようにぴーんと痛くてたまらん」とある。⇩胃

いぶる【燻る】よく燃えずに煙ばかりたくさん出る意で、会話でも文章でも幅広く使われる日常生活の和語。〈落ち葉が―〉〈生木が―〉〈木が湿っているらしく、焚き火をしたら盛んに―〉✎火の状態に注目する「くすぶる」に対し、この語は多量に出る煙に注目した表現。⇩Qくすぶる・けぶる・けむる

いほう【違法】法律にそむく意で、会話にも文章にも使われる、やや専門的な漢語。〈―行為〉〈―建築〉〈―駐車〉✎「不法」に比べ、どの法律に違反しているかという具体性が強い感じがある。また、「非合法」と違い、社会秩序に反する場合まで含むような雰囲気がある。⇩非合法・Q不法

いほうじん【異邦人】外国人の意でまれに文章に用いられる漢語。〈―の眼に映ったかつての日本〉✎昨今、実際の外国人をさして使う例はあまり見かけないが、比喩的な用法や、見知らぬ国の人といった漠然とした意味合いで用い、詩的な雰囲気をかもしだすこともある。アルベール・カミュの小説が『異邦人』と邦訳されて広く読まれた。⇩異人・Q外国人・外人

いま【今】「現在」の意で、くだけた会話から文章まで幅広く使われる日常の基本的な和語。〈―でも間に合う〉〈―はまだ早い〉〈―まで見たことがない〉〈―にして思えば〉✎夏目漱石の『坊っちゃん』に「校長にはたった―逢った」とある。「昔と―」「―の学生」のように「現代」に近い広い幅を意味したり、「―帰ったところだ」のように直近の過去を意味したり、「―行く」のように直近の未来を意味したり、「―に見ておれ」のようにある程度時間を隔てた未来を意味したり、さまざまなニュアンスで用いられる。⇩Q現在・今日《こんにち》・只今・目下《もっか》

いま【居間】家族がふだん使う部屋をさし、会話でも文章でも広く使われる、現代では最も普通の日常の和語。〈―でくつろぐ〉✎本来、和室でも洋室でも「居間」でよいが、洋間の場合は近年「リビング」と呼ぶ例が増加中。⇩居室・茶の間・Qリビング

いまいち 近年、若年層から始まって広がった、「不十分」の意の新しい俗語。〈―感心しない〉〈成績は―だ〉✎「今ひとつ」から出た造語で、湯桶《ゆとう》読みで落ち着かないが、勢いはいまだ衰えず、高年齢層にまで広がっている。漢字では

「今一」となるが、漢字表記の例はほとんど見ないし、しばしば「イマイチ」と片仮名書きすることからもわかるように依然として俗語意識が消えないので、改まった会話や文章には用いないほうが無難。

いまいましい【忌忌しい】むかつくほど癪《しゃく》にさわる意で、会話や硬くない文章に使われる日常の和語。〈―仕打ち〉〈ちぇっ、―。うまく騙《だま》された〉🖉新美南吉の『張紅倫』に「こんな古井戸の中でのたれ死にをするのは、いかにも―」とある。⇩業腹《ごうはら》

いまごろ【今頃】だいたい今ぐらいの時刻・時期をさし、会話にも文章にも使われる和語。〈去年の―〉〈新婚の二人は―どうしているだろう〉🖉「―言われても困る」「―詫《わ》びても仕方がない」のように、遅過ぎるというニュアンスで使うこともある。⇩今時分

いまじぶん【今時分】今ぐらいの時刻・時期・季節をさし、会話にも文章にも使われる古風な表現。〈―パリに着いた頃かな〉〈来年の―はもう社会人になっているはずだ〉🖉「―までどこをうろついていたんだ」のように、遅いことを非難するニュアンスで使う例もあるが、かなり古い響きになる。⇩今頃

いまだ【未だ】今に至るも依然として実現していないさまをさし、改まった会話や硬い感じの文章に用いられる、文語的な語感を保つ古めかしい和語表現。〈―かつてない斬新な企画〉〈―解決を見ない〉〈―に連絡がない〉🖉もともと打消しと呼応する表現だから、「―にパソコンを使用しない」という表現はすんなりと通るが、「―にワープロを使用している」という表現には今なお違和感を覚える人が少なくない。このように文脈によっては「今でも依然として」といった意味合いで受けとられ、「今でさえも」という解釈から、「今」にダニが寄生したかのように「今だに」と表記する例も見られるが、「いまだに」は「未だ」に「に」が付いた語形であると考えられている。国木田独歩の『武蔵野』に「日は富士の背に落ちんとして―全く落ちず」とあり、きちんと打消しと呼応して用いられている。⇩まだ

いみ【意味】広義には、記号・言語・表情・身振り・動作あるいは作品など、人間が感覚でとらえることのできる何らかの形で表現されたものに含まれる内容や意図、狭義には、ことばが指し示す概念をさして、くだけた会話から硬い文章まで幅広く使われる日常の最も基本的な漢語。〈ことばの―〉〈―がわからない〉〈深い―をこめる〉〈悪い―にとる〉〈重大な―を持つ〉🖉夏目漱石の『坊っちゃん』に「おれは野だの云う―は分らないけれども、何だか非常に腹が立ったから」とある。「語感」と対立させるのが通例だが、通常の「意味」を中心的・指示的・対象的・事柄的意味などと呼び、何を指し示すかとは別に、そのことばとともに伝わる情緒的な情報をも文体的意味・感情的意味などと呼んで周辺的意味として一括する立場もある。また、「―のある仕事」「そんなことをしても何の―もない」のように、ある行為やその結果が持つ価値といった意味合いでも使い、その場合は専門語という感じを伴わない。⇩Q意義

いみあい【意味合い】語感や文脈を考慮に入れた意味内容をさし、会話にも文章にも使われる表現。〈微妙な―の差〉

〈「ふれる」と「さわる」とでは少しく―が異なる〉⇩Q意味・意義・語感・ニュアンス

いみじくも 「巧みに」「まさしく」といった意味の古語的な表現。〈風花《かざはな》とは―言ったものだ〉〈―その状況をぴたりと言い当てている〉⇩Qまさしく・まさに

イミテーション 模造または模造品の意で、会話やさほど改まらない文章に使われる外来語。〈―のダイヤ〉〈よく見ると―とわかる〉✎ちょっと見には本物に見える宝石といった印象が強く、名画の模写や贋札《にせさつ》などの連想は働きにくい。⇩贋造・Q模造

イメージ 頭に思い描く具体的な像の意で、会話にも文章にも広く使われる日常の外来語。〈―キャラクター〉〈―がわく〉〈―が鮮明になる〉〈―しにくい〉✎「―ダウン」「プラス―」「―が悪い」「―をがらりと変える」のように、人や物の与える全体的な印象をさして使う拡大用法の例も多い。受ける一方である「印象」と違って、この語は「―を作り上げる」ともいう。⇩印象・Q映像・感じ・心象・心像《しんぞう》・表象

いもん【慰問】 苦労をしている人などを見舞って慰めることをさし、会話にも文章にも使われる漢語。〈―団〉〈施設に―に行く〉✎福永武彦の『草の花』に「サナトリウムの患者達を―するために、映画会が開かれた」とある。⇩見舞い

いや【嫌(厭)】 気に入らない意で、会話やさほど硬くない文章に広く使われる日常の和語。〈―な性格〉〈面倒な仕事は―だ〉〈―な顔をする〉〈つくづく―になる〉✎徳田秋声の『あらくれ』に「下駄に手をふれられても身ぶるいがするほど―であった」とある。⇩厭悪《えんお》・Q嫌い・嫌悪

いやあ 感じ入ったり打ち消したりする時に発する、主として男性が会話で使う、やや古風な強調語。〈―、何でもないよ〉〈―、今日はくたびれた〉〈―、まいったな、こりゃ〉〈―、こいつは驚いた〉✎小津安二郎監督の映画では、中年後期から初老にかけての主役に近い男性たちが、「―、いいさ」「―、どんなもんですか」「―、忘れてくれてええんじゃよ」「―、ありがとう」「―、全くだよ」「―、今日はよかったよ」「―、どうも」「―、ちょいとあわてたよ」などと、いろいろな場面で頻発する。軽く打ち消したり、謙遜したり、控えめに感動を表現したり、何かにつけて小津好みの恥じらいを知る平凡な人物たちの口をついて出てくることばとして性格づくりの一端をなしている。

いやがる【嫌(厭)がる】 嫌う気持ちを表情・態度・行動に表す意で、会話や硬くない文章に使われる日常の和語。〈人前でのスピーチを―〉〈―のを無理に連れ出す〉〈人の―ことを率先してやる〉✎庄野潤三の『引潮』に「奥さん、―でしょう。そんな水臭い」とある。気持ちの問題である「嫌う」に比べ、外面的にとらえやすく、「さっきからいろいろ説得しても、―・ってどうしても承諾しない」というふうに、継続的な態度や繰り返しの行為として実現することもある。⇩いとう・Q嫌う

いやくきん【違約金】 契約に違反した者が相手の損害を償うために支払うように予《あらかじ》め取り決めてある金銭をさし、会話にも文章にも使われる漢語。〈―を払わされる〉⇩罰金・Q反則金

いやしい【卑しい】 下品の意で、会話でも文章でも使われる

和語。〈目つきが―〉〈態度が―〉〈品性が―〉〈口が―〉🖉永井荷風の『あめりか物語』に「独り―空想に耽る」とある。⇩賤《いや》しい

いやしい【賤しい】 身分が低く貧しい意で、主として文章に用いられる古風な和語。〈―身なり〉〈人品骨柄―・からず〉🖉永井荷風の『濹東綺譚』に「その身を―ものとなして」とある。⇩卑しい

いやらしい【厭(嫌)らしい】 淫《みだ》らで相手に不快感を与える意で、主として会話に使われる和語表現。〈人前で言えない―言葉〉〈―目つきで女をじろじろ見る〉🖉夏目漱石の『吾輩は猫である』に「そんな御話しは廃《よ》しになさいよ、―」とある。上司に取り入るとか、怠けているふりをしてこっそり勉強するとか、人が見ているとやけに親切になるとか、性的な方面と無関係な場合にも使われるだけに、「淫猥《いんわい》」などに比べて婉曲《えんきょく》な表現となり、あたりはやわらかい。⇩淫猥・卑猥・Q淫ら・猥褻《わいせつ》

いよいよ【愈(愈々)】 ①前よりもなおの意で、会話にも文章にも使われる、いくぶん古風な和語。〈―危険が迫る〉〈―変だ〉〈―間違いない〉⇩Qいっそう・ひときわ・ひとしお・ますます ②「とうとう」の意で、会話にも文章にも使われる和語。〈―明日出発だ〉〈―始まる〉🖉「―の時」「―の場合」として最悪の事態をさす用法もある。⇩ついに・Qとうとう

いよう【威容】 威厳のある厳《おご》そかな姿の意で、主として文章に用いられる硬い感じの漢語。〈―を保つ〉⇩偉容

いよう【偉容】 立派な姿の意で、主として文章に用いられる硬い感じの漢語。〈―を誇る〉⇩威容

いよく【意欲】 積極的にやろうとする気持ちの意で、会話にも文章にも使われる漢語。〈労働―〉〈―を燃やす〉〈働く―がわいてこない〉〈―が感じられない〉〈―を失う〉⇩Q意気込み・意力・気概・気骨・気迫・気力・根性・精神力・ど根性・やる気

いらい【以来】 過去のある時点より現在までの連続した期間をさし、会話にも文章にも使われる漢語。〈あの失敗―元気がない〉〈卒業―まだ一度も会っていない〉🖉「開校―初めての」「開設―最大の」「開店―最悪の」というふうに、極端な事例を強調する場合にしばしばこの語が使われる。⇩以後・Q以降

いらい【依頼】 用件などを頼み込む意で、改まった会話や文章に用いられる硬い感じの漢語。〈執筆―が届く〉〈仕事を―する〉〈調査を―する〉🖉日常のちょっとした用事を頼むような場合に使うと大仰過ぎて違和感が出る。紹介や伝言などの場合、相手や状況に応じて、この語と「頼む」とを使い分ける。また、「―心が強い」のように、他に頼る意でも使う。⇩頼む

いらいら【苛苛】 思いどおりに進まず落ち着きをなくする意で、会話や硬くない文章に使われる擬態語。〈時間がなくなって―する〉〈―が募る〉🖉椎名麟三の『深夜の酒宴』に「―しながら邪険に云い出した」とある。⇩やきもき

イラスト 本や雑誌や広告などで説明文を理解する補助として添える挿絵《さしえ》や説明図などをさし、会話にも文章にも使われる外来語の略形。〈説明に―を入れてわかりやすくする〉🖉「イラストレーション」の略。⇩Qカット・挿絵・挿画

いらだつ【苛立つ】 思うように行かず気持ちがいらいらする

意で、やや改まった会話や文章に用いられる和語。〈神経が―〉〈―気持ちを鎮める〉 長塚節の『土』に「―・って戸を叩いて溝に復すと其の儘飛び出した」とある。⇩いらつく

いらつく【苛つく】思いどおりに行かないのでいらいらして気が立つ意で、主に会話に使われる少し俗っぽい和語。〈仕事がなかなか進まず―・いている〉⇩いらだつ

いりひ【入り日】沈みかけている夕日をさし、主として和風の文章に使われる、古風で優美な感じのするやわらかな和語。〈―が湖に金色のさざ波をつくる〉 徳冨蘆花の『不如帰《ほととぎす》』に「赤城の峰々―を浴びて花やかに夕栄《ゆうばえ》すれば」という例がある。⇩斜陽・夕陽《せきよう》・西日・Q夕日・落日・落陽

いりみだれる【入り乱れる】種類の異なる多くのものが雑然と交じり合って整わない状態になる意で、改まった会話や文章に用いられるやや硬い感じの和語。〈敵味方が―〉 夏目漱石の『坊っちゃん』に「(敵味方が)―・れて組んず解《ほご》れつ戦ってるから」とある。⇩乱れる

いりよう【入り用】ある特定の活動や仕事に使うために必要なの意で、会話やさほど硬くない文章に使われる、やや古風な表現。〈―の品を調達する〉〈近く大金が―になる〉〈いくら―ですか〉 「必要」ほど重要ではないが大いに役に立つ段階まで含む。⇩Q入用《にゅうよう》・必須・必要

いりょう【衣料】衣類やその材料となる布地をさし、やや改まった会話や文章に用いられる漢語。〈―品〉〈―費〉⇩衣服・着物・服・洋服

いりょく【意力】意志の力の意で、主として硬い文章に用いられる漢語。〈ぜひとも成し遂げようとの―に欠ける〉⇩意気込み・Q意欲・気概・気骨・気迫・気力・根性・精神力・ど根性・やる気

いる【居る】人や動物、運転者の乗っている乗り物などが存在する意で、くだけた会話から硬い文章まで幅広く使われる基本的な生活日常語。〈一日中家に―〉〈誰か―〉〈駅前にタクシーが―〉〈門の前に犬が―〉 夏目漱石の『坊っちゃん』に「中にはおれより背が高くって強そうなのが―。あんな奴を教えるのかと思ったら何だか気味が悪るくなった」とある。以前は「親がある」「恋人がある」が一般的であったが、このようにその存在の有無を問題とする場合でも、現在では「ある」「ない」より「いる」「いない」のほうが普通になっている。⇩ある・Qおる

いる【要る】ある目的のために必要な意で、会話やさほど改まらない文章に使われる日常の基本的な漢語。〈金が―〉〈人手が―〉〈根気が―〉〈筆記用具が―〉⇩要《よう》する

いる【煎(炒)る】食材を水も油も加えずに加熱し、かきまぜながら水分を飛ばす意で、会話にも文章にも使われる日常の和語。〈豆腐を―〉〈卵を―〉 「豆を―」「胡麻《ごま》を―」など、もともと水分の少ない食材の場合は、あぶって少し焦がすことになる。⇩Q炒《たい》める・煎《せん》じる・煎ずる・焙《ほう》じる・焙ずる

いるい【衣類】下着を含む着る物の総称。改まった会話や文章に用いる漢語。〈夏物の―一式〉〈―の手入れ〉〈―を清潔に保つ〉 個別の物をさしにくい。⇩衣装・Q衣服・着物・服装・身なり・装い

いれい【異例】従来の事実や慣用と異なる、前例のない珍しいことをさし、やや改まった会話にも文章にも使われる漢語。〈―の措置〉〈―の抜擢《ばってき》〉〈―の昇進を果たす〉〈この

時期にしては—の暑さだ〉✎大岡昇平の『俘虜記』に「米軍が俘虜をそういう風に使うのは—である」とある。前例がないというところに重点があり、評価は含まない。⇩Q特例・破格・別・例外

いれば【入れ歯】抜けた歯の代わりをする人工の歯をさし、会話にも文章にも使われる日常の和語。〈総—〉〈—にする〉✎椎名麟三の『自由の彼方で』に「不自然なほど白い歯は、—らしく、ものをいうたびに蝗の口のようなややこしい動き方をした」とある。⇩義歯

いれもの【入(容)れ物】物を入れるための器や箱、袋類などをさし、会話やさほど改まらない文章に使われる日常の和語。〈きれいな—に入っている〉〈—が大き過ぎる〉〈—に詰め込む〉✎比喩的に建物をさすこともある。⇩器・ケース①・箱・Q容器

いれる【入(容)れる】外部からある範囲の内側に移す意で、くだけた会話から硬い文章まで幅広く使われる日常の基本的な和語。〈中に—〉〈箱に—〉〈冷蔵庫に—〉〈窓を開けて風を—〉〈傘に—〉〈仲間に—〉〈子供を大学に—〉〈計算に—〉〈予定に—〉〈考慮に—〉✎石川達三の『蒼氓』に「一つの皿に油揚げと菜っ葉の煮つけたのがベタリと叩きつけたように—・れてある」とある。⇩Q挿入・装填・導入

いろ「愛人」の意の古い和風の俗語。現代は「愛人」という語にも日陰者といった雰囲気があるが、それでも一往その対象を客観的に指示するにとどまるのに対して、この語には多少とも軽蔑の気持ちがつきまとうため、いっそう刺激的に響く。〈あの女は親分の—だ〉✎瀧井孝作の『無限抱擁』に「築地で生れた少女時分にもう—があって」とある。語源的には「色」から出ているが、意味がかなりかけ離れているため、「情人」と漢字をあてたり、性別によって「情夫」「情婦」と書き分けたりする例が多い。が、いずれもそれを音読みした「じょうじん」や「じょうふ」と区別しにくい。⇩Q愛人・情人・情夫・情婦

いろ【色】光の波長の違いにより違って見える現象をさし、くだけた会話から硬い文章まで幅広く使われる日常の基本的な和語。〈—が濃い〉〈—が褪せる〉〈—とりどり〉〈—違い〉〈赤い—〉〈—を着ける〉✎梶井基次郎の『檸檬』に「あの檸檬が好きだ。レモンエロウの絵具をチューブから搾り出して固めたようなあの単純な—」とある。⇩色合い・カラー・Q色彩・色調

いろあい【色合い】色加減や色の調子をさし、会話にも文章にも使われる和語。〈すてきな—のドレス〉〈微妙な—を出す〉✎「黄色は黄色でもそれぞれに—が違う」というように、何色かという明確な差より中間色なり配合の具合などに言及するときに使う傾向がある。村上春樹の『遠い太鼓』に「白っちゃけた—の惨めったらしい植物」とあるが、どちらかというと好感をもった例が多い。⇩色・カラー・色彩・色調

いろいろ【色色】種類などが多い意で、会話や軽い文章に多く使われる日常の基本的な和語。〈—な道具〉〈—な考え〉〈—迷惑をかける〉〈—と悩みが重なる〉✎「様々」「種々」より日常語的。⇩Q様々・種々《しゅじゅ》

いろう【遺漏】注意が行き届かずやることに手抜かりが生じる意で、改まった会話や文章に用いられる丁寧な感じの硬

い漢語。〈計画に―はない〉〈万に一つの―もないようくれぐれも慎重に〉⇩落ち・Q欠落・脱落①・漏れ

いろごのみ【色好み】色恋や特に情事を好む意で、会話や軽い文章に使われる古めかしい和語。〈―の殿方〉〈町内でも―で知られる〉✎色恋の機微に通じている粋人をさすこともある。⇩Q好色・すけべえ

いろっぽい【色っぽい】表情や容姿やしぐさなどの性的な魅力で異性の気を引く感じをさして、会話や軽い文章によく使われる和語。〈―流し目〉〈―浴衣姿〉〈―・く笑いかける〉✎まれに男にも使うが、女について言う例が圧倒的に多い。⇩あだっぽい・婀娜《だあ》な・Q艶っぽい・なまめかしい・妖艶

いろどり【彩り】色の配合により趣を出す意で、会話にも文章にも使われる、いくぶん美的な和語。〈―がよい〉〈皿に盛り合わせると―も綺麗だ〉✎石川淳の『普賢』に「無味乾燥なわが文章に―を添えるために」とあるように、変化をつけて趣を出す意の比喩的表現の例も多い。⇩Q彩色《さいしき》・着色

いろめがね【色眼鏡】レンズに色のついた眼鏡をさし、会話にも文章にも使われるやや古風な和語。〈―を掛けて街に出る〉✎「―で見る」の形で偏見をもって対象を観察する意の比喩表現ともなる。⇩Q黒眼鏡・サングラス

いろり【囲(居)炉裏】部屋の床を四角に切り抜いて火を焚《た》く設備をさし、会話にも文章にも使われる和語。〈―端〉〈―を囲む〉✎夏目漱石の『草枕』に「―を切って、鉄瓶が鳴る」とある。「炉」と違い、壁を切る洋風の暖炉は含まない。漢字表記はあて字。⇩暖炉・炉

いろん【異論】他と異なる意見や考えをさし、やや改まった会話や文章に用いられる漢語。〈―がある〉〈―を唱える〉〈―を述べ立てる〉✎北杜夫の『夜と霧の隅で』に「病院側の医者がいくら―を唱えても徒労にすぎなかった」とある。「異議」に比べ、反対意見の内容に重点がある。⇩異議

いわ【岩(巌・磐)】表面のごつごつした大きな岩石をさし、会話にも文章にも使われる和語。〈―場〉〈―登り〉〈一枚―〉〈―に波が打ち寄せる〉✎坪田譲治の『風の中の子供』に「家のような―」とあり、堀田善衛の『鬼無鬼島』に「壁のような―」とあるように岩石以上に大きさを感じさせる。⇩石・いわお・Q岩石

いわう【祝う】めでたいことを喜ぶ意で、くだけた会話から硬い文章まで幅広く使われる日常の和語。〈新年を―〉〈誕生日を―〉✎「門出を―」のように幸いを祈る意にも使う。⇩祝賀・Q祝福

いわお【巌】突き出た巨大な岩をさし、主に文章中に用いられる古めかしい雅語的な和語。〈聳《そび》え立つ―〉✎島崎藤村の『夜明け前』に「大きな―のような堅い扉」「梃杆《てこ》でも動かない―のような権幕」とあるように、不動のイメージの比喩に使う。⇩Q岩・岩石

いわゆる【所謂】世間で一般に言われているの意で、やや改まった感じの和語。〈―現在形〉〈―形容動詞〉〈―第六感というやつ〉〈―順法闘争〉✎太宰治の『人間失格』に「―お茶目に見られる事に成功しました」とある。ここでは他人の言または世間一般の言い方を仮に用いる、という姿勢の用語で、その語を用いる自分の責任を回避することが可

能。そのため、煮えきらず理屈っぽい印象を与えやすい。

いわれもなく【謂われも無く】「何となく」の意で会話にも文章にも使われる古風な和語表現。〈—不安に思う〉✎永井荷風の『雨瀟瀟』に「秋の日のどんよりと曇って風もなく雨にもならず暮れて行くようにわたしの一生は終って行くのであろうというような事を—感じたまでの事である」とある。⇩そぞろ・何だか・Ｑ何となく

いん【印】「印鑑」の意で、主として文章に用いられる漢語。〈捨て—〉〈—を捺《お》し忘れる〉〈書類の「—」というしるしのある箇所にすべて捺《なつ》—する〉✎短すぎて耳で聞いただけではわかりにくい場合がある。しばしば書類などに、捺印すべき箇所を示す記号のように使われる。⇩Ｑ印鑑・印形《いんぎょう》・印章・印判・判・はんこ

いんうつ【陰鬱】暗く沈んで晴れ晴れしない様子をさし、改まった会話や文章に用いられる漢語。〈—な表情〉〈—な気分〉〈—な空模様〉✎久保田万太郎の『末枯』に「東京の真中に遠いこのあたりには、毎日、暗い、—な空ばかりが続いた」とある。⇩暗鬱・鬱陶しい・Ｑ重苦しい・沈鬱・憂鬱

いんえい【陰影(翳)】光と対照をなす暗い部分をさし、会話にも文章にも使われる漢語。〈—をつける〉✎光の当たった物体の暗い部分(陰)とその物体に光がさえぎられて生じる暗い部分(影)との総称という。梶井基次郎の『蒼穹』に「その雲はその地球に面した側に藤紫色をした—を持っていた」とある。「—に富む」のように、色・音・感情・文章などの含みから生まれる奥深い趣をさす比喩的用法も多く、『文章読本』で「含蓄」を説く谷崎潤一郎は『陰翳礼讃』で日本文化の陰翳に高い評価を与えている。⇩影《かげ》・Ｑ陰《かげ》

いんが【因果】原因結果の意の仏教語。古めかしく、人により、抹香くささを感じさせるが、「—関係を調べる」といった用法では、そういう位相語を超えて一般語化しており、宗教的な語感は消えている。〈—応報〉〈—を含める〉✎正宗白鳥の『毒』に「親子の—が子に報い」とある。⇩因縁①・Ｑ関係①・原因・結果・因《もと》

いんかん【印鑑】承諾や証明の意思を確認できるように捺《お》す印をさし、改まった会話や文章に用いられる正式な感じの漢語。〈—登録〉〈—証明〉✎「はんこ」や「判」なら気軽に捺してしまいそうな感じがあるが、「印鑑」となると正式な感じがして、三文判では気が引けるような雰囲気が漂う。⇩印・印形《いんぎょう》・印章・印判・判・Ｑはんこ

インキ「インク」の古い言い方。〈—壺〉〈鵞ペンに—をつけて書く〉✎印刷関係では伝統的にこの語を用いる。⇩インク

いんぎょう【印形】「印鑑」の意の、今ではめったに使われない古めかしい漢語。〈—など他人に貸した覚えはござらぬ〉✎井伏鱒二の『夜ふけと梅の花』に「(質屋の店で)私は—を出した」とあるが、現代社会で「印形」を要求するケースは考えにくいから、廃語に近いかもしれない。⇩印・印鑑・Ｑ印章・印判・判・はんこ

インク 筆記用・印刷用の着色液をさす外来語。〈—の色〉〈—のしみ〉〈万年筆に—を詰める〉⇩インキ

いんさつき【印刷機】紙などに文字などを印刷するための機械をさし、会話でも硬い文章でも使われる日常の漢語。〈旧式の大型—〉〈—をフル稼働させる〉〈高性能の—を導入す

る〉⇩プリンター

いんし【因子】ある結果を引き起こすもとになる要素をさし、学術的な会話や文章に用いられる専門的な漢語。〈遺伝—〉〈—分析〉〈この現象をもたらす—〉✎大岡昇平の『俘虜記』に「このさい自分が手をくだすという—は、かならずしも決定的ではない」とある。⇩成分・要因・Q要素

いんしょう【印章】「印鑑」の意で、会話には使われず文章にまれに用いられる、古風で硬い感じの漢語。〈—の類を扱う〉✎ハンコ屋の看板などにしばしば見られるが、業界の専門語というより昔風の言い方が残っているだけか。特に会話では通じにくい。ちなみに、某銀行からもらった景品「—ケース」なるものが机上にあるから、現代でもまったく使われないわけではない。使用範囲が狭く使用頻度も少ないため、一般的な「印鑑」に比べ、特殊なことばという語感がしみついている。三笠宮崇仁に『円筒印章の話』と題する著作があるが、本文中には「ハンコ」という語が使われる。⇩印・Q印鑑・印形《いんぎょう》・印判・判・はんこ

いんしょう【印象】見聞きした対象に関して心に残る感じの意で、会話にも文章にも広く使われる日常の漢語。〈第一—〉〈—深い〉〈強く—づける〉〈—が薄い〉〈いい—を与える〉〈—に残る〉✎小沼丹の『懐中時計』に「たいへん愉快な—を受けていたから、その人物が過去形で語られるのを聞くと、何とも妙な気がして淋しかった」とある。「イメージ」と違い、受ける一方で発信することはない。⇩イメージ・映像・Q感じ・心象・心像《しんぞう》・表象

インスピレーション 瞬間的に脳裏をよぎる考えをさし、多く会話に使われる外来語。〈—がわく〉〈—が浮かぶ〉〈—の働きによる〉⇩勘・直観・直感・Q閃《ひらめ》き・霊感

いんせい【院生】「大学院生」の略語で、大学院に所属する学生を学部生と区別する際の通称。〈—専用のロビー〉✎大学院でも「入学式」であり、「入院式」とは言わない。⇩Q学生

いんせん【院線】「国電」の前身である「省線」のその前身にあたり、今や廃語。✎鉄道院の時代の呼び名。今ではほとんど通じない。今、「国電」という語に感じる廃語的な響きを、国電の時代には「省線」という語に感じたように、省線の時代にはこの「院線」という語に同じような廃語的な古くささを感じたものと思われる。⇩国鉄・国電・Q省線

いんそつ【引率】一定の目的の下に多数の人間を引き連れて行く意で、会話にも文章にも使われる漢語。〈—者〉✎夏目漱石の『坊っちゃん』に「狸(校長のあだ名)は生徒を—して参列しなくてはならない」とある。「統率」に比べ、連れて行く点に重点がある。⇩統率・Q率いる

いんたい【引退】地位・職を退く意で、会話でも文章でも広く使われる漢語。〈—会見〉〈—を決意する〉〈現役を—する〉⇩隠退

いんたい【隠退】社会の第一線を退いて静かな生活に入る意で、主として文章に使われる硬い感じの漢語。〈—して山里にひっそりと暮らす〉⇩引退

インタビュアー 新聞・雑誌・放送の記者などが取材のために面会する場合の役割上の名称で、会話にも文章にも使われるやや専門的な外来語。✎発音は同じで「インタヴュアー」

とも書く。⇩聞き手

いんちき 他人を騙《だま》す不正なごまかしをさし、主にくだけた会話に使われる俗っぽい和語。〈─商売〉〈─をやって儲《もう》ける〉〈─を見破る〉〈─がばれる〉✎「奴の言うことはみな─だ」のように、単にでたらめだという意味でも使う。注意を引くためにしばしば片仮名書きする。⇩Qいかさま・詐欺・ぺてん

いんとう【淫蕩】 色事などの享楽にふけり生活が乱れる意で、主として硬い文章に用いられる古めかしい漢語。〈─の限りを極め、一向に品行のおさまる気配も見せない〉✎男性専用。同じく酒色に溺れる意の「放蕩」や「遊蕩」に比べ使用頻度は低いと思われ、語構成要素「淫」がみだらな色事を連想させ、飲む、打つ、買うの三道楽のうち女色の印象が前面に感じられる。類語の中で最も悪い語感がある。⇩道楽②・放蕩・Q遊蕩

いんとく【隠匿】 隠してはいけない物や人をひそかに隠す意で、改まった会話や文章に用いられる専門的な硬い漢語。〈─物資〉〈財産を─する〉〈犯人を─した罪〉✎「隠蔽《いんぺい》」と違い具体物が対象。⇩隠蔽

インナー 近年「下着」の意味で使われだした、外国語の略語。〈─にも気を遣う〉✎英語「インナーウェア」の短縮形。「下着」より斬新でおしゃれな感じがある。伝統的なふんどしや和装の下着に使うと、語感の違いでイメージの衝突を起こす。なお、「アンダーウェア」の語もあるが、略して「アンダー」とは言わない。⇩下着・肌着・ランジェリー

いんねん【因縁】 ①物事を成立させている直接・間接の原因と作用の意で会話にも文章にも使われる古風な漢語。〈前世からの─〉〈深い─がある〉〈これも何かの─だ〉✎もと仏教語。「いんえん」の連声《れんじょう》。⇩因果・縁① ②「言い掛かり」の意で、会話や改まらない文章に使われるやや俗っぽい漢語。〈─をつける〉✎「言い掛かり」「難癖」「いちゃもん」が単に相手を困らせようとして採る行為という印象が強いのに対し、この語はそれを種にして脅したり時には金品をゆすったりするという連想が働く。⇩言い掛かり・いちゃもん・Q難癖

いんばん【印判】 武家社会で用いられた、「印」の意の古めかしい漢語。〈─状〉✎「いんぱん」とも読んだ。現代では廃語。⇩印・印鑑・Q印形《いんぎょう》・印章・印判・判・はんこ

いんぶ【陰部】 男女の「外部性器」をさす代表的な漢語の間接表現。✎文字どおりには「日の当たらない陰の部分」という意味で、ある程度婉曲《えんきょく》な表現ではあるが、「局所」「局部」「恥部」などよりも明晰《めいせき》な表現として広く用いられてきた。⇩一物・陰門・隠し所・下半身②・下腹部・局所・局部・玉門・金玉・睾丸《こうがん》・女陰・Q性器・生殖器・恥部

インフルエンザ 流行性感冒の意で、会話にも文章にも一般に使われる外来語。〈─にかかる〉〈─の予防注射〉〈この冬─が猛威を奮う〉✎最近は「新型インフル」のように「インフル」と略すこともある。⇩Q流感・流行性感冒

いんぶん【韻文】 頭韻・脚韻などの韻をふんだり、七五調などのリズムで展開したりする言語表現をさし、会話にも文章にも使われる専門的な漢語。〈─芸術〉✎「散文」と対立。⇩詩歌

いんぺい【隠蔽】 実際の姿を覆い隠す意で、改まった会話や文章に用いられる硬い漢語。〈―工作〉〈証拠を―する〉〈事実を―する〉✎「隠匿《いんとく》」に比べ、隠す対象が抽象的・状態的。⇩隠匿

いんぼう【陰(隠)謀】 ひそかに企てる悪事のはかりごとの意で、やや改まった会話や文章に用いられる漢語。〈―を企てる〉〈―が発覚する〉✎谷崎潤一郎の『痴人の愛』に「―に加担している」とある。「陰謀」と書くと、陰でこそこそという面が強まり、「隠謀」と書くと、人目を避けてといった面が表に出る。「策略」「計略」より悪意が感じられ、「謀略」以上に内密な感じが強い。⇩計略・策略・Q謀略

いんもう【陰毛】 陰部に生える毛の意で、会話にも文章にも使われる漢語。〈豊かな―〉✎外村繁の『岩のある庭の風景』に「―は容赦なく伸びて、まっ白いのが房々と生え揃った」とある。⇩体毛・Q恥毛

いんもん【陰門】 軽い通俗的な読み物などで、「女性の外部性器」をさす古風な俗っぽい比喩的な漢語の間接表現。✎出入り口に見立てた比喩的な発想がかえって露骨な感じをかきたてる。⇩陰部・隠し所・下半身②・下腹部・局所・局部・玉門・Q女陰・性器・生殖器・恥部

いんゆ【隠喩】 喩《たと》える概念と喩えられる概念とを「まるで」「ような」といった比喩指標を介さずに直接結び付けて示す比喩表現の一類をさし、やや学術的な話題の会話や文章に用いられる専門的な漢語。〈「時は金なり」という格言や「人間は考える葦《あし》である」というパスカルの至言は―の一例だ〉✎「直喩」と対立。⇩Q暗喩

いんようすい【飲用水】「飲み水」の意で、改まった会話や文章に用いられる、やや専門的な漢語。〈洗い物にはいいが―としては適さない〉✎「飲料水」と違って水だけをさす。⇩Q飲料水・お冷や・飲み水・水

いんよく【淫欲】 みだらな性的欲望をさし、主として硬い文章に用いられる古い感じの漢語。〈―と言っていい淫らな性欲〉✎意味の共通部分をもつ「愛欲」「情欲」「色欲」「性欲」より厭《いや》らしい感じが強いが、「肉欲」や「獣欲」ほど強烈なマイナスイメージは伴わない。それぞれの語の意味の違いというより、「欲」と結びつくもう一つの漢字のイメージの差だろう。⇩愛欲・Q色欲・獣欲・情欲・性欲・肉欲

いんりょうすい【飲料水】「飲用水」に近い意味で、やや改まった会話や文章に用いられる漢語。〈―を確保する〉✎「清涼―」のように、飲み水以外にサイダーなどを含む場合もある。⇩Q飲用水・お冷や・飲み水・水

いんわい【淫猥】 淫《みだ》らでいたずらに情欲をそそる意として、主として文章に用いられる硬い漢語。〈―な話〉〈―な行為に及ぶ〉✎木山捷平の『処女』に「コウセツという言葉はうまく考え出したもので、少しも―な感を与えない」とある。「卑猥《ひわい》」よりもはっきりと性的な連想を誘う。「猥褻《わいせつ》」と比べても、すっと意味のわからない「褻」の字に代わって、性的な連想の強い「淫」の字を伴うだけに、よけい厭らしい印象を与えやすい。⇩いやらしい・Q卑猥・淫ら・猥褻

う

ういういしい【初初しい】 世間慣れしていない清新な感じの意で、やや改まった会話や文章に用いられる、いくぶん古風な感じの和語。〈―初舞台〉〈―花嫁姿〉〈今でも初々しさを残している〉✎「うぶ」よりも高評価の語で、時に詩的に響く。⇩Qうぶ・純情・純真・ナイーブ

ウィッグ 「かつら」の意で用いる新しい感じの外来語。〈服装に合わせて―を選ぶ〉✎自分の髪でないことを明言する「かつら」という語の露骨さをやわらげるために、意味が一般の人にすぐわからない外国語に置き換えた表現。特に女性用の洋髪というイメージが強い。⇩かつら

ウイット その時その場に即して気を利かせる才知を意味して、会話にも文章にも使われる英語からの外来語。〈―に富んだやりとり〉✎鋭い攻撃より皮肉をこめた巧妙な表現による反駁《はんばく》に本来の精神がある。時に笑いを誘うが、単純におかしいコミカル系とも、しみじみとおかしいユーモア系とも違い、気の利いた知的な刺激を伴った滑稽という点に特徴がある。ロンドンが爆撃されてデパートの一部が破壊された翌日、「このたび入り口を拡張いたしました」と書いた立て看板が出たという。惨状を別の角度からとらえることで悲劇を喜劇に仕立て直し、こんなことぐらいで生活が破壊されるものではないという自負をひそませたウイットの例である。⇩Qエスプリ・機知・機転・頓智《とんち》・ヒューマー・ユーモア

ういまご【初孫】 「はつまご」の伝統的で古風な言い方。〈―に恵まれる〉⇩はつまご

ウインター 「冬」の意で一定の言いまわしに使われる外来語。〈―スポーツ〉✎複合語として用い、単独では用いない。⇩冬

うえこむ【植え込む】 草木を何本か植えてその場所をふさぐ意で、会話にも文章にも使われる和語。〈庭の片隅につつじを―〉✎球根などを土の中に埋めることをも言う。⇩植え付ける・Q植える

うえじに【飢(餓)え死に】 空腹が度を越して体力を消耗し死に至る意で、会話にも文章にも使われる和語。〈腹が減って―しそうだ〉〈旱魃《かんばつ》で―する者が出る〉⇩餓死

ウエスト 胴囲の意で会話にも文章にもよく使われる外来語。〈―が細い〉✎類義語の中、日常会話では最も一般的。⇩胴囲・Q胴回り

うえつける【植え付ける】 草や木を移したり位置を決めたりして根づかせる意で、会話にも文章にも使われる、いくぶん専門的な感じの和語。〈苗を―〉⇩植え込む・Q植える

うえる【飢(餓)える】 食うものがなく空腹に苦しむ意で、会話にも文章にも使われる和語。〈―・えて死にそうだ〉✎「親の愛情に―」「学問に―」のように、欲しいものが得られない意の比喩的用法もあり、武者小路実篤の『お目出たき人』には「自分は女に―・えている」とある。⇩Qかつえる・渇く

うえる【植える】 草や木の根を土に埋めて根づかせる意で、

くだけた会話から硬い文章まで幅広く使われる日常の基本的な和語。〈庭に山桜を―〉〈花壇に草花を―〉✐小沼丹の『むべ』に「一尺ばかりのむべの苗を井伏鱒二氏に頂いて、玄関先に―・えて置いたら、二、三年で猛烈に伸びた」とある。⇩植え込む・Q植え付ける

うかい【迂回】回り道の意で、改まった会話や文章に用いられる漢語。〈―路〉〈道路工事のため―願います〉✐「遠回り」に比べ、途中に障害があってやむをえず予定外の道を行かざるを得ないという連想がある。⇩遠回り

うかつ【迂闊】事情にうとく注意が行き届かないさまを表し、少し改まった会話や文章に使われる、やや古い感じの漢語。〈―なことは言えない〉〈―に引き受けると、あとでとんでもないことになる〉〈こんな間違いをしでかすとはいかにも―だった〉✐小沼丹の『外来者』に「白髪の婆さんは、自分が―だったと思ったのかどうか知らぬが、独り何遍も点頭《うなず》いて」とある。⇩うっかり

うかぶ【浮かぶ】液体の表面や空中に位置する意で、くだけた会話から硬い文章まで幅広く使われる日常生活の基本的な和語。〈水面に―〉〈秋空にぽっかりと―・んだ雲〉✐「浮く」に比べ、浮いている物体が空中や水の表面にあり、その輪郭を観察者が目で確認している感じが強いという。庄野潤三の『秋風と二人の男』に「電車がヨットの―・んでいる川を渡って」とあるのも、乗客の目がヨットの姿をとらえた例である。なお、「姿が目に―」「いい考えが―・ばない」のように、抽象的なものが意識の表面に出てくる場合にも使われる。⇩浮く

うきうき【浮き浮き】楽しいことを前にして気持ちが浮き立つ意で、主に会話に使われる和語。〈―した気分〉〈デートを前に―する〉⇩いそいそ・Qわくわく

うきしずみ【浮き沈み】水に浮いたり沈んだりする意で、会話にも文章にも使われる和語。〈小船が波間に―する〉✐「―の激しい業界」「誰でも人生には―がある」のように、いい時と悪い時との意で比喩的に使うことが多い。⇩消長・Q浮沈

うく【浮く】液体や気体の下方から中間または表面に上る意で、くだけた会話から硬い文章まで幅広く使われる日常生活の基本的な和語。〈ふわりと空中に―〉〈一円玉は水に―〉✐伊藤整の『氾濫』に「身体は一枚の薄い布か、羽毛のようになって宙に―・き」とある。「浮かぶ」と違って、「水面に油が―」のように物の輪郭がはっきりしない場合でも、表面に姿を現さず水中にとどまっている場合でも、「この素材は水に―」のように一般に物体の性質を記述する場合でも使われる。また、「打ち込んだ釘が少し―・いてきた」「歯が―ような見え透いたお世辞」のように、固定されていたものが不安定な状態に変化する場合や、「会場になじまず一人だけ―・いている」のように周囲の人間や雰囲気などにとけこまないで目立つ場合にも使われる。⇩浮かぶ

うけあう【請け合う】「保証する」の意で、会話や硬くない文章に使われる日常的な和語。〈身許《みもと》を―〉〈人物はわたしが―〉✐「保証する」ほど正式な感じがないため、ちょっとしたことにも違和感なく使うことができる。⇩保証

うけおう【請け負う】報酬や期日その他の条件を定めてある

仕事一切を引き受ける意で、会話にも文章にも使われる、やや専門的な和語。〈工事を二千万円で―〉⇩引き受ける

うけつぐ【受け継ぐ】 親や先代や前任者の性格・体質・仕事・遺志などを引き継ぐ意で、会話にも文章にも使われる和語。〈親の体質を―〉〈仕事を―〉〈前からの方針を―〉✍「継承」より日常語的。⇩継承

うけつけ【受付】 外部からの問い合わせや来訪者・参会者の取次ぎなどをこなす場所や係をさし、会話にも文章にも広く使われる和語。〈―で尋ねる〉〈―にまわされる〉⇩Q受け付ける・帳場・フロント・窓口

うけつけび【受付日】 申し込みなどを受け付ける日をさす和語。申し込む側でなく、申し込みを受け付ける側に立った発想の表現。〈―以前の予約は不可〉⇩申し込み日

うけつける【受け付ける】 申し込みや問い合わせなどを処理する意で、会話にも文章にも使われる和語。〈今月末日まで―〉〈願書を―〉⇩受付

うけて【受け手】 聞き手と読み手との総称。やや専門的な雰囲気の和語。〈―の反応〉〈情報の―〉✍「送り手」と対立。⇩聞き手・受信者・読み手

うけとり【受け取り】 代金や品物を確かに受け取ったという書き付けの意で、会話や軽い文章に使われる和語。〈買い物をして―をもらう〉✍簡単な書き付けから正式の領収書まで幅広く使う。⇩受領証・Q領収書・レシート

うけもち【受け持ち】 担当・担任の意で、会話や軽い文章に使われる和語。〈この仕事の―〉〈自分の―になる〉✍「今度の―は厳しそうだ」のように担任教師をさすこともある。⇩従事・Q担当・担任・服務

うける【受ける】 他からの働きかけなどを取り込むといった広い意味で、くだけた会話から硬い文章まで幅広く使われる日常生活の最も基本的な和語。〈風を―〉〈試験を―〉〈影響を―〉〈教育を―〉〈恩を―〉〈注文を―〉〈宣告を―〉〈印象を―〉〈観客に―〉✍二葉亭四迷の『平凡』に「相談を―・ければ」とある。⇩Q承《う》ける・享《う》ける

うける【承ける】「受ける」のうち、継承する意を明確にしたい場合に文章で特に書き分ける表記。それだけ語の文体的なレベルも高くなる。〈後を―〉〈体質を―〉⇩Q受ける・享《う》ける

うける【享ける】「受ける」のうち、授かる意を明確にしたい場合に文章で特に書き分ける表記。それだけ語の文体的なレベルも高くなる。〈この世に生を―〉〈天賦の才を―〉⇩Q受ける・承《う》ける

うごく【動く】 移動・機能・活動・変化する意で、くだけた会話から硬い文章まで幅広く使われる日常の基本的な和語。〈車が―〉〈機械が―〉〈警察が―〉〈気持ちが―〉✍井伏鱒二の『黒い雨』に「電車が順調に―・きだした」とある。⇩Q移動・変化・変動・揺れる

うさばらし【憂さ晴らし】 つらさ・苦しさやみじめな思いを忘れるために気を紛らすことをさし、会話にも文章にも使われる和語。〈街に出て―をする〉〈―に酒を飲む〉✍漠然とした「気晴らし」と違い、はっきりと不愉快なことがあったあとに普段と違う特別なことをする感じが強い。⇩気散じ・Q気晴らし・慰み

うさんくさい【胡散臭い】何となく信用できない感じの意で、会話や硬くない文章に使われる表現。〈―話〉〈―説明に終始する〉⇩眉唾物

うし【齲歯】「虫歯」の意の専門漢語。〈―ゼロ〉✎「くし」の慣用読み。⇩虫歯

うしなう【失う】それまで持っていたものを無くす意で、改まった会話や文章で用いられる和語。〈財産を―〉〈職を―〉〈効力を―〉〈資格を―〉〈将来に希望を―〉✎堀辰雄の『風立ちぬ』に「いまの一瞬の何物をも―まいとするかのように無理に引き留めて」とある。「肉親を―」など、死別の意味では特に「喪う」と書いて区別することもある。「事故」「火事」「戦争」「失敗」「無駄」などのように減少することが望ましい対象については「無くす」を用い、この「失う」は使えない。⇩無くす

うしろ【後ろ】自分が向いている側や物の正面と反対の方向をさし、くだけた会話から硬い文章まで幅広く使われる日常の基本的な和語。〈―を振り返る〉〈―から追いかける〉〈親の―に隠れる〉✎夏目漱石の『坊っちゃん』に「馳け足の姿勢で、はやての様に―から、追い付いた」とある。後藤明生の『吉野大夫』には「ふと―を振り返った。わたしは思わず、あっと声をあげた。そこに見えたのは、いままで見たこともない、途方もなく大きな浅間山だった」とある。「前」と対立。⇩Q後部・後方・背後

うしろぐらい【後ろ暗い】他人に知られては困ることを隠している気持ちをさし、会話にも文章にも使われる若干古い感じになりかけている和語。〈何やら―ところがあるのか、妙に視線を避ける〉⇩Q後ろめたい・やましい

うしろめたい【後ろめたい】良心に恥じるところがあり相手に対して気が咎《とが》める意で、会話にも文章にも使われる和語。〈何となく―ものがある〉〈―ことは何もない〉〈冷たく扱い過ぎたかと―気持ちもないではない〉✎安岡章太郎の『朝の散歩』に「いったい何が―のか、他人の不幸をのぞき見することが気がとがめるのか」とある。⇩Q後ろ暗い・やましい

うすい【薄い】厚み・色・味・密度・濃度・可能性などが少ない意で、くだけた会話から硬い文章まで幅広く使われる日常の基本的な和語。〈―紙〉〈―氷〉〈ごく―ピンク〉〈―コーヒー〉〈甘みが―〉〈人情が―〉〈望みが―〉〈縁が―〉✎大岡昇平の『花影』に「空の青が透いて見えるような―脆い花弁」とある。「淡い」より幅広い意味に対応し、「淡い色」「浅い春」のような特別の語感が働かない。⇩浅い・淡い

うずうず　すぐにでもやりたいのになかなか始められず待ちきれない気分をさし、主に会話に使われる感覚的な和語表現。〈早く行きたくて待っている間も―する〉⇩むずむず

うすぎたない【薄汚い】どことなく汚い感じがする意で、会話にも文章にも使われる和語。〈―裏通り〉〈―恰好〉✎汚れた箇所やその程度を具体的に意識せず、全体としての感じの印象をさす。「―やり口」のように、ずるい感じの意にも使う。⇩汚い・汚らしい・Q小汚い

うずく【疼く】ずきずきと痛む意で、改まった会話や文章に用いられる和語。〈傷が―〉〈歯が―〉〈胸の中が―〉✎小林多喜二の『党生活者』に「ジッとしていると、頭の片方だけ

がズキン、ズキンと鈍く―・いた」とある。太宰治の『女生徒』には「五月のキウリの青味には、胸がカラッポになるような、―ような、くすぐったいような悲しさが在る」という感情を感覚的にとらえた例が出る。⇩痛い・痛む

うすぐらい【薄暗い】光の量が不足して物がはっきり見えない状態をさし、会話にも文章にも使われる日常の和語。〈―部屋〉〈日が落ちて外が―・くなる〉✎三浦綾子の『続氷点』に「林の中は、夕ぐれのように―・かった」とある。⇩暗い・ほの暗い

うすっぺら【薄っぺら】「薄い」に近い意味で口頭表現によく使われるくだけた日常語。〈―なちゃちな本〉〈―な思想〉〈人間が―だ〉✎夏目漱石の『坊っちゃん』に「畳付きの―なのめりの駒下駄」とある。単に厚みが「薄い」だけでなく、深みや奥行きが浅いという軽蔑の気持ちを感じさせるマイナス評価が伴う。⇩薄い

うすのろ【薄鈍(野呂)】頭の回転が遅く反応や動作が鈍い意で、主に会話に使われる俗語。〈少々―だが仕事は丁寧だ〉⇩ぐず・のろま

うずまる【埋まる】見えなくなるほど覆われる意で、会話にも文章にも使われる和語。〈庭が一面に咲き乱れる花に―〉〈机が書類の山に―〉〈廊下が取材陣で―〉✎「うまる」とはっきり区別するには仮名書き。⇩うまる

うすめ【薄目】閉じた瞼《まぶた》を緩めてわずかに開いた目の意で、会話にも文章にも使われる和語。〈―を開けて外の様子をうかがう〉✎瞼を閉じる方向で実現する「細目」に対して、結果の状態は似ているものの、この語は開く方向でその隙間を実現し、わずかに開けてひそかにうかがうといったマイナスイメージを伴いやすい。⇩細目

うずめる【埋める】物がよく見えなくなるほど表面を覆う状態にする意で、会話にも文章にも使われる日常の和語。〈砂に―〉〈恋人の胸に顔を―〉〈祝賀会場を花で―〉✎会場が満員になる場合、すべての空席を満たすと考えれば「うめる」となり、どこを見ても観客に覆われていると考えれば「うずめる」となるように、両方使えてもそれぞれ発想が違う。漢字表記は「うめる」との区別がつきにくい。⇩うめる

うずもれる【埋もれる】物に覆われて外から見えなくなる意で、会話にも文章にも使われる和語。〈雪に―〉〈遺跡が砂に―〉〈―・れた作品に案外いいのがある〉✎仮名書きでは「うもれる」との区別が難しい。⇩うもれる

うすらぐ【薄らぐ】感覚や感情などの激しさが衰える意で、会話にも文章にも使われる日常の和語。〈日の光が―〉〈寒さが―〉〈痛みが―〉〈悲しみが―〉〈興味が―〉⇩薄れる

うすらさむい【薄ら寒い】ひんやりと少し寒く感じられる意で、会話や軽い文章に使われる和語。〈晩秋の―一日〉✎肌にひんやり感じる点は「肌寒い」と同様だが、温度感覚としてはこの語のほうが概念的。三浦哲郎の『ユタと不思議な仲間たち』に「初夏とはいってもまだ―北国の夕風が流れはじめていた」とある。⇩うそ寒い・肌寒い

うすれる【薄れる】濃くはっきりしていたのが薄くぼんやりした感じに弱まる意で、会話にも文章にも使われる日常の和語。〈霧が―〉〈色が―〉〈視力が―〉〈記憶が―〉〈意識が―〉〈関心が―〉〈印象が―〉⇩薄らぐ

うそ【嘘】 事実と違う作り事の意で、くだけた会話から文章まで幅広く使われる日常の基本的な和語。〈─をつく〉〈真っ赤な─〉〈まことしやかな─〉〈見え透いた─〉✎夏目漱石の『坊っちゃん』に「よく─をつく男だ。是で中学の教頭が勤まるなら、おれなんか大学総長が勤まる」とある。相手を欺く意図的な偽りだけでなく、「─字」のように単に正しくないという意味でも使い、また、「そう来なくちゃ─だ」のように不適当といった意味合いで用いることもある。⇨Q偽り・嘘っぱち・虚偽・ほら

うそさむい【うそ寒い】 どことなく寒々とした感じのする意で、主として文章中に用いられる古風な和語。〈晩秋の─夕暮れ〉⇨うすら寒い

うそっぱち【嘘っぱち】 全くの嘘と強調する意で、くだけた会話に使われる俗っぽい和語。〈そんなの─にきまってらあ〉〈─もいいとこだ〉⇨偽り・Q嘘・虚偽・ほら

うた【歌(唄)】 旋律をもつ言語作品をさし、民謡・俗曲・歌謡曲・童謡などの総称として、くだけた会話から硬い文章まで幅広く使われる日常の基本的な和語。〈─と踊り〉〈─を歌う〉〈─を口ずさむ〉〈賑やかな─〉〈哀調を帯びた─〉✎夏目漱石の『坊っちゃん』に「─はすこぶる悠長なもので、夏分の水飴のように、だらしがない」とある。「地─」「長─」「馬子《まご》─」「わらべ─」「数え─」などでは多く「唄」と書く。また、谷崎潤一郎の『細雪』に「古今集の昔から、何百首何千首となくある桜の花に関する─」とあるように、和歌、特に短歌をさす用法もあり、その場合は「唄」とは書かない。また、詩歌全体を含む場合は「詩」と書く例が多い。⇨Q歌謡・歌謡曲・短歌・和歌

うたいて【歌い手】 歌を歌う人をさし、会話にも文章にも使われる、いくぶん古風な和語。〈一流の─〉〈同じ曲でも─によって感じが違う〉✎プロもアマも含まれるが、ある程度の歌唱力がある場合を連想させる。⇨歌手

うたう【歌う】 メロディーを口ずさむ意で、くだけた会話から硬い文章まで幅広く使われる日常生活の基本的な和語。〈童謡を─〉〈朗々と─〉〈鼻歌を─〉✎網野菊の『風呂敷』に「風呂から上ろうとしてからだをふいている時、ミツは、ふと、自分が、外国の唱歌を小声で─・っていることに気づいた」とある。⇨Q唄う・謡う・詠《た》う・謳《た》う

うたう【唄う】「歌う」のうち、日本の伝統的な民謡や俗曲などの場合に特に書き分ける古風な表記。〈端唄を─〉〈小唄を─〉✎夏目漱石の『坊っちゃん』に「三味線を抱えたから、おれは─・わない、貴様─・って見ろと云ったら」とある。⇨Q歌う・謡う・詠《た》う・謳《た》う

うたう【謡う】 謡曲の場合に用いる慣用的な表記。〈高砂を─〉⇨Q歌う・唄う・詠《た》う・謳《た》う

うたう【詠う】 詩歌に詠み込む意で用いる、古風で雅やかな雰囲気の和語表現。〈古くから詩歌に─・われてきた名勝〉⇨Q歌う・唄う・謡う・謳《た》う

うたう【謳う】 謳《おう》歌《か》する意で、主に文章に用いられる和風の美的表現。〈わが世の春を─〉〈不朽の名作と─・われる〉〈憲法の条文に─〉✎ほめたたえるニュアンスが前面に出る。⇨Q歌う・唄う・謡う・詠《た》う

うたがい【疑い】 不審に思うことをさし、くだけた会話から

硬い文章まで幅広く使われる日常の和語。〈放火の―〉〈―がかかる〉〈―が晴れる〉〈―の余地はない〉✎伊藤整の『火の鳥』に「―が、蛇のように私の胸の中で頭をもたげた」とある。⇩疑義・疑念・Q疑問・疑惑

うたがう【疑う】 疑問に思う、不審を抱く、信用できないの意で、くだけた会話から硬い文章まで幅広く使われる日常の基本的な和語。〈むやみに人を―ものではない〉〈あまりの変化にわが目を―〉〈信じて―・わない〉〈常識を―〉〈誠意が―・われる〉✎小沼丹の『懐中時計』に、譲ると言いながら友人が肝腎の時計を見せようとしないので、「その時計の存在を―・ったとしても不思議はあるまい」とある。⇩怪しむ・いぶかる・Q疑《うた》ぐる

うたかた【泡沫】 水の上の泡、また、「泡」のように消えやすく「はかない」の意の詩的な雰囲気を持つ古語的表現。〈川に浮かぶ―〉〈―の恋〉〈―の世〉〈―の夢〉✎福永武彦の『草の花』に「幾つもの理由が思い浮かんでは―のように消えた」とある。はかなく消えやすいことを水に浮かぶ「泡」にたとえた表現。⇩泡・水泡・泡沫《ほうまつ》・みなわ

うたがわしい【疑わしい】 悪事を働く可能性がある意で、改まった会話や文章に用いられる、やや硬い感じの和語。〈見るからに―不自然な行為〉✎「怪しい」同様、「成功するかどうか―」のように、疑問が残る意を表す用法もある。「―・きは罰せず」もその一例。⇩怪しい

うたぐる【疑る】 疑う意でくだけた会話に使われる俗っぽい口頭語。〈人を―のもいい加減にしろ〉✎「疑う」が心の中での思考作用を問題にしているのに対し、この語はその疑いの気持ちが具体的な行為や表情やことばの端々に表れている感じがある。⇩怪しむ・いぶかる・Q疑う

うたげ【宴】 宴会の意で、主に文学的な文章に用いられる優雅な古語的表現。〈春の―を繰り広げる〉〈はなやかに婚礼の―を催す〉⇩宴・Q宴会・酒盛り・酒宴

うたたね【うたた寝】 寝床に入らずにうとうとと眠る意で、会話にも文章にも使われる和語。〈こたつで―する〉⇩居眠りする・仮睡・仮眠・仮寝

うち【内】 ①囲われた範囲より中心に近いすべてをさし、くだけた会話から硬い文章まで幅広く使われる日常生活の基本的な和語。〈この線より―に置く〉〈―から外に向かって力が働く〉〈においが―にこもる〉〈あくまで―の話だ〉✎対象を客観的にとらえた感じの「中」に対し、この語は対象の内側に視点を置いてとらえた感じが強い。ちなみに、夏目漱石に胃潰瘍の発作の間を縫うように朝日新聞に連載した『硝子戸の中』と題する随筆があり、この場合は「中」を「うち」と読む。⇩中　②関西で女性が「わたし」の意で使う自称代名詞。〈―、よう言わんわ〉〈―でよろしゅおますか〉✎谷崎潤一郎の『細雪』に、妙子が「―、どない云うてええか分らへん」と言う例があり、小津安二郎監督の映画『彼岸花』にも幸子が「―の言うことなんにも聞いてくれしまへんの」と言う場面がある。近年は関東の女児にも広まっているという。⇩わたくし・Qわたし

うち【家】 家をさして、会話や改まらない文章によく使われる日常の和語。〈―にこもる〉〈―を空ける〉〈―の中がひっくり返っている〉✎夏目漱石の『坊っちゃん』に「おれの

来たのを見て起き直るが早いか、坊っちゃん何時―を御持ちなさいますと聞いた」とある。建築中の住宅や空き家などのように人が住んでいない建物には通常用いない。「家《いえ》」以上に生活感があり、「―の人」「―では朝はたいていパンだ」のように、特に自分の家庭をさすこともあり、親近感をもって使う傾向が見られる。⇩Qいえ・家屋・居宅・豪邸・住居・住宅・住まい・邸宅・屋敷

うちあわせ【打ち合わせ】おおよその内容が決まっている物事についてその進行や手順などの細部を詰めるために関係者が対等の関係で話し合うことをさし、会話やさほど硬くない文章で使われる和語。〈仕事の―〉〈―どおりにやる〉✎「相談」が持ちかける側と乗る側との間で行われることが多いのに対し、この語は当事者どうしが同等の資格で話し合う場合をさす。⇩会議・協議・相談・談合・Q話し合い・ミーティング

うちあわせる【打ち合わせる】今後の予定や進め方などを前もって話し合っておく意で、会話にも文章にも広く使われる日常の和語。〈日程を―〉〈あらかじめ詳細にわたって―・せておく〉✎「申し合わせる」と違って、約束までこぎつけるとは限らない。⇩示し合わせる・Q申し合わせる

うちうち【内内】身内やごく親しい人の間に限る意で会話にも文章にも使われる和語。〈―の祝い〉〈葬儀を―で済ませる〉⇩こっそり・そっと・ないない・ひそか

うちかつ【打ち克つ】困難な事柄・局面・境遇にめげず、努力してそれを乗り越える意で、いくぶん改まった会話や文章に用いられる和語。〈困難に―〉〈病に―〉〈誘惑に―〉✎夏目漱石の『草枕』に「不幸に―・とうとして居る顔だ」とある。⇩克服

うちき【内気】人前に出ると恥ずかしくて消極的になるようすをさし、会話にも文章にも使われる日常語。〈―な性格〉〈―でおとなしい〉✎「内向的」とは違い、他人と交わりたいと思いながら引っ込み思案で踏み切れない場合を含む。⇩内弁慶・Q内向的・引っ込み思案

うちきる【打ち切る】途中で止める意で、やや改まった感じの会話や文章に用いる和語。〈製造を―〉〈交渉を途中で―〉〈連続ドラマを―〉✎「切り上げる」に比べ、途中でというニュアンスが強く、それだけ決意が感じられる。⇩Q切り上げる・中止

うちきん【内金】売買や請負の契約に際し、代金や報酬の一部をあらかじめ支払う意で、会話にも文章にも使われる表現。〈―を入れる〉〈―として渡す〉✎「手付金」の意味で使うケースもある。⇩Q頭金・手金《てきん》・手付け・手付金

うちけす【打ち消す】否定する意で、やや改まった会話や文章に用いられる和語。〈噂を―〉〈疑惑を―〉✎「波の音に―・される」のように、何かの影響で音などが聞こえなくなる意味に用いる例もある。⇩Q否定・否認

うちにわ【内庭】屋敷内の建物の内側にある庭をさし、会話にも文章にも使われる、いくらか古風でいくぶん専門的な感じの和語。〈―の植え込み〉⇩坪庭・Q中庭

うちのひと【内(家)の人】主に会話で、妻が他人に向かって自分の夫をさして言う和語表現。〈―ときたら、こんなことを言うのよ〉〈―ともよく相談して〉✎「うち(家)の者」の

ほうは、家族や使用人をもさし、夫が特に妻をさして用いる婉曲《えんきょく》表現ともなるが、この語は慣用的でそこまでの恥じらいを感じさせない。⇩Q夫・主人②・旦那・亭主・ハズ・宿六

うちのもの【家の者】同居人をも含む意味合いで暗に自分の「妻」をさす間接的な謙称。〈―に持って来させる〉✎年配者が用い、ストレートに表現することを照れる雰囲気が感じられる。小沼丹の『珈琲の木』に「―は感心したが、感心したのは思慮が足りないからで」とある。⇩Qいえの者・お上さん・奥方・奥様・奥さん・お内儀・家内・かみさん・愚妻・細君・妻・女房・伴侶・ベターハーフ・令閨・令室・令夫人・ワイフ

うちぶろ【内風呂】母屋の中に設けた、あるいは各家庭にある風呂場をさし、会話にも文章にも使われる、やや古風な表現。〈―があってもたまに銭湯に行く〉✎母屋の外に別棟として建てた風呂場や、銭湯などに対して言う。「外風呂」と対立。⇩内湯

うちべんけい【内弁〔辨〕慶】家庭など親しい人たちの間では(弁慶のように)元気でいばっていても、知らない人の前に出るとすっかりおとなしくなってしまう性格をさし、会話や軽い文章に使われる表現。〈あの子は―で外ではからっきし意気地がない〉⇩Q内気・内向的・引っ込み思案

うちみ【打ち身】体を強打して生ずる皮膚組織の損傷の意で、会話や改まらない文章に使われる一般的な和語。〈―だけで骨に異状は認められない〉⇩打撲傷

うちゆ【内湯】温泉旅館で屋内に湯を引いた浴場をさし、会話にも文章にも使われる和語。〈雨の日は―に浸《つ》かる〉✎自分の家の浴室をさすこともあるが、それが普通になった今ではあまり使わない。「外湯」と対立。⇩内風呂

うちわもめ【内輪揉め】家族というかたまりや親しい仲間の集まり、会社・政党・チームなどに亀裂が生じて内部で争う事態をさし、会話や軽い文章に使われる日常の和語。〈グループ内の―〉〈―で党が一つにまとまらない〉〈―している場合ではない〉✎「内紛」ほど大仰な感じがないため、意見が合わない程度でも使える雰囲気がある。いつもは気が合って一緒に行動しており本来は一つにまとまるはずなのに、というニュアンスをひきずる。⇩内紛

うつ【打つ】物理的・心理的に刺激を与えるといった広い意味合いで、くだけた会話から硬い文章まで幅広く使われる日常生活の基本的な和語。〈釘を―〉〈頭を―〉〈ヒットを―〉〈注射を―〉〈何とか手を―〉〈胸を―感動的な場面〉✎鷺沢萠の『川べりの道』に「ぱあん、と頬を―音がした」とある。⇩討つ・Q撃つ

うつ【討つ】相手をやっつける意専用で、改まった感じの会話や文章に使われる和語。〈敵《てき》を―〉〈敵《かたき》を―〉〈仇《あだ》を―〉⇩打つ・撃つ

うつ【撃つ／射つ】発射する意で、会話でも文章でも使われる和語。〈銃を―〉〈鳥を―〉✎志賀直哉の『山鳩』に「―・ったのは自分ではないが、食ったのは自分だという事も気が咎めた」とある。「撃つ」と書くと弾が命中した感じが強いが、「射つ」と書くと発射の連想が強く、射止めたかどうかに言及していないニュアンスが感じられる。⇩打つ・Q討つ

うっかり　ぼうっとしていて不注意なさまを表し、会話や改

まらない文章に使われる日常の和語。〈―約束を忘れるところだった〉〈―誘いに乗る〉〈―乗り越す〉〈―口にできない〉✎小沼丹の『登高』に「酒の席などで―歌を所望すると、例えば「鉄道唱歌」の如きを大声で歌い始めて、途中で決して止めない」とある。「つい」に比べ、もっぱら不注意によって生じる失態を思わせる。⇩迂闊《うかつ》・思わず・Qつい

うつくしい【美しい】形や色や音などがうっとりするほど美的に快く感じられるさまを表す基本的な和語。〈―景色〉〈―女性〉〈―行為〉〈―話〉✎武者小路実篤の『友情』に「自然はどうしてこう―のだろう。空、海、日光、水、砂、松、美しすぎる」とある。「麗しい」のような雅語的な雰囲気の文章語ではないが、「綺麗《きれい》」よりは改まったいくらか文章語寄りの表現。くだけた会話ではあまり使わない。そのため、当人に面と向かって「お―ですね」と言うと、「お綺麗ですね」に比べ、気障《きざ》で歯の浮いた感じを招きかねない。「―友情」のように抽象化した例では「綺麗な」と置換不適。⇩麗しい・Q綺麗

うつし【写し】原本などから控えとして写し取った文書や書画などの模写をさし、改まった会話や文章に用いられる和語。〈運転免許証の―を取る〉〈保険証の―を同封する〉✎「複写」「転写」と違い、写す行為ではなく写した物をさす。手で書き写す場合も機械でコピーする場合も含め、正式の書類などで外来語を避けて使うこともある。役所などで「コピー」という外来語の俗っぽさを嫌って用いるケースも見られる。⇩Qコピー・転写・複写

うつす【移す】空間的・時間的な位置を他に動かす意で、くだけた会話から硬い文章まで幅広く使われる日常の基本的な和語。〈場所を―〉〈心を―〉〈計画を実行に―〉✎夏目漱石の『坊っちゃん』に「自分の許嫁が他人に心を―・したのは猶情ないだろう」とある。「時を―」は文体的なレベルの高い美的な表現。「都を―」の場合は「遷都」に合わせて特に「遷す」と書く例も多い。「病気を―」の場合は感染の意味を明確にするために特に「感染す」とあてることもある。これらの表記は古めかしい感じがある。⇩移動

うつす【写す】撮影・転写などの意で、くだけた会話から硬い文章まで幅広く使われる日常の基本的な和語。〈写真を―〉〈ノートを借りて―〉〈そっくりそのまま―〉✎大岡昇平の『武蔵野夫人』に「やたらにそこらを鉄砲を打つように―・してしまうと、フィルムを抜いた」とある。⇩映す

うつす【映す】投影などの意味合いで、主として文章に使われるやや美的な和語。〈スライドを―〉〈鏡に姿を―〉〈川面に影を―〉✎夏目漱石の『草枕』に「難有《ありがた》い世界をまのあたりに―のが詩である」とある。「世相・人生・感情を―」など、「写す」より情緒的な用例が多く見られる。⇩写す

うったえる【訴える】争いごとを裁いてもらうために物事の理非曲直の判定を権威ある箇所、特に裁判所などに求める意で、会話にも文章にも使われる和語。〈盗難事件を―〉〈債務不履行で―・えられる〉✎夏目漱石の『坊っちゃん』に「警察へ―・えたければ、勝手に―・えろ」とある。「空腹を―」「上司に不満を―」のように、知らせて共感や同情を得ようとする意にも使い、その場合は改まった響きが伴う。⇩Q告訴・訴訟・提訴

うってつけ【打って付け】 適性などから見てぴたりとあっている意で、会話や軽い文章に使われる和語。〈几帳面な人には—の仕事〉〈手の器用な人には—の役だ〉⇩誂《あつら》え向き

うっとうしい【鬱陶しい】 何かが覆いかぶさったようで重苦しく晴れ晴れしない意で、くだけた会話でも文章でも広く使われる日常生活の和語。〈どんより曇って—天気だ〉〈髪が伸びて—〉〈—梅雨空〉✎三島由紀夫の『橋づくし』の末尾に、気の利かない山出しの女中の丸い肩をつつく場面がある。「弾力のある重い肉に弾かれ、指先には—触感が残って、満佐子はその指のもってゆき場がないような気がした」と結ばれる一文は、「鬱陶しい」の微妙な働きにより感覚描写が心理描写として機能する。⇩陰鬱・Ｑ重苦しい・不快・不愉快

うっとり 美しさや快さに心を奪われ酔ったようになって思わず我を忘れる意で、会話や軽い文章に使われる和語。〈—と見とれる〉〈—と聴きほれる〉〈—した表情〉⇩恍惚《こうこつ》

うつぶせ【俯せ／うつ伏せ】 顔を下に向けて横たわる意で、会話にも文章にも使われる和語。〈—になる〉〈—に寝る〉✎「腹這《はらば》い」と同じ体勢。「あお向け」と対立。⇩腹ばい

うつらうつら 眠気などのために意識がぼんやりする意で、会話や硬くない文章に使われる和語の擬態語。〈本を読みながら—する〉✎「うとうと」よりは少し意識がはっきりしており、ぼんやりながら本を読んだり話を聞いたりできる段階をさすことが多い。また、眠りかけているときにも、目が覚めかかっているときにも使える。⇩うとうと

うつりが【移り香】 近くの人や物から移って付いた匂いをさし、会話にも文章にも使われる和語。〈—がする〉⇩残香・Ｑ残り香

うつりかわり【移り変わり】 時の推移とともにものごとの様子が変わってゆくことをさし、会話やさほど硬くない文章に使われるいくぶん古風な和語。〈世の中の—〉〈町の—〉✎島崎藤村の『破戒』に「静かに一生の—を考えて」とある。「変遷」ほど大仰ではなく、「季節の—」のように比較的小規模なスパンで使っても違和感がない。⇩推移・Ｑ変遷

うつりぎ【移り気】 一つの対象に長く集中できず気持ちが変わりやすい意で、会話にも文章にも使われる古風な表現。〈女泣かせの—な男〉〈—で習いものが次々変わる〉⇩Ｑ浮気・不倫

うつる【移る】 位置や状態が他のそれに変わる意で、くだけた会話から硬い文章まで幅広く使われる日常の和語。〈席が—〉〈本社に—〉〈においが—〉✎藤沢周平の『麦屋町昼下がり』に「月はいまはためらうような光を地上に落としているだけだった。季節が—・ったのである」とある。⇩移動・移ろう

うつろ【空(虚)ろ】 内部が詰まっていなくてがらんどうな意から、内容や実質を伴わずむなしい感じ、意識がぼんやりした状態をもさし、やや改まった会話や文章に用いられるいくぶん古風な和語。〈中が—になっている大木〉〈誠意が伝わらず声だけが—に響く〉〈—な目〉✎岡本かの子の『河明り』に「それを眺めていると、心が—になって、肉体が幻の彩りのままに染め上げられて仕舞いそうな危険をほとほと感ずる」とある。⇩虚無・Ｑ空虚・むなしい

うつろう【移ろう】ゆるやかに移って行く意で、主として文章に用いられる古風で優雅な和語。〈季節が―〉〈―・いやすい人の心〉⇩移動・移る

うつわ【器】容器、特に高価な食器類をさし、会話にも文章にも使われる古風な和語。〈大きな―に盛る〉〈―に移す〉〈装飾を施した―に盛る〉✎「大臣の―」「人の上に立つ―ではない」のように、人格や能力としての器量をさす比喩的な用法もある。⇩入れ物・Q容器

うで【腕】①肩の端から手首までの部位をさし、くだけた会話から文章まで幅広く使われる和語。〈―の力〉〈―を回す〉✎夏目漱石の『坊っちゃん』に「鉄拳制裁でなくっちゃ利かないと、瘤だらけの―をまくって見せた」とある。古くは前腕の意にも。⇩上腕・かいな・二の腕　②仕事をこなす力量や技術をさし、会話や硬くない文章に用いられる日常の和語。〈―自慢〉〈―試し〉〈―がいい〉〈―を上げる〉〈―をみがく〉✎結果としての「腕前」より能力に重点がある。永井荷風の『腕くらべ』に「見掛けによらずなかなか―がある」とある。⇩腕前・技巧・技術・技能・技法・技量・手腕・テクニック・手並み・力量・技

うできき【腕利き】仕事の腕が優れている意で、会話にも文章にも使われる和語。〈―の職人〉〈―の指物《さしもの》師〉✎職人などによく使うが、刑事や弁護士にも言う。⇩切れ者・Q敏腕・遣《や》り手

うでずく【腕尽く】事の解決に腕力を用いる意で、会話や硬くない文章に使われる、いくぶん古風な和語。〈―で取り上げる〉〈―でも奪い返す〉✎多く「―で」の形で用い、「腕力」と違って肉体的な腕の力そのものはささない。⇩Q力ずく・腕力

うでっぷし【腕っ節】腕の関節の意から腕の力の意となり、会話や軽い文章に使われる和語。〈―が強い〉✎力の強い女性も増えた現代でも男性を連想しやすい。⇩腕力

うでまえ【腕前】修業して身につけた技量をさし、会話やさほど硬くない文章に使われる日常の和語。〈―を試す〉〈みごとな―〉〈―を見込んで任せる〉〈―を発揮する〉✎「腕」は下手から上手までいろいろあるが、「腕前」となるとある程度以上の技量を連想させやすい。小沼丹の『懐中時計』に「二人の―は大体互角だろう」とある。現状を問題にしている感じの「腕」に比べ、それが発揮された到達度を話題にしている感じがある。⇩Q腕②・技巧・技術・技能・技法・技量・手腕・テクニック・手並み・力量・技

うでる【茹でる】「ゆでる」の音転で、主に会話に使われる、やや俗っぽい和語。〈うどんを―〉⇩湯がく・Qゆでる・湯引く

うてん【雨天】雨の降る天気をさし、主に文章中に用いられる硬い漢語。〈―決行〉〈―のため中止になる〉⇩雨降り

うとうと　眠くなって浅い眠りに入りかける意で、会話やさほど硬くない文章に使われる和語の擬態語。〈―していつの間にか眠ってしまう〉✎「うつらうつら」よりさらに意識が薄れている状態。目が覚めかかっているときでなく、多くは眠りかけるときのようすを形容する。⇩うつらうつら

うとうとする　浅く眠りかける意で、会話や改まらない文章などに使う語。〈本を読みながら―〉✎「まどろむ」や「居眠りする」が行為をさすのに対し、この語はそのような状

態を表すのに重点がある。⇩Q居眠りする・まどろむ

うどんこ【饂飩粉】「小麦粉」の別称。くだけた会話でしばしば使われるが、正式な感じでは「小麦粉」を用いるのがふつう。〈―をこねてのばす〉 うどんの材料という連想が働く。⇩Q小麦粉・メリケン粉

うながす【促す】そうするように人に勧める意で、いくぶん改まった会話や文章に用いられる和語。〈注意を―〉〈参加を―〉〈再考を―〉 寺田寅彦の『団栗』に「早くしないかと大声で―」とある。「成長を―」のように「早める」意にも使う。⇩催促・勧める・促進・Q督促

うなじ【項】頸部の後ろ側をさして、改まった会話や文章に用いられる、やや古風で時に美的な感じを伴う和語。〈色が白くて―がきれいだ〉〈―を垂れる〉 高見順の『故旧忘れ得べき』に「黄昏どきの薄明さのなかで白く浮いた妻の―」とある。⇩襟足・Q襟首・首筋・首根っこ・頸部

うなる【唸る】低い声を長く引くように出す意で、会話にも文章にも使われる和語。〈うんうん―〉〈あまりの痛みに思わず―〉 火野葦平の『糞尿譚』に「謡曲の節のような声を出して―・っている」とある。「義太夫を―」のように苦しそうに聞こえる節まわしも含まれる。「観客を―・らせる名演技」のように、感心のあまり声や息をもらす場合もある。比喩的に「風で電線が―」などともいう。⇩呻《うめ》く

うぬぼれ【自(己)惚れ】自分のよさを実際以上に信じ込んで得意になる意で、会話やさほど硬くない文章に使われる和語。〈美貌を鼻にかける―はみっともない〉〈秀才だなんて―もいいところだ〉〈―もいい加減にしろ〉 『誹風柳多留』に「―をやめれば外に惚手なし」という川柳があるように、「うぬ」は自分のことで、自分で自分に惚れるという意味のことば。⇩思い上がり・思い上がる

うばう【奪う】他人の所有している物や権利などを無理に取り上げる意で、いくぶん改まった会話や文章に使われる和語。〈金品を―〉〈権利を―〉〈行動の自由を―〉 「リードを―」「機会を―」「注意を―」の他と争って得る意にも使う。⇩取り上げる・Qひったくる・ふんだくる・まきあげる

うばぐるま【乳母車】中に赤ん坊を乗せて移動するための古くからある四輪の箱型の手押し車をさし、会話にも文章にも使われるいくぶん古風で懐かしい感じの和語。〈幌《ほろ》つきの―〉 三好達治に『乳母車』と題する詩があり、「時はたそがれ／母よ私の―を押せ／泣きぬれる夕陽にむかって／轔々と私の―を押せ」とある。⇩ベビーカー

うぶ【初／生】精神的に子供の純粋さを残して成長し、まだ世間にすれていない意として、主に会話に使われる和語。〈―な娘〉〈まだ―で世間がわかっていない〉 「初々しい」のようなプラスイメージは特にない。⇩Q初々しい・純情・純真・ナイーブ

うまい【旨い】「味がよい」意の普通の表現だったが、「おいしい」が多用されるにつれて、男性がくだけた会話などで使う少しぞんざいな響きを感じさせることばになってきている。〈―寿司を食わせる店〉〈この酒はこくがあって実に―〉 内田百閒の『めそ』に「(小鰻に)箸をつけたらちっとも―・くない。細い癖に、しんが固くて、口ざわりが突っ張って、味が無い」とある。⇩Qおいしい・美味

うまい【巧(上手)い】技術が優れている意で、主に改まらない会話に使われる和語。〈泳ぎが―〉〈話が実に―〉〈小さい子に教えるのが―〉✎谷崎潤一郎の『細雪』に「この文章なども―・く書けていた」とある。井伏鱒二の『山椒魚』に「―考えがある道理はなかった」とあるように、自分にとって都合がいい意にも使う。⇩Q上手・巧み

うまる【埋まる】空所が物で満たされる意で、くだけた会話から文章まで幅広く使われる日常の和語。〈道が土砂に―〉〈一階が雪に―〉〈空席がすべて―〉✎覆われるところに重点のある「うずまる」に対し、空いているところが満たされるところに重点がある。仮名書きでは「うずまる」との区別が困難。⇩うずまる

うまれつき【生まれつき】性格・センス・才能などが生まれたときにすでに備わっている意で、会話やさほど硬くない文章に使われる日常の基本的な和語。〈―器用にできている〉〈強情なのは―だ〉⇩Q生まれながら・生来

うまれながら【生まれながら】持って生まれて来たの意で、やや改まった会話や文章に用いられる、やや古風な言いまわし。〈―にして身につけている〉〈―の不器用〉⇩Q生まれつき・生来

うまれる【生まれる】新しい生命が誕生する意で、くだけた会話から硬い文章まで幅広く使われる日常の基本的な和語。〈子供が―〉〈五体満足に―〉〈昭和十年に東京に―〉✎柳美里の『水辺のゆりかご』に「私は夏至の早朝に―・れた」とある。⇩Q出生《しゅっしょう》・生誕・誕生

うみ【海】地球の表面の広く塩水に覆われた場所をさし、くだけた会話から硬い文章まで幅広く使われる日常の基本的な和語。〈広い―〉〈―の向こう〉〈―を渡る〉〈―で泳ぐ〉〈―の男〉✎「陸」と対立。井上靖の『猟銃』に「チューブから搾ってなすり付けたようなプルシャン・ブルーの、真冬の、陽に輝いた―」とある。淡水の湖沼をさす場合は「湖」と書いて「うみ」と読ませる。⇩Q海洋・大洋

うみづき【産み月】出産予定月の意で、会話や硬くない文章に使われる、やや古風な和語。〈―に入る〉⇩臨月

うみべ【海辺】海に近い陸地をさし、会話にも文章にも使われる日常の和語。〈―のホテル〉〈朝の―を散歩する〉⇩磯・沿岸・海岸・海浜・Qかいへん・岸・岸辺・なぎさ・波打ち際・浜・浜辺・みぎわ・水際・水辺

うむ【生む】新たな存在を生ずるという意味合いで用い、くだけた会話から硬い文章まで幅広く使われる日常の基本的な和語。〈男の子を―〉〈大作家を―〉〈傑作を―〉〈利益を―〉✎「産む」が分娩に主眼があるのに対して、「生む」は誕生に主眼がある。「子供を―」場合はどちらの表記も可能だが、それぞれニュアンスが異なる。志賀直哉の『暗夜行路』に「拘泥する結果が二重の不幸を―」とあるように、抽象的意味合いではこの表記。⇩産む

うむ【産む】「分娩」「産卵」の意で、会話でも文章でも使われる和語。〈―苦しみ〉〈猫が子を三匹―〉〈鮭が卵を―〉✎深沢七郎の『楢山節考』に「ねずみのようにたくさん子供を―」とある。人間の場合はお産をイメージした場合の表記。⇩生む

うむ【膿む】傷ついた皮膚が細菌などによって膿みを持つ意

で、会話やさほど改まらない文章によく使われる、専門性の薄い日常の和語。〈傷口が―〉⇩化膿

うむ【倦む】 物事に「飽きる」意で、主に文章中にまれに用いられる古風な和語。〈―・まずたゆまず努力する〉✎正宗白鳥は『何処へ』で「雨滴は同じ音を繰り返し、鼠も―・みもせずに騒いでいる」と外界を描写することで心境をほのめかした。⇩飽き飽きする・飽きる・Q飽く・うんざり・倦怠《けんたい》

うめく【呻く】 あまりの苦痛に思わず声が出る意で、会話にも文章にも使われる和語。〈病人が―〉〈苦しそうに―声〉✎石坂洋次郎の『草を刈る女』に「歔めいた声で―・いて」とある。「唸《うな》る」と違って、感動のあまり声が漏れるような場合には使われず、もっぱら苦しみについての表現。⇩唸る

うめる【埋める】 窪《くぼ》んだ場所や空いているところに何かを入れてふさぐ意で、くだけた会話から文章まで幅広く使われる日常の和語。〈水道管を―〉〈池を―〉〈さつま芋を落ち葉に―〉〈土を掘って死体を―〉〈大観衆が広場を―〉〈欠員を―〉✎「熱過ぎる湯を水で―」のように、注《つ》ぎ足して温度や濃度を調整する意もある。「うずめる」と明確に区別するには仮名書き。⇩うずめる・はめる

うもれる【埋もれる】 何かの中に入って外から見えなくなる意で、会話にも文章にも使われる、いくぶん古風な和語。〈園路が落ち葉に―〉〈田舎に―〉〈―・れた人材を発掘する〉✎「うずもれる」とはっきり区別したい場合は仮名書き。⇩うずもれる

うやまう【敬う】 優れた存在として尊敬し丁重に接する意で、会話にも文章にも使われる、いくらか古風な和語。〈神を―〉〈師を―〉〈年長者を―〉✎「崇める」より軽く、人間に対しては現在「尊敬」のほうが一般的。「侮る」「蔑む」と対立。⇩崇める・崇敬・崇拝・尊敬・たっとぶ・とうとぶ

うやむや【有耶無耶】 あるのかないのか、どうなっているのかがはっきりしない意で、会話や軽い文章に使われる表現。〈話を―にする〉〈責任の所在が―になる〉✎自然に生じる感じの「あやふや」「おぼろげ」に比べ、わざとはっきりさせないでごまかす感じが強い。「有や無や」の意から。⇩Q曖昧・あやふや・おぼろげ

うら【裏】 目立つ正面・表面に対して、後ろ側や内側など人の目につきにくい部分をさし、くだけた会話から硬い文章まで幅広く使われる日常の基本的な和語。〈―通り〉〈屋根―〉〈―の畑〉〈足の―〉〈着物の―〉〈―を返す〉✎「おもて」と対立。具体的な事物だけでなく、「―事情」「―にまわってあれこれ画策する」「業界の―を知り尽くす」「ことばの―を読む」のように、隠れていて人の目にふれにくい部分をさして広く使う。本来は外に面していない「内」という意味で、「浦」も入り江を意味し、人の内側にあって外から見えない「心」を意味する「うらさびしい」「うら恥ずかしい」の「うら」と同語源だが、そういうつながりが忘れられ、今では「―街道」「―長屋」「―金」「―取引」「―口入学」「―番組」「―切る」「―目に出る」といった連想が働いて、好ましくないイメージがつきまとっている。⇩裏面

うらがえす【裏返す】 表と裏の面を逆にする意で、会話にも文章にも使われる和語。〈座布団を―〉〈畳を―〉⇩覆す・Q

引っくり返す

うらがなしい【心悲しい】「物悲しい」気分をさし、改まった会話や文章に用いられる古風な和語。〈―秋の暮れ〉〈―気分に襲われる〉✎「うら」は心の中の意。岡本かの子の『母子叙情』に「沖の遠鳴りのような、ただ―、なつかしい遺瀬なさ」とある。⇩哀愁・悲しい・悲哀・ペーソス・Q物悲しい

うらぎる【裏切る】信頼・期待・予想などに反する意で、くだけた会話から文章まで幅広く使われる日常の和語。〈仲間を―〉〈祖国を―行為〉〈予想を―〉〈期待を―〉〈信頼を―〉⇩Q背く・反する

うらごえ【裏声】特別な発声法で作り出す平常より高い声をさし、会話にも文章にも使われる和語。〈―を出す〉〈―で歌う〉✎幸田文の『流れる』に「―に怨みっぽく云われると主人の声はばかに冴えて聞える」とある。「地声」と対立。

うらどおり【裏通り】表通りの家並みの裏にある道をさし、会話にも文章にも使われる和語。〈商店街の―〉〈―に入ると静かだ〉✎久保田万太郎の『余白』に「門のある家ばかり両側につづいたその―」とある。「表通り」と対立。単なる位置関係だけでなく、寂れたうらさびしい感じが伴う。⇩Q裏町・小路・小道・横町

うらない【占い／卜】人の運勢や物事の吉凶などを予言することをさし、会話にも文章にも使われる和語。〈星―〉〈―師〉〈―を信じる〉✎易もその一種。⇩易

うらにほん【裏日本】かつて「日本海側」の意で用いられ、差別意識があるとして使用を控えるようになった語。〈―一帯が厚い雲におおわれる〉✎東京を表玄関とすれば太平洋側が表日本になり、ロシア側を向いている日本海側が裏日本ということになる。南に面する位置を正面とする考え方に立っても、太陽の位置との関係を基準にしても同じ結果になる。もともと「裏」という漢字は衣服の裏側すなわち内側の意という。表側より体に近く、それだけ人体の中心にも近い。肉体の内側に宿る精神という意味で、「内」としての「うら」は心をも意味し、「恨めしい」「うら寂しい」「うら恥ずかしい」「うらやましい」などの関連語を生み出した。「浦」も外海に対して内側にあたる入り江で内側をさす。その点を重く見れば、「裏日本」は日本の内側で日本の中心を意味するような解釈も可能であるが、現代日本語での「裏」の使用状況はその逆である。「裏門」は正門より格が下で、正式の客を迎える表玄関に比べ、御用聞きが声を掛ける「裏口」は一般に粗末な造りである。「裏通り」「裏道」「裏番組」には正式でないという印象があり、「裏町」はわびしく、うらぶれた感じがつきまとい、「裏街道」「裏取引」「裏金」などになると不正を働く意味合いが強く、犯罪のにおいも漂う。「裏切る」のはよくない行為であり、「裏目に出る」のも予想に反して悪い結果になった場合であり、逆に予想外の好結果が得られたときには使わない。そのような日本語の環境が影響して、「裏」という語にはマイナスイメージが色濃く、人びとに嫌われる。⇩裏

うらばなし【裏話】一部の人だけが知っている内輪の話をさし、会話にも文章にも使われる和語。〈―を披露する〉〈大政奉還の―〉✎公式の記録としては残らないという意味合いが強い。⇩逸話・エピソード・こぼれ話・挿話・Q余話

うらまち【裏町】裏通りに面した町の意で、会話にも文章にも使われる古風な和語。〈―をさまよう〉〈―にひっそりと暮らす〉〈ギター片手に―を流す〉✎沢村貞子の『味噌汁』に「それ(自分の家の味噌汁)を二杯も三杯もおかわりして、浅草の―の人たちの、一日がはじまった」とある。「―人生」のように、うらぶれたペーソスを漂わせる語。⇩裏通り・小路・小道・Q横町

うらむ【恨(怨)む】相手から受けた不快な仕打ちを根に持つ意で、会話でも文章でも使われる和語。〈親を―〉〈冷たい仕打ちを―〉✎坂口安吾の『桜の森の満開の下』に「もはや怒りは消えていました。つれなさを―切なさのみが溢れていました」とある。「怨む」と書くと、「恨む」以上に深い情念がこもった感じがする。⇩憾《うら》む

うらむ【憾む】残念に思う意で、改まった会話や文章に用いられる。〈一瞬の遅れが―・まれる〉⇩恨む

うらやましい【羨ましい】恵まれている他人に対し、自分もそうならいいのにと思う気持ちをさし、くだけた会話から硬い文章まで幅広く使われる日常の和語。〈合格者が―〉〈時間のある人が―〉〈遊んで食っていけるとは―〉✎瀧井孝作の『無限抱擁』に「いま信一は、其男を蔑むよりも寧《むし》ろ、―・かった」とある。憎しみの混じる「妬ましい」ほど強くない。⇩ねたましい

うらやむ【羨む】自分より恵まれたように見える人に対し、自分もそうありたいと羨ましく思う意で、会話でも文章でも広く使われる、やや古風な感じの和語。「羨ましい」ほど会話的ではない。〈人も―仲〉〈後輩の出世を―〉✎寺田寅彦の『科学者とあたま』は「―べき優れた頭のいい学者」と「―べく頭の悪い立派な科学者」とを対置させて一編を閉じる。⇩Q嫉妬・妬み

うららか【麗らか】日の光がのどかに照っているようすをさし、主として文章に用いられる古風で美的な和語。〈―な日和〉〈―に晴れた春の一日〉✎三好達治の詩『甃《いし》のうへ』に「―の跫音《あしおと》空にながれ／をりふしに瞳をあげて／翳りなきみ寺の春をすぎゆくなり」とあるように、この語は春に限定して用いる。「―や猫にものいふ妻のこゑ」という日野草城の句もある。「―な気分」のように、季節に関係なく、心配事のない明るい心境をさす用法もある。⇩のどか

うりかた【売り方】物件や品物を売る立場にある人をさし、会話にも文章にも使われる、やや古風で専門的な感じの和語。〈―の腕次第だ〉✎「―次第で売れる」のような売る方法の意味では専門性が感じられない。⇩売り手・Q売り主

うりこ【売り子】店や車内などで客に物を売る職業の人をさし、会話や改まらない文章などに使われている和語。〈デパートの―〉〈駅の売店の―〉〈車内販売の―〉✎「店員」に比べ、若い人、特に女性を連想しやすく、老舗の個人商店やスーパーマーケットのレジ係などをイメージする割合が低いような感じがある。⇩店員

うりだし【売り出し】大々的に宣伝して売る意で、会話にも文章にも使われる日常の和語。〈開店大―〉〈―期間中〉✎値下げしたり景品を付けたりして買い手の得になる売り方を連想しやすいが、「新型車の―の時期を迎える」のように、単に製品を発表して売り始めることをさす用法もある。

⇩Qセール・叩《たた》き売り・ダンピング・特売・投げ売り・バーゲン・安売り・廉売

うりて【売り手】物件や品物を売る側の人、特に、売る側に立つ仲買人の意で、会話にも文章にも使われる和語。〈―市場〉〈―の言い値で買う〉⇩売り方・売り主

うりぬし【売り主】売る物件や品物の所有権を有する持ち主をさし、改まった会話や文章に用いられる、やや専門的な和語。〈信用できる―〉〈―がその物件を買い戻す〉⇩売り方・売り手

うりね【売値】品物を売るときの値段の意で、会話や軽い文章に使われる和語。〈―を決める〉〈―をたたく〉⇩言い値・Q売価《ばいか》

うりふたつ【瓜二つ】顔などが似過ぎて区別ができない意で、会話にも文章にも使われる古風な和語。〈あの双子は顔が―でよく間違える〉✎血縁がある場合にも他人の空似の場合にも言う。一つの瓜を半分に割ったときにどちらも同じに見えるところから。⇩Q生き写し・そっくり

うりもの【売り物】他人に売り渡そうとしている商品や物件をさし、会話にも文章にも広く使われる日常の和語。〈―につき持ち出し厳禁〉〈汚れて―にならない〉〈飾ってあるだけで―ではありません〉✎物品のほか不動産や企画などを広く含む。また、「駿足《しゅんそく》が―の選手」「爽やかな笑顔が―のタレント」「ユニークなデザインが―の機種」のように、持ち味やセールスポイントをさす比喩的拡大用法もある。⇩商品

うる【売る】代金と引き換えに品物や権利などを相手に渡す意で、くだけた会話から硬い文章まで幅広く使われる日常の基本的な和語。〈品物を―〉〈家屋敷を―〉〈安く―〉✎夏目漱石の『坊っちゃん』に「道具屋を呼んで来て、先祖代々の瓦落多を二束三文に―・った」とある。「買う」と対立。⇩売却

うるさい【煩い／五月蠅い】耳障りな声や音がいつまでも続いて、落ち着かない気分でいらいらする意で、会話にも文章にも使われる日常の和語。〈おしゃべりが多くて教室が―〉〈夜中まで車の音が―〉✎「騒がしい」「騒々しい」より不快な感じが強い。「額に垂れ下がった髪の毛が―」「目の周りに藪蚊《やぶか》がしつこくまつわりついて―」のように、音がしなくても、しつこくて神経に障る場合には使える。尾崎一雄の『虫のいろいろ』に「蠅は―。(略)布団にあごまで埋めた私の顔まで遊び場にする」とある。また、「世間の目が―」のように、煩わしくて逃れたい意にも、「味に―」「注文が―」のように、細かい点までこだわる意にも使う。⇩騒がしい・騒々しい・にぎやか・Qやかましい

うるわしい【麗しい】「美しい」に近い意の和語で、雅語的な雰囲気を漂わせる若干古風な文章語。会話では浮いた感じになりやすい。〈見目―令嬢〉〈―友情〉〈ご機嫌―〉✎阿川弘之の『雲の墓標』に「完璧な社会でも、―社会でもない」とある。⇩Q美しい・綺麗《きれい》

うれい【憂い】心配の意で、主として文章に用いられる、やや古風な和語。〈倒産の―がある〉〈備えあれば―なし〉〈後顧の―なく〉✎円地文子の『女坂』に「若い肉体を蔽っていた―は薄衣の滑り落ちるように消えた」とある。⇩哀

愁・愁い・寂寞《せきばく》・寂寥《せきりょう》

うれい【愁い】情緒的な物悲しさの意で、主として文章に用いられる、古風でいくらか詩的な感じのある和語。〈春の―〉〈―を含んだ目〉〈深い―に沈む〉✎林房雄の『青年』に「青々とした―が風のように吹きかえってくる」とある。⇩哀愁・憂い・寂寞《せきばく》・寂寥《せきりょう》

うれしい【嬉しい】満足して晴れ晴れした気分をさす基本的な和語で、くだけた会話から硬い文章まで広く使われる日常語。〈やっと就職できて―〉〈子供がいい成績を取って、親として―〉。✎尾崎一雄の『まぼろしの記』に「―・くて、宙に浮いているような気持だった」とある。自分の行動や体験でなく、好ましい情報を得るだけの場合でも使える。⇩Q楽しい・喜ばしい

うれしがる【嬉しがる】嬉しい気持ちが表情や言動に出る意で、うちとけた会話や硬くない文章に使われる日常の和語。〈合格できて―〉〈結婚が決まって―〉〈試合に勝って―〉✎夏目漱石の『吾輩は猫である』に「友人の迷惑はまるで忘れて、一人―・った」とある。⇩喜ぶ

うれのこり【売れ残り】売れ残った商品の意から転じて、結婚適齢期を過ぎた女性をさし、くだけた会話で使うことのあった俗語。〈入社早々の若い子が結婚すると、―連中がどう言うだろうね〉✎女性が婚期を逸して独身でいるのを売れ残りの商品にたとえた表現。小津安二郎監督の映画『麦秋』に、たみ(杉村春子)から息子の嫁にと懇願されたとき、紀子(原節子)は「ねえ小母さん、あたしみたいな―でいい？」と応じる場面がある。現代では女性差別のニュアンスがあるとして使用を控えているため、それだけで古風な会話に響く。⇩独身・独り身・独り者・未婚

うれる【熟れる】果実が十分に実って食べごろになる意で、会話にも文章にも使われる日常の和語。〈実が―〉〈よく―・れた桃〉✎「―・れた肉体」などと、大人の体に成長したことをさす俗っぽい比喩的用法もある。⇩熟する

うろうろ どうする当てもなく、あるいは、どうしていいかわからずにうろつくようすをさし、会話や軽い文章に使われる擬態語の和語。〈盛り場を―する〉〈あてもなく―する〉〈突然の申し出に―する〉✎誰かがそのように歩きまわっているようすを別の人が外から見て表現した感じの例が多い。数分程度の様子をさす「まごまご」と違い、長い時間にわたる場合もある。⇩Qうろちょろ・まごまご

うろたえる【狼狽える】予期せぬ出来事にどうしたらいいかわからず処置に迷う意で、会話にも文章にも使われる和語。〈突然の指名に―〉〈策略がばれて―〉〈―・えた様子もなく〉⇩あわてる・ろうばい

うろちょろ くだけた会話に使われる、「うろうろ」の俗語形。〈さっきから家のまわりを―してる変な奴がいる〉⇩うろうろ・まごまご

うろつく 目的もなく歩きまわる意の和語。会話的なレベルの語。〈盛り場を―〉〈変な男がこの界隈《かいわい》を―・いている〉✎「ほっつきまわる」ほど俗語的ではない。小池滋の『行間を読む』に「未練が残って自分の昔の本が置いてある古本屋のあたりを、―・いていた」とある。⇩ほっつきまわる

うわき【浮(上)気】心がうわついて落ち着かず変わりやすい

意、特に夫婦や恋人が気まぐれに他の異性に心を移して情事に及ぶ意で、会話にも文章にも使われる和語。〈—な性格でいろいろ手を出す〉〈—のやまない亭主〉〈—の虫を封じる〉〈—がばれる〉✎うわついた気持ちをさすので、他の異性を本気で真剣に愛した場合は、「不倫」に該当するものの、この語を用いるのはふさわしくない。⇩Q移り気・不倫

うわさ【噂】当人のいないところで話題にしてあれこれ言うこと、世間に流れている不確かな情報をさし、くだけた会話から硬い文章まで幅広く使われる日常の基本的な和語。〈風の—〉〈—の人〉〈—が立つ〉〈—が広がる〉〈—が—を呼ぶ〉〈その—でもちきりだ〉〈—の出所を突き止める〉✎牧野信一の『鬼涙村』に「障子の穴から覗くように他人の—を拾い集めて吹聴する」とある。特に、真偽の定かでない事柄について興味本位に言いふらすものが多い。⇩世評・Q評判・風説・風評・風聞

うわずる【上擦る】興奮から気持ちや声が平常の状態を失う意で、会話や硬くない文章に使われる和語。〈声が—〉〈気持ちが—〉✎内田百閒の『掻痒記』に「(頭にぐるぐる包帯を巻かれ)首だけが、ひとりでに高く登って行く様な気持もして、—・った足取りで家に帰って来た」とある。⇩上気

うわぜい【上背】身長の意で、会話にも文章にも使われる、いくぶん古風な和語。〈—がある〉〈—に恵まれる〉✎幸田文の『流れる』に「電柱とあだなされる—の高さが胸を反らせて威丈高だが」とある。「—がないだけに条件は不利だ」のように背の低いときにも使えるが、一般に長身の人について用いる例のほうがはるかに多い。⇩身長・背②・Q背丈・身の丈

うわつら【上面】物の外に面している部分をさし、会話や硬くない文章に使われる和語。〈—はごつごつしているが中はやわらかい〉✎「人も物事も—だけで判断してはいけない」というふうに、内容や精神と切り離した外面的なことを問題にする場合によく使う。重要な中核部分にふれないという非難が含まれる。くだけた会話では「うわっつら」とも言う。⇩Qうわべ・おもて・皮相・表層・表面

うわばみ【蟒】「だいじゃ」の俗称として、会話にも文章にも使われる古風な和語。〈—が一飲みする〉✎特に熱帯産のニシキヘビなどを連想しやすい。物を多量に飲み込むというイメージから、俗に大酒飲みの意ともなる。⇩Qおろち・だいじゃ

うわべ【上辺】物の外面をさし、会話やさほど硬くない文章に使われる和語。〈—は綺麗だが品質がよくない〉〈—を飾る〉〈人を—だけで評価する〉✎具体的な部分を感じさせる「うわつら」に比べ、この語は「—をつくろう」「—は穏やかだが、気性は激しい」のように、ちょっと見た感じが実際と異なる場合に良く使う傾向がある。⇩Qうわつら・おもて・皮相・表層・表面

うわやく【上役】職場で自分より上の地位にある人の意で、会話やさほど改まらない文章に使われる和語。〈—に相談する〉〈—にかわいがられる〉✎「上司」に比べ、時代がさかのぼっても用いやすく、そのぶん現代ではいくらか古風な感じがある。⇩上司

うん 肯定やあいづちの感動詞。〈—、いいよ〉〈—、そのと

おりだ〉夏目漱石の『坊っちゃん』に「—、あの野郎の考えじゃ芸者買は精神的娯楽で、天麩羅や、団子は物質的娯楽なんだろう」とある。改まったほうから「はあ」「はい」「ええ」「うん」の順になる。⇩ええ・はあ・はい

うん【運】 幸運と不運、幸福や不幸をもたらすと信じられてきた、人為を超越した作用の意で、くだけた会話から硬い文章まで幅広く使われる日常の漢語。〈—試し〉〈—がいい〉〈よくよく—がない〉〈勝負は時の—〉〈—を天に任せる〉〈—が尽きる〉「—不運」「—がつく」「—が向く」のように、それだけで特に幸運を意味する用法もある。⇩運勢・Q運命・宿命・天運・天命・回り合わせ・命運・巡り合わせ

うんえい【運営】 組織や機構などを円滑に動かす意で、会話にも文章にも使われる漢語。〈—委員会〉〈組織を—する〉〈大会を—する〉⇩経営

うんこ 糞の意で、主にくだけた会話に使われる日常生活の和語。〈—が出る〉「うん」は息む声からという。小津安二郎監督の映画『麦秋』に、親子三代が集まってお別れのスキヤキの宴が開かれ、みんな満腹したところで孫が不意に立ち上がって「ウンコ」と言ってみんなが笑う場面がある。こんなふうに自然のままがほほえましいのは、かわいい子供の特権である。⇩Qうんち・くそ・人糞・大便・ふん・糞便・便

うんざり 同じ物事が続き飽きてすっかり厭《や》になる意で、会話や軽い文章に使われる和語。〈こう同じ料理が続いては—する〉〈雨続きで—する〉論理的な「飽きる」に比べ、体感的・生理的な感じが強い。島崎藤村の『夜明け前』に「長い、長い、考えても—するような信州の冬」とある。⇩飽き飽きする・Q飽きる・倦《う》む・倦怠《けんたい》

うんせい【運勢】 占いによって推測される幸運・不運の巡り合わせの意で、会話にも文章にも使われる漢語。〈—判断〉〈—を占う〉〈今月は—がいい〉一定期間あるいは将来について占うことが多い。⇩Q運・運命・宿命・天運・天命・回り合わせ・命運・巡り合わせ

うんそう【運送】 人や貨物を乗り物で比較的遠くへ運ぶ意で、会話にも文章にも使う漢語。〈—費〉〈—業〉〈—会社〉〈トラックで—する〉⇩運搬・運ぶ・搬送・Q輸送

うんち 「うんこ」の意で、主に子供が会話で使う俗語。〈—が漏れそう〉「うん」は息む声からという。「うんこ」が一般的すぎるために、大人が照れてこの語を使うこともある。⇩Qうんこ・くそ・人糞・大便・ふん・糞便・便

うんちく【蘊(薀)蓄】 長い間に蓄えた学問や技芸などの深い知識をさし、改まった会話や文章に用いられる、やや古風な漢語。〈—を傾ける〉⇩Q学識・知識

うんてん【運転】 乗り物や大型の機械を動かす意で、くだけた会話から硬い文章まで幅広く使われる日常の漢語。〈試—〉〈安全—〉〈—免許〉〈—間隔〉〈機械を—する〉〈—を見合わせる〉「—資金」のように、企業の日常的な経営をさすこともある。⇩操縦

うんてんし【運転士】 運転手や船舶の運航に携わる人をさし、会話にも文章にも使われる正式な感じの専門的な漢語。〈船長が—に指示を与える〉⇩運転者・運転手・Q操縦士

うんてんしゃ【運転者】 乗り物などを運転する人をさし、専門的な会話や文章に用いられる正式な感じの漢語。〈—の

マナー〉〈―の過失〉✎「運転手」のような職業的な雰囲気はない。⇩運転士・Q運転手・操縦士

うんてんしゅ【運転手】乗り物の運転を職業とする人をさし、くだけた会話から文章まで幅広く使われる日常の漢語。〈お抱え―〉〈タクシーの―〉✎法律上は「運転者」とするが、日常生活にはなじまない。⇩運転士・Q運転者・操縦士

うんと「たくさん」の意で、くだけた会話に使われる俗っぽい和語。〈―勉強して偉くなるんだ〉〈今のうちに―食べておく〉✎量だけでなく、「今朝は―早く起きた」「―頑張る」のように、程度の甚だしい意でも使う。⇩一杯・多い・しこたま・沢山・たっぷり・たんと・たんまり・どっさり

うんどう【運動】健康や娯楽のために体を動かす意で、会話にも文章にも使われる日常の漢語。〈―靴〉〈―競技〉〈―不足〉〈準備―〉〈―は苦手だ〉〈激しい―をする〉✎「スポーツ」のような一定の競技だけでなく、「階段を歩いて登るのは―になる」のように幅広く使う。また、「反対―」「選挙―」のように、目的達成のための働きかけをさす用法もある。ただし、「政治―」「選挙―」「署名―」「就職―」などは古風な感じになり、現在では「活動」のほうが一般的。⇩Q活動①・スポーツ

うんどうぐつ【運動靴】学校などの運動用の靴の総称として、会話でも文章でも広く使われる伝統的な用語。〈先日買ったばかりの新しい―をおろす〉✎学校の体育の時間を連想させる実用品で、「スニーカー」のようなお洒落な感じはない。⇩スニーカー・Qスポーツシューズ

うんどうじょう【運動場】屋外の体育や遊戯などに使うための広場をさし、会話にも文章にも使われる漢語。〈―が狭い〉〈―を走りまわる〉〈―で遊ぶ〉✎「競技場」よりも多目的で、特に学校のイメージが強い。⇩球場・競技場・グラウンド・Qグランド・コート・スタジアム・野球場

うんぱん【運搬】重い荷物などを比較的近くに運ぶ意で、会話にも文章にも使われる日常の漢語。〈―車〉〈―業務を請け負う〉〈引っ越し荷物を近くのマンションまで―する〉✎「運送」より小規模で、「大型トラックで材木を―する」のように乗り物を用いるほか、「台車で機械を―する」「猫車で砂を―する」のように運搬用の道具を用いる場合もある。手で本を二、三冊運ぶような場合にこの語を使うのは大げさだが、全集を十冊以上まとめて運ぶような場合は手で抱えてもこの語を使って違和感がない。ほとんどは物資を運ぶ場合の例であるが、まれに「病人―車」のように人間の移送にも使うことがある。⇩Q運送・運ぶ・搬送・輸送

うんめい【運命】人間の想像を超越した吉凶現象をさして、やや改まった会話や文章に用いられる日常の漢語。〈―論〉〈―的な出会い〉〈そういう―にある〉〈―のいたずら〉〈何事も―と諦める〉✎岡本かの子の『落城後の女』に「人によい籤を抽かれて自分は残りの籤を抽いてしまう―」とある。⇩運・運勢・宿命・天運・Q天命・回り合わせ・命運・巡り合わせ

うんよう【運用】規則や資金などをうまく使う意で、やや改まった会話や文章に用いられる漢語。〈法の―〉〈―の範囲〉〈資金を―する〉⇩Q活用・駆使・利用

え

え【柄】 手で持つために取り付ける棒状の部分をさし、会話にも文章にも使われる和語。〈傘の―〉〈柄杓《ひしゃく》の―〉〈―が折れる〉⇩取っ手・Q握り・ノブ

え【絵〔繪〕】 対象の姿かたちやようすなどを線や色で平面上に視覚的に表現したものをさして、くだけた会話から文章まで幅広く使われる日常の基本的な漢語。〈花の―をかく〉〈―が大好きな子〉〈―を飾る〉✎林芙美子の『茶色の目』に「生々しい絵具を投げつけたような、わけのわからない―」とある。「絵画」と違い、どんなに簡単なものや下手な作品であっても、この語を用いるのに違和感がない。また、「―が乱れる」のように、映画やテレビの画面の意味でも使われる。なお、「画」という漢字をあてることもあり、「―かき」「―ふで」「した―」「うきよ―」のように使われて和語の雰囲気があるが、「エ」は漢字「繪」の呉音。⇩画・Q絵画・図・図画

エアコン 室内の空気の温度や湿度を調節するための電気器具をさす和製英語。〈うっかり―を消し忘れる〉〈―の利きが悪い〉✎「エアーコンディショナー」の構成要素のそれぞれ語頭を組み合わせた語形。会話では「空調」以上によく使われる日常生活のことば。⇩空調

エアホステス 女性の客室乗務員をさす古い外来語の呼び名。✎航空機で女性の客室乗務員を「スチュアデス」に代わって一時盛んにこう呼んだが、バーやキャバレーのホステスを連想させるとして衰退した。⇩客室乗務員・キャビンクルー・Qスチュアデス・フライトアテンダント

えいい【鋭意】 一つのことに気持ちを集中させて熱心に取り組む意で、改まった会話や文章に用いられる硬い漢語。〈―努力する〉〈―検討中〉⇩Q精一杯・力一杯

えいえい【営営】 ゆとりのない気持ちで励む意で、主に文章に用いられる古風で硬い感じの漢語。〈―と職務に励む〉〈家族のために―と働く〉⇩Q齷齪《あくせく》・こつこつと・せっせと

えいえん【永遠】 果てしなく長い間、いつまでも限りなく続くようすをさし、日常会話より、改まったスピーチや文章中に使うことが多い漢語。〈―に残る〉〈―の真理〉〈―の愛を誓う〉〈―に栄えあれ〉✎時を超えたニュアンスを帯びるため、しばしば賞め讃えることばとして用いられる。竹西寛子は『モーツァルト交響曲四〇番ト短調に』と題する短章で「はかなさにいて―を夢みる心を刺激する」とその曲の印象を語った。野球の長嶋茂雄が選手引退のスピーチの際に、「わたしは今日引退をいたしますが、わが巨人軍は永久に不滅です」と発言したのが、いつのまにか「永遠に不滅」という形に姿を変えて多くの人びとの記憶に残ることとなった不思議な現象は、時を超越した栄光を讃えることばとしては、「永久」より「永遠」のほうがさらにふさわしく耳になじむとする日本人の語感を物語る事実である。⇩何時までも・Q永久・永劫・恒久・とこしえ・とこしなえ・とわ・悠遠・悠久

えいが【映画】 高速度で連続撮影したフィルムの映像をスクリーンに映して動きを感じさせる装置や映像作品をさし、

くだけた会話から硬い文章まで幅広く使える、現代では最も普通の日常漢語。〈―俳優〉〈無声―〉〈記録―〉〈―界の全盛期〉〈―を上映する〉〈―を鑑賞する〉✒吉行淳之介の『海沿いの土地で』に「都会に住んでいるときは、ほとんど―を見ない」とある。⇩活動②・Q活動写真・キネマ・シネマ・ムービー

えいかん【栄冠】 勝利や成功の意で、改まった会話や文章に用いられる漢語。〈初の―を手にする〉〈―を勝ち取る〉✒栄誉のしるしとしての冠の意から。⇩Q栄光・栄誉・栄え・誉れ・名誉

えいきゅう【永久】「永遠」に近い意味で用い、「永遠」に比べ、日常会話から硬い文章まで幅広く使える漢語。〈―不変〉〈―に解決できない〉✒藤枝静男は『雛祭り』で「やがては土となり水となり空気と化して―に虚空に姿を消してしまう」と人の死をとらえている。「永遠」という語で代替の利かない「―歯」「―磁石」「―追放」「半―的」のような用法が可能であるという事実からも、どこまでも果てしなく無限に続くといった意味を共有しながら、この「永久」はあくまで時間軸に沿ってものを考えているという区別が見られる。⇩何時までも・Q永遠・永劫・恒久・とこしえ・とこしなえ・とわ・悠遠・悠久

えいきょう【影響】 一つの物事が他に作用して変化を与える意で、会話にも文章にも使われる漢語。〈台風の―〉〈―を与える〉〈―を及ぼす〉〈―を受ける〉〈―が出る〉〈―が大きい〉✒夏目漱石の『坊っちゃん』に「品性にわるい―を及ぼす様になる」とある。⇩Q波及・波紋・余波

えいぎょう【営業】 営利事業、特に商品の販売業務を行う意で、会話にも文章にも使われる漢語。〈―マン〉〈―中〉〈―停止〉〈風俗―〉〈二十四時間―〉⇩商売

えいこう【栄光】 輝かしい成功やその誉れの意で、改まった会話や文章に用いられる漢語。〈―の日々〉〈勝利の―に輝く〉〈昔の―を忘れかねる〉⇩栄冠・Q栄誉・栄え・誉れ・名誉

えいごう【永劫】「永久」に近い意味で用いる、仏教的・哲学的な雰囲気をもつ硬い漢語の文章語。〈未来―〉✒国木田独歩の『死』に「死者が未来に―の生命を有つという信仰」とある。⇩何時までも・永遠・Q永久・恒久・とこしえ・とこしなえ・とわ・悠遠・悠久

えいじ【嬰児】 生まれてから二、三年以内の幼い子供の意で、文章に用いられる硬い感じの漢語。〈―を背負って家事に追われる母の姿〉✒永井龍男の『一個』に、抱き直される瞬間「両手を挙げたまま、―が宙に浮かぶように見えた」という場面がある。⇩赤子・赤ちゃん・Q赤ん坊・みどりご

えいせい【衛生】 体や物や部屋などを清潔に保ち健康を守る意で、会話にも文章にも使われる漢語。〈公衆―〉〈―管理〉〈―面に気を配る〉✒谷崎潤一郎の『蓼喰う虫』に「非―的な歯を治療しようともしないところに無智な女の哀れさがあった」とある。「不衛生」と対立。⇩清潔

えいぞう【映像】 光によって映し出される像、特にテレビなどの画像や、頭の中に描き出されるイメージなどをさして、やや改まった会話や文章に用いられる漢語。〈美しい―を届ける〉〈―が乱れる〉〈若き日の母の―が浮かぶ〉✒村上龍の『イルカ』に「頭の中にあった―がひとつひとつ広い部屋

の電球を消すように暗い何もない無になっていく」とある。⇩Qイメージ・印象・感じ・心象・心像《しんぞう》・表象

えいねん【永年】長い年月の意で、主に文章に用いられる硬い漢語。〈―勤続で表彰される〉「永年勤続」以外の用例は少ない。⇩積年・多年・Qながねん

えいびん【鋭(穎)敏】感覚・神経が小さな刺激にも早く強く反応する様子をさし、改まった会話や文章に用いられる漢語。〈感受性が―だ〉〈―に反応する〉島尾敏雄の『われ深きふちより』に「あの視覚ばかり―になって発達してしまった皮膚のうすい熱っぽい、自らを制御できなくなった困惑に満ちたまぶたに一種の幼なさをただよわせた眼」とある。「遅鈍」と対立。⇩鋭利・シャープ・鋭い・Q敏感

えいみん【永眠】「死ぬ」ことを意味する慣用的な漢語の間接表現。主として改まった文章に用いる語。〈祖父の―の地〉島崎藤村の『破戒』に「父の―の地」とある。死を忌む気持ちから、その現象を希望的発想から睡眠ととらえ直し、「永い眠り」「永久の眠り」と解釈して見せた比喩的表現。⇩敢え無くなる・上がる②・あの世に行く・息が切れる・息が絶える・息を引き取る・往く・いけなくなる・往生・お隠れになる・落ちる②・おめでたくなる・帰らぬ人となる・くたばる・死去・Q死ぬ・死亡・昇天・逝去・斃《たお》れる・他界・長逝・露と消える・天に召される・亡くなる・儚《はか》くなる・不帰の客となる・不幸がある・崩御・没する・仏になる・身罷《みまか》る・脈が上がる・空しくなる・藻屑となる・逝く・臨死・臨終

えいゆう【英雄】才知や武勇に秀で大きなことをなしとげた人の意で、会話にも文章にも使われる漢語。〈―豪傑〉〈国民的―〉〈われらが―〉〈―視される〉〈―に祭り上げられる〉森鷗外の『雁』に「歴史家の好く云う、―の半面と云ったような趣」とある。「―色を好む」ともいうように、通常は男性をさす。「雄」とあることもあり、女性を連想しにくい。⇩偉人

えいよ【栄誉】栄え・誉れの意で、やや改まった会話や文章に用いられる漢語。〈国民―賞〉〈―を担う〉〈―に浴する〉〈―を讃える〉⇩栄冠・Q栄光・栄え・誉れ・名誉

えいよう【栄(営)養】生命の維持や体の成長に必要な成分をさして、くだけた会話から硬い文章まで幅広く使われる日常の漢語。〈―素〉〈―失調〉〈―を取る〉〈―になる〉〈―のバランス〉夏目漱石の『坊っちゃん』に「生卵ででも―をとらなくっちゃあ一週二十一時間の授業が出来るものか」とある。⇩滋養

えいり【鋭利】切れ味や頭の働きなどが鋭い意で、主に文章に用いられる硬い漢語。〈―な洞察力〉井上ひさしの『犯罪調書』に「冷たく光る―な刃物を握りしめ」とある。⇩鋭敏・Qシャープ・鋭い

ええ 肯定の意を伝えたり、あいづちとして用いたりする感動詞。「うん」より丁寧で「はい」ほどの改まりはない。〈―、いいわ〉〈―、そうですとも〉夏目漱石の『坊っちゃん』に「あなたは大分御丈夫の様ですな」と言われて「―、瘠せても病気はしません」と応じる例がある。⇩うん・はあ・はい

えがお【笑顔】友好的にほほえんでいる顔をさして、会話にも文章にも使われる和語。〈にこやかな―で迎える〉〈―がかわいい〉〈いつも―を絶やさない〉尾崎一雄の『芳兵

衛』に「おだやかな、相手の心を開かずには置かぬあの―」とある。おかしくて笑い転げているときの顔については、この語の使用がなじまない。⇩笑い顔

えかき【絵〈繪〉描き】職業的な画家をさして、会話や軽い文章に使われる日常の平易な表現。〈―をめざす〉〈本物の―はやはり違う〉✎日常会話では「画家」よりやわらかい感じでよく使われる。⇩絵師・Q画家・画工・画伯

えがく【描〈画〉く】絵や図に表現する意で、改まった会話や文章に用いられる和語。〈静物を―〉〈街の風景を―〉〈念入りに―〉✎田村俊子の『木乃伊の口紅』に「ペンで―・いたような裸の梢」とある。川端康成の『雪国』に「人物は透明のはかなさで、風景は夕闇のおぼろな流れで、その二つが融け合いながらこの世ならぬ象徴の世界を―・いていた」とあるように、単に「表す」意でも使う。⇩表す・Q書く・描写・描出

えがら【絵〈繪〉柄】絵を用いた柄の意で、会話にも文章にも使われる、やや専門的な和語。〈―がすてきだ〉〈落ち着いた―の湯呑み〉⇩図案・Q図柄

えき【駅】電車などの発着する建物をさす日常の基本的な漢語。〈通過―〉〈―に近い商店街〉〈次の―で降りる〉✎丸谷才一の『初旅』に「遠い彼方に、西洋ふうのとがった屋根の―が影絵のような風情でひっそりと控え」とある。「停車場」のような古風な感じもなく、「ステーション」のように人によって斬新に響いたり、逆に昔なつかしい雰囲気を漂わせたりすることもなく、最もふつうに用いられる。⇩Qステーション・停車場

えき【易】陰陽を基本とする易経の原理にもとづいて自然や人事の吉凶を予測する占いの一種をさし、会話にも文章にも使われる漢語。〈―を立てる〉⇩占い

えき【液】水状の物質をさして、会話にも文章にも使われる漢語。〈水溶―〉〈果物を搾った―〉〈―が漏れる〉〈醤油《しょうゆ》と味醂《みりん》を入れた―にひたす〉✎抽象的な「液体」に比べ、日常生活の具体的なものについて使う。⇩液体

えきか【腋窩】「腋《わき》の下」の意で、主に文章中に用いる硬い漢語。〈―をさらす〉✎三島由紀夫の『仮面の告白』に「―のくびれからはみだした黒い叢が、日差をうけて金いろに縮れて光った」とある。⇩腋の下

えきたい【液体】体積は一定ながら流動性があって一定の形状をもたない物質の一つの状態をさし、やや改まった会話や文章に用いられるいくらか専門的な漢語。〈―燃料〉〈―が沸騰して気体に変化する〉✎温度が沸騰点に達すると気体に変わり、凝固点まで下がると固体に変わる。状態をさすため「液」より少し抽象的だが、のどがかわいて飲み物がほしいときには「液」でなくこの語を使う傾向がある。大江健三郎の『芽むしり仔撃ち』に「白濁したその―はたとえようもなく酸っぱくて」とある。「液」に比べ、概念的なとらえ方の例が多い。⇩液

えきびょう【疫病】悪性の伝染病の意で、会話にも文章にも使われる古風な漢語。〈―にかかる〉〈―に倒れる〉⇩感染症・Q伝染病・流行《はや》り病・流行病

エコー「こだま」の意で、会話にも文章にもまれに使われる外来語。〈―が聞こえる〉✎死後に声だけが残ったというギ

リシャ神話の森の妖精の名から。「歌声に―がかかる」などとして、放送などでの反響効果をさすことも多い。また、近年、反射信号を利用して超音波診断を行う医療検査機械「エコグラフィー」の略称ともなる。⇩Qこだま・残響・反響・山彦《やまびこ》

えこじ【依怙地】意地を張って妥協を拒む意で、会話にも文章にも使われる漢語。〈―になる〉〈―な人〉〈―な態度〉✎「依怙」は「えこ贔屓《ひいき》」の「えこ」で偏る意。「意固地」で代用することもある。「いこじ」ともいう。⇩意地っ張り・片意地・頑な・頑固・強情・強情っ張り

えこひいき【依怙贔屓】自分の好きな人だけ不公平に大事に扱う意で、会話にも文章にも使われる漢語。〈先生の―〉✎夏目漱石の『坊っちゃん』に「おやじは頑固だけれども、そんな―はせぬ男だ」とある。応援する対象という連想の強い単なる「ひいき」に比べ、この語は不公平感が前面に出る。⇩Q贔屓・偏愛・身贔屓・分け隔て

えし【絵〈繪〉師】昔の絵描きをさして、会話にも文章にも使われる古めかしい漢語。〈お抱え―〉〈―に襖絵《ふすまえ》をあつらえる〉✎芥川龍之介の『地獄変』に「あの地獄変の屏風を描きました、良秀と申す―」とある。古い時代でも洋画家には用いにくい雰囲気がある。⇩Q絵描き・画家・画工・画伯

えしゃく【会釈】挨拶のために軽く頭を下げる意で、会話にも文章にも使われる漢語。〈軽く―をする〉〈―を交わす〉〈―を返す〉✎森鷗外の『雁』に「窓の女に―をするようになってから」とある。⇩挨拶・Qお辞儀・敬礼・最敬礼・目礼・黙礼・礼②

エスピー【SP】要人警護のための私服の警察官をさし、主として会話に使うABC略語。〈要人に―を配備する〉✎「セキュリティ・ポリス」の頭文字SとPをとった略称。⇩護衛・Qボディーガード

エスプリ 英語のウイットにあたるフランス語で、会話にも文章にも使われる。〈―が利いている〉〈―の利いた受け答え〉✎皮肉っぽく一件穏やかなイギリス風のウイットとはいささか趣が違い、フランス風のエスプリは、周囲を気にする遠慮やもったいぶった気取りなしに話される、辛辣で毒をもつが奥深く気の利いた短い話で爽快な笑いを誘う傾向がある。河盛好蔵『エスプリとユーモア』に出てくる「ポアンカレはなんでも知っているが、なにひとつわからない…ブリアンはなんにも知らないが、なんでもわかる」というクレマンソーのことばや、「言葉というものは、自分の考えをかくすために、人間に与えられたものである」という政治家タレーランのことばなどはその好例。一般に体格がよくてゆっくり話すユモリストに対し、エスプリに満ちた人は痩せていて敏捷《びんしょう》で早口だという大胆な区別は妙に説得力がある。⇩ウイット・機知・機転・頓智《とんち》・ヒューマー・ユーモア

えせ【似非】一見似ているが本物でない意で、主にくだけた会話に使われる俗語。〈―学者〉〈―文化人〉✎「似て非なり」の意で「似而非」とも書く。⇩にせ・Qまやかし

エチケット 現代の礼儀作法をさして、会話にも文章にも使われる日常のフランス語からの外来語。〈西洋料理の―〉〈―に反する〉〈ドアを開けて先に通すのが女性に対する―だ〉✎小笠原流その他の日本の伝統的な礼法より、主とし

て戦後に移入された西欧風の社交上のマナーをさす傾向がある。高田保は『ブラリひょうたん』の中で、エチケットはチケットと違うから必ずなければいけないというものではないと書き、小津安二郎監督の映画『麦秋』には、笠智衆が「終戦後、女が—を悪用して、益々図々しくなってきつつあり、「—って、まるで男が女に親切にする法律か何かみたいに思っているけど」、他人に迷惑をかけないのが「エティケット」の精神なのだと妻や妹をたしなめる場面が出てくる。たしかにこの語には、「マナー」にはない、そんな雰囲気が残っている。⇩行儀・作法・Qマナー・礼儀作法・礼法

エックスせん【エックス(X)線】 波長が短く透過力が強いため、物質構造の調査や体内疾患の検査に用いられる電磁波をさし、会話にも文章にも使われる語。〈—写真〉〈—二重造影法〉✎「未知の光線」の意から。⇩放射線・Qレントゲン

エッセイ 書き手の知性や感性の反映した随想をさして、会話にも文章にも使われる外来語。〈文学的—〉〈雑誌に短い—を掲載する〉✎形式にとらわれない評論や軽い論文などを含める場合もある。随筆をさす場合は垢抜けた感じがある。⇩随感・随想・Q随筆

エッチ 「性交」の意味でも使われることのある、特に気品に欠けた俗語。〈—する〉✎「変態」のローマ字表記の頭文字を日本語風の発音で読んだ語形から。「—な話」のように、一般には性に関するみだらな事柄を広くさすが、その行為に限定した用法も見られる。⇩営み・関係②・合歓・交合・交接・情交・情を通じる・Q性交・性行為・性交渉・性的行為・セックス・抱く②・契る・同衾《どうきん》・共寝・寝る②・懇ろになる・ファック・深い仲になる・房事・枕を交わす・交わる・やる③・夜伽《よとぎ》

えて【得手】 得意とする意で、主に会話に使われる古風な和語。〈—不得手がある〉〈あんまり—じゃない〉✎「不—」「—じゃない」のように否定的に使う例が多い。三島由紀夫の『仮面の告白』に「この遊戯の—であった」とあるように人をさす用法もあるが古風。⇩得意②

えにし【縁】 「縁」の意で古めかしい文学的な文章にまれに用いられる、古語に近い雅やかな和語。〈不思議な—〉〈遠い—の人〉〈—の糸〉✎新感覚派の盟友の横光利一死去の際の弔辞に川端康成は「後の人々も君の文学につれて僕を伝えてくれることは最早疑いなく、僕は君と生きた—を幸《さち》とする」と述べている。⇩運命・縁《えん》①・回り合わせ・巡り合わせ・ゆかり

エピソード 話題になっている人や事柄に関するちょっと興味深い話をさし、会話にも文章にも使われる外来語。〈いかにも彼らしい—がある〉✎「逸話」より軽く短い話を連想させやすい。また、講演や小説などの「挿話」の意味でも使う。⇩Q逸話・裏話・こぼれ話・挿話・余話

エプロン 西洋風の前掛けをさし、会話にも文章にも使われる外来語。〈花模様の—をかけた若奥さん〉〈—姿もかいがいしく〉⇩Q前掛け・前垂れ

えもんかけ【衣紋掛け】 肩の幅程度の短い棒の中央に紐を取り付け、着物を吊《つ》るす道具をさし、会話にも文章にも使われる古風な表現。〈晴れ着を—に掛ける〉✎「衣桁《いこう》」をさすこともある。⇩Q衣桁・ハンガー

エラー 失策の意で、会話や軽い文章に使われる外来語。〈大

きな—が出る〉〈痛恨の—で延長戦を落とす〉✎機械の操作などでこの語の表示が出ることもあるが、スポーツの世界でよく用いられる。⇩しくじる・Q失策・失態・失敗・とちる・抜かる・ぽか・ミス・ミスる・やり損なう

えらい　「つらい」意の古い感じの俗語。〈体が—〉〈坂道を登るのが—〉✎方言的な響きも感じられる。⇩つらい

えらい【偉い】①人物や行動などが優れていて立派だったり、その人の社会的地位が高かったりする意で、くだけた会話から硬い文章まで幅広く使われる日常の基本的な和語。〈—人の集まり〉〈出世して—・くなる〉〈その分野で並ぶもののない—学者だ〉〈あの子は—ものだ〉✎夏目漱石の『坊っちゃん』に「そんな—人が月給四十円で遥々こんな田舎へくるもんか」とある。⇩Q偉大・感心・立派　②程度が甚だしい意で、口頭語。〈これは—ことだ〉〈—めにあった〉〈—渋滞に巻き込まれる〉⇩どえらい

えらぶ【選ぶ】いくつかのうちから条件に合うものを取り出す意で、くだけた会話から硬い文章まで幅広く使われる日常生活の基本的な和語。〈代表を—〉〈贈り物にするハンドバッグを—〉〈目的のためには手段を—・ばない〉✎井伏鱒二の『荻窪風土記』に「不況と左翼運動とで犇き合う混乱の世界に敢えて突入するものと、美しい星空の下、空気の美味い東京郊外に家を建て静かに詩作に耽るものと、この二者一を—決心をつける」とある。物の選択の意で特に好んで「択ぶ」と書くこともあり、用字へのこだわりを示す。⇩撰《えら》ぶ

えらぶ【撰ぶ】「選ぶ」のうち、詩歌などの秀作をよりすぐって本などにまとめる意で伝統的に用いてきた、今では古風な表記。〈歌集を—〉⇩選ぶ

エリア　一定の目的をもって設けられた区域をさし、会話にも文章にも使われる比較的新しい外来語。〈サービス—〉〈パーキング—〉⇩ゾーン

えりあし【襟(衿・領)足(脚)】襟首の髪の生え際をさして、会話にも文章にも使われる和語。〈白い—〉〈—の美しい和服の女〉✎井上靖の『猟銃』に「—の手入れが行き届いてレモンの切口のようにすかあっとして居り」という印象的な例がある。⇩Qうなじ・襟首・首筋・首根っこ・頸部

えりくび【襟(衿)首】首筋の意で、会話にも文章にも使われる和語。〈相手の—をつかむ〉〈白く塗りたくった—〉✎永井荷風の『腕くらべ』に「湯にも這入らぬらしい—薄黒く油じみたのも」とある。衣服を着たときに外からちらりと見える部分を連想させる。⇩うなじ・襟足・Q首筋・首根っこ・頸部

えりまき【襟巻】防寒用に首の周りに巻きつけるものをさし、会話でも文章でも使われる、やや古くなりつつある日常の和語。〈臙脂《えんじ》の—できめる〉✎丹羽文雄の『哭壁』に「洋服から和服、帯やら—やら、一切合財がほうり出されていた」とある。⇩Q首巻・マフラー

えん【円】平面上で一つの定点から等距離にある点の軌跡をさし、やや改まった会話や文章に用いられる少し専門的な感じの漢語。〈—を描く〉〈—の面積〉✎句点や半濁点のように極端に小さな「まる」はもちろん、テストなどで正解の意味で使う記号も「まる」であって「円」とは言わないから、コンパスで描くようなある程度以上の大きさであまり

いびつでない円形を想定していると思われる。また、球《きゅう》をもさす「丸」と違って、まるみを帯びていても球体は含まれずあくまで平面にとどまる。多くの皿やお盆の形は「円」であり、月は見方によって「円」とも「丸」とも言えるが、地球は「丸」であって「円」ではない。「日本―」の「円」もおそらく硬貨の形と関係し、「関東一―」なども地図のように平面としてとらえた認識を映しているのだろう。⇩丸・円い・丸い

えん【宴】 宴会の意で、改まった会話や文章に用いられる、少し美化した感じの古風な漢語。〈花見の―〉〈―を張る〉〈―もたけなわ〉⇩うたげ・Q宴会・酒盛り・酒宴

えん【縁】 ①血筋や交友などによる深いつながりをさし、会話にも文章にも使われる漢語。〈―続き〉〈―を切る〉〈―もゆかりもない〉〈不思議な―〉〈―が薄い〉〈―を結ぶ〉✎夏目漱石の『坊っちゃん』に「物理学校の前を通り掛ったら生徒募集の広告が出て居たから、何も―だと思って規則書をもらってすぐ入学の手続をして仕舞った」とある。客観的な感じの「関係」「つながり」に比べると情的な感じが強いが、「えにし」「ゆかり」のような古風な趣はない。⇩因縁①・えにし・関係①・関連・つながり・Qゆかり・連関 ②「縁側」の意で、主として文章に用いられる古風な漢語。〈障子を開けて―に出る〉✎大仏次郎の『風船』に「もとの―に戻って」とある。⇩Q縁側・ぬれ縁・廊下

えん【艶】 あでやかで上品な色気をさし、主としてしっとりとした文章に用いられる、なまめかしい感じの漢語表現。〈―を競う〉✎川端康成は『千羽鶴』の中で、志野の水指について「白い釉《うわぐすり》のなかにほのかな赤が浮き出て、冷たくて温いように―な肌」と描写している。⇩Q艶っぽい・なまめかしい・妖艶

えんえん【延延】 時間的・空間的に長々と続く意で、改まった会話や文章に用いられるやや硬い漢語。〈―五時間に及ぶ会議〉〈見渡す限り―と広がる麦畑〉⇩蜿蜒《えんえん》

えんえん【蜿蜒】 列がうねりながら長々と続く意で、改まった会話や文章に用いられる硬い感じの漢語。〈―長蛇の列〉✎蛇がうねりながら進む意から。⇩延々

えんお【厭悪】 厭《いや》だと思って憎く感じる意で、主に文章中に用いられる硬い漢語。〈―の情が募る〉✎幸田露伴の『連環記』に「いよいよその妻に対して―の情を増し虐待の状を増す」とある。⇩いや・嫌い・嫌悪・Q憎悪・憎しみ

えんか【演歌】 日本風のメロディーで人生の哀感や恋心などを歌う歌謡曲の主流をさし、会話にも文章にも使われる漢語。〈カラオケで―を歌う〉✎明治・大正の時代に街頭でバイオリンを弾きながら歌った壮士演歌から出たが、現在ではしばしば「艶歌」とあてる。⇩歌謡曲・流行歌

えんかい【宴会】 人が集まってにぎやかに酒食を楽しむ催しの意で、会話にも文章にも使われる日常の漢語。〈―場〉〈―の余興〉〈―が始まる〉✎川端康成の『山の音』に「会社の―で待合を出る時」とある。⇩うたげ・宴・Q酒盛り・酒宴

えんかく【沿革】 物事の現在に至るまでの移り変わりの意で、改まった会話や文章に用いられる硬い漢語。〈学園の―〉〈制度の―〉✎永井荷風の『濹東綺譚』に「通めかして此盛場の―を述べようか」とある。⇩由緒・Q由来

えんかし【演歌師／艶歌師】 流しの歌手などをさす古めかしい呼び名。〈夜の街に―の歌声が流れる〉✎小津安二郎監督の映画『東京物語』(一九五三年)のシナリオに、「マージャンや艶歌の騒音が聞えて」「勢いこんで歌いまくる―の一団」などという説明がある。いかにも時代を感じさせる例である。⇩歌い手・Q歌手

えんかつ【円滑】 障害もなく物事がすらすら進む様子をさし、やや改まった会話や文章に用いられる漢語。〈―な動き〉〈―に運営する〉〈―に事を運ぶ〉〈議事が―に進行する〉✎小沼丹の『懐中時計』に「この辺迄は洵に―に運んだが、その后はなかなか進展しなかった」とある。⇩滑らか

えんがわ【縁側】 部屋の外側で雨戸の内側にあたる板敷きの空間をさし、くだけた会話から文章まで広く使われる日常語。〈―で日向ぼっこをする〉✎宮本百合子の『伸子』に「小箱の口のように、たった一方に開いた―」とある。⇩縁②・Qぬれ縁・廊下

えんがん【沿岸】 海・湖・川などに沿った陸地、または、それらの陸に近い水域をさし、会話にも文章にも使われる漢語。〈―漁業〉〈日本海―の都市〉⇩磯・うみべ・Q海岸・海浜・かいへん・岸・岸辺・なぎさ・波打ち際・浜・浜辺・みぎわ・水際・水辺

えんき【延期】 予定の物事を別の時期に延ばす意で、会話にも文章にも広く使われる日常の漢語。〈無期―〉〈予定を―する〉〈雨で―になる〉✎午前の予定を午後にするなど同日の時間変更の場合にはなじまない。⇩延長・繰り下げ・Q繰り延べ・日延べ

えんきょり【遠距離】 空間的に遠く隔たっている意で、会話にも文章にも使われる漢語。〈―通信〉〈―通学〉〈―恋愛〉✎「近距離」と対立する語で比較の問題になるが、相対的な「長距離」に比べ、ある程度以上の距離に達しないと使いにくい絶対的な面もある。日常生活では通勤圏程度ではこういう感じがせず、陸上競技の最長レースであるマラソンの距離でも「遠距離」というイメージにはならない。⇩長距離

えんげい【園芸】 野菜や草花や果樹などを育てることをさし、少し改まった会話や文章で用いられる漢語。〈―用品〉〈―植物〉〈家庭―〉〈―を趣味とする〉✎「ガーデニング」ほど趣味という面が表に出ていない正式な感じのことば。「造園」と違って、ふつう石組みなどは連想されず、あくまで趣味の感じが強い。口頭表現では「演芸」と紛らわしい場合がある。⇩Qガーデニング・造園・庭いじり・庭造り

えんげい【演芸(藝)】 落語・漫才・漫談・講談・浪曲・音曲・手品・曲芸・踊りやコント・軽演劇などの娯楽的な芸をさし、会話にも文章にも使われる漢語。〈―会〉〈―ホール〉〈―番組〉✎通常、歌舞伎や能狂言や民謡や詩吟などは含まれない雰囲気があり、総称としても「芸能」より少し狭い印象がある。⇩芸・Q芸能

えんげき【演劇】 俳優が脚本にもとづいて動作と台詞によって演ずる舞台芸術をさし、やや改まった会話や文章に用いられる正式な感じの漢語。〈―活動〉〈―界の話題をさらう〉✎「劇」よりも本格的な感じがする。「芝居」や「ドラマ」より抽象的なイメージが強く、個々の作品よりジャンルを連想させやすい。⇩劇・Q芝居・ドラマ

えんこ 途中で自動車が動かなくなる意のくだけた会話で時

に使われる俗語。〈自動車が交差点で―する〉✎「座る」意の幼児語の比喩的転用。⇩エンスト

えんこ【縁故】 親戚を中心に親しい知人など、血縁や交友による人と人とのつながりをさして、会話にも文章にも使われる、いくぶん古風な感じの漢語。〈―者〉〈―関係〉〈―採用〉〈―を頼る〉✎就職などで自分が有利になるために利用するイメージがあるが、「―をたどる」のように、「ゆかり」の意で単に物事のつながりをさす用法も生きている。⇩Qコネ・つて・手づる

えんご【援護】 困っている人を助ける意で、改まった会話や文章に用いられる漢語。〈罹災《りさい》者を―する〉〈―の手を差し伸べる〉〈活動を側面から―する〉⇩掩護《えんご》

えんご【掩護】 敵の攻撃に曝される味方をかばう意で、硬い文章などに用いられる漢語。〈―射撃〉✎「掩」が表外字のため「援護」で代用されることもあり、その場合は語の文体的なレベルが低くなる。⇩援護

えんじ【園児】 幼稚園や保育園に通う児童を、主として園側から見た、やや改まった感じの漢語。〈―募集〉〈―の送り迎え〉⇩Q児童

エンジニア 電気・機械・土木建築などの技術者をさして、会話にも文章にも使われる外来語。〈システム―〉〈自動車工場の―〉✎「技術者」より範囲が狭く、「技師」より新しい分野にも使われやすい。⇩Q技師・技術者

えんじゃ【縁者】 親戚関係の人々をさして会話にも文章にも使われる古風な漢語。〈親類―〉〈―を頼って上京する〉✎ふつう家族以外に使い、古くは血族以外の姻族だけをさしたという。⇩親戚・親族・親類・Q身寄り

えんじょ【援助】 困っている人・組織・国家などを具体的に応援する意で、いくぶん改まった会話や文章に用いられる漢語。〈経済的―〉〈貧民を―する〉〈資金の―を受ける〉〈―を惜しまない〉✎宮本百合子の『二つの庭』に「事務的な調子で、裏書について、伸子が父に求めている―の内容を聞いた」とある。他の類義語に比べ資金面で使う傾向が強く、技術提供などを含めても最も具体的な感じがある。⇩Q救援・救済・救助・救い・救う・助ける

えんすい【塩水】 塩分を含む水をさし、改まった会話や文章に用いられる漢語。〈―を汲《く》む〉✎「淡水」と対立。⇩鹹水《かんすい》・しおみず

エンスト 途中でエンジンが停止してしまう意の和製英語。〈ドライブ中に―を起こす〉✎「エンジン」と「ストップ」を組み合わせた造語の短縮形。⇩えんこ

えんぜつ【演説】 大勢の人の前で自分の意見や主張を述べることをさし、会話にも文章にも使われる漢語。〈街頭―〉〈施政方針―〉〈一席―をぶつ〉✎夏目漱石の『吾輩は猫である』に「結論のない演舌は、デザートのない西洋料理の様なものだ」とあるように古くは「演舌」とも書いた。「弁論」に比べ、相手を説得して自分側に引き入れる意図が強い。もと「スピーチ」の訳語だが、現代では「スピーチ」より大仰な感じがある。⇩Qスピーチ・弁舌・弁論

えんぜん【婉然】 主として文章に、女性の淑《しと》やかで美しいようすの形容として用いられる古風で漢文調の硬い漢語表現。〈―たる姿〉〈―と舞う〉⇩Q嫣然《えんぜん》・艶然

えんぜん【嫣然】主として文章に、あでやかの意で主に美人が笑う形容に用いられる古風な漢文調の硬い漢語表現。〈―たる笑顔〉〈―とほほえむ〉⇩Q婉然《えんぜん》・艶然

えんぜん【艶然】主として文章に、色っぽい意に用いられる古風で硬い漢語。〈装いも―と〉〈―とした立ち姿〉⇩嫣然《えんぜん》・婉然《えんぜん》

えんそうかい【演奏会】楽器を使って音楽を奏で、それを聴いて楽しむ集まりをさし、会話にも文章にも使われる漢語。✎「音楽会」に比べ、器楽に限られるだけでなく、ずぶの素人を連想させにくい。⇩Q音楽会・コンサート・ライブ・リサイタル

エンタメ 娯楽の意の「エンターテーメント」の短縮形。近年の俗語。〈―小説〉

えんちょう【延長】時間的・空間的な長さを延ばす意で、会話にも文章にもよく使われる日常の漢語。〈―コード〉〈―戦に入る〉〈期間を―する〉⇩Q延期・繰り下げ・繰り延べ・日延べ

えんちょく【鉛直】錘《おもり》を吊《つ》るした糸の垂れる地球の重力の方向をさし、学術的な会話や文章に用いられる専門的な硬い漢語。〈―の方向に真っ直ぐ立てる〉✎「水平」と対立。日常語では「垂直」で間に合わせることが多い。⇩Q垂直・縦

えんのした【縁の下】家屋の縁側の下の空間をさし、会話にも文章にも使われるやや古風な日常語。〈―にもぐり込む〉〈―で猫が子を産む〉✎三木卓の『隣家』に「竹竿を―に押し込んでその奥に住んでいる猫を脅していた」とある。縁側の下に限らず床下《ゆかした》全体をさすこともある。「―の力持ち」のように、目立たないところという意味に抽象化されることもある。⇩床下

えんぽう【遠方】遠い場所の意で、やや改まった会話や文章に用いられる漢語。〈―に引っ越す〉〈―からわざわざ足を運ぶ〉〈―まで出向く〉✎二葉亭四迷の『平凡』に「―から眺めて憧憬《あこが》れていると」とある。「はるか―にうっすらと山が見える」のように知覚できる対象にもまれに使うことがあるが、感覚でとらええない距離にある場所をさす例が多い。⇩彼方・Q遠く

えんもく【演目】芝居や演芸などで上演する作品の題目をさし、改まった会話や文章に用いられる少し専門的な漢語。〈人気の高い―〉⇩出し物・番組

えんりょ【遠慮】他人に対する気兼ねから言動を控えめにする意で、会話にも文章にも使われる日常の漢語。〈どうぞ御―なく〉〈―は要らない〉〈―のない間柄〉〈招待されても―する〉✎林芙美子の『魚の序文』に「まるで隣人同士のように―してしまって」とある。もっぱら気持ちの段階を問題にする「気兼ね」と比べ、態度や行動に出るところをとらえた感じが強い。⇩気兼ね

お

お【尾】 動物の尻の上から後方に細長く伸びた部分をさす文章語。〈―が長い〉〈―を振る〉✎藤沢周平の『三の丸広場昼下がり』に「手をのばして波のようにうねる(馬の)―をつかんだ」とある。文中では漢字で意味が伝わるが、口頭表現では一拍の「オ」だけだと意味の伝達に不安があるため、「しっぽ」の形で通じさせる。⇨尾っぽ・Ｑ尻尾

おあし【御足(銭)】 古く「銭」の意で使われた俗語。〈―を握る〉〈―をもらう〉✎世の中を歩き回るからとも、足が生えたようにすぐに姿を消すからともいう。⇨かね・貨幣・金子《きんす》・金銭・Ｑ銭

おい【老い】 肉体的・精神的に年を取る意で、会話にも文章にも使われる、いくらか古風な感じの和語。〈―を感じる〉〈―を忘れる〉✎幸田文の『黒い裾』に「鏡に映らない部分から―は忍び込む」とある。近年は「経年変化」のようにショックをやわらげる表現の試みも見られる。⇨老化

おいおい【追い追い】 時間が経つにつれて少しずつの意で、主に会話に使われる、やや古風な感じの和語。〈―慣れてくるよ〉〈―わかってくると思う〉〈―うまくなるだろう〉✎好ましい方向への変化を予想して用いる例が多い。⇨次第に・Ｑ徐々に・漸次《じぜん》・段々

おいかける【追いかける】 求める対象に近づこうと急ぐ意で、会話やさほど硬くない文章に使われる日常の和語。〈泥棒を―〉〈アイドルを―・けまわす〉〈子供の頃からの夢を―〉✎志賀直哉の『網走まで』に「近くの森から蜩の声が―ように聞える」とある。「追う」に比べ、追う対象の姿が見えていたり、少なくともそのありかが知れていたり、具体性が強い感じがある。⇨追う

おいこす【追い越す】 後ろから追いついてその前に出る意で、会話にも文章にも使われる和語。〈歩いている人を自転車で―〉〈前の車を―〉〈地位で親を―〉✎同じコースを走って後ろから追い抜くイメージが強い。⇨追い抜く

おいこむ【老い込む】「老いる」の強調表現で、会話にも文章にも使われるやや古風な和語。〈父もこのごろすっかり―・んで足腰が不自由だ〉✎単なる「老いる」より肉体的な衰えが外面にあらわれている感じが強い。⇨老いる・Ｑ老け込む・老ける

おいしい【美味しい】「味がよい」意の上品な表現だったが、今では男性でも多用するようになり、普通のことばに近づきつつある。〈―料理〉〈ご飯を―・くいただく〉✎もと、「味がよい」意の女房詞「いしい」に「お」をつけて丁寧にした表現という。庄野潤三の『佐渡』に「梅干と大根下しと醤油の味がひとつに融け合って、何ともいえず香ばしくて、―・く、気持が静まります」とある。⇨Ｑうまい・美味

おいたち【生い立ち】 一人の人間が生まれてから大人になるまでの成長過程の意で、会話にも文章にも使われる、やや古風でプラスイメージの和語。〈―の記〉〈恵まれない―にもめげず頼もしい青年に成長する〉✎振り返る感じの「育ち」に対し、この語は生まれたときから順を追って思い出し

ている感じがある。⇩育ち

おいたてる【追い立てる】追ってその場所から遠くへ離す意で会話にも文章にも使われる和語。〈同居人を―〉〈仕事に―・てられる〉✎尾崎一雄の『虫のいろいろ』に「彼(蠅)が頰にとまると、私は頰の肉を動かすか、首を一寸振るかして―」とある。「追い払う」がその場所から遠ざけることに重点があるのに対し、この話はさらに執拗に追う感じが強い。⇩追い払う・追っぱらう

おいてきぼり【置いてきぼり】「置き去り」の意で、主にくだけた会話に使われる俗っぽい和語表現。〈―にされる〉〈―をくう〉✎「おいてけぼり」ともいう。⇩置き去り

おいぬく【追い抜く】先行する対象に横から追いつき、それより前になる意で、会話にも文章にも使われる和語。〈特急が鈍行を―〉〈ゴールの寸前で―〉✎真後ろでなく、別のコースを走って前に出るイメージが強い。⇩追い越す

おいはらう【追い払う】その場所から追い出して遠くにやる意で、会話でも文章でも広く使われる和語表現。〈蠅《はえ》を―〉〈邪魔者を―〉✎永井荷風の『濹東綺譚』に「怪し気な勧誘者を―」という例が出る。⇩追い立てる・追っ払う・撃退

おいら「俺」の子供っぽく、古めかしい和風の言い方。〈―の友達〉⇩あたくし・あたし・Q俺・僕・わし・わたくし・わたし

おいる【老いる】年を取って老人になる意で、主に文章中に用いられる古風な和語。〈―・いた姿を世間にさらす〉〈―・いては子に従え〉✎「―・いてますます盛ん」とも言うように、「老い込む」「老ける」に比べ、衰えが直接意識されにくい。⇩老い込む・老け込む・Q老ける

おう【負う】「背負う」「引き受ける」の意で、昔風の文章にまれに用いられる古めかしい和語。〈背中に―〉〈―・うた子に教えられて浅瀬を渡る〉〈―・われて見たのはいつの日か〉✎「この成果は彼に―ところ大である」「重傷を―」「責任を―」のように意味の抽象化した用法の場合は、多少改まった響きはあるが、特に古めかしい感じはしない。⇩おぶう・おんぶ・しょう・Q背負う

おう【追う】前にあるものや頭に浮かぶものをとらえようと進む意で、会話にも文章にも使われる和語。〈子供が母親のあとを―〉〈逃げる敵を―〉〈―・いつ―・われつ〉〈流行を―〉〈理想を―〉✎堀田善衛の『鬼無鬼島』に「早子は若く速い魳のように―・って来た」とある。⇩追いかける

おう【王】国や領地を治める最高権力者をさし、主として文章に用いる漢語。〈―の座に就く〉〈一国の―として君臨する〉✎「百獣の―」「三冠―」のように、最も優れたものをさす比喩的用法もある。⇩王様・君主・皇帝・Q国王・大王・帝王・天子・天皇・帝

おういん【押印】自分側の印鑑を押す意で、改まった会話や文章に用いられる硬い漢語。〈書類に―する〉✎日常生活では「捺印《なついん》」ほど使わない。⇩捺印

おうえん【応援】元気づけたり援助を与えたりする意で、会話にも文章にも使われる日常の漢語。〈―団〉〈―歌〉〈―演説〉〈―に駆けつける〉〈地元のチームを―する〉✎「声援」と違い、表に立たない資金援助などの形も含まれる。⇩加勢・支援・Q声援

おうかん【往還】人馬の往来(する街道)をさし、主として文

章に用いられる古風な硬い漢語。〈車の―の激しい道路〉〈町の中央を白い―が走る〉✎「行き帰り」の意でも「往来」より古く、「鎌倉―」などとして使われる「街道」の意でもそれより古い感じがする。田宮虎彦の作品で「白い道」「白い―」ということばがしばしば反復使用され、インタビューでの質問に応じ、作者自身が「象徴の一歩手前」という内省を示した。⇩Q往来・街道・街路・通路・道路・通り・道

おうぎ【扇】手に持ってあおぎ涼しい風を送るための折りたたみ式の道具をさし、改まった会話や文章に使われる和語。〈―を開いてあおぐ〉✎儀式や舞踊にも使う。⇩扇子

おうこく【王国】王が権力をもって支配する国をさす漢語。〈立憲―〉✎わがままな王様が連想される場合であっても、「帝国」に比べ、単なる王と皇帝との違いを超えて、この語には平和なイメージが濃い。⇩帝国

おうさま【王様】「王」の意で会話や軽い文章に使われる日常の丁寧な表現。〈―に仕える〉〈―に献上する〉✎「果物の―」のように、その分野での最高のものをさす比喩的用法もある。武者小路実篤は調布の自宅に訪問した折、「徽宗《きそう》皇帝は絵かきとしてはいちばん偉い絵かきの一人になってるが、王さんとしちゃいちばんばかな王さんで」と発言。昔は「王様」のほかに「王さん」とも言ったようである。⇩王・君主・皇帝・Q国王・大王・帝王・天子・天皇・帝

おうじ【往時】過ぎ去った昔の一時代をさし、主として文章に用いられる漢語。〈―を振り返る〉〈―の繁栄ぶりがうかがわれる〉〈もはや―の勢いは影を潜めた〉✎「当時」より懐かしい感じに美化された雰囲気がある。⇩以前・いにしえ・Q往年・昔日・昔

おうしゅう【押収】裁判所などが没収すべき物などを占有し確保する意で、改まった会話や文章に用いられる法的な専門漢語。〈証拠物件を―する〉⇩Q接収・没収・召し上げる

おうじょう【往生】「死ぬ」ことを意味する、古風で仏教的な雰囲気を感じさせる漢語の間接表現。〈―際が悪い〉〈大―を遂げる〉〈その場で―した〉✎瀧井孝作の『積雪』に「病臥して介抱などそうあてにせず、覚悟のよい大―のようであった」とある。死を忌む気持ちから、死というものを、この世からあの世に出かけて行って向こうすなわち極楽浄土に生まれ、そこに生きること、ととらえ直した表現。「いい加減で―しろ」のように「諦める」意にも、「渋滞にまきこまれて―した」のように「困り果てる」意にも使う。⇩敢え無くなる・上がる②・あの世に行く・息が切れる・息が絶える・息を引き取る・往く・いけなくなる・永眠・お隠れになる・落ちる②・おめでたくなる・帰らぬ人となる・くたばる・死去・Q死ぬ・死亡・昇天・逝去・斃《たお》れる・他界・長逝・露と消える・天に召される・亡くなる・儚《はかな》くなる・不帰の客となる・不幸がある・崩御・没する・仏になる・身罷《みまか》る・脈が上がる・空しくなる・藻屑となる・逝く・臨死・臨終

おうじる【応じる】「応ずる」の意で、さほど改まらない会話や文章に使われる語。〈ご要望に―・じます〉〈注文に―〉〈必要に―・じて〉✎「応ずる」より日常語的。⇩Q応ずる・対応

おうずる【応ずる】他からの働きかけに沿って行動する意で、改まった会話や文章に用いられる表現。〈交渉に―〉〈求めに―〉✎「応じる」よりやや硬く古風。「年齢に―・じて」

「能力に―・じた仕事」のように、それに合う意でも使う。⇩応じる・Q対応

おうせ【逢瀬】愛し合う男女がひそかに会う意で、会話にも文章にも使われる古めかしい和語。〈ひと夜の―を楽しむ〉✎三島由紀夫の『仮面の告白』に「私たちが閲《けみ》した何かの―」とある。古く文学作品などにしばしば用いられ、きわめて和風で詩的な雰囲気を漂わせる。⇩逢引《あいびき》・忍び会い・デート・密会・ランデブー

おうせい【旺盛】体力が充実し、気力が漲《みなぎ》っている意で、会話にも文章にも用いられる漢語。〈気力―〉〈食欲が―だ〉〈繁殖力が―だ〉⇩盛ん

おうせつしつ【応接室】会社などで来客の応接に用いる一室をさし、会話でも文章でも幅広く使われる日常漢語。〈―で商談する〉〈―で部長が応対する〉✎「応接間」が個人の住宅を連想させるのに対し、この語は会社などの一室を連想させる。⇩Q応接間・客室・客間・座敷

おうせつま【応接間】来客と面会し接待するための部屋をさし、会話でも文章でも幅広く使われる日常語。〈来客を―に通す〉✎「応接室」が会社などの一室を連想させるのに対し、この語は個人の家を連想させる。「客間」とは違って基本的に洋室の雰囲気が濃い。⇩Q応接室・客室・客間・座敷

おうたい【応対】人と接した際の受け答えや相手に対する扱い方をさし、会話にも文章にも使われる漢語。〈店員の―が悪い〉〈丁重に―する〉〈そっけない―〉〈―がぶしつけだ〉⇩接待

おうちゃく【横着】わがままで怠けたり手抜きをしたりする意で、会話にも文章にも使われる漢語。〈―者〉〈―を決め込む〉〈―きわまる態度〉⇩ぐうたら・ずぼら・怠惰・Q怠慢・無精・ものぐさ

おうてん【横転】横になって倒れる意と、左右に回転する意とで、やや改まった会話や文章に用いられる漢語。〈土俵上に―する〉〈バスが―する〉〈胃のレントゲン検査で体を―させる〉✎飛行機の曲技などにも。⇩横倒し

おうと【嘔吐】吐き戻す意で、主に文章に用いられる硬い漢語。〈―を催す〉✎「へど」と違って汚物自体をさす用法はない。反吐《へど》が出そうなほどひどい不快感を比喩的に表現することもある。ちなみに、フランスの哲学者サルトルの小説が『嘔吐』と訳されている。⇩げろ・Qへど

おうとう【応答】呼びかけ・問いかけに対する受け答えの意で、やや改まった会話や文章に用いられる漢語。〈質疑―〉〈―せよ〉〈―なし〉〈―が途絶える〉⇩回答・解答・答え・返事・Q返答

おうねん【往年】「往時」に近い意味で、主として文章に用いられる漢語。〈―の名選手〉〈―の面影はない〉〈―の覇気が感じられない〉✎「往時」以上に、そのものの全盛期を連想させる傾向が強い。⇩いにしえ・Q往時・昔日・昔

おうのう【懊悩】悩み苦しむ意で、主として文章中に用いられる硬い漢語。〈青春の―〉✎谷崎潤一郎『少将滋幹の母』に「恋しい人の面影を追うて日夜―している」とある。⇩苦痛・Q苦悩・苦悶《くもん》・苦しみ・悩み・煩悶《はんもん》・憂悶

おうふく【往復】同じ人がある場所へ行ってそこから元の場所に戻ることをまとめてさし、会話にも文章にも使われる

漢語。〈—乗車券〉〈新宿から日帰りで甲府まで—する〉✎遠藤周作の『海と毒薬』に「兵士が両手をうしろに組んで檻の中の動物のように—していた」とある。「片道」と対立。⇩行き帰り

おうへい【横(押)柄】 謙虚さに欠け威張って相手を見下すような態度やふるまいをするさまを評して、会話にも文章にも使われる漢語。〈—な態度〉〈—な口を利く〉〈—にふるまう〉✎木山捷平の『大陸の細道』に「乞食にでも物を言う時のような—な態度」とある。⇩頭ごなし・高圧的・Q尊大・高飛車

おうよう【応用】 技術・原理・知識などをもとに工夫して別のものに役立てる意で、会話にも文章にも使われる漢語。〈—問題〉〈原理を—する〉✎そのまま使う感じの「利用」や「活用」に比べ、さまざまな工夫をこらす感じが強い。⇩Q活用・利用

おうよう【鷹揚】 小さなことにこだわらずゆったりと構えている意で、やや改まった会話や文章に用いられる漢語。〈—な態度〉〈—に振る舞う〉✎井伏鱒二の『珍品堂主人』に「まだ買いもしないくせに、—なこと云っているよ」とある。鷹が大空を悠々と飛んでいる意からという。⇩大様《おおよう》・大らか・おっとり

おうらい【往来】 人や車の行き来(する大通り)をさし、「行き来」の意では会話でも文章でも使われ、「大通り」の意では古めかしい感じの漢語。〈人の—が頻繁にある〉〈車の—が途絶える〉〈—に飛び出す〉〈—は人通りが多い〉✎芥川龍之介の『あの頃の自分の事』に「星月夜の—へ出てから」とある。⇩Q往還・街道・街路・通路・道路・通り・道

おうりょう【横領】 不法に横取りする意で、改まった会話や文章に用いられる、正式な感じの漢語。〈業務上—の罪に問われる〉〈公金を—する〉✎「猫ばば」や「横取り」はもちろん「着服」よりも犯罪のにおいが強い。⇩くすねる・失敬・Q着服・猫ばば・横取り

おうろ【往路】 目的地や折り返し点までの経路をさして、改まった会話や文章に用いられる硬い漢語。〈—は海沿いの道を進む〉〈駅伝で—を首位で折り返す〉✎「復路」と対立。⇩行き

おえつ【嗚咽】 むせび泣く意で、主として文章中に用いられる古風な漢語。〈—がもれる〉〈—の声を押し殺す〉✎大岡昇平の『事件』に「ハンカチーフでおおった顔の中で、—が洩れた」とある。⇩忍び泣き・しゃくりあげ・すすり泣き・泣き咽《むせ》ぶ・Qむせび泣き・むせぶ

おえる【終える】 完了したり時間がなくなったりしてやめる意で、会話でも文章でも広く使われる日常の和語。〈無事に勤務を—〉〈宿題を—〉〈仕事を—といつもまっすぐ帰宅する〉〈高校を—・えてすぐ就職する〉✎島崎藤村の『春』に「高等学校を—・えずに退いた」とあるように、「卒業する」意では「卒える」とも書く。「終わる」の他動詞用法に比べ、主体の意志を感じさせる。⇩終わる

おおあめ【大雨】 一定時間に大量に降る雨の意で、会話やさほど硬くない文章に使われる日常の和語。〈—洪水注意報〉〈—に見舞われる〉✎「小雨」と対立。⇩豪雨

おおい【多い】 数や量の程度が大きい意で、くだけた会話か

ら硬い文章まで幅広く使われる日常の基本的な和語。〈数が―〉〈人口が―〉〈雨が―〉〈緑が―〉〈仕事が―〉〈欠点が―〉✎福原麟太郎の『交友について』に「無駄話を楽しめるとかいう友人なら、私は人に誇りうるほど―」とある。⇩一杯・うんと・しこたま・Q沢山・たっぷり・たんと・たんまり・どっさり

おおいそぎ【大急ぎ】 非常に急ぐ意で、会話やさほど硬くない文章に使われる日常の和語。〈―で仕上げる〉〈―で準備する〉〈―で取り掛かる〉⇩至急・Q大至急

おおいに【大いに】 程度の甚だしい意で、会話にも文章にも使われる和語。〈―気をよくする〉〈―喜ぶ〉〈―困る〉〈―面目をほどこす〉〈―役立つ〉〈―参考になる〉✎「きわめて」と違い、「多い」「高い」「暑い」のような数字で表せるものには使われない。⇩Qきわめて・ごく・すこぶる・大層・たいへん・とても②・甚だ・非常に

おおう【覆（被・蔽・蓋）う】 全体に掛けて物の表面が隠れるようにする意で、やや改まった会話や文章に用いられる和語。〈両手で顔を―〉〈布を掛けてテーブルを―〉〈一面に雪で―・われる〉⇩被《かぶ》せる

おおかぜ【大風】 激しく吹きつける強い風をさし、会話にも文章にも使われる古風な和語。〈―で木が倒れる〉⇩嵐・強風・颶風《ぐふう》・時化《しけ》・疾風・陣風・Q大風《たいふう》・台風・突風・はやて・暴風・暴風雨・烈風

おおかた【大方】 全体の七、八割ほどの感じで、会話やさほど改まらない文章に使われる、古風な和語。〈仕事は―済んだ〉〈―は女性だ〉✎「―そういうことだろうと見当がついていた」のように「多分」の意でも使い、「―の意見」のように世間一般の人をさす用法もある。⇩Qあらかた・おおよそ・大概・大体・大抵・大部分・ほとんど

おおがた【大型】 同類のものに比べて大きいタイプの意で、会話でも文章でも使われる和語。〈―車〉〈―冷蔵庫〉〈―量販店〉〈―の機械を導入する〉⇩大形

おおがた【大形】 形が大きい意で、会話でも文章でも使われる和語。〈―の模様〉〈朝顔が―の花を咲かせる〉⇩大型

おおがねもち【大金持ち】 金持ち以上の大きな財産を所有している意で、会話やさほど改まらない文章に使われる日常の和語。〈株で一儲《ひともう》けして―になる〉〈―という噂が流れる〉✎「金持ち」を強調した表現。⇩金持ち・Q金満家・財産家・素封家《そほうか》・長者・富豪・物持ち

おおかみ【狼】 イヌ科の食肉動物で犬より体も口も大きい種類をさして会話にも文章にも使われる和語。〈―の習性〉✎夏目漱石の『こころ』に「残酷な答えを与えたのです。―が隙を見て羊の咽喉笛へ食《く》らいつくように」とある。グリム童話の『赤ずきん』などの物語で残忍な存在に描かれてきた影響で、それが固定観念になり、この語の語感にまで波及している。

おおきい【大きい】 長さ・面積・体積・程度・数量・音量などが大である意で、くだけた会話から硬い文章まで幅広く使われる日常の基本的な和語。〈―国〉〈音が―〉〈家が―〉〈規模が―〉〈被害が―〉〈夢が―〉✎夏目漱石の『坊っちゃん』に「眼が―から役者になると屹度似合います」とある。「人物が―」のように優れた度量・包容力をさし、「この成功は―」のように貴重な意を表す用法もある。⇩Qでかい・でっかい

おおぎょう【大仰(形)】 大げさの意で、改まった会話や文章に用いられる漢語。〈—な話し方〉〈—に驚いてみせる〉⇩Q大袈裟・オーバー

オークション 「競り売り」を意味する比較的新しい感じの外来語。〈仏像を—にかける〉〈—で競り落とす〉✎海外で美術品や骨董《こっとう》品を扱う大規模なものを連想させやすい。ただし、最近のネットオークションではごく小規模な物品が多いという。⇩きょうばい・けいばい・Q競り売り

おおげさ【大袈裟】 実際よりも誇張して表現する意で、会話にも文章にも使われる日常表現。〈—な身振り〉〈—に言う〉〈話が—だ〉⇩Q大仰・オーバー

おおごしょ【大御所】 その分野で絶大な権威と実力を備えた人物の意で、会話にも文章にも使われるやや古風な表現。〈文壇の—〉〈いよいよ—のお出ましだ〉✎江戸時代には徳川家康をさした。⇩オーソリティー・Q権威②・第一人者・長老

おおざっぱ【大雑把】 ほぼ「大まか」の意で、会話や軽い文章に使われる、やや俗っぽい表現。〈—な説明〉〈—な計算〉〈何事も—な性格〉〈仕事が—だ〉✎「大まか」より雑な感じが強く、マイナスイメージが伴う。⇩アバウト・大まか

おおしい【雄雄しい】 男らしく勇ましい意で、主として文章に用いられる古風な和語。〈—ふるまい〉〈—・くも立ち上がる〉✎高山樗牛の『滝口入道』に「言葉さえ—・く」とある。男性たるにふさわしいという評価で、女性には用いない。「女々しい」と対立。⇩たくましい・強気・向こう意気

おおぜい【大勢】 多くの人々の意で、会話にも文章にも広く使われる日常語。〈—の見物客〉〈—で押しかける〉〈希望者が—いる〉✎長塚節の『土』に「—がただ泥のようになって動いているのでどれがどうとも識別《けじめ》がつかないで困った」とある。⇩多数

オーソリティー その分野における権威者をさして、会話や文章に使われる外来語。〈その道の—〉〈—になびく〉⇩大御所・Q権威②・第一人者・長老

オータム 「秋」の意で時に広告などに使われる外来語。〈—フェア〉✎井伏鱒二の『朽助のいる谷間』に「箱の表には必ず「—吉日」と記してある慣わしである」とあるが、一般には複合語として用い、単独では用いない。⇩秋

おおっぴら【大っぴら】 通常なら隠すことをあからさまにする意で、主にくだけた会話に使われる、やや俗な感じの和語。〈私生活を—にする〉〈—に交際する〉⇩公然

おおどおり【大通り】 道幅の広い街路をさし、会話にも文章にも使われる和語。〈駅前の—を横切る〉⇩表通り・大道《だいどう》

オートバイ エンジン付きの自動二輪車をさし、古くから使ってきて今でも日常使われる和製英語。✎「オート」に「バイク」または「バイシクル」を組み合わせた造語という。二輪の自動車全体を漠然とさす伝統的な日常語。⇩原付・原動機付き自転車・自動二輪・自動二輪車・スクーター・単車・Qバイク・モーターバイク

オーバー 大仰・誇張の意で、主に会話に使われる、やや俗っぽい外来語の日本的表現。〈—な表情〉〈話が—だ〉〈—に伝える〉⇩大仰・大袈裟

オーバーペース 適切なペースを乱す「飛ばし過ぎ」を意味する和製英語。〈—がたたって途中でダウンする〉

おおまか【大まか】細かい点にこだわらない大づかみな意で、会話や硬くない文章に使われる和語。〈―な見通し〉〈―な見積もり〉〈―に割り振る〉⇩アバウト・大雑把

おおみず【大水】大雨による洪水をさして、会話や軽い文章に使われるやや古風な日常の和語。〈―が出る〉⇩Q洪水・出水・水害・氾濫《はんらん》

おおもと【大本】物事の一番もとになる部分をさし、くだけた会話から硬い文章まで幅広く使われる和語。〈―の意味〉〈―から崩れる〉〈―に立ち返る〉〈―から正す〉⇩基礎・Q根源・根本・土台

おおもの【大物】ある分野で際立って優れた実力を有する存在をさし、会話や硬くない文章に使われる和語。〈―政治家〉〈―俳優〉〈財界の―〉✎「―ぶりを発揮する」のように、物に動じない態度・行為を示す場合にも使う。また、単に同類のうちの際立って大きなものをさし、「鯛の―が針にかかる」など人間以外に用いる例もある。⇩大御所・巨匠・権威②・第一人者・Q大家《たいか》・泰斗

おおや【大家】貸家や貸間の持ち主の意で、会話や硬くない文章に使われる、いくらか古風な和語。〈―さんに家賃を払う〉〈―といえば親も同然、店子《たなこ》といえば子も同然〉✎「店子」に対する語。漢字表記は「たいか」「たいけ」と紛らわしい場合もある。⇩いえぬし・Qやぬし

おおやけ【公】公式・公的の意で、会話にも文章にも使われる和語。〈―の行事〉〈―に認められる〉⇩公式・公的

おおよう【大様】こせこせず落ち着いている意で、会話にも文章にも使われる表現。〈―に構える〉〈―な人〉✎徳冨蘆花の『思出の記』に「―でこせこせしない」とある。音・意味ともに類似している別語「鷹揚《おうよう》」としばしば混同される。⇩鷹揚・大らか・おっとり

おおよそ【大凡／凡】全体の七割ほどの感じで、会話にも文章にも使われる、やや古風な和語。〈―の見当はつく〉〈―の準備はしてある〉〈―の質問には答えられる〉✎「―の時間」のように大雑把の意にも使う。「およそ」とも言い、その場合は古風な感じがしない。⇩あらかた・Q大方・大概・大体・大抵・大部分・ほとんど

おおらか【大らか】心が広くてものにこだわらず、人柄や態度などがゆったりとしている意で、会話にも文章にも使われる和語。〈―な心〉〈―な性格〉〈―に育つ〉⇩鷹揚《おうよう》・Q大様・おっとり

おか【丘(岡)】小高くなった土地をさし、くだけた会話から硬い文章まで幅広く使われる日常の基本的な和語。〈―の向こうに〉〈―を越える〉✎佐藤春夫の『田園の憂鬱』に「その―はどこか女の脇腹に似ていた」とある。⇩丘陵

おかあさま【お母様】「お母さん」のさらに丁寧な表現として、会話にも文章にも使われる和語。〈―のよろしいように〉〈どうぞ―をお大事に〉✎小津安二郎監督の映画『東京物語』に、実の娘が「お父さんお母さん、明日はお出かけね」という待遇なのに対し、息子の嫁が「―、致しましょう」と姑《しゅうとめ》のほどいた帯を畳もうとする場面がある。「お父様」と対立。⇩Qお母さん・お母ちゃん・おふくろ・女親・母さん・母ちゃん・母・母上・母親・ママ

おかあさん【お母さん】「母」の意で、尊敬と親しみの気持ち

をこめて呼ぶときに会話でも文章でも用いられる日常の標準的な表現。〈―の料理〉〈―の手伝いをする〉〈―によろしくお伝えください〉✎明治末期の国定教科書に採用されて全国に広まった語形とされる。子供のある家庭では夫が妻を呼ぶ際にもよく使う。「お父さん」と対立。⇩Qお母様・お母ちゃん・おふくろ・女親・母さん・母ちゃん・母・母上・母親・ママ

おかあちゃん【お母ちゃん】「母親」の意で、子供などが、または子供に向かって大人が、親しみをこめて呼ぶ、やや古風な和語。〈―、連れてってよ、ねえ〉〈坊や、―いるかな？〉✎現代では西日本の方言的なニュアンスを感じさせることもある。「お父ちゃん」と対立。⇩お母様・お母さん・おふくろ・女親・母さん・Q母ちゃん・母・母上・母親・ママ

おかき【お欠き】「かき餅《もち》」の丁寧な表現として主に会話に使われる和語。〈―を割って口に入れる〉✎もと女性語。関西では多く「あられ」をさすという。⇩あられ・Qかきもち・せんべい

おかくれになる【お隠れになる】改まった文章の中で、高貴な身分の人を尊敬して「死ぬ」意に用いる古めかしい和語の間接表現。〈天子が―〉✎死を忌む気持ちから、それを、あたかも当人の意思で自発的に姿を隠すような意味にとらえ直した表現。これも落語の世界などでは「どのへんに隠れた？」と的外れの応答をし、手分けをして捜しかねないほど間接効果が大きいが、現代ではほとんど使われなくなった。⇩敢え無くなる・上がる②・あの世に行く・息が切れる・息が絶える・息を引き取る・往く・いけなくなる・永眠・往生・落ちる②・おめでたくなる・帰らぬ人となる・くたばる・死去・Q死ぬ・死亡・昇天・逝去・斃《おた》れる・他界・長逝・露と消える・天に召される・亡くなる・儚《はかな》くなる・不帰の客となる・不幸がある・崩御・没する・仏になる・身罷《みまか》る・脈が上がる・空しくなる・藻屑となる・逝く・臨死・臨終

おかげ【御蔭(陰)】よいことがあった場合にそういう結果をもたらしたものに感謝の気持ちを述べることばとして、会話や硬くない文章に用いられる和語。〈―で命拾いした〉〈―さまでうまく行きました〉〈みんなの―だ〉✎「賜物」と違い、「天気予報を真に受けた―で雨に降られた」「あいつの―でひどいめにあった」のように、悪い結果に際して用いることもある。⇩賜物

おかしい ①【可笑しい】滑稽で笑いを誘う感じをさし、くだけた会話から文章まで幅広く使われる日常の基本的な和語。〈―話を集める〉〈―・くて笑い転げる〉✎人間には考えられない、信じられない現象を前に、そんなはずはないと不思議に思うところから思わず笑ってしまう点で②の意味とつながる。⇩傑作②・Q滑稽・コミカル・剽軽《ひょうきん》・ユーモラス ②普通と違っていて奇妙な感じがする意で、会話にも文章にも使われる和語。〈味が―〉〈理屈が―〉✎「挙動が―」のように「疑わしい」「怪しい」というニュアンスになることもある。⇩Q変・怪しい

おかす【犯す】法などに違反する行為をする意で、改まった会話や文章に使われる和語。〈過ちを―〉〈罪を―〉〈女性を―〉〈―・しがたい気品〉✎前田河広一郎の『三等船室』に「扁平ったい顔と派手な格子縞のスカートとに向って―ようなみだらな視線を注いだ」とある。⇩侵す・冒す

おかす【侵す】入り込んで権限を損なう意で、改まった会話

や文章で使われる和語。〈国境を―〉〈権利を―〉〈表現の自由を―〉〈―べからざる権限〉⇩Ｑ犯す・冒す

おかす【冒す】 敢えて行う、害するといった意味合いで、改まった会話や文章に使われる和語。〈危険を―〉〈風雨を―・して強行する〉〈病に―・される〉⇩犯す・Ｑ侵す

おかず【御数(菜)】 御飯とともに食する副食物の意で、会話にも文章にも使われる和語。〈御飯の―〉〈―が足りない〉✎数々取り合わせる意味から。⇩惣菜

おかちめんこ 「不美人」の意の古めかしい俗語。ののしるときなどに用いた。⇩悪女・しこめ・醜女・醜婦・すべた・Ｑぶす・不美人

おかみ【お上】 庶民が政府や役所・役人を自分たちより位の上の者と見て漠然とさす古風で俗っぽい言い方で、主に会話で使う。〈―の御用をあずかる〉〈―からお達しがある〉〈―にたてつく〉〈―のやることには逆らえない〉✎昔は逆らえない権威という感じが強かったと思われるが、現代ではむしろいくぶん揶揄《やゆ》的なニュアンスを伴いやすい。古くは天皇をさすこともあった。⇩Ｑ官公庁・官庁・役所

おかみさん【お上さん】 他人の妻の丁寧な和風の言い方。もと商家の女主人をさした。現在では下町風の会話でまれに耳にする程度の古めかしいことば。〈店の―〉〈―にしておくれよ〉✎沢村貞子の『味噌汁』に「下町の―たちのこしらえる味噌汁はおいしかった」とある。⇩いえの者・うちの者・奥方・奥様・Ｑ奥さん・お内儀・家内・かみさん・愚妻・細君・妻・女房・伴侶・ベターハーフ・令閨・令室・令夫人・ワイフ

おがむ【拝む】 神仏などに向かって頭を下げ手を合わせて礼をする意で、会話にも文章にも使われる和語。〈墓前で―〉〈本尊を―〉⇩参詣・Ｑ参拝・詣でる

おかん【悪寒】 熱が出るときなどに起こる背中がぞくぞくするような寒さの感覚をさし、やや改まった会話や文章に用いられる漢語。〈―がする〉〈―に震える〉✎宇野千代の『色ざんげ』に「ぞっと水を浴びるような―が僕の背中を走る」とある。⇩寒け・鳥肌が立つ

おきざり【置き去り】 その場に残して立ち去る意で、会話にも文章にも使われる和語。〈仲間を―にする〉✎「幼い夢を―にして」のように抽象化する比喩的用法では美化した感じになりやすい。⇩おいてきぼり

おきて【掟】 必ず守らなければならないとして定められた決まりをさし、会話にも文章にも使われる古めかしい和語。〈村の―に従う〉〈―を破る〉✎「国の―」は法律になるが、それぞれの社会や組織・団体など国家より小さな単位でも使い、時には「―が法に優先する」場合もある。⇩Ｑ法・法律・法令

おきな【翁】 年を取った男をさし、優雅な文章などでまれに用いられる古語に近い和風の表現。〈にこやかなる―の面〉✎林芙美子の『市立女学校』に「―の面のような笑顔」とある。近所を徘徊《はいかい》している薄汚れた老人を「翁」と呼ぶと違和感があるのは、過去の用例の累積からこの語に上品で優雅な語感がしみついているからである。⇩年寄り・Ｑ老人

おぎなう【補う】 足りないものを足して調節する意で、会話にも文章にも使われる和語。〈不足を―〉〈欠点を―〉〈カルシウムを―〉〈使った分を―〉〈―・って余りある〉⇩補充・

Q補足・補塡

おきゃん【お俠】 若い女の子が活発で軽はずみなようすをさしたが、今ではほとんど使われなくなった古いことば。〈—な娘〉✎「おてんば」同様、すぐに女性を連想させる。⇩Qお転婆・やんちゃ・腕白

おきる【起きる】 目が覚めて寝床から出る意で、くだけた会話から硬い文章まで幅広く使われる基本的な和語。〈朝早く—〉〈起こしてもなかなか—・きない〉〈まだ—・きて来ない〉✎小沼丹の『銀色の鈴』に「仕方が無いから、大寺さんは不承不承—・きない訳には行かない」とある。単に「目を覚ます」意と、「目を覚まして起き上がる」意とがある。⇩目覚める

おく【置く】 物をしかるべき位置に据える意で、くだけた会話から硬い文章まで幅広く使われる日常の基本的な和語。〈机の上に—〉〈部屋の隅に—〉〈肩にそっと手を—〉✎坪田譲治の『風の中の子供』に「玄関の帽子掛けにチャンと三平の帽子があり、その下に背負いカバンも—・いてある」とある。「津に支社を—」のように「設ける」意でも、「しばらく間を—」のように時間・空間を空ける意でも使う。⇩据える

おく【奥】 入り口や表面や視点から遠く離れたところの意で、くだけた会話から文章まで幅広く使われる日常の基本的な和語。〈—座敷〉〈—の部屋〉〈山の—〉〈押入れの—〉〈—が深い〉〈—の手〉〈胸の—にしまっておく〉✎井伏鱒二の『珍品堂主人』に「土間も—の二つの部屋も見違えるほど立派に改造されていました」とある。とらえ方が「底」と縦と横の関係になり、「腹の底」も「腹の—」も表現可能だが、「底」は最深部で「奥」はそこまでの奥行の幅を意識させる。⇩底・内奥《ないおう》

おくがい【屋外】 家屋・校舎・体育館・社屋など建物一般の外をさし、やや改まった会話や文章に用いられる漢語。〈—のスケートリンク〉〈—で過ごす〉✎島崎藤村の『千曲川のスケッチ』に「障子を開けた。しばらく—を眺めて」とある。⇩戸外・野外

おくがた【奥方】 他人の妻をさす古風な和風の敬称。〈—はお元気ですか〉〈—にしばらくお目にかからない〉✎森鷗外の『じいさんばあさん』に「四代の—に仕え」とある。⇩いえの者・うちの者・お上さん・Q奥様・奥さん・お内儀・家内・かみさん・愚妻・細君・妻・女房・伴侶・ベターハーフ・令閨・令室・令夫人・ワイフ

おくさま【奥様】 他人の妻をさす丁重な敬称として広く使われる和語。〈失礼ですが、—でいらっしゃいますか〉〈—はご在宅でしょうか〉〈—によしなにお伝え下さいませ〉✎会話より一般に丁寧になりやすい手紙などでは「奥さん」以上によく使われる。✎幸田文の『流れる』に「おちついた—というつくり、あがって来る裾のあたりが水気を含んでいるんじゃないかと疑われるくらい」とある。⇩いえの者・うちの者・お上さん・奥方・Q奥さん・お内儀・家内・かみさん・愚妻・細君・妻・女房・伴侶・ベターハーフ・令閨・令室・令夫人・ワイフ

おくさん【奥さん】 他人の妻をさす最も一般的な和語。「奥様」より敬意が軽いため、日常会話で盛んに用いられ、丁寧な手紙では「奥様」や「奥方」に切り換わるケースが多い。〈—、お元気？〉〈—によろしく〉〈どうぞ—もご一緒に〉✎夏目漱石の『こころ』に「先生と—とは、仲の好い夫婦の一

対であった」とある。⇩いえの者・うちの者・お上さん・奥方・Q奥様・お内儀・家内・かみさん・愚妻・細君・妻・女房・伴侶・ベターハーフ・令閨・令室・令夫人・ワイフ

おくそく【臆(憶)測】根拠もなくいいかげんな想像で判断する意で、やや改まった会話や文章に用いられる漢語。〈—の域を出ない〉〈—でものを言うのは危険〉〈—に過ぎない〉✎「揣摩《しま》—」の形で使うとかなり古い感じに響く。⇩推察・Q推測・推断・推定・推理・推量・推論・忖度《そんたく》・類推

おくち【奥地】海岸から遠い内陸にあり都市文化からも遠く離れた地域をさし、やや改まった会話や文章に用いられる漢語。〈—を探検する〉〈森林地帯の—に分け入る〉✎人間が住んでいない場合が多い。⇩僻地《へきち》・辺境

おくびょう【臆病】気が小さく必要以上に心配する態度や性質をさし、会話にも文章にも使われる日常の漢語。〈—者呼ばわりされる〉〈—で夜道が苦手だ〉〈いざとなるとつい—になる〉〈根が—だから冒険ができない〉✎夏目漱石の『坊っちゃん』に「—な男でもないが、惜しい事に胆力が欠けて居る」とある。「豪胆」と対立。「新しい事業を興すときはどうしても—になってしまう」のように、冒険を嫌って安全第一に考える場合にも使う。⇩Q意気地無し・腰抜け・怖がり・小心・腑抜《ふぬ》け・弱虫

おくりて【送り手】話し手と書き手との総称。やや専門的な感じの和語。〈—と受け手との関係〉✎「受け手」と対立。⇩書き手・話し手・発信者

おくる【送る】別れを惜しんである場所まで、去る人と同行する意で、くだけた会話から硬い文章まで幅広く使われる日常の和語。〈子供を学校まで—〉〈帰る客を—・って門まで出る〉〈恋人を駅まで車で—〉✎「見送る」と違い、途中まで同行するところに重点がある。そのため、対象が人間の場合は「送る」も「見送る」も自然に使えるが、その人物の乗った乗り物の場合は「見送る」のほうが自然。「手紙を—」「使者を—」「卒業生を—」「死者を—」「生活を—」など、そのほか幅広い意味用法がある。⇩見送る①

おくればせ【遅(後)れ馳せ】通常や一般より遅くなってから行動を起こす意で、会話や硬くない文章に使われる和語。〈お祝いの会に—ながら参上する〉〈—ながら御挨拶申し上げます〉✎本来は、遅れて駆けつける意。⇩おそまき

おくれる【遅れる】遅くなる意で、くだけた会話から硬い文章まで幅広く使われる日常生活の基本的な和語。〈所定の日時に—〉〈締め切りに—〉〈解決が—〉〈完成が一年—〉✎川端康成の『千羽鶴』は「鎌倉円覚寺の境内をはいってからも、菊治は茶会へ行こうか行くまいかと迷っていた。時間には—・れていた」と始まる。⇩後れる

おくれる【後れる】標準より後になる意で、会話でも文章でも使われる和語。〈時代の動きに—〉〈技術の進歩に—〉〈流行に—〉〈時計が—〉〈相手より—〉✎谷崎潤一郎の『細雪』に「「古典的」な感じの人を求めていたために今日まで結婚が—・れた」とある。⇩遅れる

おけ【桶】細長い木の板を縦に並べてたがで締め、底をつけた容器をさし、会話にも文章にも使われる日常の和語。〈風呂—〉〈手—で水を汲《く》む〉〈—で白菜を漬ける〉✎密閉容器ではなく、蓋《ふた》はあってもすぐ外れる。⇩樽《たる》

おこうこ【お香香】「香の物」の丁寧な言い方。⇩おしんこ・Q香の物・漬物

おこさま【お子様】和語「子」の尊敬語。一般の「子供」の丁寧な表現としても使われる。〈―ランチ〉〈お宅の―は素直でいらっしゃる〉〈―方に人気のおもちゃ〉⇩餓鬼・子・Q子供

おこしになる【お越しになる】「来る」意の尊敬表現。頻用される「いらっしゃる」よりやや古風で、さらに丁重な感じ。〈お客様は間もなく―かと存じます〉〈ただいま―・りました〉⇩お出まし

おごそか【厳か】態度や雰囲気などに威厳があって近寄りがたい意で、会話にも文章にも使われる和語。〈―な口調〉〈―な式典〉〈儀式が―に執り行われる〉⇩Q厳粛・森厳・崇高・荘厳・荘重

おこたる【怠る】本来為《な》すべき事を怠けて行わない意で、改まった会話や文章に用いられる、やや古風な感じの和語。〈練習を―〉〈義務を―〉〈日ごろから注意を―〉⇩サボる・ずるける・Qなまける

おこない【行い】行動の意で、会話にも文章にも使われる古風な和語。〈日ごろの―が大事だ〉〈―を慎む〉✎具体的で幅の広い「行為」や「行動」に比べ、道徳的な見地からの用法が目立ち、「―が悪い」といえば品行をさす場合が多い。⇩活動①・Q行為・行動・動作・ふるまい

おこなう【行う】ある順序や方式に則って物事を実行する意で、改まった会話や文章に用いられる和語。〈会議を―〉〈練習を―〉〈取調べを―〉〈式を―〉〈内密にこれを―〉✎「する」より改まった感じだが「挙行」や「執り行う」ほど古めかしい感じではない。「オコノー」と発音すれば古めかしい感じに響く。⇩挙行・Qする・執り行う・やる①

おこる【怒る】不満から感情が激する意で、文語的な「いかる」に対し、日常ふつうに用いられる基本的な和語。〈顔を真っ赤にして―〉〈かんかんに―〉〈おやじに―・られる〉〈上司を―・らせてしまう〉✎丸谷才一の『笹まくら』に「陽子が―・っていることは、返事をしないことでも判る」とある。近年、主として会話で、「親が子を―」「上司が部下をきつく―」のように、「叱る」の代用に近い用法が広がっており、そのような比較的新しい用法の場合は会話的で、時に俗語的な語感を伴う。「火が熾る」「波が起こる」の「おこる」と同じ語源で、内部からわきあがるエネルギーにより、それまで静かであったものに激しい動きが生じ、その変化が外部にあらわれる、という本来の意味が底に生きており、「叱る」に類した俗っぽい用法の際も、あくまで自分の感情から相手にきつくあたるという意味合いが強い。夏目漱石は学習院での講演『私の個人主義』で英文学の講義を振り返り、「冠詞が落ちていると云って叱られたり、発音が間違っていると―・られたりしました」と、すでに「叱る」と「怒る」とを同義で使っている。⇩いかる・Q叱る

おこる【起こる】自然現象・生理現象・社会現象・心理現象などが目立つ形で生ずる意で、くだけた会話から硬い文章まで幅広く使われる日常の基本的な和語。〈火事が―〉〈災害が―〉〈事件が―〉〈拍手が―〉〈めまいが―〉〈問題が―〉〈パニックが―〉〈好奇心が―〉✎「起きる」をこの意味で使

うのは俗用。⇩Q起きる・生じる・生ずる・発生

おさえる【抑える】抑制する意で、やや改まった会話や文章に用いられる和語。〈欲望を―〉〈感情を―〉〈出費を―〉〈値段を―〉〈―・えた色調〉✎林房雄の『青年』に「さっきから―・えつけていた怒りを吐き出すかのように叫んだ」とある。⇩押さえる

おさえる【押さえる】対象の動きを封じ、また、確保する意で、会話でも文章でも広く使われる和語。〈腕を―〉〈犯人を―〉〈物件を―〉〈証拠を―〉〈力で―〉✎庄野潤三の『静物』に「飛ばさないように片方の手で(帽子を)―・えて走らねばならなかった」とある。⇩抑える

おさながお【幼顔】幼いころの顔つきの意で、主に文章に用いられる古風な和語。〈まだ―が残る〉〈遠い国に住む息子の―が目にちらつく〉✎福原麟太郎の『顔について』に「―の上にかぶさった皺が問題なのだ。その皺に責任を持てといわれる」とある。⇩童顔

おさなご【幼子】幼い子供をさし、主として文章に用いられる古風で美化した感じの和語。〈―の寝顔〉〈―を抱えて働く〉✎森鷗外の『即興詩人』に「耶蘇《やそ》の―」とある。⇩小児《しょうに》・ちのみご・Q乳児・幼児

おさなごころ【幼心】幼かった頃の心の意で、会話にも文章にも使われる、郷愁を呼ぶいくらか詩的な和語。〈―に覚えている〉〈―に思ったことだ〉✎川端康成の『純粋の声』に「西洋人の幼児の母呼ぶ声などを聞くと、こちらも母の乳房のような―に還る」とある。「亡くなった母の面影は―にはっきりと焼きついている」のように、まだはっきりと分別のつかない、いたいけな気持ちにさえもという意味合いにも、「―にパイロットを夢見る」のように、そういう幼時のことだから無邪気にという意味合いにも使われる。⇩Q子供心・童心

おざなり【御座形】その場しのぎで熱意の感じられない意で、会話や軽い文章に使われる、いくぶん古風な和語。〈―の答弁〉〈―のやっつけ仕事〉〈―の計画〉✎「御座」は「その場」の意で、きまりきった対応になりやすい、後々のことまでろくに考えないニュアンスが強い。音の似た「なおざり」と混同されることもある。⇩通り一遍

おさめる【収める】取り込む意で、やや改まった会話や文章に用いられる和語。〈利益を―〉〈成功を―〉〈風景をカメラに―〉〈名作を一冊の本に―〉⇩Q納める・治める・修める

おさめる【納める】納入する意で、会話でも文章でも使われる和語。〈役所に―〉〈税金を―〉〈取引先に品物を―〉〈神社に絵馬を―〉⇩Q収める・治める・修める

おさめる【治める】安定させる意で、ややあらたまった会話や文章に用いられる和語。〈国を―〉〈水を―〉〈丸く―〉⇩Q収める・納める・修める

おさめる【修める】身につける、整える意で、改まった会話や文章に用いられるやや古風な和語。〈学問を―〉〈身を―〉⇩収める・納める・Q治める

おさらい【お浚い】「復習」に近い意味で、古めかしい和語。〈お琴の―〉〈踊りを―する〉✎サトウハチローに『おさらい横町』と題する作品があり、「ああ、幸福な―横町の夕方」「この横町で、―をするのじゃ」とある。このように、

以前は学校の勉強の復習の意でも使ったが、現在は芸事などに限って使われるため、繰り返し練習するというニュアンスが強い。⇩復習

おさん【御産】出産の意で、主に日常会話で最も普通に使われる美化語。〈―のために実家に帰る〉〈―が軽く済む〉⇩Q出産・分娩《ぶんべん》

おし【啞】音声を用いて話すことのできない人を伝統的にさしてきた和語。差別意識が指摘されて、今では使用を控えている。「啞」という漢字を音読みした「ア」という音で間接的にさす場合もある。音読みすることで語感を薄め、意味との直接のつながりをぼかして、一種の記号のような働きに変換する試み。

おしい【惜しい】貴重で無駄にしたくない意で、くだけた会話から硬い文章まで幅広く使われる日常の基本的な和語。〈金が―〉〈時間が―〉〈まだ捨てるのは―〉〈―人を亡くした〉志賀直哉の『暗夜行路』に「このまま電車に乗ってしまうのが―気がした」とある。「―ところで乗り遅れる」「―・くも優勝を逃す」のように、もう少しのところで目的が果たせず残念だという意味を表わす用法もある。⇩遺憾・残念・無念・Qもったいない

おしえご【教え子】教師として教えた相手をさし、会話にも文章にも使われる和語。〈中学の―〉〈昔の―が訪ねて来る〉「弟子」「門弟」「門人」が師の認めた限られた数の人であるのに対し、この語はその先生の授業を受けたことのあるすべての人にあてはまる。⇩Q弟子・門人・門弟

おしえる【教える】知識を授けたり技能を指導したり情報を伝えたりする意味で、くだけた会話から硬い文章まで幅広く使われる日常生活の基本的な和語。〈ピアノを―〉〈中学で数学を―〉〈駅までの道を―〉〈秘訣《ひけつ》をこっそり―〉〈みんなに内緒で連絡先を―・えてやる〉夏目漱石の『坊っちゃん』に「そんな生意気な奴は―・えないと云ってすた帰って来てやった」とある。客観的・中立的な「知らせる」と違って、伝達する側が上位の、あるいは優位な立場にあり、相手のために行動を起こすという感じが強い。そのため、単なる情報伝達というよりそのことをとおして指導する雰囲気が漂い、相手は恩義に感じる。⇩教育・教示・教導・コーチ・指導・指南・知らせる・導く

おじぎ【御辞儀】頭を下げて敬意を表す意で、くだけた会話から文章まで幅広く使われる日常語。〈丁寧に―をする〉〈ぴょこんと―をする〉〈帽子を取って―をする〉黙礼・会釈・最敬礼など、頭を下げる挨拶の総称。坪田譲治の『風の中の子供』に「―をして側に坐る」とある。⇩挨拶・Q会釈・敬礼・最敬礼・目礼・黙礼・礼②

おしたじ【御下地】「醬油」をさし、主に女性が会話に使う、やや俗っぽい和語。〈ねえ、ちょっと、そこの―を取って頂戴な〉味付けの基礎になるところから。男性は単に「したじ」と言うこともある。東京方言という。⇩Q醬油・紫

おしっこ 小便の意で、主に会話によく使われる日常的な和語。〈―が出る〉〈―を我慢する〉類義語中で最も一般的に頻用されるが、もと幼児語だけに学術的な会話や硬い文章などにはなじまない。⇩小水・Qしょうべん・しょんべん・尿

おしむらくは【惜しむらくは】「惜しいことには」という意味

の文語的な慣用表現。〈—、末尾がやや迫力に欠ける〉〈—、遠い山々が霞んで稜線《りょうせん》がくっきりと見えない〉✎小沼丹の『喧嘩』では五、六歳の子供を「—洟を垂していて、何やらぽかんとした顔で相手を見返した所は、どう見ても親分の貫禄に乏しい」と描写している。とても小さな子供のこととは思えないような、不釣り合いに大仰な言いまわしがユーモラスな味わいをかもしだした例である。

おしめ【御湿／襁褓】「おむつ」の意で、会話にも文章にも使われる、いくらか古風な感じの和語。〈—を当てる〉〈—が濡れる〉〈—を替える〉✎もと「湿る」意の間接表現からか。⇩おむつ

おしめり【お湿り】雨を待ち望んでいるときに降る適量の雨をさし、会話や硬くない文章に使われる和語。〈いい—だ〉✎多く女性が使う。⇩雨

おしゃべり【お喋り】日ごろから口数の多い意で、主に会話に使われる和語。〈—の女が言いふらす〉〈—が過ぎる〉✎通常はマイナス評価だが、小津安二郎監督の映画『麦秋』で母親役の杉村春子が息子の再婚相手にひそかに考えていた原節子からいい返事をもらって「やっぱりよかったよ、あたし—で」と言う場面がある。⇩Q饒舌《じょうぜつ》・多弁

おしゃれ【御洒落】化粧をしたり服装を整え身なりを飾ったりする意で、会話や軽い文章に使われる日常の和語。〈—な人〉〈—をする〉〈—に気を遣う〉✎人間に限らず、「—な贈り物」「—な靴」のように、見た人がそう感じるような品物にも使う。⇩おめかし

おしょう【和尚】僧の意で会話にも文章にも使われる日常の漢語。〈山寺の—さん〉〈—と小坊主〉✎もと、弟子が自分の師に当たる僧を呼ぶ語。天台宗では「かしょう」、真言宗では「わじょう」と読む。⇩住持・Q住職・僧・僧侶・坊主

おしんこ【お新香】浅漬けの香の物をさす丁寧な言い方。✎単に「香の物」の意に用いることもある。⇩おこうこ・香の物・Q漬物

おすいもの【お吸い物】「吸い物」の丁寧な表現。〈鯛の—〉✎主に澄まし汁を言う。⇩おつけ・おみおつけ・汁物・Q吸い物

おずおず【怖ず怖ず】怖くてためらう場合に、会話にも文章にも使われるやや古風な和語。〈—病名を尋ねる〉〈問いかけに—答える〉✎加能作次郎の『世の中へ』に「鼠が物を引くように、—と膝の前に散っている銀貨を拾った」とある。⇩恐る恐る・Qおっかなびっくり・おどおど・こわごわ・びくびく

おせじ【お世辞】交友関係などが円滑になるように相手を褒めたり立てたりするうわべだけの言葉の意で、会話や軽い文章に使われる日常表現。〈—を言う〉〈—がうまい〉〈—にも上手とはいえない〉✎小沼丹の『黒と白の猫』に「半分は大寺さんの飼猫と思い込んでの—もあったに相違ない」とある。⇩お追従・おべっか・おべんちゃら・外交辞令・Q社交辞令

おセンチ「センチメンタル」の意で、主に女性がくだけた会話に使った古めかしいことば。〈昔わが家の建っていた跡地に立って、少し—になる〉✎「センチメンタル」の短縮形の「センチ」に「お」をつけて丁寧にした語形。「センチ」よりさらに古い若干ちゃかした感じになっている。小川洋子の『沈黙博物館』に「思い出などという—な感情」という例が出る。⇩感傷的・Qセンチ・センチメンタル

おそい【遅い】動作や進行に時間がかかる意で、くだけた会話から硬い文章まで幅広く使われる日常の基本的な和語。〈テンポが―〉〈仕事が―〉〈反応が―〉〈時間の経つのが―〉✎単に事実をそう判断しているだけであって、「のろい」のような直接のマイナスイメージは伴わない。小沼丹の『珈琲の木』に「―朝食の後、ひととき、珈琲を喫みながらぼんやりしていると、いろいろのことを思い出す」という一文があり、事実、「この気分は悪くない」と続く。なお、「帰宅が―」のように、通常の時刻を過ぎる意を表す場合や、「夜―・く出発する」のように、夜が更けてからを意味する場合は、特に「晩い」と書くこともある。⇩のろい

おそかれはやかれ【遅かれ早かれ】時期的に早い遅いの差はあっても必ずの意で、会話にも文章にも用いられる、やや古風な和語表現。〈―そうなる運命にある〉〈―子供は親元から独立する〉⇩早晩

おそなえ【お供え】神仏にお供えする物の意で、会話や軽い文章に使われる和語。〈―の鏡餅〉〈仏壇の前に―する〉✎これだけで鏡餅をさすことも多い。⇩供物《くもつ》

おそまき【遅（晩）蒔き】適当な時期を過ぎてから事を起こす意で、会話やさほど硬くない文章に使われる和語。〈―ながら準備を始める〉〈―ながら改革に着手する〉✎種を蒔く時期が遅い意から。⇩遅れ馳《ば》せ

おそらく【恐らく】「多分」の意で、やや改まった会話や文章で用いられる、少し硬い感じの和語。〈―は当人の耳に届いているであろう〉〈―成功を収めるものと思われる〉〈―単独での挑戦は困難ではあるまいか〉✎辻邦生の『旅の終り』に「―私たちは明日午後の列車で町をたつだろう」とある。「恐るらくは」の略。「老いらく」の前身「老ゆらく」や「いわく」「おもわく」などと同様、いわゆるク語法によって動詞から成立した名詞の語形であるせいで堂々たる雰囲気を残すためか、和語なのに文体的レベルとして漢語の「多分」よりも硬い感じに受けとられている。⇩多分

おそるおそる【恐る恐る】こわがったり恐縮したりしてためらいながらの意で、会話にも文章にも使われる和語。〈社長に―伺う〉〈―警察に出頭する〉〈吊り橋から―下をのぞく〉〈―火口に近づく〉✎有島武郎の『カインの末裔』に「―頭を下げた」とある。⇩おずおず・おっかなびっくり・おどおど・Qこわごわ・びくびく

おそれ【恐（怖）れ】心配で怖がりそれを避けようとする気持ちをさし、会話にも文章にも使われる基本的な和語。〈―を抱く〉〈―をなす〉✎徳田秋声の『あらくれ』に「取殺されでもするような―にわななきながら」とある。北杜夫の『天井裏の子供たち』には「まだ果たしていないおきてへの責めと―が、ちくちくと胸を刺した」という比喩表現の例がある。「恐怖」に比べ、具体性や直接性が弱く、ぶきみな感じや警戒を抱かせる感じに近い。「台風が上陸する―がある」「物別れに終わる―無しとしない」のように心配・懸念の意でも使い、その場合は「虞」とも書く。⇩気がかり・危惧・Q恐怖・懸念・心配・不安

おそれいる【恐れ入る】恐縮する意で、改まった会話や文章に用いられる丁重な和語。〈丁重な御挨拶まことに―・ります〉〈―・りますが、よろしくお願い申し上げます〉⇩有り難

い・痛み入る・忝《かたじけな》い・Q恐縮

おそれおおい【恐(畏)れ多い】はるか目上の人の心遣いに恐縮する気持ちをさし、改まった会話や文章に用いられる、現代ではやや古風で大仰な感じの和語。〈社長にそこまで御配慮たまわるのは―こと〉〈―・くも畏《かしこ》くも〉⇩勿体ない

おそれる【恐れる】恐怖を感じる意で、会話でも文章でも広く使われる和語。〈熊を―〉〈敵を―〉〈死を―〉夏目漱石の『明暗』に「愚鈍という非難を、彼女は火のように―・れていた」とある。好んで特に「怖れる」と書くこともある。心配する・懸念するの意では、特に「惧れる」「懼れる」と当てる場合もある。「失敗を―」「倒産を―」「けがを―」のように、心配する・懸念するの意では、特に「惧れる」「懼れる」と当てる場合もある。通例から離れる表記は趣味的な感じを伴い、文体的なレベルを高める方向で働きやすい。⇩畏れる

おそれる【畏れる】恐れ多い意で、改まった会話や文章に用いられる和語。〈神を―・れぬ振る舞い〉「恐れる」と書いても誤りではないが、畏怖の場合は恐怖とかなり違った感情なのでこの用字で書き分けようという心理が働きやすい。⇩恐れる

おそろしい【恐ろしい】恐怖を感じさせる意で、やや改まった会話や文章に用いられる和語。〈―話〉〈―相手〉〈―ことが起こる〉〈聞いただけでも―〉志賀直哉の『城の崎にて』に「死に到達するまでのあゝいう動騒は―と思った」とある。主観的な「怖い」と比べ、この語は自分の気持ちだけでなく、「―形相でにらまれる」のように、恐怖感を抱かせる特定の対象に関する描写にも使われるだけに客観性が高く、類似の例では「怖い」より恐怖感や打撃が大きい感じがある。また、「結果の発表を見るのが―」のように不安でひどく心配になる意にも、「思い込みというのは―もので」のように軽視できない意にも、「―スピード」「―寒さ」のように程度が驚くほどだの意にも使う。⇩恐怖・怖い

おそわる【教わる】知識や技術などを教えてもらう意で、会話や軽い文章に使われる和語。〈学校で先生に―〉〈車の運転を―〉〈―・ったとおりにやる〉学術的な内容以外にも、「お巡りさんに道を―」「先輩の名を―」のように単なる情報を得る場合にも使う。⇩Q習う・学ぶ

おち【落ち】うっかり書き忘れたりして、あるべきなのに抜け落ちた部分をさし、会話や軽い文章に使われる日常の和語。〈帳簿に―がある〉〈目録に―がある〉〈くれぐれも―がないよう気をつけて〉「漏れ」に比べ、人の手落ちという面が意識され、いくぶん古風な感じもある。⇩遺漏・Q欠落・脱落①・漏れ

おちいる【陥る】よくない状態にはまり込む意で、会話にも文章にも使われる和語。〈深みに―〉〈敵の術中に―〉寺田寅彦の『科学者とあたま』に「立派な科学者でも、時として―一つの錯覚がある」とある。⇩はまる

おちこぼれ【落ち零れ】仲間より程度が低く授業などについて行けない意で、主としてくだけた会話に使われる俗っぽい和語。〈秀才ぞろいのクラスで―になりそう〉⇩脱落②・落伍・劣等生

おちこむ【落ち込む】気が滅入って元気がなくなる意で、会話でも文章でも幅広く使われる日常的な和語。〈失敗して精神的に―〉〈気の毒なほどの―・みよう〉⇩くじける・Qへこ

む②

おちつかない【落ち着かない】 気持ちに平静さを欠く意で、会話にも文章にも使われる和語表現。〈どうも気分が—〉〈結婚式が近づいて何かと—〉✎芝木好子の『青果の市』に「ひどく大それた事をしでかしたような不安に胸が—」とある。⇩Q片付かない・そぞろ・そわそわ

おちつく【落ち着く】 いつもの安定した状態に戻る意で、くだけた会話から硬い文章まで幅広く使われる日常の基本的な和語。〈世の中が—〉〈株価が—〉〈騒ぎが—〉〈気分が—〉〈—・いて対応する〉✎浜田広介の『泣いた赤おに』に「心のなかまでゆったりと、—ことができました」とある。永井龍男の『一個』には「疲れてはいたが、気分は—・いていた」とある。⇩Q安定・沈着・平静・冷静

おちぶれる【零落(落魄)れる】 地位や身分も財産も名声も失って惨めな状態に落ち込む意で、会話にも文章にも使われる和語。〈名士が—〉〈老舗も—・れたものだ〉〈一流企業が—〉〈まだそこまで—・れていない〉✎小沼丹の『揺り椅子』に、子爵が「いまは悉皆《すっかり》—・れて貧乏している」という例がある。⇩凋落《ちょうらく》・転落・没落・落魄《らくはく》・Q零落

おちゃ【御茶】 飲み物としての「茶」をさし、会話やさほど硬くない文章に使われる日常の表現。〈—がほしい〉〈夜濃い—を飲むと眠れない〉✎本来は「茶」の丁寧語だが、現在は通常この形で用い、単に「茶」とすると古めかしく響く。「—でもいかが?」などと喫茶店に誘う場合は、現実に緑茶よりコーヒーや紅茶をさし、「—にする」の形で何か飲みながら休憩する意を表す用法もある。⇩上がり・玉露・煎茶・Q茶・日本茶・番茶・碾《ひ》き茶・焙《ほう》じ茶・抹茶・緑茶

おちょくる 「からかう」意の関西方言。東京でもくだけた会話で時折使われる俗語。〈人を—のもいい加減にせんか〉⇩からかう・ひやかす・やゆ

おちる【落ちる】 ①落下する・漏れる意で、くだけた会話から硬い文章まで幅広く使われる日常生活の基本的な和語。〈穴に—〉〈汚れが—〉〈スピードが—〉〈試験に—〉〈成績が—〉〈名簿から名前が—〉〈眠りに—〉✎夏目漱石の『坊っちゃん』に「神楽坂を半分に狭くした位な道幅で町並はあれより—」とあるように、相対的に価値が低い意にも用いる。飛行機などが落ちる場合は「墜落」の連想で「墜ちる」と書き、「道徳が地に—」「—ところまで—・ちた」のような意味合いでは「堕落」の連想で「堕ちる」と書く例もある。知識を土台にして特定の漢字を選ぶ表記は一般に文体的なレベルを高める傾向がある。⇩降下・墜落・転落・はまる・漏れる・落下
②鳥が「死ぬ」意の間接表現。〈メジロが突然ことっと—〉✎死を忌む気持ちから、直接それと明言せず、その結果の形態に着目してイメージを置換することで衝撃をやわらげる婉曲《えんきょく》表現。⇩敢え無くなる・上がる②・あの世に行く・息が切れる・息が絶える・息を引き取る・往く・いけなくなる・永眠・往生・お隠れになる・おめでたくなる・帰らぬ人となる・くたばる・死去・Q死ぬ・死亡・昇天・逝去・斃《たお》れる・他界・長逝・露と消える・天に召される・亡くなる・儚《はかな》くなる・不帰の客となる・不幸がある・崩御・没する・仏になる・身罷《みまか》る・脈が上がる・空しくなる・藻屑となる・逝く・臨死・臨終

おついしょう【お追従】 相手にこびへつらう言葉の意で、主

として会話に使われる古風な表現。〈―笑い〉〈課長に―を言う〉女性が多く使ったか。「追従」を「ついじゅう」と読めば、付き従う意の別語。⇩お世辞・おべっか・Qおべんちゃら・外交辞令・社交辞令

おっかない 「怖い」意で、くだけた会話に使われる俗っぽい和語。〈―・くて逃げ出す〉〈―顔で怒鳴る〉稲垣足穂の『弥勒』に「虫類は嫌いであり(略)高圧線のように―・かった」とある。東京方言という。⇩恐ろしい・Q怖い

おっかなびっくり 怖くてびくびくしながらの意で、くだけた会話に使われる俗っぽい和語。〈―ハンドルを握る〉〈―前へ出る〉「こわい」意の「おっかない」と「びくびく」からか。⇩おずおず・恐る恐る・おどおど・Qこわごわ・びくびく

おっくう【億劫】 面倒に思って気乗りがしない意で、会話にも文章にも使われる古風な漢語。〈口を利くのも―だ〉〈雨の日は外出するのが―だ〉泉鏡花の『高野聖』に「瞳を動かすさえ、―らしい、気の抜けた身の持ち方」とある。「何となく―でめったに旅行しない」のように、特に煩わしい手続きが必要でなくてもそうなるから、多分に気持ちの問題。⇩大儀・面倒・Q面倒くさい・煩わしい

おつくり【お造り】 「刺身」の丁寧な和風表現。〈平目の―〉〈お客様に―をお出しする〉谷崎潤一郎の『細雪』に「鯛は(略)赤身の―などが食べられる」とある。西日本に多く東京でも店などでよく使う。⇩刺身

おつけ【御付け】 味噌汁をさす古風な和語でローカルな感じもある。〈―の実〉本膳で御飯の右に並べて「付ける」ところからという。⇩お吸い物・Qおみおつけ・汁物・吸い物

おったまげる【おっ魂消る】 「たまげる」の強調形。さらに古風でさらに俗語的でいくぶん方言的な感じの語形。〈突然ばかでかい音がして破裂したから―・げた〉⇩驚く・仰天・Qたまげる・びっくり・ぶったまげる

おっちょこちょい 落ち着きがなく軽はずみな意で、くだけた会話に使われる俗語。〈根が―だから失敗ばかりやらかす〉⇩慌て者・軽はずみ・軽率・Q粗忽《そこつ》・そそっかしい

おって【追って】 通信などのある行為の後、あまり時間をおかずに次の行為を予告する場合に、改まった会話や手紙などの文章に用いられる和語。〈―通知する〉〈転居先については―お知らせします〉「―書き」として、手紙文を一往結んだ後で、書き忘れたことなどを書き足す意にも使い、その場合は「追而」とも書く。⇩いずれ②・近々《きんきん》・Qそのうち・近ぢか・やがて

おっと【夫/良人】 結婚している女から見たその配偶者をさして、会話にも文章にも使われる和語。〈―を信頼する〉〈若くして―を亡くす〉〈―をかばう〉〈―の言い分〉夏目漱石の『明暗』に「―というものは、ただ妻の情愛を吸い込むためにのみ生存する海綿に過ぎない」とある。近年、妻が他人に向かって自分の配偶者をさす際に「主人」という語を避けてこの語を用いる例が増えているが、相手は「夫さん」と言うわけにいかず、とまどうケースもある。⇩うちの人・Q主人②・旦那・亭主・ハズ・宿六

おっとり 人柄や態度がこせこせせずのんびりしている意で、会話にも文章にも使われる和語。〈―した性格〉〈―とした人〉〈―と構える〉谷崎潤一郎の『細雪』に「きょう

の夫人はいつもの―したところがまるでなく」とある。「―した顔」「―とした小太りの紳士」のように、外見がそういう印象を与える場合に使われる例もある。「大らか」と違い、心が広いところまでは規定していない。⇩鷹揚《おうよう》・大様・Q大らか

おっぱい 「乳房《ちぶさ》」を意味する幼児語。〈赤ん坊が―にかぶりつく〉✎くだけた会話では大人の男もいくらか照れ気味に、あるいは照れ隠しにふざけて俗語として用いることもある。⇩乳・Q乳房・にゅうぼう・胸②

おっぱらう【追っ払う】「追い払う」意の口頭語。〈野良猫を―〉〈こそ泥を―〉✎「追い払う」と語構成要素は同じであるが、この語の場合は促音とそれに続く「パ」という破裂音の影響もあり、「追い払う」より強く激しい語感がある。⇩追い立てる・追い払う・撃退

おっぽ【尾っぽ】「尾」をさす古い感じの俗語。〈犬が―を振りながら走って来る〉✎「尾」と「しっぽ」の混交で生じた語形で、いくぶん方言的なにおいも感じられるか。⇩尾・Qしっぽ

おっぽりだす【おっぽり出す】 捨てるように放り出す意の俗語。〈試合を簡単に―〉〈家事を―・して遊び歩く〉⇩投げ捨てる・投げ出す・Q放り出す・ほっぽり出す

おでき【御出来】「出来物」の丁寧な言い方で、会話や改まらない文章に使われる和語。〈顔に―ができる〉✎女性が多く用いる、少し子供っぽい雰囲気の表現。⇩腫物《しゅもつ》・Q出来物・腫れ物

おでこ 「ひたい」の意でくだけた会話で使う口頭語。〈―が大きい〉〈―をぶつける〉✎尾崎一雄の『虫のいろいろ』に「どうだ、エライだろう、―で蝿をつかまえるなんて、誰にだって出来やしない」とある。小さな子供に向かって言う場合は「額」よりもこの語を用いる傾向が見られる。⇩ひたい・眉間

おてつだいさん【お手伝いさん】 差別意識が感じられるとして「女中」という語の使用を控えた場合の言い換え。会話的なレベルの和語。〈―に来てもらう〉✎名称変更に伴って勤務条件や立場にも違いが生じたように見える。住み込みというイメージのあった「女中」に比べ、むしろ通いという形態が一般的で、勤務時間も明確になり、残業手当もきちんと支払われることが多い。仕事の内容が「女中」ほど固定されておらず、経験や実績もさほど要求されず、時間の空いているときに手伝いに来る素人でもかまわないといった雰囲気を感じる人もある。⇩家政婦・下女・Q女中・派出婦・メード・召し使い

おてて【お手手】「手」の意の幼児語。〈かわいい―をしている〉✎井伏鱒二は『珍品堂主人』で「珍品堂のそろそろ伸ばした―を、ぱっと跳ねのけると見せて太い乳房のところへ持って行きました」とこの語を用いることで濡れ場に水をさしている。⇩手

おでまし【お出まし】「出る」「出向く」「来る」といった意味のやや古風で丁重な尊敬表現。〈社長の―でございます〉〈旦那様が―になりました〉✎島崎藤村の『桜の実の熟する時』に「浜の方へ―で御座います」とある。⇩お越しになる

おてもと【御手元(許)】 料理屋などで客に出す箸をさす間接

表現。〈―を人数分そろえる〉⇩箸

おてん【お点】女性や子供が成績の「点数」の意で使った古風な美化語。〈久しぶりでいい―もらっちゃった〉✎小津安二郎監督の映画『戸田家の兄妹』(一九四一年)で長女の男の子が「少しは先生―くれるかしら?」と祖父に尋ねる場面がある。今ではほとんど耳にすることのない言い方。

おてんとうさま【お天道様】「太陽」の意で会話や軽い文章に使われる古めかしい表現。〈―に申し訳ない〉〈―のばちが当たる〉✎林芙美子の『放浪記』に「大根の切り口みたいな大阪の―」とある。尊敬と親密の意を添えて擬人化した表現。「おてんとさま」ともいう。⇩Qお日様・太陽・日輪・日

おてんば【御転婆】若い女の子が慎みなく活発に動きまわるようすをさして使ったが、今ではあまり使われなくなった古いことば。〈―が過ぎますよ〉〈ちょっと手に負えない―だ〉✎夏目漱石の『坊っちゃん』に「かの不貞無節なる―」とある。「馴らして手なずけるのが困難」といった意味のオランダ語に類音の漢字を当てた語という。したがって、「婆」という漢字の意味とは無関係であるが、伝統的に若い女に対して用いてきた関係で、この語はすぐに女性を連想させる。⇩Qおきゃん・やんちゃ・腕白

おと【音】物体の振動により生じた空気の振動が耳に届いて起こす感覚をさし、くだけた会話から硬い文章まで幅広く使われる日常の基本的な和語。〈雨の―〉〈―がする〉〈風の―が聞こえる〉〈―が出る〉〈―を立てる〉✎幸田文の『流れる』に「お飾りはささ竹ばかりがすとんと背高く、さわさわと寒い―をたてている」とある。⇩Q音響・ね・響き

おトイレ 女性や子供を中心に、あるいは対子供という場面などの会話で、「便所」の意に用いることのある俗語。〈ママは今、―〉✎「お便所」や「お手洗い」に倣って「トイレ」を丁寧に表現する意図で、ひところ盛んに用いられた。が、二拍をひとかたまりにとらえることの多い日本語の発音上の傾向が働いて語構成の意識が崩れ、「お＋トイレ」が「音＋入れ」と聞こえ、本来存在しない「音入れ」という語を連想する不思議な創造的聴き手が現れたらしく、近年、この語形の使用がめっきり減ったようである。谷崎潤一郎は『陰翳礼讃』の中で、「木製の朝顔に青々とした杉の葉を敷き詰めた」便器を理想とすると語った。せっかく意味をぼかして上品にし、さらに丁寧な語形に仕立て上げたはずの苦心のことばが、そういう思いもかけない連想によって露骨に響き、かえって生々しい感じになる危険を秘めているからであろう。⇩厠《かわや》・閑所・化粧室・御不浄・雪隠・洗面所・WC・手水場・手洗い・トイレ・トイレット・はばかり・Q便所・レストルーム

おとうさま【お父様】「お父さん」のさらに丁寧な表現として、会話にも文章にも使われる和語。〈―に伺う〉〈―のお帰り〉✎小津安二郎監督の映画『東京物語』で原節子の演ずる紀子が「―お母さま、ちっともお変わりになりませんわ」と義母に話しかけるように、昭和中期までは家庭内でも尊敬表現が行われていた。「お母様」と対立。⇩Qお父さん・お父ちゃん・男親・親父・父・父上・父親・父さん・父ちゃん・パッパ・パパ

おとうさん【お父さん】「父」の意で尊敬と親しみをこめて呼ぶときに会話でも文章でも用いられる日常の標準的な語形。〈―とそっくりだ〉〈―のおみやげ〉✎家の中の役割がきま

っている多くの日本家庭では、その家族における最年少の者から見た関係を呼び名とする習慣があり、その子の父親のことは家族全員が例えば「お父さん」と言う。当人から見れば妻や親にあたる人も同様に呼び、子供に向かっては自分自身のこともそう言うことが多い。なお、「父さん」に「お」を付けたこの語形は明治末期に国定教科書に採用されて全国に広まったとされる。「お母さん」と対立。⇩Ｑお父様・お父ちゃん・男親・親父・父・父上・父親・父さん・父ちゃん・パッパ・パパ

おとうちゃん【お父ちゃん】「父親」の意で、子供などが、または子供に向かって大人が、親しみをこめて呼ぶやや古風な和語。〈—、遅いね〉〈ねえ、ボク、—いる?〉🖉現代では西日本の方言的なニュアンスを感じさせることもある。「お母ちゃん」と対立。⇩お父様・Ｑお父さん・男親・親父・父・父上・父親・父さん・父ちゃん・パッパ・パパ

おどおど 恐怖や緊張から落ち着かない状態が外面に現れる場合に、会話や軽い文章に使われる和語。〈—した様子〉〈—した目つき〉🖉野上弥生子の『真知子』に「悪だくみでもしているような、—した風で打ち明けた」とある。⇩Ｑおずおず・恐る恐る・おっかなびっくり・こわごわ・びくびく

おとがい【頤(頷・顋)】下あごの意で、会話にも文章にも使われる古風な和語。〈—を解く〉⇩あご

おどかす【脅(嚇)かす】自分に都合のいい行動をさせるために相手に威圧感を与える意で、会話や硬くない文章に使われる和語。〈警察に通報すると—〉〈ナイフをちらつかせて—〉🖉「おどす」ほど悪辣ではない。⇩威嚇《いかく》・Ｑ脅す

おとぎばなし【御伽噺(話)】子供に語って聞かせる昔話をさし、会話にも文章にも使われる日常の和語。〈—の世界〉〈—にでも出て来そうな家〉🖉梶井基次郎の『冬の日』に「自分が痰を吐くのに困った。まるでものを云う度口から蛙が跳出すグリム—の娘のように」とある。「童話」はもちろん「昔話」よりも非現実的な話を連想させる。もとは、貴人などの退屈を慰めるためにそばで語って聞かせる話をさした。⇩児童文学・童話・Ｑメルヘン

おとこ【男】人間の性別のうち女でないほうをさし、くだけた会話から硬い文章まで幅広く使われる日常の基本的な和語。〈—に生まれる〉〈—の領分〉〈—と—の約束〉〈—のプライド〉〈切れる—〉🖉「女」と対立。「いい—」のように容姿だけをさし、「—ができる」のように情人をさし、「—と見込んで頼む」のように情のわかる一人前の人間をさし、「—がすたる」「—の中の—」のように男性としての面目をさすなど、さまざまな面に焦点をあてて多様な意味合いで使う。川端康成の『眠れる美女』には「もう—でなくなった老人」という、正常な性行為を営む能力を暗示する用法もある。⇩男の方・男の子・男の人・男子・Ｑ男性・殿方

おとこおや【男親】「父親」の意で会話にも文章にも使われる和語。〈—がきびしい〉🖉「父親」に比べ、男である点を意識した表現。「女親」と対立。⇩お父様・お父さん・お父ちゃん・親父・父・父上・Ｑ父親・父さん・父ちゃん・パッパ・パパ

おとこのかた【男の方】「男の人」の丁寧な表現として、会話や硬くない文章に使われる和語。〈—はどうぞこちらへ〉〈—がお出でです〉🖉「女の方」と対立。⇩男・男の子・Ｑ男の

人・男子・男性・殿方

おとこのこ【男の子】若い男をさし、会話や軽い文章に使われる、いくぶん俗っぽい和語。〈―とつきあう〉〈会社の―の間で人気がある〉✎多く若い女性が用いる。「結婚して―を二人もうける」「まだ小学生の―がいる」のように、男である子供の意に使う例も多い。「女の子」と対立。⇩男・男の方・Q男の人・男子・男性・殿方

おとこのひと【男の人】「男」のやわらかい言い方として、会話や硬くない文章に使われる和語。〈湯上がりに裸で涼むなんて―はいいわね〉〈―に声を掛けられる〉✎多く女性が用いる。「女の人」と対立。⇩男・Q男の方・男の子・男子・男性・殿方

おとこまえ【男前】男としての器量、特に顔のいい男をさし、会話や軽い文章に使われる古風な和語。〈なかなかの―だ〉⇩いけめん・好男子・ハンサム・美男子

おとしあな【落とし穴】人間や動物が踏むと中に落ち込むように仕掛けた穴、転じて他人を陥れる謀略をさし、会話や改まらない文章に使われる日常の和語。〈―にはまる〉〈―に落ちる〉✎有島武郎の『生れ出ずる悩み』に「―にかかった獣のような焦躁《いらだた》しさを感じて」とある。⇩陥穽《かんせい》・Q罠《わな》

おとしまえ【落とし前】後始末の意の俗語。もとヤクザなどの用いたことばだったが、今では俗語に近づいている。〈―をつける〉⇩始末

おとしをめす【お年を召す】「年を取る」意の和風尊敬表現。〈―・した方にお似合いです〉⇩高齢者・年寄り・老人

おどす【脅(嚇)す】相手にとって不利なことを取引材料にするなど、恐怖感を与えて不当に金品を奪ったり、自分の利益になる行動を強要したりする意で、会話やさほど硬くない文章に使われる和語。〈通行人を刃物で―・して金を奪う〉〈使い込みを上司に告げ口すると―・して口止め料をせしめる〉✎「おどかす」より悪辣で犯罪行為を連想させやすい。⇩威嚇《いかく》・恐喝・Q脅迫・ゆすり

おとずれる【訪れる】「訪ねる」「やって来る」の意で、主として文章に用いられる、やや詩的な感じの和語。〈新居を―〉〈観光地を―〉〈先年ロンドンを―・れた折〉〈ようやく春が―〉〈転機が―〉〈この地にもいずれ平和が―だろう〉〈待ちに待った吉報が―〉〈思いがけず絶好のチャンスが―〉✎堤千代の『全機還りなば』に「春風に吹き送られたようにフラリとお半さんが―・れて来た」とある。「訪ねる」と違い、人間以外が主語になる例も多い。⇩Q訪ねる・訪問・やって来る

おとつい【一昨日】「おととい」の意で、会話で使われることのある、いささか古い感じの和語。〈―食ったばかしだ〉✎現代では方言じみた響きが感じられる。⇩いっさくじつ・Qおととい

おととい【一昨日】「きのう」のすぐ前の日をさし、くだけた会話や改まらない文章で使われる日常的な和語。〈―の晩〉〈―来た客〉✎「おとつい」という語形もある。⇩Qいっさくじつ・おとつい

おとな【大人】成人し一人前に成長した分別のある人間をさし、くだけた会話から文章まで幅広く使われる日常の基本的な和語。〈大の―が〉〈―になってから〉〈それが―のす

ることか〉✎牧野信一の『淡雪』に「酒を飲んでいる―なんて皆な馬鹿なんだ」とある。「―になりきれない」のように、年齢相応のしっかりした考え方や行いをさすこともある。⇩成人

おとなしい【大人しい】性質や態度が穏和で従順な意として、くだけた会話から文章まで幅広く使われる日常の基本的な和語。〈いかにも―感じの子〉〈―・く素直な性格〉〈―・く言うことを聞く〉✎夏目漱石の『坊っちゃん』に「人質に取られた人形のように―・くしている」とある。近年は消極的というマイナスイメージで使う傾向が目につく。人間以外にも、「―色」「―柄」などとして目立つのを抑えた感じを表し、「―やり方」として、リスクを避けた、激しくない意を表す用法もある。⇩Q穏健・穏和・温和・柔順・柔和

おとめ【乙女】未婚の若い女をさし、文学的な文章などに時折使われる古めかしい和語。〈―心〉〈若者と―〉✎串田孫一の『秋の組曲』に「五人の―たちが、とりどりの色の毛糸で編んだものを脱いだ時、彼女たちは、少し焦げたような、懐かしい埃の匂いがするように思った」とある。「洗いざらしのジーンズ姿の少女」も、「わがままで意地の悪い娘」も特に違和感がないが、「たちの悪い―」「薄汚い―」といったつながりは異様に映る。昔からのこの語の優雅な用例の偏向が累積して今では雅語に近づき、気立てがよく清らかな感じでないと「乙女」らしくない雰囲気になっているため、それらのマイナス評価の形容がこの語の上品で美的な語感とイメージの反発を起こすのであろう。⇩Q少女・娘

おどり【踊り】音楽の調子に合わせて体や手脚をリズミカルに動かす意で、会話にも文章にも使われる、いくぶん古風な和語。〈盆―〉〈都―〉〈―を踊る〉✎夏目漱石の『坊っちゃん』に「感心のあまり此―を余念なく見物して居ると」とある。旋回運動中心の「舞」に対して、跳躍運動を基本とするという。⇩ダンス・舞踏・Q舞踊・舞

おとる【劣る】他に比べて良くない意で、会話にも文章にも使われる日常の和語。〈知能が―〉〈品質が―〉〈成績が―〉✎「優る」と対立。⇩落ちる

おどる【踊る】音楽に合わせて手足や体を動かす意で、会話にも文章にも使われる和語。〈ダンスを―〉〈ワルツを―〉✎木山捷平の『大陸の細道』に「蝶々のように―女の子」とある。⇩躍る

おどる【躍(跳)る】勢いよく跳ねる意で、改まった会話や文章に用いられる和語。〈魚が―〉〈字が―〉〈胸が―〉〈血沸き肉―〉⇩踊る

おとろえる【衰える】かつては盛んであったものがその勢いを失う意で、くだけた会話から硬い文章まで幅広く使われる和語。〈体力が―〉〈気力が―〉〈記憶力が―〉〈火が―〉〈人気が―〉〈国が―〉〈容色が―〉✎芥川龍之介の『或阿呆の一生』に「彼はだんだん―・えて行った。(略)木末《こずえ》から枯れて来る立木のように」とある。⇩減退・後退・寂れる・衰弱・Q衰退・衰微・廃れる

おどろき【驚き】思いがけないことに出合い落ち着きを失う意で、会話にも文章にも使われる和語。〈こいつは―だ〉〈―の声〉〈―を隠せない〉✎黒井千次の『帰宅』に「開いた両手を一瞬胸の前にあげた彼女は、目を見張った―の表情

をたちまち収めてゆるやかに頭を下げる」とある。⇩愕然《がくぜん》・驚異・Q驚愕《きょうがく》・驚嘆

おどろく【驚く】予期していないことが起こって一瞬心の平静を失う意で、くだけた会話から硬い文章まで幅広く使われる日常の基本的な和語。〈突然の訃報に―〉〈大きな地震に―〉〈あまりの進歩に―〉〈―べき事実が判明する〉✎武者小路実篤の『友情』に「うまいのに―・いた。しかしその容赦のないのになお―・いた」とある。「仰天」「たまげる」と違い、「犬が花火の音に―・いて吠え立てる」のように人間以外について用いることもある。⇩おったまげる・仰天・たまげる・Qびっくり・ぶったまげる

おないぎ【お内儀】他人の妻をさす時代がかった敬称。今やドラマで使われる程度。〈―様にお目にかかりとう存じます〉⇩いえの者・うちの者・Qお上さん・奥方・奥様・奥さん・家内・かみさん・愚妻・細君・妻・女房・伴侶・ベターハーフ・令閨・令室・令夫人・ワイフ

おなか「腹」の丁寧な言い方で会話的な和語。特に女性がよく使う。〈―をこわす〉〈―がすいた〉✎宇野浩二の『蔵の中』に「妊娠五六ヶ月ぐらいの―をかかえている、ちょっと小綺麗なおかみ」とある。「中」という婉曲《えんきょく》表現に「御」を冠したもと女房詞。⇩腹・腹部

おなご【女子】「女」の古めかしい和風の言い方。方言というほどでもないが、いくらか田舎じみた感じがある。〈―衆〉〈―の仕事〉✎夏目漱石の『坊っちゃん』に「今時の―は、昔と違うて油断が出来んけれ」とある。漢字表記は音読みされやすく、仮名書きが無難。⇩Q女・じょし・女性・婦女・婦人

おなじ【同じ】ある物事が他とどこも違わないことをさし、くだけた会話から硬い文章まで幅広く使われる日常生活の基本的な和語。〈面積がほぼ―〉〈―方角〉〈―学年〉〈どちらでも結果は―になる〉〈右に―〉〈―買うなら品物のいいほうがいい〉〈―穴の狢《むじな》〉〈―釜の飯を食う〉✎庄野潤三の『秋風と二人の男』に「さっきから―ことばかり後悔しているのであった」とある。古語の形容詞が名詞に続く場合、「仰ぐは―・じき理想の光」のように「同じき」となるはずであるが、単に「同じ」になる例が多く、口語形の「同じい」もめったに使われない。ただし、「兄と―・じく弟も優秀だ」のように連用形の「同じく」は現在でもしばしば使われている。近年、この意味で「いっしょ」という語を使う俗用が東京でもはびこっている。⇩おんなじ・Qおんなじ・同一・同様・等しい

おなら 屁《へ》の意で、会話や軽い文章に使われる日常の和語。〈―が出る〉〈―をする〉✎「鳴らす」の名詞形の末尾の音を略し、「お」を冠した語形という。「屁」より丁寧で、男性も普通に用いるが、いくらか女性的な響きが感じられる。⇩ガス・Q屁・放屁《ほうひ》

おなり【御成り】「来訪」「到着」を意味する古風できわめて高い尊敬語。ごく高貴な人について、きわめて改まった表現として、まれに用いる。〈殿下が―になる〉

おに【鬼】人間に似た姿をし、角が生え血も涙もない恐ろしいことをする想像上の怪物をさし、会話にも文章にも使われる和語。〈―退治〉〈―が出る〉✎梅崎春生の『桜島』に「彼自身にも理解出来ない―のようなものが、彼の胸を荒れ

狂っている」とある。「心を—にする」のように、何事にも感情を動かさない存在をさすこともある。⇩悪鬼《あっき》

おにぎり【お握り】「握り飯」の丁寧な言い方。主として会話に用いる最も日常的な和語。〈梅干の—〉⇩Qおむすび・握り飯・むすび

おねしょ 寝小便の意で、主に会話に使われる子供っぽい用語。〈—をして布団を汚す〉✎幼児語で、対象も子供の連想が強い。「寝小便」の前半部に「お」を冠して丁寧にした語形。⇩遺尿・Q寝小便

おの【斧】刃のついた楔形《くさびがた》の厚く頑丈な鉄片に短い木製の柄を取り付けた道具をさして、会話にも文章にも使われる和語。〈—で木を切り倒す〉✎木を切ったり割ったりする際に用いる。⇩なた・まさかり

おのおの【各(各々)】人それぞれでの意で、やや改まった会話や文章に用いられる、やや古風な和語。〈—考えてみる〉〈—で責任を持つ〉✎「どの作文も—よく書けている」のように物について使う例もあるが、「それぞれ」に比べ、書いた人を意識した言い方に感じられる。「おの」が「己」の意である影響か、会社・学校・チームなどでも構成員を頭に浮かべて「おのおの」と言うことはあっても、「去年も一昨年も」「どの雷も」のように人間の手の加わらない対象に用いると擬人化した感じを伴う傾向がある。なお、「各々」は比較的新しい表記で、いくらか俗っぽく感じる人もある。⇩各自・それぞれ・Qめいめい

おのずから【自ずから】「ひとりでに」の意で、改まった会話や文章で用いられる、やや硬い感じの和語。〈—そうなる〉〈事実は—明白だ〉⇩Q自ずと・自然・自然と・自然に・ひとりでに

おのずと【自ずと】「おのずから」と同じ意味で、改まった会話や文章に用いられる、やや硬い感じの少し古風な和語。〈—わかる〉〈—知れる〉⇩Q自ずから・自然・自然と・自然に・ひとりでに

おののく【戦く】あまりの恐ろしさに震える意で、主に文章に用いられる古風な和語。〈震え—〉〈恐怖に—〉✎高橋和巳の『悲の器』に「男女が合唱して黒人霊歌を歌うとき、わたしは耳をふさいで—・いた」とある。⇩戦慄《せんりつ》・震え上がる・Qわななく

オノマトペ 音声音響を言語音で模写したり、人の心情や動作のようすや事物・事象の状態などを言語音で感覚的・象徴的に表現したりすることばをさして、学術的な会話や文章に用いられる専門的なフランス語からの外来語。〈日本語では—がよく使われる〉✎通常、擬声語と擬態語との総称であるが、特に擬声語を意味する用法もある。物事を感覚的にとらえるオノマトペの豊富なことが日本語の語彙の特徴の一つ。幸田文の『流れる』に現れる「ささ竹ばかりがすとんと背高く」「ざわざわきんきん、調子を張ったいろんな声が筒抜けてくる」「どすどすという喧嘩」「みりと骨が痛んでいる」といった例など、創作的なオノマトペも多い。⇩Q擬音語・擬状語・擬情語・擬声語・擬態語・擬容語

おのれ【己】自分自身の意で、会話にも文章にも使われる古風な和語。〈—を信じて思い切りやる〉〈—に忠実に生きる〉〈—をむなしゅうして事に当たる〉✎高田保『ブラリひょうたん』の「若芽の雨」に「—を知っているからひらりと

体をかわして外の話へうつる」とある。⇩自己・自身・Q自分・みずから

おは【尾羽】 鳥の尾と羽の意で、会話にも文章にも使われた古めかしい和語。〈―打ち枯らす〉現在は、傷ついた鷹のみすぼらしい姿から出たという「―打ち枯らす」の形でまれに比喩的に用いる程度。⇩おばね

おはぎ【御萩】 もち米にうるち米を混ぜて炊き、軽くついて丸め、餡や黄な粉で包んだ菓子をさす和語。〈―を供える〉春の牡丹《ぼたん》と秋の萩という季節の花にちなんで、同じ菓子を呼び分けるときの、秋の呼称。このような語源を意識する人には「春のおはぎ」、「秋のぼた餅」という表現は季節的な違和感があるが、一般には季節の別なく使われる。その場合、会話的な「ぼた餅」に比べ、日常語としてより広く用いる傾向が見られる。⇩牡丹餅

おばけ【お化け】「化け物」の意で、主にくだけた会話に使われる和語。〈―屋敷〉〈―が出る〉〈―の正体を突き止める〉人の幽霊をも言うが、唐傘のお化けや一つ目小僧などコミカルな絵が多く、「幽霊」や「亡霊」のような恐ろしさを感じさせない。後藤明生の『吉野大夫』に「実物の浅間ではない、何か架空の山に見えた。浅間の―だ、とわたしは思った」とある。⇩Q化け物・亡霊・幽霊・妖怪

おばね【尾羽】 鳥の尾の羽の意で、会話にも文章にも使われる和語。〈―に傷を負う〉飛行の際に舵《かじ》やブレーキの役をする。⇩おは

おびえる【怯(脅)える】 不安が強まって恐怖感が起こる意で、会話にも文章にも使われる和語。〈怪しい人影に―〉〈脅迫されて―〉〈仕返しを心配して毎日―・えて暮らす〉吉田智子『豊原』に「異様に据わった母の眼に―・えて声も出せずに」とある。⇩恐れる・Q怖がる

おひさま【お日様】「太陽」の意で、会話や軽い文章に使われる和語。〈―にこにこ〉〈―がきらきら輝く〉〈雲の陰から―が顔を出す〉子供などが尊敬より強く親しみをこめて呼ぶ擬人化表現。⇩Qお天道様・太陽・日輪・日

おびただしい【夥しい】 数量や程度が甚だしい意で、やや改まった会話や文章に用いられる、いくぶん古風な和語。〈―人の群れ〉〈一日中―車が行き交う〉〈情けないこと―〉〈わからないこと―〉多く好ましくないことに用いる。⇩甚だしい

おひや【お冷や】「飲み水」の意で、主に会話に使う、やや丁寧な感じの和語。〈―を一杯ください〉もと女性語。今では飲食店などでしばしば使う。お茶やお湯でなく普通の水という意味だから必ずしも冷やしていなくてもよいが、生ぬるいとイメージが合わない。⇩飲用水・飲料水・飲み水・Q水

おひる【お昼】「昼飯」の意で会話などに用いてみずからの品格を保つ丁寧な形の日常的な和語。〈―は簡単に済ませる〉〈―にする〉〈―をいただく〉森鷗外の『半日』に「―だと、茶の間であの声がする」とある。女性が好んで使う傾向がある。「昼食」にはごく粗末なものから山海の珍味が並ぶ豪華なものまでいろいろあるが、この語は松茸のお吸い物に伊勢海老や松阪牛のステーキなどの並ぶ豪華な食事というイメージは薄く、どちらかといえば店屋物やありあわせのもので手軽に間に合わせる雰囲気を感じさせる。⇩午

餐《ごさん》・ちゅうじき・Qちゅうしょく・昼餉《ひるげ》・昼御飯・昼飯・ランチ

オフ 短い休暇をさして会話で使われる新しい感じの外来語。〈―を取る〉〈今日は―で会社に来ない〉✎職場から離れるという雰囲気が強く、スポーツ選手などを除き長期の場合には使いにくい。⇩休暇・休業・休憩・休日・休息・休み

オフィス 役所や会社などの事務所をさし、主に会話で使われる斬新な感じの外来語。〈―街〉〈―を出る〉〈終日―にこもる〉✎近代的で明るい連想が強く、裸電球などとイメージの衝突を起こす。職場や教員室などをさすこともある。⇩事務所

おぶう【負ぶう】 乳幼児などを背負う意で、主に会話で使われるやや古風な口頭語。〈赤ん坊を―〉✎「負う」からの転。⇩負う・Qおんぶ・しょう・背負う

おふくろ【お袋】 自分の母親をさして、くだけた会話や軽い文章に使われる俗っぽい和語。〈―に可愛がられた〉〈田舎の―から便りがあった〉✎「―の味」のように、懐かしい感じを伴い、日常会話で男性がよく使う。「おやじ」と対立。⇩お母様・お母さん・お母ちゃん・女親・母さん・母ちゃん・母・母上・Q母親・ママ

おフランス 「フランス」をさし、自慢やからかいのニュアンスで使われた、今では古めかしい感じの俗語。〈ちょっと、―のほうへまいります〉〈おや、―の香水ですか〉✎あこがれの先進国である欧米に渡ることの珍しかった時代に、所持品がフランス製だというだけで、あるいは、ただフランスに行って来たというだけで自慢げに話したり、そういう鼻持ちならない人を小ばかにしてからかい気味に言ったりした際の、おどけたことば。渡航が珍しくなくなり、外国製品が氾濫《はんらん》し、欧米に対する劣等感が影を潜めるにつれて、このことばも耳にしなくなってきている。⇩フランス

オペ 「手術」の意で、病院内などでの会話に使われる古風な外来語の一部。〈本日午後静脈瘤《じょうみゃくりゅう》の―の予定あり〉✎「オペレーション」の略。かつて医者などが「手術」をさしてよく隠語のように用いた、患者に露骨に伝わりにくい関係者の間でのやりとり。⇩手術

おべっか 上位者の機嫌をとる言葉の意で、主にくだけた会話に使われる、いくぶん古風な俗っぽい語。〈―を使う〉⇩お世辞・お追従《ついしょう》・Qおべんちゃら・外交辞令・社交辞令

おべんちゃら 相手の機嫌をとるための心にもない言葉の意で、主にくだけた会話に使われる、やや古風な俗語。〈客に―を言う〉⇩お世辞・Qお追従《ついしょう》・おべっか・外交辞令・社交辞令

おぼえる【覚える】 記憶する、会得するの意で、くだけた会話から文章まで幅広く使われる日常の基本的な和語。〈漢字を―〉〈道を―〉〈手順を―〉〈要領を―〉✎永井荷風の『雨瀟瀟』に「彼岸前に羽織を着るなぞとはいかに多病な身にもついぞ―えたことがない」とある。「空腹を―」「懐かしさを―」のように、体や心に感じる意では、主に文章に用いるやや古風な改まった表現。⇩Q感じる・感ずる

おぼつかない【覚束ない】 確かでなく安心感が持てない意で、やや改まった会話や文章に用いられる、いくぶん古風な感じの和語。〈―足取り〉〈成功は―〉✎岩本素白の『街の灯』に「女達が何か睦じげに物語りながら、宵闇に白い浴衣を浮かせて通り過ぎたが、そのあとには―白粉の匂いが、重

い夜気の中に仄かに漂って居た」とある。⇩危なっかしい・Q疑わしい

おぼれじに【溺れ死に】水に溺れて死ぬ意で、主に会話に使われる和語。〈波に飲み込まれて―する〉⇩水死・Q溺死

おぼろ【朧】夜の霧を意味する雅語。春の季語。〈―月夜〉〈月は―〉〈―に煙る〉林房雄の『青年』に「どれ(スタンザ)も霧の中の花のように―で」とあるように、はっきりしない意にも使う。⇩Q霞・霧・靄《もや》

おぼろげ【朧げ】ぼんやりとかすんではっきりしない意で、会話にも文章にも使われる和語。〈うっすらと雲がかかって山の輪郭が―に見える〉〈―な記憶〉景色や記憶などに使う例が多い。⇩Q曖昧・あやふや・うやむや

おまいり【御参り】神仏を拝む意で、会話や硬くない文章に使われる日常の和語。〈―を欠かさない〉〈神社に―する〉〈先祖代々の墓に―する〉葬式などでは「焼香」をさすこともある。⇩Q参詣・参拝・詣《もう》でる

おまえ【御前】主に男性が目下かごく親しい相手に使うぞんざいな二人称で、主にくだけた会話に使われる和語。〈―と俺の仲〉〈みんな―にやる〉〈何てったって―のおかげだ〉〈―なんかの出る幕じゃない〉〈おい、―、忘れ物だ〉田宮虎彦の『落城』に「もう―にさせる仕事もなくなったぞ、―は今夜、斬り込みにゆけ」とある。「貴様」と違ってののしる感じは薄い。「俺」と対立。もと、神仏や貴人の前の意の尊敬語で、間接的に相手をさした。⇩あなた・あなた様・あんた・貴様・Q君・てめえ

おまけ【御負け】商品の値段を安くしたり、その商品以外の品をサービスで添えたりすることをさし、くだけた会話や軽い文章に使われる日常の和語。〈―付き〉〈―の品〉〈一割―する〉⇩Q景品・付録

おまけに【お負けに】「そのうえ」の意で、くだけた会話に使われる俗っぽい和語。〈けちで―ひねくれていると来てるから、扱いにくい〉〈雨が落ちてきた。―雷まで鳴り出した〉⇩Qその上・それに

おまわり【お巡り】「巡査」をさし、くだけた会話で使われる日常の俗っぽい和語。〈―に見つかる〉〈―に注意される〉ややさげすむ調子の感じられる言い方。小田原下曾我の尾崎一雄宅を訪問した折、「読む人が読めば随分エロチックなことを書いてるのに、―にはわからない、そういう書き方」として井伏鱒二や永井龍男の鍛えられた文章力を説いた。⇩お巡りさん・警官・警察官・Q巡査・駐在

おまわりさん【お巡りさん】「巡査」の意の敬意表現。主として会話や子供向けの文章などに使う、やさしい日常の和語。〈―に道を聞く〉〈交番の―〉街の人に親しまれているような、ぬくもりを感じさせることば。気軽に道を聞けて、親切に教えてくれそうな雰囲気がある。⇩お巡り・警官・警察官・Q巡査・駐在

おみおつけ【大御御付け】「おつけ」の丁寧な言い方で「おつけ」よりよく使われるが、「味噌汁」に比べ、やや古く家庭的な響きもある。〈豆腐と若布の入った―〉⇩お吸い物・Qおつけ・汁物・吸い物

おむすび【お結び】「にぎり飯」の意で、会話でも文章でも使われる和語。〈鱈子《たらこ》の―〉会話的な「おにぎり」よりや

や古風でいくらか上品な感じがある。「むすび」の丁寧な言い方。⇩Ｑおにぎり・握り飯・むすび

おむつ【御襁褓】赤ん坊あるいは介護の必要な病人や高齢者などの尻に当てて大小便を受ける布や紙をさして、会話にも文章にも使われる日常の和語。〈紙―〉〈―カバー〉〈―を取り替える〉〈やっと―が取れる〉✐古くは「むつき」。その省略形に「お」を添えて丁寧にした語形。会話では「おしめ」よりよく使われる。女優の中村メイコが「―をしていたころから舞台に立っていた」と自慢したら、娘に「頑張って！　もうすぐそうなるから」と言われたという。人生の最初と最後に世話になるものだとわかる。⇩おしめ

おめい【汚名】不名誉な悪い評判をさし、改まった会話や文章に用いられる漢語。〈―をすすぐ(そそぐ)〉

おめいばんかい【汚名挽回】意味の似ている「汚名返上」と「名誉挽回」とが交じり合ってできあがった誤った表現。✐不名誉を取り戻すという奇妙な意味になりそうな好ましくない語形。⇩汚名返上

おめいへんじょう【汚名返上】不本意にもこうむった不名誉な評判をなくして名誉を取り戻す意で、改まった会話や文章に用いられる漢語。〈次の大会での―を誓う〉⇩汚名挽回

おめかし【御粧し】外出したり人に会ったりする際に着飾る意で、主に会話に使われる和語。〈念入りに―する〉〈―して出かける〉✐装身具や化粧を含む場合もある。動詞「めかす」から出た名詞の丁寧な表現。⇩おしゃれ

おめしになる【お召しになる】「着る」の尊敬語。〈晴れ着を―〉⇩召す

おめでたくなる　「死ぬ」意の和風の忌みことば。古風な俗語。〈奴もとうとう―・ったそうだ〉✐縁起を担いで、死を直接表現せず、その不吉なものを反対に「めでたい」ととらえた逆説的な婉曲《えんきょく》表現。⇩敢え無くなる・上がる②・あの世に行く・息が切れる・息が絶える・息を引き取る・往く・いけなくなる・永眠・往生・お隠れになる・落ちる②・帰らぬ人となる・くたばる・死去・死ぬ・死亡・昇天・逝去・斃《たお》れる・他界・長逝・露と消える・天に召される・亡くなる・儚《はかな》くなる・不帰の客となる・不幸がある・崩御・没する・Ｑ仏になる・身罷《みまか》る・脈が上がる・空しくなる・藻屑となる・逝く・臨死・臨終

おもい【重い】物などを支えたり動かしたりするのに大きな力を要する意で、くだけた会話から硬い文章まで幅広く使われる日常の基本的な和語。〈―荷物〉〈ずしりと―〉〈―くて持ち上がらない〉✐幸田文の『流れる』に「笄《こうがい》は一見セルロイドでなく本甲で、とろっと油のように―黄色が鬢をひきたてている」とある。「体が―」「―足取り」のように「動きが鈍い」意にも、「責任が―」「―罪」「―病気」のように「重大な」の意にも使うなど、「重たい」より意味範囲が広い。「軽い」と対立。⇩重たい

おもい【思い】心の中に抱く感情・願望・考え・想像・感懐などをまとめてさし、会話にも文章にも使われる基本的な和語。〈身を切られる―〉〈―がかなう〉〈みんなの―を乗せて〉〈―を新たにする〉〈―を馳《は》せる〉〈―にふける〉〈そういう―もある〉✐「考え」より主観的で思い入れを感じさせるが、「気持ち」よりは客観的。国木田独歩の『牛肉と馬鈴薯』に「怖いとも哀しいとも言いようのない―が胸に塞《つか》え

て」とある。⇩考え・Ｑ気持ち

おもいあがり【思い上がり】自分の力を過大評価していい気になる意で、会話にも文章にも使われる和語。〈とんだ—だ〉〈—も甚だしい〉⇩うぬぼれ

おもいあがる【思い上がる】実力や業績以上に自分を偉いと思う意で、会話にも文章にも使われる和語。〈—・った態度〉〈—のもいい加減にしろ〉✎寺田寅彦は『科学者とあたま』の中で、ソクラテスや芭蕉や広重の世界を何一つ解明できないという事実を無視して「科学ばかりが学のように思い誤り—のは」認識の人であるための障害となると警告している。態度やふるまい自体に焦点を当てる「いばる」に対し、この語はそういう態度から推測される内面を問題にする。⇩威張る・Ｑうぬぼれ・自慢

おもいかえす【思い返す】過去を振り返って考える意で、改まった会話や文章に用いられる、いくぶん古風な和語。〈今—・してみると、あの頃はのんびりしていた〉〈遠く過ぎ去った日のことを懐かしく—夜もある〉✎自然に起こる感じの「思い出す」と違い、以前の出来事や体験などを意図的に順を追って記憶に再現しようとする場合にぴったりした表現。⇩思い出す

おもいくっする【思い屈する】あれこれ考えてもいい考えが浮かばず気が滅入る意で、主として文章に用いられる古風な和語表現。〈わが半生を顧みれば、—ことのみ多く〉✎永井龍男の『そばやまで』は「住いのことでは、一時《いっとき》—・した」という絶妙の一文で始まる。⇩思い悩む・思い煩う・しおれる②・しょげ返る・しょげる・ふさぐ・滅入る

おもいこみ【思い込み】その対象について予《あらかじ》め思い込んでいる考えの意で、会話にも文章にも使われる和語。〈一方的な—〉〈偏った—〉〈—が激しい〉✎多く偏った見方についていい、「先入主」はもちろん「先入観」よりも軽い話題に使う傾向がある。⇩Ｑ先入観・先入主

おもいだす【思（想・憶）い出す】記憶によみがえる意で、くだけた会話から硬い文章まで幅広く使われる日常の基本的な和語。〈用事を—〉〈すっかり忘れていたことをちょっとしたきっかけで—〉〈幼かった日々を—〉〈昔のことが懐かしく—・される〉✎意図的な「思い返す」と違って、この語は自然に脳裏に浮かんでくるときに使われる傾向がある。⇩思い返す

おもいちがい【思い違い】事実とは違って思い込む意で、会話にも文章にも使われる和語。〈とんでもない—をしていた〉〈自分の—にはっと気づく〉✎道理にそむく感じもある「考え違い」とは違い、単純な誤解に用いる傾向がある。⇩考え違い・Ｑ勘違い・誤解・錯覚

おもいつき【思い付き】ふとひらめいた考えの意で、会話やさほど硬くない文章に使われる漢語。〈いい—だ〉〈—を実行に移す〉〈ちょっとした—に過ぎない〉✎「発想」や「着想」はもちろん「アイディア」と比べても、論理的な思考を積み重ねた感じがなく、瞬間的に頭に浮かんだ感じが強い。⇩Ｑアイディア・着想・発想

おもいつく【思い付く】ある考えがふと心に浮かぶ意で、会話にも文章にも使われる日常の和語。〈いいことを—〉〈面白いいたずらを—〉〈うまい言いわけを—〉✎「考えつく」

ほどではないが、「ひらめく」より具体的な内容を連想させる。⇩Q考えつく・ひらめく③

おもいで【思い出】今でも印象に残っている過去の出来事をさし、くだけた会話から硬い文章まで幅広く使われる和語。〈悲しい―〉〈旅行の―〉〈いい―になる〉〈―に残る〉〈―を語り合う〉✎林芙美子の『晩菊』に「まるで数え歌のように、男の―に心が煙たくむせてくる」とある。深い思いをこめて「想い出」と書いたり、懐かしさを前面に出して「憶い出」と書いたりすることもある。このように美化した表記は文体的なレベルを高め、同時に古風な印象を与える傾向がある。⇩懐旧・回想・追憶・追懐・追想

おもいなやむ【思い悩む】心配になってあれこれ考える意で、改まった会話や文章に用いられる、いくぶん古風な和語。〈先のことを今から―ことはない〉〈あれこれ―ことが多い〉✎「悩む」に比べ、対象が広く漠然としている傾向がある。志賀直哉の『真鶴』に「恋という言葉を知らなかったが、今、その恋に―・んでいるのであった」とある。⇩思い屈する・Q思い煩う・悩む・煩悶・悶える・憂悶

おもいのほか【思いの外】思っていたのとは違っての意で、改まった会話や文章で用いられる、文体的レベルの高い古風な和語表現。〈―楽しめた〉〈―時間を要し、なかなか進まない〉✎円地文子の『妖』に「坂と母屋との中段になる部屋もそこにひとり寝るようになってから、―、千賀子にさまざまなことを教えた」という一文が出てくる。「ひとりで寝る」でなく「ひとり寝る」、「いろいろな」でなく「さまざまな」という表現を採用するこの作家の文体感覚は、ここでも「案外」や「意外(に)」でなく、また、硬い感じの「存外」でもなく、「思いの外」という俗を離れた表現を選び取ってレベルをそろえている。⇩あにはからんや・案外・Q意外・存外

おもいやる【思い遣る】相手に同情して優しく扱う意で、やや改まった会話や文章に用いられる和語。〈子供や年寄りを―〉〈相手を―心に欠ける〉⇩いたわる

おもいわずらう【思い煩う】困ったことをいろいろ考えて苦しい思いをする意で、改まった会話や文章に用いられる、やや古風な和語。〈家族のことを―〉〈行く末を―〉✎小林秀雄の『私の人生観』に「そういうことをくよくよ―・っていると、貴様は政治的関心がないと叱られる」とある。⇩思い屈する・Q思い悩む・悩む・煩悶《はんもん》・悶《もだ》える・憂悶

おもう【思う】心に浮かべる意で、くだけた会話から硬い文章まで幅広く使われる日常生活の最も基本的な和語。〈はっと―〉〈まことに残念に―〉〈まさにその通りだと―〉〈そんなことは絶対ないと―〉〈人を人とも―・わない態度〉〈―ように運ばない〉✎夏目漱石『坊っちゃん』に「物理学校の前を通り掛ったら生徒募集の広告が出ていたから、何も縁だと―・って」とある。「心で―」と「頭で考える」、「一瞬―」と「じっくり考える」といった例に象徴されるように、頭で時間をかけて思考し判断を下す感じの理知的な「考える」に対し、この語は心の中に瞬間的に浮かぶ情緒的な判断をさす。「思い人」は「考える人」とは違う。⇩考える

おもくるしい【重苦しい】全体的に圧迫される不快な気分をさし、会話にも文章にも使われる和語。〈―気分〉〈―一座

の雰囲気〉✎椎名麟三の『深夜の酒宴』に「ふいに僕はまるで桜の満開を見ているときのような―嫌な気分になった」とある。「鬱陶しい」と違い、「冬布団が厚ぼったくて―」というふうに、実際に重くて苦しいという肉体的な苦痛についても使う。⇩Q陰鬱・鬱陶しい・不快・不愉快

おもさ【重さ】重い程度の意で、くだけた会話から硬い文章まで幅広く使われる日常の和語。〈―を量る〉〈―を比べる〉〈屋根が雪の―に耐える〉✎「重み」に比べ、数値で計測可能な客観的な感じが強い。⇩Q重み・重量・目方

おもざし【面差し】「顔立ち」の意で改まった会話や文章に用いられる古風な和語。〈―が母親によく似ている〉⇩顔・Q顔立ち・顔つき・人相・目鼻立ち・容貌

おもしろい【面白い】心が引かれ楽しい気分になる意で、くだけた会話から文章まで幅広く使われる日常の和語。〈話が―〉〈―遊び〉〈―・くも何ともない〉〈―ように売れる〉〈人前でけなされては、彼としても内心―・くないにちがいない〉✎内田百閒の『特別阿房列車』に「ただ一ついけないのは、借りた金は返さなければならぬと云う事である。それを思うと―・くない」とある。⇩興味深い

おもたい【重たい】「重い」に近い意味で、会話や軽い文章に使われる日常の和語。〈―石〉〈―・くて持ち上がらない〉〈―物を持ち歩く〉〈動きが―〉✎三浦哲郎の『ユタと不思議な仲間たち』に「村の月は(略)てのひらにずっしりと―夏ミカンのようだ」とある。持ち上げたり運んだり直接に人間の力が関係する場合に使うことが多く、車輛や艦船などの重量を問題にする場合にはなじみにくい。また、派生的な用法でも、「体が―」「足が―」のような感覚的な場合にはなじむが、「頭が重い」「口が重い」「重い病気」「責任が重い」のように抽象化するにつれて使いにくくなる。⇩重い

おもたせ【お持たせ】その客が持参した手土産の意で、主に会話に使われる和語。〈―で恐縮ですが、よろしかったらおひとつどうぞ〉✎客自身は使わない。⇩Q手土産・到来物・土産

おもちゃ【玩具】主に子供の遊び道具をさし、くだけた会話から文章まで幅広く使われる日常的な和語。〈―屋〉〈―箱〉〈子供の―〉〈ブリキの―で遊ぶ〉✎黒井千次の『オモチャの部屋』に「祖父はどうして―の部屋などにはいろうとしたのだったろう」とある。「玩具《がんぐ》」に比べ、遊び道具という生活臭が濃く、大人にとっては懐かしい感じの温かみのあることば。⇩玩具

おもて【表】物の面のうち正面に出して代表させる側をさし、くだけた会話から硬い文章まで幅広く使われる日常の基本的な和語。〈―側〉〈―を上にする〉〈用紙の―裏を確かめる〉〈―の戸締り〉〈感情を―に出す〉✎「―が騒がしい」「―に飛び出す」「やい、―に出ろ！」のように戸外をさす用法もある。「裏」と対立。⇩うわつら・うわべ・Q表面

おもてどおり【表通り】市街地にある主要な通りをさし、会話にも文章にも使われる和語。〈―に面した家〉〈―をバスが通る〉✎「大通り」と違い、必ずしも道幅が広いとは限らない。「裏通り」と対立。にぎやかで晴れやかな感じがある。⇩大通り・大道《だいどう》

おもな【主な】それらの中心となるの意で、くだけた会話から硬い文章まで幅広く使われる和語。〈―人〉〈―出来事〉

〈—理由〉〈—収入〉⇩Q主たる・主要

おもに【主に】 全体の中で特に大きな割合を占める意で、会話にも文章にも使われる日常の和語。〈昼は—外食だ〉〈時間が空けば—読書をして過ごす〉〈客は—若い女性だ〉✒島崎藤村の『桜の実の熟する時』に「面倒を見て呉れたのも—斯のお婆さんであった」とある。⇩主として

おもねる【阿る】 機嫌をとって気に入られようとする意で、改まった会話や文章に用いられる古風な和語。〈上司に—〉〈世間に—〉⇩Q迎合・媚《こ》びる・取り入る・へつらう

おもはゆい【面映い】 くすぐったく感じられるほど照れくさい意で、主に文章に用いられる古風な和語。〈過分の評価にいささか—ものがある〉✒辻邦生の『洪水の終り』に「好評にはいささか—気持を感じはしたが」とある。相手の顔がまぶしく感じられる意から。⇩気恥ずかしい・決まり悪い・Q照れ臭い・恥ずかしい・ばつが悪い・間が悪い

おもみ【重み】 重い感じをさして、会話にも文章にも使われる和語。〈どっしりとした—〉〈本の—がかかる〉✒重量だけを客観的にさす「重さ」に比べ、その重量を受けての重い感じを問題にする雰囲気があり、そこから比喩的に、「人間としての—に欠ける」「この発言にはどことなく—を感じる」のように、貫禄や重要度・影響力といった意味の用法に拡大する。⇩Q重さ・重量・目方

おもむき【趣】 しっとりとした味わいの意で、会話にも文章にも使われる和語。〈自然の—のある庭〉〈どことなく—を感じる〉✒夏目漱石の『坊っちゃん』に「野だの顔はどう考えても劣等だ。喧嘩はしても山嵐の方が遥かに—がある」とある。「時代の—が感じられる」のように、単に「ありさま・様子」の意を表す例もあるが、それでもこの語を用いることで、表現主体がそれを好ましく思っている感じが伝わる。ただし、「お話の—、確かに承りました」のように、内容や事情をさす用法の場合はそのようなプラスイメージはなく、古風で丁重な感じになる。⇩情趣・情緒・Q風情

おもむく【赴く】 目的の場所に向かう意で、改まった会話や文章に用いられる古風な感じの和語。〈戦場に—〉〈任地に—〉✒高田保の『我輩も猫である』に「万事をこの近所の人に託し、安心して死地に—筈だった」とある。「病状が快方に—」「人情の—ところ」のように抽象化した用法もある。⇩いく・Q出向く・ゆく

おもむろに【徐に】 行動に移すまでの間やその動作がゆっくりしている意の和語。古風でやや改まった感じのことば。〈—立ち上がる〉〈—口を開く〉✒芥川龍之介の『偸盗』に「太刀を、右手にとって、—血をぬぐった」とある。近年、若年層に、逆に「急に」「素早く」のような意味合いに理解する例が見られる。そういう意味に使えば俗語的。⇩やおら

おももち【面持ち】 表情の意で、主として文章に用いられる古めかしい和語。〈得心の行かぬ—〉〈何やら不審の—〉✒石坂洋次郎の『若い人』に「畑の土のように無表情な柔かい—」とある。⇩Q顔色・顔つき・表情

おもらし【お漏らし】 失禁の意で、会話や軽い文章に使われる日常の和語。〈トイレが間に合わず—する〉✒幼児語ながら会話では大人も使う。「失禁」に比べ、病気よりも不注意

の結果を思わせ、微量な連想がある。⇩失禁・Q粗相

おもわしい【思わしい】状態や結果などが期待どおりである意で、やや改まった会話や文章に用いられる和語。〈病状が―・くない〉〈なかなか―結果が得られない〉✐打消しの語を伴って全体として否定的なニュアンスに用いられる例が多い。⇩好ましい・望ましい・欲しい

おもわず【思わず】つい無意識にの意で、会話にも文章にも使われる和語。〈―声を上げる〉〈―身を乗り出す〉✐堀辰雄の『美しい村』に「まるっきり放心状態になっている自分自身に気がついて、―どきっとする」とある。⇩うっかり・Qつい

おや【親】父と母の総称として、くだけた会話から硬い文章まで幅広く使われる日常の基本的な和語。〈産みの―〉〈―と子の関係〉〈―の言いつけに背く〉✐山本有三の『波』に「―が子を生むように思っているが、―なんてものは、ほんの仮の宿だよ」とある。「父母」や「両親」と違い、動物の場合にも使い、また、「―代々の土地」のように祖先をさす用法もある。⇩父母・Q両親

おやかた【親方】職人や相撲《すもう》の世界で弟子を取って技術を指導したり親代わりに監督したり面倒を見たりする人をさし、会話にも文章にも使われる古風な感じの和語。〈大工の―〉〈―のところに弟子入りする〉✐夏目漱石の『坊っちゃん』に「発句は芭蕉か髪結床の―のやるもんだ」とある。⇩親玉・Q親分

おやじ【親父】自分の父親を親しみをこめて呼ぶときに、会話や軽い文章に使われる和語。〈うちの―は晩酌を欠かさない〉〈頑固なところは―そっくりだ〉✐夏目漱石の『坊っちゃん』に「―は頑固だけれども依怙贔負《えこひいき》はせぬ男だ」とある。多く大人の男性が日常会話のくつろいだ場面でよく使う。「おふくろ」と対立。⇩お父様・お父さん・お父ちゃん・男親・親爺《おやじ》・Q父・父上・父親・父さん・父ちゃん・パッパ・パパ

おやじ【親爺(仁)】店などの主人や一般に年輩の男をさし、くだけた会話や軽い文章に使われる和語。〈隣の―〉〈店の―〉〈若者ばかりで―の姿は見当たらない〉⇩親父

おやすみになる【お休みになる】「寝る」意の婉曲《えんきょく》な和風尊敬表現。〈奥様はもう―・りました〉〈―前に入浴なさいます〉⇩寝る①・伏せる・Q休む②

おやだま【親玉】ある集団を統率する中心人物の意で、くだけた会話で冗談めかして使われる俗っぽい和語。〈連中の―〉〈五人組の―がつかまる〉⇩親方・Q親分

おやぶね【親船】漁場などで小船を従えた大きな船をさし、会話や軽い文章に使われる和語。〈―から物資を補給する〉✐「―に乗ったよう」の形で、心丈夫な意を表す比喩表現もある。⇩母船・Q本船

おやぶん【親分】集団の頭で仲間の親代わりに面倒を見る人をさし、会話や改まらない文章に使われる古風な表現。〈―肌の人〉〈やくざの―が子分を叱る〉✐小沼丹の『タロオ』に「―格の犬なぞは、垣根の外を通るときタロオを横眼に睨んで、片足上げて垣根に小便を引掛けて行く」とある。現代では、やくざ以外について使うと俗語の響きがある。⇩Q親方・親玉

おやゆずり【親譲り】親から受け継いだの意で、会話にも文

章にも使われる和語。〈—の体格〉〈—の財産〉〈気の短いのは—だ〉✎小山清の『わが師への書』に「—の顕著なる特質があります。それは母に似てひどく汗っかきなことです」とある。⇩生まれつき・生まれながら・生得・生来・Q持ち前

およぐ【泳ぐ】 人間や動物が水面や水中を進むことをさし、くだけた会話から硬い文章まで幅広く使われる日常の基本的な和語。〈海で—〉〈向こう岸まで—〉〈すいすい—〉✎「水泳」と違い、犬や蛙や魚にも使う。また、「体が—」「靴が大き過ぎて足が—」「世間をうまく—・いで渡る」のような比喩的な用法もある。⇩Q水泳・水浴び

および【及び】 名詞などを並列させる場合のつなぎとして、少し改まった会話や文章に用いられる和語。〈桜—紅葉〉〈犬と猫—狐と狸〉〈東京—横浜、並びに、大阪—神戸〉✎動詞「及ぶ」の連用形から転じた接続詞。他と併用する場合は通常、「と」より大きく「並びに」より小さな結びつきに使う。改まらない日常会話では「と」「それに」などを使うことが多い。⇩並びに

およびごし【及び腰】 腰を曲げてこわごわ手を伸ばすような不安定な姿勢をさして、会話でも文章でも使われる和語。〈—になって物を取る〉〈強そうな相手を前に思わず—になる〉✎比喩的に、「—の外交」「—の交渉」のように、相手を恐れて消極的になる意でも使う。⇩屁《へ》っ放《び》り腰

およぶ【及ぶ】 ある範囲や限度に届く意で、やや改まった会話や文章に用いられる和語。〈建立してすでに二百年にも—〉〈数千万円にも—大きな利益〉〈全国に—被害〉〈意外なところにまで影響が—〉〈わずかに—・ばない〉✎「ついには犯行に—」「わざわざ足を運ぶには—・ばない」のように、そのような行為にまで踏み込む意でも使う。⇩Q達する・届く

おりあしく【折悪しく】 ちょうどタイミングが悪くの意で、改まった会話や文章に用いられる、やや古風な表現。〈訪ねてみたが—留守だった〉〈掘り出し物を見つけたが—金の持ち合わせがない〉⇩あいにく

おりおり【折折】 それぞれの時、または「時々」の意で、主に文章に用いられる古風な和語。〈四季—の花〉〈—訪れる〉✎森鷗外の『阿部一族』に「風鈴が—思い出したようにかすかに鳴る」とある。⇩Q時折・時々

おりから【折柄】 まさにちょうどその時の意で、改まった会話や文章に用いられる古風な和語。〈—祭りの太鼓が聞こえてくる〉〈—にわか雨が降り出す〉〈—の風にあおられる〉⇩折しも

おりしも【折しも】 まさにちょうどその時の意で、主として文章に用いられる、古風で構えた感じの和風表現。〈打ち明けようとした—突風が吹いて〉〈出発しようとした—〉✎「折から」よりも、まさにその時という強調の程度が強い。⇩折から

おりる【下りる／降りる】 高い所から低い所に移るという基本的意味をもち、くだけた会話から硬い文章まで幅広く使われる基本的な日常生活の和語。〈二階から下りる〉〈庭に下りる〉〈電車から降りる〉〈社長を降りる〉〈霜が降りる〉✎夏目漱石の『坊っちゃん』に「浴衣のなりで湯壺へ—・りて見たら、又うらなり君に逢った」とある。「山を—」は山

の高い場所にいたのが今は麓にいるといった移動で、途中の経路が意識されていない。⇩くだる

おる【折る】曲げて分離したり重ねたりする意で、会話にも文章にも使われる和語。〈枝を―〉〈骨を―〉〈指を―・って数える〉〈折り紙で鶴を―〉✎木山捷平の『大陸の細道』に「七重の膝を八重に―ようにして謝罪すると」とある。⇩へし折る

おる【居る】「いる」に近い意で、主として会話に使う和語。〈自宅に―・ります〉〈誰か―・らんか?〉✎「おります」は「います」より丁寧な言い方。「ます」を伴わない単独の「居る」は古い感じで方言的な響きもある。多少とも動きの感じられる「いる」に比べ、この語は単に存在しているという状態に重点があるとされる。⇩ある・Qいる

おる【織る】縦糸に横糸を組み合わせて布を作る意で、会話にも文章にも使われる和語。〈機を―〉〈布を―〉✎鈴木三重吉の『千鳥』に「白木綿を―の轡虫が鳴くように聞える」とある。⇩編む

おれ【俺】くだけた会話で男が親しみをこめて使う和語で、「僕」より乱暴な言い方。〈―とお前の仲〉〈貴様と―とは同期だ〉〈あとは―に任せろ〉✎夏目漱石の『坊っちゃん』に「是で中学の教頭が勤まるなら、―なんか大学総長がつとまる」とある。近年、会社などで上司に向かって用いる例も散見するなど、使用範囲が拡大しているように見受けられる。⇩あたくし・あたし・おいら・Q僕・わし・わたくし・わたし

おれくち【折れ口】知人の死に出会う意で、主として会話に使われた古めかしい和語。〈急に―があってそっちへまわる〉✎「弔い」の忌み言葉としても使われた。東京方言という。現代ではめったに使わないが、入船亭扇橋によると落語好きのフランク永井が使ったらしい。⇩葬儀・葬式・弔い

おれたち【俺達】「俺」の複数として、男性がくだけた会話に使うぞんざいな表現。〈―ゃ気ままなもんよ〉〈―にゃ関係ねえ〉✎立野信之の『軍隊病』に「―はモーターのように無感覚で、疲労することを知らない道具である」とある。⇩Q僕たち・僕ら・わたくしたち・わたしたち・我ら・我々

おろし【颪】山から吹き降ろす風をさし、会話でも文章でも主に複合語として使う。〈比叡―〉〈六甲―〉〈筑波―〉⇩風

おろす【下ろす】高いところから低いところに移す意で、くだけた会話から硬い文章まで幅広く使われる日常の基本的な和語。〈旗を―〉〈幕を―〉〈大地に根を―〉✎「上げる」と対立。「荷物を―」「貯金を―」のように「載せる」「積む」と対立する用法もある。「乗客を―」のように預け入れたものを引き出す意味でも使う。「貯金を―」などでは「降ろす」、「胎児を―」では「堕ろす」、「大根を―」では「卸す」と書くことが多い。「問屋が小売店に商品を―」の意では「卸す」と書く。⇩Q下げる・引き下げる

おろそか【疎か】なすべきことをきちんとしないで、いい加減にほったらかす意で、会話にも文章にも広く使われる、いくぶん古風な和語。〈勉強を―にして遊び歩く〉〈仕事を―にしてきた付けが回る〉⇩いい加減・ちゃらんぽらん・ないがしろ・Qなおざり・忽《ゆるが》せ

おろち【大蛇】巨大な蛇の意で会話にも文章にも使われた古めかしい和語。〈―を退治する〉✎「やまたの―」などが

知られ、伝説上の存在というイメージがあるため、「だいじゃ」以上に巨大な姿を連想しやすい。⇩うわばみ・Ｑだいじゃ

おわい【汚穢】大小便の意で、会話にも文章にも使われる古めかしい漢語。〈―屋〉〈―を運ぶ〉✎もと汚れ物の意の間接表現。意味をぼかすために通常仮名書きにする。⇩Ｑし尿・糞尿・便

おわり【終わり】続いてきた物事が切れてその先続かない意、あるいは、その最後の部分をさして、くだけた会話から硬い文章まで幅広く使われる日常の基本的な和語。〈一日の―〉〈これで―にする〉〈―を告げる〉〈―まで息を抜かない〉✎小沼丹の『片片草』に「―良ければすべて良し」とあるが、実際の作品では「終わり良ければすべて良し」とある。

おわる【終わる】終了する、やめるの意で、くだけた会話から硬い文章まで幅広く使われる日常生活の基本的な和語。〈間もなく会が―〉〈仕事はもうとっくに―・っている〉〈授業の―のが待ち遠しい〉〈定刻になりましたのでこのへんで会を―・ります〉〈はなはだ簡単ではありますが、これをもちまして会長としてのご挨拶を―・ります〉✎三浦哲郎の『ふなうた』に「突然、ピアノの音がやんだ。曲が―・ったのではなく、安楽椅子の方からきこえてくる呻き声に弾き手が怯えたからである」とある。他動詞用法の場合も「終える」に比べると主体の意志が前面に立たず穏やかな印象を与えやすい。⇩終える

おん【恩】他から受ける厚意や情けやありがたみをさし、くだけた会話から硬い文章まで幅広く使われる日常の漢語。〈親の―〉〈―になる〉〈―を受ける〉〈―を売る〉〈―を忘れる〉〈―をあだで返す〉✎夏目漱石の『坊っちゃん』に「心のうちで難有《ありがた》いと―に着るのは銭金で買える返礼じゃない」とある。⇩Ｑ恩義・恩恵・恩顧

おんいん【音韻】さまざまな音として実現する現実の音声とは別に、意味の違いに関係してその言語を運用する基礎になる抽象的な音のイメージをさし、学術的な会話や文章に用いられる専門的な漢語。〈―論〉〈―表記〉✎「文法」「語彙」「文字」などと並べて用いる場合はアクセント・イントネーションや、ある部分を際立たせて発音するプロミネンス(卓立)などを含む広い概念。⇩音声・Ｑ音素

おんがく【音楽】音による時間芸術をさし、くだけた会話から硬い文章まで広く用いられる一般的な日常の基本的な漢語。〈西洋―〉〈―を流す〉〈―に親しむ〉✎小林秀雄の『モオツァルト』に「当代一流の―、特にベエトオヴェンの―に対するゲエテの無理解或は無関心」とある。⇩ミュージック

おんがくかい【音楽会】声楽や器楽の歌唱・演奏を聴いて楽しむ集まりをさし、会話にも文章にも使われる日常の漢語。〈野外―〉〈―の切符〉〈そろって―に出かける〉✎「演奏会」その他に比べ、学校での催しや技術的にも幅広い範囲のものを含めて一般によく使う。⇩演奏会・Ｑコンサート・ライブ・リサイタル

おんぎ【恩義】他から受けた恩に報いねばならぬ義理をさし、改まった会話や文章に用いられる古風で硬い漢語。〈―をほどこす〉〈―に感じる〉〈―に報いる〉⇩恩・恩恵・恩顧

おんきょう【音響】 物体の発する音や響きをさし、やや改まった会話や文章に用いられる漢語。〈―効果〉〈―学〉〈大―が轟《とどろ》く〉✎自然の音よりも機械などの立てる比較的大きな音や楽音の響きなどをさす傾向が強い。井上靖は『小磐梯』で地震の瞬間を「轟然たる大―が大地をつんざきました」ととらえている。⇩音・Q響き

おんけい【恩恵】 自分の利益になり幸福をもたらす恵みをさし、改まった会話や文章に用いられる漢語。〈大きな―を受ける〉〈―をこうむる〉〈―に浴する〉✎「自然の―」のように、人間以外から受ける例も多い。⇩Q恩・恩義・恩顧

おんけん【穏健】 物の考え方などが穏やかで健全である意として、改まった会話や文章に用いられる硬い感じの漢語。〈―な考え方〉〈思想―にして〉⇩大人しい・温厚・温和・柔和

おんこ【恩顧】 情けをかけて引き立てる意で、主に文章に用いられる古風で硬い漢語。〈―にあずかる〉〈―を忘れる〉⇩恩・恩義・Q恩恵

おんこう【温厚】 性格などが穏やかで優しい意として、やや改まった会話や文章に用いられる漢語。〈―な人柄〉✎二葉亭四迷の『浮雲』に「文三は篤実―な男」とある。⇩大人しい・穏健・Q穏和・柔和

おんしゃ【御社】 相手側の会社をさし、会話にも文章にも使われる尊敬表現。〈―のご要望に添うべく〉✎「貴社」に同音異義語が多いこともあり、口頭でこの語がよく使われる。⇩貴社

おんしょく【音色】「ねいろ」の意で改まった会話や文章に用いられる専門的な漢語。〈―の違いを聴き分ける〉〈―が微妙に異なる〉✎美的価値にふれる「ねいろ」と違い、この語は物理的な差異を問題にしている感じがあり、田中康夫の『パリ　ホテル・ル・ブリストル』に「バイオリンの―が人々のざわめきとミックスしてフランス映画を観ているようだった」とある例を「ねいろ」と読むか「おんしょく」と読むかによって印象が微妙に違ってくる。⇩ねいろ

おんせい【音声】 人間が言語表現を行うときに発する音をさし、改まった会話や文章に用いられる、やや専門的な漢語。〈―を発する〉〈―が途絶える〉〈―器官〉〈―言語〉〈国際―字母〉✎松村栄子の『至高聖所』に「口を開くやいなや意味不明の―を発する」とある。テレビ中継や携帯電話などで「―が乱れる」「―が途切れる」などという場合は漠然と音響をさし、特に専門語という感じはない。⇩音韻・音素・Q言語音・声

おんせん【温泉】 地熱によって二五度以上の湯の湧き出る場所をさし、くだけた会話から硬い文章まで幅広く使われる日常語の漢語。〈―旅館〉〈―めぐり〉〈―が出る〉〈―を引く〉〈―に入る〉✎夏目漱石の『坊っちゃん』に「何を見ても東京の足元にも及ばないが―だけは立派なものだ」とある。お湯そのものは実質的に「いでゆ」と同じだが、この語はその対象を客観的にさし示すだけで、「いでゆ」のような特別の雰囲気を発散しない一般的なことば。⇩いでゆ

おんそ【音素】 狭義の「音韻」と同義、またはその最小単位をさし、学術的な会話や文章に用いられる専門的な漢語。〈―文字〉〈特殊―〉〈―として認める〉⇩Q音韻・音声

おんだん【温暖】 気候が暖かく快適である意で、やや改まっ

た会話や文章に用いられる漢語。〈—な土地〉✎「温和」に比べ、気温だけに焦点を当てた感じがある。⇩温かい・暖かい・温和

おんちょう【音調】音の高低の調子を広くさし、やや改まった会話や文章に用いられる漢語。〈—を合わせる〉〈—を整える〉✎宮本輝の『蛍川』に「盲目の女の奏でる暗い力強い—の中にひき込まれていった」とある。音楽や詩歌の調子やリズムなどをさす一般的な用法以外に、アクセントやイントネーションをさす語学の専門語に近い用法もある。⇩Q音律・調べ・旋律・ふし・節まわし・メロディー

おんど【温度】熱さ・冷たさの度合いを数値で表したものをさし、会話にも文章にも使われる日常の漢語。〈—計〉〈絶対—〉〈—差〉〈—を測る〉✎宇野千代の『色ざんげ』に「その生温かい—が僕の洋袴を通して、何かそのままべたべたと地べたへ這いつくばって了いたいような、そんな気力のなさを感じさせる」とある。一般に物の温度をさす例が多いが、木山捷平の『大陸の細道』で初めての満州の寒さに驚いた主人公が「これで、—は、何度くらいなのでしょう」と尋ねるように、特に気温をさすこともある。⇩気温

おんとう【穏当】無理なく穏やかな意で、やや改まった会話や文章に用いられる漢語。〈—な処置〉〈そのへんが—なところだ〉〈やり方が—を欠く〉✎積極的に「妥当」と言えるほどではないが、無難でそれに近い評価はできるという感じがある。小沼丹の『黒と白の猫』に「この際、図図しい、は—を欠くと大寺さんは思った。しかし、多少それに似た感想を覚えないでもなかった」とある。⇩順当・Q妥当

おんどく【音読】声に出して読む意で、会話にも文章にも使われる漢語。〈英詩は—しないと押韻がよくわからない〉〈漢詩を—する〉✎「黙読」と対立する。漢字の「音読み」の意もある。この意味では「訓読」と対立する。⇩朗読

おんどけい【温度計】物体の温度を計測するための器具をさし、会話にも文章にも使われる漢語。〈液体—〉✎近年は「寒暖計」よりよく使う。⇩寒暖計

おんな【女】性別の一つで、男でないほうをさす。「女性」とともに最も幅広くふつうに用いられた日常の基本的な和語。〈若い—〉〈—の自立〉〈—としてのたしなみ〉✎かつての男中心の社会では家庭を守る人と位置づけられ、「—子供」と一括されるように、子供とともに庇護される対象として、男より一段低く見られてきた歴史の影響もあり、特に男性からそう呼ばれることに抵抗を覚える女性が少なくないため、この語の使用を控える傾向も見られる。そのような語感が働くため、「—だてらに」「—のくせに」といった好ましくない表現の場合、「女」以外の類義語で代替できない。容疑者などマイナス評価の場合は「四十代の—」などと言い、「女性」は使われない。ただし、「女」単独でなく、「—物」「—の人」「—の方」のような形で用いる場合にはそういう抵抗感は生じないようである。井伏鱒二の『珍品堂主人』に「まぎれもなく女性だが、決して—と思ってはいけないよ」という例がある。⇩おなご・じょし・Q女性・婦女・婦人

おんなおや【女親】「母親」の意で会話にも文章にも使われる和語。〈—一人で苦労して育てる〉✎「母親」に比べ、女である点を意識した表現。「男親」と対立。⇩お母様・お母さん・

お母ちゃん・おふくろ・母さん・母ちゃん・母・母上・Q母親・ママ

おんなし【同し】「おなじ」の口頭語形「おんなじ」の転で、古風かつ俗語的な響きがある。〈どっちへころんでも結果は―だ〉✎調布の自宅を訪問した折、武者小路実篤は「ものを言うときと書くときと、ほとんど同《おん》《な》しだね」と語った。同じ白樺派の里見弴も、鎌倉の自宅でのインタビューに際し、書きことばと話しことばとの関係についての質問に答えながら、「文章は目を通して頭へ入って来る、言語《げんぎょ》のほうは耳から入って来るが、そのもの自身の内容は同《おん》《な》しなんだな」と発音した。⇩同じ・Qおんなじ・同一・等しい

おんなじ【同じ】「おなじ」の撥音化で、くだけた会話でしばしば使われる。「おんなし」ほど俗語的ではなく、古風な感じもない。〈どれでも味はまったく―だ〉〈さっきから―ことばかり繰り返してる〉✎時に強調的なニュアンスを伴うこともある。⇩Q同じ・おんなし・同一・等しい

おんぶ「背負う」または「背負われる」ことをさす幼児語。〈赤ちゃんを―する〉〈母親に―する〉✎「―にだっこ」のように他人に頼る意でも使う。⇩Q負う・おぶう・しょう・背負う

おんぷ【音譜】「楽譜」の意で主に文章に用いられる、いくぶん古風な漢語。〈―を暗記する〉✎会話では「音符」と混同しやすい。⇩Q楽譜・譜・譜面

おんぼう【隠亡】古く火葬や墓場の番人を業とした人をさした漢語。職業差別の意識が甚だしい語として現在は用いない。

おんりつ【音律】音楽、特に楽器などの音の調子をさし、主に文章に用いられる、やや古風な漢語。〈なつかしい―〉✎田宮虎彦の『菊坂』は「単調な曲をかなでているオルガンのものうい―がきこえていた」として終わる。専門語としては、音楽に用いる音の高低の相対的な関係を音響学的に厳密に規定したものをさす。⇩調べ・Q旋律・節・節回し・メロディー

おんわ【温和】暖かく穏やかなの意で、いくぶん改まった会話や文章に用いられる漢語。〈―な気候〉〈―な風土〉✎「温暖」に比べ、強風も比較的少なく晴れる日が多いなど、気温以外も含めて相対的にのどかな感じがある。おとなしくやさしい意で人の性質にも使う。⇩温暖・穏和

おんわ【穏(温)和】性質や態度が穏やかな意で、やや改まった会話や文章に用いる漢語。〈―な性格〉〈見るからに―そうな人物〉✎森鷗外の『魚玄機』に「詞は極て―である」とある。⇩大人しい・穏健・温厚・温和・柔和

か

か【香】「かおり」を意味する古語に近い和語。「移り香」は多様な匂いだが、一般に芳香をさす雅語に近い文章語。〈梅が―〉〈木の―〉〈磯の―〉〈湯の―〉✎現代では慣用表現以外では自由に使えない。⇩Q香り・薫り・匂い・臭い

が　逆接的な流れを示唆して、それほど硬くない文章などで用いるやや古風な和語。〈そこまでは確かだ。―、その先が問題なのだ〉✎「しかし」や「だが」ほど明確な強い逆接ではなく、軽く逆説風につなぐ感じの言い方。芥川龍之介の『侏儒の言葉』に「子供に対する母親の愛は最も利己心のない愛である。―、利己心のない愛は必ずしも子供の養育に最も適したものではない」という流れがある。ちなみに、この作品には、「○○○。のみならず○○○。―、○○○」という論理展開のパターンが目立つ。⇩しかし・Qだが・でも

が【画〈畫〉】「絵」の意で、会話にも文章にも使われる古めかしい漢語。〈書―骨董《こっとう》〉〈書も―も大した腕だ〉〈―は無声の詩〉✎「画」と書いて「エ」と読ませる例もあり、区別が困難。夏目漱石の『草枕』に出てくる「どこへ越しても住みにくいと悟った時、詩が生れて、―が出来る」「景色を一幅の―として観」「―の前へ立って」など、いずれも元は振り仮名がなくどちらにも読める。⇩Q絵・絵画・図・図画

かあさん【母さん】「かかさん」の転。母親をさし、親しみと軽い尊敬の気持ちをこめて、くだけた会話で使われるやや古風で親しい感じの呼び名。〈坊や、―いるかい?〉〈―に似たのかねえ〉〈―もずいぶん苦労したんだね〉✎小津安二郎監督の映画『戸田家の兄妹』(一九四一年)に、「―、眼鏡ないか?」と言われて、相手の目の前にある眼鏡を渡すシーンがある。「―お肩をたたきましょ」「―は夜なべをして手袋編んでくれた」などと唱歌にも使われ、やや土俗的なこの語には、ぬくもりとなつかしい味がある。「父さん」と対立。⇩お母様・Qお母さん・お母ちゃん・おふくろ・女親・母ちゃん・母・母上・母親・ママ

かあちゃん【母ちゃん】「母さん」の意で、子供などが、または子供に向かって父親が、親しみをこめて呼ぶ、やや古風な和語。〈―、御飯おかわり〉✎くだけた会話でまれに妻をさすこともあり、その場合は俗っぽい感じが増す。「父ちゃん」と対立。⇩お母様・お母さん・Qお母ちゃん・おふくろ・女親・母さん・母・母上・母親・ママ

カーディガン　毛糸などで編んだ上着で、本来は襟がなく前開きでボタンでとめるタイプのものをさし、会話にも文章にも使われる外来語。〈カシミアの―をはおる〉⇩セーター

ガーデニング「園芸」の意の斬新な感じの外来語。〈英国風の―の技術〉✎近年盛んに使われるようになったことばで、単に草木を育てるだけでなく、その場所の自然の景観を生かして楽しみながら総合的にそれぞれの庭を造り上げるという趣味的な雰囲気がある。⇩Q園芸・造園・庭いじり・庭造り

カード　情報などを記録した四角の厚い小型の紙やプラスチックをさし、会話にも文章にも使われる外来語。〈―に記載する〉〈トランプの―を配る〉〈―で支払う〉✎井伏鱒二の

『珍品堂主人』に料亭で「お客の舌の好みの調査をやり」、「それを―に書きつけて、その客が次に来たら―をめくって見る」とある。「クリスマス―」のように、はがき大の挨拶状をさしたり、「注目の好―」のように、試合の組み合わせをさしたりする用法もある。⇩ふだ

かい【会】 一定の目的の下での人々の集まりをさし、会話でも文章でも使う日常の基本的な漢語。〈―を開く〉〈―を催す〉〈―がある〉〈―に出る〉✎小沼丹の『お墓の字』に「拙宅に谷崎、井伏両先生をお迎えして「お墓の字を書く―」をやることになった」とある。⇩会合・つどい

かい【回】 同じことが繰り返される場合の単位をさし、会話や軽い文章に使われる漢語。〈―を重ねる〉〈三―見た〉✎「遍」ほど会話的ではなく、「度」よりは会話的。⇩度《たび》・Q度《ど》・遍

がい【害】 物事の状態を悪化させるものをさし、会話にも文章にも使われる日常の漢語。〈―がある〉〈―になる〉〈―を及ぼす〉✎「益」と対立。⇩Q害悪・害毒

がいあく【害悪】 悪い影響の意で、やや改まった会話や文章に用いられる漢語。〈社会に―を流す〉✎「害毒」に比べると漠然とした感じがある。⇩害・Q害毒

かいいれる【買い入れる】 買って手に入れる意で、やや改まった会話や文章に用いられる和語。〈日用品を―〉〈当座の食料を―〉✎「買う」と違い、売買契約を交わしただけでなく品物が届いた感じが強い。⇩Q買う・購入

かいいん【海員】 船舶の船長以外の乗組員をさし、改まった会話や文章に用いられる専門的な漢語。〈―組合〉⇩クルー・水夫・セーラー・Q船員・乗組員・船乗り・マドロス

かいが【絵〔繪〕画〔畫〕】「絵」の意で、改まった会話や文章に用いられる正式な感じの硬い漢語。〈レンブラントの―〉〈―の制作にとりかかる〉〈―を鑑賞する〉✎重々しい語感から、本格的な作品を連想させるため、子供の絵や、大人でも素人がちょっと描いたようなものや簡単なカットなどは、この語とイメージが合わない。⇩Q絵・画・図・図画

かいがい【海外】 海を隔てた外国の意で、会話にも文章にも使われる漢語。〈―旅行〉〈―に渡る〉〈―に進出する〉✎島国である日本にとっては結果として「外国」と同じ。谷崎潤一郎の『細雪』に「―にまでその美を謳われていると云う名木の桜」とある。⇩異国・Q外国・外地・国外

かいがいしい【甲斐甲斐しい】 労を惜しまずせっせと働く姿を見て好もしく思う気持ちをさして、会話にも文章にも使われる古風な和語。〈新妻の―エプロン姿〉〈―・く立ち働く〉⇩Q健気・殊勝

かいかく【改革】 制度や組織を改める意で、会話にも文章にも使われる漢語。〈政治―〉〈構造―〉〈行政―を進める〉〈制度の抜本的な―に踏み込む〉✎「改変」と「変革」との間の規模で、「変革」より具体的。⇩改変・Q変革

かいかた【買い方】 物件や品物を買う立場にある人をさし、会話にも文章にも使われる、やや古風で専門的な感じの和語。〈―に回る〉✎「チケットの―」のような買う方法の意味では専門性が感じられない。⇩買い手・買い主・バイヤー

かいがん【海岸】 海と陸が接する地帯をさし、くだけた会話から硬い文章まで幅広く使われる日常の漢語。〈―線〉〈―

沿い〉〈リアス式―〉〈―に打ち寄せる高波〉〈―が一望できる〉✎川上弘美の『溺レる』に「寒い日に―なんか、歩きはじめてしまった」とある。⇩磯・うみべ・Q沿岸・海浜・かいへん・岸・岸辺・なぎさ・波打ち際・浜・浜辺・みぎわ・水際・水辺

がいかん【外観】外から見た感じをさし、会話にも文章にも使われる漢語。〈建物の―はりっぱだ〉〈―は人目を引くが中身は貧弱だ〉⇩Q外見・見かけ・見た目

かいき【開基】寺院を創建する意、また、その人物をさして、主に文章中に用いられる古風な漢語。〈唐招提寺の―〉✎基礎を開く意から。⇩開山・Q開祖・元祖・始祖・鼻祖

かいき【怪奇】姿が異様で怪しく見える意で、主に文章に用いられる、やや古風な漢語。〈複雑―〉〈―現象〉〈―小説〉〈―な面相〉⇩奇異・Q奇怪・奇っ怪・奇妙・奇妙奇天烈《きてれつ》・不可思議・不思議・変・摩訶《まか》不思議・妙

かいぎ【会議】数人以上の関係者が一室に集まって議題について意見交換し結論を出すための集まりをさし、会話にも文章にも使われる漢語。〈―中〉〈職員―〉〈国際―〉〈編集―〉〈―を開く〉〈―にかける〉〈―に諮る〉〈―で決める〉✎会議室を用い、議長や書記を置くなど、形式的に整っている傾向が強い。夏目漱石の『坊っちゃん』に「誰が見たって、不都合としか思われない事件に―をするのは暇潰しだ」とある。⇩打ち合わせ・Q協議・相談・談合・話し合い・ミーティング

かいきゅう【懐旧】昔を懐かしむ意で、文章中に用いられる古風な漢語。〈―の情にひたる〉〈―の念がきざす〉✎「懐古」ほど一般的でなく、それだけに趣味的な型にはまらず、しみじみとした情感が漂う。⇩思い出・Q回想・追憶・追懐・追想

かいきょ【快挙】胸の透くような素晴らしい行為の意で、改まった会話や文章に用いられる漢語。〈近来稀に見る―〉〈前人未到の―〉〈―を成し遂げる〉⇩義挙・Q壮挙・美挙

かいぎょう【開業】㋐「駅前に食堂を―する」「新しい路線が―する」のように、新たに営業を開始する意、㋑「―医」「―中」のように、営業をしている意で、会話にも文章にも使われる漢語。✎「開店」と違い、店を開いて品物を扱う場合に限らず、特に医者などによく使う語。⇩Q開店・創業・店開き

かいけい【会計】金銭・物品などの財産の出入りを計算し管理することをさし、会話にも文章にも使われる日常の漢語。〈―係〉〈―年度〉〈―を任される〉✎福原麟太郎の『チャールズ・ラム伝』に「東印度会社は重役会を開いて、―係チャールズ・ラム君の健康不良を認め、辞表を受理し」とある。「お―」「―を済ませる」のように、代金の支払いの意でも使う。⇩経理

がいけい【外形】外から見た形の意で、やや改まった会話や文章に用いられる漢語。〈―にこだわる〉〈―から判断する〉〈―に惑わされる〉⇩形・恰好・形式・形象・Q形状・形態・姿

かいけつ【解決】事件・争い・問題などが関係者の納得する形で処理がなされ終わりになる意で、会話にも文章にも広く使われる日常の漢語。〈―手段〉〈―を図る〉〈―に乗り出す〉〈問題が無事に―する〉⇩Q決着・落着

かいけん【会見】日時と場所を設定の上公式に人と会う意で、改まった会話や文章に用いられる正式な感じの漢語。〈記者―〉〈―を開く〉〈―に臨む〉⇩Q面会・面接・面談

かいけん【懐剣】 ふところにしのばせるための短い刀をさし、主として文章で使われる古風な漢語。〈―を胸元に忍ばせる〉✎いざという時のために懐に入れておく護身用の短刀。女性を連想させる。⇨匕首《あいくち》・こがたな・小刀・短剣・Q短刀・どす・ふところがたな・脇差

がいけん【外見】 外から見たときのようすの意で、やや改まった会話や文章に用いられる漢語。〈―はすばらしい〉〈―はおとなしい感じだ〉〈―に惑わされる〉〈―を気にする〉✎「―は立派だ」など、実際とは違うというニュアンスで使う例が多い。⇨Q見かけ・見た目・見場《ばみ》

かいこ【回顧】 過去の出来事を振り返る意で、主として文章に用いる硬い感じの漢語。〈―録〉〈―展〉〈往時を―する〉

かいこ【懐古】 昔を懐かしく思い返す意で、改まった会話や文章に用いられる、やや古風な漢語。〈―趣味〉〈―の情〉✎過去を振り返るところまでは「回顧」と同じだが、この語には昔を懐かしむ情緒的な雰囲気があふれている。⇨回顧・⇨懐古

かいこ【解雇】 使用者が雇用契約を一方的に破棄する意で、改まった会話や文章に用いられる漢語。〈―通告〉〈人員整理による大量―に踏み切る〉〈社員の―だけは回避したい〉〈不当―に断固反対する〉⇨解職・解任・首切り・Q罷免・免職

かいご【介護】 老人や病人などを介抱し看護する意で、会話にも文章にも使われる漢語。〈―保険〉〈―疲れ〉〈寝たきり老人の―〉✎「看病」や「看護」より体の不自由な老人を連想させやすい。⇨Q介抱・看護・看病・ケア

かいご【改悟】 悪かったと悟って改める意で、主として改まった文章に用いられる硬い漢語。〈非行を―する〉〈―の情が見て取れる〉✎過去の過ちを悟って反省している点で「悔悟」と差はないが、「悔悟」に比べ、過ちを改めるところに重点がある。⇨悔悟

かいご【悔悟】 過去を悪かったと悟って悔いる意で、主として改まった文章に用いられる硬い漢語。〈―の情しきり〉〈―の念がわく〉〈―の涙に暮れる〉✎過去の過ちを悟って反省している点で「改悟」と差はないが、「改悟」に比べ、過ちを悔いるところに重点がある。⇨改悟・悔恨・悔い・痛恨

かいごう【会合】 人々が集まって行う催しをさし、やや改まった会話や文章に使う漢語。〈―に出席する〉〈―を重ねる〉✎小沼丹の『大先輩』に「年に二、三度ある―で同席する」とある。「会」よりも出席が義務づけられている感じで、堅苦しい雰囲気を感じさせる。⇨会・つどい

がいこうじれい【外交辞令】 社交辞令の意で改まった会話や文章に用いられる、いくらか古風な漢語表現。〈―だからそのまま受け取るわけにいかない〉⇨お世辞・お追従《ついしょう》・おべっか・おべんちゃら・Q社交辞令

がいこく【外国】 よその国の意で、くだけた会話から硬い文章まで幅広く使われる日常の漢語。〈―資本〉〈―暮らし〉〈―の文化〉✎壺井栄の『二十四の瞳』に「ことばの通じない―へでもきたような心細さ」とある。「自国」と対立。⇨異国・Q海外・外地・国外

がいこくじん【外国人】 よその国の人の意で、会話にも文章にもよく使われる基本的な漢語。〈―留学生〉〈―旅行者〉〈―に日本語を教える〉〈―の在留資格〉✎やや会話的な

「外人」より正式な感じの語。「外人」に比べて特に欧米人を連想するという傾向は弱く、中国人や韓国人などの東洋人をも自然に意識する。⇩異人・異邦人・Q外人

かいこだん【回顧談】昔あったことを懐かしみながら語る話をさし、やや改まった会話や文章に用いられる漢語。〈往時の―に終始する〉⇩昔話①

かいこん【悔恨】自分の過ちや失敗を後悔し残念に思う意で、改まった会話や文章に用いられる漢語。〈―の日々〉〈―の念がきざす〉✎上林暁の『野』に「自分の半生を空しく荒廃させてしまったと思う―で胸を焼かれる思いがした」とある。⇩Q悔悟・悔い・痛恨

かいこん【開墾】山林や原野に鍬《わく》を入れて耕作できる土地に変える意で、会話にも文章にも使われる漢語。〈―地〉〈荒れ地を―する〉✎森鷗外の『妄想』に「学術の田地を―して」という比喩的用例が見られるが、「開拓」と違って農地のイメージがつきまとう。⇩開拓

かいさん【開山】物事の、なかでも特に仏教の宗派の創始者の意で、主に文章に用いられる古風な漢語。〈高野山真言宗の―〉✎山を開いて寺を建立するところから。⇩Q開基・開祖・元祖・始祖・鼻祖

かいさん【解散】議会や会合や団体行動が終了し、集まった人々が分かれ散る意で、会話にも文章にも使われる漢語。〈現地―〉〈駅前で―する〉〈委員会を―する〉〈衆議院を―して総選挙に打って出る〉✎「集合」と対立。⇩散会

かいし【海市】「蜃気楼」の意で、まれに文学的な文章などに用いられる古めかしい漢語。〈―現象〉✎こういう現象は海岸に起こりやすく、海に都市の姿が見えたところから。現実にありえないことを想像する意の比喩的用法もある。福永武彦に『海市』と題する長編恋愛小説がある。⇩空中楼閣・Q蜃気楼

かいし【開始】ものごとが始まったり、ものごとを始めたりすることをさし、改まった会話や文章に用いられる漢語。〈―時刻〉〈試合―の合図〉〈―のベルが鳴る〉〈―早々〉✎太宰治の『斜陽』に「戦闘、―。」とある。⇩スタート・Q始まる・始め・発足《ほっそく》

がいして【概して】細かい点は別にして大まかに見れば、といった意味合いで、会話にも文章にも使われる表現。〈今度の応募作品は―程度が低い〉⇩一般に・Q総じて

かいしゃ【会社】法律に基づいて設立される営利事業を目的とする社団法人をさし、くだけた会話から硬い文章まで幅広く使われる日常の漢語。〈株式―〉〈―更生法〉〈―に勤務する〉〈―を経営する〉✎福原麟太郎の『チャールズ・ラム伝』に「その限りにおいて彼は「わたしゃロンドン、花の都の―員」と歌っていてよかった」とある。⇩企業

がいしゃ 被害者を意味する隠語的な俗語。刑事や事件記者などがしばしば使う。〈―の身元を洗う〉✎漢字で書けば「害者」となるが、ほとんど漢字では書かず、「ガイシャ」と片仮名書きする例が多い。⇩被害者

かいしゃいん【会社員】会社に雇用されて業務に従事する人をさし、会話にも文章にも使われる漢語。〈―で年収は安定している〉〈父は―で連日残業がある〉〈職業欄に「―」と記入する〉✎公務員や教員よりはるかに多くを占めるため、

「サラリーマン」の代名詞のように意識されている。森田たまの『もめん随筆』に「―は(略)従順な犬のようにその事(転勤)に馴らされていた」とある。「公務員」などと同様、職業名としても使われ、ある企業に属する場合はむしろ「社員」を使う。⇩勤労者・サラリーマン・Q社員・従業員・職員・勤め人・ビジネスマン・労働者

かいじゅう【懐柔】 対立する相手を巧みに手懐《てなず》けて操る意で、改まった会話や文章に用いられる、やや古風で硬い漢語。〈―策をとる〉〈反対勢力を―する〉〈不平分子を―する〉✎相手を騙《だま》すという感じは比較的弱く、自分に逆らわない関係をある程度継続する印象が強い。⇩抱き込む・Q手懐ける・丸め込む・籠絡

かいしゅん【買春】 男が金銭で女の性を自分の意のままに扱うことをさす新しい用語。✎通常の音読みでは「売春」と同音になるため、口頭表現で区別する必要から湯桶読みにしたもの。俗語から次第に一般語化しつつあり、児童等に対する行為をさして法律でも用いられるに至った。⇩売春

かいしゅん【改悛】 心を入れ替える意で、主として硬い文章に用いられる漢語。〈―の情〉✎過去の過ちを反省している点で「悔悛」と差はないが、この語は「改める」ことに重点がある。⇩悔悛

かいしゅん【悔悛】 過去のことを悔い改める意で、主として硬い文章に用いられる漢語。〈―の情〉✎過去の過ちを反省している点で「改悛」と差はないが、この語は「悔いる」ことに重点がある。⇩改悛

かいしょう【甲斐性】 生活力という面で頼りになるといった意味合いで、会話などに用いられる古めかしいことば。〈―のない亭主〉✎夫が稼いで妻が家事をきりもりしてきた伝統的な生活形態では、髪結いの亭主などの一部の例外を除き、妻が夫に対して言う場合が多かったため、現在でも男性についての評価という傾向が残っている。

かいじょう【会場】 集会やイベントなどを催す場所をさし、会話にも文章にも使われる漢語。〈―係〉〈展示―〉〈―をおさえる〉✎夏目漱石の『坊っちゃん』に「時間が来たから、山嵐と一所に―へ行く」とある。⇩式場

かいしょく【解職】「免職」の意で主に文章に用いられる専門的な硬い漢語。〈―請求〉〈―処分とする〉⇩解雇・解任・首切り・罷免・Q免職

がいじん【外人】 よその国の人の意で、主に改まらない会話に多く使われる日常の漢語。〈―部隊〉〈―墓地〉〈―タレント〉〈―に英語で道を聞かれる〉〈―の多い町〉✎「邦人」と対立する語ながら、「外国人」のような正式な感じがなく、現在では会話的。「外国人」と違って、伝統的にすぐ欧米人を連想させる。一時期、この語には対象を軽く見ているというマイナスイメージが伴うとして問題になり「外国人」と言い換えるようにした影響から、今では特に若年層であまり使われなくなった。むしろ欧米人自身が「日本語ぺらぺらの変な―」などと発言する場面を見かける。⇩異人・異邦人・Q外国人

かいせい【改正】 法律などの条文を現状に合わせて適切に改める意で、会話にも文章にも使われる漢語。〈憲法―論議〉〈条約の―〉〈規約を―する〉〈主な―点〉⇩改定・改訂・Q是

正・訂正・批正・補正

かいせつ【解説】わかりにくい事柄や物事などをその背景や周辺などを含めて詳しく述べる意で、会話にも文章にも使われる漢語。〈―者〉〈ニュース―〉〈事件の背景を―する〉〈―を加える〉〈わかりやすく―する〉✎単なる事実の「説明」より踏み込んで述べるため、それだけ担当者の立場が影響したり意見が入り込んだりして主観的になりやすい。⇩説明

かいせつ【開設】施設や組織などを開く意で、会話にも文章にも使われる漢語。〈―記念〉〈保育所を―する〉〈相談窓口を―する〉✎「新設」に比べ、そのような業務を開始するという機能面に重点がある。⇩Q新設・設立・創設・創立

かいぜん【改善】状況・事態・条件・関係など主に抽象的な対象について、現在よりよくなるように改める意で、会話にも文章にも使われる漢語。〈待遇―〉〈関係の―を図る〉〈なお―の余地がある〉✎「体質―」などは比較的具体的な対象だが、それでも人間や物体そのものでなくその性質をさす。⇩改良

かいそ【開祖】宗教・学問・芸術の一派の創始者の意で、改まった会話や文章に用いられる漢語。〈真言宗の―空海〉⇩開基・Q開山・元祖・始祖・鼻祖

かいそう【回想】過去の出来事などを思い返す意で、改まった会話や文章に用いられる漢語。〈―録〉〈―場面〉〈―に耽《ふけ》る〉〈少年時代を―する〉✎コナン・ドイルに『シャーロック・ホウムズの回想』と訳された作品がある。⇩Q思い出・懐旧・追憶・追懐・追想

かいそう【改装】店舗などの客を扱う場所で装飾や設備などを使いやすく感じのよい状態に変更する意で、会話にも文章にも使われる漢語。〈―につき三日間休業〉〈店内を―する〉✎壁紙の張り替えやショーウインドーの改造などは施されても、「改築」と違って大がかりな大工工事は含まず、多くはインテリアの範囲にとどまる。「模様替え」と違い、住宅や事務所などには使わない。⇩改築・Q新装・模様替え

かいそう【海草】正式には海中の被子植物の総称。会話でも文章でも使われる日常の漢語。〈―が打ち上げられる〉✎横光利一の『春は馬車に乗って』に「前夜満潮に打ち上げられた―は冷たく彼の足にからまりついた」とある。俗に「海藻」をさす。⇩海藻

かいそう【海藻】海中に生える緑藻類・褐藻類・紅藻類の総称。主として文章に用いられるやや専門的な漢語。〈―を食す〉✎こんぶ・わかめ・ひじき・てんぐさなど。俗に「海草」とするが、近年「―サラダ」のような形で生活語の中に入りかけている。小川洋子の『妊娠カレンダー』に「病気は常に、海に浮かんだ―のように波打っている」という比喩表現が出る。⇩海草

かいたい【懐胎】身籠もる意で、主に文章に用いられる古めかしい漢語。〈―が待たれる〉⇩懐妊・受胎・Q妊娠・孕《はら》む・身籠もる

かいたい【解体】建築物のような大きな構造物や動物の体などをほどいて部分ごとにばらばらに分ける意で、会話にも文章にも使われる、いくぶん専門的な漢語。〈―作業〉〈家を―して新しく建て直す〉⇩分解

かいたく【開拓】 荒野を切り開いて人間が利用しやすい状態に変える意で、会話にも文章にも使われる漢語。〈―団〉〈―村〉〈山林を―する〉✎永井荷風の『濹東綺譚』に「大正―期の盛時」とある。「開墾」と違って農地とは限らない。また、三島由紀夫の『金閣寺』に「新らしい友を―しようとした」とあるように比喩的にも用い、「新しい店を―する」「新分野を―する」など派生的な用例も多い。⇩開墾

がいため【外為】「外国為替手形」という長い専門語形を短縮して頻用の便を図ったもの。幅広く使用され、一般化した略語。〈―法〉✎広く使われて一般化しているため、臨時の略語にありがちな軽薄な雰囲気をさほど感じさせない。ただし、ちぐはぐな重箱読みの違和感に、類似音の「外タレ」(外人タレント)の連想が重なって滑稽に響く場合もあるかもしれない。

かいだん【会談】 国や組織などの代表者による話し合いをさし、会話にも文章にも使われる正式な雰囲気の漢語。〈首脳―〉〈巨頭―〉〈―を申し込む〉〈―の場を設ける〉〈両国の―が決裂する〉✎「対談」より公式の感じが強い。⇩Q対談・対話

がいたん【慨嘆(歎)】 世の中の風潮や人の態度・行動を憂い嘆くことをさし、改まった会話や文章に用いられる硬い漢語。〈世の乱れを―する〉〈軽佻《けいちょう》浮薄の風潮は―に堪えない〉〈学力低下は―に堪えない〉〈礼儀正しさの欠如に―する〉✎夏目漱石の『三四郎』に「自分たちの科の不振のことをしきりに―するから、三四郎もいっしょに―しなくってはいけないんだそうだ」とある。個人的な「悲嘆」に比べ、社会や時代のような広い見地からの嘆きをさす傾向が強く、小沼丹の『更紗の絵』には「すべては戦争のせいだと頻りに―した」とある。「嘆く」に比べ、スケールの大きな対象に向かう傾向があり、そうでない場合は大仰な感じが伴う。⇩嘆ずる・嘆き・Q嘆く・悲嘆

がいち【外地】 外国の土地を意味し、会話にも文章にも使われる古風な漢語。〈―で生まれる〉〈―から引き揚げて来る〉✎朝鮮半島や台湾などの日本の旧支配地の連想が強い。「内地」と対立。⇩異国・海外・Q外国・国外

かいちく【改築】 建物の一部または全部を建て替える意で、会話にも文章にも使われる漢語。〈駅構内の―〉〈―して使い勝手をよくする〉✎新しく建てるという意識の強い「新築」に比べ、前の家を意識した表現。ただし、そっくり新しくする場合には「建て替え」とするほうが明確。⇩改装・新築・増築・Q建て替え

かいちょう【快調】 調子がきわめてよい意で、会話にも文章にも使われる漢語。〈最初から―に飛ばす〉〈―な滑り出しを見せる〉〈経営は―に推移する〉✎「好調」の幅のうちでも特に上のほうをさす感じがある。⇩Q好調・順調・絶好調

かいて【買い手】 物件や品物を買う人、買う側の人をさして、改まった会話や文章で使われる和語。〈―市場〉〈―がつく〉⇩買い方・Q買い主・バイヤー

かいてい【改定】 規則や数字などの変更に限定して使われ、改まった会話や文章に用いられるやや専門的な漢語。〈条文の―〉〈時刻表の―〉〈料金を―する〉⇩改正・改訂・是正・訂正・批正・補正

かいてい【改訂】誤りの訂正や内容の変更をさす、会話でも文章でも広く使われる漢語。〈―版〉〈辞書の―作業〉〈―を重ねる〉⇩改正・改定・是正・訂正・批正・補正

かいてん【開店】㋐「新規―」「―披露」「―大売出し」「―したばかりの店」のように、新たに店を開いて商売を始める意、㋑「新装―」のように、しばらく閉店したあとに再び開店する意、㋒「午前十時―」「連日―して二時間で売り切れる」のように、その日の営業を開始する意、㋓「―中」「―休業の状態」のように、店の開いている間の意で、会話にも文章にも使われる漢語。⇩開業・Q店開き

かいてん【回(廻)転】ある点を中心に回ったりなめらかに動いたりする意で、会話にも文章にも使われる漢語。〈―椅子〉〈―ドア〉〈―軸〉〈車輪が―する〉〈腰を―させる〉🖉「客の―のいい店」「頭の―が早い」のように、抽象的な意味の比喩的用法も多い。田山花袋の『蒲団』に「妬みと惜しみと悔恨《くやみ》との念が一緒になって旋風《つむじかぜ》のように頭脳《あたま》の中を―した」とある。⇩転がる・転回・Q回る・巡る

ガイド 登山や観光旅行などの案内をする意で、会話や硬くない文章に使われる外来語。〈―ブック〉〈観光―〉〈山の―を雇う〉⇩案内

かいとう【解答】試験などの問いに対する答えをさし、やや改まった会話や文章に用いられる、やや正式な感じの漢語。〈―欄〉〈―用紙〉〈模範―〉🖉「設問」「問題」と対立。⇩応答・Q回答・答え・返事・返答

かいとう【回答】質問や要求などに対する返答をさし、会話にも文章にも使われる漢語。〈正式―〉〈アンケートの―を集計する〉〈取引先からの―を待つ〉⇩応答・Q解答・答え・返事・返答

かいどう【街道】主要都市を結ぶ幹線道路をさし、「往還」ほど硬くも古くもないが、「通り」「大通り」や「往来」より歴史がありそうで古風な感じがする。〈―筋にあたる〉〈―沿いの町〉〈名だたる―が走っている〉🖉「奥州―」「木曾―」など、主要な道の名称として使われる。小沼丹の『地蔵さん』に「五日市―の道傍《みちばた》に、石の道標が立っていて」とある。⇩Q往還・往来・街路・通路・道路・通り・道

がいとう【該当】「あてはまる」意で、やや改まった会話や文章に用いられる漢語。〈―者〉〈―する項目に印をつける〉🖉類義の「当該」は連体用法のみ。⇩あてはまる

がいどく【害毒】非常に悪い影響をさし、やや改まった会話や文章に用いられる漢語。〈世の中に―を流す〉〈青少年に―を与える番組〉🖉「害悪」より具体的できつい感じがある。⇩害・Q害悪

かいな 相撲《すもう》の世界などで「腕」をさして用いることのある古めかしい和語。〈―力〉〈―を返す〉🖉古くは二の腕(上腕)だけの意にも。⇩腕①・二の腕

かいにゅう【介入】他の争いや事件などに割り込んで積極的にかかわる意で、やや改まった会話や文章に用いられる漢語。〈武力―〉〈政治に―する〉🖉「干渉」以上に直接接触するため相手側に大きな影響を及ぼす。⇩干渉

かいにん【懐妊】身籠もる意で、主に文章に用いられる古風な漢語。〈御―の噂が流れる〉⇩懐胎・受胎・Q妊娠・孕《はら》む・身籠もる

かいにん【解任】任務を解いてその役から降ろす意で、会話にも文章にも使われる漢語。〈大使を―する〉〈委員長を―する〉✎役を辞めるだけで通常はその組織から解雇されるわけではない。⇩解雇・解職・首切り・Q罷免・免職

かいぬし【買い主】物件や品物を買い取る側の人の意で、改まった会話や文章に用いられる、やや専門的な和語。〈費用は―の責任とする〉〈ようやく―が見つかる〉✎小沼丹の『懐中時計』に、懐中時計を安く譲ると言いながら現物を見せたがらない相手に、その時計の存在を疑って「―は品物を見てから買うものだろう」と詰め寄る例がある。⇩買い方・Q買い手・バイヤー

かいね【買値】品物を買うときの値段の意で、会話や軽い文章に使われる和語。〈品質のわりに―が安い〉✎仕入れ値の場合もある。⇩付け値・Q買価《かばい》

がいねん【概念】語の意味内容を、それによって指示される事物の集合(外延)、および、それらの個々の事物から抽象される共通の性質(内包)で規定した表象をさし、学術的な会話や文章に用いられる専門的で硬い漢語。〈上位―〉〈一般―〉〈抽象―〉〈―を規定する〉⇩観念・理念

かいばつ【海抜】海水面から測った高さの意で、「標高」よりも古くから一般に使用している漢語。〈―ゼロメートル〉⇩標高

かいはつとじょうこく【開発途上国】産業の近代化が遅れ、発展の途上にある国をさし、会話にも文章にも使われる漢語。〈―に対する援助〉⇩Q後進国・発展途上国

かいひん【海浜】「海辺」の意で主に文章中に用いられる、やや専門的でいくぶん古風な漢語。〈―公園〉〈―植物〉⇩磯・うみべ・沿岸・海岸・Qかいへん・岸・岸辺・なぎさ・波打ち際・浜・浜辺・みぎわ・水際・水辺

がいぶ【外部】組織などに無関係なところをさし、改まった会話や文章に使われる漢語。〈―に漏れる〉〈―の人〉✎「内部」と対立。⇩外

かいふく【回(恢)復】一度失ったものを取り戻す、病気や怪我が治るというふうに、本来のよい状態に戻る意で、会話にも文章にも使われる日常の基本的な漢語。〈健康を―する〉〈天気が―する〉〈人気が―に向かう〉〈景気が―の兆しを見せる〉〈―の途上にある〉〈失地を―する〉〈信用を―する〉✎網野菊の『風呂敷』に、別れた夫の再婚という打撃から立ち直り、「その―には肉体の―におけるごとく、一種のさわやかさと悦びがあることを、ミツは感じた」とある。「病気が―する」のように言うこともあり、このような病気に関しては「快復」と書く慣用も見られる。ちょっとした擦り傷にも使える「治る」に比べ、この語は治るまでに時間のかかるある程度重い病気や怪我について使う傾向が強い。⇩癒える・Q治癒・治る・平癒

がいぶん【外聞】世間での評判や世間体をさし、会話にも文章にも使われる漢語。〈近所に知れると―が悪い〉〈―を気にする〉〈恥も―もない〉✎「人聞き」と違い、「屋台で一杯やろうと思ったが、部下に見られると―が悪いので小料理屋に入る」のように直接見られた場合にも言いそうだ。「―をはばかる」のように、内部事情が外に漏れる場合に使われることもある。⇩Q世間体・体面・体裁・人聞き

かいへい【開閉】開けたり閉めたりする意で、改まった会話や文章に用いられる漢語。〈―装置〉〈門の―がスムーズに行かない〉〈ドアの―時にきしむような音を立てる〉〈遮断機の―〉⇩Q開け閉め・開けたて

かいへん【改変】改め変える意で、主に文章に用いられる硬い漢語。〈規則の―〉〈入試制度の―に着手する〉〈内容の―を試みる〉✍「改革」より小規模で具体的で、「変更」に近い意味合いで使う例もある。⇩改革・Q変革

かいへん【海辺】主に文章中に用いられる、やや古風で硬い感じの漢語。〈―の道を行く〉✍安岡章太郎に『海辺の光景』と題する小説がある。⇩磯・Qうみべ・沿岸・海岸・海浜・岸・岸辺・なぎさ・波打ち際・浜・浜辺・みぎわ・水際・水辺

かいほう【介抱】病人や負傷者などに付き添って世話をする意で、会話にも文章にも使われる漢語。〈親身になって―する〉〈怪我人を―する〉✍瀧井孝作の『積雪』に「病臥して―などそうあてにせず、覚悟のよい大往生」とある。「看護」「看病」よりも一時的な雰囲気があり、「酔っ払いの―に手を焼く」のように酔いつぶれた人などに対しても使う。⇩Q介護・看護・看病・ケア

かいほう【開放】広く一般に使用させる意で、会話でも文章でも使われる漢語。〈門戸―〉〈―的な雰囲気〉〈庭園を市民に―する〉⇩解放

かいほう【解放】拘束されている者を自由な身にすること、束縛を無くすることをさし、会話にも文章にも使われる漢語。〈―感〉〈奴隷―〉〈仕事から―される〉〈ようやく役職から―される〉✍小林多喜二の『党生活者』に「全プロレタリアートの―の仕事」とある。「拘束」と対立。⇩開放・解き放す・Q解き放つ

がいまい【外米】外国産の米をさし、会話でも文章でも使われる漢語。〈米不足で―に頼る〉✍日本が米不足に陥った年の学会で、韓国人から思いもかけない韓国産の米を頂戴した。今年の日本は外米ばかりで困っていると聞いて韓国の米を手土産に持参したのだという。内地米式に命名すればカラニシキとかコマヒカリとかとなる最高級の銘柄米なのだろう。日本で生まれ育ち、その後長く母国の韓国の大学の教壇に立っているこの教授にとって、「外米」ということばは戦後間もなくの「ガイマイ」（インディカ米）というマイナスイメージの響きをひきずったままで、韓国米はその中に含まれないらしい。「外米」でない外国産の米を前にしばし複雑な思いにひたった。人によって、あるいは世代によって、この語はそういうマイナスの語感を発散する。

かいめつ【潰（壊）滅】都市・部隊・組織などが完全に破壊されて滅びる意で、改まった会話や文章に用いられる硬い漢語。〈―に瀕《ひん》する〉〈組織が―する〉〈巨大地震で街はほとんど―状態になる〉⇩絶滅・Q全滅・撲滅

かいもの【買い物】商品を買う意で、くだけた会話から硬い文章まで幅広く使われる日常の和語。〈―上手〉〈―に出かける〉〈―が済む〉〈いい―をした〉✍小沼丹の『珈琲の木』は「家の者が近所の町に―に行くが用は無いかと訊くから」と始まる。「―を店に置き忘れる」のように、買った物をさす用法もある。⇩ショッピング

かいやく【解約】契約を解除する意で、やや改まった会話や

文章に用いられる正式な雰囲気の漢語。〈定期預金を―する〉〈急な転勤で賃貸マンションを―する〉⇩Qキャンセル・取り消し

がいゆう【外遊】視察や留学などの目的で短期間外国で過ごす意で、会話にも文章にも使われる漢語。〈ただいま―中〉〈―の途に上る〉⇩洋行

かいよう【潰瘍】皮膚や粘膜の組織がただれて崩れる病変をさして、会話や文章に使われる医学の専門漢語。〈胃―〉〈十二指腸に―が認められる〉⇩Q腫瘍・肉腫・ポリープ

かいよう【海洋】「海」の意で、主に文章中に用いられる硬い漢語。〈―国〉〈―気象台〉〈―性気候〉✎複合語の構成要素となる例が多く、単独ではあまり使わない。⇩海・Q大洋

かいりょう【改良】物の悪い点を改めてもっとよくする意で、会話にも文章にも使われる漢語。〈品種―〉〈―を加える〉〈―に―を重ねる〉✎「改善」に比べ、具体的な対象に使う傾向がある。⇩改善

がいろ【街路】市街の道路の意で、主として文章に用いられる古風な趣のある漢語。〈―樹〉〈―灯〉〈ロンドンの―をスケッチする〉〈―の交差する地点〉〈縦横に―が走る町〉✎「―樹」や「―灯」は会話でも使われる日常語であるが、単独では使用頻度が低く、文体的なレベルの高い語。⇩往還・往来・街道・通路・道路・Q通り・道

がいろじゅ【街路樹】市街の美観を増し日差しをやわらげ環境を保全するために道路沿いに植え連ねる木をさし、会話にも文章にも使われる漢語。〈―の銀杏《いちょう》が色づく〉〈排気ガスで―が枯れかかる〉✎島崎藤村『飯倉だより』に「―としてのマロニエ」とある。⇩木立・Q並木

かいわ【会話】複数の人が通常向かい合って話す言葉のやりとりをさし、会話にも文章にも使われる日常の漢語。〈日常―〉〈英―〉〈―を交わす〉〈―がはずむ〉〈家庭内の―〉〈小説の中の―の部分〉〈―が通じない〉〈―が途絶える〉✎大江健三郎の『われらの時代』に「おれたちの―は嚙みあいかたの良い歯車のようにじっくり進展してゆく」とある。人間が音声を通じて情報や意志・感情などを伝え合う言語行為で、日常生活での話し合いを連想しやすいが、広義には講演や挨拶などの一方的な伝達やある議題のもとでの討論などをも含む。石坂洋次郎の『若い人』に「笛を吹くような美しい―」とある。⇩Q対話・談話・発言・発話

かいわい【界隈】その場所を含むその附近一帯をさし、会話にも文章にも使われる古風な漢語。〈この―には適当な場所がない〉〈銀座―をぶらぶら歩く〉⇩近所・Q近辺・近隣・付近

かう【飼う】動物にえさを与えて育てる意で、くだけた会話から硬い文章まで幅広く使われる日常の和語。〈ペットを―〉〈犬を―〉✎島崎藤村の『千曲川のスケッチ』に「犬は番人に―・われて、種々な役に立つ」とある。「カナリヤを―」「金魚を―」など、「飼育」に比べ、純粋に楽しむ場合にも使われる。⇩飼育

かう【買う】金銭を払って品物などを自分の所有にする意で、くだけた会話から硬い文章まで幅広く使われる日常の基本的な和語。〈野菜を―〉〈駅前の店で―〉〈安く―〉✎小津安二郎の映画『足に触った幸運』に、「買い物も相当あったからね」と言う夫に向かって妻が「何をお―・いになったの?

芸者？」と問い詰めるせりふが出る。「芸者を―」という言い方はするが、「買い物」の中に「芸者」は入らないので笑いを誘う。「売る」と対立。⇩Q買い入れる・購入

かえす【返す】元に戻したり相手から受けたのと同じ行為で応じたりする意で、くだけた会話から硬い文章まで幅広く使われる日常の基本的な和語。〈金を―〉〈借りを―〉〈前の状態に―〉〈―言葉がない〉〈お言葉を―ようですが〉✎夏目漱石の『坊っちゃん』に「あした行って一銭五厘―・して仕舞えば借も貸もない。そうして置いて喧嘩してやろう」とある。⇩返還・Q返却・返済・返上

かえだま【替え玉】当人になりすまして相手を欺き代理を務める偽者の意で、会話や軽い文章に使われる、やや俗っぽい和語。〈―受験〉〈―を使う〉✎若年層はラーメンの追加のめんの方になじんでいる。⇩代理・Q身代わり・名代《みょうだい》

かえって【却(反)って】「むしろ」の意で、会話や軽い文章に使われる和語。〈あんまり誘われると―嫌になる〉〈大人より―子供のほうが度胸がある〉✎島崎藤村の『嵐』に「子供なぞはどうでもいいと考えた。―手足纏いだぐらいに考えた」とある。⇩むしろ

かえらぬひととなる【帰らぬ人となる】「死ぬ」意の和語による文学的で慣用的な間接表現。✎死を忌む気持ちから、それをストレートに表現せず、立ち去ってもう戻って来ない意にとらえ直して衝撃をやわらげる婉曲《えんきょく》表現。⇩敢え無くなる・上がる②・あの世に行く・息が切れる・息が絶える・息を引き取る・往く・いけなくなる・永眠・往生・お隠れになる・落ちる②・おめでたくなる・くたばる・死去・Q死ぬ・死亡・昇天・逝去・斃《おだ》れる・他界・長逝・露と消える・天に召される・亡くなる・儚《はかな》くなる・不帰の客となる・不幸がある・崩御・没する・仏になる・身罷《みまか》る・脈が上がる・空しくなる・藻屑となる・逝く・臨死・臨終

かえり【帰り】帰ること、また、その時の意で、会話にも文章にも使われる日常の和語。〈仕事の―〉〈―は下りになる〉〈―が遅い〉〈―に寄り道する〉✎「行き」と対立。⇩家路・帰り道・Q帰途・帰路・復路

かえりざき【返り咲き】体の故障や衰えなどによってタイトルや地位や立場を失った人が再び元に戻って活躍する意で、改まらない文章などに用いられる、やや美化した感じの和語。〈第一線にみごとな―を見せる〉〈チャンピオンとして―を果たす〉✎春咲きの花が秋になってまた咲き出す意から。⇩Qカムバック・再起・復帰

かえりみち【帰り道(路・途)】帰って来る間の道の意で、会話にも文章にもよく使われる日常の和語。〈―に寄る〉〈学校の―〉⇩家路・帰り・帰途・帰路・復路

かえりみる【省みる】反省の意で、改まった会話や文章に用いられる和語。〈わが身を―〉〈自らの不適切な言動を―〉⇩顧みる・反省

かえりみる【顧みる】振り返る意で、主として文章に用いられる和語。〈背後を―〉〈往時を―〉〈家庭を―・みない〉〈危険を―・みず〉✎川端康成の『横光利一』に「君の名に傍えて僕の名の呼ばれる習わしも、―・ればすでに二十五年を越えた」とある。⇩省みる・振り返る

かえる【返る】元の状態に戻る意で会話にも文章にも広く使われる日常の和語。〈我に―〉〈初心に―〉〈忘れ物が―〉

〈貸した金が―〉✎芥川龍之介の『秋』に「翌日彼等は又元の通り、仲の好い夫婦に―・っていた」とある。⇩帰る・戻る

かえる【帰る】 本来の場所に戻る意で、くだけた会話から硬い文章まで幅広く使われる日常生活の基本的な和語。〈家に―〉〈故郷に―〉〈在米邦人の子供が初めて日本に―〉〈客が―〉〈―・らぬ人となる〉✎夏目漱石の『坊っちゃん』に「行く事は行くがじき―。来年の夏休にはきっと―」とある。直前の場所や状態を基準に考える「戻る」とは違って、本来の場所を基準にし、そこへ戻ることを表す。夕食後いつまでもお茶の間のテレビにかじりついている子供に「早く自分の部屋に戻って宿題をやりなさい」と注意する場合、「帰って」とすると、自宅なのにそれ以外の部屋は本来の場所ではないと判断したことになり、子供にとって冷たい言い方になる。⇩戻る・返る

かえる【変える】 それまでの物や状態と違うようにする意で、くだけた会話から硬い文章まで幅広く使われる日常の基本的な和語。〈色を―〉〈髪型を―〉〈位置を―〉〈予定を―〉〈見方を―〉〈話題を―〉✎獅子文六の『胡椒息子』に「襟元から水を掛けられたように、サッと顔色を―・えた」とある。⇩改める・変化・Q変更

かお【顔】 顔立ちの意にも表情の意にも用い、抽象的な意味合いでも使う、最も基本的で一般的な日常的な和語。〈―がいい〉〈うれしそうな―〉〈―を出す〉〈―が利く〉✎岡本かの子の『鶴は病みき』に「端正な―が星明りのなかでデスマスクのように寂然と見える」とある。⇩面差し・顔立ち・顔ばせ・かんばせ・顔面・Qつら・目鼻立ち・容貌

かおいろ【顔色】 表情の意で、会話にも文章にも使われる日常の和語。〈とたんに―が変わる〉〈すぐ―に出る〉〈相手の―をうかがう〉✎内田百閒の『サラサーテの盤』に「中途半端な気持でいる様子で、片づかぬ―であった」とある。「表情」や「面持ち」と違い、「朝から―が悪い」「いかにも元気そうな―」のように、感情と無関係に健康状態が顔の表面にあらわれる場合にもよく使われる。⇩面持ち・顔つき・Q表情

かおく【家屋】 家の意で改まった会話や文章に用いられる硬い感じの漢語。〈―を売り払う〉〈地震で―が倒壊する〉✎吉本ばななの『哀しい予感』に「まるで夢の中で見る日本―のようにひっそりしている」とある。建物自体をさす感じが強く、家庭生活の連想は薄い。⇩Qいえ・うち・居宅・住居・住宅・人家・住まい・邸宅・屋敷

かおだち【顔立ち】 目鼻立ちなど顔のつくりをさし、会話にも文章にも使われる和語。〈整った―〉〈きりりとした―〉〈上品な―をしている〉✎表情をもさす「顔つき」と違い、もっぱら生まれつきの状態をさす。坂口安吾の『白痴』に「瓜実顔の古風の人形か能面のような美しい―」とあり、永井龍男の『青電車』に「鎮まり返った面長な―には、通信員の胸を打つものがあった」とある。「―は悪くない」のように、多く褒める場合に使う。⇩面差し・顔・顔つき・人相・Q目鼻立ち・容貌

かおつき【顔付き】 顔立ちや表情の意で、会話でも文章でも使われる日常の和語。〈不満そうな―〉〈とたんに―が変わった〉〈こわばった―になる〉✎「表情」のような意味合い

で使われることが多い。「利口そうな―をした子供」のように「顔立ち」に近い意味で使われる場合も、単なる目鼻立ちだけではなく、目つきなど感情や神経の働きを含めて言う感じが強い。島尾敏雄は『出発は遂に訪れず』で、死に対する心の準備をしたままいつまでも最後の目的を果たす命令の来ない特攻隊長の満たされぬ気持ちを、「発進と即時待機のあいだには無限の距離が横たわり、二つの―は少しも似ていない」というふうに擬人的に描いた。⇩面差し・Q面持ち・顔色・顔立ち・人相・表情・目鼻立ち・容貌

かおなじみ【顔馴染み】何回も会って互いに相手の顔をよく見知っている間柄をさし、会話にも文章にも使われる和語。〈近所の―〉〈―の客〉〈毎週通ってすっかり―になる〉✎単なる「顔見知り」以上によく知り合っており、挨拶はもちろん世間話などもしそうな雰囲気を感じさせる。⇩顔見知り

かおばせ【顔ばせ】「顔」を意味する古語に近い雅語。〈白き―〉✎転じて「かんばせ」ともいう。⇩Q顔・かんばせ・顔面・つら

かおみしり【顔見知り】何度か出会って相手の顔を覚えている関係をさし、会話にも文章にも使われる和語。〈買い物をして―になる〉〈思いがけない場所で―を見かける〉〈―の犯行〉✎「顔馴染《かおなじ》み」というほどではなく、名前もよく知らずことばを交わすのも挨拶程度という場合も含まれるという印象がある。⇩顔馴染み

かおり【香り】やや改まった感じの日常の和語。よい匂いをさす美称で、会話では「匂い」のほうがよく使われる。〈花の―が漂う〉〈いい―がする〉〈紅茶は―が命だ〉〈馥郁《ふくいく》たる―〉✎開高健の『パニック』に「ウォッカを氷片に浸したグラスにはしぶくようなレモンの新鮮な―が動いていた」とある。香水、山椒、お茶、コーヒー、檜の風呂など嗅覚的要素が大事な対象について、その好ましい匂い特に芳香に対して用いられる語。梅も花は「香り」でぴったりするが、梅干になると「酸っぱい匂い」と言うのがふつうで、「香り」はなじまない。⇩香・薫り・Q匂い・臭《にお》い

かおり【薫り】「香り」に近い意の雅やかな和語の文章語。〈爽やかな初夏の―〉〈浜風の―〉〈―高い作品〉✎淹れたお茶を飲むときの匂いは「香り」、煎茶や焙じ茶などの製造過程などで風に乗って漂ってくる匂いは「薫り」と書き分けることもある。⇩香・Q香り・匂い・臭《にお》い

がか【画架】画板やカンバスを立てかける台をさし、会話にも文章にも使われる、やや古風な漢語。〈街角で―を構える〉✎堀辰雄の『風立ちぬ』に「描きかけの絵を―に立てかけたまま、その白樺の木蔭に寝そべって果物を齧じっていた」とある。⇩イーゼル

がか【画（畫）家】絵画の制作を職業とする人をさし、会話にも文章にも広く使われる最も一般的な日常の漢語。〈―志望〉〈―のたまご〉〈印象派の―〉✎「日曜―」の場合は「日曜大工」と同じく素人をさす。⇩Q絵描き・絵師・画工・画伯

かかあ【嬶】くだけた会話で「妻」をさして親しみや軽蔑や謙遜などの気持ちをこめて使うことのある乱暴な俗語。〈―天下〉〈―のやつ、いつまでぐずぐずしてんだ〉✎小津安二郎監督の映画『東京物語』に沼田（東野英治郎）が息子のことを話題にし、「―の機嫌ばッかりとって、このわしを

邪魔にする」とぼやく場面がある。⇩家内・かみさん・細君・Q女房・ワイフ

がかい【瓦解】組織などの一部に破綻を来したことを契機に次々に崩れて全体が壊れてしまう意で、主として文章に用いられる古風な漢語。〈幕府の―〉〈体制が―する〉🖉夏目漱石の『坊っちゃん』に「もと由緒のあるものだったそうだが、―のときに零落して」とある。屋根瓦の一枚が欠けると次々に崩れてしまうことから。⇩崩壊

かかえこむ【抱え込む】負担になるものを引き受ける意で、会話やさほど硬くない文章に使われる和語。〈仕事をたくさん―〉〈厄介な問題を―〉⇩しょいこむ

かかえる【抱える】腕で囲うように支える意で、主に会話や改まらない文章に使われる和語。〈本を小脇に―〉〈両腕で―〉🖉「妻子を―身」「心配事を―・えて眠れない」のように抽象化された比喩的用法もあり、その場合はやや古風な感じになる事もある。⇩Qいだく・だく①

かかく【価格】物の価値を金額で表したものの意で、改まった会話や文章に用いられる、正式な感じの硬い漢語。〈原油―〉〈―の変動〉〈―を据え置く〉⇩価・Q価額・値《ね》・値段

かがく【化学】物質の性質・構造や反応などを研究する科学をさす漢語。〈―変化〉〈―調味料〉〈―の実験〉🖉木山捷平の『貧間さがし』に「爆風は、どのような―作用を起して、腰巻だけ肉体から分離し、屋根をつきぬけて、木の枝にひっかけたのか」とある。日常会話で、文脈上、同音の「科学」と紛らわしい場合に、俗に「バケガク」と発音して区別を明確にすることもある。⇩化け学

かがく【科学】論理的・客観的・体系的に研究する学問の意の漢語で、特に自然科学をさして幅広く用いられる。〈自然―の進歩〉〈―的な根拠〉〈―万能の時代〉🖉中谷宇吉郎の『立春の卵』に「数千年のあいだ、中国の古書に秘められていた偉大な真理が、今日突如脚光を浴びて、―の世界に躍り出た」とある。日常会話で、同音の「化学」と紛らわしい文脈では、「化学」のほうを「バケガク」と読んで区別する。

かがく【価額】物の価値を示す金額の意で、主に文章に用いられる硬い漢語。〈証券類の発行―〉⇩価・Q価格・値《ね》・値段

かかと【踵】足の裏の後ろの部分をさして、会話や文章に使われる日常の和語。〈―を上げる〉🖉幸田露伴の『風流仏』に「―に亀裂《ひび》きらせしさき程の下女」とある。足になぞらえて「―の高い靴」などともいう。⇩Qきびす

かがやかしい【輝かしい】光り輝いて見えるほどにすばらしい様子をさし、改まった会話や文章に用いられるプラス評価の和語。〈―経歴〉〈―業績〉🖉大岡昇平の『野火』に「―燈火」とあるように実際の明かりにも用いるが、尾崎士郎の『人生劇場』に「―未来への空想」とあるような讃美の気持ちをこめた抽象的な用法が多い。⇩華々しい

かがやく【輝く】まぶしいほど明るく光る意で、少し改まった会話や文章に用いられる和語。〈空に朝日が―〉〈真夏の海が―〉〈日を浴びて湖面が―〉〈シャンデリアが―〉〈目が―〉〈ダイヤモンドが―〉〈燦然《さんぜん》と―〉〈栄光に―〉🖉三浦哲郎の『驢馬』に「髪は、ガラスの粉を浴びてちかちかと―・いていた」とある。光の強弱に関係なく使える「光る」に対し、この語は強い光が持続するイメージがある。な

お、近年、単に目立って生き生きとして見える存在といった意味合いで、「今日は―・いて見えるよ」「あのころクラスで一番―・いていたあなた」などと軽い気持ちで誉め讃える用法がしばしば見られる。⇩きらめく・Q照る・光る・ひらめく

②

かかり【係】割り当てられた仕事の担当者をさし、会話にも文章にも使われる日常の和語。〈会計―〉〈―の者を呼ぶ〉〈―を仰せつかる〉⇩委員・Q幹事・役員

かかりあい【掛かり合い】好ましくないものと関係を持つ意で、会話や硬くない文章に使われる和語。〈できれば―になりたくない〉⇩Q関わり・係わり合い・関係①・関連・繋《つな》がり・連関

かかる【斯かる】「このような」の意で、主として文章に用いられる古めかしく硬い感じの和語。〈―事態に直面し〉〈―不始末をしでかすとは何たることだ〉⇩Qかような・こういう・このような・こんな

かかわり【関(係・拘)わり】関係・関連の意で、会話やさほど硬くない文章に使われる日常の和語。〈自分には―のないこと〉〈深い―がある〉〈密接な―を持つ〉✎谷崎潤一郎の『細雪』に「それが雪子の運命にも或る―を持つに至った」とある。⇩掛かり合い・係わり合い・Q関係①・関連・繋《つな》がり・連関

かかわりあい【係(関)わり合い】影響し合うような繋がりの意で、会話や硬くない文章に使われる和語。〈被害者と―のある人〉⇩掛かり合い・関わり・関係①・Q関連・繋《つな》がり・連関

かかわる【関(係・拘)わる】深いつながりを持つ、大きく影響するの意で、やや改まった会話や文章に用いられる表現。〈命に―〉〈生死に―〉〈今後に―大問題〉〈威信に―〉⇩Q関する・関与

かき【垣】家の周囲や庭などに設ける簡単な仕切りをさし、会話にも文章にも用いられるやや古風な和語。〈四方に―をめぐらす〉〈間の―を取っ払う〉✎口頭では「垣根」と言うことが多い。⇩生垣・Q垣根・囲い・柵・フェンス・塀

かき【夏季】夏の季節の意で、改まった会話や文章に用いられる正式な感じの漢語。〈―到来〉〈―施設〉〈―花火大会が近づく〉✎夏休みについては「夏季休暇」とも「夏期休暇」とも書く。⇩夏期

かき【夏期】夏の時期の意で、会話でも文章でも使われる漢語。〈―講習〉〈―学校〉⇩夏季

かぎ【鍵】錠の穴に差し入れて開閉する鉤《かぎ》状の金具の意で、くだけた会話から硬い文章まで幅広く使われる日常の和語。〈合い―を作る〉〈―を掛けて出かける〉〈―が掛かっていて開かない〉〈金庫の―を大事にしまいこむ〉✎池谷信三郎の『橋』に「まるで彼女は、―のかかった抽斗《ひきだし》のように黙りこんでいる」という比喩表現の例がある。「玄関の―を取り替える」のように、差し込む物のほうを意識しながら錠をも含めた広い意味で使うこともある。また、「そこに謎を解く―がある」「解決の―を握る」のように、手掛かりの意を表す比喩的用法もある。⇩キー・Q錠・錠前

がき【餓鬼】「子供」の意の俗語。ののしる場合によく使う。〈てめえがまだ―の時分に〉〈うるさい―だ〉✎めったに漢字では書かず、単語の切れめが目立つように片仮名表記する例が多い。⇩お子様・子・Q子供

かきいれる【書き入れる】枠の中などの指定された位置に書

いたり、すでに書いてあるページの空き間などに書き加えたりする意で、やや改まった会話や文章に用いられる和語。〈現住所を―〉〈記号で簡略に―〉⇩書き込む・書き付ける・書き留める・Q記入・控える②

かきおこす【書き起こす】一つの文章を書き始める意で、やや改まった会話や文章に用いられる和語。〈状況説明から―〉⇩書き出す

かきかえ【書き換え】「更新」の意で、会話や軽い文章に使われる日常の和語。〈運転免許証の―を済ませる〉✎「「知恵」は「智慧」の―」のように、文字を取り替える意にも使う。⇩更改・Q更新

かきことば【書き言葉】文章表現を行うときに用いる文字言語をさし、会話にも文章にも使われる専門的な和語。〈―特有の語彙〉〈研究発表に―の調子が交じり、耳で聞いてわかりにくい〉✎「話し言葉」と対立する。⇩文語・Q文章語

かきこむ【書き込む】所定の位置に書き入れたり、行間や欄外・余白などの狭い場所に書き加えたりする意で、会話にも文章にも使われる日常の和語。〈余白に感想を―〉〈行間に訳を―〉✎「当時の様子を詳しく―・んである」のように、細部まで詳細に書く意もある。また、近年、コンピューターで情報を記憶装置に入れる意にも用いる。⇩Q書き入れる・書き付ける・書き留める・記入・控える②

かきだす【書き出す】書き始める意で、くだけた会話から硬い文章まで幅広く使われる和語。〈時候の挨拶から―〉〈遅れた原稿をようやく―〉✎「いつも締め切り間近に―」のように、執筆作業に着手する意と、「小説は―までが大変だ」のように、作品の冒頭部分を書く意とがある。また、「要点を―」のように、抜き出して書く意にも、「店頭にでかでかと―」のように、書いて示す意にも用いる。⇩書き起こす

かきつけ【書付】書類に近い意味で、会話やさほど硬くない文章に使われる古風な和語。〈保険の―をしまい込む〉〈大事な―を失くす〉✎「ちょっとした―」のように、メモ程度の簡単に書き付けた紙をさすこともある。⇩書類

かきつける【書き付ける】記録として残すために書いておく意で、会話にも文章にも使われる和語。〈用件を―・けた紙を紛失する〉✎「―と書きやすくなる」のように、書き慣れる意にも用いる。⇩書き入れる・書き込む・Q書き留める・記入・控える②

かきて【書き手】文章・文字・絵などを書く側の人をさし、やや専門的な感じの和語。〈論文の―〉〈感想文の―〉〈書の―〉〈―の責任〉〈―の意図を汲む〉〈文章には―の性格が出る〉✎「作者」や「著者」や「筆者」のような正式な感じはなく、書類やメモの場合でも幅広く使う。「読み手」と対立。⇩送り手・作者・著者・発信者・筆者

かきとめる【書き留める】忘れないように書いておく意で、会話にも文章にも使われる日常の和語。〈要点をノートに―〉〈電話番号を手帳に―〉⇩書き入れる・書き込む・Q書き付ける・記入・控える②

かきね【垣根】土地の境を示す仕切りや囲いをさし、会話にも文章にも使われる和語。〈―越し〉〈―の曲がり角〉✎竹を編んだり植木を利用したりする和風のものをさす。⇩生垣・Q垣・囲い・柵・フェンス・塀

かきもち【欠き餅】餅を薄く切って焼き、醬油などで味をつけた米菓をさし、会話にも文章にも使われる和語。〈焼きたての—〉✎なまこ形にした餅を薄く切って陰干ししたものをさすこともある。もと鏡開きの後に陰干しした鏡餅を適当な大きさに欠いて食したところから。⇩あられ・Qおかき・せんべい

かぎょう【家業】家の職業の意で、やや改まった会話や文章に用いられる漢語。〈—の造り酒屋を継ぐ〉⇩稼業

かぎょう【稼業】生計を立てる職業の意で、会話にも文章にも使われる古風な漢語。〈浮き草—〉〈しがない—〉〈—に精を出す〉⇩家業

かぎる【限る】時間・空間・数量・程度などを区切る意で、くだけた会話から硬い文章まで幅広く使われる日常の基本的な和語。〈人数を—〉〈時間を—〉〈この手に—〉〈うちの子に—・って〉〈必ずしも有効とは—・らない〉✎夏目漱石の『坊っちゃん』に「議論のいい人が善人とはきまらない。遣り込められる方が悪人とは—・らない」とある。⇩限定

かく【書く】文字・文章や図・絵などを記す意で、くだけた会話から硬い文章まで幅広く使われる日常生活の基本的な和語。〈漢字で—〉〈名前を丁寧に—〉〈手紙を—〉〈小説を—〉✎小林秀雄の『川端康成』に「冷たい理智とか美しい抒情とかいう様な事を世人は好んで口にするが、「化かされた阿呆」である。川端康成は、小説など一つも—・いていない」とある。「書く」はすぐに文字を連想させるため、絵や図の場合は特に「描く」や「画く」と書き分けて区別することも多い。⇩えがく

かく【角】平面の場合は一点で接する二本の線分の開き、立体の場合は一辺で接する二つの平面の開きをさし、会話にも文章にも使われる専門的な漢語。〈隣り合う二つの—〉〈互いに向かい合う—〉〈三つの—の総和〉〈—ABCの大きさ〉⇩角度

がく【学】教養としての学問的知識をさし、会話にも文章にも使われる古風な漢語。〈—にいそしむ〉〈—を修める〉✎小沼丹の『エジプトの涙壺』に「—のあるササ氏が—の無い僕に告げた所に依ると、それは「エジプトの涙壺」と云うのであった」とある。⇩学芸・学術・Q学問

がくいん【学院】「学校」の意で、主に文章中に用いられる漢語。〈—長〉〈高等—〉✎私立学校、特にミッションスクールや各種学校などの名称に使われる例が多い。「学園」に比べ、授業に重点を置いたような少し硬い感じがある。小沼丹の『黒いハンカチ』に「A女—の正門から玄関までは、樹立をあしらった芝生の庭になっていた」とある。⇩Q学園・学窓・学校・学びの庭・学び舎《や》

かくえきていしゃ【各駅停車】各駅に停車する列車をさし、会話でも文章でも使われる漢語表現。〈急行は停まらないから次の—を待つ〉✎「各駅に停車する」の意だが、そういう電車をもさす。⇩緩行《かんこう》・Q鈍行・普通列車

がくえん【学園】「学校」の意で、主に文章中に用いられる漢語。〈—祭〉〈—生活〉〈—紛争〉✎「学院」に比べ、生活的な雰囲気があり感じがやわらかい。小学校・中学・高校と一貫教育を行う私立学校の名称に使われる例が多いがまれに公立校にもある。⇩Q学院・学窓・学校・学びの庭・学び舎《や》

がくげい【学芸】学問と芸術を中心とする文化をさし、主として文章中に用いられる硬い漢語。〈新聞の―欄〉〈博物館の―員〉✎「―会」の形では日常語。⇩学・Q学術・学問

かくげん【格言】人間の知恵、人生の真理や機微などを簡潔に言い表した短い表現をさし、やや改まった会話や文章に用いられる漢語。〈―にいわく〉〈スピーチに―を引く〉✎諺《ことわざ》のほか、「時は金なり」「芸術は長く人生は短い」のような古人の名言をも含む。⇩イディオム・慣用句・Q諺・成句

かくご【覚悟】あらかじめ困難な事態を想定し、それでも実行すると決心を固めることをさし、会話にも文章にも使われる漢語。〈いい―をしている〉〈―はできている〉〈それは―の上だ〉〈―を決める〉✎瀧井孝作の『積雪』に「病臥して介抱などそうあてにせず、―のよい大往生のようであった」とある。永井龍男の『朝霧』に「無駄足を―で早朝に行けば」とあるように大仰でない用法もある。⇩決意・決心・決断

かくじ【各自】一人ひとりの意で、やや改まった会話や文章に用いられる硬い漢語。〈―弁当を持参する〉〈―の意見に耳を傾ける〉⇩Qおのおの・それぞれ・めいめい

がくしき【学識】学問上の広く深い知識をさし、改まった会話や文章に用いられる、やや硬い漢語。〈―経験者〉〈豊かな―〉✎福原麟太郎の『女流学者の五つの型』に「―をその瀟洒たる洋装の下にかくした女史」とある。体系化された感じが強く、断片的・雑学的な知識を含まない。⇩蘊蓄《うんちく》・Q知識・博学・博識・物知り・有識

かくしつ【確執】互いに自分の主張をぶつけ合って譲らないために起こるこじれの意で、改まった会話や文章に用いられる硬い漢語。〈親と子の―〉〈嫁と姑の―〉〈夫婦間に―が絶えない〉⇩対立

かくじつ【確実】絶対間違いのない意で、いくぶん改まった会話や文章に用いられる漢語。〈当選―〉〈―な手段〉〈―に届ける〉〈期限までに―に仕上がる〉⇩確か

かくしどころ【隠し所】それとなく男女の「外部性器」をさす古風な和風の婉曲《えんきょく》表現。✎人前で隠すべき身体部位という意味合いから、それに最も該当する箇所として体外生殖器官を相手に推測させる方式の間接表現。女性でも乳房や尻やへそを最有力候補とするケースはほとんど考えられないし、また、単なる「隠し」であれば洋服の内ポケットをさすが、「所」のついたこの語は他と紛れることはない。⇩一物・Q陰部・陰門・下半身②・下腹部・局所・局部・玉門・金玉・睾丸《こうがん》・女陰・性器・生殖器・恥部

がくしゃ【学者】学問を身につけ研究に従事している人の意で、会話にも文章にも使われる漢語。〈一流の―〉〈―の卵〉〈専門の―の意見〉✎島崎藤村の『千曲川のスケッチ』に「山国では―を尊重する気風がある」とある。「研究者」に比べ、大学教授の連想が強い。⇩学徒・学究・Q研究者

かくしゃく【矍鑠】年齢のわりに元気に活動しているといった意味合いで比較的改まった会話から文章まで広く用いられる、やや古風な漢語。〈―とした老人〉〈老いてなお―としている〉✎井上靖の『闘牛』に「古武士のような―たる七十をこした老人」とある。肉体的に衰えて満足な活動がおぼつかなくなるはずの老人に対して、いくぶんの驚きや感

動をもって用いるのが一般的。したがって、まだ十分に活動のできるはずの中年程度の人に対して使うと、語感の点で違和感がある。「―たる花嫁」「―とした若人」といった極端な違反が笑いを誘うのはそのためである。

がくしゅう【学習】学校などで基礎的な知識や技術を系統的に習う意で、会話にも文章にも使われる漢語。〈―参考書〉〈―態度〉〈―に励む〉〈―に身が入らない〉✎「勉強」に比べ、高等学校以下の学校で教師から習うものが中心になるため、教えられるという印象が強い。⇩勉強

がくじゅつ【学術】専門的な学問とその知識をさし、改まった会話や文章に用いられる、やや専門的な漢語。〈―論文〉〈―用語〉〈―振興〉⇩学・学芸・Q学問

かくしん【核心】物事の最も重要な箇所をさし、いくぶん改まった会話や文章に用いられる漢語。〈問題の―〉〈―に迫る〉〈―に触れる〉〈―を突く〉〈―をとらえる〉✎「中核」に比べ、位置より重要度に焦点があり、物的というより現象的な存在を連想させやすい。⇩基底・Q中核・中心・本質

かくしん【確信】確かだと固く信じる意で、いくぶん改まった会話や文章に用いられる漢語。〈成功を―する〉〈自信が―に変わる〉〈―を抱く〉〈ますます―を強める〉〈期待から―に変わる〉✎大岡昇平の『野火』に「自ら殺すには当らない、と―して眠りに落ちた」とある。⇩自信・信じる・信ずる・信用・Q信頼

かくす【隠す】他人に見つからないようひそかに処置する意で、くだけた会話から硬い文章まで幅広く使われる日常の基本的な和語。〈顔を―〉〈身を―〉〈名を―〉〈動揺の色は―・せない〉✎夏目漱石の『坊っちゃん』に「何もそんなに―・さないでもよかろう、現に逢ってるんだ」とある。⇩秘める

がくせい【学生】大学・大学院や短期大学、高専、専門学校、各種学校などに通学する人をさす一般的な日常の漢語。〈―証明書〉〈―時代〉〈―の本分〉〈いつまでも―気分が抜けない〉✎川端康成の『伊豆の踊子』に「高等学校の―さんよ」とあるように、旧制高校は現在の大学レベルなので「学生」に含まれる。職業欄に「学生」と記載することもあり、「生徒」とは違って「社会人」に対する概念。⇩院生・生徒

かくせいざい【覚醒剤】中枢神経を興奮させて一時的に眠気や疲労感を抑える薬剤をさし、会話にも文章にも使われる漢語。〈―に手を出す〉〈―による幻覚症状〉✎常用することで精神に異状を来すため規制が厳しい。⇩Qしゃぶ・大麻・ドラッグ・麻薬・マリファナ・やく

がくぜん【愕然】意外な事実や結果に非常に驚く意で、会話にも文章にも使われる漢語。〈あまりのことに―とする〉〈すっかり変わり果てていて―とする〉✎多く好ましくない場合に使う。小林秀雄の『様々なる意匠』に「眼前の海の色を見た時、それが青くもない赤くもない事を感じて、―としてその青色の色鉛筆を投げ出したとしたら彼は天才だ」とある。⇩驚き・驚異・Q驚《きょう》愕《がく》・驚嘆

がくそう【学窓】「学校」の意で、主として文章に用いられる、やや古風で美化された感じの漢語。〈―を巣立つ〉〈―を同じくする〉✎学校の窓の意から。建物より学校生活に重点を置いた表現。「学びの庭」や「学び舎《や》」のような雅やかな

感じはないが、「学校」や「学園」より改まった詩的な雰囲気がある。⇩学院・学園・Q学校・学びの庭・学び舎

かくだい【拡(廓)大】形や規模を広げて大きくする意で、会話にも文章にも使われる漢語。〈—委員会〉〈—解釈〉〈規模を—する〉〈写真を—する〉〈紛争が—する〉✐「拡張」に比べ、広がり方が相似形で非連続でデジタルな印象がある。⇩拡張

かくだいきょう【拡大鏡】凸レンズを用いて物体を拡大して見る装置の総称で、やや改まった会話や文章に用いられる漢語。〈—を用いて細部の構造を調べる〉〈辞典の縮刷版に付録として—が付いている〉✐総称ではあるが、別に「虫眼鏡」などがあるため、比較的大きな器具や装置を連想させやすい。⇩天眼鏡・Q虫眼鏡・ルーペ

かくちょう【拡(廓)張】規模や範囲を広げる意で、会話にも文章にも使われる漢語。〈店を—する〉〈事業を—する〉〈販路を—する〉✐「拡大」と違って形には用いず、また、広がり方が連続的でアナログの印象がある。⇩拡大

かくてい【確定】間違いないこととして定まることをさし、改まった会話や文章に用いられるやや硬い漢語。〈—申告〉〈受賞が—する〉〈計画がようやく—する〉〈競馬で着順が—する〉✐「決定」が公式の感じがするのに対して、この語は事実上そうなるという前段階を含む。「決定」以上に確かで、このさき変更がない感じが強い。⇩決定・内定・Q本決まり

かくど【角度】角の大きさをさし、会話にも文章にも使われる漢語。〈—を測る〉〈いい—でフライが上がる〉〈難しい—からのシュート〉✐「いろいろな—から考察する」のように、観点の意で使う比喩的用法もある。⇩角

がくと【学徒】学問の研究に従事している人の意で、時に学生をさし、改まった会話や文章に用いられる古風な漢語。✐「—動員」「—出陣」のように戦時中には学生をさす用法もあった。⇩学者・Q学究・研究者

かくとく【獲得】努力や競争の結果手に入れる意で、やや改まった会話や文章に用いられる漢語。〈権利を—する〉〈高い評価を—する〉〈栄冠を—する〉〈有力選手を—する〉⇩取得

かくにん【確認】確かにその通りであると認める意で、いくらか改まった会話や文章に用いられる漢語。〈未—の情報〉〈事実—を求める〉〈身許の—を急ぐ〉〈被害状況の—を怠る〉〈当人の意思を—する〉〈—が取れる〉⇩確かめる

がくふ【楽譜】曲を一定の約束に従って記号で視覚的に表現したものをさし、会話にも文章にも最も一般的に使われる漢語。〈—が読める〉⇩音譜・Q譜・譜面

かくべつ【格別】普通でない意で、改まった会話や文章に用いられる漢語。〈—の寒さ〉〈—の配慮〉〈—の御贔屓〉✐「—のお情け」など、望ましい方向にずれている場合が目立つ。事実、志賀直哉は改造社版「現代日本文学全集」の『志賀直哉集』の序文に「夢殿の救世観音を見ていると、その作者というような事は全く浮んで来ない。それは作者というものからそれが完全に遊離した存在になっているからで、これは又—な事である」と述べている。⇩特別

がくもん【学問】専門に関する体系的な知識をさし、会話にも文章にも使われる日常の漢語。〈耳—〉〈—的価値〉〈—

に励む〉〈―を身につける〉〈―をひけらかす〉〈―で身を立てる〉✎高田保の『ブラリひょうたん』に「大雅堂のやつは―をしなかったから晩年の画は駄目になった、と鉄斎が批評したそうだ」とある。⇩学・学芸・Q学術

がくようひん【学用品】学校に行って勉強するのに必要な道具の総称として、会話にも文章にも使われる漢語。〈入学準備に―を買いそろえる〉✎小学校が真っ先に連想され、文房具のほかランドセルなどで、通常、教科書は含まない。⇩文具・Q文房具

がくらん【学らん】詰襟の学生服を意味する俗語。〈応援部の学生が―を着用する〉✎「らん」は洋服の意の江戸時代の隠語。⇩制服

かくりつ【確立】理論・制度・地位・基盤などが揺るぎないものとなる意で、会話にも文章にも使われる、やや硬い感じの漢語。〈制度の―〉〈方針を―する〉〈基礎が―する〉✎「樹立」と違って必ずしも新規で際立つものでなくてもよい。⇩樹立

かくりつ【確率】ある現象の起こる可能性の程度を意味し、会話にも文章にも使われる、やや専門的な漢語。〈雨の降る―〉〈―を計算する〉〈成功する―が高い〉〈競争が激しく合格の―は低い〉✎数字で示せる例が多く、主に「高い」「低い」で表す。⇩公算

かくれる【隠れる】物の内部や背後にあって外から見えない状態になっていたり意図的にそうしたりする意で、くだけた会話から硬い文章まで幅広く使われる日常の基本的な和語。〈押入れに―〉〈山の頂が雲に―〉〈帽子で顔が―〉〈物陰に―〉〈―・れて悪いことをする〉✎石川達三の『蒼氓』に「この女房はいつも夫の大きな背中の後に―・れているように、つつましくしおらしくて」とある。川端康成の『千羽鶴』には「明けの明星は雲に―・れた」とある。「―・れた逸材を発掘する」のように、世間に知られていない意にも使う。⇩くらます・ひそむ

かぐわしい【芳(香・馨)しい】上品で香り高い穏やかなにおいをさし、主として文章に用いられる、古風で美的な和語。〈―花の香り〉✎宮本輝の『道頓堀川』に「着物姿の女は、いま―匂いを放ちながら」とある。⇩かんばしい

かげ【陰(蔭)】物にさえぎられて光が当たらなかったり見えなかったりする所をさし、くだけた会話から硬い文章まで幅広く使われる日常の基本的な和語。〈山の―になった所〉〈家の―になって外から見えない〉〈木の―で休む〉〈柱の―に隠れる〉✎志賀直哉の『暗夜行路』に「麓の村は未だ山の―で、遠い所より却って暗く、沈んでいた」とある。⇩陰翳《いんえい》・Q影《かげ》

かげ【影】人や物が光をさえぎることでその後ろにできるそのものの黒い形や、光の反射で水面やガラスの面などに映る形をさし、くだけた会話から硬い文章まで幅広く使われる日常の基本的な和語。〈人―〉〈―ができる〉〈―を落とす〉〈水に映える富士の―〉✎三浦哲郎の『忍ぶ川』に「その顔は落ち窪んだ眼窩が黒々とした―をつくって、どくろに似ていた」とある。「光」と対立。⇩陰翳《いんえい》・Q陰《かげ》

がけ【崖】山や岸などが険しく切り立っている場所をさし、会話にも文章にも使われる和語。〈―っぷち〉〈―崩れ〉

〈―を背にして立つ〉⇩絶壁・Q断崖

かけい【家計】一つの家庭の収入と支出に関する状態をさし、会話にも文章にも使われる漢語。〈―簿〉〈―が苦しい〉〈―に響く〉〈―を圧迫する〉〈―を預かる〉⇩暮らし向き・Q生計

かげぐち【陰口】当人のいない場所で悪口を言う意で、会話にも文章にも使われる和語。〈―を利く〉〈―をたたく〉〈―は聞いて快いものではない〉夏目漱石の『坊っちゃん』に「―をきくのでさえ、公然と名前が云えない位な男」とある。⇩あっこう・Qわるくち

かけくらべ【駆けくらべ】「かけっこ」の意のいかにも古めかしい感じの和語。〈うさぎと亀の―〉⇩Q駆けっこ・徒競走

かけだし【駆(駈)け出し】その仕事に就いたばかりで慣れていない意として、会話にも文章にも使われる和語。〈―の新聞記者〉〈まだ―のころ〉もと、修行を終えて山から降りたばかりの山伏を「駈け出で」と称したところからという。⇩新米②

かけっこ【駆けっこ】「競走」の意で、主にくだけた会話で使われる日常の和語。〈子犬と―する〉〈次の角まで―しよう〉少し子供じみた雰囲気があり、「徒競走」と違って、遊びの気分が強い。⇩Q駆けくらべ・徒競走

かけはし【懸(掛・架)け橋】「橋渡し」するものの意で、会話にも文章にも使われる和語。〈友好の―〉〈伝統文化と西欧文化との―〉〈文体論は文学と言語学との―〉行為に重点のある「橋渡し」に対して、その橋渡しとなっているもの自体のほうに意味の重点がある。流れや崖などの上に渡す仮の橋の意からの比喩的拡大用法。特に「架け橋」という表記で詩的な感じの表現に使われる。⇩仲介・仲立ち・Q橋渡し

かけら【欠片】物の一部が取れたりこわれたりしてできた小さな断片をさし、会話や硬くない文章に使われる和語。〈氷の―〉〈―を拾い集める〉庄野潤三の『静物』に「ビスケットやクッキーの―をつまんでやる」とある。「破片」と違い、「良心の―もない」のように少量の意で抽象体に使う用法もある。⇩破片

かける【駆(駈)ける】足で走る意をさし、会話でも文章でも使われる、やや古風な感じの和語。〈子供たちが―・けて行く〉〈馬に乗って猛スピードで―・けて行く〉〈犬が尻尾を振りながら帰宅した主人めがけて―・けて来る〉今東光の『夜の客』に「田圃路を弾丸のように―・けて行く後姿」とある。主体や速度に規制のない「走る」と違ってそれだけで勢いを感じさせ、主体は人間や脚部の激しい動きが目立つ程度の大きさのある動物に限られ、鼠《みねず》や蟻《あり》や乗り物については用いない。猫も脚の動きがしなやかで着地もなめらかで音を立てないから、この語を使うとイメージに合わないという指摘もある。⇩走る

かこ【過去】過ぎ去った時をさし、会話にも文章にも使われる日常の漢語。〈―を振り返る〉〈―の出来事〉〈忌まわしい―を持つ〉〈―にさかのぼる〉〈―の記憶を取り戻す〉「昔」はもちろん「以前」に比べても、過ぎたばかりの時までを広く含む。大岡昇平の『俘虜記』に「われわれは―のことごとくを記憶するものではなく、脱落は多く偶然によるものであるが、この瞬間の空白を偶然と見なすには、場合

はあまりにも重大であり、私はあまりにもそれを忘れる理由を持ちすぎている」とある。「現在」「未来」と対立。⇩以前

かこい【囲い】 区切るために土地の周囲にめぐらす簡単な柵をさし、会話にも文章にも使われる和語。〈簡単な―をする〉〈―を取り払う〉✎「塀」のような永続性はない。⇩生垣・垣・垣根・Q柵・フェンス・塀

かこう【囲う】 守ったり隠したりする目的で周囲にめぐらす意で、会話にも文章にも使われる日常の和語。〈家を塀で―〉〈マッチの火を手で―〉〈事件現場をテントで―〉✎「女を―」の場合は世間の目を避ける意だが、今や古めかしい表現。⇩Q囲む・取り巻く

かごう【化合】 二つ以上の物質が化学反応を起こして異質な物質に変化する意で、学術的な会話や文章に用いられる専門的な漢語。〈―物〉〈酸素と水素が―する〉⇩結合・合成・混合・結びつき・Q融合

がこう【画〔畫〕工】 画家、特に絵描き職人をさして、今ではまれに文章中に用いられる古めかしい漢語。〈―の腕〉✎夏目漱石の『草枕』で語り手を兼ねる主人公は「動か静か。是がわれ等―の運命を支配する大問題である」と述べた。⇩絵描き・絵師・画家・画伯

がごう【雅号】 文学や日本画・書道・陶芸などで作品を発表する際に署名として用いる本名以外の雅《みやび》やかな号の意で、会話にも文章にも使われる、やや古風な漢語。〈―に凝る〉〈―で署名する〉⇩芸名・Q号・筆名・ペンネーム

かこちょう【過去帳】 死者の俗名・法名・死亡年月日などを記載しておく帳簿をさし、会話にも文章にも使われるやや古風な漢語。〈―に記入する〉〈―をめくっては見も知らぬ先祖たちに思いを馳《は》せる〉✎向田邦子の『ねずみ花火』に「何かのはずみに、ふっと記憶の―をめくって、ああ、あの時あんなこともあった(略)と、亡くなった人たちを思い出す」とある。⇩鬼籍・Q点鬼簿

かこつける【託ける】 動機・理由・原因などについて他のことを口実にする意で、会話やさほど硬くない文章に使われる和語。〈仕事に―・けて欠席する〉〈忙しさに―・けて断る〉⇩事寄せる

かこむ【囲む】 もののまわりにぐるりと連なる意の和語で、くだけた会話から硬い文章まで幅広く使われる。〈恩師を―つどい〉〈食卓を―〉〈丸で―〉〈三方を海に―・まれた土地〉✎単なる位置関係を示すだけで、「囲う」と違って、外部の力が届かないようにする意図はない。和田伝の『沃土』に「屏風のように寝床を―・んでいる人々をいちいちたしかめた」とある。「取り巻く」に比べて隙間が少なく、中の対象に向かって特に圧力がかかっていない感じがある。⇩取り巻く

かごん【過言】 実際以上におおげさに言う意で、改まった会話や文章に用いられる硬い漢語。〈―を慎む〉〈失政と言っても―ではない〉〈棋界随一と言っても―ではあるまい〉✎多く「…と言っても―ではない」の形で使う。⇩言い過ぎ

かさ【傘】 雨・雪や強い日差しを避けるために手に持って頭上にかざす柄のついた用具をさし、くだけた会話から硬い文章まで幅広く使われる日常の和語。〈―をさす〉〈―を広げ

る〉〈―を置き忘れる〉🖉「雨傘」と「日傘」との総称だが、多く雨傘を連想させる。永井龍男の『傘のありか』に「―のことに思いが及んだのは、ぼんやり風呂につかっていた時だった」とある。⇩Q雨傘・パラソル・日傘

かさい【火災】火事やその災害をさして、改まった会話や文章で用いる正式な感じの客観的漢語表現。〈―報知機〉〈―が発生する〉〈―による被害総額〉🖉「―保険」を「火事保険」としたときの違和感は、「火災」という本格的な漢語の正式性による。窓から遠くの空が赤く見えて「あっ、火事だ！」と叫ぶような場面で「―だ！」と言っても意味は通じるが、実際にそう叫ぶ日本人はいない。しかし、火事場見物の不心得な親子が翌朝の新聞に発見するのは、たいてい「火災」という見出しであり、「火事」という語で報じられるケースはめったにない。社会的な事件として報道する際には正式な感じの用語が適切だからである。その代わり、「昨夜は遠方で―がございましたね」といった挨拶はどこか気障《ざき》っぽく感じられる。いずれも両語の語感の違いによる。⇩火事

がさいれ【がさ入れ】「家宅捜索」の意の隠語。🖉「がさ」は「捜す」の語根を逆転させた語形。⇩家宅捜索

がさつ 言葉遣いや動作が荒っぽい意で、主として会話に使われる、いくぶん古風な感じの和語。〈―な物言い〉〈立ち居振る舞いが―だ〉🖉「荒い」系統の類義語が多く感情によって起こる状態をさすのに対し、この語は性格や育ちによって身に付いた粗雑な状態を連想させやすい。⇩荒々しい・荒い・荒っぽい・粗暴・粗野・野蛮・乱暴①

かさねる【重ねる】一つの上にもう一つを載せる、同じ事を繰り返し行うの意で、会話でも文章でも幅広く使われる日常生活の和語。〈皿を―〉〈新聞を十枚―〉〈国語辞典を二冊―・ねて机の上に置く〉〈手に手を―〉〈用心に用心を―〉〈地道に努力を―〉〈話し合いを―〉🖉永井荷風の『雨瀟瀟』に「浴衣一枚ではいられぬ肌寒さにわたしはうろたえて襦袢を―・ねたのみか」とある。「積む」に比べ、厚みが少なく形状が一定である場合に用いる傾向がある。⇩積む

かざはな【風花】風上から風に乗って運ばれる雪片や、晴天に降る細かな雪をさし、文学的な文章などでまれに使われ、詩的なイメージを誘う古風な和語。〈―が舞う〉🖉「かざばな」ともいうが、「かざはな」のほうが美しい響きを感じさせる。福永武彦にまさに『風花』と題する小説があり、主人公はこのことばに「詩的な昂奮」を感じる。「晴れた空から忘れられた夢のように白い雪片が舞い下りて来るのを見るたびに、彼は言いようのない陶酔を感じた」という。⇩雪

かざむき【風向き】風の吹いて来る方向をさし、くだけた会話から文章まで広く使われる日常的な和語。〈―が変わる〉〈―を見て舟を出す〉🖉漢語の「風向《ふうこう》」と違って、「妙な―になってきた」「こちらの―が悪くなる」といった比喩的な用法もある。⇩風向

かざり【飾り】見かけをよくするための工夫やそのためのものをさし、会話や硬くない文章に使われる日常の和語。〈―窓〉〈髪―〉〈―をつける〉〈―の多い文章〉🖉川端康成の『山の音』に「(ひまわりの)花弁は輪冠か縁―のようで」という比喩表現の例がある。本体に付け加えた部分といった

雰囲気が「装飾」以上に強く、それが中心的な部分以外にあたるため、「会長は単なる—に過ぎない」のように、実質的な機能を持たない存在をさす比喩的な用法もある。⇩装飾

かざりまど【飾り窓】 店の商品を飾って道行く人がガラス越しに眺められるようにした窓状の陳列ケースをさし、会話にも文章にも使われる古風な和語。〈百貨店の—を見るだけで楽しい気分になる〉⇩ショーウインドー

かざる【飾る】 美しく見えるようにしつらえる意で、会話にも文章にも使われる日常の和語。〈部屋に花を—〉〈雛《ひな》人形を—〉〈うわべを—〉🖊作家訪問で推敲《すいこう》について問うと井伏鱒二は「直すほうでしょう。文章を—・ろうという気持ちが非常にあるからな。しかも、それを—・ってないように見せようという気がある。丁度、女がお化粧をするようなもんだ」と内省を率直に語った。⇩装飾

かじ【火事】 建造物などが焼けてしまう意で、くだけた会話からさほど硬くない文章まで幅広く使われる、生活場面を思わせるやわらかい感じの日常的な和製漢語。〈—見舞い〉〈—が起こる〉〈—が消える〉〈—で焼け出される〉🖊太宰治の『思い出』に「横顔だけをそっちにむけてじっと—を眺めた。焔の赤い光を浴びた私の横顔は、きっときらきら美しく見えるだろう」とある。和語の「火」と「事」とを結び付けて音読みし、漢語の雰囲気を出した語形。「火災」ほど正式な感じの語ではないため、例えば「火災保険」を「火事」に置き換えるとちぐはぐな感じになり、商品名のような印象に変わる。ちなみに、川端康成の『雪国』の戦後書き足された火災場面で、ヒロインの駒子が「—、—よ!」と叫び、主人公の島村が「—だ。」と応じている。⇩火災

かじ【家事】 家庭生活に必要な炊事・洗濯・掃除・育児などの総称として、会話にも文章にも使われる日常の漢語。〈—労働〉〈—をきりもりする〉〈—一切を取り仕切る〉〈—に追われる〉🖊二葉亭四迷の『平凡』に「少し—も手伝うて貰わんと困る」とある。⇩家政

がし【餓死】 食物がなく飢えて死ぬ意で、やや改まった会話や文章に使われる漢語。〈山中で—する〉⇩飢え死に

かじかむ【悴(瘁)む】 寒さで手足が冷えて自由に動かなくなる意で、会話にも文章にも使われる和語。〈—・んだ手に息を吹きかける〉🖊指先など、「こごえる」より狭い範囲に使う傾向がある。小林多喜二の『蟹工船』に「蟹の鋏のように—・んだ手を時々はすかいに懐の中につっこんだり」とある。⇩こごえる

かしぐ【炊ぐ】 米などの穀物を炊く意で、主に文章に用いられる古めかしい和語。〈米を—〉⇩Q炊《た》く・煮る

かしげる【傾げる】 傾ける意の古風な表現。〈首を—〉🖊「傾《かし》ぐ」は「家が—」「船が大きく—」など、現代でもいくらか広がりを持つが、この語はもっぱら「首を—」の形で限定的に用いられる。⇩傾ける

かしこ【彼処(所)】「あそこ」の意で、主として文章中に用いられる古めかしい和語。〈ここ—〉〈どこも—も〉🖊慣用的な言いまわし以外は古風で雅やかな感じになる。⇩あすこ・Qあそこ

かしこい【賢い】 頭がよく働く意で、くだけた会話から硬い文章まで幅広く使われる日常の基本的な和語。〈—子供〉

〈―やり方〉〈―・く立ち回る〉✎自分の利益だけ考えて頭を働かせる場合は「悪―」「ずる―」となり、マイナスイメージを帯びる。⇩Q賢明・聡明・利口・利発

かししょくにん【菓子職人】和菓子・洋菓子を製造する専門の人をさし、会話にも文章にも使われる、いくぶん古風な漢語。〈―の修業〉✎伝統的な和菓子を連想させやすい。⇩パティシエ

かしだす【貸し出す】期限を切って物品を持ち出すことを認める意で、会話にも文章にも使われる和語。〈図書を―〉〈用具を―〉✎銀行などの金融機関の立場では金銭についても用いるが、個人的な貸し借りの場合には使わない。⇩Q貸す・貸与

かしつ【過失】怠慢や不注意による失敗の意で、会話にも文章にも使われるやや硬い感じの漢語。〈業務上―致死〉〈―を認める〉〈重大な―がある〉✎夏目漱石の『坊っちゃん』に「学校の職員や生徒に―のあるのは、みんな自分の寡徳の致すところ」とある。故意でないというところに重点がある。⇩Q過ち・誤り・誤謬《ごびゅう》・間違い

かじつ【過日】何日か前にの意で、主として改まった手紙などに用いられる漢語。〈―はご丁寧なお手紙を頂戴し、かえって恐縮しました〉〈―のお約束に従い〉✎「先日」より丁寧で、「先般」ほどの硬さや改まりは感じさせないレベルにある。⇩いちじ・この間・先頃・Q先日・せんだって・先般・一頃

かじつ【果実】種子植物の実、特に果物をさし、主として文章に用いられる硬い漢語。〈―酒〉〈―の収穫〉✎有吉佐和子の『水と宝石』に「紀州でとれる内紫という大きなネーブルのような―」とある。⇩Q果物・フルーツ・実・水菓子

かじや【鍛冶屋】金属を高熱で鍛えたり加工したりする職業をさす語。〈古くからある村の―〉✎昔懐かしい語感がある。ちなみに、庄野潤三の『鍛冶屋の馬』で、草深い田舎の面影が今なお残っている鉄工所をあえて「―さん」と呼んでいる。訪問時の作者自身の弁によれば、「牧歌的なものに対する興味、それから現代文明に対する抵抗の気持ち」から出た表現であったという。

かしゅ【歌手】歌うことを職業とする人をさし、会話にも文章にも使われる日常の漢語。〈流行―〉〈オペラ―〉〈演歌―〉✎芥川龍之介の『侏儒の言葉』に「俳優や―の幸福は彼等の作品ののこらぬことである」とある。「歌い手」より狭義。⇩歌い手

かしょ【箇所】取り上げる必要のある特定の部分・場所をさし、会話にも文章にも使われる漢語。〈問題の―〉〈間違えた―〉〈故障の―〉⇩場所・Q部分

がじょう【賀状】祝賀の気持ちを伝える書状の意で、改まった会話や文章に用いられる、やや古風で硬い漢語。〈―をしたためる〉〈毛筆の―が舞い込む〉✎多くは年賀状をさし、その場合ははがき形式の場合を含む。⇩Q年賀状・年始状

かしょくのてん【華燭の典】改まった文章で用いられる「婚礼」の古風な美称。〈―を催す〉✎芥川龍之介の『疑惑』に「とうとう所謂―を挙げる日も、目前に迫ったではございませんか」とある。豪華なイメージがあり、簡素な式には使いにくい雰囲気がある。⇩Q結婚式・婚礼・祝言

かしら「…かしらん」の省略形として成立した表現で、そう

であるかどうかわからない意の和風表現。〈あら、そう—〉〈あたしでいい—〉〈ほんとに嫌いなの—〉✎川端康成の『千羽鶴』に「今日は雷が鳴らない—って、空を見てることがありましたわ」とある。以前は男性もしばしば使ったが、現在では女性的なニュアンスを感じさせる。ただし、若い女性はあまり使わない。⇩かしらん

かしらん 「…か知らぬ」の転で、そうであるかはっきりしない意の和風表現。〈はたしてよかった—〉〈あのあと、どうなった—〉✎男女共有で、特に女性的なニュアンスはないが、かなり古風な感じがする。小沼丹の『地蔵さん』に「道に背を向けて何をしているの—、と見ると、爺さんの前にちっぽけな祠があって」とある。⇩かしら

かしわで【柏手】 神社に参拝する折に両方の手の平を強く打ち鳴らす意で、会話にも文章にも使われる古風な和語。✎「拍手」の「拍」を誤って「柏」と書いたところからともいう。⇩拍手

かしん【過信】 自分の能力などを実際以上に信じる心をさし、やや改まった会話や文章に用いられる漢語。〈自分の体力を—する〉〈—と言われても仕方がない〉⇩Q自信・自負

かじん【佳人】 「美人」の意で主に文章に用いられる古風な漢語。〈才子—〉〈—薄命〉⇩美女・Q美人・麗人

かす【貸す】 後に返すことを条件に一定期間他人の使用を認める意で、くだけた会話から硬い文章まで幅広く使われる日常生活の基本的な和語。〈金を—〉〈家を—〉〈力を—〉〈名前を—〉✎内田百閒の『特別阿房列車』に「借りられなければ困るし、—・さなければ腹が立つ」とある。「借りる」と対立。⇩Q貸し出す・貸与

かす【粕(糟)】 もろみから酒を搾ったあとに残るものをさし、会話にも文章にも使われる和語。〈—汁〉〈鮭の—漬け〉✎「滓《かす》」と同源ながら用字で区別。⇩酒かす

かず【数】 個数・回数・順番などを抽象化して数えるときの語で、くだけた会話から硬い漢語まで幅広く使われる日常の基本的な和語。〈—を数える〉〈大きな—〉〈集まった人の—〉〈—が足りない〉〈—に限りがある〉〈—に入れる〉✎上林暁の『野』に「的板に当るのがなかなかのことで、芝生に音もなく落ちる矢の—が多かった」とある。「—ある品の中から選ぶ」「—をこなす」のように、それだけで数の多いことを表す用法もある。⇩すう

ガス まれに屁《へ》の意で会話などに使われる外来語。✎屁が気体の一種であるところから意味を拡大して間接化を図った表現であるが、もってまわった感じがいやらしく、時にストレートな「屁」より品位を欠く印象もある。⇩おなら・Q屁・放屁《ひほう》

かすい【仮睡】 「仮眠」の意で主に文章中に用いられる古風な硬い漢語。〈車の中で—する〉⇩居眠りする・うたた寝・Q仮眠・仮寝

かすか【微(幽)か】 形や音や匂《にお》いや動きなどがほんのわずかに感じられる意で、会話にも文章にも使われる和語。〈—な香り〉〈—に聞こえる〉✎「—な望み」のように感覚ではない抽象化した用法もある。⇩Qほのか・ほんのり

かすみ【霞】 春の比較的薄い霧を意味する、やや文学的でやわらかい感じの日常の和語。〈春—〉〈—がかかる〉〈—が

たなびく〉会話などでは特に季節限定の意識なく用いられているが、歳時記では春の季語。村上春樹の『回転木馬のデッド・ヒート』に「(飢えの感覚は)まるで青い—のようだ。存在していることはわかるが——つかめない」とある。⇨朧《おぼろ》・霧・靄《もや》

かすみがせき【霞ヶ関】東京都千代田区の地名。〈—の言いなりになる〉外務省などの中央官庁が集中しているため、官僚組織の象徴というニュアンスを帯びる。⇨兜町・永田町

かすめる【掠める】触れるか触れないかというぎりぎりのところを通り過ぎる意で、会話にも文章にも使われる和語。〈ボールが顔を—〉〈燕《つばめ》が軒を—〉〈監視の目を—〉〈疑惑が頭を—〉「掠る」はわずかに接触するが、この語は実際には接触しないときに使う。小沼丹は『障子に映る影』を「障子に映る樹立の影を見ていると、古い記憶が思い掛けなく顔を出すことがある。それは障子に映って消える小鳥の影のように、心の窓を—・めて消えて行く」としっとりと結ぶ。⇨掠《かす》る

かする【科する】罰として負担させる意で、改まった会話や文章に用いられる硬い感じの語。〈罰金を—〉〈ペナルティーを—〉⇨課する

かする【課する】義務として割り当てる意で、主として改まった文章に用いられる正式な感じの語。〈税金を—〉〈宿題を—〉〈任務を—〉⇨科する

かする【掠(擦)る】物の表面にわずかに触れて通り過ぎる意で、会話にも文章にも使われる和語。〈矢が的を—〉〈ボールがバットを—〉〈銃弾が腕を—〉「擦る」の表記は「する」「こする」と区別しにくい。「かすめる」と違い、わずかながら接触する場合に使う。テストやクイズなどで正解ではないが部分的にそれに近い意にも使うが、その場合は俗語的。⇨かすめる

かすれる【掠(擦)れる】滑らかに行かずに所々途切れる意で、会話にも文章にも使われる和語。〈字が—・れて読みにくい〉〈応援し過ぎて声が—〉木山捷平の『河骨』に「その声は鼻風邪を引いたように—・れていた」とある。緊張のあまりそうなることもあり、一般に「しわがれる」より短い一時的な現象に使う傾向が見られる。⇨しゃがれる・しわがれる

かぜ【風】気圧の高いほうから低いほうへの空気の流れをさし、くだけた会話から硬い文章まで幅広く使われる日常の基本的な和語。〈—が吹く〉〈—がおさまる〉〈—がやむ〉〈—が強い〉〈—にあたる〉〈—を起こす〉田村俊子の『木乃伊の口紅』に「無数の死を築く墓地の方からは、人間の毛髪の一本一本を根元から吹きほじって行くような冷めたい—が吹いて来た」とある。⇨おろし

かぜ【風邪】ウイルスなどによる鼻やのどの炎症をさして、くだけた会話から硬い文章まで幅広く使われる日常生活の和語。〈鼻—〉〈—をひく〉〈—をこじらせる〉木山捷平の『河骨』に「—をひいたような声で答えた」とある。⇨感冒

かせい【加勢】力を貸して助ける意で、会話にも文章にも使われる古風な漢語。〈—を求める〉〈—に駆けつける〉〈負けている側に—する〉⇨応援・支援・声援・味方

かせい【家政】家事をこなし家庭を維持する技術をさし、改

まった会話や文章に用いられるやや正式な感じの漢語。〈—婦〉〈—を担う〉〈—を預かる〉✎「家政婦」は日常語。⇩家事

かせいふ【家政婦】「お手伝いさん」よりも、家事に関する処理能力をそなえた正式な職業名という感じが強い。〈—を雇う〉✎住み込みを連想しやすい「女中」と違い、通いという形態がふつう。⇩お手伝いさん・下女・女中・派出婦・メード・召し使い

かせぎ【稼ぎ】働いて得た収入の意で、主にくだけた会話に使われる、やや古風で俗っぽい和語。〈亭主の—が少ない〉〈いい—になる〉〈ろくな—にならない〉✎企業や法人でなく個人の場合に限って使う。⇩Q収入・所得

かせぐ【稼ぐ】働いて収入を得る意で、会話やさほど硬くない文章に使われる和語。〈生活費を—〉〈地道に—〉〈—に追いつく貧乏なし〉✎利益だけを問題にする「儲《もう》ける」と違い、働くことが前提となる。⇩儲ける

かせん【下線】「アンダーライン」の意で、主に文章に用いられる漢語。〈要点に—を引く〉〈—をほどこす〉⇩Qアンダーライン・傍線

かぞえる【数える】数量や順番などを調べる意で、くだけた会話から硬い文章まで幅広く使われる日常の基本的な和語。〈人数を—〉〈金額を—〉〈—ほどしかない〉✎大岡昇平の『花影』に「赤味がかった髪を—ように、ブラシですき上げて」とある。⇩勘定・Q計算・算出

かぞく【家族】夫婦とその子を中心として同じ家に住む一族をさし、くだけた会話から文章まで幅広く使われる基本的な漢語。〈—制度〉〈—愛〉〈—連れ〉〈—に相談する〉〈—同様のつきあい〉〈—を養う〉〈—と暮らす〉〈—の一員〉✎俵万智の『サラダ記念日』に「ぎんなんの実を炒りながら—というやさしい宇宙思うておりぬ」という短歌がある。「家庭」が家人の全体というかたまりをさすのに対し、この語は個人をさすこともある。⇩家庭・身内

ガソリンスタンド 自動車などの給油所を意味する和製英語。〈近くの—で給油する〉✎略して単に「スタンド」と言うことも多い。「ガスステーション」という英語はまだ外来語の域に達しておらず、使うと気障《ざ》な感じを与える。

かた【型】一定の様式・パターンの意で、会話でも文章でも使われる日常の和語。〈—どおり〉〈古い—を守る〉〈—にはまる〉〈—が崩れる〉〈—を破る〉〈基本の—をマスターする〉〈新しい—の通信手段〉✎堀田善衛の『広場の孤独』に「物思いは—で鋳《い》たように、定ってどこかで屈折して伸びなくなる」という比喩表現が出る。⇩形《かた》・形《かたち》・形象

かた【形】物のかたちの意で、会話でも文章でも使われる和語。〈山—の印〉〈卵—の顔〉〈染め物の—〉⇩型・形《かたち》・形象

がた【方】複数の人を敬意を持って表し、会話にも文章にも使われる和風の接辞。〈お偉—〉〈あなた—〉〈先生—〉⇩たち・ども・ら

かたい【固い】緩みがない、柔軟性に欠ける、攻撃にも崩されないといった意味合いで、くだけた会話から硬い文章まで幅広く使われる日常の基本的な漢語。〈蕾《つぼみ》が—〉〈—団結〉〈—・く門を閉ざす〉〈—・く練る〉〈—・く信じる〉〈頭が—〉〈—話題〉✎井上靖の『あすなろ物語』に「冷たくて

—・く緊った筋肉の感触」とある。広い意味で使い、「堅い」「硬い」の大抵の用法をまかなえる。「柔らかい」と対立。⇩Q堅い・硬い

かたい【硬い】材質などがしっかりしていて力を加えても形が変わりにくい意で、くだけた会話から硬い文章まで幅広く使われる日常の基本的な和語。〈—石〉〈—金属〉〈表情が—〉〈—感じの表現〉✒井上靖の『楼蘭』に「粘土はまるで煉瓦のように—・く、粘板岩になりかけていた」とある。「表情が—」「表現が—」のように、やわらかな感じに乏しい意の比喩的用法もある。「軟らかい」と対立。⇩固い・Q堅い

かたい【堅い】中身が詰まっていて崩れにくい、働きかけに対して動じない、手堅い、緊張のあまり行動のなめらかさを失うといった意味合いで、くだけた会話から硬い文章まで幅広く使われる日常の基本的な和語。〈—炭〉〈—守り〉〈志が—〉〈—商売〉〈合格は—〉〈—約束〉〈人前で—・くなる〉✒阿刀田高の『ミッドナイト物語』に「乳房はとても綺麗だ。(略)掌に少しあまるくらいの大きさ。シコシコと—・く張りつめている」とある。「柔らかい」と対立。⇩固い・Q硬い

かだい【課題】課せられた問題の意で、やや改まった会話や文章に用いられる漢語。〈—曲〉〈夏休みの—を与える〉〈今後の—〉〈難しい—に直面する〉〈長年の—を解決する〉⇩宿題・Q問題

かたいじ【片意地】頑固に意地を張り通す意で、会話にも文章にも使われる、やや古風な感じの語。〈—を張る〉〈—を通す〉⇩意地っ張り・Q依怙地《じこ》・頑な・頑固・強情・強情っ張り

かたいっぽう【片一方】「片方」を少し強めた語で、会話や軽い文章に使われる表現。〈靴下が—だけ見つかる〉〈—の脚をひきずりながら歩く〉〈—の耳がよく聞こえない〉〈—の親〉✒「かたっぽ」とも言う。⇩一方・Q片方・他方

かたいなか【片田舎】都会から遠く離れた辺鄙《ぴへん》な土地をさし、会話やさほど硬くない文章に使われる、いくぶん古風な和語。〈—に住む〉✒島崎藤村の『夜明け前』に「馬籠のような狭い—では」とある。「田舎」のうちでも特に交通の不便な場所を思わせる。自分の住む土地を謙遜して言うこともある。⇩Q田舎・近郷・近在・在・在郷・在所

かたきやく【敵役】映画や演劇で正義の味方である主役と対立する憎まれ役をさし、会話にも文章にも使われるやや古風な表現。〈人気絶頂の俳優と対決する—を演ずる〉〈いかにも憎々しげな—〉✒単なる悪人というより主役のライバル的な一つの役柄をさすことが多い。⇩悪役

かたくそうさく【家宅捜索】警察官や検事などが職権によって被疑者などの家屋内に入り証拠物件などを捜す行為をさす漢語で、警察関係を連想させる語。〈—の令状〉⇩がさ入れ

かたぐち【肩口】肩の腕に近い部分をさして、会話にも文章にも使われる和語。〈—をつかむ〉〈—に布を当てる〉✒川崎長太郎の『鳳仙花』に「骨っぽい、怒り気味の—」とある。⇩肩先

かたくな【頑な】意地を張って自分のやり方を通し、他の言うことに従わない意で、改まった会話や文章に用いられる硬い感じの和語。〈—な態度〉〈—に口を閉ざす〉〈—に拒

む〉✎心の柔軟性を失った状態。三木卓の『隣家』に、意地悪をされて腹を立てていた老女が、それが相手の親が亡くなる直前だったのを知り、「あまり—になって不幸な人に対するのは止めよう」と考える場面が出てくる。⇩意地っ張り・依怙地《えこじ》・片意地・Q頑固・強情・強情っ張り

かたさき【肩先】 肩口をさして、会話にも文章にも使われる和語。〈—が触れる〉✎横光利一の『上海』に「尖角《とが》った—で女達を跳ねのけ跳ねのけ進んで」とある。「肩口」より狭い先の部分を意識させやすい。⇩肩口

かたしき【型式】 自動車などのモデルをさす俗語。〈くるまは—が古いと安い〉✎ふつう「けいしき」と読むが、会話で「形式」と区別するために業者のよく用いる読み。⇩形式

かたじけない【忝い】 身に余る好意や恩恵に浴し感謝に堪えない意で、改まった会話や文章に用いられる古風な和語。〈お志のほどまことに—・く存じます〉✎「これは—」のようにくだけた会話で言うこともあるが、かなり古い感じがする。⇩Q有り難い・痛み入る・恐れ入る・恐縮

かたすかし【肩透かし】 相手の勢いをそらして攻撃の威力をそぐ意で、相撲《すもう》用語の拡大用法。〈話をまともに聞いていたら—を食わされた〉〈気負って交渉に入ったが、—を食った格好だ〉✎相撲で、前に出て来る相手の力をまともに受けず、とっさに体を開いて相手の肩先を押さえ、その力の方向をそらす技。そこから転じて一般に、勢い込んでくる相手にまともに応戦せず、その圧力を巧みにそらして気勢をそぐ意に用いる。比喩性が残存し、相撲のイメージが一瞬頭をかすめる。⇩空振り・Qかわす・そらす

かたすみ【片隅】 「一隅」に近い意味で会話にも文章にも使われる和語。〈部屋の—にうずくまる〉〈街の—に小さな店を出す〉✎「都会の—でひっそりと暮らす」のように、単に端のほうに位置するというだけでなく、目立たない場所でひそやかにという雰囲気が感じられる。「心の—に刻まれる」のような抽象化した用法もあり、小沼丹の『汽船』には「記憶の—に細ぼそと名残を留めているに過ぎない」という例がある。⇩Q一隅・一角

かたち【形】 線・面・立体として視覚や触覚でとらえられる物の姿をさし、くだけた会話から硬い文章まで幅広く使われる日常の基本的な和語。〈髪の—〉〈—は悪いが味はいい〉〈すっきりとした—にまとまる〉〈—を整える〉〈—にこだわる〉✎内田百閒の『かしわ鍋』に「黄いろい色の細長い、手の指の様な—のお菓子」とある。芥川龍之介の『鼻』には「禅智内供の鼻(略)—は元も先も同じように太い」とある。「—ばかりの挨拶」「いちおう仲直りした—にしておく」のように、表面的で実質の伴わない意味合いでも使う。⇩外形・Qかっこう・形式・形象・形状・形態・Q姿・スタイル・様式

かたづかない【片付(附)かない】 気持ちがすっきりと整理できない状態をさし、会話や軽い文章に使われる、いくぶん古風で若干俗っぽい和語表現。〈—表情〉〈なぜこんなにうまくいったかわからず、どこか—気分だ〉✎小沼丹の『藁屋根』に「気持は何となくちぐはぐになって—」とある。⇩Q落ち着かない・そぞろ・そわそわ

かたづける【片付(附)ける】 散らかっているものを他の場所に移して場所を空ける、途中になっているものを終わらせ

る意で、くだけた会話から硬い文章まで幅広く使われる日常生活の基本的な和語。〈部屋を―〉〈食卓の上を―〉〈散らかった道具類を―〉〈仕事を―〉〈問題を―〉安岡章太郎の『海辺の光景』に「チガイ棚の上にきちんと屯営の整理棚を見るような奇妙な丹念さで―・けている」とある。「しまう」と違って場所に焦点があり、その場を次に使いやすくするために、今そこをふさいでいる物を別の場所に移すのが目的であって、洗ったり収納したりする段階は特に表現せず常識にゆだねる表現。⇩仕舞う

かたておち【片手落ち】 処置や配慮に関し「不公平」「不平等」の意で、会話や改まらない文章などに使う日常の和語。〈―の裁定〉「ほかに手がない」の「手」と同様、この「手」もすでに抽象化した用法であり、「えこひいき」といった意味しかないにもかかわらず、「片手」が「落ちた」状態を連想して不快な気分になり、差別の響きを感じるケースもあるとされる。⇩手落ち

かたな【刀】 諸刃《もろは》の剣に対して片刃の太刀《たち》をさし、会話にも文章にも広く使われる和語。〈腰に―を差す〉〈返す―で斬る〉〈相手を―にかける〉「な」は「刃」の古語で、片方の刃という意味の語形といわれるが、刀剣類の代表として使うこともある。日本刀の連想が強く、「剣」に比べ、西洋風の刀剣を連想しにくい。⇩Q剣・つるぎ・刀剣

かたぶつ【堅物】 まじめ一方で融通の利かない人物をさし、会話にも文章にも使われるやや古風な表現。〈無類の―〉〈世間でも―で通る〉三島由紀夫の『金閣寺』に「花婿が―だったから、どうやら旨く行ったらしい」とある。中年以上の男性を連想させやすい。⇩真面目

かたほう【片方】 二つで組になったもののどちらかをさし、会話にも文章にも使われる日常語。〈―の足〉〈手袋の―をなくす〉〈―の言い分だけ聞くのは不公平だ〉〈―の目の視力が落ちる〉小沼丹の『小さな手袋』に「小さな赤い毛糸の手袋の―」とある。「かたっぽう」「かたっぽ」となると順に俗っぽさが増す。「痛烈に批判する一方、優しい声を掛けることもある」のように、正反対のことが両立する場合の「一方」はこの語に換言できない。⇩一方・Q片一方・他方

かたまり【塊】 固まった状態にある一つの全体をさし、会話でも文章でも使われる日常の和語。〈肉の―〉〈土の―〉梶井基次郎の『檸檬』は「えたいの知れない不吉な―が私の心を始終圧えつけていた」と始まる。「固まる」という動詞の連想が弱いだけに、「固まり」に比べ、全体で一つの存在という印象がある。「欲の―」「嘘の―」「闘志の―」のような抽象的な用法にもなじむ。⇩固まり

かたまり【固まり】 集まって一つのまとまりをなすものをさし、会話でも文章でも使われる日常の和語。〈塩の―〉〈脂肪の―〉〈よく溶けずに―になる〉〈観光客の―〉〈民家の―〉「固まる」という動詞から転成した名詞だけに、「塊」に比べ、構成要素が本来独立している印象が強い。⇩塊

かたむき【傾き】 ①物体の傾く程度の意で、会話やさほど硬くない文章に使われる和語。〈―を調整する〉〈地崩れで建物の―がひどい〉「片向き」の意から。⇩Q傾斜・勾配《こうばい》 ②「傾向」の意で、会話や硬くない文章に使われる軟らかい感じの和語。〈そのような―が認められる〉〈えてして遅れ

る—がある〉✎永井荷風の『濹東綺譚』に「今日までの経験で、事実を云うと、いよいよ怪しまれる—があるので」とある。⇩傾向

かたむける【傾ける】真っ直ぐなものを斜めにする意で、会話にも文章にも使われる日常の和語。〈耳を—〉〈杯を—〉✎「全力を—」「蘊蓄《うんちく》を—」など、傾注するという抽象的な意味に拡大した用法もある。なお、「身代を—」のように衰えさせる意に用いる場合は古い感じに響く。⇩傾《かし》げる

かたよる【偏る】不均衡・不公平の意で、会話でも文章でも広く使われる日常の和語。〈栄養が—〉〈教育が—〉〈—・った見方〉〈購買層が—〉⇩片寄る

かたよる【片寄る】物理的なアンバランスの意に限り、会話でも文章でも使われる和語。〈一方に—〉〈中身が右に—〉✎語源的にはこの表記が忠実だが、抽象化した意味合いでは「偏る」のほうが一般的。⇩偏る

かたりぐさ【語り草(種)】のちのちまで人々の話のたねになる物事をさし、改まった会話や文章に使われる古風な和語表現。〈今も—になっている〉✎珍しい話としていつまでも話題になる意。ふつうは美しさや強さなどの印象的な話が多いが、失敗談についても使う。映画監督の小津安二郎が作家の里見弴とてんぷらを揚げる催しを試みたが、その味はのちのちの「語りぐさ」になるほどのまずさだったという。「語りぐさ」という大仰な表現とその対象の「まずさ」との意表をつくアンバランスが滑稽に響く。

かたりくち【語り口】話して聞かせるときの調子をさし、やや改まった会話や文章に用いられる和語。〈神妙な—〉〈おっとりとした—〉✎話の流れの中の一部分にも使う「口調」に比べ、長く話す全体の調子を問題にする場合が多い。「聴衆を引き込む巧みな—」のように、落語・講談や浄瑠璃を演じる際の調子を言うこともある。また、「可笑しくって、可笑しくって、思えば思えば可笑しくって、どうにもならなく可笑しかった」といった里見弴の短編『椿』の末尾にある地の文などを「絶妙の—」と呼ぶように、文章であっても小説の語り手がつむぎだす表現の調子を含める。⇩Q口調・語気・語調・話しぶり・弁

かたりて【語り手】話を語る人、特に、筋の進行を解説する役の人をさし、やや改まった会話や文章で使われる和語。〈ドラマで—の役をこなす〉〈小説の中で—を務める作中人物〉✎物語の筋や場面の状況などの説明を担当するナレーターの意で使う場合は一般語。夏目漱石『吾輩は猫である』の「猫」のように、小説などで読者に直接語りかける存在の意で用いる場合はいくらか専門的な感じに響く。⇩Qナレーター・話し手・話者

かたる【語る】経験・考え・気持ちなどを言葉で伝える意で、改まった会話や文章に用いられる和語。〈体験を—〉〈夢を—〉〈思い出をしみじみと—〉✎太宰治の『斜陽』に「戦争の追憶は—のも、聞くのも、いやだ」とある。基本的には口頭表現。意見・論評のような主張にはなじまない。「述べる」より情的な雰囲気がある。「話す」と違って双方向的ではなく、また、あいづちを期待しない話し方になる傾向がある。子供に昔話を「—・って聞かせる」といった用法では日常語。⇩言う・しゃべる・Q述べる・話す

かたる【騙る】他人の知名度や地位などを利用して相手をだまし、金品を巻き上げたりする意で、会話にも文章にも使われる、いくぶん古風な感じの和語。〈身分を―〉〈芸能人の名前を―〉〈職業を―〉⇩Q欺く・いつわる・担ぐ・ごまかす・たぶらかす・だまくらかす・だます・ちょろまかす

かたわ【片端】身体部位の形態や機能に障害を負うこと、また、そういう人をさして、伝統的に用いてきたが、漢語の「不具」同様、差別意識が感じられるとして使用を控えるようになった和語。🖋「片輪」は当て字。⇩身障者・身体障害者・Q不具

かたわら【傍ら】基準となる人や物の横のすぐ近くの場所をさし、改まった会話や文章に用いられる、いくぶん古風な和語。〈―に置く〉〈小さな子が親の―で遊ぶ〉〈―で口を出す〉🖋「近く」と違い、近くても正面や真後ろを含まない感じがあり、場所を離れた抽象的な用法でも「大学に通う―アルバイトをする」のように主たるものとの区別がある。「仕事の―好きな本を楽しむ」のように、その一方での意に使うこともある。⇩近所・近辺・近隣・Qそば・近く・隣・脇

かだん【花壇】観賞用に草花を植えて囲いをめぐらした一郭をさし、会話にも文章にも使われる漢語。〈―にチューリップの球根を植える〉〈―の周囲に煉瓦《れんが》を積んで縁取りをする〉🖋横光利一の『花園の思想』に、笑いながら現れた二人の看護婦が「満面に朝日を受けて輝いている―の中へ降りて」いくと間もなく「転げるような赤い笑顔が花の中から起って来た」という印象的な場面がある。「花園」に比べ、必ずしも今花が咲いていなくても抵抗なくそう呼べるような感じがある。⇩花園

かち【価値】物事の役立つ度合いの意で、会話にも文章にも使われる日常の漢語。〈―判断〉〈利用―〉〈―が高い〉〈―が下がる〉〈―を認める〉🖋「―ある英断」「―の高い調査分析」のように、思想や発言や行動などの抽象的な対象にも使う。⇩値《あたい》・値打ち

かちき【勝ち気】対抗心が強く争いごとで負けまいと必死になる性格をさして、会話にも文章にも使われる表現。〈持って生まれた―な性格〉🖋中勘助の『銀の匙』に「―な人なれた子で」とある。「―な女性」のように、大人しいことを期待した伝統的な価値観から、女性について使われやすい傾向があった。⇩きかん気・気丈・負けず嫌い・Q負けん気

かちめ【勝ち目】勝つ可能性の意で、会話や軽い文章に使われる和語。〈相手が強過ぎて、とうてい―がない〉🖋否定的ニュアンスで使う例が多い。⇩勝算

かつ【勝つ】戦いや競技などで争って相手を退ける意で、くだけた会話から硬い文章まで幅広く使われる日常の基本的な和語。〈相手と争って―〉〈軽く―〉〈辛くも―〉🖋小沼丹の『更紗の絵』に「野球は母校のX大学が―・って、吉野君としては洵に申分ない気持であった」とある。「負ける」と対立。⇩勝利

かつあい【割愛】惜しいと思いながらも事情があって省略せざるをえない意で、主にスピーチや文章に用いる漢語。〈時間の都合で経過説明を―し、ただちに本論に入る〉〈紙幅の関係で資料の一部を―する〉⇩Q省略・省く・略す

かつあげ 恐喝を意味する隠語。🖋「かつ」は恐喝の「喝」

から。⇩恐喝

かつえる【飢(餓)える】「飢える」意で、主に文章中に用いられる古風な和語。〈食い物に—〉✎「知識に—」のように、欠乏しひどく欲しがる意の比喩的用法もある。⇩Q飢える・渇く

がっか【学科】学校で学ぶ教科や科目をさし、会話にも文章にも使われる漢語。〈得意な—〉✎「経済—」のように、大学の学部を構成する下位組織をさすこともある。⇩Q科目・教科

がっかり 期待が外れて元気がなくなる意で、主に会話に使われる日常の和語。〈結果を聞いて—する〉〈あてが外れて—する〉✎壺井栄の『二十四の瞳』に「しょい投げをくわされたように、みんな—している」とある。⇩気落ち・失意・失望・Q落胆

かっき【活気】生き生きと活動的で勢いのある意で、会話にも文章にも使われる日常の漢語。〈町に—がある〉〈—にあふれる〉〈—を呈する〉〈—がよみがえる〉✎夏目漱石の『坊っちゃん』に「少年血気のものであるから—があふれて善悪の考はなく、半ば無意識にこんな悪戯をやる事はないとも限らん」とある。⇩生気

かっきてき【画期的】それまでは考えられもしなかったほどまったく斬新なの意で、会話でも文章でも使われるやや硬い感じの漢語。〈—な発明〉〈—な判決〉〈—な出来事〉〈—な治療法〉✎ちなみに、井伏鱒二は『本日休診』の中で、婦女暴行事件を「彼女に対して全く—な行為を敢てした」と思いがけない方向にずらして婉曲に表現した。訪問時に作者に直接この意図を問うと、「普通にしてると退屈するんですよ」とはぐらかされたが、「放尿」といった露骨な表現と同居する事実から、はにかみから来るおとぼけと推測され、こういう大仰なテレが笑いと結びつく。

がっきゅう【学究】学問に専念している人をさし、主として文章に用いられる古風で硬い漢語。〈—肌〉〈—生活〉✎「—の徒」のように、学問に打ち込むことをさす用法もある。⇩Q学者・学徒・研究者

かっきょう【活況】景気がよくて活気に満ちている状況をさし、改まった会話や文章に用いられる漢語。〈証券取引所が—を呈する〉✎「好況」や「好景気」に比べ、具体的なある場所のようすをさす例が多い。⇩Q好況・好景気

かっきり 数量に端数がない丁度の意で、主に会話に使われる和語。〈二時—に出発する〉〈—一万円支払う〉⇩きっかり

かつぐ【担ぐ】嘘を信じさせて相手をからかう意で、会話や軽い文章に使われる和語。〈相手にまんまと—・がれる〉✎「だます」ほどの悪意はなく、冗談のことも多い。「荷物を—」といった基本的な意味のほか、「会長に—」のように、祭り上げる意にも、「縁起を—」「御幣を—」のように、気にする意にも用いる。⇩欺く・いつわる・かたる・ごまかす・たぶらかす・だまくらかす・Qだます・ちょろまかす

かっこう【恰(格)好】姿・形の意で、会話や軽い文章に用いられる日常の漢語。〈背—が似ている〉〈派手な—〉〈変な—〉〈粋な—〉〈—を気にする〉〈何とか—がつく〉✎深沢七郎の『楢山節考』に「大きい腹を前かがみにしているので蛙みたいな—」とある。林芙美子の『ボルネオダイヤ』には「風に

さからいながら、子供の走る―が、海老のように見える」とある。くだけた会話では俗に「かっこ」とも言う。「―をつける」「手ぶらで訪問するのは―が悪い」のように、相手に与える印象を気にする体面・体裁の意に抽象化して使うことも多い。別に、「―な値段」「―の場所」のように、手頃でちょうど目的に合う意でも用い、その用法ではやや古風な感じがある。⇩外形・形・形式・形象・形状・形態・Q姿・スタイル・様式

がっこう【学校】教師が児童・生徒・学生に教育を行う組織や施設をさし、くだけた会話から硬い文章まで幅広く使われる日常の基本的な漢語。〈―法人〉〈―教育〉〈専門―〉〈―に上がる〉〈―に通う〉〈―を出る〉✎壺井栄の『二十四の瞳』に「仕立屋に毛のはえたような―」とある。⇩学院・学園・Q学窓・学びの庭・学び舎《や》

かっさらう【掻っ攫う】「掻きさらう」の転。横合いからいきなり奪い去る意で、やや俗っぽい感じの口頭語。〈店先の品物を―・って逃げる〉✎単なる「攫《さら》う」より動的なイメージが強い。語頭の破裂音に続く促音という音構造もこの語の激しい印象を強めているかもしれない。⇩攫う

がっしゅく【合宿】練習・研修のために数人以上の所属メンバーが同じ宿に泊り込む意で、会話にも文章にも使われる漢語。〈強化―〉〈サークルの―〉〈ゼミ―に参加する〉⇩キャンプ

かったるい「だるい」感じをさし、主にくだけた会話に使われる口頭語。〈働き過ぎて朝から両腕が―〉〈何となく―気分で出かけるのが億劫《おっくう》だ〉✎精神的な面の強い「けだるい」に対し、肉体的な感じの面が強い。⇩Qけだるい・倦怠《けんたい》・だるい

がっち【合致】二つの物事がぴったり合う意で、改まった会話や文章に用いられる漢語。〈趣旨に―する〉〈両者の思惑が―する〉〈双方の主張が―する〉✎抽象的な対象に用いる。島崎藤村の『新生』に「愛しようとするものと愛されようとするものの―」とある。「一致」に比べ、個々のものが異質でも全体としてうまくまとまる場合も含まれる感じがある。⇩合う・Q一致・整合・符合

ガッツポーズ　勝った喜びを肉体的に表現する腕などの動きをさす和製英語。〈強敵を破り小さく―をする〉✎相撲《すもう》のような伝統的な日本文化にはなじまず、剣道などでは反則扱いになる。

かつて【嘗て】「以前」の意でやや改まった会話や文章で用いられる、やや古風な和語。〈いまだ―ない〉〈―の上司〉〈―の面影はない〉✎二葉亭四迷の『浮雲』に「―侍奉公までした事が有る」とある。「かって」と促音化して使われることも少なくないが、これが本来の語形。教養を示すとともに、ことばにうるさい人という印象を与えることもある。⇩かって

かって【嘗て】会話にしばしば現れる、「かつて」の崩れた語形。〈この店には―ずいぶん通ったものだ〉✎時には知識や教養を疑われることもある。⇩かつて

かって【勝手】①他人の迷惑も顧みず自分本位に行動する意で、会話や軽い文章に使われる日常の和語。〈―な言い分〉〈―気まま〉〈―なふるまい〉〈―な行動を慎む〉〈よその家

に—に上がり込む〉〈—なまねはさせない〉〈—に持ち出す〉✎夏目漱石の『坊っちゃん』に「だまって聞いてると—な熱を吹く」とある。性格的な「わがまま」と違い、一つ一つの行動に対する評価であり、他人の気持ちを意に介さない部分に重点がある。⇩Q気まま・わがまま ②「台所」の意で使われる古めかしい和語。〈—仕事〉〈お—で洗い物をする〉✎幸田文の『流れる』に「このうちに相違ないが、どこからはいっていいか、—口がなかった」とある。「お—」という形で盛んに使われた時期は「台所」より新しい感じの日常語だったが、今では息の長い基本語といった感じの「台所」よりもむしろ古い感じになっているという。ちなみに、祖母は「お—」と言い、母は「お台所」と言い、自分は「キッチン」と言う、との女子学生の証言もある。⇩キッチン・庫裏《くり》・くりや・炊事場・Q台所・厨房《ちゅうぼう》・調理場

かっと 急に怒って興奮し血が上る意で、会話や硬くない文章に使われる擬態語。〈思わず—なってどなりつける〉✎室生犀星の『幼年時代』に「私は—した。腸がしぼられたように縮み上った。真赤になった」とある。強い日差しや目を見開く際にも使う。⇩むっと

カット 本の空いたスペースなどに入れる小さな絵や図案をさし、会話にも文章にも使われる外来語。〈本の余白に—を入れる〉✎挿絵《さしえ》類と違って、必ずしも文章の内容に密着しなくてもよく、図案や写真を飾って雰囲気を出す場合もある。また、「給料の—」「ヘア—」「映画の—」など多様な意味で使われる語。⇩Qイラスト・挿絵・挿画

かつどう【活動】 ①活発な動きをさして、会話にも文章にも使われる日常の漢語。〈クラブ—〉〈積極的に—する〉〈—範囲が広い〉✎「就職運動」という語は古めかしくなり、現在はこの語を用いて「就職—」といい、略して俗に「就活」ともいう。「婚活」も同様の略語。「行為」「行動」に比べ、個々の動きよりもある目的を持って行う全体の働きを意味する傾向がある。また、「火山—」のように、意志に基づく人間の動き以外にも使われる。⇩運動・行い・行為・Q行動・動作 ②「活動写真」の短縮形で、「映画」の旧称。〈休みの日に—を見に行く〉✎永井荷風の『濹東綺譚』にすでに「今日では、—という語は既にすたれて」とあるが、「—写真」よりも後まで使われたようで、映画監督などの映画製作に関係した人たちは自分を「—屋」と呼ぶこともあった。そのため、「—大写真」や「—写真」よりは古めかしさがいくらか少ない。⇩Q映画・活動写真・キネマ・シネマ・ムービー

かつどうしゃしん【活動写真】 主に無声映画の時代に使われた、「映画」の旧称。〈今度、面白い—がかかるそうだ〉✎ちなみに、永井荷風の『濹東綺譚』に「私は殆ど—を見に行ったことがない」とある。「動く写真」という意味の名付け。略して単に「活動」とも言った。語感が古めかしく、銀幕に写る写真自体も当時のものを連想させるために、画面に雨が降り、阪妻《ばんつま》やチャップリンでも登場しそうな雰囲気を感じさせる。大げさに「活動大写真」と称することもあり、そうなるといっそう古いイメージが喚起されやすい。⇩Q映画・活動②・キネマ・シネマ・ムービー

かっぱじく【掻っ弾く】 「掻き弾く」の転。勢いよく「弾く」意で、俗っぽい口頭語。〈相手力士の腕を—・いて懐に飛び

込む〉✎語頭の破裂音に続く促音と直後の破裂音が動的で激しい語感を形成する面もある。⇩はじく

かっぱつ【活発(潑)】活気や勢いがある状態をさし、会話にも文章にも使われる日常の漢語。〈―な子供〉〈―な議論〉〈動きが―になる〉✎井伏鱒二の『言葉について』に「真面目に且つ―に「はい」と答えた」とある。森鷗外の『青年』に「細かい塵が―に跳《おど》っている」とあるように、「潑剌《はつらつ》」と違い、目に見えない動きや抽象的なものに使う例もある。⇩元気・Q潑剌

かっぱらう【搔っ払う】「搔き払う」の転。横になぎ払う、他人の物を奪い取る意の、俗っぽい口頭語。〈相手の脚を―・って倒す〉〈財布を―〉✎促音とそれに続く「パ」という破裂音が働いて、この語を激しい感じに印象づける面もあるかもしれない。ちなみに、大岡昇平の『野火』に「今夜、―・って来てやらあ」という台詞が出てくる。⇩払う①

かっぷく【恰幅】肉付きや押し出しという面から見た体つきを意味するやや古風な漢語。〈―のいい紳士〉〈堂々たる―の社長〉✎網野菊の『妻たち』に「―のよい、背の高い、そして豊かな感じのする顔立ちの男」とある。人中に出たときの姿が問題になるため、伝統的には社会に出て働く男性に対して用いられる傾向があり、女性の社会的進出のめざましい今でも、中年以上の男性を連想させやすい語感が残っている。⇩Q体つき・体格・豊満

カップル 二人連れ、特に男女の組をさす外来語。古くさい「アベック」に代わる語。〈お似合いの―〉⇩Qアベック・二人連れ

がっぺい【合併】いくつかの事物や組織が一つにまとまる意で、会話にも文章にも使われる漢語。〈吸収―〉〈銀行が―する〉〈―症を起こす〉✎「併合」に比べ、主従の関係が意識に上りにくい。⇩併合

かっぽう【割烹】日本料理と酒を提供する店をさし、会話にも文章にも使われる、やや古風な感じの漢語。〈―料理〉〈大衆―〉✎「小料理屋」より規模が大きく、「料理屋」より大衆的な雰囲気がある。「割」は肉を「裂く」「切る」意、「烹」は肉を「煮る」意という。「―着」は調理する際の前掛け。⇩小料理屋・料亭・Q料理屋

かつよう【活用】既存の物の価値を生かして何かに役立てる意で、会話にも文章にも使われる漢語。〈資源の―〉〈最新の機械類を―する〉〈余暇を―する〉〈縁故を―して就職する〉✎「動詞の―」のように語尾変化をさす場合はやや専門的。⇩応用・運用・駆使・Q利用

かつら【鬘】頭髪に似せて作った髪型をさし、会話でも文章でも普通に使う和語。〈ちょんまげの―をかぶる〉〈日本髪の―をかぶって写真を撮る〉✎俳優の役づくりのためのものも、一般人の装飾用のものも、ともに普通この語でさす。また、特に女性が髪を豊かな感じに見せるために髪の中に添える毛髪の束を言うこともある。井伏鱒二の『黒い雨』に「頭も顔も埃だらけぞ。灰の―を被っておるようだ」という比喩表現の例がある。⇩ウィッグ

かてい【仮定】仮に正しいものとして考えてみること、その内容や前提をさし、会話にも文章にも使われる漢語。〈それが事実だと―して話を進める〉〈―の上の質問には答えな

い〉〈―自体に問題がある〉✎大岡昇平の『俘虜記』に「人類愛のごとき観念的愛情を―する必要を感じない」とある。ありうる範囲内を問題にする「想定」に対し、この語は、明らかに事実と違うことや論理的にありえないことまでを広く対象とする感じがある。⇩前提・Q想定

かてい【過程】物事の進行する道筋や状態の変化をさし、会話にも文章にも使われる漢語。〈製作―〉〈―を経る〉〈事件の―をたどる〉〈結論に至る―が問題だ〉⇩プロセス

かてい【家庭】夫婦や親子や兄弟姉妹など、家族の生活する場をさし、会話にも文章にも使われる日常の漢語。〈―菜園〉〈―教師〉〈―訪問〉〈母子―〉〈―の事情〉〈―を持つ〉〈―を守る〉〈裕福な―に育つ〉〈―のぬくもり〉✎中山義秀の『醜の花』に「明るい筈の―内が陰気にしめりかえり、ぬるぬるとした蛇穴のようなむれ気が家内の隅々にたちこもっていて」とある。井上靖の『猟銃』に「睫が凍った時のあの感触の、ひいやりした―」とあるように、個人をもさす「家族」と違い、家族全員のかたまりをさす。⇩家族

かていをもつ【家庭を持つ】結婚することと自体よりも、結婚によって親元から独立するという生活形態の変化に重点を置いて使われる表現。親と離れて二人だけの生活を始める形が一般化するにつれて、こういう言いまわしを使う機会が減ってきて、次第に古風な表現に移行しつつある。〈最近結婚して―・ったという噂です〉⇩結婚・結婚する・こし入れ・婚姻・Q所帯を持つ・嫁ぐ・嫁入りする・嫁に行く

カテドラル「大聖堂」の意で、会話にも文章にもまれに使われる、やや斬新な感じのあるフランス語からの外来語。〈東京―〉⇩教会・教会堂・聖堂・Q大聖堂・チャペル・天主堂・礼拝堂

かど【角】物の隅や、通路などが大きく折れ曲がっている場所をさし、くだけた会話から硬い文章まで幅広く用いられる日常の基本的な和語。〈机の―にぶつける〉〈次の曲がり―で左折する〉〈郵便局の―を右に曲がる〉⇩コーナー

かど【過度】程度をひどく超えている意で、やや改まった会話や文章に用いられる漢語。〈―の運動〉〈―の期待〉✎「適度」と対立。大岡昇平の『俘虜記』に「―に素早い動作で賭金を取り込む」とある。⇩極度

かどで【門出／首途】出発の意から比喩的に、新たな生活のスタートの意で、主に文章の中で使われる、美化した感じの古風な和語。〈―を祝う〉〈新しい人生の―〉✎もと、出陣や長旅などでわが家を出る意。⇩出発・Q旅立ち

かどわかす【拐かす】子供や女性などを無理やりに、またはうまく騙《だま》して連れ去る意で、主として文章に用いられる古風な和語。〈幼児を―〉⇩誘拐・誘惑

かない【家内】へりくだって自分の「妻」をさすやや古い漢語の謙称。〈うちの―〉〈―のやつ〉〈―の実家〉✎島崎藤村の『破戒』に「―はまた―で心配して」とある。家庭内に閉じこもる感じの字面で女性に敬遠される傾向がある。⇩いえの者・うちの者・お上さん・奥方・奥様・奥さん・お内儀・かみさん・愚妻・細君・Q妻・女房・伴侶・ベターハーフ・令閨・令室・令夫人・ワイフ

かなう【叶う】思いどおりになる意で、やや改まった会話や文章に使われる、いくらか古風な感じの和語。〈願いが―〉〈望みが―〉〈―・わぬ恋〉✎井上靖の『闘牛』に「所詮―・わぬ大それた望み」とある。⇩Q適《かな》う・敵《かな》う

かなう【適う】適合する意で、改まった会話や文章に用いる、少し硬い感じの和語。〈道理に―〉〈目的に―〉〈趣旨に―〉✎森鷗外の『阿部一族』に「すなおに考えたのが、自然故実に―・っていた」とある。⇩Q叶《かな》う・敵《かな》う

かなう【敵う】対抗できる意で、会話や軽い文章に使われる和語。〈あの強豪に―相手は見当たらない〉〈あいつにかかっては―・わない〉〈毎日こう暑くては―・わない〉✎小島信夫の『小銃』に「軍隊でおぼえたこの人の剣には―・わなかった」とある。⇩適《かな》う・Q叶《かな》う

かなきりごえ【金切り声】鋭く甲高い声をさし、会話や軽い文章に使われる古風な和語。〈―で叫ぶ〉〈思わず―を上げる〉✎女の叫びなどを、金属を切断するときに出る音に喩えた語。椎名麟三の『自由の彼方で』で「女給は、―をあげて笑いながら逃げ出す」と、「女給」と共起する古風な語であるが、吉行理恵の『雲とトンガ』に「そのたびに私は―をあげ」とあるように今でも使われる。⇩叫び声・絶叫・Q悲鳴

かなしい【悲(哀)しい】不幸やつらいことに直面して泣きたくなるような気持ちをさし、くだけた会話から硬い文章まで幅広く使われる日常の基本的な和語。〈―出来事〉〈―気持ちになる〉〈別れが―〉✎大岡昇平の『野火』に「弾丸が彼女の胸の致命的な部分に当ったのも、偶然であった。私は殆どねらわなかった。これは事故であった。しかし事故なら何故私はこんなに―のか」とある。「愛《かな》し」から。「嬉しい」と対立。⇩うら悲しい・悲哀・Q物悲しい

かなしさ【悲しさ】「悲しみ」に近い意味で、会話にも文章にも使われる日常の和語。〈堪えがたい―〉〈―で心が張り裂けるようだ〉✎林芙美子の『女性神髄』に出る「みぞおちのなかに酢のたまるような―」といった生理的な堪えがたさの例もあれば、小林秀雄の『モオツァルト』に出る「その―は、透明な冷い水の様に、僕の乾いた喉をうるおし、僕を鼓舞する」といった心理的にむしろプラスイメージの例もある。また、「悲しみ」がもっぱら、悲しいというその気持ちの状態をさすのに対し、この語はそのほかに、どのぐらい悲しいかという程度を表すこともある。⇩Q悲しみ・傷心・悲哀・悲痛

かなしみ【悲(哀)しみ】つらくて心が痛み涙がこみ上げてくるような気持ちをさし、くだけた会話から硬い文章まで幅広く使われる日常の基本的な和語。〈親を亡くした―〉〈深い―に沈む〉〈―をかきたてる〉〈―をこらえる〉〈―を乗り越える〉✎大岡昇平の『野火』に「―が私の心を領していた」とある。⇩Q悲しさ・傷心・悲哀・悲痛

かなた【彼方】向こうの遠いところを意味し、主に文章中に用いられる、いくぶん美化した感じの古風な和語。〈はるか―より幸せを祈る〉〈海の―に島影を望む〉✎森敦の『月山』に「この渓谷がすでに月山であるのに、月山がなお―に月のように見える」とある。⇩遠方・Q遠く

かなもの【金物】金属製の器具をさし、会話や硬くない文章に使われる、やや古風な和語。〈―屋〉〈―を商う〉⇩金属

かならず【必ず】まちがいなく、例外なしに実現することを確約する意味合いで、会話でも文章でも日常生活で幅広く使われる基本的な和語。くだけた会話でも使うが、「きっと」ほど会話的な響きはない。〈―行くから待ってて〉〈―

期限を守る〉〈―やりとげてみせる〉〈着いたら―連絡する〉✎夏目漱石の『坊っちゃん』に「（温泉に）行くときは―西洋手拭の大きな奴をぶら下げて行く」とある。「きっと」より客観的な感じのする表現。⇩きっと・絶対に

かならずしも【必ずしも】 下に打消しの語を伴って、必ずそうだというわけではなく、そうでない場合もありうるという意味で、会話にも文章にも使われる日常の和語。〈―そうとは言えない〉〈高い品が―いいとは限らない〉✎ごくわずかな例外が認められるという場合だけでなく、他の条件が働いて別の結果になるケースや、そういう認定自体に不備があって多くはむしろそうならないというケースなど、さまざまな場合を含んでいる。⇩あながち・Q一概に・まんざら

かなり【可也（成）】 数量や程度などが、非常にというほどではないが、普通という段階を大幅に超えている意で、会話にも文章にも使われる日常の表現。〈この時計は―正確だ〉〈病気が―よくなってきた〉〈―の金額に上る〉✎許可の意の「可なり」から出た語形という。⇩相当

がなる 大きな声でわめく意で、くだけた会話で使われる俗語。〈があがあ大声で―〉〈やかましく―・りたてる〉✎語頭の「ガ」という濁音のせいもあって、耳にきつく響く。怒って大きな声になるか、遠くに聞こえるように大きな声を出すか、原因や意図がはっきりした感じのある「どなる」に比べ、この語は他人の大きな声を不快に感じる立場からの表現で、自分自身の発声については用いにくい。富岡多恵子の『立切れ』に、「―・りたてているような、若手の漫才師が喋っている」という例がある。ここも芸が未熟で声だけがやたらに大きいといったマイナス評価の感情が伴い、噺家《はなしか》あがりの主人公には、老人たちの笑い声が「子供のころに聴いた死体がもえる時の音」のように聞こえるのである。⇩怒鳴る

かね【金】 物の売り買いや労働などの代価として受け渡しされる貨幣をさし、くだけた会話から文章まで幅広く使われる日常の基本的な和語。〈―を儲《もう》ける〉〈―が要る〉〈―を借りる〉〈―がかかる〉〈―の持ち合わせがない〉〈―に糸目をつけない〉✎夏目漱石の『坊っちゃん』に「卒業さえすれば―が自然とポケットの中に湧いて来ると思って居る」とある。会話ではしばしば「お金」の形で使う。「―でできている」のように、金属の意味でも用いる。⇩おあし・貨幣・金子《きんす》・金銭・銭

かね【鐘】 時刻や非常を知らせる時などに打ち鳴らす銅製の釣り鐘をさし、会話にも文章にも使われる和語。〈除夜の―〉〈寺で―を撞《つ》く〉✎石川達三の『日蔭の村』に「昔々を呼び醒ますような―の響き」とある。「教会の―」は構造が違う。⇩鉦《かね》

かね【鉦】 たたいて鳴らす小型の金属製の楽器をさし、会話にも文章にも使われる和語。〈―をたたく〉〈―や太鼓で捜す〉✎中勘助の『銀の匙』に「ぎゃんぎゃんぎゃんひっきりなしに―をたたくので頭がみじゃけそうに苦しい」とある。⇩鐘

かねがね【予予】「前々から」の意で、改まった会話や文章に使われる、やや古風で丁重な感じの和語。〈ご高名は―承っております〉〈―お聞き及びのとおり〉〈―そう思っており

ました〉「かねて」よりさらに丁重な感じがある。⇩かねて

かねて【予て】「以前(からずっと)」といった意味合いで、改まった会話や文章に用いられる、いくぶん古風で丁寧な感じの和語。〈―お耳に入れてあった件〉〈―より存じ上げている〉〈―からの望みがかなう〉⇩かねがね

かねもち【金持ち】多くの財産を所有する意で、くだけた会話から文章まで幅広く使われる日常の基本的な和語。〈―の家〉〈村一番の―〉⇩大金持ち・金満家・財産家・素封家《そほうか》・長者・富豪・Q物持ち

かねる【兼ねる】一人の人間や一つの物事が二つ以上の役目や働きを併せて行う意で、くだけた会話から硬い文章まで幅広く使われる日常の基本的な和語。〈会社に勤務しながら非常勤講師を―〉〈趣味と実益を―〉〈休養を―・ねて温泉地に言語調査に出かける〉太宰治の『斜陽』に「家庭教師を―・ねて、御奉公にあがっても」とある。⇩兼職・兼担・兼任・Q兼務・兼用

かの【彼の】「あの」の意で、文章中に用いられる古風で雅語的な和語。〈―山〉〈―人を思い出す〉「―有名な」の形では日常会話でも使われ、その場合はいくらかおどけた調子に響くこともあるが、一般に特別の語感は働かない。⇩あの

かのう【化膿】膿《う》む意で、やや改まった会話や文章に用いられる医学上の専門的な雰囲気の漢語。〈―止めを塗る〉〈切り傷が―する〉医学用語ながら一般に普及し、日常会話でも使われる。⇩膿む

かのう【可能】実現・実行する見込みがある意で、やや改まった会話や文章に用いられる漢語。〈時間的には―だ〉〈今から変更することも―だ〉⇩出来る

かのじょ【彼女】話し手と聞き手以外の女性をさし、会話にも文章にも使われる表現。〈―も喜んでいる〉〈―に頼んでみよう〉徳田秋声の『風呂桶』に「―がいつも頭脳《あたま》を痛がるのは、自分の拳のためだと意識しながら、打たずにはいられなかった」とある。完全な目上に使うと少し失礼な感じになる。「彼」という語が男女を問わずに使われていた頃、この場合の「かれ」という語は女をさすという注記に近い形で「彼女」という字面が現れたのは古いが、明治期にはそれで「かれ」と読ませ、のちに「あのおんな」「かのおんな」というルビを付すようになり、口頭で「かのじょ」と言うようになったのは大正の半ば以降とされる。複数の場合は通常「彼ら」と言い、特に女であることをはっきりさせたい場合に「彼女たち」「彼女ら」と言う。また、「息子に―ができる」のように恋人である特定の女性をさす用法もある。現在では「彼」と対立。⇩Q彼・恋人

がはく【画(畫)伯】世に秀でた画家をさし、改まった会話や文章に用いられる漢語。〈世に名高い―の作品〉「梅原―」「東山―」のように敬称としても使う。⇩絵描き・絵師・Q画家・画工

かばね【屍】「死体」の文語的表現。〈野に―を曝す〉〈―を乗り越えて〉獅子文六の『沙羅乙女』に「嬰児の―を抱えた母」とある。⇩遺骸・遺体・死骸・Qしかばね・死屍・死者・死体・しにん・しびと・亡骸・むくろ

かばん【鞄】書類や本や小物などを入れて持ち歩くために革

や布で作った携帯用具をさし、会話でも文章でも広く使われる日常語。〈折り—〉〈旅行—〉〈—持ち〉〈部下に—を持たせる〉〈—を抱える〉✎永井龍男の『朝霧』に「黒い折り—は、仔豚ほどにいつもふくれ上っている」とある。手提げ鞄をさすことが多く、通常、リュックサックやウエストポーチなどはささないが、ランドセルのことを古く「背負い—」と称した。一方、手で提げてもハンドバッグなどをさす例は少ない。⇩バッグ

かはんしん【下半身】 ①人間や動物の腰から下の部分をさし、会話にも文章にも使われる漢語。〈—がどっしりしている〉〈—を鍛える〉✎「しもはんしん」とも読む。②提喩的に意味を拡大してぼかし、男女の「外部性器」の意をほのめかす俗っぽい漢語の婉曲《えんきょく》表現。〈—の話題〉✎「下《しも》がかった話」が足首やふくらはぎの話でないのと同様に、「—の話題」といった用法になるとやはり膝やO脚などではなく、人前ではっきり言いにくい部分、主として生殖器官に関する話題をそれとなくさすことが多い。たしかにその器官を含むから嘘ではないが、より広範囲の対象を指示して的確な内容を相手の推測にゆだねる表現。露骨な表現ほど下品ではないが、そういう話題を取り上げること自体が上品な行為とは言えないので、こんなふうにぼかす手つきがかえっていやらしく感じられる場合もある。⇩一物・陰部・陰門・隠し所・Q下腹部・局所・局部・玉門・金玉・睾丸《こうがん》・女陰・性器・生殖器・恥部

かび【黴】 食品・衣類・器具などに寄生する微生物の俗称として、会話にも文章にも使われる日常の和語。〈—くさい〉〈—が生える〉✎武田泰淳の『風媒花』に「皿に盛られた飯は、何日経ったのか、岩を蔽《おお》う海苔《のり》のような、緑と蜜柑《みかん》色の—を生やしていた」とある。⇩微生物

かふ【寡婦】「未亡人」を意味する硬い感じの改まった漢語。〈—年金〉⇩後家・Q未亡人・やもめ

かぶ【株】「株式」「株券」の通称として会話や軽い文章に使われる日常の和語。〈—の売買〉〈—でもうける〉〈—に手を出す〉〈—で身上《しんしょう》をなくす〉✎林芙美子の『松葉牡丹』に「競馬のレースのように、—価の走り出すのを眺めていた」とある。⇩株券・Q株式

カフェ 近年盛んに使われるようになった、「喫茶店」をさす斬新な感じのフランス語からの外来語。〈パリの—に憩う〉✎日常会話で使うとまだ少し気取った感じになる。⇩カフェー・カフェテラス・喫茶室・Q喫茶店

カフェー「キャバレー」の前身にあたる店で、昔懐かしい感じの外来語。〈—に入り浸る〉✎大岡昇平の『武蔵野夫人』に「五反田附近の安—の女給」とある。大正時代を中心に栄えた洋風飲食店で、女給が接待して洋酒を飲ませた。「カフエー」とも言った。サトウハチローの『センチメンタル・キッス』にも「電車がなくなる、カフエーがふえる」とある。⇩カフェ・キャバレー

カフェテラス 喫茶店の戸外に開放した客席の部分をさすための造語。近年よく使われる斬新な感じのことば。〈通りに面した—に席をとる〉✎「カフェ」も「テラス」もフランス語だが、その組み合わせは和製語であるという。⇩カフェ・喫茶室・喫茶店

カフェテリア 客が好みの料理を自分で選んでテーブルに運

ぶ形式の食堂。近年使われるようになってきた斬新な感じの外来語。〈大学の構内に―がオープンした〉名称が洋風なので洋食のイメージが強い。ただし、学生食堂が現代的な雰囲気を出すために名乗る場合も考えられ、「レストラン」に比べれば、ギョーザや焼き鯖《さば》定食なども含まれる可能性があるかもしれない。⇩Q食堂・西洋料理店・洋食屋・レストラン

かふくぶ【下腹部】提喩的に意味を拡大してそれとなく男女の「外部性器」をさすことのある、俗っぽい漢語の婉曲《えんきょく》表現。下腹部全体を指示してその一部をほのめかす表現で、「下半身」と同じ発想に立つ間接化。ただし、「下半身」に比べて拡大規模が中途半端なため、露骨な感じを払拭できていない。⇩一物・陰部・陰門・隠し所・Q下半身②・局所・局部・玉門・金玉・睾丸《こうがん》・女陰・性器・生殖器・恥部

かぶけん【株券】株式会社が株主に対して発行する有価証券をさし、やや改まった会話や文章に用いられる専門的な表現。〈記名―〉⇩Q株・株式

かぶしき【株式】株式会社の資本の単位、株主としての持ち分をさし、改まった会話や文章に用いられる専門的な表現。〈―会社〉〈―市況〉斎藤緑雨の『かくれんぼ』に「父が預る―に通い」とある。「―を発行する」「―を売買する」のように、具体的な株券そのものをさす用法もある。⇩Q株・株券

かぶせる【被せる】上から掛けて物の全体を覆う意で、会話やさほど硬くない文章に使われる日常の和語。〈頭からすっぽり―〉〈埃《ほこり》よけに風呂敷を―〉〈穴に埋めて土を―〉中島敦の『李陵』に「よそよそしい言葉におっ―ようにして(略)言った」とある。「罪を―」のような比喩的用法もある。⇩覆う

かぶとちょう【兜町】東京都中央区の地名。〈―の相場に跳ね返る〉すぐに東京証券取引所が連想され、株式の世界や景気など経済界の象徴というニュアンスを帯びる。⇩霞ヶ関・Q永田町

かぶる【被る】頭や顔を覆うように身に着ける意で、会話にも文章にも使われる日常の和語。〈帽子を―〉〈面を―〉永井龍男の『黒い御飯』に「傍の者から見た私の姿は、袴をはかれ、帽子に―・られ、カバンに下げられていたに違いない」とある。⇩着る・着用

かべ【壁】家の周囲や内部を区切る仕切りをさし、会話にも文章にも使われる和語。〈―を塗る〉〈土蔵の白―〉大岡昇平の『武蔵野夫人』に「見馴れた―や天井、死んだ父の趣味を示す調度など」とある。板の壁もあるが、主に土を塗ったものを連想させる。「―にぶつかる」「―に突き当たる」の形で障害・困難をさす比喩的用法もある。川端康成の『雪国』にも「駒子が虚しい―に突きあたる木霊に似た音を、島村は自分の胸の底に雪が降りつむように聞いた」とある。⇩壁面

かへい【貨幣】政府発行の紙幣と硬貨の総称として、主として文章に用いられる専門的な硬い漢語。〈―経済〉〈―価値が下がる〉⇩おあし・Qかね・金子《きんす》・金銭・銭

かへん【花片】一枚ずつの花びらをさし、主に文章に用いられる古風な漢語。〈ひとひらの―〉〈―がこぼれる〉佐藤

春夫の『田園の憂鬱』に「この頃の長い長い雨に、—はことごとく紙片のようによれよれになって、濡れに濡れて砕けて居た」とある。⇩花弁・花びら

かべん【花弁〈瓣〉】「花びら」の意で、改まった会話や文章に用いられる専門的な硬い漢語。〈桜は五枚の—をもつ花〉⇩花片・Q花びら

かぼそい【か細い】細くて弱々しい意で、改まった会話や文章に用いられるやや古風な和語。〈手も脚も—〉〈—声を出す〉〈—腕で一家を支える〉✎三島由紀夫の『仮面の告白』に「自分の—二の腕にある、みじめな種痘の跡をこすった」とある。客観的な「細い」とは違って、この語には、単なる寸法の点での細さよりも、繊細で頼りないといった思いやる気持ちが含まれる感じもある。「か弱い」などと同様、接辞「か」のもたらす語感であろう。⇩細い

かま【釜】御飯を炊く道具をさし、くだけた会話から硬い文章まで幅広く使われる日常の和語。〈圧力—〉〈同じ—の飯を食った仲〉✎曾野綾子の『遠来の客たち』に「部屋自体が、それこそうどんの茹で—ではないかと思われるほど暑い地下室の従業員食堂」とある。⇩Q窯・罐《かま》

かま【窯】陶磁器などを高温で焼く装置をさし、会話にも文章にも使われる専門的な和語。〈—元〉〈—で茶碗を焼く〉✎井伏鱒二の『珍品堂主人』に「当時は陶工が個人で—を焚いていた」とある。⇩罐《かま》・Q釜

かま【罐】ボイラーをさし、会話にも文章にも使われるやや古風な感じの和語。〈—焚《だ》き〉〈—に石炭を放り込む〉⇩窯・Q釜

かまえる【構える】物事に備えて体勢を整える、きちんとした形にする意で、会話にも文章にも使われる和語。〈銃を—〉〈店を—〉〈のんびり—〉〈斜に—〉〈事を—〉✎人間以外についても用い、その場合は文体的なレベルが少し高くなる。⇩身構える

がまぐち【蝦蟇口】口金のついた財布をさし、会話や軽い文章に使われる古風な和語。〈—を開けて小銭を取り出す〉✎開けた形が蝦蟇の口に似ているところから。⇩紙入れ・Q財布・札入《さつい》れ

がまん【我慢】じっとこらえて耐え忍ぶ意で、くだけた会話から文章まで広く使われる日常の漢語。〈やせ—〉〈痛みを—する〉〈じっと—する〉〈ここが—のしどころ〉〈もう—の限界だ〉✎夏目漱石の『こころ』に「風邪ぐらいなら—しますが、それ以上の病気はまっぴらです」とある。⇩Q辛抱・忍耐

かみ【神】崇拝や信仰の対象としての超越体をさし、会話にも文章にも使われる日常の基本的な和語。〈縁結びの—〉〈八百万の—〉〈—に祈る〉〈—を祀《まつ》る〉〈—も仏もない〉✎尾崎一雄の『美しい墓地からの眺め』に「人間が死ねば、みんな—になるんだからね。キリスト教の—とは大違いさ」とある。⇩神様

かみ【髪】頭髪の意で、くだけた会話から硬い文章まで幅広く使われる日常の基本的な和語。〈乱れ—〉〈長い—〉〈—を結う〉〈—を伸ばす〉〈—が薄くなる〉✎中勘助の『銀の匙』に「長い—がさわりとほどけて、肩から豊に波うって後ろへすべっている」とある。川端康成は『雪国』で「もう日

が昇るのか、鏡の雪は冷たく燃えるような輝きを増して来た」とまず自然を描き、次いでそれを背景に、「それにつれて雪に浮ぶ女の―もあざやかな紫光りの黒を強めた」と駒子という人物を描いた。⇩Q髪の毛・頭髪・毛髪

かみいれ【紙入れ】「札入《さつい》れ」の意で、会話にも文章にも使われる古風な和語。〈店で懐《ふところ》から―を取り出す〉✎樋口一葉の『十三夜』に「―より紙幣いくらか取り出して」とある。紙幣を広く「紙」とぼかした表現で、懐紙《かいし》や薬などを入れる携帯用の小物入れをさす用法もあるため、さらに間接性が高い。⇩がま口・財布・Q札入れ

かみさま【神様】「神」を敬って、また、超越体を人格化して言うときに、会話や軽い文章に使われる和語。〈―、仏様〉〈―のご利益〉✎太宰治の『東京八景』に「二人で一緒に死のう。―だって、ゆるしてくれる」とある。⇩神

かみさん 自分の「妻」をさす俗称。親しみと若干の照れを持って、くだけた会話で使う。〈ちょいと、―の実家へ〉〈うちの―と来た日には〉✎「―によろしく」などと他人の妻を言う場合もある。もと商人や職人の妻をさした。永井荷風の『ふらんす物語』に「巴里で宿屋の―が呉れた」とある。⇩いえの者・うちの者・お上さん・奥方・奥様・奥さん・お内儀・家内・愚妻・Q細君・妻・女房・伴侶・ベターハーフ・令閨・令室・令夫人・ワイフ

かみなり【雷】 大気中の放電現象をさし、くだけた会話から硬い文章まで幅広く使われる日常の和語。〈―雲が発生する〉〈遠い―〉〈―が落ちる〉✎稲光と雷鳴との総称。村上春樹の『遠い太鼓』に「ただ―が鳴っているというだけではない。それは確実に我々のまわりの大地に突きさされ、山を揺がし、巨木を裂き、天空に切り結んでいる」とある。「神鳴り」の意から。⇩いかずち・Q稲妻・稲光・雷鳴

かみのけ【髪の毛】 頭髪の意で、会話や改まらない文章に使われる日常的な和語。〈―が抜け落ちる〉〈―をとかす〉〈―を切りそろえる〉✎「―を拾う」「―の先」のように一本ずつを意識した用法に特徴がある。円地文子の『妖』の中に、「黒すぎる―が布のように額にべったり張りついている老女の顔」を「奇異に眺める」場面がある。また、同じ作家の『耳瓔珞』に「鳥の上わ毛のようにとりまいているカットした短い―の動物的な生々しさ」とある。⇩Q髪・頭髪・毛髪

かみん【仮眠】 寝床に入らずに短い時間軽く眠る意で、やや改まった会話や文章に用いられる漢語。〈―所〉〈―をとる〉✎阿部昭の『父と子の夜』に「病人のほうを盗み見ながら―をむさぼったり」とある。⇩居眠りする・うたた寝・Q仮睡・仮寝《かりね》

かむ【咬む】 文章中で、動物がかみつく意を書き分けて示す場合の表記。〈犬に―・まれる〉✎小沼丹の『タロオ』に「逃げようとしたらズボンの尻のところに―・み附かれた」とある。⇩嚙《か》む

かむ【嚙む】 歯で食べ物などを挟んで砕く意で、くだけた会話から硬い文章まで幅広く使われる日常生活の基本的な和語。〈奥歯で―〉〈ガムを―〉〈うっかり舌を―〉〈歯車が―〉✎庄野潤三の『秋風と二人の男』に「自分で自分の歯を―・み割るんだから、誰に文句の云いようもない」とある。「よく―・んで食べる」のように、細かく嚙み砕く意を明確にする意図で特に「嚼む」と書くこともある。⇩咬《か》む

カムバック 元の地位や立場に戻る意で、会話やさほど硬くない文章に使われる外来語。〈舞台に―する〉〈選手として―を果たす〉✎スポーツ界でしばらく低迷していた人や、芸能界を一度引退した人などによく使う。⇩Q返り咲き・再起・復帰

かめ【瓶（甕）】 水や酒などの液体やその他のものを入れる主に陶磁器製の容器をさし、会話にも文章にも使われる和語。〈水―〉〈―に入れて保存する〉✎「壺《つぼ》」に比べ、口が広く、深さがあり、大きな物が多い。⇩壺①

カメラ 「写真機」をさす外来語。現代ではくだけた会話から硬い文章まで幅広く使われる最も一般的な日常語。〈デジタル―〉〈―ワーク〉〈―を向ける〉〈高級―を操る〉✎椎名誠の『犬の系譜』に「一眼レフと較べると相当に不格好な、その巨大な弁当箱のような―」とある。⇩写真機

カメラワーク 「撮影技術」を意味する和製英語。〈巧みな―を見せる〉〈高度の―を駆使する〉

かも【鴨】 ガンカモ科の小さな水鳥の総称として、会話でも文章でも広く使われる和語。〈池に遊ぶ―〉〈―の浮き寝〉✎ちなみに、井伏鱒二は『兼行寺の池』の中で、鴨が水を打つ時の重い羽音を「ぎっし、ぎっし、ぎっし」と写生している。水鳥の話題でこの語を用いても、「くみしやすい相手」という意味で使われる「いい―にされる」「―がねぎをしょって来る」といった慣用表現が意識に浮かぶと一瞬おかしくなる。このように、その語の持っているほかの意味が語感として働く場合もある。

かもく【科目】 教科を特定の領域ごとに種類分けしたそれぞれをさし、会話にも文章にも使われる日常の漢語。〈必修―〉〈専門―〉〈受験―〉〈苦手―を克服する〉✎井伏鱒二の『貸間あり』に「試験―は、この前のものと同じである」とある。⇩Q学科・課目・教科

かもく【課目】 なすべきものとして課せられた項目、特に、学校で義務づけられた科目をさし、改まった会話や文章に用いられる専門的な感じの漢語。〈―外の授業〉⇩科目

かもく【寡黙】 口数が少なく無駄な話を滅多にしない意で、改まった会話や文章に用いられる硬い漢語。〈―な人〉〈ふだん―な彼が珍しく自分から口を開く〉✎「饒舌《じょうぜつ》」や「多弁」と対立する語。ある場面での状態をも表す「無口」に比べ、その人間の性格をさすことが多い。大岡昇平の『俘虜記』に、「甚だ―で人に向うと話題がないのを恥じている」とある。⇩無口

かもつ【貨物】 業者が運送・輸送する荷物をさし、会話にも文章にも使われるやや専門的な漢語。〈―列車〉〈―船〉〈―を輸送する〉✎「荷物」のうち比較的大きなものを連想させる。⇩荷物

かゆい【痒い】 皮膚がむずむずして掻きたくなる感覚をさして、くだけた会話から文章まで幅広く使われる日常の和語。〈背中が―〉〈―ところを掻く〉〈蚊にくわれた跡が―〉✎内田百閒の『掻痒記』に「―ところは無暗に―・くて、引っ掻いても、叩いてもまだ気がすまない」とある。⇩むずがゆい

かよう【通う】 一定の場所との間を定期的に繰り返し行き来する意で、くだけた会話から硬い文章まで幅広く使われる日常の基本的な和語。〈病院に―〉〈暇があれば図書館に

―〉〈定期船が―〉⇩Q往来・通学・通勤

かよう【歌謡】節をつけて歌う韻文形式の口承文学をさし、改まった会話や文章に用いられる専門的な漢語。〈記紀―〉✎「大衆―」「国民―」のように「歌謡曲」の意でも用い、その場合は専門的な感じは稀薄。⇩歌・歌謡曲

かようきょく【歌謡曲】庶民に広く行き渡るように作られた大衆歌謡をさし、会話にも文章にも使われる漢語。〈戦後はやった―〉✎主として大正末期から昭和三十年代の流行歌を連想させる。⇩演歌・流行歌

かような【斯様な】「このような」の意で、主として文章に用いられる古風な表現。〈―文言では誠意が伝わらない〉〈―仕儀に相成る〉⇩Qかかる・こういう・このような・こんな

かよわい【か弱い】弱々しくて頼りない感じをさす和語。「弱々しい」よりやや改まった感じで、「ひよわ」より少しくだけた感じのレベルにある語。〈―女の腕〉〈―幼子を引き連れて〉✎森鷗外の『山椒大夫』に「―代には身が軽い。もう大分の道を行ったじゃろ」とある。「ひよわ」が虚弱体質や病弱な状態を連想させる客観的な形容であるのに対して、病気しやすいようすとは無関係で、力が弱くて頼りない存在であり、保護してやりたいという感情が起こる点で主観性が交じる。事実としては男性にもありうるが、伝統的に女性に対して用いてきた影響で、「弱々しい」などとは異なり、この語はすぐ女性を連想させる。⇩軟弱②・ひ弱・弱い

から　時間や空間の起点であることを示し、会話や改まらない文章で日常使われている格助詞。〈ゴッホ展は十月一日―始まる〉〈きょうの午後六時―軽音楽の夕べがあるらしい〉✎催し物の案内で以前は「六月三日より」「夕刻五時半より」というふうに、多く「より」という助詞を用いて改まった表現にする習慣があったが、親しみやすい感じを出すためか、近年は日常会話レベルの「から」を使って「六月三日―」「夕方五時半―」と表現する例が増えた。「より」とあると、スーツ姿で出かけないと雰囲気に合わないような感じでつい億劫《おっくう》になる人でも、「から」とあれば、着流しでぶらりと出かけようという気楽な気分になるのかもしれない。少なくとも助詞ひとつで堅苦しい感じがほぐれるのは事実だろう。⇩より

から【空】中身がない意で、くだけた会話から文章まで幅広く使われる日常の基本的な和語。〈―元気〉〈―威張り〉〈―の財布〉〈家が―になる〉〈コップを―にする〉⇩空っぽ

がら【柄】織物や衣服などの模様をさし、会話にも文章にも使われる和語。〈花―〉〈派手な―〉〈着物の―〉✎「―が悪い」「そんな―ではない」のように、品格や性質の意でも使う。⇩Q模様・文様《もんよう》

カラー　色の意で会話にも文章にも使われる外来語。〈ツートン―〉〈パステル―〉〈―フィルム〉✎「ワイン―」のように複合語として使い、単独ではあまり使わない。⇩Q色・色合い・色彩・色調

カラーえいが【カラー映画】色彩画面の映画をさす、古めかしい語。✎モノクロームの白黒の映画が普通だった時代に、色のついた映画が登場し、従来のものと区別するためにこう呼んだ。初期の不自然な着色から「天然色」「総天然色」などと誇らしく宣伝する時期を経て次第にこの形におさま

ったと思われるが、カラーが普通になった今日、ことさらそう呼ぶと当時が思い返され、かえって古い感じを伴う。白黒の古い映画を色つきで再現する場合は単に「カラー」と言うことが多い。⇩カラーテレビ・総天然色映画・Ｑ天然色映画

カラーテレビ　色彩画面のテレビをさし、会話でも文章でも広く使われる語。〈白黒テレビから―の時代に移行した時期〉ほとんどがカラーテレビになった現代では、この語自体を使う機会がめったになく、白黒テレビに対して誇らしげに使っていた古い時代を連想させる。⇩カラー映画

からい【辛い】　舌を刺激するような味覚をさし、会話でも文章でも使われる日常生活の和語。〈ぴりりと―〉〈味噌汁が辛すぎる〉水上勉の『土を喰う日々』に「(大根は)ぴりっと―・くて、威勢がいい」とある。わさびやカレーの辛さについてだけこの語を使い、塩味の強い場合は「塩辛い」と使い分ける例も多い。⇩Ｑ塩辛い・しょっぱい

からかう　冗談やいたずらで相手を刺激して楽しむ意で、会話やさほど硬くない文章で使われる日常生活の和語。〈子供を―〉〈ボーイフレンドのことで女の子を―〉夏目漱石の『草枕』に「―・ったり何かすると、大変な目に逢いますよ」とある。悪意はなく、「ひやかす」に比べて親しみのこもった場合に使われる例が多い。⇩おちょくる・愚弄・Ｑひやかす・やゆ

からかみ【唐紙】　「襖《ふすま》」の一部をさす古風な言い方。〈―を閉める〉もともと、紙に胡粉《ごふん》や雲母《うんも》の粉で文様を刷り出した中国伝来の紙をさし、それを張った「唐紙障子」を単に「唐紙」とも言うようになった。ちなみに、中野翠は『小津ごのみ』の中で、「今は襖と呼ぶのが一般的だけれど、小津映画についての文章なので、私的な郷愁をこめて、以下、―と書くことにする」と述べている。⇩襖

からきし　「まるっきり」の意で、くだけた会話に使われる古風な和語。〈―意気地がない〉〈酒は―だめだ〉「からっきし」の形でも使い、その場合は古風さがなく、俗っぽさが出る。⇩一向に・からっきし・さっぱり②・全然・ちっとも・てんで・全く・Ｑまるっきり・まるで①

からくり【絡繰り】　工夫をこらした仕組みをさし、会話や軽い文章に使われる古風な和語。〈―人形〉〈―を見破る〉谷崎潤一郎の『細雪』に「何処でどう云う風な―をしていないものでもない」とある。「仕掛け」に比べ、たくらみが感じられる例が多い。⇩Ｑ仕掛け

からす【烏／鴉】　黒く艶のある羽をもつ鳥の一種をさし、会話にも文章にも使われる和語。〈―が集まる〉〈―が生ゴミをあさる〉芥川龍之介の『羅生門』に「―が何羽となく輪を描いて、高い鴟尾《びし》のまわりを啼きながら、飛びまわっている」とある。「枯枝に―のとまりけり秋の暮」という芭蕉の俳句には一幅の水墨画を思わせる趣があり、「―なぜなくの」で始まる童謡には鳥の子煩悩な姿が描かれており、「―勘左衛門」と人間並みに扱うなど、鳥に親しみをこめてはプラスのイメージもあるが、また、肉食で死体に群がる習性でもあるのか、日本では昔から不吉な鳥とされてきた。声が忌み嫌われ、羽の黒い色や不気味な鳴きことばにも及び、この語にも不吉な語感が付着している。その影響が

からだ【体／身体】　動物の頭から足までの全体をさし、くだ

けた会話から文章まで幅広く使われる日常の基本的な和語。〈大きな―〉〈―が丈夫だ〉〈―が弱い〉〈―によい〉〈―をこわす〉〈―が続かない〉〈―を張って事に当たる〉〈やっと―が空いた〉✎中山義秀の『碑』に「―が突然後へ反って、仰向けにどうと倒れたなり動かなくなった」とある。「身体」の表記は「しんたい」と紛らわしい。「躰」と書くこともある。吉行淳之介の小説の女性には「軀」の字がぴったりしていると当人の弁にある。⇩身体

からだつき【体つき】体の外見の印象をさして、会話でも文章でも使われる日常の和語。〈がっしりした―〉〈見るからにきゃしゃな―〉✎尾崎一雄の『まぼろしの記』に「小柄だが均整のとれた―で、中年ぶとりの様子もなく」とある。⇩図《ずう》体《たい》・背恰好・Q体格・体軀《たいく》・なり・身なり

からっきし「まるっきり」の意。「からきし」の転。くだけた会話で用いられる古い感じの俗っぽい口頭語。〈―意気地がない〉〈運動のほうは―駄目だ〉✎小津安二郎監督の映画『一人息子』(一九三六年)で、先生(笠智衆)に息子がよく出来ると褒められた母親(飯田蝶子)が「いや、へい、もう、―」と謙遜する場面がある。⇩一向に・からきし・さっぱり②・全然・ちっとも・てんで・全く・Qまるっきり・まるで①

からっぽ【空っぽ】中に何も入っていない意で、主としてくだけた会話に使われる日常の和語。〈家の中が―だ〉〈胃を―にする〉〈頭の中が―だ〉✎石坂洋次郎の『若い人』に「(生徒達は)摩天楼の中に吸いこまれていき、忽ち掃いたようにその辺が―になってしまった」とある。⇩から

からぶり【空振り】試みたもののまったく効果がなく失敗に終わる意で会話や軽い文章で使われる、野球用語の拡大用法。〈せっかくの提案も、上層部が聞く耳を持たないために、完全な―に終わった〉〈激しく追及したが、巧みに話をそらされ、結局は―に終わる〉✎野球で打者がバットを振ったときにボールにかすりもしないこと。転じて、「意図したことが実現できずに終わる」という意味合いに使われることもあるが、まだ比喩的な感じが強い。⇩肩透かし

からまる【絡まる】まつわりついてもつれる意で、会話やさほど硬くない文章で多く使われる日常生活の和語。「絡む」よりもいくらか会話的。〈糸が―〉〈車輪に紐《ひも》が―〉〈いろいろな問題が複雑に―〉✎獅子文六の『沙羅乙女』に「視線が、縄のように、捻れて―・った」という比喩表現が出る。「絡む」以上にもつれ方がひどく簡単にほどけない感じがあり、「蔓《つる》が―」というと何本も絡み合ったようなイメージが起こりやすい。⇩絡む

からむ【絡む】引っかかって離れにくい状態になる意で、会話でも文章でも広く使われる日常の和語。「絡まる」より文体的レベルが若干高い。〈咽喉に痰《たん》が―〉〈スクリューに海の藻が―〉〈情実が―・んで客観的な判断が難しい〉✎北杜夫の『谿間にて』に「蔓が蛇のように―・み」とある。「絡まる」と比べ、複雑にもつれた感じが薄く、「優勝争いに―」「外壁に蔦《つた》が―・んで趣がある」のようなプラスイメージの例も可能である。⇩絡まる

かり【雁】「がん」の意で主に文章中に用いられる古風な和語。〈初―〉〈―が音〉〈―が空を渡る〉✎鳴く声を模した擬声語から出た語という。雁の声の意にも雁そのものの意に

もなるが、伝統的に詩歌に用いられたため、今でも雅《みやび》やかな響きがある。⇩がん

カリー 一部で使われている高級「カレー」の別称。どこにでもある平凡なものではなくその店特製の、という自負を感じさせる外来語。〈印度—〉⇩Qカレー・カレーライス・ライスカレー

カリスマ 大衆をひきつけて心酔させる不思議な力を意味するギリシャ語からの外来語で、会話やさほど改まらない文章に使われる。〈—性がある〉〈—美容師〉本来、超人的な資質を有する預言者や英雄について用いられるが、人をひきつける不思議な魅力といった軽い意味で近年よく使われ、一時期流行した。使い方によっては俗語的に響く。

かりて【借り手】 借りる人、借りている人の両方をさして、会話にも文章にも使われる日常の和語。〈—がない〉〈—を探す〉〈—がつく〉⇩Q借り主・テナント

かりに【仮に】 事実がどうであるかとは無関係に、そうであるものと仮定してみる際に、会話にも文章にも使われる和語。〈—そういうことにしておく〉「—綴じる」「—予約を入れる」のように、本式でない意にも使う。⇩たとえ・よしんば

かりぬし【借り主】 借りている人をさして、改まった会話や文章に用いられる、やや専門的で正式な感じの和語。〈—側の言い分〉「借り手」と違い、これから借りる人よりもすでに借りている人をさすことが多い。ただし、賃貸契約書を交わす手続きの場合など、借りることが明確な時点ではこの語を用いても違和感がない。⇩Q借り手・テナント

かりね【仮寝】「仮眠」の意で会話にも文章にも使われる和語。〈途中で眠くなって—する〉「—の宿」のように野宿のような旅寝をさす用法もあり、その場合は古めかしい感じになる。⇩居眠りする・うたた寝・仮睡・Q仮眠

かりょう【加療】 治療をほどこす意で、学術的な会話や文章に用いられる医学的な雰囲気の強い漢語。〈三週間の—を要する〉〈—を施す〉⇩診療・Q施療・治療・手当て・療治

かりょう【科料】 軽い罪を犯した者に科す刑罰の一つをさし、専門的な会話や文章に用いられる漢語。〈—を言い渡す〉「罰金」より軽く前科にならない。「過料」と区別するために「とが料」と言うこともある。⇩Q過料・罰金

かりょう【過料】 法例などに違反した者に支払わせる行政上の処分をさし、専門的な会話や文章に用いられる漢語。「科料」と紛らわしいため「あやまち料」と言うこともある。〈制裁として—を払わせる〉⇩Q科料・罰金

かりる【借りる】 他人の所有物をあとで返す条件で自分が一定期間利用する意で、くだけた会話から硬い文章まで幅広く使われる日常の基本的な和語。〈傘を—〉〈家を—〉〈銀行から資金を—〉〈—・りた金を返す〉内田百閒の『特別阿房列車』に「一番いけないのは、必要なお金を—・りようとする事である」とある。「貸す」と対立。⇩借用

かるい【軽い】 目方が少ない、軽快、重大でない、手軽といった意味合いで、くだけた会話から硬い文章まで幅広く使われる日常の基本的な和語。〈体重が—〉〈身が—〉〈足取りが—〉〈怪我が—〉〈罪が—〉〈—食事〉〈—・く考える〉太宰治の『人間失格』に「充実感は少しもなく、それこそ

鳥のようではなく、羽毛のように—・く、ただ白紙一枚」とある。「重い」と対立。⇩軽量

カルチャー 会話でも文章でも使われる「文化・教養」の意の外来語。〈—ショックを受ける〉✎「文化教室」「教養講座」に代わって「—センター」があちこちに開かれ、意味とは無関係にその新鮮な語感が人の気を引いた。「文化」「教養」といった重々しいことばと違い、意味がよくわからないながらも何か気楽でとっつきやすい雰囲気があって、電化製品の普及とともに余暇の増えた主婦を中心にひところ人気を集めた。肩の凝らない感じがするのは、新しい外来語であったこと以外に、「カルチャー」の音が漢字の「軽」を連想させる面もあったかもしれない。自宅で子供から「父さん」と呼ばれるたびにドキッとしたという、一度倒産した良心的な出版社の編集者からじかに聞いた身近な実話もある。早慶戦になると早稲田の安部寮ではビフテキにトンカツを食わせて選手を送り出したという話も伝わっている。むろんステーキと豚カツで栄養をつけるだけではなく、「テキにカツ」が「敵に勝つ」に通じるためである。音の連想で駄洒落《だじゃれ》を連発する日本語の文化的な背景がもたらす語感である。「四」という漢字を見ては「死」の連想を避けて本来の「シ」を「ヨン」と読み替え、「梨」を「ありの実」、「硯箱《すずりばこ》」を「あたり箱」と逆に呼び、「A図」から「エイズ」を連想し、ホロビッツの晩年のピアノ演奏から「亡びの美学」を感じ取り、「もう、そうするより仕方がない」に「妄想する」を重ね合わせるなど、そういう例は枚挙に暇《いとま》がない。⇩教養・文化

かるはずみ【軽弾み】 状況などを深く考えずにうっかりやってしまう意で、会話にも文章にも使われる和語。〈—な行為〉〈—な言動が目立つ〉✎「軽率」「軽薄」などと違い、「くれぐれも—を慎むよう」のように、状態だけでなく行動をさす用法もある。⇩浅はか・慌て者・おっちょこちょい・Q軽率・軽薄・粗忽《そこつ》・そそっかしい・浮薄

かれ【彼】 話し手と聞き手以外の男性をさし、会話にも文章にも広く使われる日常の基本的な和語。〈—はなかなかの努力家だ〉〈—にしてはよく出来たほうだ〉✎佐藤春夫の『田園の憂鬱』に「—は夜の雨戸をくりながらその白い雨の後姿を見入った」とある。完全な目上に使うと少し失礼な感じになる。「彼ら」が男でも女でも両方交じっていても使えるように、この語も古くは性別に関係なく使われ、井伏鱒二も『山椒魚』で産卵する小蝦のことを「いかなる料簡であるか—は岩壁から跳びのき」と書いている。なお、「あの子に最近—ができたらしい」のように、恋人である特定の男性をさす古風な用法もあり、「彼氏」ほどふざけた感じを伴わない。⇩Q彼女・彼氏・恋人

かれい【華麗】 華やかで美しい意として、改まった会話や文章に用いられる漢語。〈—な衣装を身にまとう〉〈—な舞台〉✎太宰治の『斜陽』に「どうせほろびるものなら、思い切って—にほろびたい」とある。「—な演技」「—なる転身」のように抽象的な対象にも用いられる。⇩Qきらびやか・絢爛《けんらん》・はなやか

カレー 「カレーライス」に代わって現在では日常会話で最もよく使われる外来語形。〈チキン—〉〈ドライ—〉〈昼は食

堂の—で済ませる〉✎ライスを含めた料理全体をさすことが多いが、ライス以外をそう呼ぶ例もある。⇩カリー・Ｑカレーライス・ライスカレー

ガレージ 自動車用の車庫をさし、会話にも文章にも使われる外来語。〈—つきの建売住宅〉〈—のシャッターを閉める〉✎村上春樹の『ノルウェイの森』に「彼はその夜、自宅の—の中で死んだ」とある。なお、鮨屋などで蝦蛄《しゃこ》をさす俗語としても使われ、小津安二郎の映画『麦秋』にも、てんぷらの盛り合わせを見ながら三宅邦子の扮する史子が「なんだろう、これ」と言うと、笠智衆の扮する康一が「ギャレッジ」と答え、原節子の扮する紀子が「ああ、蝦蛄」と解説する場面が出る。むろん同音の「車庫」に通わせた駄洒落である。⇩車庫

カレーライス 肉や野菜を煮込んでカレー粉などで味つけしたものを御飯にかけて食する料理をさす外来語(カレーアンドライスまたはカレードライス)の略。〈レストランで—を注文する〉✎少し前までの最も標準的な語形。今でも多用され、やや会話的な「カレー」に対して、特に文章中に正式の名称として記す場合はこの語を用いるのが一般的。⇩カリー・カレー・Ｑライスカレー

かれし【彼氏】 恋人である男性の意で、会話や軽い文章に使われる、やや古風で俗っぽい表現。〈娘に—ができる〉〈—によろしく〉✎永井荷風の『濹東綺譚』に「—が来ていなければ」とある。「彼」や「彼女」と違い、ふざけた感じに響く。近年、頭高のアクセントであるこの語を平板型で発音して特別な関係にある特定個人をさす用法も観察される。「彼女」の場合と同様、現代の俗語。「あすこに立っている—」のように一般の男性をさす用法もあるが、さらに古い感じになる。「彼女」と対立。⇩Ｑ彼・恋人

かれる【枯れる】 生気がとぼしくなる意で、くだけた会話から硬い文章まで幅広く使われる日常生活の和語。〈木が—〉✎小沼丹の『庭先』に「毎年実を附けたポポも—・れたし、知人に貰った栴檀も—・れた」とある。「芸が—」「人間として—・れてくる」のように比喩的に枯淡の意で用いる場合は、プラスのイメージで文体的なレベルも高まる。⇩Ｑ涸《か》れる・嗄《か》れる

かれる【涸れる】 水分が枯渇する意で使われる日常語の表記。〈井戸が—〉〈涙の—ほど泣く〉⇩枯れる・Ｑ嗄《か》れる

かれる【嗄れる】 のどを酷使した結果、声がかすれて出なくなる場合に用いる日常語の表記。〈声が—〉⇩枯れる・Ｑ涸《か》れる

かろやか【軽やか】 動きなどの軽い感じが快く思われる意で、いくぶん改まった会話や文章に用いられる和語。〈—にステップを踏む〉〈—な身のこなし〉✎「かるやか」とも。⇩軽快

かわ【川／河】 山に発し合流して海に注ぐ安定した水の流れをさし、くだけた会話から硬い文章まで幅広く使われる日常生活の最も基本的な和語。〈—の流れ〉〈—を渡る〉〈—に沿って歩く〉✎幸田文の『おとうと』に「太い—がながれている。—に沿って葉桜の土手が長く道をのべている」とある。すべて「川」で間に合うが、大河の場合は特に「河」と書き分けることもある。「親子三人が—の字になって寝

る」のはもちろん「川」。

かわ【皮】 動植物の表皮の意で、会話にも文章にも広く使われる日常の和語。〈りんごの―をむく〉〈木の―をはぐ〉〈餃子《ギョーザ》の―〉✎川端康成の『十六歳の日記』に「大きな皺が一杯で、―をつまみ上げると、そのまま元に戻らない」とある。「化けの―」「欲の―」のような比喩的な用法ではもっぱらこの表記を用いる。⇩革

かわ【革】 なめした皮の意で製品に加工したものをさす表記。〈―製品〉〈―装の豪華本〉〈―の財布〉〈―のジャンパー〉✎動物の毛のついた製品は生々しい感じのため「皮」と書く傾向が強い。⇩皮

かわいい【可愛い】 ほほえましくなるほど愛らしく感じられる意の和語。会話や改まらない文章によく使われる日常語。〈―顔〉〈―坊や〉✎田山花袋の『田舎教師』に「其息子は丸顔の坊ちゃん坊ちゃんした―顔をして居た」とある。「愛くるしい」が幼児、「愛らしい」は女の子といった制限が感じられるのに対し、この語も主として子供に使われるものの、性別の語感はなく、年齢的にも制限は弱く、女子学生や若奥様から青年あたりまで対象になる。なお、近年の傾向として、学生が先生に対して、あるいは若者が老人に対して、「センセイ、―」とか「あのお爺《じい》さん、―」などと使うことがあって違和感を覚えるが、実際の年齢とは無関係に、相手を庇護すべき対象と見なしての表現だと考えれば、用法として大きく逸脱していることにはならない。⇩愛くるしい・Q愛らしい

かわいそう 同情を誘うようすをさす和語で、会話でよく使う日常語。〈―な子供〉〈―に住む家もない〉〈それは―なことをした〉✎志賀直哉の『城の崎にて』に「―にと思うと同時に、生き物の淋しさを一緒に感じた」とある。目下または下位の者をあわれむ気持ちで用いる語。「可哀相」「可哀想」は当て字。⇩気の毒

かわおび【革帯】 「ベルト」の意の「バンド」よりさらに古めかしい呼び方で今ではほとんど廃語に近い。〈―を締める〉✎小津安二郎監督の映画『戸田家の兄妹』(一九四一年)では昌二(佐分利信)が「一ついただくかな。―をゆるめて」と言っている。ちなみに、その二十一年後の『秋刀魚の味』では「バンド」という語が使われている。⇩バンド

かわかす【乾かす】 日光や風に当てて水分を除去する意で、会話でも文章でも幅広く使われる日常生活の和語。〈濡れた傘を―〉〈洗濯物を―〉〈天日で―〉✎夏目漱石の『坊っちゃん』に「(後架に落とした札を洗って)清は火鉢で―・して、これでいいでしょうと出した」とある。「干す」が対象物全体の乾燥を目的とするのに対して、この語は対象物の濡れた表面から湿気を除くところに意識の中心がある、という指摘もある。たしかに、雨に濡れた上着や靴は急いで「乾かす」必要があるし、切り干し大根は表面を「乾かす」だけでは使い物にならず、干し柿も長い時間をかけてゆっくり「干す」から甘くなるのであって、「乾かす」だけだと渋くて食えない。また、「干す」と違って、扇風機でも乾燥機でも「乾かす」手段は問わない。⇩干す

かわく【渇く】 水分が欠乏して不快に感じる意で、くだけた会話から硬い文章まで幅広く使われる日常の和語。〈のどが

―〉〈唇が―〉✎「心が―」「愛情に―」のように、欠けているものが欲しくなる意の比喩的用法もある。⇩Q飢える・かつえる

かわく【乾く】水分や湿気がなくなる意で、くだけた会話から硬い文章まで幅広く使われる日常の基本的な和語。〈からからに―〉〈洗濯物が―〉〈濡れるとなかなか―・かない〉✎庄野潤三の『夕べの雲』に「山のいちばん高いところにあるので、土が―・きやすかった。すぐにからからになる」とある。⇩乾燥

かわす【躱す】身を翻してよける意で、会話にも文章にも使われる和語。〈ひらりと体を―〉〈相手の攻撃を―〉✎危険を回避するための行為であるが、「避ける」のように別の場所に移動することなく角度の変化で難を逃れる感じが強い。「うまく誘いを―」「巧みに質問を―」のように抽象的な意味合いでも使う。⇩そらす

かわむこう【川向こう】川を隔てた向こう側をさし、会話にも文章にも使われる和語。〈―の町〉〈―の家〉✎川幅の広い大きな川について言う。東京では特に大川(隅田川)を隔てた深川・本所・向島あたりをイメージすることが多い。⇩Q対岸・向こう河岸・向こう岸

かわも【川面】川の水の正面をさし、主に硬くない文章に用いられるやや詩的な和語。〈―を渡る風〉〈―に町の灯が映る〉✎幸田文の『おとうと』に「こまかい雨が―にも桜の葉にも土手の砂利にも音なくふりかかっている」とある。⇩川

かわや【厠】「便所」の意のかなり古めかしい和風の呼称。〈―で用を足す〉✎谷崎潤一郎の『陰翳礼讃』に「掃除の行き届いた―へ案内される毎に、つくづく日本建築の有難みを感じる」とある。この漢字を用いると意味が直結するが、もともとは「川屋」の意。花火見物の桟敷を連想させる風流な字面であるが、実際には川の上に掛けた大小便用のいわば天然水洗施設をさしたという。⇩おトイレ・閑所・化粧室・御不浄・雪隠・洗面所・WC・手水場・手洗い・トイレ・トイレット・はばかり・Q便所・レストルーム

かわらけ 釉薬《うわぐすり》をほどこさない素焼きの器、特に杯をさして、会話にも文章にも使われる古めかしいことば。〈―に盛る〉✎「瓦笥」の意という。⇩磁器・瀬戸物・陶器・陶磁器・土器・Q焼き物

かわり【代わり】特定の人や物の役をする他の人や物をさし、くだけた会話から硬い文章まで幅広く使われる日常の基本的な和語。〈親―〉〈―の品〉〈―の人を差し向ける〉〈―を探す〉〈―を務める〉✎夏目漱石の『坊っちゃん』に「誰か―が来るんですか」とある。⇩代替《だいたい》・代用・Q代理

かわりばんこ【代わり番こ】「代わる代わる」の意で、主にくだけた会話に使われる表現。〈仲良く―に乗る〉〈全員が―に歌う〉✎少し子供っぽい感じがある。⇩Q代わる代わる・交互

かわりもの【変わり者】性格や言動が通常の人間とかけ離れている人物の意で、会話や軽い文章に使われる和語。〈町内でも―として知られている〉✎三角の部屋の丸いベッドに寝るとか、ゴキブリを飼うとか、普通の人間には理解できない趣味などを連想させるが、「変人」ほど一定の考え方に凝り固まっている感じはしない。⇩奇人・気難しい・旋毛《つむじ》曲が

り・臍《へそ》曲がり・偏屈・Q変人

かわる【代わる】交代・代用・代行の意で、くだけた会話から硬い文章まで幅広く使われる日常の基本的な和語。〈代が―〉〈出演者が―〉〈担当が別の人に―〉〈当人に―〉✎夏目漱石の『坊っちゃん』に「あんな奸物をあの儘にして置くと、日本の為にならないから、僕が天に―・って誅戮を加えるんだ」とある。⇩変わる・換わる・Q替わる・交代・交替

かわる【変わる】変化・変更など、これまでと違った状態になる意で、くだけた会話から硬い文章まで幅広く使われる日常の基本的な和語。〈風向きが―〉〈顔色が―〉〈考えが―〉✎宇野千代の『おはん』に「くるたんびに、猫の目みたよに機嫌が―」とある。⇩換わる・Q替わる・代わる・変化

かわる【換わる】交換・転換の意で、会話にも文章にも使われる和語。〈部署が―〉〈配置が―〉〈順序が―〉⇩変わる・Q替わる・代わる・交換

かわる【替わる】入れ替わる意で、会話にも文章にも使われる和語。〈順序が―〉〈担当が―〉〈選手が―〉✎交替の意味では「代わる」とも書く。⇩変わる・Q換わる・代わる・交替

かわるがわる【代わる代わる】何人かが同じことを互いに代わり合って行う意で、会話にも文章にも使われる和語表現。〈―使って験《ため》す〉〈十人が―味見する〉⇩Q代わりばんこ・交互

かん【勘】知識や論理からではなく直感的にとらえる能力をさし、会話にも文章にも使われる漢語。〈―がいい〉〈―が鋭い〉〈―が冴える〉〈―でわかる〉〈―を働かせる〉〈―に頼る〉⇩インスピレーション・直観・直感・閃《ひらめ》き・霊感

かん【棺】死体を納めて葬るための箱の意で、会話や軽い文章に使われる漢語。〈―に納める〉✎瀧井孝作は『積雪』で「畳もかえたざしきに、―をすえた。障子に中庭の積雪の明りがうつった」と抑えた筆致で描き、父の死に対面した悲しみを文章の底に沈めた。日常会話では多く「お―」の形で使う。⇩柩《ひつぎ》

かん【癇】発作的に全身が痙攣《けいれん》する意で、会話にも文章にも使われる漢語。〈―にさわる〉〈―が強い〉✎激しやすい性格や体質をさし、会話にも文章にも使われる漢語。川端康成の『山の音』に「―にさわって言いかけたが、中途でやめた」とある。⇩癇癪《かんしゃく》・気に障る・癪

がん　目を意味する隠語。〈―をつける〉✎「眼」という漢字を音読みしたものだが、ふつう片仮名書きする。⇩目

がん【雁(鴈)】ガンカモ科で白鳥より小さく鴨より大きい水鳥をさし、会話にも文章にも使われる漢語。〈―の群れ〉✎日本の代表的な渡り鳥。漢字表記は「かり」との区別が難しく、仮名表記は「癌《がん》」と紛らわしい。⇩かり

かんか【看過】気がつきながらほうっておくことをさし、主として改まった文章に用いられる硬い感じの漢語。〈重要ポストにある者として、このたびの行為は断じて―するわけには行かない〉✎阿部次郎の『三太郎の日記』に「(作意誇張が)はびこって行くことは―すべからざる事実」とある。もっぱら「見逃す」の第三の意味に使われる。⇩見落とす・見過ごす・見逃す

かんかい【感懐】心に抱く思いの意で主に文章に用いられる、硬質の抒情《じょじょう》を漂わせる漢語。〈―を述べる〉〈―を禁じえない〉⇩感慨・Q感想・所感

かんがい【感慨】深く身にしみる思いの意で、改まった会話や特に文章によく用いられる漢語。〈―無量〉〈―もまたひとしお〉〈―を覚える〉〈―に浸る〉✎横光利一の『睡蓮』に「よくも永年この忍耐をしつづけて来たものだと、我が身をふり返って今さら―にふけるのだった」とある。⇩Q感懐・感想・所感

かんがえ【考え】思考内容をさして、くだけた会話から硬い文章まで幅広く使われる日常の基本的な和語。〈―が浅い〉〈―を練る〉〈偏った―〉〈自分の―を率直に述べる〉✎宇野浩二の『子を貸し屋』に「―が、霧のように、蒸発してしまった」とある。⇩Q意見・見解・思考・思索・思想

かんがえちがい【考え違い】事実と違って考える意で、会話にも文章にも使われる和語。〈すっかり―をしていた〉✎単純な「思い違い」や「勘違い」と違って、「―も甚だしい」のように、しばしば道理や道徳に反する意味合いで使われる。⇩思い違い・Q勘違い・誤解

かんがえつく【考え付く】考えていて一つの方法などに思い至る意で、会話にも文章にも使われる和語。〈うまい宣伝を―〉〈効果的な対策を―〉✎「思いつく」よりも時間をかけて考えた具体的な内容の感じが強い。⇩Q思い付く・ひらめく③

かんがえる【考える】筋道立てて思いめぐらす意で、くだけた会話から硬い文章まで幅広く使われる日常生活の最も基本的な和語。〈慎重に―〉〈物理の問題を―〉〈よくよく―・えてみると〉〈自分の将来のことをとっくりと―・えてみる〉✎「自分のことばかり―・えて、周りの迷惑など思ってもみない」という表現からも、心に瞬間的に浮かぶ情緒を表す「思う」に対し、この語が頭である程度の時間をかけて行う理知的な思考をさすことがわかる。井伏鱒二の『鯉』の初めのほうに、今は亡き友人からもらった鯉を「不安に思ったが、暫く―・えた後で」下宿の瓢箪池に放す場面が出てくる。「不安に」とくれば「考える」という動詞は続かず、「暫く」の後に「思う」という動詞はぴったりしないから、ここでも両語の置き換えは日本語として不自然になる。ちなみに、その後引っ越し先に池がなく置き場に窮したその男は、思い余って早稲田大学のプールに放し、毎日面会に訪れる。とぼけた鎮魂歌だ。⇩思う

かんかく【感覚】視覚・聴覚・嗅覚・味覚・触覚によって外界の刺激を感じとらえる意識をさし、会話にも文章にも幅広く使われる日常の基本的な漢語。〈―器官〉〈―が鋭い〉〈寒さで指の―がなくなる〉〈―を取り戻す〉〈―に訴える〉✎茨木好子の『隅田川暮色』に「―だけが生きもののように心身にたゆたっている」とある。「国際―」「現代的な―」「―が古い」のように、感受性や美醜などの価値判断能力をさす比喩的な拡大用法も多い。⇩感性・センス・Q知覚

かんかく【間隔】空間的・時間的な隔たりをさし、会話にも文章にも使われる漢語。〈―が狭い〉〈―を大きく開ける〉〈五分―で運転する〉✎心理的な距離については用いない。⇩距離・Q隔たり

かんかんがくがく【侃侃諤諤】互いに遠慮なく論じ合うさまを表す漢語表現。古風で硬い感じの語。〈―の議論〉〈―とやり合う〉✎「喧々囂々《けんけんごうごう》」と混乱を起こし、「喧々諤々」

と誤る例も見られる。⇩喧々諤々・喧々囂々

かんき【歓喜】心が沸き立つような大きな喜びをさし、主に文章中に用いられる漢語。〈―の表情を浮かべる〉〈―の声がこだまする〉✎福永武彦の『草の花』に「夢中になって叫び出したいような、あの魂の―」とある。⇩Q喜悦・欣喜雀躍《きんきじゃくやく》・随喜・法悦・愉悦・喜び

かんきゃく【観客】演劇・演芸・スポーツその他の催し物などを見物する人をさして、会話にも文章にも使われる漢語。〈―席〉〈―の入りが気になる〉✎「見物人」に比べ、屋内や外でも仕切られた一定の場所での有料の催しを連想させる。「観衆」が人の集まりをマスとしてとらえているのに対し、この語はその中の一人ひとりを意識させるため、「観衆が騒ぎ出す」と大騒ぎになるのに、「―が騒ぎ出す」場合は一人の客かもしれず大した騒ぎにならないような雰囲気がある。総数も「観衆」より少ない印象があり、野球の試合は「観衆」でもよいが、卓球やテニスの試合や歌舞伎、サーカスなどにはこの語が適切に感じられる。⇩Q観衆・見物客・見物人・聴衆

かんきゃくせき【観客席】演劇・スポーツ・見せ物などを見て楽しむための席をさし、会話にも文章にも使われる漢語。〈―がいっぱいになる〉〈―に陣取る〉〈―が騒ぐ〉⇩Q観覧席・客席・スタンド

かんきゅう【緩急】速いことと緩いことの意で、改まった会話や文章に使われる漢語。〈―自在〉〈―よろしきを得る〉〈―をつける〉✎石川淳の『紫苑物語』に「―のしらべおのずからととのって、そこに歌を発した」とある。

がんきゅう【眼球】脊椎動物の球形の視覚器官をさし、会話にも文章にも使われる、いくぶん専門的な漢語。〈―運動〉〈―の汚れ〉〈―の動き〉✎「目玉」と違い、比喩的には使わない。小川洋子の『沈黙博物館』に「目蓋の下で―が微かに動き、唇が震え、老婆は最後の息を吐き出した」とある。⇩目・目玉

かんきょう【環境】人間や動植物、あるいは住宅などをとりまく周囲の状況をさして、会話にも文章にも広く使われる基本的な漢語。〈自然―〉〈―保護〉〈―の変化〉〈このあたりは―がすばらしい〉✎「恵まれた家庭―に育つ」のような例では意味合いが「境遇」「境涯」に接近するが、この語は具体的な物的存在をもさす点で他と異なる。⇩境涯・Q境遇・身空《みそら》・身の上

がんきょう【頑強】相手に屈しない強さと粘りがある意で、改まった会話や文章に用いられる漢語。〈―に言い張る〉〈―に踏みとどまる〉✎「―な体」のように単に「頑健」の意でも使う。⇩強力・Q強い

かんきん【監禁】人を閉じ込めて外に出られないよう身柄を拘束する意で、会話にも文章にも使われるやや専門的な漢語。〈不法―〉〈人質を―する〉✎小林秀雄の『ゴッホの手紙』に「何がこの―から人を解放するか知っているか。それは深い真面目な愛なのだ」とある。単なる「閉じ込める」より犯罪の雰囲気が漂う。⇩拘束・閉じ込める・軟禁・Q幽閉

がんきん【元金】①預金や融資で利子を生ずる元となる金銭をさし、会話にも文章にも使われる漢語。〈―を据え置く〉✎「もと金」より正式な感じの語。⇩元本《がんぽん》・Qもと金②

②事業を始める際の資本金の意で、改まった会話や文章に用いられる古風な漢語。〈商売をしようにも—が足りない〉⇩資本・もと金①・Q元手《もとで》

がんぐ【玩具】「おもちゃ」の意で、改まった会話や硬い文章中に用いられる漢語。〈幼児用の—〉〈—製造業を営む〉✎生活的なイメージのある「おもちゃ」に対して、製品・商品と見る視点が感じられ、特に童心や懐かしさを誘わない無味無臭の語。⇩おもちゃ

かんぐる【勘繰る】あれこれ気を回して他人の気持ちや行為を悪く推測する意で、会話やさほど硬くない文章に使われる日常語。〈変に—・られるのもいい気はしない〉〈—のもいい加減にしろ〉✎「邪推」と違い、それが当たる場合もある。幸田文の『おとうと』に「母のほうもこちらと似たような頑さなのではないかと—・った」とある。⇩邪推

かんけい【関係】①人・物・事が互いに関わり合ったり繋《つな》がりを持ったりしている意で、くだけた会話から硬い文章まで幅広く使われる日常の最も基本的な漢語。〈—者〉〈—諸国〉〈相関—〉〈因果—〉〈三角—〉〈恋愛—に発展する〉〈大いに—がある〉〈—を断つ〉〈もはや何の—もない〉✎必ずしも明確な二者間の関連に限らず、「時間の—で詳しい説明は省略する」のように、理由・原因・動機などを漠然とさす場合もあり、類義語の中で最も広い意味用法が見られる。⇩間柄・因果・縁①・掛かり合い・関わり・係わり合い・Q関連・続柄・続き柄・繋《つな》がり・ゆかり・連関 ②間接的に「性交」を意味することのある抽象的な漢語表現。〈人妻と—する〉〈—を持つ〉✎さまざまな「関係」のごく一部として、男女間の性的な交渉というものがあり、その核心部分として、そのものずばりの行為が内包されている、という構造のため、曖昧なケースも少なくない。ちなみに、玉川一郎の『私の冗談事典』に、軍隊の一兵士に面会を求めた若い娘に係の者が「あなたとの—は？」と質問したところ、相手は耳まで赤くなり、小声で「ハイ、二回です」とささやいた、という笑い話が載っている。⇩営み・エッチ・合歓・交合・交接・情交・情を通じる・Q性交・性行為・性交渉・性的行為・セックス・抱く②・契る・同衾《どうきん》・共寝・寝る②・懇ろになる・ファック・深い仲になる・房事・枕を交わす・交わる・やる③・夜伽《よとぎ》

かんげき【間隙】時間的なわずかな空きや気の緩みの意で、改まった会話や文章に用いられる、やや硬い漢語。〈ちょっとした—を突く〉〈—に乗じる〉〈—を縫って行う〉⇩空隙・隙《すき》・Q隙間・盲点

かんげき【感激】激しく心を動かされる意で、会話にも文章にも使われる漢語。〈—の再会〉〈—もひとしお〉✎太宰治の『女生徒』に「小さい時に読んで受けた—とちっとも変らぬ—を受けて」とある。受け身な「感動」に比べ、心が奮い立つ積極性が感じられる。⇩感嘆・Q感動・感銘

かんけつ【完結】予定した一連のものがすべてそろって全体がまとまる意で、やや改まった会話や文章に用いられる、いくぶん専門的な漢語。〈連載小説が—する〉〈シリーズ物が—する〉〈大河ドラマが—する〉⇩完成・Q完了・終了

かんけつ【簡潔】無駄がなく要領を得ている意で、会話にも文章にも使われる漢語。〈—な説明〉〈—にまとめる〉〈—を旨とする〉✎「簡略」よりプラス評価の語。⇩簡単・簡便・

Ｑ簡明・簡略

かんげん【換言】 他の語句に変更する意で、改まった会話や文章に用いられる漢語。〈―すれば〉〈漢語を和語に―する〉✎「言い換える」「言い直す」と違い、通常、文よりも小さい部分の表現変更をさす。⇩Ｑ言い換える・言い直す

がんけん【頑健】 肉体が丈夫で強い意で、主に文章に用いられる硬い漢語。〈体は―そのもの〉⇩Ｑ強健・強壮・たくましい

かんご【看護】 病人や負傷者の手当てをし世話をする意で、やや改まった会話や文章に用いられる正式な感じの漢語。〈完全―〉〈病人の―に当たる〉〈手厚い―を受ける〉✎古井由吉の『息災』に「夜勤の―婦に見つかりあきれられたのが、自分で立って歩いた最後となった」とある。「看病」に比べ、病院の連想が強い。⇩介護・介抱・Ｑ看病・ケア

がんこ【頑固】 考えを貫き妥協しないようすをさし、会話から文章まで幅広く使われる漢語。〈――徹〉〈生まれつき―なたち〉〈―おやじ〉〈―に言い張る〉✎上林暁の『薔薇盗人』に「一種岩石のように―そうな顔つき」とある。「意地っ張り」がはるかな目上に使いにくいのとは違い、性別・年齢を問わずに用いる。⇩意地っ張り・依怙地《えこじ》・片意地・頑な・強情・強情っ張り

かんこう【刊行】「出版」の意で、改まった会話や文章に用いられる漢語。〈―年〉〈―予定〉〈定期―物〉〈―直後から評判になる〉✎「第二版を―する」「第五刷を―する」のように、改版・重版・増刷などの場合にも用いる。⇩Ｑ公刊・出版・上梓・発刊・発行

かんこう【完工】 工事が完成する意で、改まった会話や文章に用いられる専門的な漢語。〈―の予定が大幅に遅れる〉〈―までに二年を要する〉⇩Ｑ竣工《しゅんこう》・落成

かんこう【敢行】 困難な問題や多少の犠牲があっても敢えて行う意で、主に文章に用いられる硬い漢語。〈冬山登山を―する〉〈反対を押し切って―する〉⇩強行・決行・Ｑ断行

かんこう【緩行】「普通列車」を意味する専門的な漢語。〈―列車に乗り換える〉✎「緩急」の関係で「急行」と対立する専門語。「急行」と違って普及せず、一般社会では俗称の「鈍行」を用いる。⇩各駅停車・Ｑ鈍行・普通列車

かんこうち【観光地】 景勝地や名所・旧跡・温泉、有名な祭りなどがあって観光客が集まる土地をさし、会話にも文章にも使われる漢語。〈日本有数の―〉〈―を訪ねる〉⇩行楽地

かんこうちょう【官公庁】 国および地方公共団体の執務機関の総称として、改まった会話や文章に用いられる、正式な感じの硬い漢語。〈―に勤務する者〉〈―より通達がある〉⇩お上・官庁・Ｑ役所

かんこく【勧告】 ある行為を行うように説いて勧める意で、改まった会話や文章に使われる公式な感じの漢語。〈人事院―〉〈退任を―する〉〈―を受け入れる〉✎個人的な問題には用いず、行政機関などの組織が発するケースが多い。「忠告」より強い態度で接する感じで、従わざるを得ない雰囲気がある。⇩警告・Ｑ忠告

かんごく【監獄】「刑務所」や「拘置所」などの総称として用いられた硬い感じの漢語。正式には刑事施設という。〈―に拘禁する〉〈―に入れられる〉✎平林たい子の『施療室にて』に「行く手には―が壁のように立ち塞がっている」とあ

る。「牢獄」ほどではないが、「刑務所」という語より古風な響きがあり、恐ろしい感じも強い。⇩Q刑務所・牢・牢獄・牢屋

かんさい【完済】 借りた金銭をすべて返す意で、改まった会話や文章に用いられる漢語。〈ローンを―する〉「弁済」ほど専門的な感じはない。長期のローンを定期的に返済し終わるような場合に使われることが多い。⇩返金・返済・Q弁済

かんさつ【観察】 事物や事柄を注意深く見てその様相の変化を調べることをさし、いくぶん改まった会話や文章に用いられる漢語。〈朝顔の―記録〉〈症状の経過―〉〈人の行動を―する〉〈動物の習性を事細かに―する〉林芙美子の『晩菊』に「猛獣が遠くから匂を嗅ぎあっているような―のしかた」とある。⇩凝視・Q眺める・見詰める

かんざまし【燗冷まし】 一度燗《かん》をした酒がすっかり冷えてしまったものをさし、会話でも文章でも使われる表現。〈酒を切らし、気の抜けた―で我慢する〉⇩Q冷や酒・冷酒

かんし【監視】 警戒して見守る意で、やや改まった会話や文章に用いられる漢語。〈―体制に問題がある〉〈―の目を光らせる〉〈―を怠る〉「見張り」に比べ、「国境の―」「景気の動向を―する」のように、大規模な対象や抽象的な事柄にも使う。⇩見張り

かんじ【感じ】 感触の意のほか、対象の雰囲気やそれから受ける印象などをさして、くだけた会話から硬い文章まで幅広く使われる日常の基本語。〈いい―を与える〉〈―が悪い〉〈よさそうな―の人〉〈しみじみとした―がある〉〈早春の―がよく出ている〉村上春樹の『風の歌を聴け』に「他人の家で目覚めると、いつも別の体に別の魂をむりやり詰めこまれてしまったような―がする」とある。⇩イメージ・印象・映像・心象・心像《しんぞう》・表象

かんじ【監事】 公益法人などの財産や業務執行を監査する役や団体の庶務を担当する役をさして、改まった会話や文章に用いられる専門的な雰囲気の漢語。〈会社の―を務める〉〈協会の―として職務に励む〉⇩幹事

かんじ【幹事】 具体的な業務を中心になって遂行する役をさして、会話にも文章にも使われる漢語。〈政党の―長を務める〉〈同窓会の―に就任する〉〈忘年会の―をこなす〉「監事」とは違い、組織内の重い任務をさすほか、宴会その他の催し物などの世話をする係といった意味合いで日常生活でも手軽に使う。⇩監事・世話係・Q世話人・世話役

かんしき【鑑識】 物事の真偽や価値を見分けること、特に、犯罪捜査での科学的鑑定をさし、会話でも文章でも使われる専門的な漢語。〈―に回す〉⇩Q鑑定・鑑別・区別・識別・判別・弁別・見分け

がんじつ【元日】 その年が始まる一月一日をさし、会話にも文章にも使われる漢語。〈―の初詣〉〈―の年始客〉芥川龍之介に「―や手を洗ひをる夕ごころ」の句がある。⇩元旦

かんじゃ【患者】 病人をさして、会話でも文章でも使われる。〈外来―〉〈入院―を抱える〉〈―を預かる〉〈待合室に―があふれる〉大江健三郎の『死者の奢り』に「附属病院の入院―が寝着のままで、厚いスリッパをはき」とある。医院や病院に診察を受けに

行くまでの間は、病人であっても患者とは呼ばれない。⇩病人

かんしゃく【癇癪】 感情を抑えきれずに興奮して怒る意で、会話にも文章にも使われる漢語。〈―持ち〉〈―玉が破裂する〉〈―を起こす〉 単なる「癪」よりも激しい感じがある。永井龍男の『そばやまで』に「―の起るのを耐えていると、顔から体へ、汗の噴き出すことが屢々あった」とある。⇩癇・気に障る・Q癪

かんじゃく【閑寂】 物静かで趣のある意で、主に文章中に用いる、やや古風な感じの硬い漢語。〈―なたたずまい〉〈―な庭〉〈―にひたる〉 石川達三の『日蔭の村』に「普門寺は日だまりに転び寝したような―さの中に古りさびていた」とある。⇩Q閑静・静か・静やか・静寂・静粛

かんしゅう【観衆】 大きな会場で行われるスポーツや催しなどを見物するために集まった多くの人々をさし、やや改まった会話や文章に用いられる漢語。〈―がどよめく〉〈大―でふくれあがる〉〈―の期待に応える〉 「広場を埋め尽くす―」のように必ずしも有料とは限らない。一人ひとりを意識させる「観客」に比べ、全体としてとらえた感じが強く、人数もさらに多い場合が多い。⇩Q観客・見物客・見物人・聴衆

かんしゅう【慣習】 それぞれの民族や地方や社会などで伝統的に決まっているやり方をさし、改まった会話や文章に用いられる漢語。〈その土地の―〉〈―に従う〉〈―を破る〉 「習慣」より社会的な傾向が強く、個人的な癖には通常用いない。⇩慣例・癖・しきたり・Q習慣・習わし・風習

がんしゅう【含羞】 はにかみや恥じらいの意で、主として文章に用いられる漢語。〈―のまなざし〉〈顔に―の色を浮かべる〉 太宰治の『斜陽』に「ヴィナスが、その全裸を男に見られて、あなやの驚き、―旋風」とある。日本文化の中では好ましいものとして受け取られる。⇩照れ・恥・恥じらい・Qはにかみ

かんじゅせい【感受性】 外界の刺激に心を動かされる意で、やや改まった会話や文章に使われる漢語。〈―が鋭い〉〈―の豊かな人〉 竹西寛子の『長城の風』に「巨大な空間の多様な刺激に、―の扉が次々に開かれてゆくような快さ」とある。個人単位に総合的にとらえた「感性」に比べ、この語は一人の人間でも各方面によって異なる場合をも含み、受身の感覚を問題にしている印象がある。⇩感性

かんじょ【閑所】 「便所」をさすきわめて古い感じの漢語。 「便所」という露骨なことばを避けて、それが単独使用の場であることに着目して、人けのない閑静な場所というふうに隣接的な関係でとらえ直した換喩《かんゆ》的な婉曲《えんきょく》表現。ちなみに、韓国の某寺には「解憂所」という表示があるという。⇩おトイレ・厠《かわや》・化粧室・御不浄・雪隠・洗面所・WC・手水場・手洗い・トイレ・トイレット・はばかり・Q便所・レストルーム

かんしょう【干渉】 自分に権限のない他の事柄に目的を持って関係する意で、会話にも文章にも使われる漢語。〈内政―〉〈親が―する〉〈第三者に―されるのを好まない〉 「介入」ほど積極的に直接行動に出ない感じが強い。⇩介入

かんしょう【鑑賞】 芸術作品などをじっくり味わう意で、やや改まった会話や文章に用いられる漢語。〈名曲―〉〈絵画を―する〉〈じっくりと―する〉 「観賞」と違い、楽しむ

以上の何かが必要。⇩観賞

かんしょう【観賞】見て楽しむ意で会話にも文章にも使われる漢語。〈―用の植物〉〈名月を―する〉✎大岡昇平の『武蔵野夫人』に「珍しい―用の樹木」とある。⇩鑑賞

かんしょう【感傷】喪失感などで(安易に)心を痛める意で、改まった会話や文章に用いられる漢語。〈―にひたる〉〈―に流される〉〈―に溺れる〉✎藤枝静男は『雛祭り』の最後に、「誰しも死んだ瞬間に離れて」しまい、「やがては土となり水となり空気と化して永久に虚空に姿を消してしまう」とし、「在るのはここ半年か一年のあいだの私の―また―、ふわふわだけだ」と書いた。医者でもあるこの作家はこんなふうに「感傷」を感覚的にとらえて文学的具体性を確保した。擬態語「ふわふわ」は概念を示さず、読者の神経を直接刺激するからである。⇩悲しさ・感慨・Q傷心・悲哀

かんじょう【感情】快・不快や喜怒哀楽などの気持ちをさし、会話にも文章にも使われる基本的な漢語。〈―移入〉〈恋愛―〉〈複雑な―〉〈―が激する〉〈―を害する〉〈―を抑える〉〈―の起伏が激しい〉✎森田たまの『続もめん随筆』に「はずみのある―は、たるんでいた皮膚をひきのばしてくれるように爽やかである」とある。一般語としての「心情」と違い、専門語として使われる場合もある。⇩気分・機嫌・気持ち・心地・心持ち・心情・心理・精神

かんじょう【勘定】「計算」の意で、主に会話に使われる古風な漢語。〈―が合わない〉〈―に入れる〉〈はじめから―し直す〉✎夏目漱石の『坊っちゃん』に「席順はいつでも下から―する方が便利であった」とある。「―書き」「―を支払う」のように、代金の意でも使う。⇩Q計算・算出

がんじょう【頑丈／岩乗】体や物の造りなどがしっかりしている意で、会話にも文章にも使われる漢語。〈―な体〉〈―な造り〉〈―にできている〉⇩堅牢《けんろう》・Q丈夫

かんしょうてき【感傷的】心を痛め悲しみの感情におぼれる意で、会話から文章まで幅広く使われる漢語表現。〈思春期にはとかく―になりやすい〉〈亡き母を思い出すと、つい―になってしまう〉✎夏目漱石の『明暗』に「―の気分を笑いにまぎらした」とある。⇩おセンチ・センチ・センチメンタル

かんしょく【感触】手や肌などに触れたときの感じをさして、会話にも文章にも使われる日常の漢語。〈触ったときの―〉〈―がやわらかい〉〈冷たい―が伝わる〉✎井上靖の『あすなろ物語』に「冷たくて固く緊った筋肉の―」とある。「手触り」「肌触り」を含む総称。⇩Q触感・手触り・肌触り

かんじる【感じる】外部からの刺激を感覚器官を通して知覚する、心に思うの意で、くだけた会話から文章まで幅広く使われる日常語。〈痛みを―〉〈危険を―〉〈責任を―〉✎網野菊の『風呂敷』に「(精神的な打撃からの)回復には(略)さわやかさと悦びがあることを、ミツは―・じた」とある。⇩覚える・Q感ずる

かんしん【感心】上位者の立場から同等以下の相手を褒める感じの日常の漢語。〈なかなか―な子だ〉〈―によく働く〉⇩えらい①・感服

かんしん【関心】面白そうに感じて気になる意で、会話にも文章にも広く使われる日常の漢語。〈大いに―がある〉〈政治に―を抱く〉〈―を寄せる〉〈―を払う〉〈―を示す〉〈世

間の—が高い〉✎「興味」に比べ、全体的で客観的な感じが強い。⇩興味

かんすい【冠水】洪水などで田畑や道などが水をかぶる意で、改まった会話や文章に用いられる漢語。〈田畑が—する〉⇩Q浸水・水浸し

かんすい【鹹水】海などの塩分を含む水をさし、学術的な話題の会話や文章に用いられる専門的な硬い漢語。〈—魚〉✎「淡水」と対立。⇩塩水《えんすい》・しおみず

かんする【関する】それについての、それに関係したの意で、改まった会話や文章に用いられる硬い感じの表現。〈その件に—情報〉〈人権に—問題〉〈昇任人事に—取り決め〉✎「関わる」「関与」と比べ、単に何らかのつながりがあるという程度でも使う。⇩Q関わる・関与

かんずる【感ずる】「感じる」意で、改まった会話や文章に用いられる古風で硬い表現。〈ひとしお寒さを—〉〈年齢とともに衰えを—〉⇩覚える・感じる

かんせい【完成】完全に出来上がる意で、会話にも文章にも広く使われる日常の基本的な漢語。〈—品〉〈建物が—する〉〈—に近づく〉〈ようやく—を見る〉⇩完結・Q完了・終了

かんせい【感性】感覚的な刺激を直観的にとらえてそれに反応する能力の意で、改まった会話や文章に用いられる漢語。〈そこは—の問題だ〉〈—が違う〉〈—をみがく〉✎同じ人間でもその方面によって感受性の鋭さが違う場合があるが、この語は「知性」と対立するものとして個人単位に感覚を総合的にとらえた印象があり、受動的な感覚だけでなく能動的な働きをも含む。⇩感覚・Q感受性・センス

かんせい【閑静】町や通りや家屋敷などのたたずまいが静かな意で、やや改まった会話や文章に用いられる漢語。〈—な住宅街〉〈—な住まい〉〈都会の喧騒《けんそう》を離れた—な一角に居を構える〉⇩Q閑寂・静か・静やか・静寂・静粛

かんせい【陥穽】他人を陥れるための謀略をさし、主として文章に用いられる硬い漢語。〈—に落ちる〉〈—にはまる〉✎本来は「落とし穴」の意だが、ほとんどがその抽象化した用例。小林秀雄の『Xへの手紙』に「この世の真実を—を構えて捕えようとする習慣が身についてこの方」とある。⇩落とし穴・Q罠《なわ》

かんせい【慣性】他の力の加わらない限り物体が現在の運動状態を保とうとすることをさし、学術的な会話や文章で用いられる専門的な漢語。〈—質量〉〈—の法則〉⇩惰性

かんせい【管制】国家が必要に応じて行動を管理し制限する意で、改まった会話や文章に用いられる専門的な漢語。〈灯火—〉〈報道—をしく〉✎「—塔」は航空機の離着陸を管理し誘導する空港施設。⇩規制・Q統制

がんせき【岩(巌)石】大きな石の塊をさし、改まった会話や文章に用いられる硬い漢語。〈—が転がり落ちる〉〈—がごろごろあるごつごつした山肌〉✎室生犀星の『杏っ子』に「—の一群のような頼もしさ」とあり、上林暁の『薔薇盗人』に「—のように頑固そうな顔つき」とあるように、頑丈で頼もしい感じの比喩に使われる。「—の組成を調べる」のように、地殻を構成する物質である火成岩・堆積岩・変成岩の総称として用いる場合には専門的な感じがある。⇩石・Q岩・いわお

かんせつ【関節】骨と骨とを滑らかに連結する部分をさして、会話にも文章にも使われる一般的な漢語。〈—炎〉〈膝の—を痛める〉⇩節々

かんせん【感染】病原体が体内に入る意で、会話にも文章にも広く使われる漢語。〈—経路〉〈ウイルスに—する〉✎「伝染」と違い、人間の側を中心に考えた語。「悪に—する」のように感化・影響の意に用いる比喩的用法もある。⇩伝染

かんせん【艦船】軍艦および船舶の総称として、改まった会話や文章に用いられる専門的な漢語。〈—の航行〉⇩舟艇・Q船舶

かんぜん【完全】欠点や不足がなくすべての条件がそろっている意で、くだけた会話から硬い文章まで幅広く使われる日常の基本的な漢語。〈—燃焼〉〈—犯罪〉〈—試合〉〈—に仕上がる〉✎「完璧」と違い、まれに「—に間違えていた」「—な失敗に終わる」のように望ましくない場合にも用いる。⇩完璧

がんぜん【眼前】目の前の意で、改まった会話や文章に用いられる硬い漢語。〈—に広がる雄大な景色〉〈—の光景に目を奪われる〉✎通常は空間的な意味合いで使い、「—の謎」「—の利益」のように抽象化した例では時間的な意味合いを帯びるものの、「直前」「寸前」のように直近の未来を想定するのではなく、あくまで現在に重点がある。小林秀雄の『ゴッホの手紙』に「理想を抱くとは、—に突入すべきゴールを見る事ではない」とある。⇩寸前・直前・間近・目先・Q目前

かんせんしょう【感染症】伝染病に代わる用語として学術的な会話や文章に用いられる漢語。〈—予防法〉〈入院命令の出る一類—〉✎「伝染病」より広義で破傷風や敗血症などを含む。⇩疫病・Q伝染病・流行《はや》り病・流行病

がんそ【元祖】ものごとを最初に始めた人の意で、会話にも文章にも使われる日常的な漢語。〈流派の—〉〈名物の—〉✎一家の初代という意味の「先祖」と同義で使われることもあるが、現在では技や商品などの創始者の意で気軽に使われている。⇩開基・開山・開祖・Q始祖・鼻祖

かんそう【感想】一定の事柄に関して心に感じた内容の意で、会話にも文章にも幅広く使われる日常の漢語。〈読書—文〉〈率直に—を述べる〉〈この件について—を求める〉✎永井荷風の『あめりか物語』に「—が、夏の日の雲のように重なり」とある。⇩感懐・感慨・Q所感

かんそう【乾燥】十分に乾く意で、会話にも文章にも使われる日常の漢語。〈—機〉〈—剤〉〈—地帯〉〈空気が—する〉〈—を防ぐ〉✎井上靖の『小磐梯』に「—した風が肌に冷たく」とある。比較的プラスのイメージで使われる「乾く」と比べ、乾き過ぎてマイナス効果が生ずる場合にも使われる。「道が乾く」のは快適だが「乾燥する」となるとひび割れそうな感じになる。⇩乾く

がんぞう【贋造】他人を騙《だま》すために本物そっくりに似せて造る意で、改まった会話や文章に用いられる硬い漢語。〈—品〉〈—紙幣〉✎一見本物に見えればよい「模造」と違い、他人を欺くことのできるまでに精巧に造られる傾向がある。⇩イミテーション・Q模造

かんだい【寛大】心が広く思いやりのある意で、改まった会話や文章に用いられる漢語。〈—な心〉〈—な処置〉〈—に

取り計らう〉 夏目漱石の『坊っちゃん』に「その辺を御斟酌《ごしんしゃく》になって、なるべく―な御取計《おとりはからい》を願いたい」とある。⇩寛容

かんたん【簡単】単純でわかりやすい意で、くだけた会話から文章まで幅広く使われる日常の基本的な漢語。〈―明瞭〉〈―な問題〉〈―な仕事〉〈構造は―だ〉〈―にできる〉〈―に解ける〉〈言うだけなら―だ〉 「複雑」と対立。「―な説明」「―な食事」のように、手間をかけないという意味でも使う。⇩たやすい・平易・易しい・Q容易・楽・楽ちん

かんたん【感嘆(歎)】感心して褒める意で、会話にも文章にも使われる漢語。〈名人芸に―する〉〈―の声が上がる〉 井伏鱒二の『川』に「ひとくちのむ度ごとに―の吐息をもらす」とある。「感心」より深く心が動かされる感じがある。⇩感激・Q感動・感銘

かんだん【閑談】暇つぶしに無駄話を楽しむ意で、主に文章に用いられる、いくらか古風な漢語。〈―して時を過ごす〉 「懇談」などに比べ、小人数の感じが強い。⇩Q歓談・懇談・談笑

かんだん【間断】続けざまに起こるものの時間的な切れ目をさし、改まった会話や文章に用いられる漢語。〈―なく起こる〉 火野葦平の『麦と兵隊』に「銃声は―なく聞え」とある。「絶え間」に比べ、間隔がやや大きい感じがあり、「雨が―なく降る」といった用法はなじまない。⇩絶え間

かんだん【歓談】うちとけて楽しく話し合う意で、改まった会話や文章に用いられる漢語。〈久しぶりに友人と―する〉〈時を忘れて―する〉 パーティー会場などで会話を楽しむという連想がある。⇩Q閑談・懇談・談笑

がんたん【元旦】元日の朝の意で、会話にも文章にも使われる、いくぶん古風な感じの漢語。〈一年の計は―にあり〉〈―に机に向かう〉 本来は朝だけをさすが、「旦」の意味がわかりにくくなり、今は「元日」同様の意味に使われる例も多い。⇩元日

かんだんけい【寒暖計】気温を測定するための温度計をさし、会話にも文章にも使われる、いくぶん古風な感じのある日常の漢語。〈―の目盛り〉⇩温度計

かんち【完治】全治の意で、会話にも文章にも使われるやや専門的な漢語。〈傷が―する〉 「かんじ」ともいう。「全治」が治癒までの予定期間をさしてしばしば医者の診断書などに用いられるのに対し、完治したか否かを問題にする場合に使われる傾向が見られる。⇩全快・Q全治・本復

かんち【感知】人や機械などが物事の変化などを感じ取る意で、いくぶん改まった会話や文章に用いられる漢語。〈熱を―する〉〈故障を―する〉〈異常事態を―してすぐ対応する〉⇩Q察知・推察・洞察・見抜く

かんちがい【勘違い】事実をうっかり誤解する意で、会話や硬くない文章に使われる表現。〈とんだ―〉〈うっかり―する〉〈てっきり自分のことだと―する〉 木山捷平の『十三年の謎』に「抱擁の真似をすると、何を―したのか、彼女は本当に彼女の唇を佐々良氏の唇にくっつけてしまった」とある。落ち着いて考えれば正しく理解できるのに不注意からうっかり誤解してしまうという意味合いが他の類義語より強い。⇩Q思い違い・考え違い・誤解・錯覚

がんちく【含蓄】 表現の奥に秘めた深い意味合いや趣をさし、改まった会話や文章に用いられる漢語。〈―のある言い方〉〈―の多い話〉〈―に富む文章〉✎谷崎潤一郎はその著『文章読本』の中で饒舌《じょうぜつ》を戒め、「始めから終りまで、殆ど―の一事を説いている」と最重要視している。⇩含み

かんちょう【官庁】 国の司法や行政などの事務を執る機関をさし、やや改まった会話や文章に用いられる硬い漢語。〈―街〉〈中央―〉⇩お上・官公庁・Q役所

かんちょう【艦長】 軍艦の乗組員を監督し指示を下す長をさし、会話にも文章にも使われる漢語。〈巡洋艦の―〉⇩Q船長・船頭

かんづく【感づく】 表面的にはわかりにくいこと、特に意図的に隠していることなどを直感的に知る意で、会話にも文章にも使われる日常語。〈相手に―・かれる〉〈最初から怪しいと―・いていた〉〈途中で贋物《にせもの》だと―〉✎夏目漱石の『坊っちゃん』に「此頃漸く―・いたのに」とある。⇩気が付く・気付く・察する・察知

かんてい【鑑定】 古い美術品や証拠物件など、物の真偽や価値などを詳細に調べて判定し結論を出す意で、会話にも文章にも使われる専門的な漢語。〈―書〉〈―に出す〉〈絵画の―を依頼する〉〈本人の筆跡か否かを―する〉⇩鑑識・Q鑑別・区別・識別・判別・弁別・見分け

かんてい【官邸】 国が大臣・長官や高級官僚に貸与する邸宅をさし、会話にも文章にも使われる漢語。〈―に入る〉〈報道陣が―に押しかける〉✎「首相―」を単にこう呼ぶこともある。⇩公邸

かんてつ【貫徹】 達成するまで同じ物事を貫く意で、改まった会話や文章に用いられる漢語。〈初志―〉〈方針を―する〉✎谷崎潤一郎の『金と銀』に「目的は此れで完全に―する」とある。⇩貫く・徹する・Q徹底

かんてん【観点】 物事を考えるときに採用する一定の立場をさし、会話にも文章にも使われる、やや硬い感じの漢語。〈女性の―に立つ発言〉〈―が異なる〉〈物事を別の―からとらえる〉✎本来は観察地点の意であるが、実際に目で見る場合の立ち位置の意ではあまり使わず、考察の立脚点といった抽象的な意味の用法が一般的。⇩見地・視座・Q視点・立場

かんどう【感動】 光景や行為や作品などに強く心を動かされて深い充足感を抱く意で、くだけた会話から硬い文章まで幅広く使われる日常の漢語。〈―的な光景〉〈深く―する〉〈―を覚える〉〈―を新たにする〉✎網野菊の『医療費』に「私は青年の親切に―し、涙が出て困った」とある。⇩Q感激・感嘆・感銘

かんどう【間道】 主要な街道から外れた脇道をさし、会話にも文章にも使われる古風な漢語。〈―を抜ける〉⇩近道・抜け道・Q脇道

かんとく【監督】 部下の行動を指導・指揮すること、また、その人をさし、会話にも文章にも使われる漢語。〈試験―〉〈現場―〉〈映画―〉〈野球の―を務める〉〈―の采配が冴える〉✎小林多喜二の『蟹工船』に「―は鶏冠をピンと立てた喧嘩鶏のように、工場を廻って歩いていた」とある。なお、松竹の城戸社長が小津作品は文学的だが映画的でないと暗

に観客が少ないことを嘆くと、小津安二郎は「じゃ、―やめて守衛でもやりましょう、ちょうど髭ものびてきたから」と応じたという。「―官庁」「―不行き届き」のように、立場上指導・指揮する行為をさすこともある。職務としての正式名称。⇩指揮官

かんどころ【勘所】ものごとの肝心かなめのところをさし、会話にも文章にも使われるやや古風な表現。〈―をつかむ〉〈―を押さえる〉🖊島木健作の『生活の探求』に「生活というものの―を握っている」とある。⇩呼吸②・こつ・Ｑ壺②・秘訣・要領

カンニング 試験などで他人の答案や持ち込みが禁じられている本・ノートなどをひそかに見る不正行為をさし、会話や軽い文章に使われる英語の日本的用法。〈―ペーパー〉〈―が見つかる〉🖊「ずるい」という意味の英語を「試験での不正行為」の意に転用。

かんぬし【神主】神道で、神社で神をまつり神に奉仕することを職務とする人をさし、会話にも文章にも使われる日常の和語。〈―にお祓《はら》いをしてもらう〉⇩宮司・Ｑ神官・神職

かんねん【観念】ある物事に対して抱く固定的な意識内容をさし、学術的な会話や文章に用いられる専門的で硬い漢語。〈固定―〉〈―を認識する〉〈善悪の―〉〈時間の―がない〉🖊「潔く―しろ」のように、諦めて覚悟をするという意味でも使われ、その場合はいささか古風な日常語。⇩概念・理念

かんばしい【芳しい】芳香がする意で、主に文章に用いられる、やや古風な和語。〈―梅の香りが漂う〉🖊「成績が―・くない」「世間の評判が―・くない」のように、好ましいの意で多くそれを否定の形で使う用法もある。⇩Ｑかぐわしい・こうばしい

かんばせ「顔」を意味する雅語。〈花の―〉🖊「かおばせ」の転。「かおばせ」よりはまだ使われる。⇩顔・Ｑ顔ばせ・顔面・つら

かんばつ【旱(干)魃】「旱《ひで》り」の意で、やや改まった会話や文章に用いられる正式な感じの漢語。〈―に見舞われる〉〈―による被害が深刻な状態だ〉⇩日照り・Ｑ旱

がんばる【頑張る】苦労をいとわず苦痛にも耐えて一所懸命に努力する意で、くだけた会話から文章まで幅広く使われる基本的な日常語。〈最後まで―〉〈優勝をめざして―〉〈期待に応えられるよう―〉⇩いそしむ・精進・Ｑ努力・励む

かんばん【看板】商店の名称や劇場などの広告・宣伝を記して人目につきやすい所に掲げる板をさし、会話にも文章にも使われる日常の漢語。〈表―〉〈―倒れ〉〈店の―〉〈正月映画の―〉〈大きな―を出す〉🖊林芙美子の『下町』に「アメリカ風な絵―が、みんな唸って迫ってくるような大きい建物の谷間」とある。「立て札」より長期にわたって掲げ固定的。⇩立て札

かんびょう【看病】病人の世話をする意で、くだけた会話から文章まで広く使われる、いくらか古風になりかけている日常の漢語。〈―疲れ〉〈母親の―に明け暮れる〉〈付きっ切りで―する〉🖊病院の雰囲気の強い「看護」と比べ、自宅を連想させやすい。⇩介護・介抱・Ｑ看護・ケア

かんぶ【幹部】組織内で指導的立場にある高い地位をさし、会話にも文章にも使われる漢語。〈―職員〉〈―候補生〉

〈組合の―〉✎「上層部」より少し幅が広い。⇩上層部

かんぷく【感服】下位者の立場から上位者を高く評価する感じの、やや改まった漢語。〈まことに―の至り〉〈ほとほと―仕《つかまつ》りました〉✎内田百閒の『掻痒記』に「経験者でなければ云われない至言だと、心中大いに―した」とある。⇩感心・傾倒・Q敬服・心酔・心服

がんぶつ【贋物】「偽物《ぎぶつ》」の意で、改まった会話や文章に用いられるやや専門的な硬い漢語。〈―と知らずに買わされる〉〈横山大観の絵の―が出回る〉✎井伏鱒二の『珍品堂主人』に「そのころの―と云ったら無茶でした。つまり需要者の方で見さかいがつかないのです」とある。⇩偽物・Qにせ物・にせ者・まがい物

かんぺき【完璧】非の打ち所のない完全無欠の意で、会話にも文章にも使われる漢語。〈―な作品〉〈―な演技〉〈―を期する〉〈―には程遠い〉✎まったく瑕《きず》のない玉の意から。近年、「―に間違えた」のように好ましくない事柄に対する強調表現として使う異例の用法が目立つ。⇩完全

かんべつ【鑑別】特徴などを調べて真偽や年代や作者などを見分ける意で、会話にも文章にも使われるやや専門的な雰囲気の漢語。〈書画や刀剣の―〉〈宝石を―する〉✎「鑑定」の結果を出すまでの過程に相当する。「鑑定」や「鑑識」と違い、警察関係にはあまり使われない。⇩鑑識・Q鑑定・区別・識別・判別・弁別・見分け

かんべん【勘弁】他人の過ちなどを許す意で、会話や硬くない文章に用いられる、いくらか古風な漢語。〈―できない〉〈どうぞ御―ください〉✎「容赦」よりも軽い意味合いで使うことが多い。「そればかりは御―を」のように、やめてくれと頼む場合にも使う。⇩赦《ゆる》す

かんべん【簡便】簡単で便利の意で、いくぶん改まった会話や文章に用いられる漢語。〈―な方法〉〈―な手続きで済む〉⇩簡潔・簡単・簡明・Q簡略

かんぼう【感冒】風邪の意で文章にまれに用いられる専門的な雰囲気のやや古風な漢語。〈流行性―〉⇩風邪

がんぼう【願望】実現したいと望み願う意で、改まった会話や文章に用いられる漢語。〈変身―〉〈自殺―〉〈―を抱く〉〈長年の―がかなう〉〈―を遂げる〉⇩期待・Q希望・願い・願い事・ねぎごと・念願・望み・夢②

かんぼく【灌木】「低木」の旧称にあたる漢語。〈―の茂み〉⇩低木

がんぽん【元本】預金などで利子を生ずる基礎となる金銭をさし、会話にも文章にも使われる専門的な漢語。〈―割れ〉〈―を保証する〉✎広義には、預金のほか債権や賃貸不動産や貸地などを含め、利益を生ずる基礎となる財産すべてをさす。⇩Qがん金①・もと金②

かんめい【感(肝)銘】深く感動して記憶に刻まれる意で、やや改まった会話や文章に用いられる漢語。〈―を与える〉〈―を受ける〉✎三島由紀夫の『金閣寺』に「悲しい―に見舞われ」とある。強く印象に残るという雰囲気が強い。⇩感激・感嘆・Q感動

かんめい【簡明】簡単でわかりやすい意で、改まった会話や文章に用いられる漢語。〈―に答える〉〈要点のみ―に述べる〉✎「簡単明瞭」の略。⇩簡潔・簡単・Q簡便・簡略

がんめん【顔面】 身体部位としての顔の表面を意味して改まった会話や文章に用いられる、やや硬い感じの漢語。〈―神経痛〉〈―蒼白〉〈―を強打する〉⇩Q顔・顔ばせ・かんばせ・つら

かんゆう【勧誘】 場所や物事へ「誘う」ことをさし、会話でも文章でも使われる漢語。〈―員〉〈保険の―〉〈入会を―する〉「いざなう」や「誘う」に比べ、具体的な行動に使う例が多い。⇩いざなう・Qさそう

かんよ【関与】「関わる」に近い意で、主として硬い文章に用いられる漢語。〈政治に―する〉〈事件に―する〉〈―が認められる〉「関する」はもちろん「関わる」に比べても、関係の深い感じがある。⇩Q関わる・関する

かんよう【寛容】 広い心で受け入れる意で、改まった会話や文章に用いられる漢語。〈―の精神〉〈―な態度〉〈―に事を運ぶ〉「寛大」よりも、他人の過ちを許すような場合によく使われ、咎《とが》め立てをしないといった雰囲気を感じさせる。福原麟太郎は『交友について』で、友情には「―が大切である」が、ただ、「その―を強いないでほしい」と述べている。⇩寛大

かんようく【慣用句】 二語以上の結合や語順が固定され、全体の意味が構成要素である個々の語の意味の総和から論理的に導けない語結合をさし、会話にも文章にも使われるやや専門的な漢語。〈「腹」を用いた―〉〈―を駆使する〉「悦に入る」「水に流す」「足を出す」「顔に泥を塗る」など。「顰蹙《ひんしゅく》を買う」「にっちもさっちも行かない」のような単なる固定的な連語を含む場合もある。また、「梯子酒《はしござけ》」「左団扇《ひだりうちわ》」のような比喩的・派生的な意味を持つ複合語や、「負けず嫌い」「無理からぬ」のように論理的あるいは文法的に説明できない慣用的な言い回し、「ご馳走《ちそう》様でした」「どういたしまして」のような世間で慣用的に頻用される一定の表現、さらには、「尤《もっと》も過ぎれば嘘になる」は小林秀雄の―」というふうに個人の独特な常套句《じょうとうく》をさす用法もある。⇩Qイディオム・格言・諺《ことわざ》・成句

がんらい【元来】 最初から変わらずにある意で、会話にも文章にも使われる漢語。〈―丈夫なたちだ〉〈―短気な性分で〉〈―の怠け者〉夏目漱石の『虞美人草』は「随分遠いね。―何処から登るのだ」という会話で始まる。ここは「もともと」の意で、「本来」と比べ、あるべき姿といった感じは薄く、特に評価は含まれない。⇩本来・もともと・もとより

かんらくがい【歓楽街】 飲食店や劇場・ゲームセンターなどの娯楽施設が集まっている地域をさし、会話にも文章にも使われる漢語。〈―に繰り出す〉「繁華街」の一部。⇩Q盛り場・繁華街

かんらんせき【観覧席】 スポーツやショーなどを見物するための席をさし、会話にも文章にも使われるいくぶん古風な漢語。〈―から見下ろす〉〈―が空いている〉⇩Q観客席・客席・スタンド

かんり【官吏】 国家公務員の旧称。〈高級―〉⇩公務員・Q公吏・役人

かんりゃく【簡略】 繁雑な部分を省き手軽に済ませる意で、やや改まった会話や文章に用いられる漢語。〈―化を図る〉〈―な地図〉〈―に記す〉部分的に省いただけで「簡潔」ほ

ど締まった感じがしない。⇩Q簡潔・簡単・簡便・簡明

かんりょう【完了】 予定したことをすべて完全にやり終える意で、やや改まった会話や文章に用いられる漢語。〈準備―〉〈作業が―する〉✎単なる「終了」ではなく、計画したことを完遂する意だが、「完成」と違い、必ずしもまとまった形が得られるとは限らない。⇩Q完結・完成・終了

かんれい【慣例】 ある社会などで長い間繰り返され、今では当たり前になっている形式や方法をさし、やや改まった会話や文章に用いられる硬い漢語。〈―に従う〉〈それが―となっている〉✎「慣習」に比べ、こういう時にはこうしてきたといった過去のやり方が今後に影響力を及ぼすというニュアンスが強い。⇩慣習・癖・Qしきたり・習慣・習わし・風習

かんれん【関連(聯)】 関わりや繋がりのある意で、いくぶん改まった会話や文章に用いられる漢語。〈―性がある〉〈―企業〉〈―の事業〉〈―が薄い〉〈何らかの―を有する〉〈事件に―のある目撃情報〉✎人間や人間を中心とした国家などの関係より、事物や事象の間の抽象的な関係をさす例が多い。「―事項」や国会での「―質問」など、「関係」に換言しにくい用法もある。⇩間柄・縁①・掛かり合い・関わり・係わり合い・Q関係①・続柄・続き柄・繋がり・連関

き

き【木】 幹が木質化して硬くなった植物、高木や低木の総称。くだけた会話から硬い文章まで幅広く使われる基本的な日常の和語。「樹木」も「材木」も「木製品」もすべて含む。〈―を植える〉〈―に登る〉✎小沼丹の『枯葉』に「狭い庭に雑然と植わっている―は茂り放題に茂って、長いこと床屋に行かない頭のようになった」とある。⇩樹木

ぎあん【議案】 審議して議決するために提出する原案の意で、改まった会話や文章に用いられる専門的な漢語。〈第三号―の審議に入る〉〈―を上程する〉⇩議題

きい【奇異】 不自然に風変わりで珍しい意で、改まった会話や文章に用いられる漢語。〈―な感じがする〉〈いささか―に響く〉〈―の念を抱く〉⇩怪奇・奇怪・奇っ怪・Q奇妙・奇妙奇天烈《れつ》・不可思議・不思議・変・摩訶《まか》不思議・妙

キー 鍵の意で会話や軽い文章に使われる外来語。〈マスター―〉〈スペア―〉〈―ホルダー〉〈車の―を回してエンジンを掛ける〉✎家や金庫や机など一般的にはあまり用いず、自動車などの場合に限ってよく使う。単独で用いるといささか気障《きざ》っぽい。「ピアノの―を叩く」として鍵盤をさし、「パソコンの―を押す」として個々の文字盤をさし、「―ノート」「―が高い」として主音をさすほか、「―ポイント」として手掛かり、「―ワード」「―マン」として主要なの意でもふつうに使われる。⇩Qかぎ・錠・錠前

きいたふう【利いた風】　さも知っているような小生意気な様子をさして、主に会話に使われる古めかしい表現。〈―なことをぬかしやがる〉✎夏目漱石の『坊っちゃん』に「―な事をぬかす野郎だ。そんなら、なぜ置いた」とあるが、現代では大学生にもほとんど通じなくなったように観察される。⇨Q小賢《こざか》しい・生意気

キーホルダー　鍵の紛失を防ぐ目的でまとめて保管するための小物をさす和製英語。〈銀製の高価な―〉

きえうせる【消え失せる】　消えて無くなる意で、会話やさほど硬くない文章に使われる和語。〈現金が跡形も無く―〉〈とっととこの場から―・せろ〉✎和田伝の『沃土』に「どれもこれも、みんなもう少しというところで砂のように崩れ煙のように―・せてしまった」とある。⇨Q消える・消失・消滅

きえつ【喜悦】　嬉しくてたまらないような強い喜びをさし、文章に用いられる古風な漢語。〈―の念〉〈顔に―の色が浮かぶ〉✎林芙美子の『羽柴秀吉』に「舌につばきのたまるような―の境にはいっていた」とある。⇨Q歓喜・欣喜雀躍《きんきじゃくやく》・随喜・法悦・愉悦・喜び

きえる【消える】　人・物・現象などが無くなる意で、くだけた会話から硬い文章まで幅広く使われる日常の基本的な和語。〈火が―〉〈雪が―〉〈明かりが―〉〈姿が―〉〈においが―〉〈疑いが―〉〈闇に―〉✎川端康成の『千羽鶴』に「―・え終るような声は母に似た」とある。⇨Q消え失せる・消失・消滅

きおく【記憶】　経験したことや感覚などを頭に覚えている意で、会話にも文章にも使われる漢語。〈―力〉〈―喪失〉〈はっきり―している〉〈―が薄れる〉〈―がある〉〈―にない〉〈―に残る〉✎永井荷風の『雨瀟瀟』に「その年の日記を繰り開いて見るまでもなく斯く明に―しているのは、其夜の雨から時候が打って変ってとても浴衣一枚ではいられぬ肌寒さにわたしはうろたえて襦袢を重ねたのみか」とある。⇨覚える

きおち【気落ち】　がっかりして元気がなくなる意で、会話にも文章にも使われる古風な和語。〈両親を相次いで失いすっかり―する〉⇨がっかり・Q失意・失望・落胆

きおん【気温】　大気の温度の意で、会話にも文章にも使われる日常の漢語。〈最高―〉〈日中の―〉〈―が上昇する〉〈―の変化が激しい〉✎本間千枝子の『没落士族』に「三鷹のあたりは都心より―が四、五度は低く」とある。⇨温度

ぎおんご【擬音語】　音を言語音で写生したことばの総称として、会話にも文章にも使われる、やや専門的な漢語。〈ニャーオやドシンは―の一例である〉✎「擬態語」と対立する。最広義には「オノマトペ」全体をさすこともある。狭義には、広義の「擬声語」のうち、人や動物の声などを別にし、「キーッ」「ガチャン」「ゴロゴロ」「ザーッ」など、もっぱら自然の音響を言語音で模写したものに限定して用い、その場合には狭義の「擬声語」と対立関係にある。⇨オノマトペ・擬状語・擬情語・Q擬声語・擬態語・擬容語

ぎが【戯画】　諷刺を利かせた滑稽な絵をさし、主として文章中に用いられるやや硬い漢語。〈鳥獣―〉〈―化する〉✎島崎藤村の『飯倉だより』に「新時代の―」とある。「漫画」に比べ一枚の絵を連想させやすい。⇨コミック・Q漫画

きかい【奇怪】　常識の通らない不思議なという意で、会話に

も文章にも使われる漢語。〈―な論理をふりまわす〉〈―な姿〉〈―な行動をとる〉✎驚き以外に好ましくないと思う気持ちが加わっている。強調する場合は「奇っ怪」と発音する。⇩Q怪奇・奇異・奇っ怪・奇妙・奇妙奇天烈《きてれつ》・不可思議・不思議・変・摩訶《まか》不思議・妙

きかい【機会】その事ができる時、あるいは、それにふさわしいタイミングをさし、会話にも文章にも使われる漢語。〈じっと―を待つ〉〈―を改めて〉〈この―に〉〈―に恵まれる〉〈二度とないいい―だ〉〈絶好の―を逃す〉✎中勘助の『銀の匙』に「知らせる―がないのを心から残念に思った」とある。「好機」や「チャンス」ほど明確ではないが、いい機会を意味する例が多い。ただし、「―均等」のように、単なる参加の可能性にとどまる用法もある。⇩好機・Qチャンス

きかい【機械／器械】人間の意図した働きをするように設計し製作した道具をさし、くだけた会話から硬い文章まで幅広く使われる日常漢語。〈―文明〉〈精密―〉〈―をいじる〉✎椎名麟三の『永遠なる序章』に「地震のように―の震動が廊下の鉄壁に伝わって来て」とある。ほとんど「機械」で間に合うが、「光学―」のような小規模のものや、「―体操」のような単純な道具の場合には「器械」と書き分ける傾向がある。⇩器具・機具

きがい【気概】ものに屈しない強い気持ちの意で、改まった会話や文章に用いられる漢語。〈―がある〉〈―を持つ〉〈―を示す〉⇩意気込み・意欲・意力・気骨・Q気迫・気力・根性・精神力・ど根性・やる気

きかえる【着替える】着ているものを脱いで別のものに取り替える意の和語。今では古風な語形。〈洋服に―・えて外出する〉✎現在多用される「着がえる」の本来の語形。相手にその知識があれば、素養のある雰囲気や古風な感じが伝わる。名詞形の「着かえ」はさらに古めかしい響きがある。三島由紀夫の『橋づくし』に「いそいで浴衣に―・えた」とある。⇩着がえる

きがえる【着替える】本来は「着かえる」だが、現在は日常会話でこの語形のほうが一般的で圧倒的に多く使われる。〈セーターに―〉✎正統的でないという響きを感じる人もあるが、名詞形の「着がえ」はかなり長い伝統があり、崩れた感じはさらに薄い。⇩着かえる

きがかり【気掛(懸)かり】気持ちに引っかかるものがあって安心できない意で、会話や軽い文章に使われる表現。〈―なことがあってよく眠れない〉〈子供の先行きが―だ〉✎林芙美子の『放浪記』に「何だか―な気持ちで神戸駅に降りてしまった」とある。⇩恐れ・危惧・懸念・心配・不安

きかく【企画】催しや事業などの計画の意で、改まった会話や文章に用いられる漢語。〈―会議〉〈―立案〉〈―を進める〉〈格安の旅行を―する〉✎「計画」よりも使用範囲が限られ、方法や手順などがより具体的にきまっている傾向が強い。⇩青写真・Q計画・構想・プラン

きがつく【気が付く】「気付く」意の少しくだけた表現で、会話やさほど改まらない文章に使われる。〈何かとよく―〉〈時計が遅れているのに―〉〈―と外は暗くなっていた〉✎井伏鱒二の『点滴』に「水道栓をいつも同じぐらいの締めかたにして、したり顔で座に引返していることに―・いた」と

ある。「気を失った人がようやく―」のように、意識を取り戻す意でも使われる。⇩感づく・Q気付く

きがね【気兼ね】 他人に気を遣って行動を控えめにする意で、会話にも文章にも使われる日常語。〈上司に―する〉〈隣近所に―して音量をしぼる〉〈―があって肩が凝る〉〈誰に―することもなく〉〈―があって自由にものが言えない〉✎態度や行為を含めた「遠慮」に対し、そのもとにある気持ちに重点がある。正宗白鳥の『生まざりしならば』に「今夜のように家中に閉籠って、傍に―しないで遊んでいる方が却ってましなのかも知れない」とある。⇩遠慮

きがる【気軽】 緊張することのない軽い気分の意で、会話にも文章にも使われる日常語。〈―に引き受ける〉〈―に話しかける〉〈―に相談できる相手〉⇩気楽

きかん【機関】 ある目的のためにそれぞれが一定の役割を果たすように組み立てられた組織をさし、やや改まった会話や文章に用いられる硬い漢語。〈内燃―〉〈金融―〉〈議決―〉〈交通―〉⇩Q機構・組み立て・構成・構造・仕組み・組織

きかん【期間】 いつからいつまでと定めたその間をさし、会話にも文章にも使われる漢語。〈―中〉〈有効―〉〈―限定の商品〉〈申し込みの―が過ぎる〉〈―を延長する〉✎分や時間のような短い間ではなく、日・月・年単位のある程度長い場合に使う。⇩時期

きかんき【利(聞)かん気】 他人の言いなりにはならないという反抗心などの意で、主にくだけた会話に使われる、やや古風な表現。〈―な坊や〉〈―が強い〉⇩勝ち気・気丈・Q負けず嫌い・負けん気

きき【危機】 危ない状態やその時期をさし、主に文章中に用いられる硬い漢語。〈―一髪〉〈金融―〉〈―を救う〉〈―を脱する〉〈―が訪れる〉〈最大の―を迎える〉✎芥川龍之介の『或阿呆の一生』に「わずかにこの―を脱出した」とある。⇩ピンチ

ぎぎ【疑義】 疑わしい内容、意味が明確でなく疑問に思うことをさし、主に文章に用いられる硬い漢語。〈―がある〉〈―をさしはさむ〉〈―を質《ただ》す〉✎他人の説明・論文・法案などの内容に関して用いる例が多い。⇩疑い・疑念・疑問・Q疑惑

ききあやまる【聞き誤る】 聞いた内容を誤解する意で、改まった会話や文章に用いられる和語。〈道順を―〉⇩聞き落とす・Q聞き損なう・聞き逃す・聞き漏らす・聞き忘れる

ききおとす【聞き落とす】 聞いていて一部の情報を得そこなう意で、会話にも文章にも使われる和語。〈肝心の箇所を―〉✎事実だけを伝える感じの「聞き漏らす」に比べ、迂闊《うかつ》にもというニュアンスが伴う。⇩聞き誤る・聞き損なう・Q聞き逃す・聞き漏らす・聞き忘れる

ききそこなう【聞き損なう】 聞いた内容を誤解する、うっかり聞き逃すの意で、会話や硬くない文章に使われる和語。〈趣旨を―〉〈遅くなって最初の部分を―〉⇩聞き誤る・聞き落とす・聞き逃す・Q聞き漏らす・聞き忘れる

ききて【聞き手／聴き手】 話を聞く側の人間をさし、会話でも文章でも使われる日常の和語。〈―に正確に伝わる〉〈―の反応を見ながら話す〉〈―の笑いを誘う〉〈もっぱら―にまわる〉〈作家訪問で―を務める〉✎インタビュアーを意味する場合はやや古風な感じがある。ほとんど「聞き手」で

間に合うが、「―の反応」などの例で聴衆という意味であることを明確にする意図で特に「聴き手」と書き分けることがある。その表記はやや専門的でいくらか新しい感じを与える。⇩インタビュアー・受け手・受信者

ききのがす【聞き逃す】聞こうと思いながら聞く機会を逸する、聞いていて一部を聞き漏らす意で、会話にも文章にも使われる和語。〈楽しみにしていた音楽を―〉〈天気予報で肝心の明日の部分を―〉⇩聞き誤る・Q聞き落とす・聞き損なう・聞き漏らす・聞き忘れる

ききめ【効(利)き目】働きかける作用の期待どおりの結果をさし、会話や軽い文章に使われる日常の和語。〈薬の―〉〈―がない〉〈―がすぐ現れる〉⇩効果・Q効能・効用

ききもらす【聞き漏らす】聞き落とす意で、会話にも文章にも使われる和語。〈ニュースの中で内閣支持率の数字を―〉⇩聞き誤る・Q聞き落とす・聞き損なう・聞き逃す・聞き忘れる

ぎきょ【義挙】損得抜きで正義のために事を起こす意で、主に文章に用いられる古めかしく硬い漢語。〈元禄の―と讃えられる〉⇩快挙・壮挙・Q美挙

ききょう【帰郷】故郷に帰る意で、主に文章に用いられる、いくらか詩的な雰囲気の漢語。〈今年のお盆には―できるかもしれない〉〈久しぶりの―が待ち遠しい〉✎「帰省」より回数の少ない感じがあり、それだけ懐かしい感情も強い。休みのたびに帰るような場合に使うと大仰過ぎて違和感がある。⇩帰京・帰省

ききょう【帰京】都に帰る意で、やや改まった会話や文章に用いられる漢語。〈十日に―の予定〉✎現代では東京の場合に限って使い、「上京」ほどではないが、長く都のあった京都の人などには心理的に抵抗があるかもしれない。⇩帰郷

きぎょう【企業】生産や販売などの経済活動を営む営利目的の組織体をさし、いくぶん改まった会話や文章に用いられる正式な感じの漢語。〈零細―〉〈民間―〉〈―秘密〉〈―が倒産する〉⇩会社

ぎきょく【戯曲】演劇として上演する目的で書く脚本をさし、やや改まった会話や文章に用いられる正式な感じの漢語。〈小説の―化〉〈―仕立ての小説〉✎本自体よりもジャンルという意識が強く、あえてそういう形式で書いた、読むための文学作品もある。⇩脚本・コンテ・Qシナリオ・台本

ききわけ【聞き分け】親などの忠告を理解し納得する意で、会話にも文章にも使われる和語。〈―がいい〉〈―のない子〉✎「物分かり」と違って、ほとんど子供について使われる。⇩物分かり

ききわすれる【聞き忘れる】聞く予定だったものをうっかり忘れて機会を逃す意で、会話でも文章でも使われる和語。〈天気予報を―〉⇩聞き誤る・聞き落とす・聞き損なう・Q聞き逃す・聞き漏らす

きく【利く】機能する意で、会話でも文章でも広く用いられる日常の和語。〈気が―〉〈右手が―〉〈修理が―〉〈対等に口を―〉〈わさびが―〉✎夏目漱石の『坊っちゃん』に「気―・かぬ田舎もの」とある。⇩効く

きく【効く】効果があるという意味で、会話でも文章でも幅広く使われる日常の和語。〈薬が―〉〈宣伝が―〉✎久保田万太郎の『末枯』に「莫迦《かば》に今日は酒の―ような気がする

よ」とある。⇩利く

きく【聴く】「聞く」のうち、注意深く耳を傾ける意を特に書き分ける場合の表記。〈名曲を―〉〈講義を―〉〈せせらぎの音を―〉〈耳を澄まして―〉✎「聞く」より美的に響く場合もあり、文体的なレベルも高い。ただし、理解力より聴力が意識される面もある。⇩聞く

きく【聞く】音や声を耳で感じ取る意で、くだけた会話から文章まで幅広く使われる最も基本的な和語。〈物音を―〉〈鳥のさえずりを―〉✎井伏鱒二の『黒い雨』に「僕を呼んでいる金切声を―・いた」とある。「道を―」のように「尋ねる」意では「訊く」と書いて区別することもある。小沼丹の『小さな手袋』にも「痩せた女はこの男を面白い人だと思ったのかもしれない、いろんなことを訊く」とある。⇩聴く・尋ねる・問う

きく【危懼】→きぐ(危惧)

きぐ【器具】道具としての比較的小規模な機械をさし、会話でも文章でも使われる日常の漢語。〈電気―〉〈医療―〉〈―の点検〉✎「機具」に比べ、小規模で比較的単純な生活用品を連想しやすい。⇩機具

きぐ【機具】単純で中規模の機械をさし、会話でも文章でも使われる漢語。〈農―〉〈土木―〉〈―を搬入する〉✎「器具」より少し大がかりな道具を連想しやすい。⇩器具

きぐ【危惧】近い将来に好ましくないことが起こりそうで心配な意で、改まった会話や文章に用いられるやや硬い漢語。〈いささか―もある〉〈―の念を抱く〉✎漠然とした不安より、「度重なる挑発行為に周囲は―の念を強めている」のように何らかの事実を根拠として心配する場合が多い。「懸念」に比べると、悪い結果を恐れる気持ちが強い。夏目漱石の『明暗』に「実意の作用に至ると、勢い―の念が伴わざるを得なかった」とある。⇩恐れ・気がかり・Q懸念・心配・不安

ぎくっと　突然の出来事に驚き恐れるときに、会話や軽い文章に使われる擬態語。〈突然のことに―する〉✎高橋和巳の『悲の器』に「鏡にうつる自分の顔に、私は―した。見知らぬ者の狂気の相がそこにあった」とある。⇩Qぎくりと・ぎょっと・どきっと・どきりと・どきんと・はっと

きくばり【気配り】周囲の人間の気持ちを考えて手落ちがないように気をつける意で、会話にも文章にも使われる日常語。〈―が行き届く〉〈周りへの―を欠かさない〉✎温かい心から出る具体的で質的な「心配り」「心遣い」に対して、この語はいろいろな点に広く神経を働かせる場合に用いる傾向がある。⇩気遣い・Q心配り・心遣い・配慮

きぐらい【気位】品位を高く保とうとする気持ちをさし、会話にも文章にも使われる日常語。〈―が高い〉〈―を持つ〉✎林芙美子の『浮雲』に「持参金つきの嫁のような、妙な―をみせて」とある。⇩矜持《きょうじ》・自尊心・自負・Qプライド・誇り

ぎくりと　「ぎくっと」の意で、会話や硬くない文章に使われる擬態語。〈思いがけない質問に―する〉✎幸田文の『おとうと』に「そこまで聴くと、どういう事態なのかが呑みこめて―した」とある。⇩ぎくっと・ぎょっと・どきっと・Qどきりと・どきんと・はっと

きぐろう【気苦労】心配事が多くあれこれ気を遣う意で、会話にも文章にも使われる漢語。〈何かにつけ―が多い〉〈あ

れこれ—が重なる〉〈—が絶えない〉⇩心痛・Q心労

きけつ【帰結】紆余《よ》曲折のあった議論などで最後にまとまって落ち着くところをさし、改まった会話や文章に用いられる硬い漢語。〈論理的—〉〈当然の—〉✎大岡昇平の『武蔵野夫人』に「今度の敗戦は明治の足軽政府の猪突主義の当然の—であり」とある。⇩Q結果・結論

ぎけつ【議決】会議などの場において合議の上で決定する意で、改まった会話や文章に用いられる専門的な硬い漢語。〈—機関〉〈—権を有する〉〈衆議院で—する〉⇩決議

きけん【危険】「危ない」意で、「危ない」よりやや改まり、「あやうい」ほどは改まらないレベルの漢語的日常語。〈身に—が迫る〉〈—を冒して〉〈—な仕事〉〈—な思想〉〈—極まりない〉〈—な賭けに出る〉✎川端康成の『雪国』に「虚偽の麻痺には、破廉恥な—が匂っていて」とある。⇩Q危ない・危うい

きげん【期限】受付などの開始から締め切りまでの期間、特に最終日をさして、会話にも文章にも使われる漢語。〈有効—〉〈—を設ける〉〈—が近づく〉〈—が切れる〉〈—を延ばす〉⇩期日・Q締め切り

きげん【機嫌】表情・態度・行動などに表れる快・不快の気分をさし、会話にも文章にも使われる日常の漢語。〈上—〉〈朝から—がいい〉〈不—〉〈急に—が悪くなる〉〈—が直る〉✎上林暁の『極楽寺門前』に「まだ—が直っていないんだなと思った」とある。⇩感情・気分・気持ち・心地・心持ち・心情・心理・精神

きこう【起工】大規模な工事を開始する意で、改まった会話や文章に使われる専門的な漢語。〈—式〉〈十月に—する〉✎「着工」より大がかりな工事を連想させ、より専門語的。⇩着工

きこう【機構】機械や団体や組織などの内部の組み立てをさし、改まった会話や文章に用いられる硬い漢語。〈動力伝達—〉〈流通—〉⇩Q機関・組み立て・構成・構造・仕組み・組織

きこう【気候】ある土地での気温・晴雨・湿度・気圧などの長期にわたる気象状況をさし、くだけた会話から硬い文章まで幅広く使われる日常の基本的な漢語。〈海洋性の—〉〈—が穏やかだ〉〈—に恵まれる〉〈—が温暖だ〉✎夏目漱石の『坊っちゃん』に「(田舎は)—だって東京より不順に極っている」という独断的偏見が出る。⇩気象・時候

きごう【記号】約束により一定の意味・内容を表す文字・音声・信号・形などの印をさし、会話にも文章にも広く使われる漢語。〈元素—〉〈発音—〉〈—論〉〈—を付ける〉〈—で表示する〉✎狭義には、?+*#☆%など、文字以外の符号をさし、「符号」よりよく使う。⇩符号

ぎこう【技巧】物事を表現・製作する際に用いる特別の技術をさし、会話にも文章にも使われる漢語。〈—派〉〈—を極める〉〈—を凝らす〉〈—に走る〉✎細かいテクニックをさして若干軽蔑的に使う例もある。小林秀雄は鎌倉の自宅で質問に答え、「そういう形式は僕の任意な—じゃない。決して単なるレトリックじゃない」と声を大きくした。⇩腕②・腕前・技術・技能・技法・技量・Qテクニック・技

きこうし【貴公子】身分の高い家の若い男、また、そのように上品な雰囲気の青年をさし、会話にも文章にも使われる

古風な漢語。〈いかにも―然とした風貌〉⇩ジェントルマン・Q紳士

きこつ【気骨】 強い信念をもち困難にも屈しない精神力の意で、やや改まった会話や文章に用いられる、いくぶん古風な漢語。〈―のある頼もしい人物〉⇩意気込み・意欲・意力・気概・気迫・気力・Q根性・精神力・ど根性・やる気

きさい【記載】 文書に書いて載せる意で、改まった会話や文章に用いられる正式な感じの漢語。〈―事項〉〈―漏れ〉〈書類に氏名を―する〉島崎藤村の『破戒』に「この当時の光景は「懺悔録」の中に精しく―してあった」とある。⇩Q記入・記録

きざい【機材】 機具と材料、または、機具の材料を意味し、会話でも文章でも使われるやや専門的な漢語。〈建設用の―を搬送する〉⇩Q器材・器財

きざい【器材】「機材」に近い意で、会話でも文章でも使われるやや専門的な漢語。〈観測用の―〉〈教育用の―〉「機材」より小規模なものを連想しやすい。「撮影用の―」の場合は物によって適切な表記が異なる。⇩Q機材・器財

きざい【器財】 器や道具類の意で、主に文章に用いる硬い漢語。〈―一式をとりそろえる〉⇩機材・Q器材

きざし【兆(萌)し】 何かが起こり始めることを感じさせる微《すか》かな変化をさし、会話にも文章にも使われる和語。〈春の―〉〈衰退の―が現れる〉〈回復の―が見られる〉⇩前兆・兆候・前触れ・予兆

きさま【貴様】 同等以下の相手を見下したり対抗意識をむき出しにしたりして言うときに使うぞんざいな表現。〈―のせいだ〉〈―なんかに負けないぞ〉〈おい、―、こんなことをしやがって、どうする気だ〉夏目漱石の『坊っちゃん』で山嵐が教頭の赤シャツに向かって「宵に―のなじみの芸者が角屋へ這入ったのを見て云う事だ。胡魔化せるものか」とこの語を使っているが、それは「天に代って誅戮を加える」場面である。小林秀雄の『作家の顔』に「ドストエフスキイ、―が癲癇で泡を噴いているざまはなんだ」とある。古くは目上に使う敬称。今はこのようにののしるときか、せいぜい「―ってやつはほんとにいいやつだなあ」などと、ごく近しい目下に特に親しみをこめて使う程度だが、戦時中は「―と俺」のバンカラな感じが好まれ、上品な「君と僕」に代わって軍隊などの男の間でかなり使われたようである。「お前」に比べ、親しみをこめて言うケースは現代では少ない。⇩あなた・あなた様・あんた・Qお前・君・てめえ

きさんじ【気散じ】「気晴らし」の意の古めかしい表現。〈―に山歩きをする〉堀辰雄の『菜穂子』に「一生のうちでそう何度も経験出来ないような、美しい―な日々」とある。⇩憂さ晴らし・Q気晴らし・慰み

きし【岸】 海・湖・川・池などに接するあたりの陸地をさし、くだけた会話から硬い文章まで幅広く使われる日常の基本的な和語。〈向こう―〉〈―の柳〉〈―に泳ぎ着く〉夏目漱石の『坊っちゃん』に「釣をするには、あまり―じゃいけない」とある。⇩磯・うみべ・沿岸・海岸・海浜・かいへん・Q岸辺・なぎさ・波打ち際・浜・浜辺・みぎわ・水際・水辺

きじ【生地】 衣服を作る材料として見た布をさし、会話にも文章にも使われる日常語。〈丈夫な―〉〈―がいい〉〈―を

裁断する〉✎絹・麻・木綿といった布の種類や丈夫だとか伸縮性に富むとかといった性質などを問題にする際によく使う。⇩切れ・Q布・布地

ぎし【技師】高度な専門技術を修得しそれを職業とする人をさし、会話にも文章にも使われる、いくぶん古風な漢語。〈建築―〉〈X線―〉✎伝統的に使われてきた用語だけに「技術者」よりも範囲が固定された雰囲気があり、近年のIT関係の分野ではあまり使われないように思われる。⇩Qエンジニア・技術者

ぎし【義歯】「入れ歯」の意で、学術的な会話や文章に用いられる専門的な硬い漢語。〈―を作る〉✎森田草平の『煤煙』に「目だたぬほど上反った歯は一枚置きに―を入れて、物を言うたびに煌々《きらきら》と人の眼を射る」とある。⇩入れ歯

ぎしき【儀式】一定の形式に則って行われる改まった行事で、会話にも文章にも使われる漢語。〈―張る〉〈―を執り行う〉✎具体的な作法そのものをさすこともある。円地文子の『遊魂』に「大勢の人間が動き出すのには、―が要る、秩序が要る、つまり祭りだな」とある。⇩Q式・式典

きしつ【気質】性質のタイプをさして、改まった会話や文章に用いられる漢語。〈職人―〉〈生来の―〉〈親譲りの芸術家的な―〉✎「多血質」「粘液質」など遺伝的な感情傾向を連想させやすい。夏目漱石の『行人』に「兄の―が女に似て陰晴常なき天候の如く変る」とある。⇩気象・気性・気立て・性分・人格・人品・人物・性格・性向・Q性質・たち・人柄・人となり

きじつ【期日】ある行為の実行について予《あらかじ》め定めた約束の日をさし、やや改まった会話や文章に用いられる漢語。〈―を定める〉〈―を通知する〉〈―に間に合わせる〉〈返済の―が迫る〉⇩Q期限・締め切り

きしべ【岸辺】湖や川などの岸のほとりをさし、やや改まった会話や文章に用いられる、いくぶん趣のある和語。〈―を洗う波〉〈―にたたずむ〉✎梅崎春生の『桜島』に「船の中で看護婦の白い帽子がゆれた。患者たちは―に駈け出した」とある。⇩磯・うみべ・沿岸・海岸・海浜・かいへん・Q岸・なぎさ・波打ち際・浜・浜辺・みぎわ・水際・水辺

きしむ【軋む】なめらかに滑らず摩擦を起こしてキシキシ音を立てる意で、会話にも文章にも使われる和語。〈雨戸が―〉〈廊下の床が―〉〈ベッドが―〉✎室生犀星の『杏っ子』に「自転車のタイヤが雪をくわえて鼠の鳴くように、―・んだ」とある。⇩きしる

きしゃ【汽車】「列車」の古めかしい言い方。〈―の旅〉〈夜―に揺られる〉〈―の窓辺に寄り添って見送る〉✎夏目漱石の『坊っちゃん』に「乗り込んで見るとマッチ箱のような―だ」とある。本来、蒸気機関車で牽引《けんいん》する列車をさす。現在ではほとんどの鉄道網が電化され、一部の地域で観光用などの目的で走らせる程度になっている。その場合は「SL」と呼ぶことが多く、日常生活でこの語を耳にするのは、年輩者が単に「列車」の意味で用いるケースが大部分である。⇩電車・Q列車

きしゃ【貴社】相手側の会社を丁寧に言うときに主に文章中に用いられる漢語。〈幸いにして―に就職が叶いますならば〉✎「―の記者が汽車で帰社した」という言語遊戯があるほど同音異義語が多く、口頭での使用は少ない。⇩御社《おんしゃ》

きしゅう【奇襲】敵の虚に乗じた襲撃の意で、会話にも文章にも使われる漢語。〈―攻撃〉〈―戦法〉✎「不意打ち」より軍隊などの大がかりな攻撃を連想させる。単にタイミングが予想外であるだけでなく、相撲《すもう》で立会いに擦れ違うように蹴たぐりを仕掛けるとか、敵の想定しない攻め方をする感じが伴う。⇩不意打ち

きじゅうき【起重機】重量のある物を吊り上げて移動させる機械をさし、会話にも文章にも使われる、やや古風な漢語。〈―で建材を吊り上げる〉✎石坂洋次郎の『山のかなたに』に「二つの拳を―のように上下させながら」と比喩表現に用いた例がある。⇩クレーン

きしゅくしゃ【寄宿舎】「寮」を意味する古風な漢語。〈―生活〉〈女学校の―〉〈―に入る〉✎尾崎士郎の『人生劇場』に「夜更けの―の中は朽廃したお寺のような感じだった」とあり、サトウハチローの『おさらい横町』に「あんまりしようがないから、お父さんと相談して、―へ入れようと思っているのよ」とある。純情な女学生、親思いのやさしい娘、良妻賢母型の女といった現代日本が失いつつある女性像をなつかしむ風潮が出てきても、懐古調をつくりだすのは親の世代以前だから、社員寮や学生寮に「寄宿舎」という名称を復活させても希望者が殺到することは期待できない。このことばの古風な語感が、バスやトイレといった横文字の似合わない、かつての薄暗い共同の風呂場や汲み取り式の便所や、テレビひとつなく設備の整っていない古くさい建物を連想させ、舎監が目を光らせてでもいるような雰囲気を漂わせるため、むしろ申し込みが激減しそうである。⇩寮

きじゅつ【記述】文章として書き記す意で、改まった会話や文章に用いられるやや専門的な漢語。〈―言語学〉〈―式の試験問題〉〈調査結果を―する〉✎「叙述」に比べ、感情を抑えるのはもちろん、推測や解釈のような主観を交えず、冷静な態度で事実だけをありのままに客観的に記録するというニュアンスが強い。⇩叙述

きじゅつ【奇術】見る者を不思議に思わせるプロの技、特に手品をさし、会話にも文章にも使われる漢語。〈―師〉✎「手品」より高度な感じで、指先の器用さよりも巧みな仕掛けのある芸を連想しやすい。⇩手品・手づま・Qマジック・魔術

ぎじゅつ【技術】物事を処理する手段や手順などの技を広くさし、会話にも文章にも使われる日常の漢語。〈―者〉〈生産―〉〈運転―〉〈―を身につける〉〈持てる―を駆使する〉✎小林秀雄の『モオツァルト』に「音楽の実際の素材と―とを欠いた音楽家」とある。「―的な問題」「科学―」「―の革新」「新しい―を導入する」のように、個人の能力以外、科学的知識などに基づく方法・手段そのものをさす用法もある。⇩腕②・腕前・技巧・Q技能・技法・テクニック・技

ぎじゅつしゃ【技術者】特定の専門技術を修得しそれを職業とする人をさし、会話にも文章にも使われる漢語。〈電気関係の―を呼ぶ〉〈専門の―に修理を依頼する〉✎「技師」や「エンジニア」よりも広範囲に使い、必ずしもきわめて高度な専門性に限らず幅広く用いる傾向が見られる。⇩エンジニア・Q技師

きじゅん【基準】比較・判定の基礎となる論拠の意で、会話でも文章でも幅広く使われる日常的な漢語。〈―値〉〈設置

―〉〈判断―〉〈―に達する〉✎「規準」に比べ、数値などの具体的な材料が示される傾向が強い。⇩規準・標準

きじゅん【規準】行為や判断の根底をなす規則の意で、改まった文章に用いられる硬い感じの高級な漢語。〈道徳の―〉〈拠って立つ―〉✎数値以外にも広く「基準」が使われるようになり、この語の使用が抽象的なものにかなり狭く制限されている。⇩基準

きしょう【気象】大気の状態、大気中の現象をさして、学術的な会話や文章に用いられる専門的な漢語。〈―衛星〉〈―通報〉〈―を観測する〉✎島崎藤村の『破戒』に「なかなか毅然《しゃん》とした―の女」とあるように、同音語の「気性」の意味でも使われる。⇩気候・時候・Q天気・天候／気質・Q気性・気立て・性分・人格・人品・人物・性格・性向・性質・たち・人柄・人となり

きしょう【気性】生まれつきの性質をさして、会話やさほど硬くない文章に使われる、やや古風な漢語。〈―が荒い〉〈さっぱりした―〉〈進取の―に富む〉✎織田作之助の『夫婦善哉』に「持前の勝気な―が蛇のように頭をあげて来た」とある。「優しい」「控えめ」という方向より「激しい―」「荒々しい―」「鬼のような―」のような方向の用例が目立つ。⇩気質・Q気象・気立て・性分・人格・人品・人物・性格・性向・性質・たち・人柄・人となり

きじょう【気丈】不幸や苦痛に屈せず心をしっかり持って力強く立ち向かう様子をさし、会話にも文章にも使われる古風な漢語。〈―な人〉〈―にふるまう〉✎二葉亭四迷の『浮雲』に「男勝りの―者」とあるように、多く弱者と見られてきた女性や子供に用いている。今でも伝統的に女性に用いる例が目立つ。「気弱」と対立。⇩勝気・きかん気・太っ腹

ぎじょうご【擬状語】擬態語を細分したものの一つで、動作や心情でなく、もっぱら物の状態を言語音で感覚的・象徴的に表現することばをさし、学術的な会話や文章に用いられる、専門性の高い漢語。〈「さらさら」は―の一つだ〉✎「ぴかり」「きらきら」「がちがち」などがそれに当たる。⇩オノマトペ・擬音語・擬情語・擬声語・Q擬態語・擬容語

ぎじょうご【擬情語】擬態語を細分したもののうち、動作や状態ではなく、もっぱら人の心情を言語音で感覚的・象徴的に表現することばをさし、学術的な会話や文章に用いられる、専門性の高い漢語。〈「やきもき」は―の一例だ〉✎「いらいら」「くよくよ」「じりじり」「わくわく」などがそれに当たる。⇩オノマトペ・擬音語・擬状語・擬声語・Q擬態語・擬容語

きしる【軋(轢)る】硬い物どうしが擦れ合って不快な音を出す意で、会話にも文章にも使われる和語。〈車輪の―音〉✎梶井基次郎の『冬の蠅』に「もやい綱が船の寝息のように―・り」とある。「きしむ」と共通する部分が多いが、電車がカーブの際などにレールと強くこすれる場合や、自動車が急ブレーキをかけた場合などの耳障りな音にはこの語がぴったりする。⇩きしむ

きしん【寄進】社寺に金品を寄付する意で、改まった会話や文章に用いられる古風な漢語。〈神社に―する〉✎物品の場合は「献納」や「奉納」も使われるが、金銭の場合はもっぱらこの語が使われる。⇩献納・奉納

きじん【奇(畸)人】性格や言動が通常の人間と著しく異なっ

ている人をさし、会話にも文章にも使われる古風な漢語。〈—変人〉〈—列伝〉〈—の部類に属する〉✎「変人」がそれなりの信念を感じさせるのに対し、奇癖を有し奇妙な行動に出るなど、常識で考えにくい存在というイメージがある。⇩変わり者・気難しい・旋毛《つむじ》曲がり・臍《へそ》曲がり・偏屈・Q変人

キス 男と女が唇を合わせたり、子供などの額や頬や首筋などに唇をふれたりする行為をさす外来語。〈甘い—の味〉〈投げ—〉〈初めての—〉〈祝福の—〉✎現代では類義語中で最もよく使われる軽い感じの日常語。島田雅彦の『ドンナ・アンナ』に「腕を摑んで、引き戻し、検印を押すように—をした」とある。「キッス」の語形は古風だが、「投げキッス」は今でも使う。サトウハチローに『センチメンタル・キッス』という題の小説がある。親愛の情を示すために頬や額に唇を触れる行為の場合にも他の類義語より抵抗なく使える。⇩キッス・口吸い・Q口づけ・ごうし・接吻

きず【傷】 身体や物体の損傷をさし、くだけた会話から硬い文章まで幅広く使われる日常生活の和語。〈—を負う〉〈顔に—がある〉〈—がうずく〉〈—の手当て〉✎徳田秋声の『仮装人物』に「鮮血のにじむ隙もない深い—」とある。「心の—」「経歴に—が付く」のような抽象化した用法にも用いる。刃物による切り傷の場合に特に「創」と書いて区別することもある。「柱の—」「車体の—」「—のあるりんご」のような物品の傷は特に「疵」と書くこともある。欠点を意味する「玉に—」の場合は伝統的に「瑕」と書く習慣がある。

きせい【奇声】 頓狂な感じの奇妙な声をさし、会話にも文章にも使われる漢語。〈—をあげる〉✎内田百閒は『居睡』に、教師が授業中に居眠りをしていて自分のいびき声が「咽喉にひっかかり、がばっ、と云う—を発した途端に、はっと思って目がさめるのではないかと云う懸念」をぞっとするような迫真の筆致で述べている。⇩胴間声・蛮声・Q悲鳴

きせい【帰省】 郷里に帰る意で、会話にも文章にも使われる漢語。〈—先の住所〉〈—列車〉〈—客でごった返す〉〈夏休みで—する〉✎「帰郷」に比べ、一時的に親元に帰るという連想が働き、大仰な感じがなく、定期的な場合に使っても違和感がない。⇩帰郷

きせい【既製】 個別の注文作りでなく一般向けに同じ規格で多く製造した完成品をさし、会話にも文章にも使われる漢語。〈—服〉〈—の品〉⇩吊《つる》し・Q出来合い・レディーメード

きせい【規制】 規則によって制限する意で、やや改まった会話や文章に用いられる漢語。〈交通—〉〈—緩和〉〈—を強化する〉〈通行を法的に—する〉⇩管制・Q統制

きせい【寄生】 生物が他の生物に付着または侵入しその養分に依存して生活する意で、会話にも文章にも使われる専門的な漢語。〈—虫〉〈—植物〉✎相手に害を与える点で「共生」と区別される。また、「結婚後も親に—する」「収入のある女に—してぶらぶら遊んでいる男」のように、他人の生計に依存して生活する意の比喩的な用法もあるが俗っぽい感じになる。⇩共生

ぎせい【犠牲】 ある目的のために一身を捧げたり、大切なものを引き換えにしたりする意で、会話にも文章にも使われる漢語。〈—的精神〉〈尊い—を払う〉〈事業発展の—とな

る〉✎川端康成の『雪国』の末尾に「葉子を胸に抱えて戻ろうとした。その必死に踏ん張った顔の下に、葉子の昇天しそうにうつろな顔が垂れていた。駒子は自分の―か刑罰かを抱いているように見えた」とある。「―者」のように、自然災害や戦争などのために大きな被害にあう意にも使う。⇩いけにえ

ぎせいご【擬声語】 広義には、「オノマトペ」のうち、音を言語音で写生したことばの部分の総称として、会話にも文章にも使われる、やや専門的な漢語。〈「トントン」も「ドンドン」も戸を叩《たた》く音を表す―だ〉✎「ヒヒーン」「メーメー」「バタン」「ピーポー」などがそれで、「擬態語」と対立する。また、自然の音を別にし、もっぱら「キャーッ」といった人間の発する声、「ワンワン」といった動物の吠える声、「ピーチクパーチク」といった鳥の鳴き声、「チンチロリン」といった虫の音などを言語音で模写したものに限定する狭義の用法もあり、その場合は狭義の「擬音語」と対立関係にある。⇩オノマトペ・Q擬音語・擬状語・擬情語・擬態語・擬容語

きせき【鬼籍】「過去帳」の意で主に文章に用いられる古風な漢語。✎主に「―に入《い》る」の形で死去した意を表し、実際の帳簿をさす場合は多く「過去帳」を使う。⇩過去帳・点鬼簿

きせつ【季節】 一年を四季や二十四節気などに分けたそれぞれの時期やその気候をさして、くだけた会話から硬い文章まで幅広く使われる日常の基本的な漢語。〈―感〉〈―はずれ〉〈桜の―〉〈―の贈り物〉〈―の変わり目〉✎円地文子の『妖』に「この―の白い光線を滲ませて降る雨が好きなのである」とある。阿川弘之の『雲の墓標』に「―のうつる気配は、自分にはしのびよる死のあし音のようにもかんぜられる」とあるように、象徴的に用いられる例もある。⇩シーズン・Q四季・時季・時候・時節

きぜつ【気絶】 一時的に気を失う意で、会話にも文章にも使われる、いくぶん古くなりかけている漢語。〈あまりのショックに―寸前になる〉〈みぞおちを殴られて―しかかる〉〈―した人に活を入れる〉✎北杜夫の『船乗りクプクプの冒険』に「ただひとり、笑わなかったのはキタ・モリオ氏である。彼はまだ―したままだったからだ」とある。「失神」に比べ、瞬間的な衝撃が原因で起こる場合に使われる傾向がある。⇩Q失神・人事不省

きせつろうどうしゃ【季節労働者】「出稼ぎ」という語が貧窮を連想させやすいため、別の観点からとらえ直してマイナスイメージを払拭した言い換えの漢語。⇩出稼ぎ

きぜわしい【気忙しい】 急ぐことがいろいろあって心が落ちつかない意で、会話にも文章にも使われるやや古風な語。〈この時期は何かと―〉✎志賀直哉の『山鳩』に「山鳩の飛び方は妙に―感じがする」とあり、そのような気分に誘う対象に用いる例もある。⇩慌ただしい・忙しい・Qせわしい・せわしない

きぜん【毅然】 意志が強く、物事に動じない意で、改まった会話や文章に用いられる硬い感じの漢語。〈―たる態度を示す〉〈―とした口調で言い放つ〉〈―として応じる〉⇩きりっとした・きりりとした・Q凜《りん》とした

きそ【基礎】 建造物が安定し倒れにくいよう下から支える部分、物事を築き上げる土台となる最も大元の部分をさし、

くだけた会話から硬い文章まで幅広く使われる日常の基本的な漢語。〈―知識〉〈―体力〉〈発展の―を築く〉〈数学の―を固める〉〈―を置く〉「―を打つ」のように、家を載せるための土台を造るという具体物をさすこともあり、抽象的な意味になっても、その上に築き上げるというイメージがある。「―工事」も同様だが、それが最初の工程にあたるため、「―から学ぶ」のように、最初のステップである初歩段階をさす場合もあり、中心というイメージの「基本」と若干ニュアンスが違う。⇩Qいしずえ・基盤・基本・根本《こんぽん》・土台

きそう【競う】 どちらが優れているか競争する意で、改まった会話や文章に用いられる和語。〈技を―〉〈力を―〉〈優劣を―〉〈―・って練習に励む〉何かを獲得することより優劣を決するところに重点がある。⇩争う

きぞう【寄贈】 贈る意で、主に文章に用いられる漢語。〈―図書〉〈―先のリスト〉〈記念樹を―する〉記念の意をこめて著書や高価な物などを贈る場合によく使われる。「きそう」とも言う。⇩謹呈・献上・献呈・進上・進呈・Q贈呈

ぎそう【偽装】 本物を装う意で、会話でも文章でも使われる漢語。〈―倒産〉〈―殺人〉〈パッケージを―する〉⇩擬装

ぎそう【擬装】 カモフラージュの意で、主に文章に使われる専門的な漢語。〈戦車に―工作を施す〉⇩偽装

きそうてんがい【奇想天外】 常識では考えつかないほどひどく変わっている意で、会話にも文章にも使われる古風な漢語。〈―な発想〉〈―な話〉「天外」は天空の外の意で、とんでもなく遠い所から舞い込んで来たと驚いた気分の表現。⇩奇抜・Q突飛《とっぴ》・風変わり

きそく【規則】 人間の行動や事務処理などの基準として設けられる取り決めをさし、会話にも文章にも使われる基本的な漢語。〈交通―〉〈就業―〉〈―違反〉〈―通り〉〈―を守る〉〈―に従う〉⇩規定・規程・Q決まり・規約・ルール

きそごい【基礎語彙】 言語生活の基礎を支える必須の単語である基礎語の集合をさし、学術的な話題の会話や文章に用いられる専門的な漢語。〈―を制定する〉「基本語彙」と比べ、個人の判断により演繹的に定める人為的・体系的な語彙で、日常生活に欠かせない最低限の少ない語数を目標とし、時代の変化を受けにくい。⇩Q基本語彙

きたい【期待】 将来実現するように心待ちにする意で、会話にも文章にも使われる漢語。〈―はずれ〉〈活躍が―できる〉〈―に応える〉〈―を裏切る〉〈大きな―を担う〉〈―に胸を弾ませる〉黒井千次の『群棲』に「恐怖とともに奇妙な―が雅代の奥を悪感のように走り抜けた」とある。「夢」や「希望」より実現の可能性が高い場合に使う傾向がある。⇩願望・期待・Q希望・待望・願い・願い事・ねぎごと・念願・望み・夢②

ぎだい【議題】 審議し議決するために会議にかける題目をさし、会話にも文章にも使われる漢語。〈―にのぼる〉〈―に載せる〉〈―を提出する〉〈―を審議する〉⇩議案

ぎたいご【擬態語】「オノマトペ」のうち、音でなく動作・状態・心情などを言語音で感覚的・象徴的に表現することばの総称として、会話にも文章にも使われる、やや専門的な漢語。〈「どろどろ」や「にっこり」は―に入る〉「よろよろ」「すらすら」「つるつる」「ひりひり」「うきうき」「はらはら」などがそれで、広義の「擬声語」や比較的広義の「擬音

語」と対立する。⇩オノマトペ・擬音語・Q擬状語・擬情語・擬声語・擬容語

きだて【気立て】「性質」を意味する、やや古風なやわらかい和風の言い方。会話やさほど改まらない文章によく用い、学術論文などの硬い文章には適さない。〈―のよい娘〉〈―の優しい子供〉🖉「激しい」「荒い」などの強い性格になじまないような雰囲気が感じられる。谷崎潤一郎の『蘆刈』に「あの姉さんは―も器量もとりわけ人にかわいがられる生れつきで」とある。「―のよい」という形容は子供や若い女性に対して用いられることが多く、男女とも中年以上の人間に対して用いるケースは少ないようである。「―のよい好々爺《こうこうや》」という表現には少し違和感があり、高齢・老齢の人の場合は「人のいい」「好人物」などとするほうが無難。⇩気質・気象・Q気性・性分・人格・人品・人物・性格・性向・性質・たち・人柄・人となり

きたない【汚(穢)い】汚れていて不潔な意で、くだけた会話から硬い文章まで幅広く使われる日常の基本的な和語。〈―水〉〈―作業着〉〈部屋が―〉〈手が―〉🖉有島武郎の『或る女』に「花壇の土を掘り起したように―畳」とある。「―言葉」のように、気品に欠ける意にも、「字が―」のように、丁寧さに欠ける意にも、「やり方が―」「根性が―」「お金に―」のように、心が卑しい意にも使う。⇩薄汚い・Q汚らしい・小汚い

きたならしい【汚らしい】いかにも汚い感じがする意で、会話やさほど改まらない文章に使われる和語。〈―ハンカチ〉〈見るからに―服装〉🖉実際に汚れているか否かに関係なく、不潔な印象を受けるその不快感に重点がある。⇩薄汚い・Q汚い・小汚い

きち【機知(智)】時と場合に応じてとっさに働いて気の利いた対応のとれる才知の意で、やや改まった会話や文章に用いられる漢語。〈―縦横〉〈―に富む〉🖉河盛好蔵訳編『ふらんす小咄大全』に、パリの小さな靴屋の両隣に新しく大きな靴屋が開店して、一軒は「ヨーロッパ一の靴屋」、もう一軒は「世界一の靴屋」と派手な宣伝を始めたために、間に挟まれてすっかり影が薄くなった話が載っている。そこで小さな靴屋が出した「入口はここ」というささやかな看板は、まさに機知に富んだ好例。⇩ウイット・エスプリ・Q機転・頓智《とんち》・ヒューマー・ユーモア

きち【既知】すでに知っている意で、主として文章に用いられる専門的でやや硬い漢語。〈―数〉🖉竹西寛子の『蟻と松風』に「―の顔、未知の顔が現れては消え、私の軀が次第に軽くなって行く」とある。「未知」と対立。⇩知る

きちょう【貴重】きわめて得にくく価値のある状態をさし、会話にも文章にも使われる日常の漢語。〈―品〉〈―な成果〉〈―な意見〉〈―な経験〉🖉夏目漱石の『こころ』に「位置を求めるための―な時間というものがなかった」とある。⇩重要・大事・Q大切

きつい ゆとりがなく圧迫感を覚える、緩いところがなく厳しいの意で、会話でも文章でも幅広く使われる和語。〈帽子が―〉〈日差しが―〉〈ことばが―〉〈性格が―〉〈―おとがめ〉🖉川端康成の『浅草紅団』に「その筋の―お叱り」とある。⇩どぎつい

きっかい【奇っ怪】「奇怪」の強調形で、会話や軽い文章に用いられる、やや古風で俗っぽい漢語。〈―千万〉〈まことに―な話〉⇩怪奇・奇異・🔍奇怪・奇妙・奇妙奇天烈《きてれつ》・不可思議・不思議・変・摩訶《かま》不思議・妙

きづかい【気遣い】他人に対して何かと気を遣う意で、会話にも文章にも使われる日常語。〈―を示す〉〈あちらこちらへの―で疲れる〉〈どうぞお―なく〉✒「あの相手なら負ける―はない」のように、心配・恐れの意をさすやや古風な用法もある。⇩🔍気配り・心配り・心遣い・配慮

きっかけ【切っ掛け】物事を始める手掛かりになる機会の意で、会話やさほど硬くない文章に使われる日常の和語。〈事件の―〉〈交際を始めた―〉〈入って行く―を失う〉〈ようやく話を切り出す―をつかむ〉⇩契機

きっかり「かっきり」に近い意味で、主に会話に使われる和語。〈五時―に到着する〉〈―百人集まる〉✒「かっきり」よりいくぶん強調された感じがある。⇩かっきり

きづく【気付く】今まで知らなかったことを意識する意で、やや改まった会話や文章に用いられる日常語。〈失敗に―〉〈間違いに―〉〈自分の癖は―・きにくい〉✒「気が付く」より少し改まった表現。⇩感づく・🔍気が付く

きっこう【拮抗】似たような力を持つ者どうしが張り合う意で、改まった会話や文章に用いられる硬い漢語。〈勢力が―している〉✒夏目漱石の『吾輩は猫である』に「悲しいかな、わが日本にあっては、まだこの点(公徳を重んずる)において外国と―することができん」とある。⇩互角・🔍伯仲

きっさしつ【喫茶室】「喫茶店」の役を果たす場所をさし、会話でも文章でも使われる漢語。〈会社の―で休憩する〉✒「喫茶店」が独立した店を連想させるのに対し、典型的には、企業などの一室を社員の休憩用に利用して飲み物などを販売して喫茶店の機能を持たせ、その組織が経営するような形を連想させる。ただし、「〇〇喫茶室」という名の喫茶店もあるから、現実にはもう少し複雑である。⇩カフェ・カフェテラス・🔍喫茶店

きっさてん【喫茶店】コーヒーや紅茶を用意して休憩やちょっとした話し合いの場を提供する店をさし、くだけた会話から硬い文章まで幅広く使われる基本的な日常漢語。〈街角の―〉〈駅前の―で待ち合わせる〉✒小沼丹の『庄野のこと』に「古本屋を見て歩いて、高田馬場駅近くの―で休憩して帰る」とある。⇩🔍カフェ・カフェテラス・喫茶室

ぎっしり　ほとんど隙間なく詰まっている様子をさし、会話や硬くない文章に使われる擬態語。〈箱に―詰める〉〈予定が―入っている〉⇩ぎっちり・ぎゅうぎゅう・🔍びっしり

キッス「キス」の古めかしい語形。〈頰に―をする〉〈―を迫る〉✒サトウハチローに『センチメンタル・キッス』と題する作品があり、「恋人との、―の時間をさいて、このセンチメンタルキッスを書いたのである」という口上から始まる。⇩🔍キス・口吸い・口づけ・ごうし・接吻

きっすい【生粋】混じりけがなく純一なの意で、会話にも文章にも使われる表現。〈―の江戸っ子〉〈―の京都弁〉✒事実関係を客観的に述べる感じの「純粋」に比べ、いかにもそのような雰囲気を漂わせるという好感をもって用いる傾向がある。また、「純粋」と違って物体・物質には使わない。

⇩純粋・Q生え抜き・無垢《くむ》

ぎっちり まったく隙間なく詰まっている様子をさし、会話や軽い文章に使われる擬態語。〈鞄に—詰め込む〉〈予定が—詰まっていて時間が空かない〉✎「ぎっしり」以上に詰まっている感じがある。⇩Qぎっしり・ぎゅうぎゅう・びっしり

キッチン 「台所」を意味する新しい感じの外来語。〈ダイニングー〉〈ちょっとした—が付いている〉✎近年、炊事場が食堂を兼ねるような間取りの家が増えてから、そのDKの炊事場の部分をさしてこの語が単独で使われるようになり、完全に独立して存在する台所を「キッチン」と呼ぶケースもあるが、その場合はあまり広い部屋を連想させず、まだ若干気取りが感じられる。一方、「台所」よりも明るく清潔な感じがあり、その斬新な語感を利用して、「—中村」などと街の食堂の店名に組み込む例も少なくない。たしかに、「お勝手中村」や「台所中村」よりも客の入りそうな雰囲気が感じられる。⇩勝手②・庫裏《くり》・くりや・炊事場・Q台所・厨房《ちゅうぼう》・調理場

きっと【屹(急)度】 必ず実現するものと予測する気持ちを表し、主として会話に用いられることば。「必ず」よりくだけた日常会話でよく使われる。〈—またどこかで会えるさ〉〈—うまく行くよ〉〈—知らせてね〉〈約束だよ、—だぞ〉✎客観的な感じの「必ず」に比べ、判断の根拠に自分の推測が入った感じの主観的な表現。ちなみに、夏目漱石の『草枕』に「どこ迄も登って行く、いつ迄も登って行く。雲雀は—雲の中で死ぬに相違ない」という例が出る。⇩必ず・絶対に

きつね【狐】 耳が立ち毛が薄い茶色で尻尾の太いイヌ科の動物の一種をさし、会話にも文章にも使われる和語。〈—の襟巻き〉〈—にだまされる〉✎開高健の『パニック』に「—が猫のような媚びたしぐさで首を金網にすりつける」とある。日本では古くから人をだますとされ、「—と狸の化かし合い」といわれるが、狸のほうは漫画で丸顔に描かれ、どこか愛嬌があって憎めない感じなのに対し、とがった顔に描かれる狐はいかにもずるそうな雰囲気があって、そういう思い込みがこのことばの語感となって反映している。

きっぷ【切符】 乗車券・入場券・食券など料金の支払い済みを証明する紙片をさし、くだけた会話から硬い文章まで幅広く使われる日常の漢語。〈駅の—売り場〉〈電車の—〉〈映画館で—を買う〉✎乗車券以外は「チケット」と言う例が増え、食堂・映画館・美術館などでこの語を使うと今では少し古風に響く。⇩Q券・チケット

きっぷ【気っ風】 思い切りのよさや度量などから感じられる気性をさし、会話やさほど硬くない文章に使われる語。〈—のよさ〉〈—のいいお兄《あに》いさん〉✎一般に男を連想しやすいが、武田泰淳の『森と湖のまつり』に「あたしの—を知ってもらうために言うのよ」という女性の例もある。

きっぽう【吉報】 縁起のいいめでたい知らせの意で、改まった会話や文章に用いられる漢語。〈—を待っている〉〈待ちかねた—が届く〉✎結婚・誕生のほか、災害時などの生存確認、事業の成功、入試の合格などの場合によく使われる。「朗報」に比べ、結果を心配していたり思いがけなかったりする背景が感じられる。⇩朗報

きづまり【気詰まり】 打ち解けられずに緊張が続く意で、会

話にも文章にも使われる日常語。〈お偉方の間に座るのは―だ〉〈会の雰囲気が―で早々に退席する〉✎水上勉の『越前竹人形』に「暗い家の中で、二人きりでいることに―をおぼえた」とある。⇨窮屈

きてい【規定】 決まりの意味で、改まった会話や文章に使われる硬い感じの漢語。〈罰則―を設ける〉〈大会の―に従う〉〈概念を―する〉⇨規則・規程・決まり・規約・ルール

きてい【規程】 官公庁などの一連の規則の意で、改まった文章に用いられる専門的で硬い感じの漢語。〈服務―〉〈旅費―〉✎一定の目的のために定められた関連条項の総体。⇨規則・規定・決まり・規約・ルール

きてい【基底】 思想やものごとの基礎をなす根幹部分をさし、学術的な文章に用いられる専門的で硬い漢語。〈判断の―にある〉〈行動の―に横たわる〉〈―が揺らぎかねない〉⇨Q核心・本質

きてん【機(気)転】 時と場合に即応した頭の働きの意で、会話にも文章にも使われる漢語。〈―が利く〉〈とっさの―で切り抜ける〉✎「機知」や「頓智《とんち》」が能力として身についた才知を意味するのに対し、この語はその場その場に発揮される具体的な対策などの工夫をさす傾向がある。益田喜頓《きいとん》の『キートンの笑智大学』に、修理に入った先の浴室のドアを開けたらあいにくその家の奥様が入浴中だったとき、職人が「これは失礼、旦那様」と叫ぶ話がある。とっさに出たこの一言は心理的に女性を救い、まさに機転の利いた発言の好例。⇨ウイット・エスプリ・Q機知・頓智《とんち》・ヒューマー・ユーモア

きと【帰途】 帰る途中の意で、主に文章に用いられる硬い感じの漢語。〈―に就く〉〈出張の―、知人を訪ねる〉✎「帰路」より若干イメージが抽象的。⇨家路・帰り・帰り道・Q帰路・復路

きどう【起動】 機関・モーター・機械が運動を開始する意で、改まった会話や文章に用いられる、やや専門的な漢語。〈発電機が―する〉〈コンピューターが―する〉⇨始動

きとく【危篤】 病気や怪我が重く命が危ない状態をさし、会話にも文章にも使われる漢語。〈―に陥る〉〈―状態を脱する〉✎阿部昭の『父と子の夜』に「わたくしどもは―状態のまま一と晩徹夜させられた」とある。「重体」より危険な容態をさし、死の予感を誘いやすい。⇨重体

きどる【気取る】 実際以上に見えるように体裁を飾る意で、会話にも文章にも使われる日常語。〈―・った歩き方〉〈―・ってポーズをとる〉〈おつに―〉✎宮沢賢治の『どんぐりと山猫』に「いかにも―・って、繻子のきもののえりを開いて、黄いろの陣羽織をちょっと出して」とある。「芸術家を―」「紳士を―」のように、まるでその者になったようにふるまう意にも使う。⇨Q取り澄ます・もったいぶる

きにいる【気に入る】 好みに合う意で、会話にも文章にも使われる表現。〈―・った店〉〈これならきっと―よ〉〈お気に入りの相手〉⇨好ましい・Q好む・好き

きにさわる【気に障る】 神経を刺激され気に入らない意で、会話にも文章にも使われる表現。〈あの言い方が―〉✎徳田秋声の『あらくれ』に「養父から不足を言われたのが、―・ったと云って」とある。⇨癇《かん》・Q癇癪《かんしゃく》・癪

きになる【気になる】 気持ちがひっかかって離れない意で、会話でも文章でも幅広く使われる日常表現。〈相手側の動きが―〉〈髪が薄くなったのが―〉✒近年、気持ちにひっかかって離れないというマイナス評価の意味合いだけでなく、「―店」「近ごろ―料理」のように、関心がある、魅力を感じるといった、むしろプラス評価として使う用法が目立ってきた。⇩Q気がかり・懸念

きにゅう【記入】 書類や用紙の所定欄に文字などを書き入れる意で、改まった会話や文章に用いられる漢語。〈所定の欄に氏名と年齢を―する〉〈申込書に必要事項を―する〉⇩Q書き入れる・書き込む・書き付ける・書き留める・控える②

キネマ 「映画」や「映画館」を意味する古風な外来語。〈―女優〉✒英語「キネマトグラフ」の略。フランス語系統の「シネマ」よりも広く使われた。ちなみに、井上ひさしに『キネマの天地』と題する戯曲があり、「松竹―蒲田撮影所」の助監督や四大スター女優などが登場する。⇩Q映画・活動②・活動写真・シネマ・ムービー

きねん【記念】 過去の記憶を新たにし、また、後日の思い出のために残しておく意で、会話にも文章にも使われる日常の漢語。〈―切手〉〈結婚―日〉〈―写真〉〈―式典〉〈―に持ち帰る〉〈いい―になる〉⇩思い出

ぎねん【疑念】 そのことの真偽を強く疑う気持ちをさし、改まった会話や文章に用いられる硬い漢語。〈―が湧く〉〈―を抱く〉〈―がつきまとう〉〈―を晴らす〉✒小林秀雄の『私小説論』に「取り扱う題材そのものに関しては―の起りようがない」とある。⇩疑い・Q疑義・疑問・疑惑

きのう【昨日】 今日のすぐ前の日をさし、くだけた会話や改まらない文章に使われる日常的で基本的な和語。〈―の出来事〉〈―の約束〉〈―会ったばかりだ〉〈―きょうに始まったことではない〉✒林芙美子の『茶色の目』に「―別れたような、親近な表情だった」とある。⇩さくじつ

きのう【機能】 機械や組織などの働き・作用・能力をさし、いくぶん改まった会話や文章に用いられる漢語。〈―障害〉〈心肺―〉〈―が低下する〉〈本来の―を果たす〉〈委員会が正常に―する〉〈新設の組織がうまく―しない〉✒大岡昇平の『俘虜記』に「医務室等所内の一般的建物の―」とある。⇩作用・能力・働き

ぎのう【技能】 物事を行う技術と能力をさし、やや改まった会話や文章に用いられる専門的な漢語。〈―を身につける〉〈―を伸ばす〉〈話す・聞く・書く・読むの四―〉✒特別な技法よりも、修錬して身につける運用能力をさす傾向がある。⇩腕②・腕前・技巧・Q技術・技法・テクニック・技

きのどく【気の毒】 他人の不幸に心を痛める意で、会話でも文章でも使える日常語。〈―な人〉〈―な境遇〉〈ひとり批判を浴びて、お―に〉〈お―さま〉✒同等または上位の者に対する同情心から出る語。✒瀧井孝作の『山女魚』に「今何十年も経ち、母親に悲しみを新たにさせるのが―で、ぼくは涙湛えたりした」とある。⇩痛々しい・痛ましい・かわいそう

きのみ【木の実】「このみ」の意で会話に使われる語形。〈―を好む〉✒音と意味が結びつきやすいため、現在は伝統的で古風な「このみ」よりむしろよく使い、特に「草の実」に対して樹木の実を取り上げる際に例が多い。⇩このみ

きのり【気乗り】 そのことに興味を感じて気持ちが動く意で、会話やさほど硬くない文章に使われる表現。〈―薄〉〈どうも―がしない〉✎多く否定的に使い、何となく気が進まない感じがある。⇩乗り気

きはく【気迫(魄)】 強く激しい気力の意で、やや改まった会話や文章に用いられる漢語。〈―がみなぎる〉〈相手の―に圧倒される〉〈―に欠ける〉✎高村光太郎の詩『道程』に「父の―を僕に充たせよ」とある。⇩意気込み・意欲・意力・Q気概・気骨・気力・根性・精神力・ど根性・やる気

きはずかしい【気恥(羞)ずかしい】 少々照れくさく何となく恥ずかしい感じがする意で、やや改まった会話や文章に用いられる表現。〈―思いをする〉〈気恥ずかしさを覚える〉✎織田作之助の『アド・バルーン』に「どうにも―・くて歩けなかった」とある。具体的に決定的な原因が特定しがたい場合によく使う。⇩面映《おもはゆ》い・決まり悪い・Q照れ臭い・恥ずかしい・ばつが悪い・間が悪い

きはだ【木肌】 樹木の外皮をさし、会話にも文章にも広く使われる、やわらかい感じの和語。〈滑らかな―〉〈―がごつごつしている〉✎「樹皮《じゅひ》」に比べ、生えているさるすべりだとか、床柱だとか、まるごとの木を連想させ、外皮だけを問題にする場合には使いにくい。⇩樹皮

きばつ【奇抜】 人の意表をつくほど風変わりな意で、会話にも文章にも使われる漢語。〈―な思いつき〉〈―な構想〉〈―なデザイン〉⇩奇想天外・Q突飛《とっぴ》・風変わり

きばらし【気晴らし】 物憂い気分を変えるためにそれまでと別のことをする意で、会話にも文章にも使われる日常表現。〈―に犬を連れて散歩に出る〉〈いい―になる〉✎「憂さ晴らし」と違って、厭なことがなくても、根を詰めて仕事をしたために疲れたとかといった程度の場合に使い、手段も日常的なもので済む感じがする。⇩憂さ晴らし・気散じ・Q慰み

きはん【規(軌)範】 皆が手本として従うべき在り方をさし、改まった会話や文章に用いられる硬い漢語。〈―を示す〉〈―に基づく〉〈「標準」は「基準」より―意識が強い〉✎「手本」や「模範」に比べ、巧みなというより、正しいというイメージが強い。⇩手本・Q模範

きばん【基盤】 物事の大元の部分をさし、会話にも文章にも使われる硬い漢語。〈―の整備を急ぐ〉〈経営―が揺らぐ〉〈生活―が安定している〉〈―を固める〉〈―を脅かす〉〈―が固まる〉✎イメージは「基礎」「土台」に近い。⇩Q基礎・基本・根本・土台

きびきび 態度や動きに活気があって敏速な意で、会話にも文章にも使われる和語。〈動作が―している〉〈―と行動する〉⇩Qてきぱき・はきはき

きびしい【厳しい】 人間の態度やさまざまな条件、社会情勢や自然環境などが余裕を与えないほど緊迫している意で、くだけた会話から硬い文章まで幅広く使われる日常の基本的な和語。〈―・く注意する〉〈―態度で臨む〉〈採点が―〉〈残暑が―〉〈―現実にさらされる〉✎太宰治の『東京八景』に「私は―保守的な家に育った。借銭は最悪の罪であった」とある。⇩厳格・厳重・Q手厳しい

きびす【踵】 かかとの意の古めかしい表現。〈―を返す〉〈―を接する〉✎「くびす」ともいう。谷崎潤一郎は初期の『刺

青』で「珠のような—のまる味」と、女の足を美化して描いた。⇩かかと

きひん【気品】 気高い感じの品位をさし、会話にも文章にも使われる漢語。〈—が漂う〉〈—にあふれる〉〈犯しがたい—〉🖊川端康成の『千羽鶴』に「癖がなく素直な点前である。姿勢の正しい胸から膝に—が見える」とある。⇩品・Q品位・品格

きびん【機敏】 状況を把握して行動に移すのが素早い意で、会話にも文章にも使われる漢語。〈迅速—〉〈—な処置〉🖊武者小路実篤の『友情』に「頭も手も—に動いて、ぬけ目なく、相手のすきをうかがおうとした」とある。⇩迅速・敏捷《びんしょう》・敏速

きふ【寄附(付)】 公共の施設や団体、共同の事業、神社・仏閣・教会などに無償で金品を提供する意で、会話にも文章にも使われる漢語。〈—金〉〈—行為〉〈母校に—する〉〈記念事業のために—を集める〉⇩寄進・Q寄贈・献金

きふじん【貴婦人】 身分の高い上流社会の婦人をさし、会話にも文章にも使われる、やや古風な感じの漢語。〈—の気品が漂う〉🖊「ひらりと一さじ、スウプを小さなお唇のあいだに滑り込ませた」と描かれる太宰治の『斜陽』の「お母さま」は日本の最後の貴婦人像を刻んだと評される。⇩Q淑女・レディー

ぎぶつ【偽物】 「にせ物」の意で、改まった会話や文章に用いられるやや専門的な硬い漢語。〈—を持ち込む〉〈一目で—を見分ける〉⇩Q贋物《がんぶつ》・にせ物・にせ者・まがい物

きぶん【気分】 しばらく継続する快・不快に関する気持ちの状態をさし、くだけた会話から硬い文章まで幅広く使われる日常の漢語。〈—転換〉〈—の問題〉〈その時の—次第〉〈のんびりと湯に浸《つ》かっていい—だ〉〈—を害する〉〈—が乗らない〉〈—を引き締める〉🖊井伏鱒二の『駅前旅館』に「慇懃無礼の手で断られた。私は顔を逆に撫でられたような不快な—でした」とある。「—が悪い」「—がすぐれない」のように健康状態に関連した生理的な情緒をさす例が目立つ。「お祭り—」「宴会—を楽しむ」のように、環境によって生み出される雰囲気をもさす。⇩感情・機嫌・Q気持ち・心地・心・心持ち・心情・心理・精神

ぎぼ【義母】 義理の母の意で、改まった会話や文章に用いられる形式ばった漢語。〈—と同居する〉🖊具体的には養母・継母や配偶者の母など。網野菊の『遠山の雪』に、睡眠剤を多量に飲んで二、三日眠り続けたあと、「階下から、新しい母の上機嫌な笑い声が聞え、彼女はまだ見ぬ—にすまない気がした」とある。⇩継母・Qまま母・養母

きぼう【希望】 実現に向けて未来に望みをかける意で、くだけた会話から硬い文章まで幅広く使われる日常の基本的な漢語。〈進学—者〉〈—的観測〉〈—の星〉〈—を抱く〉〈—に応じる〉〈—に燃える〉〈—がわく〉〈—が持てる〉〈—がかなう〉🖊和田伝の『沃土』に「せっかく涌いた—も泡のようにたわいもなくはじけてしまった」とある。「期待」や「願望」以上にプラスイメージの語。実現の可能性が「期待」より小さく「夢」より大きい感じがある。⇩Q願望・期待・待望・願い・願い事・ねぎごと・念願・望み・夢②

ぎほう【技法】 芸術やスポーツなどの特定の技術・手法をさ

し、会話にも文章にも使われるやや専門的な漢語。〈表現—〉〈油絵の—〉〈新しい—を取り入れる〉✎「技術」「技能」に比べ、型や手順が固定的。⇩腕②・腕前・技巧・技術・技能・テクニック・Q技

きほん【基本】 物事の成り立つための拠りどころとなる大本の部分をさし、くだけた会話から硬い文章まで幅広く使われる日常の基本的な漢語。〈—的人権〉〈—方針〉〈—給〉〈—線が固まる〉〈学問の—〉〈—を身につける〉〈—が出来ていない〉〈—に忠実だ〉〈—に立ち返る〉✎家を建てる際の「基礎」が土台石なら、これは中央で支える大黒柱のイメージで、意味が抽象化しても、最初の段階というよりは、すべての段階を貫く最も中心となる事柄を連想させる。⇩いしずえ・Q基礎・基盤・根本・土台

きほんごい【基本語彙】 それぞれの語彙体系の中心的な単語である基本語の集合をさし、学術的な話題の会話や文章に用いられる専門的な漢語。〈語彙調査の結果をもとに—をまとめる〉✎「基礎語彙」に比べ、語彙調査を実施し、その結果をもとに帰納的・客観的に決定されるが、調査資料の性質により結果が異なり、時代の変化を受けやすく、また、必ずしも体系的な構造をもたない。それぞれの目的により、小学校用学習基本語彙、日本語教育用基本語彙などの種類に分かれ、語数は基礎語彙より多く、目的や種類によって異なる。⇩Q基礎語彙

きまじめ【生真面目】 融通がきかないまでに純粋で真面目な意として、会話やさほど硬くない文章に使われる和語。〈—に答える〉✎川端康成の『雪国』に「上気した—な顔に焰の呼吸がゆらめいていた」とあり、谷崎潤一郎の『細雪』には「—なサラリーマンで、遊びの味など知っていそうな様子は微塵もなかった」とある。⇩真剣・真摯《しんし》・真率《しんそつ》・真面目

きまま【気儘】 自分の気の向くまま自由にふるまう意で、会話やさほど硬くない文章に使われる日常の表現。〈勝手—〉〈—な一人旅〉〈—に暮らす〉✎「勝手」や「わがまま」と違って、他人に迷惑がかかるというイメージはない。⇩Q勝手①・わがまま

きまり【決(極)まり】 規則のやわらかい表現で、くだけた会話から文章まで幅広く使われる日常の基本的な和語。〈学校の—〉〈—を守る〉〈—に従う〉〈—にそむく〉✎「規則」というほど改まった正式の堅苦しいものだけでなく、仲間内の申し合わせや遊びの約束事のような軽いものまで含む雰囲気がある。⇩規則・規定・規程・規約・Qルール

きまりわるい【決(極)まり悪い】 体裁が悪く恰好がつかずに何となく具合がしっくり来ない意で、主として会話に使われる和語。〈—ので口笛を吹いてごまかす〉✎伊藤左千夫の『野菊の墓』に「極りわるそうに、まぶしいような風で急いで通り過ぎてしまう」とある。その場にふさわしくないという意識が強い。「決まりが悪い」の形でも使い、その場合はさほど硬くなければ文章に用いても違和感はない。⇩面映《おもはゆ》い・気恥ずかしい・照れ臭い・恥ずかしい・Qばつが悪い・間が悪い

きみ【君】 同等以下の相手を親しみをこめて呼ぶ二人称として、会話や硬くない文章に使われる和語。〈—と僕の間柄〉〈頼むよ、—〉〈—だけだ、わかってくれるのは〉〈ほんと、

—の言うとおりだ〉✎古くは目上の人に敬称として添えた語。上代では多く女性が男性を呼ぶときに用いたとされるが、現在では逆に主として男性が、親しい同輩や目下の男性に対して使うことが多く、恋人や妻以外の女性に使うと不評を買うことがある。ただし、女性教師が男子生徒に対し、あるいは女性の上司が男性の部下に対して使う例も見られる。夏目漱石の『坊っちゃん』では、教頭の赤シャツが「—俳句をやりますか」と主人公に問いかける。主任の山嵐も「—は一体どこの産だ」と尋ね、坊っちゃんも即座に「—はどこだ」と聞く。男性が男性の相手に言う例が多いが、かなり目下であれば女性に対しても使い、また、女性が男の子やまれには部下か後輩の若い男に言うこともある。「僕」と対立。⇩Qあなた・あなた様・あんた・おまえ・貴様・てめえ

きみじか【気短】短気の意で、主として会話に使われる古風な表現。〈—ですぐかっとなる〉〈—な性分で、じっと待つのが苦手だ〉✎怒りやすい連想のある「短気」と比べ、待っていていらいらしているような場面が浮かびやすい。⇩性急・Qせっかち・短気

きみつ【機密】政治上・軍事上・企業上のきわめて重要な秘密をさし、専門的な会話や文章に用いられる硬い漢語。〈—費〉〈—書類〉〈—を探る〉〈—を嗅ぎつける〉〈国家の—が漏洩《ろうえい》する〉✎「枢機の秘密」の短縮形という。⇩秘密

きみょう【奇妙】常識や理屈で説明しにくい意で、会話にも文章にも使われる漢語。〈—に勘が当たる〉〈—な一致〉〈—な風習〉〈—な事件〉✎井上ひさし『吉里吉里人』は「この、—な、しかし考えようによっては」と始まり、長々しい連体修飾で「事件」を導く長大な一文で幕を開ける。⇩怪奇・Q奇異・奇怪・奇っ怪・奇妙奇天烈《きてれつ》・不可思議・不思議・変・摩訶《まか》不思議・妙

きみょうきてれつ【奇妙奇天烈】まことに珍妙でいかにも風変わりなの意で、会話にも文章にも使われる、古めかしく俗っぽい漢語。〈—な恰好〉〈何とも—な趣向〉✎「奇天烈」の部分は強調のために添えた音で漢字に意味はない。⇩怪奇・奇異・奇怪・奇っ怪・Q奇妙・不可思議・不思議・変・摩訶《まか》不思議・妙

きみわるい【気味悪い】「無気味」の意で、会話や軽い文章に使われる表現。〈—恰好でうろつく〉✎中野重治の『むらぎも』に「何の理由からか知らぬが全く口をきかぬということが—・かった」とある。⇩不気味

ぎむ【義務】道徳・法律・契約などによって強制される行為をさし、会話にも文章にも広く使われる漢語。〈—教育〉〈国民の—〉〈納税の—を負う〉〈支払いの—を有する〉〈—を課す〉〈—を免れる〉✎夏目漱石の『坊っちゃん』に「何だか憐れぽくって堪らない。こんな時に一口でも先方の心を慰めてやるのは、江戸っ子の—だと思っている」とある。⇩責務・Q務め・任務

きむずかしい【気難しい】自我が強く他人と容易に同調しない性癖の意で、会話にも文章にも使われる表現。〈—老人〉〈—・く扱いにくい人〉⇩変わり者・奇人・旋毛《つむじ》曲がり・臍《へそ》曲がり・Q偏屈・変人

きめい【記名】自分の氏名を書き記す意で、改まった会話や文章に用いられる専門的な感じの硬い漢語。〈—投票〉〈—捺印〉✎法律では「署名」と区別し、自署以外でも認めら

れ、他人が代理で書いたり、ゴム印を押したり、印刷したりする場合もある。⇨サイン①・自署・Q署名

ぎめい【偽名】本名を隠す目的で使う偽の名前をさし、会話にも文章にも使われる少し硬い感じの漢語。〈―を使う〉〈―で通す〉〈―がばれる〉✎「変名」よりも悪事の連想が強い。「実名」と対立。⇨変名

きめる【決める】いくつかの可能性のうちから明確に一つにしぼる意で、くだけた会話や改まらない文章で使われる日常的な和語。〈態度を―〉〈覚悟を―〉〈代表を―〉〈優勝を―〉〈心に―〉✎夏目漱石の『坊っちゃん』に「毎日住田の温泉へ行く事に―・めて居る」とある。⇨決定・Q定める

きもち【気持ち】対象によって変化する心の状態をさして、くだけた会話から文章まで幅広く使われる最も基本的な日常語。〈―がいい〉〈―がなごむ〉〈―が沈む〉〈―はよくわかる〉〈相手の―を大事にする〉✎井伏鱒二の『駅前旅館』に「気を持たせるようなことを言われると、満更でもない―でした」とある。湯上がりやマッサージなどで「ああ、いい―だ」と言う場合は「心持ち」に換言できるが、相手がどういう考えでいるのかという意味合いで「―が量りかねる」と言う場合は「心持ち」ではぴったりしないように、この語は思考内容を含む広い意味合いで使う。会話では「こっちのほうが―小さい」のように、ほんの少しの意に用いることもあるが、この用法は「心持ち」より俗っぽい感じがある。⇨感情・機嫌・気分・胸中・心地・心・Q心持ち・心情・心中・心理・精神

きもちいい【気持ちいい】感覚的に快いさまをさし、くだけた会話で使われることのある俗っぽい言いまわし。〈ああ、―〉〈汗を流すと―〉✎「気持ちがいい」という言いまわしから「が」を省いて、「快い」並みの一語の形容詞のように短縮した表現。⇨Q心地よい・快い

きもったま【肝っ玉】物に動じない精神力の意で、主に会話に使われる、やや古風な和語。〈―が太い〉〈―の据わった人物〉〈―の小さい男〉✎「きもだま」の強調形。⇨Q胆力・度胸

きもの【着物】衣服、特に和服をさし、くだけた会話から硬い文章まで幅広く使われる日常の和語。〈―姿〉〈春先の―に着かえる〉〈あわてて―を着る〉✎和服をさすほか、洋服を含めた衣服全体をさす用法もある。後者の場合は会話的な感じが伴う。幸田文の『黒い裾』に「ぱっと蝙蝠が飛んだように―が両袖を浮かせて畳へ這った」とある。⇨衣装・衣服・衣料・衣類・服装・身なり・装い

ぎもん【疑問】真実か否か、それは何か、なぜかと疑うことをさし、会話にも文章にも広く使われる日常の基本的な漢語。〈―箇所〉〈―が浮かぶ〉〈なお―が残る〉〈―を投げかける〉〈―の余地がない〉〈―に思う〉〈―に答える〉〈真実かどうかは甚だ―だ〉✎宮本百合子の『伸子』に「微小な棒ふらのような―が閃き過ぎるのを感じた」とある。⇨Q疑い・疑義・疑念・疑惑

きやく【規約】関係者の間で相談して約束した内容をまとめた規則をさし、改まった会話や文章に用いられる専門的な雰囲気の硬い漢語。〈―改正〉〈―にのっとる〉〈―に縛られる〉〈―を作る〉⇨規則・Q規定・規程・決まり・ルール

きゃく【客】 自宅などに訪ねて来る人をさし、くだけた会話から硬い文章まで幅広く使われる日常の漢語。〈—の手土産〉〈—を招く〉〈—を出迎える〉〈—をもてなす〉✎「訪問—」のほか、「—扱い」「買い物—」「—が集まる」「—の入りが悪い」「—を呼び込む」のように、代金を支払って商品を買ったり見物したり乗車したり種々のサービスを受ける人をさす用法の例も多い。井伏鱒二の『珍品堂主人』に「誰それというお—は、何と何を食べ残し、何と何をすっかり食べ、何をお代りしたか女中に報告させ、それをカードに書きつけて」とある。⇩来客

ぎゃく【逆】 考えたり進んだりする方向や順序などが他のものや通常の場合と反対である意を表し、会話にも文章にも広く使われる漢語。〈—の方向〉〈—の考え方〉〈順序が—になる〉〈その—もある〉〈—もまた真なり〉〈—に、こうも考えられる〉✎「—から数える」の場合は「反対」より「逆」の方が自然であり、「反対」と比べ、両者が入れ替わった関係になる場合を連想しやすい。「順」と対立。近年「正反対」の意で「真逆《まぎゃく》」という俗語を見聞きするようになった。⇩あべこべ・逆さ・逆様・倒錯・Q反対

きゃくしつ【客室】 客を通したり泊めたりする部屋をさし、会話でも文章でも使われる事務的な感じの漢語。〈—乗務員〉〈—が満員の盛況〉✎通常、個人の家より旅館や乗り物の中の客用の部屋をさす。⇩応接室・応接間・Q客間・座敷

きゃくしつじょうむいん【客室乗務員】 航空機で「スチュアデス」や「エアホステス」に代わる新しい呼称として男女の別なく使われだした漢語表現だが、日常会話では女性の場合はまだ「スチュアデス」という語を使う例が多い。⇩エアホステス・キャビンクルー・Qスチュアデス・フライトアテンダント

ぎゃくしゅう【逆襲】 それまで劣勢だった側が逆に相手に襲いかかる意で、会話にも文章にも使われる漢語。〈—が始まる〉〈相手の—にあう〉✎「反撃」に比べ、攻め立てられて防戦に追われたり被害を受けたりしていたことを連想させやすい。⇩反撃

ぎゃくじょう【逆上】 昂奮《こうふん》のあまり理性を失い分別をなくす意で、会話にも文章にも使われるやや古風な漢語。〈すっかり—して声を荒らげる〉✎もともと頭に血が逆流する意で、岩野泡鳴『耽溺』には「急に僕の血は—して、あたまが燃え出すように熱して来た」という例もある。⇩血迷う

きゃくせき【客席】 映画館や劇場や寄席などの観客のための席をさし、会話にも文章にも使われる漢語。〈—に空席が目立つ〉〈—から声がかかる〉✎見物だけでなく、「二階の—に通される」のように料亭などの席をさすこともある。⇩Q観客席・観覧席・スタンド

きゃくほん【脚本】 主に演劇や映画の土台となる筋書きとしての出演者の台詞や動作を中心に、舞台装置や演出上の注意事項などを添えたものをさし、会話にも文章にも使われる漢語。〈—家〉〈—に忠実な演出〉〈あの芝居は何といっても—がいい〉✎「台本」より本格的な感じがある。⇩戯曲・コンテ・シナリオ・Q台本

きゃくま【客間】 来客をもてなすための部屋をさし、会話でも文章でも広く使われる、やや古風な日常語。〈庭に面した八畳の—〉〈玄関脇の部屋を—にあてる〉✎「応接間」がす

ぐ洋間を連想させるのに対し、この語は洋間だけでなく和室をさす例も多い。⇩応接室・Q応接間・客室・座敷

きやすい【気安い】当人が気楽で肩が凝らない意として、会話にも文章にも使われる表現。〈―・く相談できる相手〉〈―・く話しかける〉✎阿部昭の『大いなる日』に「(医者が)お得意をふやすためにラーメン屋みたいに―・く往診を引きうける」とある。⇩心安い

ぎゃっきょう【逆境】思うようにならず早く抜け出たいと思う恵まれない境遇をさし、やや改まった会話や文章に用いられる漢語。〈―で育つ〉〈―にめげず〉〈―と闘う〉〈―に強い〉✎「苦境」より長期にわたって継続する感じが強い。「順境」と対立。⇩苦境

キャッシュ　「現金」より新しい感じの外来語として特に日常会話でしばしば用いられる。〈―で支払う〉〈―カード〉⇩Q現金・現生

キャッチャー　「捕手」の意の外来語。字数が多くなるためもあり、書きことばとしてはふつう「捕手」を用いる。〈―のサインどおりに投げる〉⇩捕手

キャバレー　ダンスをしたりショーを見たりできる酒場をさし、会話にも文章にも使われるやや古風なフランス語からの外来語。〈―通い〉✎谷崎潤一郎の『友田と松永の話』に「散々カフェや―を荒した」とある。⇩カフェー

キャビンクルー　「フライトアテンダント」を含め、その航空機の乗員全体をさす外来語の呼称。⇩エアホステス・客室乗務員・スチュアデス・Qフライトアテンダント

キャメラ　テレビなどの業界で「カメラ」の意に用いる語。〈―が入る〉✎一般人が使うとやや気取った感じに響く。それを扱う人は映画では「―マン」と言い、テレビでは敬称として「カメラさん」というのを耳にする。⇩Qカメラ・写真機

キャンセル　約束などを一方的に取り消す意で、会話や改まらない文章に使われる日常の外来語。〈予約を―する〉〈注文が―になる〉✎「解約」ほど厳密でなく、日常のちょっとした場面で気軽に使われる。⇩Q解約・取り消し

キャンプ　軍事演習やスポーツの練習などのための合宿をさし、会話にも文章にも使われる外来語。〈―場〉〈―ファイアー〉〈米軍―〉〈―入り〉〈登山のベース―〉〈―を張る〉✎大岡昇平の『俘虜記』に「―にでも来たような気持で谷川の水で飯をたき」とある。⇩合宿

きゅうえん【救援】災害などで一時的に苦境に喘《あえ》いでいる人が自力で立ち直れるように援助する意で、改まった会話や文章に用いられる漢語。〈―物資〉〈―に向かう〉〈―を求める〉⇩援助・救済・Q救助・救い・救う・助ける

きゅうか【休暇】通常の休日以外に学校・会社・役所などで認められた休みをさし、改まった会話や文章に用いられる少し正式な感じのする漢語。〈年次―〉〈有給―〉〈―を取る〉〈夏季―に入る〉✎梶井基次郎の『冬の日』に「―になったから郷里へ帰ろうと思ってやって来た」とある。⇩オフ・休業・休憩・休日・休息・休み

きゅうかん【急患】急病または急病人をさして、主に会話に使われる漢語。〈―で運ばれる〉〈―を受け付ける〉✎医師や病院など受け入れる側から見た用語。⇩急病

きゅうきゅう【汲汲】人間本来の使命ではないことに夢中で

他を顧みる余裕のない様子をさし、改まった会話や文章に用いられる、いくぶん古風な感じの漢語。〈金儲《かねもう》けに―とする〉〈出世ばかり考えて―と暮らす〉⇩あくせく

ぎゅうぎゅう　余裕のない場所にさらに詰め込む様子をさし、会話や軽い文章に使われる擬態語。〈―詰めの電車〉〈ボストンバッグに―に押し込む〉✎隙間がない感じの「ぎっしり」「びっしり」に比べ、それ以上に無理をして押し込む感じが強く、圧迫されて中のものが変形しそうな雰囲気がある。⇩Qぎっしり・ぎっちり・びっしり

きゅうぎょう【休業】　営業や授業などを休む意で、改まった会話や文章に用いられる正式な感じの漢語。〈臨時―〉〈開店―の状態だ〉⇩オフ・休暇・休憩・休日・休息・休み

きゅうくつ【窮屈】　心身が抑えつけられて自由を束縛される雰囲気をさし、会話にも文章にも広く使われる日常の漢語。〈肥って服が―になる〉〈部屋が狭すぎて―だ〉〈規則ががんじがらめで生活が―だ〉✎永井荷風の『つゆのあとさき』に「冗談一ツ言うにも気をつけねばならぬような心持がして―でならなくなった」とある。⇩気詰まり

きゅうけい【休憩】　仕事の途中でとる休みをさし、会話にも文章にも使われる漢語。〈―をとる〉〈会議の途中で―する〉✎学校や会社などで継続する作業を中断して一定の時間休む場合に使うことが多く、「―時間」「―室」が設けられているのもそのため。太宰治の『東京八景』に「五分間―して、すぐにまた出発」とある。⇩オフ・休暇・休業・休日・休息・休み

きゅうげき【急激】　変化や変動が急で激しい意で、会話にも文章にも使われる漢語。〈―な変化に対応できない〉〈―な上昇が見られる〉〈―に低下する〉✎変化の速さに重点のある「急速」に比べ、この語は急に生じた変化の大きさに重点がある。⇩急速

きゅうこん【求婚】　結婚を申し込む意で、多く文章中に用いられるやや古風な漢語。〈交際を始めてすぐに―される〉〈―を承諾する〉✎武者小路実篤の『お目出たき人』に「鶴の家に行って戴いて、―して戴いた」とある。⇩プロポーズ

きゅうさい【救済】　被災者や不幸に苦しむ人を全面的に救い上げる意で、改まった会話や文章に用いられる漢語。〈―事業〉〈難民を―する〉〈―に乗り出す〉✎「援助」はもちろん「救援」に比べても、手助けの域を超えて苦境を脱するところまで引き上げる感じが強い。また、小林秀雄が『作家の顔』で「人生に対する抽象的煩悶に堪えず、―を求めるための旅に上ったという表面的事実」と、トルストイに関する正宗白鳥の言を引用したように、この語は精神面についても広く用いられる。⇩援助・救援・Q救助・救い・救う・助ける

きゅうし【急死】　急に死ぬ意で、会話にも文章にも使われる漢語。〈交通事故による―〉〈心臓発作で―する〉✎「即死」はもちろん「頓死《とんし》」と比べても、そこまで急激な死という感じはない。⇩急逝・Q即死・頓死

きゅうじつ【休日】　勤めや学校の授業などが休みになる日をさし、やや改まった会話や文章に用いられる少し正式な感じのする漢語。〈―運転〉〈―出勤〉〈―診療〉〈―返上で働く〉〈―は家でごろごろしている〉⇩オフ・休暇・休業・休憩・休息・休み

きゅうしゅう【吸収】 吸い上げて取り込む意で、会話にも文章にも使われる漢語。〈消化―がよい〉〈水分を―する〉〈熱を―する〉✎「知識を―する」「西欧文化を―する」のような抽象的な意味での比喩的用法もあり、「大企業による―合併」のように買収に近い意味の婉曲《えんきょく》表現として使うこともある。⇩Q吸入・吸い込む・吸う

きゅうじゅつ【弓術】 弓で矢を射る技術をさし、会話にも文章にも使われる古風な漢語。〈―指南〉✎「弓道」に比べ、技の面に重点のある感じが強い。⇩Q弓道・弓

きゅうしょ【急所】 身体の中の打ち所が悪いと命にかかわる大事な箇所、転じて、ものごとの中核の意で、会話にも文章にも使われる、いくぶん古風な漢語。〈―を打つ〉〈―を外れる〉〈―を握る〉〈問題の―を突く〉✎獅子文六の『胡椒息子』に「(心の傷痕は)熊の月の輪のような―であるから、骨身に応える痛さだ」とある。⇩Q要所・要衝・要地・要諦・要点

きゅうじょ【救助】 生命の危険に曝《さら》されている人間や動物を救うことをさし、やや改まった会話や文章に用いられる漢語。〈―隊〉〈―活動〉〈人命―〉〈遭難者の―に当たる〉✎精神的に救う場合には用いない。大岡昇平の『俘虜記』に「比島東方海上で撃墜され、失神して海上を漂ううちに―された」とある。⇩援助・救援・Q救済・救い・救う・助ける

きゅうじょう【球場】 「野球場」の略称として会話にも文章にも使われる漢語。〈大勢のファンが―に押しかける〉⇩運動場・競技場・グラウンド・グランド・コート・スタジアム・Q野球場

きゅうす【急須】 取っ手と注ぎ口の付いた茶を淹《い》れる陶磁器製の器をさし、会話にも文章にも使われる漢語。〈―で茶を淹れる〉〈―に茶葉を入れ、少し冷ましたお湯を注ぐ〉✎土瓶より小さく、上に弦の付いたものや金属製のものもある。土瓶と違って白湯《さゆ》を飲むときには用いない。永井龍男の『石版東京図絵』に「―の茶を湯呑みにしぼった」とある。⇩土瓶

きゅうすい【給水】 飲用水などを供給する意で、改まった会話や文章に用いられる、いくぶん専門的な漢語。〈―車〉〈―塔〉〈―制限が解除される〉⇩配水

きゅうせい【急逝】 人が急に亡くなる意で、主として文章に用いられる漢語。〈恩師―の報に接し驚きを禁じえない〉✎端的な「急死」に比べ、「逝く」と婉曲《えんきょく》に表現しており、丁寧に感じられる。⇩Q急死・即死・頓死《とんし》

きゅうせん【休戦】 双方の合意により期間を限って戦闘行為を中止する意で、会話にも文章にも使われる、やや専門的な漢語。〈―条約〉〈クリスマス―〉✎「停戦」と違い戦争状態は継続している。⇩停戦

きゅうそく【休息】 体力の回復を待つ休みをさす漢語。ふつうの日常語である「休憩」に比べ、文章語に近い改まった表現。〈疲れたところでしばらく―する〉〈楽しい―のひととき〉✎疲労回復のために個人の意志で休むというニュアンスが強い。辻邦生の『旅の終り』に「果してここに止まることは、安らかさのなかへの―なのであろうか」とある。⇩オフ・休暇・休業・休憩・休日・休み

きゅうそく【急速】 変化や変動のスピードが速い意で、会話にも文章にも使われる漢語。〈―に増大する〉〈―に上達する〉〈―な円高で対策に苦慮する〉✎変化の幅に重点のある

「急激」に比べ、変化の速さに重点がある。⇩急激

きゅうだい【及第】進級・卒業できる水準にあると認められてその資格を与えられる意を示し、会話にも文章にも使われるいくぶん古風な漢語。〈—点はおぼつかない〉〈無事—する〉✎太宰治の『思い出』に「一週間もつづけて勉強すると、すぐ—の確信がついて来るのだ」とある。「落第」と対立。⇩合格

きゅうだいてん【及第点】規定の水準に達している点数をさす漢語。〈—を与える〉✎最近の学校ではあまり落第しないので、そういう現実を反映して「及第」という語自体も使用頻度が減少し、やや古風な印象がある。「落第点」と対立。

きゅうちょう【級長】学級の代表者である生徒をさし、会話でも文章でも使われた古めかしい漢語。〈学級を代表して—が挨拶する〉✎選挙で選ばれる学級委員に比べ、優秀な生徒が任命された昔の級長は権威があった。小津安二郎監督の映画『秋刀魚の味』に、佐久間先生(東野英治郎)が昔の教え子に「堀江さんは、たしか副—をしておられましたな」と話しかけると、河合(中村伸郎)が横から口を出して「こいつは今でも副—ですよ。女房が—でね」と仲間をからかう場面がある。「級長」という単語だけで時代を感じさせる例である。

きゅうどう【弓道】弓の弦に矢をつがえて放つ日本武道をさし、会話にも文章にも使われる漢語。〈—三段の腕前〉〈—に精進する〉✎洋弓・アーチェリーを含まない。「弓術」に比べ、精神面に重点のある感じが強い。⇩弓術・弓

きゅうに【急に】それらしい様子もなかったのに、短時間のうちの変化でといった意味合いで、くだけた会話から硬い文章まで幅広く使われる日常語。〈—立ち止まる〉〈—降って来る〉〈前触れもなく—動き出す〉〈—不機嫌になる〉〈—言われても時間が取れない〉✎太宰治の『富嶽百景』に「—濃い霧が吹き流れて来て(略)眺望がきかない」とある。それらしい兆候のないままきわめて短時間に変化するところに重点を置いた表現。⇩Qいきなり・だしぬけに・突然・不意に

きゅうにゅう【吸入】吸い入れる意で、会話にも文章にも使われる、やや専門的な漢語。〈—器〉〈酸素—〉〈スポイトで—する〉✎治療のためなどに酸素や霧状にした薬品などを口から取り入れる場合はこの語を用いる。⇩吸収・Q吸い込む・吸う

ぎゅうにゅう【牛乳】牛の乳をさし、会話にも文章にも使われる日常の漢語。〈成分未調整—〉〈—を搾る〉〈—からチーズを作る〉✎小川国夫の『平地の匂い』に「白い大きな牛が一頭ゆらりと出て来た。さっきの無垢な—の色だった」とある。毎朝各家庭に配る習慣が衰退した今は「—配達」という言いまわしも古く感じられる。粉ミルクや練乳にはこの語を使わない。瓶や紙パックに入っている状態ではこの語を使うことが多く、それをコップに入れると「ミルク」という語もよく使われる。⇩ミルク

きゅうねん【旧年】新しく始まった年から振り返って、過ぎ去ったばかりの年をさし、改まった会話や文章に用いられる漢語。〈—中はいろいろお世話になりました〉✎年の初めに正月気分で使う。⇩去年・Q昨年・前年

きゅうはく【急迫】差し迫った状態に追い込まれる意で、改

まった会話や文章に用いられる硬い感じの漢語。〈事情が―する〉〈戦局が―する〉✎「切迫」以上に急激に余裕がなくなった感じがある。⇩窮迫・Q緊迫・切迫

きゅうはく【窮迫】 金銭的に追い詰められ、困窮の度が甚だしくなる意で、改まった会話や文章に用いられる硬い漢語。〈生活が―する〉〈財政的に―する〉⇩急迫・Q困窮

きゅうびょう【急病】 急に起こる病気の意で、会話にも文章にも広く使われる日常の漢語。〈―人〉〈―で救急車を呼ぶ〉✎人をさす「急患」と違い、もっぱら病気をさす。⇩急患

きゅうゆう【級友】「同級生」の意で、主に改まった文章に使われる古風な漢語。〈久しぶりに―を訪ねる〉〈街でばったり―に出逢う〉⇩クラスメート・Q同級生

きゅうよ【給与】「給料」の意味で、改まった会話や文章に用いられる正式な感じの漢語。〈―明細〉〈―所得〉〈―を支払う〉✎「給料」に比べ、支払う側の連想が強い。⇩給料・月給・サラリー・賃金・俸給

きゅうりょう【給料】 継続する労働に対する報酬として定期的に支払われる金銭の意で、会話にも文章にも使われる日常の漢語。〈―日〉〈―が安い〉〈―が上がる〉〈―を前借りする〉✎大岡昇平の『わが復員』に「上等兵と一等兵の―の差額」とある。⇩Q給与・月給・サラリー・賃金・俸給

きゅうりょう【丘陵】 傾斜の緩やかな低い山やその地形をさして、改まった会話や文章に用いられる漢語。〈―地帯〉〈―が続く〉✎火野葦平の『麦と兵隊』に「夜の中に幽かに水平線のみが見え、時折り過ぎた―は波のうねりのように見えた」とある。⇩丘

きよ【寄与】 そのための役に立つ意で、改まった会話や文章に用いられる漢語。〈脳科学の発展に―する〉〈児童文学の普及に―するところすこぶる大である〉✎「貢献」以上にその結果に言及した表現。⇩Q貢献・尽力

きよい【清(浄・潔)い】「清らか」「清浄」の意で、主に文章中に用いられる古風な和語。〈―水の流れ〉〈―・く澄んだ瞳〉〈―心〉〈―交際〉〈―政治〉✎平林たい子の『秘密』に「真白にさらしたサテンのような―波」とある。「―・く正しく美しく」という表現は時代を感じさせ、今は具体的な物にはなおさら用いにくくなって、特に会話では気障《きざ》な感じに響きやすい。⇩清らか・Q清純・清浄

きょう【今日】 今経過中のその一日をさし、くだけた会話から硬い文章まで幅広く使われる日常の基本的な和語。〈―のうちに仕上げる〉〈―は冷える〉〈―こそは頑張ろう〉〈―でまる十日経つ〉〈去年の―〉〈―この頃〉✎夏目漱石の『坊っちゃん』に「―見て、あす移って、あさってから学校へ行けば極りがいい」とある。⇩Qこんにち・本日

ぎょう【行】 文字記載の進行方向への一続きをさし、会話にも文章にも使われる漢語。〈―を改める〉〈―をそろえる〉〈次の―に出てくる〉✎五十音図の「アイウエオ」や「カキクケコ」などのまとまりをさして「ア行」「カ行」などと呼ぶ用法もある。⇩列

きょうあい【狭隘】 面積や度量などが狭い意で、主として文章中に用いられる硬い漢語。〈―な土地〉〈―な心の持ち主〉✎三島由紀夫の『金閣寺』に「運河のような―な海」と

ある。⇩手狭・Q狭い

きょうい【胸囲】胸部の周囲の長さをさし、会話や文章に用いられるやや正式な感じの漢語。〈―を測定する〉⇩バスト・Q胸回り

きょうい【驚異】信じられないことに遭遇し非常に驚く意で、改まった会話や文章に用いられる漢語。〈―的なスピード〉〈―の目を見張る〉〈大自然の―に打たれる〉✒庄野潤三の『プールサイド小景』に「何の不安も抱かなかった自分たちの生活が、こんなにも他愛なく崩れてしまったという事実に、彼女は―に近い気持を感じた」とある。⇩驚き・愕然《がくぜん》・驚愕《きょうがく》・Q驚嘆

きょういく【教育】知識・技能・道徳などが身につくよう心身両面で教え育てる意で、くだけた会話から硬い文章まで幅広く使われる日常の基本的な漢語。〈―実習〉〈―制度〉〈学校―〉〈義務―〉〈通信―〉〈社員―〉〈英才―〉〈―を行う〉〈高等―を受ける〉✒夏目漱石の『坊っちゃん』に「―の精神について長い御談義を聞かした」とある。同じ作品に「―のない婆さんだから仕方がない」とあるように、「―がある」「―がない」の形で、指導を受けて身についた教養や高い学歴を意味する場合もある。⇩教える・Q教導・指導

きょういん【教員】学校で教育の職務に従事する人をさして、改まった会話や文章に用いられる正式な感じの漢語。〈―免許〉〈―採用試験〉〈―の資格を取得する〉〈中学校の―〉✒夏目漱石の『坊っちゃん』に「もう―も控所へ揃いましたろうと云うから、校長に尾いて―控所へ這入った」とある。小学校・中学校・高等学校の教諭や大学の教授などの総称。職業名として記入する際に用いる。「教師」に比べ、正式の資格として公認されている感じが強く、芸事などにはなじまない。⇩Q教師・先公・先生

きょうえい【競泳】種目別に一定の距離でスピードを競う水泳競技をさし、改まった会話や文章に用いられる専門的な漢語。〈―種目〉〈―の二百メートル平泳ぎにエントリーする〉✒正式のスポーツという雰囲気が強く、遊び半分で速さを争うような場合にはなじまない。⇩水泳・Q水上競技

きょうえん【共演】同じ作品に共に出演する意で、会話でも文章でも使われる漢語。〈有名女優と―する〉〈豪華キャスト夢の―〉✒いっしょに出演することに重点がある。⇩競演

きょうえん【競演】演技を競う意で、会話でも文章でも使われる漢語。〈三大スターの―が見もの〉✒競い合うところに重点がある。⇩共演

きょうおう【饗(供)応】客に酒や茶菓などをふるまう意で、主として文章に用いられる古風で硬い感じの漢語。〈―を受ける〉〈茶菓の―にあずかる〉✒「接待」より丁重で豪華な感じがある。⇩接待・Qもてなし

きょうか【供花】死者や仏前に花を供える意で、主に文章に用いられる漢語。〈―料〉✒仏教では「くげ」ともいい、その場合は古風に響く。⇩献花

きょうか【強化】人・物や力・作用などを加えて強くする意で、会話にも文章にも使われる漢語。〈―ガラス〉〈―合宿〉〈戦力を―する〉〈取り締まりを―する〉✒もともとある程度の強さのある対象に行う「増強」、対象の明らかに不十分な点に行う「補強」と違い、特にそういう条件無しに広く用

いる。⇩Q増強・補強

きょうか【教科】発達段階や教育の目標・方法によって仕分けた組織的な授業内容をさし、会話にも文章にも使われる専門的な漢語。〈五─七科目〉〈─教育法〉✎現代文・古文・国語表現は国語科、日本史・世界地理は社会科、物理・化学・生物は理科で、全部で三教科八科目と数えるなど「科目」より大きな単位をさす。⇩学科・Q科目

ぎょうが【仰臥】「横臥」「伏臥」に対して、あおむけに寝る意。主として改まった漢文調の文章に用いられる硬い感じの漢語。✎瀧井孝作の『無限抱擁』に「風邪気の熱で床に─していた」とあり、古井由吉は『息災』で入院中の父親のようすを「右腕に点滴の針を立てられ、すこしの身動きもするまいというふうにひっそり─していた」と描いている。⇩寝る・病臥・Q伏せる・休む

きょうかい【教会】「教会堂」の略で、くだけた会話から硬い文章まで幅広く使われる日常の漢語。〈─学校〉〈村の─〉〈─に通う〉〈─で結婚式を挙げる〉✎通常はキリスト教について用いる。本来は「─の一員」「─の仕事」のように、宗教の教義を教え広める信者の共同体をさすが、現在は教会の建物をさすことが多く、小沼丹の『ロンドンの記憶』に「趣のある古い家が古い通にしっくり納って(略)簇葉越しに─の塔が覗いたりして、如何にもロンドンにいると云う実感がある」とある。⇩カテドラル・Q教会堂・聖堂・大聖堂・チャペル・天主堂・礼拝堂

きょうがい【境涯】その人間が生きていく上での状況の意で、主として文章に用いられる硬い漢語。〈不幸な─〉〈今の─を悲観してはいない〉✎永井荷風の『雨瀟瀟』に「成りゆきの儘送って来た孤独の─が、つまる処わたしの一生の結末であろう」とある。⇩環境・Q境遇・身空《みそら》・身の上

きょうかいどう【教会堂】キリスト教で礼拝や説教や教会員の会合を行うための建物をさし、改まった会話や文章に用いられる正式な感じの硬い漢語。〈─で礼拝を行う〉⇩カテドラル・Q教会・聖堂・大聖堂・チャペル・天主堂・礼拝堂

きょうがく【驚愕】全然予想もしなかったことに出合ってひどく驚くことをさし、主として文章中に用いる硬い漢語。〈突然の出来事に─する〉〈─の表情を浮かべる〉✎内田百閒の『東京日記』に「友人は─の余り足許をがくがくさせている様子であったが」とある。⇩Q驚き・愕然《がくぜん》・驚異・驚嘆

きょうかしょ【教科書】教科ごとに学校の教材として編集された図書をさし、会話にも文章にも使われる漢語。〈検定─〉〈初級の─〉〈国語の─〉✎「教材」と違い、必ず本の形になっている。小学校・中学校・高等学校の検定教科書の場合は「テキスト」と呼びにくい。芥川龍之介の『あの頃の自分の事』に「一つ─に代る代る二人で仮名をつけて、試験前には一しょにその─を読んで間に合せていた」とある。「テキスト」より学校とのつながりが強く、それだけ子供じみた雰囲気があるため、社会人教育では「テキスト」のほうがよくなじむ。⇩教材・Qテキスト

きょうかつ【恐(脅)喝】相手の弱みや秘密などを材料に脅して大金を出させる意で、会話にも文章にも使われる漢語。〈不良品をたねに会社を─する〉〈─の容疑で逮捕する〉✎「ゆすり」より大がかりで奪い取る金額も大きい感じがあ

る。⇩威嚇《いかく》・脅す・ゆすり

きょうかん【共感】 他人の意見や心情に対してその通りだと思うことをさし、会話にも文章にも使われる漢語。〈―を覚える〉〈―をよぶ〉〈―をそそる〉〈―するところが多い〉✎永井龍男の『朝霧』に「この述懐は、不思議な―といおうか、思いやりに似たしみじみとした感情を、私の胸に涌き起させた」とある。⇩Q共鳴・賛成・賛同・同意・同感

きょうき【驚喜】 思いがけない結果にびっくりして喜ぶ意で、主として硬い文章に用いられる漢語。〈夢にも思わなかった再会に―する〉✎有島武郎の『或る女』に「―に近い表情を顔一面に漲らして」とある。思いがけないことに大変喜ぶ点で「狂喜」とよく似ているが、この語は「驚く」ことに重点がある。⇩狂喜

きょうき【狂喜】 気が狂うほど激しく喜ぶ意で、主として硬い文章に用いられる漢語。〈―乱舞〉〈優勝の知らせに―する〉✎宇野浩二の『蔵の中』に「お祭の日の子供のように―しました」とある。思いがけないことに大変喜ぶ点で「驚喜」とよく似ているが、この語はその喜びが「狂った」かと思われるほどの尋常でないようすとなって外見に現れることに重点がある。⇩驚喜

きょうぎ【協議】 ある問題の対応や処理について何人かの人間が話し合うことをさし、改まった会話や文章に用いられる正式な感じの漢語。〈連絡―会〉〈―離婚〉〈解決策をめぐる―に入る〉〈―が長びく〉〈―の上決定する〉✎「会議」に比べ、形式的に自由で非公式の場合も含まれる雰囲気がある。⇩打ち合わせ・会議・相談・談合・Q話し合い・ミーティング

ぎょうぎ【行儀】 立ち居振る舞いの作法をさし、会話にも文章にも使われる日常の漢語。〈―見習い〉〈みっちり―作法を仕込む〉〈足を投げ出すなんて、まあ、お―が悪い〉✎小沼丹の『黒と白の猫』に「その猫は―が良かった」と人間以外に用いた例がある。食卓の上の食べ物に見向きもせず「横眼も使わない」よその猫に対する評価である。⇩エチケット・作法・マナー・Q礼儀作法・礼法

きょうぎじょう【競技場】 運動競技の試合をしたりそれを観戦したりするための場所や施設をさし、会話にも文章にも使われる漢語。〈陸上―〉〈屋内―〉〈―のメインスタンド〉〈―で入場行進をする〉✎「運動場」よりも競技の種類が限定され、屋内の場合もあり、観覧席を設けているイメージも強く、より専門的。⇩Q運動場・球場・グラウンド・グランド・コート・スタジアム・野球場

きょうぐう【境遇】 人間関係・家庭環境・経済状態・社会的な地位などの総合的な状況をさして、やや改まった会話や文章に用いられる漢語。〈恵まれた―に育つ〉〈現在の―に甘んじる〉⇩環境・Q境涯・身空《みそら》・身の上

きょうけん【強健】 身体が健やかで強い意で、主に文章に用いられる硬い感じの漢語。〈―な肉体を有する〉〈―を誇る〉⇩Q頑健・強壮・たくましい

ぎょうご【擬容語】 擬態語を細分したもののうち、物の状態や人の心情ではなく、もっぱら人や動物の動作を言語音で感覚的・象徴的に形容することばをさし、学術的な会話や文章に用いられる、専門性の高い漢語。〈「もじもじ」は―と認定できる〉✎「きょろきょろ」「にやにや」「のろのろ」

「すいすい」「ぴょんぴょん」などがそれに当たる。⇩オノマトペ・擬音語・擬状語・擬情語・擬声語・Q擬態語

きょうこう【凶行】殺人などの凶悪な犯罪行為をさし、主として文章に用いられる漢語。〈―現場〉〈―に及ぶ〉〈白昼堂々―を働く〉⇩悪行・Q悪事

きょうこう【強行】無理を承知で強引に行う意で、会話にも文章にも使われる漢語。〈―突破〉〈―採決〉〈再開発を―する〉〈反対を押し切って―する〉⇩敢行・強硬・強攻・Q決行・断行

きょうこう【強硬】あくまで譲らないようすの意で、会話でも文章でも使われる漢語。〈―な意見〉〈―に主張する〉〈―な態度を崩さない〉⇩Q強行・強攻

きょうこう【強攻】強気で攻める意で、会話でも文章でも使われる漢語。〈―策を採る〉〈―策に出る〉⇩Q強行・強硬

きょうごう【競合】「競り合い」の意で、やや改まった会話や文章に用いられる漢語。〈利権を巡って―する〉〈ライバル商品を発売して他社と―する〉✎「―脱線」のように、多くの要素が複雑に絡み合う意の用法もある。⇩競争・競り合い

ぎょうこう【僥倖】思いがけず訪れた幸運の意で、文章中に用いられる古風で硬い漢語。〈―を頼みにする〉〈―に恵まれる〉⇩Q幸運・つき・ラッキー

きょうざい【教材】授業や学習のための材料をさし、会話にも文章にも使われる漢語。〈―費〉〈視聴覚―〉〈―研究〉〈入門用の―をそろえる〉✎「教科書」や「テキスト」と違い、必ずしも綴《と》じた本の形をしていなくてもよく、ばらばらの紙でも、また、紙以外の物でもよい。⇩Q教科書・テキスト

きょうし【教師】学校などで児童・生徒・学生に学問や技術を指導する立場の人をさして、やや改まった会話や文章に用いられる漢語。〈日本語―〉〈―の指導〉〈数学の―〉✎夏目漱石の『坊っちゃん』に「おれは様子が分らないから、博物の―と漢学の―の間へ這入り込んだ」とある。「教員」と違い、「家庭―」「ピアノ―」のように学校以外にも使う。⇩Q教員・先公・先生

きょうじ【教示】上の立場の人が下の人に知識や方法などを教え示す意で、改まった会話や文章に用いられる漢語。〈御―を乞う〉〈御―を仰ぐ〉✎もっぱら相手の行為をそのようにとらえる謙虚な表現であり、子供相手であっても自分の行為には使わない。⇩教える・Q指導・指南・導く

きょうじ【矜持(恃)】自分の能力を信じてそれを誇りに思う意で、主として文章中に用いる硬い漢語。〈―を高く持つ〉〈学者としての―を捨てる〉✎藤沢周平の『三ノ丸広場下城どき』に「ひさしく埃をかぶっていたむかしの―」とある。⇩気位・自尊心・Q自負・プライド・誇り

ぎょうし【凝視】視線を固定させたまま対象を見据える意で、改まった会話や文章に用いられる硬い漢語。〈一点を―したまま動かない〉✎火野葦平の『麦と兵隊』に「私は目を据えて城門の方角を―して居た」とある。⇩Q観察・眺める・見詰める

ぎょうじ【行事】一定の時期に一定の形で恒例として行う催し事をさし、会話にも文章にも使われる漢語。〈年中―〉〈―予定〉〈恒例の―〉〈伝統―〉〈学校の―〉〈―が立て込

んでいる〉✎向田邦子の『父の詫び状』に「お彼岸やお盆の―にはとんと無縁であった」とある。谷崎潤一郎の『細雪』に「悦子と二人の妹たちだけ先に帰って、貞之助と幸子はもう一と晩泊ることもあったが、―はその日でおしまいになる」とある。「催し」より定期的で格式ばった感じがある。「学校行事」には期末試験なども含まれ、「催し」ほど楽しい雰囲気ばかりではない。⇩催し

きょうしつ【教室】授業を行う部屋をさし、くだけた会話から硬い文章まで幅広く使われる日常の基本的な漢語。〈階段―〉〈料理―〉〈―の最前列〉✎山田詠美の『風葬の教室』に「―には、いつもある種の宗教がはびこる」とある。「教場」以上に、理科の実験室や音楽室や体育館などを除く通常の授業を行う部屋を連想しやすい。⇩教場

ぎょうしゅ【業種】事業・企業・営業の種類をさし、やや改まった会話や文章に用いられるいくぶん専門的な漢語。〈―別電話帳〉〈―ごとのリスト〉⇩職種

きょうしゅう【郷愁】ふるさとや過ぎ去ったものを懐かしむ心の意で、改まった会話や文章に用いられる、やや詩的な雰囲気の漢語。〈古きよき時代への―〉〈―を感じる〉〈―をかきたてられる〉〈―にひたる〉✎小沼丹は『昔の仲間』で、戦死した友人からの最後の手紙に言及し、「文学に対する―のようなものを長ながと書き綴《つづ》っているが、それを書き写す気にはなれない」と悲痛な思いを述べる。⇩懐かしい・懐かしさ・ノスタルジア・ノスタルジー

きょうしゅく【恐縮】過分な配慮などを受けて恐れ入る意で、改まった会話や文章に用いられる丁重な漢語。〈まことに―千万〉〈―の至り〉〈すっかり―する〉〈お手数をかけて―ですが〉✎傾倒する志賀直哉にビールを注《つ》いでもらうときの小津安二郎監督の恐縮ぶりをぜひ見せたかったと里見弴は語ったという。⇩有り難い・Q痛み入る・恐れ入る・忝《かたじけな》い

きょうじゅつ【供述】被疑者・被告あるいは証人などが裁判官や警察官の取り調べや聴取に対して答える意で、改まった会話や文章に用いられる、専門性の強い漢語。〈―書〉〈法廷で―する〉〈―が得られる〉✎証人の発言も含まれる点で、「自白」や「自供」と決定的に違う。⇩Q自供・自白・白状

きょうじょう【教場】授業を行う場所をさし、改まった会話や文章に用いられる、やや正式な感じの漢語。〈―試験〉〈―に参考書を持ち込む〉✎井伏鱒二の『休憩時間』に「足駄をはいて―へはいるものは、わざと大きな足音をたててはいって行け」とある。通常の授業を行う「教室」を連想しやすいが、そのほか音楽室や理科の実験室や体育館なども含まれる感じがある。⇩教室

ぎょうじょう【行状】日々の行いの意で、主に文章に用いられる古風な漢語。〈日ごろの―〉〈―を改める〉〈―がよくない〉⇩Q操行・素行・品行・身持ち

きょうじる【興じる】面白がる意で、主に文章に用いられる、やや古風な語。〈笑い―〉〈隠し芸に―〉⇩楽しむ

きょうしん【強震】震度5の旧称。⇩軽震・弱震・中震・微震

きょうせい【強制】相手の意思を無視して押し付ける意で、会話でも文章でも使われる漢語。〈―送還〉〈―執行〉〈立ち退きを―する〉⇩強請

きょうせい【強請】無理に要求する意で、会話でも文章でも

使われる硬い感じの漢語。〈賄賂を—する〉〈寄付を—する〉⇩強制

きょうせい【矯正】 直す意で、改まった会話や文章に使われる漢語。〈—視力〉〈歯列—〉〈性格を—する〉⇩匡正

きょうせい【匡正】 正す意で、改まった文章に用いられる古風で硬い感じの漢語。〈道徳の—〉🖉もっぱら精神的な意味で用い、具体的な対象には「矯正」を用いる。⇩矯正

きょうせい【共生(棲)】 同じ場所で人間も異種類の動物や植物も争わずに共に生きてゆく意で、改まった会話や文章に用いられる漢語。〈自然との—をめざす〉🖉生物学の専門用語としては、別の種類の生物が共同生活を営む意で、一方が害をこうむる「寄生」と区別される。⇩寄生・Q共存・並存・並立・両立

ぎょうせき【業績】 事業の成績や学問研究上の優れた実績をさし、やや改まった会話や文章に用いられる、いくぶん専門的な漢語。〈研究—〉〈—審査〉〈—不振に陥る〉〈—が伸びる〉〈—を積み上げる〉⇩功績・功労・収穫・殊勲・Q成果・手柄

きょうそう【強壮】 力強く精力の満ちる意で、主に文章に用いられる、やや古風な感じの漢語。〈—剤〉〈身体—〉⇩頑健・Q強健

きょうそう【競争】 同じものを目指して争う意で、くだけた会話から硬い文章まで幅広く使われる日常の基本的な漢語。〈—率〉〈生存—〉〈—に加わる〉〈熾烈《しれつ》な—を繰り広げる〉🖉夏目漱石の『吾輩は猫である』に「—の念、勝とう勝とうの心」とある。⇩競合・競り合い

きょうそうあいて【競争相手】 何かを争う相手を広くさし、会話にも文章にも使われる日常の表現。〈—が不在だ〉〈—を蹴落とす〉〈いい—だ〉🖉「ライバル」と違い、特に恋敵をさす用法はない。「ライバル」同様、団体や組織にも使う。⇩好敵手・Qライバル

きょうそん【共存】 複数のものが互いを排斥したり併合したりせずに同時に存在する意で、改まった会話や文章に用いられる硬い漢語。〈—共栄〉〈平和—〉〈ライバル関係の両社が—できる環境〉🖉特に、本来異質なものに対して用いる傾向がある。「きょうぞん」ともいう。⇩共生・Q並存・並立・両立

きょうたん【驚嘆(歎)】 素晴らしさや珍しさにびっくりして感心する意で、改まった会話や文章に用いられる漢語。〈みごとな出来栄えに—する〉〈あの努力はまさに—に値する〉🖉木山捷平の『長春五馬路《ウーマロ》』に「寝台の上に広いゴムの葉が垂れさがっているのに正介は—した」とある。⇩驚き・愕然《がくぜん》・Q驚異・驚愕《きょうがく》

きょうち【境地】 苦しい努力などを経てたどり着いた心の状態をさし、やや改まった会話や文章に用いられる漢語。〈—に到達する〉〈無我の—に入る〉〈新しい—を開く〉🖉島木健作の『癩』に「泥沼のような—におちこみ、そこからの出口を求めて、のた打ちまわっている」とある。⇩心境

きょうちゅう【胸中】 外部にあらわれない心の中の意で、やや改まった会話や文章に用いられる、やや硬い感じの漢語。〈—は複雑〉〈—を打ち明ける〉〈—を包まず話す〉〈その—は察するに余りある〉〈—深く期するものがある〉🖉「重い口を開いて—を語る」のように、あえて他人には語らない

できた秘密めいた内容を連想させることもある。⇩気持ち・Q心中・内心・本心・本音・胸の内

きょうちょう【強調】 ある部分が際立つように強い調子で表現する意で、会話にも文章にも使われる漢語。〈有効性を―する〉〈力強さを―する〉〈赤を―して描く〉〈勇気をもって挑戦したという事実を―する〉✎志賀直哉の『暗夜行路』に「悪辣な女だという所を幾らか―した話し振り」とある。「主張」がその内容に重点があるのに対し、相手に訴える仕方に重点がある。「傍点を打って―箇所を示す」のように文章中でも行われる。「誇張」と違って事実や情報そのものは拡大せず、相手に強い印象を与える表現を採用。⇩言い張る・誇張・主張・提言・Q力説

きょうつう【共通】 複数のものに同じように当てはまる意で、くだけた会話から硬い文章まで幅広く使われる日常の基本的な漢語。〈―点〉〈―の話題〉〈―の友人〉〈―の悩み〉〈両者に―する特徴〉✎芥川龍之介の『侏儒の言葉』に「万人に―する悲劇は排泄作用を行うことである」とある。⇩共有

きょうつうご【共通語】 全国どこでも通用する言語体系をさし、学術的な会話や文章に使われる専門的な漢語。〈知らない人には―で話す〉✎規範として理想的にとらえられる「標準語」と違い、どこでもだれにでも通じるという点に意識の中心がある。⇩標準語

きょうてい【協定】 ある件に関して当事者同士が協議をして合意に達した取り決めの意で、改まった会話や文章に用いられる正式な感じの漢語。〈―校〉〈紳士―〉〈通商―を結ぶ〉✎「日米地位―を締結する」のように、国家間の約束として用いる場合は、条約ほど重要でない細かい事柄についての、厳密な形式をとらない実質的な条約にあたる。⇩Q協約・条約

きょうてん【経典】 仏教の経文、キリスト教の聖書、イスラム教のコーランなどの総称として、会話でも文章でも使われる神聖な感じの漢語。〈―の教えを忠実に守る〉⇩教典

きょうてん【教典】 教育や宗教に関する教えを説いた書物の意で、会話でも文章でも使われる漢語。〈―に記されている〉⇩経典

ぎょうてん【仰天】 非常に驚く意で、会話にも文章にも使われる古風な漢語。〈びっくり―〉〈あまりに突然のことで―した〉✎永井荷風の『おかめ笹』に「今朝になってその話をきいて喫驚《びっくり》―しちゃったんです」とある。度肝を抜かれ思わず天を仰ぐ意から。⇩おったまげる・驚く・Qたまげる・びっくり・ぶったまげる

きょうと【教徒】 信徒の意で主に文章に用いられる漢語。〈仏―〉〈キリスト―〉〈弾圧に―が騒ぎ出す〉✎宗教名とともに用いることが多く、単独では「信徒」のほうをよく使う。⇩信者・Q信徒

きょうど【郷土】 「出身地」に近い意味で会話でも文章でも幅広く用いられる日常的な漢語。〈―愛〉〈―料理〉〈―芸能〉〈―の誇り〉✎藤沢周平の『ふるさと讃歌』に「―色ゆたかな山菜料理」とある。「郷里」「故郷」「ふるさと」などが個人の視点でとらえているのに対し、一般的な視点に立って、そこに住む人びとにとっての土地を考えた感じの語で、個

人の思いのこもらない客観的で比較的スケールの大きな雰囲気がある。⇩Q郷里・故郷・出身地・ふるさと

きょうどう【共同】いっしょに行う意で、会話にも文章にもよく使われる日常の漢語。〈—生活〉〈—研究〉〈—宣言〉〈—経営〉〈—で使用する〉⇩協同・協力

きょうどう【協同】力を合わせて行う意で、会話でも文章でも用いられるやや専門的な漢語。〈—組合〉〈—出資〉〈産学—〉⇩共同・協力

きょうどう【教導】人間としての道を教え、あるべき方向へ導く意で、改まった会話や文章に用いられる、やや古風で専門的な感じの漢語。〈生徒の—に携わる〉〈信者の—に当たる〉✎学問や技術をも授ける「教育」と違い、もっぱら精神的・道徳的な内容を連想させる。「指導」より幅が狭い。⇩教える・教育・コーチ・Q指導

きょうねん【享年】生を享けて死ぬまでこの世にあった年数の意で、主に文章中に用いられる、やや古風で改まった感じの漢語。〈本年十月に死去、—八十二〉✎天から授けられた年数と受け止めて言う語。この語のあとは数字のみで、「年」を付けない。⇩行年《ぎょうねん》・没年②

ぎょうねん【行年】「享年」の意で、主に文章中に用いられる古風な漢語。〈恩師は昨年の暮れに逝去、—九十五〉✎「行」は「経る」意。「こうねん」と読めば死ぬまでとは限らない感じになる。⇩享年・没年②

きょうばい【競売】「競売《せりうり》」の意で、日常生活でふつうに用いられる漢語。〈家屋を—にかける〉⇩オークション・Qけいばい・競り売り

きょうはく【脅迫】他人を脅す意で、会話でも文章でも広く使われる日常漢語。〈—状〉〈—電話〉〈刃物をちらつかせて—する〉〈過去をばらすぞと—する〉✎「脅迫」は「脅す」、「強迫」は「無理強いする」意だが、類似場面で起こることが多く、区別が難しい場合は、一般社会では「強迫観念」以外は多くこの「脅迫」を使っている。ただし、刑法では暴行と同列にこの語を用い、民法では詐欺と同列に「強迫」を用いているという。⇩脅す・強迫

きょうはく【強迫】心理的にそうしないでいられない状態に陥れる意で、改まった会話や文章に用いられる専門的な漢語。〈契約書にサインするよう—される〉✎一般社会では、「—観念」以外ほとんど「脅迫」を使うが、民法では詐欺と同列にこの語が使われているという。「強迫」という字面を見ても「キョーハク」という音から日ごろよく使われる「脅迫」という語を連想しやすく、それに伴ってその困った感じが増幅されることもありそうだ。⇩脅迫・強迫観念

きょうはくかんねん【強迫観念】強く心にまとわりついて否定しがたくなった考えをさし、改まった会話や文章に用いられる専門的な漢語。〈—に襲われる〉✎古井由吉の『息災』に「閉めきった雨戸の内で(炎が)ゆらめいているような、そんな—となってなやましはじめ」とある。⇩強迫

きょうふ【恐怖】身に危険が及ぶかと極度に不安になる意で、やや改まった会話や文章に用いられる漢語。〈高所—症〉〈—心が募る〉〈—に駆られる〉〈—におののく〉〈—の一夜を過ごす〉〈—にさらされる〉✎木山捷平の『河骨』に「身内の血が一時に逆流する—」とある。「恐れ」以上に切迫し

た感じで、自分に直接危害が及ぶことに対する感情という色彩が強く、丸谷才一の『笹まくら』に「ゆけばかならず憲兵につかまるという—におののいていた」とある。⇩Q恐ろしい・恐れ・怖い・戦慄《せんりつ》

きょうぶ【胸部】「胸」の意で、改まった会話や文章で用いられる、専門的な硬い漢語。〈—レントゲン検査〉〈—疾患〉🖋「—が発達している」などと言うこともあるが、健康や病気の話題で使われる例が「胸」よりも多い。⇩胸①

きょうふう【強風】強く吹きつける風をさし、やや改まった会話や文章に用いられる漢語。〈—波浪注意報〉〈—に傘があおられる〉〈—をついて前進する〉🖋風力階級7の旧称で「はやて」より上。⇩嵐・おおかぜ・颶風《ぐふう》・時化《しけ》・疾風・陣風・大風・台風・Q突風・はやて・暴風・暴風雨・烈風

きょうほう【凶報】不吉な知らせの意で、主に文章に用いられる古風で硬い漢語。〈—が飛び込む〉🖋縁起の悪い知らせだから死亡通知である可能性が高いが、それに限定されないだけ「訃報」より間接的な表現に響く。⇩Q悲報・訃音《ふいん》・訃報

きょうぼう【凶(兇)暴】凶悪で乱暴な意で、会話でも文章でも使われる漢語。〈—性を帯びる〉〈—性を発揮する〉〈—な犯人〉🖋嘉村礒多の『業苦』に「ゴリラが女を引っ浚《さら》えるような惨虐な、ずいぶん—なものであった」とある。⇩狂暴

きょうぼう【狂暴】狂ったように暴れるようすをさす、やや硬い漢語表現。〈—なふるまい〉〈深酒すると—になる〉🖋有島武郎の『或る女』に「倉地は嵐のような—な威力を示した」とある。⇩凶暴

きょうぼく【喬木】「高木」の旧称。〈—を植え連ねる〉🖋「灌木《かんぼく》」と対立する。⇩高木

きょうまん【驕(憍)慢】驕《おご》りたかぶって人を小ばかにする意で、改まった会話や文章に用いられる硬い漢語。〈—な振る舞い〉〈—な顔つき〉⇩傲岸・Q高慢・傲慢・高慢ちき・尊大・不遜

きょうみ【興味】面白そうで心を惹《ひ》かれることをさし、会話にも文章にも広く使われる日常の漢語。〈—津々《しんしん》〉〈—本意に取り上げる〉〈—を持つ〉〈—をそがれる〉〈—が尽きない〉🖋堀辰雄の『大和路』に「いつか—が動きだしてギリシャの美術史だとかペルシャの詩だとか読み出している」とある。「関心」に比べ個人的で主観的な感じが強く、対象の特定箇所だけに目が注がれる場合もある。⇩関心

きょうみぶかい【興味深い】関心を引かれる意で、改まった会話や硬い文章で用いられる表現。〈なかなか—話だ〉〈—記事を見つける〉〈先方の出方が—〉🖋「面白い」という積極的な評価を表に出さず、個人的な印象を客観化して述べる慎重な表現。⇩面白い

きょうめい【共鳴】他人の考え方に心から賛同することをさし、やや改まった会話や文章に用いられる漢語。〈—する者が多い〉〈その考えにすっかり—する〉🖋「共感」より強く影響される感じがある。本来は、「—装置」のように、外部の振動の作用でそれと同じ振動数で振動し始める物理現象で、小林秀雄の『モオツァルト』に「声帯や金属の振動を内容とする或る美しい形式が鳴り響くと、モオツァルトの異常な耳は、そのあらゆる—を聞き分ける」とある。⇩Q共

感・賛成・賛同・同意・同感

きょうやく【協約】個人と団体、または団体と団体との間で取り交わされる約束の意で、改まった会話や文章に用いられる正式な感じの硬い漢語。〈漁業―〉〈労働―を取り交わす〉⇩Q協定・条約

きょうゆう【共有】複数の人や団体が共同で所有する意で、改まった会話や文章に用いられる専門的な漢語。〈―財産〉〈―認識〉〈―の土地〉〈万国―の願い〉〈情報を―する〉🖋大原富枝の『婉という女』に「一つの世界を―することを自分に許したのだ」とある。⇩共通

きょうよう【強要】相手が嫌がることを無理にやらせようとする意で、会話にも文章にも使われる硬い感じの漢語。〈寄付を―する〉〈参加を―する〉〈自白を―する〉⇩Q強制・強いる

きょうよう【教養】世の中に必要な学問・知識・作法・習慣などを身につけることによって培われる心の豊かさをさし、会話にも文章にも使われる漢語。〈―人〉〈―書〉〈―がある〉〈―が足りない〉〈―を高める〉〈幅広い―を身につける〉⇩Q素養・たしなみ

きょうり【郷里】「出身地」に近い意味で会話でも文章でも使われる、わずかに古風な感じの漂う日常的な漢語。〈―を出る〉〈久しぶりに―に帰る〉🖋藤沢周平の『孟宗汁と鰊』に「思い出すのは、五月ごろに―でたべた孟宗汁と鰊である」とある。「出身地」より田舎の雰囲気と直接つながり、親しみを感じさせる語。「―に残っている同級生」とか「休暇ごとに―に帰る」とかと使え、昔住んでいた土地を懐かしむという雰囲気は「故郷」や「ふるさと」ほど強くないため、「故郷へ帰る」「ふるさとへ帰る」という感情のこもった言い方に比べ、「―へ帰る」という言い方は生活のにおいの消えない日常的な表現にとどまる。⇩Q郷土・故郷・出身地・ふるさと

きょうりょう【橋梁】硬い文章に用いられる「橋」の意の専門的な漢語。〈―工事に着手する〉🖋河川または道路・線路の上に架け渡す構造物をさす正式名称。⇩橋

きょうりょく【強力】力や作用が強い意で、いくぶん改まった会話や文章に用いられる漢語。〈―接着剤〉〈―な武器〉〈―な味方〉〈―な効き目〉〈―に推進する〉🖋林房雄は『青年』で写楽や北斎を「対象の追求と把握に闘牛士のように不屈で―で同時に自己放棄的」と述べている。⇩頑強・Q強い

きょうりょく【協力】一方が他方に力を貸したり両方が力を合わせて事に当たったりする意で、くだけた会話から硬い文章まで幅広く使われる日常の漢語。〈―態勢〉〈―を呼びかける〉〈一致―〉〈事業に―する〉〈緊密に―し合う〉🖋野間宏の『暗い絵』に「それに従い―してはいるが、学生運動の中心はむしろ自分にあると考えている」とある。この例や「―を惜しまない」「―が得られる」のように、一方が他方に力を貸す意にも使う。⇩共同・Q協同・助力

きょうれつ【強烈】対象に対する働きかけがきわめて強く激しい意で、やや改まった会話や文章に用いられる漢語。〈真夏の―な光を浴びる〉〈―なパンチを浴びせる〉〈―な個性を遺憾なく発揮する〉〈―に印象づける〉🖋試合や競争や戦争のように双方向から働きかける場合にはなじまない。⇩

激烈・Ｑ痛烈・激しい・猛烈

ぎょうれつ【行列】人や物が一続きに長く並んだものをさし、会話にも文章にも使われる日常の漢語。〈提灯—〉〈仮装—〉〈—ができる〉〈—に割り込む〉✎広津和郎の『再会』に「陰気な思考の—が脳のヒダを行進し始めると云ったような感じ」とある。数字や文字が四角に並ぶマトリックス（横が「行」、縦が「列」）を意味する用法は数学の専門語。⇩列

きょえいしん【虚栄心】自分を実際以上によく見せようとうわべを飾る心の意で、会話にも文章にも使われる漢語。〈—が強い〉〈—を満たす〉〈—のかたまり〉✎福原麟太郎の『虚栄について』に「—を発揮して、そのもとのラテン語を書くと」とある。⇩見え

きょか【許可】申請などに対して許しを与える意で、やや改まった会話や文章に使われる漢語。〈—証〉〈営業—〉〈—が要る〉〈—が下りる〉〈—を与える〉〈渡航を—する〉⇩許容・承認・Ｑ認可・容認

きょぎ【虚偽】真実を偽る意で、主として文章に用いられる正式な感じの硬い漢語。〈—記載〉〈—の申告〉〈—の申し立て〉✎夏目漱石の『坊っちゃん』に「—の記事を掲げた田舎新聞」とある。ここは赤シャツの陰謀という前提だから、単なる過失による誤りというよりも、相手を貶《おとし》めるなど、何らかの悪意をもつ偽りということになる。⇩Ｑ偽り・嘘・嘘っぱち・ほら

ぎょぎょう【漁業】魚介類や海藻類の捕獲や養殖に携わる職業をさし、やや改まった会話や文章に用いられる、いくぶん専門的な漢語。〈—権〉〈遠洋—〉〈沿岸—〉⇩水産業

きょく【曲】音楽の作品をさし、くだけた会話から硬い文章まで幅広く使われる日常の漢語。〈行進—〉〈好きな—〉〈明るい感じの—〉〈—を作る〉✎林芙美子の『茶色の眼』に「山の流れが爽々と岩の間を流れてくるような、爽快な—だった」とある。⇩音楽

きょくげん【極言】あえて細かいニュアンスを切り捨て、極端な言い方を選んで刺激を強めることをさし、改まった会話や文章に用いられる漢語。〈—すれば無いに等しい〉〈いささか—に過ぎよう〉✎小林秀雄の『モオツァルト』に出る「モオツァルトの音楽に夢中になっていたあの頃、僕には既に何も彼も解ってはいなかったのか。若しそうでなければ、今でもまだ何一つ知らずにいるという事になる。どちらかである」という言い方はその好例。⇩誇張

きょくしょ【局所】それとなく男女の「外部性器」をさすことのある漢語の婉曲《えんきょく》表現。✎文字どおりには、身体の「ある限定された場所」というだけの意味で、それがどこをさすかは相手の判断にゆだねる表現。性とは無関係な「—疲労」のような一般的な使用例も多く、「局部」と同様、意味が抽象化されているだけに発信者・受信者ともに感情の交じらない客観的な表現として機能する傾向が見られる。⇩一物・Ｑ陰部・陰門・隠し所・下半身②・下腹部・局部・玉門・金玉・睾丸《こうがん》・女陰・性器・生殖器・恥部

きょくたん【極端】甚だしく大げさで偏っている意で、会話にも文章にも使われる日常の漢語。〈両—〉〈—な例を出す〉〈—な言い方をする〉〈—に走る〉✎「極度」以上で、わかりやすくしたり強調したりする目的で現実性を無視した

感じが強い。⇩極度

きょくど【極度】常識的にこれ以上はないと思われるほど程度が甚だしい意で、改まった会話や文章に用いられる、やや硬い感じの漢語。〈―の緊張〉〈―のストレス〉〈―に達する〉✎「極端」のように度を超えたところまでは至らない感じがある。⇩過度・極端・極まる

きょくぶ【局部】それとなく男女の「外部性器」をさすことのある漢語の婉曲《えんきょく》表現。✎文字どおりには、身体の「ある限定された部分」というだけの意味で、それがどこをさすかは相手の解釈にゆだねる表現。「―麻酔」のような一般的な用法も多く、「局所」と同様、抽象化されている分、露骨さが回避できる。恥じらいを示すような感情的なニュアンスはなく、比較的乾いた感じの表現。⇩一物・Q陰部・陰門・隠し所・下半身②・下腹部・局所・玉門・金玉・睾丸《こうがん》・女陰・性器・生殖器・恥部

きょくめん【局面】物事の展開するその時々の状況をさして、やや改まった会話や文章に用いられる漢語。〈新しい―を迎える〉〈難しい―に立たされる〉〈困難な―を打開する〉✎囲碁や将棋の勝負の情勢の意でも使う。対局する盤面の意。⇩事態

ぎょくもん【玉門】軽い通俗的な読み物などで、「女性の外部性器」をさす漢語による古風な俗っぽい比喩的な間接表現。✎出入り口に見立てた比喩的な発想が逆に露骨な感じをかきたてる面もあるが、玉で飾りたてた実際の立派な門をさす用法もあるため、「陰門」より間接性が強く、いくらか美化した感じになる傾向が見られそうである。⇩陰部・Q陰門・隠し所・下半身②・下腹部・局所・局部・女陰・性器・生殖器・恥部

ぎょくろ【玉露】香り高く甘みのある最高級の煎茶をさし、会話にも文章にも使われる漢語。〈―を味わう〉✎本来は玉に見立てた露の美称で、それに喩えた命名。⇩上がり・お茶・Q煎茶・茶・日本茶・番茶・碾《ひ》き茶・焙《ほう》じ茶・抹茶・緑茶

きょこう【挙行】式典や改まった行事などを執り行う意で、改まった会話や文章に用いられる硬い漢語。〈教会にて結婚式を―する〉〈体育祭を―するにあたり〉✎「執り行う」に比べ大仰な感じが強い。⇩Q行う・する・執り行う・やる

きょしつ【居室】ふだん居る部屋をさし、主として改まった文章で用いられる硬い感じの漢語。〈終日狭い―で過ごす〉✎「居間」より事務的で冷たい感じに響く。⇩Q居間・茶の間・リビング

きょしゅう【去就】その任務や職場などを辞めるか、そこにとどまるか、という身の処し方をさして、主に文章に用いられる硬い漢語。〈―が注目される〉〈―に迷う〉〈―を決する〉✎「進退」に比べ、辞めたあとの動向まで視野に入れてとらえている雰囲気が感じられる。⇩進退

きょじゅう【居住】一定の土地家屋に住む意で、主に文章に使われる正式な感じの硬い漢語。〈―者〉〈―権〉〈―地〉✎その場所に住まいがあるということに重点があり、「住む」という語にともなう生活性があまり意識されない。⇩住む

きょじゅうち【居住地】その人が居住している場所をさし、主として文章に用いられる硬い漢語。〈―の役場に届け出る〉✎常識的に番地までを含む「住所」と違い、県名や市町村名程度でもかまわない感じがある。⇩居所《いどころ》・居場所・Q住

所・所番地

きょしょう【巨匠】芸術その他の専門分野で特に優れた業績を有する人物をさし、改まった会話や文章に用いられる漢語。〈映画界の―〉〈文壇の―と目される〉✎佐藤忠男『小津安二郎の芸術』に「功なり名とげた長者の風格をもつ―」とある。⇩大御所・大物・権威・第一人者・大家・泰斗

きょぜつ【拒絶】強く拒否する意で、改まった会話や文章に用いられる硬い漢語。〈面会を―する〉〈請願を―する〉〈きっぱりと―する〉✎横光利一の『紋章』に「恐れのために彼の発明を―しようとも、何はともあれ、一応の相談はしておく」とある。交渉や話し合いにも応じない雰囲気がある。⇩一蹴《いっしゅう》・Q拒否・断る・拒む・はねつける

きょたく【居宅】ふだん住んでいる家の意で、改まった文章に用いられる古風で硬い漢語。〈閑静な屋敷町に―を構える〉⇩Qいえ・うち・家屋・住居・Q住宅・住まい・邸宅・屋敷

きょだつ【虚脱】大きな衝撃を受けたあとなど、がっかりして体中の力が抜け何も手につかずにぼんやりしている意で、改まった会話や文章に用いられる硬い漢語。〈―感〉〈―状態〉✎吉行淳之介の『砂の上の植物群』に「―感と異様な充実とが同時に彼の心に在った」とあるように、「充実」の対極にある。状態は似て見えるが、大きな驚きの結果である「放心」と違い、これは強い失望感によって生じる。⇩放心

ぎょっと 衝撃的なことに出合ってひどく驚くときに、会話や軽い文章に使われる擬態語。〈思わず―なる〉✎悪いことを連想する例が多い。網野菊の『招かれざる客』に「訪ねて来た女が自分の生母でなくてよかった、と、ヒョッコリ思った。そして、その自分の考えから、―した」とある。⇩ぎくっと・Qぎくりと・どきっと・どきりと・どきんと・はっと

きょどう【挙動】動作の様子をさし、改まった会話や文章に用いられる硬い感じの漢語。〈―不審〉〈―が怪しい〉✎本来はその人の身についた立ち居振る舞いのことであるが、何かの目的に応じた動きをさす例も多い。佐多稲子の『くれない』に「針金のような鋭い―」とある。⇩所作・動作・Qふるまい

きょねん【去年】今年のすぐ前の年をさし、くだけた会話からそれほど改まらない文章まで幅広く使われる日常の漢語。〈―とは違う〉〈―のちょうど今ごろだ〉〈―から今年にかけて〉〈―植えた木がもうこんなに大きくなった〉✎谷崎潤一郎の『細雪』に「此の一瞬の喜びこそ、―の春が暮れて以来一年に亙って待ちつづけたものなのである」とある。年度単位の場合は通常「昨年度」と言い、「―度」という言い方は語感の点で少し違和感がある。⇩昨年

きょひ【拒否】相手からの要求や勧誘などを受け入れずにはっきり断る意で、やや改まった会話や文章に用いられる硬い漢語。〈―権を発動する〉〈申し入れを―する〉〈あくまで―を貫く〉✎議案や決議などに反対する意でも用いる。⇩一蹴《いっしゅう》・Q拒絶・断る・拒む・はねつける

ぎょふ【漁夫】「漁師」を意味する古風な語。〈―の利〉✎小林多喜二の『蟹工船』に「彼らは青鬼、赤鬼の中に取り巻かれた亡者のように、―の中に一かたまりに固まっていた」とある。「夫」という漢字を用いたこの語は職業差別の意識を感じさせるとして、慣用的な「漁夫(父)の利」以外では現在

はほとんど使われない。⇩漁民・Q漁師

きょぼく【巨木】 とてつもなく大きな樹木をさし、改まった会話や文章に用いられる漢語。〈—がそびえる〉✎「大木」以上に驚きが感じられる。⇩大樹・Q大木

ぎょみん【漁民】 漁業に従事する人をさす、改まった感じの漢語で、くだけた会話では「漁師」のほうが一般的。個人よりも職業という意識で用いる傾向がある。〈—一同〉⇩漁夫・Q漁師

きょむ【虚無】 本質的なものが何も存在せずむなしい意で、改まった会話や文章に用いられる硬い漢語。〈—感〉〈—的〉✎島尾敏雄の『出発は遂に訪れず』に「近い日にその海の底に必ずのみこまれ、おそろしい—の中にまきこまれてしまう」とある。⇩うつろ・空虚・むなしい

きょよう【許容】 原則に合わなくても大目に見て咎《とが》めない意で、改まった会話や文章に用いられる硬い漢語。〈—量〉〈—範囲〉〈—事項〉〈—されている手段〉✎「容認」に比べ、許すことのできる範囲や基準がはっきりしている場合が多い。⇩許す・容認

きよらか【清らか】 よごれやけがれのない意で、主に文章中に用いられる古風な和語。〈—な月〉〈—な流れ〉〈—な心〉〈—な乙女〉✎現代では抽象的な意味合いで使う例が多く美化した感じがある。⇩Q清い・清潔・清純・清浄

きょり【距離】 二点間の直線的な隔たりをさし、会話にも文章にも広く使われる日常の基本的な漢語。〈長—〉〈遠—〉〈最短—〉〈—が開く〉〈—を伸ばす〉✎城山三郎の『毎日が日曜日』に「京都は（略）「くしゃみの届きそうな」—である」とある。道のりなど通常、空間的な隔たりをさす。比喩的に、親しいか否かの「心理的—」などとも用いるが、ふつう時間的な隔たりには用いない。⇩間隔・隔たり・Q道のり

きょりゅう【居留】 滞在の意で主に文章に用いられる古風で専門的な漢語。〈—地〉〈—民〉✎条約によって外国人が住む場所として認められた一定の区域を連想させる。⇩滞在・Q滞留・逗留《とうりゅう》

きらい【嫌い】 どうしても厭《いや》で避けたい気持ちをさし、くだけた会話から硬い文章まで幅広く使われる日常の基本的な和語。〈—な食べ物〉〈勉強が—だ〉〈人前でしゃべるのは—だ〉〈すっかり—になる〉✎内田百閒の『特別阿房列車』に「どっちつかずの曖昧な二等には乗りたくない。二等に乗る人の顔附きは—である」とある。「好き」と対立。⇩Qいや・厭悪《えんお》・嫌悪

きらう【嫌う】 人や物事を好まずむしろ不快に思う意で、くだけた会話から硬い文章まで幅広く使われる日常の基本的な和語。〈勉強を—〉〈相手を—〉〈友達に—・われる〉〈にんじんを—〉〈遠出を—〉〈人前に出るのを—〉✎夏目漱石の『こころ』に「先生から—・われていると仰ゃるんですか」とある。「湿気を—」「高温を—」のように、主体が人間以外の場合にも使う。その場合に「いやがる」とすると擬人化した雰囲気が強くなる。⇩いとう・Q嫌がる

きらく【気楽】 苦労も心配もない、あるいは、緊張せず深く考えたり悩んだりしない意で、くだけた会話から文章まで広く使われる日常の漢語。〈—な仕事〉〈—に暮らす〉〈—な性格〉〈—に考える〉✎森田たまの『菜園随筆』に「私は

ほっと、わが家へ帰ったような—さを感じた」とある。⇩Q気軽・暢気・のんびり

きらびやか【煌びやか】輝くばかりに美しい意で、改まった会話や文章に用いられる和語。〈—に着飾る〉〈—な舞台〉🖉「はなやか」よりさらに派手で目立つ感じがある。⇩Q華麗・絢爛《けんらん》・はなやか

きらめく【煌(燦)く】きらきらと美しく光り輝く意で、主に文章に用いられる優雅な雰囲気の和語。〈夜空に星が—〉〈白い指にダイヤが—〉〈シャンデリアが—豪華な会場〉🖉開高健の『パニック』に「枯れた茎のあいだで宝石のように—ヘビの姿」とある。比喩的に、「—リズム」「才能が—」のように、華やかに目立つ意でも使われる。⇩輝く・光る・Qひらめく②

きり【霧】大気中の水蒸気が細かな水粒となって煙るように見える自然現象をさし、「朧《おぼろ》」「霞」「靄《もや》」より広い意味で用いる一般的な和語。〈川—〉〈夜—〉〈—が出る〉〈—が立ち込める〉〈—が晴れる〉〈—が深い〉🖉視程が一キロ未満の濃い霧の場合に限り、それ以上見える場合を「靄」として区別する立場もある。歳時記では、春の霧を「霞」、夜の霧を「朧」とする。秋の季語。尾崎士郎の『人生劇場』に「—の中に村の全景が墨絵のようにひろがっている」とある。⇩朧・Q霞・靄

きり【切(限)り】「区切り」「限度」の意で、会話やさほど硬くない文章に使われる日常の和語。〈—のよいところまで読む〉〈仕事の途中で—が悪い〉〈上を見たら—がない〉🖉小津安二郎監督の映画の主人公たちの人生観を示すキーワードの一つ。多かれ少なかれ親の期待は子供たちに裏切られるものだが、自分たちはまだましなほうだと考える重要なせりふによく用いられる。「欲を言やあ—がない」「欲云《い》や切りゃにゃが、まあええ方じゃよ」「贅《ぜい》沢《たく》云ってりゃ—がないよ」など。⇩限界・Q限度

ぎり【義理】人間として嫌でもやらなくてはならない道義的関係、社会における人間関係を維持するために欠かせないことをさし、会話にも文章にも使われる、やや古風な漢語。〈—で出かける〉〈—を果たす〉〈—人情浪花節〉〈—が立つ〉〈—と人情の板ばさみ〉〈あの人には—がある〉🖉室生犀星の『杏っ子』に「これは相当に面倒なことだが礼儀として返さなければ、ならない—のある金であった」とある。「—の弟」のように血のつながらない意にも使い、その場合は特に古風な感じはない。⇩道徳・人情・モラル・倫理

きりあげる【切り上げる】終わらせる意で、会話にも文章にも使われる和語。〈仕事を—〉〈おしゃべりを—・げて職場に戻る〉🖉「打ち切る」と違い、途中でというニュアンスが弱い。⇩Q打ち切る・中止

きりさめ【霧雨】音もなく降る霧のような細かい雨をさし、会話にも文章にも使われる和語。〈—に濡れる〉〈—がけむる〉🖉「きりあめ」ともいう。太宰治の『斜陽』に「目に見えないような—が降っている」とある。⇩小雨・Qこぬか雨・時雨・ぬか雨

きりつ【起立】座った状態から立ち上がる意で、改まった会話や文章に用いられる漢語。〈—、礼！〉〈全員が—して迎える〉🖉夏目漱石の『坊っちゃん』に「前に居た野だが突然

「─したには驚いた」とある。よく号令として使い、「着席」と対立。⇩たたずむ・Q立つ・突っ立つ

きりっとした 「きりりとした」に似た意味で使う和風の擬態語表現。「きりりとした」とは違い、くだけた会話から文章まで幅広く使われる。〈─目元〉✎徳田秋声の『仮装人物』に「五分も隙のないシックな気取り方で、顔も─、あれが苦味走ったとでもいうんでしょうよ」とある。⇩毅然・Qきりりとした・凛々しい・凛とした

きりつめる【切り詰める】 支出などの無駄を減らす意で、会話にも文章にも使われる和語。〈経費を─〉〈予算を─〉✎「生活費を─」とも「生活を─」とも言う。前者は支出を抑えることをさし、後者は衣食住全般にわたって質素な生活に耐えることをさす。直接的にはさす範囲が違うが、いずれも経費削減につながる点で一致する。⇩Q倹約・節約

きりもり【切り盛り】 物事、特に収入と支出の調整を巧みにこなす意で、会話やさほど硬くない文章に使われる、やや古風な和語。〈店を─する〉〈家計を─する〉⇩遣《や》り繰り

きりょう【器量】 特に女性について顔を中心とした容姿の美しさをさし、会話にも文章にも使われる古風な漢語。〈町内きっての─よし〉〈何といっても─がいい〉✎本来は「─人」のように、男女を問わず人間としての器の大きさ、特に物事を成し遂げる能力をさすが、昔は女性にとってみめかたちの美しさが特に重要視されたための矮小化か。⇩容色・Q容貌

ぎりょう【技(量)倆】 ものごとをうまくこなす手並みのほどをさし、改まった会話や文章に用いられるいくぶん古風な硬い漢語。〈─を発揮する〉〈─を高く買う〉✎三島由紀夫の『潮騒』に「泳ぎの─」とあるように「力量」に比べ、技能面に重点のある感じが強い。⇩腕②・腕前・手腕・手並み・Q力量

きりょく【気力】 物事を成し遂げようとする意欲やその活動に堪え得る精神力の意で、会話にも文章にも使われる漢語。〈─充実〉〈─がみなぎる〉〈─に欠ける〉〈体力の限界で、もう─だけで頑張り続ける〉⇩意気込み・意欲・意力・気概・気骨・気迫・根性・Q精神力・ど根性・やる気

きりりとした 緩みなく引き締まった感じをさし、改まった会話や文章の中で使われる和語。〈─目鼻立ち〉〈─口元〉✎久米正雄の『受験生の手記』に「─顔の小柄な教授だった」とある。「凛々しい」「凛とした」のような特に男性を思わせる感じは弱い。「きりっとした」の形としては、くだけた会話でも使う。⇩毅然・Qきりっとした・凛々しい・凛とした

きる【着る】 上半身などに衣服などを身につける意で、くだけた会話から文章まで幅広く使われる日常の基本的な和語。〈スーツを─〉〈和服を─〉〈浴衣を─〉✎岡本かの子の『生々流転』に「新型の洋服をきていながら猫背で腰を跼めていたり」とある。⇩かぶる・着用

きる【切る】 刃物などを使って物を分離させる意で、くだけた会話から硬い文章まで幅広く使われる日常の基本的な和語。〈鋏《はさみ》で丁寧に─〉〈紙を─〉〈髪を─〉〈爪を─〉✎物理的な切断の意味のほか、「ハンドルを─」「風を─」「伝票を─」「スタートを─」「電話を─」「縁を─」「原価を─」「残り十日を─」のように、抽象的・比喩的にも広い意

味合いで使う一般的な表記。「刀で人を―」のように刃物で殺傷する意では「斬る」、「森の樹木を―」のように伐採する意では「伐る」、「松の枝を―・って整える」のように剪定《せんてい》する意では「剪る」、「布を―」のように物を断ち切る意では「截る」、「従業員の首を―」のように解雇する意では「馘る」と書き分けることもあるが、いずれも「切る」と書いたら誤りというわけではない。大岡昇平の『野火』に「誰が―・ったのだろう。どうしてこの明るい河原に、片足だけ一本、魚のように投げ出されているのだろう」とある。⇩切断・絶つ・断つ・Ｑちょん切る

きれ【切れ／布／裂】布、または、その切れ端をさして、会話にも文章にも使う和語。〈共―〉〈―をあてがう〉✎多くは、あまり大きくないものについて言う。⇩生地・Ｑ布・布地

きれい【綺(奇)麗】「美しい」意、「清潔」の意を表す漢語。くだけた会話から硬い文章まで幅広く使われる語。漢語のわりに硬い感じがまったくない日常生活のことば。〈高く澄んだ―な声〉〈山が―に見える〉〈空気の―な場所〉〈―に洗う〉✎林芙美子の『山中歌合』に「背戸には遅咲きのおいらん草が、顔を洗ったように―だった」とある。美的以外に清潔の意もあるため「美しい」より使用範囲が広いが、「美しい行為」のように抽象化した例では「―な」と置き換えられず、また、「美しい愛の物語」を「―な愛の物語」と表現すると、プラトニック・ラブめいた雰囲気に変わり、感動とは縁遠くなる。⇩Ｑ美しい・麗しい・清潔

きれいどころ【綺麗所】綺麗に着飾った和服姿の女性、多くは花柳界《かりゅうかい》の特に芸者をさして、会話や軽い文章に使われる間接表現。〈―がずらりと並ぶ〉✎個人よりも何人かが集まったり並んだりしている場で使う例が多い。⇩Ｑ芸妓・芸子・芸者・舞子

きれっぱし【切れっ端】「切れ端」の口頭語に近い表現。〈生地の―をちょっぴり使う〉✎促音とそれに続く「パ」という破裂音が強い響きと俗っぽい感じを出すのに働いているかもしれない。⇩切れ端

きれはし【切れ端】切り離された小さな部分をさし、会話でも文章でも使われる和語。〈布の―を利用する〉〈木の―で間に合う〉⇩きれっぱし

きれもの【切れ者】頭の回転が速く仕事をてきぱきとみごとにこなす人をさし、会話にも文章にも使われる和語。〈社内きっての―〉〈政界でも―として通る〉✎「腕利き」や「敏腕」と比べ、冷徹で温情を解さないイメージが伴いやすい。⇩腕利き・敏腕・Ｑ遣《や》り手

きろ【帰路】帰り道の意で、主に文章に用いられる正式な感じの漢語。〈―に就く〉〈―を急ぐ〉〈―は普通列車でのんびり旅を楽しむ〉✎「帰途」より道筋の意識が強い。⇩家路・帰り・帰り道・Ｑ帰途・復路

きろ【岐路】複数の行動や手段が考えられて選択に迷う局面やその事態をさし、主として文章に用いられる古風で硬い漢語。〈人生の―に立つ〉✎本来は分かれ道、特に二股に分かれる地点をさすが、具体的な道路について今はあまり使わない。⇩分かれ道

きろく【記録】後に残すために文書や映像として情報をとどめることをさし、会話にも文章にも使われる日常の漢語。

〈―映画〉〈生活―〉〈―をとる〉〈―に残す〉✎武田泰淳の『司馬遷』に「―は実におそろしいと思う」とある。「世界―」「―破り」「低調な―」のように競技などの成績をさす用法もある。⇩Q記載・記入

ぎろん【議論】 互いに自分の意見を主張して論じ合う意で、会話にも文章にも使われる日常の漢語。〈―百出〉〈友達と―になる〉〈活発な―を繰り広げる〉〈盛んに―を闘わす〉〈激しい―の応酬となる〉✎夏目漱石の『坊っちゃん』に「―のいい人が善人とはきまらない。遣り込められる方が悪人とは限らない」とある。「論議」や「討論」「討議」ほど形式ばらず、茶の間で二人が言い争う場合も含まれる。⇩Qディスカッション・討議・討論・論議

ぎわく【疑惑】 他人の挙動や行為を怪しいと思う意で、改まった会話や文章に用いられる硬い漢語。〈―を招く〉〈―のまなざし〉〈―が生ずる〉〈―を深める〉〈―を晴らす〉✎梶井基次郎の『愛撫』に「この―は思いの外に執念深いものである」とある。時に犯罪のにおいも感じられる。円地文子の『女坂』に「―が鳥影のように須賀の頭を掠めた」とある。⇩疑い・Q疑義・疑念・疑問

きわだつ【際立つ】 周囲の同類の中で特に他と違って見える意で、改まった会話や文章に用いられる和語。〈差が―〉〈―・って美しい〉〈―・った成績を残す〉✎谷崎潤一郎の『細雪』に「ふっと四人とも無言になる時があると、石炭のごうごう燃える音だけが―・って聞えた」とある。「目立つ」に比べ、優れた方向での用例が多く、また、他との差も大きい感じがある。⇩目立つ

きわまる【極まる】 ものごとや程度が限界まで達する意で、会話にも文章にも使われる和語。〈平凡―やり方〉〈感―〉〈退屈―話〉✎竹西寛子は『モーツァルト交響曲四〇番ト短調に』でその曲を「上質のうすぎぬをまとっているような明るさ」と評し、「悲しみの―時に、人は涙などおぼえはしない。よろこびの―時にも、人は、歌などうたいはしない」と真実を言い当てた。⇩極度

きわめて【極めて】 程度が最大に近い意で、改まった会話や文章に用いられる硬い感じの和語。〈―重大だ〉〈―珍しい〉〈―わずかな量〉〈―高いレベルにある〉〈―順調な滑り出し〉⇩大いに・ごく・すこぶる・大層・たいへん・とても②・甚だ・Q非常に

きん【菌】 細菌・黴菌《ばいきん》の略として、改まった会話や文章に用いられる、やや専門的な漢語。〈結核―〉〈納豆―〉〈―が繁殖する〉〈―を培養する〉⇩Q細菌・黴菌・バクテリア

きんいろ【金色】 金の色をさし、くだけた会話から硬い文章まで幅広く使われる日常語。〈―のボタン〉〈光を浴びて銀杏《いちょう》の葉が―に光る〉✎類語の中で最も一般的な生活語。串田孫一の『秋の組曲』に「終日その太陽は湖に―の小波を作り」とある。⇩Qきんしょく・黄金色《こがねいろ》・こんじき

ぎんが【銀河】「天の川」の意で主に文章中に用いられるやや詩的な感じの漢語。〈―系宇宙〉〈―の流れを眺める〉✎宮沢賢治の『銀河鉄道の夜』に「―を大きないい望遠鏡で見ますと、もうたくさんの小さな星に見えるのです」とある。広義には、宇宙を構成する無数の星やガスの集合である小宇宙をさし、天の川はその一つ。⇩天の川

きんがん【近眼】「近視」の意で、会話や改まらない文章で用いる日常の漢語。硬い文章には「近視」を用いるほうが無難。〈―になる〉〈―用の眼鏡〉✎幸田文の『流れる』に「―の細い眼を刺すようにきらりとさせて」とある。客観的でやや専門語的な「近視」に比べ、肉体的な欠陥を露骨に指摘する感じがあって、近年その使用をためらう傾向がある。「ど―」という語には、単に強度の近視という意味だけでなく、軽蔑的なニュアンスも伴う。⇩近視

きんきじゃくやく【欣喜雀躍】思わず跳び上がって大喜びする意で、改まった会話や文章に用いられる古風で大仰な漢語。〈受賞の知らせに一同―して喜び合う〉✎太宰治の『駈込み訴え』に「神の国の福音とかいうものを、あの人から伝え聞いては、浅間しくも、―している」とある。⇩Q歓喜・喜悦・随喜・法悦・愉悦・喜び

きんきゅう【緊急】事が重大で大至急対処しなければならない状態をさし、いくぶん改まった会話や文章に用いられる漢語。〈―避難〉〈―出動〉〈―事態が発生する〉〈―の場合に備える〉✎北杜夫の『夜と霧の隅で』に「何時ももっと―な用にまぎれて忘れてしまっていた」とある。⇩早急

きんきょう【近況】個人の日常生活の最近の様子をさし、会話にも文章にも使われる漢語。〈―報告〉〈―を知らせる〉✎事務的な「現況」と違い、個人的な手紙などでよく使われる。⇩現況

きんきん【近近】近い将来をさして、会話にも文章にも使われる硬い漢語。〈いずれ―連絡する〉〈一度―のうちに伺う〉⇩いずれ②・追って・そのうち・Q近ぢか・やがて

きんこう【均衡】両方の物事の力や重さや強さなどの釣り合いが取れている意で、やや改まった会話や文章に用いられる漢語。〈―を保つ〉〈―を破る〉⇩Q釣り合い・バランス・平衡

きんこう【近郊】中心都市や市街地に近い周辺地域をさし、改まった会話や文章に用いられる漢語。〈パリ―の町〉〈―からの通勤客〉✎国木田独歩の『武蔵野』に「足にまかせて―をめぐる」とある。「郊外」のうち、都会に近い住宅地を連想させやすい。⇩郊外

きんごう【近郷】都市の近くにある村里をさし、会話にも文章にも使われる古風な漢語。〈―近在〉〈―の農家〉〈―から集まって来る〉✎芥川龍之介の『路上』に「―では屈指の分限者に相違ない」とある。⇩田舎・片田舎・Q近在・在・在郷・在所

きんざい【近在】「近郷《きんごう》」の意で、会話にも文章にも使われる古風な漢語。〈町中から―に移り住む〉✎永井荷風の『濹東綺譚』に「顔立と全身の皮膚の綺麗なことは、東京もしくは東京―の女でない事を証明している」とある。「近郷」より田舎の雰囲気が薄い。村人が隣村やその周辺をさして使うこともある。⇩田舎・片田舎・Q近郷・在・在郷・在所

きんし【近視】遠方の像がぼやける視力の異常をさす漢語。まったくの日常語である「近眼」に比べ、やや専門語的。〈軽度の―〉〈仮性―〉✎高見順の『故旧忘れ得べき』に「―の眼を鉄ぶちの眼鏡のうしろでショボショボさせていた」とある。露骨な感じの「近眼」と比較して、その状態を客観的にさすだけで軽蔑などの感情を伴わない傾向がある。⇩近眼

きんし【禁止】 ある行為を禁じてやらせない意で、会話にも文章にも使われる漢語。〈―事項〉〈駐車―〉〈部外者の立ち入りを―する〉✎山本有三の『路傍の石』に「ウソのような話であるが、この時代には(略)科学の書物が発売―になったのだ」とある。⇩厳禁・制止・Q抑止

きんじ【近似】 よく似ている意で、改まった会話や文章に用いられる硬い漢語。〈―した数値を示す〉〈構造が―している〉〈―した現象〉⇩酷似・相似・似通う・似る・Q類似

ぎんしゃり【銀シャリ】 白米の飯を意味する隠語。〈―にありつく〉⇩シャリ

きんじょ【近所】 自分の家を取り巻く一帯の地域をさし、くだけた会話から硬い文章まで幅広く使われる日常の漢語。〈隣―〉〈―付き合い〉〈―迷惑〉〈―の人〉〈―の評判〉〈―に顔向けができない〉✎多くはそこに建っている家やそこに住んでいる人間を含めて考えているため、林や田圃《たんぼ》の中の一軒家の場合にはこの語がなじまない。⇩傍ら・近辺・Q近隣・そば・近く

きんしょく【金色】 金に似た色をさし、会話にも文章にも使われる漢語。〈―のトロフィー〉〈―に仕上げる〉✎製品などの色の種類を問題にする際に使う傾向がある。⇩Qきんいろ・黄金色《こがねいろ》・こんじき

きんしん【近親】 血縁の近い親族の意で、改まった会話や文章に用いられる漢語。〈―者〉〈―相姦《そうかん》〉✎「肉親」より正式な感じがある。「―結婚」の場合は民法上の明確な規定のもとに禁止されており、そこでは直系血族、三親等内の傍系血族のほか直系姻族も含まれる。⇩肉親・Q身内

きんす【金子】「金銭」の意で、会話にも文章にも使われたが今ではすっかり古めかしい感じになって時代劇などで用いる程度になった廃語的な漢語。〈路用の―〉〈なにがしかの―を用立てる〉⇩おあし・かね・貨幣・Q金銭・銭

きんせい【謹製】 謹んで心をこめて作る意で、主に文章に用いられる、やや古風な漢語。〈当店―〉✎製造者側の用いる丁重な表現。⇩調製

きんせつ【近接】 近くに位置する、近い状態にある意で、主として文章に用いられる硬い漢語。〈―地域〉〈職住―〉〈工場が住宅地に―している〉✎動作的な「接近」と違い、近いという状態に重点がある。⇩接近

きんせん【金銭】 貨幣の意で、会話にも文章にも使われる漢語。〈―感覚がずれている〉〈―の問題〉〈―にだらしがない〉✎獅子文六の『沙羅乙女』に「恋愛の雰囲気のなかに、なにが不調和だといって、およそ―の話に超すものはあるまい」とある。「かね」より抽象的な感じがあり、「―の持ち合わせ」「―のやりとり」「―の受け渡し」のように貨幣にかかわる行為をさすことが多く、「道で―を落とす」「財布から―を取り出す」のように具体的な物としては使いにくい。⇩おあし・Qかね・貨幣・金子《きんす》・銭

きんぞく【金属】 金・銀・銅・鉄・アルミニウムなどの金属元素とその合金の総称として、会話にも文章にも使われる漢語。〈貴―〉〈―製の容器〉〈―で出来ている〉✎有島武郎の『或る女』に「―の床に触れる音が雷のように響いた」とある。⇩金物

きんたま【金玉】 くだけた日常会話でしばしば用いられる「睾

丸《こうがん》」を意味する俗語。⇩一物・陰部・隠し所・下半身②・下腹部・局所・局部・Q睾丸・性器・生殖器・恥部

きんちょう【緊張】神経が張り詰める意で、会話にも文章にも使われる漢語。〈人前で―する〉〈―を緩和する〉〈―を招く〉〈―が緩む〉✎古井由吉の『衣』に「いまにもこなごなに罅割れしそうな―」とある。⇩引き締まる

きんてい【謹呈】謹んで差し上げる意で、主に文章に用いられる漢語。〈著者―〉⇩寄贈・献上・Q献呈・進上・進呈・贈呈

きんねん【近年】数年前から現在までの間をさし、やや改まった会話や文章に用いられる漢語。〈―になってからの現象〉〈―では珍しい〉〈―まれに見る快挙〉✎「最近」より改まった表現で、「昨今」ほどは硬くない。⇩このところ・Q最近・昨今・近頃

きんぱく【緊迫】事態や情勢がいよいよ切迫し、少しの油断もできない段階になる意で、やや改まった会話や文章に用いられる漢語。〈―感が漂う〉〈財政が―する〉〈にわかに情勢が―する〉〈刻一刻と―の度を加える〉⇩窮迫・Q急迫・切迫

きんぱつ【金髪】金色に近い色の髪をさし、会話でも文章でも用いられる日常の漢語。〈―の乙女〉〈―を風になびかせて佇《たたず》む〉✎北杜夫の『河口にて』に「明るい―がその表情をいやが上にも暗くしている」とある。実際に金色に見える場合もあるが、比較的客観的な「ブロンド」と比べ、その系統の色の髪を美化して用いることがある。男性よりも女性に対して用いるケースが多い。⇩銀髪

ぎんぱつ【銀髪】改まった会話や文章中に用いられる「白髪」の美称。〈―が映える〉〈みごとな―の初老の紳士〉〈―をなびかせる〉✎遠藤周作の『海と毒薬』に「落した肩や曲げた背や夕闇に光る―は、ひどく老いこみ」とあるが、一般には日差しを浴びて美しく輝く白を銀に見立てた呼称。ねずみ色や灰色とは違う銀色の輝きが美的なイメージを誘う。⇩金髪・Q白髪・Q白髪《はくはつ》

ぎんばん【銀盤】主として文章中に用いられる、「スケートリンク」の美称。〈―に舞う〉〈―の女王〉✎きずになった部分がせいぜい白く見えるだけで全体として透明な氷を銀製の皿に見立てた呼称。氷の表面が照明を浴びて輝くときにぴったりする呼称だけに、スピードスケートよりもフィギュアスケートの会場を連想させる。

きんぺん【近辺】自分の家など、ある建物を基準としてそこから近い地域をさし、会話にも文章にも使われる漢語。〈家の―で見かける〉〈この―にそういう家はない〉〈この―には閑静な住宅地が続く〉✎「近所」に比べ、空間的意味合いが強く生活臭は薄い。⇩傍ら・近所・近隣・周辺・そば・近く

ぎんまく【銀幕】主として文学的な文章に用いる、「映画」や「映画界」のやや古風な美称。〈―の女王〉〈―を飾る〉✎「スクリーン」の意から。⇩映画

きんまんか【金満家】多くの財産を持つ意で、会話にも文章にも使われる古めかしい漢語。〈この町有数の―〉✎「素封家《そほうか》」のような伝統はなく、「富豪」ほどの富もない。夏目漱石の『坊っちゃん』に「家屋敷はある人の周旋でさる―に譲った」とある。⇩大金持ち・Q金持ち・財産家・素封家・長者・富豪・物持ち

ぎんみ【吟味】 内容や性質などをよく調べる意で、会話にも文章にも使われる古風な漢語。〈よく―した材料を用いる〉〈品質を慎重に―する〉✎谷崎潤一郎の『細雪』に「特別に―した深海牡蠣ではなくて、そこらの市場で買って来たもの」とある。もと、詩歌を吟じて味わう意。⇩検討

きんむさき【勤務先】 勤務している役所・会社・学校などをさし、改まった会話や文章に用いられる少し硬い感じの表現。〈―の住所を記入する〉✎「仕事場」はもちろん「職場」よりも広く、雇用関係にある組織などをさす。「勤め先」より正式な感じがある。⇩仕事場・職場・Q勤め先

きんゆう【金融】 資金の需要と供給の関係をさし、改まった会話や文章に用いられる専門的な漢語。〈―政策〉〈―恐慌〉〈―の緩和〉〈―の引締めを図る〉✎一般語としては「―機関」のように金銭の融通の意で使う。⇩経済

きんり【金利】 貸し金や預金の利子やその比率をさし、会話にも文章にも使われる、やや専門的な漢語。〈法定―〉〈ゼロ―の時代〉〈低―政策〉〈―がかさむ〉〈―を据え置く〉〈―を引き上げる〉✎主に金融機関で用いる。⇩利子・利息・Q利率

きんりん【近隣】 隣り合っているかその近くの場所を漠然とさし、改まった会話や文章に用いられる硬い漢語。〈―諸国〉〈―の地〉〈―の家〉✎「近辺」と違い、「―に迷惑が掛かる」のようにそこに住む人間を意識する例もあるが、「近所」ほどの生活臭はない。⇩傍ら・Q近所・近辺・そば・近く

ぎんりん【銀輪】 主として文学的な文章に用いる、「自転車」のやや古風な美称。〈―を輝かせて郊外に向かう〉〈―を連ねて颯爽《さっそう》と通り過ぎる〉✎車輪、特にスポークが日に輝くところから。⇩自転車・ちゃりんこ

ぎんりん【銀鱗】 主として文学的な文章に用いられる「魚」の美称。詩的な表現。〈渓流に―が躍る〉✎日を受けて輝く魚の鱗《うろこ》自体をさすこともある。

きんろう【勤労】 給料や報酬を受けて一定の仕事で働く意をさし、改まった会話や文章に用いられる漢語。〈―者〉〈―所得〉〈―奉仕〉〈―感謝の日〉✎特に肉体労働をさすことが多く、「労働」より古風な感じがある。⇩労働

きんろうしゃ【勤労者】 勤労に対する報酬によって生計を立てている人の総称として、会話にも文章にも使われる漢語。〈―の皆さん〉〈―の祭典〉✎「労働者」に比べてあまり使われず、差別意識も感じられない。⇩会社員・サラリーマン・勤め人・ビジネスマン・Q労働者

く

ぐあい【具(工)合】人や物の動き方の状態や調子をさし、会話や硬くない文章に使われる日常語。〈仕事の進み―〉〈朝から体の―が思わしくない〉〈新しい機械の―を調べる〉✎佐藤春夫の『田園の憂鬱』に「ランプはいい―に本ものであった」とある。「―の悪い思いをする」のように、体面をさす用法もある。⇩按配《あんばい》・コンディション・調子

くい【悔い】犯してしまった過ちや失敗を後悔する意で、会話にも文章にも使われる和語。〈―の涙〉〈―が残る〉〈―がない〉✎芝木好子の『青果の市』に「本当に金回りのよかった瞬間を逃したことに痛い程の―を感じることもあった」とある。⇩悔悟・Q悔恨・痛恨

くいき【区(區)域】一定の仕切りを設けた範囲をさし、会話にも文章にも使われる漢語。〈通学―〉〈遊泳禁止―〉〈担当の―〉✎「地域」や「地区」より小さく、一般にはごく狭い範囲をさし、行政上の区画であることも多い。⇩Q区画・地域・地区

くいちがい【食い違い】合致しない意で、会話や軽い文章に使われる和語。〈意見の―が見られる〉〈説明に―が起こる〉✎「二人の目撃証言に―がある」のように、本来合うはずなのに合わないというニュアンスがあり、矛盾した感じが生じやすい。⇩ずれ・Q齟齬《そご》・行《ゆ》き違い

くいどうらく【食い道楽】「食道楽」の意の会話的な表現。〈相当の―だ〉⇩グルメ・食通・Q食道楽・美食家

くいとめる【食い止める】好ましくないことの広がるのを途中で防ぎ止める意で、会話にも文章にも使われる和語。〈被害を―〉〈延焼を―〉〈敵の攻撃を―〉〈病気の進行を―〉⇩Q阻む・阻止

くいもの【食い物】「食べ物」の意でくだけた会話や軽い文章に使われる今ではぞんざいな和語。〈―もろくにない〉✎夏目漱石の『坊っちゃん』に「上品だが、惜しい事に―がまずい」とある。⇩食材・食品・食物・食べ物

くいる【悔いる】以前の考えや行為を悪かったと認めて改めようとする意で、会話にも文章にも使われる古風な和語。〈前非を―〉〈今さら―・いても始まらない〉✎志賀直哉『暗夜行路』に「自身があまりに言い過ぎた事を多少―・いている」とある。単に悔しいと思う意の「悔やむ」に対して、この語は道徳面をも含み反省しているニュアンスを伴う。⇩Q悔やむ・後悔

くう【食う】食べ物を歯でかんで飲み込む意の基本的な和語。〈飯を―〉〈たらふく―〉〈―や食わずの貧しい暮らし〉✎安部公房の『時の崖』に「―・いたいほうだい―・ってやるさ」とある。今でも「食い放題」が一般的であるように、もとはぞんざいな感じのない普通のことばだったが、現代では「食べる」のぞんざいな言い方。ただし、「食する」という意味が消え、「虫が―」「時間を―」「いたずらに年を―」「ガソリンを―」「人を―・ったやり方」のように抽象化した用法では「食べる」が使えないため、ぞんざいであるという語感は働かない。⇩頂く・食する・Q食べる・召し上がる

くうかん【空間】目に見える物が何もない空白の広がりをさし、会話にも文章にも使われる漢語。〈宇宙—〉〈時間と—〉〈むだな—〉〈—が狭い〉✎「真空」と違い、空気などの気体の存在は問題になっていない。大岡昇平は『野火』で、風が「私の占めていない広い—を渡って行くらしかった」と外界を描き、川上弘美は『センセイの鞄』で「鞄の中には、からっぽの、何もない—が、広がっている。ただ傍々《ぼうぼう》とした—ばかりが、広がっているのである」と、センセイの形見に喪失感を吹き込んで長編を締め括った。⇩Q虚空・真空

くうき【空気】①地球の表面を包んでいる、窒素と酸素を主成分とする無色無臭の気体をさし、くだけた会話から硬い文章まで幅広く使われる日常の基本的な漢語。〈—抵抗〉〈新鮮な—を吸う〉〈—が薄い〉〈—が汚れる〉〈—が抜ける〉✎「大気」と違い、人間の生活圏という連想が強い。小林多喜二の『蟹工船』に「—が硝子のように冷たくて、塵一本なく澄んでいた」とある。⇩大気 ②周囲の人々の気分によって生じたり変化したりする、その場の感じをさし、会話にも文章にも使われる日常の漢語。〈会場の—に酔う〉〈その場の—が読めない〉〈気まずい—が流れる〉✎高見順の『如何なる星の下に』に「お通夜のような重苦しい—」とある。⇩Q雰囲気・ムード

くうきょ【空虚】内容・実質・価値がからっぽで充実感のない意で、やや改まった会話や文章に用いられる漢語。〈—な生活〉〈—な夢のような話〉✎有島武郎の『或る女』に「神体のない—な宮殿のような空いかめしい興なさを感じさせる」とある。金井美恵子の『奇妙な花嫁』に「悲しいってことじゃない、むしろ、空虚——、胸いっぱいの吐き気のように胃のあたりからこみ上げつき上げて来る重く鈍い痛み」とある。「うつろ」「はかない」「むなしい」のような和風のやわらかい雰囲気はない。⇩うつろ・虚無・むなしい

くうげき【空隙】空間的・時間的なわずかな切れ目をさし、主として硬い文章に用いられる漢語。〈—を埋める〉〈—を突く〉〈—を縫う〉✎尾崎一雄の『虫のいろいろ』に、偶然便所の窓の二枚の戸の間に入って出られなくなった蜘蛛《くも》を「幽閉された」と人間並みに遇し、「重なった戸のワクは彼の脱出を許すべき—を持たない」と漢語調の堂々たる表現で描き出した。些細《ささい》な事柄とアンバランスなこの格調高い語り口は、訪問時の作者自身の弁によると「鶏を裂くに牛刀を用いる」ような大仰な表現で滑稽な感じを出そうとしたのだという。⇩間隙・すき・すきま・盲点

くうこう【空港】航空輸送のために飛行機が定期的に発着する公共の施設。〈国際—〉〈—の整備〉✎「飛行場」より大規模なものを連想させやすい。⇩飛行場

ぐうじ【宮司】神社の最高位の神官をさし、会話にも文章にも使われる正式な感じの漢語。〈伊勢神宮の—〉⇩Q神主《かんぬし》・神官・神職

くうしゅう【空襲】航空機による爆弾投下や機銃掃討など空からの攻撃の総称で、会話にも文章にも使われる漢語。〈—警報〉〈東京大—〉〈—に遭う〉〈—による被害〉✎「空爆」より意味が広い。戦後の日本人には、仕掛けるイメージより被るイメージが喚起されやすい。⇩空爆・爆撃

くうぜん【空前】今までに一度もなかったようなの意で、や

や改まった会話や文章に用いられる漢語。〈—の出来事〉〈—の大惨事〉〈—の人気〉⇩空前絶後・前代未聞・Q未曾有《みぞう》

ぐうぜん【偶然】 因果関係がなくたまたまの意で、くだけた会話から硬い文章まで幅広く使われる日常漢語。〈—の出来事〉〈—の一致〉〈—に出会う〉✎志賀直哉の『城の崎にて』に、山手線の電車にはねられて怪我をしたその後養生に温泉にやって来た作者が、まったく狙わずに投げた石に当たって蠑螈《いもり》が死ぬのを目撃し、「自分は—に死ななかった。蠑螈は—に死んだ」と深い感慨に沈む場面がある。⇩Qたまたま・たまに・ひょっこり

くうぜんぜつご【空前絶後】 これまでに一度もなく、これからも起こるとはとうてい考えられないほど、という意味で、やや改まった会話や文章に用いられる大仰な漢語。〈—の大発見〉〈—の規模で催される〉✎尾崎一雄の『虫のいろいろ』に、ふと目を上げたとたんに「額に出来たしわが、蠅の足をしっかりとはさんでしまった」場面がある。そこで父親は「どうだ、エライだろう、おでこで蠅をつかまえるなんて、誰にだって出来やしない、—の事件かも知れないぞ」と家族に自慢する。⇩Q空前・前代未聞・未曾有《みぞう》

くうそう【空想】 現実からかけ離れたことを頭の中で思いめぐらす意で、会話にも文章にも広く使われる漢語。〈—の産物〉〈百年後の世界を—する〉〈—に耽《ふけ》る〉〈—科学小説〉〈—を描く〉〈平等な世界など—に過ぎない〉✎正宗白鳥の『何処へ』に「火花のごとく消えては浮ぶ—」とある。「幻想」や「妄想」よりは実現性がありそうな語。丸谷才一の『横しぐれ』に「その—がちょうど漁船から漏れた油のように長く尾を引いて薄れてゆく」という比喩表現の例がある。⇩幻想・想像・Q夢想・妄想・理想

ぐうたら 怠けて働きたがらない意で、主にくだけた会話に使われる、いくぶん古風な和語。〈—な亭主〉〈—な生活を続ける〉⇩横着・ずぼら・怠惰・怠慢・無精・Qものぐさ

くうちゅうろうかく【空中楼〔樓〕閣】「蜃気楼」の意でまれに文章などに用いられる古風な漢語。〈—が現れる〉✎あるはずのない空中に高い建物が見えたところから。実際の現象をさす例は今は少なく、現実味のないことを思い描く意の比喩表現としての用法のほうがまだいくらか使われる。⇩海市《かいし》・Q蜃気楼

くうちょう【空調】 漢語「空気調節」の略語。屋内の空気の温度や湿度を調節する機械。特に俗語という響きもなく、一般にこの形で幅広く用いられる。〈—設備を各部屋に備え付ける〉⇩エアコン

くうばく【空爆】 航空機による爆撃をさし、会話にも文章にも使われる漢語。〈大規模な—を仕掛ける〉〈—が激しさを増す〉✎「空中爆撃」の略。「爆撃」に比べ、空からのという点が強調される。⇩空襲・爆撃

くうひ【空費】 金銭や時間を無駄に使う意で、やや改まった会話や文章に用いられる漢語。〈政策が悪いと国民の税金を—することになる〉〈時間を—する〉✎「浪費」以上に無駄な感じが強い。特に、貴重な時間を奪われる場合によく使う。⇩散財・無駄遣い・濫費・Q浪費

くうふく【空腹】 腹がすく意で、改まった会話や文章に用いられるやや硬い感じの漢語。〈—を覚える〉〈—を訴える〉

〈―を満たす〉⇩Q空《す》き腹・腹ぺこ・ひだるい・ひもじい

クーラー 冷却するための装置をさし、会話にも文章にも使われる、いくぶん古風な外来語。〈―をかける〉〈―が利き過ぎる〉✎部屋を冷やす冷房のほか、携帯用の保冷庫などをさすこともある。⇩エアコン・冷房

くかく【区〔區〕画〔劃〕】ある目的のために区切った土地の意で、会話にも文章にも使われる漢語。〈―整理〉〈行政―〉〈分譲地の―〉⇩Q区域・地域・地区

くきょう【苦境(況)】抜け出すことの困難な苦しい立場や状況をさし、改まった会話や文章に用いられる硬い漢語。〈―に立つ〉〈―に陥る〉〈―を脱する〉〈―を救う〉✎一時的には「逆境」より困難が大きいが、苦しさは部分的で短期間の感じが強い。⇩逆境

くくる【括る】ばらばらのものを一つにまとめる意で、会話でも文章でも使われる日常の和語。〈荷物を―〉〈古い雑誌類を紐《ひも》で―〉〈切った枝を縄で―〉✎室生犀星の『性に眼覚める頃』に「指はみな肥りきって、関節ごとに糸で―・ったような美しさ」という比喩表現がある。「結ぶ」とは違って、いくつかの物を一つにまとめることに重点があり、その時に用いる道具も、結果として生ずる全体の形もさほど意識されない。⇩結ぶ・Qゆわえる・ゆわく

くぐる【潜る】かがむなどして物の下を通り抜ける意で、会話や硬くない文章に使われる和語。〈格子戸を―〉〈のれんを―〉✎室生犀星の『杏っ子』に「頭の中にあなを開けそこから胸に―・りぬけようとする眼付き」とある。「列車がトンネルを―」のように人間以外にも使い、「法の網を―」のような比喩的用法もある。「もぐる」はその場所にとどまることもできるが、「くぐる」はそこを通って先のほうに出る。「水にもぐる」と「水をくぐる」の助詞の違いはそれに対応する。⇩もぐる

くけい【矩形】「長方形」の旧称。⇩四角・四角形・四辺形・Q長方形・長四角

くさ【草】木部があまり発達しない茎をもつ植物をさし、くだけた会話から硬い文章まで幅広く使われる日常の和語。〈―が生える〉〈―を刈る〉〈―の上に寝転ぶ〉✎長塚節の『土』に「にわかに水に浸されて銀のように光っている岸の―」とある。⇩草本

くさい【臭い】対象の発する臭《にお》いを不快に感じる意で、くだけた会話から硬い文章まで幅広く使われる日常の基本的な和語。〈ガス―〉〈糠味噌《ぬかみそ》が―〉✎「臭《にお》う」より直接感覚器官を刺激される感じがある。石坂洋次郎の『青い山脈』に「口からは、―においを含んだ熱い呼吸が、せわしく不規則に吐き出されている」とある。⇩臭う

ぐさい【愚妻】自分の「妻」の古めかしい謙称。〈―ともどもよろしく御交際たまわりたく〉✎「愚かな妻」という字面から女性に嫌われる古風な用語だが、高田保は新聞のかつての人気コラム『ブラリひょうたん』の中で、「愚」というのは人生経験が十分でなく、まだ至らないところがある、という程度の意味であり、自分は「いとしの」という気持ちをこめて使っていると述べ、「大日本」などとせず謙虚に「小日本」とか「愚日本」とかと称していれば戦争などは起こらなかったと論を発展させた。⇩いえの者・うちの者・お上さん・

奥方・奥様・奥さん・お内儀・家内・かみさん・細君・妻・Q女房・伴侶・ベターハーフ・令閨・令室・令夫人・ワイフ

くさき【草木】代表的な植物である草と木の総称として、会話やさほど硬くない文章に使われる和語。〈庭の―に水をやる〉〈―を育てる〉〈―も眠る丑満つ時〉✎安部公房の『他人の顔』に「繁りに茂った枝と葉とを持った雑多な―」とある。⇩植物

くさとり【草取り】雑草を取り去る意で、会話にも文章にも使われる日常の和語。〈庭の―をする〉✎「草むしり」や「除草」より一般的。⇩Q草むしり・除草

くさはら【草原】草の生えている野原をさし、会話にも文章にも使われる和語。〈―に寝転ぶ〉〈―で遊びまわる〉✎「くさわら」とも言い、自分がその場にいる雰囲気がある。後藤明生の『吉野大夫』に「龍の髭が一面に生えている―から見る浅間だった」とある。「そうげん」と読めば大きなスケールに感じられる。⇩そうげん

くさむしり【草毟り】草取りの意で、会話や軽い文章に使われる和語。〈朝から―に精を出す〉✎生えている草を一本一本根っこごと抜くより、地面に出ている部分だけむしり取る連想が起こりやすい。「草取り」より口頭語的。⇩Q草取り・除草

くさる【腐る】食物などが細菌の作用で変質し不快な臭いを発したり、木や金属などが朽ちたり錆《さ》びたりする意で、くだけた会話から硬い文章まで幅広く使われる日常の基本的な和語。〈魚が―〉〈木材が―〉〈―・ったにおい〉✎安岡章太郎の『海辺の光景』に「心臓の働きが弱って寝床に圧された部分に血がかよわなくなると、その部分から果物のように―・りはじめる」とある。「失敗して―」のように、思いどおりに運ばず元気を喪失する意の比喩的用法もある。⇩傷む・腐食・Q腐敗・腐乱

くし【駆使】自由自在に使いこなす意で、改まった会話や文章に用いられる漢語。〈資料を―して論文にまとめる〉〈最新技術を―する〉✎福原麟太郎の『限りなき浪曼』に「想像力を―した文学作品が、なかなか見当らない」とある。⇩運用・Q活用・利用

くじ【籤】多数の紙片などに記号や番号を記し、その一つを抜き取らせて当たり外れを決めたり吉凶を占ったりするやり方やその個々の札をさし、会話にも文章にも使われる日常の和語。〈当たり―〉〈―を引く〉〈―に当たる〉✎曾野綾子の『遠来の客たち』に「夏というのに白々と雪をおいたかと思われるほど、結えられる限りの場所に残された古いおみくじの残骸」とある、その「おみくじ」も「くじ」の一つ。⇩Qくじ引き・抽籤《ちゅうせん》

くじく【挫く】手足の関節を強く捻《ね》じ曲げて傷める意で、会話にも文章にも使われる日常の和語。〈転んで足を―〉⇩脱臼・Q捻挫

くじける【挫ける】やろうと勢い込む力が弱まる意で、会話でも文章でも広く使われる和語。〈途中で―〉〈気持ちが―〉⇩Q落ち込む・へこむ②

くじびき【籤引き】籤を引くことをさし、会話やさほど硬くない文章に使われる日常の和語。〈商店会の―〉〈係を―で決める〉⇩くじ・抽籤《ちゅうせん》

くじゅう【苦渋】 苦しみ悩む意で、改まった会話や文章に用いられる漢語。〈―の選択〉〈―の決断〉〈―に満ちた顔〉〈―の色を浮かべる〉✎梶井基次郎の『闇の絵巻』に「それは―や不安や恐怖の感情で一ぱいになった一歩だ」とある。⇩苦汁

くじゅう【苦汁】 比喩的につらい経験をさし、主として文章に用いられる古めかしい漢語。〈―をなめる〉⇩苦渋

くしょう【苦笑】 苦笑《にがわら》いの意で、改まった会話や文章に用いられる漢語。〈―をもらす〉〈―を浮かべる〉⇩苦笑い

くじょう【苦情】 商品や処理の仕方などに関する不平不満の意で、会話やさほど改まらない文章に使われる漢語。〈―が来る〉〈―を持ち込む〉〈―を処理する〉✎夏目漱石の『坊っちゃん』に「寝るときに頓と尻持をつくのは小供の時からの癖だ。(略)二階下に居た法律学校の書生が―を持ち込んだ事がある」とある。⇩クレーム・Q文句

ぐしょう【具象】「具体」の意で、主に学術的な文章に用いられる、専門的で硬い漢語。〈―物〉〈―体〉〈―化する〉〈―的でわかりやすい〉✎「抽象」と対立し、単独ではあまり用いない。⇩具体

くしん【苦心】 事を成し遂げるためにいろいろと工夫し心を遣う意で、会話にも文章にもよく使われる日常の漢語。〈―惨憺《さんたん》〉〈―の末にたどり着く〉〈―の作〉〈―の跡が見られる〉✎夏目漱石の『明暗』に「その―は水の泡を製造する努力とほぼ似たもの」とある。⇩苦慮・Q腐心

くず【屑】 物の切れ端やかけらのような不用物をさし、くだけた会話から文章まで幅広く使われる日常の和語。〈紙―〉〈糸―〉〈鉄―〉〈―箱〉〈野菜の―〉⇩Q芥《あくた》・ごみ・塵《ちり》・埃《ほこり》

ぐず【愚図】 はきはきせず動作が遅い意で、主に会話や軽い文章に使われる俗っぽい表現。〈―な男〉〈何をやるにも―で見ていていらいらする〉✎「のろま」や「うすのろ」に比べ、決断が遅い場合も含むため、重点は外面でとらえられる行動などの遅さにあり、必ずしも知能の低さに直接言及していない感じがある。⇩うすのろ・Qのろま

くすぐったい【擽ったい】 擽られたときのむずむずした感覚をさして、砕けた会話から文章まで幅広く使われる日常の和語。〈足の裏が―〉✎太宰治の『女生徒』に「五月のキウリの青味には、胸がカラッポになるような、うずくような、―ような悲しさがある」とある。「人前で褒められて―気分になる」のように、比喩的に照れくさい意味でも使われる。⇩こそばゆい

くすねる 他人の物をごまかしてこっそり自分のものにする意で、主として会話に使われる古風な和語。〈店の品物を―〉〈釣銭を―〉✎「横領」ほど罪意識がなく、「着服」よりも些細《ささい》なものを連想させる。⇩横領・失敬・Q着服・猫ばば・横取り

くすぶる【燻る】 よく燃えずに煙ばかり出る意で、会話でも文章でも幅広く使われる日常生活の和語。〈焼け跡がまだ―・っている〉〈―・っていて火が勢いよく上がって来ない〉✎「いぶる」と違って、出ている煙の量よりも、内部で燃えていて火が表面化しない状態に重点がある。「壁や天井が―」のように、煤《すす》で黒くなる意にも使い、「不満が―」「田舎で―」のような比喩的用法もある。「一日中家の中で―・

っている」のも、「解決したように見えて問題がまだ―・っている」のも、「いぶる」とは違う「くすぶる」の特徴をよく示す。⇩いぶる・けぶる・けむる

くずや【屑屋】 昔、ぼろきれや紙くずなどを回収する職業をさすのに用いたが、職業差別の意識を伴うとして使用を控えるようになった語。〈くずーい、―、おはらい〉🖋小沼丹の『倫敦の屑屋』と題する随筆に、「正確には判らなくても、―だと云うことは直ぐ判る。(略)だから、―お払い、と怒鳴っているのだと思うことにした」とある。差別意識を消すためにしばらく「廃品回収業」と呼んでいたが、その後、「廃品」の範囲が狭くなるなどの変化もあって、一時は観点をずらし「ちり紙交換」などと呼んだこともある。

くすり【薬】 病気や怪我の回復を促進するために用いるものをさし、くだけた会話から文章まで幅広く使われる日常的な和語。〈粉―〉〈風邪―〉〈―を服用する〉〈―の効能〉〈―が効く〉〈患部に―をよくすり込む〉🖋森鷗外の『雁』に「己が内にいる時の方が不機嫌だとすると、丁度―を飲ませて病気を悪くするようなものである」とある。「薬品」「薬剤」「薬物」のような専門語の雰囲気はない。⇩薬剤・Q薬品・薬物

くすりや【薬屋】 薬を調合したり販売したりする店をさし、くだけた会話から文章まで幅広く使われる日常の和語。〈近所の―で風邪薬を買う〉🖋日常会話で一般的に使われる語だが、店の名称にはほとんど用いない。⇩ドラッグストア・Q薬局

ぐずる【愚図る】 不機嫌にぐずぐず言ったり赤ん坊が泣いたりする意で、主にくだけた会話に使われる和語。〈子供が眠くて―〉🖋「むずかる」と違い、大人についても、「やるのを嫌がって―」のように、なかなか納得せずに不平を言う場合などに使う。⇩むずかる

くずれる【崩れる】 整った形でまとまっていたものが乱れたり壊れたりする意で、会話にも文章にも使われる日常の和語。〈崖が―〉〈形が―〉〈態勢が―〉〈バランスが―〉🖋「計画が―」「自信が―」「決心が―」のように抽象化した比喩的用法もあり、和田伝の『沃土』に出る「思い通りのぞみ通りに事が成ったためしがいつあったのだ? どれもこれも、みんなもう少しというところで砂のように―・れ」の例もその一つ。⇩崩壊

くせ【癖】 習慣になったしぐさや行動様式の意で、くだけた会話から文章まで幅広く使われる日常の基本的な和語。〈悪い―〉〈―がつく〉〈―になる〉🖋福原麟太郎の『交友について』に「いやな―のある変ちきりんの路傍の人」とある。素直でなく偏った性質をさす例が多い。「髪の―」のように元に戻りにくくなった状態をさして人間以外にも使う。⇩慣習・慣例・習慣・性癖

くそ【糞(屎)】 大便の意で、主に男性がくだけた会話や軽い文章に使うぞんざいな和語。〈馬の―〉〈―をする〉〈―を垂れる〉🖋阿川弘之の『黒い煎餅』に「犬が尻をかがめて―をしている時の顔つきは、便器にまたがった子供の真面目くさった表情とよく似ている」とある。⇩うんこ・うんち・人糞・大便・Qふん・糞便・便

くだ【管】 端から端まで中が空洞になっている金属・ゴム・ビ

ニールなどの細長い円筒をさし、会話にも文章にも使われる和語。〈ゴムの—〉〈細い—を通す〉✎「筒」より細長く、ガスストーブや点滴注射の場合のそれのように曲がりくねっている場合もあり、液体や気体を運ぶ際に用いることが多い。「ホース」と換言できる用法では、やや古風な感じになる。⇩筒・パイプ・Qホース

ぐたい【具体】形態と内容を具え、はっきりと感覚で認識できる意で、会話にも文章にも広く使われる漢語。〈—的に説明する〉〈対策を—化する〉〈—案が必要だ〉〈—策を練る〉〈—性に欠ける〉✎「抽象」と対立し、単独ではほとんど用いない。⇩具象

くだく【砕く】物体に力を加えてばらばらにする意で、会話にも文章にも使われる和語。〈氷を—〉〈岩を—〉✎「割る」よりも破片が細かく多数生ずる感じが強い。「夢を—」「野望を—」のように比喩的にも使う。⇩割る

くたばる 「死ぬ」の意で相手を軽蔑して言う、やや古風な感じの和語の俗語。〈—まで手放さない〉〈あいつ、とうとう—・りやがった〉✎相手を敵視する気持ちが充満したことばだが、冷たくなった当人にはそういう奥の悪意は伝わらないから、反応のない対象にぶつかって自分にはねかえり、むなしく響くだろう。誇張して、ひどく疲れる意にも使う。⇩敢え無くなる・上がる②・あの世に行く・息が切れる・息が絶える・息を引き取る・往く・いけなくなる・永眠・往生・お隠れになる・落ちる②・おめでたくなる・帰らぬ人となる・死去・Q死ぬ・死亡・昇天・逝去・斃《おた》れる・他界・長逝・露と消える・天に召される・亡くなる・儚《はか》くなる・不帰の客となる・不幸がある・崩御・没する・仏になる・身罷《かみま》る・脈が上がる・空しくなる・藻屑となる・逝く・臨死・臨終

くたびれる【草臥れる】「疲れる」に近い意の和語。広く使える「疲れる」に比べ会話的で、硬い文章には不向き。〈歩き過ぎて—〉〈一日中立ちっぱなしで—〉✎「疲れる」は疲労の度合いが大きくても小さくても使えるが、「くたびれる」は疲労度の大きいときに使う傾向がある。そのため、「疲れた顔」は一晩寝ると回復する期待もあるが、「—・れた顔」となるとそう簡単には元の状態に戻らない感じが強い。また、小沼丹の『或る友人に』という作品に「当時はみんなたいへん—・れた恰好をしていた」という例がある。この場合は体力的な疲労ではなく、しょぼくれた身なりをさしているると思われるが、衣服や皮革製品、手帳などについて使うこのような用法は「疲れる」ではまかなえない。なお、小津安二郎監督の映画『早春』の杉山昌子(淡島千景)は「くたぶれるだけよ」と言い、同じく『秋日和』の三輪秋子(原節子)も「くたぶれちゃった今日」と言っている。この「くたぶれる」の語形は俗語っぽい響きで使われたが、今ではほとんど聞かれない。⇩しんどい・疲れる

くたぶれる【草臥れる】「くたびれる」の転。くだけた会話に使われた古めかしい俗語。〈ああ、—・れた〉✎小津安二郎監督の映画『早春』の昌子(淡島千景)が「—だけよ」と言い、『秋日和』の秋子(原節子)も「—・れちゃった今日」と言う。⇩Qくたびれる・疲れる

くだもの【果物】食用となる草や木の実をさし、くだけた会話から硬い文章まで幅広く使われる日常の基本的な和語。〈—屋〉〈食後の—〉✎岡本かの子の『金魚撩乱』に「果もの

屋の溝板の上には拋り出した砲丸のように残り水瓜が青黒く積まれ」とある。⇩果実・Ｑフルーツ・実・水菓子

くだらない【下らない】価値のきわめて低い意で、会話や軽い文章に使われる日常の和語。〈―話〉〈―物を買いあさる〉〈そんな―問題にかかわるのは時間がもったいない〉✎武者小路実篤の『友情』に「―脚本をかく奴」とある。「つまらない」よりさらに露骨に低い評価として使う。「―人間」は最低の評価となるが、「つまらない人間」は交際する上で面白みがないというだけで、必ずしもその人間の価値が低いとまでは言及していない。⇩Ｑつまらない・ばかくさい・ばかばかしい・ばからしい

くだる【下る／降る】上から下へ順に移動するという基本的意味をもち、くだけた会話から硬い文章まで幅広く使われる基本的な日常生活の和語。〈川を下る〉〈坂を下る〉〈時代が下る〉〈臣下に降る〉〈敵の軍門に降る〉✎幸田露伴の『連環記』に「滾《ころ》るように馬から―・り」とある。「山を―」は途中のかなり長い経路が意識された表現で、麓まで下りきったかは明確でない。⇩おりる

くち【口】顔の下部にあって飲食物を取り入れたり話したりする器官をさし、くだけた会話から硬い文章まで幅広く使われる日常の基本的な和語。〈おちょぼ―〉〈―を大きく開ける〉〈―をとがらせる〉〈堅く―を閉ざす〉〈―のまわりを拭う〉✎川端康成の『名人』に「下唇は陰になり、上唇は光りを受け、そのあいだに―のなかの濃い陰があって、上の歯が一本だけ光っていた」とある。「―が軽い」「―が回らない」「―を滑らす」「―を切る」「―を慎む」のように口を使って「話す」意や、「―がおごる」「―が肥える」のように「食べて味わう」意など、幅広く使われる。⇩口元・Ｑ口腔《こうこう》

ぐち【愚痴〔癡〕】今さら言っても仕方がないことをくどくど嘆く意で、会話や硬くない文章に使われる漢語。〈―をこぼす〉〈―が多い〉〈つい―が出る〉✎芥川龍之介の『一塊の土』に「くどくどと―まじりの歎願を繰り返した」とある。他人の行為についての不満を別の身近な人に訴える例が多い。もと仏教語で、事実に関する無知の意という。⇩こぼす・Ｑぼやく

くちおしい【口惜しい】残念だの意で、主として文章に用いられる古風な和語。〈中心人物が抜けてまことに―〉〈優勝を逃し―限りだ〉✎現代の用法としては、振り返ったり思い出したりして抱く感情の場合が連想されやすく、「悔しい」ほど生の感情の吐露という雰囲気を感じさせない。二葉亭四迷の『浮雲』に「悔しくも又―」と両方続ける例がある。⇩Ｑ悔しい・残念・無念

くちげんか【口喧嘩】手は出さずに互いに激しい言葉で応酬する意で、会話や軽い文章に使われる表現。〈妹と―になる〉〈あの夫婦は―が絶えない〉✎「口論」に比べ、罵《のの》り合いの印象が強い。⇩言い合い・言い争い・Ｑ口論

くちすい【口吸い】唇どうしを接する「口づけ」の意のきわめて古めかしい死語に近い和風の古語的表現。〈―の真似ごと〉✎「口吸う」という動詞でも用いられた。「唇を盗む」などという婉曲《えんきょく》表現もあるなか、現代では「口づけ」に比べてかなり露骨な表現に感じられ、同時に滑稽な印象を与える面もある。⇩キス・キッス・Ｑ口づけ・ごうし・接吻

くちだし【口出し】当事者でもないのに割り込んで口を利く意で、会話やさほど硬くない文章に使われる日常の和語。〈横から―する〉〈よけいな―をするな〉⇩ちょっかい・手出し・Q容喙《ようかい》

くちづけ【口づけ】男と女が唇を合わせることをさし、会話よりも文章中に使われる和語。〈初めての―〉〈甘い―〉〈―を許す〉〈―を交わす〉✐男女間の「キス」を意味する類義語のうち、最もやわらかく気品のある和風の表現で、若い人のロマンチックな場面を連想させやすく、時に詩的な雰囲気を伴う。⇩キス・キッス・口吸い・ごうし・Q接吻

くちびる【唇】口の上と下にある薄い皮に覆われたやわらかい部分をさし、くだけた会話から硬い文章まで幅広く使われる日常の基本的な生活和語。〈厚い―〉〈―が荒れる〉〈―を尖《と》がらす〉〈そっと―をつける〉〈―を盗む〉✐志賀直哉は『暗夜行路』の中で赤ん坊の頼りないほどに薄い唇の皮膚に着目し、「赤児は指でも触れたら、一緒に皮がむけて来そうな―を」と、指をふれると皮がむけて指にくっついてくるようなと触覚的に表現している。その志賀に師事した尾崎一雄も『霖雨』の中で、ガラス越しにキスのまねをする女の唇を、「ルージュの色を失って硝子の向うで妙な形に崩れた」と視覚的にとらえ、日ごろ見ることのない女の唇の異様な姿に内心とまどいを感じる男の心理をも描き出している。川端康成の『雪国』のヒロイン駒子の動物的な唇については「蛭《ひる》」の項を参照。

くちべに【口紅】唇を美しく見せるために赤く塗る化粧品をさす和語。広く使われる標準的な日常語。〈―を塗る〉〈襟に―がつく〉✐吉行淳之介の『原色の街』に「わざと橙《だいだい》色の―を選んで濃く塗りつける」とある。いくらか雅語的な「口紅をさす」という用法もある。⇩ルージュ

くちもと【口元(許)】口のあたり、口の形や様子をさし、会話にも文章にも使われる日常の和語。〈―がかわいい〉〈―がひきしまる〉〈―に笑みをたたえる〉✐徳田秋声の『仮装人物』に「頬から―へかけての曲線の悩ましい媚」とある。⇩口・口腔《こうこう》

くちょう【口調】話すときの調子をさし、会話にも文章にも広く使う日常の漢語。〈命令―〉〈演説―〉〈先生―〉〈独特の―〉〈穏やかな―で言う〉✐壺井栄の『二十四の瞳』に「歯のない口にきゅうに奥歯がはえたような気がするほど若がえった―」とある。⇩Q語り口・語気・語調・話しぶり・弁

ぐちょく【愚直】ばかじゃないかと思われるほど正直一途な意で、主に文章に用いられるいくぶん古風な漢語。〈―な男〉〈―に勤めあげる〉✐宮本百合子の『貧しき人々の群』に「正直そうなどちらかといえば―だといえるほどの顔」とある。融通のきかない点を含め好意的な評価となる。⇩Qばか正直・真正直・真っ正直

ぐちる【愚痴(癡)る】愚痴を言う意の俗語。〈酒を飲むとしょっちゅう給料の安いことを―〉✐もと、物事の判断がつかない愚かの意の名詞「愚痴」の動詞化。同じことをいつまでもくどくど言う感じがある。⇩こぼす・Qぼやく

くつ【靴】革・布・ゴムなどで足を覆うように作った主に西洋風の履き物をさし、くだけた会話から硬い文章まで幅広く使われる日常の和語。〈―を脱ぐ〉〈―を磨く〉〈―をそろ

える〉✎木山捷平の『大陸の細道』に「氷のように冷たくなった―」とある。雪道用に藁で編んだ深いくつは「雪沓」と書き、「絹沓があでやかに花弁のように見えた」という小田嶽夫の『城外』の例もあるように和風の場合は「沓」とも書くが、洋風の場合はほとんど「靴」と書く。⇩Qシューズ・短靴

くつう【苦痛】 耐えがたい肉体的痛みや精神的な苦しさをさし、会話にも文章にも使われる漢語。〈―の表情〉〈―に感じる〉〈精神的―を与える〉〈―をこらえる〉〈―に耐える〉〈―をやわらげる〉✎夏目漱石の『道草』に「不自然な冷ややかさに対して腹立たしいほどの―を感じていた」とある。⇩懊悩《おうのう》・苦悩・苦悶・Q苦しみ・悩み・煩悶・憂悶

くつがえす【覆す】 物を裏返したり、それまでの考え方・価値・権威などを否定する意で、改まった会話や文章に用いられる和語。〈大波が小舟を―〉〈政権を―〉〈決定を―〉〈一審の判決を―〉〈定説を―〉〈常識を―〉✎具体物に用いるとやや古風だが、一般に具体的な物よりも抽象的なものによく使う。⇩裏返す・Q引っくり返す

クッキー 基本的に「ビスケット」と同じものをさし、会話にも文章にも使われる外来語。〈高級―の豪華な詰め合わせ〉✎習慣上、伝統的でシンプルなものを「ビスケット」、脂肪分が多く形や飾りつけに工夫の見られる高級感のあるものにこの語を用いる傾向がある。⇩クラッカー・サブレ・Qビスケット・ボーロ

くっきょく【屈曲】 まっすぐなものが途中で折れ曲がる意で、主に文章中に用いられる硬い漢語。〈―した枝〉〈道路が途中で鋭角に―する〉⇩曲がる・Q湾曲

くっきり 際立ってはっきりと目に見える意で、会話にも文章にも使われる和語。〈月も―〉〈遠くの山が―と見える〉✎技術や印象などに広く使う「鮮やか」「鮮明」と違い、視覚的な具体物にのみ使う。石坂洋次郎の『若い人』に「白い骨格がネオンサインのように―形を現し初めた」とある。⇩鮮やか・Q鮮明

くっさく【掘削(鑿)】 土砂や岩石などを削り取ったり掘って穴をあけたりする意で、改まった会話や文章に用いられる専門的な硬い漢語。✎徳永直の『太陽のない街』に「河川を―し、道路を築いて」とある。⇩掘る

くっつく 隙間なく接して離れない意で、会話や軽い文章に使われる和語。〈ほっぺたに御飯粒が―〉〈ぴったり―〉〈―・いて離れない〉✎有島武郎の『或る女』に「白い花弁がどこからか飛んで来て粘着いたようにちらほら見え出していた」とある。「男と―」のように、男女が正式でなく親密な関係になる意の用法は俗語的。⇩接着・張り付く・Q引っ付く・付着

くっぷく【屈服】 相手の勢いに押されて服従する意で、主に文章中に用いられるやや古風な硬い漢語。〈敵に―する〉〈権力に―する〉✎大江健三郎の『飼育』に「村の大人たちは弱よわしくそれに―する」とある。「参る」のような比喩的拡大用法はない。⇩Q降参・降伏・参る②

くてん【句点】 日本語の文の終わりに付ける「。」の記号をさして、会話にも文章にも使われる専門的な漢語。〈文の終わりに―を打つ〉✎日常会話では「まる」という。「読点」と

並立。⇩句読点・まる

くどい 同じようなことを何度も繰り返されるときの不快感をさして、会話やさほど硬くない文章に使われる日常の和語。〈説明が―〉〈―ほど念を押す〉✒「―味」「色合いが―」のように、濃すぎてすっきりしない意を表す用法もある。三島由紀夫の『金閣寺』に「(保津川は)―ほどの群青いろをしていた」とある。⇩Qしつこい・執拗《しつよう》

くとうてん【句読点】 句点(。)と読点(、)との総称として、会話にも文章にも使われる漢語。〈―のルール〉〈最近の若者は―を多用する〉✒宇野浩二の『うつりかわり』は「そうして、それも、五日ほど、いたきりで、こんどは、電報も、なにも、こないのに、なにか、そわそわして、立って行った。」というふうに読点を多用し、谷崎潤一郎の『春琴抄』では逆に、「佐助の泣く声が」から「教せてやってるねんで」の次に読点が現れるまで実に一九二字も句読点なしに進行するなど、作家の個性の際立つ例もある。⇩Q句点・点・読点・まる

くどく【功徳】 善い行いをさす仏教語。古めかしく抹香くささを感じさせる漢語。〈―を施す〉〈―になる〉✒川端康成の『浅草紅団』に「一度の参詣で四万六千日参詣したのと同じ―がある」とある。

くなん【苦難】 苦しみと難しさの意で、改まった会話や文章に用いられる漢語。〈―の連続〉〈―の人生を歩む〉〈行く手に―が横たわる〉〈―に耐える〉✒小林多喜二の『蟹工船』に「其処から起る―が(略)描かれていた」とある。「―の道」など、「困難」より感情的・主観的な感じが強い。⇩困難・Q難儀

くに【国(邦)】 住民を有し統治権を持つ領土の意で、くだけた会話から文章まで幅広く使われる基本的な和語。〈島―〉〈―を守る〉〈―を治める〉〈大きな―〉〈多くの―が参加する〉✒「―のやり方」「―の敗訴」のように国家や政府を意味する用法もある。「―の両親」「―のなまり」のように故郷をさすこともあり、「―へ帰る」「お―はどちら?」のように両方の意味に解釈できる表現もある。⇩国家

くにざかい【国境】 国と国との境目をさし、会話にも文章にも使われる、やや古風な和語。〈―の山々〉〈このあたりが―となっていた〉✒武蔵・越後・信濃・駿河といった旧国名の境界にはこの語を用いることが多い。川端康成の『雪国』の冒頭の一文「―の長いトンネルを抜けると雪国であった」も「こっきょう」と読み慣わしているが、意味の上では「くにざかい」と読むほうがしっくり来るかもしれない。「こっきょう」より線的なイメージは弱く、境界線の内側まで含む面としてとらえて「―に住む」という言い方も可能。「市ざかい」「県ざかい」も同様である。⇩こっきょう

くのう【苦悩】 解消できずに困っている深い精神的苦痛をさし、改まった会話や文章に用いられる硬い感じの漢語。〈―の日々〉〈―が絶えない〉〈顔に―の色が浮かぶ〉✒井伏鱒二の『丹下氏邸』に「彼の顔全部を覆う太くて深い皺は、心の激しい―を示して硬直した」とある。⇩Q懊悩《おうのう》・苦痛・苦悶・苦しみ・悩み・煩悶・憂悶

くばる【配る】 分けて各人に渡す意で、くだけた会話から硬い文章まで幅広く使われる日常の基本的な和語。〈郵便を―〉〈問題用紙を―〉〈全員に公平に―〉✒小沼丹の『西條

さんの講義』に「西條さんは持ってきたプリントを学生に―・った」とある。「目を―」「心を―」のような抽象的な用法も多い。⇩配付・Q配布

くび【首】頭部全体、または頭と胴とをつなぐ部分をもさし、くだけた会話から硬い文章まで幅広く使われる日常生活の基本的な和語。〈赤ん坊の―がすわる〉〈―をかしげる〉〈―が回らない〉✒「敵将の―を取る」のように、本来は頭部を含めてこの語を用いた。現在では頸部《けいぶ》だけをさすことが多いが、その点を明確にするために「頸」と書くこともある。また、「―を切る」「即刻―だ」のように解雇を意味する場合は「馘首」または単に「馘」と書くこともあり、注意を促すために片仮名で書く例も多い。片仮名書きは俗っぽい感じを与える。⇩頸《くび》・首根っこ・頸部

くび【首(頸)】頭と胴をつなぐ部分をさし、くだけた会話から硬い文章まで幅広く使われる日常の基本的な和語。〈―まわり〉〈ほっそりとした―〉〈肩から―にかけて〉〈―に掛ける〉✒川端康成の『千羽鶴』に「色白の長めな―まで染まって来た。長めな―の美しさを引き立てるためか、洋服の襟に白い飾りがあった」とある。「首」は本来「敵将の―を取る」のように頭部を含めての意。「―をかしげる」も同様。そのため、頭部を除く頸部《けいぶ》のみをさすことを明確にするために、「頸飾り」のように特に「頸」と書くこともある。織田作之助の『雪の夜』に「ずんぐりした―」の例があり、田宮虎彦の『銀心中』には「胸から肩にかけての筋肉が牡牛のようにもりあがっていて、短かい―はその肩の中にうずもれていた」という描写が迫力を添えている。⇩首《くび》・首っ玉・首根っこ・Q頸部

ぐび【具備】あるべき物や事柄をきちんと備えている意で、主に文章中に用いられる硬い漢語。〈必要条件をすべて―する〉⇩具有・Q具える

くびきり【首切り】解雇・免職の意で、主に会話に使われる俗っぽい和語。〈―反対〉〈責任者の―を断行する〉⇩Q解雇・解職・解任・罷免・免職

くびくくり【首縊り】自ら首をくくって死ぬ意で、会話や軽い文章に使われるやや古風な和語。〈―の死体〉✒「首吊り」に比べ、頸部圧迫のイメージが前面に出る。夏目漱石の『吾輩は猫である』に水島寒月が「―の力学と云う脱俗超凡な演題」で演説をする話が出てくる。⇩縊死《いし》・Q首吊り

くびすじ【首筋】頸部の後部をさして、会話にも文章にも使われる日常の和語。〈―が凝る〉〈寝違えて―が痛い〉✒円地文子の『老桜』に「さわやかに生え際の薄れた髪を頭の上に小さく捻じて巻いている―」とある。⇩うなじ・襟足・Q襟首・首根っこ・頸部

くびったま【首っ玉】頸部《けいぶ》をさして、くだけた会話で使われる俗語。〈―を押さえつける〉〈―にかじりついて甘える〉⇩Q頸《くび》・頸部

くびつり【首吊り】自ら首を吊って死ぬ意で、会話やさほど硬くない文章に使われる日常の和語。〈―自殺〉〈―のあった家〉✒「首くくり」に比べ、ぶら下がったイメージが前面に出やすい。⇩縊死《いし》・Q首くくり

くびねっこ【首根っこ】首筋の意で、くだけた会話に使われる俗っぽい和語。〈―を押さえる〉⇩うなじ・襟足・襟首・首・Q

首筋・頸部

くびまき【首(頸)巻】「えり巻き」の意で、会話でも文章でも使われる古い感じの日常の和語。〈毛糸で―を編む〉✎小川国夫の『貝の声』に「浩の視野には彼が、膝の辺から臙脂《えんじ》の頸巻まで、入っていた」とある。⇩Q襟巻・マフラー

くふう【工夫】いろいろ考えて効果的な手段を見つける試みをさし、会話にも文章にも使われる漢語。〈創意―〉〈―を凝らす〉〈―を重ねる〉〈―の跡が見える〉✎中村真一郎の『遠隔感応』に「いろいろとスリルに富んだ―を行って、その出合いに薬味を添えるようにした」とある。⇩考案

ぐふう【颶風】激しく吹き荒れる強い風の意で、主に文章に用いられる古めかしい漢語。〈―に備え警戒を強める〉✎風力階級12の旧称で「暴風」の上で最大。⇩嵐・おおかぜ・強風・時化《しけ》・疾風・陣風・大風・台風・突風・はやて・Q暴風・暴風雨・烈風

くぶん【区分】何らかの基準で区切って分ける意で、会話にも文章にも使われる漢語。〈時代―〉〈五つに―されている〉〈宅地と農地と山林に―する〉⇩区別・Q区分け

くべつ【区別】種類や特徴などの差異によって別々に分ける意で、くだけた会話から硬い文章まで幅広く使われる日常の基本的な漢語。〈色で―する〉〈男女の―〉〈似過ぎて―がつかない〉✎川端康成の『千羽鶴』に「奥さんには、父と僕との―がついているんですか」とある。⇩鑑識・鑑定・鑑別・区分・区分け・識別・Q判別・弁別・見分け

くぼむ【窪む】ある部分の表面が長い間に他の部分より低くなる意で、会話でも文章でも使われる和語。〈目が―〉〈道が―〉〈―・んだ土地〉✎長与善郎の『竹沢先生と云う人』に「洞《ほら》のように深く―・んだ底にらんらんと異様にかがやく両の眼」とある。衝撃を受けて瞬間的に起こることもある「へこむ」に対し、目の周囲以外はたいていある程度以上の広さがあり、自然の作用などで長い時間をかけて徐々に変化するイメージがある。⇩へこむ①

くま【熊】クマ科の哺乳類の総称として会話にも文章にも使う和語。〈―が出る〉〈―の足跡〉✎武田泰淳の『異形の者』に「たくましい身体には、穴から出た―が力だめしでもしているような、殺気とともに滑稽感がみとめられた」とある。芳賀まさおの漫画『こぐまのコロスケ』やミルンの童話『クマのプーさん』などに、ちゃめで心やさしい愛すべき動物として描かれ、金太郎の相撲《すもう》の相手をするなど、日本人にとっては友好的な存在という印象があるため、現実に恐怖を感じた経験のある一部の人を除き、この語に凶暴な語感は意識されない。

くみあいがわ【組合側】体制側・学校側・会社側・経営陣側などの立場から、組合を自らと対立するものとして見たときの用語。〈―の要求をのむ〉✎「体制側」と対立。

くみたて【組み立て】部分の組み合わさり方をさして、会話やさほど硬くない文章に使われる和語。〈機械の―〉〈会議体の―〉〈ばらして―を調べる〉✎「構成」より「構造」に近いが、「構造」ほど複雑な感じはしない。⇩機関・機構・構成・Q構造・仕組み・組織

くめん【工面】努力しいろいろ工夫して必要な金銭や品物を取り揃える意で、会話にも文章にも使われる古風な漢語。〈費用を―する〉〈人数分の用具の―がつかない〉✎木山捷

平の『大陸の細道』に「その時にはどんな旅費を―してでも、迎えに行きますよ」とある。⇩Q算段・都合

くもつ【供物】 神仏や社寺へ供える物の意で、改まった会話や文章に用いられる古風な漢語。〈お―を上げる〉⇩お供え

くもん【苦悶】 苦しみ悶《もだ》える意で、主に文章に用いられる漢語。〈―の表情を浮かべる〉✐「煩悶」と違い肉体的な苦痛を含む。顔の表情に出る例が多い。永井荷風の『すみだ川』に「現実の―をしばらく忘れた」とある。中河与一の『天の夕顔』には「もう一人を愛せないということの窮屈な不幸に―していたのです」とある。⇩懊悩《おうのう》・苦痛・苦悩・苦しみ・悩み・Q煩悶《はんもん》・憂悶《ゆうもん》

くやしい【悔しい】 残念で仕方がない意で、会話にも文章にも使われる和語。〈負けて―〉〈一瞬の油断が―〉✐井伏鱒二の『珍品堂主人』に「歯ぎしりするほど―・かったことでしょう」とある。⇩Q口惜しい・残念・無念

くやむ【悔やむ】 過去の失敗を後悔する意で、会話にも文章にも使われる和語。〈あの時の対応を―〉〈今となって―・んでみても仕方がない〉✐島尾敏雄の『島の果て』に「いたわりの言葉で包んでやらなかったことを唇を噛むほど―・みました」とある。恥ずかしい一面を含みやすい「悔いる」と比べ、この語は自分の思いどおりに事が運ばなかったことを残念に思う気持ちが強い。「知人の死を―」のように、悲しみ弔う意でも用いる。⇩Q悔いる・後悔

ぐゆう【具有】 才能・性格・資格などを持っている意で、主に文章中に用いられる硬い漢語。〈強靱《きょうじん》な精神力を―する逸材〉⇩Q具備・具える

くら【倉】 会話でも文章でも使われる古風な和語。〈―に入れる〉〈―から出す〉✐本来は穀物を貯蔵する建物をさし、財物や武器などをしまっておく「庫」と区別した。現在でも必要に応じて「庫」の字を当てることもある。⇩蔵

くら【蔵】 会話でも文章でも使われる古風な雰囲気の和語。〈―屋敷〉〈酒―〉〈―に大事にしまいこむ〉〈―が建つ〉〈―の街〉✐本来は財物を保管する土蔵をさした。⇩倉

くらい【暗い】 光の量が不足し物が見えにくい状態をさし、くだけた会話から硬い文章まで幅広く使われる日常の基本的な和語。〈部屋が―〉〈空が―・くなる〉〈―・くてよく見えない〉✐遠藤周作の『海と毒薬』に「雨戸をしめきった部屋はひどく―・く、その―影のなかでこの男は妙に蒼黒くむくんで見える」とある。井上靖の『幽鬼』には「そこには―闇があるばかりで、あたりを車軸の雨が叩いている」とある。曾野綾子の『バァバちゃんの土地』には「夜になると、家中が幽霊屋敷のように―・く感じられる」とある。「明るい」と対立。光量に関係なく「気持ちが―・くなる」「―過去を持つ」「見通しが―」「このへんの地理に―」「法律に―」のように比喩的・派生的な用法もある。⇩暗黒・Q暗澹《あんたん》・薄暗い・暗闇・ほの暗い

くらい【位】 ①社会や組織においてその人間の占めている位置をさし、くだけた会話から硬い文章まで幅広く使われる日常の和語。〈―が高い〉〈今の―に甘んじる〉〈―を譲る〉〈上の―をめざす〉✐漠然とした使い方もある「地位」に比べ、具体的で公認された感じがある。⇩Q地位・身の程・身分
②おおよその大きさ・分量・程度であることを示し、会話や

硬くない文章に使われる和語。〈千円―で買える〉〈だいたいその―の広さ〉✎夏目漱石の『坊っちゃん』に「今の―で充分です」とある。「ぐらい」となる例も多い。「りんごを五つほど包んでください」「五万円ばかり貸してもらえると助かるんだけど」というふうに数字をぼかして丁重な感じにする日本的な表現にこの語はなじまない。⇩程度・Ｑばかり・ほど②

グラウンド　運動場や屋外の競技場の漠然とした総称で、やや改まった会話や文章に用いられる外来語。〈ホーム―〉〈練習用の―〉〈―を三周する〉✎施設よりも地面そのものをイメージする傾向が強い。日常会話では「グランド」ということが多い。⇩運動場・球場・競技場・Ｑグランド・コート・スタジアム・野球場

くらがり【暗がり】　暗くて人目につかない場所をさし、会話にも文章にも使われる和語。〈―に潜む〉〈―を利用して近寄る〉✎「暗闇」よりはいくらか光があってぼんやりと見える感じがある。⇩暗闇・闇

くらし【暮らし】　生きて日常の活動をする意で、くだけた会話からさほど硬くない文章まで広く使われる日常の基本的な和語。〈その日―〉〈一人―〉〈贅沢《ぜいたく》な―〉〈庶民の―〉✎里見弴の『美事な醜聞』に「ひとの疝気を頭痛に病むような、そんな優長な―」とある。「生活」ほど改まった感じがなく、気楽でやわらかい感触があるが、若い世代での使用が減ってきている。「―の足しにする」のように「生活費」の意で使われることもある。「―が楽になる」もその意味合いが強い。⇩生活

くらしむき【暮らし向き】　経済面から見た生活の状態をさし、会話やさほど硬くない文章に使われる日常の和語。〈―のことは妻任せにしている〉〈―が楽じゃなさそうだ〉⇩家計・Ｑ生計

くらす【暮らす】　生活しながら月日を過ごす意で、くだけた会話から硬い文章まで幅広く使われる日常の基本的な和語。〈遊んで―〉〈田舎でのんびり―〉〈夫婦水入らずで―〉〈一人で―〉✎夏目漱石の『草枕』に「畳から根の生えた植物のようにじっとして二週間ばかり―・して見たい」とある。時間の経過が意識の中心にある「過ごす」よりも、生活している意識が強い。「安い給料でやっと―」のように、生計を維持する意にも使う。⇩過ごす

クラス　大きさや品質・優劣などの程度を示す段階の意で、会話にも文章にも使う日常の外来語。〈成績はトップ―〉〈一つ上の―に上がる〉〈同じ―の車で最も燃費がいい〉✎「―で一番よく出来る」のように学級の意にも、「英会話の―」「―を休む」のように授業の意にも用いる。⇩グレード・Ｑ等級・ランキング・ランク

クラスメート　主に会話や軽い文章に使われる外来語。〈―の集まり〉〈かつての―だ〉⇩級友・Ｑ同級生

クラッカー　小麦粉の淡泊な薄い焼き菓子をさし、会話にも文章にも使われる外来語。〈ミルクと―で朝食を済ませる〉✎甘くてお菓子系統のビスケット類に対し、塩味で主食代わりにもなる。⇩クッキー・サブレ・Ｑビスケット・ボーロ

ぐらつく　ぐらりと揺れ動いて不安定になる意で、会話やさほど硬くない文章に使われる和語。〈家の土台が―〉〈足許

が―〉〈自信が―〉〈気持ちが―〉⇩Q動揺・乱れる・揺らぐ・揺れる

クラブ 共通の趣味や目的をもった人々の集まる団体組織をさし、会話でも文章でも使われる外来語。〈―活動〉〈ペン―〉✎音と意味を兼ねて「倶楽部」と漢字をあてると、漢字のイメージのせいでとたんに高級そうに見え、いかにも楽しそうだが金もかかりそうな雰囲気に変わる。「ナイト―」「銀座の高級―」など社交や娯楽のための会員制の店をさすこともある。⇩チーム

くらべる【比(較)べる】 複数のものについて形・広さ・長さ・重さ・優劣などの異同や差を調べる意で、くだけた会話から硬い文章まで幅広く使われる日常の基本的な和語。〈大きさを―〉〈値段を―〉〈実力を―〉〈去年の結果と―〉〈源氏物語の原文と現代語訳とを―〉〈強さは―ものがない〉✎正式な感じの「比較する」に比べ、日常生活の話題で特に会話によく使う。太宰治の『富嶽百景』に「吉田の水は、三島の水に―と、水量も不足だし、きたない」とある。⇩Q比較・比する

くらます【晦(暗)ます】 他人から見つからないように事を行う意で、会話にも文章にも使われる和語。〈行方を―〉〈姿を―〉〈人目を―〉✎永井荷風の『濹東綺譚』に「家にかえらず、跡を―・してしまった」とある。主に姿を消す場合に用い、「隠れる」以上に悪いニュアンスが強い。⇩隠れる

くらやみ【暗闇】 暗くて何も見えない意で、会話にも文章にも使われる和語。〈―を手探りで歩く〉〈―に紛れる〉✎強調する場合は「真っ暗闇」と言い、井伏鱒二の『黒い雨』に「真暗闇になって何も見えなくなった」とある。「事件を―に葬る」のように、人目につかない意の比喩的用法もある。⇩暗澹《あんたん》・暗い・暗がり・闇

クランケ かつて医者などが「患者」をさしてよく用いたドイツ語からの古風な外来語。✎患者を刺激しないように当時はよくドイツ語を隠語のように用いた。⇩Q患者・病人

グランド 「グラウンド」の意で主に日常の会話に使われる語形。〈―が硬い〉〈―に集まる〉⇩運動場・球場・競技場・Qグラウンド・コート・スタジアム・野球場

くり【庫裏】 寺の台所をさす伝統的な専門用語。〈名刹《めいさつ》の広い―〉✎住職やその家族の居住部分全体をさす場合もある。島崎藤村の『破戒』は「蓮華寺では下宿を兼ねた」という唐突な一文で始まり、主人公の「瀬川丑松が急に転宿《やどがえ》を思い立って、借りることにした部屋というのは、其―(蔵裏)つづきにある二階の角のところ」と続く。⇩勝手②・キッチン・くりや・炊事場・Q台所・厨房《ちゅうぼう》・調理場

クリーニング 「洗濯」の意で会話やさほど硬くない文章に使われる外来語。〈ドライ―〉〈スーツを―に出す〉✎専門の業者の特にドライクリーニングをさすことが多く、家庭で洗う場合に使う例は少ない。「洗濯」が終わった段階では洗濯物が濡れているイメージがあるが、「クリーニング」の仕上がりは乾いてアイロンまでかかっているイメージが強い。ちなみに、小津安二郎監督の戦前の映画『落第はしたけれど』に「西洋洗濯」と書いた法被《はっぴ》を着た男が登場し、箱には「クリーニング」とある。⇩西洋洗濯・洗濯

くりかえす【繰り返す】 同じことを複数回行ったり、同類のことが何度も起こったりする意で、くだけた会話から硬い

文章まで幅広く使われる日常の基本的な和語。〈噴火を―〉〈相手のことばを口の中で―〉〈同じ練習を毎日―〉〈歴史は―〉✎意図的な「反復」と違い、「同じ過ちを何度でも―」のように結果として起こる場合にも使う。また、二度だけのケースが「反復」より多い感じがある。正宗白鳥の『何処へ』に「雨滴《あまだれ》は同じ音を―・し、鼠も倦みもせずに騒いでいる」とある。⇩反復

クリニック 「診療所」の意で会話にも文章にも使われる新しい感じの外来語。〈駅前に―を開く〉〈消化器専門の―〉✎斬新な感じの語感から最新の医療設備を連想しやすく、近年「医院」に代わる名称として愛用される。⇩医院・Q診療所・病院

くりのべ【繰り延べ】 日時や期限の延期をさして、会話や軽い文章に使われる、やや古風な和語。〈支払いの―〉〈出発日が―になる〉⇩Q延期・延長・繰り下げ・日延べ

くりや【厨】 「台所」の意で用いられたきわめて古い感じの和語。〈―びと〉〈―に立ち入る〉✎煙ですすけるので「黒屋」と呼んだところからの音転という。洋式の場合はイメージが反発し、中華料理でもぴったり来ない。⇩勝手②・キッチン・庫裏《くり》・Q炊事場・台所・厨房《ちゅうぼう》・調理場

くりょ【苦慮】 苦しみながら考える意で、主として硬い文章に用いられる漢語。〈対応に―する〉〈財源の確保に―する〉⇩苦心・腐心

くる【来る】 空間的・時間的・心理的に接近する意で、くだけた会話から硬い文章まで幅広く使われる日常の基本的な和語。〈客が―〉〈台風が―〉〈電話が―〉〈春が―〉〈一雨―〉〈出番が―〉〈限界に―〉〈胸にじいんと―〉✎田宮虎彦の『沖縄の手記から』に「私たちはその日は待つ間もなくきた」とある。そして、その日は待つ間もなくきた」とある。「不注意から―失敗」のように「起因する」意でも、「そこへきてこの始末だ」「向こうはそうきたか」のような抽象的な意味合いでも広く使われる。⇩参る①・やって来る

クルー 船や飛行機の乗組員をさし、主に会話に使われる、やや専門的な外来語。〈キャビン―〉〈―カット〉〈―一同〉✎「長期滞在―」など。宇宙飛行士にも使う。⇩海員・水夫・セーラー・船員・Q乗組員・船乗り・マドロス

グループ 一定の集団をさし、会話から文章まで幅広く使われる外来語。〈―活動〉〈―ごとに行動する〉〈―を解散する〉〈分類すると三つの―に分かれる〉✎太宰治の『人間失格』に「れいの地下運動の―」とある。「班」が指示に従って結成される場合が多いのに対し、自発的に自然にできあがったような雰囲気を感じさせる。そのため、「班」が強制されて規律正しく自由が利かない感じなのにひきかえ、自由な雰囲気のもとに楽しく活動するケースを連想させる傾向がある。「班」と違って、人間以外にも用いられる。⇩班

くるしい【苦しい】 肉体的な苦痛や精神的な悩みで我慢するのが困難な状態をさし、くだけた会話から硬い文章まで幅広く使われる日常の基本的な和語。〈息が―〉〈生活が―〉〈―答弁〉✎太宰治は『桜桃』で「心がどんなにつらくても、からだがどんなに―・くても、ほとんど必死で、楽しい雰囲気を創る事に努力する」と、「つらい」と「苦しい」を併用してみせた。「胸が―」は肉体的、「―胸の内」は精神的。

全体的・精神的な「つらい」に対し、具体的な感覚と密着した感じが強い。⇩つらい

くるしみ【苦しみ】肉体的・精神的に苦しい感覚・感情をさし、会話にも文章にも広く使われる日常の和語。〈地獄の—を味わう〉〈—を訴える〉〈—をやわらげる〉〈—を乗り越える〉✎中村真一郎の『遠隔感応』に「恋の—のような気持は、恋そのものにも劣らず強烈に私に迫って来たのだ」とある。⇩懊悩《おうのう》・Q苦痛・苦悩・苦悶・悩み・煩悶・憂悶

くるま【車】車輪を回転させて人や物を運ぶ乗り物をさし、会話や硬くない文章に使われる日常の和語。〈—で通勤する〉〈—を飛ばす〉〈—で送り届ける〉✎庄野潤三の『イタリア風』に「—が重なり合うように走っていた」とある。明治・大正の時代は人力車をさしたが、現在は自動車、特に乗用車をさす。「—を拾う」の形で特にタクシーをさすこともある。しばしば「くるま」「クルマ」と仮名表記される。⇩自動車

くるまひき【車引き】人力車を引いて走る職業の人をさした和語。廃語的。〈観光地に—がたむろしている〉✎人力車の衰退とともに姿を消し、この語もめったに聞かれなくなっている。⇩車屋・Q車夫

くるまや【車屋】「車引き」の意のやや俗っぽい和語。廃語的。〈アラ、ヨッという—の威勢のよい掛け声〉✎人力車の衰退に伴ってこの職業も廃れ、自然この語も使われなくなった。今は、自動車業界で自分たちを冗談めかして言う場合に用いる俗語として耳にする。⇩Q車引き・車夫

くるまよせ【車寄せ】自動車を乗りつけるために玄関先に屋根を張り出した場所をさし、会話にも文章にも使われるやや古風な和語。〈雨の日は—で乗り降りする〉⇩ポーチ

くるむ【包む】やわらかく巻くように覆う意で、会話やさほど硬くない文章で使われる、やや古風な感じのする和語。〈風呂敷に—〉〈毛布で—〉〈餅を海苔で—〉〈共布で—・んだボタン〉✎「コートにすっぽりと身を包っむ」のように「包む」でも顔が出ることもあるが、「赤ん坊をバスタオルで—」のように、「くるむ」の場合は全体を覆い尽くしても尽くさなくても、中のものを大事に扱う感じを伴う。⇩つつむ

グルメ　舌が肥えていて料理の味にうるさい意で、会話にも文章にも近年よく使われる外来語。〈—として知られる〉〈—に出しても恥ずかしくない料理〉✎「美食家」や「食道楽」より料理に関する知識がありそうな感じがするが、「食通」のように調理法などに関する知識が豊富だという雰囲気は特に感じさせない。⇩食い道楽・Q食通・食道楽・美食家

くれ【暮れ】一年の終わりの時期をさし、会話にも文章にも使われる、やや古風な和語。〈盆—の付け届け〉〈—の大掃除〉〈—の三十日〉✎「日—」「夕—」のように日没のあたりをもさすが、「日の—」という言い方はすでに古めかしく、単独ではほとんどの場合「年の—」である年末の意味で使う。⇩Q歳末・歳暮・年の暮れ・年の瀬・年末

グレード　品質などを基準とする段階の意で、会話にも文章にも使われる外来語。〈—アップ〉〈—が上がる〉〈—が高い〉⇩クラス・Q等級・ランキング・ランク

クレーム　製品や扱いなどに関する「苦情」の意で、会話や軽い文章に使われる外来語。〈—がつく〉〈—をつける〉✎

本来は、商品取引における契約違反の賠償請求をさす専門語だが、近年日常生活で幅広く使うようになっている。⇩Q苦情・文句

クレーン 起重機の意で会話にも文章にも使われる外来語。〈—車〉🖉現在は「起重機」より普通に使う。木山捷平の『大陸の細道』に「死んで一片の白骨となって、小包紐でしばられ、未知の郵便配達夫の手で汽車に積まれたり、降ろされたり、空高く—で船に投げ込まれたり海風に吹かれたり」とある。⇩起重機

くれがた【暮れ方】 日が暮れる頃をさし、会話でも文章でも使われる、やや古い感じの和語。〈—から雨になる〉🖉芥川龍之介の『羅生門』は「或日の—の事である」という一文で始まる。⇩たそがれ・薄暮・晩方・日暮れ・灯ともし頃・夕・Q夕方・夕暮れ・夕刻・夕べ・夕間暮れ・宵・宵の口

クレパス 顔料を油脂で固めた棒状の絵の具をさし、会話にも文章にも使われる商標名。〈—で描く〉🖉「クレヨン」と「パステル」との両方の特色をもつところから。⇩Qクレヨン・パステル

クレヨン 蠟《ろう》や油脂に顔料を混ぜて固めた棒状の児童用の絵の具をさし、会話にも文章にも日常使われる、フランス語からの外来語。〈幼稚園児が—で親の顔を描く〉🖉石坂洋次郎の『山のかなたに』に「出来事を、例の子供の—画のように、単純な、線の強い描き方で報告をした」とある。⇩Qクレパス・パステル

くれる【呉れる】 相手が好意で物をこちらに与える意で、会話や改まらない文章で使われる日常生活の和語。〈金を—・れ〉〈頼めばただで—よ〉〈誰が—・れた〉🖉「欲しかったら、—・れてもいいぞ」のように、自分が相手に物を与える場合に使うと古い感じになり、古い言い方が地方に残っている関係で方言的なニュアンスも加わる。「特別—・れてやる」「こんなもの、いくらでも—・れてやるよ」というふうに「くれてやる」の形になると、その方言色は薄まるが、いくらか古い感じは残る。この場合、「くれる」の部分が所有権の移転を表し、「やる」の部分が自から他へという方向性を示している、と考えるとわかりやすい。後者に「差し上げる」でも「あげる」でもなく「やる」を用いるこの言い方は、「—・れてつかわす」ほどではないにしろ、多少とも尊大な感じが伴う。井伏鱒二の短編『文章其他』に、主人公が義妹に「三十一枚の私の短篇小説を—・れてやろうか、それとも半襟の方がいいか」と尋ねて半襟を選択される場面がある。⇩上げる・与える・差し上げる・授ける・施す・Qやる②

くろ【黒】 ①墨や炭のような暗い色をさし、くだけた会話から文章まで幅広く使われる基本的な和語。〈—のスーツ〉〈—で統一をとる〉🖉幸田文の『流れる』に「炭をつぐ色—の指にダイヤが光っていた」とある。②犯罪行為を起こした当人である意の隠語。〈取調べによりシロか—かをはっきりさせる〉🖉片仮名書きの例が多い。①②とも「白」と対立。⇩犯罪者・犯罪人・犯人

くろう【苦労】 あれこれ骨を折って苦しい思いをする意で、くだけた会話から硬い文章まで幅広く使われる日常の基本的漢語。〈御—さま〉〈親に—をかける〉〈いつまでも—が絶えない〉〈—の甲斐がある〉〈—して仕上げる〉🖉野間宏

の『崩壊感覚』に「何の―もいらない結構な御身分」とある。「労苦」と違い、精神的な負担の意にも使う。⇩難儀・労苦

ぐろう【愚弄】 相手を小ばかにして見下した態度をとる意で、改まった会話や文章に用いられる、いくぶん古風な漢語。〈相手を―する〉〈―するのもいい加減にしろ〉✎夏目漱石の『坊っちゃん』に「新来の先生を―する様な軽薄な生徒」とある。「嘲弄」に比べ、激しく嘲る感じは少ない。⇩からかう・嘲弄

くろうと【玄人】 技芸などの一事に熟達し、それを職業や専門としている人の意で、会話や軽い文章に使われる日常の和語。〈―はだしの芸〉〈―の域に達している〉〈これぞ―の技〉✎「―女」として芸妓や遊女などの商売女をさす用法もある。鎌倉の自宅を訪問した際、小林秀雄は広い応接間で、今は「眼高手低の時代」で、文章においても「そういう時代認識に一番鋭敏なものが―だ」と語った。⇩スペシャリスト・専門家・Qプロ

クロースアップ 慣用的な「クローズアップ」より原語の発音に近いとして稀に用いられる外国語。✎世間の慣用を破って原語音に近づけた忠実さと、ことさら英語めかした語形を採用した気取りが感じられる。⇩クローズアップ

クローズアップ 「大写し」の意の英語からの外来語の伝統的な発音。〈介護の問題が―される〉⇩クロースアップ

くろめ【黒目】 眼球中央の黒い部分をさして、主に日常会話で普通に使われる和語。〈―勝ちの美少女〉✎川端康成の『千羽鶴』に「母親より―勝ちの令嬢の目は悲しげだった」とある。⇩瞳孔《どうこう》・Q瞳

くろめがね【黒眼鏡】 レンズに黒い色のついた眼鏡をさし、会話にも文章にも使われる古風な和語。〈―の人物〉✎まぶしさを防ぐというより変装して顔をわかりにくくする連想が強い。⇩色眼鏡・Qサングラス

くろんぼう【黒ん坊】 「黒人」の意で、主にくだけた会話に使われる俗語。〈―の少年〉✎「くろんぼ」とも言う。親しみの気持ちをこめて使う場合もあるが、軽蔑の響きが強いとして使用を控える傾向にある。⇩黒色人種・Q黒人・ニグロ

くわえる【加える】 すでにある部分に何かを付け足して数量を増やす意で、会話にも文章にも使われる和語。〈本俸に手当てを―〉〈スープに酒と味醂《みりん》を―〉〈甘みを―〉✎「足す」と違い、追加するのは同じ種類の物でも違う種類の物でもよい。「攻撃を―」「解釈を―」「手心を―」など、何かを行って対象にある作用を及ぼす意でも使う。⇩足す

くわけ【区分け】 「区分」の意で、主に会話に使われる和語。〈郵便物の―作業〉〈―がはっきりしない〉⇩Q区分・区別

くわしい【詳(精・委)しい】 細かい点まで念入りに行き渡る意で、くだけた会話から硬い文章まで幅広く使われる日常の基本的な和語。〈―・く説明する〉〈―地図〉〈―事情は不明〉✎夏目漱石の『坊っちゃん』に「よく色々な事を知ってますね。どうして、そんな―事が分るんですか」とある。「詳細」に比べ、相手の理解を助ける意図も感じられる。「法律に―」「この辺の地理に―」のように、細部まで知っている意にも使う。⇩Q詳細・精通・通暁

くわだてる【企てる】 計画を立てて実行しようとする意で、

やや改まった会話や文章に用いられる和語。〈海外進出を―〉〈逃亡を―〉✎「もくろむ」ほどではないが悪い意味に使われる例が多く、「もくろむ」に比べ、対象も方法も具体的で実行段階に入りかけている感じがある。⇩もくろむ

くわわる【加わる】程度がさらに増す、活動に参加するの意で、会話にも文章にも使われる和語。〈寒さが―〉〈速度が―〉〈仲間に―〉〈活動に―〉〈人の輪に―〉✎小沼丹の『型録漫録』に「お前さんも一口―・らぬか？と生命保険の勧誘みたいなことを云い出した」とある。⇩Q参加・参入

ぐんぐん 勢いよく伸びたり速くなったりする様子をさし、会話や硬くない文章に使われる擬態語。〈背が―伸びる〉〈成績が―よくなる〉〈仕事が―はかどる〉〈―スピードを上げる〉⇩じゃんじゃん・ずんずん・どしどし・Qどんどん

くんじ【訓示】教え諭す行為やその内容の意で、改まった会話や文章に用いられる漢語。〈新任大臣の―〉〈部下を集めて―を垂れる〉⇩訓辞

くんじ【訓辞】教え諭すことばの意で、改まった会話や文章で用いられる漢語。〈―を述べる〉〈校長の―を静かに聴く〉⇩訓示

くんしゅ【君主】世襲によって国や領地を統治する王をさし、改まった会話や文章に用いられる、やや古風な漢語。〈―制〉〈専制―〉⇩王・王様・Q皇帝・国王・大王・帝王・天子・天皇・帝

ぐんしゅう【群集】人間や動物が群がり集まる意、また、そのものをさし、主として文章に用いられる専門的な漢語。〈初詣に押しかけた―〉〈猿の―〉〈ススキの―〉✎室生犀星の『杏っ子』に「大―を前にして立った」とある。「群衆」とは違って、人間に限らず動植物についても使われる。「―心理」は社会学・心理学の学術用語で、集団になったときに無責任に同調しやすくなる、個人個人の場合とは違う特殊な心理状態をさす。⇩群衆

ぐんしゅう【群衆】集まった人間の群れをさし、会話でも文章でも使われる漢語。〈広場を埋めた数万の―〉〈―にもみくちゃにされる〉✎「群集」と違って人間についてのみ用いる。⇩群集

ぐんじりょく【軍事力】軍隊や兵器の総合的な戦闘能力をさし、改まった会話や文章に用いられる正式な感じの漢語。〈―を誇示する〉〈強大な―にものを言わせる〉✎国家単位のような大きな規模の対象に用いる。⇩戦力・武力・Q兵力

ぐんじん【軍人】戦争に従事することを職務とし、陸海空軍の軍籍を有する将兵の総称。〈職業―〉〈退役―〉〈―勅諭〉✎藤枝静男の『犬の血』に「―の狡さ(略)排他的な、陰微で卑しい黴みたいな、ネチネチとした嫌なものがある」とある。⇩軍属・兵・Q兵士・兵卒・兵隊

ぐんぞく【軍属】軍人以外で軍隊に勤務する人の総称。〈軍人・―一致団結して戦う〉⇩Q軍人・兵・兵士・兵卒・兵隊

ぐんばいがあがる【軍配が上がる】勝利が決定する意で、相撲用語の拡大用法。〈永年にわたる抗争にようやく決着がつき、原告側に―・った〉✎相撲《すもう》で行司が勝ち力士に軍配を上げる意から、広く一般に「勝利を認められる」意にも用いられるが、今でも相撲の連想が残る。⇩勝つ・勝利

ぐんぱつ【群発】一定の地域に一定の期間何度も繰り返し発生する意で、主に文章の中で用いられる硬い漢語。〈―地

震〉〈この地域に誘拐事件が―する〉⇩続発・多発・Q頻発・連発

くんれん【訓練】指導的に練習させられる意で、やや改まった会話や文章に用いる、若干古い感じを伴う漢語。〈避難―〉〈―を積む〉〈日ごろの―がものをいう〉✎永井荷風の『濹東綺譚』に「何事をなすにも―が必要である」とある。「練習」と比べ、上からの指示に従うイメージがあり、それだけ厳しい雰囲気を感じさせる。⇩稽古・Q練習

ぐんをぬく【群を抜く】ある点が大勢の中で飛び抜けている意で、やや改まった会話や文章に用いられる表現。〈今や実力は―〉〈―速さを誇る〉✎「抜群」と同様、好ましい方向に突出する場合に使う。⇩図抜ける・ずば抜ける・飛び抜ける・抜きん出る・Q抜群

け

ケア 病人や老人の世話や介護をさし、会話や硬くない文章に用いられる新しい感じの外来語。〈―プラン〉〈―マネージャー〉〈―ルーム〉✎「スキン―」のように体などの手入れをさすこともある。⇩介護・介抱・看護・看病

けい【刑】国が法律に基づいて犯罪者に科する肉体的・経済的な制裁をさし、改まった会話や文章に用いられる、やや専門的な漢語。〈―を科す〉〈―に処する〉〈―を軽くする〉〈―を執行する〉〈―に処す〉〈―に服する〉⇩Q刑罰・罰

げい【芸〔藝〕】修錬によって身につけた演劇や遊芸などの技能をさし、会話にも文章にも使われる日常の漢語。〈―の虫〉〈―が達者だ〉〈なかなかの―だ〉〈―をみがく〉✎まれに、「―を披露する」のように、見せ物・出し物として演じた全体をさすこともあるが、中心はあくまで一つ一つの演技の達成度にある。「芸能」や「演芸」と違って、役者や芸人だけでなく、「犬に―を仕込む」のように動物にも用い、また、「―がない」「―が細かい」のように比喩的にも使う。⇩演芸・芸能・Q技

けいい【経緯】「いきさつ」の意で、いくぶん改まった会話や文章に用いられる漢語。〈事件の―を簡潔に説明する〉〈その間の―はわかっていない〉✎物事がそのような意外な結果になった、知られていない事情を明かす場合などによく使う。⇩いきさつ

けいえい【経営】 組織体を管理・運営し、事業を順調に展開する意で、会話にも文章にも使われる漢語。〈―者〉〈―コンサルタント〉〈―を立て直す〉✎「―不振」「―が苦しい」「―が破綻する」のように、「運営」と違ってすぐに経済的な面が意識される。⇩運営

けいか【経過】 時間や過程・段階を経ることをさし、やや改まった会話や文章に使われる漢語。〈途中―〉〈―措置〉〈術後の―は良好だ〉〈五年―する〉〈―を見て決める〉⇩過ぎる・経《た》つ・経る

けいが【慶賀】 めでたいことを祝う気持ちをさし、主に改まった文章に用いられる漢語。〈―すべき快挙〉✎小沼丹の『風光る丘』に「これは大いに―に堪えないね。あの娘も多少は人情を解すると見えるぜ」とある。⇩めでたい

けいかい【警戒】 損失や被害を受けないように十分な対策をとる、危険のありそうな対象にあらかじめ心を配って被害を防ごうとする意で、会話にも文章にも使われる漢語。〈非常―〉〈―警報〉〈厳重な―を要する〉〈徹夜で―にあたる〉〈―の色を強める〉✎日常的な「用心」に比べ、怖れている事態の起こる確率が高くそれだけ緊迫した雰囲気が感じられる。志賀直哉の小品『山鳩』に「猟犬は―していなければ危いが、鳥は安心していてもいい腕前だそうだ」とある。⇩注意・Q用心

けいかい【軽快】 身も心も軽く滑らかに動く様子をさし、会話にも文章にも使われる漢語。〈―な動き〉〈―な調べに乗って〉〈―に走る〉✎太宰治の『富嶽百景』に「井伏氏はちゃんと登山服を着て居られて、―の姿であったが」とある。⇩軽やか

けいかく【計画】 物事を行う方法や手順などを予《あらかじ》め考える意で、会話にも文章にも広く使われる基本的な漢語。〈都市―〉〈―倒れに終わる〉〈綿密な―を立てる〉〈―を実行に移す〉✎「企画」よりも幅広い場合に使う。⇩青写真・Q企画・構想・心積もり・プラン・方針・予定

けいかん【警官】「警察官」の略で、やや改まった会話や文章中に用いる、最も一般的な漢語表現。〈婦人―〉〈―のパトロール〉〈―が先導する〉〈―の不審訊問〉✎「お巡りさん」ほど気軽に話しかけて道を聞けない感じがある。⇩お巡り・お巡りさん・Q警察官・巡査・駐在

けいがん【慧眼】 本質を見抜く鋭い洞察力の意で、主として改まった文章に用いられる硬い感じの漢語。〈―の士〉〈―で見破る〉⇩炯眼《けいがん》

けいがん【炯眼】 鋭く光る眼の意からすぐれた眼力の意味にも使い、改まった文章に用いられる硬い漢語。〈―人を射る〉⇩慧眼《けいがん》

けいき【契機】「きっかけ」の意で、改まった会話や文章に用いられる漢語。〈経済が立ち直る―となろう〉〈仕事で訪問したのを―に親しく交際するようになる〉⇩きっかけ

けいき【景気】 売買や商取引の状況など社会全体の経済活動の状態を意味し、会話にも文章にも使われる日常の漢語。〈軍需―〉〈―変動〉〈―が上向く〉〈―が悪い〉〈―を刺激する〉〈―を立て直す〉✎石川淳の『普賢』に「大した―だな」とあるように、それだけで景気がよい意にも使う。⇩Q好況・好景気

げいぎ【芸妓】「芸者」の意で、改まった会話や文章中に用いられる漢語。〈―置き屋〉一般的な「芸者」に比べ、少し正式の職業名という雰囲気が漂う。⇩綺麗どころ・芸子・Q芸者・舞子

けいけん【経験】 実際に見たり聞いたり行ったりして知識や技能を獲得する意で、会話にも文章にも広く使われる日常の漢語。〈―者〉〈―が浅い〉〈家庭教師の―がある〉〈いい―になる〉〈貴重な―をする〉〈豊富な―を生かす〉〈長年の―がものをいう〉岡本かの子の『落城後の女』に「男と末遂げない触れ合いをした―」とある。⇩後天的・体験

けいげん【軽減】 減税など義務を減らして負担などを軽くする意で、改まった会話や文章に用いられる漢語。〈負担が―される〉⇩Q削減・節減・低減・逓減《ていげん》

けいこ【稽古】 技芸などの練習をさし、会話でも文章でも使われる古風でやわらかい感じの漢語。〈―事〉〈寒―〉〈舞台―〉〈―をつける〉〈相撲《すもう》部屋の朝―〉〈昔とは―量が違う〉〈ピアノのお―〉平林たい子の『秘密』に「人生は、やり直しのきく―のようにたやすく思っているらしく」とある。相撲のほか芸事や習い事に使われ、その他の場合は古めかしい感じに響く。⇩訓練・習練・Q練習

けいご【警護】 警戒して護衛する意で、やや改まった会話や文章に用いられる硬い感じの漢語。〈―に当たる〉〈身辺を―する〉「警固」の新しい表記として現れた語というが、人間を護る感じが強い。⇩Q警固・護衛

けいご【警固】 非常事態を警戒して周囲を固める意で、改まった会話や文章に用いられる硬い漢語。〈要人の―〉〈テロに備えて会場を―する〉「警護」に比べ、場所のイメージが強い。⇩Q警護・護衛

げいこ【芸子】 上方で「芸者」の意に使われる表現。〈―上がりの女〉〈舞子から―になる〉⇩綺麗どころ・芸妓・Q芸者・舞子

けいこう【携行】 携えて持参する意で、主に文章に用いられる硬い漢語。〈―食糧〉〈雨具を―する〉「携帯」ほど、身に接近せずトランクなどに入れて持参してもこれに含まれる感じがある。⇩Q携帯・持参

けいこう【傾向】 ある方向に傾く意で、会話にも文章にも使われる日常の漢語。〈出題―を探る〉〈上昇の―が見られる〉〈先細りの―にある〉〈増える―が強い〉井伏鱒二の『山椒魚』に「諸君は、発狂した山椒魚を見たことはないであろうが、この山椒魚に幾らかその―がなかったとは誰がいえよう」とある。「―文学」のように、特に左翼思想に傾く意の用法もあり、その場合は古風な感じが漂う。⇩傾き②・的・ぽい

げいごう【迎合】 本来あるべき姿や自分の考えと違っても相手の好みや世の風潮などに調子を合わせる意で、改まった会話や文章に用いられる漢語。〈視聴者に―した番組〉〈大衆に―する記事〉〈学生に―した科目編成〉⇩Qおもねる・媚《こ》びる・取り入る・へつらう

けいこく【警告】 悪い事態を招いたり大きな問題に発展したりする前に注意を促す意で、やや改まった会話や文章に用いられる漢語。〈―を発する〉〈―を受ける〉〈再三の―を無視する〉「忠告」に比べ、従わないと攻撃されたり訴えられたり何らかの不利益をこうむるような雰囲気があり、

強制力が強い。⇩勧告・Ｑ忠告

けいさい【掲載】 新聞・雑誌などに文章・写真・絵などを載せて公表する意で、会話にも文章にも使われる漢語。〈―記事〉〈広告を―する〉〈新聞に―される〉〈―許可を求める〉✎掲載号は新聞では「掲載紙」、雑誌では「掲載誌」と書く。⇩登載・載せる

けいざい【経済】 生活に必要な物資を生産・分配・消費する社会活動をさし、会話にも文章にも使われる基本的な漢語。〈自由―〉〈―成長〉〈―界〉〈―の動向〉〈―が安定する〉〈―を立て直す〉✎「まとめて買ったほうが―的だ」のように安上がりの意にも用い、志賀直哉の『和解』に「多少はエネルギーの―になるだろう」とある。また、「―的に恵まれる」のように財産や収入の程度の意にも使う。「不―」「―的」「―観念」のように費用や時間などのやりくりの意にも使われる。国を治め民を救う意の「経国(世)済民」から出た語。⇩金融・理財

けいさつ【警察】「警察署」や「警察官」の略称で、会話や軽い文章に用いられる日常の漢語。〈―に通報する〉〈―に訴える〉〈―を呼ぶ〉〈―の捜査〉〈―に捕まる〉✎志賀直哉の『児を盗む話』は「私は―へ曳かれた」と終わる。本来は、公共の安全・秩序を維持するために犯罪などを取り締まる任務をさし、その場合は専門的な感じが強い。日常用語としては、その任務を遂行する場所や人をさす。⇩Ｑ警察署・警察庁・警視庁

けいさつかん【警察官】 警察の職務を遂行して社会公共の安全を維持する公務員をさし、主として改まった会話や硬い文章に用いられる、正式な感じの漢語。〈―を志願する〉〈―の任務〉✎「お巡りさん」はもちろん「巡査」よりも緊張した雰囲気があって、気軽に呼びかけて話しにくい感じがある。⇩お巡り・お巡りさん・Ｑ警官・巡査・駐在

けいさつしょ【警察署】 一定の地域を管轄する警察機関をさし、改まった会話や文章に用いられる、やや専門的な漢語。〈―に連行する〉〈―の管轄〉⇩警察

けいさつちょう【警察庁】 全国の都道府県の警察を指揮監督する官庁をさし、会話にも文章にも使われる専門的な漢語。〈―からの通達〉⇩警視庁

けいさん【計算】 一定の法則に従って数量を処理し結果を出す意で、くだけた会話から硬い文章まで幅広く使われる日常の基本的な漢語。〈―問題〉〈税金を―する〉〈きちんと―が合う〉〈食費を―に入れる〉✎「―どおりに事が運ぶ」のように、数量とは無関係な細かい予測・計画をさす用法もある。⇩Ｑ勘定・算出

けいじ【掲示】 みんなに知らせるために目立つ場所に文書などを掲げる意で、会話にも文章にも使われる漢語。〈電光―板〉〈会の内容を―する〉⇩表示・展示

けいじ【刑事】 犯罪捜査に当たる警察官をさし、会話にも文章にも使われる漢語。〈私服―〉〈―が張り込む〉✎「刑事巡査」の略。私服の連想が強い。志賀直哉の『暗夜行路』に「遠巻に何人かの―が取り捲いている」とある。「―事件」「―訴訟」「―裁判」「―責任」のように、刑法に関係する事柄をもさす。その用法では専門的な語感が働き、「民事」と対立。⇩でか

けいしき【形式】内容や実質を別にし外部から観察可能な形やあり方をさし、会話にも文章にも使われる日常の基本的な漢語。〈―主義〉〈―どおりに行う〉〈―にとらわれる〉〈―を重んじる〉〈発表の―〉〈―を踏む〉〈―的な挨拶〉〈―を整える〉〈―にとらわれる〉〈伝統的な―を踏襲する〉✎実質より見かけに重点を置いた表現。小林秀雄は『モオツァルト』で「―の完備整頓、表現の清らかさという点では無類である」と評した。「―的」のように、心のこもらないニュアンスで使うこともあり、「―だけの会長」のように、実質が伴わないという含みをもつ用法もある。「手紙文の―に則って書く」「論文の―をなさない」のように、伝統的・慣習的・常識的にきまっている一定の型をさす例も多い。「内容」と対立。⇩外形・型式《かたしき》・形・恰好・形象・形状・Q形態・姿・スタイル・様式

けいしちょう【警視庁】東京都の警察の本部をさし、会話にも文章にも使われる漢語。〈―捜査一課〉⇩警察庁

けいしゃ【傾斜】傾いて斜めになる意で、いくぶん改まった会話や文章に用いられる漢語。〈―面〉〈―の度合い〉〈―がきつい〉〈緩い―の認められる地面〉✎島崎藤村の『千曲川のスケッチ』に「海のような浅間一帯の大―」とある。志賀直哉の『城の崎にて』に「頭を下に―から流れへ臨んで、凝然《じっ》としていた」とあるように、傾斜した場所をさす例もある。「心が―する」のように、ある方向に考えや気持ちが傾く意の比喩的な用法もある。⇩傾き①・Q勾配

げいしゃ【芸者】料亭などでの宴席において歌舞音曲などで座を盛り上げる職業の女性をさし、会話にも文章にも使われる漢語。〈―を呼ぶ〉〈―を揚げる〉✎宮尾登美子の『櫂』に「―は、まるで今刷上った絵草紙の、まだ絵具がぼたぼたと滴っているような鮮かさ」とある。「芸妓《げいぎ》」や「芸子《げいこ》」より一般的に広く使う。⇩綺麗どころ・Q芸妓・芸子・舞子

げいじゅつ【芸術】音楽・絵画・彫刻あるいは文学など、美の実現をめざす人間の創造活動をさし、会話から硬い文章まで幅広く用いられる最も一般的な日常の基本的な漢語。〈前衛―〉〈―の域に達する〉〈―のかおり〉〈―の都〉✎小林秀雄の『モオツァルト』に「優れた―作品が表現する一種言い難い或るものは、その作品固有の様式と離す事が出来ない」とある。「アート」に比べ、空間芸術のみならず音楽のような時間芸術をも含み、広くは文学まで包含する。⇩アート

けいしょう【形象】外に現れている物の形をさし、主に文章中に用いられる、いくぶん古風で硬い専門的な漢語。〈文学―〉〈観念の―化〉✎思想や感情など抽象的な観念を形に表す場合などに使う。⇩外形・形・恰好・形式・Q形状・形態・姿

けいしょう【軽症】軽い症状の意で、会話でも文章でも使われる漢語。〈病気は―なので心配ない〉〈―の部類に属する〉✎病気でも怪我でも使えるが、外傷の場合は「軽傷」と書いて区別する傾向がある。⇩軽傷

けいしょう【軽傷】軽い負傷をさし、会話でも文章でも使われる漢語。〈事故で―を負う〉〈さいわい―で済む〉⇩軽症

けいしょう【継承】先代や前任者の地位・財産・権利・使命・義務などを受け継ぐ意で、改まった会話や文章に用いられる硬い漢語。〈親の選挙地盤を―する〉〈莫大な資産をそのまま―する〉⇩受け継ぐ

けいじょう【形状】 物や人の形や状態をさし、改まった会話や文章に用いられる専門的な硬い漢語。〈―記憶〉〈―を観察する〉〈異様な―を呈する〉〈元の―に復する〉✎「形態」と違い、外から見える部分だけを問題にする。⇩外形・形・恰好・形式・形象・形態・姿

けいしん【軽震】 震度2の旧称。⇩強震・弱震・中震・微震

けいせい【形勢】 変化する事態の現段階における状況、勝敗・優劣の情勢をさし、いくぶん改まった会話や文章に用いられる漢語。〈―不明〉〈―利あらず〉〈―が逆転する〉〈天下の―をうかがう〉✎対立する勢力の優劣を判断する例が多く、「情勢」より主観的になりやすい。⇩状況・Q情勢・旗色

けいせき【形跡(迹)】 事件や行動などがあったことを示す具体的な証拠をさし、やや改まった会話や文章に用いられる漢語。〈犯行の―〉〈侵入した―がある〉〈訪れた―がない〉⇩跡・Q痕跡《こんせき》

けいそう【係(繫)争】 継続する争い、特に当事者どうしが訴訟で争うことをさし、改まった会話や文章に用いられる専門的な硬い漢語。〈―物件〉〈―中の事件〉⇩Q抗争・戦争・紛争

けいぞく【継続】 以後も従来と同様に行う意で、やや改まった会話や文章に用いられる漢語。〈―審議〉〈調査を―する〉〈―する不況の影響で事業の維持・―が危ぶまれる〉〈今後も―して支援を行う〉✎途中で判断を迫られる「続行」に比べ、時間的または段階的に一区切りついた時点で次を判断する場合が多い。また、何らかの共通点のある物事が相次いで起こる感じの「連続」と違い、まったく同じか同種・同質の物事が続く場合に使う。⇩続行・断続・Q連続

けいそつ【軽率】 思慮が不十分で慎重さに欠ける意で、やや改まった会話や文章に用いられる漢語。〈―な行動を慎む〉〈―の謗《そし》りを免れない〉✎谷崎潤一郎の『細雪』に「十分調べてもみませんで、―なことをいたしまして」とある。⇩浅はか・慌て者・おっちょこちょい・Q軽はずみ・軽薄・粗忽《そこつ》・そそっかしい・浮薄

けいたい【形態】 物事や組織などの形や組み立てをさし、改まった会話や文章に用いられる、やや専門的な硬い漢語。〈―をとる〉〈―が定まる〉〈―を調べる〉✎「形状」と違い、内部の機構まで含む。⇩外形・形・恰好・形式・形象・形状・姿

けいたい【携帯】 身に帯びて持っている意で、会話にも文章にも使われる漢語。〈―燃料〉〈―に便利〉〈―用のラジオ〉✎近年はこの語だけで「―電話」を意味する例が多い。⇩携行

けいたいでんわ【携帯電話】 携帯用の小型電話機をさし、改まった文章などに用いられる、正式な感じの古めかしい漢語表現。〈―のマナー〉〈―でこまめに連絡を取り合う〉✎この語の短縮形「ケータイ」より古風でいささか大仰な雰囲気になる。川上弘美の『センセイの鞄』に、元の教え子にあたる比較的若い恋人に、心配だからケータイを持つようにと繰り返し奨められた昔のセンセイはようやく承諾するが、その代わり以後「携帯電話」と呼ぶことを条件に持ち出して、高校時代の生徒に国語の指導をする場面がある。⇩ケータイ

けいとう【系統】 一定の順序で続いている統一のある繫《つな》がり

の意で、会話にも文章にも使われる漢語。〈バス路線の―図〉〈和歌の―を引く〉〈まったく―が違う〉〈―立った研究〉✎「源氏の―の家柄」「母方の―は代々医者をやってきた」のように血筋をさす用法もあり、「同じ―を汲《く》む」などとも言うように、「系列」と違って、時間的な流れという通時的な縦の関係でとらえている。「電気―の故障」のような共時的な用法もあるが、その場合も中心からの枝分かれといった流れが意識される。⇩系列

けいとう【傾倒】 何かにすべてをなげうって夢中になる意で、やや改まった会話や文章に用いられる漢語。〈アルベール・カミュに―する〉〈マルクス理論に―する〉〈青年期は太宰治に―する傾向がある〉〈その頃は実存主義に―する者が多かった〉⇩感服・敬服・Q心酔・心服

げいのう【芸〔藝〕能】 映画・演劇・歌謡・舞踊・能・狂言・落語・漫才・講談・浪曲などの伝統的な大衆演芸の総称。〈―人〉〈―界〉〈―プロダクション〉〈郷土―〉〈民俗―〉〈古典―〉✎個々の芸をさす「演芸」と違って演芸全体の呼称。⇩Q演芸・芸

けいばい【競売】 差し押さえた品物などを法律に基づいて売ることをさす漢語。「きょうばい」が日常語なのに対し、法律関係の専門語というニュアンスが濃い。〈―に付された物件〉⇩オークション・Qきょうばい・競り売り

けいはく【軽薄】 物事を軽く考えすぎて慎重さを欠く意で、やや改まった会話や文章に使われる漢語。〈―短小〉〈―な行動〉〈―きわまる発言〉✎太宰治は『桜桃』の中で、「悲しい時に、かえって軽い楽しい物語の創造に努力する」のに、「太宰という作家も、このごろは―である、面白さだけで読者を釣る、すこぶる安易、と私を蔑む」と嘆いている。⇩浅はか・軽はずみ・軽率・Q浮薄

けいばつ【刑罰】 犯罪者に科せられる法による制裁をさし、会話にも文章にも使われるやや硬い漢語。〈重い―〉〈―を科する〉〈―を受ける〉✎川端康成の『雪国』のラストシーンに「葉子を胸に抱えて戻ろうとした。(略)駒子は自分の犠牲か―かを抱いているように見えた」とある。⇩刑・罰

けいひ【経費】 維持・運営・生産・製造・催しなどに要する費用の意で、会話にも文章にも使われる、やや正式な感じの漢語。〈必要―〉〈会社の―〉〈―がかさむ〉〈―の削減に努める〉✎「費用」に比べ、一定の箇所の一定の期間の分をまとめて計算することが多い。⇩費用

けいひん【景品】 商品に添えて客にサービスで贈る品物をさし、会話にも文章にも使われる日常の漢語。〈―目当て〉〈豪華な―が付く〉✎「パチンコの―」のように、福引や射的などに当たった客に与える品をさすこともある。⇩Qおまけ・付録

けいぶ【頸部】 頭と胴とのつなぎめの部分をさして、主に硬い文章中に用いられる専門的な漢語。〈―に傷を負う〉〈―に違和感を覚える〉⇩うなじ・襟足・襟首・首《くび》・Q頸《くび》・首筋・首っ玉・首根っこ

けいふく【敬服】 人柄や行為・業績などを立派だと思ってその人に頭の下がる思いを抱く意で、やや改まった会話や文章に用いられる漢語。〈努力に―する〉〈心より―してやまない〉✎「心服」に比べ、評価をもとにした客観的な感じが強

い。⇩感服・傾倒・心酔・Ｑ心服

けいべつ【軽蔑】「さげすむ」に近い意味で、会話でも文章でも広く使われる日常的な漢語。〈—の目で見る〉〈相手に—される〉✎小林秀雄の『ゴッホの手紙』に「翻訳文化という—的な言葉が屢々人の口に上る」とある。⇩侮る・Ｑ蔑む・なめる②・見下す・みくびる・見下げる

けいぼ【継母】 実母ではない、父の配偶者をさし、主に硬い文章に用いられる漢語。〈母の死後、父は再婚し—が家に入って来る〉✎「まま母」より客観的で正式な感じがあり、親しみや憎しみの感情を喚起させにくい。⇩義母・Ｑまま母・養母

けいほう【警報】 重大な災害に対して警戒を促す知らせをさし会話にも文章にも使われる漢語。〈空襲—発令〉〈警戒—〉〈—が出る〉✎木山捷平の『大陸の細道』に「その夜も防空—が頻発したので、電燈は消され」とある。「注意報」より危険が差し迫った状態で発令されるため、用語自体にもそれだけ緊張感が漂う。⇩注意報

けいむしょ【刑務所】 囚人の身を拘束しておく施設をさし、会話でも文章でも使われる現代における普通の日常漢語。刑事施設の一種。〈—に入る〉〈—の高い塀〉〈—帰りの男〉✎安部公房の『他人の顔』に「窓枠と、隣の軒とで切り取られた、白っぽい長方形の空が、まるで—の延長のように見えた」とある。くさい飯を食わされたことになっている昔の「牢獄」などと違って、人権に対する配慮があるはずの現代の「刑務所」では、貧窮のどん底にあえぐ人間よりはいくらかましな栄養のバランスのとれた食事が与えられ、プライバシーや生活の自由もある程度は保証されている雰囲気がある。⇩Ｑ監獄・牢・牢獄・牢屋

げいめい【芸名】 芸能人が仕事上で使うためにつける本名以外の名前をさし、会話にも文章にも使われる漢語。〈すてきな—をもらってデビューする〉⇩Ｑ雅号・号・筆名・ペンネーム

けいやく【契約】 当事者間で約束する売買・譲渡・委任・貸借などの法律行為をさし、会話にも文章にも使われる正式な感じの漢語。〈賃貸—〉〈—書〉〈—違反〉〈—を結ぶ〉〈—を交わす〉〈—を更新する〉✎横光利一の『紋章』に「成功特別御礼として五百円を支払う—をしてから申請して」とある。⇩約束

けいらん【鶏卵】 鶏の卵の意で改まった会話や文章に用いられる漢語。〈店で—を五個求める〉✎夏目漱石の『坊っちゃん』に「町で—を八つ買った。是は下宿の婆さんの芋責に応ずる策である」とある。⇩卵

けいり【経理】 会社や団体での会計業務およびその処理をさし、いくぶん改まった会話や文章に用いられる、やや専門的な感じの漢語。〈—に明るい〉〈会社の—を担当する〉✎山口瞳の『和平』に「—課に二十年勤めているのであろうと思われるような痩せこけた裸」とある。⇩会計

けいりゃく【計略】 相手を騙《だま》すための計画の意で、会話や軽い文章に使われる日常的な漢語。〈—をめぐらす〉〈相手の—にひっかかる〉✎夏目漱石の『坊っちゃん』に「おれと山嵐がしきりに赤シャツ退治の—を相談していると」とある。個々の手段を連想させやすい「策略」に比べ、欺くための全体的な計画を連想させやすく、「謀略」や「陰謀」ほどの悪

意を感じさせない。⇩陰謀・Q策略・謀略

けいりゅう【渓(谿)流】 谷川やその流れの意で、改まった会話や文章に用いられる漢語。〈―くだり〉⇩せせらぎ・Q谷川

けいりょう【軽量】 重量の少ない意で、やや改まった会話や文章に用いられる漢語。〈―鉄骨〉〈相手力士の―を突く〉✎「重量」と対立。⇩軽い

けいれい【敬礼】 深く敬意を表す礼の仕方をさし、会話にも文章にも使われる、やや古風な感じの漢語。〈―をして出迎える〉✎「上官に―する」のように、特に、軍人の行う挙手の礼をさすことが多い。⇩挨拶・会釈・お辞儀・Q最敬礼・目礼・黙礼・礼・礼②

けいれき【経歴】 それまでに経験した学業・職業・身分・地位などに関する事柄の総体をさし、やや改まった会話や文章に使われる漢語。〈―詐称〉〈簡単に―を記す〉〈―を調べる〉〈変わった―の持ち主〉〈立派な―に傷がつく〉⇩履歴

けいれつ【系列】 一つのまとまりとして系統立った一連のものやその排列を意味し、改まった会話や文章に用いられる漢語。〈―会社〉〈同じ―の学校〉〈人道主義の―に属する〉✎時間的な「系統」に対して、ある時点での横のつながりという共時的な関係としてとらえている。⇩系統

けいろ【経路】 ものごとが次々にたどって移動してきた道筋をさし、やや改まった会話や文章に用いられる漢語。〈進入―〉〈伝染―〉〈流通―〉〈資料の入手―を突き止める〉✎徳田秋声の『縮図』に「事情や―が、古い滓《おり》が水面へ浮んで来たように思い出されて来た」とある。⇩通り道

けう【稀有】 きわめて珍しくめったにない意で、主に文章に用いられる硬い漢語。〈―な例〉〈―な存在〉〈今どき―な出来事〉✎単に稀少《きしょう》であるだけでなく価値のある際に使う傾向がある。⇩まれ・珍しい

ケーキ 西洋風の生菓子をさし、会話にも文章にも使われる外来語。〈バースデー―〉〈デコレーション―〉✎ショートケーキ・シュークリーム・プリンなど。⇩生菓子・南蛮菓子・洋菓子・Q洋生

ケース ①入れる品物に合わせて作った箱をさし、会話にも文章にも使われる外来語。〈アタッシェ―〉〈万年筆の―〉〈―に納める〉⇩入れ物・Q箱・容器 ②場合・事例の意で、会話にも文章にも使われる外来語。〈―スタディー〉〈特殊な―〉〈さまざまな―に対応できる〉⇩一例・実例・事例・場合・例

ゲーセン 「ゲームセンター」の短縮形。近年の俗語。〈連日―に通う〉✎「ベルサイユのばら」を「ベルばら」と略す感覚に近い。「芸セン」と解釈し、芸者の「置き屋」を「センター」と呼ぶ時代になったかと嘆く勘違いも出かねない。

ケータイ 「携帯電話」の短縮形で、改まらない会話や軽い文章などで使われる俗語。〈多機能型の―〉〈―でメールを送る〉✎「携帯電話」の短縮形だが、長音部を棒引きで示す片仮名表記が一般的。携帯用の器具がさまざまあるなかで、短縮形がこの器具専用になった背景に、メールを送ったり写真を撮ったりできるように複雑化し、もはや電話とは言えなくなった多機能型の機種が普及した現実が考えられる。「あけましておめでとう(ございます)。今年もよろしく(お願いいたします)。」という年賀状の文句が、ケータイでは「アケオメ、コトヨロ」で済ませる例が少なくないという。

いしいひさいちの漫画『ののちゃん』にも、生徒が「お早うございます」を「オハゴザ」と略し、先生に注意されると今度は「ドモスミ」と応じる場面が出てくる。むろん、「どうもすみません」の短縮形である。⇩携帯電話

ケータリング　注文を受けて料理を会場などに運び込むことをさし、会話にも文章にも使う新しい外来語。〈―を取る〉〈―で間に合わせる〉✎宅配ピザなどから宴会やパーティー用の料理まで幅広い形に対応する。⇩Q仕出し・出前

ゲーム　「試合」の意の比較的新しい外来語。〈―セット〉〈ナイト―〉〈白熱した好―を展開する〉〈―の主導権を握る〉✎放送ではこの語を用いるが、くだけた会話で使うと「試合」に比べ、いくらか気取った感じが残る。ただし、子供の遊びとしての「ゲーム」には長い伝統があるため、こなれた日本語になっている。そのため、「野球―」といえば本物の試合ではなく野球盤かカード式の遊びを連想する。⇩試合

けが【怪我】　誤って体の一部を損傷する意で、くだけた会話から文章まで幅広く使われる日常の漢語。〈軽い―で済む〉〈―人が出る〉〈交通事故で―をする〉✎傷を負うだけでなく骨折や捻挫などを含む。志賀直哉の『城の崎にて』は「山の手線の電車に跳飛ばされて―をした、其後養生に、一人で但馬の城崎温泉へ出掛けた」と始まる。⇩負傷

けがれる【穢(汚)れる】　清く純粋なものが不浄になる意で、改まった会話や文章に用いられる和語。〈触っただけで手が―〉〈心が―〉〈名が―〉✎「よごれる」と逆に、具体物の具体的な汚れについては用いない。川端康成の『伊豆の踊子』に出る「踊子の今夜が―のであろうかと悩ましかった」という婉曲《えんきょく》表現の例は「よごれる」とも読めないではないが、やはり「けがれる」と読むのが慣用的で自然であろう。⇩よごれる

げき【激】　程度が激しいという意を添えて、やや改まった会話や文章に使われる漢語的な造語要素。〈―痛〉〈―減〉〈―変〉✎近年、「―安」「―辛」などと和語の形容詞の語幹に冠し激しい強調に幅広く多用されるようになった。

げき【劇】　舞台の上で脚本に基づいて演技する催しをさし、会話にも文章にも使われる漢語。〈人形―〉〈学芸会で―に出る〉〈―で主役をやる〉✎定義上は幅広くさすが、現実には素人が演じるものをさす例が多い。⇩Q演劇・芝居・ドラマ

げきが【劇画】　絵で構成する物語をさし、会話にも文章にも使われる比較的新しいやや専門的な漢語。〈―作家〉〈―調〉✎「漫画」に比べ、滑稽さよりも人の動きや筋の展開に重点がある。紙芝居もその一種。⇩Qアニメ・アニメーション・動画

げきこう【激昂(高)】　感情が激しく昂《たか》ぶりいきり立つ意で、改まった会話や文章に用いられる、やや硬い感じの漢語。〈相手の卑劣な態度に―する〉〈―して摑《つか》みかかる〉✎多く怒りの感情に用いる。井伏鱒二の『オコマさん』に「電話口では、社長の―している声が鳴り響いた」とある。「げっこう」とも言う。⇩息まく・いきりたつ・激情・Q激する・興奮・高揚・たかぶる・むきになる

げきじょう【激情】　たぎるほど激しくこみ上げる感情をさし、改まった会話や文章に用いられる漢語。〈―の嵐〉〈―が走る〉〈―に駆られる〉〈―にとらわれる〉〈―に溺れる〉✎有

島武郎の『或る女』に「脳も心臓も振り廻して、ゆすぶって、敲きつけて、一気に猛火であぶり立てるような―」とあり、田宮虎彦の『荒海』に「―が槙子をとらえ、槙子は三枝の膝に身体を投げかけ、涙に濡れた頰を押しつけて、慟哭した」とある。⇩息巻く・いきり立つ・激昂《げきこう》・激する・Q興奮・高揚・たかぶる・むきになる

げきする【激する】激しく昂奮《こうふん》する意で、改まった会話や文章に用いられる表現。〈感情が―〉〈―・しやすい性格〉✎怒っていきり立つ場合によく使う。田山花袋の『蒲団』に「義理知らず、情知らず、勝手にするが好いとまで―・した」とある。⇩息巻く・Qいきり立つ・激昂《げきこう》・激情・興奮・高揚・たかぶる・むきになる

げきたい【撃退】相手をやっつけて退ける意で、やや改まった会話や文章に用いられる漢語。〈押し売りを―する〉〈痴漢―法〉✎田宮虎彦の『沖縄の手記から』に「壕によって直ちに水際に敵を―することになっていた」とある。実際の戦闘以外に用いると大仰でいささか滑稽に響くこともある。⇩追い払う・追っ払う

げきど【激怒】激しく怒る意で、やや改まった会話や文章に用いられる漢語。〈あまりの仕打ちに―する〉✎三島由紀夫の『潮騒』に「―して酋長に喰ってかかった」とある。⇩憤り・憤慨・憤激・Q憤怒

げきは【撃破】攻撃して打ち破る意で、改まった会話や文章に用いられる漢語。〈ライバルを―する〉〈難敵を―する〉✎「粉砕」に比べ、強敵など難しい相手に勝つというところに重点がある。⇩粉砕

げきやく【劇薬】毒薬に次ぐ毒性を有し、量を誤ると生命の危険をもたらす激しい医薬品をさし、会話でも文章でも使われる、やや専門的な漢語。〈―を用いる〉⇩毒薬

げきれい【激励】強く励ます意で、会話にも文章にも使われる漢語。〈選手を―する〉〈―を受けて発奮する〉⇩Q鼓舞《こぶ》・鞭撻《べんたつ》

げきれつ【激烈】勢いや程度が非常に激しい意で、改まった会話や文章に用いられる漢語。〈―な競争を勝ち抜く〉〈戦いは―を極める〉〈―な口調で言い放つ〉✎類語のうち文体的レベルが最も高く、日常生活での使用頻度は低い。⇩強烈・Q痛烈・激しい・猛烈

げきろう【激浪】激しく逆巻く荒波をさし、主に文章中に用いられる硬い漢語。〈―にもまれる〉〈―が岸を洗う〉✎「怒濤《どとう》」に比べ、一局面としてとらえた感じがある。⇩荒波・Q怒濤・波濤《はとう》

けしかける【嗾ける】声をかけるなどして自分に都合のいいように行動させようとする意で、会話や軽い文章に使われる和語。〈犬を―〉〈喧嘩を―〉✎小林多喜二の『防雪林』に「貴様、皆を―・けたろッ！」とある。⇩煽《あお》る・指嗾《しそう》・扇動・Qそそのかす・たきつける

けしき【景色】自然の眺めをさし、くだけた会話からさほど硬くない文章まで幅広く使われる日常生活の基本的な和語。〈雪―〉〈―がいい〉〈山の―がすばらしい〉✎夏目漱石の『坊っちゃん』に「赤シャツは、しきりに眺望していい―だと云ってる」とある。「冬―」「夕―」などを含め、「―を楽しむ」といえばほとんどが自然の美を味わうことをさす。

⇩光景・眺め・Q風景

けしき【気色】外面に現れた表情・様子・態度や事が起こりそうな雰囲気をさし、会話にも文章にも使われる古風な漢語。〈臆する―もない〉〈景気は回復の―も見えない〉⇩気配・雰囲気

げじょ【下女】雑用をする下働きの女をさす古めかしい漢語。✎差別意識が感じられるとして使用を控えている。夏目漱石の『坊っちゃん』に「清と云う―が、泣きながらおやじに詫《あや》まって」とある。⇩お手伝いさん・家政婦・女中・派出婦・Q召し使い

けしょう【化粧】口紅や白粉などで顔を美しく見えるように整える意で、くだけた会話から硬い文章まで幅広く使われる日常漢語。〈厚―〉〈―道具〉〈―が濃い〉〈―を落とす〉✎高見順の『如何なる星の下に』に「舞台―を施すと、お面をかぶったような感じで」とある。⇩メーキャップ・Qメーク

けしょうしつ【化粧室】時に「便所」の間接表現ともなる改まった漢語。〈デパートの―〉✎洗面所はたいてい鏡がついているから、顔や手を洗うだけではなく口紅やコンパクトや香水などを用意して化粧をすることもできる。そのため、そこに隣接している便所を中心とする部屋全体を間接的にこの語でさしたとしても嘘にはならない。しかし、「便所」という直接的な表現を避けて、それに隣接する化粧のための場を表す名称を借りてまで間接化する表現行為に、聞き手は、便所という対象を忌避して意識の上でことさら遠ざけようとしている話し手の美化行為を感じ取ることになる。ちなみに、作家の幸田文は「山」や「高野山」という語で間接的に便所をさす例に言及している。前者は「草木」(臭き)のある所、後者は「髪(紙)を落とす」所だという。自動で流し、洗って乾かす機械文明の時代になると、この独り部屋のイメージがすっかり変わり、ぴんと来ないかもしれないが、なんとも粋な洒落で消臭効果も期待できる。⇩おトイレ・厠《かわや》・閑所・御不浄・雪隠・洗面所・WC・手水場・手洗い・トイレ・トイレット・はばかり・Q便所・レストルーム

けしん【化身】神仏などが形を変えてこの世に出現したものをさし、会話にも文章にも使われた古めかしい漢語。〈悪の―〉〈美の―〉✎堀辰雄の『菜穂子』に「brilliant という字の―のようなそのお方」とある。⇩権化

けす【消す】不要なものとして無くしたり機能を停止させたりする意で、くだけた会話から硬い文章まで幅広く使われる日常の基本的な和語。〈火を―〉〈明かりを―〉〈テレビを―〉〈消しゴムで―〉〈悪臭を―〉✎川端康成の『雪国』に「この鏡の映像は窓の外のともし火を―強さはなかった。ともし火も映像を―・しはしなかった」とある。⇩消去・Q消却・抹消

けそう【懸想】異性に想いを懸ける意で、会話にも文章にも使われた古めかしい漢語。〈―文《ふみ》〉〈人妻に―する〉⇩愛慕・思慕・Q恋慕

げた【下駄】木片の裏側に二枚の歯をつけ表側から鼻緒を通した履き物をさし、くだけた会話から硬い文章まで幅広く使われる日常の漢語。〈―履き〉〈深夜の通りに―の音が響く〉✎藤沢周平の『おぼろ月』に「片方の―の鼻緒が、いまにも切れそうにのびている」とある。⇩足駄

けだかい【気高い】 高貴な感じで近寄りがたい雰囲気を有する意で、主として文章中に用いられる古風な表現。〈秀峰富士の―姿〉〈―精神〉✎松谷みよ子の『ポプラのかげで』に「女王さまのように―かあさん」とある。「上品」より高い気品が感じられる。通常は人間について使うが、比喩的に富士の姿などに用いる例もある。⇩高尚・上品・崇高・典雅

けだし【蓋し】「思うに」「確かに」といった意味の古語的な表現。〈―名言と言うべきであろう〉〈―その通りである〉

けたちがい【桁違い】 物事の程度や価値などが同類のものに比べて著しく違う意で、会話やさほど改まらない文章に使われる和語。〈―に大きい〉〈腕前が―でとうてい勝負にならない〉〈給料が―に安い〉✎「桁」は数の位で、一桁違うことから。標準をはるかに超えるところに重点のある「桁外れ」と違い、比べる相手との差がきわめて大きいところに意味の重点があり、「―に背が低い」のように小さい方向でも大差があれば使うことができる。⇩桁外れ・Q段違い

けたはずれ【桁外れ】 標準をはるかに超えている意で、会話やさほど改まらない文章に使われる和語。〈―の体重〉〈―の強さで優勝は確実だ〉〈―の値段で庶民には手が出ない〉✎「桁違い」と違って普通の状態を大幅に超えている場合に使うのが通例であるが、「武者小路実篤の文章は奔放自在、―の文体である」というふうに、大小・高低・軽重などと関係なく、並外れの意で用いる例もある。⇩Q桁違い・段違い

けだもの【獣】「けもの」の意で、会話にも文章にも使われる和語。〈山に棲《す》む―〉〈野生の―〉✎安岡章太郎の『海辺の光景』に「収檻された動物(―であると人間であるとを問わず)に特有の臭気」とある。「だ」は「の」の意で「毛のもの」という意味。「けもの」よりマイナスイメージが強く、「人間の皮をかぶった―」のように、人間の情を持たない残忍な人の意の比喩的な用法もある。⇩けもの

けだるい【気怠い】 何となくだるい感じをさし、主に文章に用いられる和語。〈朝から妙に―〉〈―気分で仕事をする気にならない〉✎岡本かの子の『河明り』に「娘の憂愁が私にも移ったように、物憂く、―」とある。全身的な疲労感をさすことはあるが、手脚などの部分的な感覚をさすことはめったにない。純粋に肉体的な感覚というより気分の面が強く、「春の日の―午後の日ざし」などといった漠然とした用法もある。⇩Qかったるい・倦怠《けんたい》・だるい

けち 自分の物や金銭を使うことを極度に嫌う意で、改まった硬い文章以外は広く一般に使われる。会話ではもっとも代表的な日常の和語。〈生まれつきの―〉〈―だから壊れるまで買い換えない〉✎夏目漱石の『坊っちゃん』に「田舎者は―だから、たった二銭の出入でも、頗る苦になる」とある。「―な造りの家」のように「見すぼらしい」意にも、「―な根性」「―な考え」のように「偏狭」といった意味合いにも、「―をつける」として「言いがかり」「欠点」の意にも使う。⇩けちん坊・倹約家・渋い・渋ちん・締まり屋・Qしみったれ・しみったれる・しわい・せこい・節倹家・みみっちい・吝嗇《りんしょく》家

けちくさい 心が狭くて考えることやすることが小さい意で、会話や軽い文章に使われるやや俗っぽい日常の和語。〈―考え〉⇩Qけち・しみったれ・しみったれる・せこい・みみっちい

けちんぼう【けちん坊】「けち」の意のくだけた口頭語。〈お

まえも案外―だな〉✎夏目漱石の『坊っちゃん』に「下宿の婆さんも―の欲張り屋に相違ない」とある。⇩Qけち・倹約家・渋い・渋ちん・締まり屋・しみったれ・しわい・節倹家・みみっちい・吝嗇《りんしょく》家

けつ【穴】尻の意で、主に男性がくだけた会話で使うことのある下品な俗語。〈―がでかい〉〈―の穴が小さい〉〈―をまくる〉✎外村繁の『岩のある庭の風景』に「でっかい―を振って、恥しがっていやがらあ」とある。意味をあてて「尻」と書くこともあるが、通常は仮名書き。片仮名で書く例もある。⇩Q尻・臀部《でんぶ》

けつい【決意】考えや意志を明確にする意で、やや改まった会話や文章に用いられる少し硬い感じの漢語。〈―表明〉〈―を胸に秘める〉〈―を新たにする〉✎林房雄の『青年』に「希望と―は梅雨の晴れ間の虹のように消えて」とある。日常的な「決心」に比べ、断固とした意志が感じられる。⇩覚悟・Q決心・決断

けつえき【血液】「血」の意で、やや改まった会話や文章に用いられる正式な感じの漢語。〈―型〉〈―検査〉〈―の循環がよい〉〈―が凝固する〉✎有島武郎の『或る女』に「―がちくちくと軽く針をさすように皮膚に近く突き進んで来る」とある。⇩血

けつえん【血縁】血のつながりのある関係をさし、やや改まった会話や文章に用いられる漢語。〈―関係にある〉✎人をさす「血族」とは違い、また、優劣や断続などを意識して用いる「血筋」や「血統」とも微妙に違って、あくまで関係そのものを問題にして用いる。⇩Q血族・血統・血筋

けっか【結果】ある行為や物事の済んだ後に得られる状態やそれによる変化・影響をさし、くだけた会話から硬い文章まで幅広く使われる日常の基本的な漢語。〈調査―〉〈試験の―〉〈―を恐れず思い切ってやる〉〈検査の―は異状なし〉〈いい―をもたらす〉〈努力の―成功を収める〉〈すばらしい―を残す〉✎井伏鱒二の『珍品堂主人』に「いずれにしても―は同じことになるのが知れている」とあり、小沼丹の『片片草』には「(シェイクスピアとセルワンテスの)両者について調査を試みた。その―、両者共一六一六年四月二十三日に死んでいるのを発見した」とある。「原因」と対立。⇩因果・帰結・結論・Q効果・成果

けっかん【欠陥】不備なところの意で、会話にも文章にも使われる漢語。〈―車〉〈―商品〉〈―だらけの機械〉〈―を直す〉✎「難点」に比べ、悪い所が明確で是正しやすい。⇩Q欠点・弱点・短所・難点

けつぎ【決議】会議や大会などで全体の意見として決定する意で、改まった会話や文章に用いられる硬い漢語。〈―案〉〈附帯―〉〈法案を―する〉〈総会の―に従う〉⇩議決

げっきゅう【月給】月単位に支払われる給料をさし、会話や軽い文章に使われる、やや古風な漢語。〈―取り〉〈―泥棒〉〈―前で生活が苦しい〉✎日給や週給より一般的なため、単にサラリーの意に用いることもある。⇩給与・給料・Qサラリー・賃金・俸給

けっきょく【結局】さまざまな経緯があった後の結末としての意で、会話にも文章にも広く使われる日常の基本的な漢語。〈―は資金の問題に帰着する〉〈―のところ自分でやる

ことになった〉〈あれこれ試みたが—だめだった〉〈あの計画は—見送られることになった〉✒途中経過に紆余《よ》曲折があったことを思わせる。もと囲碁の終局の意という。小林秀雄の『菊池寛論』に「才能の一番大事な部分をスタイル以外のものに費やした人だ、そして両方とも—純文学の世界では仕事をしなくなって了った人だ」とある。「つまり」「要するに」と比べ、そこに至るまでの経過が強く意識される。⇩Qつまり・要するに

けっきん【欠〔欽〕勤】本来なら出勤すべき日に勤めを休む意で、やや改まった会話や文章に用いられる正式な感じの漢語。〈無断—〉〈—届〉〈会社を—する〉✒夏目漱石の『坊っちゃん』に「—だと思ったら遅刻したんだ」とある。「出勤」と対立。⇩欠場・欠席・休み

げっけい【月経】成熟期の女性の排卵後しばらくして見られる定期的な出血現象をさす、類語中で最も客観的な漢語。〈—痛〉〈—不順〉〈—閉止期〉✒日常会話などでは、対象が対象なので露骨な表現を避け、通常「生理」といった間接表現を採用する。その影響で、この語は医者や薬剤師などの会話や学術的な記述などに限って用いられることになり、結果として今日ではやや専門語のような雰囲気を有している。⇩Q生理・メンス

けっこう【決行】悪条件で困難が生じてもためらわずに予定どおりに実施する意で、改まった会話や文章に用いられる漢語。〈雨天—〉〈スト—中〉〈クーデターを—する〉⇩敢行・Q強行・断行

けつごう【結合】複数のものが合わさって一つになる意で、やや改まった会話や文章に用いられる漢語。〈—組織〉〈分子の—〉〈両者が—する〉⇩化合・合成・混合・Q結びつき・融合

げっこう【激昂(高)】→げきこう

けっこん【結婚】男女が夫婦となる意の漢語で、くだけた会話から硬い文章まで幅広く使われる基本的な日常語。〈—指輪〉〈—適齢期〉〈—記念日〉〈国際—〉〈—を申し込む〉〈—に踏み切る〉✒山本有三の『波』に「世間の人は、—を、ゆるぎのない大きな石のように思っているが」とある。⇩家庭を持つ・結婚する・こし入れ・Q婚姻・所帯を持つ・嫁ぐ・嫁入りする・嫁に行く

けっこんしき【結婚式】男性と女性が夫婦となることを第三者の前で誓い合う儀式をさす漢語。類義語中で最も一般的な呼称。くだけた会話から硬い文章まで幅広く使われる。〈友達の—〉〈—の披露宴で祝辞を述べる〉〈教会で—を挙げる〉✒芥川龍之介の『疑惑』に「近々—を挙げようと云う間際になって、突然破談にしたいと申すのでございますから」とある。洋風でも和風でも、豪華でも簡素でも、最もよく使われるごくふつうの言い方。⇩華燭《かしょく》の典・Q婚礼・祝言

けっこんする【結婚する】男性と女性とが夫婦になる意。類義語中で最も一般的なことば。〈このたび—ことになりました〉〈とっくに—・して子供もいるそうだ〉✒武者小路実篤の『お目出たき人』に「—のは何時まで待ってもいい」とある。⇩Q家庭を持つ・結婚・こし入れ・婚姻・所帯を持つ・嫁ぐ・嫁入りする・嫁に行く

けっさく【傑作】①出来栄えがきわめて優れた作品をさし、会話にも文章にも使われる漢語。〈一大—〉〈代表的な—〉

〈後世に残る―〉✎太宰治の『猿面冠者』に「まだ書かぬ彼の―の妄想にさいなまれる」とある。「名作」に比べて主に大作が連想され、出来栄えや影響力が意識されている感じが強い。また、「名品」に相当する語がないため、芸術作品に限らず実用的な工芸品・陶磁器などにも使う。⇩名作・名品
②変わっていて滑稽な意で、会話にも文章にも使われる、いくぶん古風な漢語。〈―な話がある〉〈そいつは―だ〉⇩可笑《おか》しい①・滑稽・コミカル・剽軽《ひょうきん》・ユーモラス

けっして【決して】下に打消しや禁止の語を伴って、絶対にの意を表し、くだけた会話から硬い文章まで幅広く使われる表現。〈―逃げない〉〈―嘘は言わない〉〈それからでも―遅くはない〉〈―悪いようにはしない〉〈―教えるな〉⇩Q絶対に・断じて

けつじょう【欠〔缺〕場】本来なら出るべき公の場や試合などに出ない意で、やや改まった会話や文章に用いられる漢語。〈決勝戦に―する〉〈―を余儀なくされる〉✎「出場」と対立。⇩Q欠勤・欠席・休み

けっしん【決心】考えや意志を決めてその覚悟をする意で、くだけた会話から硬い文章まで幅広く使われる日常の基本的な漢語。〈結婚に踏み切る―がつかない〉〈ようやく―を固める〉〈―は固い〉〈―がぐらつく〉✎新美南吉の『牛をつないだ椿の木』に「胸の中には拳骨のように固い―があった」とある。出前に何を頼むか、どのネクタイを選ぶかが「なかなか―がつかない」など、「決意」ほどの緊張感を伴わず比較的軽い感じで日常生活に多用される。⇩覚悟・Q決意・決断

けっせき【欠〔缺〕席】学校の授業や出るべき会合などを休む意で、会話にも文章にも使われる日常の漢語。〈―者〉〈―が多い〉〈会議を―する〉✎夏目漱石の『坊っちゃん』に「―して昼寐でもして居る方がましだ」とある。「出席」と対立。⇩欠勤・欠場・休み

けつぞく【血族】血のつながった関係にある人々をさして、やや改まった会話や文章に用いられる漢語。〈―三親等〉〈傍系―〉〈―結婚〉✎法律上は養子縁組の場合も含む。関係を表す「血縁」「血統」「血筋」と違い、あくまで人そのものをさす。⇩Q血縁・血統・血筋

けつだん【決断】みずからの意思をきっぱりと決定する意で、改まった会話や文章に用いられる硬い感じの漢語。〈―の時〉〈勇気ある―〉〈―を迫られる〉〈―が早い〉〈きっぱりと―を下す〉✎幸田露伴の『連環記』に「いよいよ解きがたくなったので、ええ面倒ナ切ってしまえ、と剪刀《はさみ》を取り出す気になるような、腹の中で―がついてしまった」とある。「決心」はもちろん「決意」よりもさらに大きな問題に関し重要な局面に使う傾向がある。⇩覚悟・Q決意・決心

けっちゃく【決〔結〕着】物事の決まりがつく意で、やや改まった会話や文章に用いられる漢語。〈―をつける〉〈勝負の―がつく〉✎いろいろ紆余《よ》曲折のあったあとで、というニュアンスがある。⇩解決・Q落着

ゲッツー 「併殺」の意で使う古風な感じの和製英語。〈―でピンチを切り抜ける〉⇩ダブルプレー・併殺

けってい【決定】あることに決める意で、改まった会話や硬い感じの文章に用いられる漢語。〈開催の日時が正式に―

する〉〈成否が―する〉〈活動方針を―する〉🖋永井荷風の『濹東綺譚』に「行先の定らない散歩の方向は、却てこれがために―せられた」とある。「決める」より大げさな感じがあるため、「会社がひけたら縄のれんをくぐってちょいと一杯やる」、「会社をサボってパチンコ屋で時間をつぶす」といった日常生活の些事《さじ》について使うには違和感があり、それを利用してユーモラスな表現に仕立てることもできる。
⇩確定・決める・Q定める・内定・本決まり

けってん【欠点】 欠け落ちているか他に比べて不十分なために評価が低くなりそうなところをさし、会話にも文章にも使われる日常の漢語。〈―だらけ〉〈―が見つかる〉〈―が多い〉🖋林芙美子の『茶色の眼』に「片意地の―が、家庭生活の中に、電気のコードを引きずっているようなめざわりさで考えられてくる」とある。⇩欠陥・Q弱点・短所・難点

けっとう【血統】「血筋」の意で会話にも文章にも使われる漢語。〈公家の―を引く〉〈―を絶やす〉🖋「血筋」と同様、流れている血の優劣を意識させるが、さらに、その血のつながりが継続するか断絶するかを問題にして使う例も目立つ。
⇩血縁・血族・Q血筋

げっぷ【月賦】 毎月の「分割払い」の古めかしい漢語の言い方。〈冷蔵庫を―で買う〉🖋室生犀星の『杏っ子』に「借金はすべて―償還」とある。⇩分割払い

けつぼう【欠(闕)乏】 必要な分量が欠けて乏しい状態になる意で、主として文章に用いられる硬い漢語。〈食糧が―する〉〈困苦―に耐える〉🖋若干足りない場合も含まれる「不足」に対し、絶対量が乏しく、ほとんど無いか著しく足りない場合に限られる。また、最初はそうでなかったのにそういう状態に陥ったというニュアンスを感じさせることもある。⇩不足

けつまずく【蹴躓く】「つまずく」の強調表現として、会話や軽い文章に使われる、やや俗っぽい和語。〈道端の石に―〉🖋「つまずく」と違ってもっぱら具体物に突き当たるときに用い、「事業で―」「人生に―」のような抽象化した比喩的用法にはなじまない。⇩つまずく・つんのめる・のめる

げつまつ【月末】 会話にも文章にも使われる日常の漢語。〈―で多忙を極める〉〈―の支払いに追われる〉⇩つきずえ

けつらく【欠落】 欠け落ちている意で、やや改まった会話や文章に用いられる漢語。〈資料に―が見つかる〉〈―部分を補う〉〈注意力が―している〉⇩遺漏・落ち・Q脱落①・漏れ

けつろん【結論】 論を展開した結果最後にたどり着く判断をさし、会話にも文章にも使われる漢語。〈―が出る〉〈―として賛成だ〉〈―から先に言う〉🖋夏目漱石の『吾輩は猫である』に「―のない演舌は、デザートのない西洋料理の様なものだ」とある。「―を導く」のように、推論から導き出される帰結としての命題をさすこともあり、その場合は専門的。⇩Q帰結・結果

げてものぐい【下手物食い】 一般の人が顧みない風変わりな物を好んで食う意で、主に会話に使われる俗っぽい表現。〈こんな物を食うとは―の部類だ〉🖋「下手物」は人が相手にしない粗末な物をさす。⇩いかもの食い

げどく【解毒】 体内の毒物の働きを無にする意で、会話でも文章でも使われるやや専門的な漢語。〈―剤〉〈―作用がある〉

る〉⇨殺菌・Q消毒・毒消し

けとばす【蹴飛ばす】強く蹴って物を飛ばす意で、会話や軽い文章に使われる和語。〈空き缶を―〉〈思い切り―〉✎本庄陸男の『白い壁』に「枕を―・されたような駭きに周囲を忙しく見まわす」とある。「他社からの誘いを―」のように、問題にせずにはっきり拒絶する意に使う場合は会話的。⇨蹴る

けなげ【健気】年少者や弱者が困難に立ち向かう姿を見て感心する気持ちをさして、改まった会話や文章に用いられる、やや古風な和語。〈―なふるまいに心を打たれる〉〈親を亡くした幼い姉妹が―に働く〉✎太宰治の『富嶽百景』に「富士の山と、立派に相対峙し(略)―にすっくと立っていたあの月見草」とある。⇨甲斐甲斐しい・Q殊勝

げなん【下男】雑用をする下働きの男をさす古めかしい漢語。✎差別意識が感じられるとして使用を控えている。⇨召し使い

げに 「なるほど」「本当に」「まことに」の意の古語的な表現。〈ああ、―、―〉〈―、さもあらん〉✎あえて会話で使ったりするとユーモラスに響くこともある。⇨本当に・Qまことに

けねん【懸念】好ましくない方向に進むのが心配で今後のことが気にかかる気持ちをさし、いくぶん改まった会話や文章に用いられる漢語。〈―材料〉〈関係が悪化する―がある〉〈耐久性に関しては若干―がある〉〈景気の低迷が―される〉〈実現に―を抱く〉〈深刻な影響が―される〉✎長塚節の『土』に「お品が病気に罹ったのだというのを聞いて万一《しも》かという―がぎっくり胸にこたえた」とある。「危惧《きぐ》」に比べ、漠然としたこと、さほど重大ではないことに用いる傾向がいくらか強い。⇨恐れ・気がかり・Q危惧・心配・不安

けはい【気配】微《かす》かな音などから何かが感じられる意で、会話にも文章にも使われる和語。〈人の―がない〉〈誰かに尾行されている―を感じる〉〈ただならぬ―を察する〉✎古くは「けはひ」と書き「けわい」と読んだ。それに「気配」と漢字をあてたのを「けはい」と読んでしまって成立した語形。本来は聴覚だが、現代ではさまざまな微妙な感覚を含め何となくそんな気がする場合に拡大して使う。庄野潤三の『秋風と二人の男』に「線路の横の道を歩いている買物籠をさげた女の人にも日暮の―が感じられるようになり」とある。⇨感じ・気色・雰囲気

けばけばしい【毳毳しい】派手で品がなく感覚を刺激しやたらに目立つ意で、会話やさほど硬くない文章に使われる和語。〈―看板〉〈―服装〉✎阿刀田高の『Y字路の街』に「毒茸のような―家並」とある。⇨毒々しい・どぎつい

げはん【下阪】東京から大阪に行くことをさして稀に用いる漢語。✎「上京」の反対で、「大阪に下る」という意識が感じられ、大阪人には心理的に抵抗があると考えられる。⇨上京

げひん【下品】品格や品性に気品のないために物言いや行動が粗野になる意で、くだけた会話から硬い文章まで幅広く使われる日常の漢語。〈―なことば〉〈立ち居振る舞いが粗野で―だ〉✎夏目漱石の『吾輩は猫である』に「弁じますが―なら何と云ったらいいでしょう」とある。「上品」と対立。

⇩Q下劣・俗悪・低俗・卑俗・野卑

けぶかい【毛深い】 体の毛が濃い意で、会話にも文章にも使われる和語。〈手脚の―男〉✎林芙美子の『清貧の書』に「山国の産のせいであろう、まるで森林のように―脚」とある。「毛むくじゃら」に比べ、客観的に記述した感じの表現。⇩毛むくじゃら

けぶる【煙(烟)る】 ぼうっと霞んで見える意で、時に文章に用いられる古めかしい和語。〈遠く雨に―山並みを眺める〉✎「けむる」の古い形であるため、実際に煙が立つ日常の意味ではめったに用いず、「霞む」意に古風な趣を添えるために使う。⇩いぶる・くすぶる・Qけむる

けむい【煙(烟)い】 煙が目や鼻や喉を刺激する苦痛をさし、会話にも文章にも使われる和語。〈焚《た》き火で―〉⇩煙たい

けむくじゃら【毛むくじゃら】 濃い毛が密生している意で、主にくだけた会話に使われる俗っぽい和語。〈―の脚〉〈胸が―だ〉✎遠藤周作の『海と毒薬』に「急いでそれを捕虜の―な胸に当てた」とある。単に毛が濃いことを意味する「毛深い」と比べ、毛がやたらに多く、生え方も乱雑だといった不快感を伴う。⇩毛深い

けむたい【煙(烟)たい】 煙い意で主に会話に使われる和語。〈薪《たきぎ》が湿っていて燻《くす》ぶるので―〉✎林芙美子の『晩菊』に「心が―・くむせてくる」とあるように、涙を誘う気分をさす例もある。「けむい」以上に不快感が大。「社員には課長が―存在だ」のように、気詰まりな意でも使われる。⇩煙い

けむる【煙(烟)る】 煙が立ち上る意で、会話にも文章にも使われる日常の和語。〈煙草の吸殻が―〉〈濡《ぬ》れた炭が―〉〈秋刀魚《さんま》が―〉✎「雨に―古い街並み」のように、ぼうっと霞んで見える意にも使う。⇩いぶる・くすぶる・Qけぶる

けもの【獣／毛物】 人間以外の哺乳類をさして、会話にも文章にも使われるいくぶん古風な和語。〈―道〉〈―を捕らえる〉✎全身に毛が生えているところから。⇩けだもの

けらい【家来】 上位者に付き従う人をさし、会話や軽い文章に使われる俗っぽい漢語。〈―に言いつける〉〈―を引き連れて飲みに行く〉✎「殿様の―になる」「―を召し抱える」のように、本来は封建社会で主君に仕える武士をさし、その意味で用いれば俗っぽい感じはない。⇩子分・下っ端・手先②・手下・手の者・配下・Q部下

げり【下痢】 胃腸障害によって液状に近い糞便を排泄する病的現象をさし、会話にも文章にも広く使われる漢語。〈―止め〉〈ひどい―に悩まされる〉✎井伏鱒二の『珍品堂主人』は「このところ、―のために少し衰弱しているのです」と終わる。⇩Q腹下し・腹下り

ける【蹴る】 足先で勢いよく物を突く意で、くだけた会話から硬い文章まで幅広く使われる和語。〈ボールを―〉〈ドアを―〉〈相手の脚を―〉✎尾崎士郎の『人生劇場』に「後脚で砂を―ような真似をしたんじゃ」とある。⇩蹴飛ばす

げれつ【下劣】 嫌悪感を抱かせるほど品性が劣る意で、主に文章に用いられる漢語。〈品性―〉〈―な根性〉〈実に―極まりない〉✎夏目漱石の『坊っちゃん』に「いたずらだけで罰は御免蒙るなんて―な根性がどこの国に流行ると思ってるんだ」とある。⇩下品・俗悪・通俗・低俗・Q低劣・卑俗・野卑

げろ　嘔《おう》吐《と》物をさして、くだけた会話に使われる俗語。〈―

を吐く〉✎壺井栄の『裲襠』に「ひどいつわりの最中にたつはまるでその苦しみのあまり吐き出す―のように(略)告白した」とある。吐き戻すときの音に関連か。⇩嘔吐・Qへど

けろり 何事もなかったように平然としている意で、主に会話に使われるやや俗っぽい和語。〈叱られても―としている〉✎「―と忘れる」「病気が―と治る」のように、跡形もなくといった意味合いでも使われる。くだけた会話ではしばしば「けろっ(と)」の形になり、その場合は俗っぽさが増す。⇩あっけらかん

けん【剣】 片刃の太刀《たち》に対して、諸刃《もろは》の大刀《だいとう》をさし、会話にも文章にも使われる漢語。〈―の遣い手〉〈―をよくする〉〈―の道を極める〉✎刀剣類の総称として用いられることもある。日本刀を連想させやすい「刀」に比べ、サーベルのような西洋風の刀剣をも含む感じが強い。⇩Q刀・つるぎ・刀剣

けん【券】 料金を支払った証拠となるなど権利・資格を保障する紙片をさし、会話にも文章にも使われる日常の漢語。〈招待―〉〈整理―〉〈―と引き換えに渡す〉〈―を手に入れる〉〈入り口で―を見せる〉⇩切符・Qチケット

げんあん【原案】 討議にかける最初の案をさし、やや改まった会話や文章に用いられる、いくぶん専門的な感じの漢語。〈―どおり可決する〉〈―を修正する〉✎文章の形で紙に書いたものとは限らない。「修正案」と対立。⇩原稿・下書き・Q草案・草稿

けんい【権威】 ①他を強制し服従させる精神的な圧力をさして、会話にも文章にも使われる漢語。〈―ある筋〉〈―をふりかざす〉〈―が地に墜ちる〉〈―が失墜する〉✎福原麟太郎の『この世に生きること』に「歳をとるということに、絶対の―を認めている」とある。権力と威力の意。⇩権力 ②専門の知識や技能においてその分野で最高と認められている人物の意で、やや改まった会話や文章に用いられる漢語。〈最高―〉〈学界の―〉〈―に従う〉〈―におもねる〉⇩大御所・Qオーソリティー・大物・第一人者・長老

げんいん【原因】 ある物事や状態が生じるもとになったものをさし、くだけた会話から硬い文章まで幅広く使われる日常の基本的な漢語。〈―不明〉〈事故の―を究明する〉〈火災の―を調べる〉✎夏目漱石は『坊っちゃん』で「何等の―もないのに新来の先生を愚弄する様な軽薄な生徒」と書き、そこに「源因」という漢字をあてている。大岡昇平の『野火』に「これも私に引金を引かす動機ではあっても、その―ではなかった」とある。「結果」と対立。⇩因果・せい・因《もと》・Q要因

けんお【嫌悪】 強く嫌い憎む意で、改まった会話や文章に用いられるやや硬い漢語。〈自己―に陥る〉〈―感がきざす〉✎武田泰淳の『ひかりごけ』に「もし、人肉喰いとなれば、たとえどんな条件の下で発生しようと、身ぶるいがするほど―の念をもよおす」とあり、大岡昇平の『俘虜記』には「「他人を殺したくない」というわれわれの―は、おそらく「自分が殺されたくない」という願望の倒錯したものにほかならない」とある。⇩いや・Q厭悪《えんお》・嫌い・憎悪・憎しみ

けんか【献花】 神前や霊前に花を捧《ささ》げる意で、改まった会話や文章に用いられる漢語。〈霊前に―する〉〈慰霊碑に―す

る〉✎キリスト教または無宗教の葬儀で、仏式での焼香にあたる行為として行われる。⇩供花《きょうか》

げんか【原価】 商品を仕入れたときの値段の意で、やや改まった会話や文章に用いられる専門的な漢語。〈—を切る〉〈—を割る〉✎会話的な「元値」より正式な感じがある。「製造—」「—計算」のように、製品が出来上がるまでの費用をさす用法もある。⇩コスト・仕入れ値・Q元値

けんかい【見解】 一定の事柄に関する考え方や価値評価の意で、改まった会話や文章に用いられる硬い漢語。〈—の相違〉〈公式—を打ち出す〉〈自らの—を発表する〉✎「意見」のうち、十分に検討を加えて練り上げたまとまった形の考えをさす。⇩Q意見・考え・思考・思索・思想

げんかい【限界】 これ以上は超えられないというぎりぎりの境界線をさし、会話にも文章にも使われる日常的な漢語。〈—状況〉〈体力の—〉〈—に挑戦する〉〈我慢にも—がある〉〈—に達する〉⇩限度

けんかく【懸隔】 二つの物事が大きくかけ離れている意で、主に文章に用いられる、やや古風で硬い漢語。〈両者の主張にはかなりの—が感じられる〉✎「開き」や「隔たり」と違い、数字で表示できない大きな差のある場合に使う。⇩開き・Q隔たり

けんがく【見学】 実際の様子を見て学習し実践的な知識を増やす意で、会話にも文章にも使われる漢語。〈—者〉〈都内—〉〈工場—〉〈—の生徒で込み合う〉〈体調が悪く体育の授業は—にまわる〉✎楽しむための「見物」に比べ、この語には勉強する意味合いがつきまとうが、現実の用法としては好奇心を満たす程度でも使われ、区別の難しい例も多い。あまり費用がかからない印象が濃い。「見物」が外から眺めるイメージの強いのに対し、この語には内部に入って仔細《しさい》に観察するイメージがある。⇩見物

げんかく【厳格】 一定の方針に従って厳しく事を行い決して妥協しない態度をさし、会話にも文章にも使われる漢語。〈しつけが—だ〉〈—な家庭に育つ〉〈規則を—に守る〉✎細かい点を見逃すか否かより、原則を貫くところに重点がある。⇩Q厳しい・厳重・手厳しい

げんかん【厳寒】 厳しい寒さの意で、主に改まった手紙文に用いられる古風で硬い漢語。〈—の候〉✎「酷寒《こっかん》」「極寒《ごっかん》」に比べればいくらかましな感じがある。⇩酷寒・極寒

げんき【元気】 体調よく活力に満ちている様子をさし、くだけた会話から硬い文章まで幅広く使われる日常の基本的な漢語。〈—いっぱい〉〈—がみなぎる〉〈—をなくす〉〈—に暮らす〉✎石坂洋次郎の『嘱託医と孤児』に「土塗《まみ》れな馬鈴薯のように—のいい子供」とある。「健康」より会話的。健康状態そのものより心に活気のある点に中心がある。⇩Q健康・健勝・健全・丈夫・健やか・壮健・息災・達者

けんきゅう【研究】 調査・実験・考察によって物事の実態や仕組みを学問的に調べ、科学的に分析し、論理的に考察する行為をさし、会話にも文章にも使われる漢語。〈共同—〉〈—者〉〈—所〉〈—費〉〈—業績〉〈—熱心〉〈—に没頭する〉〈—を推進する〉〈—成果を発表する〉✎川端康成の『雪国』に「日本踊の新人とも知り合い、—や批評めいた文章まで書くようになった」とある。⇩研鑽《けんさん》・研修・考究・考察・Q調査

けんきゅうしゃ【研究者】 研究を専門とする人をさし、会話にも文章にも使われる漢語。〈一流の―〉〈―として身を立てる〉〈―として業績を積み上げる〉✎「学者」に比べ、大学教授だけでなく国立の機関や企業の研究所などの研究員を連想することも多い。⇩学者・学徒・Q学究

けんきゅうじょ【研究所】 研究活動を専門とする組織や施設をさす漢語。〈国立国語―〉〈―の活動〉✎安部公房の『他人の顔』に「人気《ひとけ》のない―の建物などというものは(略)亡霊の館のようなものだ」とある。「研究センター」に比べて、あくまで研究活動が中心となる静的な存在という印象が強い。⇩研究センター

けんきゅうセンター【研究センター】 「研究所」に近い意味合いで近年よく使われる用語。〈日本語―〉〈―の事業報告〉✎「研究所」より新しい感じの組織を連想すると同時に、研究だけでなくその成果を普及させたり講習会や研修を行うなど、なんらかの社会的な活動を行う動的な印象が強い。⇩研究所

けんきょ【検挙】 犯罪の事実を取り調べるため警察権によって被疑者を警察署に引致する意で、専門的な話題の会話や文章に用いられる正式な感じの専門漢語。〈―率が上がる〉〈一斉―に踏み切る〉⇩逮捕

げんきょう【現況】 個人や場所や建物などに関する現在の状況をさし、改まった会話や文章に用いられる、やや専門的な硬い漢語。〈―届〉〈―を調査する〉〈―を視察する〉〈―を包まず報告する〉✎個人の日常を話題にする「近況」と違い、状況の変化に関する調査や役所などへの報告といった堅苦しい雰囲気を感じさせる。「現状」より動的なイメージがある。⇩近況・現状

けんきょうふかい【牽強附(付)会】 「こじつけ」の意で、主として文章に用いられるやや古風な漢語。〈―の気味がある〉〈いささか―に過ぎる〉⇩こじつけ

けんきん【献金】 目的をもって金銭を寄附することをさし、会話にも文章にも使われる漢語。〈政治―〉〈企業―〉〈教会で―する〉⇩寄進・寄贈・Q寄附

げんきん【現金】 小切手や手形類でない貨幣そのものをさす漢語。「キャッシュ」より標準的な語として会話でも文章でも幅広く用いられる。〈―自動支払機〉〈―を持ち歩く〉〈―の持ち合わせがない〉⇩Qキャッシュ・現生

げんきん【厳禁】 厳しく禁ずる意で、やや改まった会話や文章に用いられる漢語。〈火気―〉〈土足―〉✎単なる「禁止」よりも強く、絶対に駄目という雰囲気がある。⇩禁止

けんげん【権限】 その立場にある人が正当に行うことのできる物事の範囲をさし、改まった会話や文章に用いられる専門的で硬い漢語。〈委員会の―〉〈職務上の―〉〈―を有する〉〈―を与える〉〈―を剝奪する〉✎特にその行為が法律的な効力を生ずる場合によく使う。⇩権利

けんけんがくがく【喧喧諤諤】 「喧々囂々《ごうごう》」と「侃々《かんかん》諤々」との交じり合った誤り。⇩侃々諤々・喧々囂々

けんけんごうごう【喧喧囂囂】 多数の人間がやかましく騒ぐさまを表す漢語表現。古風で硬い感じの語。〈―たる非難〉✎石坂洋次郎の『若い人』に「―たる歓声裡に頭を抱えて自席に逃げ帰った」とある。「侃々諤々《かんかんがくがく》」と混乱を起こし、

「喧々諤々」と誤る例も見られる。⇩侃々諤々・喧々諤々

げんこ【拳固】拳《こぶし》の意で、主に会話で使われる、俗っぽく時に子供っぽい感じの口頭語。〈―でおでこをごつんとやる〉✎志賀直哉の『暗夜行路』に「指の長い白い手を―にして重ね」とある。「鉄拳」はもちろん「拳骨」に比べても、破壊力の弱い感じがある。⇩Q拳骨・拳・鉄拳・握り拳

げんご【言語】人間が音声・文字を媒介として気持ちや情報を伝え合うのに用いる記号の体系をさし、改まった会話や文章に用いられる、やや専門的な硬い漢語。〈―体系〉〈―活動〉〈―表現〉〈少数―〉〈留学先の―を習得する〉✎小林秀雄の『ランボオ』に「―表現はあたかも搾木《しめぎ》にかけられた憐れな生物のように吐血し無味平板な符牒と化する」とある。「―明瞭《めいりょう》、意味不明」のように表現の形式面をさすこともあるが、一般には日本語・英語・中国語などの別を言う。⇩語・語彙・Q言葉・単語・用語

けんこう【健康】心身ともに元気な意で、会話にも文章にも広く使われる日常の基本的な漢語。〈―な体〉〈―増進〉〈―診断〉〈―を損ねる〉〈―に注意する〉✎網野菊の『風呂敷』に「追い追い快方に向って、四、五カ月後にはまったく―を回復した」とある。⇩Q元気・健勝・健全・丈夫・健やか・壮健・息災・達者

げんこう【言行】言うことと行うことの意で、改まった会話や文章に用いられる硬い漢語。〈―一致〉〈―に齟齬《そご》が見られる〉✎同一人の日ごろの発言とその行動とが全体として合致しているか矛盾しているかを問題にする場合によく使われる。⇩言動

げんこう【原稿】正式に発表する前に文章を書き記した紙をさし、会話にも文章にも使われる漢語。〈―用紙〉〈―料〉〈―の締め切り日〉〈―を執筆する〉✎通常は印刷用に原稿用紙に書いた文章をさすが、口頭発表の準備として内容を記した紙をさす場合もある。⇩原案・下書き・草案・Q草稿

けんこうしんだん【健康診断】健康状態を調べる医学上の検査をさし、改まった会話や文章で用いる、正式な感じの漢語。〈定期的に―を受ける〉〈―で血糖値の項目が気になる〉✎くだけた会話では略語の「健診」を使うことも多いが、正式の書類などにはこの語が用いられる。⇩Q健診・検診・メディカルチェック

けんこうてき【健康的】病気などがなく元気である意で、会話にも文章にも使われる漢語。〈―な生活〉〈見るからに―な肢体〉⇩ヘルシー

げんごおん【言語音】人間がことばを発する際に音声器官を使って意図的に分離できる単位で発する音をさし、学術的な会話や文章に使われる専門的な漢語。〈―を発する〉✎くしゃみをしたり犬が吠えたりする際の実際の音は一つのかたまりだが、それを「クシャン」「ワンワン」のようにいくつかの拍に分けて発音すれば言語音になる。⇩音声

げんこつ【拳骨】拳《こぶし》の意で、会話にも文章にも広く使われる一般的な日常漢語。〈―で殴りつける〉〈―を一発くらわす〉✎多く殴るときに用いられる。新美南吉の『牛をつないだ椿の木』に「胸の中には―のように固い決心があった」という比喩表現が出る。⇩拳固・Q拳・鉄拳・握り拳

げんざい【現在】過去と未来との間をさして、会話にも文章

にも使われる基本的な漢語。〈—地〉〈—進行中〉〈—に至るまで〉〈—のところ〉〈九月九日—〉〈—使われていない〉〈課長に昇格して—に至る〉✎黒井千次の『オモチャの部屋』に「(古い家の)オモチャの部屋は、やはり—の玄関となる」とある。⇩Q今・今日《こんにち》・只今・目下《もっか》

けんさん【研鑽】 学問をみがき深める意で、改まった会話や文章に用いられる硬い漢語。〈たゆまず—を積む〉〈永年の—が実を結ぶ〉✎それまでに知られていなかった事実や規則性などの新しい発見を連想させる「研究」に比べ、個人が自分の知識を深める形での向上を連想させる。⇩Q研究・考究・考察

けんしき【見識】 ものの本質やことの成りゆきなどを見通す知識をさし、改まった会話や文章に用いられる漢語。〈—を有する〉〈—を問われる〉〈—を示す〉✎円地文子の『老桜』に「美術については一家の—を持っている」とある。⇩識見

けんじつ【堅実】 やり方や考え方が手堅く確実な意で、やや改まった会話や文章に用いられる漢語。〈—な手段〉〈—な家庭を築く〉✎少しずつ連続的に成果を上げる連想が強い「着実」に対して、この語は冒険せずに確実な方法を選択するというニュアンスがある。⇩地道・Q着実・手堅い

げんじつ【現実】 今現に事実として存在している事柄をさし、いくぶん改まった会話や文章に用いられる漢語。〈計画が—的でない〉〈—を直視する〉〈—から目をそらす〉〈夢が—のものとなる〉⇩事実・実際・実態

けんしゅう【研修】 職務上必要な知識や技能を身につけるための勉強や実習をさし、会話にも文章にも使われる漢語。〈—生〉〈新入社員の—〉〈みっちり—を積む〉⇩研究

けんじゅう【拳銃】 片手で持って発射可能な短い筒の小型銃をさす、やや改まった感じの語で、正式の文書などに使われる。〈二丁—〉〈腰に—を帯びる〉〈—を構える〉〈—の威嚇射撃を試みる〉✎三浦哲郎の『拳銃』に「その陰気で物騒な持物というのは、一梃の古い—のことだ」とある。警察官の場合はこの語が使われやすい。日常会話では「ピストル」のほうがふつう。「ピストル」ほど一般的ではないが、「短銃」よりよく使う。⇩小銃・短銃・はじき・Qピストル

げんじゅう【厳重】 厳しい態度で些細《ささい》な点にも気を配る様子をさし、会話にも文章にも使われる漢語。〈—な検査〉〈—な警戒を要する〉〈—に取り締まる〉〈—に注意する〉✎細かい点も見逃さないところに重点があり、相手にきつく当たる意図はない。⇩Q厳しい・厳格・手厳しい

げんじゅうみん【原住民】 もともとその土地に居住している人たちを、移住者や征服した人間の側から見た感じの漢語。✎すでにその地域の主導権を握っていないというニュアンスを伴うことがある。⇩土人・土着民・土民

げんしゅく【厳粛】 厳然たる意や、他を寄せつけないほど真剣なの意で、やや改まった会話や文章に用いられる漢語。〈—に受け止める〉〈—な事実〉〈—な気持ちで臨む〉✎堀辰雄の『大和路』に「金堂や塔などが立ち並んでおのずから—な感じのするあたり」とある。⇩厳か・森厳・Q崇高・荘厳・荘重

げんしゅつ【現出】 珍しい光景・状況・現象などが現れ出る意で、主として文章に用いられる硬い漢語。〈不思議な光景が—する〉〈さながらこの世の楽園を—することになる〉✎中

谷宇吉郎の『立春の卵』に「現代科学に挑戦する一新奇現象が、突如として原子力時代の人類の眼の前に―してきた」とあるように大仰な感じがある。⇩出現

けんしょう【健勝】 健康の意で、主に手紙文の挨拶に用いられる漢語。〈ますます御―のことと存じます〉⇩元気・Ｑ健康・健全・丈夫・健やか・壮健・息災・達者

けんしょう【検証〔證〕】 実際の調査資料をもとに仮説を実証する意で、専門的な話題の会話や文章に用いられる硬い漢語。〈自説を―してみせる〉〈過去の事実を―する〉✎法律の専門語としては、「実地―」「現場―」のように、裁判所や捜査機関が実際の場所で証拠資料を調査する意に用いる。⇩実証・Ｑ証明・立証・論証

けんじょう【献上】 捧《ささ》げて恭しく差し上げる意で、改まった会話や文章に用いられる古風な漢語。〈―の品〉〈陛下に―する〉✎他の類語よりも高貴な身分の相手に対して使われる。⇩寄贈・謹呈・Ｑ献呈・進上・進呈・贈呈

げんしょう【現象】 人間が知覚でとらえうる形で起こる自然界や人間社会の出来事をさし、会話にも文章にも使われる、やや硬い感じの漢語。〈自然―〉〈社会―〉〈逆の―が見られる〉〈不思議な―が起こる〉〈―に目を奪われ、本質を見失う〉✎中谷宇吉郎は『立春の卵』で「世界中の人間が、何百年という長い間、すぐ眼の前にある―を見逃していた」として卵が立つことを立証した。⇩事象

げんしょう【減少】 数量や程度などが減る意で、やや改まった会話や文章に用いられる漢語。〈利益が―する〉〈負担が―する〉〈人口の―を招く〉〈事故の―をめざす〉⇩減ずる・Ｑ減る

げんじょう【現状】 現在の状態をさし、会話にも文章にも使われる一般的な漢語。〈―維持〉〈―に甘んじる〉〈―をつぶさに調べる〉〈―を打破する〉✎「現況」に比べ静的なイメージがある。⇩現況

げんじょう【現場】 「げんば」の意の専門的な漢語表現。〈―に直行する〉〈―を検分する〉〈―確保のため立入禁止〉⇩げんば

けんしょく【兼職】 本職以外に他の職を兼ねる意で、やや改まった会話や文章に用いられる漢語。〈公務員の―禁止〉⇩兼ねる・兼担・兼任・Ｑ兼務・兼用

けんしん【健診】 「健康診断」の短縮形。会話や改まらない文章で使われる略語。〈乳児―〉〈春の定期―〉✎一般的に体の健康状態を診断するときに用いられるが、胸部や胃や大腸などの病気の有無を調べる同音類義語の「検診」と用法が紛らわしい。⇩健康診断・Ｑ検診・メディカルチェック

けんしん【検診】 病気の有無を検査・診察する意で、会話でも文章でも広く使われる漢語。〈集団―〉〈胃の―〉〈―でひっかかる〉✎病気の有無を調べる目的で特定部位を検査・診察する意味で用いるが、同音類義語の「健診」との区別が紛らわしい。また、検査に計器を用いることもあり、時に「検針」と紛らわしい場合もある。⇩健康診断・Ｑ健診・検針・メディカルチェック

けんしん【検針】 電気や水道などの使用量をメーターで調べる意で、会話でも文章でも使われる、やや専門的な漢語。〈電気の―〉〈ガスの―に回る〉✎まれに「検診」と紛らわし

い場合もある。⇩検診

げんずる【減ずる】「減る」「減らす」意で、主に硬い文章に用いられる厳《いか》めしい雰囲気の硬い語。〈体重が―〉〈人員を―〉〈罪一等を―〉⇩Ｑ減少・減る

げんせき【原籍】本籍を移した場合の以前の籍をさし、会話にも文章にも使われる専門的な硬い漢語。〈―を調べる〉✎単に「本籍」の意に使うこともある。⇩本籍

けんせつ【建設】建物・施設や組織などを新たにつくる意で、やや改まった会話や文章に用いられる、いくぶん専門的な漢語。〈―会社〉〈―資金〉〈ダムを―する〉〈文化国家の―〉✎「―的な意見」のように、積極的によくする方向をさす用法もあり、「破壊」と対立。夏目漱石の『私の個人主義』に「文芸に対する自己の立脚地を堅めるため、堅めるというより新らしく―する為に」とあるように、「建築」や「建造」より抽象的な用法にも広がりを見せる。⇩Ｑ建造・建築・建てる

けんぜん【健全】心身の健やかな意で、会話にも文章にも使われる漢語。〈―な発育〉〈―なる精神は―なる身体に宿る〉✎吉本ばななの『哀しい予感』に「彼の―さを異星人のように嫌悪した」とある。「―な娯楽」「―な考え方」「―財政」など、抽象的な意味の拡大用法も多い。⇩元気・Ｑ健康・健勝・丈夫・健やか・壮健・息災・達者

げんせん【源泉】水や温泉などの流れ出るもと、広くはものごとの起源をさし、やや改まった会話や文章に用いられる漢語。〈―掛け流し〉〈―をつきとめる〉〈―徴収〉〈活力の―〉✎島崎藤村の『飯倉だより』に「清い―の流れて来て」とある。小林秀雄は雑誌の企画で鎌倉の自宅を訪問した折、日本語観に関する問いかけに「僕らは国語という大河に流されながら、その―を感じたいと努力しているんですよ」と語った。⇩水源・Ｑ源

げんせん【厳選】厳しい基準のもとによく調べて選び出す意で、改まった会話や文章に用いられる漢語。〈―主義〉〈―された材料〉〈いい品だけを―する〉〈人材を―する〉✎「精選」と違って人間に対しても用いる。⇩精選

けんそう【喧噪(騒)】物音や人声のやかましさをさし、主に文章中に用いられる硬い漢語。〈都会の―を避ける〉〈―の中に埋れる〉✎島木健作の『生活の探求』に「蜂の巣をつついたような一時に起った―のなかに消えてしまった」とある。⇩騒音

けんぞう【建造】ビル・橋・船舶などの大型のものを造る意で、改まった会話や文章に用いられる、やや専門的な漢語。〈巨大な―物〉〈―中の船舶〉✎「建築」はもちろん「建設」よりも大規模な感じがあり、鉄筋・鉄骨のコンクリート造りの連想が強い。川端康成の『浅草紅団』に「復興局―の言問橋」とある。⇩Ｑ建設・建築・建てる

げんそう【幻想】何の根拠もなくとりとめのない空想を脳裏に浮かべることをさし、会話にも文章にも使われる漢語。〈―を抱く〉〈―に耽ける〉〈理想の世界など―にすぎない〉✎谷崎潤一郎の『雪後庵夜話』に「茫漠とした―のかたまりのようなものが雲の如く脳裡に湧き、何かしらものを書かずにはいられなくなる」とある。有島武郎の『或る女』には「―は暗い記憶の洞穴の中を左右によろめきながら奥深くた

どって行く」とある。病的な感じの「妄想」と違い、夢のようなことがおのずと思い浮かぶ感じがあり、「―的な風景」のように美しいイメージと結びつきやすい。実現の可能性のきわめて低い構想や計画などを「―に過ぎない」と一蹴する用法もある。類語中で最も美的な雰囲気が感じられる。⇩空想・想像・Q夢想・妄想

けんぞうぶつ【建造物】建物のほか塔・橋・船舶など建造されたものの総称として、主に文章中に用いられる専門的な漢語。〈歴史的な―として保存の対象となる〉✎「建築物」より大掛かりなものを連想しやすい。⇩Q建築物・建物・ビル・ビルディング

げんそく【原則】広く適用される根本的なきまりをさし、やや改まった会話や文章に用いられる漢語。〈―を定める〉〈―に従う〉〈―を貫く〉〈―に反する〉〈―として認めない〉✎島木健作の『生活の探求』に「外へ向った青年の心が拠り所とする―というものは」とある。〈―禁止〉〈―自由〉というように副詞的に使う例もある。⇩基本・Q原理

けんそん【謙遜】相手への配慮やたしなみを示すために自分側を実際よりも低めて扱う意で、会話にも文章にもよく使われる日常の漢語。〈―した言い方〉〈―して拙著という〉〈ご―でしょう〉⇩Q卑下・へりくだる

けんたい【倦怠】飽き飽きしてけだるく動くのも厭《いや》になる意で、改まった会話や文章に用いられる漢語。〈耐え難い―感〉〈夫婦に―期が訪れる〉✎島尾敏雄は『出発は遂に訪れず』で、特攻隊長として無限延期となったときの精神状態を「目的を失って放り出されると、鬱血した―が広がり、やりばのない不満が、からだの中をかけめぐる」と記す。⇩飽き飽きする・飽きる・倦《う》む・Qうんざり・かったるい・Qけだるい・だるい

げんたい【減退】食欲・体力・精神状態などが衰える意で、会話にも文章にも使われる漢語。〈精力―〉〈食欲が―する〉〈気力がすっかり―する〉✎「増進」と対立。⇩Q衰える・後退・衰弱・Q衰退・衰微

けんたいかん【倦怠感】心身がだるく何をするのも大儀な感じをさし、やや改まった会話や文章に用いられる漢語。〈―に包まれる〉✎水上勉の『越前竹人形』に「突如として襲ってくる―のようなものになやまされていた」とある。⇩Qアンニュイ・大儀・物憂い

けんたん【兼担】複数の箇所を担当する意で、改まった会話や文章に用いられる漢語。〈他学部の―教員〉〈編集部と営業部とを―する〉✎大学教員などが使う。⇩兼ねる・兼職・Q兼任・兼務・兼用

けんち【見地】物事の観察や判断、あるいは議論をする際に、その人間が拠《よ》りどころとする立場をさし、会話にも文章にも使われる漢語。〈教育的―〉〈相手の―に立ってものを考える〉〈広い―から見る〉✎実際に目で見る場面ではあまり使わない。⇩観点・視座・視点・Q立場

けんちく【建築】家屋などの建物を造る意で、会話にも文章にも使われる一般的な漢語。〈―費〉〈―様式〉〈高層―〉〈―許可が下りる〉〈―基準を満たす〉✎「建設」「建造」に比べ小規模な雰囲気がある。三島由紀夫の『金閣寺』に「不均整な繊細な―は、濁水を清水に変えてゆく濾過器のよう

な作用をしていた」とある。⇩Q建設・建造・建てる

けんちくぶつ【建築物】建築した建物をさし、主に文章中に用いる硬い漢語。〈巨大―が出現する〉⇩Q建造物・建物・ビル・ビルディング

げんつき【原付】「原動機付き自転車」の短縮形。主として日常会話に使う語。⇩オートバイ・Q原動機付き自転車・自動二輪・自動二輪車・スクーター・単車・バイク・モーターバイク

けんてい【献呈】恭しく差し上げる意で、主に文章に用いられる漢語。〈―本〉〈―の辞〉〈恩師に―する〉✐「贈呈」「謹呈」以上に相手を敬っている雰囲気がある。⇩寄贈・謹呈・Q献上・進上・進呈・贈呈

げんてい【限定】時間・空間・数量・程度などを区切る意で、やや改まった会話や文章に用いられる漢語。〈対象を―する〉〈範囲を―する〉〈期日を―する〉〈地域―の対策〉〈季節―の品〉✐小林秀雄の『私の人生観』に「現実の一切のカテゴリカルな―を否定して、現実そのものと共鳴共感する」とある。⇩限る

げんど【限度】ここまでなら可能だと認められている範囲をさし、会話にも文章にも使われる漢語。〈最低―額〉〈―いっぱいまで〉〈常識の―を超える〉〈ものには―というものがある〉✐そのものの能力というより規則や社会常識で決められている場合が多く、「限界」に比べ、そこに達しても能力的にはまだいくらか余力がありそうな感じがする。⇩限界

けんとう【検討】さまざまな面から詳しく調べて考える意で、会話にも文章にも使われる漢語。〈比較―する〉〈目下―中〉〈対策を―する〉〈―に入る〉〈―を要する〉⇩吟味

けんとう【見当】おおざっぱな予想の意で、会話や硬くない文章に使われる日常の漢語。〈まるで―がつかない〉〈おおよその―をつける〉〈大体の―はついている〉〈―が大きく狂う〉✐「予想」や「予測」と違い、そういう行為自体より予想の結果として頭に描く先に重点がある。⇩展望・見込み・Q見通し・予感・予期・予想・予測

げんどう【言動】発言や行動の意で、やや改まった会話や文章に用いられる漢語。〈―を慎む〉〈日ごろの―に注意する〉〈不穏な―が目立つ〉✐全体としてとらえられている感じの「言行」と比べ、個々の発言や行動をさす例が目立つ。⇩言行

げんどうきつきじてんしゃ【原動機付き自転車】排気量一二五cc以下のオートバイをさし、法律用語または改まった表現として用いる正式な感じの語。✐道路交通法では、普通自動車免許で運転できる排気量五〇cc以下のものをさす。普通通称「原付」。⇩オートバイ・Q原付・自動二輪・自動二輪車・スクーター・単車・バイク・モーターバイク

げんなま【現生】「現金」の意の俗語。〈―を手渡す〉⇩キャッシュ・Q現金

けんにん【兼任】本務のほかに他の任務を兼ねる意で、やや改まった会話や文章に用いられる漢語。〈他大学の―講師〉〈部長が委員長を―する〉⇩兼ねる・兼職・Q兼担・兼務・兼用

けんのう【献納】社寺に物品を寄付する意で、主として文章中に用いられる古風な漢語。〈鳥居を―する〉⇩寄進・Q奉納

げんば【現場】現に今何かをしている、または、物事の起こ

ったその場所をさし、会話にも文章にも使われる日常の表現。〈工事—〉〈—監督〉〈—検証〉〈事件のあった—〉✎夏目漱石の『坊っちゃん』に「悪い所を見届て—で捕らなくっちゃ、こっちの落度になる」とある。⇩げんじょう・やま

げんぴん【現品】 現に手元にあるその品物の意で、会話にも文章にも使われる、やや専門的な漢語。〈—限り〉〈—先渡し〉〈—と引き換えに〉✎商店などでよく使う。⇩Q現物・実物・本物

けんぶつ【見物】 名所旧跡や催し物などを眺めて楽しむ意で、会話にも文章にも使われる、いくぶん古風な漢語。〈東京—〉〈相撲—〉〈—人〉〈—客でにぎわう〉〈芝居を—する〉〈—に出かける〉✎内部に立ち入って観察する感じの「見学」に比べ、外側から眺めて楽しむ感じが強い。⇩見学

げんぶつ【原物】 写真や模造品などに対するオリジナルの意で、主に改まった会話や文章に使われるやや専門的な漢語。〈—と見比べる〉〈まだ—を見たことはない〉⇩現物

げんぶつ【現物】 実際の物品の意で、会話にも文章にも使われる専門的な漢語。〈—支給〉〈—取引〉〈—を手にする〉✎金銭に対して実際の物の意にも、先物《さきもの》(将来受け渡す条件で売買契約する商品)に対する現品の意にも使う。「見本」と対立。⇩現品・原物・実物・本物

けんぶつきゃく【見物客】 名所旧跡や催し物や見せ物などを見て楽しむ人をさし、会話やさほど硬くない文章に使われる漢語。〈—でごった返す〉✎無料の場合もあるが、「見物人」に比べれば有料のケースが少なくない。⇩観客・観衆・Q見物人・聴衆

けんぶつにん【見物人】 名所や催し物や見せ物などを見るために集まった人をさし、会話やさほど硬くない文章に使われる漢語。〈大道芸の—〉〈事件現場に物見高い—が大勢集まる〉✎「見物客」よりも無料の場合が多い感じがあり、道端の喧嘩や交通事故の現場や火事の焼け跡など、催し物以外にも広く使われる傾向がある。⇩観客・観衆・Q見物客・聴衆

げんみつ【厳密】 厳重に取り扱い、細部までゆるがせにしない意で、会話にも文章にも使われる漢語。〈—な調査〉〈—に検査する〉〈—に言うと〉⇩細密・精巧・精緻・精密・Q緻密・綿密

けんむ【兼務】 本務のほかに別の職務を兼ねる意で、やや改まった会話や文章に用いられる漢語。〈広報課長と経理課長とを—する〉〈—を解く〉⇩兼ねる・Q兼職・兼担・兼任・兼用

けんめい【賢明】 道理に明るく賢い意で、やや改まった会話や文章に用いられる漢語。〈—な判断〉〈—な対応〉〈ここはあえて無視するのが—な方法だ〉✎持って生まれた知的能力に重点のある「聡明」に比べ、一つ一つの判断や行為に対する評価となる例が多い。⇩Q賢い・聡明・利口・利発

げんや【原野】 自然のままの広大な野原をさし、主に文章中に用いられる硬い漢語。〈果てしない—〉〈荒涼たる—〉✎「原」や「野原」よりもスケールの大きなイメージがあり、日本ではせいぜい北海道ぐらいでむしろ外国を連想させる雰囲気がある。⇩野・Q野原・野良・原・原っぱ

けんやく【倹約】 無駄な出費を切り詰める意で、会話にも文章にも使われる漢語。〈—家〉〈小遣いを—してこつこつ貯金する〉〈—して何とかやりくりする〉✎夏目漱石の『坊っ

ちゃん』に「頼りになるのは御金ばかりだから、なるべく―して、万一の時に差支えない様にしなくっちゃいけない」とある。金銭面について非常時や将来に備える場合に言うことが多い。⇩切り詰める・Q節約

けんやくか【倹約家】 物や金銭の無駄を切り詰める人をさし、会話でも文章でも幅広く使われる日常の漢語。〈―で無駄な出費は一切しない〉✎類義語のうち非難めいたニュアンスが比較的少ない。⇩けち・けちん坊・渋い・渋ちん・締まり屋・しみったれ・しみったれる・しわい・Q節倹家・みみっちい・吝嗇《りんしょく》家

けんよう【兼用】 一つのものを複数の用途に役立てる意で、会話にも文章にも使われる漢語。〈男女―〉〈晴雨―のコート〉✎「専用」と対立。⇩兼ねる・兼職・兼担・兼任・兼務

けんらん【絢爛】 眩《まぶ》しいばかりにきらびやかなの意で、主に文章に用いられる華やかな感じの漢語。〈―たる絵巻〉〈飾り立てた―たる文章〉✎谷崎潤一郎は『陰翳礼讃』で「豪華―な模様の大半を闇に隠してしまっている」からこそ「言い知れぬ余情を催す」と述べた。⇩華麗・きらびやか・はなやか

けんり【権利】 利益を受け、または、自由に行動する資格をさし、会話にも文章にも広く使われる基本的な漢語。〈―証〉〈―がある〉〈―を行使する〉〈―を守る〉〈―を放棄する〉✎福永武彦の『風花』に「誰にでもその―はあるだろう。しかし多くの人は、どんなに望んでも、自分の―を用いられないでいるのだ」とある。正式な感じの「権限」に比べ、日常生活でよく使われる。⇩権限

げんり【原理】 物事や現象の成立を支える根本的な法則や理論をさし、やや改まった会話や文章に用いられる漢語。〈相対性―〉〈てこの―〉〈―原則〉〈多数決の―〉〈―を解明する〉✎夏目漱石の『草枕』に「―に背いても、背かなくっても」とある。⇩原則

げんりょう【原料】 製造・加工される前の材料をさし、会話にも文章にも使われる日常の漢語。〈―が豊富だ〉〈ビニールの―〉〈―を輸入に頼る〉✎「材料」と違って、抽象的な意味合いまで広がらない。⇩材料

けんりょく【権力】 他人を支配し服従させる強制力をさし、いくぶん改まった会話や文章に用いられる漢語。〈―闘争〉〈―の濫用〉〈―を握る〉〈―を振りかざす〉〈―におもねる〉〈―に立ち向かう〉〈―の座に就く〉✎島木健作の『癩』に「磐石のような重さをもってのしかかっている国家―」とある。⇩権威①

けんろう【堅牢】 物が堅くしっかりしていて壊れにくい意で、やや改まった会話や文章に用いられる硬い漢語。〈―無比〉〈―な箱〉〈―な造り〉⇩Q頑丈・丈夫

こ

こ【子】 親から生まれた者、年少者の意で使う古風な和語。〈―はかすがい〉〈―を持って知る親の恩〉〈―を生む〉〈―の世話に追われる〉✎中勘助の『銀の匙』に「髪を油で塗りわけた人形のような―」とある。修飾語を伴わずに単独で名詞として使われる用法は特に古めかしい語感がある。「―がある」「―を連れて」「―を育てる」と「子供がいる」「子供を連れて」「子供を育てる」とをそれぞれ比較すると、いずれも「子」の例のほうが古風な表現に感じられる。ただし、「あの―」「若い―」「窓際の―」「ランドセルを背負った背の低い―」というふうに連体修飾を伴って用いられる場合は特に古い感じはしない。「―の立場」「親と―の関係」というように、「子」は基本的に「親」と対立する概念であり、現代では「子供の立場」「親と子供の関係」とも言えるが、「子供」は基本的には「大人」と対立する概念。⇩お子様・餓鬼・Q子供

こ【粉】 穀物を挽《ひ》いた時などに出来るきわめて微細な粒をさし、会話にも文章にも使われる、単独用法ではやや古風な和語。〈小麦―〉〈片栗―〉〈―吹き芋〉〈―をふく〉✎「パン―」「そば―」「さらし―」「白玉―」などの語構成要素としてよく使い、単独ではあまり用いない。「身を―にして働く」という慣用句では必ずこの語を使う。⇩Qこな・粉末

ご【語】 主に「単語」の意で、学術的な会話や文章に用いられる、やや専門的な漢語。〈―の意味・用法〉✎「―を次ぐ」「―を荒げる」のように、表現やことば遣いの意味で用いることもあり、その場合はやや古風な感じが伴う。⇩言語・語彙・言葉・Q単語・用語

ご【碁】 白石と黒石に分かれて交互に碁石を並べて盤面を囲い合い、互いの陣地の広さを競う古来の遊戯をさし、会話や軽い文章に使われる日常の漢語。〈詰め―〉〈―を打つ〉✎「本碁」のほか「五目並べ」を含むこともある。⇩Q囲碁・本碁

こい【濃い】 物の濃度・密度が高く程度が強い、色が深い、味が強いといった意味合いで、くだけた会話から硬い文章まで幅広く使われる日常の基本的な和語。〈色が―〉〈―コーヒー〉〈―液〉〈霧が―〉〈髭が―〉〈―眉〉〈味が―〉〈化粧が―〉〈血が―〉✎井上靖の『小磐梯』に「―紫色の着物で、これが月光の中の女の顔を一層白く浮きたたせていました」とある。内田百閒の『紅茶』には「紅茶の―のは妙な甘味がして咽喉の奥がさっぱりしない」とある。「薄い」「淡い」と対立。⇩Q濃厚・濃密・深い

こい【恋】 異性を慕い求める心の意で、会話にも文章にもよく使われる日常の和語。〈初めての―〉〈燃えるような―をする〉〈老いらくの―〉〈叶《かな》わぬ―〉〈―におちる〉〈―に破れる〉✎吉行淳之介の『驟雨』に「明るい光を怖れるような―」とある。⇩愛・Q恋愛

こい【故意】 そうする意思を持っての意で、改まった会話や文章に用いられる、専門的な雰囲気の硬い漢語。〈未必の―〉〈―に触れる〉〈―に誤る〉⇩敢《あ》えて・強いて・Qわざと・わ

ざわざ

ごい【語彙】単語を何らかの観点で分類した場合に、あるグループに属する語の集合という意味で、少し学術的な会話や文章に用いられる専門的な漢語。〈―調査〉〈新聞の―〉〈―が豊富だ〉✎「新出―」などとして一つ一つの単語をさすのは俗な用法。⇩言語・語・言葉・単語・用語

こいき【小粋】どことなく垢抜けしている意で、会話にも文章にも使われるいくぶん古風な和語。〈―な身なり〉〈―に振る舞う〉〈あだで―で〉✎「ちょいと粋な」という意味の語形だが、粋である程度が小さいというより、どういう点が「粋」に相当するのか特定しにくい場合に使われる傾向がある。⇩Qいき・小じゃれた・洒落た・すい

こいし【小石】小さな石の意で、会話にも文章にも使われる和語。〈―を拾って投げる〉✎「石ころ」のように小ばかにした感じはなく、梶井基次郎の『冬の蠅』に「さっと流れて来る光のなかへ道の上の―が歯のような影を立てた」とある。⇩Q石ころ・砂利

こいしい【恋しい】離れている人や場所に心引かれ、その対象を身近に欲しくなって強く思いを寄せる意で、会話にも文章にも使われる和語。〈昔が―〉〈ふるさとが―〉〈人―秋の宵〉〈火の―季節〉〈―人に再会する〉✎太宰治の『斜陽』に「或るひとが―・くて、―・くて(略)両足の裏に熱いお灸を据え、じっとこらえているような、特殊な気持ちになって行った」とある。欲しがる意の「請う」と語源的につながる。⇩慕わしい・好き・懐かしい

こいする【恋する】恋をする意で、主に文章に用いる古風な和語。〈―乙女〉〈ひそかに―〉✎瀧井孝作の『結婚まで』は、「信一は、笹島さんを彼女を―・している」と始まる。「恋う」が「乞う」や「請う」と同源で「欲しがる」という意味合いがあるため、「愛する」と違ってもっぱら恋人時代までに用い、結婚してすでに自分の手に入れた妻や夫に対して用いると違和感がある。なお、「恋をする」の形は会話にも使い、古風な感じもない。⇩Q愛する・慕う・好く・惚《ほ》れる

こいびと【恋人】互いに恋愛感情を持って交際している特定の相手をさし、会話にも文章にも使われるいくぶん古風な和語。〈―どうし〉〈―ができる〉〈―に逢う〉〈―と別れる〉✎武者小路実篤の『お目出たき人』に「地球が太陽のまわりを廻っているように―のまわりを廻っているより仕方がないね」とある。未婚の男女の場合に用い、一方または両方が既婚者である場合、現在は「愛人」が普通。結婚後に他の異性に心を移す場合は「愛人」となるが、その人が独身であればその愛人側から相手をこの語で呼ぶこともある。丸谷才一の『笹まくら』に「昔の―で、しかも命の恩人である女の死を告げる、黒い枠の葉書」とある。俗っぽい「彼氏」「彼女」より品がある。⇩Q愛人・好《い》い人・彼女・彼・彼氏

こいぶみ【恋文】相手を恋しく思う気持ちを訴える異性宛の手紙をさし、会話にも文章にも使われる古めかしい和語。〈ひそかに―を渡す〉✎高田保の『河童ひょうろん』中の「恋文」という一編に「恋人は捨てきれるが、―はちょっと捨てきれぬものだ」とある。⇩ラブレター

コイン「硬貨」の意で、会話やさほど硬くない文章に使われる外来語。〈―投入口〉〈―ロッカー〉〈穴のあいた―〉⇩Q

硬貨・銭

コインランドリー 硬貨を入れると作動する洗濯機・乾燥機を備えた店をさす和製英語。〈近所に―ができる〉

ごう【号】 文筆家や芸術家などが当人をさして本名以外に用いる名前の意で、会話にも文章にも使われる、やや古風な漢語。〈―を付ける〉〈―で呼ぶ〉✎俳句の世界では特に「俳号」という。商人の用いる「屋号」もこの類。⇩Q雅号・芸名・筆名・ペンネーム

こうあつてき【高圧的】 相手を上から威圧するような態度の意で、会話にも文章にも使われる硬い感じの漢語。〈―な言い方〉〈―な態度に出る〉⇩Q頭ごなし・横柄・尊大・高飛車

こうあん【考案】 新しい方法や道具・品物などを考え出す意で、やや改まった会話や文章に用いられる漢語。〈―者〉〈新規―〉〈斬新な製品を―する〉⇩工夫

こうい【好意】 親愛感・親切心の意で、会話でも文章でも使われる日常の漢語。〈―を抱く〉〈―を寄せる〉〈―から出た行動〉✎夏目漱石の『坊っちゃん』に「教頭は全く君に―を持ってるんですよ」とある。⇩厚意

こうい【厚意】 思いやりの意で、改まった会話や文章に用いられる丁重な感じの漢語。〈相手の―に甘える〉〈―に報いる〉〈ご―に感謝する〉〈せっかくの―を無にする〉✎同じように親切心をさす場合、「好意」以上に深い気持ちが感じられる。⇩好意

こうい【行為】 意思を持って行うことをさし、改まった会話や文章に用いられる正式な感じの漢語。〈不法―〉〈背信―〉〈寄付―〉〈自発的な―〉〈憎むべき―〉✎三島由紀夫の『金閣寺』に「空白をめがけて滲み入る水のように、―の勇気が新鮮に湧き立った」とある。ちょっとした動作からある態度を示すような抽象的なふるまいに至るまで幅広い対象を含む。⇩行い・活動①・Q行動・動作・ふるまい

ごうい【合意】 複数の人や組織の意見が一致する意で、やや改まった会話や文章に用いられる漢語。〈―文書〉〈―事項〉〈―が得られる〉〈双方歩み寄って―に達する〉〈―に基づく〉✎「賛成」「同意」が「一方が他方に〇〇する」という形で使うのに対し、この語は両者を主語にして「双方が―する」「AとBとが―する」という形で両者を対等に扱う。⇩コンセンサス・賛成・Q同意

こういう【斯ういう】 「このような」の意で、会話にも文章にも使われる和語。〈―事情だ〉〈―方針で臨む〉〈―場合には〉✎「このような」と「こんな」の間の丁寧さ。⇩かかる・かような・Qこのような・こんな

こういん【工員】 工場で労働する従業員をさし、会話にも文章にも使われる、少し差別意識の感じられる古風な漢語。〈多数の―を抱え、工場のやりくりが大変だ〉⇩職工

こういん【鉱員】 職業差別の意識が感じられるとして使用を控えるようになった「坑夫」「鉱夫」に代わって用いられるようになった比較的新しい漢語。⇩坑夫・Q鉱夫

こういん【勾(拘)引】 召喚に応じない被告人・被疑者・証人などを訊問《じんもん》のため警察や裁判所まで強制的に連れて行く意で、専門的な会話や文章に用いられる法律上の用語。〈証人を法廷に―する〉⇩しょっ引く・Q連行

ごういん【強引】 普通なら困難なことを結果や相手の気持ち

を無視して断行する様子をさし、会話にも文章にも使われる漢語。〈―な手段〉〈―な勧誘〉〈―に取り立てる〉〈―に押し通す〉⇩無理やり

ごうう【豪雨】長く降り続く激しい大雨をさし、主として文章に用いる漢語。〈集中―〉〈―による被害〉✐永井龍男の『風ふたたび』に「夜中の―が、重苦しい梅雨空を、どうやら切り放したらしい」とある。単なる「大雨」より災害の危険を感じさせる連想が強い。⇩大雨

こううん【幸(好)運】運に恵まれることをさし、会話にも文章にも広く使われる漢語。〈―児〉〈―に恵まれる〉〈―に見放される〉〈―の女神がほほえむ〉〈―をつかむ〉〈―にも一命をとりとめる〉✐永井荷風の『ふらんす物語』に「傘を所持して居た―に思当る」とある。「不運」「悲運」と対立。⇩僥倖《ぎょうこう》・つき・Qラッキー

こうえい【後裔】「末裔《まつえい》」の意で主に文章中に用いられる漢語。〈上杉家の―と称する〉〈真田家の―につらなる〉✐夏目漱石の『坊っちゃん』に「是でも元は旗本だ。旗本の元は清和源氏で、多田の満仲の―だ」とある。⇩子孫・まごこ・Q末裔

こうえき【交易】主として物品を交換する商いをさし、主として文章に用いられる硬い漢語。✐福沢諭吉の『学問のすすめ』に「外国―の事始り」とある。中村正直訳の『西国立志編』に「学問を―して、知識を開き」とあるように、商品に限らず「貿易」よりも幅広い対象に用いた。⇩貿易

こうえん【口演】人前で話芸を演ずる意で、やや改まった会話や文章に使われる少し古風な漢語。〈落語や講談の―〉⇩講演・Q公演

こうえん【公演】公開の席で音楽や演劇を演ずる意で、改まった会話や文章に用いられる漢語。〈劇場―〉〈地方―〉〈ミュージカルの―〉✐「上演」に比べ、劇場や出演者に重点を置いた発想の表現。⇩講演・口演・Q上演

こうえん【公園】市民の憩いの場として設けられる公共の庭園をさし、会話にも文章にも使われる日常の漢語。〈―のぶらんこ〉〈―を散歩する〉✐林芙美子の『放浪記』に「玩具箱をひっくり返したような―の中」とある。「国立―」のように、自然保護や観光・保養などの目的で指定された広大な地域をもさし、その場合はやや専門的。⇩遊園地

こうえん【講演】会場に集まった主に不特定多数の人々に一定の話題で話をすることをさし、会話でも文章でも幅広く使われる漢語。〈連続―〉〈本日の記念―会〉〈熱のこもった―〉〈財界から講師を招いて景気回復について―してもらう〉✐「講義」に比べ、単発でもよく、履修単位にはならず、内容も学術的なものに限らない。⇩口演・公演・Q講義

ごうおん【轟音】鳴り響く重く大きな音をさし、やや改まった会話や文章に用いられる漢語。〈―を立てる〉〈―が響き渡る〉✐柴田翔の『われら戦友たち』に「交差点をめぐる町の―は、聴覚をひきさくような激しさで耳に響き」とある。⇩爆音

こうか【効果】その作用による好ましい方向の結果をさし、会話にも文章にも広く使われる基本的な漢語。〈相乗―〉〈大きな―がある〉〈―が上がる〉〈目に見える―は期待薄だ〉✐「―音」「舞台―」のように、視聴覚に訴える装置や

演出などをさす場合は専門的。⇩Q効き目・結果・効能・効用

こうか【降下】 飛行機が高度を下げたり、人間が地上に降り立つために飛行機からパラシュートで飛び降りたりする意で、やや改まった会話や文章に用いられる漢語。〈急―〉〈―部隊〉〈落下傘で―する〉⇩落ちる①・墜落・転落・Q落下

こうか【高価】 値段が高い意で、改まった会話や文章に用いられる漢語。〈―な品〉〈―な万年筆〉✎「安価」「廉価」と対立。⇩高い②

こうか【硬貨】 金属で造った貨幣をさし、やや改まった会話や文章に用いられる漢語。〈百円―〉〈―を鋳造する〉✎金貨・銀貨・銅貨などの総称。「紙幣」と対立。⇩Qコイン・銭

ごうか【豪華】 はなやかでぜいたくな感じを意味し、会話でも文章でも広く用いられる漢語。〈絢爛《けんらん》―〉〈―客船〉〈―な衣装〉〈―な披露宴〉✎太宰治の『斜陽』に「めずらしいもの、―なもの、そんなものは望むべくもなかった」とある。⇩ゴージャス

こうかい【後悔】 すでに終わったことをやらなければよかったと悔しく思う意で、会話にも文章にも広く使われる日常の漢語。〈―先に立たず〉〈日ごろの怠慢を―する〉〈大枚をはたいて健康器具を買ったことを―する〉〈あれは若気の至りで今では―している〉✎安部公房の『他人の顔』に「はげしい―にさいなまれる」とある。⇩悔いる・Q悔やむ・反省

こうかい【更改】 制度や契約などの約束事の内容を変更する意で、改まった会話や文章に用いられる、専門性の高い漢語。〈契約を―する〉〈規約を―する〉⇩書き換え・Q更新

こうがい【口外】 内密にしておくべきことなどを他人にしゃべる意で、やや改まった会話や文章に用いられる漢語。〈―無用〉〈―をはばかる〉〈口止めされていたのにうっかり―する〉✎ほとんどが意図的であるが、「他言《たごん》」よりも、口が滑る場合を含む感じがある。⇩他言

こうがい【郊外】 都心や市街地の周辺に位置する地域をさし、会話にも文章にも使われる漢語。〈東京―〉〈―に引っ越す〉✎小沼丹の『寓居あちこち』に「私の居る深見権左衛門の家から―電車の駅まで歩いて十五分程である」とある。「近郊」に比べ、田畑や林などが残っている雰囲気がある。⇩近郊

ごうかく【合格】 試験や各種の選考に受かる意で、会話にも文章にも広く使われる日常の漢語。〈―点〉〈―ライン〉〈―通知〉〈―祝い〉〈入学試験に―する〉✎太宰治の『思い出』に「いい成績ではなかったが、私はその春、中学校へ受験して―した」とある。「不合格」と対立。⇩及第・通る

こうかつ【狡猾】 ずるい意で、改まった会話や文章に用いられる漢語。〈―な手口〉〈―に策略をめぐらす〉✎佐藤春夫の『田園の憂鬱』に「義理も何も心得ぬ―漢だ」とある。「ずるい」「こすい」よりも悪質なイメージが強い。⇩こすい・こすっ辛い・ずるい・ずる賢い・Q悪賢い

こうかん【交換】 互いに取り替える意で、会話にも文章にも使われる日常の漢語。〈物々―〉〈―条件〉〈部品の―〉〈道具を―する〉〈役目を―する〉✎「エールの―」「名刺を―する」「意見を―する」のように、互いにやりとりする意でも使う。⇩変わる・取り替える

こうかん【公刊】 書籍などを出版して世間に広める意で、改

まった会話や文章に用いられる硬い漢語。〈学術書を―する〉✎「出版」や「刊行」に比べ、世の中に知らせる意味合いが強い。⇩Q刊行・出版・上梓・発刊・発行

こうがん【睾丸】 精子をつくる男性の生殖腺の意のやや専門的な漢語。学術的な文章などで「金玉」をさして用いられる正式な感じの語。⇩一物・陰部・隠し所・下半身②・下腹部・局所・局部・Q金玉・性器・生殖器・恥部

こうがん【紅顔】 血色がよく若々しい顔をさし、主として文章中に用いる、やや古風な漢語。〈―の美少年〉〈―を輝かす〉✎辻邦生の『安土往還記』に「―を輝かしていた若者」とある。性別や年齢に関する使用制限は明確でないが、少なくともこの語を中年以上の人物の形容に用いる習慣はなかった。「紅」は若い人の血色のよさを暗示するため、まずは若々しい女性の美しい容貌をさし、男性であっても初々しい少年のいかにも健康そうな顔を形容するのに用いてきた。「―可憐な」とくれば「美少年」か「美少女」と続くのが普通であり、顔立ちがいくら整っていても老人には使いにくく、赤みを帯びた頑固おやじの顔は「赤ら顔」として区別される。

ごうかん【強姦】 暴力や脅迫により、または相手の意識のない状態で、一方的に女性と性交渉を行う意の露骨な漢語表現。〈―未遂事件〉〈―の罪に問われる〉⇩Q暴行・乱暴②・レイプ

ごうかん【合歓】 間接的に「性交」をほのめかす古めかしい漢語表現。✎広くは、二人の人間が喜びを共にする意。その一部として、男女が一緒に寝る意が含まれ、自然に肉体の結合が暗示される。⇩営み・エッチ・関係②・交合・交接・情交・情を通じる・Q性交・性行為・性交渉・性的行為・セックス・抱く②・契る・同《どう》衾《きん》・共寝・寝る②・懇ろになる・ファック・深い仲になる・房事・枕を交わす・交わる・やる③・夜伽《よとぎ》

ごうがん【傲岸】 驕《おご》りたかぶって謙虚さに欠ける意で、主として文章に用いられる古風で硬い漢語。〈見るからに―な表情〉〈人を人とも思わぬ―な態度〉⇩Q驕慢《きょうまん》・高慢・傲慢・高慢ちき・尊大・不遜

こうがんむち【厚顔無恥】 恥知らずで相手にいくら迷惑をかけても気にかけない意で、改まった会話や文章に用いられる、やや古風で硬い感じの漢語表現。〈まさに―とはこのことだ〉⇩Q厚かましい・図々しい・鉄面皮・恥曝し・恥知らず・破廉恥

こうき【後記】 書物や雑誌などの「あとがき」をさし、主に文章に用いられる漢語。〈編集―〉⇩Q後書き・跋《ばつ》・跋文《ばつぶん》

こうき【好機】 物事を行うのに適している、自分側に有利な機会の意で、主として文章に用いられる、いくらか古風な漢語。〈願ってもない―〉〈―が到来する〉〈―を迎える〉〈―を逸する〉⇩機会・Qチャンス

こうぎ【交誼】 親しい交際の意で、主として改まった文章中に用いられる硬い漢語。〈―を結ぶ〉〈―を受ける〉〈よろしくご―のほどお願い致します〉⇩好誼

こうぎ【好誼】 好意による交際の意で、改まった手紙や文章中に用いられる硬い感じの漢語。〈日ごろの―に感謝する〉〈永年のご―に報いる〉⇩交誼・Q厚誼

こうぎ【厚誼】 心のこもった深い交際の意で、改まった手紙や文章に用いられる丁重な感じの漢語。〈年来のご―に応

える べく〉〈格別のご―にあずかり深謝申し上げます〉⇩交誼・Q好誼

こうぎ【抗議】 相手側の不当な処置や言動に対し強く反対の意思を表明する意で、会話にも文章にも使われる漢語。〈―集会〉〈当局に―する〉〈厳重に―を申し込む〉〈―に押しかける〉✎川端康成の『千羽鶴』に「実に簡単な―だが、実に真実であった」とある。「苦情」より激しい行動を思わせる。⇩異議

こうぎ【講義】 大学などで学術的な内容を説明することをさし、会話でも文章でも広く使われる漢語。〈―科目〉〈大学の―〉〈哲学の―をする〉〈―を聴く〉✎尾崎士郎の『人生劇場』に「力のない雨だれの音のような退屈な―」とある。大学などで履修している多くの学生を相手に学問的な内容を伝授するという雰囲気が強い。⇩講演・Qレクチャー

こうきゅう【恒久】「永久」に近い意味で用いる、硬い漢語的文章語。〈間に合わせでない―的な設備〉〈―の平和〉⇩何時までも・永遠・Q永久・永劫・とこしえ・とこしなえ・とわ・悠遠・悠久

こうきゅう【考究】 物事の道理や真理を明らかにするために深く考える意で、主として文章中に用いられる硬い漢語。〈文体分析の方法について―する〉〈永年の―の成果を公にする〉✎「研究」のうちの主に「考察」部分に相当する。⇩研究・研鑽《けんさん》・Q考察

ごうきゅう【号泣】 大声を上げて泣く意で、改まった会話や文章に用いられる漢語。〈遺体に取りすがって―する〉〈師の突然の悲報に接し―する〉✎中河与一の『天の夕顔』に「身もだえし、声の限りで―しているあの人」という例がある。⇩号哭《ごうこく》・慟哭《どうこく》

こうきょう【好況】 景気がよく経済活動が活発な意で、改まった会話や文章に用いられる硬い漢語。〈―業種〉〈―を呈する〉〈―に転ずる〉〈―の波に乗る〉✎「不況」と対立する語。「活況」より抽象的。⇩活況・景気・Q好景気

こうくう【高空】 空の高い部分をさし、主として文章に用いられる漢語。〈―を飛び続ける〉✎「低空」と対立。⇩上空

こうぐう【厚遇】 手厚いもてなしの意で、改まった会話や文章に用いられる硬い感じの漢語。〈―を受ける〉✎具体的・物質的な感じの強い「優遇」に比べ、精神的な面に重点がある。「冷遇」と対立。⇩優遇

こうくうき【航空機】 人を乗せたり貨物を載せたりして空中を移動する乗り物の総称として、改まった会話や文章に用いられる、比較的新しい、やや専門的な漢語。〈―の運行〉〈―の操縦は特に離陸と着陸に神経を遣う〉✎飛行機のほか飛行船・気球・グライダーなどを含むが、通常は旅客機をさし、その場合は大型機を連想させる。⇩飛行機

こうけい【光景】 一場面として外から見た人間や場所の一瞬のありさまをさし、改まった会話や文章に用いられる、やや硬い感じの漢語。〈街角の―〉〈見慣れた―〉✎武田泰淳の『風媒花』に「大活躍の―が、なつかしくも幻燈画のように、彼の脳裡を去来する」とある。「会場でタンカーの炎上する―を目撃した」「従業員が一列に並んで叱られている―を目にした」のように物事の起こっているようすをさす例も多い。⇩景色・眺め・Q風景

ごうけい【合計】 いくつかの数量を加える意、また、その結

果の数量をさし、くだけた会話から硬い文章まで幅広く使われる日常の漢語。〈―金額〉〈―でちょうど一万円になる〉〈収入を―する〉✎全体をいくつかに分けて、ある範囲だけ合計する場合は特に「小計」といって区別することもあり、その場合これは小計の和に当たる。⇩総計

こうけいき【好景気】景気がよい意で、会話にも文章にも使われる漢語。〈―に沸く〉〈ようやく―に向かう〉✎谷崎潤一郎の『鮫人』に「戦争のお蔭で東京には―が来た」とある。「不景気」と対立。「活況」より抽象的で、「好況」より日常的な語。⇩活況・景気・Q好況

こうげき【攻撃】戦争や試合で相手側を攻めることをさし、会話にも文章にも使われる日常の基本的な漢語。〈先制―〉〈一斉―〉〈―を開始する〉〈激しい―を加える〉〈―の手を緩める〉〈敵の―にさらされる〉✎夏目漱石の『坊っちゃん』に「弁じ立てて置いて、自分の方を表向き丈立派にして夫《それ》からこっちの非を―する」とある。「守備」と対立。⇩攻める

こうけつ【高潔】人格や行動などが気高くけがれを知らぬ意で、主として文章に用いられる古風で硬い漢語。〈―の士〉〈―な人物〉✎武田麟太郎の『銀座八丁』に「人格は―と伝えられ」とある。⇩潔い・Q清廉・廉潔

こうけん【貢献】社会や組織のために力を尽くし、それだけの結果を残す意で、会話にも文章にも使われる漢語。〈―度が高い〉〈社会に―する〉〈チームの勝利に―する〉✎「寄与」と同様、あくまで結果に言及しているが、「寄与」に比べ、そのために力を尽くす過程が意識に上りやすい。⇩Q寄与・尽力

こうげん【公言】人前でおおっぴらに言う意で、改まった会話や文章に用いられる漢語。〈―を慎む〉〈―してはばからない〉⇩Q広言・高言

こうげん【広言】大げさなことを言う意で、改まった会話や文章に用いられる漢語。〈―を吐く〉〈斯界の権威と―してはばからない〉⇩公言・Q高言

こうげん【高言】偉そうなことを口走る意で、改まった会話や文章に用いられる漢語。〈―癖がある〉〈日ごろの―に似ず〉⇩公言・Q広言

こうげん【高原】高地にある平原をさし、会話にも文章にも使われる漢語。〈―野菜〉〈空気のきれいな―の保養地〉✎住宅地を思わせる「高台」に対し、別荘地の連想が強く、いくぶん詩的な雰囲気がある。室生犀星の『杏っ子』に「月さえも出た北信濃の―は、純白な紙の中を歩くようで」とある。⇩Q高地・台地・高台

こうご【口語】現代語の文法のきまりに則して表現する言語体系を意味し、会話にも文章にも使われる漢語。〈―文〉〈―文法〉✎「文語」と対立する。まれに「話しことば」の意味で使うこともある。⇩Q口頭語・話し言葉

こうご【交互】二人が互いに交代しながら繰り返し行う意で、改まった会話や文章に用いられる漢語。〈二人が―に発言する〉〈―に担当する〉✎「代わる代わる」に比べ、一回代わるだけでなく何回かずつ行う感じが強い。⇩代わりばんこ・Q代わる代わる

こうこう【口腔】口から咽喉までの間の空間をさし、学術的

な会話や文章に用いられる専門的な漢語。〈―衛生〉✍医学用語としては「こうくう」。谷崎潤一郎の『細雪』に「分厚い唇の肉を一層分厚くさせつつ口を○の字に開けて、飯のかたまりを少しずつ―へ送り込みながら」とある。⇩Q口・口元

こうごう【交合】文章で間接的に「性交」を意味する漢語。〈―を重ねる〉✍「交接」に近い語感をもつが、他の意味では用いないので、婉曲《えんきょく》な感じの程度はそれより劣る。「媾合」とも書く。⇩営み・エッチ・関係②・合歓・交接・情交・情を通じる・Q性交・性行為・性交渉・性的行為・セックス・抱く②・契る・同衾《どうきん》・共寝・寝る②・懇ろになる・ファック・深い仲になる・房事・枕を交わす・交わる・やる③・夜伽《よとぎ》

こうこく【抗告】裁判所の決定や命令に対する不服を上級裁判所に申し立てることをさし、改まった会話や文章に用いられる専門的な硬い漢語。〈即時―〉〈―訴訟〉⇩控訴・Q上告・上訴

こうこく【広告】世間に広く知らせること、特に商業的な宣伝をさし、くだけた会話から硬い文章まで幅広く使われる日常の漢語。〈―コピー〉〈誇大―〉〈―を出す〉〈新聞に謝罪―を載せる〉✍「宣伝」は行為に重点があり、この語はもののイメージが強い。林芙美子の『放浪記』に「口入屋の高い―塔が、難破船の信号みたように風にゆれていた」とある。⇩宣伝

ごうこく【号哭】声を上げて激しく泣く意で、主に文章に用いられる硬い漢語。〈一人になって―する〉✍中島敦の『李陵』に「南に向って―した」とある。⇩号泣・Q慟哭《どうこく》

こうこつ【恍惚】心を奪われてぼうっとする意で、改まった会話や文章に用いられる硬い漢語。〈―のまなざし〉〈名演奏に―となる〉✍老齢のためにぼけて正常な判断ができない状態の意でも使われ、有吉佐和子に『恍惚の人』と題する小説がある。⇩うっとり

こうさ【考査】学校などで実施する学力を調べる試験の意で、主として文章中に用いる、古風で正式な感じの硬い漢語。〈期末―〉✍「人物―」のように、考え調べる意でも使う。⇩Q試験・テスト

こうさ【交差(叉)】複数の直線上のものが一点で交わり、十文字または筋交いになることをさし、会話にも文章にも使われる漢語。〈―点〉〈立体―〉〈道路が―する〉✍永井荷風の『濹東綺譚』に「一筋は白髭橋の方へ走り、それと―して浅草公園裏の大通が言問橋を渡る」とある。⇩交錯

こうざ【講座】体系的に編成された講習会や放送番組などをさし、会話にも文章にも使われる漢語。〈公開―〉〈文章―〉〈―を開く〉✍「―もの」として、一定の目的で編集される出版物のシリーズをさすこともある。⇩講義

こうさい【交際】人と人とが互いに行き来したり親しく話し合ったり一緒に行動したりする意で、会話にも文章にも使われる漢語。〈―費〉〈―範囲が広い〉〈男女間の―〉〈―を始める〉〈親しい―を続ける〉✍夏目漱石の『こころ』に「先生の―の範囲の極めて狭い事を知っていた」とある。⇩付き合い

こうさく【交錯】複数のものが不規則に入り交じる意で、いくぶん改まった会話や文章に用いられる漢語。〈光の―〉

〈音が―する〉〈期待と不安が―する〉✎森田たまの『もめん随筆』に「彼女の心にはいま聞いてきた教師の言葉と、それを反ばくする自分の言葉とが、おさのように―した」とある。⇩交差

こうさつ【考察】 物事の本質を明らかにするために学問的に考えを進める意で、やや改まった会話や文章に用いられる漢語。〈敬語に関する一―〉〈原因を―する〉〈鋭い―を加える〉〈―を重ねる〉〈―を深める〉〈両者の複雑な関係について―する〉⇩研究・研鑽《けんさん》・Q考究・考慮

こうさん【降参】 戦いに敗れて敵に従う意で、会話や軽い文章に使われる古風な漢語。〈白旗を掲げて―する〉〈敵にあっさり―する〉✎現代では、「へとへとになって途中で―する」「孫にねだられてとうとう―する」のように、日常生活で、音《ね》を上げる、相手の要求を聞き入れる、といった意味合いの俗っぽい比喩的用法が多い。⇩屈服・Q降伏・投降・参る②

こうさん【公算】 ある事態の実現する確実さの程度を意味し、改まった会話や文章に用いられる専門的で硬い漢語。〈勝利を収める―が大である〉〈今国会で成立する―が大きい〉✎「確率」に比べ、数字で示しにくいものについて用いることが多く、単なる見込みとして「大きい」「小さい」「ない」などとおおざっぱに表す。⇩確率

こうじ【公示】 公の機関が一般の人に広く知らせる意で、会話にも文章にも使われる正式な感じの漢語。〈―日〉〈土地の―価格〉✎衆議院議員の総選挙や参議院議員の通常選挙の場合は「告示」でなく特にこの語を用いる。⇩Q公表・公布・告示

こうじ【小路】 幅の狭い道をさし、会話にも文章にも使われる、やや古風な感じの和語。〈袋―〉〈―を入ってしばらく行った右側〉✎「こみち」の転。「大路《おおじ》」と対立。両側に家が並んでいる印象が強い。上野の「広―」やユトリロの絵で名高いパリはモンマルトルの「コタン―」など固有名詞となる例も多い。⇩裏通り・裏町・Q小道・横町

こうじ【工事】 土木や建築の作業をさし、会話にも文章にも使われる日常の漢語。〈道路―〉〈―現場〉〈―中〉〈―を請け負う〉✎「工務」より具体的。夏目漱石の『吾輩は猫である』に「前髪が堤防―の様に高く聳えて」という比喩表現の例が出る。⇩工務

ごうし【合嘴】 「接吻」の意の古めかしい漢語。✎高田保の『接吻考』に「―、という言葉もあるそうだが」とあり「ぎこちのないセップンはこの尖った感じで、セキセイインコに似ている」という。⇩キス・キッス・口吸い・口づけ・接吻

こうしき【公式】 所定の手続きを経て公に認められたの意で、会話にも文章にも使われる、改まった感じの漢語。〈―行事〉〈―発表〉〈―記録〉〈政府の―見解〉〈―の場〉〈―の訪問〉✎常識的な「正式」に比べ、明確に規定された感じが強い。「非公式」と対立する語。⇩Q正式・本格的・本式

こうしゅうよくじょう【公衆浴場】 一般大衆用の入浴施設をさし、改まった会話や文章に用いられる正式な感じの漢語。〈市営の―〉〈―の施設がある〉✎公の施設も含み、安い料金で利用できそうな雰囲気がある。横町の風呂屋といった趣は稀薄。⇩Q銭湯・風呂屋・湯屋

こうしょう【高尚】 学問や技芸において知的で品がある意で、改まった会話や文章に用いられる漢語。〈—な趣味〉〈—な学問〉夏目漱石の『坊っちゃん』に「—な精神的娯楽を求めなくってはいけない」とある。⇩気高い・上品・典雅

こうしょう【交渉】 要求が通ることをめざして相手と掛け合う意で、会話にも文章にも使われる日常の漢語。〈先方と直接—する〉〈—に入る〉〈—が長引く〉〈—が決裂する〉〈—がまとまる〉野間宏の『暗い絵』に「最近父親が軍部と—があるようになってから、彼はほとんど父親のアパートには寄りつかない」とあるように、交際の意に用いることもある。⇩折衝

こうじょう【工場】 機械を用いて製品を作る施設をさし、会話から文章まで幅広く使える日常的な漢語。〈—排水〉〈—見学〉〈整備—〉〈—で製造する〉徳永直の『太陽のない街』に「疲労した巨大な河馬のように横たわった大—」とある。古風な「こうば」よりも現代生活に密着した語で、イメージとしては、「こうば」より規模が大きく近代的な設備が整っている感じがある。⇩こうば

こうじょう【交情】 交友の親しみの意で、改まった文章などに用いる漢語。〈—を新たにする〉〈—を深める〉⇩厚情

こうじょう【厚情】 深い思いやりの気持ちの意で、改まった手紙や文章に用いられる丁重な感じの漢語。〈—にすがる〉〈—をたまわる〉〈ご—に感謝する〉⇩交情

こうじょう【向上】 現状よりも技術・性能・程度などが望ましい方向に進む意で、会話にも文章にも使われる漢語。〈—心〉〈—の跡が見られる〉〈品質が—する〉〈生産性の—をめざす〉「低下」と対立。⇩上達・Q進歩・発達

ごうじょう【強(剛)情】 頑《かたく》なに自分の考えを貫く意で、会話にも文章にもよく使われる日常の漢語。〈—な男〉〈—を張る〉夏目漱石は『吾輩は猫である』で「—さえ張り通せば勝った気で居るうちに、当人の人物としての相場は遥かに下落して仕舞う」と喝破している。⇩意地っ張り・依怙《えこ》地《じ》・片意地・頑な・Q頑固・強情っ張り

ごうじょうっぱり【強情っ張り】 強情な性格の意で、くだけた会話に使われる俗っぽい表現。〈—で梃子《てこ》でも動かない〉「意地っ張り」以上に扱いに困る感じがある。「ごうじょっぱり」ともいう。⇩意地っ張り・依怙《えこ》地《じ》・片意地・頑な・頑固・Q強情

こうしょく【好色】 人並み以上に異性に対する欲望にとらわれる意で、会話にも文章にも使われる漢語。〈—家〉〈—な男〉福原麟太郎は『好色の戒め』と題する随筆の中で、サマセット・モームの『芝居』について、「—文学をつくるなら、野暮な真似はよせ、といって、御手本に一つ書いて見せたのではないか」と推測している。⇩Q色好み・すけべえ

こうしん【更新】 新しいものに改める意で、やや改まった会話や文章に用いられる、やや専門的な漢語。〈記録を—する〉〈運転免許証の—手続きに入る〉「更改」と違って交渉などは連想させず、日付その他の数字が変更されるイメージがある。⇩Q書き換え・更改

こうじん【巷塵】 「俗塵」の意で、文章中に用いられる古風で硬い漢語。〈—を避ける〉中山義秀の『厚物咲』に「—に埋れつくした瀬谷の身にとっては」とある。ちまたの汚れ

の意から。⇩黄塵・紅塵・Q俗塵

こうじん【黄塵】「俗塵」の意で、文章中に用いられる古風で硬い漢語。〈—のただなかに暮らす〉✎空が黄色に見えるほどの激しい土ぼこりの意から。⇩巷塵《こうじん》・紅塵・Q俗塵

こうじん【紅塵】「俗塵」の意で、文章中に用いられる古風でやや硬い漢語。〈—に遊ぶ〉✎室生犀星の『杏っ子』は「この憐れな親子はくるまに乗り、くるまを降りて、街に出て街に入り、半分微笑いかけてまた笑わず、—の中を大手を振って歩いていた」として閉じられる。道路に舞い上がった土ぼこりが日を浴びて赤く見えるところから。⇩巷塵《こうじん》・黄塵・Q俗塵

こうしんこく【後進国】進歩の遅れている国の意で、会話にも文章にも使われる漢語。〈—に対する援助〉✎「開発途上国」や「発展途上国」に比べ、いかにも遅れているという感じがあるため、マイナスイメージが嫌われ使用を控える傾向にある。⇩開発途上国・発展途上国

こうずい【洪水】川の水が溢《あふ》れ出す意で、会話にも文章にも使われる日常の漢語。〈—警報〉〈—に見舞われる〉✎気象学の専門語としては、河川の水量が増えて警戒水位を超える意という。「人の—」「情報の—」など単に「あふれる」意の比喩的用法もある。⇩大水・出水・水害・氾濫《はんらん》

こうせい【公正】公平で正しい意で、改まった会話や文章に用いられる硬い感じの漢語。〈—取引委員会〉〈—な裁判〉〈処分に—を期する〉〈判断に—さを欠く〉✎「公平」「平等」に比べ、それが正当であると主張する感じが強い。⇩Q公平・平等

こうせい【構成】各部分が集まって一つの統一体をつくっているものの意で、会話にも文章にも使われる漢語。〈—メンバー〉〈—要素〉〈委員会の—〉〈紙面の—〉〈社会を—する〉✎複雑に組み合わさっている家屋の「構造」と違い、家庭を築いている家族は個人個人が独立しているので「家族—」という。文章の場合は「構造」とも「構成」ともいえるが、がっちりと組み立てられた感じの「文章構造」に比べ、「文章—」は、全体をどのように分けてどの部分を先に述べ、どういう例を用いてどう展開するかといった、比較的ゆるやかで平面的な問題を連想させやすい。⇩機関・機構・組み立て・Q構造・仕組み・組織

ごうせい【合成】二つの元素から化合物を作り出すなど、複数の物を一つにする意で、会話にも文章にも使われる、いくぶん専門的な漢語。〈—樹脂〉〈—皮革〉〈—繊維〉〈—写真〉⇩化合・結合・混合・結びつき・Q融合

こうせき【功績】秀でたことを成し遂げた手柄をさし、会話にも文章にも使われる漢語。〈最大の—〉〈大きな—を残す〉〈優れた—を讃《たた》える〉〈大きな—をあげる〉✎ある国家・組織・団体などにとって利益となる成果という視点を感じさせる傾向がある。⇩業績・功労・殊勲・Q手柄

こうせつ【交接】改まった文章などで時に間接的に「性交」を意味する、客観的な感じの漢語。〈—に及ぶ〉✎広く「交際」を意味し、男女間の交際に限定し、さらに肉体関係の交わりをさすのは、この語の一用法に過ぎないから、べたべたした感じのない婉曲《えんきょく》な表現。ちなみに、木山捷平の『処女』に「県庁差し廻しのベテラン講師ともなれば、言葉

の使い方が上品で、—という言葉はうまく考え出したもので、少しも淫猥な感を与えないのであった」とある。⇩営み・エッチ・関係②・合歓・交合・情交・情を通じる・Q性交・性行為・性交渉・性的行為・セックス・抱く②・契る・同衾《どうきん》・共寝・寝る②・懇ろになる・ファック・深い仲になる・房事・枕を交わす・交わる・やる③・夜伽《よとぎ》

こうせん【光線】光の筋をさし、会話にも文章にも使われる漢語。〈太陽—〉〈可視—〉〈まぶしい—〉〈—が射し込む〉✎円地文子の『妖』に「すり硝子のような半透明な梅雨時の—」とある。⇩光

こうぜん【公然】広く知れ渡っている、包み隠さない意で、改まった会話や文章に用いられる漢語。〈—の事実〉〈—の秘密〉〈—と言いふらす〉⇩大っぴら

こうそ【控訴】第一審の判決を不服として、上級裁判所にその取り消しや変更を申し立てることをさし、改まった会話や文章に用いられる専門的な硬い漢語。〈—審〉〈—棄却〉⇩抗告・上告・Q上訴

こうそう【抗争】対立したり逆らったりして激しく争う意で、改まった会話や文章に用いられるやや専門的な漢語。〈派閥間の—〉〈武力—に発展する〉〈暴力団どうしの—〉⇩係争・戦争・Q紛争

こうそう【構想】全体の計画を実行の手順などを含め具体的に考える意で、やや改まった会話や文章に用いられる漢語。〈雄大な—〉〈論文の—を練る〉〈新しい事業の—を温める〉✎小林秀雄の『モオツァルト』に「—は、宛も奔流の様に、実に鮮やかに心のなかに姿を現します」とある。⇩青写真・企画・Q計画・プラン・方針

こうぞう【構造】物事の内部がどのように組み立てられているかといった部分部分の相互関係をさし、会話にも文章にも使われる漢語。〈船の—〉〈社会の—〉〈—上の欠陥〉〈分解して機械の—を調べる〉✎小林秀雄の『私小説論』に「この秘密の—は少なくとも原理的には甚だ簡明なのである」とある。文章については「構成」も「構造」も両方使えるが、「文章—」のほうが複雑に組み合わさっている雰囲気があり、組み立て直すのが大変そうな雰囲気が強い。「家屋の—」「体の—」のように、各部が複雑に組み合わさって全体ができあがっている対象には「構造」を用い、「構成」にすると各部がばらばらで統一的な機能を果たさないような感じになってしまう。「構造」の場合は各部が相互に入り組んでいるため、解きほぐして組み立て直すのが難しい感じで、「—改革」も容易ではない。⇩機関・機構・組み立て・Q構成・仕組み・組織

こうそく【拘束】権力や約束によって行動の自由を奪う意で、会話にも文章にも使われる漢語。〈—力〉〈—時間が長い〉〈身柄を—する〉〈資金に—される〉✎福永武彦の『草の花』に「せめて僕の内部だけは、戦争に—されずに自由である他にしようがないじゃないか」とある。「束縛」以上に締め付けがきつい感じがある。⇩監禁・束縛・閉じ込める・軟禁・幽閉

こうたい【後退】後ろに下がる意、勢力が衰える意で、会話にも文章にも使われる漢語。〈二歩—する〉〈前線から—する〉〈学力が—する〉〈景気が—する〉〈改革がむしろ—した印象を受ける〉✎「前進」と対立。⇩衰える・減退・衰退

こうたい【交替】仕事や居場所などが入れ替わる意で、会話にも文章にも使われる漢語。〈三—制の勤務〉〈—で見張りをする〉✎「母音—」は専門語。⇩替わる・交代

こうたい【交代】別の人に引き継ぐ意で、会話にも文章にも広く使われる日常の漢語。〈世代—〉〈選手—を告げる〉〈係が—する〉〈途中で—する〉〈次の人と—する〉✎三島由紀夫の『潮騒』に「若者たちは蛸壺の縄を滑車にかけて—に引く」とある。⇩代わる・Q交替

こうたく【光沢】「つや」に近い意で、やや改まった感じの会話から硬い文章まで幅広く用いられる漢語。〈—が出る〉〈—がある〉〈磨いて—を出す〉✎松本侑子の『植物性恋愛』に「ぬめぬめと重い—が揺れる絹の紅い下着」とある。光沢のあるものとしてよく連想されるのは金属類・宝石・陶磁器・ガラス製の器・布地などで、木の机については「艶《やっ》」も「光沢」も両方とも違和感なく使える。人の肌については通常「艶」を用い、無理に「光沢」を使うと、オイルを塗りたくって海岸で甲羅を干している裸体や、みごとに禿《は》げ上がって金属的な感じに輝いている頭を連想しやすい。「光沢」という語は「艶」よりも、物体の表面の反射光を直接イメージさせるため、「艶」のような比喩的に広がる例は少ない。また、陶器や漆器など「艶」も「光沢」も使える対象について比較すると、「光沢」のほうが改まった感じが少し強いように思われる。⇩Q艶・照り

こうたん【降誕】誕生を神格化して、改まった会話や文章に用いられる古風で硬い漢語。〈—会《え》〉(釈迦の誕生を祝う法会)〈—祭〉(キリストの誕生を祝うクリスマス)✎神仏や神聖視される特別の人物に限定的に用いられる。⇩出生・Q生誕・誕生

こうだんし【好男子】顔立ちのよい男の意で、会話にも文章にも使われる古風な漢語。〈人目をひく—〉✎好感の持てる男の意にも使う。⇩いけめん・男前・ハンサム・美男子

こうち【耕地】耕作して農作物を収穫する農地をさし、会話にも文章にも使われる、やや専門的な漢語。〈—面積〉〈—整理〉⇩たはた・でんぱた・農場・Q農地

こうち【巧緻】精巧で緻密《ちみつ》な意で、主として文章に用いられる硬い感じの漢語。〈—な模型〉〈その手法は—を極める〉✎「稚拙」と対立。⇩巧い・Q巧妙・上手・巧み

こうち【高地】標高の高い土地をさし、会話にも文章にも使われる漢語。〈—民族〉〈—トレーニング〉〈—に点在する村落〉✎「高台」「台地」と違って平坦な土地でなくても言う。「低地」と対立。⇩Q高原・台地・高台

こうちょう【好調】調子のよい意で、会話にも文章にも使われる日常の漢語。〈体調は—そのもの〉〈出足は—だ〉〈—の波に乗る〉✎よさの程度は「順調」以上で、上のほうは「快調」に達する感じがある。「不調」と対立。⇩Q快調・順調・絶好調

こうつう【交通】道路や航路を人間や乗り物などが行き来することをさし、くだけた会話から硬い文章まで幅広く使われる日常の基本的な漢語。〈—費〉〈—違反〉〈—渋滞〉〈—事故〉〈—が発達している〉〈—機関に影響が出る〉✎木山捷平の『大陸の細道』に「この—地獄の世の中で、お前はわざわざ満州までやって来る必要はないぞ」とある。⇩通行

こうつうひ【交通費】人間が乗り物で移動する際に要する費用をさし、会話にも文章にも使われる日常の漢語。〈―がばかにならない〉〈―を支給する〉〈―がかさむ〉〈―を節約する〉✎「旅費」と違い、宿泊費を含まない。近距離でも発生するが、自家用車のガソリン代などは通常含まれない感じがある。⇩旅費

こうてい【皇帝】帝政の国の君主をさして、会話にも文章にも使われる厳めしい感じの漢語。〈歴代―〉〈―の治世〉〈―に上り詰める〉✎秦の始皇帝が、一般の王を超える特別の王という意味合いで、最初にこう称したという。⇩王・王様・君主・国王・大王・Q帝王・天子・天皇・帝

こうてい【肯定】正しいとして認める意で、会話にも文章にも使われる、やや硬い漢語。〈―的な意見〉〈現状を―する〉〈うわさを当人が―する〉✎清岡卓行の『アカシヤの大連』に「孤独な密室における思考のエゴイズムのしばしの、しかし思いきった―であったのだろう」とある。「否定」と対立。⇩是認・認める

こうてい【行程】目的地までの距離や旅行などの日程をさし、会話にも文章にも使われる漢語。〈一日の―〉〈少々きつい―だ〉⇩道程・Q道のり

こうてい【公邸】特定の高級官僚の公務用の邸宅をさし、会話にも文章にも使われるやや専門的な漢語。〈知事の―〉⇩官邸

こうでい【拘泥】さほど価値のない細かいことにこだわることを意味し、改まった会話や文章に用いられる硬い感じの漢語。〈名称に―する〉〈些事《さじ》に―する〉✎小沼丹の『銀色の鈴』に「何か云った気がして大寺さんは吃驚したが、それは声にはならなかった。何と云うつもりだったのだろう？大寺さんはそれに―した」とある。自然の意思というものを信頼し、自然に起こる好悪の情をみずからの倫理の基礎とした志賀直哉の『城の崎にて』に「巣の出入り忙しくその傍を這いまわるが全く―する様子はなかった」とある。それだけに、志賀文学のキーワードとなるこの語は、ほかの人間の使う場合とは異なった表現価値を伴う。個人的な語感の一例である。⇩こだわる

ごうてい【豪邸】豪華な造りの大邸宅の意で、やや改まった会話や文章に用いられる漢語。〈プールつきの―に住む〉✎敷地の広さよりも建物の大きさや豪華さが意識されやすい。⇩Q邸宅

こうてき【公的】社会的に正式な意で、改まった会話や文章に用いられる漢語。〈―機関〉〈―資金〉〈―に認可される〉✎「私的」と対立。⇩公《おおやけ》・公式

こうてきしゅ【好敵手】争いごとなどで技量が伯仲している競争相手をさし、やや改まった会話や文章に使われるやや古風な漢語。〈年来の―〉〈優勝を分け合ってきた―〉〈―を迎え撃つ〉✎スポーツや囲碁・将棋など直接に勝ち負けを争う個人やチームに対して使う例が多い。⇩競争相手・Qライバル

こうてんてき【後天的】生まれたあとで身につける意で、会話にも文章にも使われる専門的な漢語。〈―な体質〉〈―な欠陥〉✎「先天的」と対立。⇩経験

こうど【高度】物理的な高さの意で、やや改まった会話や文

章に用いられる漢語。〈—二千メーター〉〈—を下げる〉〈一定の—を保つ〉✎「—な技」「—な問題」のように、程度の高い意味にも使う。⇩高さ

こうどう【行動】 実際に体を動かして意図的に行う行為の意で、やや改まった会話や文章に用いられる漢語。〈—半径〉〈単独—〉〈自由—〉〈—を起こす〉〈—を控える〉〈—に移す〉〈—が制限される〉✎太宰治の『斜陽』に「ひとりで考えて、ひとりで—するより他はない」とある。指を曲げたり目を開けて物を見たりするような些細《ささい》な動きの場合は、「行為」のほうが一般的で、「行動」といっても誤りではないがなじみにくい。⇩行い・活動①・Q行為・動作・ふるまい

ごうどう【合同】 複数の独立した組織や集団が臨時にまとまる意で、会話にも文章にも使われる漢語。〈—庁舎〉〈—演習〉〈—調査〉〈—で実施する〉✎「三角形の—の条件」のように、数学の専門語としての用法もある。⇩Q共同・協同

こうとうご【口頭語】 話しことばのうち、特に日常の会話に用い、硬い文章に用いると違和感のある語をさし、学術的な会話や文章に用いられる専門の漢語。〈—でわかりやすく話す〉〈論文に—が交じる〉✎「てめえ」「ひんまげる」のような俗語よりは上で、「あたし」「おちょこ」「あぶれる」「あぶらっこい」「おんなじ」などのレベルのことば。「文章語」と対立する。⇩口語・Q話し言葉

こうにゅう【購入】「買い入れる」意で、改まった会話や文章に用いられる漢語。〈一括—〉〈図書—費〉〈乗車券を—する〉〈家具を—する〉✎「買う」に比べて正式な感じがあるため、飴玉や納豆などより土地家屋や大型機械などのほうがしっくり結びつく。⇩Q買い入れる・買う

こうにん【後任】 現在までの担当に代わって同じ任務に当たる意で、会話にも文章にも使われる漢語。〈—を探す〉〈—の役員が決定する〉〈—がまだ決まらない〉⇩後釜《あとがま》

こうにん【公認】 公共の機関や団体などが正式に認定する意で、会話にも文章にも使われる漢語。〈—会計士〉〈党の—候補〉〈正式の記録として—する〉⇩Q公式・正式

こうねん【高年】 年齢の高い意で、主に文章中に用いられる漢語。〈—層〉✎文字を見ないと「後年」や「更年(期)」と紛らわしいが、「中—」の形では会話でもよく使う。「—初産婦」のように、その点に関しては一般の年齢より高いという意味で三十歳代でも該当することがあり、年寄りをさす場合にも「老年」「老齢」はもちろん、「高齢」よりも若い年齢まで含みそうな印象がある。⇩Q高齢・老年・老齢

こうのう【効能】 薬や化粧品などを使用した場合の作用やその結果をさし、会話にも文章にも使われる古風な漢語。〈薬の—書き〉〈さまざまな—を並べる〉⇩効き目・効果・Q効用

こうのもの【香の物】 懐石料理などで「漬物」を意味するやや優雅な感じのことば。⇩Qおこうこ・おしんこ・漬物

こうば【工場】「こうじょう」の意で主として会話で使われる古風な和語。〈町—〉〈裏の—で働く〉✎林芙美子の『放浪記』に「ベタベタ三原色を塗りたくって、地虫のように太陽から隔離された歪んだ—」とある。現代における生活語彙としては「こうじょう」のほうが一般的。そのため、漢字表記は「こうじょう」と読まれやすい。街中のごみごみした場所にある小規模な仕事場を連想させやすく、機械などの設

備も旧式な感じがある。ちなみに、山田洋次監督の映画『男はつらいよ』シリーズに出てくる「とらや」の裏のタコ社長の印刷工場は「こうば」であり、そういう雰囲気を感じさせる。⇩こうじょう

こうはい【荒廃】国土・建造物・精神などが荒れ果てる意で、主として文章に用いられるやや硬い漢語。〈人心─〉〈農地が─する〉〈保存状態が悪く─が甚だしい〉✎島崎藤村の『千曲川のスケッチ』に「─した土塀」とある。多く具体物に用い、抽象的な対象に用いるほど比喩的な感じが増す。⇩荒れる・荒涼・Ｑすさむ

こうばい【勾配】水平面に対する傾斜の程度をさし、会話にも文章にも使われる、やや専門的な漢語。〈急─の坂〉〈屋根の─が急だ〉✎太宰治の『富嶽百景』に「その裾野の─から判断して、たぶん、あそこあたりが、いただきであろうと、雲の一点にしるしをつけて、そのうちに、雲が切れて、見ると、ちがった」とある。⇩傾き①・Ｑ傾斜

こうばしい【香ばしい】食べ物が焼けるときなどに発するおいしそうな香りをさして、会話にも文章にも広く使われる和語。〈焼き立ての煎餅の─におい〉〈ほうじ茶の─香り〉✎梶井基次郎の『冬の日』に「肉を炙る─匂いが夕凍みの匂に混って」とある。⇩かんばしい

ごうはら【業腹】悔しく腹が立つ意で、会話にも文章にも使われる古風な表現。〈むざむざ取られるのは─だ〉〈何とも─な話だ〉✎久保田万太郎の『末枯』に「師匠に詫をいれるのも─だ」とある。⇩いまいましい

こうばん【交番】派出所・駐在所の総称である「交番所」を短縮した通称。会話でも文章でも幅広く使う日常漢語。〈駅前の─〉〈─で道を尋ねる〉〈─に届ける〉⇩駐在所・Ｑ派出所

こうひょう【公表】広く世間に発表する意で、会話にも文章にも使われる漢語。〈内容を─する〉〈成績の─に踏み切る〉〈─をはばかる〉〈─を差し控える〉✎内部ですでに得ていた情報を時機を見て外部に知らせるというニュアンスを感じさせることもある。⇩公示・公布・告示・Ｑ発表

ごうびょう【業病】生涯つきまといそうな厄介な病気の意で、会話にも文章にも使われる古めかしい漢語。〈─にとりつかれる〉✎前世の悪業の報いと考えたところから。⇩難病

こうふ【工夫】工事に従事する労働者を意味する古風な漢語。「夫」という漢字のついたこの語は職業差別の意識を感じさせるとして現在はほとんど使われない。✎現在は専門職として「○○工事人」などと言う。⇩土方

こうふ【坑夫】炭坑などで採掘作業に従事する労働者をさした古風な漢語。「夫」のつく語は肉体労働者をさすことが多く、職業差別の意識が感じられるとして現在はほとんど使われない。✎現在は「鉱夫」とともに「鉱員」と呼ばれる。⇩鉱夫・Ｑ鉱員

こうふ【鉱夫】古く鉱石を掘り出す役をする肉体労働者をさした漢語。「鉱員」の旧称。「夫」という漢字のつくこの語は職業差別の意識が感じられるとして使用を控え、現在は「鉱員」と言い換える。⇩坑夫・Ｑ鉱員

こうふ【公布】法令などを官報などによって一般国民に知らせることをさし、改まった会話や文章に用いられる正式な感じの漢語。〈新しい憲法を─する〉〈成立後ただちに─す

る〉⇩Q公示・公表・告示

こうぶ【後部】ある対象自体の後ろの部分をさし、やや改まった会話や文章に用いられる漢語。〈—座席〉〈車輌の—に設置する〉✒「前部」と対立。⇩Q後ろ・後方・背後

こうふく【幸福】生きている喜びをかみしめるほど心の満たされる精神状態をさして、会話にも文章にも使われる日常の基本的な漢語。〈—論〉〈—な家庭〉〈—な生涯〉✒小津安二郎監督の映画『麦秋』で、淡島千景の演ずるアヤが、「(結婚の)—なんて何さ！ 単なる楽しい予想じゃないの！」と言い、「競馬にいく前の晩みたいなもんよ」と続ける。⇩しあわせ

こうふく【降伏(服)】戦争に敗れて相手側に服従する意で、会話にも文章にも使われる漢語。〈無条件—〉〈力尽きて—する〉✒大岡昇平の『俘虜記』に、米兵から「君は—したのか、つかまったのか」と問われ、「—についてべつに偏見を持っていないが、しかし敵に屈するのは、私の個人的プライドが許さない」と言い放つ場面がある。⇩屈服・Q降参・投降・参る②

こうぶつ【鉱物】金属や岩石を構成する天然の無機物をさし、会話にも文章にも使われるやや専門的な感じの漢語。〈—資源〉〈—を採掘する〉✒川端康成の『雪国』に「黒い—の重ったいような光」とある。⇩Q岩石・金属

こうふん【興(昂・亢)奮】精神・感情が昂《たか》ぶって冷静さを失う意で、会話にも文章にも使われる漢語。〈—状態〉〈—して眠れない〉〈—を鎮める〉〈—冷めやらぬ〉〈—のるつぼと化す〉✒芥川龍之介の『枯野抄』に「水を含んだ白い先も、芭蕉の唇を撫でながら、しきりにふるえていたくらい、異常な—に襲われた」とあり、大仏次郎の『帰郷』には「—にとらえられ戦いているのを抑えようとしていた」とある。⇩息巻く・いきり立つ・激昂《げきこう》・激情・Q激する・高揚・Qたかぶる・むきになる

こうへい【公平】判断や対処などが中正でどちらにも偏らない意で、会話にも文章にも使われる日常の漢語。〈—無私〉〈—な扱い〉〈—を期する〉〈—に分ける〉〈—に評価する〉✒成績評価に際して全員に同じ点数を与えるのが「平等」なのに対し、「公平」は試験の採点でえこひいきしないことであり、差別を設けないことではない。「不公平」と対立。⇩Q公正・平等

こうほう【広報】団体・組織から一般に広く知らせる文書をさし、会話でも文章でも使われる漢語。〈—活動〉〈—部〉〈—を担当する〉⇩公報

こうほう【公報】官公庁から国民に知らせる文書をさし、改まった会話や文章で使われる正式な感じの漢語。〈選挙—〉〈—に載せる〉〈役場の—で知る〉⇩広報

こうほう【後方】自分や基準点の後ろの方向をさし、やや改まった会話や文章に用いられる漢語。〈—注意〉〈—に気を配る〉〈はるか—から追いかける〉〈—で支援する〉✒進行方向の逆にあたる。「前方」と対立。⇩Q後ろ・後部・背後

ごうほう【合法】やり方が法律で許される範囲内にある意で、改まった会話や文章に用いられる、やや専門的な漢語。〈—的な進め方〉〈—的手段〉✒「非合法」と対立する語。⇩適法

こうぼく【高木】直立して数メートル以上に達する丈の高い樹木をさし、会話にも文章にも使われる専門的な漢語。〈道に沿って―が並ぶ〉✎杉・欅《けやき》・榎《えのき》など。「低木」と対立する。⇩喬木《きょうぼく》

こうまん【高慢】能力・地位・財力・容貌などが他より優れていると思い上がって周囲の人間を見下す意で、会話にも文章にも使われる漢語。〈いかにも―な態度〉⇩驕慢《きょうまん》・傲岸・Q傲慢・高慢ちき・尊大・不遜

ごうまん【傲慢】偉そうな態度で人をないがしろにし勝手気ままにふるまう意で、会話にも文章にも使われる漢語。〈―な態度〉〈―な応対〉✎谷崎潤一郎の『女人神聖』に「女は今迄の―な態度を取り落して、恥しそうにうつむきながら、ほっと深い溜息をついた」とある。⇩驕慢《きょうまん》・Q傲岸・高慢・高慢ちき・尊大・不遜

こうまんちき【高慢ちき】いかにも高慢で小憎らしい態度を非難して、主にくだけた会話に使われる俗語。〈あの―の鼻を折ってやる〉✎夏目漱石の『坊っちゃん』に「―な釣道楽で自分の釣る所をおれに見せびらかす積」とある。⇩驕慢《きょうまん》・傲岸・Q高慢・傲慢・尊大・不遜

こうみょう【巧妙】やり方がきわめて巧みな意で、会話にも文章にも使われる漢語。〈―な戦術〉〈実に―にできている〉✎夏目漱石の『坊っちゃん』に「―な弁舌を揮えば」とある。「―な手口」「―に仕組まれた罠」のように、悪いニュアンスで使う例が目立つ。「拙劣」と対立。⇩巧い・巧緻《こうち》・上手・Q巧み

こうむ【工務】土木・建築に関する仕事をさし、改まった会話や文章に用いられる専門的な漢語。〈―店〉〈―に携わる〉✎「工事」より抽象的。⇩工事

こうむいん【公務員】国や地方公共団体の公務に従事する職員をさし、会話にも文章にも使われる正式な感じの漢語。〈国家―〉〈地方―〉〈―宿舎〉〈―試験〉⇩官吏・公吏・Q役人

こうめい【高名】ある分野においてきわめて評判の高い意で、改まった会話や文章に用いられる、いくぶん古風で硬い漢語。〈―な画家〉〈御―はかねがね承っております〉✎概してマイナス評価の場合に使うと違和感があり、「すこぶる―な大泥棒」のように用いると一目置いている感じが出る。⇩著名・名高い・Q有名・雷名

こうもく【項目】全体の内容を一定の基準に基づいて分類した個々の区分をさし、会話にも文章にも使われる、いくらか専門的な漢語。〈―別分類〉〈―を立てる〉〈―に分ける〉〈八―を列挙する〉〈九万四千―を収録した辞典〉✎辞書に収録されている見出しの数を「―数」と呼ぶように、「事項」よりも小さく明確な感じが強い。⇩アイテム・事柄・Q事項

こうもり【蝙蝠】コウモリ科の夜行性で翼で飛行する哺乳類をさして会話にも文章にも使われる和語。〈―は夜行性だ〉✎芥川龍之介の『偸盗』に「煤のようなものが、ひらひらと月にひるがえって、甍の下から、窓の外をうす青い空へ上がった。言うまでもなく―である」とある。哺乳類でありながら鳥のように飛ぶところから、態度がはっきりしない人間を連想させ、さらに夜行性であることも関係して、油断のならないという印象ができあがり、それがこの語の語感にも反映している。

こうやく【膏薬】外傷やできものなどに塗るための油で練った外用薬をさし、会話にも文章にも使われる、やや古風な日常漢語。〈背中に―を張る〉⇩軟膏

こうゆう【交友】友として付き合う意で、改まった会話や文章に用いられる漢語。〈―録〉〈―関係〉〈政治家と個人的な―がある〉⇩交際・交遊・付き合い

こうゆう【交遊】交際し遊ぶ意で、やや改まった会話や文章に使われる漢語。〈異性との―〉〈―が派手〉〈家族がらみの―〉⇩交際・交友・付き合い

こうよう【効用】薬その他の物品や行動などのもたらすプラスの作用をさし、会話にも文章にも使われる、いくぶん古風な漢語。〈食後の散歩の主な―〉〈適度の飲酒の―を説く〉⇩効き目・効果・Ｑ効能

こうよう【紅葉】落葉植物の葉が秋に赤く色づく意で、やや改まった会話や文章に用いられる漢語。〈―の季節〉〈楓《かえで》の―をめでる〉✎黄色くなる場合は通常「黄葉」と書き分けるが、それを含めてこの語を用いる場合もある。⇩黄葉《こうよう》・Ｑもみじ

こうよう【黄葉】落葉植物の葉が黄色く色づく意で、主に文章に用いられる、やや専門的な感じの漢語。〈銀杏《いちょう》並木の―がみごとだ〉〈白樺が―を始める〉⇩紅葉《こうよう》・Ｑもみじ

こうよう【高(昂)揚】精神や気分を高める意で、改まった会話や文章に用いられる漢語。〈士気の―を図る〉✎金井美恵子の『夢の時間』に「少し震える指さきを意識しながら、注意深く両手でカップを支え、珈琲をすすり、口笛を吹きならしたいほど―していた」とある。⇩息巻く・いきり立つ・激昂《げきこう》・激情・激する・興奮・Ｑたかぶる・むきになる

こうようご【公用語】国内で複数の言語が使われている場合に、公式の場で使う言語として国家が正式の資格を与えている言語の意で、学術的な話題の会話や文章に使われる専門的な漢語。〈インドでは多くの―を認めている〉✎カナダでは英語とフランス語、スイスではフランス語・ドイツ語・イタリア語、というふうに複数の言語を認めている国もある。⇩Ｑ国語・日本語・母語・母国語

ごうよく【強欲(慾)】あくどいまでに欲が深いようすをさし、いくぶん改まった会話や文章に用いられるやや古風な漢語。〈―非道〉〈―な地上げ屋〉〈―の本性をあらわす〉⇩胴欲・欲張り・欲深

こうらく【行楽】郊外の山野や観光地などに出かけて行って楽しむ意で、会話にも文章にも広く使われる日常の漢語。〈―日和《びより》〉〈―シーズン〉〈―地がにぎわう〉⇩遊山《ゆさん》

こうらくち【行楽地】海辺や山野などで遊び楽しむ施設の充実している土地をさし、会話にも文章にも使われる漢語。〈連休で―はどこも人で込み合っている〉⇩観光地

こうり【公吏】地方公務員の旧称。〈永年にわたり―として勤める〉⇩Ｑ官吏・公務員・役人

こうり【公理】理論の出発点として証明なしに真であると仮定し、他の命題を証明する前提とする根本命題をさし、学術的な話題の会話や文章に用いられるきわめて専門性の高い漢語。✎三木清の『人生論ノート』に「自然に従えというのが健康法の―である」とある。⇩定理

こうりつ【効率】一定の仕事に費やす時間・労力・費用などと、

それによって達成できた量や質との割合をさし、会話にも文章にも使われる漢語。〈熱—〉〈無駄が多く—が悪い〉〈極力ロスを減らして—を上げる〉⇩能率

こうりゅう【拘留】労役を伴わず拘留場に留め置く刑罰の意で、主として文章に用いられる法律関係の専門的な漢語。〈—期間〉〈—中の身柄〉〈窃盗罪で—される〉⇩勾留

こうりゅう【勾留】逃亡や証拠隠滅を防ぎ、取調べを行うために身柄を拘束すること。刑罰ではない。主として文章に用いられる法律関係の専門的な漢語。〈未決—〉〈被疑者を—する〉⇩拘留

こうりゅう【交流】地域や組織などの違う系統に属する人々が互いに行き交う意で、やや改まった会話や文章に用いられる漢語。〈国際—〉〈文化—〉〈—の場〉〈—を図る〉〈—を深める〉⇩Q交際・付き合い

こうりょ【考慮】特定の事柄についてその要素や条件などを積極的に考える意で、やや改まった会話や文章に使われる漢語。〈気候の違いを—に入れる〉〈体調を—する〉〈相手の立場を—する〉✎谷崎潤一郎の『細雪』に「ありのままの理由を述べ、オリエンタルだけを—し直して貰うように申し入れた」とある。日頃からの一般的な考えを示す「思慮」に比べ、具体的な問題を深く考える感じが強い。⇩考察・思考・思索・Q思慮

こうりょう【荒涼(寥)】荒れ果ててものさびしい感じをさし、主に文章に用いられる硬い感じの漢語。〈—とした風景〉✎小沼丹の『断片』に「満目—たる焼跡を貫く道を歩いていたら、路傍に、ぽつねん、と黒い石の地蔵さんが立っていた」とある。「—たる思い」のように精神のすさんだ意にも使われる。⇩荒れる・Q荒廃・すさむ

こうりょく【効力】効果を発揮する働きをさし、やや改まった会話や文章に用いられる漢語。〈薬の—〉〈—が及ぶ〉〈—を発揮する〉〈法律が—を失う〉森鷗外の『半日』に「遺言状の—を失う場合」とある。⇩効果・Q効能・効用

こうれい【高齢】かなりの年寄りの年齢の意で、会話にも文章にも使われる漢語。〈—者医療〉〈—化社会〉〈御—の方々〉✎「老年」や「老齢」に比べていくらか丁寧な響きがある。⇩高年・老年・老齢

こうれいしゃ【高齢者】「老人」をさす正式な感じの漢語。〈—の人口が増加する〉✎役所の雰囲気があり、事務的で冷たい感じのする硬いことば。「年寄り」や「老人」と違って、具体的な個人をささず、年齢層を問題にする感じが強い。⇩年寄り・老人

こうろう【功労】努力し苦労してあげてきた功績をさし、改まった会話や文章に用いられる、正式な感じのいくぶん古風な漢語。〈—賞〉〈永年の—を讃《たた》える〉〈—に報いる〉〈特筆すべき—がある〉〈—をねぎらう〉⇩業績・Q功績・殊勲・手柄

こうろびょうしゃ【行路病者】旅の途中で寒さ・疲れ・飢え・病などにより道端に倒れて動けなくなったまま引き取り手のない人をさし、会話にも文章にも使われる、古めかしく硬い漢語。〈—のような傷ましい姿に思わず目をそむける〉✎すでに死亡しているのを発見されるケースも多い。⇩野垂れ死に・行《ゆ》き倒れ

こうろん【口論】喧嘩状態の感情的な議論をさし、会話にも文章にも使われる漢語。〈上司と―する〉〈些細《いささ》なことから激しい―になる〉〈―の末に殴り合いを始める〉「口喧嘩」に比べ、単なる罵《ののし》り合いより勝手な理屈を言い合うという連想が強い。⇩言い合い・言い争い・Q口喧嘩

こうわ【講(媾)和】交戦中の国どうしが戦争を終結させて平和な状態に入る意で、改まった会話や文章に用いられる専門的な漢語。〈全面―〉〈―条約を結ぶ〉⇩和睦

こうわん【港湾】船の出入りや停泊、船客の乗り降りや貨物の積み下ろしなどの施設のある水域をさし、改まった会話や文章に使われる専門的な硬い漢語。〈―労働者〉「港」より広い範囲をさす。⇩港

こえ【声】人間や動物が発声器官を使って出す音声をさし、くだけた会話から硬い文章まで幅広く使われる日常の基本的な和語。〈大きな―〉〈しゃがれた―〉〈―が高い〉〈―を出す〉〈―をひそめる〉〈―を掛ける〉〈鳥の―〉中勘助の『銀の匙』に「まるくあいたくちびるのおくからぴやぴやしたーがまろびでる」とある。「蟬《せみ》の―」のように虫が羽をこすりつけたりして出す音や、「祇園《ぎおん》精舎の鐘の―」に限らず、円地文子の『妖』に「坂から崖を伝って流れ落ちる水の―」とあるように、自然の音を擬人化して親近感を出す美的な例もある。言語音のうち声帯の振動を伴う有声音だけをさす用法もあり、その場合は専門的な雰囲気が強くなる。⇩Q音声・声音《こわね》・ね・響き

こえ【肥】肥料となる糞尿《ふんにょう》をさし、会話にも文章にも使われる古めかしい和語。〈―桶《おけ》〉〈―溜《だ》め〉〈―を汲《く》む〉⇩肥やし・Q下肥・肥料

ごえい【護衛】付き添って守る意、また、その任務に当たる人をさして、会話にも文章にも使われる漢語。〈―警察官〉〈VIPに―を付ける〉〈首相を―する〉「警固」「警護」が行為専用なのに対し、この語はそれにあたる人間をさす例も多い。⇩エスピー・警固・Q警護・ボディーガード

こえる【肥える】肉がついて体重が増加する意で、会話にも文章にも使われる、やや古風な感じの和語。〈よく―・えた赤ん坊〉〈病が癒えてようやく―・え始める〉円地文子の『なまみこ物語』に「肌つきのつぶつぶ濃やかに―・えているのが娘らしいなまめきを湛えている」とある。「よく―・えた土地」など、この語には健康的で生産性に富むといった豊かさのプラスイメージがあり、「目が―」「舌が―」「ふところが―」などの比喩的な用法へと展開する。「太り過ぎ」に対して「肥え過ぎ」という言い方がなじみにくいのも、そういうイメージと衝突するせいかもしれない。ちなみに、肥料の「肥《こ》」にも育てる効能がある。「太り」などと名づければ不健康に響きかねない。⇩太る

こえる【越える／超える】基準点などを通り過ぎて向こう側まで達する意で、くだけた会話から硬い文章まで幅広く使われる日常生活の基本的な和語。〈峠を越える〉〈海を越える〉〈国境を越える〉〈柵を越える〉〈バス通りを越える〉〈三万を超える大観衆〉〈予定の時間を大幅に超える〉川端康成の『横光利一』に「君の名に傍えて僕の名の呼ばれる習わしも、かえりみればすでに二十五年を―・えた」とある。「越える」が一般的な表記で、抽象的な意味合いになる

と「超える」と書く傾向が強い。「越す」がある地点を通過することだけを意識しているのに対し、「越える」は通過した後にさらに進むことを頭に置いている、として区別する説もある。⇩越す

ゴージャス 「豪華」の意の斬新な感じの外来語。〈―な旅行〉〈―な衣装を身にまとう〉✎近年になって使われだした外来語だけに「豪華な横綱土俵入り」「豪華な大名行列」といった伝統を誇る和風の行事などには使いにくい。また、金をかけたというイメージもあって、「豪華メンバーをそろえる」のような表現の場合も、「―な顔ぶれ」とすると何となく違和感がある。⇩豪華

コーチ スポーツなどの技術を実地に指導する意で、会話にも文章にも使われる外来語。〈野球でバッティングを―する〉〈長距離走の―を受ける〉✎「名―につく」「―の指示に従う」のように「指導者」をさすこともある。⇩教える・教導・Q指導

コーデュロイ 古めかしい「コール天」に代わって斬新な感じを出すために使われるようになった外来語の呼称。〈―のジャケット〉⇩コール天

コート テニスやバレーボールなどの競技場をさし、会話にも文章にも使われる外来語。〈スパイクが相手―に突き刺さる〉〈―狭しと動き回る〉⇩運動場・球場・Q競技場・グラウンド・グランド・スタジアム・野球場

コーナー 部屋の一隅、ベースやコートの隅、道の曲がっている場所をさし、会話にも文章にも使われる外来語。〈―ワーク〉〈特売―〉〈第四―を曲がる〉〈イン―を鋭く突く〉✎陸上競技のトラックの曲線部のように直角に折れ曲がっていない場合も含む。⇩角

コーヒー コーヒーの木の種を焙煎して粉状に挽いたもので淹れた飲み物をさし、会話でも文章でも日常普通に使われている外来語。〈―をブラックで飲む〉✎小沼丹の『珈琲の木』に「―を喫みながらぼんやりしていると、―の木が眼に入る」とあり、漢字で書いてある。このように「珈琲」と漢字をあてると印象が違ってくる。最近は多用されて特別の語感はだいぶ薄まってきたが、何となく本格的な感じになる。通常の片仮名表記の場合は店によって味がピンからキリまであるが、「珈琲」とあるとそうまずい店はなさそうで、少なくともインスタント・コーヒーは出て来ない雰囲気に変わる。古い煉瓦《れんが》造りの洋館の薄暗い一室で、猫脚のテーブルの上にウエッジウッドかヘレンドかロイヤルコペンハーゲンなどの器に入って出て来ると、「コーヒー」より「珈琲」のほうがイメージが合う気がする。これも表記の違いから生じる語感である。

こおりつく【凍（氷）り付く】 硬く凍ってくっつく意で、会話にも文章にも使われる和語。〈道路に雪が―〉✎曾野綾子の『永遠の前の一瞬』に「町はどこも―・いて」とある。⇩いてつく

こおる【凍（氷）る】 液体の温度が下がって固体になる意で、くだけた会話から硬い文章まで幅広く使われる日常の基本的な和語。〈水が―〉〈水道が―・って水が出ない〉〈冷凍庫で―・らせる〉✎有島武郎の『生れ出ずる悩み』に「くつの皮は夕方の寒さに―・って鉄板のように堅く冷たかった」と

ある。⇩いてる

ゴールイン 陸上競技で決勝点に到着すること。会話や改まらない文章で使われる和製英語。〈大差をつけて―する〉✎転じて、一般に、「目的地に到達する」、特に、「周囲の反対を押し切って二人はようやく―にこぎつけた」のように「結婚する」意に用いることが多い。古くから使われ、スポーツ用語の拡大用法という意識は薄れた。⇩結婚

コールてん【コール天】 うね織りのビロードを意味する「コーデュロイ」の古風な言い方。〈―の作業ズボン〉✎「天」は「天鵞絨《ビロード》」の略。⇩コーデュロイ

ゴールデンアワー テレビなどで視聴率が高いと予想される夜の七時から九時ごろまでの時間帯をさす和製英語。〈―に放送する〉⇩ゴールデンタイム

ゴールデンタイム 「ゴールデンアワー」の意の和製英語。〈―の番組〉⇩ゴールデンアワー

こがい【戸外】 家の外をさし、改まった会話や文章に用いられる漢語。〈―で遊ぶ〉〈―の空気にふれる〉⇩屋外・野外

ごかい【誤解】 誤って理解する意で、会話にも文章にも広く使われる日常の漢語。〈―を招く〉〈表現が曖昧で―される危険がある〉〈先方の意図を―する〉〈相手の―を解く〉〈彼の人柄をこれまで―していた〉✎夏目漱石の『こころ』に「無口になりました。それを二三の友達が―して、冥想に耽ってでもいるかのように、他の友達に伝えました」とある。他の類義語が、聞き手や読み手の側にも不注意なり何らかの要因がある感じを伴うのに対し、この語は事実と違う意味に受け取ることを客観的に表すにとどまり、その要因についてはまったく言及していない。⇩思い違い・考え違い・🔍勘違い

ごかく【互角】 両者の力量に優劣の差がない意で、会話にも文章にも使われる漢語。〈―の勝負〉〈―に渡り合う〉✎牛の角が二本とも同じ長さ・太さ・強さである意から出たという。⇩拮抗《きっこう》・🔍伯仲

こがた【小型】「小形」と違い、同類の中での小さいタイプをさし、くだけた会話から硬い文章まで広く使われる和語。〈―車〉〈―の台風〉⇩小形

こがた【小形】「小型」と違い、同類の中の比較ではなく、単に小ぶりの意で、くだけた会話から硬い文章まで広く使われる和語。〈―の水玉模様〉〈―の花を咲かせる〉〈―のハンドバッグ〉⇩小型

こがたな【小刀】 細工用などの小さな刃物をさし、会話でも文章でも使われる和語。〈―で器用に削る〉〈昔は鉛筆を―で削ったものだ〉✎武器でなく細工用の刃物というイメージが強い。⇩匕首《あいくち》・懐剣・🔍小刀《しょうとう》・短剣・短刀・どす・ふところがたな・脇差

こがねいろ【黄金色】 金のように光る黄色をさし、やや改まった会話や文章に用いられるやや古風な和語。〈―に実った田〉✎山田風太郎の『あと千回の晩飯』に、山小屋の二階で夜に溲瓶《しびん》を使い、翌朝「満杯になったものを眺めると、―のきらめきといい、泡のたちかたといい、ビールそっくりだ」とある。⇩🔍きんいろ・きんしょく・こんじき

こがら【小柄】 大きさが標準より小さい意で、会話にも文章にも使われる和語。〈―な男〉✎徳田秋声の『縮図』に「主

人は—の精悍な体つきで」とある。「—な模様」のように人間以外についても使われる。⇩Q小作り・小粒・小兵

こかん【股間】股座《またぐら》の意で、改まった会話や文章に用いられる漢語。〈打球が野手の—を抜ける〉✎「—を蹴り上げる」のように、品位を落とさずに陰部をほのめかす間接表現も見られる。⇩股・Q股座

ごかん【五官】目・耳・鼻・舌・皮膚の五つの感覚器官をさし、やや改まった会話や文章に使われる漢語。〈—の機能〉〈—が健全だ〉〈—を通して伝わる〉⇩五感

ごかん【五感】視覚・聴覚・嗅覚・味覚・触覚の五つの感覚をさし、会話でも文章でも使われる漢語。〈—が正常に働く〉〈—をフルに活用する〉⇩五官

ごかん【語感】ことばが指し示す概念としての中心的意味以外の、そのことばにしみついた何らかの感じや連想などの情緒的情報の総称として、会話にも文章にも使われる、やや専門的な漢語。〈このことばは—が悪い〉〈「あした」と「あす」と「みょうにち」は同じ意味だが、それぞれ—が違う〉✎「あした」は日常会話レベルのくだけたことば、「あす」は少し改まった感じのことば、「みょうにち」は格式ばったことば、といった文体的なニュアンス、「ちび」「のっぽ」「でぶ」のようなことばは語感が悪い、といった感情的なニュアンス、「ヒロシマ」という表記は「広島」より原爆を連想させやすい、といった連想の違いなど。また、「—が鋭い」「—をみがく」のように、ことばの意味やニュアンスの微妙な違いを感じ取る言語感覚という意味でも使う。⇩意味

ごき【語気】ものを言うときの声やことばの調子をさし、改まった会話や文章に用いられる硬い漢語。〈—が鋭い〉〈—を荒らげる〉⇩語り口・Q口調・語調・話しぶり・弁

こぎたない【小汚い】何となくちょっと汚れた感じのする意で、会話にも文章にも使われる和語。〈—店〉〈—身なり〉〈—布団に寝かされる〉✎服装や毛布など身につけるものに使う例が多い。東京方言ともいう。男性は「こぎたねえ」とも。⇩Q薄汚い・汚い・汚らしい

こきゅう【呼吸】①鼻や口から空気を吸ったり吐いたりする意で、やや改まった会話や文章に用いられる正式な感じの漢語。〈—器〉〈深—〉〈—を整える〉〈—困難に陥る〉✎安岡章太郎の『海辺の光景』に「干上ったポンプのような音がして、—はそれまでの十倍ほども早くなった」とある。⇩息 ②ものごとを巧みにこなす微妙な要領の意で、会話にも文章にも使われる日常の漢語。〈—をのみこむ〉〈—を会得する〉〈—がわからない〉✎夏目漱石の『坊っちゃん』に「田舎者は此—が分からない」とある。⇩勘所・Qこつ・壺②・秘訣・要領

こきょう【故郷】「出身地」に近い意味で会話でも文章でも幅広く使われる日常的な漢語。〈生まれ—〉〈—に錦を飾る〉〈—の友〉〈—を後にする〉〈—を捨てる〉✎小島信夫の『小銃』に「さがしあてた自分の小銃の這う地面が、なつかしく、—のように思われるのだった」という比喩表現がある。客観的・事務的で行政単位に呼応する傾向のある「出身地」に比べ、「ふるさと」と同様、自分を育んでくれたという精神的なつながりの意識が強く、幼い日の思い出とともに想

起される語。したがって、思い出を残す生活圏として、「出身地」より狭い範囲を連想する傾向が強い。望郷の念が募るとき脳裏に浮かぶのはこの「故郷」の空であって、「出身地」の空ではない。「花いばら―の道に似たるかな」という与謝蕪村の句の底流にあるのも、そういう懐かしい感情であろう。特に自分のことに言及する場合は、そのうっとりとした感じがいくらか美化した雰囲気を誘いやすく、さらりと表現する場合は「郷里」を用いるほうが抵抗がない。⇩郷土・郷里・出身地・Ｑふるさと

こぐ【扱ぐ】根ごと引き抜く意で、会話や軽い文章に使われる古風な和語。〈畑から大根を―〉⇩抜く

ごく【極】「きわめて」に近い意味で、会話にも文章にも使われる日常の漢語。〈―真面目な人間〉〈―まれにある〉〈―暑い日〉〈―上等の品〉〈―普通の服装〉✎「短い」「近い」「軽い」「少ない」「安い」「貧しい」のような程度や数量の小さなものによくなじみ、その逆のものにはつきにくいなど、使用範囲に偏りがあり、「きわめて」ほどの広がりがない。⇩大いに・Ｑきわめて・すこぶる・大層・たいへん・とても②・甚だ・非常に

こくう【虚空】何もない空間をさし、主に文章中に用いられる漢語。〈―をつかむ〉〈―を切る〉〈―の彼方に消える〉✎坂口安吾の『桜の森の満開の下』は「あとに花びらと、冷たい―がはりつめているばかりでした」として結ばれ、医者でもあった藤枝静男は『雛祭り』で、妻の死について「やがては土となり水となり空気と化して永久に―に姿を消してしまう」と書いた。慣用的表現以外、具体的な空間をさす用例はきわめて少ない。⇩Ｑ空間・真空・空《そら》

こくおう【国王】一国を治める王をさし、やや改まった会話や文章に用いられる正式な感じの漢語。〈―の位に就く〉〈―じきじきの仰せ〉⇩王・王様・君主・皇帝・大王・Ｑ帝王・天子・天皇・帝

こくがい【国外】国の領土の外を意味し、会話にも文章にも使われる漢語。〈―追放〉〈―に逃亡する〉〈―向けのメッセージ〉✎「国内」と対立。特定の国を連想させない。⇩異国・Ｑ海外・外国・外地

こくかん【酷寒】→こっかん

ごくかん【極寒】→ごっかん

こくご【国語】ある国土に住む国民のことばをその国の言語と見て、くだけた会話から硬い文章まで幅広く使われる基本的な漢語。〈―の授業〉〈―の力が低下する〉✎当然、日本では日本語、中国では中国語、イギリスでは英語であるが、カナダでは英語とフランス語の両方が用いられ、ともにその国の「公用語」として正式の資格を与えられている。逆に、英語・スペイン語・フランス語のように、一つの言語がいくつもの国で国語や公用語となっている場合もある。「日本語」と比べ、背景に国家意識が強く、国民の言語として国内に向けて発した表現という感じが強い。そのため、同胞意識をかきたて、国民がひとしく身につけるべき規範としてのことばという意味合いが強まりやすく、民族意識の急激に衰えた戦後の日本でさえ、この語を使う限り規範意識は残り、日本語の変化を「―の乱れ」として嘆く傾向が見られる。⇩公用語・Ｑ日本語・母語・母国語

こくごがく【国語学】日本語を研究対象とし、音声・音韻、文字・語彙・文法などの体系を明らかにしようとする学問をさし、学術的な話題の会話や文章に用いられる古風で専門的な漢語。〈―史〉〈―の研究に打ち込む〉✎最近は「日本語学」という名称のほうが一般的になりつつある。意味としては「日本語学」と同義であるが、語感の点で伝統的な雰囲気があり、古代日本語から各時代の日本語をひとしく研究対象とする感じが強く、「日本語学」と違って特に現代語研究を連想させることはない。⇩Q日本語学

こくごきょういく【国語教育】学校という場で国民に施される広い意味での母国語教育をさし、会話にも文章にも使われる漢語。〈―の現場〉〈―の実習〉✎外国人向けの日本語教育は含まない。「国語」は授与し、「日本語」は習得する対象だとする立場に立てば、教え学ぶ内容にも差が出、「国語」では表現内容をも重視し、教える価値のある優れた文章が教材の候補になる。単に日本語の運用能力を高めるだけではなく、日本国民としての教養を培い情操を育てるという人格教育の役割をも分担するため、言語教材より文学教材が中心となり、現代文学にとどまらず近代文学はもちろん古典文学や漢文も対象となる。⇩日本語教育

こくじ【酷似】甚だしく似ている意で、改まった会話や文章に用いられるやや硬い感じの漢語。〈―した品が出まわる〉〈筆跡が―している〉⇩Q近似・相似・似通う・似る・類似

こくじ【告示】公の機関が官報などに掲載して一般の人に広く知らせる意で、改まった会話や文章に用いられる正式な感じの硬い漢語。〈内閣―〉〈新条例を―する〉✎都道府県や市町村の議会選挙については「公示」でなくこの語を用いる。⇩Q公示・公表・公布

ごくじょう【極上】きわめて上等の意で、会話にも文章にも使われる漢語。〈―のブランデー〉〈―の毛皮〉〈―の品が手に入る〉✎「特上」以上に入手困難な感じがある。⇩特上

こくしょくじんしゅ【黒色人種】皮膚の色が黒褐色の人種をさし、改まった会話や文章に用いられるやや専門的な漢語。〈―には髪が縮れ唇が厚いなどの特色が見られる〉✎学問的雰囲気を有し、そのぶん「黒人」より差別意識は弱い。⇩黒ん坊・Q黒人・ニグロ

こくじん【黒人】黒色人種に属する人をさし、会話にも文章にも使われる漢語。〈―兵〉〈―選手〉〈―霊歌〉✎肌の色に言及すること自体が差別意識を感じさせることがあり、使用を控える傾向がある。「白人」と対立。⇩黒ん坊・Q黒色人種・ニグロ

こくせい【国政】立法・司法を含む国の政治全体、特に行政をさし、改まった会話や文章に用いられる専門的な漢語。〈―を預かる〉〈―に参加する〉⇩内政

こくそ【告訴】犯罪行為による被害者やその法定代理人が犯罪の事実を捜査機関に申告して、加害者の処罰を求めることをさし、改まった会話や文章に用いられる専門的な硬い漢語。〈―状〉〈検察庁に―する〉〈―に踏み切る〉⇩訴える・告発・Q訴訟・提訴

こくち【告知】重大な事柄を告げ知らせる意で、改まった会話や文章に用いられる正式な感じの硬い漢語。〈受胎―〉〈当人への―に踏み切る〉〈―を受ける〉✎「告白」より冷静

な雰囲気を感じさせる。医者が患者にそれまで伏せていた重大な病名などを伝えるような連想が強い。北杜夫の『夜と霧の隅で』に「日ましに戦死―がふえてゆく」とある。⇩Q告白・知らせる・通達・通知・告げる

こくてつ【国鉄】ＪＲの前身「日本国有鉄道」の略。廃語的。〈―の民営化〉〈旧―の職員〉🖉今でも習慣が抜け切れずにこの語が口をついて出てしまう人を見かける。郷愁断ちがたく、意図的に使う人もあるかもしれない。いずれにしても、ＪＲの意味でうっかりこの語を口にすると、年寄りか古い人間と思われやすい。⇩院線・Q国電・省線

こくでん【国電】旧国鉄の大都市の周辺を走る近距離電車をさした通称。廃語的。〈―区間〉〈―から私鉄に乗り換える〉🖉国鉄の民営化に伴ってこの語も消えた。ＪＲ東日本の場合、「Ｅ電」という用語に差し替える動きもあったが、一部に不評で一般に広まらないうちに消えた。かつてこの語を日常生活の中で頻発していた世代には懐かしいことばで、うっかり口走って年齢が知れることもある。⇩院線・Q国鉄・省線

こくど【国土】一国の統治権の及ぶ範囲の土地をさし、改まった会話や文章に用いられる正式な感じの漢語。〈―計画〉〈―の面積〉〈―が戦場と化す〉〈広大な―が広がる〉⇩領土

こくはく【告白】それまで秘密にしていた事実や言いにくいことなどを思い切って他人に打ち明ける意で、会話にも文章にも使われる漢語。〈愛の―〉〈暗い過去を―する〉🖉小林秀雄の『ゴッホの手紙』に「これはゴッホの個性的着想という様なものではない。その様なものは、彼の―には絶えて現れて来ない」とある。内容が悪事であれば「白状」と言い、それが取り締まりの場であれば「自白」、また、医者が病名などを患者に告げる場合は「告知」と、それぞれ使い分けることが多い。「告知」より個人的・情緒的。⇩告知・自白・知らせる・告げる・Q白状

こくはつ【告発】加害者・被害者以外の第三者が捜査機関に犯罪の事実を申告し、犯人の処罰を求めることをさし、改まった会話や文章に用いられる専門的な漢語。〈役所の不正経理を―する〉🖉法的専門語としてでなく、「企業の内部―」のように、不正や悪事を広く社会に知らせる意に用いる例も多い。⇩告訴

こくふく【克服】困難を乗り越えて自分の思うようにする意で、いくぶん改まった会話や文章に使われる漢語。〈難病を―する〉〈弱点を―する〉〈幾多の困難を―する〉🖉宮本百合子の『伸子』に「自分の感情を―した」とある。「誘惑」のようにまだ自分の中に入り込んでいない場合はこの語でなく「打ち克つ」のほうが自然。⇩打ち克つ

こくぶん【国文】日本語で書き記された文章をさして、学術的な会話や文章に用いられる、やや古風な感じの漢語。〈―で記述された文献〉🖉「漢文」と対立する語。「―の研究」のように「国文学」の略として使ったり、「―の出身」のように「国文学科」などの略として使ったりする例もある。⇩国文体・Q和文

こくぶんがく【国文学】日本の文学やその研究を意味し、会話にも文章にも使われる、やや古風な漢語。〈―演習〉〈―を専攻している〉🖉最近は「日本文学」という呼称のほうが

優勢になってきている。「日本文学」に比べて伝統的な雰囲気が強く、意味の点では現代の流行作家なども対象となるが、語感の面でなじみにくい。⇩Q日本文学

こくぶんたい【国文体】日本語、特に和語を用い仮名で表記する平安時代の文章様式をさし、学術的な会話や文章で使われる専門的な漢語。〈—で書かれた作品〉✎「漢文体」と対立する語。変体漢文体を独立させて三分する場合は「和文体」と言うことが多い。⇩和文・Q和文体

こくべつしき【告別式】死者に別れを告げる儀式をさし、改まった会話や文章に使われる、正式の感じの漢語。〈—で弔辞を読む〉✎特に改まらない会話では全体として「葬式」と言うことが多い。葬儀に限らず、長く遠方に去り行く人の送別の場合に用いることもあったが、飛行機の普及や通信手段の発達により世界中がつながった今日ではその意味ではあまり用いない。⇩葬儀・葬式・葬礼・弔い

こくみん【国民】その国の国籍を有する国家の構成員である人間を意味し、くだけた会話から硬い文章まで幅広く使われる基本的な漢語。〈—宿舎〉〈—的人気〉〈—の権利〉〈—の祝日〉〈—の声を政治に反映させる〉✎「人民」や「民」とは違って論理的には政治家を含むが、この語を用いる政治家の発言には、無意識のうちに自分たちを除外した選挙民を頭に置いているけはいの漂う例が少なくない。⇩市民・Q人民・民

こくもつ【穀物】人間の主食とする米・麦やとうもろこし・大豆などの総称として、やや改まった会話や文章に用いられる漢語。〈—の生産量〉〈—を輸入に頼る〉⇩穀類

ごくらく【極楽】仏教で、この世から西へ十万億土の彼方にあるという、常に阿弥陀仏が説法していて苦しみのない安楽の世界をさし、会話にも文章にも使われる漢語。〈—往生〉〈—浄土〉✎芥川龍之介の『蜘蛛の糸』は「何とも云えない好い匂が、絶間なくあたりへ溢れて居ります。—もう午《ひる》近くなったのでございましょう」として終わる。「ああ、いい気持ち、—、—」「この世の—」のように、単に安楽な場所や環境をさす比喩的な用法もある。⇩Q天国・パラダイス・楽園

こくるい【穀類】「穀物」をさして、やや改まった会話や文章に用いられる漢語。〈—の生産高〉〈黍《きび》や豆も—に含まれる〉✎食する物自体をすぐにイメージさせる「穀物」と比べ、直接にはその類別を問題にする感じがある。⇩穀物

ごけ【後家】「未亡人」を意味する古めかしい漢語。〈若—〉〈—になる〉〈—を通す〉✎小沼丹の『後家横丁』と題する随筆に「井伏さんは、—横丁へ行こう、と云ってよくこの露地に来られた」とある。⇩寡婦・未亡人・やもめ

こける「転倒する」意の古めかしく方言的なニュアンスの和語。〈つまずいて—〉〈—・けつまろびつ〉〈親亀—・けたら皆こけた〉✎谷崎潤一郎の『細雪』に「—・けないように右手で床柱に摑まり」とある。⇩ころぶ・転倒

こごえじに【凍え死に】極度の寒さに凍えて死ぬ意で、会話や軽い文章に使われる和語。〈—しそうに寒い〉⇩凍死

こごえる【凍える】寒さで肉体的な感覚を失い自由が利かなくなる意で、会話にも文章にも使われる和語。〈手が—〉✎「かじかむ」より感覚を失う範囲が広い感じがある。井伏鱒

二の詩『歳末閑居』に、窓に梯子を載せて子供とシーソーをしながら「―ように寒かったかときけば／―ように寒かったという」と鸚鵡返しの対話をする場面がある。⇩かじかむ

ここかしこ【此処彼処】「そこかしこ」と同じ古風な和語。〈―に梅の花がにおう〉✎やはり文学的な雰囲気が漂い、おのずと話題を選ぶ。⇩あちこち・あちらこちら・Ⓠそこかしこ

ここく【故国】生まれ育った国の意で、主に文章に用いられる、やや古風な漢語。〈―の土を踏む〉〈海を隔てて―を思う〉✎外国に在住しているときに遠く離れたわが国という意識で使うことが多い。「―に母を残して上京する」のように、故郷の意でも使う。海外にあって故国を思う場合でも、生まれ育った懐かしい場所という意識が伴う。⇩自国・祖国・Ⓠ母国・本国・本土

ごこく【後刻】それより後の時刻の意で、改まった会話や文章に用いられる硬い漢語。〈―お渡しいたします〉✎別に「後日《ごじつ》」という語があるだけに、その日のうちか遠からずというニュアンスを伴う。⇩あとで・Ⓠのちほど

ここち【心地】一時的な心の状態をさし、会話にも文章にも使われる、やや古風な和語。〈夢見―〉〈―よく眠る〉〈天にも昇る―〉〈申し分のない―だ〉〈生きた―がしない〉✎太宰治の『斜陽』に「全身の力が、手の指の先からふっと抜けてしまう―がして」とある。「気分」と似ているが、健康状態に直結した気持ちをさす例は少ない。⇩感情・機嫌・Ⓠ気分・気持ち・心・心持ち・心情・心理・精神

ここちよい【心地好い】いい気分だの意で、若干改まった感じの会話や文章で用いる、いくらか詩的な雰囲気のことば。〈―風〉〈―肌ざわり〉〈―く眠る〉⇩気持ちいい・Ⓠ快い

こころ【心】人間の理性・意志・感情などの活動をつかさどると考えられているものをさして、くだけた会話から硬い文章まで幅広く使われる日常の最も基本的な和語。〈―が広い〉〈―が曲がっている〉〈―に響く〉〈―にしみる〉〈―に訴える〉〈―を奪われる〉〈―から感謝する〉〈―が動く〉〈―ここにあらず〉〈―のうちを明かす〉✎夏目漱石の『坊っちゃん』に「言葉や様子こそ余り上品じゃないが、―はこいつらよりも遥かに上品な積りだ」とある。⇩感情・気分・気持ち・心地・心持ち・心情・心理・Ⓠ精神

こころあて【心当て】「当て推量」「心頼み」の意の古語的な表現。〈―に生家の跡地を眺むれば〉〈―が外れる〉

こころえ【心得】教養として身につけておくべき技芸などをひととおり心得ている意で、会話にも文章にも使われる和語。〈お茶の―がある〉〈その道に関してはいささか―がある〉✎「素養」に比べ、知識より運用能力を問題にする傾向が強く、「英会話の―」などともいう。「修学旅行の―」のように、その件に関してあらかじめ知っておくべき作法や心構えをさす用法もある。⇩Ⓠ素養・嗜《たしな》み

こころがけ【心掛(懸)け】あらかじめ気を配ってふだんから何かに備えておく意で、会話にも文章にも使われる和語。〈いい―だ〉〈日頃の―が大事だ〉〈―がなっていない〉✎「心構え」ほど限定的でない。⇩心構え

こころがまえ【心構え】物事に対する事前の心の準備をさし、会話にも文章にも使われる和語。〈いざという時の―はできている〉〈子の親となる―〉〈成功する人は―が違う〉✎

一般的な「心がけ」に比べ、重要な目的や困難な事態などを想定してそれに備えている感じがある。⇩心がけ

こころがわり【心変わり】 気持ちが変わる意で、会話にも文章にも使われる和語。〈急に―する〉〈恋人の―に驚く〉✎特に、愛情が他の相手に移る場合に用いる。⇩変心

こころくばり【心配り】 いろいろなところに気を配る意で、改まった会話や文章に用いられるやわらかい感じの和語。〈細やかな―を見せる〉〈温かな―がうれしい〉✎相手の示したある具体的な配慮に対して用いる例が多く、落ち度がないかと自分であれこれ注意するような意味合いでは使わない。⇩**Q気配り・気遣い・心遣い・配慮**

こころづかい【心遣い】 気を遣う意で、改まった会話や文章に用いられる和語。〈格別のお―を賜り恐縮に存じます〉〈お―に感謝する〉✎相手の金銭面の配慮に対してそれとなく礼を言う場合の婉曲《えんきょく》表現ともなる。相手の示したある面での配慮に対して用いることが多く、失敗しないよう自分であれこれ気をつけるような意味合いでは使わない。⇩**気配り・Q気遣い・心配り・配慮**

こころづけ【心付け】 サービス業の従業員などにその労をねぎらう気持ちを表すために手渡す少額の金銭をさし、会話にも文章にも使われる古風な和語。〈宿の女中に―をはずむ〉✎玉川一郎の『恋のトルコ風呂』に「従業員に高額にわたるお―をお渡しにならないようお願いいたします」とある掲示を見て、少しは渡すようにという隠れたメッセージを読み取る場面がある。⇩チップ

こころづもり【心積もり】 心の中で考えて予定することをさし、改まった会話や文章に用いられるやや古風な和語。〈そういう―でいる〉〈―が外れる〉✎堀田善衛の『広場の孤独』に「人はいまから―をしておかねばならぬ」とある。⇩**計画・Q予定**

こころのこり【心残り】 立ち去る時などに心配・残念といった気持ちが残る意で、会話にも文章にも使われる和語。〈それだけが―だ〉〈この子さえ幸福になればもう―はない〉✎谷崎潤一郎の『細雪』に「こいさんにお会いできないのが―である」とある。「未練」と違い、感情そのものに限る。⇩**残念・Q未練・無念**

こころぼそい【心細い】 頼りになるものがなく不安に思う意で、会話やさほど硬くない文章に用いられる和語。〈外国の一人旅は―〉〈彼に任せるのは―〉✎辻邦生の『夜の鐘』に「私が感じていた心細さは、ただの―感じではなかった。それは、どこか不安で、恐怖に似た気持も含んでいた」とある。「心強い」と対立。⇩**気掛かり・Q心もとない・心配・不安**

こころみ【試み】 結果を知るために仮にやってみる意で、やや改まった会話や文章に使われる和語。〈新しい―〉〈画期的な―〉〈―に新機種を採用する〉⇩**Q試行・試し**

こころみる【試みる】 リスクを承知で実際にやってみる意で、改まった会話や文章に用いられる硬い感じの和語。〈節水を―〉〈サンプリング調査を―〉〈耐久性のテストを―〉✎川上弘美の『センセイの鞄』に「(体のふれあい)お手伝いしますから。―・みてみましょう」とある。実際にどうかを調べる意味合いの強い「験す」に比べ、計画的に実行する場合にも使う。野球で「バントを―」は試合中に実際に行うので

あり、走り幅跳びで「二回目の跳躍を―」のも本番としての試技である。いずれの場合も「験す」では練習を連想させる。⇩試す

こころもち【心持ち】感じ考える心の働きをさし、くだけた会話から文章まで幅広く使われるいくぶん古風な日常の和語。〈すっきりとした―〉〈悪い―はしない〉✍夏目漱石の『坊っちゃん』に「浴衣一枚になって(十五畳の)座敷の真中へ大の字に寝て見た。いい―である」とある。「気持ち」に比べ、その時々の気分をさすことが多く、複雑な思考内容をさす例は少ない。会話などでは「―短め」「―右に寄る」のように、ほんの少しの意に用いることもある。⇩感情・機嫌・気分・Q気持ち・心地・心・心情・心理・精神

こころもとない【心許無い】頼りなくて安心できず気掛かりだの意で、会話にも文章にも使われる、いくらか古風な和語。〈甚だ―手つき〉〈この調子では期限までに仕上がるか―〉✍安部公房の『他人の顔』に「その辺のことになると、いささか―気がしないでもない」とある。⇩気掛かり・Q心細い・心配・不安

こころやすい【心安い】互いに気心がわかっていて遠慮が要らない意で、さほどくだけない会話や文章に用いられる和語。〈―・く付き合う〉〈―仲間〉⇩気安い

こころよい【快い】気分や気持ちのよい意で、主として文章に用いる、こころもち美的な感じの和語。〈―睡眠〉〈―感触〉〈―適度の疲れ〉〈―・く引き受ける〉✍夏目漱石の『こころ』に「自活の方が友達の保護の下に立つより遥かに―・く思われたのでしょう」とある。⇩気持ちいい・Q心地よい

ござ【茣蓙】藺草《いぐさ》の茎で細かく編んだ薄い敷物をさし、会話にも文章にも使われる漢語。〈地面に―を敷いて座る〉⇩むしろ

こさえる「こしらえる」の崩れた形で、どこか方言的な響きを感じさせる俗語。〈見よう見まねで―〉✍作家訪問の際、『珍品堂主人』のときは骨董屋で録音まで取って調べたことを話題に出したら、井伏鱒二は「筋書きは―・えたんですよ」と付言した。⇩こしらえる

こざかしい【小賢しい】ろくに力もないのに無理して一人前の言動をする様子や、利口ぶって小生意気なさまをさすやや古風な和語。〈―手口〉〈―・くいっぱしの口を利く〉✍国木田独歩の『初恋』に「今までの生意気な―ふうが次第に失せてしまった」とある。自分の実際の能力以上に利口ぶるために生意気な印象を与える、というマイナスイメージを伴って用いられる。「―・く立ち回る」のように、悪知恵を働かせる抜け目のない意にも使う。⇩利いた風・Qずる賢い・Q生意気・悪賢い

こさめ【小雨】細かい少量の雨をさし、会話にも文章にも使われる和語。〈―決行〉〈―がぱらつく〉〈―がそぼ降る〉✍阿部昭の『訣別』に「―もよいのその朝、父の遺体は藤沢火葬所の「い」号焼却炉というもので、九時半から約五十分間かかって処理された」とある。⇩Q霧雨・こぬか雨・時雨・ぬか雨

こさん【古参】その社会や職場などに古くからいる人の意で、会話にも文章にも使われる古風な漢語。〈最―〉〈―兵〉〈―力士〉⇩古顔・Q古株・古手・ベテラン

ごさん【午餐】「昼飯」の意で改まった会話や文章に用いられ

る硬い感じの漢語。〈—会〉〈—に客を招く〉✎正式の雰囲気、丁重で時に形式ばった感じのする表現。⇩お昼・ちゅうじき・Ｑちゅうしょく・昼餉・昼御飯・昼飯・ランチ

こし【腰】胴体の下部で脚の付け根までの部分をさし、くだけた会話から硬い文章まで幅広く使われる日常の基本的な和語。〈及び—〉〈へっぴり—〉〈—のくびれ〉〈—が曲がる〉〈—を抜かす〉✎円地文子の『耳瓔珞』に「病気の前より一皮むきすべらしたようにすっきり細くくびれた滝子の—の線」という描写例がある。⇩腰部

こしいれ【輿入れ】「結婚」や「婚礼」をさすきわめて古めかしい和風の言い方。〈—の当日〉✎昔、嫁の乗った輿を婿の家に担ぎ入れたところから。⇩家庭を持つ・結婚・結婚する・婚姻・所帯を持つ・Ｑ嫁ぐ・嫁入りする・嫁に行く

こしかけ【腰掛け】腰を掛けるための台をさし、くだけた会話やさほど硬くない文章に使われる、やや古風な和語。〈—に座る〉〈—の端にちょこんと腰を下ろす〉✎二葉亭四迷の『浮雲』に「ペンキ塗りの—」とあるように、「椅子」と違い、深々と沈むソファなどの豪華な家具に用いるのにはふさわしくない用語。揺り椅子や座椅子に用いても違和感がある。一時的に身を置く意もあり、「—仕事」などの語もある。⇩椅子

こしかける【腰掛ける】腰掛けに腰を下ろす意で、会話にも文章にも使われる和語。〈椅子に浅く—〉〈ベンチに—〉✎川端康成の『雪国』に「窓に体を投げつけるように—・けた」とある。椅子やベンチなどの腰掛けを明示する場合は、「どうぞソファにお掛けください」のように、単に「掛ける」と言うことが多い。腰掛けがなく地べたや芝生の上などに直接腰を下ろす場合は「座る」といい、この語は用いない。⇩座る

こしくだけ【腰砕け】途中で急に勢いを失い崩れる意で、会話や改まらない文章で使われる和語。〈意気込みはすさまじかったが、計画は途中で—に終わった〉✎相撲《すもう》で、腰の構えが崩れて自分で倒れること。転じて一般に、そのように物事が途中で駄目になり後が続かなくなる意でも使う。相撲との関連はふだんはあまり意識されない。⇩頓挫

ごじつ【後日】その日より後のしかるべき日の意で、改まった会話や文章に用いられる硬い漢語。〈結果は—連絡する〉〈—改めて御礼に参上いたします〉✎「—に問題を残す」のように、漠然とした将来をさす場合もある。なお、「—談話」「—物語」のように、ある事件などの解決した後をさす用法もある。⇩他日

こじつけ【故事付け】無理に関係づける意で、会話や軽い文章に使われる表現。〈—にすぎない〉〈—にも程がある〉✎むりやり「故事」と結びつけることからか。⇩牽強付会

こしぬけ【腰抜け】結果が心配で物事をやってみる勇気がない意で、会話や軽い文章に使われる古風な和語。〈どいつもこいつも—ばかりだ〉〈最近の政治家は—がそろっている〉⇩意気地無し・臆病・Ｑ怖がり・腑抜《ふぬ》け・弱虫

こしゃく【小癪】小生意気で少々癪にさわる意で、会話や軽い文章に使われる、やや古風な表現。〈何を—な〉〈—なまねをする〉✎永井龍男の『酒徒交伝』に「普段はとかく—に触った男とも、嘘ばかりついていた奴とも、しんみり話し明

した末」とある。⇩利いた風・小賢《こざか》しい・小生意気・Q小憎らしい・生意気

こじゃれた【小洒落た】ちょっとしゃれた感じのという意味で、くだけた会話に聞かれる俗語。〈このへんではちょいと―喫茶店〉🖉古くは「ふざけた」という意味に用いたようであるが、洋風の装身具・衣装やブティックやカフェなどの店、それらが建ち並ぶ通りや街角のようなものをさす近年の用法は、伝統的なその語ともいわゆる粋筋《いきすじ》とも無縁で、「粋」に対する「小粋」などに倣って「洒落た」から新しく生まれた俗語か。⇩いき・Q小粋・洒落た・すい

ごしゅ【語種】出自に着目した語の種類をさし、学術的な会話や文章に用いられる専門漢語。〈同義でも―の違いで語感が違う〉🖉「つき」「うみ」「はな」「あき」「みぎ」「ゆく」「みる」「よい」「ながい」など日本固有の《和語》、「生活」「国家」「関係」など古く中国から伝来した《漢語》、「パン」「ラジオ」「デッサン」など古代中国以外の外国語が日本語化した《外来語》に分かれ、「ば所」「毎あさ」「いたガラス」「おれ線グラフ」のようにそれらが組み合わさった《混種語》を含める。⇩語族

こじゅうと【小姑/小舅】配偶者の兄弟・姉妹をさし、会話でも文章でも使われるやや古い感じの和語。〈―が多くて嫁が苦労する〉🖉現代では結婚とともに独立して親と別居するケースが多く、舅《しゅうと》や姑《しゅうとめ》や小姑の問題が昔ほど話題にならない。そのため、小津安二郎監督の映画『早春』で千代(岸恵子)が「―の腐ったみたいに、何さ！」と啖呵《たんか》を切る場面など、こういう言い方に今では時代を感じる。

こしょ【古書】時代を経た書籍、または「古本」をさし、改まった会話や文章に用いられる硬い漢語。〈―展〉〈―目録〉〈貴重な―を入手する〉〈―をひもとく〉⇩古本

こしょう【故障】機械類や体の一部に異常が生じて機能を損ねる意で、会話にも文章にも使われる日常の漢語。〈車の―〉〈設備が―を起こす〉〈―箇所を修理する〉〈体の―を訴える〉〈―者リスト入り〉🖉福永武彦の『草の花』に「診断の度ごとに自分から―を申し立てて」とある。⇩不具合

こしらえる【拵える】「作る」の意で、会話や改まらない文章中に用いる、少し古い感じのする和語。〈まとまった金を―〉〈若いうちに家を―〉〈うまく話を―〉〈女を―〉🖉夏目漱石の『坊っちゃん』に「勝手な規則を―・えて、それが当り前だと云う様な顔をしている」とある。標準的な「作る」に比べ、古風で少し俗っぽい感じが伴う。⇩Qこさえる・作る

こじん【個人】社会の構成メンバーである一人の人間をさし、会話にも文章にも使われる基本的な漢語。〈―情報の保護〉〈―の自由〉〈―の考えを述べる〉〈準備は――で行う〉🖉大岡昇平の『俘虜記』に「人類愛から射たなかったことを私は信じない。しかし私がこの若い兵士を見て、私の―的理由によって彼を愛着したために、射ちたくないと感じたことはこれを信じる」とある。「―の料金」のように「団体」と対立する用法もある。⇩一個人

こす【越す/超す】ある箇所の手前から向こう側まで達する意で、くだけた会話から硬い文章まで幅広く使われる日常生活の基本的な和語。〈冬を越す〉〈年を越す〉〈山を二つ越したその先にある〉〈出費は二万円をはるかに超す〉〈身

長一九〇センチを超す大男〉✎夏目漱石の『草枕』に「馬へ乗せて、峠を―・したのかい」とある。「越す」が一般的な表記で、上回る、超過するといった抽象的な意味合いでは「超す」と書き分ける傾向が強い。「山を―」「川を―」といった用法は「山を越える」「川を越える」より古風な感じがあるが、現代語として不自然と感じられるほどではない。ただし、「峠を―」と言うと、仕事について難しいところを通過して仕上げられるめどが立ったとか、病気で危険な段階を通り過ぎたとかといった、古くからある比喩的な慣用句を連想しやすく、「峠を越える」と言うと、徒歩や乗り物で峠を通過したという具体的な行動を連想しやすいという傾向は認められる。⇩越える

こすい【狡い】自分の得になるよううまく立ち回る意で、主として会話に使われる、やや俗っぽい和語。〈―やり方で自分だけ得をする〉✎志賀直哉の『暗夜行路』に「狡そうな眼つきをして笑った」とある。『東京弁辞典』に長谷川時雨『旧聞日本橋』中の例が出るが、『全国方言小辞典』では大阪や奈良にも出てくる。いずれにしろ方言色が感じられる。「ずるい」がさまざまなスケールで使われるのに対し、この語は細かい個々の行為についての批評に使われる傾向が強い。⇩狡猾《こうかつ》・こすっ辛い・Qずるい・ずる賢い・悪賢い

こすい【湖水】「湖」の意で主に文章に用いられる漢語。〈―周遊〉〈―を望む高台〉✎安岡章太郎の『海辺の光景』に「波もない―よりもなだらかな海面」とある。⇩湖

ごすい【午睡】昼寝の意で、主として改まった文章に用いる硬い感じの漢語。〈午後一時間の―をとるのが日課となっている〉⇩昼寝

こすっからい【狡っ辛い】「こすい」の強調表現として、くだけた会話に使われる和語。〈―やり口で金儲けする〉✎尾崎士郎の『人生劇場』に「スリのように―眼をして」とある。「こすい」以上に俗っぽく、ずるさも上。⇩狡猾《こうかつ》・こすい・ずるい・Qずる賢い・悪賢い

コスト 製品が仕上がるまでに掛かる費用の意で、会話にも文章にも使われる外来語。〈―ダウン〉〈―を抑える〉〈―が高くつく〉〈―がかかる〉⇩Q原価・仕入れ値・元値

こする【擦る】強く押し付けながら繰り返し擦《す》る意で、会話でも文章でも広く使われる日常の生活和語。〈目を―〉〈指先でガラスを―〉〈汚れを雑巾でごしごし―〉〈垢《あか》を―〉✎有島武郎の『或る女』に「甲板を単調にごしごしごしごしと―音」とある。「さする」と違って、道具や目的はさまざまで、摩擦の強さにも規制がない。⇩さする

こせい【個性】その人間に具わっている特有の性質をさし、会話にも文章にも広く使われる漢語。〈強烈な―〉〈それぞれの―を生かす〉〈―を尊重する〉〈―を伸ばす〉✎小林秀雄の『ゴッホの手紙』に「ある普遍的なものが、彼を脅迫しているのであって、告白すべきある―的なものが問題だった事はない」とある。⇩特質・特色・Q特性・特徴

ごぞうろっぷ【五臓六腑】内臓の意の古めかしい表現。〈久しぶりの酒で―にしみわたる〉⇩臓器・臓腑・臓物・Q内臓・はらわた・もつ

ごぞく【語族】同じ言語から派生したと考えられる諸言語の総称として、学術的な会話や文章に用いられる専門漢語。

〈この―に属する言語〉✎比較言語学の成果として英語・ロシア語・ギリシャ語など多くの言語が属することが明らかになったインド・ヨーロッパ語族が有名。⇩語種

こそこそ 他人に知られないように内密に事を行う様子をさし、会話や軽い文章に使われる和語。〈―逃げ出す〉〈―打ち合わせる〉✎徳田秋声の『縮図』に「戸惑いした猫のように、―帰ってしまった」とある。「堂々」と対立するが、文体的レベルが大きく違う。⇩こっそり・そっと・ひそか

こそだて【子育て】 育児の意で、会話や軽い文章に使われる、やわらかいタッチの和語表現。〈―と仕事を立派に両立させる〉〈やっと―から解放される〉✎具体的な行為を連想させやすい「育児」に対して、総体的・抽象的に包括した感じもある。⇩育児

こそばゆい くすぐったい意で、主に会話や軽い文章に使われる古風な和語。〈尻のあたりが妙に―〉✎太宰治の『狂言の神』に「物静かな生活に接しては(略)一ひらの桜の花びらを、掌に載せているようなこそばゆさ」とある。「くすぐったい」同様、「丁重に扱われ過ぎて―思いだ」のように、比喩的に照れくさい意でも使われることがある。⇩くすぐったい

こたえ【答え】 問いかけに対して応じることやその言葉・内容をさし、くだけた会話から硬い文章まで幅広く使われる日常の基本的な和語。〈―合わせ〉〈―を求める〉〈―を出す〉〈―を教える〉〈―が間違っている〉〈―に詰まる〉✎返事・返答・応答・回答・解答などの総称。「問い」と対立。⇩応答・回答・Q解答・返事・返答

こだかい【小高い】 高さが周囲の土地より少し高い意で、いくぶん改まった会話や文章に用いられる和語。〈―丘〉〈―山〉⇩高い①

ごたごた 揉《も》め事に近い意味で、主に会話に使われる、やや俗っぽい和語。〈遺産相続の件で家の中に―が起こる〉〈事件後の―がようやく片づく〉✎争い自体よりも、そのせいで生じる具体的・精神的な諸問題に重点のある感じがある。⇩諍《いさか》い・Qいざこざ・トラブル・揉め事

こだち【木立】 並んだり群がったりして立っている何本かの木をさし、やや改まった会話や文章に用いられる、いくぶん古風で趣のある和語。〈冬―〉〈青々と生い茂った夏の―〉✎「林」ほどのスケールはない。芥川龍之介の『東洋の秋』に「蕭条とした―の向うに静まり返ってしまったらしい」とある。⇩街路樹・Q並木

こだま【木霊(魂・精)／谺】 音声や音響の波が物に当たって跳ね返って来る現象をさし、会話にも文章にも広く使われる和語。〈山に―する〉〈―が返って来る〉✎石川淳の『紫苑物語』に「はじめはかすかな声であったが、―がそれに応え、あちこちに呼びかわすにつれて、声は大きく、はてしなくひろがって行き」とある。もと、「木《こ》」「霊《たま》」の意で、古くは清音。木に宿る精霊の仕業と考えたところから。「山彦《やまびこ》」より一般的に用いられ、自然の山野の中でなく街中の現象に使っても「山彦」ほどの違和感がない。いかにも物理現象という感じの「反響」より古風で詩的な雰囲気を感じさせる。⇩エコー・残響・反響・Q山彦

こだわる【拘る】 価値のとぼしい細かなことや、さほど重要

でない点に心をとらわれる意で、会話でも文章でも幅広く使われる日常の和語。〈金銭に—〉〈流行に—〉〈過去の失敗にいつまでも—〉〈細かい点に—・りすぎる〉✎夏目漱石の『坊っちゃん』に「妙な所へ—・って、ねちねち押し寄せてくる」とある。「こだわる」ことに徹底してこだわった志賀直哉は『暗夜行路』で「自分の武骨な手に—・って居た」と書いている。従来、マイナス評価であったこの語が、近年、「味に—」「徹底して使いやすさに—・った商品」というようにプラス評価としても使われるようになり、「こだわりの一品」などと高い評価として用いられる例もあるが、今でもまだいくらか俗っぽい感じが残る。⇩拘泥《こうでい》

こちょう【誇張】事実に対する認識や感情や感覚を実際より大げさに述べることをさし、会話にも文章にも使われる日常の漢語。〈—表現〉〈事実を—して話す〉〈痛さを—して訴える〉✎井上ひさしが『自家製文章読本』で漱石の『坊っちゃん』の末尾の一文「だから清の墓は小日向の養源寺にある」をとりあげ、「だから」の三文字について「百万巻の御経に充分拮抗し得ている」と述べたあたりはその好例。小林秀雄の『モオツァルト』に「彼は殆ど憎悪を以て、その不自然さと—との終末する時を希った」とある。力説するのが「強調」で、針小棒大に言うのが「誇張」だから、この語にはマイナスイメージが伴う。⇩強調・極言

ごちょう【語調】ことばの調子の意で、改まった会話や文章に用いられる硬い感じの漢語。〈—を整える〉〈強い—で言う〉〈—をやわらげる〉✎主に話すときの調子、時にはイントネーションをさすが、文章のことばづかいについても使う。⇩語り口・Q口調・語気・話しぶり・弁

こつ　物事の要領や勘どころをさし、会話や軽い文章に使われる日常の和語。〈商売の—〉〈操作の—〉〈—をつかむ〉〈—を飲み込む〉〈—を身につける〉✎特別の方法を連想させやすい「秘訣《ひけつ》」に比べ、長い間の経験から自分で会得した効果的なやり方や留意点などをさす。ちょっとした力の入れ具合や微妙な温度調節といったもので、「秘訣《ひけつ》」というほどびっくりするものではないという印象がある。片仮名書きする例も多い。⇩勘所・呼吸②・壺②・秘訣・要領

こつ【骨】火葬して埋葬する場合の死者の骨をさし、会話にも文章にも使われる漢語。〈—壺〉〈—拾い〉〈お—を納める〉✎富岡多恵子の『立切れ』に「お琴の—をはさんで、その—をどうするかについて喋っていた妹の老婆も菊蔵も、遠からず—になる人間だった」とある。「うし」を「ぎゅう」といい、やきとりで「タン」「ハツ」と間接化するように、「ほね」という語の生々しい感じを減ずるために音読みにしてイメージをぼかした語か。白骨死体が発見されてもその状態では「ほね」と言い、それを供養して埋葬する段階になってはじめて「こつ」と言う。漢字表記では「ほね」との区別が困難。感触をやわらげるためもあり、しばしば仮名書きされる。⇩ほね

こっか【国家】領土と国民を有し統治権を持つ社会集団を意味し、改まった会話や文章に用いられる正式な感じの硬い漢語。〈近代—〉〈法治—〉〈—試験〉〈—の繁栄〉〈—の安寧を祈る〉✎領土をイメージさせる「国」に比べ、組織を中心とする抽象的な概念をさす。⇩国

こっかいぎいん【国会議員】国民から代表として公選される議員の意で、会話にも文章にも使われる漢語。〈―に立候補する〉〈―として初当選する〉✎衆議院議員と参議院議員との総称。⇩代議士

こっかく【骨格(骼)】体の骨の構造の意で、やや改まった会話や文章に用いられる、少し硬い感じの漢語。〈―のしっかりした頑丈な体〉✎徳田秋声の『縮図』に「―のがっちりした厳《かい》つい紳士であった」とある。森鷗外は『空車』に、大きな空の荷車を引いて「大道狭しと行く」馬について、「―が逞しく、栄養が好い」と述べている。⇩骨組み

こっかん【酷寒】ひどい寒さの意で、改まった手紙や文章に用いられる古風で硬い漢語。〈―に耐える〉✎水上勉の『土を喰う日々』に「外は零下の―だ」とある。「厳寒」と「極寒《ごっかん》」との間のつらさを思わせる。「酷暑」と対立。⇩Q厳寒・極寒

ごっかん【極寒】きわめて厳しい寒さの意で、改まった会話や文章に用いられる古風で硬い漢語。〈―の候〉〈―の地〉✎「厳寒」「酷寒《こっかん》」以上に耐え難い感じがある。⇩厳寒・Q酷寒

こっきょう【国境】国と国との境界線をさし、会話にも文章にも使われる漢語。〈―線〉〈―の警備に当たる〉〈―を越える〉✎津村信夫の詩『小扇』に「指呼すれば、―はひとすじの白い流れ。高原を走る夏期電車の窓で、貴方は小さな扇をひらいた。」とあり、和語・漢語の配列やリズムの点で「こっきょう」と読むほうがしまる。が、現在では外国との境をさすのが一般的。「くにざかい」より厳密な感じがあり線的なイメージでとらえやすいため、「―に住む」では違和感があり、「―近くに住む」としたほうが落ち着きがよい。⇩くにざかい

コック 西洋料理や中華料理の店の料理人をさして比較的古くから会話でも文章でも使われているオランダ語から入った外来語。〈―長〉〈食堂の―〉〈―の腕が問われる〉⇩板場・Q板前・シェフ・調理師

こづく【小突く】他人の体を拳骨や指先などで突く意で、会話やさほど硬くない文章に用いられる和語。〈肩を―〉〈胸を―〉〈肘《ひじ》で―〉✎尾崎一雄の『虫のいろいろ』に「宇宙は有限か、無限か、といきなりきかれて、私はうとうとしていたのをちょっと―・かれた感じだった」とある。⇩突く・Qつつく・つっつく

こづくり【小作り】小さく出来ている意で、会話にも文章にも使われる古風な和語。〈体が―にできている〉〈顔も体も―の女〉✎「小柄」が大きさだけを問題にしているのに対し、この語にはどこか力感に欠ける感じもある。夏目漱石の『坊っちゃん』の主人公は「おれは江戸っ子で華奢に―に出来て居るから、どうも高い所へ上がっても押しが利かない」と初めて教壇に登った感想を述べている。⇩Q小柄・小粒・小兵

こっけい【滑稽】おどけてばかばかしく面白おかしい意で、会話にも文章にも使われる漢語。〈―な話〉〈恰好が―だ〉⇩可笑《おか》しい①・傑作②・コミカル・剽軽《ひょうきん》・Qユーモラス

こつこつと 目標に向かって地道な努力を続ける様子をさし、会話やさほど硬くない文章に使われる表現。〈―努力を続

ける〉〈―勉強する〉〈―稼いで金を貯める〉✎少しずつでも着実に続けるところに重点がある。⇩齷齪《あくせく》・営々・せっせと・Q着々と

こっそり　他人に気づかれないようにひそかに行うさまをさして、会話やさほど硬くない文章に用いられる和語。〈―抜け出す〉〈―忍び込む〉〈―教える〉〈―覗《のぞ》く〉⇩うちうち・こそこそ・Qそっと・内緒・内々・内密・ひそか

ごったがえす【ごった返す】人が大勢集まって秩序なく入り乱れひどく混雑する意で、会話や軽い文章に使われる和語。〈神社は初詣の客で―〉〈会場がファンで―〉✎「込み合う」より範囲が広く程度もさらにひどい感じがある。阿川弘之の『雲の墓標』に「―大阪駅頭をたって来た」とある。⇩込み合う・込む・Q混雑・混乱・立て込む

ごっつぁん　「ありがとう」の意の相撲《すもう》社会の用語。〈―です〉✎もと広い意味であった「ご馳走さま」から転じた語形。

こっとう【骨董】時代を経てなお価値の出る古い道具や美術品をさし、会話にも文章にも使われる漢語。〈書画―〉〈―趣味〉〈―品の鑑定〉〈―に手を出す〉✎「古道具」より高価な雰囲気がある。井伏鱒二の『珍品堂主人』に「―は女と同じだ」とあり、「惚れるから相場があり」、「しつこく掛合っていると」「いつかは相手が、うんと云う」という解説が続く。小林秀雄をモデルにした「来宮の持論」である。⇩アンティーク・Q古道具

こっぱずかしい【小っ恥ずかしい】「こはずかしい」の転で、くだけた会話で使われる、やや古い感じの俗っぽい口頭語。〈人前で褒められると―もんだ〉〈今ごろ赤ちゃんができるなんて何だか―〉✎大ベテランの実力者が久しぶりに優勝したような場合に、照れてわざとこういう俗っぽいことばを使うこともある。⇩面映ゆい・決まり悪い・小恥ずかしい・照れ臭い・恥ずかしい

こっぱみじん【木っ端微塵】固体が割れて細かな破片に砕け散る意で、会話や軽い文章に使われる表現。〈爆破されて―に吹っ飛ぶ〉✎「相手を―にやっつけてやる」のように、めちゃくちゃに粉砕すると意気込む場合の誇張としても使う。⇩粉々・Q粉みじん

こっぴどい　「ひどい」の強調的な口頭語。〈―・く叱られる〉〈―仕打ち〉〈―目に合わせる〉✎促音とそれに続く「ピ」という破裂音も影響して、語感に激しさを添えているかもしれない。⇩ひどい

こつぶ【小粒】小柄の意で、会話にも文章にも使われる和語。〈―で機敏な動きを見せる〉✎「―の芋」「雨が―になる」など、人間以外についても広く使う。「大物が抜けて全体として―になった」として、政界・文壇・チームなどについて用いることもある。⇩Q小柄・小作り・小兵

こて【鏝】漆喰《しっくい》を壁に塗る道具や、それに似た形でアイロンの役をする用具をさし、会話にも文章にも使うやや古風な感じの和語。〈焼き―を当てる〉⇩アイロン

コテージ　山小屋風の建物をさし、会話にも文章にも使われる外来語。〈―風の建物〉⇩山荘・山房・バンガロー・ヒュッテ・Q山小屋・ロッジ

ごてる　くどくどと不平不満を並べる意の、やや古い感じの

和語の俗語。〈―・て得〉〈何かというとあいつは―・ててばかりいる〉✎「こねる」とこの「ごてる」との混交により、この意味で「ごねる」と言うこともある。⇩ごねる

こと【事】 人間の意識や思考の対象となる事柄や現象や関係や概念などをさし、くだけた会話から硬い文章まで幅広く使われる日常の最も基本的な和語。〈―が起こる〉〈―が―だけに〉〈―を構える〉〈―ここに至る〉✎具体的にも抽象的にも使われる「もの」と違い、抽象的で感覚による把握のできない対象をさす。⇩事柄・事物・Q物事

こどう【鼓動】 心臓の響きをさして、改まった会話や文章に使われる漢語。〈胸の―〉〈―が聞こえる〉〈―が高まる〉✎尾崎士郎の『人生劇場』に「胸にはセコンドを刻むような小さい―がだんだん高まってくる」とある。「春の―」などと比喩的にも使い、その場合は詩的なイメージとなる。⇩Q動悸《どうき》・脈・脈搏《みゃくはく》

ことがら【事柄】 物事の内容・状態をさし、くだけた会話から硬い文章まで幅広く使われる日常の基本的な和語。〈特殊な―〉〈重要な―〉〈複雑な―を処理する〉〈―の本質をわきまえる〉〈―の性質上〉〈―が―だけに〉✎夏目漱石の『倫敦塔』に「戯曲的に面白そうな―」とある。物体そのものは含まない。⇩項目・事・事項・事象・事物・Q物事

こどく【孤独】 頼る人も仲間もいない状態をさして、会話にも文章にも使われる漢語。〈天涯―〉〈―な生涯〉〈―な晩年〉〈―に耐える〉⇩ひとりぼっち

ことごとく【悉(尽)く】 一つ残らずすべての意で、改まった会話や文章に用いられる硬い感じの和語。〈―失敗する〉〈頼まれると―引き受ける〉〈親の意見を―無視する〉✎「全体」はもちろん「全部」や「すべて」と比べても、一つにまとめる意識が弱く、結果として全体を問題にするとしても、あくまで個々のそれぞれを判断した結果であり、総体的な平均点ではない。⇩Qすべて・全体・全部・みな・みんな

ことし【今年】 今のこの一年をさし、会話でも文章でも広く使われる日常の基本的な和語。〈―で満三十歳になる〉〈―の十大ニュース〉〈―もよろしく〉✎谷崎潤一郎の『細雪』に「これで―も此の花の満開に行き合わせたと思って、何がなしにほっとする」とある。文体的なレベルは漢語の「去年」や「来年」とほぼ同じ。年度単位の場合はこの語を用いず、漢語の「今年度」「本年度」を用いる。⇩こんねん・Q本年

ことづけ【言付け／託け】「ことづて」の意で会話にも文章にも使われる古風な和語。〈―を頼まれる〉⇩Qことづて・伝言・メッセージ

ことづて【言伝】 他人に頼んで先方に伝えてもらう意で、会話にも文章にも使われる、いくぶん古風な和語。〈―を頼む〉⇩ことづけ・Q伝言・メッセージ

ことなる【異なる】 みな同じではなくそれぞれ別だの意で、改まった会話や文章に用いられる硬い和語。〈文化が―〉〈気候が―〉〈条件が―〉〈担当者が―〉✎国木田独歩の『武蔵野』に「露西亜の景で而も林は樺の木で、武蔵野の林は楢の木、植物帯からいうと甚だ―って居るが、落葉樹の趣は同じ事である」とある。「同じ」「等しい」と対立。⇩違う

ことに【殊に】 他と比べて特に著しい意で会話にも文章にも

使われる和語。〈あの客は―丁重にもてなす〉〈今度のは―豪華なパーティーだった〉✎「こと」は「異なる」意から。⇩特に・Qとりわけ・なかんずく

ことば【言葉／詞】人間が気持ちや情報を伝え合うために用いる音声や文字をさし、くだけた会話から硬い文章まで幅広く使われる日常の最も基本的な和語。〈―の意味〉〈―が通じない〉〈―が丁寧だ〉〈―で言い尽くせない〉✎尾崎一雄の『暢気眼鏡』に「『心機一転』『豁然大悟』そんな―も呑みなれた薬のように何の反応もなくなった」とあり、竹西寛子の『少年の島』に「数珠玉のようにつながって老婆の口からほとばしり出る意味のわからない―」とある。「日本の―」で「言語」、「難しい―」で「語」や「句」、「ありがたいお―」で「文」「表現」「文章」を意味するなど、各レベルで広く使われる。⇩言語・Q語・語彙・単語・用語

ことほぐ【寿ぐ】「祝福する」意の詩的な雰囲気をもつ古語的表現。〈新春を―〉〈長寿を―〉⇩Q祝賀・祝福

こども【子供】「子」に似た意味で幅広く使われる基本的な和語。修飾語を伴わずに単独の名詞として用いても「子」と違って古い感じはない。〈―に手がかかる〉〈―のころを思い出す〉〈―用の机〉✎林芙美子の『風琴と魚の町』に「―たちは豆のように弾けて笑った」とある。一般に、「子」より年齢幅が小さく、ふつう未成年をさす。「若い子」「綺麗な子」として二十歳を過ぎた人をさすこともあるのに対し、「子供」にはそのような表現が成立しにくい。⇩お子様・餓鬼・子

こどもごころ【子供心】子供の純な心の意で、会話にも文章にも使われる和語。〈―に不思議でならなかった〉〈―にも悲しかった思い出だ〉✎「幼心《おさなごころ》」より客観的な感じがある。⇩Q幼心・童心

ことよせる【事寄せる】「かこつける」意で、改まった会話や文章に用いられる、やや古風な和語。〈病気に―・せて温泉を楽しむ〉〈仕事に―・せて見物して回る〉⇩託《かこ》つける

ことわざ【諺】昔から言い伝えられてきた教訓や諷刺《ふうし》を含む簡潔な表現をさし、くだけた会話から硬い文章まで幅広く使われる日常の和語。〈―どおり〉〈―を引用する〉✎「急がば回れ」「猿も木から落ちる」「溺れる者は藁《わら》をもつかむ」など。長い間の生活の知恵が凝縮されており、それぞれの社会の文化的背景を映し出す。⇩イディオム・Q格言・慣用句・成句

ことわる【断る】相手の求めを受け入れない旨の意志を伝える意で、くだけた会話から文章まで幅広く使われる日常の基本的な和語。〈誘いを―〉〈協力を―〉〈にべもなく―〉〈それとなく―〉✎「あらかじめ―・っておく」のように、前もって知らせて了承を得る意にも使う。⇩一蹴《いっしゅう》・拒絶・拒否・Q拒む・はねつける

こな【粉】非常に細かい粒一般をさして、くだけた会話から硬い文章まで幅広く使われる日常の和語。〈―薬〉〈―ミルク〉〈米の―〉〈小麦を挽《ひ》いて―にする〉✎日常会話では一般に「こ」よりもこの語をよく用いる。⇩Q粉《こ》・粉末

こないだ「この間」の崩れた形で、もっぱら仲間内のくだけた会話で使う。〈つい―のことじゃないか〉〈―は、あれからどうした？〉⇩過日・Qこの間・先頃・先日・せんだって・先般

こなぐすり【粉薬】粉状の飲み薬をさし、会話にも文章にも使われる日常の和語。〈—を調合する〉⇩散薬

こなごな【粉粉】固体が割れて非常に細かな破片に分かれるさまをさし、会話にも文章にも使われる和語。〈—になる〉〈—に砕ける〉✎「木《こ》っ端《ぱ》微塵」より細かく「粉微塵」ほどではないというイメージか。⇩木っ端微塵・Q粉みじん

こなまいき【小生意気】少々生意気で気に障る意で会話や軽い文章に使われる古風な表現。〈—なことを抜かす〉〈—な振る舞い〉⇩利いた風・小賢《こざか》しい・小癪《こしゃく》・Q小憎らしい・生意気

こなみじん【粉微塵】固体が割れて粉のようにきわめて細かい破片に砕ける意で、会話にも文章にも使われる表現。〈フロントガラスが割れて—になる〉✎「粉々《こなごな》」以上に細かな感じがある。⇩木っ端微塵・Q粉々

こにくらしい【小憎らしい】少々憎いと思うほど小賢《こざか》しい意で、会話や軽い文章に使われる、やや古風な和語。〈若造のくせに—〉〈見るからに—態度〉✎本気で怒るほどではないが、何となく気に入らないという感じがある。⇩利いた風・Q小賢しい・小癪《こしゃく》・小生意気・生意気

こぬか【小(粉)糠】「ぬか」の意で使う古風な和語。〈—のような細かい雨〉✎古くは東日本で広く使われたというが、現在では比喩的な「—雨」の形で使うだけで、全国的に「ぬか」が優勢。⇩ぬか

こぬかあめ【小(粉)糠雨】小糠のような細かい雨をさし、会話にも文章にも使われる古風な和語。〈そぼ降る—〉✎宮本百合子の『伸子』に「昨夜は星が綺麗に見えていたのに、—が降っていた」とある。単に「ぬか雨」ともいう。⇩Q霧雨・小雨・時雨・ぬか雨

コネ 縁故関係など何らかのつながりの意で、主に会話に使われる、やや俗っぽい表現。〈—がある〉〈—をつける〉〈—を利用する〉✎「コネクション」の略。⇩Q縁故・つて・手づる

こねる【捏ねる】土や粉などに水分を加えて練る意で、会話でも文章でも広く使われる日常生活の和語。〈粘土を—〉〈うどん粉を—〉✎「練る」が一定方向の反復動作をイメージさせやすいのに対して、この語は複数の方向から力を加えるという動作の過程を表現している感じが強い。⇩練る

ごねる「死ぬ」の意で相手を軽蔑して言う、いかにも古めかしい和語の俗語。〈あのワルもついに—・ねたか〉✎「御涅槃《ごねはん》」の前半を動詞化したものという。なお、「さんざん—・ねたすえに」などと、くどくど文句を並べる意で使うのは、「こねる」と「ごてる」との混交で生じた別語。「ごね得」はそこから出た表現。⇩ごてる・死ぬ

このあいだ【此の間】数日から数ヶ月前あたりをさして、主として会話に使う日常的な和語。〈—の件〉〈つい—のことだよ〉〈—は失礼しました〉〈—の話、あれからどうなった?〉〈—はどうも〉〈—からちょっと気になってるんだけど〉✎二葉亭四迷の『浮雲』に「—来た時」とある。くだけた会話では「こないだ」となりやすい。「あいだ」を「間」と漢字で書くと、「このかん」という表現と紛らわしい場合がある。⇩いちじ・過日・先頃・先日・Qせんだって・先般・一頃

このごろ【此の頃】少し以前から今までの間をさし、会話やさほど硬くない文章に使われる和語表現。〈今日—〉〈—の若い人〉〈—ちょっと元気がない〉✎「このところ」より時

間の幅が広く、年単位のこともある。⇩近年・このところ・Ｑ最近・昨今・一頃

このたび【此の度】「今回」の意で、改まった挨拶や手紙などに用いられる丁重な表現。〈―の件につきまして〉〈―は貴重なご意見をお寄せいただき〉〈私儀―結婚致す事と相成りました〉「今般《こんぱん》」ほど形式ばった堅苦しさはない。⇩この程・今回・Ｑ今度・今般

このところ【此の所】最近しばらくの間の意で、会話や硬くない文章に用いられる和語表現。〈―暑い日が続く〉〈―やたらに忙しい〉〈―元気がない〉〈―進歩がめざましい〉「近頃」以上に話しことばの調子を感じさせる。「―しばらく優勝から遠ざかっている」のように年単位で使う例もまれにあるが、何日か何ヶ月かの例が多く、一般に「このごろ」より短い期間をさす傾向がある。⇩近年・Ｑこのごろ・最近・昨今・近頃

このほど【此の程】「今回」、つい最近の意で、改まった挨拶や手紙などに用いられる丁重な表現。〈―左記に転居いたしました〉〈―課長を仰せつかりました〉副詞的な用法が多く、「―の不祥事」「―の寛大な扱い」のような例では「このたび」のほうが自然に響く。⇩Ｑこの度・今回・今度・今般

このましい【好ましい】好感が持てる意で、やや改まった会話や文章に用いられる和語。〈―結果〉〈―傾向〉〈―・くない行為〉「好もしい」とも言い、その場合は少し古い感じになる。「望ましい」に比べて個人的な感じが強い。⇩思わしい・気に入る・好む・好き・望ましい

このみ【木の実】樹木に生《な》る実をさし、会話にも文章にも使われるいくぶん古風な和語。〈禁断の―〉〈―を取って食べる〉柿や蜜柑《みかん》のような果実よりも栗や胡桃《くるみ》のような皮の硬い実を連想させやすい。⇩きのみ

このむ【好む】好きだという意味で改まった会話や文章に用いられる和語。〈甘い物を―〉〈英雄色を―〉〈赤系統の色を―〉〈人前に出るのは―・まない〉〈―と―・まざるとにかかわらず〉「好く」ほど古風ではなく、日常会話的な「好き」よりは改まったレベルにある。恋愛関係で使うと相手を物扱いした感じになりやすい。⇩愛好・気に入る・好ましい・Ｑ好き

このもしい【好もしい】河野多恵子の『夜を往く』に「人柄に好もしさを覚えずにはいられなかった」とある。⇩このましい

このような【此の様な】このとおり、これと同じか似たような意で、比較的改まった会話や文章に用いられる表現。〈―成績で申し訳ない〉〈―経済状況においては〉〈―丁重なおもてなし恐縮に存じます〉⇩かかる・かような・Ｑこういう・こんな

こはずかしい【小恥ずかしい】少し恥ずかしいという意味で、会話でも文章でも使われる、やや古い感じの和語。〈今更表彰などとはいささか―感じがないでもない〉⇩面映ゆい・決まり悪い・こっぱずかしい・照れ臭い・恥ずかしい

こばなし【小咄(噺・話)】気の利いた洒落などで笑わせる短い話をさし、会話にも文章にも使われる、やや古風な和語。〈江戸―〉〈退屈しないよう、ここらで―を一席〉通常は、小僧が星を打ち落とそうと長い棹を振り回しているのを見

た和尚《おしょう》が「そんなもので届くか。屋根へ上がれ」と言った、というような短いひとこまの話が多く、落語のまくらなどに使う伝統的な作品をさす。⇩笑話《しょうわ》・Q笑い話

こばむ【拒む】相手の求めに一切応じようとしない意で、会話にも文章にも使われる和語。〈支払いを―〉〈要求を―〉〈頑《かたく》なに―〉✎「断る」より強い調子を思わせる。⇩一蹴《いっしゅう》・拒絶・Q拒否・断る・はねつける

ごはん【御飯】米の飯や食事をさし、くだけた会話から硬い文章まで幅広く用いられる日常の基本的な漢語。現代では特に丁寧な感じもしないごく普通のことば。〈―粒〉〈松茸―〉〈―に味噌汁〉〈―を炊く〉〈―をいただく〉✎庄野潤三の『佐渡』に「蓋を取りますと、鰹節と海苔と醬油のしみた―の匂いが飛び込みます」とある。「どんぶり」に入っていると「飯」というイメージになり、この語は「茶碗」によそった姿がぴったりと合う。⇩Q飯・ライス

コピー 文書や図表などをそっくり写し取る意で、会話や軽い文章に使われる外来語。〈―機〉〈ハード―〉〈カラー―〉〈―をとる〉〈原文を―して貼り付ける〉✎文書に限らず「名画の―が出回る」のように複製の意もあり、また原本でない点に重きを置く「複写」に比べ、そっくり同じものを作製することに重点がある。「複写」はもちろん「複写」に比べても、機械の場合を連想しやすい。「転写」はもちろん、また、「―が出回る」のように模写・模造・複製したものの意にも、「―ライター」のように広告の文案の意にも使う。⇩写し・転写・Q複写

ごびゅう【誤謬】誤りの意で文章中に用いられる硬い漢語。〈―訂正の設問〉〈信じがたい―を発見する〉〈重大な―を犯す〉⇩過ち・Q誤り・過失・間違い

こひょう【小兵】体の小さな意で、会話にも文章にも使われる古めかしい表現。〈―力士〉〈―ながら侮れない相手〉✎「精兵」の反対で、もとは弓を引く力などの弱い意に用いたというが、現在では主にスポーツ関係で使われる。⇩小柄・小作り・Q小粒

こびりつく【こびり付く】固くくっついて離れにくくなる意で、会話や硬くない文章に使われる和語。〈汚れが―〉〈耳に―〉〈頭に―・いて離れない〉✎黒井千次の『オモチャの部屋』に「祖母の言葉が未だに頭に―・いている」とある。⇩Qしみつく・焼き付く

こびる【媚びる】相手に気に入られるように振る舞う意で、会話にも文章にも使われる和語。〈上役に―〉〈権威に―〉〈大衆に―〉✎開高健の『パニック』に「キツネが猫のようにー・びたしぐさで首を金網にすりつける」とある。「男に―」として、女が男の気を引くようになまめかしく振る舞う意にも用いる。⇩Qおもねる・迎合・取り入る・へつらう

こぶ【鼓舞】気持ちを奮い立たせる意で、会話にも文章にも使われる、やや古風な漢語。〈士気を―する〉✎夏目漱石の『草枕』に「余が欲する詩はそんな世間的の人情を―する様なものではない」とある。⇩Q激励・鞭撻《べんたつ》

こふう【古風】様式などが昔風だという意味の漢語。やや改まった感じの日常語。〈―な造りの庭〉〈―な趣の残る街並み〉〈―な考え方〉✎宮本百合子の『伸子』に「生活全体がその仏壇のように―な伝統にみちていた」とある。実際に時代を経ていなくても、様式などが古く感じられれば使う。

単に古いだけでなく、そのことが昔なつかしい感じや落ち着いた雰囲気など、ある種の魅力をそなえているときに、他の類義語よりぴったりとあてはまる。⇩古くさい・Q古びた・古めかしい

ごぶごぶ【五分五分】優劣の差がない、または、確率が同じぐらいである意で、会話や軽い文章に使われる日常の漢語。〈—の勝負〉〈当選か落選か—というところだ〉✎そのために結果の予測が困難である場合によく使う。⇩拮抗《きっこう》・Q互角・どっこいどっこい・とんとん・伯仲・比肩・匹敵

こぶし【拳】指を折り曲げた手の意で、会話にも文章にも使われる古風な和語。〈—を突き上げて抗議する〉〈—で机を叩《たた》いて怒る〉✎野上弥生子の『秀吉と利休』に「握りしめた—はむかしながらに濃い粗ら毛で、強固に節くれだっていた」とある。⇩拳固・Q拳骨・鉄拳・握り拳

こぶし【辛夷】モクレン科の落葉高木。〈早春に—の白い花が開く〉✎瀧井孝作の『無限抱擁』に「—の梢は、ぬれ紙のあんばいの花が漂う」とある。蕾《つぼ》の開く直前の形が子供の拳《こぶし》を思わせるところからの名づけ。

ごふじょう【御不浄】「便所」の意の古めかしい漢語の呼称。〈—をお借りする〉✎排泄《はいせつ》物は汚れたものという発想で、昔は大小便自体を「不浄」と呼んだらしい。そのための施設もあまり清浄とは言えず、それに「御」を冠した命名という。⇩おトイレ・厠《かわや》・閑所・化粧室・雪隠・洗面所・WC・手水場・手洗い・トイレ・トイレット・はばかり・Q便所・レストルーム

こぶん【子（乾）分】親分の配下にある人間をさし、会話にも文章にも使われる古風な表現。〈—になる〉〈親分—の間柄〉〈—の面倒を見る〉✎犯罪集団に限らず、政界や会社などでも強固な結びつきの上司と部下の関係などに比喩的に使う場合があり、そういう用法は俗っぽい感じが伴う。「親分」と対立。⇩家来・下っ端・手先②・手下・手の者・配下・Q部下

ごほう【語法】文法、特に口語文法をさし、改まった会話や文章に用いられるやや古風で専門的な漢語。〈—解説〉✎「巧みな—で説得する」のように、単にことばの使い方をさす俗な用法もある。⇩文法

こぼく【古木】長い年月を経た非常に古い樹木の意で、会話にも文章にも使われる古風な漢語。〈神社の境内にある—〉✎「老木」以上に珍しく貴重な感じが漂う。⇩老樹・Q老木

こぼす【零す】結果として愚痴を言う意で、会話や軽い文章に使われる和語。〈姑が嫁のことを息子に—〉✎自分にとって迷惑な他人の行為を他の人に嘆く感じの例が多い。「ぐちる」ほど意図的でなく、腹にたまった不平不満がぽろっと口から出てしまう場合も含まれる。⇩ぐち・ぐちる・Qぼやく

こぼればなし【零れ話】事件などの本筋には関係のない、ちょっと興味を引く話をさし、会話やさほど硬くない文章に使われる和語。〈文壇の—を集めた本〉⇩逸話・裏話・エピソード・挿話・Q余話

こまい【細い】小さい・細かいの意で、くだけた会話に使うことのある俗っぽい和語。〈計算が—〉✎関西方言から。⇩Q細かい・こまごま

こまかい【細かい】形がきわめて小さい意、些細《ささい》・綿密などの意で、くだけた会話から硬い文章まで幅広く使われる日常の基本的な和語。〈粒が—〉〈—金〉〈—仕事〉〈—心配

り〉〈―・く調べる〉✎芥川龍之介の『南京の基督』に「心もちあいた唇の隙にも、糯米《もちごめ》のように―歯が、かすかに白々と覗いていた」とある。「神経が―」「芸が―」のように、隅々にまで注意が届く意でも使う。「こまごま」に比べ、小さくても価値のあることを含む例も少なくない。⇩こまい・こまごま

ごまかす【誤魔化す】相手の目を欺いてこっそり不正を行う意で、会話やさほど硬くない文章に使われる日常語。〈釣銭を―〉〈分量を―〉✎「その場を―」「泣き顔を―」のように、相手にわからないように取り繕ってうやむやにする意にも使う。⇩欺く・いつわる・かたる・担ぐ・たぶらかす・だまくらかす・Qだます・ちょろまかす

こまごま【細細】さして重要でない細かく些細《ささい》なの意で、会話や硬くない文章に使われる和語。〈―した仕事〉〈―と書き記す〉〈―と気を配る〉✎「細かい」と違って一つの対象には使わず、いくつかの対象をまとめて取り上げる場合に使い、さほど価値のある物を含まない印象が強い。⇩こまい・細かい

こまたのきれあがった【小股の切れ上がった】すらりと脚の長い意の古めかしい和風の表現。〈―いい女〉✎意味としては、特に下半身のすらりとした体型をさしているだけであるが、この古風な表現は伝統的に着物姿の小粋な婦人の形容に用いてきたため、「―長身の美男力士」などと男性の形容に用いるわけにいかない雰囲気がある。また、レビューガールや女子バレーの選手について用いると、和服姿でないという点でやはり違和感が残る。ことばの意味というよりも、何に対して用いてきたかという表現対象の在り方に関する履歴上の違和感に近い。ことばの伝統的な使用がいわば照り返しとなって規制が働く一例である。

こまる【困る】どうしたらよいかわからずに悩む意で、くだけた会話から文章まで幅広く使う一般的な日常の和語。〈返事に―〉〈生活に―〉〈扱いに―〉〈―・った問題が起こる〉✎長塚節の『土』に「夫婦は只―・って其の日を過して居た」とある。⇩Q困惑・当惑

ごみ 不用と判断して捨てた物をさし、くだけた会話から文章まで幅広く使われる日常の和語。〈―箱〉〈綿―〉〈生―〉〈粗大―〉〈―の自動車〉〈―を拾う〉〈―として捨てる〉✎「塵」や「芥」の漢字を当てることもあるが読み方が紛らわしく、しばしば片仮名書きされる。⇩芥《あくた》・Q屑《くず》・塵《ちり》・埃《ほこり》

こみあう【込(混)み合う】多くの人や物が集まって混雑する意で、会話にも文章にも使われる和語。〈朝は車内が―〉〈帰省ラッシュで高速道路が―〉〈日曜で遊園地が―〉〈セールで店内が―〉✎夏目漱石の『草枕』に「―・わなければ、少し逗留しようかと思う」とある。「込む」が状態を比較的客観的に表すのに比べ、この語はそのために混雑していると判断している感じがあり、それだけ主観性が強い。阿部知二の『冬の宿』に「小住宅の―・った一郭」とあるように物どうしの間隔の狭い場合にも使う。⇩ごった返す・込む・混雑・Q立て込む

コミカル 可笑《おか》しくて笑いを誘う感じをさし、会話にも文章にも使われる外来語。〈―な表情〉〈―な演技〉✎「ユーモラス」に比べ、単純明快に可笑しいことが多い。⇩可笑しい

①・傑作②・滑稽・剽軽《ひょうきん》・Qユーモラス

こみち【小道(路・径)】 道幅の狭い道路の意で、会話にも文章にも使われる和語。〈裏の—〉〈林の中の—〉✎横道・脇道の連想もある。小沼丹の『紅い花』に「春先になると赤い木瓜の花に点綴される雑木林への—」とある。⇩裏通り・裏町・Q小路・横町

コミック 漫画や漫画本、劇画をさし、会話や軽い文章に使われる外来語。✎川端康成の『浅草紅団』に「—ソング」とあるように、「コミカル」と同様、滑稽なの意でも使われる。⇩戯画・Q漫画

こむ【込(混)む】 道路・乗り物・店・会場などに多くの人や物が集まって余裕がない意で、くだけた会話から硬い文章まで幅広く使われる日常の基本的な和語。〈買い物客で通りが—〉〈この時間帯は待合室が—〉〈電車が—・んでいて座れない〉✎嘉村礒多の『業苦』に「鈴なりに—・んだ電車」とある。「混雑」「込み合う」と違い、満席であれば会場が静まり返っていても使える。夏目漱石の『草枕』に「割合に枝の—・まない所は、依然としてうららかな春の日を受けて」とあるように、人と関係のない物どうしの間隔についても使う。「空く」と対立。⇩ごった返す・Q込み合う・混雑・立て込む

こむぎこ【小麦粉】 小麦の種子をひいて粉にしたものをさし、類義語中で最も幅広く使われる一般的な和語。〈—に水を加えてこねる〉⇩うどん粉・Qメリケン粉

ゴムバンド 「輪ゴム」の意で会話にも文章にも使われた古めかしい和製英語。〈古いはがき類を重ねて—でとめる〉⇩ゴム輪・Q輪ゴム

こむら【腓】 「ふくらはぎ」の意の古めかしい和語。✎「—返り」の形ではさほど古い感じはない。それ以外はほとんど使われなくなった。⇩ふくらはぎ

ゴムわ【ゴム輪】 「輪ゴム」の意で会話にも文章にも使われる古風な表現。〈—を二重にはめる〉✎車輪の外側に取り付ける弾性ゴムの輪をさすこともあり、通常は直径数センチの輪ゴムが多いが、もっとずっと大きく幅広くなると、やはりこの語を使いやすくなる。⇩ゴムバンド・Q輪ゴム

こめびつ【米櫃】 相撲《すもう》部屋で特に収入の多い力士をさす相撲関係の隠語。

ごめん【御免】 日常の謝罪表現の一つとして、会話やさほど硬くない文章に使われる漢語。〈バスが遅れてこんな時間になっちゃった、—、—〉〈—、つい手が滑って〉〈汚してしまって—なさい〉✎他の類義語に比べ、子供や親しい人に向かって言う傾向が強い。「—なさい」は「失礼しました」よりは謝罪の程度が大きいが、もともと「勘弁してください」といった意味合いの表現だから、狭い道路で相手の車と擦れ違うときに軽くこすった程度の場合には使えても、停車中の車に激しく追突するなど、相手に及ぶ被害や迷惑の度合いが大きくなるにつれて使いにくくなる。また、第一原因が自分以外にあるような逃げ腰の謝罪という印象を受ける人もあるという。その場合、全面的に自分側の過失であるときに使うのは適切でないという印象を与えることになる。⇩謝る・失礼・謝罪・Q済まない・陳謝・申し訳ない・詫《わ》びる

こやし【肥やし】 「肥料」またはその効果をさし、会話や硬く

ない文章に使われる、やや古風な和語。〈植木に―をやる〉〈―を入れる〉〈―になる〉✎夏目漱石の『坊っちゃん』に「此小魚(ゴルキ)は(略)―には出来るそうだ。赤シャツと野だは一生懸命に―を釣って居るんだ」とある。「肥料」との対比から、化学肥料より堆肥《たいひ》や下肥《しもごえ》を連想する傾向がある。「若いときの経験は将来の―になる」のように比喩的な意味でも使う。⇩肥・下肥・Q肥料

こゆう【固有】そのものが本来有しているという意味で、やや改まった会話や文章に用いられる、やや硬い感じの漢語。〈日本―の領土〉〈わが国―の伝統文化〉〈―の財産を守る〉〈この品種―の性質〉✎「もともと持っている」は「それに具わった」という意味にもなるため、そこから「他と違う」というニュアンスが生じるが、個性的な特徴という意味合いは「独特」や「特有」ほど強くない。⇩独自・独特・Q特有

こよう【小用】小便をする意の婉曲《えんきょく》な言い方として会話にも文章にも使われる古風な表現。〈―を足す〉✎芥川龍之介の『老年』に「そこで一緒に―を足して、廊下づたいに母屋の方へまわって来ると」とある。「しょうよう」とも読む。排尿の行為を暗示する表現であり、尿そのものはささない。⇩おしっこ・Q小便

こよう【雇用(傭)】労務に従事させて賃金を支払う約束で人を雇い入れる意で、主として文章中に用いられる専門的な硬い漢語。〈再―〉〈―条件〉〈―契約〉⇩採用・雇い入れる・Q雇う

こようしゃ【雇用(傭)者】①雇う相手、すなわち被雇用者をさし、改まった会話や文章に用いられる専門的な漢語。〈―所得〉⇩使用人・被雇用者・Q雇い人 ②雇い主をさし、改まった会話や文章に用いられる専門的な漢語。〈―責任〉⇩使用者・Q雇い主

こらえる【堪(怺)える】肉体的・精神的な苦痛をじっと我慢する意で、くだけた会話から硬い文章まで幅広く使われる日常の和語。〈寒さを―〉〈痛みを―〉〈人前で侮辱されてもぐっと―〉✎志賀直哉の『暗夜行路』に「―・え―・えていた涙」とある。⇩Q我慢・辛抱・たえる

ごらく【娯楽】余暇の楽しみをさし、会話にも文章にも広く使われる日常の漢語。〈―番組〉〈庶民の―〉〈健全な―〉〈たまには―も必要だ〉✎夏目漱石の『坊っちゃん』に「古池へ蛙が飛び込んだりするのが精神的―なら、天麩羅を食って団子を呑み込むのも精神的―だ」とある。⇩遊ぶ・趣味・Q道楽①

こらしめる【懲らしめる】以後同じような悪事をもう働かないように制裁を加える意で、会話やさほど改まらない文章に使われる和語。〈悪人を―〉〈この際うんと―・めてやろう〉✎もう懲りて二度としないよう、懲りさせる意から。⇩とっちめる・Qやり込める

ごらんになる【御覧になる】「見る」の尊敬表現。〈映画を―〉〈手に取って―〉✎川端康成の『千羽鶴』に「いや、いや、―・らないで」とある。⇩拝見する

こりょうりや【小料理屋】ちょっとした手軽な日本料理を出す和風の酒処をさし、会話にも文章にも使われる表現。〈同僚と―に立ち寄って一杯やる〉✎「料理屋」ほど本格的な感じがなく庶民的。⇩割烹《かっぽう》・Q料理屋

ころあい【頃合い】 時機などがちょうど合っている意で、会話や硬くない文章に用いられるいくぶん古風な和語。〈―を見計らう〉〈ちょうどよい―だ〉✎「―の大きさ」「―の値段」のように、手ごろの意にも使う。⇩潮時・時宜

ころがる【転がる】 回転しながら進んだり、倒れたり横になったりする意で、会話にも文章にも使われる日常の和語。〈箸が―〉〈ボールが―・って来る〉〈投げられて地面に―〉〈疲れて畳に―〉⇩Q回転・回る・巡る

ころす【殺す】 人間や動物の命を奪う意で、くだけた会話から硬い文章まで幅広く使われる日常の基本的な和語。〈逆恨みから相手を―〉〈戦場で敵を―〉〈虫も―・さぬ顔〉✎他の類義語と違い、意図的な場合だけでなく「交通事故で歩行者を―・してしまう」「手遅れで患者を―・してしまう」のように結果として死ぬ場合にも使う。「生かす」と対立。大岡昇平の『俘虜記』に「「他人を―・したくない」というわれわれの嫌悪は、おそらく「自分が―・されたくない」という願望の倒錯したものにほかならない」とある。また、「息を―」「感情を―」のように外に洩《も》れないように抑える意でも、「味を―」「才能を―」のように生かせずにかえって駄目にしてしまう意など、派生的に広い意味合いの用法を持つ。⇩Q殺害・殺人・殺戮《さつりく》・殺生・ばらす②・人殺し

ごろつき 住所不定・無職で町をうろつき脅しなどを働く一種のならず者の意で、主にくだけた会話に使われる俗っぽい和語。〈―がすごむ〉〈―に因縁をつけられる〉⇩ちんぴら・Qならず者・無頼漢・暴力団・無法者・やくざ・与太者

ころぶ【転ぶ】 歩いたり走ったりしている人や動物が滑ったりつまずいたり押されたりして倒れる意で、くだけた会話から硬い文章まで幅広く使われる日常の和語。〈滑って―〉〈石に躓《つまず》いて―〉✎藤沢周平の『おぼろ月』に「派手に―・んだもんじゃねえか。しっかりしなって。何なら手を貸してやろうか」とある。比喩的に「―・んでもただは起きぬ」のように失敗する意をも表す。「信者が―」のように転向する意をさしたり、「芸者が―」のように売春する意をさしたりする婉曲《えんきょく》表現もあるが、今では古めかしい用法。⇩転倒

こわい【怖(恐)い】 身に危険を感じるほど不安が強い意で、会話や軽い文章に使われる日常の和語。〈―もの知らず〉〈怪我が―〉〈―映画〉〈―人〉〈株に手を出すとあとが―〉✎庄野潤三の『丘の明り』に「―・くて仕方なかったんだけど、確かめずにいられなかった、―・かったから」とある。「暗闇は―」「高い吊っり橋から下をのぞくと―」のように、特定の対象がなくても危険な場面・状況・環境において使うことができ、それだけ主観的である。⇩恐ろしい・恐怖

こわがり【怖がり】 普通の人が恐れない些細《ささい》なことも怖く思う性質をさし、会話や軽い文章に使われる和語。〈ひどい―で、自分の影に驚く〉⇩意気地無し・臆病・腰抜け・小心・腑抜《ふぬ》け・Q弱虫

こわがる【怖(恐)がる】 こわいと思う意で、主に会話に使われる和語。〈火を―〉〈失敗するのを―・っては進歩がない〉〈むやみに―・って近寄らない〉✎「恐れる」が主として心の中を問題にしているのに対して、この語は怖い気持ちが顔や態度に出る場合に使われる。⇩Q恐れる・怯《おび》える

こわごわ【怖怖(恐恐)】怖くてびくびくしながらの意で、主として会話に使われる和語。〈事故現場を―のぞく〉〈―扉を開ける〉〈屋上から―下をのぞき込む〉〈傷口を―のぞく〉〈手術の跡を―見る〉✎谷崎潤一郎の『吉野葛』に「―見上げる」とある。「恐る恐る」と違い、恐縮の場合には用いない。⇩おずおず・恐る恐る・Qおっかなびっくり・おどおど・びくびく

こわす【壊(毀)す】力を加えて物の形や機能を損なわせる意で、くだけた会話から硬い文章まで幅広く使われる日常の和語。〈おもちゃを―〉〈時計を―〉〈家を―〉✎小林多喜二の『蟹工船』に「ドアーを―・して、漁夫や、水、火夫が雪崩れ込んできた」とある。「話を―」「腹を―」「気分を―」のように、こわれてしまった結果に重点をおく抽象的な用法もある。⇩破壊

こわね【声音】声の響きや調子をさし、会話にも文章にも使われる古風な和語。〈役者の―をまねる〉〈人をののしる―がもれる〉✎長野まゆみの『少年アリス』に「先程より―は柔らかい」とある。⇩Q音声・声・響き

こわもて【強面】相手に威圧感を与える顔つきや態度をさし、会話や硬くない文章に使われるやや古風な和語。〈―で臨む〉〈―の談判〉✎志賀直哉の『暗夜行路』に「―に意見をする」とある。「こわおもて」の転。多く男性を連想させる。

こんい【懇意】仲が良く親しくしている意で、会話にも文章にも使われる、やや古風な漢語。〈―にしている人〉✎藤沢周平の『おぼろ月』に「河岸にある一軒の水茶屋だった。そこは―にしている店らしく」とある。⇩親しい・昵懇《じっこん》・Q親密・近しい

こんいん【婚姻】「結婚」の意の法律用語。専門語の色彩が濃厚で、通常の会話では用いない。〈―届を提出する〉〈―を継続しがたい事由〉✎高村光太郎の『道程』に「―のよろこびをうたえよ」とある。⇩家庭を持つ・Q結婚・結婚する・こし入れ・所帯を持つ・嫁ぐ・嫁入りする・嫁に行く

こんかい【今回】何度か行われる物事のうち直近《ちょっきん》の一回をさし、会話にも文章にも使われる日常の漢語。〈―限り〉〈―の演目〉〈―は成功間違いない〉✎前回と次回の間にあたる。⇩この度・この程・Q今度・今般

こんがらかる「もつれる」意で、主にくだけた会話に使われる俗っぽい和語。〈毛糸が―〉✎「こんがらがる」「こんぐらかる」の形でも使うが、さらに俗っぽい。⇩もつれる

こんき【根気】一つの物事をつらくても長く続けられるだけの気力をさし、会話やさほど硬くない文章に使われる日常の漢語。〈―の要る仕事〉〈―が続かない〉✎「忍耐力」より積極的な活力。尾崎一雄の『虫のいろいろ』に「今度の(蜘蛛)は、丸々と肥えた、一層大きな奴だ、こいつとの―比べは長いぞ、と思った」とある。⇩忍耐力

こんきまけ【根気負け】相手と根気比べをして負けることをさし、会話でも文章でも使われる日常語。〈執拗《しつよう》にせがまれ、とうとう―して引き受けてしまう〉✎省略形の「根負け」ほど俗っぽい感じはない。尾崎一雄の『虫のいろいろ』に、便所の窓枠の中に入り込んで逃げられなくなった蜘蛛が一度もあがくことなく悠然としているようすを描いた箇

所がある。主人公が「―の気味で「こら」と指先で硝子を弾くと、彼は、仕方ない、と云った調子で、僅かに身じろぎをする」だけだったという。⇩根負け

こんきゅう【困窮】 貧しくて生活に困る意で、改まった会話や文章に用いられるやや硬い漢語。〈生活に―する〉〈ますます―の度を加える〉〈―に耐える〉⇩窮迫

こんきょ【根拠】 考えなどの拠《よ》りどころの意で、会話にも文章にも広く使われる漢語。〈―にとぼしい〉〈―のない噂〉〈そう断定する―を求める〉✎「―地」のように、具体的な拠りどころをさすこともある。⇩典拠・Q論拠

コンクール 音楽や絵画など芸術部門の競演会をさし、会話にも文章にも使われるフランス語からの外来語。〈合唱―〉〈―に出場する〉〈―で入賞する〉✎「コンテスト」より専門的な感じが強い。⇩コンテスト

ごんげ【権化】 仏や菩薩《ぼさつ》が人々を救済するために仮の姿でこの世に現れたものをさし、会話にも文章にも使われた古めかしい漢語。〈―となって衆生を救う〉✎「エゴの―」「金銭欲の―」のように抽象概念が形をとったものをさす比喩的用法もあり、井伏鱒二の『本日休診』には、婦人科の診察を受けに来た女教授が「こんなに人体の骨組を露出さしたような手術台は、いわば女性を辱める想念の形骸であり、医学における独善的怠慢の―である」と、照れ隠しに医学を誹謗《ひぼう》する場面がある。⇩化身

こんけつじ【混血児】 異なる人種の両親から生まれた子供の意で、会話にも文章にも使われる古風な漢語。〈―を産む〉✎純粋でないという差別意識によるマイナスイメージが伴うが、日本社会でも現実にこのようなケースが増えてさほど特別な感じがしなくなるにつれて、この語の使用も自然に減少してきた。「ハーフ」という語も使われるが、四分の一の場合も含むこの語と少しずれる。⇩Q合いの子・ハーフ

こんげん【根源(元)】 物事を成り立たせている大もとをさし、改まった会話や文章に用いられる、やや硬い感じの漢語。〈諸悪の―〉〈物事の―を究める〉✎三島由紀夫の『金閣寺』に「俺の痛みの―になりえたのか？」とある。場所・位置に重点のある「根底」に対し、そのもの自体をさす感じが強い。⇩おおもと・基礎・Q根底・根本・土台

こんご【今後】 これから後の継続する時間の意で、会話にも文章にも使われる漢語。〈―の予定〉〈―の課題〉〈―は一切こういうことのないように万全を期す〉〈―の見通しを占うのに絶好の機会〉⇩Q以後・先行き・将来・未来・行く末

こんごう【混合】 異質な物質が混ざり合う意で、やや改まった会話や文章に用いられる、いくぶん専門的な漢語。〈―の割合〉〈三種の原料を―する〉✎「―ダブルス」のように、男女の組み合わせの意にも使う。⇩Q化合・結合・合成・結びつき・融合

コンサート 音楽会、特に演奏会をさして、会話にも文章にも使われる外来語。〈―ホール〉〈―マスター〉〈野外―〉〈―を催す〉✎「音楽会」や「演奏会」に比べ、高い技術水準に限られる雰囲気がある。⇩Q演奏会・音楽会・ライブ・リサイタル

こんざつ【混雑】 多くの人や物が一つの場所に秩序なく集まって入り乱れ込み合う様子をさし、会話にも文章にも使わ

れる漢語。〈車内が―する〉〈セールで店内が―する〉〈大勢の見物客が押しかけて―をきわめる〉〈―がいくらか緩和される〉✎密度に中心のある「込む」に対し、場内が騒がしく乱れている感じが強い。永井荷風の『腕くらべ』に「廊下はどこもかしこも押合うような―」とある。⇩Qごった返す・込み合う・込む・混乱・立て込む

こんじき【金色】「きんいろ」の意で、改まった会話や文章に用いられる古風で美化した感じの漢語。〈―燦然《さんぜん》〉〈―の塔頭《たっちゅう》〉〈―に輝く〉✎夏目漱石の『倫敦塔』に「肩にあまる―の髪を時々雲の様に揺らす」とある。⇩Qきんいろ・きんしょく・黄金色《こがねいろ》

こんじょう【根性】持って生まれた性質、物事をなしとげようとする気力をさし、会話やさほど硬くない文章に用いられる漢語。〈野次馬―〉〈島国―〉〈―が据わる〉〈―を鍛える〉〈―が曲がっている〉✎夏目漱石の『坊っちゃん』に「いたずら丈《だけ》で罰は御免蒙るなんて下劣な―がどこの国に流行ると思ってるんだ」とある。スポーツの世界で多用される。⇩意気込み・意欲・意力・気概・気骨・気迫・気力・執念・Q精神力・ど根性・やる気

こんしん【渾身】全身から力などを一箇所に集める意味合いで、改まった会話や文章に用いられる、やや古風で硬い感じの漢語。〈―の力を込める〉〈―の勇を奮う〉⇩全身・総身・Q満身

こんしん【懇親】ねんごろに親しむ意で、会話にも文章にも使われる漢語。〈―会〉⇩親善・Q親睦・友好

こんせき【痕跡(迹)】「形跡」に近い意味で、会話にも文章にも使われる漢語。〈―を残す〉〈―をとどめる〉〈今ではその―も見られない〉✎「形跡」以上に具体的で、傷跡や焼けた跡やへこんだ跡などの目に見える形で存在するものを連想させる。⇩跡・痕《あと》・Q形跡

こんせつ【懇切】細かいところまで配慮の行き届く様子をさし、やや改まった会話や文章に用いられる漢語。〈―丁寧〉〈―な指導を受ける〉⇩親切・Q丁寧①

コンセンサス 集団内における意思や意見の一致の意で、会話にも文章にも使われる外来語。〈その点については国民の―が得られる〉✎広い範囲に使われる「合意」と違い、世論や社内・委員会などの組織を単位とした意見について用い、個人的な見解の一致について使うには大仰過ぎて違和感がある。⇩合意

こんだく【混(溷)濁】混じって濁り乱れる意で、学術的な会話や文章に用いられる専門的な漢語。〈意識の―が見られる〉✎松本清張の『或る「小倉日記」伝』に「死期に臨んだ人間の―した脳」とある。⇩濁る・混じる

こんだて【献立】料理の種類や取り合わせをさし、会話でも文章でも広く使われる日常語。〈―表〉〈今晩の―を考える〉✎大岡昇平の『武蔵野夫人』に「豪奢な―を提供する」とある。最近、レストランなどの場合には「メニュー」という外来語を使うことが多くなって、いくぶん古風な感じになりつつある。⇩メニュー

こんたん【魂胆】心の中に隠し持っている企《たく》みをさし、会話や硬くない文章に使われる古風な漢語。〈会社を乗っ取ろうという―だ〉〈何か―があるにちがいない〉〈―を見破

る〉✎悪いことをひそかに計画している雰囲気がある。もと、魂と肝っ玉の意という。⇩意向・意図・Q積もり

こんだん【懇談】 何人かが集まって親しく話し合う意で、やや改まった会話や文章に用いられる漢語。〈父母―会〉〈関係者を招いて―する〉✎なごやかに話し合うことで親しくなるためとか、ある話題で気軽に相談するとか、何らかの目的で行うことが多く、会の名称ともなる。⇩閑談・Q歓談・談笑

コンテ 映画の撮影用に作る台本をさし、会話や硬くない文章に使われる専門的な外来語の略形。〈絵―〉✎「コンティニュイティー」の略。脚本をカットごとに分けて構図や人物の動きなどを指示。⇩戯曲・脚本・シナリオ・Q台本

こんてい【根底(柢)】 物事を成り立たせている最も深い部分をさし、改まった会話や文章に用いられる漢語。〈―にひそむ〉〈―にある考え方〉〈―からくつがえる〉✎谷崎潤一郎の『神童』に「あやふやな人生観を―から破壊して」とある。「根源」を空間的なイメージでとらえた表現。⇩おおもと・基礎・根本・Q土台

コンディション 状態・調子などの意で、会話にも文章にも使われる外来語。〈ベスト―〉〈―を整える〉⇩按配《あんばい》・具合・調子

コンテクスト 言語作品の理解に重要な役割をはたすコミュニケーションの枠組みの一つとしての、文章や談話の前後関係をさし、学術的な話題での会話や文章に用いられる専門的な外来語。〈同じ表現でも―次第で意味合いが違う〉⇩Q文脈・脈絡

コンテスト 作品・技術・容姿などの優劣を競う催しをさし、会話にも文章にも使われる外来語。〈スピーチ―〉〈美人―〉〈―で表彰される〉✎「コンクール」に比べ素人の雰囲気が強い。⇩コンクール

こんど【今度】 直近の過去・未来をさし、くだけた会話から硬い文章まで幅広く使われる日常の基本的な漢語。〈―の担当者〉〈―新しく入った社員〉〈―結婚することになった〉〈―の電車〉〈―は大丈夫だ〉⇩この度・この程・Q今回・今般

こんとう【昏倒】 急に目がくらんで倒れる意で、やや改まった会話や文章に用いられる、やや専門的な漢語。〈悶絶《もんぜつ》して―する〉✎「昏」は「暗い」意。⇩卒倒

こんどう【金堂】「本堂」の意で、会話にも文章にも使われる古風な漢語。〈法隆寺の―〉✎堂内を金色に彩ったところからといい、一般的な「本堂」に比べ、伝統・権威・豪華なイメージを感じさせる美称の雰囲気が漂う。⇩本堂

こんどう【混同】 本来別々のものをうっかり同じだと思い誤る意で、会話にも文章にも使われる漢語。〈公私―〉〈趣旨を―する〉〈意味を―する〉✎二葉亭四迷の『浮雲』に「外部の美、それを内部のと―して」とある。⇩Q誤解・混乱

コントロール 自分の意図どおりに管理し操作する意で、会話にも文章にも使われる外来語。〈セルフ―〉〈―タワー〉〈―が利く〉〈時間を―する〉〈うまく―できない〉〈―のいい投手〉✎野球の場合は「制球」と訳す。⇩制球・Q制御

こんな【斯んな】「このような」の意で、主に会話に使われる和語。〈―帽子が欲しい〉〈―状態では先が思い遣《や》られる〉〈―物珍しくも何とも無い〉〈―いい加減な仕事〉✎「こう

いう」よりさらにくだけた調子に響く。「―本要らない」「―学校やめちゃえ」「―成績で恥ずかしい」のように、否定的な意味合いで使われる例も多い。⇩かかる・かような・Qこういう・このような

こんなん【困難】物事の実行や解決の難しい意で、いくぶん改まった会話や文章に用いられる漢語。〈呼吸―〉〈生活―〉〈―な課題〉〈―を伴う〉〈―に打ち克つ〉〈あらゆる―を排する〉〈解決は―を極める〉✎太宰治の『津軽』に「てんとりむしと言われずに首席になることは―であった」とある。「難しい」のうちの程度の高い部分を連想させる。純粋に質的で主観的な感じの「苦難」に比べ、「かなりの―が予想される」「幾多の―を乗り越えて」のように量的にとらえる姿勢も感じられ、それだけ客観的な雰囲気がある。⇩苦難・難儀・Q難しい

こんにち【今日】現在を含むある範囲の時間の意で、改まった会話や文章に用いられる古風な漢語。〈―はお日柄もよく〉〈―只今《ただいま》〉✎大勢を前にした堅苦しい演説などで使うほか、現代ではあまり例は多くない。小沼丹の『懐中時計』で、上田友男は酒場で主人公の「僕」に向かい、「―懐中時計は流行からは見放されているが、その骨董的価値は莫大である」と演説口調で一席ぶつ。むしろ、「―の世界情勢」「昔と違い―ではやらない」のように、今時、この時代といった幅で使う例が多い。小沼の例も同様である。きょう一日だけをさす用法は特に古風。⇩今・きょう・現在・只今・本日・目下《もっか》

こんねん【今年】「ことし」の意で、改まった会話や文章で用いられる漢語。〈―の秋に催される〉〈―限りで閉店の運びとなりました〉✎「―度」の形でよく用いられ、単独使用の頻度はあまり高くない。⇩ことし・Q本年

こんねんど【今年度】今が属するこの年度をさし、改まった会話や文章で用いられる漢語。〈―の予算をあてる〉✎和語の「ことし」という語を年度単位に使わない関係で、ある程度改まった感じの漢語「今年《こんねん》」を用いたこの語形をさほど改まらない場合にも広く使う。「本年度」より本格的な感じは薄い。「今年」は十二月で終わりだが、この語は四月から翌年三月までをさすこともある。次の年度は「明年度」より「来年度」としたほうが文体的なレベルは近い。⇩本年度

こんぱん【今般】「今回」の意で、主として改まった書状などの形式を重んじる文章に用いられる丁重な漢語。〈―の事故に際し〉〈―の不祥事につきましては〉✎「このたび」「このほど」に比べ、個人的な場合より役所や企業などの組織としての挨拶によく使われる堅苦しい感じの表現。⇩Qこの度・この程・今回・今度

コンピュータ 日常語である「コンピューター」に比べ、専門的な雰囲気の表記。〈―グラフィックス〉〈―の回路〉✎実際の発音と違うケースが多く、いわば言文一致に逆行する。⇩Qコンピューター・電算機・電子計算機

コンピューター 特に会話で多用される、「電子計算機」をさす日常の外来語。〈―をいじる〉〈―を使いこなす〉✎文章の場合は正式な感じの「電子計算機」を用いたり、字数の少ない「電算機」で済ませたりするケースが目立つ。⇩Qコンピュータ・電算機・電子計算機

コンプレックス 劣等感の意で、会話にも文章にも使われ日常語的に俗化した外来語。〈元のライバルに―を感じる〉〈まるで―のかたまりだ〉〈極端に背が低いという点が―になっている〉✎「インフェリオリティー・コンプレックス」の略。⇩引け目・Q劣等感

こんぽん【根本】 物事が成り立つための中心をさす最も重要な部分の意で、会話にも文章にも使われるやや硬い感じの漢語。〈―的な問題〉〈―的な解決にならない〉〈教育の―〉〈―を取り違える〉〈―から考え直す〉✎「基礎」より「基本」に近く、基本の中でも特に中心となる部分、いわば基本中の基本というイメージがある。⇩いしずえ・基礎・基盤・Q基本・土台

こんぽんてき【根本的】 物事の根幹に及ぶ意で、会話にも文章にも使われる漢語。〈―な解決〉〈―に間違えている〉✎「表面的」「末梢《まっしょう》的」と対立する概念。⇩徹底的・抜本的

こんまけ【根負け】「根気負け」の省略形。主に会話に使われる俗っぽい日常語。〈相手の粘りに―する〉⇩根気負け

こんやくしゃ【婚約者】 結婚を約束した相手の意で、会話にも文章にも使われる漢語。〈友人に―を紹介する〉✎古くもなく気取りや照れも感じられない一般的な用語。⇩Q許婚《いいなずけ》・フィアンセ

こんらん【混乱】 秩序が乱れ筋道がたどれない状態や、正常な機能が失われたようすをさし、会話にも文章にも使われる漢語。〈ダイヤが―する〉〈―が生ずる〉〈―を招く〉〈交通の―を引き起こす〉〈党内の―を招いた責任を負って辞任する〉〈頭が―する〉✎小林秀雄の『ドストエフスキイの生活』に「何という―か、而もこれは現代の―状態に完全に照応しているのだ」とある。中勘助の『銀の匙』に「たとえようのない―した気もち」とある。⇩ごった返す・Q混雑・混同・騒ぎ・騒動・騒乱・乱れる

こんれい【婚礼】「結婚式」よりやや古風で少し改まった感じの語。〈―の日取り〉〈―の儀を執り行う〉〈―に呼ばれる〉✎島崎藤村の『破戒』に「つい二三日前、この家に―が有ったという話」とある。「結婚式」より伝統的な形式、和服姿の花嫁花婿を連想しやすく、ウェディングマーチに乗って靴音高く登場する場合には多少違和感がある。⇩華燭《かしょく》の典・Q結婚式・祝言

こんわく【困惑】 対処の仕方に迷う意で、改まった会話や硬い文章に用いられる漢語。〈―した表情〉〈ほとほと―の体《てい》〉〈無理難題を突きつけられ、いたく―している〉✎小川国夫の『海峡と火山』に「少年の息遣いが、言葉を重ねるにつれて荒々しくなって来るのが判って、浩は―した」とある。日常会話で「子供におもちゃをねだられて」などのあとに使うと、大仰でおどけた感じになる。⇩困る・当惑・迷惑

さ

さ【差】 複数のものを比べた際の、違いの程度をさし、くだけた会話から硬い文章まで幅広く使われる日常の基本的な漢語。〈貧富の―が大きい〉〈体感温度の―〉〈―を計測する〉〈大して―がない〉〈相手との―を広げる〉夏目漱石の『坊っちゃん』に「先生と呼ぶのと、呼ばれるのは雲泥の―だ」とあるが、「相違」「差異」に比べ、数字で表せる場合によく使う。⇩Q差異・相違・違い

さい【差異】 複数のものを比較した際の一致しない部分をさし、改まった会話や文章に用いられる硬い漢語。〈男女の―〉〈わずかな―を見分ける〉〈さほどの―はない〉夏目漱石の『こころ』に「いくら比べてみても、どこから価格の―が出るのか見当のつかないものもあった」とある。⇩差・Q相違・違い

ざい【在】 都市から少し離れた田舎の意で、会話にも文章にも使われる古風な漢語。〈―の人〉〈秋田の―で生まれ育つ〉谷崎潤一郎の『黒白』に「記者を罷めてから埼玉県の大宮―に引っ込んで」とある。「在郷」の略。⇩田舎・片田舎・近郷・Q近在・在郷・在所

さいえん【才媛】 教養豊かな女性をさし、改まった表現として用いられる、やや古風な漢語。〈―の噂が高い〉芥川龍之介の『秋』は「信子は女子大学にいた時から、―の名声を担っていた」とある。頭脳明晰《めいせき》で教養のある知的な女性を連想させ、「才女」と違って、文才や実用的な技術の面は問題になっていない。⇩才女

ざいか【罪科】 宗教や道徳の掟《おきて》、特に法律に背く意で、主として文章に用いられる古風で硬い漢語。〈―を問う〉「重い―」のように刑罰をさすこともある。⇩Q罪過・罪・とが・犯罪

ざいか【罪過】 罪や過ちの意で、主として文章に用いられる古風で硬い漢語。〈激しく―を責め立てる〉⇩Q罪科・罪・とが・犯罪

さいかい【最下位】 競争や成績が一番下の順位であることをさし、会話にも文章にも使われる漢語。〈―に転落する〉〈―に甘んじる〉⇩最後尾・しんがり・どんじり・Qびり・びりっけつ

さいがい【災害】 台風や地震などによる大規模な被害をさし、会話にも文章にも使われる正式な感じの漢語。〈自然―〉〈―防止対策〉〈―を最小限に食い止める〉〈―に備える〉「災難」に比べ自然災害が多く、「大火」なども人為的な火事が強風などで燃え広がった場合にこの語がなじむ。⇩Q災難・災厄・災い

さいき【再起】 肉体的・精神的・社会的・経済的に悪い状態から立ち直る意で、会話にも文章にも使われる漢語。〈―不能〉〈―を図る〉〈―を賭けた戦い〉⇩返り咲き・カムバック・Q復帰

さいきん【最近】 数日前、数ヶ月前、数年前から現在までの間をさし、くだけた会話から硬い文章まで幅広く使われる日常漢語。〈―起こった事件〉〈つい―聞いた話〉〈―の流行〉⇩近年・このところ・昨今・Q近頃

さいきん【細菌】 はっきりした核を持たない微細な単細胞生物をさし、会話にも文章にも使われる、やや専門的な漢語。〈―が繁殖する〉〈―を培養する〉⇩菌・Ｑ黴菌《ばいきん》・バクテリア

さいくん【細君】 自分の「妻」をさす古風な漢語風の呼び名。〈―と連れ立って〉〈―に頭が上がらない〉〈―の愚痴につきあっている暇はない〉🖋相手が同等以下の場合は、「早く―をもらえよ」「―寂しがってるんじゃない？」などと、他人の妻についても使う。夏目漱石の『吾輩は猫である』にも、語り手の猫が苦沙弥先生の妻について「現在連れ添う―ですら、あまり珍重して居らん」という言い方をする例がある。「妻君」と書くのは当て字。⇩いえの者・うちの者・お上さん・奥方・奥様・奥さん・お内儀・家内・かみさん・愚妻・Ｑ妻・女房・伴侶・ベターハーフ・令閨・令室・令夫人・ワイフ

さいけいれい【最敬礼】 最も丁重な敬礼をさし、会話にも文章にも使われる漢語。〈―して舞台上の挨拶を始める〉〈相手に―されてとまどう〉⇩挨拶・会釈・お辞儀・Ｑ敬礼・目礼・黙礼・礼②

さいげつ【歳月】「年月」の意で、主に文章中に用いられる古風な漢語。〈―が流れる〉〈十年の―を費やして書き上げる〉🖋堀辰雄の『大和路』に「長い―の間にほとんど廃亡に帰して」とある。「としつき」に近く、表現者の思いがこもった感じがある。⇩としつき・Ｑねんげつ

さいげん【再現】 失われた物や状況をもう一度現れさせる意で、会話にも文章にも使われる漢語。〈黄金時代の―〉〈古代の船を―する〉〈当時の街並をそっくり―する〉🖋井上靖の『氷壁』に「事件の発生した状態は、厳密には―できません」とある。⇩再生

さいご【最期】 臨終の意で主に文章に用いられる古めかしい漢語。〈壮絶な―〉〈畳の上で穏やかな―を迎える〉〈非業の―を遂げる〉🖋志賀直哉の『城の崎にて』に「自分は鼠の―を見る気がしなかった」とある。⇩最後・臨終

さいご【最後(后)】 最も後ろ・あとの意で会話にも文章にも広く使われる基本的な漢語。〈―通告〉〈―が肝心〉〈―の手段〉〈―を飾る〉〈―を締める〉〈―まで手を抜かない〉〈―の―で逆転する〉🖋小沼丹の『竹の会』に「お会いするのもこれが―だろうという気がして」とあり、古井由吉の『息災』に「壁をたどり這うようにして来るところを、夜勤の看護婦に見つかりあきれられたのが、自分で立って歩いた―となった」とあるように、死を暗示する用法もある。⇩終わり・最期・しまい・末

さいこう【再興】 衰えたり滅びたりしたものを再び盛んにする意で、改まった会話や文章に用いられるやや古風な漢語。〈家を―する〉〈会社の―を図る〉🖋空襲や地震などによって被害を受けた街並みや家屋のような具体物よりも、代々受け継がれてきた抽象的な存在に使う傾向がある。⇩復興

ざいごう【在郷】 都会から離れた田舎、また、そこに住むことをさし、会話にも文章にも使われる古風な漢語。〈―の人が集まる〉🖋田山花袋の『田舎教師』に「此の近所に森という―がありますか」とある。⇩田舎・片田舎・近郷・近在・在・Ｑ在所

さいこうび【最後尾】 順番や長い列などの一番後ろをさし、改まった会話や文章に用いられる硬い漢語。〈駅伝で―から

先頭を追いかける〉〈列の―につく〉⇩最下位・Qしんがり・どんじり・びり・びりっけつ

ざいさん【財産】個人や法人などが所有する現金・預金・有価証券・土地・家屋・家具・宝石など金銭価値のある総体をさし、くだけた会話から硬い文章まで幅広く使われている日常漢語。〈―分与〉〈私有―〉〈―を使い果たす〉〈―を処分する〉〈莫大な―を残す〉✎夏目漱石の『坊っちゃん』に「兄は家を売って―を片付けて任地へ出立すると云い出した」とある。「資産」が個人でも企業でもよく使われるのに対し、この語は個人か家を連想させる傾向が相対的に強く、「会社の―」「国の―」といった言い方は、わかりやすく比喩的に表現したような印象を与えるケースもある。⇩Q資産・身上《しんしょう》・身代

ざいさんか【財産家】財産が豊富にある意で、会話でも文章でも使われる漢語。〈―の息子〉〈ちょっとした―として有名だ〉⇩大金持ち・金持ち・Q金満家・素封家《そほうか》・長者・富豪・物持ち

さいし【祭祀】神や祖先を祭ることをさし、主として文章で用いる専門的な漢語。〈―料〉⇩祭典・Q祭礼・祭り

さいしき【彩色】色を着ける意で、主に文章に用いられる古風な漢語。〈極《ご》く―〉〈―画〉〈花瓶に―をほどこす〉✎客観的な「着色」に比べ、はなやかにして人目を楽しませる連想がある。樋口一葉の『たけくらべ』に「あやしき形《なり》に紙を切りなして、胡粉ぬりくり―のある田楽みるよう、裏にはりたる串のさまもをかし」とある。「さいしょく」と読むこともある。⇩Q彩り・着色

さいしょ【最初】一番初めの意で、くだけた会話から硬い文章まで幅広く使われる日常の基本的な漢語。〈その日が―だ〉〈―の赴任先〉〈―が肝腎だ〉〈―にして最後〉✎志賀直哉の『城の崎にて』に「―石が当ったとは思わなかった」とある。「最後」「最終」と対立。⇩当初

さいじょ【才女】利口で優れた才分をもつ女性をさし、やや改まった表現として用いられる、古めかしい漢語。〈―として知られる〉✎「才媛」が知識や教養の豊かさに重点のあるのに対し、実用的な技術面まで含めていわゆる「出来る女」をさす傾向が見られる。⇩才媛

ざいしょ【在所】「田舎」の意で、会話にも文章にも使われる古風な漢語。〈―ことば〉〈―の人〉✎中山義秀の『厚物咲』に「六里ばかり隔てた山間の―にあった」とある。単に「住所」の意味にも使う。李白の『静夜思』の通常は「頭《こう》を低《た》れて故郷を思う」と訳す「低頭思故郷」の箇所を井伏鱒二が「―ノコトガ気ニカカル」と訳しているように、特に「ふるさと」をさす用法もある。⇩田舎・片田舎・Q近郷・近在・在・在郷

さいしょう【宰相】首相の意で、主に文章に用いられる古風な漢語。〈一国の―〉〈―の器〉✎福原麟太郎の『一片の赤誠ということ』に「一九世紀の半ばまでは、正直と勤勉とがありさえすれば、人は大臣―になれた」とある。昔の中国で、天子を補佐して政治を総理する官をそう呼んだところから。⇩Q首相・総理・総理大臣・内閣総理大臣

さいしょうげん【最小限】最も小さい、または少ない意で、会話にも文章にも使われる漢語。〈―の労力で最大限の効果をあげる〉〈―必要な人数〉〈―の成果にとどまる〉⇩Q

最低限・少なくとも・少なくも・せめて

さいせい【再生】失われたものを元通りにする、新しく出直すの意で、会話にも文章にも使われる漢語。〈―紙〉〈―を誓う〉〈―の道を歩む〉〈テープから音と映像を―する〉✎「再現」と違い、物・人・組織などについて使う。⇩再現

さいせいほうそう【再生放送】「再放送」の意で以前よく使った用語。〈録画技術の進歩で―が容易になった〉⇩再放送

さいぜんせん【最前線】戦場の最前列の意、転じて、最も対外的に激しい接触・交渉の場をさし、会話にも文章にも使われる漢語。〈―で指揮を執る〉〈医療の―に立つ〉✎「第一線」に比べ、相手と直接やりあう部署などを連想させやすい。⇩第一線

さいそく【催促】早くするように促す意で、会話にも文章にも使われる日常の漢語。〈矢の―〉〈うるさく―される〉〈―を受ける〉〈ある時払いの―無し〉⇩督促

さいたる【最たる】「最大の」を意味する、硬い感じの古語的表現。〈―功績は〉〈その―ものは税金の無駄遣いである〉

さいちゅう【最中】あることが盛んに行われている、まさにそういう時をさし、会話にも文章にも使われる漢語。〈喧嘩の―〉〈試験勉強の―〉〈仕事に追われて必死に働いている―〉⇩さなか

さいていげん【最低限】これ以下は考えられない最も低い限度をさし、会話にも文章にも使われる漢語。〈―の暮らし〉〈―このぐらいの予算は見ておきたい〉⇩Q最小限・少なくとも・少なくも・せめて

さいてん【祭典】祭りとして行う儀式や記念の大きな催しをさし、改まった会話や文章に使われる漢語。〈はなやかな―〉✎一般に宗教色が薄く、「歌の―」「若人の―」「民族の―」といった比喩的な用法が多い。⇩祭祀・祭礼・Q祭り

さいど【再度】「もう一度」の意で、改まった会話や硬い感じの文章に用いられる漢語。〈―挑戦する〉〈―の警告を無視する〉〈―念入りに調査した上で結論を出す〉⇩再び・又

さいなん【災難】思いがけず襲ってくる不幸な出来事をさし、会話にも文章にも使われる漢語。〈―続き〉〈とんだ―に遭う〉〈―が降りかかる〉〈降って湧いたような―〉✎葛西善蔵の『湖畔手記』に「どんな大きな―でも、不幸でも過ぎて見れば、煙のようなもの」とある。「災害」に比べ小規模で、人為的・個人的なものが多い。⇩災害・災厄・Q災い

さいのう【才能】その人間に生まれつき具わっている知能的・肉体的な優れた能力をさし、会話にも文章にも使われる日常の漢語。〈語学の―がある〉〈―が満ち溢《あふ》れる〉〈豊かな―が花開く〉〈―が枯渇する〉✎小林秀雄の『川端康成』に「正銘の芸術家にとっては、物が解るという様な、安易な―は、―の数には這入らない」とある。「資質」や「素質」に比べ、外部にあらわれている感じがあり、わかりにくい場合は「隠れた才能」という。⇩資質・Q素質・能力

さいはつ【再発】一度おさまっていた好ましくないものが再び起こる意で、会話にも文章にも使われる漢語。〈病気が―する〉〈―が懸念される〉〈―防止に努める〉〈同種の事件の―を防ぐ〉✎外村繁の『落日の光景』に「―の危険のあることは十分に知っている」とある。治り切らないうちに勢いが戻る感じの「ぶり返す」と違い、一度すっかりおさまっ

てから同じことが起こる場合に使う。⇩ぶり返す

さいばん【裁判】裁判所や裁判官が訴訟を解決するために法的な判断を下すことをさし、会話にも文章にも使われる漢語。〈軍事―〉〈―沙汰になる〉〈―を起こす〉〈―に持ち込む〉✎伊藤整の『氾濫』に「信仰の真偽を追求する宗教―官のように、全神経を集中して」とある。⇩裁く・司法・Q審判

さいばんかん【裁判官】裁判所で裁判を行うことを職務とする国家公務員をさし、会話でも文章でも広く使われる漢語。〈―が判決を下す〉✎最高裁判所の長官・判事、高等裁判所の長官・判事・判事補、簡易裁判所判事の六種の総称。⇩判事

さいばんしょ【裁判所】民事・刑事の裁判を行う権限を有する国家機関をさし、会話にも文章にも使われる一般的な漢語。〈最高―〉〈下級―〉〈―に訴える〉✎建物より組織・機関に重点がある。⇩法廷

さいふ【財布】金銭やカード類を入れて持ち歩くための布製・革製の袋状の入れ物。〈―を落とす〉〈―を盗まれる〉〈―の底をはたく〉✎織田作之助の『夫婦善哉』に「鞄のような―を首から吊るして」とある。⇩Qがま口・紙入れ・札入《さつい》れ

ざいほう【財宝】財産や高価な宝物の総称として、改まった会話や文章に使われる硬い感じの漢語。〈金銀―〉〈莫大な―を残す〉✎「宝」や「宝もの」に比べ抽象的。主観的に大切なものをさす比喩的な用法としては使いにくい。⇩宝・Q宝もの・宝もつ

さいほうそう【再放送】前に一度放映した番組をまた放映する意で、会話でも文章でも使われている現在の普通の言い方。〈人気ドラマが―される〉〈テレビの―で見る〉⇩再生放送

さいまつ【歳末】年末の意で、主に文章に用いられる漢語。〈―風景〉〈―で街はごった返している〉✎日常会話で一年の最終期という単なる時を意味するときには通常「年末」と言い、この語は「―大売出し」「―助け合い運動」などのように催しを示す語の構成要素として用いる傾向がある。井伏鱒二に『歳末閑居』と題する詩があり、暮れの三十日に酒屋の掛取りを避けるために屋根に上って棟瓦《むながわら》にまたがり、「こりゃ甚だ眺めがよい」とうそぶく男の哀れを描いている。⇩Q暮れ・歳暮・年の暮れ・年の瀬・年末

さいみつ【細密】きわめて細かいところまで詳しい意で、改まった会話や文章に用いられる漢語。〈―画〉〈―な計画〉⇩厳密・精巧・精緻・Q精密・緻密・綿密

さいみんざい【催眠剤】神経の興奮を鎮めて眠りを催させる薬品をさし、会話にも文章にも使われる、いくぶん古風な漢語。〈―を投与する〉⇩Q睡眠剤・睡眠薬・眠り薬

ざいもく【材木】建築物などの材料として置いてある木をさし、会話でも文章でも使われる漢語。〈―屋〉〈―置き場〉〈―を切り出す〉✎林芙美子の『風琴と魚の町』に「私は―の上を縄渡りのようにタッタッと走ると」とある。丸太や太い柱の連想が強い。⇩木材

さいやく【災厄】「災難」の意で、主に文章に用いられる古風で硬い漢語。〈―に見舞われる〉〈思わぬ―を招く〉✎大岡昇平の『俘虜記』に「―は意外な方からやって来た」とある。⇩災害・災難・災い

さいよう【採用】会社などが人を雇い入れる意で、会話にも

文章にも使われる、いくらか事務的な漢語。〈新規─〉〈─試験〉〈正社員として─する〉✎「その案を─する」のように、いくつかの候補のうちから採択する意にも広く使う。⇩Q雇用・雇う

ざいりょう【材料】 加工して物を作る時のもとになるものを広くさし、くだけた会話から硬い文章まで幅広く使われる日常の基本的な漢語。〈原─〉〈─費〉〈料理の─〉〈豊富な─〉〈─集めの段階〉✎「非難─に事欠かない」のように判断のもとをさす抽象的な意味の用法もあり、「小説の─がころがっている」のように「素材」「題材」に近い意味で使う場合はそれらより日常会話的な文体レベルとなる。⇩Q原料・資材・資料・素材・題材

さいれい【祭礼】 神社の儀式をさし、改まった会話や文章で用いられる、やや専門的な漢語。〈神社の─〉✎寺田寅彦の『田園雑感』に「この神社の─の儀式が珍しいものであった」とある。⇩Q祭祀・祭典・祭り

サイン ①「署名」の意で、会話や軽い文章に使われる外来語。〈はんこでも─でもよい〉〈同意書に─する〉✎「俳優に─をねだる」「選手の─をもらう」「著者の─入りの本」のように、有名人がファンの要望で書く場合を連想させる傾向がある。⇩記名・Q自署・署名 ②「合図」の意で、会話にも文章にも使われる外来語。〈ゴー─が出る〉〈─どおりにやる〉〈─を盗む〉⇩Q合図・シグナル・信号

さえかえる【冴え返る】 「冴える」の強調として主に文章に用いられる和語。〈─冬の星空〉✎小川国夫の『平地の匂い』に「空気のせいか、アルトの声は─・って、少々きつかった」とある。「冴え」(澄み切った寒気)が「返る」で、寒さが戻る意にもなる。⇩冴える・Q冴え渡る

さえき【差益】 差額によって生じた利益の意で、改まった会話や文章に用いられる、正式な感じの専門的な漢語。〈為替─〉〈円高による─〉✎売買収支のほか、価格変更や為替レートの推移などによっても生じる。「差損」と対立。⇩Qマージン・利鞘《りざや》

さえずる【囀る】 小さな鳥がしきりに鳴く意で、会話にも文章にも使われる和語。〈小鳥が─〉〈春になって鶯《うぐいす》が─〉✎「女の子たちが─・っている」のように、絶え間なくぺちゃくちゃしゃべる意の比喩的な用法は俗っぽい響きがある。⇩いななく・Q鳴く・吠える

さえる【冴える】 光・色・音などが冷たく感じられるまでに澄んで透明感を与える意で、会話にも文章にも使われる和語。〈─・えた赤〉〈月が─・えた光を投げかける〉✎梶井基次郎の『冬の日』に「洗面のとき吐く痰は、黄緑色からにぶい血の色を出すようになり、時にそれは驚く程鮮かな紅に─・えた」と色彩に用いた例があり、三浦哲郎の『愛しい女』には「枕元の明りを消すと、急にその風鈴の音色が─・えてきこえた」と音響に用いた例がある。また、「目が─・えて眠れない」「頭が─」「弁舌が─」「─・えない顔」のような比喩的な用例も多い。⇩Q冴え返る・冴え渡る

さえわたる【冴え渡る】 一面に澄んでいる意で、改まった会話や文章に用いられる和語。〈─秋の空〉〈夜空に月が明るく─〉✎尾崎一雄の『虫のいろいろ』に「真夜中、─月光の下に、鈍く音なく白く光る富士」とある。⇩Q冴え返る・冴え

る

さお【竿】竹製の棒状の道具をさし、会話でも文章でも使われる日常の和語。〈竹―〉〈釣り―〉〈物干し―〉✎夏目漱石の『坊っちゃん』に「沖釣には―は用いません」とある。⇩棹《おさ》

さお【棹】舟を進めるための棒や、三味線の弦を張る棒状の部分をさし、会話でも文章でも使われるやや古風な和語。〈渡し舟の―〉〈流れに―指す〉〈津軽三味線の太い―〉⇩竿《おさ》

さか【坂】傾斜した地面や道をさし、くだけた会話から硬い文章まで幅広く使われる日常の基本的な和語。〈険しい―〉〈―を上り詰める〉〈―にさしかかる〉✎円地文子の『妖』に「その静かな―は裾の方で振袖の丸みのように鷹揚なカーヴをみせ」とある。⇩坂道・Q斜面・スロープ

さかえ【栄え】「繁栄」の意で文章中に用いられる古めかしい和語。〈国の―〉✎大岡昇平は『野火』という小説を「私一人のために、この比島の山野まで遣わされたのであるならば」という条件付きで「神に―あれ」として閉じた。成城の自宅を訪問した際、「あれは異端の書であって、外国のキリスト者は、一つの小説を「神に―あれ」というような句で終わることはできません」と語った。⇩栄冠・Q栄光・栄誉・誉れ・名誉

さかえる【栄える】勢いが盛んになり賑《にぎ》わう意で、くだけた会話から硬い文章まで幅広く使われる日常の基本的な和語。〈国が―〉〈港町として―〉✎三島由紀夫の『潮騒』に「海が平穏で、漁獲はゆたかに、村はますます―・えてゆきますように」とある。⇩発展・Q繁栄・繁盛

さかさ【逆さ】主としてくだけた会話に「逆」の意で使われる和語。〈―に吊《つ》るす〉✎国木田独歩の『武蔵野』に「稲が刈り取られて林の影が―に田面に映る」とある。「さかさま」の略。「―富士」「―睫毛《まつげ》」などの慣用表現以外ではあまり使われなくなり、「さかさま」よりも古風な感じになっている。⇩あべこべ・逆・Q逆様・倒錯・反対

さかさま【逆様】主としてくだけた会話に「逆」の意で使われる和語。〈向きが―だ〉〈うっかり―に貼る〉✎夏目漱石の『草枕』に「何でも―だから叶わねえ」とある。⇩あべこべ・逆・Q逆さ・倒錯・反対

さがしあてる【探し当てる】考えていたような物をあちらこちら探し回った末にようやく見つける意で、会話にも文章にも使われる和語。〈初版本を―〉〈安い店を―〉⇩捜し当てる・Q探し出す・捜し出す・探り当てる・突き止める

さがしあてる【捜し当てる】特定の対象を方々捜し回った末にようやく見つける意で、会話にも文章にも使われる和語。〈居所を―〉〈紛失物を―〉⇩Q探し当てる・探し出す・捜し出す・探り当てる・突き止める

さがしだす【探し出す】考えていたような物を探して見つけ出す意で、会話にも文章にも使われる和語。〈便利な品を―〉〈貴重な文献を―〉⇩探し当てる・捜し当てる・Q捜し出す・探り当てる・突き止める

さがしだす【捜し出す】特定の対象を捜して見つけ出す意で、会話にも文章にも使われる和語。〈家出人を―〉〈草の根を分けても―〉⇩探し当てる・捜し当てる・Q探し出す・探り当てる・

突き止める

さがす【探す】欲しいものを求める意で、会話でも文章でも使われる基本的な和語。〈宿を―〉〈就職先を―〉〈手ごろなバッグを―〉✎小島信夫の『小銃』に「小銃の影の林の中で、ふとその影を―ということを私はいくどもした」とある。⇩捜す

さがす【捜す】失った物や特定の人などを求める意で、会話でも文章でも使われる基本的な和語。〈落とし物を―〉〈書類を―〉〈目撃者を―〉⇩探す

さかだち【逆立ち】両手を地面につけ、足先を上に上げて立つ意で、会話や改まらない文章に使われる日常の和語。〈―で歩く〉〈―をしても敵《なか》わない〉✎本格的な「倒立」に比べ、遊びの範囲を出ないニュアンスが強い。⇩鯱《しゃち》鉾《ほこ》立ち・Q倒立

さかな【肴】酒を飲むときの「つまみ」をさし、会話や軽い文章で使われる和語。〈酒の―〉〈人の噂話を―に一杯やる〉✎もと「酒菜」と書き、おつまみをさした。⇩魚

さかな【魚】魚類をさし、会話やさほど硬くない文章で使われる日常生活の和語。〈川―〉〈焼き―〉〈―料理〉〈―を釣る〉✎堀田善衛の『鬼無鬼島』に「月光に青白く光る刀のような長い―」とある。酒を飲むときによく魚類を食したところから、つまみの意の「さかな」が「うお」をも意味するようになった。⇩肴

さかなで【逆撫で】わざと相手の気に障ることをする意で、会話や硬くない文章に使われる和語。〈神経を―する〉〈国民感情を―する〉✎動物を毛の生えている向きと反対の方向に撫でると嫌がることから。⇩刺激

さかみち【坂道】傾斜のある道路をさし、会話にも文章にも使われる日常の和語。〈急な―を喘《え》ぎあえぎ登る〉〈―を転げ落ちる〉⇩Q坂・斜面・スロープ

さかもり【酒盛り】集まって酒を飲むことを楽しむ意で、会話にも文章にも使われる、やや古風な和語。〈―が始まる〉〈車座になって―の真っ最中〉✎志賀直哉の『赤西蠣太』に「用が済むと二人は座敷へ帰って来て、皆と共に―を始めた」とある。「酒宴」より小人数でもよい感じがあり、それ以上にあくまで酒を楽しむという雰囲気がある。⇩うたげ・宴・宴会・Q酒宴

さからう【逆らう】反対の方向に進む意で、会話にも文章にも使われる日常の和語。〈風に―〉〈川の流れに―〉〈時流に―〉〈上司の指示に―〉✎野間宏の『暗い絵』に「ひとに―ってまで彼の考えを押しつける」とある。命令などに従わないところに重点があり、「歯向かう」に比べ攻撃性は弱い。⇩歯向かう

さかりば【盛り場】町中の人通りの多い賑やかな地域をさし、会話や軽い文章に使われる和語。〈―をうろつく〉✎特に歓楽街をさすこともある。安部公房の『他人の顔』に「―らしい騒音が、漬物樽の中のように、あたりの空間を過飽和にちかい濃度で埋めつくしている」とある。⇩Q歓楽街・繁華街

さかん【盛(旺・壮)ん】活気に満ちている意で、くだけた会話から文章まで幅広く使われる日常の和語。〈―に燃えている〉〈サッカーの―な国〉〈―にけしかける〉〈大会を前に意気―だ〉〈血気―な若者〉✎田山花袋の『東京の三十年』に

「そういう噂が若い人たちの噂の中に―に繰返された」とある。「盛り」の転。⇩旺盛《おうせい》

さき【先】空間的には物の先端や前方、時間的には早いほうをさし、改まった会話や文章に用いられる和語。〈指の―〉〈この―行き止まり〉〈―に立って歩く〉〈どうぞお―に〉〈話の―を続ける〉〈―のことはわからない〉✎大岡昇平の『俘虜記』に「それはこの谷を少し登ってから別の尾根へ取りつき、―で今彼らが引き返して来た道と合する道である」⇩前方・前

さぎ【詐欺】他人を欺いて高額なものを不当に奪う意で、会話にも文章にも使われる正式な感じの漢語。〈結婚―〉〈稀代《きたい》の―師〉〈―行為に当たる〉〈―を働く〉〈―に引っかかる〉✎法律の専門語としては、事実を偽って相手を錯誤に陥れる違法行為をさす。「いかさま」や「ぺてん」より本格的で大規模な感じがある。⇩いかさま・いんちき・Qぺてん

さきこぼれる【咲き零れる】あふれんばかりに花がいっぱい咲く意で、主に文章に用いられる、いくぶん詩的な和語。〈植え込みのつつじの花が―〉⇩Q咲き誇る・咲き乱れる

さきごろ【先頃】「このあいだ」に近い意味で、やや改まった会話や文章で用いられる和語。〈事を始めたのはつい―のことである〉〈―お手紙でお知らせした件〉✎五木寛之の『蒼ざめた馬を見よ』に「―亡くなりました」とある。日数単位の「この間」「先日」「せんだって」より以前のことでも使え、数ヶ月から一年ぐらい経過していても特に違和感がない。若干改まり、いくらか古い感じがある。⇩いちじ・過日・この間・先日・せんだって・Q先般・一頃

さきほこる【咲き誇る】誇らしげに見えるほど美しく咲く意で、主に文章に用いられる、いくぶん詩的な和語。〈大輪の薔薇《ばら》が今を盛りと―〉⇩Q咲きこぼれる・咲き乱れる

さきほど【先程】「さっき」の意で、改まった会話や丁重な手紙などでよく用いられる和語。〈―の件ですが〉〈―は失礼いたしました〉〈―御紹介に与《あず》かりました中村でございます〉⇩さっき・Q先刻

さきみだれる【咲き乱れる】多くの花が入り乱れるように重なり合って咲く意で、主に文章に用いられる、いくぶん詩的な和語。〈色とりどりの花が―春の庭〉✎田山花袋の『蒲団』に「旅館の中庭に、萩が絵のように―・れていた」とある。多くの同じ種類の花が乱雑に感じられるほど重なり合って咲く場合も、いろいろの種類の花が色とりどりに交じり合って咲く場合もある。⇩Q咲きこぼれる・咲き誇る

さきゆき【先行き】将来の動向などをさして、会話にも文章にも使われる和語。〈景気の―が懸念される〉〈―不透明〉〈―が思い遣られる〉〈―の見通しが明るい〉✎経済問題に使う場合は専門語の響きが出やすい。⇩以後・今後・Q将来・未来・行く末

さぎょう【作業】物を作ったり機械などを操作したり一定の手順で仕事をすることをさし、会話にも文章にも使われる漢語。〈―員〉〈―服〉〈―場〉〈単純―〉〈流れ―〉〈―を中断する〉✎葉山嘉樹の『海に生くる人々』に「土蜂のような―」とある。分析・考察過程のような知的に展開する多様な仕事より、一定の手順に則ってやる機械的な労働を連想させる。⇩仕事

ざきょう【座興】その集まりに興を添えるための芸・遊びやその場限りの冗談・戯れをさし、会話にも文章にも使われるいくぶん古風な漢語。〈—に歌を歌う〉〈ほんの—で〉✎二葉亭四迷の『浮雲』に「—に言った言葉」とある。「余興」に比べ、急に思い立った感じが強い。⇩アトラクション・Q余興

さく【柵】木材や鉄材などを並べて立てた囲いをさし、会話にも文章にも使われる漢語。〈境界に—を設ける〉〈—をめぐらす〉✎「塀」に比べ臨時的な感じがある。⇩生垣・垣・垣根・Q囲い・フェンス・塀

さくい【作為】意図的に手を加える意で、改まった会話や文章に用いられる硬い感じの漢語。〈—が目立つ〉〈—の跡が見える〉〈無—抽出〉⇩作意

さくい【作意】制作意図の意で、主として文章中に用いられる、やや専門的な雰囲気の漢語。〈作者の—を正しく汲み取る〉〈—が露骨に表れすぎて素直に読めない〉⇩作為

さくげん【削減】数量や金額などを削って減らす意で、改まった会話や文章に用いられる漢語。〈人員—〉〈経費を—する〉⇩軽減・Q節減・低減・逓減《ていげん》

さくじつ【昨日】「きのう」の意で、改まった会話や文章で用いられる漢語。〈—の会合において〉〈—来の雨〉〈—挙行された儀式〉⇩きのう

さくしゃ【作者】文学や美術・音楽などを創作した人をさし、くだけた会話から硬い文章まで幅広く使われる日常の漢語。〈—未詳〉〈—の意図〉〈—自身に聞く〉✎小林秀雄の『私小説論』に「夢殿の救世観音を見ていると、その—という様なものは全く浮んで来ない。それは—というものからそれが完全に遊離した存在となっているからで、これは又格別な事である」という志賀直哉のことばを引用している。⇩書き手・Q著者・筆者

さくせい【作成】文書などをまとめる意で、改まった会話や文章で用いられる漢語。〈書類を—する〉〈報告書を—する〉〈予算案を—する〉⇩Q作製・制作

さくせい【作製】品物や図面を作る意で、やや改まった会話や文章に用いられる漢語。〈地図を—する〉〈自動車の部品を—する〉✎物品以外は広く「作成」と書く傾向が見られる。⇩作成・Q製作

さくせん【作戦】戦闘や競争に勝つための方略の意で、くだけた会話から硬い文章まで幅広く使われる漢語。〈陽動—〉〈—を練る〉〈—を立てる〉〈—どおりに運ぶ〉〈—が功を奏する〉✎田宮虎彦の『沖縄の手記から』に「私たちの前面に上陸—を企図したアメリカの機動艦隊が沖縄近海に迫って来ている」とある。「—タイム」など、競技などでは「策戦」と書くこともあるが、この表記は「作戦」に比べて細かい方策を連想させる。⇩戦術・戦略

さくねん【昨年】「去年」の意で、改まった会話や文章に用いられる漢語。〈—より本年にかけて〉〈—お目にかかりました折〉✎「去年」より改まった感じで、正式の文書などに使う。⇩去年

さくねんど【昨年度】今年度のすぐ前の年度をさし、改まった会話や文章に用いられる漢語。〈—の事業報告を行う〉✎「去年度」という形があまり使われない関係で、文体的レベルで「来年度」と「明年度」の双方に対応する結果になる。

さくぶん【作文】与えられた課題や条件に合わせて文章を書くこと、また、その作品をさし、会話にも文章にも使われる漢語。〈課題―〉〈―コンクール〉〈宿題の―を提出する〉〈生徒―の添削指導〉✎鎌倉の自宅を訪問した折、永井龍男は「そのほうが高級に聞こえるのか、―や綴り方なんか大嫌いだったと言う小説家が多いですね。ホントかいと言いたくなる。私の場合はとっても好きだった」と率直に語った。⇩綴《つづ》り方

さくもつ【作物】「農作物」の意で、会話にも文章にも使われる漢語。〈畑の―〉〈今年は―の出来がいい〉⇩Q農作物・農産物

さくら【桜】バラ科の代表的な花木(古くは山桜、現代では染井吉野が中心)をさし、くだけた会話から硬い文章まで幅広く使える和語。〈―前線〉〈―の名所〉〈―が満開になる〉✎谷崎潤一郎の『雪後庵夜話』に「姉妹たちの袂《たもと》にも千本―の花の雨が降り注いでいたように思う」とある。梅や桃とは違って、単に花やその木をさすだけでなく、はなやかさや潔さを感じさせ、入学式・卒業式の連想から新しい旅立ちというめでたい気分を誘う。

さぐりあてる【探り当てる】手の感触を用いたりいろいろな場所を探ったりしてようやく目指すものを見つける意で、やや改まった会話や文章に用いられる和語。〈秘密を―〉〈暗闇でスイッチを―〉⇩Q探し当てる・捜し当てる・探し出す・捜し出す・突き止める

さくりゃく【策略】自分側に利があるように相手側を操るためのはかりごとの意で、やや改まった会話や文章に使われる少し硬い感じの漢語。〈―を弄《ろう》する〉〈―にはまる〉✎芥川龍之介の『鼻』に「弟子の僧にも、内供のこの―がわからないはずはない」とある。「計略」より具体的で、「謀略」や「陰謀」ほどの悪意を感じさせない。⇩陰謀・Q計略・謀略

さくれい【作例】頭の中で作り出した用例をさし、会話にも文章にも使われる専門的な漢語。〈実例が見つからず―で間に合わせる〉✎「実例」と対立。国語辞典などの項目を執筆する際に文学作品などからの実例を引かず自分で作った例を掲げる場合などに言う。「詩の―」のように、作り方の見本の意にも用い、その場合は専門的な感じが薄い。⇩―例・文例・用例・類例・例・例文

さくれつ【炸裂】破裂して破片が飛び散る意で、改まった会話や文章に用いられる硬い漢語。〈―弾〉〈爆弾が―する〉✎比喩的に「強烈なスパイクが相手コートに―する」のようにも使う。⇩爆発・Q破裂

さけ【酒】アルコール飲料、特に日本酒をさし、くだけた会話から硬い文章まで幅広く使われる日常の基本的な和語。〈―のさかな〉〈―が五臓六腑《ろっぷ》にしみわたる〉〈―をちびりちびりやる〉〈大杯で―をあおる〉〈―に酔って正体をなくす〉✎「ビールで軽く喉を潤してから―に移る」のように通常は日本酒をさすが、「―の中ではワインが一番口当たりがよい」などとアルコール類の総称ともなる。「―が強い」もふつうは総称だが、「―となると目がない」のように判断のつかない例も多い。ちなみに、幸田文は『蜜柑の花まで』で、「積った雪」「降りつつ積りつつの雪」「一トひら、一トひらの雪」などはどれもみな酒と相性がよく、「ど

うしてもここにお—がなくては納まらない観もの」とその感性を披露した。ここは感覚的に清酒である。⇩ささ・清酒・Q日本酒

さけかす【酒粕(糟)】「粕」の意で、会話にも文章にも使われる和語。〈鰆《さわら》を—に漬ける〉✎耳から聞いたときに「滓《かす》」でなく「粕」であることを明確にする意図もあるが、「滓」を連想するマイナスイメージを避けるのが中心か。⇩粕

さげすむ【蔑む】あなどって軽んずる意で、主として文章に用いる高級な和語。〈人を—・んだような目つき〉✎芥川龍之介の『芋粥』に「上眼を使って、—ように」とある。⇩侮る・Q軽蔑・なめる②・見下す・みくびる・見下げる

さけのみ【酒飲(呑)み】酒が好きで多量に飲む人をさし、会話やさほど改まらない文章に使われる和語。〈—は意地が汚い〉〈根っからの—で甘い物には手を出さない〉⇩Q酒豪・呑み助・呑んだくれ・呑ん兵衛・左利き

さけび【叫び】叫ぶこと、および、その声をさし、会話にも文章にも使われる和語。〈遠い—〉〈絹を裂くような女の—〉〈助けを求める—〉✎倉橋由美子の『蠍たち』に「(恐怖のあまり)なにかが裂けていくような—」とある。「心の—」のような比喩的用法もある。⇩Q叫び声・絶叫・悲鳴

さけびごえ【叫び声】興奮のあまり発する大きな声や、危険が迫って思わずあげる恐怖の声をさし、会話やさほど硬くない文章に使われる和語。〈—を立てる〉〈—を上げる〉〈夜中に—が聞こえる〉✎太宰治の『斜陽』は「朝、食堂でスウプを一さじ、すっと吸ってお母様が、「あ。」と幽かな—をお挙げになった」と始まり、北杜夫の『夜と霧の隅で』には、幼い子供たちの「はねかえるような—が凍った大気の中を透ってきて」とある。⇩金切り声・叫び・絶叫・Q悲鳴

さけぶ【叫ぶ】大声を出す意で、くだけた会話から硬い文章まで幅広く使われる日常の和語。〈大声で—〉〈救いを求めて—〉✎林房雄の『青年』に「抑えつけていた怒りを吐きだすかのように—・んだ」とある。「わめく」と違い、「キャー」「ギャッ」のような意味のない声も含まれる。「反対を—」「無実を—」のように主張を世間に訴える意でも比喩的に使われる。⇩Q怒鳴る・喚《わめ》く

さけよい【酒酔い】酒を飲んで酔う意、また、酔った人をさし、会話にも文章にも使われる和語。〈—運転〉〈—は始末が悪い〉✎「酔っ払い」ほどは乱れていない感じがある。⇩Q酔客・泥酔者・酔っ払い

さける【避ける】好ましくない対象から離れる意で、やや改まった感じの会話や文章に使われる日常の和語。〈人込みを—〉〈危険を—〉〈明言を—〉〈そちらの話題は—・けたい〉〈人目を—〉✎「よける」が具体物の回避に使われるのに対して、この語は森鷗外の『普請中』に「水溜まりを—・けて」という具体物の例もあるものの、対比的に事柄や状況といった抽象的な存在の回避に使われる傾向がある。⇩よける

さげる【下げる】上から下へ移動させる意で、くだけた会話から硬い文章まで幅広く使われる日常の基本的な和語。〈頭を—〉〈目尻を—〉〈腰に手拭を—〉〈飛行機が高度を—〉〈男を—〉〈値段を—〉〈品質を—〉〈評価を—〉✎「上げる」と対立。「ハンドバッグを手に—」のように、ぶらさげる意では「提げる」と書くことが多い。「お膳を—」のように出

したものを引っ込める意味でも使う。⇩Q下ろす・引き下げる

ささ　酒を意味する昔の隠語。〈その方、—は食すか〉✎酒のサを重ねた語形。⇩酒

ささい【些(瑣)細】細かくて価値がなく、取るに足らない意で、会話にも文章にも使われる漢語。〈ほんの—なこと〉〈—なことにこだわる〉〈—なことから喧嘩になる〉✎取り上げるに値しない点は「瑣末《さまつ》」と同じだが、この語は、細か過ぎるところに重点を置き、その点で「瑣末」とニュアンスが違う。⇩瑣末

ささえる【支える】物・人・組織などが倒れたり崩れたりしないように維持・保持の力になる意で、くだけた会話から文章まで幅広く使われる基本的な和語。〈支柱を立てて老木を—〉〈屋根を—〉〈怪我人を両脇から—〉〈一家の生活を—〉〈副総理が首相を—〉〈事業を—資金〉〈選手が応援の人に—・えられる〉✎三島由紀夫の『潮騒』に「肌着をその両手が—・えているので、上半身はすっかり露わである」とあり、夏目漱石の『草枕』には「閣僚の肩は数百万人の足を—・えて居る」とある。⇩支援

ささつ【査察】実地に調査して現状を知る意で、改まった会話や文章に用いられる公的で専門的な硬い漢語。〈—官を派遣する〉〈現地の状況を—する〉〈—を受ける〉⇩視察

さし【差し】二人だけで向かい合う意で、くだけた会話に使われる古風で俗っぽい和語。〈—で話し合う〉〈—で飲む〉✎「差し向かい」と違い、必ずしも親密な間柄とは限らない。⇩Q差し向かい・対面・向かい合う・向き合う

さじ【匙】液体や粉末、細かいものを掬《すく》い取るための道具の意で、会話にも文章にも使われる日常語。〈茶—〉〈大—二杯〉〈—で掬う〉✎「茶匙」の字音「サシ」から。昔、医者が薬の調合に用い、「—加減」「—を投げる」のような比喩的拡大用法もある。⇩スプーン

さしあげる【差し上げる】上位者に「与える」意で、会話にも文章にも用いられる丁寧な感じの和語。〈先生に—〉〈お客様にお茶を—〉⇩上げる・Q与える・呉れる・授ける・施す・やる②

さしあたり【差し当たり】今のところの意で、会話にも文章にも使われる日常の和語。〈—必要がない〉〈—の用は足りる〉〈これだけあれば—困らない〉⇩Qさしずめ①・当座・当面・とりあえず・ひとまず

さしえ【挿絵】新聞・雑誌・本などの本文の間に挿入する、文章の内容と関連した絵をさして、会話にも文章にも使われる日常の和語。〈—画家〉〈—入り〉⇩イラスト・カット・挿画

さしかかる【差し掛かる】その地点を通る意で、やや改まった会話や文章に用いられる和語。〈列車が鉄橋に—〉〈峠に—〉✎「通り合わせる」と違って特別の場所という感じはなく、「通りかかる」ほどの偶然性も感じさせず、むしろ順調・当然という連想が強い。「通り合わせる」や「通りかかる」の対象が狭い範囲なのに対し、この語はもう少し幅が広く、「人生の坂に—」のような比喩的な用法もある。⇩通り合わせる・Q通りかかる

ざしき【座敷】畳を敷きつめた客間をさし、会話でも文章でも広く使われる日常語。〈南に面した広々とした—〉〈—で珍客をもてなす〉✎谷崎潤一郎の『刺青』に「日はうららか

に川面を射て、八畳の—は燃えるように照った」とある。「応接間」が洋室、「客間」が和室と洋室の両方を思わせるのに対し、この語は畳を敷いた和室に限られる。また、「応接間」は四畳半程度の広さの洋室の場合もあるが、「座敷」という語は八畳間程度はあって床の間のついた立派な和室を思わせる。なお、「お—」となると、酒宴の席をさす場合もある。⇩応接室・応接間・客室・Q客間

さしさわり【差し障り】 それをすると具合の悪いことが起こりかねないような事情をさして、会話やさほど改まらない文章に用いられる和語。〈—のある話は避ける〉〈その発言は—がある〉🖉「差し支え」に比べ、精神的・心理的な影響を連想させやすく、「—が生じる」のように、具体的な意味合いで使う場合は「差し支え」より古風な感じがある。⇩Q差し支え・不都合

さしず【指図】 下位者に命じてやらせる意で、会話にも文章にも使われる日常の表現。〈人を—する〉〈部下に仕事を—する〉〈—どおりに行う〉〈ひとの—は受けない〉🖉命じる行為の内容を中心とする「指示」に比べ、この語は自分の命令で部下などを動かすところに重点があり、それだけ指図する中身がおおまかな事柄になる。⇩指示・命令

さしずめ【差し詰め】 ①「さしあたり」の意で、やや改まった会話や文章に用いられる、やや古風な和語。〈—これで何とかなる〉〈—食うには困らない〉⇩Qさしあたり・とりあえず・ひとまず ②いろいろあっても結局といった意味合いで、やや改まった会話や文章に用いられ、やや古風な和語。〈よく鼻を鳴らすあたり、あの女は—豚といったところだ〉⇩Qさながら・まるで②

さしつかえ【差し支（閊）え】 そのことが何かの妨げ・障害になりかねないような事情をさして、会話やさほど硬くない文章に使われる和語。〈業務には—がない〉〈—があるようなら後日に延ばす〉〈もし—なければ御住所を伺いたい〉🖉夏目漱石の『坊っちゃん』に「教頭の云う事は信じないと云う様に聞こえるが、そう云う意味に解釈して—ないでしょうか」とある。具体的な問題としては「差し障り」よりよく使う。⇩Q差し障り・不都合

さして【然して】「それほど」の意で、会話にも文章にも使われる、やや古風な和語。〈—欲しくもない〉〈—違わない〉〈—困らない〉🖉「大して」に比べて意外性が意識されない。そのため、「—急がない」という表現では、「大して急がない」の場合ほど、ある程度急いでいるという含みが強く感じられない。⇩あまり・あんまり・Qさほど・大して

さしひかえる【差し控える】 状況を考えて見合わせる意で、改まった会話や文章に使われる和語。〈風邪気味のため外出を—〉〈しばらくの間—〉〈プライベートな問題なのでコメントを—・えさせていただく〉🖉「控える」より丁寧な感じがある。⇩慎む・Q控える①

さしひく【差し引く】 全体から必要に応じて取り去る意で、改まった会話や文章に用いられる、やや丁寧な感じの和語。〈給料から—〉〈税金を—〉🖉単なる「引く」より改まった感じがある。⇩Q差っぴく・引く②

さしみ【刺身】 生の魚肉を薄く切ってわさび醤油をつけて食べる料理をさす標準的な和語。〈鮪の中トロを—にして食

う〉✎夏目漱石の『坊っちゃん』に「―も並んでるが、厚くって鮪の切り身を生で食うと同じ事だ」とある。⇩お造り

さしむかい【差し向かい】二人の人間が近い距離でまともに向かい合う意で、会話にも文章にも使われる和語。〈夫婦―〉〈―に座って一献《いっこん》傾ける〉〈―でひそひそ話し合う〉✎「向かい合う」と違って、何人かの中のある二人ではなく、二人だけの場合に使う。人間、それもきわめて親しい間柄に限り、特に恋人同士を連想しやすい。⇩差し・対面・Q向かい合う・向き合う

さしゅう【査収】調べて受け取る意で、主に丁寧な感じの文章に用いられる硬い漢語。〈納品を―する〉〈どうぞ御―下さい〉⇩Q受領・領収

さしわたし【差し渡し】「直径」の意で、主に会話に使われる古めかしい和語。〈―一尺ほどのまるを描く〉✎「直径」に比べ、球体の連想が働きにくい。⇩直径

さす【刺す】鋭くとがったものの先を対象物の中に入り込ませる意で、くだけた会話から文章まで幅広く使われる基本的な和語。〈注射針を―〉〈魚を串に―〉✎川端康成の『雪国』に「―ように美しい目」とあり、伊藤整の『氾濫』に「―ような自責の念」とあるように、鋭い感じの比喩になる例も多い。⇩突き刺す

さずける【授ける】上位者が下位者に恩恵をもって与える意で、改まった会話や文章に用いられる和語。〈学位を―〉〈賞を―〉〈秘伝を―〉✎夏目漱石の『坊っちゃん』に「教育の精神は単に学問を―許《ばか》りではない」とある。客観的な「与える」に比べ、上から下へという意識が強く、格式ばった感じが強い。⇩上げる・Q与える・呉れる・差し上げる・施す・やる②

さすらい【流離】あてもなくあちこち歩き回る意で、主に文章の中で用いられる美化した感じの古めかしい和語。〈―の旅路〉⇩さまよう・漂泊・Q彷徨《ほうこう》・放浪・流浪

さする【摩る】手のひらで軽くこする意で、会話でも文章でも広く使われる日常の和語。〈やさしく背中を―〉〈手の平で軽く―〉〈ぶつけた膝を―〉✎川崎長太郎の『船頭小路』に「洗濯板みたいあばら骨がでこぼこしている背中を、大分馴れた手つきで―り出していた」とある。道具や目的や強さに制限のない「こする」と違って、この語は肉体的・精神的な痛みを和らげる目的で背中や患部を手の平で何度も軽く摩擦する場合に限られる。「撫でる」のように子供や犬の頭に手を置いて「いい子、いい子」をする場合には不適切。⇩こする・Q撫でる

ざせき【座席】腰掛ける物や場所をさして、会話にも文章にも使われる漢語。〈―指定〉〈―を確保する〉〈―がふさがっている〉〈座り心地の悪い―〉✎「席」に比べ、具体的な椅子などを連想させやすく、畳や座布団にはなじまない。⇩席

さぞ【嘸】きっとどんなにかの意で、改まった会話や文章に用いられる、やや古風な和語。〈―寒かったことだろう〉✎経験のないことや他人の心情など、確かには知り得ないことを、あたかも自分がその場にいるような気持ちで同情・共感などの実感をこめて想像する場合に使う。⇩Qさぞかし・さぞや・さだめし

さそう【誘う】 自分と一緒に行動するように他人に働きかける意で、くだけた会話から文章まで幅広く使われる日常の和語。〈映画に—〉〈友達を—・って出かける〉〈仲間に—・われる〉✎「悪の道に—・われる」「眠りに—・われる」「同情を—」のように、感情や状態を引き起こすといった抽象的な意味の用法も多い。「街の灯に—・われる」のように文学的な表現となる例もある。⇩Qいざなう・勧誘・誘導

さぞかし【嘸かし】「さぞ」の強調表現として、主に文章に用いられる丁重で古風な和語。〈ご両親も—お喜びのことでしょう〉〈—お嘆きのことでございましょう〉✎「かし」は文語の強調の終助詞。⇩Qさぞ・さぞや・さだめし

さぞや【嘸や】「さぞ」を感情をこめて強めた表現で、主に文章に使われる丁重で古風な和語。〈—苦労したことだろう〉〈—ご無念のことと拝察いたします〉✎「や」は詠嘆の間投助詞。⇩さぞ・Qさぞかし・さだめし

さだめ【定め】 掟《おきて》の意で、改まった文章に用いられる硬い感じの和語。〈国の—〉〈—に従う〉✎「悲しい—」「これも—と諦める」のような例では、「運命」と書いてその意味合いを説明することも少なくないが、「うんめい」と読まれやすく、通じたとしても古めかしい印象を与える。⇩掟・法律・法令

さだめし【定めし】「さぞかし」の意で、主に文章に用いられる古風な和語。〈—お疲れのことでしょう〉〈—お怒りのことと存じます〉✎「し」は強め。⇩さぞ・Qさぞかし・さぞや

さだめる【定める】「決める」の意で、非常に改まった会話や硬い文章中に用いる正式な感じの和語。〈方針を—〉〈規則を—〉〈正式名称を—〉〈隣地との境界を—〉✎夏目漱石の『草枕』に「今度はと心を—・めて居るうちに」とある。普段の家庭生活にふさわしいレベルではないから、日常会話の中で「主婦が献立を」「きょうのお昼はラーメンに」などのあとに「定める」を使ったりすると、この語の改まった感じがあまりに場面と乖離《かいり》し、いったいどんな家庭かと疑われるような雰囲気になりかねない。⇩Q決める・決定

ざだん【座談】 数人が対座してある話題について形式ばらずに話し合うことをさし、会話にも文章にも使われる漢語。〈—会の司会〉〈—の名手〉⇩対談

さつ 警察を意味する隠語。〈—の手が回る〉〈—に捕まる〉✎「警察」の頭部省略だから漢字で書けば「察」となるが、ほとんど使われず、片仮名表記がふつう。⇩警察

さつ【札】 紙幣の意で、くだけた会話から文章まで幅広く使われる日常の漢語。〈—束〉〈—入れ〉〈千円—〉〈手の切れるような—〉⇩紙幣

ざつ【雑】 やり方が粗く大雑把で細かいところまで神経が行き届かない意で、会話にも文章にも使われる漢語。〈造りが—だ〉〈—な仕上げ〉〈—に扱う〉⇩雑駁《ざっぱく》・杜撰《ずさん》・Q粗雑

さついれ【札入れ】 紙幣を入れる財布をさし、会話にも文章にも使われる日常語。〈—と小銭入れ〉✎「紙入れ」より露骨な現代的表現。⇩がま口・Q紙入れ・財布

さつえい【撮影】 カメラで写真を撮ることをさし、会話にも文章にも使われる正式な感じの漢語。〈夜間—〉〈記念—〉〈—所〉〈—技師〉〈—現場〉〈映画を—する〉✎「写す」や「撮る」より本格的な感じがあって映画製作の際によくこの

語が使われ、井伏鱒二の『場面の効果』にも「映画の―で主役として活躍するから、私に―見物に来いといって来た」とある。⇩Q写す・撮る

ざつおん【雑音】不快な音や不要な音をさし、会話にも文章にも使われる日常の漢語。〈―が入る〉〈―に気をとられる〉✎有島武郎の『生れ出ずる悩み』に「そこいらから起こる人声や荷ぞりの―などがぴんぴんと君の頭を針のように刺激する」とある。単に雑多な音響というより、聞こうとする音の聞こえを妨げるニュアンスがある。⇩Q騒音・噪音《そうおん》

さっか【作家】芸術作品、特に小説などの作者をさす類義語中で最も一般的な日常の漢語。会話でも文章でもよく使われる。〈流行―〉〈直木賞―〉〈―志望〉〈―の道を歩み始める〉✎小林秀雄の『私小説論』に「客観小説に抗する最も聡明な才能ある―として登場」とある。随筆家や劇作家を含み、「小説家」より広義。⇩Q小説家・著作家・著作者・著述業・文学者・文士・文人・文筆家・物書き

サッカー　十一人ずつのチームに分かれ、足か頭で相手方のゴールに入れる回数を競う球技をさす外来語。最も一般的な呼称。〈―の試合でサポーターが騒ぐ〉〈―でゴールキーパーを務める〉⇩ア式蹴球《しゅうきゅう》・Q蹴球・フットボール

さつがい【殺害】人を殺す意で、改まった会話や文章に用いられるやや硬い漢語。〈恨みから―に及ぶ〉〈―現場を目撃する〉✎「殺す」「殺人」などに比べ、意図的・個人的な感じが強く、事故などで誤って死なせてしまった場合にはなじまず、空爆で一時に大勢の敵を死なせる場面などにもあまり使わない。古くは「せつがい」と読んだ。⇩殺す・殺人・Q殺戮《さつりく》・ばらす②・人殺し

さっかく【錯覚】外界の事象を実際と違って知覚する意で、会話にも文章にも使われる漢語。〈目の―〉〈―を起こす〉〈―に陥る〉✎本来は視覚や聴覚について言う専門語だが、「とんだ―で事実は逆だった」のように「勘違い」の意の派生的用法も例が多い。芥川龍之介の『歯車』に「僕の見たものは―ではなかった。しかし―でないとすれば」とある。寺田寅彦の『科学者とあたま』には「立派な科学者でも、時として陥る一つの―がある。それは、科学が人間の智慧のすべてであるもののように考えることである」とある。⇩思い違い・Q勘違い

ざっかけない　がさつ、粗野といった意味合いで、主に会話に使われた俗っぽい古風な和語。〈―連中の集まり〉✎東京方言という。幸田文の『流れる』に「つめたいコロッケは脂臭く葱臭く―味がする」とある。⇩がさつ・Q粗野

さっかしょう【擦過傷】擦り傷の意で、学術的な会話や文章に用いられる医学の専門漢語。〈軽い―で済む〉⇩擦り傷

さっき　同じ日の少し前の時をさし、主としてくだけた会話で使われる日常語。〈―の話だけどさ〉〈―から気がついてるよ〉〈―の人まだいるね〉〈つい―までマージャンやってた〉⇩先程・Q先刻

さっきゅう【早急】きわめて急な意を表す漢語。〈―に対策を講ずる〉〈―の処置を検討する〉✎「そうきゅう」の本来の読み方で、まだ一般に広く使われている。三島由紀夫の『潮騒』に「いずれ―の解決を迫るだろう」とある。⇩そう

きゅう

さっきん【殺菌】 薬剤や熱などの作用で有害な微生物を殺すことをさし、いくぶん改まった会話や文章に用いられる漢語。〈―剤〉〈―効果〉〈低温―〉〈熱湯で―する〉〈―力が高い〉✐多くは有害な細菌をやっつける場合で「消毒」に近いが、もっと大仰な感じがある。また、手当てを連想させやすい「消毒」に比べ、その結果として起こる現象に重点がある。⇩解毒・Q消毒・毒消し

ざっくばらん 率直で心の奥を隠さない意をさして、くだけた会話に使われる俗っぽい和語。〈―な態度〉〈―に打ち明ける〉⇩あけすけ・有り体・Qありのまま・あるがまま・率直

さっこん【昨今】 数ヶ月前または数年前から現在までの間をさし、かなり改まった会話や硬い文章中に用いられる、いくらか古風な感じもする漢語。〈―の風潮〉〈―隆盛をきわめている〉⇩近年・このところ・最近・Q近頃

さつじん【殺人】 人を殺す意で、会話にも文章にも広く使われる漢語。〈―事件〉〈―犯〉〈―未遂〉〈嘱託―〉〈―の疑いで逮捕する〉〈―容疑で連行する〉〈―罪で起訴する〉✐志賀直哉の『范の犯罪』に「此処に―という事実はある。然しそれが故殺或いは謀殺だという証拠は全くない」とある。大岡昇平の『野火』には「戦場では―は日常茶飯事にすぎない」とある。日常語ながら法律関係の用語に多く取り入れられており、この語を要素とした複合名詞は専門語に近い感じがある。⇩殺す・殺害・殺戮《さつりく》・ばらす②・Q人殺し

さっすう【冊数】 書物・雑誌・ノートなどの数をさし、会話にも文章にも使われる漢語。〈蔵書の―を数える〉⇩部数

さっする【察する】 その場の状況から隠れた事態を推測したり今後の変化や展開を見通したりする意で、会話にも文章にも使われる語。〈気配を―〉〈心中お―・しします〉〈―にあまりある〉✐夏目漱石の『坊っちゃん』に「君の云う所は一々御尤だが、わたしの云う方も少しは―・して下さい」とある。「察知」に比べ、情報に基づくというより経験や細やかな心配りなどを通して自然にわかる感じが強い。⇩感づく・Q察知

ざつぜん【雑然】 いろいろなものが不規則に集まっているだけで配置にまとまりがない意で、会話にも文章にも使われる漢語。〈書棚に本が―と並んでいる〉〈―とした感じの部屋〉✐安部公房の『他人の顔』に「頭の中は(略)博物館の倉庫のように―としてしまう」とある。⇩乱雑

さっち【察知】 推察して知る意で、やや改まった会話や文章に用いられる漢語。〈危険を―する〉〈相手の動きを―する〉〈敵の攻撃を―する〉✐経験や心情を中心とする「察する」に比べ、情報や状況分析を通じてある程度論理的に推測する感じがある。⇩感知・感づく・Q察する・推察・洞察・見抜く

ざっとう【雑踏(沓)】 多くの人が行き交って混雑する意で、会話にも文章にも使われる漢語。〈歳末の―〉〈繁華街の―を避ける〉〈街の―の中に消える〉✐道路の混雑などがすぐに連想され、「人込み」ほどの密度はないがさらに広範囲にわたる感じが強い。⇩人込み

ざっぱく【雑駁】 雑然としていて体系立っていない意で、改まった感じの会話や文章に用いられる硬い漢語。〈―な知識〉〈考え方が―に過ぎる〉⇩雑・Q杜撰《ずさん》・粗雑

さっぱり ①しつこさがなく、すっきり爽やかな状態をさして、会話や改まらない文章に使われる和語。〈―した味〉〈気持ちが―する〉〈髪を洗って―する〉〈きれい―忘れる〉✎「―した料理」はサラダや酢の物や梅干などが連想され、「―した化粧」は口紅や白粉の濃淡よりも髪型や衣装も含めた清潔感が中心で、「―した性格の人」は物事に熱中しても長く持続せず、いつまでもくよくよ悩んだり根に持ったりしないタイプの人物を思わせる。⇩あっさり ②「まるっきり」の意で、会話や硬くない文章に使われる和語。〈―わからない〉〈仕事が―捗《はか》どらない〉〈趣旨が―飲み込めない〉✎「成績のほうは―だ」といった形でも使う。⇩一向に・からきし・からっきし・全然・Qちっとも・てんで・全く・まるっきり・まるで①

さっぴく【差っ引く】「差し引く」の俗語形で、くだけた会話に使われる和語。〈収入から諸費用を―〉✎その業務に慣れているようなこなれた感じがある。⇩Q差し引く・引く②

さつりく【殺戮】多くの人間を残酷に殺す意で、主として文章中に用いられる硬い漢語。〈むごたらしい―現場〉〈無益な―を繰り返す〉✎火野葦平の『麦と兵隊』に「眼前に仇敵として―し合って居る敵の兵隊」とある。⇩殺す・Q殺害・殺人・ばらす②・人殺し

さと【里(郷)】妻・養子や住み込みの奉公人などの生家をさして、会話や軽い文章に使われる古風な和語。〈―に帰る〉〈―からの便り〉〈―から仕送りがある〉〈お―が知れる〉✎太宰治の『斜陽』に「―のお母さまのところに帰って」とある。夏目漱石の『草枕』に「詩のような春の―」とあるように、人家の集まっている人里をさす用法もある。⇩Q実家・生家

さどう【茶道】「ちゃどう」の意で、会話にも文章にも使われる漢語。〈―の作法〉〈―の心得〉〈―に励む〉✎現代ではこの読み方が一般的。⇩ちゃどう・Q茶の湯

さとことば【里言葉】田舎の言葉をさし、会話にも文章にも使われる古風なやわらかい和語。〈話の中に―が交じる〉✎「方言」のように体系を問題にせず個々の単語をさす。また、遊郭で使う特殊な廓《くるわ》ことばをさす場合もある。⇩方言・Q俚言《りげん》

さとる【悟る】洞察・覚悟といった意味合いで、改まった会話や文章に用いる古風な和語。〈これも運命と―〉〈死期を―〉〈―・り切れぬ苛立ち〉✎「事の重大さを―」「こちらの意図を先方に―・られる」「相手に―・られないようにひそかに近づく」のように、単に「察知する」といった程度の軽い意味の場合は、「覚る」と書き分けることもある。夏目漱石の『草枕』に「どこへ越しても住みにくいと―・った時、詩が生れて、画が出来る」とある。⇩覚悟・感知・察知・洞察

さなか【最中】「最中《さいちゅう》」の意で、改まった会話や文章に用いられる古風な和語。〈戦いの―〉〈多忙を極めている―〉〈この暑い―〉✎漢字表記は「さいちゅう」と区別しにくい。⇩さいちゅう

さながら【宛ら】まるであるものそのままというほど似ているの意で、主に文章中に用いられる古風な和語。〈―真昼の如き明るさ〉〈どうだんつつじは―満天の星のように見える〉✎堀辰雄の『風立ちぬ』に「暗に四方から包まれている

のを、あたかも自分の心の裡―のような気がしながら」と「あたかも」と共存する例がある。古語で「さ」は「そのように」、「ながら」は「そのまま」の意。⇩あたかも・さしずめ・丁度・Qまるで②

さばく【裁く】人間の行為について善悪の判断を示す意で、改まった会話や文章に用いられる和語。〈罪を―〉〈人を―権利〉〈法廷で―〉✎ものごとを適切に処理する意の「捌《さば》く」のうち善悪の判断の部分が独立した用法。「喧嘩《けんか》を―」といった例では両者のつながりがわかりやすい。⇩Q裁判・審判

さび【寂】古びて華やかさが薄れたために生じる枯れた渋みの味わいをさし、会話にも文章にも使われる古風な和語。〈侘び―の世界〉✎谷崎潤一郎の『友田と松永の話』に「余情を含んだ―のある唄声」とある。⇩Q侘び

さびしい【寂(淋)しい】満ち足りない、心細い意で、くだけた会話から文章まで幅広く使われる日常の基本的な和語。〈あたりが―〉〈―裏通り〉〈一人暮らし〉〈晩秋の―風景〉✎志賀直哉の『城の崎にて』に「冷たい瓦の上に一つ残った死骸を見る事は―・しかった」とある。「淋」の字は気持ちに限って用い、「にぎやか」の反対の意などでは「寂」の字を使うのが一般的。「さみしい」より一般的。⇩哀愁・さみしい・寂寞《せきばく》・寂寥《せきりょう》・わびしい

さびしさ【寂(淋)しさ】満たされず心細く思う気持ちをさし、くだけた会話から文章まで幅広く使われる基本的な和語。〈どっと来る―〉〈家族が離れ離れになる―〉✎芥川龍之介の『或日の大石内蔵助』に「このかすかな梅の匂につれて、冴返る心の底へしみ透って来る―は、この云いようのない―は、一体どこから来るのであろう」とある。

さびつく【錆(銹)び付く】錆《さび》がひどくくっつく感じになる意で、会話にも文章にも使われる和語。〈鉄の扉が―〉〈刀が―〉✎「腕が―」「頭が―」のように、鈍くなる意の比喩的な表現もある。⇩錆びる

さびる【錆(銹)びる】金属が水分に長く触れて酸化する意で、くだけた会話から硬い文章まで幅広く使われる日常の和語。〈鉄が―〉〈潮風で車が―・びやすい〉✎「―・びた声」のように、枯れて渋くなりかえって趣が出る意に用いる比喩的用法もある。⇩錆び付く

さびれる【寂れる】かつては賑わっていた場所が、その後勢いが衰えて人が集まらなくなり寂しい感じになる意で、会話にも文章にも使われる和語。〈―・れた町〉〈不況で商店が―〉✎芥川龍之介の『羅生門』に「洛中の―・れ方はひと通りではない」とある。⇩衰える・Q廃れる

サブレ　口当たりのさくさくしたもろいクッキーをさし、会話にも文章にも使われるフランス語からの外来語。〈アーモンド―〉✎イギリスの「ビスケット」もアメリカの「クッキー」もこのフランスの「サブレ」も基本的に同じだが、日本では若干大きめのイメージがある。⇩Qクッキー・クラッカー・ビスケット・ボーロ

さべつ【差別】分け隔てをする意で、会話にも文章にも使われる漢語。〈人種―〉〈―語〉〈―意識〉〈不当な―を受ける〉〈性―に当たる〉✎二葉亭四迷の『平凡』に「互の熱情熱愛に、人畜の―を撥無して、渾然として一如となる」とあ

る。⇩Qえこひいき・区別

さほう【作法】 ある物事を行う上で伝統的に決まっているやり方をさし、会話にも文章にも使われる漢語。〈いささか―の心得がある〉〈茶の湯の―を習う〉〈ひととおり―を身につける〉〈―どおりに演ずる〉〈伝統的な―にのっとって式を執り行う〉✎従来「さくほう」「さっぽう」などと読み慣わしてきた「文章―」「小説―」なども現在では「さほう」と読むのが一般的。⇩エチケット・行儀・Qマナー・礼儀作法・礼法

サポート 支え助ける意で、会話や軽い文章に使われる外来語。〈―体制〉〈側面から―する〉〈その案を―する〉⇩支持

さほど【然程】「それほど」「思ったほど」の意で、やや改まった会話や文章で使う、少し古い感じの和語。〈―の腕ではない〉〈―難しくない〉〈記録は―芳しくない〉⇩Qあまり①・あんまり

サボる やるべきことを怠ける意で、くだけた会話に使われる俗語。〈仕事を―〉〈仕事の途中で―〉〈授業を―〉✎怠業の意のフランス語「サボタージュ」を略して動詞化したことば。⇩おこたる・Qずるける・なまける

ざま【様】 軽蔑に価する状態をさし、くだけた会話で使う、ぞんざいな感じの和語。〈あの―は何だ〉〈―を見ろ〉〈―はない〉〈うっかり油断すると、この―だ〉✎夏目漱石の『坊っちゃん』に「送別会なら、送別会らしくするがいいです。あの―を御覧なさい」とあるように、見下げはてたという感じが強く、プラス評価の語とは結びつかない。⇩ありさま

サマー 「夏」の意で一定の言いまわしに使われる外来語。〈―キャンプ〉〈―タイム〉〈―セーター〉✎複合語として用い、単独では用いない。⇩夏

さまざま【様様】「いろいろ」の意で、やや改まった会話や文章に用いられる和語。〈―な考え方がある〉〈―な国を訪れる〉〈―な手続きが必要だ〉⇩色々・種々《しゅじゅ》

さまたげる【妨げる】 物事の進行を邪魔する意で、やや改まった会話や文章に用いられる和語。〈仕事を―〉〈進行を―〉〈日照を―〉✎夏目漱石は『こころ』で墓を「二人の間に立って、自由の往来を―魔物のようであった」と書いている。⇩邪魔・Q妨害

さまつ【瑣(些)末】 本筋から離れたちょっとしたことをさし、やや改まった会話や文章に用いられる漢語。〈―なことにかかずらう〉✎結果としては「些細《ささい》」と同じく、どうでもいいことになるが、「些細」が細か過ぎるところに重点があるのに対し、この語は本筋に無関係であるところに重点がある。⇩些細

さまよう【彷徨う／さ迷う】 一定の場所に落ち着かず、行ったり来たり歩き回ったりする意で、主として文章中に用いられる、やや美化した感じの古風な和語。〈あてもなく―〉〈林の中を―〉〈生死の境を―〉⇩さすらい・漂泊・Q彷徨《ほうこう》・放浪・流浪

さみしい【淋(寂)しい】「さびしい」の意で主に会話に使われるいくぶん古風な和語。〈―毎日〉〈友達がいなくて―〉✎人通りの少ない場合より孤独感について使われる傾向がある。⇩さびしい・わびしい

さむい【寒い】 気温の低さがつらいほど不快に感じられる場

合に、くだけた会話から硬い文章まで幅広く使われる日常の基本的な和語。〈冬の—朝〉〈北の—地方〉✎井伏鱒二の『黒い雨』に「真夏だというのに、ぞくぞくするほど—・かった」とある。「冷たい」に比べ、全身で感じる場合が多い。「暑い」と対立。⇩Q涼しい・冷たい・冷ややか

さむけ【寒気】病気による発熱や恐怖などのために感じる不快な寒さをさし、会話やさほど硬くない文章に使われる和語。〈—立つ〉〈ぞくぞくっと—がする〉✎武者小路実篤の『友情』に「不意に—がし、頭痛がした」とある。⇩悪寒《おかん》・鳥肌が立つ

さむらい【侍(士)】武芸を身につけ主に戦に備えて主君に仕える者をさし、会話にも文章にも使われる和語。〈田舎—〉〈—の家に生まれる〉〈—として仕官する〉✎「お—」とも言われたように、「武士」ほど格式ばった感じがしない。武家時代以前は、朝廷や貴族などに仕えて警護にあたる者をさした。「なかなかの—だ」のように、並外れた人を半ばからかって言う派生的な用法もある。⇩武家・Q武士

さめる【冷める】熱が失われる意で、会話でも文章でも日常よく使われる生活和語。〈スープの—・めない距離〉〈興奮が—〉〈ほとぼりが—〉⇩醒める・覚める・Q褪《さ》める・冷える

さめる【覚める】目覚めるなど意識などがはっきりする意で、会話でも文章でもよく使われる日常生活の和語。〈目が—〉〈眠気が—〉〈夢から—〉✎横光利一の『悲しみの代価』に「張り詰めていた彼の昂奮も急に吸われるように—・めて来た」とある。「酔いがいっぺんに—」「麻酔が—」「忠告されて迷いが—」のように、酔いや心の迷いの場合に「醒める」と書いて区別することもあるが、そういう表記は若干古風な感じを伴う。⇩Q醒める・冷める・褪《さ》める

さめる【褪める】色が薄くなり鋭さや鮮やかさや艶が失われる意で、会話でも文章でも幅広く使われる日常生活の和語。〈あれほど鮮やかだった色も年数を経てさすがにすっかり—・めてしまった〉〈少し—・めてペンキの色が落ち着いてきた〉✎野上弥生子の『若い息子』に「色の—・めた制服の腕を顔の両側に枠のように突っ張って歩いた」とある。「褪《あ》せる」が褪色《たいしょく》の途中経過に注目している感じなのに対して、色が鮮やかであるかないかに注目し、後者への変化を問題にする傾向が見られる。⇩褪せる・覚める・冷める・醒める

さめる【醒める】酒の酔いや心の迷いなどが消える意で、会話にも文章にも使われる和語。〈夜風に吹かれて酒の酔いが—〉〈麻酔が—〉〈恩師の一言で目が—〉⇩覚める・冷める・褪《さ》める

さもしい　欲が深く心の卑しい意で、会話にも文章にも使われる、やや古風な和語。〈—考え〉〈—根性〉⇩浅ましい・意地汚い・Q卑しい

さゆ【白(素)湯】沸かしただけで何も混ぜない、飲むための湯をさし、やや改まった会話や文章に用いられる和語。〈食後に—をいただく〉✎お茶などと区別するときに言うことが多い。「お湯」より少し上品に響く。⇩湯

さよう【作用】他に力や影響を与えることをさし、改まった会話や文章に用いられる専門的な漢語。〈相乗—〉〈薬の副—〉〈—を及ぼす〉✎木山捷平は『貧間さがし』で空襲の悲

惨さを、「時節柄もんぺをはいていたであろうに、爆風は、どのような化学―を起して、腰巻だけ肉体から分離し、屋根をつきぬけて、木の枝にひっかけたのか」と不思議な角度から描く。⇩機能・Q働き

さらう【攫う】 他人の物を奪い去る、持って行くの意で、会話や改まらない文章でよく使われ、やや古い感じになりかけている和語。〈他人の物を―〉〈人気を―〉⇩掻っ攫う

さらう【復習う】「復習する」に近い意味で、古めかしい感じの和語。〈そろばんを―〉〈三味線を―〉✎サトウハチローに『おさらい横町』と題する少年小説があり、「朝と夕方には近所の子供が、ずらりと塀のところにならんで、明日のおさらいをする横町になった」と、この名詞形「おさらい」を単に勉強の意に使っている。このように学校の勉強などについて使うと相当古い感じがするが、芸事などに用いる場合は今でもやや古風な感じがする程度。⇩復習

さらに【更に】 今まで以上にの意で、やや改まった会話や文章に用いられる和語。〈―念を押す〉〈―発展する〉〈―努力を重ねる〉〈―言えば〉⇩なお・Qもっと

サラミ 乾燥させて固くした香辛料入りの保存用ソーセージをさし、会話でも文章でも普通に使われるイタリア語からの外来語。〈ミラノ―〉〈―を薄く切ってビールのつまみにする〉✎普及するまでは「―ソーセージ」と説明的に呼んでいた。⇩サラミソーセージ

サラミソーセージ「サラミ」の古めかしい言い方。✎「サラミ」が珍しかった時期に、それが「ソーセージ」の一種であることを知らせた説明的な言い方。普及して知られるようになるにつれて単に「サラミ」と言うようになった。イタリア語に英語を組み合わせたこの語形は落ち着きが悪い。⇩サラミ

サラリー「給料」の意で、主に会話に使われる外来語。〈今月の―がまだ出ない〉〈―だけではやって行けない〉⇩給与・Q給料・月給・賃金・俸給

サラリーマン 役所や企業に勤務し給料をもらって生活している人をさし、会話や硬くない文章に使われる日常の外来語。〈―生活〉〈平凡な―〉✎「会社員」や「ビジネスマン」より広義。⇩会社員・勤労者・社員・従業員・Q勤め人・ビジネスマン・労働者

さりげない【然り気無い】 意図的な感じを相手に与えないごく自然な調子での意で、会話にも文章にも使われる和語。〈―様子で〉〈―風を装う〉〈―・くたしなめる〉〈―・く勇気づける〉⇩何気ない

さる【然る】「或る」の意で改まった会話や文章に用いられる古めかしい和語。〈―人の紹介で〉〈麹町《こうじまち》の―お屋敷〉✎「敵も―者」のように「相当な」「なかなかの」の意にも使う。仮名書きが普通。⇩或る・とある

さわ【沢】 浅く水がたまり草の生えた低湿地をさし、会話にも文章にも使われる和語。〈―歩き〉✎古井由吉の『水』に「―の音がまるで大勢の男たちの上ずった斉唱みたいに鳴り響いた」とある。「―を渡る」のように、山あいの小さな流れをさすこともある。⇩Q渓流・湿地・せせらぎ・谷川

さわがしい【騒がしい】 人々が騒いでいるらしく、うるさく感じられる物音が聞こえてくる意で、改まった会話や文章

に用いられる和語。〈人だかりがして何やら—〉〈隣の部屋がさっきから—〉✎「風が出たらしく林が—」のように、木々の枝が擦れる不規則な音にも使うが、音が大きくてもチャイムやジェット機のように規則的な音には使いにくい。「うるさい」「やかましい」ほど不快感が前面に出ておらず、客観的な感じがある。「このところ事件が多く世間が—」のように、具体的な音響と無関係に、落ち着きを失っている意にも使う。⇩うるさい・Q騒々しい・やかましい

さわぎ【騒ぎ】 大きな声を出して動き回る行為や、日常の平穏な生活を乱すような出来事や事件をさし、会話にも文章にも使われる和語。〈どんちゃん—〉〈—が持ち上がる〉〈とんだ—を引き起こす〉〈大変な—になる〉✎尾崎一雄の『虫のいろいろ』に「眉をぐっとつり上げた。すると、急に私の額で、—が起った。私のその動作によって額に出来たしわが、蠅の足をしっかりとはさんでしまったのだ」とあるなど、人間以外に使う例もある。「出産—」「受賞—」のように、めでたい場合にも使う。尾崎士郎の『人生劇場』に「大へんな人気をあおって初日は小屋の割れるような—になった」とある。⇩混乱・Q騒動・騒乱

さわぐ【騒ぐ】 大声を出したりうるさい物音を立てたりする意で、くだけた会話から文章まで幅広く使われる日常の和語。〈子供たちが—ので考え事ができない〉〈宴会で夜遅くまで—〉✎井伏鱒二の『黒い雨』に「荷物を捨てる決心もつかない風で家族数人ががやがや—いでいた」とある。「審判の判定に観客が—」のように、大勢で不服の言動を取る意や、「マスコミが—」「世間を—・がせる」のように、うるさく話題にしたりして平安を乱す意にも拡大して使う。⇩はしゃぐ

ざわめき【騒めき】 どの場所と特定できないがあちこちで騒ぐ音が起こる意で、改まった会話や文章に用いられる和語。〈観衆の—が聞こえる〉〈会場の—が一瞬消える〉✎円地文子の『女坂』に「花嫁を待ちうけている玄関には鳥の一斉に飛立つような—が起った」とある。意外なことが起こって多くの人間が驚いたり不満に思ったりして少し騒ぎ出すときに立てる音響で、「どよめき」より小さい音ながら長く続く傾向がある。「木々の—」のように、人間以外に用いる比喩的用法も見られる。⇩どよめき

さわやか【爽やか】 さっぱりとして爽快な気分の意で、会話にも文章にも使われる好感度の高い和語。〈—な秋晴れ〉〈—な季節〉〈高原の—な空気〉〈風が—に吹き渡る〉✎宮本百合子の『伸子』に「—に暢々《のびのび》した気分」とある。「—な感じの好青年」のように人間の印象に使う例もあり、また、「弁舌—」のように、明快でよどみない意に使う用法もある。⇩Qすがすがしい・爽快

さわり【障り】 病気の意で、挨拶や手紙などに用いられる古風な和語。〈お—もなく〉⇩疾患・疾病・病気・病魔・病・Q患い

さわる【触る】「接触する」意の和語で、「ふれる」より会話的。慣用表現以外は改まった硬い文章になじまない。〈相手の体に—〉〈売り物に直接—〉〈やたらに—・りまくる〉〈—・らぬ神に祟りなし〉〈当たらず—・らず〉〈寄ると—と〉✎島崎藤村の『嵐』に「ちょっと—・ったばかりじゃないか」とある。「ふれる」に比べ具体的。接触部位は手のひら、特

に指の腹。多くは意志をもって一定時間以上接し、なでるような摩擦運動を伴う傾向がある。展示品に接触しないようにという意図の注意書きで、「ふれる」の場合は「手をふれないで下さい」というように「手を」と限定するのがふつうだが、「さわる」の場合は、動詞自体に接触部位が示唆されているため、単に「―な」とするだけで「手で」という情報も含みとして伝わる。したがって、必要のない「手」という接触部位をわざわざ言語化して、「ふれる」に準じて「手を―・らないで下さい」として掲示すると、展示している彫像の手の部分という意味になりやすく、手以外なら接触を禁じていないようなニュアンスが出る危険もある。風呂敷包みを外から「―・って」中の品物を当てればたいてい驚くが、「ふれた」だけで中身を当てれば相手はもっと驚く。これも語感の違いが関係している。また、「電車にふれた」となると大怪我の恐れもあるが、「―・った」の場合はたいした怪我にならないような感じがするのも両語にそういう語感の違いがあるせいである。⇩接触・Q触れる

さんか【参加】 催しに出たり活動するグループに入ったりする意で、会話にも文章にも広く使われる日常の漢語。〈―者〉〈―賞〉〈組織に―する〉〈デモに―する〉〈―を呼びかける〉〈―を表明する〉⇩加わる・Q参入

さんかい【散会】 会合が終わって人々が帰る意で、改まった会話や文章に用いられる漢語。〈六時に―の予定〉〈このへんで―とまいりましょう〉⇩解散

さんがく【山岳〔嶽〕】 山になっている地形をさし、改まった会話や文章に用いられるやや専門的な漢語。〈―地帯〉〈―部〉〈―信仰〉✎島崎藤村の『夜明け前』に「―は屏風を立て廻したように、その高い街道の位置から東の方に望まれる」とある。個々の山より、そのような形状の地帯をさす例が多い。⇩山

ざんぎゃく【残虐】 思いやりの心が皆無でむごたらしい意として、やや改まった会話や文章に用いられる硬い感じの漢語。〈―非道〉〈―きわまりない行為〉〈―の限りを尽くす〉✎小林多喜二の『蟹工船』に「当時の―に充ちた兵隊の生活」とある。⇩Q残酷・残忍・むごい・むごたらしい

さんぎょう【産業】 人間の生活に必要な物資を生産する営みをさし、会話にも文章にも使われる漢語。〈―革命〉〈自動車―〉〈―が盛んだ〉〈―を奨励する〉✎商業・金融・通信・サービスなどまで含めた経済活動全体をさす場合もあり、その広義の用法では専門的な色彩が濃い。⇩Q実業・生産業

ざんきょう【残響】 音を発した音源の振動が終わった後、室内の壁や天井に跳ね返って聞こえる音響をさし、会話にも文章にも使われる漢語。〈―効果〉✎比喩的に使うと詩的に響く例もある。⇩エコー・こだま・Q反響・山彦《やまびこ》

サングラス まぶしさを避け、強い日差しから眼を保護するためのレンズに濃い色のついた眼鏡をさし、会話にも文章にも使われる外来語。〈―姿〉〈―を掛けて海岸を歩く〉✎「黒眼鏡」に比べ、ファッションの雰囲気が強い。⇩色眼鏡・Q黒眼鏡

さんげ【散華】 比喩的に華々しい戦死を意味する美称。✎井伏鱒二の『兼行寺の池』に「八紘一宇という国是のもとに―された英霊である。お上の召集で、はっきり云えば殺され

たのである」とある。戦時中を連想させる語。⇩死ぬ

さんけい【参詣】 神社や寺院に詣《もう》でる意で、改まった会話や文章に用いられる漢語。〈神社に―する〉〈境内は―人で賑わう〉✒拝む行為に重点のある「参拝」に比べ、そのために鳥居や門をくぐるところからの全体の流れを連想させるため、わざわざ訪れる感じが強い。⇩お参り・Q参拝・詣でる

さんこう【参考】 自分の考えをまとめたり確かめたりするために他の研究・資料・意見・方法などの助けを借りることをさし、くだけた会話から硬い文章まで幅広く使われる日常の漢語。〈―書〉〈―文献〉〈大変―になる〉〈御―までに〉✒小島信夫の『アメリカン・スクール』に「このような設備の中で教える教育というものが、僕たちに何の―になるものですか」とある。⇩参照

ざんこう【残光】 日が沈んだ直後に残る弱い光をさし、主に文章に用いられる漢語。〈海面に映るわずかな―〉✒太宰治の『走れメロス』に「陽は、ゆらゆら地平線に没し、まさに最後の一片の―も、消えようとした時」とある。⇩Q残照・夕映え・夕焼け

ざんこう【残香】 残っている匂いをさし、主に文章に用いる漢語。〈酒宴の後の―〉✒開高健の『巨人と玩具』に「酒の重い―のなかで目だけするどい光を浮かべていた」とある。⇩移り香・Q残り香

ざんこく【残酷】 容赦のないむごたらしい意で、会話でも文章でも幅広く使われる漢語。〈―な仕打ち〉〈―きわまりない手口〉✒梶井基次郎は『愛撫』で「猫の耳というと、一度「切符切り」でパチンとやって見度くて堪らなかった。これは―な空想だろうか?」と、猫の耳の感触に関する感覚的な発見を述べた。読者は衝撃を受けながら感覚的に納得する。⇩残虐・Q残忍・むごい・むごたらしい

さんざい【散財】 金銭を無駄に使う意で、会話にも文章にも使われる古風な漢語。〈たいへんな―だ〉〈とんだ―をおかけして申し訳ありません〉✒ある程度大きな金額を不必要なことに、という気持ちが強い。⇩空費・無駄遣い・濫費・Q浪費

さんさく【散策】「散歩」の意で主に文章の中に使われる少し詩的な漢語。〈林の中を―する〉✒「名文―」のように、肩の凝らないエッセイ風の書き物などをさす抽象化した比喩的用法もある。⇩Q散歩・逍遥《しょうよう》・そぞろ歩き

さんさくろ【散策路】「散歩道」の意で改まった文章に用いる硬い感じの漢語表現。〈愛用の―〉〈森陰の―をたどる〉⇩Q散歩道・プロムナード・遊歩道

ざんじ【暫時】 短い時間の意で、改まった会話や文章に用いられる古風で硬い漢語。〈―待たれよ〉〈―の猶予を願う〉〈―休息を取る〉⇩Qしばし・しばらく

さんしゅつ【算出】 計算して答えを出す意で、改まった会話や文章に用いられる硬い漢語。〈支出総額を―する〉〈有効面積を―する〉⇩勘定・Q計算

さんしゅつ【産出】 物がとれたり物をつくりだしたりする意で、改まった会話や文章に用いられるやや硬い漢語。〈金の―高〉〈石油を―する〉⇩生産

ざんしょ【残暑】 立秋を過ぎても残っている暑さをさし、会話にも文章にも使われる漢語。〈―見舞〉〈―がきびしい〉

📝永井荷風の『雨瀟瀟』に「いつに変らぬ―の西日に蜩の声のみあわただしく夜になった」とある。⇩暑中

さんしょう【参照】参考にするために照らし合わせる意で、やや改まった会話や文章に用いられる、やや専門的な漢語。〈―文献〉〈註を―せよ〉〈次ページの図を―のこと〉⇩参考

ざんしょう【残照】日が沈んでから雲や山頂などに照り映える形でわずかに残る夕日の光をさし、主に文章に用いられる詩的な漢語。〈―に染まる雲の峰〉〈―の山をカメラに収める〉📝「銀座は―の街である」のような比喩的な用法もある。⇩Q残光・夕映え・夕焼け

ざんしん【斬新】趣向などが目立って新しい感じである意で、やや改まった会話や文章に用いられる漢語。〈―な企画〉〈―なデザイン〉〈アイディアが―だ〉📝小林秀雄の『私小説論』に「天上を眺めず地上を監視する―な技法」とある。⇩新しい・新た・Qハイカラ

さんせい【賛成】他の意見や行動に同意する意で、くだけた会話から硬い文章まで幅広く使われる日常の基本的な漢語。〈―多数〉〈―の意を表する〉〈諸手《もろ》を挙げて―する〉〈―しかねる〉📝「反対」と対立。夏目漱石の『坊っちゃん』に「実に肯綮《こうけい》に中《あた》った剴切《がいせつ》な御考えで私は徹頭徹尾―致します」とある。⇩合意・賛同・同意

さんせき【山積】未処理のものが山のように沢山たまる意で、改まった会話や文章に用いられる漢語。〈机上に未決の書類が―する〉〈仕事が―し、どれから手を付けたらいいか迷う〉〈難問が―する〉📝具体物より抽象的なものによく使われる。⇩山積み

さんそう【山荘】山に建てられた宿や別荘をさし、会話にも文章にも使われる漢語。〈軽井沢に―を構える〉📝「山小屋」より大きく高級なイメージがある。⇩コテージ・山房・バンガロー・ヒュッテ・Q山小屋・ロッジ

ざんそん【残存】残っている意で、改まった会話や文章に用いられる硬い漢語。〈―勢力〉〈エネルギーが―する〉⇩余る・Q残る

サンダル 足全体をおおわずに甲やかかとをひもやベルトなどでとめる形の履物をさし、会話にも文章にも使われる日常の外来語。〈―履き〉〈―をつっかける〉📝「つっかけ」と違い、庭履きだけでなく女性の夏用の靴なども含む。⇩つっかけ

さんだん【算段】金銭などをやりくりして都合をつける意で、会話にも文章にも使われる、やや古風な漢語。〈やりくり―〉〈何とか―をつける〉⇩Q工面・都合

さんちょう【山頂】山の頂《いただき》の意で改まった会話や文章に用いられる漢語。〈―に立つ〉〈―からの眺め〉📝有島武郎の『生れ出ずる悩み』に「硫黄ヶ嶽の―(略)が、雲の産んだ鬼子のように、空中に現われ出る」とある。⇩頂・頂上・山巓《さんてん》

さんてん【山巓】「山頂」の意で主に文章に用いられる硬い漢語。📝堀辰雄の『風立ちぬ』に「真っ白い鶏冠《とさか》のような―」とある。⇩頂《いただき》・山頂・頂上

さんどう【賛同】他人の意見に賛意を表する意で、改まった会話や文章に用いられる漢語。〈―を求める〉〈大方の―を得る〉〈大いに―する〉⇩Q賛成・同意

さんにゅう【参入】ある領域に新たに加わる意で、改まった

会話や文章に用いられる、やや専門的な漢語。〈新規に―する〉〈市場に―する〉⇩加わる・Q参加

ざんにん【残忍】 残酷なことを平気でする意で、やや改まった会話や文章に用いられるやや硬い漢語。〈―な性格〉〈―な犯行に及ぶ〉✎大原富枝の『婉という女』に「この―は（略）魂の底にひっそりと棲みつづけていた」とある。「残酷」や「残虐」が結果としての行為のむごさに重点があるのに対し、この語はそのようなむごい仕打ちをする人間の無慈悲な心に重点がある。⇩残虐・Q残酷・むごい・むごたらしい

ざんねん【残念】 期待に反し心残りな意で、会話でも文章でも広く普通に使われる日常漢語。〈―無念〉〈―至極〉〈―な結果〉〈返す返すも―〉✎小沼丹の『更紗の絵』に「折角軌道に乗りかけたところで追放の眼に遭った校長は、余程―だったのだろう」とある。⇩Q遺憾・心残り・未練・無念

さんば【産婆】 妊婦の出産に立ち合って指導や手助けをする女性をさし、昔の会話で普通に用いられていた漢語。「助産婦」の旧称。〈―を呼びにやる〉✎国家試験の必要な「助産婦」（現在は助産師）に比べて職業名という意識は薄く、知識より経験が重要視される感じがある。医者より職業として低く見られていたほか、「産婆」の「婆」という漢字のイメージも悪く、この語は特に嫌われる。⇩助産婦

さんぱい【参拝】 神社や寺院でお参りする意で、会話にも文章にも使われる漢語。〈寺院に―する〉〈初詣の―客でごった返す〉✎竹西寛子の『兵隊宿』に、将校が「出発前に、ひさし君を連れて、神社―をしてきたいと思います」と、ひさしの母親に申し出る場面があるが、「詣《もう》でる」「参詣」に比べ、そのうちの拝む行為を取り立てた語で、たまたま通りかかった神社や寺の前で手を合わせるような場合も含まれる感じがある。⇩お参り・Q参詣・詣でる・らいはい・れいはい

さんぱつ【散髪】（主に男性の）髪を切りそろえる意で、会話にも文章にも使われる日常の漢語。〈―屋〉〈―に行く〉〈―してさっぱりする〉✎整えることより伸び過ぎた髪を切ることに重点のあるこの語は、例えば、縁側あたりで親が子供の頭をバリカンで刈っている昔の風景などにも使えそうだが、専門的な「理髪」という語はなじまない。東京では「―屋」より「床屋」のほうが一般的。なお、この語は以前、髪のもとどりを結わずに散らしたばらばらの髪をさした。⇩整髪・調髪・Q理髪

サンプル 標本・見本・一例の意で会話やさほど硬くない文章に使われる外来語。〈―調査〉〈―を供する〉〈―を集める〉〈―として示す〉〈―を進呈する〉〈―を取り寄せる〉〈一つの―にすぎない〉✎山口瞳の『江分利満氏の優雅な生活』に「いわば「老醜」の―みたいな人間」とある。⇩一例・標本・Q見本・例

さんぽ【散歩】 特定の用事もなく気晴らしや健康などのためにあてもなく歩く意で、くだけた会話から硬い文章まで幅広く使われる日常の漢語。〈ぶらりと―に出る〉〈食後の腹ごなしに―する〉〈―がてら古本屋を回る〉✎類義語中で最も一般的でよく使う。国木田独歩の『武蔵野』に「かの友と相携えて近郊を―した」とある。⇩Q散策・逍遥・そぞろ歩き

さんぼう【山房】 山にある住宅や別荘をさし、主として文章中に用いられる古風な漢語。〈―を訪ねる〉✎「漱石―」の

ように文人の書斎をさすこともあり、芥川龍之介の『玄鶴山房』にも「「玄鶴―」の額や塀越しに見える庭木などはどの家よりも数寄を凝らしていた」とある。⇩コテージ・山荘・バンガロー・ヒュッテ・Q山小屋・ロッジ

さんぽみち【散歩道】 楽しみながらぶらぶら歩く道の意で、くだけた会話でも文章でも幅広く使われる日常語。〈川沿いの―〉〈―にもってこいだ〉✎「散歩路」とも書く。小沼丹の『散歩路の犬』に「昔の森や雑木林がその儘残されている所も多いから、―としては悪くない」とある。⇩Q散策路・プロムナード・遊歩道

さんまん【散漫】 表現などがまとまらず要点のとらえにくいさまをさし、会話にも文章にも使われる漢語。〈文章が―な印象を与える〉✎「冗長」と違い、まとまらない点が中心で、必ずしも長くなるとは限らない。話や文章だけでなく、「意識が―になって集中できない」のように、気が散る意に使う例も多い。⇩冗長・Q冗漫・長たらしい・長ったらしい

さんやく【散薬】「粉薬」をさし、主に文章中に用いる古風な感じの専門的な漢語。〈―をパラフィン紙で包む〉⇩粉薬

さんやくそろいぶみ【三役揃い踏み】 組織で有力な立場にある三者が一堂に会することをさし、会話でも文章でも用いられる比喩的表現。〈名誉会長・会長・現社長が並び、さながら―といったところだ〉✎大相撲《おおずもう》の千秋楽にその日最後の三番で対戦する横綱や大関などの上位各三力士が東西に分かれてそろって四股《しこ》を踏む恒例の行事。相撲に限らず、お偉方がそろって顔を見せるような場合にも用いるが、まだ比喩的な感じが抜け切れない。

さんようすうじ【算用数字】 計算に用いる数字の意で、会話にも文章にも使われる漢語。〈縦書きには通常―でなく漢数字を使う〉✎筆算にアラビア数字を用いたところから、現代ではアラビア数字の別称となっている。⇩アラビア数字

さんらん【散乱】 不規則に細かく分かれて広がる意で、やや改まった会話や文章に用いられる漢語。〈ガラスの破片が―する〉〈空気中の微粒子が光を―させる〉✎吉本ばななの『哀しい予感』に「机の上もまるでバッグの中身をぶちまけたかのように小物が―していた」とある。「分散」や「散らばる」以上に乱雑な状態を連想させやすい。⇩Q散らばる・散り乱れる・分散

さんろく【山麓】 山の麓《ふもと》の意で、改まった会話や文章に用いられる硬い漢語。〈富士―〉〈―に点在する村〉✎「山頂」と対立。⇩裾・裾野・Qふもと・山すそ

し

じ【字】ことばや音を記す記号の意で、くだけた会話から軽い文章まで幅広く使われる日常の基本的な漢語。〈—がきれいだ〉〈難しい—を書く〉✎「文字」以上に日常会話でよく使う。柳家金語楼の落語『愉快な組長さん』に「—ってものは、この黒いところを読むんですか、それとも、黒いところの間を読むんですか」と尋ねる無筆の男が登場する。⇩Qもじ・もんじ

しあい【試(仕)合】武術やスポーツなどで強さを競って勝ち負けを争う試みをさし、くだけた会話から硬い文章まで幅広く使われる漢語。〈練習—〉〈—開始〉〈—が長引く〉〈—勘が鈍る〉✎小沼丹の『マロニエの葉』に「この正ちゃん帽の爺さんは—が始まっても何も喋らない」とある。⇩ゲーム

しあがり【仕上がり】出来上がる意やその出来具合をさし、会話やさほど硬くない文章に使われる日常の和語。〈—が早い〉〈綺麗《きれい》な—〉〈—が楽しみだ〉⇩仕上げ

しあげ【仕上げ】仕事の最終段階、また、完成したものの出来栄えをさし、会話やさほど硬くない文章に使われる日常の和語。〈—に入る〉〈—を急ぐ〉〈丁寧な—〉〈—が雑だ〉✎網野菊の『返事のいらぬ手紙』に「こんなみじめな死に方をされて私の「母」に対する思い出の不幸さは正に申し分ない—をされた」とある。⇩仕上がり

しあわせ【幸せ/仕合わせ】「幸福」とほぼ同義で、会話やさほど硬くない文章に使われる日常の基本的な和語。〈—者〉〈—を祈る〉〈—が舞い込む〉〈—な暮らし〉〈—をかみしめる〉〈どうぞお—に〉✎太宰治の『斜陽』に「お母さまと過ごした—の日の、あの事この事が、絵のように浮んで来て」とある。「—の薄い生涯」のように、特に幸運の意で使うこともあり、状態自体をさす「幸福」と比べ、この語は運のよさを感謝する気持ちが底流にある。⇩幸福

しあん【試案】試みに作ってみた仮の案の意で、やや改まった会話や文章に使われる漢語。〈—を用意する〉〈まだ—の段階〉〈—の域を出ない〉⇩私案

しあん【私案】自分の個人的な案の意で、改まった会話や文章で用いられる、へりくだった感じの漢語。〈—を述べる〉⇩試案

しい【恣意】その時々の思いつきの意で、主に硬い文章に用いられる漢語。〈—的な解釈〉〈判断に—が入り込む〉✎自由な感じの「任意」「随意」に比べ、自分の勝手といったマイナスのイメージが感じられる。⇩随意・Q任意

しいか【詩歌】近代詩・短歌・俳句の総称として会話にも文章にも使われるいくぶん専門的な漢語。〈近代—〉〈—をよくする〉✎散文詩は「詩歌」に含まれるが「韻文」には入らない。夏目漱石の『草枕』に「東洋の—はそこ(世間)を解脱したのがある」とある。「—管弦」のように漢詩と和歌を意味する用法は古めかしい。⇩韻文

しいく【飼育】飼って育てる意で、やや改まった会話や文章に用いられる漢語。〈—係〉✎学校などで観察目的に行うほかは、「豚を—する」「牛を—する」「鶏を—する」のよう

に、食肉用として売る、乳を搾る、卵を生産するなど、収入を得るという目的のもとに職業的に行う場合を連想させやすい。⇩飼う

シーズン その物事の盛んな季節をさし、スポーツなどに多用される。会話にも文章にも使われる外来語。〈旅行―〉〈スキー―〉〈―はずれ〉〈―を迎える〉〈―が過ぎる〉⇩Q季節・四季・時季・時候・時節

シーツ 「敷布」の意で会話にも文章にも使われる日常の外来語。〈―を洗う〉〈―を敷く〉〈―がしわになる〉✎現在は「敷布」よりこの語が一般的に使われる。堀辰雄の『聖家族』に「寝台の上で、―のように青ざめた顔をしながら」という比喩表現の例がある。⇩敷布

しいて【強いて】 無理にの意で、会話にも文章にも使われる和語。〈―言うなら豆腐に似ている〉〈―今やることはない〉⇩敢《ぁ》えて・故意・わざと・Qわざわざ

しいる【強いる】 相手が望まないことをするように強く迫る意で、会話にも文章にも使われる日常の和語。〈酒を―〉〈寄付を―〉〈妥協を―〉✎福原麟太郎の『交友について』に「寛容を―・いないでほしい。私の望む個人主義の友情も要諦はそこにある」とある。⇩強制・Q強要

しいれね【仕入れ値】 商品を仕入れたときの値段の意で、会話やさほど改まらない文章に使われる和語。〈―で譲る〉〈―が安いのでこの値段で売れる〉⇩原価・コスト・Q元値

じいん【寺院】 「寺」に近い意味で改まった文章にふさわしい漢語。〈―に詣でる〉〈回教の大―〉✎小沼丹の『椋鳥日記』に「議事堂やウエストミンスター―の塔に半旗が上っているのを見た」とある。「寺」と「院」との総称だから、大きく立派な感じで、「粗末な―」「貧しい―」という表現はぴったり来ない。また、「ノートルダム―」など仏教以外でも違和感なく使われる。⇩寺

シェーバー 「電気かみそり」をさす斬新な感じの外来語。〈各種の―を取りそろえる〉⇩電気かみそり・Qひげそり

ジェスチャー 「身振り」の意で、主として会話に使われる外来語。〈―だけで伝える〉✎近年は「ゼスチュア」より一般的。伊藤整の『破綻』に「その長い腕が不器用にある―で空に振りまわされると、講義は終わった」とあり、「ジェスチュア」の表記で出る。⇩しぐさ・ゼスチュア・手真似・Q身振り

シェフ 西洋料理店の料理長をさし、比較的新しく会話や文章で使われるようになった、フランス語からの外来語。〈高級レストランの―を務める〉⇩板場・板前・Qコック・調理師

しえん【支援】 援助を与える意で、改まった会話や文章に用いられる、公式な感じの漢語。〈―団体〉〈復興―〉〈―の手を差し伸べる〉✎「子育て―」などと近年、盛んに使う。⇩Q応援・加勢・支える・声援

ジェントルマン 「紳士」の意で、会話にも文章にもまれに使われる外来語。〈―風の人物〉〈あの男はああ見えてなかなかの―だ〉✎「レディー」と対立。現代では態度をさす例が多く、「洋行帰りの―」というふうに人の姿をさす用法は時代がかっていささか気障《きざ》に響く。⇩貴公子・Q紳士

しおからい【塩辛い】 塩味が強いと感じる味覚をさし、会話でも文章でもよく使われる和語。〈―漬物〉〈日本酒の肴は―物がよく合う〉✎内田百閒の『かしわ鍋』に「中身のバタ

は真っ黄色で、そうしてひどく―」とある。「辛い」のうち、塩味の場合を区別して言うときに用いる語。⇩辛い・Qしょっぱい

しおどき【潮時】 物事をするのにちょうどよい時の意で、会話やさほど硬くない文章に使われる和語。〈―を待つ〉〈今が―だ〉✎小沼丹の『椋鳥日記』に、乗り換えのためにプラットフォームに出たら寒く、そこの軽食堂で何となく「蕎麦を食おう」と思った後そこはイギリスだと気づき、「そろそろ引揚げる―を考えないと不可ない」と思い始める場面が出てくる。⇩頃合い・Q時宜

しおみず【塩水】 塩分を含む水や食塩を溶かした水をさし、会話にも文章にも使われる日常の和語。〈―に戻す〉✎「真水」と対立。⇩塩水《えんすい》・鹹水《かんすい》

しおれる【萎れる】 ①草花などが水分が乏しく生気を失ってぐったりする意で、会話にも文章にも使われる日常の和語。〈花が―〉✎「しなびる」ほど干からびた感じはなく、水をやれば少しは元に戻るような感じを残す。⇩しなびる・しぼむ ②気落ちして元気を失う意で、主として文章中に用いられる古風な和語。〈失恋して―〉〈悄然《しょうぜん》とうち―・れた姿〉✎正宗白鳥の『何処へ』に「心細くなって―・れて、遂にぶっ倒れて、睡る気ではなくても自然に眠ってしまう」とあり、谷崎潤一郎の『細雪』には「叱られると俄然気の毒なくらい―・れてしまう」とある。⇩思い屈する・悄然・しょげ返る・Qしょげる・しょんぼり・滅入る

しか それだけに限られるの意味合いで、会話でも文章でも幅広く使われ、限定の働きをする副助詞。〈移動手段はバス―ない〉〈この店には安物―ない〉〈食料はもうこれ―ない〉〈米―食べない〉〈京都に―ない珍しい菓子〉✎「向こうがああ大勢では、逃げる―ない」「こうなったら、もう、やる―ない」のように動詞に後接させる用法が口頭表現を中心に広まっているが、今でも違和感を覚える人があり、その場合は俗語的なニュアンスが生じる。そういう語感を避けるために、「―ない」を「ほかはない」という言いまわしに置き換えると、今度は気取ってことさら古めかしい表現を使っているという印象を与えやすく、「以外に手はない」などとまわりくどい表現に切り替える試みも見られる。⇩ほかはない

しかい【視界】 見通しの利く範囲の意で、改まった会話や文章に使われる、やや専門的な漢語。〈―良好〉〈霧で―が利かない〉〈―が開ける〉〈―をさえぎる〉〈霧が出て―が悪い〉✎夏目漱石の『草枕』に「わが―に横《よこ》たわる、一定の景物」とある。⇩視野

しかい【歯科医】「歯医者」の意で、改まった会話や文章に用いられる専門的な漢語。〈―を営む〉〈―の免許を取得する〉✎正式には歯科医師。⇩歯医者

しがい【死骸】「死体」をさし、くだけた会話から硬い文章まで広く使える漢語。〈動物の―〉〈―を片付ける〉✎林芙美子の『浮雲』に「棺へおさめた時の、煎餅のように薄べったくなっていた邦子の―」とある。動物にも使う。「死体」に比べ、死後ある程度時間が経過した感じで、「死人」や「死者」のような人間としての存在から遠ざかり、物的存在に移行した雰囲気がある。⇩遺骸・遺体・かばね・しかばね・死屍・死

者・Q死体・しにん・しびと・亡骸・むくろ

じがい【自害】刀剣などによって自ら命を絶つ意で、会話にも文章にも使われる古めかしい漢語。〈覚悟の上の―〉〈―して果てる〉✎昔の女が自分で喉を切るような連想がある。⇨自決・自殺・自尽・Q自刃

しかえし【仕返し】やられた相手に逆にやり返すことをさし、くだけた会話から改まらない文章まで使われる日常の和語。〈―が怖い〉〈きっと―してやる〉✎他の類語よりも軽い感じで、いたずら程度でも使えそうな雰囲気がある。⇨復讐《ふくしゅう》・Q返報・報復

しかく【四角】「四角形」「四辺形」の会話的な漢語表現。〈―な顔〉⇨矩形《くけい》・Q四角形・四辺形・長方形・長四角

しかく【視覚】目で対象を知覚するときに働く感覚系統をさし、やや改まった会話や文章に用いられる、やや専門的な漢語。〈―障害〉〈―に訴える〉✎徳永直の『太陽のない街』に「崖から突き落とされた怪我人のように、彼女はまだ―が定まらないで眩暈を感じていた」とある。⇨視力

しかけ【仕掛け】巧みにこしらえた装置や仕組みをさし、会話や硬くない文章に使われる日常の和語。〈―花火〉〈ぜんまい―で動く〉〈ちょっとした―がしてある〉〈たねも―もない〉✎小沼丹の『外来者』に「どう云う―になっているのか知らないが、三、四人の外国人に学生が何人か附添った組が幾つも出来て、テエブルに坐ってお喋りする」とあるように、抽象的な意味合いでも使う。⇨からくり・Q装置

しかし【然し／併し】「前に述べたこととは逆に(違って)」という関係を表し、やや改まった会話や硬い文章に用いられる和語。〈アイデアは素晴らしい。―、問題は、それをいかなる手段で実現するかである〉〈業務内容はほぼ等しい。―、待遇に若干の開きが見られる〉✎小林秀雄の『ゴッホの手紙』に「僕等は、必ずしも言う事が出来ない、―だ、にも係らずだ」とある。評論や学術論文などにふさわしい文体的レベルの、力の入った感じの言い方。⇨が・Qだが・でも

じがた【地形】土地の形の意で、会話にも文章にも使われる表現。〈―がよく住宅に最適だ〉⇨Qじぎょう・ちけい

しがたい【為難い】心理的な抵抗などがあり着手に踏み切れない意で、改まった会話や文章に用いられる古風で硬い表現。〈如何とも―〉〈この情況では―〉⇨しづらい・Qしにくい

しかたがない【仕方がない】ほかに方法がないの意で会話やそれほど改まらない文章中に用いられる表現。〈こんな出来では、笑われても―〉〈―から、諦めよう〉⇨しょうがない・Q仕様がない・止むを得ない

じかつ【自活】他の保護や援助を受けずに自分の力で生活する意で、会話にも文章にも使われる漢語。〈親から離れ―の道を選ぶ〉⇨Q自立・独立・独り立ち

しかっけい【四角形】会話的な「四角」の正式名称。〈菱形も―の一つ〉✎角が四つある点に注目した命名。⇨矩形《くけい》・四角・Q四辺形・長方形・長四角

じかに【直に】「直接」の意で、主として会話に使われる日常の表現。〈先方に―交渉する〉〈本人に―頼み込む〉〈湯呑みをテーブルに―置く〉✎人や物という具体的な関係で多く用い、「直接関係する」「直接関与する」「直接の原因」のように関連が抽象化すると使いにくくなる傾向が見られる。

⇩直接

しかばね【屍】「死体」をさす和語の文語的表現。〈―に鞭《むち》打つ〉〈生ける―〉✎大岡昇平の『花影』に「葉子を抱くと、―のような感じがした」とある。⇩Q遺骸・遺体・かばね・死骸・死屍・死者・死体・しにん・しびと・亡骸・むくろ

しがみつく【しがみ付く】抱きついて離れないようにする、そのものごとから離れまいと取り付く意で、会話や改まらない文章で多く使われる日常生活の和語。「すがり付く」より少し会話的。〈子供が母親に―・いて離れない〉〈振り落とされないようにしっかりと背中に―〉〈社長の椅子に―〉〈過去の栄光に―〉✎伊藤整の『馬喰の果て』に「腰のあたりへ蟹のような宙ぶらりんな恰好で―・いた」とある。頼りになる存在に対する「すがりつく」と違って、離れたくない存在に対して用いられる。⇩Qすがり付く・抱きつく

しかめつら【顰め面】不快感や苦痛で顔をしかめる意で、会話や改まらない文章に使われる和語。〈いかにも痛そうに―をする〉✎「しかめづら」ともいう。阿部知二の『冬の宿』に「しかめっ面をつくって首を垂れている」とあるように「しかめっつら」とすると強調され、よりくだけた感じになる。⇩渋面

しかる【叱る】きつい調子で注意する意で、くだけた会話から硬い文章まで幅広く使える日常の基本的な和語。〈親が子供を―〉〈先生が生徒を―〉〈上司にこっぴどく―・られる〉✎幸田文の『流れる』に「奥の四畳半で米子が不二子を―尖り声がした」とある。近年、特にくだけた会話などで、代わりに「怒《おこ》る」を使うケースが増えているが、「怒る」が自分の感情をぶつけることに主眼があるのに対して、この「叱る」には、相手のためを思って教育的配慮からきつく注意する、というニュアンスがある。このような語感の差が働いて、両者の用法にさまざまな違いが生じる。「怒りっぽい人」「怒って部屋を飛び出す」「かんかんになって怒る」「顔を真っ赤にして怒る」「上司を怒らせてしまう」といった表現で「叱る」を用いることはできず、「ちょっとしたことですぐ怒る」という場合も、「すぐ―」とすれば不自然になる。逆に、「―・り飛ばす」「こっぴどく―」といった表現では「怒る」を用いることはできず、「―・りつける」「きつく―」のような表現でも「怒る」を使うと不自然に響く。また、「周囲から褒められすぎてかえって怒り出す」ということは考えられるが、この場合も「叱り出す」ことはありえない。⇩いかる・Qおこる

しがん【志願】自分の意志で志すことをさし、会話にも文章にも使われる漢語。〈―者〉〈政治家を―する〉〈自ら―する者など一人もない〉✎「志望」に比べ、手続きをしてうまく行けばすぐに実現しそうな雰囲気があり、また、短い期間だけの場合も含まれる感じがある。森鷗外の『青年』に「詩人になりたい、小説が書いてみたいと云う―」とあるように、心の中の希望をさすのは古風な感じがある。⇩志望

じかん【時間】時の流れの中の一部分をさす漢語で、くだけた会話から硬い文章まで幅広く使われる基本的な日常語。ただし、時刻を意味する用法の場合は会話的。〈―給〉〈空き―〉〈所要―〉〈理科の―〉〈―の観念〉〈―が足りない〉〈もはや―の問題だ〉✎吉行淳之介の『闇のなかの祝祭』に

「—が滑べるように過ぎて行った」とある。専門的な用法としては、時のある一点から他の一点までの幅の長さを意味するが、古くは、時の一点をさす用法もあり、「汽車の—表」「出発—」などとしても使われた。現在では正式の掲示などで「列車の時刻表」「出発時刻」と改められているが、日常会話では「発車の—になる」「もうそろそろ始まる—だ」「—がとっくに過ぎている」のような表現がむしろふつうで、そこに「時刻」を用いると少し取り澄ました感じになり、対話が他人行儀に感じられる。日常会話で「—になったら知らせて」と言うときに厳密に「時刻」と言う人はめったにいないし、朝に「時刻ですよ」と言って子供を起こす母親もいまだ見かけない。⇩Q時刻・時

じかんひょう【時間表】「時刻表」の古い言い方。〈古い—を眺めると、若いころを思い出す〉✎小津安二郎の映画『東京物語』(一九五三年)のシナリオでは、冒頭シーンに「とみはいそいそとして荷物を詰め、周吉は汽車の—を調べている」という説明がある。蒸気機関車の衰退に伴って「汽車の—」は「列車の—」になり、この語は「時刻表」へと移行した。

しき【式】一定の形式で行われる改まった行事をさし、会話にも文章にも使われる漢語。〈卒業—〉〈結婚—〉〈—次第〉〈—を挙げる〉✎規模は大小さまざまで、特に結婚式をさす例も多い。夏目漱石の『坊っちゃん』に「祝勝の—は頗る簡単なものであった」とある。⇩儀式・Q式典

しき【四季】春夏秋冬の四つの季節の総称として、やや改まった会話や文章に用いられる、いくぶん美的な漢語。〈—咲き〉〈—折々の花〉〈—の移り変わり〉〈日本の—〉〈—を通じて〉⇩Q季節・シーズン・時季・時候・時節

しき【死期】死ぬ時期をさし、主として文章に用いる漢語。〈—を早める〉〈—をさとる〉〈—が迫る〉〈—を迎える〉✎川端康成は『山の音』の冒頭近くで「ふと信吾に山の音が聞えた」と書き、「音がやんだ後で、信吾ははじめて恐怖におそわれた。—を告知されたのでないかと寒けがした」と展開する。⇩Q天命・臨終

じき【時期】事を行う時の意で、会話でも文章でも一般によく使われる漢語。〈—尚早〉〈—が悪い〉〈—が過ぎる〉〈入試で忙しい—を迎える〉⇩時機・時季

じき【時季】季節・シーズンの意で主に文章中に用いられる硬い感じの漢語。〈—外れ〉〈桜の—を迎える〉⇩Q時期・時機

じき【時機】タイミングの意で、改まった会話や文章に用いられる硬い漢語。〈—到来〉〈—を見定める〉〈—を失する〉〈—をとらえた好企画〉✎夏目漱石の『こころ』に「適当の—が来なくっちゃ話さないんだから」とある。⇩時期・Q時季

じき【磁器】陶土や石粉《いしこ》などを配合して形を作り釉薬《うわぐすり》をかけて高温で焼いた器をさし、改まった会話や文章に用いられる専門的な漢語。〈—の大皿〉〈—製の置物〉✎白色半透明で硬く吸水性がない。有田焼や九谷焼など。電気絶縁物としても使用。⇩かわらけ・瀬戸物・Q陶器・陶磁器・土器・焼き物

じぎ【時宜】物事を始めるきっかけとして適当だの意で、改まった会話や文章に用いられる硬い感じの漢語。〈—に合う〉〈—にかなう〉〈—を得る〉⇩頃合い・Q潮時

しきかん【指揮官】集団を統率し指図を与える立場の人をさ

し、やや改まった会話や文章に用いられる漢語。〈―の命令に服従する〉〈―の指示に従う〉✎職務の名称である「監督」について、その性格を説明した感じの語。⇩監督・指導者・リーダー

しきけん【識見】ものごとに正しい判断を下す学識と見解をさし、主として硬い文章に用いられる漢語。〈高い―をそなえる〉✎芥川龍之介の『侏儒の言葉』に「―を論ずれば必ずしも政治家に劣るものではない」とある。⇩見識

しきさい【色彩】色そのものや配色による色合いをさし、いくぶん改まった会話や文章に用いられる漢語。〈―感覚〉〈―豊か〉〈鮮やかな―〉〈―を帯びる〉✎梶井基次郎の『檸檬』に「檸檬の―は(略)ガチャガチャした色の諧調をひっそりと紡錘形の身体の中へ吸収してしまって、カーンと冴えかえっていた」とある。⇩Q色・色合い・カラー・色調

しきじょう【式場】儀式を行う場所の意で、いくぶん改まった会話や文章に用いられる漢語。〈結婚―〉〈―を予約する〉✎「会場」の一部。⇩会場

しきたり【仕(為)来り】以前からの習わしが形式的に固定したものをさして、会話や硬くない文章に使われる、いくぶん古風な感じの和語。〈わが家の―〉〈長い間の―が今に残る〉〈従来の―に従う〉⇩Q慣習・慣例・習慣・習わし・風習

しきちょう【色調】色の濃淡や強弱などの調子をさし、やや改まった会話や文章に用いられる、いくらか専門的な感じの漢語。〈やわらかい―〉〈落ち着いた―〉✎氷室冴子の『冴子の東京物語』に「すべてが沈んだ―の中で、真っ白な服装の私は人目を惹いたらしかった」とある。⇩色・Q色合い・カラー・色彩

しきてん【式典】団体などが行う大がかりで豪華な儀式をさし、改まった会話や文章に用いられる正式な雰囲気の漢語。〈厳かな記念―〉〈―を挙行する〉〈―に臨む〉⇩儀式・Q式

じきに【直に】あまり時間を経ないうちにの意で、主として会話に使われる日常の表現。〈―治る〉〈―よくなる〉〈―終わる〉✎「じき」という判断は主観的・相対的だからその時間にはかなりの幅があり、夏目漱石の『坊っちゃん』では「行く事は行くがじき帰る」のあとに「来年の夏休には屹度帰る」と続く。⇩そのうち・程なく・Q間も無く・やがて

じきひつ【直筆】地位の高い人や著名人などが自分で直接記す意で、会話にも文章にも使われる漢語。〈社長―の手紙〉〈文豪―の原稿〉✎「自筆」より貴重な感じが強く、一般の人に使うと大仰に響く。⇩自筆

しきふ【敷布】敷き布団の汚れ防止のためそれを覆うように敷く布をさし、会話にも文章にも使われる古風な表現。〈布団に―を掛ける〉〈―を丁寧に畳む〉⇩シーツ

しきべつ【識別】直感的区別の意で、改まった会話や文章に用いられる硬い漢語。〈善悪の―〉〈雌雄を―する〉〈暗過ぎて―が難しい〉⇩鑑識・鑑定・鑑別・区別・Q判別・弁別・見分け

しきゅう【至急】きわめて急ぐ意で、やや改まった会話や文章に用いられる漢語。〈―届ける〉〈―連絡を取る〉〈―の手紙〉✎語義としては「大急ぎ」に近いが、別に「大至急」という語があるだけに、緊急性は若干弱く感じられる。⇩Q大急ぎ・大至急

しきょ【死去】「死亡」の意で改まった文章に用いる漢語。⇩

〈恩師―の報に接する〉〈会長の―に伴う後任の件〉✎小沼丹の『木山捷平』に「四十三年五月東京女子医大付属消化器センターに入院、八月―した」とある。現代ではかなり客観的で直接的な表現であるが、「亡くなる」を「去る」ととらえた点で「死亡」よりはいくらか感情の入った表現という印象を与える。⇩敢え無くなる・上がる②・あの世に行く・息が切れる・息が絶える・息を引き取る・往く・いけなくなる・永眠・往生・お隠れになる・落ちる②・おめでたくなる・帰らぬ人となる・くたばる・Q死ぬ・死亡・昇天・逝去・斃《たお》れる・他界・長逝・露と消える・天に召される・亡くなる・儚《はかな》くなる・不帰の客となる・不幸がある・崩御・没する・仏になる・身罷《みまか》る・脈が上がる・空しくなる・藻屑となる・逝く・臨死・臨終

しきょう【司教】カトリックで大司教の下位で司祭の上位に位置する聖職をさし、会話にも文章にも使われる専門的な漢語。〈―という大任を仰せつかる〉✎司教区全体の管理に当たる。⇩Q司祭・神父・牧師

じきょう【自供】犯人・被疑者・被告などが取り調べに際して犯罪行為を自分から打ち明ける意で、会話にも文章にも使われる専門漢語。〈犯行を―する〉〈―に基づいて検証に入る〉⇩供述・Q自白・白状

じぎょう【地形】「じがた」の意で、会話にも文章にも使われる古風で専門的な漢語。〈―に難がある〉✎地固めや基礎工事の意でも使う。⇩じがた・Qちけい

じぎょう【事業】社会的で大規模な仕事、営利目的で計画的に行う経済活動をさし、会話にも文章にも使われる漢語。〈公共―〉〈慈善―〉〈―を興す〉〈―に手を出す〉〈―に失敗する〉✎芥川龍之介の『歯車』に「なぜ僕の父の―は失敗したか？」とある。⇩Q仕事・実業

しきよく【色欲】「情欲」に近い意味で、主として文章に用いられる古めかしい漢語。〈食欲と―の両方だ〉✎意味の共通部分をもつ「愛欲」「情欲」より少し性的なイメージが濃く、「性欲」「淫欲」「肉欲」「獣欲」に比べると厭《いや》らしさが比較的少ない。「欲」と結びつくもう一つの漢字のイメージの差によるものと思われる。⇩愛欲・淫欲・獣欲・Q情欲・性欲・肉欲

しきりに【頻りに】「頻繁に」に近い意味で、会話やさほど硬くない文章に使われる和語。〈―犬が吠える〉〈―汗を拭く〉〈―催促する〉〈―首をひねる〉✎くだけた会話では「しきりと」という俗っぽい語形も現れ、文章中には「悔やむことしきり」といった古風な表現も見られるが、いずれも意味は変わらない。また、「―行きたがる」「―母親を恋しがる」のように、程度が甚だしい意でも使う。⇩ひっきりなしに・Q頻繁

しきん【資金】事業や経済活動のもとになる金をさし、会話にも文章にも使われる漢語。〈運転―〉〈―集め〉〈―繰りが苦しい〉〈―を用意する〉〈―を提供する〉〈―が底をつく〉〈公的―を投入する〉✎永井荷風の『濹東綺譚』に「本堂建立の―寄附者の氏名」とある。⇩資本・Qもとで・予算

しぐさ【仕草(種)】体の動きや姿勢の意で、会話にも文章にも使われる、いくぶん古風な感じのやわらかい和語表現。〈なにげない―〉〈かわいらしい―〉〈奇妙な―〉〈舞台上の―〉✎有吉佐和子の『華岡青洲の妻』に「舞のように―が美しいのだ」とある。「ちょっとした―を真似《まね》る」など、小さ

な動きながらどこか特徴のある様子に用いられる傾向が見られる。⇩ジェスチャー・所作・ゼスチュア・身振り

しくじる 失敗する意で、くだけた会話に使われる俗っぽい和語。〈細工を―〉〈勤め先を―〉✎武者小路実篤の『友情』に「仲田が―と皆嬉しそうに笑った」とある。⇩エラー・失策・失態・Q失敗・とちる・抜かる・ぽか・ミス・ミスる・やり損なう

シグナル 信号や信号機をさし、会話にも文章にも使われる外来語。〈―を送る〉〈―が出る〉✎永井龍男の『絵本』に「―の色は次第に濃くなる」とある。⇩Q合図・サイン②・信号

しくむ【仕組む】 よからぬ計画に合わせて手筈《てはず》を整える意で、会話にも文章にも使われる和語。〈二人がいがみ合うように―〉〈巧みに―・まれた罠《わな》〉✎小林多喜二の『蟹工船』に「仕事の上で競争させるように―・んだ」とある。⇩企てる・Qたくらむ・謀《はか》る・もくろむ

しぐれ【時雨】 晩秋から初冬にかけて断続的に降る細かい雨をさし、主に文章に用いられるやや詩的な和語。〈北山―〉〈―に濡れる〉✎丸谷才一の『横しぐれ』に「横なぐりの雨と言うか、横なぐりの―と言うか。その―を見てわたしが横―だとつぶやいたら、坊主がえらく感心して」とある。暗い冬へと向かう心細い季節のせいもあり、このしっとりとした文学的な語には、静かでどこか物淋しい雰囲気がある。⇩霧雨・小雨・こぬか雨・Q通り雨・ぬか雨

しけ【時化】 風雨が激しく海が荒れる意で、会話にも文章にも使われる、いくぶん古風な感じの和語。〈大―にあう〉〈―で魚が高い〉⇩Q嵐・おおかぜ・強風・颶風《ぐふう》・疾風・陣風・大風・台風・突風・はやて・暴風・暴風雨・烈風

じけい【字形】 書いたり印刷したりして誌上に実現する文字の幾何学的な図形をさし、学術的な会話や文章に用いられる専門的な漢語。〈活字の「比」は実際に書く場合と―が違う〉✎例えば、漢字の「天」を書く場合、人によって右肩上がりになったり下の開きが違ったり二本の横棒の上が長かったり短かったりする。「夫」に見えない範囲での字形の非本質的な細かい違いを捨象し、それぞれの書き手が頭に描く漢字を同じ字種と認定する。⇩Q字体・書体

しげき【刺激】 感覚器官や精神に働きかけて反応・変化・興奮などを引き出す意で、会話にも文章にも使われる漢語。〈―臭〉〈―が強い〉〈皮膚を―する〉〈―を与える〉〈いい―になる〉〈―的な発言〉✎志賀直哉の『暗夜行路』に「なるべく感情を―せんように」とある。「反応」と対立。⇩影響・Q逆撫で

じけつ【自決】 組織や個人が主義主張を掲げ強い決意のもとに自分の命を絶つ意で、改まった会話や文章に用いられる硬い漢語。〈集団―〉〈責任を痛感し―する〉⇩Q自害・自殺・自尽・自刃

しける【湿気る】 「湿る」意で会話や軽い文章に使われる、やや俗っぽい和語。〈海苔が―〉〈畳が―〉✎「湿気」を活用させた語という。⇩しっける・Q湿る

しけん【試験】 人の知識や能力や適性などを調べるために問題を課して答えさせる試みをさして、くだけた会話から硬い文章まで幅広く使われる日常の漢語。〈入学―〉〈筆記―〉〈―場〉〈―日〉〈―に臨む〉〈―に受かる〉〈面接―に落ちる〉✎「考査」と違って実技なども入る。「考査」ほど

格式ばっていないが、「テスト」より正式で本格的な感じがある。「—飛行」「—採用」「—的に」のように、実際に験《ため》してみる意にも使う。⇩考査・Qテスト

しげん【至言】 真理や真実などを的確に言い表したことばをさし、主に文章中に用いられる硬い漢語。〈けだし—と言うべきであろう〉✎サトウハチローの『浅草悲歌《エレジー》』に「恋をしている者同志にとって、沈黙の時ほど擽ったくも楽しいものはない」とあるのはその一例か。⇩名言・名文句

しげん【資源】 生産活動のもとになる水産物・森林・鉱物などの自然物をさし、会話にも文章にも使われる漢語。〈地下—〉〈—に恵まれる〉〈天然—が豊富だ〉✎人手が加わると「物資」に変わる。⇩物資

じけん【事件】 非日常的な重大な出来事、特に犯罪や訴訟にかかわるものをさし、会話にも文章にも広く使われる漢語。〈放火—〉〈刑事—〉〈—の鍵を握る〉〈—が明るみに出る〉〈—が無事に解決する〉✎夏目漱石の『坊っちゃん』に「今回のバッター及び吶喊—は吾々心ある職員をして、ひそかに吾校将来の前途に危惧の念を抱かしむるに足る珍事」とある。「—をもみ消す」のように表沙汰にならない場合もあるが、日常のありふれた出来事に用いると大仰過ぎて違和感がある。井上ひさしの長編『吉里吉里人』は「この、奇妙な(略)ストレスノイローゼの原因になったこの—」という三百字を超える長大な一文で始まる。⇩出来事・やま

しご【死後】 その人間が死亡した後の意で、会話にも文章にも使われる漢語。〈—硬直〉〈—数日経過する〉〈—に高い評価を得る〉✎「没後」より露骨で感情が入らず客観的。「—の世界」のような想像上の事柄にも使う。「生前」と対立。⇩没後

じこ【自己】 自分自身の意で、やや改まった会話や文章に用いられる、やや硬い感じの漢語。〈—満足〉〈—責任〉〈—中心〉〈—管理〉〈—顕示欲〉〈—暗示にかかる〉〈—主張が強い〉〈—を犠牲にする〉✎「自分」と違い、肉体をささず抽象的な存在を問題にする場合に使う。「自分」に比べ、考える対象として内面を強く意識した表現。⇩おのれ・自身・Q自分・みずから

じこ【事故】 思いがけずに起こった悪い出来事をさし、会話にも文章にも使われる日常の漢語。〈交通—〉〈—現場〉〈—を起こす〉✎大岡昇平の『野火』に「弾丸が彼女の胸の致命的な部分に当ったのも、偶然であった。私は殆んどねらわなかった。これは—であった。しかし—なら何故私はこんなに悲しいのか」とある。⇩Q事件・出来事

じご【事後】 事の起こった後の意で、改まった会話や文章に用いられる公式の雰囲気のある漢語。〈—承諾〉〈—処理〉〈—報告〉⇩爾後《ごじ》

じご【爾後】 その後の意で、改まった文章に用いられる硬い漢語。〈—の消息は杳《よう》として知れない〉〈—一切の関係を絶つ〉⇩事後

しこう【思考】 考える行為や考えた内容をさして、改まった会話や文章に用いられる漢語。〈十分な—を重ねる〉〈—力を試される〉〈—を簡潔に表現する〉✎清岡卓行の『朝の悲しみ』に「遠い昔に捨てた—の木乃伊《みぃら》のようなもの」とある。⇩意見・考え・見解・考慮・Q思索・思想・思慮・認識

しこう【施行】 政策などを実行したり法令や規則を発足させたりする意で、公的な会話や文章に用いられる専門的な漢語。〈—細則〉〈政策を—する〉〈法律が—される〉✎「執行」との区別を明確にするために口頭では「せこう」と言うこともある。⇩施工《しこう》・執行・実行・Q実施・施行《せこう》・施工《せこう》・履行

しこう【施工】 工事を行う意で、改まった会話や文章に用いられる正式な感じの硬い漢語。〈建築の設計及び—〉✎「施行」と紛らわしいため、日常会話では「せこう」と言うことが多い。⇩施行《しこう》・執行・実行・実施・施行《せこう》・施工《せこう》・履行

しこう【歯垢】 歯の表面に付着するやわらかい汚れをさして、学術的な会話や文章に用いられる歯学の専門的な漢語。〈—がたまる〉〈—を除去する〉✎日常会話では「歯糞《はくそ》」という。「歯石《しせき》」のもとになる。⇩歯石・歯糞

しこう【試行】 計画どおりになるかどうか実際に行って試す意で、主に文章に用いられる硬い漢語。〈—期間〉〈—錯誤を繰り返す〉⇩Q試み・試し

じこう【時候】 四季それぞれの季節ごとの気象状況をさし、会話にも文章にも使われるやや古風な漢語。〈—の挨拶〉〈今は—がいい〉✎森鷗外の『雁』に「もう—がだいぶ秋らしくなって、人が涼みにも出ぬ頃」とある。永井荷風の『雨瀟瀟』には「其夜の雨から—が打って変ってとても浴衣一枚ではいられぬ肌寒さ」とある。⇩気候・気象・天候

じこう【事項】 全体を構成している個々の事柄をさし、やや改まった会話や文章に用いられる正式な感じの漢語。〈懸案—〉〈注意—〉〈検討—〉〈—索引〉〈首相の専権—〉〈重要な—を網羅する〉✎「項目」よりも規模が少し大きく、その内容に重点のある感じがある。⇩アイテム・Q項目・事柄

じごえ【地声】 作り声に対して、自然な発声法で出すその人の生まれつきの声をさし、会話にも文章にも使われる日常語。〈—で歌う〉〈大きいのは—だ〉✎幸田文の『流れる』に「同じその声が糖衣を脱いだ—になっていた」とある。「裏声」「作り声」と対立。⇩肉声

じこく【時刻】 時の流れの中の一点をさす漢語で、「時間」に比べやや専門的で改まった感じの語。〈到着—〉〈ただ今の—は〉〈予定の—を過ぎる〉〈約束した—をきちんと守る〉✎大岡昇平の『俘虜記』に「—は残留者が誰も時計を持っていなかったのではっきりしたことはわからない」とある。くだけた会話では、「時間になる」のように「時間」という語を用いることが多い。⇩Q時間・時

じこく【自国】 他の国に対する自分の国をさし、会話にも文章にも使われる少し硬い感じの漢語。〈—の利益を最優先する〉〈—の歴史に誇りを持つ〉〈—の文化を海外に紹介する〉✎特に思い入れもない客観的な表現。⇩Q故国・祖国・母国・本国・本土

じごく【地獄】 悪い人間が死後に罰を受けるところの意で、会話にも文章にも使われる漢語。〈—に堕《お》ちる〉〈—の沙汰《さた》も金次第〉✎武田泰淳の『異形の者』に「『私は—へなど往きません』と私は、旅行の相談でもしているように気楽に答えた」とある。仏教では「極楽」と対立し、現世に悪事を働いた人間が死後にその報いで苦しみを受ける場所を、キリスト教では「天国」と対立し、この世で罪を犯しながら悔い改めない罪人が死後に永遠の苦しみを受けるとされる

場所をさす。比喩的に、「受験―」「―の猛稽古」「―の苦しみを味わう」「―を見る」のように、単にひどい苦しみの意でも使う。⇩煉獄《れんごく》

じこたま 数量の甚だ多い意で、くだけた会話に使われる俗っぽい和語。〈―儲《もう》ける〉〈―溜《た》め込む〉〈―買い込む〉🖊やや非難めいたニュアンスが伴いやすい。⇩一杯・うんと・多い・しこたま・沢山・たっぷり・たんと・Qたんまり・どっさり

しごと【仕(為)事】 職業・業務・作業・労働など広い意味を漠然とさし、くだけた会話から文章まで幅広く使われる日常の最も基本的な和語。〈神経を遣う―〉〈―を探す〉〈―が来ない〉〈―にありつく〉〈周囲の騒音で―にならない〉〈一日の―量〉〈―がはかどる〉〈―がきつい〉〈―に追われる〉〈―に差し支える〉〈―に精を出す〉〈―を休む〉🖊森鷗外の『花子』に「同時に幾つかの―をはじめて、かわるがわる気の向いたのに手を着ける」とある。「いい―をしている」「いい―を残す」のように、作業の結果や業績などをさす用法もある。⇩Q商売・職・職業・なりわい

しごとば【仕事場】 実際に仕事をする場所をさし、会話やさほど硬くない文章に使われる。〈―が編集部から営業部に移る〉〈自宅の近くに―を借りる〉🖊「職場」より小規模で具体的な場所、会社の場合は組織全体というより自分の所属している部署程度をさして使う傾向があり、作家が小説を書くときに使用する部屋なども含まれる。⇩勤務先・Q職場・勤め先

しこめ【醜女】「不美人」の意のほとんど古語に近い和語。⇩悪女・おかちめんこ・醜女《しゅうじょ》・醜婦・すべた・Qぶす・不美人

しさ【示唆】 それとなく教える意で、改まった会話や文章に用いられるやや硬い漢語。〈―に富む〉〈―を与える〉〈―するところ大である〉🖊「暗示」や「ヒント」に比べ、価値のある情報を連想させやすい。⇩Q暗示・ヒント

しざ【視座】 ものを見たり考えたり論じたりする際の基本となる立場をさし、主として文章に用いられる専門的な漢語。〈―に立つ〉〈―を変更する〉🖊一部の学問分野に比較的新しく現れて一時期盛んに使われた語で、若干翻訳的な雰囲気を漂わせる。⇩観点・Q見地・視点・立場

しさい【司祭】 カトリック教会で司教に次ぐ聖職をさし、会話にも文章にも使われる専門的な漢語。〈―に任じられる〉🖊日常生活では多く「神父さん」と呼ばれる。⇩司教・Q神父・牧師

しざい【資材】 木材など、物を作る際の材料となる物質をさし、会話にも文章にも使われる、やや専門的な漢語。〈―置き場〉〈建築用の―〉⇩材料・Q素材

しさく【思索】 筋道をたどって深く考える意で、主に文章に用いられる硬い漢語。〈哲学的―〉〈―に耽《ふけ》る〉〈―をめぐらす〉🖊福原麟太郎の『顔について』に「マスクの底に、その人の叡知、苦労、―のあと、善玉悪玉を見透せないようでは、年を取った甲斐がない」とある。スケールに関係なく広く使われる「思考」に対し、この語はまとまった内容を秩序立てて考える場合にのみ用いる。⇩意見・考え・見解・考慮・Q思考・思想・思慮

しさく【施策】 社会情勢の変化に応じて政府などが施す対策の意で、改まった会話や文章に用いられる専門的な漢語。

〈―を講じる〉〈―に窮する〉⇩善後策・Q対策

しさつ【視察】 その場所に行って直接見て実状を知る意で、やや改まった会話や文章に用いられる公的な雰囲気の漢語。〈―のため海外に出張中〉〈現地を―する〉〈被害状況の―に出かける〉⇩査察

じさつ【自殺】 自ら命を絶つ意で、くだけた会話から硬い文章まで幅広く使われる日常の漢語。〈―未遂〉〈投身―〉〈―を企てる〉〈―を決行する〉🖋類義語中最も一般的な語でよく使われる。⇩Q自害・自決・自尽・自刃

しさん【資産】 資本となりうる財産をさし、改まった会話や文章で用いられる、やや専門的な硬い感じの漢語。〈固定―〉〈―を運用する〉〈―を凍結する〉〈―を公開する〉⇩Q財産・身上《しんしょう》・身代

じさん【持参】 持って行く意で、やや改まった会話や文章に用いられる漢語。〈雨具を―する〉〈弁当―のこと〉〈当日は筆記具を―されたし〉⇩Q所持・携える・持つ

しし【死屍】「死体」の古めかしい硬い漢語的文章語。〈―に鞭《むち》打つ〉🖋有島武郎の『或る女』に「花のかたまりの中にむずと熱した手を突っ込んだ。―から来るような冷たさが葉子の手に伝わった」とある。⇩遺骸・遺体・かばね・死骸・しかばね・死者・Q死体・しにん・しびと・亡骸・むくろ

しし【獅子】 東アジアの伝説中の想像上の動物「唐獅子《からじし》」、または「ライオン」をさし、会話にも文章にも使われる古めかしい漢語。〈―奮迅の働き〉🖋小林多喜二の『蟹工船』に「(海は)ガツ、ガツに飢えている―のように、いどみかかってきた」とある。⇩ライオン

しじ【支持】 意見や方針などをよいと認め、その後押しをする意で、会話にも文章にも使われる漢語。〈―者〉〈―母体〉〈その意見を―する〉〈―を取り付ける〉〈圧倒的な―を得る〉⇩サポート

しじ【私事】 個人的、特に私生活に関する事柄の意で、多く文章の中で用いられる丁重な感じの漢語。〈―にわたる〉〈―にふれる〉🖋「―を暴く」のように、内緒事というニュアンスで使うこともある。「他事」と対立する語。⇩プライバシー・Qわたくしごと

しじ【指示】 やるべきことを指し示す意で、会話にも文章にも使われる漢語。〈―を出す〉〈業務を―する〉〈医者の―に従う〉〈上司の―を仰ぐ〉🖋「指図《さしず》」より具体的で細かい感じがある。例えば、この部屋の家具を別の部屋に移すという内容の「指図」であれば、どの棚をどの位置に配置するかといった内容が「指示」に相当する、といった関係になる傾向がある。⇩指図・指令・命令

しじ【師事】 先生として仕えて教えを受ける意で、改まった会話や文章に用いられる硬い漢語。〈巨匠に―する〉〈志賀直哉に―する〉🖋師匠と弟子という関係を互いに意識しているが、通常は「入門」のようなはっきりとした意思表明や手続きなどはない。「事」は「仕える」意。⇩Q私淑・入門

じじい【爺】 男性の老人をさすぞんざいな和語の口頭語。〈狸―〉〈癇癪《かんしゃく》―〉🖋夏目漱石の『吾輩は猫である』に「椎茸で前歯がかけるなんざ、何だか―臭いね」とある。「―、黙ってろ」「あの―、ふざけやがって」などとののしる感じで用いることが多いが、「あの―も、いいところあるなあ」な

どと親しみをこめて用いる例もある。無神経な差別意識のしみついた「土方」や「産婆」などとは違って、「お爺《じい》さん」の欠陥を露骨に非難するわけではないが、そう呼ばれた側の人間にきつく響くのは、その言い方の奥に相手を軽蔑する話し手の意図を読み取るからである。⇩高齢者・Q老人

ししつ【資質】 生まれつき持っている性質や才能をさし、改まった会話や文章に用いられるやや硬い感じの漢語。〈―を具える〉〈芸術家としての―が具わる〉〈政治家としての―を問われる〉〈教員としての―に欠ける〉✎「才能」「素質」より適用範囲が狭い。優れた能力というより性格的にその方面に向いていることに重点があり、中村光夫の『風俗小説論』に「二葉亭の―はあくまで小説家であったに反し、藤村のそれは詩人的」とある。⇩才能・Q素質・能力

じじつ【事実】 現実に存在し、あるいは、実際に起こったことをさし、会話にも文章にも広く使われる日常の基本的な漢語。〈―関係〉〈既成―〉〈―無根〉〈―を客観的に記す〉〈―に忠実に描く〉〈紛れもない―だ〉〈見落としたという―はぬぐえない〉✎芥川龍之介の『鼻』に「内供は意外な―を発見した」とある。「―そのとおりだから隠しても仕方がない」のように「実際に」の意の用法もある。谷崎潤一郎の『細雪』にある「不思議な話であるけれども、姉は―東京へ行ったことがない」の例はそれである。⇩現実・実際・実状・実態・真実・真相

しじま【無言／沈黙】「静寂」を意味する詩的な雰囲気をもつ古語的表現。〈夜の―〉〈深い―〉⇩静寂

ししゃ【死者】「死人」をさす、やや改まった正式な感じの漢語で、くだけた会話にはなじまない。〈多数の―を出す惨事〉〈―の冥福を祈る〉〈―の霊を弔う〉✎大江健三郎の『死者の奢り』に「半白の頭髪を短く刈った―の小さな顔を見た。それはある種の両棲動物に似ていた」とある。「生者」に対する語で、「死人のような顔」というふうに具体的な状態を表現する場合には用いにくい。⇩遺骸・遺体・かばね・死骸・しかばね・死屍・死体・Qしにん・しびと・亡骸・むくろ

ししゃ【使者】 上位者の命令を受けて使いに出る人をさし、やや改まった会話や文章に用いられる漢語。〈―を送る〉〈―を遣わす〉〈―を立てる〉✎「使い」より正式で大仰な感じがあるが、「使節」ほど本格的・正式な感じはなく、外国に限らず広く使う。⇩使節・Q使い

じしゃ【自社】 自分の会社の意で、会話にも文章にも使われる漢語。〈―ビル〉〈―の宣伝〉✎「他社」と対立。⇩Q当社・弊社

しじゅう【始終】「いつも」の意で、会話やさほど改まらない文章に使われる日常の漢語。〈―怒ってばかりいる〉〈―遊んでいる〉〈あの家は―留守だ〉✎福原麟太郎の『人生の幸福』に「―何かを試み、努め、追求しており」とある。「終始」が連続する一つの線的な対象を思い描いているのに対し、この語は個々の時点で同じ現象や状態であることに気づき、そこから推定している感じがある。⇩何時も・終始・常時・しょっちゅう・絶えず・常に・のべつ

じしゅう【自習】 学校で教師が休んだりして生徒がそれぞれ自分で勉強する意で、会話にも文章にも使われる漢語。〈―

時間〉〈四時間目は各自—する〉⇩独習

しじゅうはって【四十八手】あらゆる手段の意で、会話や改まらない文章に使われる表現。〈会社経営の—〉〈訪問販売の—〉✎相撲《すもう》の決まり手が四十八種類あったところから。今では一般に「いろいろの手段」やその総称という意味にも使われる。現在の大相撲では七十種以上に増えていることもあり、必ずしも相撲を連想しなくなっている。

ししゅく【私淑】尊敬する人をひそかに先生と仰いでそれを模範に励む意で、主として文章に用いられる硬い漢語。✎「私」は一人でひそかにの意、「淑」は良いと思って慕う意。そのため、師匠の側では通常気がつかない。⇩Q師事・入門

ししゅつ【支出】物を購入したり料金を支払ったりして費《つい》える金銭などをさし、会話にも文章にも使われる漢語。〈—が増える〉〈—を切り詰める〉〈—を抑える〉✎そのつどの「出費」に比べ、一定期間の合計をさす傾向がある。⇩出費

じしょ【字書】主として文章中に用いられる、「字典」の意のさらに古い感じの漢語。〈専門の—にあたって調べる〉⇩辞書・事典・Q字典・辞典・字引

じしょ【辞書】「辞典」の意で、くだけた会話から硬い感じの文章まで広く使われる、やや古風な日常漢語。〈—を引く〉〈—で調べる〉〈—にあたる〉✎会話では「辞典」よりも普通に使われてきたが、書名のほとんどが「辞典」と名づけられることも影響して、若い世代では特に、会話でも「辞典」という語が一般に使われるようになり、この「辞書」という語が現在ではいくらか古い感じになりつつある。なお、辞典のほか字典や事典を含めた総称として用いられることもある。⇩字書・事典・字典・Q辞典・字引

じしょ【自書】自筆の意で、硬い文章に用いられる漢語。〈貴重な—の原稿が発見される〉⇩自署

じしょ【自署】自分自身が署名する意で、法律関係の文章などに用いられる専門的な漢語。〈書類の末尾に—する〉〈—のない契約書は無効〉⇩記名・サイン①・Q署名

じしょ【地所】主に住宅などを建てるための土地をさし、会話やさほど改まらない文章に使われる、やや古風な漢語。〈—を手放す〉〈—が値上がりする〉〈—が広い〉⇩Q土地・用地

ししょう【支障】「差し障り」の意で、やや改まった会話や文章に用いられる漢語。〈業務に—を来す〉〈何らの—もなく済む〉✎「差し障り」と違い、他人に迷惑をかけることは含まない。⇩差し障り・Q差し支え・不都合

しじょう【紙上】新聞の紙面の意で、主として文章中に用いられる漢語。〈—討論会〉〈—をにぎわす〉〈—を飾る〉〈—で謝罪する〉⇩誌上

しじょう【誌上】雑誌の誌面の意で、主として文章中に用いられる漢語。〈—座談会〉〈—を埋める〉〈—を借りてお詫びする〉⇩紙上

しじょう【市場】売り手と買い手が集まって商取引を行う特定の場所や経済的な空間をさし、改まった会話や文章に用いられる専門的な漢語。〈株式—〉〈金融—〉〈—価格〉〈—占有率〉〈—を拡大する〉〈—封鎖に踏み切る〉⇩マーケット①

じしょう【事象】物事の現象の意で、主に改まった文章に用

いられる硬い漢語。〈社会的―〉〈現実に起こる多様な―〉🖊日常も使う「現象」と違い、学術的な文章にのみ用いる抽象的な表現。⇩現象・事柄・事物・物事

じじょう【事情】 物事の様子や事の次第をさし、会話にも文章にも使われる漢語。〈―聴取〉〈家庭の―〉〈こみいった―〉〈―があって引き受けられない〉🖊夏目漱石の『坊っちゃん』に「色々の―た、どんな―です」とある。「実情」に比べ、何かの原因・理由・背景となっている事柄を客観的にさす感じが強い。⇩実状・実情

ししょく【試食】 食べ物のできばえを実感するために食べてみる意で、会話にも文章にも使われる漢語。〈―会〉〈新製品を―する〉🖊「味見」の場合と違って、少量の場合も一食分の場合もある。⇩Q味見・試し食い

じしょく【辞職】 任期の途中に自らの意思で今までの職を自ら退く意で、いくぶん改まった会話や文章に使われる少し正式な感じの漢語。〈内閣総―〉〈―願い〉〈突然の―〉🖊夏目漱石の『坊っちゃん』に「主任は山嵐だから、やっこさん中々―する気遣はない」とある。勤務先を辞める場合とその役職だけを降りる場合とがある。⇩Q辞任・退職・退任

ししん【指針】 進行の方向や運営の基本的な考え方をさし、改まった会話や文章に用いられる漢語。〈―を与える〉〈―を得る〉🖊太宰治の『人間失格』に「正義は人生の―たりとや？」とある。進む方向を示す磁石盤の針の意から。⇩方針

じしん【自身】 当人・本人としてのその人をさし、改まった会話や文章に用いられる、やや硬い感じの漢語。〈自分―〉〈作者―〉〈―で選ぶ〉〈―の手で作り上げる〉〈問題は―で解決する〉🖊「学校―の不名誉になる」「そもそもそういう考え方―が問題だ」のように「自体」の意味でも使う。佐藤春夫の『田園の憂鬱』に「それらの言葉の集合はそれ―で一つの世界」とある。⇩おのれ・自己・Q自体・自分・みずから

じしん【自信】 自分の才能・実力・価値などに確かな信頼を置く意で、くだけた会話から硬い文章まで幅広く使われる日常の漢語。〈―作〉〈―満々〉〈―過剰〉〈―が湧く〉〈―がぐらつく〉〈―を喪失する〉〈―に満ち溢《ふあ》れた態度〉〈―たっぷりに言う〉🖊太宰治の『斜陽』に「もともとお料理には―が無い」とある。大岡昇平の『俘虜記』に「射撃は学生のとき実弾射撃で良い成績をとって以来、妙に―を持っていた」とある。⇩確信・過信・Q自負・自慢

じじん【自尽】 自ら命を絶つ意で、主に文章に用いられる古めかしい漢語。〈―に追い遣ゃる〉〈山中にて―〉⇩自害・Q自決・自殺・自刃

じじん【自刃】 刃物で自ら命を絶つ意で、主に文章中に用いられる古めかしい漢語。〈―して果てる〉⇩自害・自決・自殺・Q自尽

しずか【静(閑)か】 人声や物音に妨げられず心が落ち着く意で、くだけた会話から硬い文章まで幅広く使われる日常の基本的な和語。〈―な秋の夜〉〈―な環境に身をおく〉〈―な曲〉🖊宮本輝の『蛍川』に、雪の降るけはいを感じる箇所があり、「―であればあるほど、しんしんと迫ってくる音を聞く」とある。なお、音だけでなく動きのない状態をさす用法もあり、村上春樹の『遠い太鼓』にある「―な入江が広がっている」の箇所は、そのあとに「うつらうつらと眠りこ

んでしまったような入江」と続くからそういう例と見られるが、吉本ばななの『血と水』にある「春の池は—で、たくさんのボートがひっそりと行きかっていた」の例は微妙である。⇩閑寂・閑静・静やか・Q静寂・静粛

しずかさ【静(閑)かさ】人声も物音もほとんど聞こえない意で、会話にも文章にも使われる和語。〈物音ひとつしない—〉「静けさ」に比べ、物の動きが感じられない雰囲気がある。円地文子の『妖』に「その日も坂に出て、人気の絶えた往来の—に浸っていた」とある。⇩閑寂・Q静けさ・静寂

しずく【雫／滴】水など液体のしたたりをさし、会話にも文章にも使われる日常の和語。〈雨の—〉〈ひと—の涙〉〈—が垂れる〉ガラスに付着するイメージもある「水滴」に比べ、この語はこぼれ落ちるイメージが強い。永井荷風の『歓楽』に「樹木の湿《ぬ》れた木の葉の面は一枚一枚滴る—とともに黄金のように輝いている」とある。⇩したたり・Q水滴・点滴

しずけさ【静(閑)けさ】「静かさ」に近い意味で、改まった会話や文章に用いられる、やや古風な感じの和語。〈森の—〉〈—を破る悲鳴〉客観的な感じの「静かさ」より美化した感じが強く、せせらぎの音や虫の声のような耳に心地よい自然の音響は聞こえていてもよいような雰囲気がある。永井龍男の『蚊帳』に「やがて、吐月峰《はいふき》をたたく音がして—が戻ってくる」とある。⇩静かさ

しずむ【沈む】水面から底のほうに移動して見えなくなる意で、くだけた会話から硬い文章まで幅広く使われる日常の基本的な和語。〈硬貨が底まで—〉〈船が難破して海に—〉池澤夏樹の『骨は珊瑚、眼は真珠』に「骨が海流に乗らずすぐに—・んでこの珊瑚の間にまぎれこむのなら、それでもいい」とある。「日本海に夕日が—」のように空中の移行でも使われ、「気が—」のように活気を失う意の比喩的用法もある。「—・んだ空気」「気持ちが—」のように広く比喩的にも使い、壺井栄の『二十四の瞳』にも「心細さが、みんなの胸の中にだんだん、重石のように—・んでゆく」とある。「浮く」「浮かぶ」と対立。⇩沈没①

しずめる【鎮める】勢いを抑えて落ち着かせる意で、会話でも文章でも使われる和語。〈痛みを—〉〈騒ぎを—〉〈気を—〉⇩静める

しずめる【静める】静かにさせる意で、やや改まった会話や文章に使われる和語。〈場内を—〉〈鳴りを—〉⇩鎮める

しずやか【静やか】穏やかで落ち着いている意で、まれに文章に用いられる古めかしい和語。〈—なる歩み〉現代では雅語的な響きがある。福永武彦は『風花』で風花《かざはな》を「かすかな粉のようなものが、次第に広がりつつあるその裂け目から、—に下界に降って来た」と描いた。⇩閑寂・閑静・Q静か・静寂・静粛

しせい【姿勢】体の構えや物事に当たるときの心の持ち方をさし、やや改まった会話や文章に用いられる漢語。〈低—〉〈強い—で臨む〉〈前向きの—で取り組む〉〈強い—で交渉に臨む〉椎名麟三の『永遠なる序章』に「—を崩さずに、まるで化石になったように突っ立っている」とある。目に見える感じの「態度」に比べ、その奥にある気持ちに重点がある。「不動の—」「—が悪い」のように体の構え方をさす基本的用法から派生した比喩的用法。三島由紀夫の『金閣寺』

にある「その―は、矜りも威信も失くして、卑しさがほとんど獣の寝姿を思わせた」という例は比喩化してゆく中間段階にあるように思われる。⇩態度

じせい【時世】時代・世の中の意で、会話でも文章でも使われる古めかしい漢語。〈結構なご―でありがたい〉〈とんだご―になったものだ〉⇩時勢・時代

じせい【時勢】それぞれの時代の勢いや成り行きをさし、会話にも文章にも使われる漢語。〈―に順応する〉〈―に敏感に反応する〉〈―に遅れる〉〈―に逆らう〉✎徳田秋声の『縮図』に「こんな―を彼は何んな風に考えているであろうか」とある。⇩時世・Q時流・趨勢《すうせい》・成り行き・風潮

じせい【自省】自分の言動や態度を自分で振り返ってその適否などを考える意で、主に文章中に用いられる硬い漢語。〈静かに―する〉〈―の念がきざす〉〈―の念に欠ける〉⇩内省・反省

しせき【歯石】歯垢《しこう》の石灰化した沈着物をさし、学術的な会話や文章に用いられる歯学の専門的な漢語。〈歯医者で―を取ってもらう〉✎「歯垢」より専門性が薄く、一般人が日常会話で話題にする割合が高い。⇩Q歯垢・歯糞《はくそ》

しせつ【施設】一定の目的のための建物やその中の設備をさして、会話にも文章にも使われる漢語。〈娯楽―〉〈公共の―〉〈―が整っている〉〈―を拡充する〉✎単に「―に預ける」「―に入る」として特に養護施設・老人福祉施設などをさす用法もある。建物など、「設備」より大規模な対象をさす例が多い。⇩設備

しせつ【使節】国家の命を受けて代表として外国に派遣される人をさし、改まった会話や文章に用いられる正式な感じの漢語。〈―団〉〈親善―〉〈―を派遣する〉⇩Q使者・使い

じせつ【時節】「季節」の意でやや改まった会話や文章に用いられる、いくぶん古風な漢語。〈花の―〉〈さわやかな―を迎える〉✎大岡信の『言葉の力』に「樹全体のエッセンスが、春という―に桜の花びらという一つの現象になる」とある。木山捷平の『貸間さがし』に「―柄、腰巻の上にはもんぺをはいていたであろうに」とあるのは、単なる季節というより戦時中という情勢も加わっているかもしれない。また、「―を待つ」「―到来」のように、事を起こすのに絶好の機会という意味でも使われる。⇩Q季節・シーズン・四季・時季・時候

しせん【視線】目を向けて見ている方向の意で、会話にも文章にもよく使われる漢語。〈―の先にある〉〈―を落とす〉〈―をそらす〉✎小沼丹の『猿』に、「猿はちょいと―を外して、尻を搔いた」という擬人的描写が出てくる。「熱い―を集める」のように、関心といった抽象的な意味合いでも使われる。⇩目線

しぜん【自然】人間が手を加えずに存在する海・山・草原・動植物などの場所や物、台風・地震などの現象の総称として、くだけた会話から硬い文章まで幅広く使われる日常の最も基本的な漢語。〈―科学〉〈―現象〉〈―災害〉〈―界の驚異〉〈豊かな―〉〈―を保護する〉✎武者小路実篤の『友情』に「―はどうしてこう美しいのだろう。空、海、日光、水、砂、松、美しすぎる」とある。「―な感情」「―な態度」のように、作為的でない意にも使い、「―そうなる」のように、ひ

とりでにの意に使うこともある。「自然に」と論理的な展開を示すより、格関係をぼかしたこの形のほうが抵抗なく流れるように感じられる。⇩自ずから・自ずと・自然と・Q自然に・天然・ひとりでに

じせん【自薦】 自分自身を推薦する意で、選挙や会議などで使われるやや専門的な漢語。〈―他薦いずれも可〉⇩自選

じせん【自選】 自分で選ぶ意で、主に文章中に用いられる漢語。〈―全集〉〈自作の句から―で五句抜き出す〉⇩自薦

しぜんと【自然と】「自然に」と同じ意味で、くだけた会話などにしばしば現れる語形。〈遊んでいるうちに―仲良しになる〉✎「自然に」よりいくらか崩れた感じがある。⇩自ずから・自ずと・自然・Q自然に・ひとりでに

しぜんに【自然に】 人手を加えなくてもの意で、会話でも文章でもよく使われる日常的表現。〈ほうっておいても―治る〉〈―眠くなるのを待つ〉✎「火が―消える」という例では、人間が水をかけて消さなくても、風で炎が吹き消されたり、あるいは、その場に燃えるものがなくなったりした結果など、何か原因があって消えるべくして消える場合を連想させる。ここを「火がひとりでに消える」と換言すると、人知の及ばぬ不可思議な現象に出合う感じが強まる。なお、この語形は「自然と」より整った感じがある。⇩自ずから・自ずと・自然・Q自然と・ひとりでに

じぜんに【事前に】 事が起こらないうちにの意で、改まった会話や文章に用いられる硬い感じのことば。〈―承諾を取っておく〉〈―よく根回しをして円滑に運ぶ〉⇩Q予《あらかじ》め・前もって

しそ【始祖】 学問や芸術の流派の創始者の意で、主に文章中に用いられる古風な漢語。〈哲学の―〉〈裏千家の―は千宗室といわれる〉✎一家の初代の意でも使われたが、「禅宗の―は達磨大師」というふうに、現在は創始者の意味合いで使う例が多い。ちなみに、「―鳥」は最古の化石鳥類。⇩開基・開山・Q開祖・元祖・鼻祖

しそう【思想】 思考作用によって得た体系的な考えをさして、会話にも文章にも広く用いられる漢語。〈―家〉〈ギリシャ―〉〈穏健な―の持ち主〉〈―を弾圧する〉✎椎名麟三の『永遠なる序章』に「―なんか鼻紙に等しい」とある。⇩意見・考え・見解・Q思考・思索

しそう【指(使)嗾】 指図して自分の思うように他人が行動するように仕向ける意で、主に文章に用いられる古めかしく硬い漢語。〈生徒を―して騒ぎを起こす〉✎夏目漱石の『坊っちゃん』に「中学の教師堀田某と、近頃東京から赴任した生意気なる某とが、順良なる生徒を―して此の騒動を喚起せるのみならず」という新聞記事が出てくる。⇩煽《おあ》る・けしかける・Q扇動・そそのかす・たきつける

しそく【子息】 他人の息子を少し改まって言うときに会話にも文章にも用いられる漢語。〈社長の―〉〈御―はもう大学生ですか〉✎丁寧な感じがあり、自分側には用いない。⇩せがれ・Q息子

しそん【子孫】 子や孫以降の同じ血筋や家系を引く人々の総称として、会話にも文章にも使われる漢語。〈―を残す〉〈―に伝える〉〈―の繁栄を願う〉〈豊かな自然を―に残そう〉✎同時代に一緒に生きている子や孫だけをさす場合に

この語はなじまない。まだ生まれていない後の世代をすべて含めるか、何代も前の人間を中心に考えるかすれば、この語を使っても違和感がない。⇩後裔《こうえい》・まごこ・Q末裔《まつえい》

じそんしん【自尊心】自分の品格や名誉を保とうとする気持ちをさし、会話にも文章にも使われる日常の漢語。〈―が強い〉〈―を傷つける〉⇩気位・矜持《きょうじ》・自負・Qプライド・誇り

した【舌】口の中にある肉質の味覚器官をさし、くだけた会話から硬い文章まで幅広く使われる日常の基本的な和語。〈―でなめてみる〉✎夏目漱石の『吾輩は猫である』に「大きな赤い―をぺろりと出した」とある。⇩べろ

じだ【耳朶】「耳たぶ」の意で、学術的な会話や文章に用いられる専門的な硬い漢語。〈―にふれる〉〈―を紅潮させる〉✎「みみたぶ」との区別が困難だが、井伏鱒二の『黒い雨』の「―を覆ったガーゼを取って」の例や、谷崎潤一郎の『鍵』の「真珠ノ玉トートガ互ニ効果ヲ助ケ合ッテイル」の例などは「じだ」と読んでも違和感がない。⇩耳たぶ

したい【死(屍)体】死んだ人間や動物の体をさし、くだけた会話から硬い文章まで広く使われる客観的な漢語表現。〈―遺棄〉〈―で発見される〉〈―を運ぶ〉〈―を解剖する〉✎梶井基次郎の『桜の樹の下には』は「桜の樹の下には―が埋っている」と始まる。「死骸」ほどではないが、動物にも使う。死後すぐから違和感なく使える。⇩遺骸・Q遺体・かばね・死骸・しかばね・死屍・死者・しにん・しびと・亡骸・むくろ

したい【姿態】姿かたちの意で、主に文章中に使われるやや古風な漢語。〈なまめかしい―〉✎檀一雄の『花筐』に「ブロンズのように美事な(素裸の男の)―」とある。⇩肢体

したい【肢体】手足などの体つきという意味で、主に文章中に使われる漢語。〈しなやかな―〉〈すらりと伸びた―〉✎徳永直の『太陽のない街』に「蛇のようにうねらせる―のうごき」とある。⇩姿態

じたい【字体】さまざまの具体的な字形の違いに対して、その基礎となる抽象的な文字概念の様式をさし、会話にも文章にも使われるやや専門的な漢語。〈旧―と新―〉✎新字体と旧字体、正字体と俗字体と略字体の別。「礼」と「禮」、「亀」と「龜」などは字体の違いであるが、「体」は本来「體」と別の漢字だったのを今は略字として扱っている。また、「書体」の意味で使うこともある。⇩字形・Q書体

じたい【自体】そのこと、そのものの意で、会話にも文章にも使われる漢語。〈方法―は問題ない〉〈それ―が障害になる〉〈月―は光を発しない〉〈問題―はさほど難しくない〉✎人間よりも物事に用いる例が多い。それそのものを他から切り離して考察対象とする。⇩自身

じたい【事態】物事の様子や成り行きをさし、やや改まった会話や文章に用いられる硬い感じの漢語。〈緊急―〉〈非常―宣言〉〈不測の―が生ずる〉〈―が好転する〉〈最悪の―に達する〉〈―を重く見る〉✎「状況」などと違い、人間そのものの様子には用いない。⇩局面・Q状況

じたい【辞退】遠慮して断る意で、やや改まった会話や文章に用いられる漢語。〈出場―〉〈入学―〉〈役員に推薦されたが―する〉✎横光利一の『紋章』に「御厚意は有難いがそれだけは自分としては出来難いと云って―した」とある。⇩遠慮

じだい【時代】 時の流れをある基準で区切った一区分をさし、くだけた会話から硬い文章まで幅広く使われる日常の基本的な漢語。〈—区分〉〈—劇〉〈—設定〉〈平安—〉〈—の流れ〉〈古き良き—〉✎区切る基準によって「江戸—」「大正—」「原子力—」「情報化—」「青春—」「駅前の家に間借りしていた—」など、その期間はきわめて長いものから個人的なかなり短いものまでありうる。島崎藤村の『夜明け前』に「新旧—の入れ混ったところは、さながら虹のごとき色さまざまな光景」とある。⇩時世・世代・Q年代

しだいに【次第に】 順を追って少しずつ同じ方向に変化してゆく場合に、会話にも文章にも使われる表現。〈—暖かくなる〉〈—盛り上がる〉〈—晴れてくる〉⇩おいおい・徐々に・漸次・Q段々

したう【慕う】 ついて行って一緒にいたい気持ちの意で、会話にも文章にも使われる和語。〈幼児が母親のあとを—〉〈生徒が先生を—〉〈初恋の相手を—〉✎夏目漱石の『草枕』に「あとを—・って飛んで行きたい気がする」とある。「お—・い申し上げます」のように男女間に用いるといささか古風な感じに響く。また、この語は「故国を—」のように人間以外に対しても用い、「学風を—」「芸風を—」のような抽象化した用法もある。⇩Q愛する・恋する・好く・惚《ほ》れる

したえ【下絵〔繪〕】 下書きの絵をさして、会話にも文章にも使われる和語。〈版画の—が見つかる〉✎特に、彫刻や刺繍《ししゅう》の下地として描くものをさすことも多い。⇩写生・Qスケッチ・素描・デッサン

したがう【従う】 逆らわずそのとおりにする意で、くだけた会話から硬い文章まで幅広く使われる日常の基本的な和語。〈親の意見に—〉〈係の指示に—〉〈規則に—〉〈権威に—〉✎夏目漱石の『坊っちゃん』に「山嵐の忠告に—」とある。守る意では「遵う」とも書く。⇩遵守・服従・Q服する・守る①

したがき【下書き】 文章や絵などを本格的に書く前にだいたい書いてみる意で、会話にも文章にも使われる和語。〈論文の—〉〈—をもとに清書する〉〈まだ—の段階だ〉⇩原案・原稿・草案・Q草稿

したがって【従って】「その結果」「それが原因で」という関係を表し、改まった会話や硬い文章で用いられる和語。〈—、結果は良好である〉〈—、成功を収めたとまでは言いがたい〉✎二葉亭四迷の『浮雲』に「我から縮くようになり、—学業も進歩する」とある。「だから」などに比べ、上の立場から理論的に説き聞かせるような雰囲気が感じられる。⇩それで・Qだから

したぎ【下着】 上着の内側、特に肌に直接ふれる衣服をさし、会話でも文章でも幅広く使われる日常的な和語。〈—の替えを用意する〉〈—を取り替える〉✎シャツやズボン下やスリップなど。パンツの類をさす場合は、「—類」という上位概念に広げて意味をぼかし、露骨さを薄める婉曲《えんきょく》表現に近い効果がある。なお、「下穿《したば》き」とするともう少し限定が狭まり、間接化の働きは弱まる。また、和服で重ね着するときに内側に着るものをさす用法もある。⇩インナー・Q肌着・ランジェリー

したく【支(仕)度】 次に起こることのために物事や身なりなどを整えることをさし、会話でも文章でも使われるが、「準

備」よりも会話的で古風な感じの漢語。〈―金〉〈身―〉〈帰り―〉〈旅―におおわらわ〉〈食事の―で忙しい時刻〉森鷗外の『半日』に「午《ひる》の食事の―をする」とある。「―が済んだら出かけよう」のように、次の行動に必要なものを扱いやすいように整えることに重点がある。⇩Q準備・用意

したじ【下地】 本格的に事を行うための基礎となる知識・技術・心得などをさして、会話にも文章にも使われる語。〈―ができている〉〈学問の―がある〉〈―があるから上達が早い〉「素地」に比べ、ある時期に獲得したというニュアンスが強い。⇩素地

しだし【仕出し】 注文に応じて料理を作って配達する意で、会話にも文章にも使われる和語。〈―屋〉〈―弁当〉〈―を取る〉店のメニューにある料理を届ける「出前」と違い、注文に応じて調理し、さまざまな組み合わせにして折に詰め合わせるなど、本格的で高級な感じがあり、通常は何人分かをまとめて注文する。⇩ケータリング・出前

したしい【親しい】 互いに気が合って仲がよい意で、くだけた会話から硬い文章まで幅広く使われる日常の基本的な和語。〈―友達〉〈―・く交際する〉〈両人は―関係にある〉福原麟太郎の『この世に生きること』に「ばたばた、―年寄りが世を去られた」とある。家族や夫婦のように親しいことが当然とされる関係の場合には用いないが、「―縁者」のように、血筋の遠近を問題にして使うこともある。⇩親密・Q近しい

したしむ【親しむ】 仲良くする、いつも接していて慣れている意で、やや改まった会話や文章に用いられる和語。〈自然に―〉〈友と―〉〈みんなに―・まれる〉〈灯火―の候〉島崎藤村の『嵐』に「子供の世界に―」「土に―ようになって」とある。⇩馴染む・慣れる

したしらべ【下調べ】 授業や研究発表その他に備えてあらかじめ内容を調べておく意で、会話や硬くない文章に使われる、いくぶん古風な和語。〈明日の発表の―に追われる〉〈数学の授業の―〉芥川龍之介の『保吉の手帳から』に「ふと気がついて見ると、彼の下検べをして来たところはもうたった四五行しかなかった」とある。一応「おさらい」と対立するが、学校の勉強だけでなく、発表や裁判などの準備も含まれる。⇩予習

したたり【滴り】 液体が一粒ずつこぼれ落ちる意、また、その水滴をさし、主として文章中に用いられる、やや詩的な感じの和語。〈軒の―〉〈血の―〉井伏鱒二の『点滴』では、水の滴り落ちる音に美を感じる男が宿屋でパッキンの緩んだ水道の蛇口から垂れる水音の好みについて、太宰治を思わせる「私の友人」と互いに無言のまま対立する場面を描いた。太宰が自分の「好み通り「ちゃぼ、ちゃぼ、ちゃぼ」の悪い音」にすると、井伏は「―の基本の音だと心にきめた「ちょっぽん、ちょっぽん」の(分速十五滴の正しい)音に改めた」といった些事《さじ》を追想する形のとぼけた鎮魂歌である。岡本かの子の『母子叙情』に「初夏の晴れた空に夢の―のように、あちこちに咲き迸るマロニエの花」とあるように比喩的な用法もある。⇩Qしずく・水滴・点滴

したたる【滴る】 液体がしずくとなってぽたぽたこぼれる意で、改まった会話や文章に用いる、古風でやや詩的な感じを

伴う和語。〈岩から水が―〉〈血の―ようなステーキ〉✎「垂れる」より文体的なレベルが高い。液体が線状でなく雫《しずく》状に落ちるイメージが強く、こぼれる水の量も「垂れる」より少ない。実際にそのようすを見たり音を聞いたりしているときの感覚的な判断をあらわすとも言われる。⇩垂れる

したっぱ【下っ端】身分や地位の低いこと、また、その人をさし、会話や軽い文章に使われる和語。〈―を引き連れる〉⇩家来・子分・手先②・手下・手の者・配下・部下

じたばたする「あがく」の意で、主にくだけた会話に使われる俗っぽい表現。〈この期に及んで―な〉✎「今ごろになって―・しても始まらない」のように、単にあせって事を行う意味でも使う。⇩Qあがく・もがく

したわしい【慕わしい】その人に心ひかれ、そば近くに寄り添いたい気持ちをさし、主に文章中に用いられる古風な和語。〈―・く思う〉✎「恋しい」「なつかしい」と違い、対象は人間のみ。福永武彦の『廃市』に「離れの二階でこうして二人きり倚り添っている安子さんのことを、不意に―・く感じ始めていた」とある。⇩Q恋しい・好き・懐かしい

しちゅう【支柱】物体や建造物を支える柱状のものをさし、改まった会話や文章に用いられるやや硬い漢語。〈―を立てる〉✎阿部知二の『冬の宿』に「精神も肉体も―を失って」とあるように、単に頼りになる支えをさす抽象的な用法もあるが、「柱」に比べ具体物をさす例が多い。⇩柱

しつ【室】「部屋」の意で、会話にも文章にも使われる漢語の構成要素。〈応接―〉〈教―〉〈在―〉〈―内〉✎単独では使わない。「間《ま》」に比べ洋風の感じが強い。⇩部屋・Q間《ま》②

しつい【失意】望みがかなわず意欲を失う意で、改まった会話や文章に用いられる漢語。〈―のどん底にある〉〈夢破れて―のうちに床に就く〉⇩がっかり・気落ち・Q失望・落胆

じっか【実家】妻や養子の立場からもとの家をさして会話にも文章にも使われる漢語。〈―に戻る〉〈―から援助を受ける〉✎夏目漱石の『こころ』に「―から受取った書翰」とある。近年、別居している子が親の家をさしてこの語を用いる例が増えている。⇩里・生家

しっかり　安定感があって危なげないようすをさし、主として会話に使われる和語。〈―支える〉〈―食べておく〉〈―せよと抱き起こす〉〈―した足取り〉✎小津安二郎の映画『麦秋』で史子(三宅邦子)は夫の康一(笠智衆)とその妹の紀子(原節子)との口論の際、女性の立場から「――」と紀子の応援にまわる。「頑張って」といった意味合いでのこういう用法は、現在では古めかしい響きを感じさせる。⇩確実・Q堅実・確か

しっかん【疾患】病気の意で、主に文章に用いられる専門的な漢語。〈胸部―〉✎患部を限定してさす場合に使われる傾向がある。⇩障り・Q疾病・病気・病魔・病・患い

しっき【湿気】空気中や木・布などに含まれている水分の量をさし、会話にも文章にも使われる漢語。〈―の多い地方〉〈―を除去する〉〈―を吸い込む〉✎「しっけ」に比べ、計測可能な物的雰囲気が若干強い。⇩Qしっけ・湿度・湿り気

しつぎ【質疑】会議などにおける質問をさし、改まった会話や文章に用いられる専門的な漢語。〈―応答〉〈続いて―に

入る〉〈活発な―を繰り広げる〉⇩Q質問・尋問

しつぎょう【失業】就職できないでいるか、勤めていた職を失ったかして現在職に就いていない状態をさし、会話にも文章にも使われる日常の漢語。〈―率〉〈―保険〉〈目下―中〉✎就職したい意志がある場合に限られる。徳永直の『太陽のない街』に「―者は、驟雨を喰った河水のように都市に農村に氾濫した」とある。⇩失職

じつぎょう【実業】農業・工業・商業・水産業など経済や生産活動に関する事業の総称で、会話にも文章にも使われる漢語。〈―家〉〈―学校〉⇩産業・Q事業・生産業

しっきん【失禁】抑制作用がうまく機能せずに大小便をもらす意で、改まった会話や文章に用いられる専門的な漢語。〈―が心配で外出できない〉✎「お漏らし」や「粗相」に比べ、病気や老齢による衰えを連想させやすい。⇩Qお漏らし・粗相

しっけ【湿気】「湿気《しっき》」の意で、会話や硬くない文章に使われる日常の漢語。〈―を含んだ風〉〈―の多い梅雨の季節〉〈―を取り除く〉✎「しっき」に比べ、感覚的・生活的な雰囲気が強い。⇩Qしっき・湿度・湿り気

しっけい【失敬】失礼の意で、会話にも文章にも使われる日常の古風な漢語。〈挨拶もしないとは―千万〉〈―なやつだ〉〈―なふるまいに及ぶ〉〈ここで―する〉✎小津安二郎監督の映画『彼岸花』で佐分利信が「ちょいと―」と言って席を立ち、笠智衆も「どうも―した」と言って帰って行くが、今日では古めかしい響きがある。なお、「酔った勢いで酒場の灰皿を―してきた」のように、黙って貰《もら》って来る意味でも使うが、高価な品を盗む場合には使わず、いたずらするような軽い気持ちのときにこの語がぴったりする。しかしその用法も少し古くなりかけている。小沼丹の『地蔵さん』に「石の地蔵さんをこっそり―して来ようかと考えたことがある」とあるように、無断でもらってくる意にも使う。⇩くすねる・Q失礼・着服・猫ばば・無礼

じっけい【実兄】血のつながった兄をさし、主として文章に用いられる正式な感じの漢語。〈―を頼って上京する〉⇩Q兄・兄貴

しっける【湿気る】「しける」の意のさらに俗っぽい表現。〈煎餅が―〉⇩しける・Q湿る

しつげん【湿原】湿地にある草原をさし、会話にも文章にも使われるやや専門的な漢語。〈―に群生する〉⇩Q湿地・沼地

しつげん【失言】うっかり不適切な発言をしてしまう意で、会話にも文章にも使われる漢語。〈つい口が滑って―する〉〈―を認めて謝罪する〉〈―を取り消す〉⇩放言

じっけん【実験】理論や仮説が正しいことを証明するために実際に験《ため》すことをさし、会話にも文章にも使われる漢語。〈―台〉〈―器具〉〈―室〉〈化学の―〉〈―に取り掛かる〉✎中谷宇吉郎の『立春の卵』に「―をしないでもっともらしいことを言う学者の説は、大抵間違っているものと思っていい」とある。真偽を知るための「試験」に比べ、正しいことを確認するイメージが強い。⇩試験

じつげん【実現】希望や計画を現実に達成する意で、会話にも文章にも使われる漢語。〈―困難〉〈夢が―する〉〈計画を―させる〉〈―に向けて努力する〉〈―性にとぼしい〉✎

小林秀雄の『志賀直哉』に「―しようとする作品のあらゆる効果は、隈なく点検さる可きものである」とある。⇩完成・Q達成

しつこい つきまとわれてうるさく感じられる意として、会話にも文章にも使われる日常の和語。〈―勧誘〉〈―・く攻め続ける〉〈―・くつきまとう〉✎人間の行為以外にも、「―味」のように、色や味付けなどの濃い意を表し、「―汚れ」のように、しぶとく付着している意を表すこともある。後者は「頑固な汚れ」ともいう。⇩くどい・Q執拗《しつよう》

しっこう【執行】 行政や司法上の決定事項などを実際に執り行う意で、改まった会話や文章に用いられる、正式な感じの硬い漢語。〈―部〉〈―猶予〉〈刑を―する〉〈予算を―する〉✎日常生活で用いると大仰な感じになる。⇩施行《しこう》・施工《しこう》・Q実行・実施・施行《せこう》・施工《せこう》・履行

じっこう【実行】 事を実際に行う意で、会話にも文章にも広く使われる漢語。〈不言―〉〈―力がある〉〈計画を―に移す〉✎太宰治の『人間失格』に「長兄は自分に対する約束を正確に―してくれました」とある。⇩施行《しこう》・施工《しこう》・執行・Q実施・遂行・施行《せこう》・施工《せこう》・履行

しっこく【漆黒】 漆を塗ったように深みのある黒で艶《つや》のある意で、主に文章に用いられる硬い漢語。〈―の髪〉〈―の闇に包まれる〉✎堀辰雄の『ルウベンスの偽画』は「それは―の自動車であった」という一文段落で唐突に幕を開ける。⇩真っ黒

じっこん【昵懇／入魂】 きわめて親しく心安い意で、やや改まった会話や文章に用いられる古風な漢語。〈―の間柄〉〈御―に願います〉✎三島由紀夫の『仮面の告白』に「―な知人の家」とある。⇩懇意・親しい・Q親密・近しい

じっさい【実際】 空想や理論上でなく現実にの意で、くだけた会話から硬い文章まで幅広く使われる日常の漢語。〈―問題〉〈―にやってみる〉〈―に起こった出来事〉〈―には違う〉✎小林秀雄の『私の人生観』に「―には、様々な種類の科学があり、見る対象に従い、見る人の気質に従い、異った様々な見方があるだけです」とある。⇩現実・Q事実・実状・実情・実態・真実・真相・ほんと・本当

じつざい【実在】 架空でなく実際に客観的に存在する意で、改まった会話や文章に用いられる硬い漢語。〈―の人物〉〈かつて―した証拠〉〈―を確認する〉⇩実存・Q存在

しっさく【失策】 エラーの意で主に文章に用いられる漢語。〈―を繰り返す〉〈取り返しのつかない―〉〈相手の―で命拾いをする〉✎井伏鱒二の『山椒魚』に、体が発育して隙間から出られなくなって岩屋に閉じ込められた山椒魚が「何たる―であることか！」と呟《つぶや》く場面がある。当時の自然主義一辺倒の文壇に文章で反発しようとことさら翻訳調を採用したと東京荻窪の自宅で井伏自身が語ったように、ここは意図的に違和感を持ち込んだ表現であり、自然な日常会話にこの語はなじまない。⇩Qエラー・しくじる・失態・失敗・とちる・抜かる・ぽか・ミス・ミスる・やり損なう

じっし【実施】 予定したことや対策、法律や決定事項などを実際に施行する意で、やや改まった会話や文章に用いられる、やや公的な感じの漢語。〈計画どおりに―する〉〈間もなく―の運びとなる〉〈―に踏み切る〉〈反対にあって―を

見送る〉⇩施行《しこう》・施工《しこう》・執行・Q実行・遂行・施行《せこう》・施工《せこう》・履行

じっし【実姉】血のつながった姉をさし、主に文章に用いられる正式な感じの漢語。〈—二名、ともに未婚〉⇩姉

じっしつ【実質】物事の実際の内容や性質をさし、やや改まった会話や文章に用いられる硬い感じの漢語。〈—が伴わない〉〈内容量が減ったので—的な値上げになる〉✎「形式」と対立。「内容」の中でも特に具体的な部分をさす傾向が強い。⇩Q内容・中身

じっしょう【実証〔證〕】確かな証拠を示し、経験的事実などを活用して証明する意で、学術的な会話や文章に用いられる専門的で硬い漢語。〈この研究は—性に欠ける〉〈理論を—してみせる〉⇩検証・Q証明・立証・論証

じつじょう【実状】実際の状況の意で、会話でも文章でも使われる漢語。〈—を調べる〉〈—をつかんで対策を講じる〉✎「—に合わない」の場合、事情より状況に重点があればこの語を用いる。⇩事実・実際・実情

じつじょう【実情】真情・事情の意で、会話でも文章でも使われる漢語。〈—を述べつくす〉〈—を訴える〉〈—を汲む〉✎「—に合う」の場合、事情という意味合いであればこの語を使う。客観的な「事情」に比べ、外部からはわかりにくい状況を打ち明ける感じがある。⇩事情・実際・実状

しっしょく【失職】それまで勤めていた職を失う意で、主に文章中に用いられる漢語。〈会社の倒産で—する〉⇩失業

しっしん【失神】一時的に気を失う意で、会話にも文章にも使われる漢語。〈—状態に陥る〉〈憧れの人に会えて—しそうになる〉✎精神が高揚しすぎ極度の興奮に意識が遠のくような場合によく使われる。⇩Q気絶・人事不省《ふせい》

しっせき【失跡】行方をくらます意で、主に文章中に使われる硬い漢語。〈—者の届出〉⇩家出・Q失踪・出奔・蒸発・逐電・行方不明・夜逃げ

じっせん【実践】実際に行う意で、改まった会話や文章に用いられる漢語。〈理論を—する〉〈計画を自ら—してみせる〉〈—を伴わない〉⇩実戦

じっせん【実戦】実際の戦闘や試合の意で、会話でも文章でも使われる漢語。〈—さながらの練習〉〈すぐ—に役立つ〉〈—向きの選手〉⇩実践

しっそ【質素】贅沢《ぜいたく》をせず地味に抑える意で、会話にも文章にも使われる漢語。〈—倹約を旨とする〉〈—な暮らし〉〈—な身なり〉✎「つましい」と違い、「—な服装」「—な食事」「—な借家」のように衣食住の個々のものに関する使用例もある。⇩つましい

しっそう【失踪】行方をくらます意で、やや改まった会話や文章に用いられる漢語。〈—宣告〉〈多額の借金を抱えて—する〉〈妻子を残して突然—する〉✎「失跡」より一般的。⇩家出・Q失跡・出奔・蒸発・逐電・行方不明・夜逃げ

じつぞん【実存】今ここに確かに存在する意で、主に文章に用いられる専門的な硬い漢語。〈—主義〉〈—とは何か〉✎哲学用語としては、自己の存在を自覚し主体的に関わる人間の在り方を問題にする。⇩Q実在・存在

しったい【失態】体面を失うようなみっともない行動の意で、会話にも文章にも使われる漢語。〈—を演ずる〉〈人前でとんだ—をやらかす〉〈ぶざまな—をしでかす〉⇩エラー・しく

じる・失策・Q失敗・とちる・抜かる・ぽか・ミス・ミスる・やり損なう

じったい【実体】事物・事象の実際の姿や中身をさし、改まった会話や文章に用いられる硬い漢語。〈組織の—を調べる〉〈—をとらえる〉〈—を見極める〉〈—の無い会社〉✎「正体」と違って隠されているというニュアンスはなく、「本体」に比べ具体的なレベルを含む感じがある。存在の変化を担う持続的性質をさす場合は哲学の専門語。⇩Q正体・本体

じったい【実態】実際の状態の意で、いくぶん改まった会話や文章に用いられる漢語。〈—調査〉〈—を調べる〉〈—がつかめない〉✎見かけと違うニュアンスがある。⇩現実・事実・実際・実情・Q実状・真相

しったかぶり【知ったかぶり】実際には知らないのに知っているような振りをする意で、主に会話に使われる俗っぽい和語。〈—をする〉〈—をして何にでも口を出す〉⇩半可通

しっち【湿地】湿気の多いじめじめした土地をさし、会話にも文章にも使われる漢語。〈—帯〉〈—で生育する〉⇩Q湿原・沼地

しっと【嫉妬】自分より優れていたり恵まれていたりする他人をうらやましく思う気持ち、特に、好きな異性の心が他に向かうことをねたましく思う気持ちをさし、やや改まった会話から硬い文章まで幅広く用いられる漢語。〈—心〉〈—に駆られる〉〈—に狂う〉〈秀才に—する〉✎吉行淳之介の『砂の上の植物群』に「近い将来、彼女を独占する筈の男に、彼は烈しい—を覚えた」とある。男女間の感情について使うことが多いが、それ以外の妬みをさす例も少なくない。⇩妬み・Qやきもち・妬《や》く

しつど【湿度】大気中の水蒸気の量の割合をさし、会話にも文章にも使われるやや専門的な漢語。〈—計〉〈—を測定する〉〈—が高く蒸し暑い〉✎「しっけ」や「湿り気」に比べ、その度合いを機械で計測した数値を連想しやすい。⇩Qしっき・しっけ・湿り気

じつに【実に】「本当に」に近い意味で、会話やさほど硬くない文章に使われる表現。〈—すばらしい〉〈—よく描いてある〉〈—よく頑張った〉✎「本当に」に比べ、真実という意味が薄れてほとんど程度の甚だしさを表す感じになっている。感動した場合に用いる例が目立ち「まずい」「下手だ」「申し訳ない」などにはなじみにくいが、「—けしからん」とも言うようにプラス評価に限るわけではない。⇩ほんとうに・ほんとに・Qまことに

しつねん【失念】うっかり忘れてしまう意で、改まった会話や文章に用いられる、やや古風で硬い感じの漢語。〈うっかり—する〉〈用件を一つ—する〉✎「忘却」よりちょっとしたことについて使う。⇩忘却・Q忘れる

ジッパー「ファスナー」の商標名で、会話や軽い文章に使われる外来語。〈—を上げる〉〈—が滑らかに動かない〉✎現在は、古風な「チャック」よりよく使われ、特にジーパンなどの連想が強い。⇩チャック・Qファスナー

しっぱい【失敗】やり損なう意で、くだけた会話から硬い文章まで幅広く使われる日常の基本的な漢語。〈—作〉〈作戦がみごとに—する〉〈事業に—する〉〈試験に—する〉✎永井荷風の『濹東綺譚』に「これさえ多くは—に終った」とあ

る。⇩エラー・しくじる・Q失策・失態・とちる・抜かる・ぽか・ミス・ミスる・やり損なう

しっぷう【疾風】急に吹き出す激しい風の意で、主として文章に用いられる、やや古風な漢語。〈―怒濤《どとう》〉〈―迅雷〉風力階級5の旧称。⇩嵐・おおかぜ・Q強風・颶風《ぐふう》・時化《しけ》・陣風・大風・台風・突風・はやて・暴風・暴風雨・烈風

じつぶつ【実物】見本や模型でない実際のそのものをさし、会話にも文章にも使われる漢語。〈―見本〉〈―大の模型〉後藤明生の『吉野大夫』に「―の浅間ではない、何か架空の山に見えた。浅間のお化けだ」とある。「写真より―のほうがずっとハンサムだ」とも言うように、「現品」「現物」と違って人間に対しても使い、夏目漱石の『草枕』にも「―の馬子が店先に留って」とある。⇩現品・Q現物・本物

しっぺい【疾病】病気の意で、主に文章に用いられる古風で正式な感じの漢語。〈長期の―に悩む〉太宰治の『浦島さん』に「パンドラの箱の中には―、恐怖、怨恨、哀愁、疑惑、嫉妬(略)などのあらゆる不吉の妖魔がはいっていて」とある。⇩障り・Q疾患・病気・病魔・病・患い

しっぽ【尻尾】「尾」の意で主としてくだけた会話に用いる和語。〈―が長い〉〈犬が喜んで―を振る〉〈―を巻いて逃げる〉牧野信一の『ゼーロン』に「驢馬の―は水車のしぶきのように私の顔に降りかかった」とある。川端康成の『春景色』には「象は調馬師の革鞭のような―を、きりきり振り廻していた」とある。「しりお」の転。⇩尾・おっぽ

じつぼ【実母】血のつながった母親の意で、主に文章中に用いられる漢語。〈幼時に―が他界し、ほとんど記憶に残っていない〉ほかに義母・養母・継母が存在する場合に限り、それらに対して実の母であることを強調して表現することば。網野菊の『遠山の雪』に「―は年下の青年との姦通を父から訴えられて離婚の上、懲役に行った」とある。それでも「―が不幸であるようにと願ったことは全然ない」のに「木にぶらさがっての死」をとげる。⇩生母

しつぼう【失望】期待が外れて気持ちが沈む意で、会話にも文章にも使われる漢語。〈現実に―する〉〈見込んで採用した社員に―する〉菊池寛の『ある恋の話』に「身も世もないように―してしまいました」とある。「がっかり」「気落ち」「失意」「落胆」が落ち込んだ自分の気持ちを中心にとりあげているのに対し、この語はその要因となった対象を含めて言及している。⇩がっかり・気落ち・失意・Q落胆

じつめい【実名】偽名でない戸籍上の実際の名前の意で、やや改まった会話や文章に用いられる。〈―入りで暴露記事を書く〉〈―を明かす〉〈―を隠し偽名で通す〉自分の名前を隠さずに示す気持ちがこめられることが多い。⇩本名

しつもん【質問】疑問に思うことや不明な点などについて問いただす意で、くだけた会話から硬い文章まで幅広く使われる日常の漢語。〈公開―状〉〈突っ込んだ―〉〈―に丁寧に答える〉井伏鱒二の『休憩時間』に「学生時代の正宗白鳥が英文学講師高山樗牛を―責めにして、樗牛先生を教壇に立往生させた」という噂が出る。⇩Q質疑・尋問

しつよう【執拗】相手がうるさく感じるほど諦めずに何度もしつこく繰り返す意で、改まった会話や文章に用いられる漢語。〈―に追及する〉〈―に食い下がる〉〈―な攻撃〉石

原慎太郎の『行為と死』に「彼らは今なお、蠅のように―に闘いつづけていた」とある。⇩くどい・Qしつこい

しづらい【為辛い】心理的にためらわれる、または、やってはみたもののうまく進まない意で、主に会話に使われる表現。〈目上には―〉〈道具がそろわなくて―〉⇩しがたい・Qしにくい

しつらえる【設える】室内を飾りつけたり装置などを設置したりして整える意で、改まった会話や文章に用いられる古風な和語。〈会場を―〉〈池に噴水を―〉⇩備える・Q設ける

じつりょく【実力】実際に持っている力量をさし、会話にも文章にも使われる漢語。〈―試験〉〈―者〉〈―を試す〉〈―を出し切る〉〈―の差〉✎そなわっている感じの「能力」に対し、努力して獲得する感じが強い。多く人間について用い、機械類について使うといくぶん擬人化した感じを伴う。井上靖の『帽子』に「到底自分の―では競争者を排し得るとは思われなかった」とある。⇩Q地力・底力・能力

しつれい【失礼】日常の謝罪表現の一つで、会話にも文章にも使われる。〈これは―〉〈どうも―しました〉〈先日は―いたしました〉〈―にも程がある〉✎自分の不注意で、その場にふさわしくない態度をとってしまったり、相手に対して礼を失する行為をしてしまったりした場合などに使われる。例えば、部屋を間違えてうっかりドアを開けただけなら「―しました」で済むが、室内に入って会食の料理に手をつけてから気づいた場合の陳謝のことばとしては軽過ぎる。まして、自転車でぶつかって傷を負わせる程度になると、この表現は不当に軽過ぎてかえって相手を刺激する。小沼丹の『犬の話』に「こら、犬っころなんて呼んでは飼主に―ですよ。別に―とは思わなかったが」とある。「途中で―する」のように、退席する、別れるの意でも使う。⇩謝る・Q御免・失敬・謝罪・済まない・陳謝・無礼・申し訳ない・詫《わ》びる

じつれい【実例】実際にある例の意で、会話にも文章にも使われる、やや専門的な漢語。〈―を示す〉〈―を引く〉〈―に乏しい〉〈文学作品から―を集める〉✎頭で考えた例ではなく、証拠として示せる現実に存在する例をさす。「作例」と対立。⇩一例・ケース②・事例・用例・Q例

してい【指定】自分から特定のものをこれと指示して定めることをさし、いくぶん改まった会話や文章に用いられる漢語。〈―席〉〈―の口座〉〈―の場所〉〈期日を―する〉〈天然記念物に―される〉⇩決める・定める・制定・設定・Q特定

してん【視点】対象を見る目の位置、表現主体の対象に対する位置取りをさし、会話にも文章にも広く使われる漢語。〈―がずれる〉〈―を動かす〉〈科学者の―から論ずる〉✎小説などの文芸作品の場合は、すべての登場人物の外見はもちろん行動・心理・性格を熟知し、その人物の過去・現在から未来までも心得ている、いわば神に近い「全知―」、および、主人公、または、それと行動を共にする作中の一人物といった小説の内部の視点、あるいは、その作品世界を傍らで観察している立場の作品外の人物など、ともかく一個人の知りうる範囲に限定して述べる「制限―」とに大きく二分される。また、この語はまれに、「―の定まらない目」のように、視線の先をさす用法例もある。⇩Q観点・見地・視座・立場

じてん【字典】漢字を一定の順序に並べ、その意味などを解

説した本をさし、主として文章に漢和辞典の意で用いられるやや古い感じの少し専門的な漢語。〈漢字専門の―〉🖊「字書」とも言う。同音の「辞典」や「事典」と区別するために口頭表現では俗に「もじてん」と言うこともある。⇩Q字書・辞書・事典・辞典・字引

じてん【事典】 事柄や物の解説を中心とした辞典をさし、主として文章中に用いられる、比較的新しいことば。〈百科―の項目〉🖊同音の「辞典」や「字典」と区別するために、口頭表現では俗に「ことてん」と言うこともある。⇩字書・辞書・字典・Q辞典・字引

じてん【辞典】 ことばを一定の順序に並べ、その意味などを解説した本をさし、会話でも文章でも幅広く使われる基本的な日常漢語。〈国語―〉〈英和―〉〈―を編纂《へんさん》する〉〈―を引いて確かめる〉🖊「辞書」よりも新しい感じのことば。会話では多く「辞書」を使ってきたが、現在では会話でもこの語を盛んに使うようになってきた。同音の「字典」「事典」と区別するために口頭表現では俗に「ことばてん」と言うこともある。⇩字書・Q辞書・事典・字典・字引

じてんしゃ【自転車】 ペダルを踏んで車輪を回転させて走行する二輪の乗り物をさし、くだけた会話から文章まで幅広く使われる日常の漢語。〈―屋〉〈―をこぐ〉〈―で風を切って進む〉🖊壺井栄の『二十四の瞳』に「―はすうっと鳥のように近づいてきた」とある。⇩Q銀輪・ちゃりんこ

しと【使途】 物品や金銭などを何に使ったかという使用先の意で、改まった会話や文章に用いられる正式な感じの漢語。〈―を明記する〉〈―不明の金〉⇩Q使い道・用途

しどう【始動】 機械類が動き始める意、また、動かし始める意で、やや改まった会話や文章に用いられる漢語。〈エンジンが―する〉〈新鋭機を―する〉⇩起動

しどう【指導】 ある目的に向かって指示や助言を与え教え導く意で、くだけた会話から硬い文章まで幅広く使われる日常の漢語。〈―者〉〈―要領〉〈進路―〉〈初心者を―する〉〈後進の―に当たる〉〈―よろしきを得て〉🖊梅崎春生の『桜島』に「兵隊を直接―して行く立場にあるのは、下士官である」とある。技能的な「コーチ」や精神的な「教導」に比べ、学問やスポーツなど幅が広い。「教育」に比べ、技術面が中心になる雰囲気がある。⇩教える・教育・教示・教導・コーチ・Q指南・導く

じどう【児童】 学校と関係なく漠然と子供をさす一般的な使い方の場合、やや改まった感じの漢語。小学校に通学する子供に限定して用いる場合は専門語。〈―文学〉〈―遊園〉〈―と保護者〉⇩園児・生徒

じどうかいさつ【自動改札】 駅員に代わって機械が改札を行う装置をさし、遠からず古い感じになりそうな語。〈―を通る〉🖊駅員が確認する作業を機械がこなすこの装置は主要な駅から徐々に広がったため、最初は物珍しく斬新な雰囲気が強かったが、次第に普及するにつれて珍しさが薄まってきた。ほとんどの駅がその形になると「自動」は当然になり、単に「改札」と言えば済む。そうなれば、この語形の斬新な響きは逆に古めかしい感じに変わるだろう。

しどうしゃ【指導者】 組織や集団の中で助言を与え進むべき方向に導く人をさし、会話にも文章にも使われる漢語。

〈―に恵まれる〉〈―の腕が問われる〉〈社会運動の―〉✎「リーダー」に比べ、理論的支柱という面が意識に上る。⇩指揮官・Qリーダー

じどうしゃ【自動車】 エンジンの力で車輪を回転させ、道路上を走行する乗り物の総称として、少し改まった会話や文章に用いられる正式な感じの漢語。〈消防―〉〈高速―道〉〈―産業〉〈―の後部座席〉〈―を運転する〉〈交差点を通行する―の数〉✎火野葦平の『麦と兵隊』に「道路はひどい埃で、前を行く―は黄色い土煙の中に隠れてしまって見えない」とある。バスやトラックからオートバイのような二輪車まで含まれるが、特に乗用車を連想させやすい。⇩車

じどうにりん【自動二輪】「自動二輪車」の短縮形。主として日常会話に使う漢語。⇩オートバイ・原付・原動機付き自転車・Q自動二輪車・スクーター・単車・バイク・モーターバイク

じどうにりんしゃ【自動二輪車】「オートバイ」の意の正式な感じの用語。✎道路交通法では、排気量五〇ccを超えるものをさし、五〇cc以下の原動機付き自転車と区別する。通称「自動二輪」。⇩Qオートバイ・原付・原動機付き自転車・自動二輪・スクーター・単車・バイク・モーターバイク

じどうぶんがく【児童文学】 児童を読者対象とする文学作品、童話・童謡の総称として、改まった会話や文章に用いられる専門的な漢語。〈この図書館は―が充実している〉⇩おとぎ話・Q童話・メルヘン

しとやか【淑やか】 言動が落ち着いていて気品を感じさせる意で、よほどくだけた会話以外、幅広く使える和風の日常語。〈―な物腰〉〈―なしぐさ〉〈―な立ち居振る舞い〉✎鈴木三重吉の『千鳥』に「きちんとした嬢さんである。―に挨拶をする」とある。一般に辞書には明確な性別の制限が明記されていないが、この語を受ける名詞が人間の場合「女性」「令嬢」「婦人」「奥様」のような女の人の例ばかりで、「―なお坊ちゃま」といった男の例はほとんど見られない。「―な」の次に「長男坊」とか「陸軍軍曹」とかが続くと滑稽な感じになるのは彼らに落ち着きや気品がないからではなく、この語のそのような女性的な語感と反発するからである。一方、年齢的にもある程度の制限を感じさせる。「―な老婦人」にはまったく違和感がないが、「―な女の子」という表現には少し抵抗を感じる。いくら家柄がよくて動作が落ち着いていても「―な幼稚園児」とは言わない。おそらく女子高生あたりが境界線上にあり、この語の適用範囲は成人女性にほぼしぼられる。以上のように、この語には性別と年齢との両方の語感が働いていると考えられる。

しな【品】 ある用途に当てる物、特に商品をさして、会話にも文章にも使われるいくぶん専門的な和語。〈―薄〉〈記念の―〉〈いい―を選ぶ〉✎「安いとどうしても―が落ちる」のように、品質の意でも使う。⇩Q品物・物品

しなう【撓う】 弾力があってしなやかに反る意で、やや改まった感じの会話や文章で用いられる和語。〈木の枝が―〉〈生まれつき体が柔らかく、よく―〉〈鉄棒が―〉〈このビルは地震の際に―ことで衝撃をやわらげる構造になっている〉✎武田泰淳の『風媒花』に「手入れの行き届いた白い両掌の指が組み合わされ、便利なゴム製器具のように―・っている」とある。もっぱら形状の変化に注目する「反る」に比

べ、弾力のあるしなやかさに注目した語。肉体の場合、後方に限られる「反る」と違い、思う方向になめらかに曲がるイメージが強い。なお、「る」で終わる動詞が多いところから、俗に「しなる」の形で使われることもある。⇩しなる・Q反る・撓《た》む

しなそば【支那蕎麦】「ラーメン」の意で使われた古めかしい用語。〈―屋〉〈―の屋台〉🖉「支那」の差別的な語感が嫌われ、現代ではほとんど使われない。⇩Q中華そば・ラーメン

しなちく【支那竹】かつて「メンマ」の意で会話でも文章でも普通に使った漢語。〈中華そばの―〉🖉日本人の使う「支那」という響きが中国人にとって悪いイメージがあるとして一般に使用を控えているためか、今では古風な響きがある。⇩メンマ

しなびる【萎びる】野菜などが水分をすっかり失って新鮮な感じがなくなる意で、会話や改まらない文章に使われる日常の和語。〈きゅうりが―〉🖉「しおれる」以上に水分がなくなった感じがある。比喩的に「年老いて肌が―」などとも使う。佐藤春夫の『田園の憂鬱』に「彼の心は、決して打砕かれているのではなかった。ただ―・びているだけである」とあるのも気力のなえている意である。⇩しおれる①

しなもの【品物】主に商品などの取引対象となる物などをさして、くだけた会話から硬い文章まで幅広く使われる日常の最も基本的な和語。〈高価な―を扱う〉〈―がはける〉〈―が不足する〉🖉「―が確かだ」「安物とは―がまるで違う」のように、「品」と同様、品質の意でも使う。一般社会では「品」よりよく使う。⇩Q品・物品

しなやか 弾力性があって抵抗なく曲がるさまをさし、会話でも文章でも使われる優雅な雰囲気の和語。〈―な髪〉〈―な肢体〉〈―な身のこなし〉🖉川端康成は『千羽鶴』の中でヒロイン文子のしなやかさを印象的に描き出した。「文子は―にかわした」「文子の意外な―さに、あっと声を立てそうだった」「それはあり得べからざる―さであった」と繰り返して場面は迫り上がり、「女の本能の秘術」のように「文子は温い匂いのように近づいただけであった」というクライマックスを迎える。このように「しなやか」という語は柔軟さと強靭《きょうじん》さを兼ね備えた好感度の高い表現であったが、最近は粘り強さの面が意識されない傾向が見受けられる。雑誌『言語生活』の「語感とイメージ」と題する座談会で詩人の谷川俊太郎が、校歌の作詞を頼まれてその中に「しなやか」ということばを使ったら、弱々しいという文句が出て必死に弁明してやっと通した、という身近な例を出して近年の語感の衰弱を嘆くのを司会者として目撃した。⇩Qしなう・しなる・たわむ

シナリオ 映画やテレビの台本をさして、会話にも文章にも使われる外来語。〈―ライター〉〈映画の―〉🖉伝統的な芝居には語感がなじまない。「すべて―通りに事が運ぶ」のように筋書き・計画を意味する比喩的用法もある。⇩戯曲・脚本・コンテ・Q台本

しなりょうり【支那料理】「中華料理」の昔の言い方。🖉小津安二郎監督の映画『戸田家の兄妹』(一九四一年)で戸田進太郎(藤野秀夫)が妻がおいしかったという「白い、あんかけの様な」ものをさして「あれは―じゃ一番うまいよ」と言

う。「支那」の語は日本人が使うと差別意識が感じられるとして「支那そば」「支那竹」などとともに今では使用を控えている。⇩中華料理

しなる【撓る】「撓《しな》う」の俗語形。〈あんまり—・らないで折れやすい〉⇩撓う

しなん【指南】芸能や武術などを教え導く意で、会話にも文章にも使われる古めかしい漢語。〈—役〉〈剣道の—をする〉〈ひと手—にあずかりたく〉〈—を受ける〉✎『あくび指南』と題する落語があり、立川談志は『新釈落語咄』でこの究極の無意味を「これを爛熟といわずして、他の何処《どこ》にこの言葉の使い場所《どころ》があるだろうか」と評した。⇩教える・教示・Q指導・導く

シニア「年配者」「年寄り」の意をやわらかく伝える婉曲《えんきょく》表現。〈—コース〉〈—の部に出場する〉✎語感の働きにくい外国語を利用したぼかしの表現。⇩高齢者・年寄り

しにくい【為難い】「やりにくい」意で、会話にも文章にも使われる表現。〈人が見ている前では—〉〈足場が悪くて—〉⇩しがたい・Qしづらい

しにものぐるい【死に物狂い】死を覚悟しているほどなりふりかまわず猛烈に取り組んだり暴れたりする意で、主に会話に使われる和語表現。〈—で猛勉強する〉〈—で頑張る〉✎幅広く使われる「必死」はもちろん、「命懸け」よりもさらに追い詰められた状況で使う傾向があり、取り乱した感じが最も強い。⇩Q命懸け・必死

しにょう【屎尿】大小便の意で、主に文章に用いられる、正式な感じの漢語。〈—処理〉〈—汚水〉✎「大小便」と違って排泄《はいせつ》作用は意識されず、「糞尿」同様もっぱら汚物をさす。⇩Q汚わい・糞尿・糞便・便

しにん【死人】死亡した人間をさす。「死者」に比べ、やや古い感じの口頭語的な日常の漢語表現。〈—が出る〉〈—に口なし〉✎岩野泡鳴の『耽溺』に「半ば—のように固く冷たいような気がした」とある。「—のように蒼ざめる」など、死んだ人間一般の特徴をさす用法の場合は「死者」ではなじまない。⇩遺骸・遺体・かばね・死骸・しかばね・死屍・Q死者・死体・しびと・亡骸・むくろ

じにん【自認】自分で認める意で、改まった会話や文章に用いられる硬い感じの漢語。〈過失を—する〉〈日ごろの努力不足を—する〉⇩自任

じにん【自任】自負する意で、やや改まった会話や文章に使われる漢語。〈斯界の第一人者と—する〉〈映画界の巨匠をもって—する〉⇩自認

じにん【辞任】任期の途中で自らの意思でその任務を降りる意で、やや改まった会話や文章に用いられる正式な感じの漢語。〈委員長の—を要求する〉〈—表明〉〈—の決意を固める〉〈役員を—する〉✎大臣を辞任しても国会議員という資格は失われず、役所や企業でも役を降りるだけで勤務先を退職しないのが通例で、「辞職」とは若干ニュアンスが異なる。「就任」と対立。⇩辞職・退職・Q退任

しぬ【死ぬ】生命を失う意で、くだけた会話から改まった硬い文章まで幅広く使われる最も一般的な日常語。〈—覚悟で事に当たる〉〈—間際に言い残す〉〈—か生きるかの瀬戸際〉✎志賀直哉の『城の崎にて』に「自分は偶然に—・なな

かった。蠑螈《いもり》は偶然に—・んだ」とある。もと「過ぎ去る」「しおれる」といった意味からの間接表現というが、今では最も明確な直接表現。その露骨な感じを避けて、「なくなる」「永眠する」以下さまざまな間接表現が試みられてきた。どの言い方も最初はそれとなくほのめかすだけの婉曲《えんきょく》表現として有効であるが、繰り返し使っているうちに意味と直結するようになって間接表現として機能しなくなり、次から次へと新しい間接表現を生み出してきた跡が数多く残っている。さらには、「死」と同音の「四」まで、縁起をかついでシの代わりにヨンと発音し、病室や駐車場などの番号でも3から5にとぶ例が多い。このような表現態度にことさら〝死〟を忌むその人間のこだわりが映っている。⇩敢え無くなる・上がる②・あの世に行く・息が切れる・息が絶える・息を引き取る・往く・いけなくなる・永眠・往生・お隠れになる・落ちる②・おめでたくなる・帰らぬ人となる・くたばる・死去・死亡・昇天・逝去・斃《たお》れる・他界・長逝・露と消える・天に召される・亡くなる・儚《はかな》くなる・不帰の客となる・不幸がある・崩御・没する・仏になる・身罷《まか》る・脈が上がる・空しくなる・藻屑となる・逝く・臨死・臨終

シネマ 「映画」を意味する古い感じの外来語。〈—オルガン〉（サイレント映画の伴奏用）✎フランス語「シネマトグラフ」の略。英語系統の「キネマ」ほどの広がりは持たなかったようで、それだけ昔懐かしい感じも薄い。⇩Q映画・活動②・活動写真・キネマ・ムービー

じねんじょ【自然薯】 野生種の山芋をさし、会話にも文章にも使われる、やや専門的な漢語。〈—をとろろにする〉✎栽培種の長芋に対する名づけ。⇩とろろ芋・長芋・Q山芋

しのぐ【凌ぐ】 程度や困難を乗り越える意で、会話にも文章にも使われる和語。〈前作を—出来〉〈前回を—人気〉〈プロを—腕前〉〈飢えを—〉〈雨露を—〉〈—・ぎやすい気候〉⇩凌駕《りょうが》

しののめ【東雲】 東の空の明るくなりかける時刻、また、その雲を意味する、古風な雅語に近い和風表現。〈—の光〉✎泉鏡花の『高野聖』に「今朝も—に袂を振り切って別れようとすると」とある。⇩暁・明け方・曙・Q朝ぼらけ・朝まだき・払暁・未明・夜明け・黎明《れいめい》

しのびあい【忍び会（逢）い】 愛し合う男女が人目を忍んで会う意で、会話にも文章にも使われる古風な和語。〈—を続ける仲との噂〉✎古く文学作品などにしばしば用いられ、今でもひとつの雰囲気を漂わせる。⇩Q逢引・逢瀬《おうせ》・デート・密会・ランデブー

しのびなき【忍び泣き】 声を立てないように泣く意で、主に文章中に用いられる、古風で趣のある和語。〈—の声がもれる〉✎北原白秋の詩『城ヶ島の雨』に「雨は真珠か、夜明の霧か、それともわたしの—」とある。⇩嗚咽《おえつ》・しゃくりあげ・Qすすり泣き・泣き咽《むせ》ぶ・むせび泣き・むせぶ

しのぶ【忍ぶ】 避ける・我慢する意で、改まった会話や文章に使われる少し古い感じの和語。〈人目を—〉〈恥を—〉〈世を—仮の姿〉✎ちなみに、森鷗外の『空車《むなぐるま》』に、何も積んでいない大きな荷車の威厳に圧倒され、「電車の車掌と雖《いえど》も、車を駐《とど》めて、—・んでその過ぐるを待たざることを得ない」と書いてある。⇩偲ぶ

しのぶ【偲ぶ】 懐かしく思い出す意で、しっとりとした文章

などに用いられる古風で抒情的な感じの和語。〈はるかに故郷を―〉〈往時を―〉〈しみじみ故人を―〉〈奥ゆかしい人柄が―・ばれる〉⇩忍ぶ

しば【芝】 芝生にされるイネ科の多年草をさし、会話にも文章にも使われる、いくぶん専門的な和語。〈庭に―を張る〉〈―が根づく〉〈―を刈る〉⇩芝生

しはい【支配】 人や組織などを思いどおりに動かしたり束縛したりする意で、やや改まった会話や文章に用いられる漢語。〈―階級〉〈国民を―する〉〈―下に置く〉✎内田百閒の『百鬼園先生言行録』に「どうにでも思いどおりになる自分の口が欠伸の間だけは自由にならない。つまり自分自身より別なものに、自分の口を―せられてしまう」とある。「運命を―する」「感情を―する」のように影響する意の抽象的な用法もある。⇩治める

しばい【芝居】 大衆的な演劇、特に伝統的な歌舞伎や新派劇などの総称として、会話やさほど改まらない文章に使われる和語。〈―見物〉〈―小屋〉〈―を打つ〉✎もと、民衆が芝の上に座って観劇したことから。「へたな―はやめろ」のように、人を欺く行為をさす用法もある。⇩Q演劇・劇・ドラマ

しはいにん【支配人】 会社や商店などで経営者から代理として営業に関する権利を任されている人をさして、会話にも文章にも使われる漢語。〈劇場の―〉〈ホテルの―〉✎井伏鱒二の『珍品堂主人』で「解雇通知には―の捺印さえあれば結構です」と弁護士が述べている。⇩マネージャー

じはく【自白】 犯罪行為など、他人に知られると不利になる情報を、それが事実であると自ら認める意で、会話にも文章にも使われる、やや専門的な硬い漢語。〈取調べで―に追い込む〉✎夏目漱石の『こころ』に「先生がなんのためにこんな―を私にして聞かせたのか」とある。⇩供述・告白・Q自供・白状

しばし【暫し】「少しの時間」を意味する、少し詩的な雰囲気のある古語的な表現。〈―の別れ〉〈―待たれよ〉〈―佇《たたず》む〉✎林芙美子の『放浪記』に「悩ましい胸の哀れなひびきの中に、―私はうっとりしていた」とある。⇩少々・少し

しばしば【屢(屢々)】 あまり間隔を空けずに何度も繰り返す場合に、改まった会話や文章に用いられる和語。〈―訪れる〉〈―遅刻する〉✎仮名書きの例が多い。⇩Q度々・ちょいちょい・ちょくちょく・よく

じはだ【地肌】 人や物の表面の意で、会話にも文章にも使われる表現。〈―がすべすべしている〉〈―が荒れる〉〈―に着る〉✎「伐採のやりすぎで―がむき出しになる」のように、本来は見えないはずのものが露出したというニュアンスを伴うこともある。人間の場合は「髪が減って頭の―が見える」のように使われ、瀧井孝作は『無限抱擁』で、病妻の「生地のすいた」頭に「汗の玉が見える」と冷静に描きとった。⇩素肌

しばたたく【瞬く】 しきりにまばたきする意で、主に文章に用いられる古めかしい和語。〈目を―〉✎「しばだたく」とも「しばたく」ともいう。谷崎潤一郎の『陰翳礼讃』に「夢のような明るさをいぶかりながら眼を―」という用例がある。⇩またたく・Qまばたく

しばふ【芝生】 芝を敷き詰めた地面をさし、会話にも文章に

も使われる日常の和語。〈—が広がる〉〈—に寝ころぶ〉✐小沼丹の『エジプトの涙壺』に「教職員、校友などが—の綺麗な、菊の美しい庭園に多数集まっていた」とある。⇩芝

じばら【自腹】 自分の金で支払う意で、会話や軽い文章に使われる表現。〈—を切らされる〉✐本来なら自分が払う必要がないという意識が感じられる。林芙美子の『放浪記』に「—だから、スッテンテンになってしまったわ」とある。⇩私費・自費・Q自前

しはらう【支払う】 代金や料金などをその場で相手に渡す意で、改まった会話や文章に用いられる、やや事務的でいくぶん形式ばった和語。〈代金を—〉〈費用を—〉〈現金で—〉✐小切手やカードの場合は現金の受け渡しはないが、相手側と直接のやりとりがある。⇩出費・払う②

しばらく【暫く】 少しの間の意で、会話にも文章にも使われる和語。〈もう—お待ちください〉〈—休養する〉✐「やあ、—」「—会っていない」のように、「暫時」や「しばし」と違って、かなり長い間という気持ちで使うこともある。⇩暫時・Qしばし

しばれる 「凍る」「きびしく冷え込む」の意の北海道から北東北にかけての方言。〈今夜は—〉⇩寒い

しひ【私費】 個人が負担する費用をさし、改まった会話や文章に用いられる、やや専門的な漢語。〈—留学〉〈—でまかなう〉〈—を投ずる〉✐島崎藤村の『新生』に「—で洋行を思立った留学生」とある。「官費」「国費」「公費」と対立。⇩自腹・Q自費・自前

じひ【慈悲】 慈しみ憐れむ意の仏教語。古風で、抹香くさい感じを意識する人もある。〈—の心〉〈—をかける〉✐森鷗外の『阿部一族』に「殉死を許して遣ったのは—であったかも知れない」とある。⇩憐れ・気の毒・同情・Q情け

じひ【自費】 自分で負担する費用の意で、会話にも文章にも使われる漢語。〈—出版〉〈—で払う〉✐会社持ちでないという意味合いでよく使う。福永武彦の『草の花』に「—で賄える患者なんか数える程しかいなかった」とある。⇩自腹・Q私費・自前

じびき【字引】 漠然と「辞典」類をさし、主として会話によく使った古風な日常語。〈手元の—で調べる〉✐「字典」のほか「辞典」をさすことも多いが「事典」は含まない。漢字を調べるためによく引いたところから。⇩字書・Q辞書・事典・字典・辞典

じひつ【自筆】 代理人でなくその本人が書く意で、会話にも文章にも使われる漢語。〈—の原稿〉〈—の書類〉〈氏名欄は—のこと〉✐当人の筆跡であるか否かが問題になるときに使われる。⇩直筆《じきひつ》

しびと【死人】 「死人」の古めかしい和風表現。〈—を担ぎ込む〉✐芥川龍之介の『偸盗』に「—が犬に食われるのさえ、見ていられない程、やさしい」とある。漢字表記は「しにん」と読まれるので、そう読ませたければ「死びと」と書くのが無難。⇩遺骸・遺体・かばね・死骸・しかばね・死屍・Q死者・死体・しにん・亡骸・むくろ

しびれる【痺れる】 感覚がなくなって自由に動かなくなる意で、くだけた会話から硬い文章まで幅広く使われる日常の和語。〈長く正座して脚が—〉〈後遺症で右半身が—〉✐林

芙美子の『浮雲』に「酔いが激しくなるにつれ(略)じいんと―・れてきた」とある。「あまりの美声に―」など、陶酔状態になる意の比喩的な拡大用法もあり、その場合はやや俗っぽい響きを感じさせる。⇩麻痺《ひま》

じふ【自負】自分の能力・行為・実績などに自信を持ち、そのことを誇る気持ちをさし、改まった会話や文章に用いられるやや硬い漢語。〈―心〉〈技術者としての―〉〈いささか―するところがある〉✍大岡昇平の『野火』に「甘やかされ、怠けた左手は、長くしなやかで、美しい。左手は私の肉体の中で、私の最も―している部分である」とある。意識的な「自慢」と違い、態度や雰囲気としておのずと現れ出る感じが強く、対人関係の常識に違反するマイナス面は特にない。⇩過信・気位・矜持《きょうじ》・自信・自尊心・自慢・プライド・Q誇り

しぶい【渋い】「けち」に近い意の和語。硬い文章以外に広く使われる日常語。〈いざ支払う段になると、思いのほか―〉✍多義語のため、非難のニュアンスが強く伝わりにくい。⇩けち・けちん坊・倹約家・Q渋ちん・締まり屋・しみったれ・しわい・節倹家・みみっちい・吝嗇《りんしょく》家

しぶき【飛沫】勢いよく飛び散る水滴をさし、会話にも文章にも使われる和語。〈―がかかる〉〈―を上げて泳ぐ〉✍激しく吹きつける雨をさすこともある。⇩Q飛沫《ひまつ》・水煙

しぶちん【渋ちん】「けち」の意の俗語。〈―にしては上出来だ〉✍「渋い」を人の名めかした感じの語形で、おどけた雰囲気がある。⇩けち・けちん坊・倹約家・Q渋い・締まり屋・しみったれ・しわい・節倹家・みみっちい・吝嗇《りんしょく》家

じぶつ【事物】事と物をまとめてさし、改まった会話や文章に用いられる硬い漢語。〈―事象〉〈―の名称〉〈身辺の―〉✍「物事」と逆に「物」のほうに重点がある。⇩事・事柄・事象・物・Q物事

じぶん【時分】会話でも文章でも使われる「頃」の意の古風な漢語。〈子供の―〉〈あの―は仲間とよく遊んだものだ〉✍小津安二郎監督の映画『東京暮色』(一九五七年)で明子(有馬稲子)が家を出て行った実母のことを「むかあしね、うちが東五軒町にいた―、近所にいた人だって」と家族に話す。こんなふうに昔を思い出すようなときによく用いたこの語は今でも使わないわけではないが、たいてい「そのころ」「あのころ」で済まし、特に若い人はほとんど用いない。⇩往時・時期・Q当時

じぶん【自分】考えたり行動したりする主体としての当人をさし、くだけた会話から硬い文章まで幅広く使われる日常の基本的な和語。〈―勝手にふるまう〉〈―本位に考える〉〈―から言い出す〉〈―のことは―でやる〉✍「自己」や「自身」が思考の対象としての内面の自分自身をさす意識があるのに対し、この語は思考の主体としての自分自身を思わせる傾向がある。武者小路実篤の『お目出たき人』に「―は今年二十六歳である。―は女に餓えている」とあるように、以前は単に一人称代名詞「わたくし」の意でも使った。志賀直哉の小品『山鳩』にも「撃ったのは―ではないが、食ったのは―だという事も気が咎めた」という例が出る。ここは当人が自身を対象化した感じが強い。⇩おのれ・Q自己・自身・みずから

しへい【紙幣】紙製の貨幣をさして、改まった会話や文章に

用いられる硬い漢語。〈―を四つ折にする〉〈新しい―が発行される〉⇩札《さつ》

しへんけい【四辺形】辺が四つある点に注目した命名。〈台形も―の一種〉⇩矩形《くけい》・四角・Q四角形・長方形・長四角

しぼ【思慕】相手をひそかに思い慕う気持ちをさし、主として文章に用いられる漢語。〈―の念が芽生える〉〈―の情が高まる〉✎小山いと子の『壁の中の風景』に「日傘をくるくる廻し、―の情に駆られながら、野の道を歩いてゆく」とある。「愛慕」「恋慕」に比べ、やや隔たりのある相手に対する控えめな態度が感じられる。⇩Q愛慕・懸想・恋慕

しほう【司法】国家が法律を実際の事実に適用する行為をさし、学術的な会話や文章に用いられる専門的な漢語。〈―制度〉〈―権〉〈―書士〉〈―解剖〉〈―の力を借りる〉✎「立法」「行政」と対立。具体的には民事上・刑事上の裁判をさす。⇩裁判

しぼう【死亡】「死ぬ」意で、主として改まった文章に用いる漢語。〈―者〉〈―通知〉〈事故で―する〉〈―が確認された〉✎井上靖の『あすなろ物語』に「春さんの―の記事」とある。「死」を最も客観的にとらえた直接表現。⇩敢え無くなる・上がる②・あの世に行く・息が切れる・息が絶える・息を引き取る・往く・いけなくなる・永眠・往生・お隠れになる・落ちる②・おめでたくなる・帰らぬ人となる・くたばる・死去・Q死ぬ・昇天・逝去・斃《たお》れる・他界・長逝・露と消える・天に召される・亡くなる・儚《はかな》くなる・不帰の客となる・不幸がある・崩御・没する・仏になる・身罷《みまか》る・脈が上がる・空しくなる・藻屑となる・逝く・臨死・臨終

しぼう【志望】将来こうなりたいと望むことをさし、会話にも文章にも使われる漢語。〈―校〉〈第一―〉〈医学部―〉〈芸術家を―する〉✎「志願」より遠い将来を考えている感じが強い。⇩志願

じぼうじき【自暴自棄】「やけ」の意で主として文章に用いられる漢語。〈何をやってもうまく行かず―になる〉✎類語中で最も硬い表現。⇩捨て鉢・Qやけ・やけくそ・やけっぱち・やけのやん八・破れかぶれ

しぼむ【凋(萎)む】ふくらんだり開いたりしていたものが生気や張りを失う意で、会話にも文章にも使われる和語。〈風船が―〉〈花が―〉✎谷崎潤一郎の『細雪』に「また庭へ降りて行って、今度は平戸の花の―・んだのを摘みはじめた」とある。「夢が―」のように、比喩的に衰えて縮む意にも使う。⇩Qしおれる①・すぼまる・すぼむ・つぼまる・つぼむ

しぼる【絞る】狭める意で、くだけた会話から硬い文章まで広く使われる日常生活の和語。〈雑巾を―〉〈焦点を―〉〈音量を―〉〈問題を―〉〈候補を―〉⇩搾る

しぼる【搾る】締め付けて取り出す意で、主として会話や軽い文章で使われる、やや俗っぽい和語。〈牛乳を―〉〈油を―〉〈知恵を―〉〈税を―〉✎「上司にさんざん―・られる」のような比喩的慣用句では、意味が抽象化するため仮名書きが多く、文体的にも俗っぽさが増す。⇩絞る

しほん【資本】事業を行うのに必要な基金の意で、改まった会話や文章に用いられる正式な感じの漢語。〈会社を設立する―金〉〈この事業には莫大な―が必要だ〉✎夏目漱石の『坊っちゃん』に「兄が下宿へ来て金を六百円出してこれを―にして商売をするなり」とある。俗に、「体が―だ」のよ

うに、活動の基礎となる大事なものの意に拡大して用いる比喩的用法もある。⇩がん金②・もと金①・Q元手《もとで》

しま【縞】二色以上の色糸で織り出す縦か横の筋模様をさして、会話にも文章にも使われる和語。〈―模様〉〈格子―〉✎衣料品では主に縦縞を「ストライプ」、横縞を「ボーダー」という。⇩ストライプ

しまい【仕舞／終い】「終わり」の意で主に会話に使われる古風な和語。〈話を―まで聞け〉〈―には怒るぞ〉〈これで今日はお―にしよう〉✎「お―」の形で使うことが多い。「こうなったらもうすべてお―だ」のように、しばしば絶望的なニュアンスで用いる。小津安二郎監督の映画『東京物語』には、老妻の容態を医者をしている長男に明け方までもてばいいと言われた周吉(笠智衆)が、「そうか…お―かのう」と嘆く場面があり、そこでは死ぬことを間接的にさしている。⇩終わり・最後・末

しまう【仕舞う】あるべき場所に移して保管する意で、くだけた会話から硬い文章まで幅広く使われる日常生活の基本的な和語。〈食器を戸棚に―〉〈残りを冷蔵庫に―〉〈奥に大事に―〉〈日曜大工が終わって、道具類をそれぞれの場所に―〉〈節句が過ぎて五月人形を―〉✎島崎藤村の『桜の実の熟する時』に「夏服の類を元の暗いところへ―・いながら」とある。「片づける」と違って物に焦点があり、場所を空けるためではなく、使わなくなった物を保存するために本来の場所に収納することに中心がある。⇩片づける

じまえ【自前】費用を他から支給されずに自分で負担する意で、会話や硬くない文章に用いられる表現。〈―の衣装〉〈交通費は―だ〉✎堀田善衛の『広場の孤独』に「―の船なんか一隻もないらしい」とある。⇩Q自腹・私費・自費

しまつ【始末】適切に処理して決まりをつける意で、会話にも文章にも使われるやや古風な日常の漢語。〈後―〉〈火を―する〉〈―をつける〉〈田舎の家を―する〉✎正宗白鳥の『入江のほとり』に「自分の―は自分でやらせることにしたら、些とは普通になるだろう」とある。「処分」より会話的で、大仰な雰囲気に欠ける。「―書」の場合はやや専門的な感じがある。⇩処分

しまりがない【締まりが無い】節度なくきりっとしていない意で、会話や硬くない文章に使われる和語表現。〈口元に―〉〈―にやけた顔〉〈金銭に―〉⇩Qだらしない①・ルーズ

しまりや【締まり屋】「倹約家」より古風で会話的な和語。〈町内きっての―〉⇩けち・けちん坊・Q倹約家・渋い・渋ちん・しみったれ・しわい・節倹家・みみっちい・吝嗇《りんしょく》家

しまる【絞まる】締め付けられる意で、会話でも文章でも使われる和語。〈首が―〉⇩締まる

しまる【締まる】緩みのない状態になる意で、会話でも文章でも使われる和語。〈筋肉が―〉〈気持ちが―〉〈相場が―〉✎中山義秀の『碑』に「筋肉の層でつみあがった彼の五体は藤蔓のように―・っていて」とある。圧迫されて「首が―」の場合は「絞まる」と書く。「会場の―・った雰囲気」「さあ、―・っていこう」のような緊張の意味合いでは「緊まる」と書くこともある。⇩絞まる・引き締まる

じまん【自慢】自分側や自分に関係のある物事を他人に誇る意で、くだけた会話から硬い文章まで幅広く使われる日常

の漢語。〈―話〉〈腕―〉〈―の息子〉〈―げに語る〉〈出来栄えを―する〉✎「自負」と違い、ことばや行為や態度などとして積極的に他人に働きかける雰囲気があって、世間で常識的に嫌われる。⇩威張る・思い上がる・自負

しみ【染み】顔面にできる黄色や褐色の斑点をさし、会話にも文章にも使われる和語。〈顔の―〉〈―が増える〉✎谷崎潤一郎の『細雪』に「唇の周りへ、ちょうど子供が餡で口の端《はた》をよごしたような風に、黝い―が出た」とある。この意味では「肝斑」とも書く。「―になる」「―を抜く」のように、液が染み込んで汚れたものをさす用法の例が多い。⇩そばかす

しみじみ【沁み沁み】心の底から深くの意で、会話や硬くない文章に使われる和語。〈―感じる〉〈―と語る〉〈―としたおかしみ〉✎庄野潤三の『舞踏』に「貧乏ほど悲しいことはない。それを、おれは―感じた」とある。福原麟太郎の『泣き笑いの哲学』には「おかしくてまた―と悲しい」とある。⇩しんみり・Qつくづく

しみず【清水】地面や岩の間などから湧く冷たく澄んだ水をさし、改まった会話や文章に用いられる、やや古風で美的な和語。〈―が湧き出る〉〈―を手に掬《すく》う〉✎永井荷風の『ふらんす物語』に「後の山手から湧いて来るらしい―が青苔の上にささやかな音を立てて流れている」とある。⇩泉・Q湧き水

じみち【地道】地味ながら堅実な意で、会話にも文章にも使われる、いくぶん古風な感じの表現。〈―に働く〉〈―な努力が実を結ぶ〉〈―に活動を続ける〉⇩堅実・着実・Q手堅い

しみつく【染み付(着)く】内部まで入り込んで抜けにくくなる意で、会話やさほど硬くない文章に使われる和語。〈匂いが―〉〈癖が―〉✎安岡章太郎の『海辺の光景』に「泣き声はまるで壁の中に―・いてしまったように、そこここに残って」とある。⇩Qこびりつく・焼き付く

しみったれ 非常識なまでに物惜しみをするようすをさし、くだけた会話や軽い文章に使われる俗っぽい和語。〈この―、ただで済ませようとしやがる〉〈あの―がよく寄付する気になったな〉✎夏目漱石の『坊っちゃん』に「田舎者は―だから五円もやれば驚ろいて眼を廻すに極っている」とある。⇩Qけち・けちん坊・倹約家・渋い・渋ちん・締まり屋・しわい・節倹家・みみっちい・吝嗇《りんしょく》家

しみったれる 「けちけちする」意で、主としてくだけた会話に使う和語。〈―・れた使い方〉〈―・れた了見〉✎ちなみに、小林秀雄は『Xへの手紙』で、「この世の真実を陥穽を構えて捕えようとする習慣が身についてこの方、この世はいずれ―・れた歌しか歌わなかった筈だったが」というふうに、「陥穽」といった硬い語と「しみったれた」という俗っぽい話しことばとを一つの文の中に同居させている。そういう話題を向けると、言語が社会的秩序を失って文章の乱れた時代に文士として出発したせいもあって、用語が乱雑で形式が整っていない自分の複雑な文章が生まれたのだと、鎌倉の自宅でみずから解説してみせた。⇩Qけち・けちくさい・しみったれ・せこい・みみっちい

しみる【染みる／浸みる】物の内部に入り込んで広がる意で、会話でも文章でも広く使われる日常生活の和語。〈煙が目に

―〉〈包み紙にたくあんのにおいが―〉〈雨が壁に―〉✎壺井栄の『母のない子と子のない母と』に「顔をしかめている のは、みかんの木のとげでひっかかれた手に、つゆが―のでしょう」とある。「にじむ」が内側から外表面に向かうのに対して、この「しみる」は外側から内部に向かう移行。「寒さが身に―」のも、感動して「心に―」のもその延長線上にある発想。⇩にじむ

しみん【市民】 その市に居住し市の構成員である人間、また、国家に対する義務と権利を有する一般の人をさし、会話でも文章でも広く使われる漢語。〈―運動〉〈善良な―〉〈一般―を巻き込む〉〈―の信頼を裏切る行為〉✎「公人」に対して、政治家や軍人などを除く一般大衆をさして使われる。ただし、選挙や社会運動として実際にこの語が使われる場合は「国民」よりかなり左傾した活動の色が濃く感じられる。⇩Q国民・人民・民

じむ【事務】 官公庁・会社・商店などで主に文書の作成や会計などをこなす机上の仕事をさし、くだけた会話から硬い文章まで幅広く使われる漢語。〈―所〉〈―処理〉〈―を執る〉〈―が滞る〉✎吉行淳之介の『鳥獣虫魚』に「私の席のちかくに、ひとりの女―員が坐っている」とある。⇩Q庶務・総務

じむしょ【事務所】 事業経営などに必要な庶務を執る場所をさし、会話にも文章にも使われる一般的な漢語。〈法律―〉〈―の経費〉〈―に届ける〉✎学校の事務室なども含まれる。⇩オフィス

しめい【氏名】 名字と名前の総称で、改まった会話や文章に用いられる漢語。〈住所―〉〈―を名乗る〉〈書類に―を記す〉✎「姓名」に比べ、名字と名前との一体感が強い。⇩Q姓名・名・名前

しめきり【締め切り／〆切】 期限が来て受付などを打ち切る意で、会話にも文章にも使われる日常の和語。〈原稿の―日〉〈申し込みの―が迫る〉〈出願期間の―間際〉〈―が過ぎる〉〈―を守る〉⇩Q期限・期日

しめくくる【締め括る】 だらだら終わらないように物事の結末をつける意で、会話にも文章にも使われる和語。〈話をうまく―〉〈最後を―〉✎「まとめる」と違って、全体の筋道を通すことより、最後の部分で引き締める点に中心がある。⇩まとめる

しめしあわせる【示し合わせる】 目配せなどの合図をしたり、あらかじめ話し合って決めておいたりする意で、会話や軽い文章に使われる和語。〈友達と―・せて授業を抜け出す〉〈二人で―・せて人目につかない場所でひそかに逢う〉✎人目を避けてこっそり行う行為のため、悪いことを連想させる傾向が強い。⇩Q打ち合わせる・申し合わせる

しめす【示す】 相手の感覚・認識の対象として表す意で、改まった会話や文章に用いられる和語。〈身分を証明するものを―〉〈図で―〉〈記号で―〉〈条件を―〉〈誠意を―〉〈関心を―〉〈反応を―〉〈傾向を―〉✎大岡昇平の『俘虜記』に「この嫌悪は平和時の感覚であり、私がこのときすでに兵士でなかったことを―」とある。⇩Q表す・表現・見せる

しめりけ【湿り気】「湿気」や「潤い」の意で、会話や軽い文章に使われる日常語。〈乾して布団の―をとる〉✎「しっけ」以上に感覚的なとらえ方の表現。⇩しっき・Qしっけ・湿度

しめる【湿る】水分を吸って湿気を帯びる意で、会話にも文章にも使われる日常の和語。〈—・った空気〉〈火薬が—〉✎川端康成の『雨傘』に「濡れはしないが、なんとはなしに肌の—、霧のような春雨」とある。⇩しける・Qしっける・しんめり

しめる【閉める】開いた状態から閉じた状態に変える意で、くだけた会話からさほど硬くない文章まで広く使われる日常生活の基本的な和語。「閉じる」より会話的なレベルの語。〈窓を—〉〈蓋を—〉〈コルクの栓を—〉〈今年限りで店を—〉✎小沼丹の『黒と白の猫』に「雨戸を—・めてしまうと、とんとん、と(猫が)雨戸を敲くようになった」とある。臨時に開けたものを元に戻すというイメージのある「閉じる」に対して、この語は開放状態から閉鎖状態に移行させる途中の過程を意識させやすい。「少し」とか「半分」とかとなると「閉める」が自然で、「閉じる」とするといくらか違和感があるのはそのせいであろう。⇩閉ざす・Q閉じる

しもごえ【下肥】「コエ」が糞尿《ふんにょう》をさすことを明確にするために主として会話に使われる古風な和語。〈—をやる〉⇩Q肥・肥やし・肥料

しや【視野】目を動かさずに見える視力の及ぶ範囲をさし、会話にも文章にも使われる漢語。〈奥行—〉〈—に入る〉〈—が狭い〉〈—を広げる〉✎小川国夫の『貝の声』に「浩の—には彼が、膝の辺から臙脂の頸巻まで、入っていた」とある。⇩視界

しゃ【社】自分の勤務する会社をさし、会話や軽い文章に使われる漢語。〈わが—〉〈一度—に戻る〉✎「会社」の略。⇩会社

ジャー 口の広い魔法瓶をさし、会話にも文章にも使われる外来語。〈—に水を足して沸かす〉✎「魔法瓶」より新しい感じで、湯を沸かす機能がついている例が多い。電気炊飯器の意にも使う。⇩ポット・Q魔法瓶

じゃあく【邪悪】心がねじれていて考えや言動が人の道に外れている様子をさし、主として文章に用いられる硬い漢語。〈—な行い〉〈—な心〉✎精神的な「よこしま」に比べ、行為として実現した後の評価をさす例も多い。⇩悪辣・Qよこしま・悪い

シャープ 切れ味や頭脳や感覚などが鋭い意で、会話にも文章にも使われる外来語。〈動きが—で無駄がない〉〈頭の働きが—だ〉⇩鋭敏・鋭利・Q鋭い

シャープペンシル 軸に入れた芯を徐々に押し出して書く鉛筆代わりの筆記具をさす和製英語。〈胸のポケットから時代物の—をおもむろに取り出す〉✎くだけた会話では短縮形「シャーペン」がよく使われる。⇩シャーペン

シャーペン くだけた会話で使われる和製英語「シャープペンシル」の省略形。〈—の芯を補充する〉⇩シャープペンシル

しゃいん【社員】ある会社に勤務する従業員をさし、会話にも文章にも使われる漢語。〈正—として採用する〉〈平《ひら》—の身分〉〈—教育が徹底している〉〈—食堂〉✎吉行淳之介の『娼婦の部屋』に「大学をやめて正式の—になるか、アルバイトをやめて大学を卒業するか」とある。通常は会社員一般でなく、特定の会社を頭に置いて使う。⇩Q会社員・サラリーマン・従業員・職員・勤め人

しゃかい【社会】共同生活を営む人間の集団やその場をさして、くだけた会話から硬い文章まで幅広く使われる基本的な漢語。〈実—の経験を積む〉〈—に出て働く〉〈—復帰を果たす〉〈—に貢献する〉✎島崎藤村の『桜の実の熟する時』に「これから—の方へ出て行こうとする青年等のために、前途の祝福を祈って呉れた」とある。「芸人の—」「大相撲《おおずもう》の—」「学者の—」「限られた—でだけ通用する」のように、共通の職業などを持つ仲間の交際範囲のような狭い部分を、他と異なる特殊な集まりという意識で独立させる場合もある。⇩世界②・Q世間・世の中

じゃがいも【じゃが芋】会話にも文章にも広く使われる最も普通の日常語。〈—をゆでる〉✎「ジャガタラいも」の略。⇩ジャガタラ芋・Q馬鈴薯《ばれいしょ》

ジャガタラいも【ジャガタラ芋】「じゃがいも」の意で使われた古めかしい呼び名。〈—の伝来〉✎江戸時代の初期にジャガタラ（ジャカルタ）から伝わったところから。⇩Qじゃが芋・馬鈴薯《ばれいしょ》

しゃがれる【嗄れる】「しわがれる」の意で、主にくだけた会話に使われる俗っぽい和語。〈特徴のある—・れた声〉✎「しわがれる」の崩れた語形。芥川龍之介の『玄鶴山房』に「妙に切迫した、詰問に近い嗄《しゃ》れ声《が》」とある。⇩かすれる・Qしわがれる

しゃきん【謝金】謝礼として渡す金銭をさし、会話にも文章にも使われる漢語。〈—が出る〉〈—を支払う〉〈—を受け取る〉✎役所などで用いた関係もあり、「お礼」や「謝礼」に比べ事務的な感じの用語で、形式的には報酬として扱わないが、奥に労働の対価という意味合いが感じられる。⇩Q謝礼・礼③

しゃく【癪】気に入らず腹が立つ意で、会話にも文章にも使われる漢語。〈考えるだけでも—だ〉〈—にさわる〉〈—の種〉✎瀧井孝作の『俳人仲間』に「商才にいつもシテヤラレて妬ましがり、—にさわった」とある。⇩癇《かん》・癇癪・気に障る

しゃくざい【借財】多額の借金をさし、改まった会話や文章に用いられる古風な漢語。〈思わぬ—を背負い込む〉〈莫大な—を抱える〉✎島崎藤村の『破戒』に「—に—を重ね、高利貸しには責められる」とある。⇩借銭・Q借金

じゃくしょう【弱小】存在が小さくて弱い意で、改まった会話や文章に用いられる硬い感じの漢語。〈—国家〉〈—企業〉〈—チーム〉✎「—の頃より」のように、年齢が若い意でも使われる。⇩弱体・軟弱②・Q弱い

じゃくしん【弱震】震度3の旧称。⇩強震・軽震・中震・微震

しゃくせん【借銭】借金の意で、会話にも文章にも使われる古めかしい漢語。〈—がかさむ〉✎壺井栄の『二十四の瞳』に「—が山のようにあって旅行どころじゃない」とある。⇩借財・Q借金

じゃくたい【弱体】組織や体制などが弱く頼りない意で、改まった会話や文章に用いられる硬めの漢語。〈戦力が—だ〉〈団体の—化を招く〉⇩Q弱小・軟弱②・弱い

じゃくてん【弱点】相手から攻撃されると不利になりそうな弱い部分をさし、会話にも文章にも使われる漢語。〈—を露呈する〉〈—をつかまれる〉〈相手の—につけこむ〉⇩欠陥・Q欠点・短所・難点

じゃくねん【若(弱)年】年齢の若い意で、改まった会話や文章に用いられる漢語。〈―のみぎり〉〈―層に人気がある〉✎「壮年」「老年」と対立。⇩Q若い・若々しい

しゃくめい【釈明】誤解や非難を受けた際によく説明して了解を求める意で、改まった会話や文章に用いられる硬い漢語。〈事情を―する〉〈―を求める〉〈―に追われる〉✎辻邦生の『天草の雅歌』に「自身からはなんの―もなく」とある。⇩言い訳・弁解・Q弁明・申し開き

しゃくよう【借用】他人から物品や金銭を借りて使う意で、改まった会話や文章に用いられる漢語。〈―証書〉〈金銭を―する〉〈―つかまつる〉✎「借用語」のように返さない場合も含まれる。⇩借りる

しゃくりあげ【噦り上げ】息を急に何度も吸い込むようにして泣く意で、会話にも文章にも使われる和語。〈―の声がもれる〉✎川端康成の『美しさと哀しみと』に「はじめて―の声をもらした」とある。⇩嗚咽《おえつ》・忍び泣き・Qすすり泣き・泣き咽《むせ》ぶ・むせび泣き・むせぶ

しゃくりょう【酌量】事情を汲《く》んで手加減をする意で、改まった会話や文章に用いられる硬い漢語。〈情状―の余地がある〉✎手加減を加えるほうに意味の重点がある。⇩斟酌《しんしゃく》

ジャケット　洋服の上着をさし、会話でも文章でも使われる外来語。〈カジュアルな―を着こなす〉〈春らしい―をはおる〉✎一般に背広の上着をさすが、ズボンと共布でなく、「スーツ」ほど改まらない、くつろいだ感じの上着をさして使うことが多い。日常的な「背広」よりいくらか専門的な感じがする。⇩スーツ・Q背広

じゃけん【邪慳(険)】相手に対する扱い方が冷たく粗末な意で、会話でも文章でも使われる古風な漢語。〈―にする〉〈―に扱う〉✎小津安二郎監督の映画『東京物語』(一九五三年)に、沼田(東野英治郎)がおでん屋の女主人(桜むつ子)が亡妻に似ているという話題で「―なとこもよう似ている」と言う場面がある。⇩爪弾《つまはじ》き

しゃこ【車庫】自動車などの車輛を収納するための建物をさし、会話にも文章にも広く使われる日常の漢語。〈自宅の―〉〈電車の―〉〈くるまの―入れ〉⇩Qガレージ・駐車場

しゃこうじれい【社交辞令】相手との友好関係を維持するために用いる褒め言葉などの儀礼的な応対表現を意味して、改まった会話や文章に用いられる漢語。〈単なる―に過ぎない〉〈―を真に受ける〉⇩お世辞・お追従《ついしょう》・おべっか・おべんちゃら・Q外交辞令

しゃざい【謝罪】自分の過ちや罪を認めて深く詫《わ》びる意で、改まった会話や文章に用いられる硬い漢語。〈―広告〉〈―の手紙〉〈過失を認めて相手側に―する〉〈名誉を傷つける発言で―を要求する〉✎「陳謝」が失言程度を連想させるのに対して、この語は相手に多くの損害を負わせたり大きな迷惑をかけたりしたケースを連想させる。夏目漱石は『坊っちゃん』で、宿直の教員の寝床に数十匹のいなごを入れるいたずらをした寄宿生が「おれの前へ出て―をした。―をしなければ其時辞職して帰る所だった」と書き、主人公の気の短さを描き出した。⇩謝る・御免・失礼・済まない・Q陳謝・申し訳ない・詫《わ》びる

しゃし【斜視】左右の視線の方向がずれることをさす、やや

改まった漢語。日常語である「やぶにらみ」に比べ、専門語的な感じがあるだけ差別感は低い。⇩やぶにらみ

しゃしゃりでる【しゃしゃり出る】 厚かましく出しゃばる意で、主にくだけた会話に使われる俗っぽい和語。〈恥ずかしげもなく―〉〈子供の喧嘩に親が―〉⇩Q出しゃばる・出過ぎる

しゃしん【写真】 カメラでフィルムに写した像を現像処理し印画したものをさし、くだけた会話から硬い文章まで幅広く使われる日常の漢語。〈記念―〉〈風景―〉〈―撮影〉〈―を撮る〉〈―写りがいい〉✎谷崎潤一郎の『細雪』に「芸術―を標榜した小さなスタディオを経営している―館の主人であった」とある。⇩スチール・Qスナップ・ブロマイド・ポートレート

しゃしんき【写真機】 写真を撮るための機械をさす漢語。「カメラ」が年齢を問わず広く使われるのに対し、比較的高齢の人が用いる古風な語。〈古めかしい箱型の―を構える〉✎写真館の撮影室で黒い布をかぶって操作するような大掛かりな機械を連想する人もある。⇩カメラ

じゃすい【邪推】 ひがみなどから他人の行為を悪い意味に推測する意で、やや改まった会話や文章に使われる漢語。〈わざと転んだとは―も甚だしい〉✎「勘繰る」に比べ、この語には事実と違う推測であるという判断が含まれている。川端康成の『千羽鶴』に「ちか子の胸にべったり醜いあざのような、―だろう」とある。⇩勘繰る

しゃせい【写生】 風物を見たとおりありのままに写し取る意で、会話にも文章にも使われる日常の漢語。〈―帖〉〈風景を―する〉〈野山へ―に出かける〉✎多くは絵をさすが、詩歌や文章の場合にも言う。⇩下絵・Qスケッチ・素描・デッサン

しゃだつ【洒脱】 飾りや気取りがなく俗気を離れた感じをさし、やや改まった会話や文章に用いられる、いくぶん古風な漢語。〈軽妙―〉〈―な人柄〉✎福原麟太郎の『好色の戒め』に「いきであるとか、さびであるとか―、枯淡など言っているものも、みな同じ(仄かな艶)ようなもの」とある。人や文章などによく使う。⇩瀟洒《しょうしゃ》

しゃちほこだち【鯱立ち】 逆立ちの意の古めかしい表現。〈得意の―をしてみせる〉✎くだけた会話では「しゃっちょこだち」ともいう。⇩Q逆立ち・倒立

じゃっかん【若干】 「少し」より少ない程度をさし、少し改まった会話や文章に用いられる、硬い感じの漢語。〈予算を―超過する〉〈まだ―の余裕がある〉✎「少し」の範囲より狭く、「ほんの少し」「こころもち」といった程度をさすことが多い。女性よりも男性が多く使う傾向がある。⇩幾分・幾らか・Q少々・少し・やや

しゃっきん【借金】 金を借りる意で、くだけた会話から硬い文章まで幅広く使われる日常の漢語。〈―を申し込む〉〈―で首がまわらない〉〈―の返済にあてる〉〈―を取り立てる〉✎徳田秋声の『縮図』に「―のあるうちは手足を縛られているようで」とある。⇩Q借財・借銭

シャッポ フランス語から入ってきて「帽子」の意で用いられ、今では古めかしい感じになった外来語。〈玄関で―を取る〉〈ツイードの―をかぶる〉✎尾崎士郎の『人生劇場』に「頭から耳まですっぽりとかくれてしまう兜のような―をかぶって」とある。原語を「シャポー」と読めばむしろ斬新な

感じで、麦藁《むぎわら》帽を意味する「シャポー・ド・パイユ」などという小洒落た名の洋菓子屋か何かが現れるのはそういう語感のせいである。ちなみに、井上ひさしの『ブンとフン』に、「アインシュタインも―を脱いでその白髪頭をさげる」という表現がある。「―を脱ぐ」は「降参する」という意味の比喩的な慣用句であるが、「白髪頭をさげる」を加えることで原義を活性化させ、両方の意味が融合したような効果をねらった例である。⇩帽子

しゃでん【社殿】 ご神体を祭ってある建物をさし、改まった会話や文章に用いられる専門的で硬い漢語。〈―の前にぬかずく〉✎ふつう境内は含まない。後藤明生の『首塚の上のアドバルーン』に「―も小さなもので、屋根は女の背丈より幾らか高いぐらいです」とある。⇩Q神社・ほこら・やしろ

しゃふ【車夫】「車引き」の意で用いられた漢語。廃語的。〈人力車の―の姿を見かける〉✎夏目漱石の『坊っちゃん』に「車に乗って宿屋へ連れて行けと―に云い付けた」とある。もはや実用性が失われ、観光用などを除いて人力車の姿を見かけなくなったという時代の変化に伴って、この語も廃れ、特に職業差別の感じもない。「車引き」「車屋」などと違って音読みであるため耳で聞いて意味がわかりにくく、今ではほとんど通じなくなっている。古い時代設定の小説などでたまに目にふれるのみである。⇩Q車引き・車屋

しゃぶ 「覚醒剤」の意の隠語。〈―に手を出す〉〈―で捕まる〉✎俗に、骨までしゃぶられるからという。しばしば片仮名書きされる。⇩Q覚醒剤・大麻・ドラッグ・麻薬・マリファナ・やく

しゃぶる 口の中に入れてなめながらいじくる意で、主にくだけた会話に使われる和語。〈飴玉《あめだま》を―〉〈指を―〉✎「なめる」が一度だけの動作でも使えるのに対し、この語は「赤ん坊が母親のオッパイを―」のように繰り返し行う点に特徴がある。⇩なめる①

しゃべる【喋る】 ぺらぺら口に出す意で、主として会話に使われる日常生活の和語。〈早口で―〉〈ぺらぺらよく―〉〈のべつ幕なしに―・っている〉✎「話す」と違って、内容は問題になっていない。そのため、「お話」という名詞は発言行為より中身の情報をさし、「おしゃべり」は情報とは無関係で、単に口を動かしてことばを発する行為を問題にしている。「英語を話す」に比べ、「英語を―」のほうは挨拶やせいぜい雑談ができる程度の英語力を連想させやすい。夏目漱石の『坊っちゃん』に「妙な事ばかり―」とある。⇩言う・Q話す

シャベル 土砂や雪などを掬《すく》ったり地面に穴を掘ったりするのに使う道具をさし、会話にも文章にも使われる外来語。〈―で庭に穴を掘る〉〈―で雪をどける〉✎柴田翔の『立ち尽す明日』に「雑草の根の切れて行く感触が、―を握りしめる孝策の掌に、ぷつぷつと伝わってきた」とある。⇩スコップ

シャボン 「石鹸《せっけん》」の意で、ポルトガル語から入った古めかしい外来語。〈―の泡〉〈―をつけてよく洗う〉✎「―玉」となれば別で、現在でも普通に使われ、遊びそのものは懐かしい感じがあるものの、ことばとして特に古風な感じはしない。⇩石鹸

じゃま【邪魔】 物事の進行に妨げになる意で、くだけた会話から文章まで幅広く使われる漢語。〈勉強の―〉〈そこ―だ、どけ〉〈通行の―になる〉〈もう少しのところで―が入る〉〈お―します〉✎「妨害」に比べて対象が具体的ながら、妨げの理由や程度は主観的で、意図的でない場合も含まれる。夏目漱石の『坊っちゃん』に「もう大丈夫ですね。―ものは追っ払ったから」とある。もと、仏道修行で悟りに入るのを妨げる悪魔の意。⇩妨害

しゃめん【斜面】 傾斜している地面をさし、会話にも文章にも使われる漢語。〈山の―〉〈急な―をよじ登る〉✎竹西寛子の『兵隊宿』に「一列に並んだ騎馬の兵士が、手綱を操りながら土手の―を静かに下って川の中に馬を進め」とある。⇩坂・坂道・Qスロープ

しゃよう【斜陽】 西に傾いた太陽をさし、硬い文章で用いられる古風で美的な漢語。〈―に木の影が長くのびる〉✎かつての勢いがすっかり衰えたといった意味合いで「―産業」などと比喩的に用いる例が多い。なお、没落貴族を描いた太宰治の『斜陽』から、一時期「―族」ということばが流行した。⇩入り日・Q夕陽《せきよう》・西日・夕日・落日・落陽

しゃり【舎利】 米粒や米の飯を意味する俗語。〈―を少なめに握る〉✎古代インドのサンスクリットからの借用語で、この意味で使うときは片仮名書きがふつう。寿司屋などでも使われ、その場合、「銀シャリ」は白米の飯の美称。⇩銀シャリ

じゃり【砂利】 岩石が砕けて細かく割れ角の取れた小石をさし、会話にも文章にも使われる日常語。〈玉―〉〈―トラック〉〈通路に―を敷く〉✎徳永直の『太陽のない街』に「道路の小―が塩を撒いたように霜柱に凍てついていた」とある。「小石」と違い、一個ずつでなく小石の集合をさす例が多く、砂が交じる場合もある。⇩石・石ころ・Q小石・バラス

しゃれい【謝礼】 感謝の気持ちをこめて送る言葉や金品をさして、やや改まった会話や文章に用いられる漢語。〈―を包む〉〈―を差し出す〉〈―をもらう〉⇩謝金・Q礼③

しゃれた【洒落た】 垢抜けて気の利いたの意で、会話や軽い文章に使われる和語。〈―ネクタイ〉〈―造りの家〉〈―ことを言う〉⇩Qいき・小粋・小じゃれた・すい

シャン かつて「美人」の意で用いられた古めかしく俗っぽい外来語。〈町でも珍しい―だって〉✎ドイツ語から入り、戦前に学生の間ではやった。小津安二郎監督の映画『大学よいとこ』（一九三六年）にも「向うに迚《とて》も―が行くぞ」という例が出る。⇩佳人・美女・Q美人・別嬪《べっぴん》・麗人

ジャングル 熱帯の雨の多い地方にある密林をさし、会話にも文章にも使われる外来語。〈―を探検する〉〈―に迷い込む〉⇩密林

じゃんじゃん 続けざまに勢いよく事を行う様子をさし、くだけた会話に使われる俗っぽい擬態語。〈―やれ〉〈―飲む〉〈手当たり次第に―買う〉✎動作を活写した感じが強く、「どんどん」や「ずんずん」と違って、単に物事の進行するスピードには使わない。なお、「半鐘を―と鳴らす」のように擬声語としても使う。⇩ぐんぐん・ずんずん・どしどし・Qどんどん

ジャンプ 跳び上がる意で、会話にも文章にもよく使われる日常の外来語。〈―力〉〈―競技〉〈思い切り―する〉⇩Q跳

躍・跳ぶ・跳ねる

じゆう【事由】「理由」の意味で法律関係の社会で用いられ、専門語の響きがある漢語。〈その―の如何を問わず〉〈婚姻を継続しがたい―とは認められない〉⇩理由

じゅう【銃】 一人で持ち運びできる小型の鉄砲の意で、主に文章に使われる漢語。〈―を構える〉〈―を発射する〉✎具体的には機関銃・小銃・拳銃など。⇩銃器・Q鉄砲

しゅうい【周囲】 物の周りの意で、会話にも文章にも使われる漢語。〈大木の―〉〈湖の―〉〈家の―を生垣で囲む〉✎「―を見渡す」「―の目を気にする」「―の情勢に気を配る」のように風景や人々の様子をさす場合もある。大岡昇平の『俘虜記』に「翌朝眼がさめて小屋の―が何事もなく明るくなっているのを」とある。⇩周辺

じゅういつ【充溢】 気分などが満ち溢《あふ》れる意で、改まった会話や文章に用いられる硬い漢語。〈勉学への意欲が―する〉〈試合を控え気力が―する〉⇩充満

しゅうう【驟雨】「にわか雨」の意で、主として文章に用いられる、いくぶん趣のある漢語。〈―に見舞われる〉✎特に夕立をさすことが多い。吉行淳之介に『驟雨』と題する小説がある。⇩時雨・通り雨・Qにわか雨・村雨・夕立

しゅうえき【収益】 事業などの利益をさして、主に文章に用いられる専門的な漢語。〈―資産〉〈―を上げる〉⇩得・儲《もう》け・Q利益・利潤

しゅうえん【終焉】 命の終わりの意で主に文章に用いられる硬い漢語。〈―を迎える〉✎「―の地」として隠居して晩年を送る意にも使う。堀辰雄の『大和路』に「その森が自分の―の場所であるのを予感し」とある。⇩終わり・終末

しゅうかく【収穫】 農作物の穫り入れをさし、会話にも文章にも使われる漢語。〈―高〉〈野菜の―〉〈米の―期を迎える〉✎「共同研究による大きな―」「業務提携しても見るべき―は得られなかった」のように、利益や好ましい結果をさす比喩的用法も多い。⇩業績・Q成果

しゅうかん【習慣】 個人や家庭あるいは社会として、いつもそうすることになっている行為をさし、くだけた会話から文章まで幅広く使われる日常の漢語。〈この地方独特の―〉〈早起きの―〉〈悪い―が抜けない〉〈―をつける〉〈―になる〉✎福原麟太郎の『伝統について』に「保守的であるから古い―や思想を大切にしている」とある。「慣習」に比べ小規模でも用い、「散歩の―」のような個人的な癖まで含まれる。⇩慣習・慣例・癖・しきたり・Q習わし・風習

じゅうかん【重患】 重病または重病人をさして、主に会話に使われる漢語。〈緊急の手術を要する―〉✎病院側から見た用語。⇩Q重症・重病・大患・大病

しゅうき【秋季】 秋の季節の意で、改まった会話や文章に使われる漢語。〈―大運動会〉〈―キャンプを張る〉⇩秋期

しゅうき【秋期】 秋の時期の意で、改まった会話や文章に用いられる漢語。〈―講習会〉⇩秋季

しゅうき【臭気】 臭《くさ》い臭《にお》いをさし、いくぶん改まった会話や文章に用いられる漢語。〈―止め〉〈―抜き〉〈―が鼻をつく〉〈独得の―を放つ〉✎「悪臭」ほど露骨でなく、人によっては必ずしも不快とは言えない納豆や糠みそやくさやなどのにおいも含まれる。小林多喜二の『蟹工船』に「空気

がムンとして、何か果物でも腐ったすッぱい—がしていた」とある。北杜夫の『幽霊』には「ある匂いが、むしろ—とよんでいいある匂いが鼻をついた」とある。「悪臭」に比べ、体臭や便などそのものにそなわっているにおいを連想しやすい。⇩Q悪臭・異臭

じゅうき【銃器】機関銃・小銃・拳銃などの総称として、主に文章に用いられる硬い漢語。〈—類の使用を禁止する〉〈—の製造を中止する〉✎個々の武器については通常「銃」と言い、総合的に取り上げるときにこの語を用いる傾向がある。⇩Q銃・鉄砲

しゅうきゅう【蹴球】「フットボール」の古風な呼称。✎サッカーやラグビーやアメリカンフットボールなど、足でボールを蹴る球技の総称だが、特にサッカーをさす。⇩ア式蹴球・Qサッカー・フットボール

じゅうきょ【住居】住んでいる所の意で、改まった会話や文章に用いられる漢語。〈—表示〉〈郊外に—を移す〉✎建造物そのものより人間の生活の場に重点があり、「竪穴《たてあな》式—」「古代人の—跡」のような場合にも使われる。⇩いえ・うち・家屋・居宅・住宅・住まい・邸宅・屋敷

しゅうきょう【宗教】神仏の崇拝・信仰によって幸福や心の安らぎを得ようとする営みやその教えをさし、会話にも文章にも使われる日常の漢語。〈—心〉〈—改革〉〈無—〉〈新興—〉✎大岡昇平の『俘虜記』に「集団の利益の衝突する戦場では、今日あらゆる—も殺すことを許している」とある。⇩宗旨・宗派・Q信教

じゅうぎょういん【従業員】雇われて一定の業務を行う人をさし、いくぶん改まった会話や文章に用いられる、いくらか専門的な漢語。〈—一同〉〈業績不振のため—の数を減らす〉✎曾野綾子の『遠来の客たち』に「暑い地下室の—食堂」とある。⇩会社員・サラリーマン・社員・Q使用人・職員・勤め人・奉公人・雇い人

しゅうきょく【終局】最終局面の意で、主として文章に用いる漢語。〈交渉が—を迎える〉〈囲碁の名人戦が—にさしかかる〉⇩終極

しゅうきょく【終極】究極の意で、改まった文章に用いられる硬い漢語。〈—の目的〉⇩終局

シュークリーム キャベツ形に焼いた小麦粉の薄い皮の中にクリームを詰めた洋菓子。フランス語の日本的な発音によって生じた語形。〈地卵の特製—〉✎原語「シューアラクレーム」(クリーム入りのキャベツの意)からの音転。

しゅうけい【集計】データを集めてその数値を種類ごとに合計する意で、やや改まった会話や文章に用いられる、やや専門的な漢語。〈目下—中〉〈売り上げの—〉〈調査結果を—する〉〈—結果が出る〉⇩合計・総計・Q統計

しゅうげん【祝言】「婚礼」よりも古風な時代がかった漢語。かなりの高齢者でも実際にはほとんど使わず、時代劇などでよく耳にする。〈めでたく—を挙げる〉✎「高砂や」や「三々九度の盃」を連想させる雰囲気がある。夏目漱石の『こころ』に「今のうちに—の盃丈は済ませて置きたい」とある。⇩華燭《かしょく》の典・結婚式・Q婚礼

しゅうごう【集合】人・物・概念などが集まること、また、集まった全体をさし、会話にも文章にも使われる硬い漢語。

〈—写真〉〈現地—〉〈八時に学校に—する〉✎「—論」「自然数の—は整数の—に含まれる」のような用法は数学の専門用語。⇩Q集まる・たかる・つどう・群がる・群れる

しゅうさい【秀才】 秀でた才能の持ち主をさす漢語。あまりくだけない普通の会話から文章まで幅広く使える日常語。〈—の誉れ高い〉〈学校きっての—として鳴らす〉✎福原麟太郎の『秀才論』に「何々賞をもらったとかいうようなのは、むしろ平凡きわまる—であるに過ぎない」とある。男女の進学率に大きな差があった社会事情の影響のほか、女性用に「才媛」という用語が別に用意されていることもあって、この語から男性を連想する傾向が見られる。「天才」に比べ、才能が学問などの知的な分野に限られ、それも天才ほどのすごさには至らないことが多い。また、潜在能力よりも達成の度合いを問題にしているため、努力の成果も含まれる感じが強い。⇩Q天才・俊才

しゅうし【終始】 連続する物事の始めから終わりまでずっとの意で、改まった会話や文章に用いられる漢語。〈—一貫〉〈—なごやかな雰囲気に包まれる〉〈—態度を変えない〉〈—沈黙を守る〉✎いつも、事あるごとにの意で非連続な「始終」に対し、この語はある一回の出来事の最初から最後まで連続するところに重点がある。⇩何時も・Q始終・常時・しょっちゅう・絶えず・常に・のべつ

しゅうし【宗旨】 同じ宗教の中の特定の宗派やその中心的な教義をさし、会話にも文章にも使われる、やや古風な漢語。〈—を替える〉〈—が違う〉〈—を説く〉⇩宗教・Q宗派

しゅうじ【修辞】 広義には「レトリック」のすべて、すなわち、伝達効果を高める言語表現技術の総称として、会話にも文章にも使われる古風で専門的な漢語。〈—を弄する〉✎狭義には、「発想」「配置」「記憶」「発表」と並ぶ「レトリック」の一部門で、表現に装飾を加える文彩をさす。弁論中心の西洋レトリックに対し、詩文の技巧などを説く東洋の伝統的な文章作法をさす場合もある。⇩修辞学・修辞法・美辞学・Qレトリック

しゅうじ【習字】 筆などで文字を形よく書く練習をさして、会話にも文章にも使われる日常の漢語。〈ペン—〉〈お—を習う〉〈学校の—の時間〉✎「書」や「書道」ほど本格的ではない。⇩書・Q書道・手習い

じゅうし【重視】 重要だと考える意で、やや改まった会話や文章に用いられる漢語。〈学歴より実力を—する〉〈結果だけでなくそれに至る過程も—する〉✎「軽視」と対立。⇩Q重要視・尊重

じゅうじ【従事】 その仕事に携わる意で、やや改まった会話や文章に用いられる、いくぶん正式な感じの漢語。〈研究に—する〉〈辞典編集に—する〉〈弁護士として—する〉⇩受け持ち・Q担当・担任・服務

じゅうじ【住持】 一つの寺の長である僧の意で、改まった会話や文章に用いられる、やや古風な漢語。〈檀家《だんか》寺の—〉✎「住持職」の略。⇩和尚《おしょう》・Q住職・僧・僧侶・坊主

しゅうじがく【修辞学】 修辞の体系を扱う学問の意で、会話にも文章にも使われる古風で専門的な漢語。〈—概論〉✎弁論術を中心とする西洋古代の説得の技術、文彩の方法と効果を研究する表現論、効果的な文章作法を説く規範的な修

辞学などが含まれる。⇩修辞・修辞法・美辞学・Qレトリック

しゅうじほう【修辞法】 効果的な言語表現をめざす技法の総称として、会話にも文章にも使われる古風で専門的な漢語。〈実践的な―を学ぶ〉✎技術指導という性格が強く、学問体系としては「修辞学」を用いることが多い。⇩修辞・修辞学・美辞学・Qレトリック

しゅうじゃく【執着】 漢語「しゅうちゃく」の古めかしい読み方。今では高年齢層の一部に残っている程度。〈いまだに―している〉✎夏目漱石の『倫敦塔』に「壁の上に残る横縦の疵《きず》は生を欲する―の魂魄である」とある。⇩あいじゃく・しゅうちゃく

しゅうしゅう【収拾】 乱れを収める意で、会話にも文章にも広く使われる漢語。〈事態の―に乗り出す〉〈混乱して―が付かない〉⇩収集・収束

しゅうしゅう【収(蒐)集】 寄せ集める意で、会話でも文章でも使われる漢語。〈資料の―に日を費やす〉〈珍しい切手を―する〉〈蝶の―家〉✎趣味や研究などの目的で主に同類のものを集めるような場合は今でも「蒐集」という本来の表記を用いることがあり、そういう例は文体的なレベルが高く感じられる。「情報―」「ごみの―」のような新しいものの場合はもっぱら「収集」と書く。そこに「蒐集」を使うと趣味のようなニュアンスが生まれ、その違和感が滑稽に響く。⇩収拾

じゅうじゅん【従順】 逆らわない意で、会話にも文章にも使われる漢語。〈上司に―な部下〉〈―な僕《しもべ》〉〈―な犬〉✎林房雄の『青年』に「(使節の首席家老が)教師の講義をきく学生のような―さを示した」とある。⇩柔順・素直

じゅうじゅん【柔順】 おとなしい意で、会話でも文章にも使われる漢語。〈―な性格〉〈―な態度〉✎有島武郎の『或る女』に「罵られても、打ち据えられさえしても、屠所の羊のように―に黙ったまま」とある。⇩大人しい・従順

しゅうじょ【醜女】 「不美人」の意で、主として文章に用いる古風な漢語表現。✎「醜婦」に比べ、若い場合にも該当する。⇩悪女・おかちめんこ・しこめ・Q醜婦・すべた・ぶす・不美人

じゅうしょ【住所】 その人が住んで生活している場所、特にその住居表示をさし、くだけた会話から硬い文章まで幅広く使われる日常の基本的な漢語。〈―録〉〈―変更〉〈―不定無職〉⇩居所《いどころ》・居場所・Q居住地・所番地

じゅうしょう【重症】 重い症状の意で、会話にも文章にも使われる漢語。〈―で病院に担ぎ込まれる〉✎病気のほか怪我の場合も含まれる。「これがわからないようじゃ相当の―だ」のように、病気と関係なく単に程度の重いことを比喩的に表現する用法もある。⇩重患・Q重病・大患・大病

しゅうしょく【就職】 新しく職に就く意で、会話にも文章にも広く使われる日常の漢語。〈―難〉〈―活動〉〈―先がまだ決まらない〉〈大手の企業に―する〉✎「退職」と対立。⇩入社

じゅうしょく【住職】 一つの寺の長である僧の意で、改まった会話や文章に用いられる正式な感じの漢語。〈寺の―を勤める〉✎「住持職」の略。⇩和尚《おしょう》・Q住持・僧・僧侶・坊主

シューズ 靴、特に短靴をさし、会話にも文章にも使われる外来語。〈レイン―〉〈ジョギング―〉〈かかとの高い―を

履く〉✎多く複合語として使い、単独での使用例は少ない。⇩Q靴・短靴

しゅうせい【修正】不備を正す意で、会話でも文章でも広く使われる漢語。〈—案〉〈軌道—〉〈字句を—する〉〈—を加える〉✎木山捷平の『パーの十蔵』に「人前はばからずコンパクトをひろげて少なくとも八回か九回か、ひなびた皺だらけの顔を—・した」とあり、この語の意外ではあるが誤りではない使用が笑いを誘う。⇩修整

しゅうせい【修整】手を加えて形を整えるという限定的な意味で、会話にも文章にも使われる漢語。〈写真を—する〉✎柳美里の『水辺のゆりかご』に「記憶はいつだって—できるから」とある。⇩修正

しゅうせん【終戦】戦争終結の意で、特に太平洋戦争の場合をさす漢語。勝敗にこだわれば的確ではないが、こだわらなければ嘘にはならない用語。〈—を迎える〉〈—後の目覚ましい復興〉✎三浦哲郎の『ふなうた』に「翌日は、八月十五日であった。—の日だが、そんなことは誰も知らなかった」とある。「—記念日」なら何とか記念になるが、「敗戦記念日」などというものはどこの国でも国民的な行事になりそうもないから、この命名は歴史的な現実から目をそらすことでマイナスイメージを拭《ぬぐ》い去り、戦争の時代から平和の時代への期待を感じさせる巧みなずらし方であった。⇩敗戦

しゅうせん【周旋】物の売買や人の雇用などで仲介する意で、会話にも文章にも使われる古風な漢語。〈—業〉〈—人〉〈—屋〉⇩斡旋《あっせん》

しゅうぜん【修繕】破損した箇所を繕って直す意で、会話にも文章にも使われる、若干古い感じの日常の漢語。〈屋根を—して雨漏りを止める〉〈古靴を—して履く〉〈いたんだ所を—して直す〉〈ここまで破れてはもう—が利かない〉✎身に着ける物や器物、自動車、建物などの部分的な破損箇所を直す比較的単純な作業を連想させる。⇩修理・Q繕う

しゅうそく【収束】乱れを収める意で、改まった会話や文章に用いられる漢語。〈混乱がようやく—する〉〈事態の—を図る〉⇩収拾・終息

しゅうそく【終息(熄)】終わる意で、改まった文章に用いられる硬い漢語。〈紛争が—に向かう〉〈—の時期を迎える〉⇩収束

じゅうたい【重体(態)】病気や負傷の重い状態をさし、会話にも文章にも使われる漢語。〈—患者〉〈—に陥る〉✎「危篤」ほど生命の危険にさらされておらず、治る期待を持ちやすい。⇩危篤

じゅうだい【重大】軽く扱えない、根幹にかかわるの意で、改まった会話や文章で用いられる硬い漢語。〈—発表〉〈—な局面を迎える〉〈事の—さに気づく〉〈—な影響を及ぼす〉〈—な危機に直面する〉✎夏目漱石の『坊っちゃん』に「君にもっと—な責任を持って貰うかも知れない」とある。あくまで評価を示す「重要」に比べ、「—な失言」など、好ましくない状態に対して当事者の責任を問う感じの用法が目立つ。⇩Q重要・大事・大切

じゅうたく【住宅】人間が生活するための建物の意で、会話にも文章にも使われる日常の漢語。〈—地〉〈—事情〉〈集

団―〉〈高級―〉〈二世帯―〉✎谷崎潤一郎の『細雪』に「玉置女史の―のある方へ行った」とある。空き家など、人が住んでいない家についてはこの語を使いにくいが、近く入居することをあてにして建てる建売では「建売―」という。⇩いえ・うち・家屋・居宅・Q住居・住まい・邸宅・屋敷

じゅうだん【銃弾】銃器に詰める弾丸の意で、改まった会話や文章に用いられる少し硬い感じの漢語。〈―を浴びせる〉〈脚に―を受ける〉⇩弾丸・Q鉄砲玉・砲丸・砲弾

しゅうち【周知】あまねく知れわたる意で、改まった会話や文章に用いられる漢語。〈―の事実〉〈―のとおり〉〈―徹底させる〉⇩衆知

しゅうち【羞恥】恥ずかしく思う気持ちをさし、主として文章に用いられる漢語。〈―心〉〈―に襲われる〉✎河野多恵子の『蟹』に「顔まであかくなるほど―を覚えた」とある。⇩含羞《がんしゅう》・Q恥じらい

しゅうち【衆知(智)】多数の人の知恵の意で、主に硬い文章に用いられる古めかしい漢語。〈―を集める〉〈―を結集して万全を期す〉⇩周知

しゅうちゃく【執着】物事に心をとらわれ離れられなくなる意。〈まったく―するところがない〉✎この漢語の一般的な読み方で、古くは「しゅうじゃく」とも読んだ。佐多稲子の『くれない』に「そのために一層明子の―は煽られる」とある。⇩しゅうじゃく

しゅうてい【舟艇】小型船の総称として、主に文章に用いる専門的な硬い漢語。〈湾内の―に警告する〉✎主として港湾内で使うボート・ヨット・はしけなどをさす。⇩艦船・Q船舶

じゅうてん【重点】中心にする箇所をさし、会話にも文章にも使われる漢語。〈方法に―を置いた説明〉〈経済面に―がある〉〈背景を―的に調べる〉⇩要所・要点

しゅうとく【収得】自分のものにする意で、改まった文章に用いられる硬い専門的な漢語。〈―罪に問われる〉〈不動産を―する〉⇩拾得

しゅうとく【拾得】物を拾う意で、改まった文章に用いられる正式な感じのやや専門的な漢語。〈―物〉〈路上で証券類を―する〉⇩収得・拾う

しゅうとく【習得】習い覚える意で、やや改まった会話や文章に使われる漢語。〈運転技術を―する〉〈イタリア語を―する〉⇩修得

しゅうとく【修得】正式に学んで身につける意で、主に硬い文章に用いられる正式な感じの漢語。〈所定の単位を―する〉〈必要単位の―を条件とする〉⇩習得

じゅうなん【柔軟】やわらかく適応性に富み融通の利く意で、会話にも文章にも使われる漢語。〈―体操〉〈体が―だ〉〈―な態度〉〈―に対応する〉⇩しなやか・柔らかい・軟らかい

しゅうにゅう【収入】金銭や物品を手に入れて自分の所有とする意で、会話にも文章にも使われる日常の漢語。〈―印紙〉〈現金―〉〈固定―〉〈―が少ない〉〈原稿を書いて―を得る〉⇩稼ぎ・Q所得

しゅうにん【就任】新しく任務に就く意で、やや改まった会話や文章に使われる少し正式な感じの漢語。〈社長に―する〉〈―の挨拶〉✎「退任」「辞任」と対立。⇩Q着任・赴任

じゅうにん【住人】その家や土地に住んでいる人をさし、会

話にも文章にも使われる漢語。〈アパートの―〉〈この町の―が黙っていない〉✎社会的なつながりを意識させる「住民」に比べ、場所とのつながりを強く意識させる。⇩住民

しゅうねん【執念】物事にとらわれていつまでも離れられない心をさし、会話にも文章にも使われる漢語。〈―を燃やす〉〈―で勝ち取る〉✎もと仏教語。夏目漱石の『こころ』に「私はこれでたいへん―深い男なんだから。人から受けた屈辱や損害は、十年たっても二十年たっても忘れやしないんだから」とある。⇩根性

しゅうは【宗派】一つの宗教の中の特定の教派をさし、会話にも文章にも使われる漢語。〈別の―に属する〉〈―を越えて〉⇩宗教・Q宗旨

じゅうびょう【重病】生命を脅かすほどの重い病気の意で、会話にも文章にも使われる漢語。〈―人〉〈―で絶対安静の状態〉〈―で命が危ぶまれる〉⇩重患・Q重症・大患・大病

しゅうふ【醜婦】「不美人」の意で、主として文章に用いる古めかしい漢語表現。✎「醜女」と比べ、ごく若い場合には不適切。⇩悪女・おかちめんこ・しこめ・Q醜女・すべた・ぶす・不美人

しゅうへん【周辺】場所や地域の中心から離れた一帯やその外側の近い範囲をさし、会話にも文章にも使われる漢語。〈駅の―〉〈都市の―を開発する〉〈この―の地理に明るい〉✎「周り」や「周囲」より広い範囲をさす。「景気対策とその―」「比喩表現およびその―の問題」のようにそれに関連する範囲をさす抽象的な意味でも用いられる。⇩近辺・周囲・近く

しゅうまつ【終末】ものごとの終わる果ての意で、主に文章に用いられる硬い漢語。〈―論〉〈事件が―を迎える〉✎辻邦生の『旅の終り』に「なぜかこの二人の死んだことが、私には、安らかな、ある悲劇の―のような気がした」とある。⇩終わり・終焉

じゅうまん【充満】建物の中など閉じられた空間に気体などが一杯に満ちる意で、会話にも文章にも使われるやや硬い漢語。〈室内にガスが―している〉〈―する〉✎「今度の人事をめぐって社内には不満が―している」のように、気分などの抽象的なものに転用する比喩的な用法も見られる。⇩充溢《じゅういつ》

じゅうみん【住民】その土地に住んでいる人をさし、会話にも文章にも使われる漢語。〈―票〉〈―運動〉〈町の―〉〈―の反対にあう〉✎「住人」と違って家単位には使わない。また、個人個人を意識させる「住人」に比べ、集団として社会にかかわっているという雰囲気がある。⇩住人

じゅうめん【渋面】嫌そうに顔をしかめる意で、主として文章に用いられる古風な漢語。〈いかにも不快げに露骨に―をつくる〉⇩顰《しか》め面《つら》

しゅうや【終夜】「夜通し」の意で、改まった会話や文章に用いられる漢語。〈雪が―降り続く〉✎「―運転」「―営業」のような慣用的な表現では特に改まった感じはない。⇩一晩中・夜っぴて・Q夜通し・夜もすがら

じゅうよう【重要】なくてはならない大事なの意で、改まった会話や文章で用いられる硬い感じの漢語。〈―事項〉〈―書類〉〈―な問題〉〈その点が最も―である〉✎梅崎春生の『桜島』に「あまり―でない電報ばかりである」とある。日常生活場面での個人的な判断による「大切」と違って、この

語には客観的な判断によるという色彩が濃い。⇩Q重大・大事・大切

じゅうよう【重用】→ちょうよう

じゅうようし【重要視】重要だと考える意で、改まった会話や文章に用いられる漢語。〈成績よりあくまで人物を━する〉〈民間事業は何よりも採算が取れることを━する〉「軽視」と対立。⇩Q重視・尊重

じゅうよく【獣欲】理性の働かない獣的な性欲をさし、主として硬い文章に用いられる古い感じの漢語。〈━の嵐が襲う〉意味の共通部分をもつ「愛欲」「情欲」「色欲」「性欲」「淫欲」「肉欲」に比べ、暴力的で抑制の利かない感じが強く、人間として最も理性を失った雰囲気があって、マイナスイメージも最大となる。それは必ずしもそれぞれの語の意味の違いだけではなく、おそらく「欲」と結びつくもう一つの漢字のイメージの差がからみあって生ずる語感であろう。⇩愛欲・淫欲・色欲・情欲・性欲・Q肉欲

しゅうり【修理】破損箇所や故障箇所を直す意で、会話にも文章にも広く使われる日常の漢語。〈自動車━工〉〈━工場〉〈時計を━に出す〉〈機械の故障箇所を━する〉機械類や器具あるいは家屋の一部などを対象に、不良箇所を修復し、部品交換や機能調節を行うなど、「修繕」よりも複雑な処置に対して用いる傾向がある。現代では「修繕」より幅広く高頻度で使われる。⇩Q修繕・繕う

しゅうりょう【終了】終わる意で、改まった会話や文章に用いられるやや硬い感じの漢語。〈試合━〉〈会議が━する〉〈予定通り━する〉⇩修了

しゅうりょう【修了】学業などの課程を修める意で、主に文章に用いられる正式な感じの漢語。〈━式〉〈━証書の授与〉〈大学院修士課程を━する〉⇩終了

じゅうりょう【重量】物の重さを数値で表したものをさし、改まった会話や文章に用いられる硬い漢語。〈━挙げ〉〈━制限を設ける〉〈━を計測する〉物理学の専門語としては、物体に働く重力の大きさをさす。「━級の試合」「なにしろ━があるから簡単に動かない」のように、目方が重いことを意味する日常的な用法もある。⇩重さ・重み・Q目方

しゅうれん【修練(錬)】修養・鍛錬の意で、改まった会話や文章に用いられる、やや古風な漢語。〈━を積む〉〈厳しい━に耐える〉⇩習練

しゅうれん【習練】「練習」に近い意味で、改まった会話や文章に用いられる古風な漢語。〈連日━に励む〉〈地道な━の成果が出る〉〈日ごろの━を怠る〉福原麟太郎の『タイミングについて』に「お葬式のときなどは、最もそういう━を要する」とある。広範囲に使われる「練習」と違い、近代的なスポーツより武道などの連想が強い。ピアノなどについてはあまり使われず、「稽古」に比べ、苦しみの印象がある。⇩稽古・修練・練習

しゅうろく【収録】収載・録画の意で、会話にも文章にも使われる漢語。〈━時間〉〈テレビ番組の━〉〈全集の補巻に初期の習作を━する〉⇩集録

しゅうろく【集録】集めて記録する意で、主に文章に使われる硬い感じの漢語。〈文献を━する〉〈各地の民話を━する〉⇩収録

しゅえん【酒宴】 人が集まって酒を飲んで楽しむ会をさし、改まった会話や文章に用いられる漢語。〈—を張る〉✎「宴会」や「うたげ」に比べ、歌や踊りより酒を飲むことが中心になる。⇩うたげ・宴・宴会・Q酒盛り

じゅかい【樹海】 広範囲に樹木が繁茂している大きな森林をさし、主に文章中に用いられる、少し美化した感じの漢語。〈眼下に—が広がる〉✎高い場所から見下ろすと海のように見えるところから。⇩森林・森

しゅぎ【主義】 一貫して変わらない思想や学問などの考え方や立場をさし、会話にも文章にも使われる漢語。〈民主—〉〈菜食—〉〈—を唱える〉〈—を通す〉✎高田保の『ブラリひょうたん』に、ナポレオンに詩を献呈することを拒んだゲーテが「後悔したくない、というのが私の—ですから」と答えた話が載っている。⇩主張

しゅぎょう【修行】 仏道や武道のための苦行という意味で、会話にも文章にも使われる古風な漢語。〈厳しい—を積む〉〈山にこもって—に励む〉〈—が足りない〉✎仏教に密着していなくても、「武者—」あたりまでは人格陶冶《とうや》の側面を重く見てこの語を用いるが、技術の習得が中心になるにつれて「修業」と書く傾向が強くなる。⇩修業

しゅぎょう【修業】 技芸を身につけるための訓練の意で、会話でも文章でも使われる漢語。〈文章—〉〈花嫁—〉〈板場の—〉〈弟子入りして本格的に—する〉✎「しゅうぎょう」と読むと、学業を修める意になる。⇩修行

じゅく【塾】 勉強や習い事を教える所をさし、会話にも文章にも使われる漢語。〈子供を—にやる〉✎「予備校」に比べ、中学や高校の受験や学校の勉強の補習を連想させやすく、比較的小さな教室で教師と直接接触するフレンドリーな雰囲気を感じさせやすい。⇩予備校

しゅくが【祝賀】 めでたい出来事をみんなで喜び祝う意で、改まった会話や文章に用いられる漢語。〈優勝—会〉〈—の宴を張る〉〈受賞記念—パーティー〉⇩祝う・Q祝福

しゅくしゅくと【粛粛と】 謹んで気を引きしめるようすをさし、緊張した場面でのスピーチやかなり改まった文章の中で使われる丁重な表現。〈—進めてまいります〉〈葬列が—進む〉✎夏目漱石の『坊っちゃん』に「高く鋭どい号令が聞えたと思ったら師範学校の方は—して進行を始めた」とある。政治家の答弁や記者会見などでしばしば耳にする。⇩Q厳か・厳密

しゅくじょ【淑女】 品格と知性を兼ね備えた女性をさし、多く文章の中で用いられる古風な漢語。〈紳士—の集まり〉〈—の身だしなみ〉〈—に対して失礼だ〉✎福原麟太郎の『金銭について』に「そんなつまらないもの(金銭の支払い)に、手間をかけるのは、紳士—のすべきことではない」とある。「紳士」と対立。⇩貴婦人・レディー

しゅくしょう【縮小】 面積や規模などを小さく縮める意で、やや改まった会話や文章に用いられる漢語。〈図面を—する〉〈規模を—する〉〈組織を—する〉✎「拡大」と対立。⇩短縮・Q縮める

じゅくする【熟する】 よく熟《う》れる意で、会話にも文章にも使われる表現。〈柿が—〉✎「機が—」の形で、事を起こすのにちょうどよい時期になる意でも使い、「この表現はまだ日

本語として―・さない」のように、よくなじむ、こなれるの意にも用いる。⇩熟れる

しゅくせい【粛清】追放の意で、主に文章中に用いられる硬い漢語。〈派内の不穏分子を―する〉〈血の―を断行する〉✎含みとして処刑の意まで表し、強引な行為を正当化する感じの字面に置き換えた婉曲《えんきょく》表現。⇩粛正

しゅくせい【粛正】規律を正す意で、改まった文章に用いられる硬い漢語。〈綱紀の―が求められる〉⇩粛清

しゅくだい【宿題】自宅でやるように教師が生徒に義務づける課題をさし、会話にも文章にも使われる日常の漢語。〈夏休みの―〉〈―を出す〉〈―を抱える〉〈―を忘れる〉✎比喩的に、決定や解決が持ち越されている問題をさすこともある。⇩課題

じゅくたつ【熟達】仕事や芸・スポーツなどに十分に慣れて上達する意で、やや改まった会話や文章に用いられる硬い漢語。〈―度〉〈仕事に―する〉⇩Q熟練・練達

じゅくどく【熟読】内容がよく理解できるまで考えながら十分に読みこなす意で、会話にも文章にも使われる漢語。〈―玩味《がんみ》〉〈―しないとこの本のよさはわからない〉✎内容の正しい把握に重点がある。⇩Q精読・味読

じゅくねん【熟年】人間として円熟する五、六十代の年齢をさし、主に硬くない文章に使われる新しい漢語。〈―夫婦〉〈―に入り貫禄が出てきた〉✎「中年」という語のマイナスイメージをプラスに転化させようと作り出した表現。近年、「―離婚」が話題になるが、一般に日常生活での使用はまれ。⇩初老・中高年・Q中年・中老

しゅくはく【宿泊】旅館などに泊まる意で、改まった会話や文章に用いられる漢語。〈―施設〉〈―代〉〈高級ホテルに―する〉⇩Q泊まる・宿る

しゅくふく【祝福】他人の幸福を祝う意で、やや改まった会話や文章に用いられる漢語。〈―の拍手〉〈結婚を―する〉〈仲間の―を受ける〉✎宮本百合子の『伸子』に「さながら汚れなき小羊のように、彼女に―を与える」とある。⇩Q祝う・祝賀

しゅくめい【宿命】避けたり変えたりできない逃れられない運命をさし、やや改まった会話や文章に用いられる漢語。〈―のライバル〉〈―的な出会い〉〈―の対決〉〈これも―と覚悟を決める〉✎太宰治の『瘤取り』に「御自身の高級な―に、糞尿を浴びせられたような気がするらしい」とある。本来は、前世から決まっているという考えが基礎にある。⇩運・運勢・運命・天運・天命・回り合わせ・命運・巡り合わせ

じゅくれん【熟練】仕事によく慣れて巧みにこなす意で、会話にも文章にも使われる日常の漢語。〈―工〉〈―を要する作業〉⇩Q熟達・練達

しゅくん【殊勲】抜群の手柄の意で、会話にも文章にも使われる漢語。〈―者〉〈―甲《こう》〉〈―を顕彰する〉〈このたびの働きはまさに―賞ものだ〉⇩業績・功績・功労・Q手柄

じゅけい【受刑】判決による刑罰を受ける意で、改まった会話や文章に用いられる、やや専門的な漢語。〈―者〉⇩服役

しゅごう【酒豪】酒が強く多量に飲んでも平気な人をさし、会話にも文章にも使われる漢語。〈―番付〉〈社内きっての―という専らの評判〉⇩Q酒飲み・呑み助・呑んだくれ・呑ん兵衛・

左利き
しゅさい【主催】中心になって行事などを催す意で、会話にも文章にも広く使われる漢語。〈―者側〉〈会を―する〉〈新聞社の―で催される〉⇩主宰
しゅさい【主宰】中心になって運営する意で、改まった会話や文章に用いられる、やや専門的な雰囲気のある漢語。〈俳句結社の―者を務める〉〈劇団を―する〉⇩主催
しゅし ①【趣旨】事を行う根本的な目的の意で、会話でも文章でもよく使われる漢語。〈―をよく説明する〉〈―に賛同する〉〈会の―に沿う〉〈設立の―に反する〉⇩目的 ②【趣(主)旨】言語作品の基本的な内容の意で、改まった会話や文章に用いられる漢語。〈話の―を正しく理解する〉〈論文の―を誤解する〉✎一般的には「趣旨」と書くことが多いが、「次の文章の―を簡潔にまとめよ」のように、特に中心的な内容にしぼりこんだ意味合いでは「主旨」と書く例も少なくない。⇩旨《むね》・要旨・論旨
しゅし【種子】植物の「たね」の意で、主に学術的な文章に用いられる正式な感じの硬い漢語。〈―植物〉⇩種
しゅじゅ【種種】「いろいろ」の意で、主に文章中に用いられる硬い漢語。〈―雑多〉〈―の理由により〉〈―の手続きを要する〉✎「いろいろ」や「さまざま」が種類のほか長さ・形・色・音・性質など多様なものを含むのに対し、多く種類をさす感じもある。⇩Q色々・様々
しゅじゅつ【手術】外科的な器具を用いて患部を切り開いたり切除したりする医療処置をさし、くだけた会話から硬い文章まで幅広く使われる漢語。〈―台〉〈―室〉〈整形―〉〈開腹―〉〈盲腸の―〉✎木山捷平の『酔いざめ日記』に「榊原主任医より明後日―すると言い渡された」とある。⇩オペ・Q切開
しゅしょう【主唱】中心になって唱える意で、主に文章に用いられる硬い漢語。〈革命を―する〉〈環境保護対策を―する〉⇩首唱
しゅしょう【首唱】最初に唱える意で、主に文章に用いられる硬い漢語。〈新説を―する〉〈核廃絶を―する〉⇩主唱
しゅしょう【殊勝】心情・態度・行為などが人を感心させる場合の褒めことばとして、やや改まった会話や文章に用いられる、少し古風な感じの漢語。〈―な心掛け〉〈―な気を起こす〉✎川端康成の『雪国』に「素人ならとにかく芸者が、遠い山のなかで、―な稽古をしてるんだから、音譜屋さんも喜ぶだろう」とある。⇩甲斐甲斐しい・Q健気
しゅしょう【首相】内閣総理大臣の通称として、会話にも文章にも広く使われる漢語。〈―官邸〉〈―に指名される〉⇩宰相・総理・Q総理大臣・内閣総理大臣
しゅじん【主人】①その家または奉公先などの主《あるじ》の意で、会話にも文章にも使われる漢語。〈店の―〉〈―の留守を預かる〉〈一家の―がしっかりしている〉✎夏目漱石の『吾輩は猫である』に「―は眼がさめて居るのだか、寝ているのだか、向こうむきになったぎり返事もしない」とある。「細君」から見た夫ではなく、語り手の猫が一家の主をさして「主人」と呼んだ例。⇩Qあるじ・ぬし ②妻が夫をさして他人に言うときに会話でも文章でも使われるやや古風な漢語。✎従来は慣用として抵抗なく用いてきたが、上位者という

ニュアンスが気になり、近年この語の使用を控える女性が増えている。「夫」と換言する例も多いが、相手はその語を使えないためとまどうことになる。⇩うちの人・Q夫・旦那・亭主・ハズ・宿六

じゅしんしゃ【受信者】聞く側や読む側の人間をさし、硬い感じの会話や文章に使われる専門的な漢語。〈―にメッセージが正確に伝わる〉✎言語によるコミュニケーションの場合は、聞き手と読み手との総称である「受け手」に相当する。「発信者」と対立。⇩受け手・聞き手・読み手

しゅせき【主席】代表者の意で、会話でも文章でも使われる正式な感じの漢語。〈国家―〉〈党の―を務める〉⇩首席

しゅせき【首席】最上位の意で、会話でも文章でも使われる漢語。〈大学を―で卒業する〉〈―奏者を務める〉⇩主席

しゅぞく【種族】同一の人種に属し、生活様式や文化の伝統を共有する人間の集団をさし、会話にも文章にも使われる漢語。〈―保存の本能〉✎森鷗外の『妄想』に「日本人を、そう絶望しなくてはならない程、無能な―だとも思わない」とある。⇩人種・Q民族

しゅだい【主題】芸術作品において作者の表現しようとする中心的な思想をさし、会話にも文章にも使われる漢語。〈―歌〉〈小説の―〉〈―を展開させる〉✎創作動機としてのモチーフが発展して、作者自身に明確な形で意識されるようになった段階。小林秀雄は『私小説論』で「この作の―は近代青年男女の入り組んだ恋愛葛藤の戯画である」という横光利一の『花花』に関する河上徹太郎の評を引用している。国語教育の文章の読解でよく問われる。⇩テーマ

じゅたい【受胎】身籠もる意で、主に文章に用いられる古風な漢語。〈―調節〉〈―告知〉✎医学的な用法のほかは、キリスト教の雰囲気が感じられる。⇩懐胎・懐妊・Q妊娠・孕《はら》む・身籠もる

じゅだく【受諾】要求や依頼などを受け入れる意で、主として文章に用いられる正式な感じの硬い漢語。〈ポツダム宣言―〉〈申し入れを―する〉✎「承諾」に比べ、気の進まないイメージが強い。⇩承知・Q承諾・承認・認可・容認・了承

しゅたる【主たる】「主な」の意で、改まった会話や文章に用いられる、文語的な響きの表現。〈―目的〉〈―原因〉〈―財源〉⇩Q主な・主要

しゅだん【手段】目的を実現するための手だてをさす漢語。会話的な日常語である「やり方」と比べ、硬い文章でも使われるやや改まった語。〈常套―〉〈不正な―〉〈姑息《こそく》な―をとる〉〈非常―に訴える〉〈目的のためには―を選ばない〉✎小林秀雄の『志賀直哉』に「或る印象を一層多彩なものとする為の―」とある。「方法」のうち、具体的で比較的小規模な部分について使われる傾向がある。そのため、「卑劣な」「あくどい」といった明らかにマイナスのイメージになると、漠然として無色透明な「方法」より、この「手段」のほうがぴったりする。⇩手口・Q方法・やり方・やり口

しゅちょう【主張】自分の説や意見を述べて強く同意を求める意で、会話にも文章にも広く使われる漢語。〈自己―が強い〉〈権利を―する〉〈相手の―を認める〉〈互いの―が食い違う〉〈両者の―が平行線をたどる〉✎小沼丹の『懐中時計』に「そんな古時計は二千円でいい、それ以上一文も払っ

てはならん、と—した」とある。⇩言い張る・強調・主義・Q提言・力説

しゅつがん【出願】願書を提出する意で、改まった会話や文章に用いられる、正式な感じの硬い漢語。〈—者〉〈—期間〉〈特許—中〉〈—の手続きを済ませる〉⇩申請

しゅつげん【出現】これまでに存在しなかったものが現れ出る意で、改まった会話や文章に用いられる漢語。〈天才の—〉〈新たな巨大組織が—する〉〈画期的な通信機器が—する〉✎「現出」より幅広くさまざまなものについてよく使う。⇩現出

しゅっこう【出港】船が港を出て行く意で、改まった会話や文章に用いられる、やや硬い感じの漢語。〈豪華客船が米国へ向けて横浜を—する〉⇩Q出航・出船《しゅっせん》・出帆・出ふね・船出

しゅっこう【出航】船が航海に出る意、飛行機が出発する意で、やや改まった会話や文章に用いられる漢語。〈—前の点検〉〈—時刻が迫る〉〈定期便が定刻に—する〉⇩Q出港・出船《しゅっせん》・出帆・出ふね・船出

しゅっさん【出産】子を産む意で、改まった会話や文章に用いられる日常の漢語。〈—祝い〉〈無事に男児を—する〉⇩Qお産・分娩《ぶんべん》

しゅっし【出資】事業の開発や経営などに資本を出す意で、改まった会話や文章に用いられる専門的な漢語。〈—額〉〈共同—〉〈—者を募集する〉〈新しい事業に—する〉⇩投資

しゅっしょ【出所】出どころの意で、改まった会話や文章に用いられる漢語。〈—不明金〉〈情報の—を明らかにする〉✎「研究所に—する時刻」「刑期を終えて—する」のような用法では普通の会話でも使う。⇩出処

しゅっしょ【出処】身の振り方の意で、改まった会話や文章に使われる硬い漢語。〈—進退を明らかにする〉⇩出所

しゅっしょう【出生】誕生の意で、正式な感じの会話や文章に用いられる、やや古風な漢語。〈—届〉〈—率〉〈—の地〉〈—の秘密〉✎感情をこめずに客観的に述べる感じがあり、時に事務的に扱う感じを伴うことがある。現代では「しゅっせい」と読む例が増えている。その場合は改まった感じだけで、古風な感じは特にない。⇩降誕・生誕・Q誕生

しゅっしんこう【出身校】「母校」に近い意味で会話でも文章でも広く使われる、やや改まった感じの日常の漢語。〈—の正式名称〉〈—別に集計する〉✎卒業した学校を客観的にさし示す正式な感じの表現。「母校」のような懐かしい響きはない。⇩母校

しゅっしんち【出身地】生まれ育った土地をさし、やや改まった会話や文章で、客観的に「生まれた土地」をさすときに用いる日常的な漢語。〈—の役場に問い合わせる〉〈—の欄に長崎県と記載する〉✎しばしば県単位または市町村単位で区切る事務的な感じの言い方で、「ふるさと」や「故郷」のような懐かしさは特になく、「郷里」ほどの親しみも感じさせない。したがって、涙をこらえて捨てるのは「故郷」や「ふるさと」であって、この「出身地」は語感の点でふさわしくない。「心のふるさと」のような美化した比喩的表現にも、この語は適さない。⇩郷土・Q郷里・故郷・ふるさと

しゅっすい【出水】川の水が溢《あふ》れ出す意で、主に文章中に用いられる漢語。〈集中豪雨による—の恐れ〉⇩大水・Q洪水・水

害・氾濫《はんらん》

しゅっせい【出生】→しゅっしょう

しゅっせん【出船】 船が出発する意で、主に文章に用いられる専門的な雰囲気の硬い漢語。〈―の準備が完了する〉⇩出港・出航・出帆・出ふね・Q船出

しゅったい【出来】 思いがけず事件や事故や大きな問題などが出現する意で、改まった会話や文章に用いられる古風な漢語。〈思いがけない事件が―する〉✎「近日―」「注文の品が本日―する」のように、古くは完成する意でも用いた。「しゅつらい」の音転。「でき」と読めば別語。⇩突発・Q勃発《ぼっぱつ》

しゅつば【出馬】 立候補の意の俗称として会話や軽い文章に使われる漢語。〈―要請〉〈―の意志を固める〉〈直前になって―を見合わせる〉✎選挙に関係なく、「会長に御―願う」のように、直接出向いたり重い役に就いたりする場合にも使う。⇩立候補

しゅっぱつ【出発】 目的地に向けて出かける意で、くだけた会話から硬い文章まで幅広く使われる日常の基本的な漢語。〈―時刻〉〈―間際に駆け込む〉〈―が遅れる〉〈旅行に―する〉✎「社会人となって―する」のように、広く物事を始める意にも拡大して用いられる。⇩門出・スタート・旅立ち

しゅっぱん【出帆】 船が出発する意で、主に文章に用いられる古風で硬い漢語。〈―の合図の鐘〉✎帆船に限らず慣習的に用いる。⇩出港・出航・出船《しゅっせん》・出ふね・Q船出

しゅっぱん【出版】 文書や絵画・写真などを印刷・製本して書物の形にし、販売ルートに乗せることをさし、会話にも文章にも使われる日常的な漢語。〈―権〉〈―事情が厳しい〉〈―の業務に携わる〉⇩Q刊行・公刊・上梓・発刊・発行

しゅっぱんしゃ【出版社】 文書や絵画・写真などを印刷・刊行・販売する会社をさし、会話にも文章にも使われる漢語。〈大きな―の編集部に勤務する〉〈権威ある―から著書を出す〉⇩書肆《しょし》・書店・書房・Q版元・本屋

しゅっぴ【出費】 必要に応じて費用を支払う意で、会話にも文章にも使われる漢語。〈このところ―がかさむ〉〈この収入では一万円の―でもこたえる〉✎年単位、月単位などでまとめて考えやすい「支出」に比べ、個々の支払いをさす傾向が強い。⇩支出・支払う

しゅっぽん【出奔】 逃亡し姿を隠す意で、主として改まった文章に用いられる、やや古風な硬い漢語。〈巨額の負債を抱えて会社は倒産し、同時に社長が―する〉✎いろいろなケースの考えられる「失跡」「失踪」と違い、この語は社会的な責任を果たせないといった動機による当人の意図的な行動を思わせる。⇩家出・Q失跡・失踪・蒸発・逐電・行方不明・夜逃げ

しゅと【首都】 その国の中央政府のある都市をさし、会話にも文章にも使われる一般的な漢語。〈―圏〉〈東京を―と定める〉✎永井荷風の『濹東綺譚』に「銀座丸ノ内のような―枢要の市街」とある。⇩Q首府・都

しゅどう【主導】 中心になって導く意で、会話でも文章でも使われる漢語。〈政府―の行政改革〉〈―権を握る〉⇩主動

しゅどう【主動】 中心になって行動する意で、改まった会話や文章に用いられる漢語。〈―的役割を演ずる〉⇩主導

しゅとく【取得】 資格や所有権などを手に入れる意で、改ま

った会話や文章に用いられる正式な感じの漢語。〈不動産―税〉〈運転免許を―する〉⇩獲得

しゅとして【主として】「主《おも》に」の意で、やや改まった会話や文章に用いられる少し硬い表現。〈朝は―パン食である〉〈―男性の通勤用の鞄を扱う〉〈随筆もあるが―小説を発表している〉⇩主に

じゅひ【樹皮】樹木の幹や枝の外皮をさして、改まった会話や文章に用いられる、やや専門的な漢語。〈―を剝ぐ〉〈―を傷つける〉✎「木肌《きはだ》」より、「白樺の―を貼る」「桜の―からこの色を出す」のように、細工物や染色に使うなど外皮の部分だけを処理する連想が働きやすい。大岡信は『言葉の力』に、花の咲きだす直前の桜の皮からえもいわれぬ美しいピンクを取り出すという染色家志村ふくみの話に感動し、「花びらのピンクは、幹のピンクであり、―のピンクであり、樹液のピンクであった」と記す。⇩木肌

しゅふ【主婦】家事を行うことで一家を支える立場の妻をさす漢語。やや古風になりかけている表現。〈専業―〉〈家庭の―〉〈―の立場から〉✎石坂洋次郎の『若い人』に「どこの―もそうであるように、千手観音のように捌きがもの慣れてあざやかだった」とある。近年、家庭の仕事に明け暮れる妻という伝統的なニュアンスが時に封建的なにおいを感じさせ、社会で活動中の女性などから嫌われる傾向が見られるが「―業も手を抜かない」など、兼業の立場から言う場合もある。⇩主夫

しゅふ【主夫】同音の「主婦」の男性版として新しく誕生した造語。〈―として妻の代議士の活動を支える〉✎字面からは夫が「あるじ」か「ぬし」として手厚く扱われているように見えるが、家庭の仕事をする男性を「主婦」の立場にあてはめる発想の表現。女性の社会的進出が目覚ましく、自然に食事の支度や掃除・洗濯から育児などの家事の一部が男性側にまわってくる社会現象の実態を映し出したことば。妻が社会で多忙を極める家庭では家事の主たる担い手が夫に代わり、時には夫がもっぱら家事をきりもりするケースも出現する。台所でエプロン姿にたすき掛けでかいがいしく立ち働くイメージをいくぶんからかい気味に、あるいは憐れみのまじった若干の感慨をこめて表現したように感じられる。当の夫自身がそういう自分の姿を少し自嘲気味にこう呼ぶ場合もあるかもしれない。⇩主婦

しゅふ【首府】「首都」の意で会話にも文章にも使われた古めかしい漢語。〈ブラジルの―〉✎国木田独歩の『武蔵野』に「中央に包まれて居る―東京をふり顧《かえ》った」とある。現在ではほとんどの場合「首都」を用いる。⇩Q首都・都

しゅほう【手法】ものごとを行ったり芸術作品を創造したりする際に採用する手段や方法の総称としてやや改まった会話や文章に用いられる専門的な漢語。〈独特の―〉〈―の違い〉〈他人の―をまねる〉✎太宰治の『人間失格』に「図画の時間にも、あの「お化け式―」は秘めて」とある。「方式」に比べ、個性的な色彩が強い。⇩方式・Qやり方

しゅみ【趣味】仕事でなく楽しみとして愛好しているものをさし、会話にも文章にも使われる日常の漢語。〈少女―〉〈骨董《こっとう》の―がある〉〈―は音楽鑑賞〉〈―が広い〉〈―と実益を兼ねる〉✎「道楽」に比べ、幅が広く好感度が高い。

「―のいいネクタイ」のように、美的価値や味わいを感じ取るセンスをさすこともある。⇩遊ぶ・道楽①

じゅもく【樹木】「木」より改まった感じの文章語に近い漢語で、くだけた会話に使うには硬い。〈庭園の―〉〈―の手入れ〉✎複数の立ち木、高い木立を連想させる。芥川龍之介の『歯車』に「道に沿うた公園の―は皆枝や葉を黒ませていた」とある。⇩木

しゅもつ【腫物】腫れ物の意で主に文章に用いられる専門的な硬い漢語。〈―を切除する〉⇩おでき・腫瘍・肉腫・Q腫れ物

しゅよう【主要】中心をなす重要なの意で、改まった会話や文章に用いられる硬い感じの漢語。〈―科目〉〈―な産物〉〈―な人物〉〈本日の―な議題〉⇩主な・Q主たる

しゅよう【腫瘍】体細胞の一部に見られる異常増殖の病変をさして、学術的な会話や文章に用いられる医学上の専門漢語。〈脳―〉〈組織に―が見られる〉⇩Q腫物《しゅもつ》・肉腫・腫れ物・ポリープ

じゅよう【需用】電気やガスの消費という限定的な意味で、主として文章に用いられる専門的な感じの漢語。〈―電力〉〈ガスの―が増える〉⇩需要

じゅよう【需要】必要として求める意で、会話でも文章でも広く使われる漢語。〈―の伸び〉〈―が高まる〉〈―の増加に追いつかない〉〈―を満たす〉⇩需用

じゅりつ【樹立】新しい物事をしっかりと打ち立てる意で、主に文章中に用いる硬い漢語。〈世界記録を―する〉〈新政権を―する〉〈国交の―に尽力する〉✎「確立」に比べ、鮮やかで際立つ雰囲気の感じられるプラスイメージの表現。⇩確立

しゅりゅう【主流】川の中心的な流れをさし、会話にも文章にも使われる漢語。〈川の―をなす大きな流れ〉✎「傍流」に対する語で、「―派と非―派」、「今はこのタイプが―となっている」「この方法論が現代言語学の―である」のような比喩的用法においても、単にそれが普通で多くの人がそうしているという意味にとどまり、「本流」ほど本来の正統的なあり方というところまで踏み込んでいない感じがある。⇩本流

じゅりょう【受領】金品を受け取る意で、主に文章に用いられる硬い感じの漢語。〈―証〉〈―印〉〈小包を―する〉〈確かに―仕《つかまつ》りました〉⇩Q査収・領収

じゅりょうしょう【受領証】金品を確かに受け取ったことを証明する書類をさし、会話にも文章にも使われる重々しい感じの漢語。〈―を手渡す〉⇩Q受け取り・領収書・レシート

しゅわん【手腕】組織などを統率し運営してゆく能力をさし、改まった会話や文章に用いられる漢語。〈経営の―を買われる〉〈―が問われる〉〈並々ならぬ―を発揮する〉✎夏目漱石の『坊っちゃん』に「あなたの―でゴルキなんですから、私なんぞがゴルキなのは仕方がありません」とある。ものをつくりだす個々の技術より、全体をまとめてうまく機能させる知的能力をさす傾向が強い。⇩腕②・Q腕前・技量・手並み・力量

じゅん【順】物事の前後関係や排列などの基準をさし、会話やさほど硬くない文章に使われる日常の漢語。〈―を追って話す〉〈―を乱す〉〈―に配る〉〈―に並ぶ〉✎「到着―」

「五十音―」のように序列といえない場合にも使う。また、「―に」の場合、「順序」や「順番」に比べ、間をおかず次から次へと続くイメージがある。⇩順位・Q順序・順番

じゅんい【順位】優劣など何らかの基準による位置づけを意味し、会話にも文章にも使われる漢語。〈優先―〉〈―をつける〉〈成績の―を発表する〉⇩順・順序・Q順番

じゅんかい【巡回】一定の順番に見て回る意で、改まった会話や文章に用いられる、やや専門的な漢語。〈管内を―する〉✎パトロールの意味のほか、「―指導」「―図書館」のように警備に関係なくあちこち回る場合にも使う。⇩パトロール・Q見回り

しゅんかん【瞬間】瞬きをするぐらいのごく短い時間をさして、会話にも文章にも広く使われる基本的な漢語。〈―風速〉〈決定的―〉〈その―に思わず声が出る〉✎竹西寛子の『兵隊宿』に「人馬(騎馬の兵士)の動きの止った―、それがみごとな埴輪の列に見える」とある。「点火した―」「戸を開けた―」のように、ある行為をするのと同時にという、まさにその時といったニュアンスでよく使う。⇩あっという間・Q一瞬・瞬時・瞬く間

しゅんき【春季】春の季節の意で、改まった会話や文章に用いられる漢語。〈―大会の開催〉⇩春期

しゅんき【春期】春の時期の意で、改まった会話や文章に用いられる漢語。〈―講習会〉⇩春季

じゅんけつ【純血】純粋な血統の意で、会話でも文章でも使われる漢語。〈―種〉〈―主義〉〈―を保つ〉⇩純潔

じゅんけつ【純潔】けがれのない意で、会話にも文章にも使われるやや古風な雰囲気の漢語。〈―な心〉〈―を守る〉〈―教育〉✎川端康成の『純粋の声』に「自らの歌を天国の少女の合唱のように聞き惚れながら、胸清まる幸いにわれを忘れたことであろう。まことに―のひとときである」とある。性的関係を「けがれ」と考えての用法は古い時代を感じさせる。⇩純血

しゅんこう【竣工】工事が完了して建造物が出来上がる意で、改まった会話や文章に用いられる、やや専門的な硬い漢語。〈―式〉〈体育館が―の日を迎える〉✎古くは「竣功」と書いた。⇩Q完工・落成

じゅんさ【巡査】警備や捜査などの現場で任務を担当する最下級の警察官をさし、会話でも文章でも使う日常漢語。〈―部長〉〈―が交通整理にあたる〉✎「警察官」の階級の一つ。井伏鱒二の『多甚古村』は「左の文章はその―の駐在日記である」として本文が始まる。⇩お巡り・Qお巡りさん・警官・警察官・駐在

しゅんさい【俊才】優れた才能の持ち主をさす漢語。主として文章に用いる硬い感じの表現。〈幾多の―を輩出した名門〉〈囲碁界で―として注目される逸材〉✎「秀才」が主として学校の勉強についてきわめて成績のよい人材を連想させるのに対して、この語は学校と無関係な分野についてもしばしば用いる。ただし、あくまで優れた点を取り上げており、「天才」と違って、悪い意味については用いない。⇩Q秀才・天才

しゅんじ【瞬時】瞬きをするぐらいのごく短い時間をさし、改まった会話や文章に用いられる硬い漢語。〈―にやっての

ける〉〈—たりとも目を離せない〉✎夏目漱石の『草枕』に「あの鳥（雲雀）の鳴く音には—の余裕もない」とある。所要時間の短さを強調する場合が多く、実際の用法としては「瞬間」より長い幅をさす。⇩あっという間・一瞬・瞬間・瞬く間

じゅんしゅ【遵守】法律・道徳・教えなどをきちんと守る意で、改まった会話や文章に用いられる硬い漢語。〈法律を—する〉✎「順守」は代用漢字。⇩従う・服する・Q守る①

しゅんじゅん【逡巡】決断がつかずにぐずぐずする意で、主として文章に用いられる硬い感じの漢語。〈決定を前に—する〉〈あれこれ—してなかなか進まない〉✎「躊躇《ちゅうちょ》」よりも長くためらっている感じがある。⇩ためらう・Q躊躇

じゅんじょ【順序】「順」に近い意味で、会話にも文章にも広く使われる日常の漢語。〈配り方の—〉〈動作の—〉〈—よく並べる〉〈—立てて話す〉✎「ものには—というものがある」「手続きの—を間違える」のように、「順」や「順番」に比べ、常識・伝統・規則など何らかの秩序を背景として序列が決まっている雰囲気がある。⇩順・順位・Q順番

じゅんじょう【純情】純粋な心を持つ意で、会話にも文章にも使われる古風な漢語。〈—可憐《かれん》な乙女〉〈今時珍しい—な好青年〉⇩初々しい・うぶ・Q純真・ナイーブ

じゅんしん【純真】心が清らかで人を疑うことを知らない意として、会話にも文章にも使われる、いくぶん古風な感じの漢語。〈—無垢〉〈—な子供〉〈世間にもまれ次第に—さを失う〉⇩初々しい・うぶ・Q純情・ナイーブ

じゅんすい【純粋】雑多なものが混じっていない意で、会話にも文章にも使われる基本的な漢語。〈—培養〉〈—の日本人〉〈—のコーギー種〉〈—のアルコール〉✎夏目漱石の『坊っちゃん』に「たまに正直な—な人を見ると、坊っちゃんだの小僧だのと難癖をつけて軽蔑する」とある。「—な気持ち」「—な知的好奇心」のように、私欲や邪念の混じっていない意にも使う。⇩生粋・生え抜き・Q無垢《むく》

しゅんそく【駿（俊）足】足の速い意で、会話でも文章でも使われる漢語。〈—を駆る〉〈—を誇る〉〈チームきっての—〉✎「駿足」は本来、馬の足の速いことを意味し、人間についてもこの表記を用いるが、人間の場合は「俊足」で代用する例も多い。

じゅんたく【潤沢】たくさんあって潤っている意で、やや改まった会話や文章に用いられる漢語。〈—な毛髪〉〈—な予算〉〈資金が—だ〉〈物資が—にある〉〈—な暮らし〉✎「—を帯びた肌」のように、艶《つや》や潤いのある意に使う用法は古風。⇩豊富・Q豊か

じゅんちょう【順調】物事が予定どおりに滞りなく進行する意で、会話にも文章にも使われる漢語。〈調整は—に進んでいる〉〈予定通り—に売り上げを伸ばす〉〈術後の経過はきわめて—だ〉✎調子のよさは「好調」「快調」「絶好調」と次第に増す感じがあるが、この語は特に幅が広く「快調」や「絶好調」の段階をも含む。⇩快調・Q好調・絶好調

じゅんとう【順当】道理にかなっていて当然考えられる方向にある意で、会話にも文章にも使われる漢語。〈—な結果〉〈—に勝ち上がる〉〈—な成績を収める〉✎「穏当」や「妥当」が物事のやり方に対する評価であるのに対し、これは結果の評価が中心。⇩穏当・Q妥当

じゅんのう【順応】 環境や境遇などの変化に適応する意で、やや改まった会話や文章に用いられる漢語。〈—性に富む〉〈新しい環境に—する〉✎変化に応じられるか否かに重点がある。⇩適応

じゅんばん【順番】 前や右などの基準点から何番目かの意で、会話や硬くない文章に使われる日常の漢語。〈—どおり〉〈—が狂う〉〈—を待つ〉〈出る—を間違える〉✎「順序」ほど秩序や必然性を感じさせない。⇩順・順位・Q順序・番

じゅんび【準備】 近い将来に備えて必要な物事をあらかじめ整えておくことをさし、会話から文章まで幅広く使われる漢語。〈—運動〉〈—不足がたたる〉〈—万端整う〉〈会の—を始める〉〈海外出張の—に追われる〉✎谷崎潤一郎の『細雪』に「引き揚げの—万端のために眼の廻るような思いをし」とある。単に品物や身なりを整えたりするだけでなく、「受験—」「立候補の—に入る」のように、目的を達成しやすい条件を高める行為をも含む。⇩Q支度・用意

じゅんぼく【純(淳・醇)朴(樸)】 人の性質や土地の気風などが素直で飾り気がなく人情に厚い意で、改まった会話や文章に用いられる漢語。〈—な人柄〉〈—な気風〉✎夏目漱石の『坊っちゃん』に「風俗の頗る—な所で、職員生徒悉く上代樸直の気風を帯びて居る」とある。⇩素朴

じゅんりょう【純良】 不純物が混じらず質のよい意で、主に文章に用いられる漢語。〈—なバター〉〈—な食品〉⇩順良・Q淳良

じゅんりょう【順良】 素直で善良な意で、主に文章中に用いられる漢語。〈—な市民〉〈—な性格〉⇩純良・Q淳良

じゅんりょう【淳良】 素朴で善良な意で、主に文章中に用いられる古風な漢語。〈小さな村の—な人びと〉⇩純良・順良

しょ【書】 「書道」の意で、会話にも文章にも使われる漢語。〈—の道〉〈—の大家〉〈—をよくする〉✎「床《とこ》の間に—を飾る」「良寛の—を鑑賞する」のように、作品をさす用法もある。また、「—をひもとく」として書物を、「—を送る」として手紙をさす用法もあって、意味が広い。⇩習字・Q書道・手習い

じょ【序】 書物でその本に関する意図などを説明して本文の前に置く文章をさして、会話にも文章にも使われる少し改まった感じの漢語。〈著書に自分で—を執筆する〉✎挨拶の感じが強い「前書き」や「はしがき」に比べ、本の内容との関連が強い。少し構えた感じの用語。「跋」と対立。⇩緒言・Q序文・はしがき・前書き

じょい【女医】 女性医師を意味する漢語。会話でも文章でも使えるが、くだけた日常会話では「医者」ほど使われない。〈産婦人科の—さん〉✎「医者」という語が男性を連想させやすいため、職業名というより女の医者という説明として使う。⇩医師・Q医者

しょいこむ【背負い込む】 困ったことや迷惑なものを不本意に引き受けてしまう意で、主にくだけた会話に使われる、やや俗っぽい和語。〈面倒な仕事を—〉〈多額の借金を—〉✎やむを得ない場合も考えられる「抱え込む」に比べ、はっきり拒否しなかったせいでそうなってしまった感じもあり、負担も大きい雰囲気が漂う。⇩抱え込む

じょいん【女陰】 軽い通俗的な読み物などで、「女性の外部性

器」をさす漢語の古風な俗っぽい間接表現。✎「女性の陰部」という意味の略語。⇩陰部・Q陰門・隠し所・下半身②・下腹部・局所・局部・玉門・性器・生殖器・恥部

しよう【使用】物や人を使う意で、やや改まった会話や文章に用いられる漢語。〈─量〉〈─料〉〈─禁止〉〈武器を─する〉〈無断で─する〉〈─に差し支える〉✎小林秀雄の『言葉』に「歌は凡そ言葉というものの、最も純粋な、本質的な─法を保存している」とある。⇩使う・Q用いる

しょう【背負う】「せおう」の転で、主にくだけた会話で使われる俗っぽい口頭語。〈一遍では─・いきれない〉〈よっこらしょっと大きな荷物を─・って出かける〉✎「せおう」からの転。志賀直哉の『暗夜行路』に「(荷物は)俺《わし》が─・って行きます」とある。⇩負う・おぶう・おんぶ・Q背負う

じよう【滋養】栄養の意で会話にも文章にも使われる古風な漢語。〈─強壮〉〈─に富む食物〉✎現在ではあまり聞かれなくなり、老人の響きが感じられる。⇩栄養

じょう【錠】差し込む鍵の形や角度によって戸や引き出しなどを他人が自由に開けられないようにするための金具をさして、会話にも文章にも使われる、やや古風な漢語。〈南京─〉〈─を下ろす〉〈鍵で─を開ける〉✎「─を掛け忘れる」のように、鍵を含めた全体をさすこともある。「裏口の─を取り替える」も同様だが、差し込む物のほうを意識すれば、同じことを「鍵を取り替える」ともいえる。この語は現代では「鍵」ほど使われない。⇩かぎ・キー・錠前

じょう【情】人として当然持っているべき他者を思いやる心をさし、会話にも文章にも使われる漢語。〈親子の─〉〈─が通う〉〈─が移る〉〈─にもろい〉〈─にほだされる〉✎辻邦生の『ある告別』に「その瞬間私が感じた感情を憐愍の─と名づけることにいくらか私は躊躇する。にもかかわらずそれはきわめて憐愍に似かよった感情だった」とある。なお、「─を通じる」「─が深い」のように特に恋愛感情をさす用法もあり、田山花袋の『蒲団』にも「初めて恋するような熱烈な─は無論なかった」とある。⇩同情・なさけ・Q人情

じょうあい【情愛】親子や恋人・夫婦の間の相手を思いやり慈しむ心の意で、主として文章に用いられる硬い漢語。〈肉親の─〉〈こまやかな夫婦の─〉✎芥川龍之介の『地獄変』に「画のために親子の─も忘れてしまう」とある。自分の気持ちというより、外から眺めてそれに言及しているような客観的な雰囲気がある。⇩愛情

じょうえん【上演】演劇を実際に舞台上で観客を前に演ずる意で、やや改まった会話や文章に使われる漢語。〈ただいま─中〉〈新作を─する〉〈小説を芝居向きに書き直した台本で─する〉✎「公演」と比べ、俳優より作品や脚本に重点を置いた表現。また、「公演」が日数単位の「期間」を連想させるのに対し、この語は「─時間」というふうに一回分を連想させる傾向がある。⇩公演

しょうか【商家】商店を経営する家柄をさし、主として文章に用いられる古風で硬い漢語。〈─の出〉〈─に生まれる〉✎「商店」に比べ、店自体より職業に重点がある。⇩商店・店屋

しょうか【唱歌】旧制小学校などの教材として作られた歌曲をさし、会話にも文章にも使われる古風な漢語。〈小学─〉

〈学校で—を歌う〉✎島崎藤村の『桜の実の熟する時』に「—を聞いた時には、殆んど何もかも忘れて居た」とある。⇩童謡・Qわらべ歌

しょうかい【紹介】他人に相手の知らない人を引き合わせたり、物の存在を知らせたりする意で、会話にも文章にも広く使われる日常の漢語。〈自己—〉〈—状〉〈友人の—で初めて会う〉〈名医を—される〉〈—の労をとる〉✎小津安二郎監督の映画『秋日和』に、司葉子の扮するアヤ子が「今日初めてお目にかかったんです。あの、もう一人の方の—で」と弁明すると、佐分利信の扮する間宮が「—は僕もしたじゃないか。僕の方が先きだよ」と突っかかる場面がある。「引き合わせる」と違い、「貴重な資料を—する」「小説のあらすじを—する」のように人間以外のことでも使う。⇩引き合わせる

しょうがい【生涯】生きている間の意で、改まった会話や文章に用いられる漢語。〈—学習〉〈—の友〉〈研究に—を捧《ささ》げる〉〈不遇のうちに短い—を閉じた〉✎「一生」と同様、「この御恩は—忘れない」のように、この語も今から死ぬまでの期間をさすが、少し硬い感じになる。⇩Q一生・人生・生

しょうがい【傷害】傷つける意で、改まった会話や文章に用いられる、やや専門的な感じの漢語。〈—事件を起こす〉〈—致死〉⇩障害

しょうがい【障害(碍)】妨げ・故障の意で、会話にも文章にも広く使われる漢語。〈—物にぶつかる〉〈胃腸—を起こす〉〈—を乗り越える〉〈関税が—となる〉✎本来の「障碍」という表記は「碍」が表外字であり、正統的な雰囲気を漂わせる一方、古風な印象も与えやすい。また、「しょうげ」とも読み、「障礙」と書けばさらに古めかしい。⇩傷害

しょうかく【昇格】格式・資格・階級などが上がる意で、会話にも文章にも使われる漢語。〈—人事〉〈教授に—する〉〈課長に—させる〉✎「防衛庁から防衛省に—する」など、人間以外にも使う。⇩Q昇進・昇任

しょうがく【小額】小さな単位の金額の意で、改まった会話や文章に用いられる専門的な感じの漢語。〈—紙幣〉⇩少額

しょうがく【少額】少ない金額の意で、改まった会話や文章に用いられる漢語。〈—の寄付〉〈はなはだ—で失礼ですが〉〈—の場合は非課税〉⇩小額

じょうかく【城郭(廓)】城の周囲に設ける土石の囲いをさし、主として文章に用いる専門的な漢語。〈—をめぐらす〉〈—を構える〉✎城と廓の全体をさすこともある。岡本かの子の『やがて五月に』に「満楼の灯の入った涼しい—のように、水に映る投影が、すぐ眼の前に迫り出して来た」という比喩表現の例がある。⇩城

しょうがつ【正月】一年の最初の月である一月をさし、くだけた会話から硬い文章まで幅広く使われる漢語。〈—気分〉〈—の行事〉〈—を祝う〉〈盆と—〉✎単なる「一月」よりめでたい気分が漂うため、一月のうちでも、元日、三が日、七日まで、昔の藪《やぶ》入《い》りまでと正月の雰囲気が薄れるにつれて次第にこの語が使いにくくなる。⇩Q新春・新年・はつはる

しょうがない【仕様がない】「仕方がない」の意で主として改まった会話に用いられる表現。〈ほかに—〉〈—から、代理で間に合わせる〉✎くだけた会話では「しょうがない」とな

りやすい。⇩仕方がない・Qしょうがない・止むを得ない

しょうがない 「仕方がない」の意でくだけた会話で用いる表現。〈駄目なら—〉〈—から、それでいいよ〉✎「しょうがない」の崩れた形。男性はさらに「しょうがねえ」となることもある。⇩仕方がない・Q仕様がない・止むを得ない

しょうかん【召喚】 裁判所が被告人や証人に対して発する出頭命令を意味し、法律関係の硬い文章に用いられる専門的な漢語。〈—状〉〈証人を—する〉⇩償還・Q召還

しょうかん【召還】 外交使節などを呼び戻す意で、主に硬い文章で用いられる正式で専門的な感じの漢語。〈大使を本国に—する〉⇩償還・Q召喚

しょうかん【償還】 金銭等を返却する意で、硬い文章に用いられる専門的な漢語。〈—期限〉〈負債を—する〉⇩召喚・Q召還

じょうかん【情感】 喜怒哀楽の情や心に訴える感じの意で、主として軽くない文章に用いられる漢語。〈—をこめる〉〈—があふれる〉〈—たっぷり〉✎安部公房の『他人の顔』に「成熟しきった女の—を、噴泉のように惜しげもなくあふれさせていた」とある。⇩Q感情・心情

しょうぎ【将〔將〕棋】 将棋盤の上で駒を動かし相手の王将を奪い合う古来の遊戯をさし、会話にも文章にも使われる日常の漢語。〈—の駒〉〈—を指す〉〈—名人戦〉✎チェスと同じくインドを起源とするという。囲碁が武家階級のたしなみとされたのに対し、「縁台—」などもあり、将棋は町人階級に親しまれたため、今でも庶民的な感触を意識する人もある。⇩本将棋

じょうき【上気】 頭に血がのぼる意で、会話でも文章でも使われる漢語。〈—した顔〉✎大岡信の『言葉の力』に「桜の花が咲く直前のころ、山の桜の皮をもらってきて染めると、こんな、—したような、えもいわれぬ色が取り出せる」という染色家の志村ふくみの話を紹介してある。⇩上擦る

じょうき【蒸気】 液体の蒸発や固体の昇華によって生ずる気体をさし、会話にも文章にも使われる漢語。〈—圧〉〈—タービン〉〈—機関車〉〈ポンポン—〉〈—が上がる〉〈—を逃がす〉✎水以外についてもいう。⇩水蒸気・湯気・湯煙

しょうきゃく【消〔銷〕却】 消してすっかり無くする意で、主に文章に用いられる専門的で硬い漢語。〈負債を—する〉✎借金の返済などの場合によく用いる。⇩Q消去・抹消

しょうきょ【消去】 消し去る意で、会話にも文章にも使われる、やや専門的な漢語。〈—法で答えを導く〉〈条件に当てはまらない物件を—する〉⇩Q消却・抹消

じょうきょう【上京】 地方から都（現代では東京）に出て来る意の漢語。〈両親が—して来る〉✎長い間都があり、当時は「京に上る」と言い慣わしていた関係もあり、古くから京都に住んでいる家の人には現代でもこの語に心理的な抵抗を覚えるケースが少なくないという。東京の人が差し出した名刺を見て「東京都」を「ひがし京都」と読み、「郊外にお住みですか」と尋ねたという笑い話も、そのような京都人の意識を映し出したものと思われる。「東京入り」と称する京都人もいる。⇩下阪

じょうきょう【状〔情〕況】 人や組織や物事の様子を、それが置かれた周囲の環境の、時期や場所によって異なるそれぞ

れの動きや様子を含めてとらえた語で、会話にも文章にも使われる。〈―判断〉〈―をつかむ〉〈―が刻々と変わる〉〈―の変化を見極める〉〈―の推移を見守る〉「状態」よりも動きを感じさせ、また、周囲との関係でとらえた意味合いが強い。⇩ありさま・情勢・Q状態・様子・様相

じょうく【冗句】ふざけた表現や笑い話などをさし、主に文章に用いる漢語。〈面白い―を交ぜて、聞く人を退屈させない〉「冗談」の意味では英語の「ジョーク」の当て字だが、「文章から―を削ってすっきりと仕上げる」のように、無駄な句という意味でも使う。⇩ジョーク・Q冗談

じょうくう【上空】特定の場所の上方に広がる空をさし、改まった会話や文章に用いられる漢語。〈東京の―を通過する〉〈太平洋の―を飛行中〉「はるか―の雲」のように、単に高い空を意味する場合もある。⇩高空

しょうけい【憧憬】あこがれの意で主に文章中に用いられる漢語。〈―の的〉〈遠い異国の空に―を抱く〉俗に「どうけい」とも読むが、新常用漢字表によれば、「しょうけい」。⇩あこがれ・どうけい

しょうげき【衝撃】急激に加えられる物理的な打撃や瞬間的に起こる心の激しい動揺をさして、やや改まった会話や文章に用いられる漢語。〈―波〉〈―が走る〉〈大きな―を受ける〉〈―をやわらげる〉辻邦生の『洪水の終り』に「疑惑が頭をかすめ、私は何か鋭いもので貫かれるような―を感じた」とある。安部公房の『他人の顔』には「かんしゃく玉を嚙みくだいたような―」という比喩表現の例がある。⇩ショック

じょうけん【条件】物事の実現・成立・決定などの前提となる事柄をさし、やや改まった会話や文章に用いられる漢語。〈―つき〉〈いい―で勤める〉〈ただし、―がある〉〈―に合わない〉〈―にぴったりだ〉〈―を満たす〉小林秀雄は『ゴッホの手紙』で「そういう事を企てるのには、僕にはやはり悪―が出揃っているという始末であった」と書き、次節を「悪―とは何か」という一文段落で始める。⇩要件

しょうこ【証〔證〕拠】事柄の真実を証明する根拠となる物事の意で、会話にも文章にも広く使われる日常の漢語。〈―書類〉〈情況―〉〈―湮滅《いんめつ》の恐れがある〉〈―を残す〉〈物的―をつかむ〉〈逃れられない―を押さえる〉谷崎潤一郎の『痴人の愛』に「何か怪しい所があるの? あるなら―を見せて頂戴」とある。⇩証左《しょうさ》

じょうこう【情交】「性交」を意味することのある古風な漢語の間接表現。〈―を結ぶ〉広くは、心を許し合った間柄の親しい付き合いの意。そこから、特に男女間の親密な交際に限定し、その交わりの一部としての肉体的な結合を位置づけているため、あくまで親密な者どうしの場合に限られる。また、構造自体が婉曲《えんきょく》な関係であるため、露骨さはかなりやわらげられている。⇩営み・エッチ・関係②・合歓・交合・交接・情を通じる・Q性交・性行為・性交渉・性的行為・セックス・抱く②・契る・同衾《どうきん》・共寝・寝る②・懇ろになる・ファック・深い仲になる・房事・枕を交わす・交わる・やる③・夜伽《よとぎ》

じょうこく【上告】控訴審の判決を不服として、終審の裁判所に改めて審理を申し立てることをさし、改まった会話や文章に用いられる専門的な硬い漢語。〈―審〉「上訴」の

一つ。⇩Q抗告・控訴・上訴

しょうこん【商魂】 商売に徹し利益を最優先とする気概や才知の意で、やや改まった会話や文章に使われる漢語。〈―たくましい商人〉 ⇩商売気《ぎ》

しょうさ【証〔證〕左】「証拠」の意で主に学術的な文章に用いられるやや古風で硬い漢語。〈それ自体が何よりの―となろう〉〈動かぬ―を示す〉 ⇩証拠

しょうさい【詳細】 細部にわたる意で、やや改まった会話や文章に用いられる漢語。〈―な説明〉〈―にわたって検討する〉 ✎小林多喜二の『蟹工船』に「この辺の海、北樺太、千島の附近まで―に測量したり」とある。「―は後日発表する」のように、詳しい内容をさす名詞の用法もある。⇩詳しい

しょうさん【勝算】 勝つ見込みの意で、会話にも文章にも使われる漢語。〈―われにあり〉〈この試合はどう見ても―が乏しい〉 ✎「勝ち目」は判断を示すだけだが、この語はそこに至る思考過程が意識される。⇩勝ち目

しょうさん【賞(称)讃(賛)】 褒め讃える意で、改まった会話や文章に用いられる漢語。〈惜しみない―の拍手〉〈永年の地道な努力を―する〉〈―に値する〉〈―を博する〉 ⇩讃える・褒めそやす・Q褒めたたえる・褒めちぎる・褒める

じょうし【上司】 同じ職場で自分より上位にある人をさして、やや改まった会話や文章に用いられる漢語。〈直属の―の指示に従う〉〈―に取り入る〉〈―の覚えがめでたい〉 ✎現代では一般に「上役」よりよく使う。⇩上役

じょうし【上梓】 書物を出版する意で、主に文章中に用いられる古風な漢語。〈雑誌論文をまとめて単行本として―する〉 ✎昔、梓《あずさ》の木を版木に用いたことから。出版社側より著者が使うことが多い。⇩刊行・公刊・Q出版・発刊・発行

じょうし【情死】 愛し合った男女が一緒に自殺する意で、主として文章中に用いられる古風な漢語。〈―を遂げる〉〈―事件として報道される〉 ⇩心中

じょうじ【常時】 何も事が起こらない時でもいつでもの意で、改まった会話や文章に用いられる硬い感じの漢語。〈―待機している〉〈―見張っている〉 ⇩Q何時も・始終・終始・しょっちゅう・絶えず・常に・のべつ

しょうじき【正直】 言動に嘘や偽りのないようすをさし、会話でも文章でも幅広く使える日常の漢語。〈―な人〉〈―に答える〉 ✎佐藤春夫の『お絹とその兄弟』に「あの人ならば親切で―ないい人だから」とある。「素直」とは違って年齢や上下関係の語感は働かないから、「―な祖父」などという表現にも特に違和感は生じない。⇩素直

じょうしき【常識】 一般の大人が共通してそなえているはずの知識や道徳的判断力をさし、会話にも文章にも使われる日常の漢語。〈―外れ〉〈―破り〉〈世間の―〉〈いささか―に欠ける〉〈―が通じない〉〈―でわかりそうなものだ〉 ✎道徳面に重点のある「良識」に比べ、単なる知識を含め幅広い。小林秀雄の『菊池寛論』に「菊池氏は偉大なる―家と言われている」とある。⇩学識・知識・Q良識

しょうしつ【消失】 存在が跡形もなく消え失せる意で、改まった会話や文章に用いられる硬い漢語。〈効力が―する〉〈権利が―する〉 ✎「消滅」に比べ、短い間で気がつかない

うちにというニュアンスがいくらか強い。⇩消滅

しようしゃ【使用者】「雇い主」の意で、改まった会話や文章に用いられる硬い漢語。〈―が責任を負う〉✎「使用人」と対立。⇩雇用者②・Q雇い主

しょうしゃ【瀟洒】小ざっぱりして洗練されている意で、やや改まった会話や文章に用いられる漢語。〈―な身なり〉〈こぢんまりとした―な洋館〉✎服装や建物などによく使う。⇩洒脱《しゃだつ》

じょうしゅ【情趣】しみじみとした味わいの意で、改まった会話や文章に用いられる漢語。〈古都の―を存分に味わう〉〈―の漂う町〉⇩Q趣・情緒・風情

じょうじゅ【成就】願いどおりに成し遂げる意で、主に文章に用いられる古風な漢語。〈大願―〉〈念願が―する〉✎「達成」に比べ、困難なことを長期間の努力によって叶えたという感じが強い。⇩達成

しょうしゅう【召集】国家や天皇が召し集める意で、改まった会話や文章に用いられる正式な感じの漢語。〈―令状〉〈非常―〉〈―を受ける〉〈国会を―する〉⇩招集

しょうしゅう【招集】組織の構成員などを招き集める意で、やや改まった会話や文章に使われる漢語。〈株主―〉〈メンバーに―をかける〉〈会議を―する〉⇩召集

しょうじゅう【小銃】携帯用の小型の銃砲の意で、会話にも文章にも使われる漢語。〈自動―〉〈―を保持する〉✎日常会話では通常「鉄砲」と言う。小島信夫にまさに『小銃』と題する小説があり、「日なた、軍靴の土煙をすかしてうつる―の影の林の中で」「私は―をになった自分の影をたのしんだ」とある。⇩拳銃・Q短銃・鉄砲・はじき・ピストル

じょうじゅん【上旬】その月の最初の十日間をさし、会話にも文章にも使われる漢語。〈九月も―はまだ残暑が厳しい〉✎「初旬」のように情緒的な用例はなく、きちんと「中旬」「下旬」に対立する。⇩初旬

しょうじょ【少女】高校生ぐらいまでの若い女の子をさし、やや改まった会話から硬い文章まで幅広く用いられる日常の漢語。〈―趣味〉〈―漫画〉〈文学―〉〈お下げ髪のかわいい―〉✎森田たまの『もめん随筆』に「瞼にうかぶ札幌の―は夏林檎のようにほのぼのと肌白く」とある。くだけた会話では右のような慣用表現の形以外の使用が減り、今では全体的に若干古風な響きを感じさせる。⇩乙女・Q娘

じょうしょ【情緒】しみじみとした味わい、また、感情の動きをさす漢語。これが本来の読みであるが、「じょうちょ」という慣用的な読みのほうが一般的に使われるため、いくぶん取り澄ました感じもある。〈―纏綿《てんめん》〉〈―を感じさせる〉⇩じょうちょ

しょうしょう【少少】「少し」の意で改まった会話や丁重な手紙などに用いられる語。〈―ものを伺いますが〉〈―お待ちください〉〈持ち合わせが―足りない〉〈―のことでは驚かない〉✎夏目漱石の『坊っちゃん』に「星明りで障子だけは―あかるい」、「―用事がありまして、遅刻致しました」とある。「少し」より丁寧。⇩若干・少し・ちょいと・ちょこっと・ちょっと・ちょっぴり・僅か

しょうじょう【症状】それぞれの病気に伴って生ずる現象の意で、会話にも文章にもよく使われる漢語。〈自覚―〉〈禁

断―〉〈―を呈する〉〈―の改善が見られる〉〈―が消える〉✎「病状」より部分的・具体的。⇩病状

じょうじる【生じる】「生ずる」の意で、やや改まった会話や文章に用いられる和語。〈混乱が―〉〈不都合が―〉〈摩擦を―〉✎「生ずる」より口語的で新しく特に威厳を感じさせない。⇩起きる・起こる・Q生ずる・発生

しょうしん【小心】気が小さくて思い切った行動がとれない性質をさし、改まった会話や文章に用いられる、いくぶん古風な感じの漢語。〈―者〉〈―翼々〉✎持って生まれた性格について言う。芥川龍之介の『枯野抄』に「満足と悔恨とは(略)絶えず―な彼の気分を掻乱していた」とある。⇩意気地なし・臆病・怖がり・弱虫

しょうしん【昇(陞)進】官位・地位などが上がる意で、改まった会話や文章に用いられる漢語。〈異例の―を果たす〉〈大関に―する〉⇩Q昇格・昇任

しょうしん【傷心】悲しみに心を傷める意で、主に文章中に用いられる漢語。〈―の面持ち〉〈―を抱く〉〈―を癒《いや》す〉✎激しい「悲痛」に比べ、打ちひしがれて気力を失った感じが強い。⇩悲しさ・悲しみ・沈痛・悲哀・悲痛

しょうじん【精進】その道に一心に励む意で、会話にも文章にも使われる古風な漢語。〈―潔斎〉〈―料理〉〈芸一筋に―する〉〈―の賜物《たまもの》〉✎もと、身を清め行いを慎んで一心に仏道の修行に励む意であるため、芸事や相撲《すもう》・柔道などの伝統的な世界での稽古をさして使う傾向が強い。⇩いそしむ・頑張る・努力・Q励む

じょうじん【情人】情事の相手を意味する、古風で硬い漢語。〈その女の―になる〉✎「愛人」より語感が悪い。⇩Q愛人・いろ・情夫・情婦

じょうず【上手】高い技術を身につけて好結果を出す意で、比較的改まった会話によく使われる日常の丁寧な漢語。〈―に歌う〉〈絵が―だ〉〈部下を―に使う〉✎夏目漱石の『坊っちゃん』に「ダーク一座の操人形より余っ程―だ」とある。⇩巧い・Q巧み

しょうすい【小水】小便の意で、改まった会話や文章に用いられる漢語。〈―が近い〉〈お―を採って調べる〉✎間接的な表現のため上品に響くが、しばしばさらに「お」を付けて丁寧にした「お小水」の形で用いられる。女性だけでなく医者の診察の際などにもよく使われる。⇩おしっこ・しょうべん・しょんべん・Q尿

しょうずる【生ずる】それまで無かったものが存在し始める「起こる」に近い意で、主に文章に用いられる硬い和語。〈ひずみが―〉〈疑問が―〉〈問題が―〉〈思わぬ亀裂を―〉✎「生じる」に比べ文語的な響きがあり重々しい感じもある。⇩起きる・起こる・Q生じる・発生

じょうせい【情(状)勢】社会や物事の進行し変化する成り行きをさし、いくぶん改まった会話や文章に用いられる漢語。〈―を見定める〉〈―が悪化する〉〈今後の―を占う〉〈緊迫した政治―〉〈経済―がきびしい〉〈―は楽観できない〉〈―が好転する〉〈―をよく見極める〉✎「形勢」に比べ客観的な感じのとらえ方。⇩Q形勢・状況・旗色・様相

じょうせき【定石(跡)】それぞれの局面で最も有効とされる決まったやり方をさして、会話でも文章でも使われる漢語。

〈―どおりに事を進める〉〈―破りの手段〉囲碁を打つ場合は「定石」、将棋を指す場合は「定跡」と書く。「経営の―」「捜査の―」のように比喩的に用いる場合は両方使われる。

しょうせつ【小説】登場人物の行動や事件の推移を描くことをとおして社会の問題や人間の生き方を追求する散文の虚構作品をさし、会話にも文章にも広く使われる漢語。〈―家〉〈推理―〉〈ユーモア―〉森田たまの『もめん随筆』に「宇野さんの―の人物が、ついお隣にでも住んでいるようにひどく身近な心地がして、ふしぎな愛情を感じさせられる」とある。古典を連想させる「物語」と違って、近代以降の文学作品をさす。⇩物語

じょうぜつ【饒舌】常に口数の多い意で、改まった会話や文章に用いられる硬い漢語。〈―家〉〈―な語り口〉〈―に過ぎる〉〈―をふるう〉つまらないことをべらべらしゃべる場合であり、内容のあることを早口で話す場合は含まない。⇩Qおしゃべり・多弁

しょうせつか【小説家】小説の創作を職業とする人をさす漢語で、会話でも文章でも使われる日常語。〈―の卵〉〈―を目指す〉〈―の仲間入り〉「作家」の中心をなすが、より狭義。小林秀雄の『川端康成』に「―の好奇の対象となるものに、この作家が、どんなに無関心であるか」とある。⇩Q作家・著作家・著作者・著述業・文学者・文士・文人・文筆家・物書き

しょうせん【省線】国鉄時代の「国電」の前身。廃語的。〈―電車〉〈―が通っている〉鉄道省が経営していた時代の呼び名。今では通じないことも多く、通じたとしても「国電」以上に古い感じに響く。うっかりしたふりをしてこの語を口に出し、にやりと笑う国語学者も身近にいる。林芙美子の『放浪記』に「ガードを―が滝のような音をたてて走った」とある。⇩院線・Q国鉄・国電

しょうぜん【悄然】元気をなくしてしおれきっている意で、主に文章中に用いられる漢語。〈―とうなだれた姿〉〈夢破れ―と立ち去る〉長与善郎の『青銅の基督』に「滅入り込んで行く胸の暗さを抱いて―とした垂れた」とある。⇩しおれる②・しょげ返る・しょげる・しょんぼり・すごすご

じょうそ【上訴】下された判決を不服として、上級裁判所に再審査を求めることをさし、改まった会話や文章に用いられる専門的な硬い漢語。〈―に踏み切る〉⇩抗告・Q控訴・上告

しょうそう【焦燥(躁)】苛《いら》立《だ》って焦る意で、主に文章に用いられる漢語。〈―に駆られる〉〈―の色は隠せない〉小川国夫の『エリコへ下る道』に「顔や頸の辺は灰色になって行くので、肉が腐って行くように見えた。彼は下腹に泥水が湧き上って来るような、―感を覚えていた」とある。⇩焦り

じょうぞうしゅ【醸造酒】米・麦・ぶどうなどを発酵させて搾る種類の酒類をさして、会話にも文章にも使われる専門的な漢語。〈日本酒やビール、ワインなどは―に入る〉⇩蒸留酒

じょうそうぶ【上層部】組織内で高い地位にある役職をさし、改まった会話や文章に用いられる硬い漢語。〈企業の―〉〈―の方針〉「幹部」に比べ、大きな組織に限られる感じがある。⇩幹部

しょうたい【招待】 客を招いてもてなす意で、会話にも文章にも広く使われる漢語。〈—券〉〈—状〉〈—客〉〈祝賀会に—される〉⇩招聘《しょうへい》

しょうたい【正体】 隠されている本当の姿をさし、会話にも文章にも使われるいくらか古風な漢語。〈—不明〉〈—を現す〉〈—を暴く〉〈—を見破る〉〈—をつかむ〉✎夏目漱石の『こころ』に「私の頭の上に—の知れない恐ろしいものをおおいかぶせた」とある。「怪物の—」「悪徳商人の—を暴く」のように、「本体」に比べマイナスイメージで使う例が多い。⇩Q実体・本体

じょうたい【状態】 時とともに変化する人や物事のある時点における在り方や様子をさし、会話にも文章にも使われる漢語。〈心理—〉〈健康—〉〈危険な—を脱する〉〈元の—に戻る〉〈こんな—では先が思いやられる〉✎「状況」が対象の置かれた周囲の様子を含めて問題にするのに対し、この語はそのもの自体の様子を問題にしている。心理や感情のようすなど、内面的なとらえ方の場合に、特に「情態」と書くこともある。⇩ありさま・Q状況・様子・様相

しょうだく【承諾】 要求を受け入れる意で、やや改まった会話や文章に用いられる漢語。〈—書〉〈事後—〉〈なかなか—しない〉〈ようやく先方の—を得る〉✎谷崎潤一郎の『女人神聖』に「厭なものを無理に—して下さいとは云いません」とある。「承知」より正式の感じがある。⇩受諾・承知・承認・認可・容認

じょうたつ【上達】 学問や技芸の腕前が上がる意で、会話にも文章にも使われる漢語。〈—が早い〉〈腕がめきめき—する〉〈英会話が驚くほどの—を見せる〉⇩Q向上・進歩

じょうだん【冗談】 ふざけて言う話をさし、くだけた会話から硬い文章まで幅広く使われる日常の漢語。〈—を言う〉〈—で言う〉〈—にも程がある〉〈—を真に受ける〉〈—はさておき〉✎福原麟太郎の『この世に生きること』に「私は、いま、人生を—だとは思ってはいない」とある。「—でしたこと」「—では済まない」「—じゃない」のように、ことばだけでなく行為をさすこともある。⇩Q冗句・ジョーク

しょうち【承知】 知っている、要求などを聞き入れる意で、会話でも文章でも広く使われる日常の漢語。〈危険は百も—の上だ〉〈何度も頼んでやっと—してもらった〉〈ふざけると—しないぞ〉✎夏目漱石の『坊っちゃん』に「誰が—するものか」とある。「承諾」とは違って、認めるところまで言及せず単に知っている段階までをさす用法もある。そのため、同じ意味で使っても、「承諾」より軽い感じになりやすい。⇩受諾・承諾・承認・認可・容認・了解・了承

じょうちょ【情緒】 本来の読みは「じょうしょ」であるとされるが、現代ではこのほうが一般的で幅広く用いられる。〈異国—〉〈—不安定〉〈昔の—を残す街並み〉✎田村俊子の『木乃伊の口紅』に「自分の—を臙脂のように彩らせようとしている女の心持」とある。伝統的にこの読みでよく使われてきた関係で、用語そのものに情緒がしみついており、「じょうしょ」というと素っ気ない感じを受けることもある。⇩じょうしょ

しょうちょう【消長】 盛んになったり勢いが衰えたりする意で、主として文章中に用いられる、やや古風な漢語。〈時代

の―〉〈社運の―〉✎単発的な危機などにも使う「浮沈」に比べ、栄枯盛衰を流れとしてとらえる感じが強い。⇩浮き沈み・Q浮沈

しょうちょう【象徴】 抽象的な観念内容を具体的事物で感覚的に表すことをさし、会話にも文章にも使われる漢語。〈―詩〉〈―天皇制〉〈蛍は忍ぶ想いの―だ〉〈時代を―する事件〉〈組織の体質を露呈した―的な出来事〉✎「十字架」が「キリスト教」を想起させるような一つの言語文化社会で特定の指示対象と結びつく記号を意味する場合や、「春」が「生命の誕生」と、「炎」が「恋」とつながるような同一文化の中で通用する文学的な類縁性を意味する場合がある。無形の事象・思想・情調などを感性的な形象や心像などを通じて伝える芸術上の技法を意味する場合は専門語。⇩Qシンボル・典型・表徴

じょうちょう【冗長】 無駄が多くだらだらと不必要に長い意で、やや改まった会話や文章に用いられる漢語。〈―な話〉〈不満な点は多々あるが―になるのでこれ以上述べない〉✎無駄に長い点が中心。⇩散漫・冗漫・Q長たらしい・長ったらしい

しょうてん【昇天】「死亡」を意味する、キリスト教的な雰囲気の漢語による比喩的な間接表現。やや改まった文章に用いる。和風の文章より洋風の文章によく映る一種の美化表現。〈安らかに―する〉✎里見弴の『多情仏心』に「帰するところ―をよろこびとし、涅槃《ねはん》を称えずにいられようか」とある。もとイエス・キリストが復活後四十日に天に昇ったことをさし、「―日」「―祭」などの語を生んだ。その後、信者の死の意で用いられ、次第に一般化した。死を忌む気持ちから、それを、魂が天に昇ることととらえ直した表現。⇩敢え無くなる・上がる②・あの世に行く・息が切れる・息が絶える・息を引き取る・往く・いけなくなる・永眠・往生・お隠れになる・落ちる②・おめでたくなる・帰らぬ人となる・くたばる・死去・Q死ぬ・死亡・逝去・斃《おだ》れる・他界・長逝・露と消える・天に召される・亡くなる・儚《はかな》くなる・不帰の客となる・不幸がある・崩御・没する・仏になる・身罷《みまか》る・脈が上がる・空しくなる・藻屑となる・逝く・臨死・臨終

しょうてん【商店】 商品を売る店をさし、やや改まった会話や文章に用いられる漢語。〈駅前の―街〉〈―が軒を連ねる賑やかな通り〉✎「店屋《みせや》」とほぼ同義だが、品物を並べて売買をする店に限る傾向がある。床屋・美容院・指圧治療院・酒場・ガソリンスタンド・自動車修理など、サービスを主とする店には若干なじまない。比較的規模が小さく個人経営の店を連想しやすい。林芙美子の『泣虫小僧』に「路地を抜けると、食物の匂いのする―が肩を擦り合うようにして並んでいる」とある。⇩商家・店舗・店・店屋

じょうと【譲渡】 価値のある財産や権利などを先方に譲り渡すことをさし、改まった会話や文章に用いられる正式な感じの専門的な漢語。〈株式を―する〉〈経営権を―する〉⇩Q譲与・贈与・譲る

しょうとう【小刀】 武士が腰に二本差すうちの短いほうの刀の意で、会話でも文章でも使われる漢語。〈―をたばさむ〉✎武士の二本差しの場合における「大刀」との組み合わせ。刀身二尺(約六〇・六センチ)足らず。⇩匕首《あいくち》・懐剣・こがたな・短剣・Q短刀・どす・ふところがたな・脇差

しょうどく【消毒】 薬品や熱湯などを使って病原菌の働きを

阻止することをさし、会話にも文章にも使われる日常の漢語。〈―液〉〈日光―〉〈傷口をよく―する〉✎「殺菌」に比べ、家庭でもできそうな手軽な感じがある。また、この語は手当ての段階を連想させ、「殺菌」はその結果の連想が強い。太宰治の『人間失格』に「その電話機、すぐ―したほうがいいぜ」とあり、宮本輝の『蛍川』に「病院特有の強い―液の匂い」とある。⇩解毒・Q殺菌・毒消し

しょうに【小児】小さな子供をさし、主に文章に用いられる古風な漢語。〈―のいたずら〉〈―にも等しい〉✎芥川龍之介の『侏儒の言葉』に「軍人の誇りとするものは必ず―の玩具に似ている」とある。「―科」の形だけは日常生活で頻用されるが、それ以外はかなり古めかしい感じがする。⇩おさなご・ちのみご・乳児・Q幼児

しようにん【使用人】雇われて使われている人をさし、会話やさほど硬くない文章に使われる、いくぶん古風な漢語。〈―を大勢抱える〉〈―の分際で〉✎「使用者」と対立。⇩雇用者①・Q従業員・奉公人・雇い人

しょうにん【昇(陞)任】現在より上級の官職・役職に上がる意で、改まった会話や文章に用いられる正式な感じの漢語。〈―人事〉〈部長に―する〉⇩Q昇格・昇進

しょうにん【承認】正当であると認める意で、やや改まった会話や文章に用いられる漢語。〈正式に―する〉〈―を得る〉〈親の―が必要〉✎「受諾」や「認可」ほどではないが公的な感じがあり、日常的な「承知」と感触の違いが明確。⇩許可・許容・受諾・承知・Q承諾・認可・容認・了承

じょうねつ【情熱】燃え上がるような激しい熱意の意で、会話にも文章にもよく使われる漢語。〈―を傾ける〉〈―を燃やす〉✎梶井基次郎の『闇の絵巻』に「心に激しい―の高まってゆくのを感じる」とある。「―の島」「―のタンゴ」のように人間以外にも使う。⇩熱情

しょうはい【勝敗】争った結果の勝ち負けをさし、いくぶん改まった会話や文章に用いられる漢語。〈―は時の運〉〈―の鍵を握る〉〈―を分ける〉〈―を決する〉〈―にこだわる〉✎争いそのものに重点のある「勝負」に比べ、その結果に重点を置く言い方。⇩勝負

しょうばい【商売】主に商品を売買する業務やサービス業などをさして、会話にも文章にも使われる日常の漢語。〈客―〉〈―道具〉〈―そっちのけで〉〈―あがったり〉〈―繁盛で何よりだ〉〈それをもとでに―を始める〉✎夏目漱石の『坊っちゃん』に「六百円の金で―らしい―がやれる訳でもなかろう」とある。「人に教えるのが―だ」「字を書くのが―だ」のように一般に職業や仕事の意味で使う俗っぽい用法もある。⇩仕事・職・Q職業・なりわい

しょうばいぎ【商売気】商売熱心で金《かね》儲《もう》けに敏感な意識・態度をさし、会話や軽い文章に使われるやや古風な表現。〈―を出す〉〈つい―が出る〉〈まるで―がない〉✎「しょうばいげ」「しょうばいっけ」とも言う。⇩商魂

しょうばいげ【商売気】↓しょうばいぎ

しょうばいっけ【商売っ気】↓しょうばいぎ

じょうはつ【蒸発】液体の表面が気体になる現象をさして、会話にも文章にも使われる専門的な漢語。〈―皿〉〈水分が―する〉✎「借金の返済に困って―する」のように、突然姿

を消す意を表す比喩的な用法もあり、その場合は俗語的で滑稽な響きがある。⇩家出・失跡・失踪・出奔・逐電・行方不明・Q夜逃げ

しょうひ【消費】「費やす」意で、会話にも文章にも使われる日常の漢語。〈―者〉〈―量〉〈いたずらに時間を―する〉「―の伸び」「―の低迷」のように経済全体の動きを表現する用法はやや専門的。「生産」と対立。⇩費やす

しょうひょう【商標】生産者や販売者が他と区別するために自分の商品に付ける文字や記号や図柄などの特定の印をさし、会話にも文章にも使われる漢語。〈登録―〉〈―権〉⇩Qトレードマーク・ブランド・銘柄

しょうひん【商品】売買を目的とする品物の総称。〈―券〉〈―価値〉〈目玉―〉〈お買い得―〉〈―を安く仕入れる〉不動産のほか、旅行の企画や銀行の一定条件付の預金などをさす業界側の用法もあるが、一般には動産というイメージが強い。⇩売り物

じょうひん【上品】気品がある意で、くだけた会話から硬い文章まで幅広く使われる日常の基本的な漢語。〈―な人〉〈―な家庭〉〈―な言葉遣い〉〈―にふるまう〉獅子文六の『胡椒息子』に「この姉妹は、干菓子のように―振っていて」とある。⇩Q気高い・高尚・典雅

しょうぶ【勝負】勝ち負けを争うことをさし、会話にも文章にも使われる日常の漢語。〈―事〉〈―師〉〈真剣―〉〈―を挑む〉〈―に出る〉〈―がつく〉争った結果の成績を連想させる「勝敗」に対し、この語は「―(を)する」とも言えるように、勝負を争う行為に重点がある。⇩勝敗

じょうふ【情夫】情事の相手である男性を意味する、古風で硬い漢語。〈―に貢ぐ〉「愛人」より気品に欠ける語。⇩愛人・Qいろ・情人・情婦

じょうふ【情婦】情事の相手である女性を意味する、古風で硬い漢語。〈―に稼がせる〉「愛人」より気品に欠ける語。⇩愛人・いろ・Q情人・情夫

じょうぶ【丈夫】健康でしっかりしている意で、会話にも文章にも使われる漢語。〈―な体〉〈―で長生きする〉〈赤ん坊が―に育つ〉夏目漱石の『草枕』に「御婆さん、―そうだね」とある。「―な造り」「―な靴」「―な生地」のように物の頑丈さにも使われる。人体をさす場合は「健康」や「元気」に比べていくらか古風な感じもある。⇩Q元気・健康・健勝・健全・健やか・壮健・息災・たくましい・達者

しょうぶん【性分】気性の意で、会話や軽い文章に使われる古風な漢語。〈やると決まったら直ぐやりたい―〉〈相手の気持ちも考えずにずばずば言ってしまう―〉〈困った―で、我慢ができない〉〈悪を見逃せない―〉長与善郎の『竹沢先生と云う人』に「内気な―らしく神経質にちらりと自分の方に一瞥をなげる」とある。ある具体的な行為について、そうしないでいられないという形で姿を現す性格傾向をさす用法が目立つ。⇩気質・気象・Q気性・気立て・人格・人品・人物・性格・性向・性質・たち・人柄・人となり

しょうへい【招聘】各分野の学者・研究者といった専門家などを礼を尽くして丁重に招く意で、改まった会話や文章に用いられる丁寧な感じの硬い漢語。〈海外から専門の技術者を―する〉「招待」に比べ、講演や共同研究や技術指導など

何らかの貢献が期待されている感じが強い。⇩招待

しょうべん【小便】膀胱《ぼうこう》から尿道を通って体外に排出される液体の意で、主に男性が改まらない会話や軽い文章などで使う、露骨でぞんざいな感じの日常的な漢語。〈立ち—〉〈—をする〉〈—をもらす〉🖉もっとくだけると「しょんべん」と発音されることもある。織田作之助の『アド・バルーン』に「余りのうれしさに、—が出そうになって来た」という例がある。⇩Qおしっこ・小水・しょんべん・尿

じょうほ【譲歩】自分の意見や主張を一方的に押し進めずに相手の考えや気持ちを汲《く》んで条件を緩める意で、やや改まった会話や文章に用いられる漢語。〈大幅に—する〉〈最大限の—を見せる〉⇩妥協

じょうほう【情報】物事の内容や事情などに関する知識やデータの総称として、会話にも文章にも近年特によく使われる漢語。〈—源〉〈—化社会〉〈—を集める〉〈新しい—が入る〉〈極秘—を入手する〉⇩Q資料・データ

しょうぼうし【消防士】火事を消し止め燃え広がるのを防ぐ任務を負う人をさし、会話でも文章でも幅広く使われる漢語。〈—の数を確保する〉⇩消防夫

しょうぼうふ【消防夫】「消防士」の意の古風な漢語。「夫」という漢字を伴うこの語は職業差別の意識を感じさせるとして現在はほとんど使われない。⇩消防士

じょうまえ【錠前】錠の意で会話にも文章にも使われる古めかしい用語。〈—破り〉〈頑丈な—を取り付ける〉〈—をこじ開ける〉🖉時代物の小説や時代劇などによく使う。⇩かぎ・キー・Q錠

じょうまん【冗漫】表現がくどくて引き締まらないせいでいたずらに長くなる意で、改まった会話や文章に用いられる漢語。〈—な文章〉🖉締まりがない点が中心。⇩Q散漫・冗長・長たらしい・長ったらしい

じょうみゃく【静脈】体の各部から心臓に戻る血液を運ぶ血管をさし、会話にも文章にも使われる、やや専門的な漢語。〈—瘤《りゅう》〉〈—注射〉〈—が浮き出る〉🖉檀一雄の『花筐』に「巨《おお》きな額の上に、みるみる紫の—がふくれ上り、不思議なくらいすさまじい情熱がみなぎった」とある。「動脈」と対立。⇩青筋

しょうめい【証〔證〕明】その事柄が真実か否かを、根拠を示して明らかにする意で、会話にも文章にも使われる硬い漢語。〈印鑑—〉〈身分—書〉〈実力の—になる〉🖉「定理を—する」のように数学・論理学の専門語として使用する場合は、ある命題に関し仮説から論理的に結論を導き出す意。⇩検証・実証・Q立証・論証

しょうめい【照明】光で照らして明るくする意で、会話にも文章にも使われる漢語。〈—器具〉〈間接—〉〈部屋の—〉〈—を当てる〉〈舞台に—が入る〉〈—が強すぎる〉🖉落合恵子の『シングルガール』に「プールサイドからの—の反射として水中—の光を含み、水面はシルバーブルーに眩しく輝いている」とある。⇩Q明かり・照らす・電灯・灯火・ともし灯・灯《ひ》・ライト

しょうめつ【消滅】衰えてついには姿を消してしまう意で、やや改まった会話や文章に用いられる漢語。〈自然—〉〈企業が—する〉〈権限が—する〉🖉野間宏の『暗い絵』に「自

己の―を承認することは出来ない」とある。「消失」に比べ、時間がかかり完全に消えるまでの過程が意識される傾向がある。⇩消失

しょうめん【正面】 建物などの表側の前面をさし、会話にも文章にも使われる漢語。〈―玄関〉〈―衝突〉〈―から入る〉🖉「裏面」と対立。「―を向く」のように、自分の真直ぐ前をさすこともある。「―切って」「―から交渉を始める」のように抽象化した比喩的用法もある。⇩前面・前・真正面・Q真向かい

じょうやく【条約】 国家または国家機関の間で結ばれる国際的な合意に基づく約束をさし、改まった会話や文章に用いられる正式な感じの硬い漢語。〈通商―〉〈安全保障―〉〈―を締結する〉〈―を破棄する〉〈―を批准する〉🖉「協定」よりも大きく重要な事柄について締結されるが、国家間に交わされる協定・協約・取り決めなどを含めて言う場合もある。⇩協定・Q協約

しょうゆ【醬油】 大豆・小麦・麴《こうじ》を発酵させて作る液体調味料をさし、くだけた会話から硬い文章まで幅広く使われる日常の漢語。〈―味〉〈―をかける〉〈―で味付けする〉🖉庄野潤三『佐渡』に「蓋を取りますと、鰹節と海苔と―のしみた御飯の匂いが飛び込みます」とある。⇩Qおしたじ・むらさき

しょうよ【賞与】 通常の定期的な俸給以外で期末などに勤務者に支払われる特別一時金をさし、主に文章に用いられる古めかしい漢語。〈―年二回〉〈―を当てにして大きな買い物をする〉🖉「賞め与える」という字面から、使用者側が働きを認めて特別に与えるものという連想が起こりやすく、当然の権利と考える現代の風潮に合わないためもあり、今では労働者の間であまり使われない。⇩ボーナス

じょうよ【譲与】 物や権利などを相手に譲り与える意で、改まった会話や文章に用いられる専門的な漢語。〈土地を―する〉🖉個人的な「贈与」と違い、多く公的な場合に使う。⇩Q譲渡・贈与・譲る

じょうよ【剰余】 計算の結果などに生じた余りをさし、硬い文章に用いられる古風で専門的な漢語。〈―金〉〈―価値〉🖉「余剰」以上に専門性が高い。夏目漱石の『坊っちゃん』に「其代りが古賀君よりも多少低給で来てくれる。其―を君に廻わす」とある。⇩余り②・余計・Q余剰・余分

しょうよう【小用】「こよう」の意で改まった会話や文章に用いられる古風で硬い漢語。〈―に立つ〉🖉表向き「ちょっとした用事」という意味にぼかした表現で、音読みして威厳を漂わせる分「こよう」以上に婉曲《えんきょく》な感じに響く。⇩おしっこ・こよう・Q小便

しょうよう【逍遥〔遙〕】 あてもなく気の向くままにぶらぶら歩く意で、文章中に用いられる古風な漢語。〈山林を―する〉〈着流しでぶらりと―する〉🖉比喩的な用法もあり、文学者坪内雄蔵のペンネームが「逍遙」であることはよく知られている。柳田国男の『雪国の春』に「花の林を―して花を待つ心持ち」とある。⇩Q散策・散歩・そぞろ歩き

じょうよく【情欲】「性欲」に近い意味で、主として文章に用いられる漢語。〈―に溺れる〉🖉意味の共通部分をもつ「愛欲」より少し性的なイメージが濃く、「色欲」「性欲」「淫

欲」「肉欲」「獣欲」に比べると、この語は厭《いや》らしさが比較的少ない。それは語の意味というより、「欲」と組み合わさるもう一つの漢字のイメージの差が働くからだろう。永井龍男の『冬の日』の末尾は、「激しい―が迫り、煮えたぎる太陽の中へ、遮二無二躍り込んで行く体を感じた」と、この作家としては珍しい激しい筆致で盛り上げた後、「古い二階家だった。／床の間に供えられた鏡餅には、もう罅《ひび》が入っているようであった」という渋い二行でみごとに鎮めて結ばれる。⇩愛欲・淫欲・色欲・獣欲・Q性欲・肉欲

しょうらい【将来】人間・組織・国家などの先行きをさして、会話にも文章にも使われる日常の基本的な漢語。〈―像〉〈近い―〉〈―有望な人材〉〈―を誓う〉〈―は医者になりたい〉〈―のあるべき姿〉〈日本の―を背負って立つ〉✎子供の場合であれば社会人になるころ、中年であれば老後、会社であれば十年か二十年後というように、現在と直接つながる範囲の未来を考えている場合が多い。⇩以後・今後・先行き・Q未来・行く末

しょうり【勝利】戦いや競技などの争いに勝つことを意味し、改まった会話や文章に用いられる、やや硬い漢語。〈みごと―をおさめる〉〈―の女神が微笑む〉〈―の美酒に酔う〉✎大岡昇平の『俘虜記』に「私はすでに日本の―を信じていなかった」とある。「敗北」「敗戦」と対立。⇩勝つ

じょうり【条理】物事の中に一本きちんと通っている筋の意で、文章に用いられる硬い漢語。〈きちんと―に適《なか》う〉〈―に反する〉✎「不条理」の形でよく使う。⇩Q筋道・理路

しょうりゃく【省略】一部を省いて短くする意で、会話にも文章にも使われる基本的な漢語。〈敬称―〉〈以下―〉〈挨拶を―する〉〈主語を―する〉⇩割愛・Q省く・略す

じょうりゅうしゅ【蒸留(溜)酒】醸造した原料酒を蒸留してアルコール濃度を高めた酒の総称として、会話にも文章にも使われる専門的な漢語。〈ウイスキーやブランデー、焼酎などは―に分類される〉⇩醸造酒

じょうりょくじゅ【常緑樹】一年中緑色の葉をつけている樹木をさし、会話にも文章にも使われるやや専門的な漢語。〈桜の背後に―を配する〉✎松・杉・椿など。「落葉樹」と対立する。⇩ときわ木

じょうれい【条例】地方自治体の議会で制定される法規を意味し、会話でも文章でも使われる法律関係の専門的な硬い漢語。〈公安―〉〈県の―〉〈―に定める〉〈―で禁止する〉⇩条令

じょうれい【条令】箇条書きの法規の意で主に法律関係の文章で使われる専門的で正式な感じの漢語。〈集会―〉⇩条例

しょうわ【笑話】「笑い話」の意で、主に文章中に用いられる硬い漢語。〈戦前の―を集める〉⇩小咄《こばなし》・Q笑い話

じょうわん【上腕】腕の肩から肘までの部分をさし、改まった会話や文章中に用いる、専門語に近い硬い漢語。〈―骨〉〈―二頭筋〉✎日常語としては通常「二の腕」を用いる。⇩腕①・かいな・二の腕

じょうをつうじる【情を通じる】まれに「性交」を意味することのある古風な間接表現。〈―・じた仲〉✎基本的には「男女が親しい関係になる」意。そこに含みとして肉体関係が入ってくる場合があるというきわめて婉曲《えんきょく》な表現。⇩

営み・エッチ・関係②・合歓・交合・交接・情交・Q性交・性行為・性交渉・性的行為・セックス・抱く②・契る・同《どう》衾《きん》・共寝・寝る②・懇ろになる・ファック・深い仲になる・房事・枕を交わす・交わる・やる③・夜伽《よとぎ》

ショーウインドー　飾り窓の意で会話にも文章にも使われる外来語。〈散歩しながら―をのぞく〉✎現代では「飾り窓」より一般的に使う。「ウインドーショッピング」のように、単に「ウインドー」でこの語を意味することもある。⇩飾り窓

ジョーク　人を楽しませるための冗談や笑い話をさし、会話や軽い文章に使われる外来語。〈―を飛ばす〉〈―を連発する〉✎即座に飛び出す軽妙な会話である「冗談」以外に、「西洋の―を紹介する」「英語の―集」のように、「あたしが結婚すると十人の男が不幸になるわ」「十回も結婚する気か」といった既成の笑い話をさすこともある。⇩Q冗句・冗談

ショーツ　売り場などで「パンティー」とほぼ同義で使われる新しい感じの外来語。⇩ズロース・パンツ・Qパンティー

ショート　「遊撃手」をさす外来語「ショートストップ」の略。多く口頭で使う。書きことばではふつう「遊撃手」を用いる。〈―ゴロでダブルプレーに仕留める〉⇩遊撃手

ショール　女性用の肩掛けをさす古風な外来語。〈―を羽織った女〉✎小津安二郎監督の映画『箱入娘』（一九三五年）中にも出てくる。ピンクのショールをはおったあでやかな姿でリンクに登場するフィギュアスケートの女子選手はいるが、日常生活用の肩掛けとしての使用頻度は大幅に減ったようである。⇩襟巻き・首巻・Qマフラー

しょか【書架】本棚の意で、改まった会話や文章に使われる硬い漢語。〈研究室のスチール製の―〉〈―から詩集を一冊抜き取る〉✎書棚以上に本格的で専門的な感じがあり、陳列というより収納という雰囲気を感じさせる。蔵書の多い学者の書庫や図書館の電動式の棚などの連想があり、木製に限らない感じも強い。⇩Q書棚・本棚・本箱

じょがい【除外】一定の範囲や規定などから外す意で、やや改まった会話や文章に用いられる漢語。〈―例〉〈対象から―する〉〈病人や高齢者は―する〉⇩除去・どける・取り除く・のける・除く・排除・外す・省く

じょがくせい【女学生】現代では女子高生をさす古風な漢語。〈セーラー服の―〉〈―に付け文する〉✎井上靖の『猟銃』に「花のような修学旅行の―の一団」とある。かつての旧制女学校の生徒をなつかしく思い出す世代もある。⇩女子学生・女子大生

しょかん【所感】感じたことの意で、改まった会話や文章に用いられるやや硬い感じの漢語。〈年頭の―〉〈―を記す〉〈一言―を述べる〉⇩感懐・感慨・Q感想

しょかん【書簡／書翰】「手紙」の意で主に文章で用いる、やや古風で改まった感じの漢語。〈―をしたためる〉〈―をもって問い合わせる〉✎辻邦生の『安土往還記』に「自筆と思われるかなり長文の―断片である」とある。「便り」より重々しく、「手紙」よりも正式な感じのする言い方。毛筆でしたためるか、少なくとも万年筆で書く必要のありそうな雰囲気を感じさせる。「書簡」で代用せず正式に「書翰」と表記した場合には特にそういう感じが強い。⇩便り・Q手紙

じょきょ【除去】不要物や邪魔なものを取り除く意で、改ま

った会話や文章に用いられる漢語。〈障害物を—する〉〈不穏分子を—する〉✎「排除」より具体的な対象に使う傾向が強い。「汚れを—する」のように、人間でも物体でもない対象に用いる場合もあるが、感覚で確認できる範囲。⇩除外・撤去・取り除く・除く・Q排除・外す

しょぎょう【所行(業)】しわざの意で、主に文章に用いられる古風な漢語。〈悪人の—〉〈怪《け》しからぬ—に及ぶ〉✎好ましくない行為に対して用いる。⇩仕業

しょく【職】職業の意で会話にも文章にも使われる日常の漢語。〈—を探す〉〈—が見つかる〉〈—に就く〉〈—を失う〉✎「管理—」「委員長の—に任ずる」「その—を解く」のように、命じられた職務をさす例も多い。「手に—をつける」として仕事に役立つ技術をさす用法もある。⇩仕事・商売・Q職業・なりわい

しょくあたり【食中り】食中毒の意で、会話や軽い文章に使われる日常語。〈梅雨時は特に—に注意が必要だ〉⇩食中毒

しょくいん【職員】官庁・団体・学校などに勤務して職務を担当する人をさし、会話にも文章にも使われる漢語。〈—室〉〈—録〉〈事務—〉〈—を配置する〉✎夏目漱石の『坊っちゃん』に「校長は今に—に紹介してやるから、一々其人に此辞令を見せるんだと言って聞かした」とある。⇩会社員・社員・Q従業員

しょぐう【処遇】職場などで各人の経歴や能力に応じて相当の条件で扱う意で、改まった会話や文章に用いられる事務的な感じの漢語。〈冷たい—〉〈手厚く—する〉〈どうにも—に困る〉〈—をめぐって一悶着《ひともんちゃく》ある〉⇩待遇

しょくぎょう【職業】生計維持のために恒常的に従事する仕事の種類をさし、やや改まった会話や文章に用いられる、いくらか正式な感じのある漢語。〈—病〉〈—軍人〉〈あこがれの—〉〈ちゃんとした—に就く〉〈—を選ぶ〉〈家の—を継ぐ〉✎「仕事」が力仕事とか、根気の要る仕事とか、神経を遣う仕事とかといった性格や条件、あるいは営業とか経理とかといった内容などの共通する、ある広がりをイメージする傾向があるのに対し、この語は教員とか警察官とか美容師とかといった具体的な区分を連想させやすい。⇩仕事・商売・Q職・なりわい

しょくぎょうふじん【職業婦人】会社勤めなど社会で働いている女性をかつて珍しがって呼んだ、今では廃語に近い古い感じの漢語。〈—として世間で活動する〉✎小津安二郎監督の映画『戸田家の兄妹』(一九四一年)のシナリオに「時子は—である」という説明がある。多くの女性が社会進出を果たしている今日では、わざわざ「職業婦人」などと呼ばないから、いかにも時代を感じさせる表現である。

しょくぎょうやきゅう【職業野球】「プロ野球」の旧称で、廃語に近い古めかしい漢語。〈—の草分け〉〈戦前の—の花形選手〉✎サトウハチローの『野球さまざま譚』に「世の中には、—というと、妙に毛ぎらいする人が、まだまだ沢山ある」とある。⇩プロ野球

しょくざい【食材】料理の材料となる食品をさし、会話にも文章にも使われる比較的新しい漢語。〈—を吟味する〉〈—を生かす〉⇩食い物・食品・食物・食べ物

しょくじだい【食事代】一回の食事に要する費用の意で、会

話にも文章にも使われる漢語。〈―を倹約する〉〈毎日の―がばかにならない〉〈―以外に会場費もとられる〉外食の場合に使う例が多い。⇩食費

しょくしゅ【職種】職業や職務の種類をさし、改まった会話や文章に用いられる専門的な漢語。〈体力を要する―〉〈この―は求人が多い〉⇩業種

しょくしょう【職掌】担当している役目の意で、主に文章中に用いられる専門的で硬い感じの漢語。〈遺漏なく―を尽くす〉〈―柄ネクタイを外せない〉⇩Q職分・職務

しょくする【食する】「食う」意で、硬い文章に用いる語。〈米を―文化〉〈豪華な料理を―〉大仰に表現したり、感情をこめずに客観的な調子で記述したりする場合などに用いる。⇩頂く・Q食う・食べる・召し上がる

しょくたく【食卓】食事用のテーブルをさす漢語で、やや改まった感じの語。〈―に上る〉〈―を囲む〉食事用であれば、円形でも方形でも、脚が短くても長くても、和風でも洋風でも、違和感なく使える一般的な言い方。夏目漱石の『吾輩は猫である』に「翌日―に就いたのは九時頃」とある。⇩ちゃぶ台・Qテーブル・飯台

しょくちゅうどく【食中毒】飲食物中の細菌などで引き起こされる急性の消化器疾患の意で、会話や文章に広く用いられる漢語。〈集団―〉〈―を起こす〉⇩食中《しょくあた》り

しょくつう【食通】舌が肥えていて料理を味わい分ける能力が高く、また、調理法や料理の美味な店などに関する知識も豊富な意で、会話にも文章にも使われる基本的な日常漢語。〈―の推奨する店〉〈池波正太郎は―として有名な作家〉⇩食い道楽・Qグルメ・食道楽・美食家

しょくどう【食堂】食事をするための部屋をさし、くだけた会話から硬い文章まで幅広く使われる日常漢語。〈大衆―〉〈学生―〉〈―車〉〈―に集まる〉曾野綾子の『遠来の客たち』に「部屋全体が、それこそうどんの茹《ゆ》で釜ではないかと思われるほど暑い地下室の従業員―」とある。店をさす場合は少し古い感じになりかけており、また、「レストラン」ほど高級感がなく、食券を買うようなケースも連想され、和食・洋食・中華のどれでも違和感がない。旅館などの食事室をさすこともあり、その場合は今でも古い感じはない。⇩カフェテリア・西洋料理店・洋食屋・Qレストラン

しょくどうらく【食道楽】金に糸目をつけずにうまい物を食するのを何よりの楽しみとしている意で、会話や軽い文章に使われる、いくぶん古い感じの日常の漢語。〈たいへんな―で金がいくらあっても足りない〉「美食家」に比べ、それだけを趣味としている感じが伴う。「食通」に比べると、物の味にうるさく、その方面の知識が豊かという感じは薄い。⇩Q食い道楽・グルメ・食通・美食家

しょくば【職場】仕事をする場所としての会社や工場などをさし、会話にも文章にも使われる日常語。〈同じ―で働く〉〈―の雰囲気が明るい〉〈―に復帰する〉「―の花」という表現は古めかしく、「―結婚」も少し古風な感じ。「仕事場」よりスケールが大きく、通常は部署より本社なり支店なり分工場なりをさすことが多く、個人的な仕事場には用いない。⇩勤務先・仕事場・Q勤め先

しょくひ【食費】食事にかかる費用の意で、会話にも文章に

も使われる日常の漢語。〈—がかさむ〉〈—を切り詰める〉✎「来客が多かったので今月は—が増えた」というふうに、一定の期間の合計という形で話題になることが多い。⇩食事代

しょくひん【食品】日常の飲食物の総称として、やや改まった会話や文章に用いる、専門的で正式の感じがする漢語。〈—添加物〉〈冷凍—〉〈—衛生上問題がある〉〈栄養価値の高い—〉✎食物を味よりも成分や衛生・健康などの管理の対象として扱う雰囲気があるため、おいしさを求める買い物や家庭の食事での対象としては用いにくい。⇩食い物・食材・Q食物・食べ物

しょくぶつ【植物】「動物」とともに「生物」を構成する区分、草木のほか藻類・菌類などの総称として、会話にも文章にも使われる漢語。〈観葉—〉〈—図鑑〉〈—油〉✎丹羽文雄の『顔』に「隠花—の妖しい美しさ」とある。自然界では「動物」「鉱物」と対立。⇩草木

しょくぶん【職分】職務上なすべき任務の意で、主に文章中に用いられる専門的で硬い漢語。〈—を全うする〉〈—を果たす〉〈よく—をわきまえる〉⇩職掌・Q職務

しょくむ【職務】担当している任務の意で、やや改まった会話や文章に用いられる、やや専門的な漢語。〈—質問〉〈—に励む〉〈—に忠実だ〉〈—を遂行する〉〈—を放り出す〉⇩職掌・Q職分

しょくもつ【食物】「食べ物」の意で、やや改まった会話や文章に使う漢語。〈—繊維〉〈—を与える〉✎葉山嘉樹の『海に生くる人々』に「胃の腑へ届く—は、そのまま直ちに消化されて」とある。個々の食品の味などを念頭に置かず、飲み物を含めて人や動物の口に入るもの全体を問題にしている感じがある。⇩食い物・食材・食品・Q食べ物

しょくりょう【食料】食べ物一般をさして、くだけた会話から硬い文章まで幅広く使われる日常生活の基本的な漢語。〈—品〉〈—を買い込む〉〈日常の—なら何でも手に入る〉✎太宰治の『津軽』に「地方へ行って、ひどく出鱈目に帝都の—不足を訴える」とある。⇩食糧

しょくりょう【食糧】米や麦などの主食物をさし、改まった会話や文章で用いられる硬い感じの漢語。〈—事情〉〈—危機〉〈—不足が深刻〉〈—が底をつく〉✎大岡昇平の『俘虜記』に「俘虜に自国の兵士と同じ被服と—を与えた」とある。主食にする米や麦などの穀類をさし、その他を合わせて総称する場合には「食料」を用いる。⇩食料

しょけい【処刑】刑、特に死刑を執行する意で、会話にも文章にも使われる、やや専門的な漢語。〈罪人を—する〉〈—台の露と消える〉⇩Q処罰・処分

しょげかえる【悄気返る】「しょげる」の強調表現で、主に会話に使われる。〈失恋してすっかり—〉⇩思い屈する・Qしおれる②・悄然《しょうぜん》・しょげる・しょんぼり・滅入る

しょげる【悄気る】思わぬ結果になって元気をなくしてしょんぼりする意で、会話や硬くない文章に使われる和語。〈失恋して—〉〈みんなの前で大失態を演じて—〉✎太宰治の『富嶽百景』に「こんな富士では俗でだめだ、と教えていたので、娘さんは、内心—・げていたのかも知れない」とある。⇩思い屈する・しおれる②・悄然《しょうぜん》・しょげ返る・しょんぼり・滅入る

しょげん【緒言】「はしがき」の意で、主として文章に用いる古風で本格的な感じの硬い漢語。〈辞典に編者の―を掲げる〉✎「ちょげん」は慣用読み。⇩序・序文・Qはしがき・前書き

じょげん【助言】その人のために役立つことや参考意見などを脇の人が当人に言うことをさし、いくぶん改まった会話や文章に用いられる漢語。〈―を求める〉〈―を与える〉✎二葉亭四迷の『平凡』に「折角の―を聴かぬのも何だから」とある。⇩忠告

しょこく【諸国】いろいろな国をさし、会話にも文章にも使われる漢語。〈アジア―〉〈―歴訪の旅〉⇩列国

しょさ【所作】身のこなしの意で、改まった会話や文章に用いられる漢語。〈娘らしい―〉〈なにげない―に注目する〉〈ちょっとした―で、受ける感じが違ってくる〉✎木山捷平の『大陸の細道』に「両手で鳥が立つ時のような―をして、乳母車を前方に発車させた」とある。「しぐさ」ほど細かい動きでない場合にも使われる傾向がある。⇩挙動・しぐさ・動作・振る舞い

しょざい【所在】存在する所の意で、改まった会話や文章に用いられる漢語。〈県庁―地〉〈―がつかめない〉〈―を明らかにする〉✎「責任の―」のように抽象的な対象に使うこともある。⇩ありか

しょざいない【所在無い】何もすることがなくて気持ちが満たされない意で、主に文章に用いられる、いくぶん古風な表現。〈―日々を送る〉〈所在無げな様子〉〈所在無さそうに立っている〉⇩退屈

じょさんぷ【助産婦】女性の「助産師」をさす旧称。古めかしい「産婆」と違い、職業の正式名称として改まった文章にも用いた。〈―として勤務する〉✎お産の手助けをする「産婆」とは違って、単に生まれてくる赤ん坊を取り上げるだけでなく、妊産婦や新生児の保健指導も要求され、国家試験に合格したという資格が必要。⇩産婆

しょし【書肆】本屋・出版社の意でまれに文章中に用いられる古めかしく硬い漢語。〈―を営む〉〈―に原稿を渡す〉✎「書」は本、「肆」は店の意。時に書店の名称の一部となる。⇩出版社・書店・書房・版元・Q本屋

しょじ【所持】その時にその場に持っている意で、改まった会話や文章に用いられる硬い漢語。〈―品〉〈―金〉〈不法―〉✎一般語としては、その人に所有権があるとは限らない。法的には、その人の支配下にあれば携帯していないものも含む。⇩Q携行・携帯・所蔵・所有・持つ

じょし【女子】主に女児や若い女をさし、学校生活やスポーツの世界などの集団で一般に用いられている日常の漢語。〈―校〉〈―マラソン〉〈―だけのクラス〉✎サトウハチローの『僕の東京地図』に「何故―大学の中を通行するのがそんなに嬉しかったか、いまでもわからない」とある。概して年齢の若い層が多いことが語感にも反映する。「―走り幅跳び」などの競技名の場合は「女性」で代替できず、「―校」の場合も「女性」とすると社会人教育を連想させるようになり、「―大学」も「女性大学」と呼ぶととたんにキャバレーか何かの店名じみた雰囲気に変わる。かつての「女性事務員」などは最近「女子」と呼ぶ例が多くなった。「女性従業員」より「―従業員」のほうが若い人を連想させやすいの

も、両語の語感の差である。「女性」と呼んでまったく違和感のない老女を「女子」と呼ぼうとすると抵抗を感じるのも同様である。「若い女性」という言い方にはまったく情報の無駄を感じないのに、「若い―」と言い換えると若干情報の重複感が出るのも、すぐに若い女を連想させる「女子」ということばの語感が影響しているものと思われる。⇩おなご・女・Q女性・婦女・婦人

じょしがくせい【女子学生】 大学生を中心に広く女子である学生をさす最も一般的な漢語で、会話でも硬い文章でも幅広く使われる。〈理科系の学部には―が少ない〉〈―に人気のスポット〉✎大江健三郎の『死者の奢り』に「―は、非常に老けた、疲れきった表情をしてい、それは病気の鳥のような感じだった」とある。⇩女学生・Q女子大生

しょじきん【所持金】 その場に持ち合わせている金銭の意で、やや改まった会話や文章に用いられる、やや硬い漢語。〈―が足りず残念ながら購入を見合わせる〉〈みんなの―を集めてようやく支払いを済ませる〉⇩持ち合わせ

じょしせいと【女子生徒】 女子である生徒をさし、会話にも文章にも使われる日常の漢語。〈―の意見〉〈―の傾向〉✎共学の学校で生徒を男子と女子に分ける場合に使う傾向が強い。⇩女生徒

じょしだいせい【女子大生】 女子大学の学生や女の大学生をさす漢語で、会話から硬い文章まで幅広く使われる語。〈―の人気の的〉✎女子大学の学生という意味と、女子である大学生という意味とがあるが、最近は後者が優勢になりつつあるようである。⇩女学生・Q女子学生

しょじひん【所持品】 その場に持ち合わせている物の意で、改まった会話や文章に用いられる硬い感じの漢語。〈飛行機に搭乗する前に厳格な―検査を受ける〉〈刑事が被害者の―を調べる〉✎その時にたまたま自分が持っていれば他人の所有物も含まれる。⇩所有物・Q持ち物

じょじゅつ【叙述】 自分の考えやものごとの状態や事情などを順序だてて書き記す意で、改まった会話や文章に用いられる、やや専門的な漢語。〈難解な―〉〈事細かに―する〉✎最も客観的な述べ方である「記述」に対し、対象に多少の考察を加えて述べる表現態度の段階。以下、「説明」「議論」「喚起」の順に主観性が増すとして表現態度に五段階を認める説もある。⇩記述

しょしゅん【初春】 春の初めをさし、改まった会話や文章に用いられる漢語。〈福寿草が―に黄色い花を開く〉✎「早春」と同様に「晩春」と対立。陰暦の一月の異称だが、音読みしたこの語は、通常は実際の春の初めを意味する。⇩Q早春・はつはる

しょじゅん【初旬】「上旬」の意で、いくぶん改まった会話や文章に用いられる漢語。〈四月―の陽気〉✎語義としては「上旬」と同じだが、「上旬」が明確に最初の十日間をさすのに対し、いくぶん文学的な雰囲気があり、その前半に重点を置いて漠然と使うこともある。⇩上旬

しょじょう【書状】「書簡」のさらに改まった古風な表現として挨拶の文章などに用いられる漢語。〈―をしたためる〉〈―を差し出す〉⇩Q書簡・手紙

じょしょう【序章】 本格的な書物や長い論文・小説などの最初

の章をさし、主に文章中に用いる漢語。〈―に研究の目的を述べる〉✎「第一章」より他の部分からの独立性が高く、「序説」や「序論」ほど学術的な雰囲気はなく、表現として趣があり、それだけにやや気取った感じがする場合もある。ちなみに、椎名麟三に『永遠なる序章』と題する小説がある。⇩Q序説・序論

じょじょに【徐徐に】少しずつ変化する意で、やや改まった会話や文章に用いられる、いくぶん硬い感じの表現。〈―進歩する〉〈―暗くなる〉〈―増える〉✎太宰治の『走れメロス』に「磔の柱が高々と立てられ、縄を打たれたセリヌンティウスは、―釣り上げられてゆく」とある。「次第に」や「段々」が変化に重点があるのに対し、「急激に」と対立するこの語は、その変化が少しずつである点に重心がかかっている。⇩おいおい・次第に・漸次・Q段々

しょしん【所信】信じている内容や事柄をさし、主として文章中に用いる改まった漢語。〈―を明らかにする〉〈―を表明する〉✎「首相の―表明演説」など、個人の気持ちよりも立場上の考えを述べる際に用い、正式・公式の感じの強い用語。⇩信念

しょしんしゃ【初心者】学問や技芸やスポーツなどを習い始めたばかりの人の意で、会話にも文章にも使われる一般的な漢語。〈―歓迎〉〈―向けのコース〉〈―にもわかる丁寧な説明〉⇩ビギナー

じょせい【女性】主に大人の女をさす、最も正式な感じの強い、やや改まった日常の漢語。〈すてきな―〉〈―向けの週刊誌〉〈第一線で活躍中の―〉✎大人の雰囲気が漂うため、高校生以下、年齢の低いほどこの語を用いた場合の違和感が大きくなる。高田保の『ブラリひょうたん』中の一編に「女は女であるとき最も―である」という同義循環に近い使用例がある。男のように何もかもさらけ出すのではなく、自分を隠すすべを心得ていると、女性らしいその神秘的な部分に男は魅了されるのだ、という意味合いのことを主張するくだりである。最後の箇所だけ「女性」という語を用いたのは、その語が一人前のちゃんとした女という評価を伴う対象をさすからだと考えられる。⇩おなご・女・Qじょし・婦女・婦人

じょせいと【女生徒】「女子生徒」の古風な呼び名。✎「女子生徒」に比べ、ある女の生徒という意味合いで用いる例が多い。太宰治は独白体の小説の題として使った。大江健三郎の『セヴンティーン』では「―たちは不恰好なブルーマースを家鴨《あひる》のように穿いて」と「たち」を添えて集団をさす。⇩女子生徒

しょせき【書籍】「本」の意で、主として文章中に用いられる専門語に近い形式ばった漢語。〈―を購入する〉〈―売り場〉〈―の出版にこぎつける〉✎夏目漱石の『草枕』に「二三冊の―もほどく気にならん」とある。内容の話題より業者が物品として扱う雰囲気を感じさせ、「―を読む」といった表現には違和感がある。⇩Q書物・図書・本

じょせつ【序説】学術的な著書で、本論に入る前の導入部として置かれる論説をさして、主に文章中に使われる専門的な漢語。〈―で全体の流れを説明する〉✎「序論」より表現としてあたりがやわらかい。土居光知『文学序説』、時枝誠

記『文章研究序説』のように書名として用い、その著書全体の性格や位置づけを示す例もある。⇩序章・Ｑ序論

じょせつ【除雪】屋根や路面などに積もった雪を取り除く意で、改まった会話や文章に用いられる漢語。〈―車〉〈―作業に手間取る〉「雪下ろし」も「雪掻き」もその一部だが、本格的な感じのこの語は、ブルドーザーやラッセル車などの機械を用いて大量の雪を除去するイメージが強い。⇩雪下ろし・Ｑ雪掻き

しょせん【緒戦】序盤戦の意で、主に文章中に用いられるやや古風な漢語。〈―の劣勢を盛り返す〉〈―は有利に展開する〉「―を飾る」「―を落とす」のように、最初の試合という意味でも用いられるが、その場合は意味のわかりやすい「初戦」という表記を使う例が多い。⇩初戦

しょせん【初戦】最初の試合の意で、会話でも文章でも使われる漢語。〈―突破〉〈まさかの―敗退〉同義の「緒戦」より平易で、古風な感じもない。⇩緒戦

しょぞう【所蔵】所有権を持って大事にしまってある意で、やや改まった会話や文章に用いられる漢語。〈名画を―する〉〈某氏―の品々〉主として美術品や高価な書籍などの場合に用い、日用品などにはなじまない。⇩所持・Ｑ所有

じょそう【除草】雑草を取り除く意で、改まった会話や文章に用いられる硬い漢語。〈―剤〉〈田畑の―〉「草取り」や「草むしり」に比べ、規模が大きく薬品を用いそうな感じが強く、庭や花壇の草を手で取り除くような日常のものには用いにくい。⇩Ｑ草取り・草むしり

しょぞく【所属】企業・学校・チームその他さまざまな団体などの組織に属している意で、改まった会話や文章に用いられる漢語。〈無―〉〈―団体〉〈―変更を届け出る〉〈プロダクションに―する〉〈学会に―する〉主に人間の場合であるが、建物などについても使う。⇩籍・配属・付属

しょたい【書体】線の太さや長さ、曲げる角度などによって体系的に特徴づけられる文字デザインの類型的なスタイルをさし、会話にも文章にも使われる専門的な漢語。〈宋朝体は縦横とも線が細く右肩上がりの古風な―だ〉個々の文字ではなく文字体系全体の特徴。筆写体と印刷体に分かれ、前者に楷《かい》書体・行《ぎょう》書体・草《そう》書体、後者に明朝体《みんちょうたい》・ゴシック体・教科書体などがある。この意味で「字体」を用いることもあり、この語をまれに「書風」の意にも使う。⇩Ｑ字体・書風

しょたい【所帯】会話でも文章でも使われる古風な日常漢語。〈―主〉〈―道具〉〈―やつれ〉〈―じみる〉〈―のやりくり〉〈―を構える〉芥川龍之介の『玄鶴山房』に「安ものの指環に何か―じみた寂しさを感じた」とある。「世帯」とあてることもあるが、「せたい」と紛らわしく、俗っぽい印象もある。⇩世帯

しょたいをもつ【所帯を持つ】「家庭を持つ」の古い表現。最近は時代がかったドラマなどで使われる以外、めったに聞かなくなった。〈問屋の若旦那と―そうだ〉⇩Ｑ家庭を持つ・結婚・結婚する・こし入れ・婚姻・嫁ぐ・嫁入りする・嫁に行く

しょだな【書棚】本棚の意で、やや改まった会話や文章に用いられる、少し硬い感じのことば。〈書斎の作り付けの―〉〈応接間の―に文学全集がずらりと並ぶ〉本棚より本格的

な感じがあるが、図書館のような施設よりも個人住宅の連想が強い。⇩書架・Q本棚・本箱

しょち【処置】 判断して始末する意で、会話にも文章にも使われる漢語。〈応急―〉〈適切な―を講じる〉〈寛大な―を願い出る〉✎「処理」とは違い、「―済みの歯」のように傷口などの手当の意でも使われる。⇩処理・対応・対処

しょちゅう【暑中】 土用を中心とする夏の暑い期間をさし、主に文章中に用いられる漢語。〈―伺い〉〈―休暇〉✎庄野潤三の『インド綿の服』に「―お祝い申し上げます」という長女の挨拶が紹介されている。「お見舞い」の間違いではなく、「我ら亜熱帯族の言葉」と当人が注記してあるとおり、夏に強い庄野家の人々の間での意図的な使用である。⇩残暑

じょちゅう【女中】 一般家庭に住み込んだりして家事をこなす女性をさす古風な漢語。その場合は差別意識が感じられるとしてこの語の使用を控え、「お手伝いさん」と言い換えることが多い。〈―部屋〉〈―奉公〉〈―を雇い入れる〉✎昔はその家から嫁に出すこともあるなど、単なる雇用関係を超えた家族的な扱いもあったようだが、一般に女中制度は主人と奉公人という伝統的に明確な上下関係があり、また、勤務条件のひどさが社会的な身分の低さと重なって、この語は職業差別という意識と結びついたために特に嫌われる。その意味では「下男」「下女」「召し使い」なども同様である。現代では一般家庭にそのような女性を雇い入れるほどの経済的な余裕がなくなり、また、女中志願の人材も得られないため、せいぜい通いの家政婦や派出婦を臨時に雇う程度であり、乳幼児のいる場合にはベビーシッターを利用するケースも増えて、現実にはそういう実態の変化とともに、この呼称の問題もほぼ解消した感がある。ちなみに、旅館の女中などの場合は家庭の女中の場合より差別的な感じは薄く、江戸時代に大名家などの奥向きに仕えた「御殿―」「奥―」などの場合はそのような語感が働かない。⇩Qお手伝いさん・家政婦・下女・派出婦・メード・召し使い

しょっかん【食感】 食べ物を口に入れたときの歯ごたえや舌ざわりをさし、会話にも文章にも使われる比較的新しい漢語。〈こりこりして―がいい〉

しょっかん【触感】 物にさわったときの手ざわりや肌ざわりをさし、改まった会話や文章に用いられる漢語。〈ざらざらした―〉〈なめらかな―〉✎川端康成の『雪国』に「この指だけは女の―で今も濡れていて、自分を遠くの女へ引き寄せるかのようだ」とあり、三島由紀夫の『橋づくし』には「その爪は弾力のある重い肉に弾かれ、指先には鬱陶しい―が残って、満佐子はその指のもってゆき場がないような気がした」とある。⇩Q感触・手ざわり・肌ざわり

しょっきだな【食器棚】 食器類を収納するための戸棚をさし、会話にも文章にも使われる日常の表現。〈―から皿を取り出す〉✎「食器戸棚」の略。⇩戸棚

ショック 物理的・心理的な打撃の意で、会話やさほど硬くない文章に使われる外来語。〈―を受ける〉〈失恋の―から立ち直る〉✎夏目漱石の『明暗』に「相当の速力で走っている自動車を突然停められた時のような衝撃《ショック》を受けた」とある。網野菊の『さくらの花』には「いきなり、ガクンと頭をなぐられたような―だった」とある。「―を吸収する装置」

のように物理的な打撃をさす場合や、「―死」「―療法」のような医学的な意味合いで使う場合には、会話から硬い文章まで抵抗なく使われる。⇩衝撃

しょっこう【職工】 職人や工場労働者をさした古めかしい漢語。〈―あがり〉差別意識が伴うとして現在は使用を控えることが多い。⇩工員

しょっちゅう 「いつも」に近いほど頻度の高い意で、くだけた会話に使われる俗っぽい表現。〈―出歩いている〉〈―うまい物を食っている〉〈―忘れ物をする〉⇩Q何時も・始終・終始・常時・絶えず・常に・のべつ

しょっぱい 「塩辛い」意で、主としてくだけた会話で使う俗っぽい口頭語。〈―シャケをほぐしてお茶漬けにする〉藤沢周平の『塩ジャケの話』に「辛塩というからには相当に―のかと思うと、これがとんだ看板倒れ」とある。主に東日本で用い、西日本では「からい」と言うことが多い。⇩辛い・塩辛い

しょっぴく【しょっ引く】 無理やり連れて行く意で、くだけた会話に使われる俗語。〈傷害の現行犯で―〉〈サツに―・かれる〉警察署に連行する場合によく使う。⇩勾引・Q連行

ショッピング 「買い物」の意の斬新な感じの外来語。〈―センター〉〈―バッグ〉建売を買ってもネックレスを買ってもこんにゃくを買っても「買い物」と言ってまったく違和感がないが、ももひきや納豆やゴミ袋を買ったり古道具屋で狸の置き物を買ったりするのに「ショッピング」という語を使うとふざけた感じに聞こえるのは、このことばの斬新でおしゃれな語感とイメージの衝突を起こすからである。日常会話で使うと気障《きざ》な感じを与えやすい。⇩買い物

しょてん【書店】 主に書籍や雑誌の販売店をさし、やや改まった会話や文章に用いられる漢語。〈―の店頭に並ぶ〉〈最寄りの―に注文する〉出版社をさすこともあり、「岩波―」のように社名の一部に使う例も多い。⇩出版社・書肆《しょし》・Q書房・版元・本屋

しょどう【書道】 毛筆で文字を書く造形美術をさし、会話にも文章にも使われる硬い漢語。〈―の展覧会〉〈―の達人〉「―教室」のような「習字」に近い意の用法もあるが、一般には芸術としてその美を競う本格的な技術を連想させる。⇩Q習字・書・手習い

しょとく【所得】 勤労・事業・資産などから得られる収入をさし、会話にも文章にも使われる日常の漢語。〈―税〉〈低―者層〉〈―を申告する〉〈―が少ない〉経済用語としては、一定期間の収益から必要経費を差し引いた金額をさす。⇩稼ぎ・Q収入

しょば 場所を意味する隠語。〈―代を請求する〉「場所」の「ば」と「しょ」を逆転させた語形。⇩場所

しょばつ【処罰】 刑罰に処する意で、改まった会話や文章に用いられる専門的な硬い漢語。〈―の対象となる〉〈法により―される〉⇩Q処刑・処分

しょふう【書風】 主に毛筆の文字における時代・流派・個人などの類型的・個性的な特色あるスタイルをさし、会話にも文章にも使われるやや専門的な漢語。〈―に時代が映る〉この意味で「書体」を用いることもある。⇩書体

しょぶん【処分】規則違反者などを罰する意のほか、売却する意の婉曲《えんきょく》表現としても、会話にも文章にも使われる正式な感じの漢語。〈行政―〉〈退学―を受ける〉〈厳重な―を発表する〉〈家財道具を―する〉✎夏目漱石の『坊っちゃん』に「そんな頓珍漢な、―は大嫌です」とある。「始末」より改まった感じで、厳格な雰囲気がある。⇩始末

じょぶん【序文】「序」として書物の最初に掲げる「はじめに」といった性格の文章をさし、会話にも文章にも使われる漢語。〈―に明記する〉〈初めての著書に恩師から―をもらう〉✎挨拶程度の「前書き」や「はしがき」に比べ、もう少し本格的にその本の意図や内容を説明する感じがある。また、著者が比較的無名の存在である場合などに、名の知られた恩師や著名な作家などが著者紹介や本の推薦などを兼ねて文章を寄せるケースもある。そのため、著者自身の書く通常のものを特に「自序」と呼ぶこともある。「跋文」と対立。⇩Q序・緒言・はしがき・前書き

しょほう【処方】病気に応じて医師が薬の配合を決める意で、専門的な話題で使われる漢語。〈―箋〉〈―どおりに調合する〉✎日常はほとんど「処方箋」の形で使う。⇩調合・調剤・Q調薬

しょぼう【書房】本の販売店または出版社の名称の一部として会話にも文章にも使われる漢語。〈東京―から著書を出す〉✎単独ではあまり使わない。「書」は本、「房」は部屋の意で、書斎の意にも使われた。⇩出版社・書肆《しょし》・Q書店・版元・本屋

しょみん【庶民】世間の一般の人々をさして、会話にも文章にも使われる漢語。〈―の暮らし〉〈―の憩いの場〉〈―の声が届かない〉✎「われわれ―には手の届かない値段」のように収入の少ない比較的貧しい階級を意識させる傾向があり、「大衆」や「民衆」より範囲が狭いように思われる。また、全体をマスとしてとらえる感じの強い「大衆」「民衆」に比べ、一人ひとりを意識させやすいニュアンスが感じられる。⇩Q大衆・民衆

しょむ【庶務】特別の名称を持たない一般の事務をさし、会話にも文章にも使われる漢語。〈―課〉✎さまざまな事務の意。⇩Q事務・総務

しょめい【署名】自分の意思であることを明確にするため書類などに自分の字で氏名を記す意で、会話にも文章にも使われる、やや改まった漢語。〈―運動〉〈―を集める〉〈報告書に―する〉⇩Q記名・サイン①・自署

しょめん【書面】文書・書簡の意で主として文章中に用いられる、改まった漢語。〈―審理〉〈―で申し入れる〉〈―をもって回答する〉✎「―から察するに」のように「文面」の意味合いで用いることもあるが、多くは「失礼ながら―にて御挨拶申し上げます」のように、直接お目にかかる行為を省略したことを詫びる場合などに用いる。⇩文面

しょもつ【書物】「本」の意で、会話でも文章でも広く用いられるやわらかめの漢語で、「本」より若干古風な感じがある。〈―を買い求める〉〈―に目を通す〉〈―の置き場に困る〉✎石坂洋次郎の『若い人』に「厚さ一センチの―を読めば一センチだけ背が高くなったような気分」とある。⇩書籍・図書・Q本

しょゆう【所有】 自分のものだという権利のもとに持っている意で、改まった会話や文章に用いられる硬い感じの漢語。〈―権〉〈―者〉〈個人の―する土地〉⇩Q所持・所蔵・持つ

じょゆう【女優】 女性の俳優をさし、会話から文章まで幅広く使われる日常の漢語。〈一人前の―〉〈歌手から―に転向する〉✎有島武郎の『或る女』に「自信ある―が喜劇の舞台にでも現われるように、軽い微笑を右の頰だけに浮かべ」とある。女性であることを特に意識した場合に用い、ふつう子役を含まない。駆け出しの女優から映画会社の看板となる大女優までを含む。職業について「俳優」と答えても「女優」と答えてもまったく違和感がない点、「男優」の場合とは違う。⇩男優・Q俳優

しょゆうしゃ【所有者】 物品などの所有権を有する人をさし、やや改まった会話や文章に用いられる漢語。〈―が判明する〉〈―に返却する〉✎「持ち主」に比べ、思想や性格など抽象的な対象にはなじみにくい。⇩持ち主

しょゆうぶつ【所有物】 自分に所有権のある物の意で、改まった会話や文章に使われる、やや専門的な硬い漢語。〈他人の―を無断で持ち出す〉〈子供は親の―ではない〉⇩所持品・Q持ち物

しょよう【所用】「用事」の意で、改まった会話や文章に用いられる硬い漢語。〈―で外出する〉✎二葉亭四迷の『浮雲』に「夕暮より―あって出た」とある。⇩用・用件・Q用事

しょり【処理】 物事を適切に捌《さば》いて片づける意で、会話にも文章にも使われる基本的な漢語。〈熱―〉〈事務的に―する〉〈事故の―に手間取る〉〈手際よく―する〉⇩処置・対応・対処

じょりょく【助力】 仕事がうまく運ぶように他人に手助けする意で、やや改まった会話や文章に用いられる漢語。〈―を頼む〉〈―を惜しまない〉✎太宰治の『斜陽』に「僕になんの―も与えず」とある。仕事が補助的である点は「手伝う」「手助け」と同じだが、この語は能力的に当人以上である場合もありそうな雰囲気がある。⇩協力・Q手助け・手伝う

しょるい【書類】 事務上の文書をさし、会話にも文章にも広く使われる漢語。〈重要―〉〈―審査〉〈―を作成する〉〈―を提出する〉〈―に目を通す〉〈―不備のため失格になる〉✎森鷗外の『追儺』に「卓の上に出してある取扱中の―」とある。メモ書きをも含む「書付」に比べ、書式に則って作成した正式な感じのものを連想させる。「―送検」として使えば専門語。⇩書付

しょろう【初老】 老人の仲間入りをしかかっている年齢をさし、やや改まった会話や文章に用いられる古風な漢語。〈―の紳士〉〈―のごま塩頭〉✎幸田文の『流れる』に「秋の尾根を見るような高い鼻をもった―の女である」とある。もとは四十歳の異称とされるが、現代では六十代前半ぐらいの連想が強い。⇩熟年・Q中高年・中年・中老

じょろん【序論】 研究書や長編の学術論文などで、本論に入る前に導入部として述べる本論の前提となる基本的な説明や議論をさし、会話にも文章にも使われる専門的で硬い漢語。〈学術書の体裁どおり―を設ける〉⇩序章・Q序説

しょんべん【小便】 小便《しょうべん》の意で、男性がごくくだけた会話で使うことのある俗語。〈―をひっかける〉✎「しょうべん」

の音転。「連れション」「アメション」なども同類。⇩おしっこ・小水・Qしょうべん・尿

しょんぼり 力を落として元気のない様子をさし、会話や軽い文章に使われる和語。〈雨の中に―立っている〉✎二葉亭四迷の『浮雲』に「―と頭《こうべ》をうな垂れて」とある。⇩しおれる②・しょげ返る・しょげる・悄然《しょうぜん》・すごすご

しらが【白髪(毛)】白くなった髪の毛の意で、会話にも文章にもよく使われる日常生活の和語。〈―頭〉〈―染め〉〈若―〉〈―が目立つ〉✎谷崎潤一郎『細雪』に「髪の毛が、禿げてはいないが、半分以上―で、一面に薄く」とある。「―が出てきた」「―を抜く」のように、一本ずつを意識した用法が多い。漢字表記は音読みされやすい。⇩銀髪・Q白髪《はくはつ》

しらじらしい【白白しい】見え透いた、知らない振りをする様子をさして、会話にも文章にも使われる和語。〈―嘘〉〈―態度〉〈―顔でとぼける〉✎遠藤周作の『海と毒薬』に「石のような―顔」とある。「―気持ち」「―雰囲気」のように、白けた、興ざめの意に使われることもある。⇩空々しい

しらせ【知らせ】上位者・下位者の感じを伴わない通知の、やわらかい雰囲気の和風表現。〈嬉《うれ》しい―〉〈何の―もない〉〈同窓会の―が届く〉✎「市役所からのお―」「会のお―」というふうに、「お知らせ」という丁寧な形で親しみを感じさせる使い方も多い。⇩通達・Q通知・報告

しらせる【知らせる】相手に情報を伝える意で、くだけた会話から硬い文章まで幅広く使われる日常生活の基本的な和語。〈わかったらすぐ―〉〈家族に―〉〈面接の結果を親に―〉〈月ごとの業績を本社に―〉〈出発時刻をファックスで―〉〈状況がわかり次第すぐに―〉✎夏目漱石の『坊っちゃん』に「手紙で―・せろ」とある。同じく『こころ』には「手紙にはその後Kがどうしているか―・せてくれと書いてありました」とある。「教える」と違って指導的なニュアンスはなく、相手が知らないはずの情報を単に伝えるというにとどまり、文書や第三者を介しての伝言など、相手とじかに接触しない形での間接的な伝達も含まれる。⇩Q教える・告知・告白・告げる・伝える・伝達

しらっぱくれる ↓しらばくれる

しらとり【白鳥】白鳥をはじめとする羽毛の白い鳥をさし、主に文章中に用いられる雅語的な和語。〈―の姿をカメラにおさめる〉✎若山牧水の「―はかなしからずや空の青海のあをにも染まずただよふ」の一首が知られる。⇩はくちょう

しらばくれる 知らないはずはないのに知らない振りをして隠す意で、主に会話に使われる和語。〈―・れても無駄だ、ネタはあがってるんだ〉〈最後まで―・れて表情ひとつ崩さない〉✎「とぼける」系の類語が、受賞したニュースや恋人がいるという噂など、晴れがましいことや照れくさいことなどについても使うのに対し、この語はそのようなプラス評価の情報については使いにくい。「しらばっくれる」とも言い、その場合はさらに強調され、さらに口頭語的に響く。やや古い感じの「しらっぱくれる」も同様。⇩しらを切る・知らんぷり・Qそらとぼける・とぼける・頬かぶり

しらばっくれる ↓しらばくれる

しらべ【調べ】音楽の響きや調子、また、楽曲そのものをさ

して、主に文章中に用いられる古風で詩的な和語。〈琴の―〉〈妙なる―〉〈心地よい―が耳に残る〉✎小林秀雄の『実朝』に「悲しい心には、歌は悲しい―を伝えるだろうか」とあるように音楽以外に文学、特に韻文に用いる例も多い。「―が済む」のように、調査や聴取などをさす用法もある。⇩音律・Q旋律・節・節回し・メロディー

しらべる【調べる】不明な点をはっきりさせるために情報を得る意で、くだけた会話から硬い文章まで幅広く使われる日常の基本的な和語。〈荷物を―〉〈履歴を―〉〈住所を―〉✎永井荷風の『濹東綺譚』に「巡査は矢張だまったままわたくしの紙入を―・べ出した」とある。⇩洗う②・調査

しらをきる【白を切る】自分は知らないと言い張る意で、くだけた会話に使われる俗語。〈あくまで―・りとおす〉〈―気か、証拠があるんだぞ〉✎夏目漱石の『坊っちゃん』に「証拠さえ挙がらなければ、―積りで図太く構えていやがる」とある。「しらばくれる」以上に悪事を連想させ、取り調べの場面などを思い浮かべやすい。⇩しらばくれる・知らんぷり・そらとぼける・とぼける・頬かぶり

しらんぷり【知らん振り】知らない振りをする意で、くだけた会話に使われる俗っぽい和語。〈呼ばれても―をする〉〈最後まで―で通す〉⇩しらばくれる・しらを切る・そらとぼける・とぼける・頬かぶり

しり【尻】腰の下の後ろ側で左右に肉が盛り上がっている箇所をさし、会話でも文章でもよく使われる日常の和語。〈子供の―を叩く〉〈―が重い〉〈―に敷く〉✎ぞんざいな感じがあるため多く「お尻」の形で用いる。尾崎一雄の『痩せた雄鶏』に、風呂上がりの父親の裸を見た八歳の次女が「お父ちゃんのお―、無いよ。もとは有ったんだねえ」と驚きの声をあげる場面がある。痩せて肉が落ち、出っ張りが目立たないと、小さな子には尻として認識できないのだろう。なお、この語はもともと広く後ろを意味した。「女の―を追いかける」の場合も臀《でん》部《ぶ》に限らない。⇩Qけつ・臀部

じりき【自力】自分自身の力の意で、やや改まった会話や文章に用いられる漢語。〈―で這《は》い上がる〉〈―で脱出する〉✎「独力」に比べ、体力や腕力などの具体的な力や働きを意味する例が比較的多い。⇩独力

じりき【地力】その人物が身につけた現在の実力をさし、会話にも文章にも使われる漢語。〈―がある〉〈―が増す〉〈―をつける〉〈後半になって―を出す〉〈―の違いを見せつける〉✎「底力」に比べ、鍛えて獲得した感じが強い。⇩実力・Q底力・能力

しりごみ【尻(後)込み】気後れするなどためらって後ろに下がる意で、会話や硬くない文章に用いられる日常の和語。〈大勢の前で―する〉⇩逃げ腰

しりぞく【退く】後ろに下がる、引退する意で、改まった会話や文章に用いられる和語。〈負けて―〉〈第一線から―〉〈現役を―〉⇩どく・のく・引き下がる・Q引っ込む

しりつ【市立】市が設立し管理・経営する意の漢語。〈地元の―大学に進む〉✎会話で「私立」と区別するために「いちりつ」と発音することもある。⇩いちりつ

しりつ【私立】「公立」に対して、私人が設立し管理・経営する意の漢語。〈名門の―大学を志望する〉✎永井荷風の『濹

東綺譚』に「—中学校の英語の教師」とある。会話で「市立」と区別するために「わたくしりつ」と発音することもある。⇩わたくしりつ

じりつ【自立】他の支配や援助を受けずに経済的にも精神的にも独立する意で、会話にも文章にも使われる漢語。〈娘が親元を離れて—する〉〈精神的な—〉〈まだ—できていない〉⇩自活・自律・Q独立・独り立ち

じりつ【自律】自らを律する意で、主として文章に使われる硬い漢語。〈自主—の精神〉✎「—神経失調症」のような用法では専門語の雰囲気を感じさせる。⇩自立

しりめつれつ【支離滅裂】言うこと為すことに筋道がなく全体として辻褄《つじつま》が合わない意で、やや改まった会話や文章に用いられる漢語。〈言うことがもう—だ〉⇩むちゃくちゃ・Qめちゃくちゃ・めちゃめちゃ

じりゅう【時流】その時々における一般的な考えや好みをさし、会話にも文章にも使われる漢語。〈—に乗る〉〈—に合わせる〉〈—に流される〉〈—に逆らう〉✎太宰治の『十五年間』に「いまではもう、社会主義さえ、サロン思想に堕落している。私はこの—にもまたついて行けない」とある。⇩時勢・趨勢《すうせい》・成り行き・Q風潮

しりょ【思慮】物事に関する深い考えをさし、改まった会話や文章に用いられる硬い感じの漢語。〈—分別がある〉〈—が深い〉〈—が足りない〉✎対象を定めて考え始める「考慮」に比べ、日頃からの蓄積を問題にする感じが強い。小沼丹の『珈琲の木』に「感心したのは—が足りないからで（略）大きな横文字で「珈琲の木」と印刷してあるから、一目見れば直ぐ判る」とあるように、日常の些事に使うと大仰すぎて滑稽な感じが出る。⇩Q考慮・思考・思索

しりょう【資料】研究や調査を行うための基礎的な材料をさし、会話にも文章にも使われる漢語。〈研究—〉〈調査—〉〈—を収集する〉〈豊富な—を駆使して論を展開する〉✎「データ」そのものでなく、データを得るもとになる材料という物的存在をさす。⇩材料・Q史料・データ

しりょう【史料】歴史研究のための文献や遺物などの資料をさし、主として文章中に用いられる専門的な漢語。〈—を編纂《へんさん》する〉〈直接—に当たる〉✎口頭表現では「資料」との区別が困難。⇩資料

しりょく【視力】物の形や色を見分ける能力をさし、会話にも文章にも使われる漢語。〈—検査〉〈—が衰える〉✎谷崎潤一郎の『陰翳礼讃』に「何か眼の前にもやもやとかげろうものがあって、—を鈍らせているように感ずる」とある。⇩視覚

しる【知る】それに関する情報・知識を有する意の基本的な和語。〈—権利〉〈道理を—〉〈恥を—〉〈—人ぞ—〉〈—由もない〉〈どうなろうと—・ったことではない〉✎夏目漱石の『坊っちゃん』に「東京と断わる以上はもう少し奇麗にしそうなものだが、東京を—・らないのか、金がないのか、滅法きたない」とある。⇩既知・存じ上げる・Q存ずる

しるし【印】約束事として何かの意味を表示する一定の形をさし、くだけた会話から硬い文章まで幅広く使われる日常の基本的な和語。〈マルやバツの—を書く〉〈県庁所在地の—〉〈一時停止の—〉✎太宰治の『富嶽百景』に「たぶん、

あそこあたりが、いただきであろうと雲の一点に—をつけて、そのうちに、雲が切れて、見ると、ちがった」とある。⇩Q記号・符号・マーク

しるす【記す】書きとめる意で、主に文章に用いられる和語。〈手帳に—〉〈氏名及び生年月日を—〉〈考えるところを簡潔に—・せ〉✎夏目漱石の『草枕』に「写生帖に—・して行く」とある。記録するという意味合いで「誌す」、心に刻むの意で「銘す」とあてることもある。そのような特殊な表記の場合は文体的なレベルが高く感じられる。⇩印す

しるす【印す】印をつける、跡を残すの意で、主として文章中に用いる和語。〈記号を—〉〈足跡を—〉〈第一歩を—〉⇩記す

しるもの【汁物】澄まし汁・味噌汁などの総称としての和語。個々の料理というより種別をさして用いられることが多い。〈和食コースの本日の—〉⇩Qお吸い物・おつけ・おみおつけ・吸い物

しれい【指令】指示・命令の意で、主に文章中に用いられる硬い漢語。〈—を出す〉〈—を発する〉〈—を受けて直ちに行動に移る〉⇩指示・司令・命令

しれい【司令】統率・指揮の意で、主に文章中に用いられる漢語。〈—官〉〈—塔〉✎戦争や軍隊の連想が強い。⇩指令

じれい【事例】ある事柄に関する実例、前例となる事実をさし、改まった会話や文章に用いられる専門的な硬い漢語。〈—研究〉〈過去の—を集める〉〈さまざまな—を比較検討する〉⇩一例・ケース②・Q実例・例

しれつ【歯列】歯の並び方の意で、診察時などの会話や文章に用いられる歯科の専門的な漢語。〈—矯正〉⇩歯並び

じれったい【焦れったい】自分の思うように事が運ばないので早く早くと気があせる意で、主にくだけた会話に使われる和語。〈思うように進めないので—〉〈やり方があんまり遅いので見ていて—・くなる〉✎夏目漱石の『坊っちゃん』に「同じ事を何返もやるので少々—・くなった」とある。⇩もどかしい

しろ【白】犯罪行為に無関係である意の隠語。〈警察に連行して取り調べてみると—だった〉✎片仮名書きする例が多い。「くろ②」と対立。

しろ【城】敵の襲撃に備えて築く軍事的建造物をさし、会話にも文章にも使われる和語。〈難攻不落の—〉〈—を築く〉〈—を攻め落とす〉〈—を明け渡す〉✎田宮虎彦の『落城』に「西国勢に黒菅の—をかこまれるとしても、陸奥はまだ一脈の明るみを心の底に残していた」とある。石垣や堀を含めてさすこともある。⇩城郭

しろうと【素人】その方面を職業とも専門ともしていない人間の意で、会話や軽い文章に使われる日常の和語。〈—芸〉〈ずぶの—〉〈—の域を出ない〉〈—離れした技〉✎「アマチュア」と比べ、資格などによる規定のない緩やかな分け方。野球に例をとれば、プロ野球以外の「ノンプロ」や「アマチュア」の選手も専門家に近い技術を有するために純粋に野球の「素人」とはいえず、「—野球」となると、それとは比べ物にならない低いレベルの遊びを連想させる。「—の娘に手を出す」のように、芸妓《げい ぎ》や遊女などの商売女に対して、堅気の人間をさす用法もある。「玄人」と対立する語。

⇩アマ・Ｑアマチュア・とうしろう・ノンプロ

しわい【吝い】「けち」の意の関西方言。〈―奴〉〈ここまで―お人とは〉⇩Ｑけち・けちん坊・倹約家・渋い・渋ちん・締まり屋・しみったれ・節倹家・みみっちい・吝嗇《りんしょく》家

しわがれる【嗄れる】声がかすれて滑らかに出ない状態をさし、改まった会話や文章に用いられる、やや古風な和語。〈―・れた声の老人〉〈大声を出し過ぎて声が―〉くだけた会話では「しゃがれる」となりやすい。堀辰雄の『風立ちぬ』に「私の背後で、病人のすこし―・れた声がした」とある。⇩かすれる・しゃがれる

しわざ【仕業】「したこと」の意で、会話にも文章にも使われる、やや古風な和語。〈神の―〉〈これは一体、誰の―だ〉「所業」と違って、好ましい場合に使われることもあるが、一般にはやはり好ましくない場合の例が多い。この語の場合は、いずれにせよ、奥に驚きの気持ちが感じられる。⇩所業

しわぶき【咳】咳《せき》の意で主に文章に用いられる古めかしい和語。〈老人の―の音〉〈静まり返って―一つ聞こえない〉漢字表記は「せき」と読まれやすい。⇩咳

しわよせ【皺寄せ】悪い結果の影響が他に及ぶ意で、会話や硬くない文章に使われる和語。〈こっちにその―が来る〉〈下請けに―が行く〉〈財政赤字の―で福祉関係の予算が窮屈になる〉⇩Ｑ悪影響・そばづえ・とばっちり・巻き添え

しんい【真意】本当の気持ちの意で、改まった会話や文章に用いられる硬い感じの漢語。〈―をはかりかねる〉〈―を確かめる〉⇩本意・Ｑ本心・本音・胸の内

しんいり【新入り】ある組織に新たに入る意で、会話や軽い文章に使われる表現。〈今度の―の仲間〉〈―の社員の研修に力を入れる〉「新人」「新顔」に比べ、若干軽んじる雰囲気もある。⇩Ｑ新顔・新参・新人・ニューフェース・ルーキー

じんいん【人員】ある団体に属している人数をさし、やや改まった会話や文章に用いられる正式な感じの漢語。〈―整理〉〈募集―〉〈―を確保する〉「人数」がもっぱら数を問題にしているのに対し、この語は数よりもそこの構成員であることに重点があるように感じられる。⇩人数

しんか【進化】生物が長い時間を経て段階的に複雑多様で優れた形態に変化する意で、会話にも文章にも使われる専門的な漢語。〈―論〉〈―の過程〉〈―を遂げる〉「退化」と対立。「社会の―に伴い」のように生物以外に使う派生的な用法もある。顔が悪くて愛人のできない人が猿を飼って人間に進化するのを待っているという笑い話は、「進化」という語が気の遠くなるほどの長い年月の変化に対応するから、その極端な誇張が笑いにつながる。ところが、近年は「機械は年々―する」「彼もこのところ―が著しい」のように単なる「進歩」の意で使う例がはびこり、その場合は俗っぽい響きがある。⇩Ｑ進歩・発達

じんか【人家】人の住んでいる家をさし、会話にも文章にも使われる漢語。〈―の灯がちらほら見える〉〈―がまばらな地域〉〈―が密集する街中〉さす対象は「家」「家屋」と同じであるが、「ようやく―の灯が見えた」のように、賑やかさや物寂しさを意識してこの語を使う傾向が見られる。庄野潤三の『秋風と二人の男』に「電車がヨットの浮んでいる

川を渡って(略)—の少ないところを走って」とある。「家」や「家屋」に比べ、人が住んでいるという生活感が強く感じられる。⇩家・家屋・民家

しんがい【心外】相手の態度や行動などが予期に反して好ましくない場合の感情をさし、やや改まった会話や文章に用いられる漢語。〈—な返答〉〈甚だ—でならない〉〈裏切られるとは—だ〉✎意外な結果に憤慨する気持ちがこもる。小沼丹の『更紗の絵』に「気に入らぬところに嫁入りすることはあるまいと云っただけなのに、そのあとの責任まで持たされるのは—である」とある。⇩不本意

しんがお【新顔】ある組織・団体・グループなどに新しく加わった人の意で、会話にも文章にも使われる表現。〈—の店員〉〈今度の—は仕事が速い〉✎新戦力として期待をこめた感じの「新人」に比べ、見慣れない顔、今までいなかった人という点に中心があり、大いに期待できるとか、役に立たないとかといった評価とは結びつきにくい。⇩新入り・新参・Q新人・ニューフェース・ルーキー

じんかく【人格】人間としての品格の意で、やや改まった会話や文章に用いられる、少し大仰な漢語。〈二重—〉〈大した—者だ〉〈立派な—〉〈—を疑われる〉✎徳冨蘆花の『思出の記』に「沈毅の—をもって僕に基督教の光を齎《もたら》し」とある。個人の性格というより人間としての資質を問題にする場合に多く使われる。「—を疑う」のは、どのような人格かという疑問ではなく、人間性というまともな人間としての資格に疑問を抱くほどのひどさを思わせる。そのため、「いやな」「曲がった」などというマイナス評価の語とは結びつかない。「好人物」とはいうが「好人格」という語がないのも、個人的な感じが薄いからであろう。⇩気質・気象・気性・気立て・性分・人品・Q人物・性格・性向・性質・たち・人柄・人となり

しんがた【新型】同類の中での新しい型の意で、会話にも文章にも使われる漢語。〈—ウイルス〉〈秋に—の乗用車が発表される〉⇩新形

しんがた【新形】新しい形式の意で、会話にも文章にも使われる漢語。〈—のデザイン〉✎タイプに重点のある「新型」に対し、フォームに重点を置いて用いる。⇩新型

しんがり【殿】「最下位」「最後尾」の意で、会話にも文章にも使われる古めかしい和語。〈—を務める〉✎「後駆《しりがり》」の転。もと、軍勢が退却する際に敵の追撃に備える最後列をさした。⇩最下位・Q最後尾・どんじり・びり・びりっけつ

しんかん【神官】神主《かんぬし》の意で、改まった会話や文章に用いられる正式な感じの漢語。〈代々—を勤める家柄〉⇩Q神主・宮司・神職

しんきょう【信教】宗教を信じることをさし、主に文章に用いられる漢語。〈—の自由〉⇩宗教

しんきょう【心境】ある時の心の状態をさし、会話にも文章にも使われる漢語。〈—の変化〉〈今の—を語る〉✎石坂洋次郎の『若い人』に「大きな、厄介な仕事をなし遂げたあとのような不満のない—だ」とある。⇩境地

しんきろう【蜃気楼〔樓〕】空気中の温度差が原因で光の異常屈折が生じ、その場所に存在しない遠い風景が見える現象をさし、会話にも文章にも使われる、いくぶん専門的な漢

語。〈—が立つ〉✎「蜃」は蛤《はまぐり》の意。蛤の吐く気によって生じると考えたところから。⇩海市《しかい》・Q空中楼閣

しんく【真(深)紅】濃い紅色をさし、主に文章中に用いられる漢語。〈—の優勝旗〉〈—のドレスに身を包む〉✎串田孫一の『秋の組曲』に「—の落日へ向って駈けて行った」とあるように、やや美化した感じに響くこともある。⇩真っ赤

しんくう【真空】固体・液体・気体の一切存在しない空間をさし、会話にも文章にも使われる、やや専門的な漢語。〈—放電〉〈—管〉〈—ポンプ〉〈—パック〉〈中が—になっている〉✎佐藤春夫が『田園の憂鬱』で、ある農村を「譬えば三つの劇しい旋風の境目に出来た—のように、世紀からは置きっ放しにされ、世界からは忘れられ」と直喩で表現したように、「—地帯」など、他の作用のまったく及ばない状態をさす比喩的用法もある。⇩空間・Q虚空

シングルマザー 未婚の母に近い意味で、近年になって使われだした俗っぽい外来語。〈彼女も最近多いいわゆる—の一人だ〉✎語感の働きにくい外国語に換言して、「未婚の母」のマイナスイメージをぼかした表現。「未婚の母」よりも堂々と暮しているような雰囲気が漂っている。「未婚の母」と違い、離婚の結果そうなった場合も含まれる。⇩未婚の母

しんけい【神経】身体の中枢の興奮を各部に伝え、各部の刺激を中枢に伝える経路となる糸状の器官をさし、会話にも文章にも使われる、やや専門的な漢語。〈運動—〉〈—過敏〉〈—麻痺《ひま》〉〈歯の—を抜く〉〈客に—を遣う〉〈—をすり減らす〉〈—の休まる時がない〉✎「図太い—」「—が鈍い」のように、単に物の感じ方や考え方をさす用法もあり、その用法は専門的どころかむしろいくらか俗っぽい響きがある。井伏鱒二の『休憩時間』に「僕は末梢—はきらいです。僕は一刻たりともこの教室に居たくない。諸君よ、さらば！時々おたより下さい〉という例が出る。⇩感受性

しんけん【真剣】真面目で本気という意味で、会話にも文章にも使われる漢語。〈—に考える〉〈—に取り組む〉✎川端康成の『花のワルツ』に「—になるなら、自分ひとりでなりたいわ」とある。⇩生真面目・真摯《しんし》・Q真率《しんそつ》・熱心・真面目

しんげん【森厳】身が引き締まるほど厳粛な意で、主に文章に用いられる硬い漢語。〈境内の—な空気〉〈—のうちに〉✎軍人政治家宇垣一成の日記に「—なる責任感」とあるという。⇩厳か・厳粛・Q崇高・荘厳・荘重

しんこう【進攻】「攻め進む」意の漢語で改まった表現。〈—を開始する〉〈破竹の勢いで—する〉✎必ずしも敵地に攻め入らなくても使える。⇩Q侵攻・侵略

しんこう【侵攻】攻撃して他国に侵入する意のやや改まった漢語表現。〈敵地深く—する〉✎領土や財物の略奪行為が前提になっていない感じがある。⇩Q進攻・侵略

しんこう【信仰】神や仏を信じて崇拝し、その教えに従う意で、いくぶん改まった会話や文章に使われる漢語。〈—告白〉〈—生活〉〈—心が厚い〉〈日頃の—の賜物《たまもの》〉✎「信心」に比べ、キリスト教など神道や仏教以外の宗教を連想することも少なくない。⇩信心

しんこう【深更】夜が更けわたり真夜中に至る頃をさし、主として文章に用いられるやや古風で硬い漢語。〈友と語らい—に及ぶ〉✎「夜更け」より遅く「深夜」より範囲が狭い

感じがある。「深夜」に比べ、睡眠中に目を覚ました時より、起きている状態での時間経過として意識する例が多いように思われる。⇩Q深夜・真夜中・夜間・夜半・夜分・夜《よ》・夜中・夜更け・夜《よる》・よわ

しんこう【進行】前の方向や次の段階に移行する意で、やや改まった会話や文章に用いられる漢語。〈議事—〉〈列車が—する〉〈—が速い〉〈列車の—〉〈—を妨げる〉〈—係が会の—をつかさどる〉〈工事の—が遅れる〉✎夏目漱石の『坊っちゃん』に「箒を振り振り—して来て」とある。「前進」に比べ、ものごとが順調に行われるところに重点がある。大岡昇平の『野火』に「私が隊から追われる原因であった肺浸潤も—して」とあるように、「進む」と同様、病気が重く深刻になる場合にも使う。⇩進む・Q前進

しんごう【信号】色・形・光・動きなどの符号を使って送る合図をさし、会話にも文章にも使われる漢語。〈手旗—〉〈赤—〉〈—機〉〈—が変わる〉⇩合図・サイン②・Qシグナル

じんこう【人工】人間が工夫して作り出す意で、会話にも文章にも使われる漢語。〈—池〉〈—芝〉〈—衛星〉✎「自然」「天然」と対立。「人造」と違い、物だけでなく、「—受精」「—呼吸」のように行為を表す例もある。⇩人造

しんこく【申告】自発的に申し出て知らせる意で、改まった会話や文章に用いられる、公的な感じの漢語。〈自己—〉〈確定—〉〈—漏れ〉〈税関に—する〉〈所持品を—する〉✎国民が法令に基づいて義務として公的機関に届けるという連想がある。⇩申し出

しんこんりょこう【新婚旅行】結婚の記念に行う夫婦の旅行をさす漢語で、会話でも文章でも用いるごくふつうの語。〈—に出かける〉✎谷崎潤一郎の『細雪』に「昔、貞之助と—に行った時」とある。⇩Qハネムーン・蜜月旅行

しんさつ【診察】医者が病気や怪我の状態を知るために患者の体を調べることをさし、会話にも文章にも使われる漢語。〈—室〉〈医者の—を受ける〉✎井伏鱒二の『本日休診』に「いざ—しようとすると、尻込みするばかりでなく、医学を誹謗する女もいる」とある。小沼丹の『タロオ』には「二人の医者は大寺さんを—して(略)ドイツ語を交えて何やら話していた」とある。「診断」に比べ、調べる過程に重点がある。⇩診断・診療

しんざん【新参】ある組織に新たに加わる意で、会話にも文章にも使われる漢語。〈—者《もの》〉〈—のメンバー〉〈—のくせに大きな顔をしている〉✎「新入り」以上に軽んじる雰囲気が強いが、不慣れですぐには役に立たないと当人が謙遜して使う例も多い。⇩Q新入り・新顔・新人・ニューフェース・ルーキー

しんし【真摯】真面目でひたむきな意として、改まった会話や文章に用いられる硬い漢語。〈—な態度〉〈—に研究に励む〉〈—に受け止める〉⇩生真面目・Q真剣・真率《しんそつ》・真面目

しんし【紳士】品格と知性を兼ね備えた男性をさし、多く文章の中で用いられる、やや古風な漢語。〈—録〉〈—服〉〈初老の—〉〈田舎—〉〈—のたしなみ〉〈—としてあるまじき行為〉✎「淑女」と対立。「—諸君」のような口頭での呼びかけに使うと時代がかった雰囲気になる。小沼丹の『長距離電話』に「こんなことになったのも、すべては顔の長い—

のせいだと思うが、肝腎の—は平然として盃を傾けている」とあるように、現在ではいくらか小馬鹿にした感じが伴うこともある。「—協定」「—的な態度」のように、相手を信頼し私欲を去って公正に行動する意で用いる際には古風な響きはない。⇩貴公子・Qジェントルマン

しんしつ【寝室】寝るために用意してある部屋をさし、会話でも文章でも幅広く使われる日常漢語。〈二階の—〉〈奥の座敷を—として使う〉〈—の窓を開けて朝のすがすがしい空気を入れる〉✎和室でも洋室でも、また、臨時にしばらくの間寝る部屋として利用する場合でも言う。⇩寝所・寝間・寝屋・Qベッドルーム

しんじつ【真実】嘘偽りでない本当のことをさし、会話にも文章にも使われるやや硬い感じの漢語。〈調査資料を分析して—を突き止める〉〈—を明らかにする〉〈つらいだろうが、これが—だ〉✎獅子文六の『胡椒息子』に「隠された—を覗いた」とあるように、疑わしい事実である場合によく使う。⇩事実・実際・真相・真理・ほんと・本当

じんじふせい【人事不省】気を失う意で、会話にも文章にも使われるやや古風な漢語。〈高所から転落し—に陥る〉⇩Q気絶・失神

しんじゃ【信者】ある宗教を信仰する人をさし、会話にも文章にも使われる日常の漢語。〈—の集まり〉〈—が増える〉⇩教徒・Q信徒

じんじゃ【神社】神道の神を祭ってある建物をさし、会話にも文章にも使われる漢語。〈—仏閣〉〈—にお参りする〉✎境内を含めて考えることもある。竹西寛子の『兵隊宿』に「出発前に、ひさし君を連れて、—参拝をしてきたいと思います」という将校のことばがある。⇩社殿・ほこら・Qやしろ

しんしゃく【斟酌】気持ちや事情などを考え合わせる意で、改まった会話や文章に用いられる、やや古風で硬い漢語。〈年少者であることを—する〉〈事情を—して寛大な処分とする〉✎夏目漱石の『坊っちゃん』に「どうかその辺を御—になって、なるべく寛大な御取計を願いたいと思います」とある。⇩酌量

じんしゅ【人種】皮膚や髪の色や骨格などの肉体の遺伝的特徴によって分類した人間の種別をさし、会話にも文章にも使われる漢語。〈—差別〉〈—が違う〉✎林芙美子の『浮雲』に「狭い往来には、混血児的—が、河水のように犇き流れている」とある。⇩種族・Q民族

しんじゅう【心中】複数の人間が一緒に自殺する意で、会話にも文章にも使われる漢語。〈一家—〉〈無理—〉〈—事件を起こす〉〈—を図る〉✎愛し合った男女の場合は「情死」にあたる。⇩情死

しんしゅん【新春】新年、特に正月をさし、年賀状やこの時期の挨拶として手紙に用いる美化した感じの漢語。〈—を寿ぐ〉〈穏やかな—を迎える〉✎会話ではほとんど使わない。⇩正月・Q新年・はつはる

しんじょ【寝所】「寝室」の意の古めかしい漢語。〈—から祖父の寝息が聞こえる〉✎いかにも古風な語感から和風建築の家の日本間といったイメージがある。⇩Q寝室・寝間・寝屋・ベッドルーム

しんしょう【身上】「財産」の意の古めかしい言い方。〈—を

築く〉〈—をこしらえる〉〈—をなくす〉✎「—をつぶす」という言いまわしは、朝寝と朝酒と朝湯が大好きで身を持ち崩した会津磐梯山《ばんだいさん》の小原《おはら》庄助を連想させ、現代の出来事とは思いにくいような昔のにおいがする。「しんじょう」と読むと別語。⇩財産・資産・Q身代

しんしょう【心象】「心像」と同義の専門漢語。〈—風景〉〈—を浮かべる〉✎比喩表現は作者の心象風景の点描であり、意識下の世界観であると見ることもできる。⇩Qイメージ・印象・映像・感じ・心像《しんぞう》・表象

しんじょう【真情】本当の気持ちの意で、主として文章中に用いる硬い漢語。〈—を吐露する〉✎永井荷風の『濹東綺譚』に「其の—を弄んだ事になるであろう」とある。⇩心情

しんじょう【心情】ある事態や状況に接したときに起こる心の動きの意で、改まった会話や文章に用いられる情緒的な漢語。〈—を吐露する〉〈—を思いやる〉〈理解できないではないが、—的に納得できない〉〈その—は察するに余りある〉✎三島由紀夫の『潮騒』に「私の変りやすい—というものは、この土地で養われたものではないか」とある。「感情」と違って専門語としては用いられないが、文体的に少し改まりが感じられる。⇩感情・機嫌・真情

しんじょう【進上】差し上げる意で会話や文章に使われた古風な漢語。〈好物を—しよう〉✎昔子供が「ここまでおいで、甘酒—」とはやしたてたが、現在ではめったに使われない。⇩寄贈・謹呈・献上・献呈・Q進呈・贈呈

しんしょうしゃ【身障者】体の一部が不自由な人をさす現代では最も一般的な語。〈—用の施設〉✎差別意識の感じられる「かたわ」や「不具」という語を避けて用いるようになった「身体障害者」を略した語形。耳で聞いただけだとその音が意味と直結しないため、それだけやわらかい感じに受けとられる傾向がある。ただし、書きことばではほとんどが漢字表記となるため、「身」に「障り」があることがすぐ理解でき、ぼかしの効果が大幅に減る。そこで「体の不自由な方の優先席」などと意味を拡大してあたりをやわらげる試みもなされた。が、それだと、肩や腰に痛みを覚える人や、厚着をしすぎて腕の上げ下ろしが窮屈な人でも該当しそうな感じになる。また、「体の不自由な」とあまりはっきり書かれると、公衆の面前で自分の欠点を認めることになって、ほんとうに必要な人が心理的に利用しにくくなる感じもある。⇩Q片端・身体障害者・不具

しんしょく【侵食(蝕)】他の領域を侵す意で、改まった会話や文章に用いられる硬い漢語。〈領土を—する〉⇩浸食

しんしょく【浸食(蝕)】水が浸み込んで損なう意で、改まった会話や文章に用いられる専門的な感じの漢語。〈—作用〉〈河川による—が進む〉⇩侵食

しんしょく【神職】神主《かんぬし》の意で、改まった会話や文章に用いられる古風な漢語。〈代々—にあった家〉✎尾崎一雄の『美しい墓地からの眺め』に「—の家は、仏教に帰依するには及ばなかった」とある。⇩神主・宮司・Q神官

しんじる【信じる】疑わずに真実だと思いこむ意で、会話やさほど硬くない文章に使われる日常語。〈神の存在を—〉〈—・じられない出来事〉〈相手のいうことをうっかり—・じて詐欺に引っかかる〉✎夏目漱石の『こころ』に「私は他《ひと》

を―・じないと心に誓いながら、絶対に御嬢さんを―・じていたのですから」とある。⇩確信・Q信ずる・信用・信頼

しんしん【心身】 心と体の意で、改まった会話や文章に用いられる漢語。〈―を鍛える〉〈―共に健康〉🖋中山義秀の『碑』に「―を鋼鉄のように鍛えあげた人間」とある。円地文子の『女坂』に「ものごとがすらすら流れないで滞る自分の身心がつかえた溝のように汚らしかった」とあるように、「身も心も」という順序どおり「身心」とも書いたが、この表記は今では古めかしい感じがする。⇩心神

しんしん【心神】 精神の意で、主として硬い文章に用いられる専門的な漢語。〈―耗弱《こうじゃく》〉〈―喪失〉⇩心身

しんじん【新人】 ある組織に新たに仲間入りした人や、ある分野に新しく現れた人などをさして、くだけた会話から硬い文章まで幅広く使われる日常の漢語。〈大型―〉〈注目の―〉〈―を抜擢《ばってき》する〉🖋「―の研修」「まだ―だったころ」のように単に新入りの意で使うこともあるが、「新顔」と比べ、期待や驚きの気持ちをこめて使う例も目立つ。⇩新入り・Q新顔・新参・ニューフェース・ルーキー

しんじん【信心】 神仏を信仰する意で、会話やさほど硬くない文章に使われるいくぶん古風な漢語。〈神《かみ》―〉〈―深い人〉〈―を欠かさない〉🖋「信仰」よりも日常会話的。素朴で、伝統的な神道や仏教の連想が強い。⇩信仰

じんしん【人身】 人間の身柄の意で、改まった会話や文章に用いられる、やや正式な感じの漢語。〈―事故〉〈―売買〉〈―保護〉〈―攻撃〉🖋個人の身分や境涯など、肉体以外を含めた感じが強い。⇩人体

しんじんるい【新人類】 今までの常識では考えられない新奇な人間をさし、ひところはやった、今では古い感じになりかけている俗語。〈―の誕生〉🖋それまでには考えられなかった感性や価値観をもった新しい人間の出現に、驚きをもって別の人種と誇張した表現。最近では「異星人」がそれに近い。

しんすい【浸水】 水が入り込む意で、会話にも文章にも使われる漢語。〈―家屋〉〈床下まで―する〉🖋「かぶる」というイメージは弱い。⇩Q冠水・水浸し

しんすい【心酔】 人物や芸術などに深く心惹《ひ》かれて尊敬したり夢中になったりする意で、改まった会話や文章に用いられる漢語。〈バロック音楽に―する〉〈西行に―して漂泊の旅に出る〉🖋惹きつけられるあまり自分もそれに近づこうとするケースも多い。⇩感服・傾倒・敬服・Q心服

しんずる【信ずる】 「信じる」意で、改まった会話や文章に用いられる古風な語形。〈―に足る証拠〉〈調査資料を―ならば〉🖋小林秀雄の『私の人生観』に「―から疑うことが出来るのである」とある。⇩確信・Q信じる・信用・信頼

しんせい【申請】 公的機関に許可・認可や交付などを求める意で、改まった会話や文章に用いられる公式な雰囲気の硬い漢語。〈―書〉〈特許を―中〉〈免許を―する〉〈補助金の―に必要な書類〉🖋「出願」に比べ、提出先を明らかな上位者と見る姿勢が弱い。⇩出願・Q請願・請求・要求・要請・要望

しんせい【真正】 真実で正しい意で、改まった文章に用いられる古風で硬い漢語。〈―の意味に於いて〉〈―の哲学者〉🖋夏目漱石の『吾輩は猫である』に「往住坐臥、行屎《こう》送尿

悉く―の日記であるから」とある。⇩真性

しんせい【真性】 疑う余地のないまさにその症状の意で、硬い文章に用いられる専門漢語。〈―コレラ〉✐「仮性」と対立する概念。生まれつき具わっている性質という意味でも用いられ、その場合は専門性はなく、硬くて古風な用語という印象を与える。⇩真正

しんせい【新生】 新しく生まれる、生まれ変わるの意で、改まった会話や文章に使われる漢語。〈―児〉〈―日本〉〈―を誓う〉⇩新星

しんせい【新星】 新発見の星やスターの意で、主として文章に用いられる漢語。〈―を発見する〉〈音楽界に―が現れる〉✐星をさす場合は専門語的、スターを意味する場合はやや古風。⇩新生

じんせい【人生】 この世に生まれ生きてゆく人の一生をさし、会話にも文章にも広く使われる基本的な漢語。〈―観〉〈充実した―〉〈第二の―〉〈―論〉〈―の門出〉〈―の岐路に立つ〉〈―の意義を問う〉〈恵まれた―を送る〉✐「まったく―何があるかわからない」「―山あり谷あり」と言い、「―相談」というものがあるように、「一生」や「生涯」以上に、その人間の生き方という具体像が背景にある。福原麟太郎の『交友について』に「私は、私に与えられた小さな盃で、私の―の酒を飲んでゆく」とある。「生」と違って人間に限り、「一生」や「生涯」に比べ、事実よりもそれについて思考するときによく使われる。⇩一生・生涯・Ｑ生

しんせき【親戚】「親類」の意で会話にも文章にもよく使われる漢語。〈―付き合い〉〈―筋に当たる〉✐横光利一の『紋章』に「他の見知らぬ―たち数人が円座に腰を降して勢揃いをした」とある。若干古風な「親類」以上によく使われる印象がある。⇩縁者・親族・Ｑ親類・身寄り

しんせつ【親切】 人情に厚く配慮の行き届く様子をさし、くだけた会話から硬い文章まで幅広く使われる日常生活の最も基本的な漢語。〈―心〉〈人に―にする〉〈―に教える〉〈―があだになる〉✐夏目漱石の『坊っちゃん』に「―は―、声は声だから、声が気に入らないって、―を無にしちゃ筋が違う」とある。「深切」とも書いたが、現代では古めかしい表記。⇩Ｑ懇切・親身・情け深い・優しい

しんせつ【新設】 施設・機関・組織などを新たに設ける意で、会話にも文章にも使われる漢語。〈―工事〉〈―の学部〉〈文学部に心理学科を―する〉✐「開設」や「設立」に比べ、今までなかったものが新たにできるという出現面に重点がある。⇩Ｑ開設・設立・創設・創立

しんせん【新鮮】 新しくて汚れたり品質が落ちたりしておらず生き生きした感じである意で、会話にも文章にも使われる日常の漢語。〈―な野菜〉〈―なうちに調理する〉〈山の―な空気〉✐「企画に―みが感じられない」「従来には見られなかった―な感覚が印象的だ」のように、新しくて好感を与える意の比喩的用法も多い。永井龍男の『風ふたたび』に「けずりたての鉛筆のように、どの顔も―であった」とある。⇩生鮮・みずみずしい

しんぜん【親善】 仲良く親しみ合う意で、会話にも文章にも使われる、やや正式な感じのある漢語。〈―試合〉〈―使節を送る〉〈―のため訪米する〉⇩懇親・Ｑ親睦・友好

しんそう【真相】 事件などの実際の事情の意でいくぶん改まった会話や文章に使われる漢語。〈—究明〉〈—に迫る〉〈—を探る〉〈—を暴く〉〈—が明らかになる〉〈事件の—を解明する〉✎小林秀雄の『作家の顔』に「ああ、実に人生の—、鏡に掛けて見るが如くであるか」とある。⇩事実・実際・実情・実態・真実

しんそう【深窓】 大きな家の奥深くにある部屋を意味し、改まった文章などに用いられる古めかしい漢語。〈—に育つ〉〈—の佳人〉✎谷崎潤一郎の『春琴抄』に「以前のような—の佳人式の箱入娘はいなくなってしまった」とある。そこで大事に育てられたために世間の汚れを知らないという含みを有する語で、主として身分の高い家に生まれた女性をさして用いられたため、「—のガキ大将」はもちろん、「—の令息」でもかすかな違和感を覚える。

しんそう【新装】 客など多数の人の出入りする建物について飾り付けを変えたり外観を新しくしたりする意で、会話にも文章にも使われる漢語。〈—開店〉〈校舎を—して新入生を迎える〉〈—成ったばかりの館内〉✎訪れる人に魅力的でよい印象を与える狙いがあり、一定の人の出入りする個人の住宅などにはふつう用いない。⇩Q改装・模様替え

しんぞう【心像】 感覚的刺激なしに過去の記憶が直観的に意識に現れる像を意味し、学術的な文章に用いられる硬い専門漢語。〈—を呼び起こす〉〈—が現れる〉⇩イメージ・印象・映像・感じ・Q心象・表象

じんぞう【人造】 人間が自然のものに似せて造り出す意で、会話にも文章にも使われる漢語。〈—人間〉〈—繊維〉〈—真珠〉〈—バター〉✎「人工」と違い、ほとんどが物をさす傾向がある。⇩人工

しんぞく【親族】「親類」の意で改まった会話や文章に用いられる漢語。〈—会議〉〈—を代表して挨拶する〉✎「親戚」や「親類」より正式な感じの表現。法律では六親等以内の血族および配偶者と三親等以内の姻族と規定されている。⇩縁者・親戚・Q親類・身寄り

じんそく【迅速】 事の進行や行動などがきわめて速やかな意で、改まった会話や文章に用いられる、いくぶん古風な漢語。〈無常—〉〈—に処理する〉〈—にやってのける〉✎夏目漱石の『坊っちゃん』に「頗る—な御手際」とある。「速やか」に比べ、行動そのもののスピードに重点があり、取り掛かるまでの時間の短さは常識として含まれる感じが強い。⇩機敏・速やか・早い・速い・敏捷《びんしょう》・Q敏速

しんそつ【真率】 正直で飾らない意として、主に文章中に用いられる硬い漢語。〈—なる人柄〉〈—なる態度〉✎井伏鱒二は中学時代に朽木三助という名を使って森鷗外に出した手紙を、鷗外に「筆跡は老人なるが如く、文章に—なる所がある」と評されたという。⇩生真面目・Q真剣・真摯《しんし》・真面目

しんたい【身体】 人間の体をさし、改まった会話や文章に用いられる硬い漢語。〈—検査〉〈—の機能〉〈—すこぶる強健〉✎野間宏の『暗い絵』に「痩せているが強靱な—」とある。⇩からだ・人体

しんたい【進退】 そのまま任務に就いているべきか、それとも職を辞すべきか、という身の処し方をさして、改まった会話や文章に用いられる漢語。〈—伺い〉〈出処—〉〈—を共

にする〉〈会長の—問題に発展する〉〈—を賭けて取り組む〉⇩去就

しんだい【身代】「財産」の意の古い言い方。〈祖父一代で—を築きあげた〉〈—を棒に振る〉〈—を持ち崩す〉✎有島武郎の『生れ出ずる悩み』に「—が朽木のようにがっくりと折れ倒れる」とある。「—を築く」という表現からすぐに連想されるのは紀伊国屋《きのくにや》文左衛門あたりで、そこまでさかのぼらないまでも、ぴったりするのは渋沢栄一あたりまでといった昔のにおいもするが、「身上《しんしょう》」に比べれば今でもまだ耳にする機会がいくらか多い。⇩財産・資産・身上

しんだい【寝台】寝るために使う台をさし、会話にも文章にも使った古めかしい漢語。〈—車〉〈療養所の—〉✎横光利一の『春は馬車に乗って』に「妻は檻のような—の格子の中から、微笑しながら」とあるが、今では「ベッド」という語が一般的になり、寝台特急の姿も珍しくなって、使用する機会がめったになくなった。⇩寝床・Qベッド

じんたい【人体】人間の体の意で、やや改まった会話や文章に用いられる客観的な漢語。〈—実験〉〈—に及ぼす影響〉✎井伏鱒二の『本日休診』に「—の骨組か何かを露出さしたような手術台」とある。精神面を別にし、生理的に見た感じが強い。⇩人身・身体

しんたいしょうがいしゃ【身体障害者】差別意識の感じられる「かたわ」「不具」という語を避けて、その代わりに用いるようになった漢語。〈—を受け入れる〉✎「身体」「障害」という構成要素が意味を明確に伝えて露骨な印象があるため、「身障者」と略して用いるほうがむしろ優勢になっている。「シンショー」と耳で聞いただけでは「心象」「心証」「辛勝」「身上」など同音語が多く、また、「身障」という略語では使わないこともあって、一瞬その音が意味と直結せず、きつい印象を免れるという面もある。⇩Q片端・身障者・不具

しんだん【診断】医者が診察や検査の結果から病気の有無や、病状などを判断する意で、会話にも文章にも使われる漢語。〈定期健康—〉〈—が出る〉〈専門医の—が下る〉〈—を誤る〉✎井伏鱒二の『本日休診』に「訴えがあったら、警察でも、—書をつくっておく必要があるんです」とある。木山捷平の『酔いざめ日記』には「中山博士—は一分間ほどで終る」とある。「診察」と違い、病名などを判断する部分に重点がある。⇩診察・診療

しんちく【新築】新しい家を建てる意で、会話にも文章にも使われる漢語。〈—の家に入居する〉〈郊外に土地を買って家を—する〉〈古い家を壊して欧風の瀟洒《しょうしゃ》な家を—する〉✎前からの土地に建てる場合、その場所にあった前の家との関係を意識すれば「建て替え」となり、「改築」ということもある。また、増築の場合でも、「この部屋から西は—だ」のように、新たに増えた部分を言う場合もある。⇩改築・新装・増築・Q建て替え

しんちゅう【進駐】軍隊が他国に進出してそこにとどまる意で、会話にも文章にも使われる漢語。〈—軍〉⇩駐屯・Q駐留

しんちゅう【心中】「胸中」に近い意味で、改まった会話や文章に用いられる、いくらか硬い感じの漢語。〈—お察しする〉〈—穏やかでない〉✎「—ひそかに期待する」のように

プラスの心情にも言えるが、つらさ・苦しさのようなマイナス感情に用いる例が多い。「内心」に比べ、外見と違うという含みは弱い。「しんじゅう」と読めば別語。⇩気持ち・Q胸中・内心・本心・本音・胸の内

しんちょう【身長】頭の上から足のかかとの下までの長さをさし、やや改まった会話や文章に用いる正式な感じの漢語。〈―を測定する〉〈―の高い人〉✎ちなみに、高見順の『故旧忘れ得べき』に「―より肩幅の方が大きいではないかとさえ思われるいかつい身体」という誇張表現が出てくる。⇩上背・背②・Q背丈・身の丈

しんちょう【慎重】失敗のないよう細心の注意を払う意で、会話にも文章にも使われる漢語。〈―を期する〉〈―な対応が求められる〉〈―な審査の結果〉〈―に事を運ぶ〉✎大岡昇平の『野火』に「地に伏して銃を構え、―に覘《ねら》って撃った」とある。⇩用心深い

しんちょく【進捗】物事がはかばかしく進む意で、改まった会話や文章に用いられる硬い漢語。〈交渉に思うような―が見られない〉〈―状況を上司に報告する〉✎個人的な細かい事柄には用いない。⇩Q進展・捗《はか》どる

しんつう【心痛】深刻な心配で精神的に大きな痛手を受けている意で、主として文章に用いられる漢語。〈―のあまり床に就く〉〈さぞや御―のことでございましょう〉✎「気苦労」はもちろん「心労」よりも具体的に重大な心配事を抱えている場合に使われる。⇩気苦労・Q心労

しんてい【進呈】自ら進んで差し上げる意で、会話にも文章にも使われる漢語。〈粗品を―する〉✎小沼丹の『懐中時計』に「何かの弾みで僕に時計を「―する」と云い出さぬとも限らない。それが心配だと云う」とある。「贈呈」同様、物品を手渡す場合などに使われ、比較的気楽な相手であることが多い。⇩寄贈・謹呈・献上・献呈・進上・Q贈呈

しんてん【進展】物事が進行し新たな展開が見られる意で、改まった会話や文章に用いられる漢語。〈工事が大幅に―する〉〈事態が急速に―する〉〈両者の関係にその後際立った―は見られない〉⇩進捗《しんちょく》・Q発展

しんと【信徒】信者の意で、改まった会話や文章に用いられる専門的な漢語。〈―の尊敬を集める〉〈多くの―を獲得する〉⇩教徒・Q信者

しんどい　東京でも時折くだけた会話に使われるようになった、「つらい」「疲れる」といった意味の関西方言。〈ああ、―〉〈―仕事やなあ〉✎「心労」か「辛労」のなまったものかとされる。⇩くたびれる・疲れる・つらい

しんどう【振動】揺れ動く意で、会話でも文章でも使われる、時にやや専門的な漢語。〈―数〉〈振り子の―〉〈車体の―〉〈大地が―する〉⇩震動・揺れる

しんどう【震動】主に地震による揺れを意味し、会話でも文章でも使われる漢語。〈地震の―〉〈―で棚から物が落ちる〉〈地面が激しく―する〉⇩振動・揺れる

しんにゅう【侵入】不法に入り込む意で、やや改まった会話や文章に使われる漢語。〈家宅―罪〉〈不法―〉〈窓から―する〉〈敵の―を防ぐ〉✎阿川弘之の『雲の墓標』に「(敵機が)夜半に北九州、西九州に―し」とある。⇩浸入

しんにゅう【浸入】水が入り込む意で、会話でも文章でも使

われる漢語。〈床下まで水が―する〉⇩侵入

しんねん【信念】正しいと信じきっている考えをさし、会話から文章まで幅広く使われる漢語。〈―の人〉〈―を抱く〉〈―を貫く〉〈―を曲げる〉✎「所信」ほど大仰な感じはなく、あくまで個人的な気持ちをさすことが多い。⇩所信

しんねん【新年】新しい年、特にその年の始めにあたる正月をさし、会話にも文章にも使われる漢語。〈―会〉〈謹賀―〉〈―を迎える〉〈―の挨拶〉✎「はつはる」や「新春」より一般的で、特に会話にはよくこの語を用いる。「旧年」と対立。⇩Q正月・新春・はつはる

しんぱい【心配】不安に思って悩む意で、会話にも文章にも広く使われる日常の基本的な漢語。〈―要らない〉〈―でじっとしていられない〉〈子供の将来が―だ〉〈親に―をかける〉〈どうぞ御―なく〉✎山本有三の『波』に「ああいう間違いがあっただけに、―で―でたまりませんわ」とある。「不安」よりも具体的な悩みに多く用いる傾向が強い。「就職の―をする」のように配慮の意でも使われる。⇩恐れ・Q気掛かり・危惧・懸念・不安

しんぱん【審判】物事の正邪善悪を判定する意で、改まった会話や文章に用いられる専門的な漢語。〈最後の―〉〈―の公開〉〈―が下る〉✎法律に基づく裁判に限らず、権威ある者の判断をも含む。「―の判定を不服として抗議する」のようにスポーツの世界でも用い、その場合は一般語。⇩裁判・裁く

しんぴ【神秘】世間の常識を超え、人間の力では理解不能な様子をさし、会話にも文章にも使われる漢語。〈生命の―〉〈―的な現象〉〈―のベールに包まれる〉✎林房雄の『青年』に「彼ら(姫島の住民たち)は、たちまち仏像のように―に、仏像のように頑固に、口をつぐんでしまう」とある。⇩Q怪奇・謎・ミステリー

じんぴん【人品】人間としての品格の意で、改まった会話や文章に用いられる古風な漢語。〈―骨柄《こつがら》〉〈―卑しからぬ人物〉〈―が劣る〉✎風采を含めて外見から推測される品位をさす感じがある。⇩気質・気象・気性・気立て・性分・Q人格・人物・性格・性向・性質・たち・人柄・人となり

しんぷ【神父】カトリックで、司祭の敬称として、会話にも文章にも使われる日常の漢語。〈―の司式で結婚式を挙げる〉✎任務はプロテスタントの牧師に相当する。⇩司教・Q司祭・牧師

じんぷう【陣風】ひとしきり強く吹く一陣の風をさし、主として文章に用いられる古風な漢語。〈―が起こる〉⇩嵐・おおかぜ・強風・颶風《ぐふう》・時化《しけ》・疾風・大風・台風・Q突風・はやて・暴風・暴風雨・烈風

しんぷく【心服】その人間を尊敬し心から従う意で、改まった会話や文章に用いられる、いくぶん古風な漢語。〈恩師に―する〉✎「敬服」に比べ、特に具体的な評価を前提としないぶん主観的な印象がある。⇩感服・傾倒・Q敬服・心酔

じんぶつ【人物】人間や人柄の意で、やや改まった会話や文章に用いられる漢語。〈危険―〉〈登場―〉〈架空の―〉〈―ができている〉〈―は保証する〉✎三島由紀夫の『鹿鳴館』に「あの男は立派な高潔な―かね」とある。「―ぞろい」「なかなかの―だ」のように、それだけで優れている面だけ

を問題にする用法もある。⇩気質・気象・気性・気立て・性分・人格・人品・性格・性向・性質・たち・Ｑ人柄・人となり

しんぶん【新聞】社会的な出来事などを速やかに報道する刊行物をさし、くだけた会話から硬い文章まで幅広く使われる日常の漢語。〈―社〉〈―記者〉〈―報道〉〈―に載る〉✎夏目漱石の『坊っちゃん』に「―なんて無暗な嘘を吐くもんだ」とある。⇩プレス

じんぷん【人糞】人間の大便の意で、主に文章中に用いられる漢語。〈奥地に―が見つかる〉✎井上ひさしの長編『吉里吉里人』に、「黄褐色の可塑性固体」に遭遇して「くそ。絵具なんか絞り出して行ったのかと思ったら、何のことはない―ではないか」と憤慨する場面がある。あえて「人糞」という高級な漢語を用いたのは、その前の「くそ」という感動詞の潜在的な意味を活性化するためである。⇩うんこ・うんち・くそ・大便・Ｑふん・糞便・便

しんぶんきしゃ【新聞記者】新聞記事のために取材・執筆・編集を行う社員をさし、会話にも文章にも使われる漢語。〈―が押し掛ける〉〈―に情報がもれる〉⇩ぶんや

しんぺん【身辺】自分自身に近い場所や関係の深い事柄をさし、いくぶん改まった会話や文章に用いられる漢語。〈―警護〉〈―を整理する〉〈―雑記〉〈―に取材した小説〉〈―を描いた自伝的小説〉〈―があわただしい〉〈―に危険が及ぶ〉⇩手近・手元・身近・Ｑ身の周り

しんぽ【進歩】物事が望ましい方向に進む意で、くだけた会話から硬い文章まで幅広く使われる日常の基本的な漢語。〈―の跡が見られる〉〈格段の―を見せる〉〈技術の―はめざましいものがある〉✎「―的な考え」のように、社会を変革する方向の立場をさす用法もある。福原麟太郎の『中流の生活』に「―的文化人は敬遠する(略)目の前にある生活に叡智と秩序があることが第一」とある。「退歩」と対立。⇩向上・上達・Ｑ発達・発展

しんぼう【信望】人に信頼され尊敬される意で、主として硬い文章に用いられる漢語。〈―を得る〉〈皆の―を集める〉✎程度は「人望」より重く「徳望」より軽い感じがする。⇩Ｑ人望・徳望

しんぼう【辛抱】つらいことをひたすら耐え忍ぶ意で、会話にも文章にも使われる、やや古風な漢語。〈―強く待つ〉〈もう少しの―だ〉〈よく―した〉✎瀧井孝作の『積雪』に「八十二歳の老父は茲《ここ》のものすごい固雪に向って、―していたのだ」とある。⇩Ｑ我慢・忍耐

じんぼう【人望】多くの人々の信用や尊敬をあつめる意で、会話でも文章でも広く使われる漢語。〈―がある〉〈なかなか―が厚い〉✎「人気」と違って人間に限り、流行に左右されない点でも異なる。類義の「信望」や「徳望」に比べれば軽い感じで、それらよりもよく使われる。夏目漱石の『坊っちゃん』に「一番―のある教師」とある。⇩Ｑ信望・声望・徳望・人気

しんぼく【親睦】親しく睦まじい関係をさし、やや改まった会話や文章に用いられる漢語。〈―会〉〈社内の―を図る〉⇩Ｑ懇親・親善・友好

シンボル「象徴」の意で会話にも文章にも使われる外来語。〈鳩は平和の―だ〉〈町の―ともいえる建物〉✎小林秀雄の

『様々なる意匠』に「美学者等の使用する象徴という言葉程曖昧朦朧とした言葉も少ない」とあり、「象徴」に「シンボル」でなくフランス語の「サンボル」と仮名を振っている。「—マーク」のように、一定の意味を伝える記号をさす用法もある。「新時代の到来を象徴する事件」のように、代表的・典型的を意味する用法にはなじまない。⇩Q象徴・典型・表徴

しんまい【新米】 ①その年にとれた新しい米の意で、会話にも文章にも使われる漢語。〈—が出始める時期〉✎「古米」と対立する語。②始めたばかりで慣れていない人の意で、会話や軽い文章に使う漢語。〈—のセールスマン〉〈まだ—で要領がよくわからない〉✎「駆け出し」以上に不慣れな点を強調した感じがあり、自分のことを謙遜して言う例も少なくない。語形は、まだ一人前ではない「新前《しんまえ》」の転という。⇩駆け出し

しんみ【親身】 肉親に対するような気持ちのこもった心遣いをする様子をさし、会話にも文章にも使われる漢語。〈—になって世話をする〉〈—に指導する〉⇩親切

しんみつ【親密】 非常に親しい関係をさして、やや改まった会話や文章に用いられる漢語。〈—な間柄〉〈家族ぐるみの—な付き合い〉✎「親しい」「近《ちか》しい」と違い、相手そのものより相手との関係に重点がある。⇩Q親しい・近しい

しんみり 心が沈んでしゅんとなる意で、会話や軽い文章に使われる和語。〈つらい思い出を—と語り合う〉〈聴いているうちに一同—とした気分になる〉✎永井龍男の『酒徒交伝』に「—話し明した末のことで、足元の多少フラつく位は、青鬼や赤鬼も大目にみてくれるであろう」とある。⇩Qしみじみ・つくづく

じんみん【人民】 社会の構成員である一般の人をさし、主として硬い文章に用いられる漢語。〈—服〉〈—軍〉〈—主権〉✎支配者に対する一般の人々をさす雰囲気が強く、上から下を見た感じが強い。ちなみに、「—の—による—のための政治」というリンカーンの有名なモットーが、もし「—の国民による民衆のための政治」とでも訳されていたら、これほどの説得力を勝ち得たかどうかは疑問だ。反復効果が一語の語感をはるかに超えて人気を集める結果となったように思われる。⇩Q国民・市民・民《たみ》

しんめり 底冷えのする湿った感じをさす創作的な擬態語。✎円地文子の『妖』に「梅雨時の—冷やかな午後であった」という一文が出てくる。動詞の「湿る」を連想させ、次の冷たい感じと融合して、梅雨の季節特有の湿っぽい複合的な不快感を巧みに表現している。⇩湿る

じんもん【尋(訊)問】 詳しく問いただす意で、専門的な会話や文章に用いられる正式な感じの硬い漢語。〈不審—〉〈誘導—〉〈—を受ける〉✎法律関係の専門語としては、裁判官や警察官が被告人や証人などに陳述を求めることをさす。一般語としても「質疑」以上に厳しく問い詰める雰囲気が感じられる。⇩質疑・Q質問

しんや【深夜】 夜更けから夜中までの広い範囲を漠然とさし、やや改まった会話や文章に用いられる漢語。〈—零時〉〈—放送〉〈—料金〉〈—まで働く〉〈—に救急車の音が響く〉✎規則正しい生活をしている一般の人が活動を停止している

時間帯を連想させやすい。太宰治の『走れメロス』に「—、王城に召された」とある。⇩深更・Q真夜中・夜間・夜半・夜分・夜《よ》・夜中・夜更け・夜・よわ

しんよう【信用】確かだと思って疑わない意で、くだけた会話から硬い文章まで幅広く使われる日常の漢語。〈相手を—する〉〈—を得る〉〈—を失う〉〈—を落とす〉〈—を取り戻す〉✎「信頼」に比べ、正しくて当てになるという精神面に中心がある。⇩確信・信じる・信ずる・信頼

じんよう【陣容】人員の配置をさし、やや改まった会話や文章に用いられる漢語。〈この—で臨む〉〈—を立て直す〉〈—を一新する〉〈—を整える〉✎「スタッフ」と違い、個々の人間でなく全体の顔ぶれを意味する。⇩スタッフ

しんらい【信頼】信じてそれに頼る意で、会話にも文章にも使われる漢語。〈—を置く〉〈—を裏切る〉〈—に応える〉〈—できる筋からの情報〉✎「信用」に比べ、能力などを含め頼りになる点に中心がある。⇩確信・信じる・信ずる・信用

しんらつ【辛辣】表現や態度などがきわめて厳しい意で、やや改まった会話や文章に用いられる硬い漢語。〈—な言い方〉〈—な皮肉〉〈—に酷評する〉✎中山義秀の『醜の花』に「言葉もその調子も(略)神経へ錐をもみこむように—になってきた」とある。味がぴりりと辛い意から。「痛烈」や「手厳しい」に比べ、斜めから見た皮肉がこめられている感じが強い。⇩痛烈・Q手厳しい

しんり【真理】絶対に正しい不変の道理をさし、改まった会話や文章に用いられる硬い漢語。〈一片の—〉〈それもまた一面の—だ〉〈—を追究する〉〈あくまで—は一つ〉✎夏目漱石は『吾輩は猫である』で、「往来を通る婦人の七割弱には恋着するという事が諷刺的に書いてあったのを見て、これは—だと感心した位な男である」と書き、あえて厳粛なこの語をこういう文脈で用いることでユーモラスな感じを増幅している。⇩真実・本当

しんり【心理】外界の刺激によって刻々に変化する精神状態をさし、やや改まった会話や文章に用いられる専門的な漢語。〈群集—〉〈—描写〉〈微妙な—〉〈相手の—を読む〉〈犯罪者の—〉✎石坂洋次郎の『山のかなたに』に「(男対女の場合の)男の—は、高等数学みたいに複雑で、算術的でなくなる」とある。「心」や「精神」に比べ、持続するものというより動きとしてとらえる感じが強い。⇩感情・気分・気持ち・機嫌・心地・心・心持ち・Q心情・精神

しんりゃく【侵略】武力行為により相手国の中に侵攻し、領土や財物を略奪する意で、「進攻」や「侵攻」に比べ、会話から文章まで幅広く使われる漢語。〈—戦争〉〈明らかな—行為として厳重に抗議する〉✎「進攻」はもちろん「侵攻」よりもその不当性を強く非難する感じが強い。⇩進攻・Q侵攻

しんりょう【診療】診察及び治療の意で、改まった会話や文章に使われる、いくぶん専門的な漢語。〈—所〉〈—時間〉⇩Q加療・診察・診断・施療・治療・手当て・療治

しんりょうじょ【診療所】病院より小規模な医療施設をさし、会話にも文章にも使われる漢語。〈—に運び込む〉〈—を開設する〉✎患者を収容する施設を持たない場合も含まれるが、個人医院より大きな印象がある。⇩医院・クリニック・Q病

院

しんりょく【新緑】初夏の若々しい木の葉の新鮮な感じの緑の意で、主として文章に用いられる、さわやかな感じのプラスイメージの漢語。〈―の季節〉〈―が目にしみる〉〈―が美しく映える〉✎間接的に若葉そのものをさすこともあるが、中心はあくまでその色彩にある。網野菊の『遠山の雪』に「―のみずみずしい美しさを見ると、彼女の心は生きている喜びでふるえた」とある。⇩青葉・Ｑ若葉

じんりょく【尽力】目的をもって事の成就に力を尽くす意で、改まった会話や文章に用いられるいくぶん古風な漢語。〈町の発展に―する〉〈格別の御―をたまわり心より感謝の意を表する〉✎結果に重点のある「寄与」や「貢献」と違い、この語はそのための努力に重点を置く言及。程度にも幅がある。⇩寄与・Ｑ貢献・奉仕

しんりん【森林】一面に高木が生い茂る森や林の総称としての漢語。「森」や「林」がまったくの日常語であるのに対して、やや文章語寄りの正式な感じの表現。〈―鉄道〉〈―浴〉〈―を伐採する〉✎北杜夫の『谿間にて』に「―全体が吠えるような悲鳴をあげ、降りそそぐ水しぶきにけむってしまった」とある。イメージとして「森」や「林」より大規模で、高木の生い茂った雰囲気が強い。⇩樹海・林・Ｑ森

しんるい【親類】血縁及び婚姻関係によって近いつながりのある人々の総称として、会話にも文章にもよく使われる日常の漢語。〈―一同〉〈遠い―に当たる〉✎ふつう家族以外に使う。改まった感じの「親族」より一般によく使われ、「親戚」よりほんのわずか古風な感じがある。⇩縁者・Ｑ親戚・親族・身寄り

しんろう【心労】気を遣いすぎての精神的疲労の意で、改まった会話や文章に用いられる漢語。〈―が重なって倒れる〉〈御―如何《かい》ばかりかとお察し申し上げます〉✎日常的な「気苦労」に比べ、何かがあっての特別の心配を連想させる。⇩気苦労・Ｑ心痛

す

ず【図〔圖〕】物の形状やものごとの関係などを点や線で表したものの意で、会話にも文章にも使われる漢語。〈―を参照〉〈―に示す〉〈―を使ってわかりやすく説明する〉⇩絵・画・絵画・Ｑ図画

すあし【素足】何もはいていない足の意で、会話にも文章にも使われる和語。〈―になる〉〈冬でも―で過ごす〉〈―に下駄を突っかける〉川端康成の『雪国』に「足袋はなく、赤らんだ―の裏に皹《あかぎれ》が見えた」とある。⇩はだし

ずあん【図案】形や色を巧みに配し美的に構成したデザインとしての図をさし、会話にも文章にも使われる漢語。〈―家〉〈桜の花を―化する〉〈ぱっと目を引く―〉⇩絵柄・Ｑ図柄

すい【酸い】「すっぱい」意で会話にも文章にも使われた古めかしい和語。〈―木の実〉現在では多く「―も甘いも嚙《か》み分ける」の形で、世事や人情に通じている意の慣用的な比喩表現として使い、芥川龍之介の『老年』にも「幾年となく此世にすみふるして、―もあまいも、かみ分けた心の底にも」とある。⇩すっぱい

すい【粋】人情の機微、特に遊里の事情に通じていて、垢《あか》抜けて物分かりのいい意で、主に関西で使われるやや古風な語。〈―なお方〉〈―を利かす〉江戸の「いき」に対応する上方の美意識で、「不粋」の対極をなす。⇩Ｑいき・小粋・小じゃれた・洒落た

すいい【推移】時間や事態が自然に移り変わる意で、やや改まった会話や文章に用いられる漢語。〈事件の―〉〈―を静かに見守る〉宮本百合子の『伸子』に「感情が―することを期待している」とある。「変遷」より時間的に短い感じがある。⇩Ｑ移り変わり・変遷

すいい【水位】海・川・湖・沼・貯水池などの一定の基準面から測った現在の水面の高さをさし、会話にも文章にも使われるやや専門的な漢語。〈―計〉〈―が高い〉〈大雨で―が上がる〉⇩水深

ずいい【随意】当人の希望や意志に従って自由にの意で、改まった会話や文章に用いられる、やや硬い漢語。〈―科目〉〈―契約〉〈入院―〉〈どうぞ御―に〉⇩恣意《しい》・Ｑ任意

スイーツ 近年、洋風の甘い菓子類をさして使われだした斬新な感じの外来語。〈デパートの―コーナー〉もっぱらケーキやクッキーやチョコレートなどの洋風の菓子に用い、果物や和菓子には使いにくい語感がある。甘酒や焼き芋や甘納豆などに使うと違和感が大きい。日常会話で使うとやや気取った感じに響く。⇩甘い物

すいえい【水泳】人間がスポーツとして泳ぐ意で、会話にも文章にも使われる日常の漢語。〈寒中―〉〈―大会〉〈―が得意だ〉〈―の選手〉プールでクロールや平泳ぎ・背泳ぎ・バタフライなどで本格的に泳ぐ雰囲気が強いため、犬掻きで泳いだりする場合にはなじまず、川で子供が手足をばたばたさせて戯れているような光景にはイメージが合わない。したがって、犬や蛙や魚は「泳ぐ」けれども「水泳」はしな

い。⇩Q泳ぐ・競泳・水浴び

すいがい【水害】 豪雨や多量の雪解け水などによる災害の総称として、会話にも文章にも使われる日常の漢語。〈―地〉〈―を受ける〉✎洪水のほか浸水・地滑り・崖崩れなどが原因で起こる被害も含む。⇩大水・洪水・出水・Q氾濫《はんらん》

すいかく【酔客】 酒に酔った人の意で、主に文章に用いられる漢語。〈ベンチに横たわる―〉〈―の相手をさせられる〉✎太宰治の『人間失格』に「たくさんの―または女給、ボーイたちにもまれ」とある。「すいきゃく」ともいう。⇩酒酔い・泥酔者・Q酔っ払い

ずいかん【随感】 日々の感想などを書き記した随筆の意で、文学愛好者の間などで主に文章に使われる専門的な漢語。〈文芸―〉✎「随筆」と違って講演の題にも用い、尾崎一雄は随想集『ペンの散歩』に中村明との対談を「わが文学―」と題して収録している。⇩エッセイ・Q随想・随筆

ずいき【随喜】 心からありがたく思って喜ぶ意で、文章に用いられる古めかしく硬い漢語。〈―の涙〉✎もと仏教語で、喜んで仏門に帰依する意。芥川龍之介の『地獄変』に「身のうちも震えるばかり、異様な―の心に充ち満ちて」とある。⇩歓喜・喜悦・欣喜雀躍《きんきじゃくやく》・Q法悦・愉悦・喜び

すいきゃく【酔客】 →すいかく

すいきょ【推挙】 ある人をある職や地位に就くように推す意で、改まった会話や文章に用いられる硬い漢語。〈横綱に―する〉〈理事長に―する〉✎人間専用。⇩推奨・Q推薦・推輓《すいばん》・薦める

すいきょう【酔(粋)狂】 風変わりなことを好む意で、やや改まった会話や文章に用いられる少し古風な漢語。〈よほど―な人と見える〉〈―なまねをする〉〈―にも程がある〉✎小沼丹の『地蔵さん』に、タクシーの窓から、地蔵とにらめっこをしている爺さんの姿を見かけて気になる場面があり、「わざわざ車を停める程―ではない」と結ばれる。⇩物好き

すいげん【水源】 河川や地下水などの水が流れ出るもとをさし、やや改まった会話や文章に用いられる漢語。〈―地〉〈―を求めて川をさかのぼる〉✎水道用水について言うこともある。⇩源泉・Q源

すいこう【推敲】 文章を仕上げる際に表現を練る意で、改まった会話や文章に用いる漢語。〈文章を―する〉〈原稿に―の跡が見られる〉〈―に―を重ねる〉✎唐の詩人賈島《かとう》が作詩の途中で、僧が月下の門を「推《お》す」にすべきか「敲《たた》く」にすべきか迷って決し兼ね、韓愈に相談して「敲く」とした、という故事に基づく表現。「推考」という別語で代用したりすれば、仮に意味が正しく伝わったとしても故事の連想は起こらない。知識のある人がこの語に刺激されてその故事を連想するのも、意味とは無関係な語感の一つ。

すいこう【遂行】 仕事やなすべきことを計画どおりやり通すことをさし、改まった会話や文章に用いられる硬い漢語。〈職務を―する〉〈かねてよりの計画を―する〉✎島尾敏雄の『出発は遂に訪れず』に「心の奥では、その―の日が、割けた海の壁のように目の前に黒々と立ちふさがり」とある。⇩Q実行・実施・履行

すいこむ【吸い込む】 口や鼻から吸って体内に取り入れる意で、会話にも文章にも使われる日常の和語。〈新鮮な空気を

―〉〈花の香りを―〉✐「煙を―・んでむせる」のように意図的でない場合もあり、「この生地はよく汗を―」のように動物以外にも使う。また、「大勢の観客が会場の入口から―・まれる」のような比喩的用法もある。⇩吸収・Q吸入・吸う

すいさつ【推察】物事の事情や人間の心理などを想像してみる意で、やや改まった会話や文章に用いられる漢語。〈―するに〉〈御―のとおり〉〈御―にまかせる〉✐夏目漱石の『坊っちゃん』に「あれ程―の出来る謎をかけて置きながら、今更その謎を解いちゃ迷惑だとは教頭とも思えぬ無責任だ」とある。「推測」「推量」が予想を展開する感じがあるのに対し、この語は先方の気持ちなどを理解することに重点があり、「さぞやお喜びのことと―申し上げます」のような例にもなじむ。⇩臆測・察知・Q推測・推断・推定・推理・推量・推論・忖度《そんたく》・洞察・類推

すいさんぎょう【水産業】漁業のほか水産物の加工や製造を含む職業をさし、会話にも文章にも使われる正式な感じの漢語。〈―に従事する〉✐かまぼこや鰺《あじ》の干物や鮭の缶詰を造るのは「水産業」で「漁業」には入らない。⇩漁業

すいし【水死】水に溺れて死ぬ意で、会話にも文章にも使われる漢語。〈―者〉〈―を遂げる〉✐「溺れ死に」「溺死」より抽象的な表現で、水上での事故や心臓の発作によるものなど、水上における死を総合した雰囲気がある。⇩溺れ死に・Q溺死

すいじ【炊事】御飯を炊いたり惣菜《そうざい》を作ったりする食事の支度をさし、会話にも文章にも使われる、いくぶん古風な感じになりかけている漢語。〈共同の―場〉〈―洗濯〉〈―当番〉✐三度の食事、それも米の飯を中心とする和食の連想が強く、ケーキ作りはもちろん、トースターでパンを焼いたりビーフストロガノフを煮込んだりするのもイメージとして若干違和感がある。⇩調理・Q煮炊き・料理

ずいじ【随時】適当な時期や必要に応じてすぐに対応する意で、改まった会話や文章に用いられるやや硬い感じの漢語。〈入学―〉〈―対処する〉〈―説明を求める〉✐いつでも求めに応じられると便利さを強調して宣伝に使われたり、積極性を訴える弁明に用いられたりする例が目立つ。⇩Q不定期・臨時

すいじば【炊事場】「台所」の意で会話にもそれほど硬くない文章などにも用いられる、いくぶん古風な感じの日常語。〈―が込み合う〉✐現在は個人の家庭ではこの語をあまり使わないが、使う場合には一室というよりその機能に注目している感じが伴う。「調理場」に比べ、煮炊きに重点のある感じの呼称。臨時に設けた施設やバーベキューなどのための野外施設も含まれる雰囲気があり、適用範囲が広い。⇩勝手②・キッチン・庫裏《くり》・くりや・台所・厨房《ちゅうぼう》・Q調理場

すいじゃく【衰弱】体力や物の機能や勢いが衰える意で、やや改まった会話や文章に用いられる漢語。〈―死〉〈神経―〉〈体が―する〉✐執筆のために滞在していた帝国ホテルを訪ねた折、吉行淳之介は作品の結びについて「短編で一番いけないのは、ストンと落ちることね。あれはやっぱり(作者の)―でしょうね」と語った。⇩衰える・減退・Q衰退・衰微

すいじゅん【水準】機能や価値を評価する標準をさし、会話にも文章にも使われる漢語。〈生活―〉〈―に達する〉〈―

が高い〉〈一定の—をクリアーする〉⇩レベル

すいしょう【推奨】ある物や事柄をぜひにと他人に奨励する意で、改まった会話や文章に用いられる、やや硬い漢語。〈—品〉〈—株〉〈広く—したい健康法〉🖊まれに人間に用いる場合は、その人自身というより、その人の持っている能力や技術や適性などを頭に置いた表現に感じられる。⇩推挙・推賞・Q推薦・推輓《すいばん》・勧める

すいしょう【推賞(称)】ほめる意で、改まった会話や文章に用いられる漢語。〈—に値する〉〈新聞紙上で—される〉⇩推奨

すいじょうき【水蒸気】水が蒸発して生じた気体をさし、会話にも文章にも使われる日常の漢語。〈—となる〉〈—が上がる〉〈—が冷えて水滴ができる〉🖊水に限られる。永井荷風の『ふらんす物語』に「高台の人家までが、明い夏の夜の空の下に、薄い銀色の—を着て夢のように立っている」とある。⇩蒸気・湯気・湯煙

すいじょうきょうぎ【水上競技】プールなどの水上で行われる競技の総称として、改まった会話や文章に用いられる専門的な感じの漢語。〈—の総得点でリードする〉🖊水泳のほか飛び込みやシンクロナイズドスイミングや水球などが加わる。「陸上競技」と対立。⇩Q競泳・水泳

すいしん【水深】海・川・湖などの水面から底までの深さをさし、学術的な会話や文章に用いられる専門性の高い漢語。〈—八メートルの湖〉〈—を計測する〉⇩水位

すいせい【彗星】太陽に近づくとガス状の明るい尾を引く太陽系内の小天体をさし、やや改まった会話や文章に用いられる、いくらか専門的な漢語。〈ハレー—〉⇩流れ星・Qほうき星・流星

すいせん【推薦】自分が適当だと判断した人や物や事柄を他人に薦める意で、会話にも文章にも使われる漢語。〈—状〉〈—入学〉〈—のことば〉〈参考書として—する〉🖊「委員長として—する」のように、ある人をある地位に選出するという意味合いが強い場合は「推選」と書くこともある。⇩推挙・Q推奨・推輓《すいばん》・薦める

ずいそう【随想】思索を中心とする内容の随筆をさし、やや専門的な会話や文章に用いられる、いくぶん高級な感じの漢語。〈—集〉〈—録〉〈—を寄せる〉🖊見聞した事柄を書き記した訪問記・旅行記の類はふつう含めない。⇩エッセイ・随感・Q随筆

すいそく【推測】既知の情報を手がかりに人間や物事の実状や未来の変化などを推し量る意で、会話にも文章にも使われる日常の漢語。〈—がつく〉〈—に過ぎない〉〈—の域を出ない〉🖊単なる当て推量でなく何らかの情報をもとにある程度論理的に筋道をたどる感じがある。⇩臆測・Q推察・推断・推定・推理・推量・推論・忖度《そんたく》・類推

すいたい【衰退(頽)】衰えて勢いが弱くなる意で、改まった会話や文章に用いられる漢語。〈国力の—を来す〉〈—の一途をたどる〉〈伝統文化の—を招く〉🖊多く、精神や文化のような抽象的な存在に用いる。⇩衰える・減退・後退・衰弱・Q衰微

すいだん【推断】推測にもとづいて断定する意で、主として文章に用いる硬い漢語。〈—をくだす〉〈思い切って—す

る〉⇩臆測・推察・推測・推定・推理・推量・Q推論・忖度《そんたく》・類推

すいちょく【垂直】線と線や面、面と面とが直角に交わる関係をさし、やや学術的な会話や文章に用いられる専門的な漢語。〈―な線分〉〈―に交わる〉🖊日常語としては「鉛直」の関係を意味する用法が多く、その場合は専門的な響きが消える。⇩Q鉛直・縦

すいてい【推定】ある材料をもとに推測のうえ決定する意で、改まった会話や文章に用いられるやや硬い漢語。〈―年齢〉〈年俸は―一億円に達する〉〈地震による被害は広範囲に及ぶと―される〉🖊「―相続人」のような法律関係の専門用語としては、反証が成立するまでの間、正当なものと認めることをさす。⇩臆測・推察・推測・Q推断・推理・推量・推論・忖度《そんたく》・類推

すいてき【水滴】一滴ずつの水をさし、会話にも文章にも使われる、いくぶん専門的な漢語。〈窓ガラスに―がつく〉〈―が落ちる〉🖊こぼれ落ちるイメージの「しずく」に比べ、ガラスなどに付着する場合を含む。山田詠美の『風葬の教室』に「濡れた下着からは―がしたたりおちて私の膝を湿らせます」とある。⇩Qしずく・したたり・点滴

すいばん【推輓(挽)】「推挙」の意で主に文章に用いられる古風で硬い漢語。〈恩師の―で採用される〉🖊「推」は後ろから押す意、「輓」「挽」は前から引く意。⇩Q推挙・推奨・推薦

ずいはん【随伴】一つの物事に伴って他の事柄が起こる意で、改まった会話や文章に用いられる硬い漢語。〈―現象〉〈本件に―する諸問題〉⇩Q付随・付帯

すいはんき【炊飯器】電気やガスの力で飯を炊く器具をさし、やや改まった会話や文章で用いられる漢語。〈ガス―〉〈―に予約機能がついている〉⇩炊飯ジャー・Q電気釜

すいはんジャー【炊飯ジャー】炊飯と保温を兼ねる電気器具をさし、やや古い感じになりかけていることば。🖊「ジャー」は保温器の意で、米を炊いたあと、その飯が冷めないように保つ機能がついていることを強調した、当時は新しい感じのことばだったが、ほとんどの炊飯器にそういう保温機能がつくようになった現在では、逆に古い感じになりかけている。⇩Q炊飯器・電気釜

すいび【衰微】以前は盛んだった国や町、あるいは芸術などの勢いが衰える意で、改まった会話や文章に用いられる硬い漢語。〈国勢が―する〉〈―の兆候が現れる〉🖊芥川龍之介の『羅生門』に「京都の町は一通りならず―していた」とある。人や物でなく国力や文化などの抽象的な存在に使うことが多い。⇩衰える・減退・衰弱・Q衰退

ずいひつ【随筆】見聞した事柄や自分の経験や感想などを気の向くままに自由に書き記した散文をさし、会話にも文章にも広く使われる漢語。〈―家〉〈科学―〉〈文芸雑誌に―を載せる〉⇩エッセイ・随感・Q随想

すいふ【水夫】船員、特に雑役に従事する下級船員をさして、会話にも文章にも使われる古風な漢語。〈―長〉〈―として雇われる〉⇩海員・クルー・セーラー・船員・乗組員・Q船乗り・マドロス

すいぶん【水分】含有する水の量をさし、会話にも文章にも使われる漢語。〈―を摂取する〉〈―を補給する〉〈―の多い果物〉🖊富岡多恵子の『富士山の見える家』に「部屋は、

ストーブをたくようになって壁から汗のように―がにじみ」とある。「水気」より正式な感じがある。⇩水気

すいへい【水平】鉛直方向に対して直角である意で、会話にも文章にも使われる漢語。〈―線〉〈―に置く〉〈―を保つ〉✎「―面」など、静止した水面のように平らである意にも使う。「鉛直」と対立。⇩Q平行・横

すいほう【水泡】水の泡の意で、硬い文章に用いることのある漢語。〈―が生ずる〉✎夏目漱石の『明暗』に「その苦心は水の泡を製造する努力とほぼ似たものであった」とあるように、この語は多く、文章中などに「―に帰する」の形で、せっかくの努力が無駄になる意に使う。⇩Q泡・うたかた・泡沫《ほうまつ》・みなわ

すいぼくが【水墨画】彩色せず墨の色の濃淡だけで描く絵をさし、やや改まった会話や文章に用いられる、やや専門的な漢語。〈―の世界〉⇩墨絵

すいみん【睡眠】眠ることの意で、やや改まった会話や文章に用いられる漢語。〈―薬〉〈―不足〉〈―時間〉〈―を取る〉✎梶井基次郎の『のんきな患者』に「―は時雨空の薄日のように、その上を時どきやって来ては消えてゆく」とある。健康との関係で問題にすることの多い客観的な表現。⇩Q眠り・ねんね

すいみんざい【睡眠剤】「睡眠薬」の意で、会話にも文章にも使われる漢語。〈―が少々利き過ぎて長く眠る〉✎網野菊の『遠山の雪』に「その苦しみを忘れるために―を飲んだ。さめてもよし、さめなくてもよし、というあいまいな気持だった」とある。⇩催眠剤・Q睡眠薬・眠り薬

すいみんやく【睡眠薬】人が眠れるように誘導する効果のある薬品をさし、会話にも文章にも使われる漢語。〈不眠症がひどくて―を常用する〉✎類語の中で現在最も一般的に使う。入眠効果だけを問題にしている感じの「睡眠剤」に比べ、睡眠をとることで健康を回復するという連想が働きやすいが、一方で「多量の―を飲んで自殺する」といった連想もあり、最近は「入眠剤」という穏やかな名称に切り替える傾向が見られる。⇩催眠剤・睡眠剤・Q眠り薬

すいもの【吸い物】すすって吸う日本料理をさす古風な和語。「お吸い物」の形で使うことが多い。〈刺身にも―にも合う〉✎夏目漱石の『草枕』に「―でも、口取でも、刺身でも物奇麗に出来る」とある。⇩Qお吸い物・おつけ・おみおつけ・汁物

すいり【推理】証拠などの確かな資料を駆使しながら理詰めで推測する意で、会話にも文章にも使われる漢語。〈―小説〉〈事件を―する〉〈―を働かせる〉〈明晰《めいせき》な―で犯人を追い詰める〉⇩臆測・Q推察・推測・推断・推定・推量・推論・忖度《そんたく》・類推

すいりょう【推量】「推測」に近い意味で、改まった会話や文章に用いられる、やや硬い感じの漢語。〈当て―〉〈―の助動詞〉〈先方の意図を―しかねる〉⇩臆測・推察・Q推測・推断・推定・推理・推論・忖度《そんたく》・類推

すいれん【睡蓮】スイレン科の多年生水草の総称として、会話にも文章にも使われる漢語。〈池に―を浮かべる〉✎蓮《はす》に似ており、また、花が夜に眠るように閉じることからの命名という。⇩蓮

すいろん【推論】推理にもとづいて結論を導く意で、主に硬

い文章に用いられるやや専門的な漢語。〈大胆な―〉〈あくまで―に過ぎない〉⇩臆測・推察・推測・Q推断・推定・推理・推量・忖度《そんたく》・類推

すう【吸う】 口や鼻から気体や液体を体内に取り入れる意で、くだけた会話から硬い文章まで幅広く使われる日常の和語。〈新鮮な空気を―〉〈たばこを―〉〈おつゆを―〉有吉佐和子の『水と宝石』に「運ばれて来た果汁を、ストローで一口―と、舌の先から執拗な甘味が感じられた」「ゆっくり両掌でグラスを温めては、ブランディの強い匂いを口からも―・い上げた」とある。汁物などを急いで飲み込む場合は「吸う」とも「吸《す》する」ともいえるが、「啜る」とするほうが具が多い感じが出るかもしれない。⇩啜る

すう【数】 量に対して物の多少を表す概念をさし、改まった会話や文章に用いられる専門的な漢語。〈―に明るい〉「かず」が主に自然数を連想させるのに対し、プラスとマイナスの整数のほか分数・小数や無理数から虚数などを含めた概念。⇩かず

すうけい【崇敬】 神仏や偉大な人物を崇《あが》め敬う意で、主として文章に用いられる硬い漢語。〈―の念を禁じえない〉「畏敬」以上に大仰な感じがある。⇩畏敬・尊敬

すうこう【崇高】 畏敬《いけい》の念を抱かせるほど気高く貴い意で、主に文章に用いられる硬い漢語。〈―の念〉〈―な理想〉軍人政治家宇垣一成の日記に「―なる真面目《しんめんぼく》」とあるという。⇩厳か・気高い・厳粛・森厳・Q荘厳・荘重

ずうずうしい【図図しい】 自分の立場も相手の気持ちや都合も意に介さず身勝手に行動し、他人に迷惑をかけても平気で図太く構えている意で、会話や軽い文章に使われる日常の和語。〈―要求〉〈―・く上がり込む〉〈―にも程がある〉夏目漱石の『坊っちゃん』に「よくまああんなに―・く出来るものだ」とある。⇩厚かましい・厚顔無恥・鉄面皮・恥曝し・恥知らず・破廉恥

すうせい【趨勢】 物事が移り進む勢いや社会全体の傾向をさし、改まった会話や文章に用いられる硬い漢語。〈時代の―に従う〉〈時代の―に鑑みて〉〈文壇の―をつかむ〉⇩Q時勢・時流・成り行き・風潮

ずうたい【図体】 体の大きさの意で、主にくだけた会話で使われる俗っぽい表現。〈―ばかりでかくて役に立たない〉〈―のわりに気が小さい〉葛西善蔵の『悪魔』に「ビール看板のように太りこけた―」とある。大きな体を軽蔑して使うのが通例で、小さな体に対してはふつう用いない。「胴体」の音転といわれる。⇩Q体つき・背恰好・体格・体軀《たいく》・なり・身なり

スーツ 同じ生地で作った上下そろいの洋服をさす。会話でも文章でも使われる外来語。〈―を新調する〉〈―に身を固める〉永井龍男の『風ふたたび』に「白い画用紙を切り抜いたような麻の―」とある。日常的な「背広」よりはいくらか専門的な感じがする。⇩ジャケット・Q背広

スーツケース 旅行用の衣装箱をさし、会話にも文章にも使われる外来語。〈―一つの気軽な旅〉トランクより小さめというイメージがある。⇩Qトランク・ボストンバック・旅行鞄

すうはい【崇拝】 心から崇め敬う意で、改まった会話や文章に用いられる漢語。〈偶像―〉〈自然を―する〉尊敬の度

合いは「崇める」より大。⇩崇める・敬う・崇敬・尊敬・たっとぶ・とうとぶ

すえ【末】 物の端や期間の終わりの部分をさし、会話にも文章にも使われる日常の和語。〈―の子〉〈明治の―〉〈毎月―に支払う〉✎「もと」「初め」と対立。「行く―」「―が恐ろしい」「―は博士か大臣か」のように将来をさす用法もあり、その場合はやや古風。⇩終わり・最後・しまい

すえたのもしい【末頼もしい】 将来が期待される意で、会話や改まらない文章に使われる和語表現。〈―若者〉✎多く先の長い子供や若者について使う。⇩有為《ゆうい》・Q有望

すえる【据える】 動かないようにしっかりと置く意で、会話にも文章にも使われる和語。〈工場に大型機械を―〉〈風呂場に檜《ひの》の風呂桶を―〉〈後継者として会長のポストに―〉✎室生犀星の『愛猫抄』に「男の部屋はすぐ玄関の明るい三畳のつぎの六畳の、北窓に机を―・え」とある。「じっくりと腰を―・えて仕事に取り掛かる」のように抽象的な意味合いでも使う。⇩置く

ずが【図〔圖〕画〔畫〕】 図と絵の意で、会話にも文章にも使われる漢語。〈―工作〉〈―の時間〉✎学校の授業の連想があり、本格的な絵画を意味するにはなじまない。絵だけをさす場合もある。⇩絵・Q画・絵画・図

スカーフ 防寒や装飾用に首に巻いたり後頭部をおおったりする薄い布をさし、会話にも文章にも使われる外来語。〈白いブラウスに赤い―でアクセントをつける〉⇩ネッカチーフ

すがすがしい【清清しい】 さっぱりして心地よい感じをさし、会話にも文章にも使われる和語。〈朝の―空気〉〈―気分〉✎石坂洋次郎の『山のかなたに』に「夕立がザアーとやって来て、霽《は》れあがったあとのような、―気分」とある。「―笑顔」「後味の―行為」のように、そのような気分に誘う対象の形容に用いる例もある。⇩Q爽やか・爽快

すがた【姿】 人や物の形の意で、会話にも文章にも広く使われる基本的な和語。〈後ろ―〉〈和服―〉〈鯛の刺身の―盛り〉〈山の―〉〈一世一代の晴れ―〉〈―を見せる〉〈―を隠す〉✎川端康成の『雪国』に「二人は果しなく遠くへ行くものの―のように思われた」とあるように、「形」に比べ、美的な見地からのやや主観的な例が多い。⇩外形・形・Q恰好・形式・形象・形状・形態

すがたかたち【姿形】 顔立ちや身なりをさし、会話や硬くない文章に使われる、いくぶん古風な和語。〈―の美しい女性〉〈―で人を判断する〉⇩風采・風体《ふうてい》・Q容姿

すかっと 胸のつかえがおりてすっきりと快い意で、主にくだけた会話に使われる和語。〈―した気分〉〈連敗のあとだけにファンは、今日の逆転満塁サヨナラホームランでさぞや―したことだろう〉⇩さっぱり・Qすっきり・清々・晴れ晴れ

ずがら【図柄】 布や紙の模様となる図案の柄をさし、会話にも文章にも使われる、やや専門的な表現。〈斬新な―〉〈ポスターの―がいい〉⇩絵柄・Q図案

すがりつく【縋り付く】 支えたり助けたりしてもらおうと、頼ってそれを放さない意で、会話でも文章でも広く使われる日常の和語。「しがみ付く」より文体的なレベルが若干高い。〈幼児が出かけようとする母親の裾に―〉〈綱に必死で―〉〈相手の厚意に―〉✎「やさしいことばに―」「人の情

けに―」のように、抽象的な対象にも使う。武田泰淳の『風媒花』に「泣きそうな視線を、―ように三田村へ向けた」という比喩表現が出る。「しがみつく」より接触面が狭い感じがあり、腕や杖や紐《ひも》などの場合はこの語が使われる。また、政権やポストのような手放したくない対象に「しがみ付く」のとは違って、自分を助けてくれる対象という意識があるため、神仏や権威や善意などの抽象的なものが対象になることもある。⇩しがみ付く・抱きつく

すき【鋤】人間が土を掘り起こすための、木の柄のついた櫂状の農具をさし、会話にも文章にも使われる和語。〈―で畑を掘り起こす〉⇩犂

すき【犂】牛馬などの家畜やトラクターに引かせて土を掘り起こすのに用いる農具をさし、会話にも文章にも使われる漢語。〈牛に―を引かせる〉⇩鋤

すき【隙】物と物との間にできるごく狭い空間をさし、会話にも文章にも使われる日常の和語。〈本棚の―に雑誌を突っ込む〉〈戸の―から冷たい風が入り込む〉✎具体的な空間をさす場合は「すきま」のほうが一般的。この語はむしろ、「手の―」「仕事の―」のような時間的な切れ目や、「まったく―がない」「わずかな―をねらう」「相手の―に乗じる」のような気の緩みについてよく使う。⇩Q間隙・空隙・隙間

すき【好き】好ましく思い心惹かれる、好みに合う意で、くだけた会話から文章まで幅広く使われる日常の基本的な和語。〈―な曲〉〈―なことをして暮らす〉〈甘い物が―だ〉〈死ぬほど―〉〈―なだけやる〉〈―こそ物の上手なれ〉✎木下順二の『夕鶴』に「あたしもあんたがほんとに―」とあり、新美南吉の『屁』に「藤井先生をひと目見て、春吉君はいきづまるほど―になってしまった」とある。恋愛感情に用いても「愛する」より深刻な感じは薄く、気障な響きもない。⇩愛好・気に入る・恋しい・好ましい・Q好む

すきとおる【透き通(徹)る】物体の中や向こう側が見える状態をさし、会話にも文章にも使われる和語。〈水底が―・って見える〉〈―ように白い肌〉✎「透明」と同様、比喩的に「―声」なども言う。谷崎潤一郎は『鍵』で、女の耳を「冴え冴えと美しい」と書いたあと、「アタリノ空気マデガ清冽ニ―・ッテイルヨウニ見エル」と展開する。⇩透明

すきはら【空き腹】腹がすく意で、会話にも文章にも使われる古風な和語。〈―を抱える〉〈酒が―にしみわたる〉✎「すきばら」ともいうが、いずれも近年あまり使われない。⇩Q空腹・腹ぺこ・ひだるい・ひもじい

すきま【隙(透き)間】主に空間的な狭い空きをさし、会話やさほど硬くない文章に使われる日常の和語。〈―風〉〈―家具〉〈戸の―から中をのぞく〉〈歯の―に物が挟まる〉〈―を埋める〉✎森田たまの『菜園随筆』に「糸すじほどの―」とある。⇩間隙・空隙・Q隙・盲点

すぎる【過ぎる】時が経過したり場所を通過したり一定の基準や程度を超えたりする意で、くだけた会話から硬い文章まで幅広く使われる日常の基本的な和語。〈夏が―〉〈いつの間にか―・ぎてしまう〉〈列車はもう名古屋を―・ぎた〉✎時に関する表現で、「経過」「経る」「経つ」がいずれも時間にしか使えないのに対し、この語は「八時を―・ぎた」のように時刻についても使える。森鷗外の『阿部一族』に「一

時《ひととき》立つ。二時《ふたとき》立つ。もう午《ひる》を過ぎた」とあり、時間の経過に「たつ」、ある時刻を通過する意に「すぎる」を用いている。⇩経過・Q経つ・経る

すく【好く】 好ましく思うの意で、会話や軽い文章に使われる和語。〈みんなに―・かれる〉〈女に―・かれたためしがない〉✍志賀直哉の『冬の往来』に「恋とは知らず只心の中《ちゅう》でこの人を―・いていた」とある。「―・いた仲」「―・いた同士が一緒になる」のように恋愛関係に用いると古い感じが出る。⇩愛する・恋する・慕う・Q惚《ほ》れる

すぐ【直ぐ】 基準の時点から間をおかずにの意で、くだけた会話から文章まで幅広く使われる日常の和語。〈―行くから、ちょっと待って〉〈もう―着くよ〉〈―そこだ〉✍夏目漱石の『坊っちゃん』に「湯に入れと云うから、ざぶりと飛び込んで、―上がった」とある。⇩即刻・直ちに

すくい【救い】 危険な状態や苦しい状況にあるものを助けることをさし、会話にも文章にも使われる日常の和語。〈―を求める〉〈―の手を差し伸べる〉✍「命に別状がなかったのがせめてもの―だ」のように、好ましくない事態におけるわずかな慰めを意味する用法もある。⇩援助・救援・Q救済・救助・救う・助ける

すくう【救う】 危険・生活難・苦悩などに喘《あえ》ぐ人がそこから逃れられるように力を貸す意で、いくぶん改まった会話や文章に用いられる和語。〈命を―〉〈ピンチを―〉〈倒産寸前の企業を―〉〈危ういところを―・われる〉〈どうにも―・いようがない〉✍太宰治の『走れメロス』に「市を暴君の手から―のだ」「身代わりの友を―ために走るのだ」とある。「助ける」に比べ、きわめて危ない段階から完全に脱出させる感じがある。⇩援助・救援・救済・救助・救い・Q助ける

スクーター またがらずに腰掛けて乗るタイプの小型オートバイ。会話でも文章でも広く使われる日常の外来語。✍地面を蹴って滑走する遊び道具をさす場合もある。⇩Qオートバイ・原付・原動機付き自転車・自動二輪・自動二輪車・単車・バイク・モーターバイク

すくない【少（尠）ない】 数量や割合、可能性などがわずかだ、少しだの意で、くだけた会話から硬い文章まで幅広く使われる日常の基本的な和語。〈残りが―〉〈希望者が―〉〈年齢の割に白髪が―〉〈金の持ち合わせが―〉〈費用が―・くて済む〉✍小林秀雄の『女流作家』に「男を全く味気なくさせるような作品も―・くない」とある。「多い」と対立。⇩Q少し・わずか

すくなくとも【少（尠）なくとも】 内輪に見積もっても最小限の意で、会話にも文章にも使われる日常的な和語。〈―ここまではやる〉〈―二年はかかる〉〈―五人は必要だ〉〈―お礼の一言ぐらいあってしかるべきだ〉✍「せめて」に比べ、表現者の生の感情が前面に出ないため、べたつかず客観的な感じがある。「―五千円は下らない」のように、「せめて」とは違って、特に願望をこめないで使う例も多い。⇩最小限・最低限・Q少なくも・せめて

すくなくも【少（尠）なくも】「少なくとも」の意で会話にも文章にも使われる古風な和語。〈―一年はかかる〉〈―入賞は間違いない〉〈―歩ける距離ではない〉✍「少なくとも」に比べ文語的な響きがある。⇩最小限・最低限・Q少なくとも・せ

めて

すぐれる【優（勝・傑）れる】 能力・価値・成績などが他よりまさっている意で、会話にも文章にも使われる和語。〈体力に—・れている〉〈—・れた技術を身につける〉✎「気分が—・れない」「このところ天候が—・れない」のように、気分や天候について否定的に言及する際にも使う。⇩秀でる

すけ 婦女子、特に若い女を意味する古めかしい隠語。もと盗人などの社会で用いた隠語「なごすけ」の略。〈—番〉〈—に目をつける〉✎漢字で書けば「助」となるが、ほとんど用いず、「スケ」と片仮名で書く例が目立つ。⇩女・なおんな

スケッチ 風物などを見て絵などに写し取る意で、会話にも文章にも使われる外来語。〈—ブック〉〈山の—〉〈街角を—する〉✎「念入りに—する」とも言えるが、通常はあまり長い時間をかけずに簡略に描き取るケースが多い。淡彩画も多いが、「デッサン」よりも作品としての完成度が高い感じがある。また、風景や印象などを文章で簡略に記す場合にも使われる。島崎藤村に『千曲川のスケッチ』と題する作品があり、このような比喩的な用法では美的な趣をたたえることもある。⇩下絵・Q写生・素描・デッサン

すげない【素気無い】 態度などが冷淡で思いやりに欠ける意で、会話にも文章にも使われる和語。〈—返事〉〈ぴしゃりと—・く断る〉✎愛想がないという程度の別語形「そっけない」よりさらに温かみに欠ける感じがする。⇩そっけない・Qつれない・無愛想・ぶっきらぼう

すけべえ【助兵衛】 人並みはずれて好色な意で、くだけた会話に使われる俗語。〈—根性丸出し〉〈—たらしい男〉〈—な真似はよせ〉✎「好き」を人名めかした語形。「助平」とも書き、その場合は「すけべい」となるが、いずれも「すけべ」と言うことも多い。⇩色好み・Q好色

すこし【少し】 数量や程度が「多くはないがある程度」といったニュアンスで、くだけた会話から硬い文章まで幅広く使える最も一般的な日常の和語。〈ほんの—だけ〉〈もう—長めに〉〈—ばかりですが〉〈—待ってもらって〉〈—ぐらいなら持ち合わせがある〉✎井伏鱒二の『珍品堂主人』に「首切り役を私に仰せつけようなんて、あんた、—人が悪くないですか」とある。小沼丹の『小さな手袋』には「—よろよろしながら出て行った」とある。口頭語的なレベルの「ちょっと」ほどはくだけないレベルのことば。⇩若干・少々・ちょいと・ちょこっと・Qちょっと・ちょっぴり・僅か

すごす【過ごす】 そのように時を送る意で、会話にも文章にも使われる和語。〈休暇を故郷で—〉〈一日中寝て—〉〈楽しいひとときを—〉✎福原麟太郎の『失敗について』に「死んでしまえば万事終りで、人はその一生を、何とかして—・して来たというだけのことなのだ」とある。生活感のある「暮らす」に比べ、この語は時の経過に意識の重点がある。⇩暮らす

すごすご すっかり元気をなくしてその場を離れる様子をさし、会話や軽い文章に使われる和語。〈失敗して—引き下がる〉〈断られて—引き返す〉✎「悄然《しょうぜん》」「しょんぼり」と違って立ち去る動作が必要で、ただ立っている場合には用いない。⇩悄然・Qしょんぼり

スコップ 庭いじりなどに用いる小型のシャベルをさし、会

話にも文章にも使われる外来語。〈花壇に植えた草花の根元に―で軽く土をかける〉✎日常生活ではシャベルをさしてこの語を使う例も少なくないため、現実には紛らわしい。⇩シャベル

すこぶる【頗る】「きわめて」というほどではないが、それに近い程度を表し、会話にも文章にも使われる古風な和語。〈―面白い〉〈―疑わしい〉〈―具合が悪い〉〈―上機嫌だ〉✎「―付きの美人」のような用法はさらに古めかしい。⇩大いに・Qきわめて・ごく・大層・たいへん・とても②・甚だ・非常に

すこやか【健やか】心身ともに健康な意で、主に文章に用いられる、やわらかく、いくぶん詩的な感じの和語。〈―に育つ〉〈―な成長〉〈どうぞ末永くお―に〉〈―なる精神〉✎「―な笑顔」「―な発達を遂げる」のような拡大用法も見られる。⇩元気・健康・健勝・Q健全・丈夫・壮健・息災・達者

すさむ【荒む】ゆとりを失ってとげとげしくなる意で、多く文章中に用いられるやや古風な和語。〈―・んだ世の中〉〈―・んだ生活〉〈心が―〉✎菊池寛の『恩讐の彼方に』に「分別のあった心は、闘牛者の槍を受けた牡牛のように―・んでしまった」とある。「荒れる」のうち、抽象的な対象、特に人の心やその面から見た生活や社会に用い、目に見える具体物には使いにくい。⇩Q荒れる・荒廃・荒涼

ずさん【杜撰】やり方がいい加減で手落ちの多い意で、やや改まった会話や文章に用いる漢語。〈管理が―だ〉〈―な論文〉〈―な工事〉✎昔、中国の宋の杜黙《ともく》の作った詩が韻律の規則に合わない部分が多かったことから。⇩雑・雑駁《ざっぱく》・Q粗雑

すじ【筋】物事の道理、必然的な話の流れをさし、会話にも文章にも広く使われる日常の基本的な和語。〈話の―〉〈ドラマの―〉〈一本―が通っている〉〈物事の―から言えば〉✎谷崎潤一郎の『細雪』に「幸子や雪子を恨む―はない」とある。「首の―」のように筋肉の意でも、「―がいい」のように血筋・素質の意でも使う。⇩Q筋道・ストーリー・脈絡

すじかい【筋交い】「はすかい」の意で、主に会話に使われる古めかしい和語。〈―の店ですぐ間に合う〉✎江戸時代の『蜀山百首』に「生酔の礼者をみれば大道をよこ―に春は来にけり」という狂歌があり、酒に酔った年始の客が道を斜めに歩いているのを新春の到来に見立てている。なお、「―を入れる」というふうに、建造物の補強のために対角線状に取り付ける木材をさす場合は、建築の専門語で特に古風な感じはない。⇩ななめ・はす・Qはすかい

すじがき【筋書き】小説や映画・演劇などの話の流れ、また、それを書き記した本をさし、会話にも文章にも使われる和語。〈映画の―を読む〉✎「万事―どおりに運ぶ」のように物事の計画の意に使う比喩的用法もある。⇩脚本・筋・ストーリー・Q台本

すじみち【筋道】物事の順序や物の道理や話の構造をさし、会話にも文章にも使われる和語。〈きちんと―を通す〉〈話の―がたどりにくい〉〈―を立てて話す〉⇩条理・筋・Q脈絡・理路

すじょう【素性(姓)】その人間の家柄・血筋・生まれ・育ちなどに関する情報の意で、会話にも文章にも使われる古風な漢語。〈氏《うじ》―〉〈―のはっきりしない人間〉〈―を明かす〉✎

「―の確かな茶器」のように品物の由緒・伝来の意でも使う。⇩身元

すず【鈴】 主に球状の金属などの空洞に小さな玉を入れ、振って鳴らす器具をさし、会話にも文章にも使われる和語。〈猫の首に―をつける〉〈―を鳴らす〉✎小沼丹に『銀色の鈴』と題する小説があり、「貰った―を面白半分に鳴らしていたら細君が、何か用ですか？ と訊きに来た」という一節が出てくる。⇩チャイム・ブザー・ベル・Ⓠ呼び鈴

すすぐ【雪ぐ】 不名誉を取り去る意で、改まった会話や文章に用いられるやや古風な和語。〈恥を―〉〈汚名を―〉✎現代では「そそぐ」となる例が多い。⇩濯ぐ・漱《すす》ぐ

すすぐ【濯（滌）ぐ】 洗い流す意で、会話でも文章でも使われる日常の和語。〈洗濯物を―〉〈汚れ物を―〉〈足を―〉✎林芙美子の『泣虫小僧』に「晴々しい黄昏で、点きはじめた町の灯が水で―・いだように鮮かであった」という比喩表現が出る。現代では会話的な「ゆすぐ」に比べ、いくらか古い感じがある。⇩洗う①・漱《すす》ぐ・雪《すす》ぐ・Ⓠゆすぐ

すすぐ【漱ぐ】 うがいをする意で、会話にも文章にも使われる日常の和語。〈口を―〉✎現代では会話的な「ゆすぐ」と比べ、やや古風な感じがある。⇩濯ぐ・雪《すす》ぐ・Ⓠゆすぐ

すずしい【涼しい】 暑い時期の相対的に低い気温が全身に快く感じられる場合に、くだけた会話から硬い文章まで幅広く使われる日常の和語。〈―風〉〈めっきり―・くなる〉〈このところ―・くて過ごしやすい〉✎永井荷風の『雨瀟瀟』に「その年の二百十日はたしか―月夜であった」とある。「暖かい」と対立。⇩Ⓠ寒い・冷たい・冷ややか

すすむ【進む】 同じ方向でさらに前方へ動く意で、くだけた会話から硬い文章まで幅広く使われる日常の基本的な和語。〈先へ―〉〈船が南へ―〉〈工事が順調に―〉〈仕事が―〉〈予定どおり―〉〈交渉が―〉〈猛烈な勢いで―〉〈話がとんとん拍子に―〉✎井伏鱒二の『さざなみ軍記』に「味方の陣頭に―・み出て」とある。「この時計は少し―・んでいる」のように、通常より早い意にも使うほか、「食が―」のように程度が著しくなる意でも用い、横光利一の『春は馬車に乗って』にも「妻の病勢が―につれて、彼女の寝台の傍からますます離れることが出来なくなった」とある。「退く」と対立。⇩進行・Ⓠ前進

すすめる【勧（奨）める】 推奨・奨励の意で、会話でも文章でも広く使われる日常生活の基本的な和語。〈入会を―〉〈結婚を―〉〈―・められて保険に入る〉✎夏目漱石の『坊っちゃん』に「来給えとしきりに―」とある。「産業を―」のように奨励の意で用いる用法はやや古風な響きがある。「お茶を―」「座布団を―」のような用法では「奨める」とは書かない。⇩推奨・薦める

すすめる【薦める】 推薦・推挙の意で、会話にも文章にも使われる和語。〈候補者として―〉〈必読の書として―〉⇩推挙・推薦・勧める

すすりなき【啜り泣き】 鼻汁をすするようにして泣く意で、会話にも文章にも使われる和語。〈―の声が広がる〉✎安部公房の『他人の顔』に「―が、積乱雲のように湧き上って」とある。⇩嗚咽《おえつ》・忍び泣き・しゃくりあげ・泣き咽《むせ》ぶ・Ⓠむせび泣き・むせぶ

すする【啜る】 口や鼻から液体を音を立てて吸い込む意で、会話にも文章にも使われる日常の和語。〈鼻水を—〉〈味噌汁を—〉✎小沼丹の『外来者』に「婆さんは珈琲を一口—・って云った」とある。気体は吸い込むときに音が出ないので通常この語を用いない。汁物などは「吸う」ともいえるが、この語を用いるほうが喉を通る際の抵抗感が連想されて具が意識される。「熱い番茶を—」の例は、熱くてぐいぐい飲めないために、吹き冷ましながら少しずつ飲むからである。「蕎麦《そば》を—」は「食う」に比べ、あまり嚙まないで飲み込む感じがあって蕎麦らしさが出る。⇩吸う

すそ【裾】「山すそ」をさし、会話にも文章にも使われる和語。〈山の—のほうまで色づく〉✎太宰治は『富嶽百景』で、富士は「のろくさと拡がり」と書き、「—のひろがっている割に、低い。あれくらいの—を持っている山ならば、少くとも、もう一・五倍、高くなければいけない」と感想を述べた。「訪問着の—模様」「ズボンの—をひきずる」「本の—が傷む」とも言うように、この語は本来、物の端をさし、川下のことを「川—」ともいう。⇩山麓・裾野・Qふもと・山すそ

すその【裾野】 山すそが広々とした野原になっている場所をさし、会話にも文章にも使われる、いくぶん優美な感じの和語。〈—が広がる〉〈広大な—を持つ〉⇩山麓・裾・ふもと・Q山すそ

スター 人気のある俳優・歌手・スポーツ選手などをさし、会話でも文章でも広く使われる外来語。〈—プレーヤー〉〈映画—〉〈—軍団〉⇩花形

スタート 出発や開始の意で会話やさほど硬くない文章に使われる外来語。〈—ラインに立つ〉〈—地点〉〈—してゴールをめざす〉〈—を切る〉〈—でつまずく〉〈新生活の—〉✎「新しい事業を—させる」などの用法もあるが、「始まる」や「開始」に比べスポーツの連想が強く、(直)線的なイメージがある。「ゴール」と対立。⇩Q開始・出発・始まる・発足《ほっそく》

スタイル 類型的あるいは個性的な文章の様式をさして、学術的な会話や文章に用いられる専門的な外来語。〈この作家独自の—を貫く〉〈学術論文の—を無視する〉✎書かれた文章だけでなく、「小津映画の—」のようにシナリオなどの話しことばにも使い、さらに作風といった意味合いで言語表現以外の分野にも使うなど、「文体」の概念より広い。「姿」「型」の意もある。⇩形・恰好・形式・文体・様式

スタジアム 観客席を設けた大型の競技場をさし、改まった会話や文章に用いられるやや専門的な感じの外来語。〈新装成った—で記念試合を催す〉✎「野球場」をさす例が多い。⇩運動場・球場・Q競技場・グラウンド・グランド・コート・野球場

すだち【巣立ち】 巣離れの意で、会話にも文章にも使われる和語。〈ひな鳥の—の時は近い〉✎「あの学生たちもいよいよ—の時を迎える」のように、学業を終え親元を離れて社会に出る意で比喩的に用いられる場合は、慣用的ながらいくぶん詩的な雰囲気を漂わせる。⇩巣離れ

スタッフ ある仕事の各部門の担当者をさし、会話や硬くない文章に使われる新しい感じの外来語。〈—一同〉〈いい—がそろう〉〈—が足りない〉✎映画や演劇やコンサートの場合は出演する俳優・歌手などを除く制作陣をさす。⇩陣容

すたれる【廃(頽)れる】 盛んであったものの勢いがなくなっ

たり、それまで広く行われていたことが衰えてしまったりする意で、会話にも文章にも使われる和語。〈町が―〉〈公徳心が―〉〈一時の流行が―〉〈伝統行事が―〉✎「流行《はや》り廃り」というとおり、「流行」が過ぎ去った場合によく使われる。⇩衰える・Ｑ寂れる

スタンド 競技場などの階段式の観覧席をさし、会話にも文章にも使われる外来語。〈満員の―〉〈―を埋める大観衆〉✎街角や駅などに立つ売店やカウンター式の軽食堂をさす場合もある。⇩観客席・Ｑ観覧席・客席

スチール 映画などの見せ場を宣伝用に撮影した写真をさし、会話にも文章にも使われる外来語。〈濡れ場の―写真〉✎ビデオなどの静止画像をさすこともある。⇩写真・Ｑスナップ・ブロマイド・ポートレート

スチュアデス 女性の客室乗務員をさす少し古い感じの呼び名。✎「スチュワーデス」ともいう。古くから使われ、一時「エアホステス」に座を奪われて廃れたが、「エアホステス」の衰退した今もまだある程度使われている。⇩Ｑエアホステス・客室乗務員・キャビンクルー・フライトアテンダント

すっきり 意識や気分をさえぎるものが消えて明るく爽やかになる意で、会話や軽い文章に使われる和語。〈―とした気分〉〈ぐっすり眠れて頭が―する〉〈言うだけ言って気持ちが―する〉〈もうひとつ―としない解決〉✎「―した服装」「―とした表現」のように、無駄な飾りのない意にも使われる。⇩さっぱり・Ｑすかっと・清々・晴れ晴れ

すっぱい【酸っぱい】 酢のような酸味がある意で、会話や硬くない文章に使われる和語。〈―蜜柑《みかん》〉〈梅干が―〉✎川端康成の『雪国』に「熱い饅頭を吹きながら、島村が噛んでみると、固い皮は古びた匂いで少し―・かった」とある。やや口頭語的な響きがあるため、硬い文章では「ほどよい酸味がある」「酸味が強い」のように「酸味」を用いる傾向がある。⇩すい

すっぱだか【素っ裸】「全裸」の意の和語。「素裸」の会話的な強調表現。〈下着も付けない―〉⇩赤裸・素裸・全裸・裸・Ｑ真っ裸・真裸・丸裸

すっぱぬく【素っ破抜く】 秘密などを不意に明るみに出す意で、会話や改まらない軽い文章に使われる、口頭語に近い表現。〈内部の実情を―〉〈閉鎖的な体質をマスコミが―〉〈会社の内情を―〉〈新聞が政界と業界との癒着を―〉✎類語に比べ、突然というニュアンスが強い。促音とそれに続く「パ」という破裂音が働いて強い響きを印象づけている。⇩Ｑ暴く・暴露・ばらす①

ステーキ 牛などの厚切りの肉を焼いた料理をさし、会話でも文章でも現代では最も普通の外来語。〈フィレ―〉〈―を焼く〉✎古くは「ビーフ―」を短縮した「ビフテキ」という語を用い、一部の高齢者は今でもそう言う。⇩ビフテキ

ステージ 舞台や演壇をさして会話にも文章にも使われる外来語。〈―ショー〉〈―に立つ〉✎田村俊子の『木乃伊の口紅』に「―マネージャーならきっとやれるわ」とある。「舞台」より新しい感じがあり、洋風の催し物などではこの語がなじむ。「舞台」と違い、「次の―に進む」のように段階の意の用法もある。⇩ステップ・段階・舞台

ステーション「駅」の意の外来語。〈―ビル〉〈ターミナル

―〉✎一般には斬新な響きを感じさせるが、尾崎紅葉の『金色夜叉』に「新橋―の大時計」とあるように、「新橋―」といった古い記憶を残す世代にとっては逆に昔なつかしい雰囲気を感じさせる面もある。⇩Q駅・停車場

すてき【素敵(的・適)】 きわめて魅力的なの意で、会話や軽い文章に使われる漢語。〈―なプレゼント〉〈―な洋服〉〈―なカップル〉〈―なデザイン〉〈―な家庭〉✎武田泰淳の『森と湖のまつり』に「彼がわたしの恋人なのよ」(略)「―じゃない、そんなら」」とある。「見事」や「すばらしい」と違って、高度な技術や全体の価値とは関係なく、垢《あか》抜けていていい印象を与えれば使える。⇩Qすばらしい・見事

ステッキ 西洋風の杖《つえ》をさして、会話にも文章にも使われる外来語。〈―片手に散歩する〉✎小沼丹にまさに『ステッキ』と題する随筆があり、昔は文人が愛用したとし、「小林秀雄氏は志賀直哉氏から貰った、矢張り上等の―を持っていた」と述べている。⇩杖

ステップ 乗り物などの踏み段、転じて、ものごとを進める際の段階をさし、会話やさほど硬くない文章に使われる外来語。〈―を踏む〉〈最初の―〉〈核廃絶への―〉〈―バイ―〉✎「段階」と違い、具体的な物や動きにも用いる。「ステージ」より小規模で細かい刻みをイメージさせる。⇩ステージ・Q段階

すててこ ズボンの内側にはく膝下までの長さの男性用下着をさし、会話にも文章にも使われる和語。〈クレープの―をはく〉✎「ズボン下」の一種。明治初期に宴席などではやった「すててこ踊り」にはいたところからこの名がある。⇩Qズボン下・股《もも》引《ひ》き

すでに【既(已)に】 事が前に終わった、それなりの経過を経て前に事が実現し今ある段階に達している、といった意味合いで、やや改まった会話や文章に用いられる和語。〈―終わっている〉〈―過ぎ去った〉〈―失われている〉⇩とうに・とっく・Qもう・もはや

すてばち【捨て鉢】 自信も希望も失って、どうにでもなれという気持ちをさして、会話や軽い文章に使われる和語。〈―になって向かってゆく〉〈―な気持ち〉✎五木寛之の『白夜のオルフェ』に「もうどうなってもかまわないという―な執念」とある。⇩自暴自棄・やけ・やけくそ・Qやけっぱち・やけのやん八・破れかぶれ

すてる【捨(棄)てる】 不要なものとして投げ出す意で、くだけた会話から硬い文章まで幅広く使われる日常の基本的な和語。〈ごみを―〉〈吸殻を道端に―〉〈―人は拾わない。―・てない人が拾っている〉✎芥川龍之介の『羅生門』に「この門の上へ持って来て、犬のように―・てられてしまうばかりである」とある。「身を―」「命を―」のような抽象化した用法もあり、「夢を―」「試合を―」のように「諦める」意でも、「―・てて顧みない」のように「ほうっておく」意でも使う。「故郷を―」「女を―」のような「縁を切る」意の用法は古風な感じが強い。⇩Q投棄・投げ出す・放棄

スト 「ストライキ」の略で、会話や軽い文章に使われる語形。〈時限―〉〈―権を行使する〉〈―を決行する〉〈―を打つ〉✎口頭では「ストライキ」以上によく使われる。⇩Qストライキ・同盟罷業《ひぎょう》

ストーリー 「筋書き」の意で、会話や硬くない文章に使われる外来語。〈―テラー〉〈―は単純だが、見終わった後味がいい〉⇩Q筋・筋書き

ストップ 動いていたものが止まる意で、会話や硬くない文章に使われる外来語。〈ドクター―〉〈―をかける〉〈作業が―する〉⇩静止・Q停止・止まる

ストライキ 使用者などに対する要求を通すために労働者らが一定の期間、一斉に作業を放棄する争議行動をさし、会話にも文章にも使われる外来語。〈ハンガー―〉〈労働組合が―に入る〉〈―に突入する〉⇩スト・Q同盟罷業《ひぎょう》

ストライプ 縦縞《たてじま》の意で、会話にも文章にも使われる外来語。〈臙脂《えんじ》の地《じ》に白の―の入ったネクタイ〉✎横縞を含めて言う場合もある。⇩縞

すな【砂】 浜辺などにたまる岩石や鉱物のごく細かい粒をさし、くだけた会話から硬い文章まで幅広く使われる日常の和語。〈―場〉〈―遊び〉〈―の嵐〉〈―を撒く〉〈―浜に横たわる〉✎山本有三の『波』に「おお粒の―がバラバラと、彼のえり頸に落ちてきた」とある。⇩Qいさご・まさご

すなお【素直】 ありのままで逆らわない感じをさし、会話でも文章でも幅広く使える日常の和語。〈―な性格〉〈―に従う〉✎太宰治の『人間失格』に「すぐに自分は水のように―にあきらめ」とある。「―な息子」は自然であるが「―な祖父」という例になると、「正直な祖父」にはないような違和感が少し出る。しかし、母親が息子の忠告を受け入れて喫煙の習慣を断ち切るような場合には「―にタバコをやめた」と言える。つまり、性格を云々する場合には子供や年下や後輩あるいは部下といった下位者に対する評価という語感が働き、行為を判断する際にはそのような語感が働かないようである。⇩従順・正直

スナップ 一瞬の動きを素早くとらえた早撮り写真をさし、会話にも文章にも使われる外来語。〈ゴール寸前をとらえた―〉✎「スナップショット」の略。⇩写真・Qスチール・ブロマイド・ポートレート

すなわち【即(則・乃)ち】 「言い換えれば」の意で、やや改まった会話や文章に用いられる、硬い感じの和語。〈賭博―ばくち〉〈百日紅―さるすべり〉✎「つまり」より格式ばった感じが強い。「これが―武士道である」のように「ほかならぬ」と強調する用法はやや古風で、「戦えば―勝つ」のように「そうすれば当然こうなる」という意味合いの用法はさらに古めかしい。⇩Qつまり・要するに

スニーカー ゴム底のズック靴などをさして、会話でも文章でも使う比較的新しい外来語。〈―姿で街を散歩する〉✎類語の中で最もおしゃれな感じがある。⇩運動靴・Qスポーツシューズ

ずぬける【図抜ける】 「飛び抜ける」に近い意で、会話や軽い文章に使われる和語。〈―・けた体力に物を言わせる〉✎「―・けて大きな声を出す」のように、特に優れていなくても、単に並外れであるだけでも使う。⇩群を抜く・Qずば抜ける・飛び抜ける・抜きん出る・抜群

すね【臑(脛)】 膝から足首までをさして、会話や文章に使われる日常の和語。〈浴衣が短くて―が出る〉✎立野信之の『軍隊病』に「痩せて皮膚の弛《ゆる》んだ毛だらけの―を撫でて

いた」とある。すね全体のうち、前側の肉の薄い部分をさすことが多い。「―に傷を持つ身」「親の―をかじる」といった比喩的慣用表現もある。⇩はぎ・Qむこうずね

すねる【拗ねる】不平不満を率直に表現せず、わざと逆らった態度で示す意で、会話やさほど硬くない文章に使われる和語。〈叱られて―〉〈―・ねて言うことを聞かない〉〈世を―〉✎性格的な「ひねくれる」と違い、その時その時に示す態度を連想させる。⇩ねじける・僻《ひが》む・Qひねくれる

ずのう【頭脳】識別や判断などの思考活動を行う脳の機能をさし、改まった会話や文章に用いられる漢語。〈―明晰《めいせき》〉〈すばらしい―の持ち主〉✎徳永直の『太陽のない街』に「氷のように―を冷たくしながら」とある。「―集団」「日本の―が流出する」のように、知力の優れた人間をさす比喩的用法もあり、物としての「脳」に比べ、抽象的・文化的なイメージが強い。⇩頭②・Q脳・脳髄・脳味噌

すばしこい すぐに反応して速く動く意で、会話や改まらない文章に使われる和語。〈―・く動きまわる〉〈―・くて捕まらない〉✎田村泰次郎の『肉体の門』に「人間の少女というよりも(略)山猫か、豹のような小柄で―猛獣である」とある。単に敏捷《びんしょう》なだけでなく、ずるく立ちまわるような感じを含む場合がある。⇩素早い

すはだ【素肌】衣服におおわれず、化粧もしていない人間の肌をさして、会話にも文章にも使われる和語。〈―の手入れを欠かさない〉〈―を見せない〉✎川崎長太郎の『漂流』に「澱んだ牛乳色の―」とある。⇩地肌

すはだか【素裸】「全裸」の意の古めかしい和風の文章語。〈風呂から出て―で扇風機に当たる〉✎北杜夫の『狂詩』に「すっかり葉の落ちた枝々(略)は、―になって繊細な神経をさらけだしているかのようだ」という木に用いた比喩的な例がある。⇩赤裸・素っ裸・全裸・裸・真っ裸・Q真裸・丸裸

すばなれ【巣離れ】ひな鳥が成長して巣から飛び立つ意で、会話や文章に使われる和語。〈小鳥が―する〉✎「巣立ち」と違い比喩的用法への発展は見られない。⇩巣立ち

ずばぬける【ずば抜ける】「図抜ける」の意で、会話や軽い文章に使われる和語。〈―・けてよく出来る〉✎「―・けて休みが多い」のように、特に優れたことでなくても、並外れているというだけで用いることもある。⇩群を抜く・Q図抜ける・飛び抜ける・抜きん出る・抜群

すばやい【素早い】動作が速い意で、会話でも文章でも広く使われる日常の和語。〈―・く捕って投げる〉〈―・く処理する〉〈動作が―〉〈―対応〉✎佐藤春夫の『お絹とその兄弟』に「人間の足音を聞いた鼠のように、―・くそらぞらしくしんと静まりかえって」とある。動きのスピードの印象を客観的に伝えるにとどまり、「すばしこい」のようなマイナスイメージを伴わない。⇩すばしこい

すばらしい【素晴らしい】優れていて見事な意で、会話にも文章にも使われる和語。〈―景色〉〈―料理〉〈―相手〉〈―演技を披露する〉〈―活躍を見せる〉✎見て技術をほめる感じの「見事」に比べ、この語は全体的な評価を思わせる。⇩すてき・Q見事

スピーチ 会合など人前で行う短い話や挨拶をさし、会話やさほど硬くない文章に使われる外来語。〈テーブル―〉〈―

の原稿〉✎「演説」に比べ、主張を述べて説得する雰囲気は弱く、挨拶やエピソードを含む談話といった軽い感じがある。⇩Q演説・弁舌・弁論

スピード　「速さ」の意で、会話にも文章にも使われる外来語。〈—アップ〉〈—がある〉〈—を出す〉〈—を緩める〉〈—が鈍る〉⇩Q速度・速力・速さ

スプーン　金属製の洋食用の匙《さじ》をさして、会話にも文章にも使われる日常の外来語。〈—でかきまぜる〉〈—でカレーライスを食べる〉⇩匙

スプリング　針金状の鋼鉄を螺旋《らせん》の形に巻いたばねをさし、会話にも文章にも使われる外来語。〈—のよく利いたベッド〉⇩ぜんまい・Qばね

スプリング　「春」の意で時に広告などに使われる外来語。〈—セール〉〈—コート〉✎複合語として用い、単独では用いない。⇩春

スペア　予備や、そのための物をさし、会話や軽い文章に使われる外来語。〈—タイヤ〉〈—キー〉〈—を準備する〉✎「係員の—を用意する」のように人に使う例もある。⇩予備

スペシャリスト　ある面で特殊技能や特別の感覚・知識を持つ専門家の意で、主に会話に使われる外来語。〈万年筆修理の—〉〈送りバントの—〉✎「プロ」や「専門家」より狭い範囲のことについてさらに秀でているという感じがある。⇩玄人・Q専門家・プロ

すべた　不器量で価値のない女を意味する古い俗語。✎「剣」を意味するスペイン語の転という。カルタのつまらない札をさしたところからとも。女性を卑しめて言うときに用いる。⇩悪女・おかちめんこ・しこめ・醜女・醜婦・Qぶす・不美人

すべて【全(総)て】　問題になるものの総体をさし、やや改まった会話や文章に用いられる和語。〈—完了した〉〈—の責任は自分にある〉〈成績だけが—ではない〉✎多くのものを一つにまとめる意の動詞「統《す》べる」から。「全部」以上に、集められた一つ一つを意識させる傾向がある。⇩Qことごとく・全体・全部・みな・みんな

すべりだし【滑り出し】　「出だし」の意で、会話やさほど硬くない文章に使われる和語。〈上々の—を見せる〉〈—は快調そのものだ〉✎スキーやスケートで実際に滑り出す場合の文字どおりの意味でも使う。⇩Q出だし・のっけ

スポーツ　競技・球技などの総称として、会話にも文章にも広く使われる日常の外来語。〈—ウェア〉〈ウィンター—〉〈—の祭典〉〈得意な—〉✎「運動」より専門的な感じが強く、軽い散歩やラジオ体操などには使いにくい。自分で楽しんだり観客を楽しませたりする場合が多く、心身の鍛錬を目的とするものにはなじまない。⇩運動

スポーツシューズ　スポーツをするのに適するように作った靴をさし、会話でも文章でも使われる外来語。〈—を履いて本格的に始める〉✎ジョギングなどを連想させる。⇩Q運動靴・スニーカー

すぼまる【窄まる】　「すぼむ」の意で、会話や軽い文章に使われる和語。〈ズボンの裾が少し—っている〉⇩しぼむ・Qすぼむ・つぼむ・つぼまる

すぼむ【窄む】　ふくらんだり広がったりしていた物が小さくなったり狭くなったり、長い物の先のほうが細くなったりす

る意で、会話や硬くない文章に使われる和語。〈風船が―〉〈先のほうが―・んだズボン〉⇩Qしぼむ・すぼまる・つぼまる・つぼむ

すぼめる【窄める】広がっている物を小さく狭く細くする意で、会話にも文章にも使われる和語。〈口を―〉〈傘を―〉✎「つぼめる」に比べ、ぴったりと閉じる感じは弱く、途中までしぼる場合にも使う。⇩つぼめる

ずぼら 態度や行動に締まりがなくだらしのない意で、主に会話に使われる和語。〈―な男〉〈―な性格〉⇩横着・ぐうたら・Q怠惰・怠慢・無精・ものぐさ

ズボン 二本の筒形の上に股《また》のついた下半身用の衣服をさすフランス語からの外来語。類義語中で最も伝統的な呼称だが、売場では女性用にはあまり使わない。〈替え―〉〈両手を―のポケットに突っ込む〉✎福永武彦の『草の花』に「長い臑を包んだ―が黒い蝙蝠のように踊った」とある。⇩Qスラックス・パンツ

ズボンした【ズボン下】ズボンと下穿《したば》きとの間にはく男性用の下着の総称として、会話にも文章にも使われる日常語。〈―のゴムが伸びる〉✎「すててこ」や下着の「股引《ももひ》き」はこの一種。⇩Qすててこ・股引き

すまい【住まい】今住んでいる家の意で、改まった会話や文章に用いられる、やや古風でいくぶん詩的な和語。〈仮の―〉〈結構なお―で〉〈公園を見下ろす高台に―を定める〉✎永井龍男の『そばやまで』は「―のことでは、一時思い屈した」という一文で始まる。「一人―」「借家―の身」のように、住んで生活する意に用いることもあり、「住宅」や「居宅」に比べ、環境を含めた居住空間を連想させる傾向がある。⇩いえ・うち・家屋・居宅・豪邸・住居・住宅・邸宅・屋敷

すまない【済まない】日常の謝罪表現の一つで、会話にも文章にも使われる。〈こいつは―、うっかりした〉✎「適当なのがなくて、どうも済みません」のようにデスマス体で使う「済みません」の形は「御免なさい」より改まった感じがあり、ごく親しい間柄ではあまり使わない。「失礼しました」より謝罪の意味合いが強いが、それでも比較的軽い過ちの場合に限られ、相手に莫大な被害を与えた場合にはふさわしくないため、「申し訳ありません」を使う。⇩謝る・御免・失礼・謝罪・陳謝・Q申し訳ない・詫《わ》びる

すみ【隅(角)】物や場所の中央から遠い端の部分、特に角の内側をさして、会話にも文章にも使われる和語。〈町の―にある〉〈部屋の―に置く〉✎有島武郎の『或る女』に「心の―から―までを」とあるように空間でない抽象的な意味合いでも使う。⇩隅っこ

すみえ【墨絵】墨の色の濃淡で描く絵(水墨画)、および、墨の線だけで描く絵(白描画)をさし、会話にも文章にも使われる日常の和語。〈―の手法〉✎尾崎士郎の『人生劇場』に「霧の中に村の全景が―のようにひろがっている」とある。⇩水墨画

すみか【住み処(家)/栖】住んでいる場所の意で、主に文章で使われる古風な和語。〈終《つい》の―〉〈―をつきとめる〉✎志賀直哉の『邦子』に「これでも人間の―かと思われる程乱雑なものだった」とある。「棲み処」と書くと、「盗賊の―」「狐狸《こり》の―」のように好ましくない人間や動物を思わせ、

「栖」の表記は鳥の巣などの連想が働く。⇩家屋・居宅・住居・住まい

すみきる【澄み切る】一点の濁りもなく完全に澄んでいる意で、いくぶん改まった会話や文章に用いられる和語。〈―・った秋の水〉〈―・った山の空気〉✎尾崎士郎の『人生劇場』に「紺碧に晴れた空は湖水のように―・って」とある。⇩澄み通る・Q澄み渡る・澄む

すみっこ【隅っこ】「隅」の意で、くだけた会話に使われる、子供じみた俗な和語。〈―で小さくなっている〉✎尾崎一雄に『すみっこ』と題した小説がある。⇩隅

すみとおる【澄み通(透)る】きれいに澄んで透き通る意で、会話にも文章にも使われる和語。〈どこまでも―・った山の空気〉✎梶井基次郎の『筧の話』に「―・った水音にしばらく耳を傾けていると」とある。⇩澄み切る・Q澄み渡る・澄む

すみやか【速やか】時間を置かずにすぐにの意で、改まった会話や文章に用いられる、いくぶん古風な和語。〈―な対応〉〈―に決断する〉〈―に行動に移す〉〈可及的―に着手する〉✎「迅速」に比べ、行動を起こすまでの時間の短さに重点があり、行動そのもののスピードは常識として含まれる感じが強い。⇩Q迅速・早い・速い

すみわたる【澄み渡る】一面に隈《くま》なく澄んでいる意で、やや改まった会話や文章に用いられる、いくぶん古風な和語。〈―秋の空〉〈―・った山の湖〉✎芥川龍之介の『或旧友に送る手記』に「氷のように―・った、病的な神経の世界」とある。⇩澄み切る・Q澄み通る・澄む

すむ【住む】居を構えて暮らす意で、くだけた会話から硬い文章まで幅広く使われる日常の基本的な和語。〈都会に―〉〈いつか―・んでみたい町〉〈大きな家に一人で―〉✎夏目漱石の『坊っちゃん』に「開けた所とは思えない。猿と人とが半々に―・んでる様な気がする」とある。「居住する」より生活臭が感じられる。まれに「栖む」とも書いた。動物が巣食う意では一般に「棲む」という字を当てる。⇩居住

すむ【澄む】濁りがなく透き通っている意で、くだけた会話から硬い文章まで幅広く使われる日常の基本的な和語。〈水がきれいに―・んでいる〉〈―・んだ月の光〉✎川端康成が『雪国』で葉子の声を「その笑い声も悲しいほど高く―・んでいる」と描き、梶井基次郎が『桜の樹の下には』で「よく廻った独楽が完全な静止に―ように」と喩えたように、「―・んだ音色」「心が洗われたように―・んでくる」など、曇りのない意に使う比喩的用法の例も多い。「曇る」「濁る」と対立。⇩澄み切る・Q澄み通る・澄み渡る

すもうとり【相撲取り】相撲を取ることを職業とする男をさし、会話にも文章にも使われる日常の和語。〈―として部屋に入門する〉✎岩野泡鳴の『耽溺』に「―のように腹のつき出た婆ァや」とある。⇩関取・Q力士

スラックス「ズボン」のやや古い語感を嫌って使われ出した外来語。〈細身の―〉〈白い―姿〉✎替えズボンをさすことが多い。「すらっとした」という音感を意識する人もある。売り場などでは最近「パンツ」という語に移りつつある。⇩Qズボン・パンツ

すりきず【擦り傷】物にこすれ擦り剝けてできる皮膚表面の傷をさし、会話にも文章にも使われる日常の和語。〈転んで

—をつくる〉⇩擦過傷

する【為る】行為を行う、その他の意で、くだけた会話から硬い文章までどこにでも使われる日常的な基本的和語。〈仕事を—〉〈勉強を—〉〈卓球を—〉〈ゲームを—〉✎夏目漱石の『坊っちゃん』に「自分のしたことが云えない位なら、てんでしないがいい」とある。きわめて広い意味をもつ語で、「考え事を—」「一万円も—」「味が—」「立とうと—」「旅を—」「食事に—」「あと三日もすれば完成—」「うれしそうな顔を—」など、「やる」に置き換えられない用法が数多くある。両方使える場合でも、どちらを使うかによって微妙なニュアンスの違いが見られる。⇩やる①

ずるい【狡(猾)い】自分の利益になるように目立たない形で巧みに不正を働く意で、会話や軽い文章に使われる日常の和語。〈やり方が—〉〈—・く立ち回る〉✎夏目漱石の『坊っちゃん』に「元来女の様な性分で、—から、仲がよくなかった」とある。⇩狡猾《こうかつ》・Qこすい・こすっ辛い・ずる賢い・悪賢い

ずるがしこい【狡賢い】自分の得になるようにずるく立ち回る意で、主に会話に使われる和語。〈—手口でぼろ儲《もう》けする〉✎「ずるい」よりも巧妙に立ち回る感じで、「悪賢い」ほど悪辣な感じはしない。⇩Q狡猾《こうかつ》・小賢しい・こすい・こすっ辛い・ずるい・悪賢い

ずるける【狡ける】横着に構えて、やるべきことをやらない意で、主にくだけた会話に使われる、いくぶん古風な感じの俗語。〈学校を—〉〈係の仕事を—〉⇩おこたる・サボる・Qなまける

するどい【鋭い】対象に厳しく突き刺さる感じや、頭脳や感覚が小さな刺激にも早く強く反応する様子をさし、会話にも文章にも使われる基本的な和語。〈—刃先〉〈観察眼が—〉〈目つきが—〉〈勘が—〉〈—痛み〉〈—指摘〉〈—批判〉✎有島武郎の『或る女』に「—頭が針のように光って尖っていた」とある。田宮虎彦の『足摺岬』には「眼だけは老いた鷹のように—・く」とある。「鈍い」と対立。刃先などがとがってよく切れる意から。⇩Q鋭敏・鋭利・シャープ・敏感

ずれ 空間的・時間的・思想的にぴったり合わない意で、会話やさほど硬くない文章に使われる和語。〈時間の—が生ずる〉〈—を調整する〉〈世代による考え方の—〉✎後藤明生の『首塚の上のアドバルーン』に「あるいは省略され、あるいは逆に拡大され、あるいは意訳されながら、「過去」に微妙な—が生じています」とある。標準や基準や他と一致しないだけで、「食い違い」に比べて矛盾という感じは薄い。⇩Q食い違い・齟齬《そご》・行《ゆ》き違い

すれからし【擦れ枯らし】世間でもまれて変に悪賢くなった様子をさし、主に会話に使われる古風な和語。〈—で手に負えない〉✎若い女性について用いる例が多く、「世間ずれ」以上にマイナスイメージが大きい。くだけた会話では多く「すれっからし」となり、その場合は少し強調され、古風な感じが消えて俗っぽい口頭語になる。⇩Q世間ずれ・世慣れる・老獪《ろうかい》

すれっからし【擦れっ枯らし】→すれからし

ズロース 女性用の長めな下《した》穿《ば》きをさして使われる、やや古めかしい外来語。⇩ショーツ・パンツ・Qパンティー

スロープ 傾斜地をさし、会話やさほど硬くない文章に使わ

れる外来語。〈―を滑り降りる〉〈門からなだらかな―を登ると校舎がある〉🖊スキー場の連想もあり、なだらかな雰囲気がある。⇩坂・坂道・Q斜面

すわる【据わる】 安定する意で、会話でも文章でも使われる和語。〈赤ん坊の首が―〉〈酔って目が―〉〈度胸が―〉〈腹が―〉🖊夏目漱石の『坊っちゃん』に「度胸の―・った男」とある。⇩座る

すわる【座(坐)る】 膝を完全に折り曲げ、向こうずねを床や畳に接して尻をかかとにつけて着座する意、広義には椅子に腰掛ける意を含めて、くだけた会話から硬い文章まで幅広く使われる日常生活の基本的な和語。〈上座に―〉〈座布団に―〉〈ソファに―〉〈地べたに―〉🖊林芙美子の『めし』に「商家の小僧のように、とめ子のそばに、きちんと―・った」とある。本来、「座」はすわる場所を意味し、すわる動作には「坐」を用いてきたが、表外字のため今は「座る」で代用する例が多く、あえて「坐る」と書くと古風な印象を与えやすい。室生犀星の『性に眼覚める頃』に「父は一つの置物のように端然と―・った」とある。大岡昇平の『花影』には「身を投げるように、その場に―」とある。椅子に掛ける場合にも使われるが、畳に正座するイメージが濃い。⇩腰掛ける・据わる

すんすん 植物の生長の順調さを表す創作的な擬態語。🖊室生犀星の詩『桜と雲雀』の中に「うららかに声は桜にむすびつき／桜―伸びゆけり」という箇所が出る。ひねもす、うつらうつらと啼く雲雀の声に促され、うららかな春の日を浴びて、桜が静かに何の抵抗も力みもなく、周囲との調和を保ちつつ、素直に枝を伸ばしている。そういう目の前の桜の満ち足りた生命力を、詩人は「すんすん」と感じ取ったのだろう。それは「すくすく」という年単位の悠長な伸び方でもなく、他を押しのけてでも積極的に力強く伸張する「ずんずん」でもない。そういった既成のオノマトペで表現しきれない感覚の発見的な認識の表現であったように思われる。⇩ずんずん

ずんずん 物事の進行する速度が増したり程度が甚だしくなったりする様子をさし、主に会話に使われる擬態語。〈―進む〉〈差が―開く〉〈秋の夕陽が―沈む〉⇩Qぐんぐん・じゃんじゃん・どしどし・どんどん

すんぜん【寸前】 空間的・時間的に極度に接近している意で、やや改まった会話や文章に用いられる硬い漢語。〈爆発―〉〈発車―に飛び乗る〉〈倒産―まで追い込まれる〉🖊「ゴール―で追い抜く」「ゴールイン―で抜かれる」は空間的・時間的な用法。一般に時間的な用法が多い。「直前」以上に接近している感じが強い。また、「ゴール―に抜かれる」は時間的だが、「に」を「で」に差し替えると、ゴールのすぐ手前という空間的な感じになる。⇩眼前・Q直前・間近・目前

せ

せ【背】①胴体の後ろの部分をさして、主に文章に用いられる古風な和語。〈相手に―を向ける〉〈床の間を―にして座る〉✎谷崎潤一郎『細雪』の主人公幸子は「肩から―の、濡れた肌の表面へ秋晴れの明りがさしている色つやは、三十を過ぎた人のようでもなく張りきって見える」と描かれている。⇩Q背中・背部《はいぶ》 ②身長の意で、くだけた会話から文章まで幅広く使われる日常の和語。〈―が低い〉〈―の高さ〉✎寺田寅彦の『花物語』に「見ても病身らしい、―のひょろ長い」とある。「―比べ」の場合は「せい」と発音する。その他の場合でも会話では「せい」ということが多い。「―が高い」のように身長を意味する用法ではまったく古い感じはなく、「―に腹はかえられない」のような慣用句の場合もさほど古い感じはしない。⇩上背・身長・Q背丈・身の丈

せい【生】人生・生活・生命の意で、主に文章に用いられる漢語。〈―と死〉〈―を全うする〉〈この世に―を享《う》ける〉〈―を楽しむ〉✎林房雄の『青年』に「枯木のごとく、死灰のごとく、犬のごとく、てんとう虫のごとく暮したなら、―は無駄であろう」とある。「人生」と違い、人間以外にも用いる。⇩一生・生涯・人生

せい【姓】一族の家の名をさし、改まった会話や文章に用いられる漢語。〈―は車、名は寅次郎〉〈―も名もありふれているから同―同名もいる〉⇩苗字

せい【所為】物事の起こる原因や理由を漠然とさし、主に会話に使われるくだけた漢語。〈気の―だ〉〈自分の失敗を他人の―にする〉✎芥川龍之介の『東洋の秋』に「空には薄雲が重なり合って(略)その―か秋の木の間の路は、まだ夕暮の来ない内に、砂も、石も、枯草も、しっとりと濡れている」とある。⇩Q原因・要因

ぜい【税】国や地方公共団体などが運営資金として国民や住民から法律に基づいて強制的に徴収する金銭をさし、主に文章に用いられる改まった感じの硬い漢語。〈―を課する〉〈―を取り立てる〉✎「所得―」「消費―」のように語の構成要素として用いられる例も多く、その場合は特に硬い感じはない。日常生活でこの語を単独で用いる例は少なく、納税する側より課税する側の雰囲気が漂う。⇩Q税金・租税

せいあつ【制圧】力で押さえつけて暴動や勝手な振る舞いなどを封じ込める意で、改まった会話や文章に用いられる漢語。〈反対派を―する〉〈不穏な動きを―する〉⇩征服・Q鎮圧・平定・抑圧・抑制

せいい【誠意】私利私欲のない真面目な気持ちの意で、改まった会話や文章に用いられる漢語。〈誠心―〉〈―を示す〉〈―を疑う〉〈―をもって事に当たる〉⇩誠《まこと》・Q真心

せいいく【生育】生まれ育つ意で、改まった会話や文章に使われる、やや専門的な感じのある漢語。〈―期〉〈稲の―〉〈作物の―を促す〉⇩成育・生長・成長

せいいく【成育】大きく育っていく意で、やや改まった会話や文章に使われる、やや専門的な雰囲気の漢語。〈―不良〉〈子の―を見守る〉〈稚魚の―〉✎多く植物に使われる「生

育」に対し、この語は原則として人間や動物に使われる。したがって、「―に適した土壌」のような例では「生育」を用いるのが自然。⇩生育・生長・成長

せいいっぱい【精一杯】 自分の能力で可能な最大限度を意味し、会話やさほど硬くない文章に使われる日常の漢語。〈―の努力〉〈―頑張る〉〈このぐらいが―だ〉肉体的な力より精神的な集中力に重点のある感じが強く、「力一杯」以上に全力を傾ける雰囲気が感じられる。⇩鋭意・Q力一杯

せいえん【声援】 声をかけて応援する意で、会話にも文章にも使われる漢語。〈沿道からマラソン選手に―を送る〉〈大きな―に応える〉⇩Q応援・加勢・支援

せいか【正価】 掛け値なしの本当の値段の意で、会話にも文章にも使われる漢語。〈現金―〉〈―で買う〉⇩定価

せいか【生家】 その人の生まれた家をさし、改まった会話や文章に用いられる漢語。〈藤沢周平の―跡に碑が立つ〉⇩里・実家

せいか【成果】 獲得した価値ある結果をさし、会話にも文章にも使われる漢語。〈勉強の―が上がる〉〈一定の―を収める〉〈―に乏しい〉〈研究―を発表する〉⇩業績・結果・Q収穫

せいかく【正確】 正しく確実なという意味で、くだけた会話から硬い文章まで幅広く使われる基本的な漢語。〈―無比〉〈―な判断〉〈―に伝える〉〈―を期す〉三浦哲郎の『川べり』に「メトロノームのような―な間を刻んだ歩き方」とある。誤りや誤差を含まないところに重点がある。⇩精確・正当・正しい

せいかく【精確】「精」は「詳しい」意で、細部まで正確なようすをさし、主として文章に用いられる硬い感じの漢語。〈―に調査する〉〈さらに―なデータを入手する〉細かいところまで確かであることを強調する用字。丹羽文雄の『顔』に「精密機械のようにくわしく―に記憶していて」とあり、「正確」と書いてあるが、もし「精確」と記せば「くわしく」は不要になる。⇩正確

せいかく【性格】 個人の特徴的な行動様式や心理的特性をさして、会話にも文章にも広く使われる基本的な漢語。〈―俳優〉〈―破綻者〉〈何といっても―がすばらしい〉〈明るい―〉〈―がひねくれている〉〈―の不一致〉円地文子の『老桜』に「渋滞のない明るい―を持っていた」とある。「おとなしい―の犬」などと動物にも使うが、植物の場合は通常「性質」という。比喩的に「事件の―」「問題の―上」など抽象的な意味合いで用いることもある。⇩気質・気象・気性・気立て・性分・人格・人品・人物・性向・Q性質・たち・人柄・人となり

せいかつ【生活】 暮らしの意で、会話にも文章にも使われる日常の最も基本的な漢語。〈家庭―〉〈―水準〉〈―必需品〉〈―を送る〉〈―を共にする〉〈―が苦しい〉宮本百合子の『伸子』に「―全体がその仏壇のように古風な伝統にみちていた」とある。「暮らし」より正式な感じで、使用頻度が高い。⇩暮らし

せいかん【静観】 自分から積極的に働きかけたり行動を起こしたりせずに、その動向をじっと見守る意で、改まった会話や文章に用いられる硬い漢語。〈事態をしばらく―する〉抽象的な意味での観察であり、「傍観」と違って実際に目で見ている場合には使わない。⇩傍観

せいかん【精悍】 顔つき・態度・行動などが鋭くたくましい感じである意で、やや改まった会話や文章に用いられる漢語。〈―なまなざし〉✎岡本かの子の『落城後の女』に「若い豹の毛皮にでも包まれているような、―で優婉な肌触りの空気」とある。男性の連想が強い。⇩頑健・強健・Ｑたくましい

せいがん【請願】 国民が憲法に保障されている権利により法律に定められた手続きを踏んで公的機関に願い出る意で、改まった会話や文章に用いられる正式な感じの硬い漢語。〈―権〉〈―書を提出する〉〈国に―する〉⇩申請・請求・陳情・要求・要請・要望

せいき【生気】 生き生きとした気力をさし、いくぶん改まった会話や文章に用いられる漢語。〈―のない顔〉〈―が抜ける〉〈―を取り戻す〉〈―に満ちた若者の街〉✎武田泰淳の『蝮のすえ』に「油ぎった―がなく、ひどく緊張した、ほとんど発狂したような顔」とある。⇩活気

せいき【正規】 正式に定められている意で、改まった会話や文章に用いられる硬い漢語。〈―雇用〉〈―の学生〉〈―に登録する〉〈―の手続きをふむ〉⇩Ｑ公式・正式

せいき【性器】 感情をこめずに生殖器全体を明晰《めいせき》にさし示す、乾いた代表的な一般的漢語。✎室生犀星の『杏っ子』に「―というものは見えない。それは平ったい鳥の子餅のようなもの」とある。⇩一物・陰部・陰門・隠し所・下半身②・下腹部・局所・局部・玉門・金玉・睾丸《こうがん》・女陰・Ｑ生殖器・恥部

せいぎかん【正義感】 人間として守り行うべき正しい道義を重んずる感情をさし、会話にも文章にも使われる漢語。〈―にあふれる〉〈―に燃える〉〈―から出た行動〉〈―に訴える〉✎心の奥にある「良心」に比べ、積極的に表面化した感じがある。⇩道徳・Ｑ良心・倫理

せいきゅう【性急】 焦って急ぎ過ぎる意で、主として文章に用いられる硬い感じの漢語。〈生来の―な人間〉〈―に事を運ぶ〉〈―に結論を出す〉〈―の謗《そし》りを免れない〉✎宮本百合子の『伸子』に「自分たちの運命に対して―になってきた」とある。⇩気短・Ｑせっかち・短気

せいきゅう【制球】 野球で投手が狙《ねら》いどおりにボールを投げる意で、主に文章中に用いる専門的な漢語。〈―力〉〈―が定まらない〉〈突如として―を乱す〉✎会話では「コントロール」ということが多い。⇩Ｑコントロール・制御

せいきゅう【請求】 当然受け取る権利のある物を要求する意で、改まった会話や文章に用いられる漢語。〈―書〉〈―金額〉〈代金を―する〉〈資料を―する〉✎代金など多く金銭的な要求に使う傾向が強い。⇩申請・請願・要求・Ｑ要請・要望

せいきょ【逝去】 「死亡」「死去」の尊敬語。改まった文章に用いる漢語。〈謹んで御―を悼む〉✎太宰治の『斜陽』に「お父上の―を悲しんで」とある。「死ぬ」ことを忌む気持ちから、それをこの世から「行き去る」ととらえ直した間接表現。⇩敢え無くなる・上がる②・あの世に行く・息が切れる・息が絶える・息を引き取る・往く・いけなくなる・永眠・往生・お隠れになる・落ちる②・おめでたくなる・帰らぬ人となる・くたばる・死去・Ｑ死ぬ・死亡・昇天・斃《たお》れる・他界・長逝・露と消える・天に召される・亡くなる・儚《はかな》くなる・不帰の客となる・不幸がある・崩御・没する・仏になる・身罷《みまか》る・脈が上がる・空しくなる・藻屑となる・逝く・臨死・臨終

せいぎょ【制御（禦・馭）】 一定の目的に沿って思いどおりに操

作・調節する意で、改まった会話や文章に用いられる専門的で硬い漢語。〈自動―装置が働く〉〈活動を―する〉〈感情の―が難しい〉✎野球の「コントロール」にはこの語を用いず、「制球」という。⇩Qコントロール・制球

ぜいきん【税金】「税」の意で、くだけた会話から硬い文章まで幅広く使われる日常の漢語。〈―対策〉〈―泥棒〉〈―がかかる〉〈―を取られる〉〈―を払う〉〈―を滞納する〉✎類義語の中で最も普通に使われる。⇩税・Q租税

せいく【成句】広く知られた古人の詩文などの一句をさし、やや改まった会話や文章に用いられる古風な漢語。〈―を引いて文章を結ぶ〉✎『史記』中の「四面楚歌」や李白の詩にある「白髪三千丈」など、「格言」に比べ典拠の明確なものが多い。諺《ことわざ》や慣用句を含めて言う場合もある。⇩イディオム・格言・Q慣用句・諺

せいけい【生計】暮らしていくための収入を得る手段や、その収入と支出との関係から見た状態をさして、会話にも文章にも使われる漢語。〈―を立てる〉〈何とか―を保つ〉〈―の道を求める〉⇩Q家計・暮らし向き

せいけい【成形】満足な形を作る意で、会話でも文章でも使われる専門的な漢語。〈切除した乳房の―手術〉✎「形成外科」のように「形成」ということも多い。⇩Q整形・成型

せいけい【成型】素材を型にはめて一定の形に作り上げる意で、多く文章に用いる専門的な漢語。〈―加工〉〈プレス―〉⇩整形・Q成形

せいけい【整形】形を整える意で、会話でも文章でも使われる、やや専門的な漢語。〈―外科〉〈美容―〉〈顔の―手術〉⇩Q成形・成型

せいけつ【清潔】きれいで衛生的な意で、会話にも文章にも使われる日常の漢語。〈―に保つ〉〈―な肌着〉〈―な部屋〉✎井上靖の『猟銃』に「腰の線が羚羊のように―でしかも逞しい」とある。太宰治の『満願』には「すぐ眼のまえの小道を、簡単服を着た―な姿が、さっさと飛ぶようにして歩いていった。白いパラソルをくるくるっとまわした」という印象的なラストシーンがある。「―な人柄」のように抽象化した比喩的用法もある。「不潔」と対立。⇩衛生・清らか・Q綺麗・清浄

せいげん【制限】物事の許容範囲や限度を設けてそれに従わせる意で、会話にも文章にも広く使われる日常の漢語。〈入場―〉〈字数―〉〈食事―〉〈給水―〉〈―速度〉〈年齢―〉〈―時間内に仕上げる〉〈予算枠を―する〉⇩制約

せいこう【成功】目的を達成する意で、くだけた会話から硬い文章まで幅広く使われる日常の基本的な漢語。〈―者〉〈作戦がまんまと―する〉〈実験に―する〉〈―を祈る〉〈一度で―したためしがない〉✎「その道の―者」「実業家として―する」のように、社会的な地位や名誉を手に入れたり大きな財を成したりする意味にも使う。夏目漱石の『坊っちゃん』に「わるくならなければ社会に―はしないものと信じて居るらしい」とある。「失敗」と対立。⇩Q成就・達成

せいこう【性交】男女の性器の結合を意味する代表的漢語。〈―に至る〉✎感情的なニュアンスを伴わないストレートな客観的表現。「性行為」より専門語の感じは薄い。⇩営み・エッチ・関係②・合歓・交合・交接・情交・情を通じる・Q性行為・性交渉・

性的行為・セックス・抱く②・契る・同衾《どうきん》・共寝・寝る②・懇ろになる・ファック・深い仲になる・房事・枕を交わす・交わる・やる③・夜伽《よとぎ》

せいこう【性向】性格傾向の意で、主として硬い文章に用いられる学術的な雰囲気の漢語。〈穏和な―の持ち主〉〈―の一端を示す〉〈青年期に特有な―が顕著に認められる〉⇩気質・気象・気性・気立て・性分・人格・人品・人物・Q性格・性質・たち・人柄・人となり

せいこう【精巧】細かいところまで巧みに出来ている意で、やや改まった会話や文章に用いられる漢語。〈―な細工〉〈―な造り〉⇩厳密・細密・精緻・Q精密・緻密・綿密

せいごう【整合】矛盾や混乱がなく全体として筋が通る意で、改まった会話や文章に用いられる硬い漢語。〈事実ときちんと―する〉〈両者がうまく―する〉〈―性に欠ける〉⇩一致・合致・Q符合

せいこうい【性行為】硬い文章などで「性交」など性欲を満たす行為の総称として用いられる、やや専門的で正式な感じの漢語。「性的行為」ともいう。〈―を行う〉〈―と見なす〉✎対象行為を客観的にさし示す直接表現で、感情的なニュアンスを排除した学術的な雰囲気の語。⇩営み・エッチ・関係②・合歓・交合・交接・情交・情を通じる・Q性交・性交渉・性的行為・セックス・抱く②・契る・同衾《どうきん》・共寝・寝る②・懇ろになる・ファック・深い仲になる・房事・枕を交わす・交わる・やる③・夜伽《よとぎ》

せいこうしょう【性交渉】「性交」をストレートにさし示す硬い感じの漢語表現。〈―をもつ〉✎露骨な表現であり、感情的なニュアンスに欠ける。⇩営み・エッチ・関係②・合歓・交合・交接・情交・情を通じる・Q性交・性行為・性的行為・セックス・抱く②・契る・同衾《どうきん》・共寝・寝る②・懇ろになる・ファック・深い仲になる・房事・枕を交わす・交わる・やる③・夜伽《よとぎ》

せいこん【精魂】物事に打ち込む魂の意で、やや改まった会話や文章に用いられる、いくらか古風で硬い感じの漢語。〈―を傾ける〉〈―をこめる〉⇩精根

せいこん【精根】精力と根気の意で、会話でも文章でも使われる、やや古風な漢語。〈―尽き果てる〉⇩精魂

せいざ【正座(坐)】脚をきちんと折り重ね、姿勢を正して座る意で、会話にも文章にも一般的に使われる漢語。〈床の間を背に―する〉〈長時間―して脚がしびれる〉⇩端座

せいさく【制作】芸術作品や映画・テレビ番組などを作る意で、改まった会話や文章に用いられる漢語。〈卒業―〉〈油絵の―〉〈番組を―する〉✎芸術作品を作るという意識の場合に用いる。⇩作成・製作

せいさく【製作】道具や機械を使って物品を作る意で、会話でも文章でも使われる漢語。〈―所〉〈家具を―する〉〈電化製品の―過程〉〈新型機械の―に取りかかる〉✎「作製」と違い、地図や図面については用いない。道具や機械を用いて物を作る場合に用いる漢語。「映画の―」の場合、監督の意識では「制作」、経営者の感覚では「製作」ということになろう。したがって、「―費」にはこの語を用いるほうが自然。⇩Q作製・制作・製造

せいさん【清算】帳消しにして決まりをつける意で、会話にも文章にも使われる漢語。〈借金を―する〉〈愛人関係を―する〉〈過去を―する〉✎志賀直哉の『或る男、其姉の死』に「鉄道が官有になるので、その引き渡しや―で非常に忙

しい」とある。⇩精算

せいさん【精算】細かく計算する意で、会話にも文章にも使われる漢語。〈―所〉〈―窓口〉〈運賃を―する〉⇩清算

せいさん【生産】人間生活に直結した必要物を作り出す意で、くだけた会話から硬い文章まで幅広く使われる漢語。〈―者〉〈―高〉〈―価格〉〈大量―〉〈―を始める〉〈―が間に合わない〉⇩産出

せいさんぎょう【生産業】自然物に手を加えて価値を高める産業をさし、会話にも文章にも使われる漢語。〈―の振興を図る〉〈―に従事する〉⇩Q産業・実業

せいし【正視】正面からまともに見る意で、改まった会話や文章に用いられる硬い漢語。〈あまりの惨状で―に堪えない〉〈あまりに憐《あわ》れで―するに忍びない〉✎打消しの形で使われる例が多い。⇩直視・見る

せいし【制止】行動しかかるのを制してやめさせる意で、やや改まった会話や文章に用いられる漢語。〈実力行使を―する〉〈―の声を振り切って進入する〉⇩禁止・Q抑止

せいし【静止】動きが止まる意で、やや改まった会話や文章に用いられる漢語。〈―画像〉〈―状態〉〈―したまま微動だにしない〉✎中谷宇吉郎の『立春の卵』に「すねていた最後の一つもお時間の零時五十一分になるとピタリ―した」とある。「運動」と対立。⇩ストップ・Q停止・止まる

せいじ【政治】主権者が立法・司法・行政などの機関を通じて国を治めることをさし、会話にも文章にも使われる基本的な漢語。〈―家〉〈―活動〉〈―資金〉〈議会制―〉〈―に携わる〉✎伊藤整の『火の鳥』に「軍人の―だって、降伏してしまえばその実体は泡のようなものだった」とある。⇩まつりごと

せいしき【正式】規定どおりで社会的に認められる形での、の意で、会話にも文章にも使われる漢語。〈―決定〉〈―採用〉〈―の手続き〉〈―の挨拶〉〈―の通知が届く〉〈―に結婚する〉✎「―の服装」のように簡略化されていない意で、「略式」と対立する。したがってその範囲内にいくつかの種類がありそうだが、「公式の服装」となるとほかに選択肢がないような感じが強い。⇩Q公式・本格的・本式

せいしつ【性質】あらかじめ具《そな》わっている性格の意で、会話にも文章にも広く使われる基本的な漢語。〈朗らかな―〉〈―が温厚だ〉〈―を見極める〉〈かっとなりやすい―〉✎谷崎潤一郎の『卍』に「―が学者肌に出来てまして」とある。「日陰に育つ―」「水に溶けやすい―」「素材の―を生かす」のように、人間や動物以外に植物や物体についても使われ、「参議院というものの―上」のような比喩的な用法もある。「それぞれの―に応じてきめ細かく対応する」のように、「性格」よりも具体的で細かい点をとりあげる傾向が見られる。⇩気質・気象・気性・気立て・性分・人格・人品・人物・Q性格・性向・たち・人柄・人となり

せいじゃく【静寂】ひっそりと静まり返っている意で、改まった会話や文章に用いられる漢語。〈森の―〉〈―を保つ〉〈突如―を破る警笛〉✎阿川弘之の『夜の波音』の冒頭は、列車が「遠去かるにつれて、波の音は又夜の―さの底から湧いて来た」場面で始まる。⇩Q閑寂・閑静・静か・静やか・静粛

ぜいじゃく【脆弱】脆《もろ》くて弱い様子をさし、改まった会話や

文章に用いられる硬い漢語。〈―な地盤〉〈―な体〉〈―な意思〉✎小林秀雄の『ゴッホの手紙』に「翻訳文化などという―な言葉は、凡庸な文明批評家の―な精神のなかに、うまく納っていればそれでよい」とある。⇩Q脆い・弱い

せいしゅ【清酒】 漉《こ》して透明にした日本酒をさし、改まった会話や文章に用いられるやや専門的な漢語。〈―を一本ぶらさげてお祝いに行く〉✎通常「日本酒」と呼ぶが、濁酒でないことを意識する場合は特にこの語を使う。⇩酒・Q日本酒

せいしゅく【静粛】 声を出さずに大人しくしている意で、改まった会話や文章に用いられる漢語。〈御―に願います〉⇩閑寂・閑静・Q静か・静やか・静寂

せいしゅん【青春】 人生の春に当たる若い時代をさし、会話にも文章にも使われる日常の漢語。〈―の日々〉〈多感な―〉〈―時代の夢〉〈―を謳歌《おうか》する〉✎その時期を人生の春に喩えた表現。林芙美子の『耳輪のついた馬』に「―を、長い間文箱のように大切にしていた」とある。藤沢周平の『老年』には「帰らない―といった感傷の中には、まだ現在と―をつなぐみずみずしい道が通じているだろう」とある。客観的な「青年期」に比べ美化された感じがある。⇩Q青年期・若き日

せいじゅん【清純】 性格が清らかで世間の汚れに染まらないという語義で、くだけた会話以外、幅広く使える漢語の日常語。〈―派女優〉〈―な乙女〉〈―な感じの少女〉✎徳田秋声の『縮図』に「出たての蕾《つぼみ》のような―さ」とある。そのような人間は男性にもいるし、老人にもいないわけではないが、この語は主として若い女性について使われてきたため、「―な中年男」「―なお婆さん」といった使い方は滑稽に響き、「―な幼児」という例もぴったり来ない。⇩清い・清らか・純情・Q純真

せいしょ【聖書】 キリスト教の正典をさし、会話にも文章にも使われる漢語。〈新約―〉〈―の教え〉〈―の一節を引用する〉⇩バイブル

せいじょう【清浄】 汚れがなく清らかな意で、改まった会話や文章に用いられる漢語。〈―無垢〉〈―野菜〉〈―な空気〉〈―な湧き水〉✎三島由紀夫の『美徳のよろめき』に「その晩の節子は実際火のように―で、彼女自身、ほとんど肉感的な印象をとどめていなかった」とある。「清潔」ほど一般的でないため、清らかさをより強調した感じがある。「不浄」と対立。⇩清い・Q清らか・綺麗・清潔

せいじょう【正常】 意識・考え方・行動・運行などに異常な点がなく普通の状態である意で、会話にも文章にも使われる漢語。〈意識は―だ〉〈―な判断ができない〉〈ダイヤが―に復する〉✎井上靖の『氷壁』に「いつか―の美那子ではなくなって行った」とある。「異常」と対立。⇩平常・Qまとも

せいしょくき【生殖器】 生殖を営む器官の総称として、学術的な記述などで用いる、客観的で正式な感じの専門的な漢語。⇩一物・陰部・陰門・隠し所・下半身②・下腹部・局所・局部・玉門・金玉・睾丸《こうがん》・女陰・Q性器・恥部

せいしん【精神】 知・情・意にわたる心の働きの総称として、やや改まった会話や文章に用いられる硬い漢語。〈―力〉〈―衛生〉〈―分析〉〈―的にまいる〉〈―を鍛え直す〉〈―

がたるんでいる〉〈―に異常を来す〉〈不撓《ふとう》不屈の―〉〈サービス―に富む〉✎夏目漱石の『坊っちゃん』に「あの野郎の考じゃ芸者買いは―的娯楽で、天麩羅や、団子は物質的娯楽なんだろう」とあるように、「物質」と対立する。「建学の―」「法律の―」のように、根本理念をさす用法もある。⇩感情・気分・Q気持ち・機嫌・心地・心・心持ち・心情・心理

せいじん【成人】成年に達する意やその人をさして、改まった会話や文章に用いられる漢語。〈―式〉〈―の仲間入り〉〈立派に―した姿を一目見せたかった〉✎「大人」よりも範囲が明確。⇩大人

せいしんりょく【精神力】やろうとする気力の意で、会話にも文章にも使われる漢語。〈―を鍛える〉〈ここまで来ればあとはもう―の問題だ〉✎技術や体力に対立するものとして言及することが多い。⇩意気込み・意欲・意力・気概・気骨・気迫・気力・Q根性・ど根性・やる気

せいせい【清清】圧迫感が払拭《ふっしょく》されて爽快な気分になる意で、主として会話に使われる和語。〈鬱陶《うっとう》しい雨空が切れて気分が―する〉〈邪魔者が去って―した〉〈長年のローンが終わって―した〉✎永井龍男の『しりとりあそび』に「あなたに話をしてしまったら、少し―したわ」とある。⇩さっぱり・すかっと・すっきり・晴れ晴れ

せいぜい【精精】どんなに多く見積もってもの意で、会話にも文章にも使われる日常語。〈うまく運んで―そんなものだ〉〈どんなに出世しても―部長止まりだ〉〈この程度の値引きが―です〉〈この収入では飯を食っていくのが―だ〉✎「―頑張ることだな」のように、精一杯の意でも使い、その用法では古風な感じがある。⇩たかが・Qたかだか

せいせき【成績】試験・仕事・試合などにおける評価をさし、会話にも文章にも使われる漢語。〈―表〉〈営業―〉〈学校の―〉〈いい―を取る〉〈優れた―を残す〉✎大岡昇平の『俘虜記』に「射撃は学生のとき実弾射撃で良い―をとって以来、妙に自信を持っていた」とある。⇩評価・評定

せいせん【精選】良質のものだけを念入りに選び抜く意で、やや改まった会話や文章に用いられる漢語。〈―米〉〈―問題集〉〈材料を―する〉〈作品を―して収録する〉✎人間の選定には用いない。⇩厳選

せいせん【生鮮】肉・魚・野菜などが新鮮であることをさし、会話にも文章にも使われる漢語。〈―食品〉✎単独ではあまり使わない。⇩新鮮・みずみずしい

せいぜん【生前】死者についてその人が生きていた時という意味で、やや改まった会話や文章に用いられる漢語。〈―の元気な姿〉〈―の善行〉〈―を偲ぶ〉✎永井荷風の『濹東綺譚』に「翁が―使用したる器物調度」とある。藤枝静男の『雛祭り』には「線香のかわりに妻が―愛していた香水をふり撒いて通夜をした」とある。「死後」と対立。⇩在りし日

せいそ【清楚】清らかで飾りけがないようすをさし、改まった会話や文章の中で用いられるやや古風な漢語。〈―な身なり〉〈見るからに―な感じの薄化粧の女〉✎吉本ばななの『TUGUMI』に「閉じた長いまつ毛も、枕に広がる髪も、まるで本物の眠り姫のように―で美しく」とある。語義の上では男女に共通する状態をさすが、伝統的に女性に対して用いることの多かった関係で、「貞淑」ほど女性専用とい

うわけではないが、すぐに女性を連想させる。「いかにも―な感じのする紳士」といった表現も誤りとはいえないが、語感の点で違和感が残り、その人物に女性的な雰囲気が漂う。「―なおやじ」といった言い方が滑稽な感じがするのは、意味というより、そういう語感のせいである。⇩Q楚々・貞淑

せいそう【正装】 正式の改まった服装の意で、会話にも文章にも使われる漢語。〈―で式に臨む〉⇩盛装

せいそう【盛装】 華やかに着飾る意で、会話にも文章にも使われる漢語。〈―してパーティーに出かける〉✎島崎藤村の『桜の実の熟する時』に「―した下町風の娘達」とある。⇩正装

せいそう【清掃】 きれいに掃除する意で、改まった会話や文章に用いられる漢語。〈―具〉〈―係〉〈校内―〉〈車内の―が済む〉✎「掃除」より正式な感じの語で、家庭ではあまり使わない。⇩掃除

せいぞう【製造】 工場などで原料を加工して物を大量に生産するような意味合いで、会話でも文章でも使われる日常的な漢語。〈―業〉〈―年月日〉〈食品を―する〉✎夏目漱石の『坊っちゃん』に「自分の力でおれを―して誇ってる様に見える」と人間を物扱いにした例がある。⇩製作

せいぞん【生存】 生命を維持する意で、改まった会話や文章に用いられる、やや硬い感じの漢語。〈―競争〉〈事故現場から―者が見つかる〉〈―を確かめる〉〈―を脅かす〉✎単に生死を問題にするだけで生活実感に乏しいため、網野菊の『遠山の雪』にある「新緑のみずみずしい美しさを見ると、彼女の心は生きている喜びでふるえた」のような例で

この語に換言すると違和感が伴う。⇩生きる

せいたん【生誕】 誕生の意で、主として文章に用いられる改まった感じの漢語。〈―の地〉〈―百年の記念事業〉✎歴史的に著名な人物に使われる例が多い。⇩降誕・出生・Q誕生

せいち【精緻】 細かいところまで神経が行き届いている意で、改まった会話や文章に用いられる硬い漢語。〈―な分析〉〈―な描写〉〈―な地図〉⇩厳密・細密・精巧・精密・Q緻密・綿密

せいちょう【生長】 草木が育つ意で、主に文章の中に使われる漢語。〈苗の―〉✎「成長」のうち植物の場合を特に区別するときの表記。学術用語としては用いない。⇩生育・成育・成長

せいちょう【成長】 人間や動植物、組織などが育って大きくなる意で、会話にも文章にも広く使われる日常漢語。〈―期〉〈高度経済―〉〈―株〉〈著しい―に目を細める〉✎島崎藤村の『嵐』に「春先の筍のような勢でずんずん―して来た次郎」とある。⇩生育・成育・生長

せいちょう【清聴】 自分の話を相手が聞いてくれる意の尊敬語。通常は口頭で用いるが、必要に応じ文章中にも用いる漢語。〈ご―ありがとうございました〉⇩静聴

せいちょう【静聴】 静かに聴く意で、通常は口頭で用いるが、必要に応じ文章中にも用いる漢語。〈ご―願います〉〈講演を―する〉⇩清聴

せいつう【精通】 詳しく知っている意で、改まった会話や文章に用いられる漢語。〈税法に―する〉〈その間の消息に―する〉〈裏事情に―する〉✎「通暁」と違い、価値のある知識だけでなくさまざまな情報についても使う。川端康成の

『雪国』に「歌舞伎の話などしかけると、女は彼よりも俳優の芸風や消息に―していた」とある。⇩詳しい・Q通暁

せいてい【制定】 法律や規則などを一定の手続きを経て定める意で、主に文章中に用いる、正式な感じの漢語。〈法律を―する〉〈国旗を―する〉⇩決める・Q定める・指定・設定

せいてきこうい【性的行為】「性交」など性欲に関係した行為の総称として対象をストレートに指示する、学術的な雰囲気の専門的な漢語。〈―を強要する〉✎「性行為」よりも正式な感じで、それ以上に幅広い含みを感じさせる。⇩営み・エッチ・関係②・合歓・交合・交接・情交・情を通じる・Q性交・性行為・性交渉・セックス・抱く②・契る・同衾《きん》・共寝・寝る②・懇ろになる・ファック・深い仲になる・房事・枕を交わす・交わる・やる③・夜伽《よとぎ》

せいてん【晴天】 晴れの天気の意で、改まった会話や文章に用いられる漢語。〈―が続く〉〈本日は―なり〉〈―に恵まれる〉⇩青天

せいてん【青天】 本来は青空の意だが、主に慣用句の中で比喩的に用いられる硬い感じの漢語。〈―の霹靂《へきれき》〉〈―白日の身となる〉⇩晴天

せいと【生徒】 小学校・中学校・高等学校、時には幼稚園を含めて、そこに通う子供を漠然とさす世間一般の使い方の場合は、会話や軽い文章向きの日常の漢語。厳密に中学校と高等学校に限定してそこに通学する少年少女をさす場合は専門語。〈―会〉〈女子―〉〈―を引率する〉〈先生と―〉✎木山捷平の『初恋』に「五百の―が一様に、秋風になびく尾花のように腰をかがめて頭を垂れた」とある。「学生」が「社会人」に対立する概念で用いられるのに対して、「生徒」は「先生」に対する概念。⇩児童・学生

せいど【制度】 社会生活の維持や組織の運営などのきまりをさし、会話にも文章にも使われる漢語。〈選挙―〉〈―を改める〉✎平林たい子の『施療室にて』に「古い家族―は去年の雑草のように枯れている」とある。⇩規則・Q決まり

せいとう【正当】 正しく道理にかなっている意で、改まった会話や文章に用いられる漢語。〈―防衛〉〈―な理由〉〈自らの行動を―化する〉〈―な行為と認める〉✎夏目漱石の『草枕』に「―の事情のもとに」とあるが、現在は「―な」の形が一般的。「不当」と対立。⇩正確・正統・正しい・Q妥当・まっとう

せいとう【正統】 正しい系統の意で、改まった会話や文章に用いられる硬い感じの漢語。〈―派〉〈―を継ぐ〉✎正しい血統の意から抽象的な系統の意味に広がったが、その時代や社会で権威をもつ標準的な存在という感じは残っている。⇩正当

せいどう【聖堂】 ①聖人、特に孔子をまつった堂をさし、会話にも文章にも使われる漢語。〈湯島の―〉⇩カテドラル・教会・教会堂・Q大聖堂・チャペル・天主堂・礼拝堂 ②キリスト教の教会堂をさし、主に文章に用いられる古風な漢語。〈―に信徒が集う〉⇩カテドラル・教会・Q教会堂・大聖堂・チャペル・天主堂・礼拝堂

せいとく【生得】「持ち前」の意で、改まった会話や文章に用いられる硬い漢語。〈―の権利〉〈―のねばり強さ〉〈―の口下手〉✎「しょうとく」とも読む。有吉佐和子の『紀ノ川』に「嫌味をいうのは―の性向」とある。⇩生まれつき・生

まれながら・Q親譲り・生来・持ち前

せいどく【精読】一字一句に注意しながら細かいところまで詳しく読む意で、会話にも文章にも使われる漢語。〈西洋の古典を―する〉✎細部まで注意深く調べながら読む点に中心がある。⇩Q熟読・味読

せいとん【整頓】散らかっているものを片付け、乱れているものを整える意で、会話にも文章にも使われる日常の漢語。〈日ごろから整理―を心掛ける〉〈身のまわりを―する〉✎「整理」と違い、もっぱら具体物に用いる。⇩整理

せいねん【青年】青春期にある人をさし、会話でも文章でも使われる、少し硬めの漢語。〈―期〉〈好―〉〈―特有の心理〉〈いい―に育つ〉〈あの―はもう帰った〉✎川端康成の『東京の人』に「目の涼しい、小川の流れのような感じの―」とある。男も女も含まれるが、男の連想が強い。⇩Q若者・若人

せいねんき【青年期】心身の成熟する時期をさし、やや改まった会話や文章に用いられる専門的な漢語。〈―を迎える〉〈―特有の感傷〉⇩Q青春・若き日

せいのう【性能】機械や道具などの特性や能力をさし、会話にも文章にも使われる漢語。〈小型車のわりに―がよい〉〈高―を誇る〉〈―の点で問題が多い〉✎その類全体の基本的な働きを連想させる「機能」に対し、それ自体が他と比べて持っている固有の能力を連想させる。井上靖の『氷壁』に「登山家なら知っているナイロン・ザイルの―」とある。⇩Q機能・能力・働き

せいはつ【整髪】伸びたり乱れたりした（主に男性の）髪の毛を整える意で、やや改まった会話や文章に用いられるやや専門的な漢語。〈―料〉〈―剤〉⇩散髪・Q調髪・理髪

せいひん【製品】製造した品物をさし、会話にも文章にも使われる漢語。〈紙―〉〈―の抜き打ち検査〉〈―を出荷する〉✎林芙美子の『耳輪のついた馬』に「粗―が（略）洪水の如く、市場へ流れて行くのだ」とある。⇩品物・Q物品

せいふ【政府】国の統治機関をさし、くだけた会話から硬い文章まで幅広く使われる漢語。〈―筋〉〈―当局〉〈―の方針〉〈小さな―〉✎国木田独歩の『牛肉と馬鈴薯』に「鋼鉄のような―」とある。日本の場合は内閣およびその下にある行政機関全体。最広義には、行政のほか立法や司法の諸機関をも含む総称ともなるが、一般的な認識としては国会や裁判所を含まない。⇩内閣

せいふく【制服】その組織や集団に所属している人が着用を義務づけられている衣服をさし、会話にも文章にも使われる漢語。〈―制帽〉〈―姿も凜々《りり》しく〉〈社で―を貸与する〉✎詰襟の学生服やセーラー服、軍服や警察官の制服などの連想が強く、スポーツのユニフォームにはなじまない。「私服」と対立。⇩ユニフォーム

せいふく【征服】征伐して服従させる意で、会話にも文章にも使われる漢語。〈隣接する小国を―する〉✎「鎮圧」「平定」と違い、別の統治権を有する他国に遠征して打ち破り新たに自らの支配下に加える場合に使う。「山を―する」のように、困難なことを成し遂げる意に用いることもある。⇩制圧・鎮圧・Q平定・抑圧・抑制

せいぶつ【生物】生命をもち成長し繁殖するものとしての動

植物の総称で、いくぶん改まった会話や文章に用いられる専門的な感じの漢語。〈—学〉〈単細胞—〉〈—兵器〉〈水中—〉✎椎名麟三の『永遠なる序章』に「人間でない醜悪な—の顔のように見えた」とある。井伏鱒二の『山椒魚』には「初夏の水や温度は、岩屋の囚人達をして鉱物から—に蘇らせた」とある。これは山椒魚と蛙であるが、一般には、「生きもの」と逆に、主として植物を連想しやすい。⇩生き物

せいぶん【成分】 物を構成する一つ一つの物質をさし、学術的な会話や文章に用いられるやや専門的な漢語。〈主な—〉〈温泉の—〉〈—が検出される〉✎夏目漱石の『草枕』に「色々な—を含んで居る」とある。⇩因子・Q要素

せいへき【性癖】 性質の偏りの意で、主に文章に用いる硬い漢語。〈奇妙な—がある〉〈大言壮語の—が抜けない〉⇩癖

せいぼ【生母】 血のつながった母親の意で、主に文章中に用いられる漢語。〈—の面影を残す〉〈—の顔は覚えていない〉✎ほかに義母・養母・継母が存在する場合に限り、それらに対して自分を生んでくれた産みの親であることを強調して表現することば。⇩実母

せいぼ【歳暮】 年末の意で文章に用いられる古めかしい漢語。〈—の一日〉〈—の小遣いをもらう〉✎現代ではめったに用いなくなり、「中元」と同様、主に「お—」の形で、「—の挨拶」としての贈り物をさすのが通例。この用法には特に古い語感が伴わない。⇩暮れ・Q歳末・年の暮れ・年の瀬・年末

せいぼう【声望】 その人の名声と人望の意で、主に文章中に用いられる漢語。〈—が高い〉✎高田保の『河童ひょうろん』に「大臣の権威が画伯の—に及ばなくなったのは愉快である」とある。⇩人望

せいほうけい【正方形】 辺の長さがすべて等しく四つの角がすべて直角である四辺形をさす漢語。会話的な「真四角」の正式名称。〈一辺が五センチの—〉⇩真四角

せいみつ【精密】 細部まで注意が行き渡り正確にできている様子をさし、会話にも文章にも使われる漢語。〈—機械〉〈—検査〉〈—に測定する〉⇩厳密・細密・Q精巧・精緻・緻密・綿密

せいめい【生命】 「いのち」の意で、改まった会話や文章に用いる、正式な感じの客観的な漢語表現。〈—を救う〉〈—の危険に曝《さら》される〉〈—が危うい〉〈—を賭《と》して事に当たる〉✎古井由吉の『影』に「人間の—は結局のところ、半浸透膜で外と隔てられた細胞のようなものである」とある。日常生活で「人の命を助ける」勇気ある行動も、それを報じる新聞では「—を救助する」といった用語に変身する。保険の種類が「—保険」であるのも、この語の正式な感じが、会社が責任を持って支払うような安心感を与える雰囲気をかもしだす。ちなみに、「「命」ということばを使う」、「「生命」という語を用いる」のように、他の部分と文体的なレベルをそろえると表現としてしっくりはまって落ち着く。⇩いのち

せいめい【姓名】 名字と名前の意で、主として文章に用いられる漢語。〈—判断〉〈—を記載する〉✎「氏名」に比べ、「姓」と「名」との独立した感じが強い。⇩Q氏名・名・名前

せいめい【声明】 ある事柄に関する自らの立場や見解を社会に対して公式に表明する意で、改まった会話や文章に用いられる正式で専門的な硬い漢語。〈—文〉〈共同—〉〈議長

—〉〈抗議—〉〈—を発表する〉✎特に政治や外交の場で行われ、多く文書の形で発表される。⇩Q宣言・宣告・宣誓

せいやく【制約】物事を制限したり条件を設けたりして自由な活動を縛る意で、会話にも文章にも使われる漢語。〈いろいろ—がある〉〈—を設ける〉〈—を破る〉〈時間の—を受ける〉⇩制限

せいよう【静養】心身を休養させ健康の回復を図る意で、改まった会話や文章に用いられる漢語。〈—中〉〈温泉で—する〉⇩保養・Q養生・療養

せいようせんたく【西洋洗濯】「クリーニング」の古めかしい説明的な訳語。✎小津安二郎監督の映画『落第はしたけれど』(一九三〇年)に「西洋洗濯」と書いたはっぴを着た男が登場するが、箱には「クリーニング」と書いてあるから、この語形が当時でも口頭で実際に発音されたかどうかは明確でない。⇩クリーニング・洗濯

せいようりょうりてん【西洋料理店】「レストラン」の古風な漢語の呼称。〈—の老舗〉✎「レストラン」より伝統のある古風な店構えを想像させ、昔の味を守る腕のいいコックがいて、メニューも典型的な料理に限られているといった雰囲気を感じさせる。ファミリーレストランなどは含まれないような語感がある。⇩カフェテリア・食堂・洋食屋・Qレストラン

せいよく【性欲】異性に対する性的な欲望をさし、会話でも文章でも幅広く使われる漢語。〈—がさかんだ〉〈—のとりこになる〉✎森鷗外の『キタ・セクスアリス』に「—の獣は眠っている」とある。意味の共通部分をもつ「愛欲」「情欲」「色欲」より少し露骨だが、この語は客観的・学術的な雰囲気を有し、「淫欲」「肉欲」「獣欲」に比べると厭《いや》らしさは少ない。「欲」と結びつくもう一つの漢字のイメージの差による面もあるだろう。⇩愛欲・淫欲・Q色欲・獣欲・情欲・肉欲

せいらい【生来】生まれつきの意で、改まった会話や文章に用いられる硬い感じの漢語。〈—の怠け者〉〈—の柔軟な体〉〈—の鋭い音感〉✎徳田秋声の『縮図』に「—ぶっ切ら棒な銀子は、別に返辞もしなかったが」とある。「—正直一途の生活をしてきた」のように、生まれてからこの方という意味にも使われる。⇩Q生まれつき・生まれながら

せいり【生理】「月経」の意の最も一般的な漢語の間接表現。〈—日〉〈—痛〉〈—が始まる〉✎人前で口にしにくいこの現象については昔からさまざまな婉曲《えんきょく》表現が試みられてきたが、この語はそれによって伝えたい実際の対象よりもはるかに広い意味を指示することばに置き換えてそこから推測させる手段による間接化。半世紀前からこのような用法が行われていたが、当時は今日ほど普及しておらず、すんなり理解されないケースもあったようである。「生理」という語は本来、生物が生きてゆく上でのもろもろの現象や機能を広くさすことができるため、まるで点をさすのに面を示したような表現であり、もしも将来この語が使い古されて意味と直結し、ぼかしの効果を果たさなくなれば、同じく意味範囲を拡大して婉曲にするには「現象」ぐらいに広げざるを得ず、正確な伝達が困難になるかもしれない。⇩Q月経・メンス

せいり【整理】乱れているものを秩序正しく並べ直して整然

とする意で、くだけた会話から硬い文章まで幅広く使われる日常の基本的な漢語。〈区画―〉〈残務―〉〈資料を―する〉〈机の上を―する〉✎「頭を―する」「問題を―する」のように抽象的な対象にも用いる。「人員―」のように、余分で不必要なものを処分する意でも使う。⇩整頓

せいりつ【成立】 交渉の結果、条件などが合意に達し物事がまとまって実現したり、論理が通ったり、約束などが正式に効力を発したりする意で、改まった会話や文章に用いられる漢語。〈委員会が―する〉〈予算案が―する〉〈商談が―する〉〈和解が―する〉〈条約の―に向けて動き出す〉✎大岡昇平の『俘虜記』に「明らかに「殺されるよりは」という前提は私が確実に死ぬならば―しない」とある。⇩成り立つ

せいりょく【勢力】 他と対抗したり他に影響を与える力をさし、いくぶん改まった会話や文章に用いられる漢語。〈―範囲〉〈反対―〉〈一大―を誇る〉〈―を伸ばす〉✎有島武郎の『或る女』に「野火のような勢いで全国に拡がり始めた赤十字社の―」とある。⇩勢い

せいれん【清廉】 私利私欲がなく心が清い意で、主として文章中に用いられる古風で硬い漢語。〈―潔白〉✎里見弴の『多情仏心』に「―剛直の操行にかけては」とある。⇩潔い・Q高潔・廉潔

せいれん【精練】 天然繊維から不純な混じり物を取り除く意で、改まった会話や文章に用いられる専門的な漢語。〈生糸を―する〉✎「よく―された部隊」のように「鍛え上げる」意で比喩的に使う場合は「精錬」とも書く。⇩Q精錬・製錬

せいれん【精錬】 鉱石に含まれている金属を分離・抽出する意で、改まった会話や文章に用いられる専門的な漢語。〈―所〉〈粗銅を―する〉⇩精練・Q製錬

せいれん【製錬】 鉱石から金属を精錬し、さらに精製して地金にする工程をさし、改まった会話や文章に用いられる専門的な漢語。〈―所〉⇩精練・Q精錬

セーター 毛糸などで編んだ上着の総称として、くだけた会話から硬い文章まで幅広く使われる日常の外来語。〈とっくり襟の―〉〈―を編む〉〈―姿で散歩に出る〉✎カーディガンを含む場合もあるが、通常は頭からかぶる形のものをさす。⇩カーディガン

セーフ 危機を脱する、無事に切り抜ける意で、主としてくだけた会話で使われる俗っぽい外来語。〈遅刻寸前でなんとか―になる〉〈終電にぎりぎり―だった〉✎球技、特に野球の用語の拡大用法として、「危うく助かる」「予定の時刻に間に合う」といった意味合いでも使われる。必ずしも試合の場面を連想しないまでに比喩性が薄れている。「アウト」と対立。

セーラー 船員、特に水兵の意で、主に会話に使われた古風な外来語。〈―姿にあこがれる〉✎「―服」などに名残をとどめているだけで、今はめったに使わない。⇩海員・クルー・水夫・Q船員・乗組員・船乗り・マドロス

セール 「バーゲン」の意で、会話にも文章にも使われる外来語。〈―の品〉〈―に出す〉〈冬物の―〉✎「バーゲンセール」の形で使うこともあるが、現在は日常一般にこの省略形をよく使う。⇩Q売り出し・叩《たた》き売り・ダンピング・特売・投げ売り・バーゲン・安売り・廉売

セールスポイント 宣伝として売り込むのに有効な特長をさす和製英語。〈商品の―を繰り返し説明する〉✎英語の「セリングポイント」は外来語になりきれていない。

セールひん【セール品】 売り出しの日に特別価格で提供する品物をさす語。〈―だが、ものはいい〉✎「値下げ品」の一種であるが、保存が利かないというよりも、季節はずれや流行おくれなどの理由で値引きした衣料品などの連想が強い。⇩値下げ品

せおう【背負う】 背中に載せて持つ意で、やや改まった会話や文章に用いられる和語。〈荷物を―〉〈重そうなリュックを―〉✎壺井栄の『二十四の瞳』に「古い家に生まれた富士子は、いかにもその家柄を―・ったように落ちつきはらって」とあり、「一家を―」「重い責任を―」のように抽象的な意味の場合は通常この語を用いるが、「将来の日本をしょって立つ若者」のような「しょって立つ」の形では逆に「せおって」となるケースはまれである。⇩負う・おぶう・おんぶ・Qしょう

せおよぎ【背泳ぎ】 あお向けになって腕を交互に回転させ、ばた足で進む泳法をさし、会話でも文章でも広く使われる、類語中最もわかりやすく平たい感じの和語。〈―はちょっと自信がある〉⇩Q背泳・バック②

せかい【世界】 ①地球に住む人類全体の社会をさして、会話にも文章にも広く使われる基本的な漢語。〈―の平和〉〈―の国々〉〈―の動き〉〈―を旅する〉✎三島由紀夫の『金閣寺』に「―は墓石のように動かない」とある。⇩地球 ②職業などの共通する特殊な人間の集まりをさして、会話にも文章にも使われる漢語。〈狭い―で活動する〉〈スポーツの―〉〈自分の―に閉じこもる〉✎「社会」と共通する意味合いが多いが、「自分の―に閉じこもる」のように、世間との交流のない場合や、「学問の―」「勝負の―」のように厳しい意味合いで使う場合は、いずれも友好的な「社会」と換言できない。⇩Q社会・世間・世の中

せかせか 気が急《せ》いて行動が落ち着かない意で、あまり改まらない会話に使われる和語。〈―歩く〉〈―話す〉⇩あたふた・Qそそくさ・そわそわ

せかっこう【背恰(格)好】 身長や肥満の度合いの大体の印象をさして、会話にも文章にも使われる古風な表現。〈すらりとした―の紳士〉〈―がよく似ている〉✎健康状態などは特に意識されない。⇩体つき・図体《ずうたい》・Q体格・体躯《たいく》・なり・身なり

ぜがひでも【是が非でも】 「是非」の強調として、やや改まった会話や文章に用いられる、やや古風な表現。〈―勝ちたい〉〈―全うすべく日々努力を怠らない〉⇩是非・Q是非とも

せがむ 親しい目上の人に物や行為を無理に頼む意で、主に会話に使われる和語。〈子供に―・まれる〉〈おやつを―〉✎「ねだる」より無理強いしている感じが強いが、「せびる」のような悪のイメージはない。⇩Qせびる・ねだる

せがれ【倅(悴)】 親から見た男の子供をさし、会話や軽い文章に使われる古風な和語。〈―に跡を継がせる〉〈―に嫁をもらう〉〈隣の家の―〉✎「息子」より古く、へりくだった感じもあり、他人の子について使うと軽く見ている感じに響く。夏目漱石の『坊っちゃん』に「此《こ》の質屋に勘太郎という十三四の―が居た」とある。⇩子息・息子

せき【咳】咽喉《いんこう》や器官が刺激されて肺の空気が急激に吐き出される生理現象をさし、会話にも文章にも使われる日常の和語。〈空—〉〈—をする〉〈—が出る〉喉頭結核を病む尾崎放哉は「—をしても一人」という自由律俳句で、咳の直後に襲う激しい孤独感を訴えた。⇩しわぶき

せき【席】座ったり腰掛けたりするための場所をさし、会話にも文章にも使われる漢語。〈—を予約する〉〈—が空く〉〈—を譲る〉〈—に着く〉〈—を立つ〉〈—を外す〉夏目漱石の『坊っちゃん』に「校長の隣りに赤シャツが構える。あとは勝手次第に—に着く」とある。椅子などの具体的な物を連想させる「座席」に比べ、腰を落ち着けるべき場所に重点があり、和室でも違和感がない。⇩座席

せき【隻】大きな船を数えるときの単位として、会話にも文章にも使われる漢語。〈数—のタンカー〉⇩艘《そう》

せき【籍】戸籍や学籍など、一定の集団や組織の一員であるという正式の資格をさし、会話にも文章にも使われる漢語。〈—を入れる〉〈—を置く〉〈—を抜く〉富岡多恵子の『立切れ』に「所帯はもったが、世間並みに—をひとつにするようなことはしていない」とある。⇩所属

せきこむ【咳き込む】続けざまに咳をする意で、会話にも文章にも使われる日常の和語。〈喘息で—〉〈激しく—〉⇩噎《む》せる・咽《む》せぶ

せきさい【積載】貨物などを運送するために車輛や船舶に積み込む意で、主として文章に用いられる専門的な硬い漢語。〈最大—量〉〈トラックに—して輸送する〉個人の日常生活での積み込み作業についてはは大仰過ぎてなじまない。⇩積み込む・積む・Q搭載・載せる

せきじつ【昔日】遠く過ぎ去った日々をさし、主に文章中に用いられる漢語。〈—の面影は薄れた〉〈—の繁栄の跡が偲ばれる〉谷崎潤一郎の『細雪』に「さすがに—の威勢はなくとも、旧い家柄を誇る一家が故郷の土地を引き払うだけのものはあった」とある。「往年」のような最盛期だけでなく漠然としたひろがりをさし、その頃を懐かしく思い出して美化した感じがある。⇩いにしえ・往時・往年・Q昔

せきずい【脊髄】脊柱の中を縦に走る中枢神経をさし、会話にも文章にも使われる、やや専門的な漢語。〈—移植〉〈—に達する〉⇩脊柱・Q脊椎・背骨

せきちゅう【脊柱】「背骨」の意で、学術的な会話や文章に用いられる専門的な漢語。〈—湾曲〉⇩脊髄・Q脊椎・背骨

せきつい【脊椎】脊柱を形成している個々の骨をさし、会話にも文章にも使われる、やや専門的な漢語。〈—カリエス〉〈—分離症〉⇩脊髄・Q脊柱・背骨

せきとり【関取】十両以上の大相撲《おおずもう》力士をさす敬称として、会話にも文章にも使われる、やや専門的な和語。〈—の座を射止める〉⇩相撲取り・Q力士

せきにん【責任】引き受けなければならない任務や、結果に関して負うべき義務をさし、会話にも文章にも使われる漢語。〈連帯—〉〈—逃れ〉〈—ある立場〉〈—重大だ〉〈重い—を負う〉〈—を果たす〉〈親に—がかかる〉〈—をなすりつける〉夏目漱石の『坊っちゃん』に「真相を極めると—は却って学校にあるかも知れない」とある。「義務」と対立。⇩責務

せきねん【積年】積もり積もった長い年月の意で、主に文章中に用いられる、やや古風な硬い漢語。〈―の夢がついにかなう〉〈―の恨みを晴らす〉✎「永年」のように全体としてとらえるのではなく、一年ずつ積み重ねてきたという重みを感じさせる。⇩Qえいねん・多年・ながねん

せきばく【寂寞】音もなく物淋しい感じをさし、文章中に用いられる硬い漢語。〈冬の日の―たる風景〉〈鐘の音があたりの―を破る〉✎佐藤春夫の『田園の憂鬱』に「年をとって、ひどく人生の―を感じ出した」とある。「じゃくまく」とも読む。⇩哀愁・憂い・愁い・寂しい・Q寂寥《せきりよう》・物悲しい・憂愁

せきむ【責務】自らの責任で果たさなければいけない務めをさし、改まった会話や文章に用いられる硬い漢語。〈―を果たす〉〈―を履行する〉〈自分の―を遂行する〉✎有吉佐和子の『紀ノ川』に「その―を立派に果たしている」とある。⇩義務・責任・務め・Q任務

せきよう【夕陽】「夕日」の意で、硬い文章で用いられる古風で美的な漢文調の漢語。〈湖面に照り映える―の美〉✎島崎藤村の『桜の実の熟する時』に「―の美は生れて初めて彼の眼に映じた」とある。⇩入り日・Q斜陽・西日・夕日・落日・落陽

せきりょう【寂寥】ひっそりと物淋しくどこか満たされない感じをさし、文章中に用いられる硬い漢語。〈はてしない―感〉〈―たる原野〉✎中山義秀の『テニヤンの末日』に「骨にくいこむような―にじっとしていられなかった」とある。⇩哀愁・憂い・愁い・寂しい・寂寞《せきばく》・物悲しい・Q憂愁

せく【急く】時間に追われて早くしなければという気持ちが強く、追い立てられたように平静さを失う意で、会話やさほど硬くない文章に使われるやや古風な和語。〈予定時刻を過ぎて気が―〉〈―・いては事を仕損じる〉✎夏目漱石の『坊っちゃん』に「気は―が、足丈《けだ》は云う事を利かない」とある。「あせる」と比べ、時間に追われる感じが強い。⇩焦る・急ぐ

せけん【世間】その人間の活動範囲や自分の生活に関係の深い人々の総体を漠然とさして、会話やさほど硬くない文章に使われる、いくらか古風な漢語。〈―話〉〈―知らず〉〈―の噂〉〈―の風が冷たい〉〈渡る―に鬼は無い〉〈―は広いようで狭い〉✎安部公房の『他人の顔』に「―は、淡い顔料で画いたガラス絵のように隙間だらけになる」とある。「世の中」よりも範囲が狭い。また、「―に顔向けができない」「―の目がうるさい」などと言うように、「世の中」以上に、社会組織というよりそこに住む人間を意識した表現。⇩Q社会・世界②・世の中

せけんずれ【世間擦れ】実社会での生活体験が豊富で初々しい感じを失っている意で、会話にも文章にも使われる表現。〈まだ―していない純真な青年〉〈年齢のわりに妙に―したところがある〉✎多く若者について使われ、「世慣れる」よりは悪いニュアンスを伴うが、「擦れ枯らし」ほどのマイナスイメージはない。⇩Q擦れ枯らし・世慣れる・老獪《ろうかい》

せけんてい【世間体】世間に対する面目・体裁の意で、会話にも文章にも使われる古風な漢語。〈―をつくろう〉〈―が悪い〉⇩外聞・体面・Q体裁・人聞き

せこい 比較的最近になって「けちくさい」意で使われだした新しい俗語。〈やり方が―〉〈―考え〉✎「下手だ」という

意味では明治時代の芸人の俗語にあり、「芸が―」のように用いたという。「みみっちい」という意味合いで使うのは近年の新しい俗語。⇩Qけち・けちくさい・しみったれ・しみったれる・みみっちい

せこう【施行】→しこう

せこう【施工】「しこう」の慣用読み。〈―主〉⇩施行《しこう》・Q施工・執行・実行・実施・施行《せこう》・履行

セコハン「中古」の意で、くだけた会話で使われる、俗語に近い古い感じのことば。〈―で安く手に入れる〉✎外来語「セカンドハンド」の短縮形。「中古」が新品でないという点に意識の中心があるのに対し、この語は一度だれかが使った品物である点に中心がある。なお、発売されてある期間経過したが未使用同然の車という意味合いで「新古車」という表示を目にすることもある。⇩Qちゅうこ・ちゅうぶる

せしめる　相手の油断に付け込んだり、うまく立ち回ったりして、他人の金品を自分のものにする意で、くだけた会話に使われる俗っぽい和語。〈まんまと―〉〈相手をうまく騙《だま》して金を―〉✎「巻き上げる」が奪うイメージが強いのに対して、この語は手に入れる段階に焦点があるように感じられる。⇩ひったくる・ふんだくる・分捕る・Q巻き上げる

せじん【世人】世間の一般の人をさし、主として文章に用いられる漢語。〈―が注目する〉〈―に好評を博する〉✎一般には世間の人びとをさすに過ぎないが、「川端康成の小説の冷い理智とか美しい抒情とか言う様な事を―は好んで口にするが、「化かされた阿呆」である」というふうに、ひとたび批評家の小林秀雄の文章に使われると、それはとたんに、これから挑みかかる対象としての凡俗の常識人という雰囲気に一変する。これも個人的な語感の一例である。

ゼスチュア「ジェスチャー」の古い形。〈―で何とか通じる〉〈―を交えて話す〉⇩Qジェスチャー・しぐさ・手真似・身振り

ぜせい【是正】問題のある箇所を正しく改める意で、主として文章に用いられる硬い漢語。〈法の不備を―する〉〈不公正な部分を―する〉⇩Q改正・改定・改訂・訂正・批正・補正

せせこましい　狭くてゆとりのない意の和語で、やや会話的。〈―町〉〈―部屋〉✎芥川龍之介の『秋』に「隣近所には、いずれも借家らしい新築が、―・く軒を並べていた」とある。単に「狭い」だけでなく、そのために窮屈な思いをするといった不快感を伴う。⇩狭隘《きょうあい》・狭い・Q手狭

せせらぎ【細流】さらさら音を立てる浅い流れをさし、会話にも文章にも使われる、いくぶん趣のある和語。〈―をまたぐ〉〈―の音が聞こえる〉✎「渓流」や「谷川」より細い流れを連想させる。川の浅瀬で音を立てる部分をさすこともあり、「小川の―が耳を楽しませる」のように音自体をさすこともある。大岡昇平の『武蔵野夫人』にも「地下水が這い出るように湧き、すぐ―を立てる流れとなって落ちて行く」とある。⇩渓流・谷川

せせらわらう【せせら笑う】相手を小ばかにして笑う意で、会話や改まらない文章に使われる和語。〈お前なんかには無理だと―〉✎「あざ笑う」が攻撃的な笑いなのに対し、この語は相手の能力の低さなどをばかにする感じが強い。⇩Qあざ笑う・嘲笑・冷笑

せたい【世帯】主として改まった文章に用いられる正式な感

じの漢語。〈―数〉〈一―あたり〉〈―主〉〈―構成〉✎日常生活で使われる「所帯」に比べ、戸籍など公の場で用いられる。⇩所帯

せだい【世代】年齢の近い人々の集合をさし、会話にも文章にも使われる漢語。〈―交代〉〈次の―〉〈若い―〉〈―間の断絶〉〈戦争を知らない―〉✎「二―住宅」のように、親・子・孫と続くそれぞれの代をさす用法もある。⇩時代・Q年代

せたけ【背丈】身長の意で、会話や硬くない文章に使われる、やや古風な和語。〈―を測る〉〈―が伸びる〉✎林芙美子の『放浪記』に「―が十五六の子供のようにひくくて」とある。⇩上背・身長・Q背②・身の丈

せつ【説】ある件に関する意見・考え・主張をさし、いくぶん改まった会話や文章に用いられる漢語。〈新しい―を発表する〉〈学者の間でも―が分かれる〉〈経済学者の―によると〉✎小沼丹の『片片草』に「シェイクスピアは実在しなかったと云う―のあることも知って頗る満足した」とある。⇩Q意見・主張

ぜつえん【絶縁】縁を切って互いの関係を消滅させる意で、改まった会話や文章に用いられる、やや古風な感じの漢語。〈親戚と―状態にある〉〈―状をたたきつける〉✎志賀直哉の『雨蛙』に「腹を立て、家と―し、A市で女と水菓子屋を開き、それで自活する事にした」とある。多く知人・友人との関係について使う「絶交」と違い、この語は夫婦や家族・親戚などとの関係に用いる傾向がある。なお、「―体」のように、電気の伝導を断ち切る意にも使う。⇩Q絶交・断交

せっかい【切開】治療の目的で患部の皮膚・組織・器官を切り開くことをさし、会話にも文章にも使われる漢語。〈―手術〉〈帝王―〉〈患部を―する〉✎手術の一部であるが、「―して膿を出す」のように「手術」という語に比べ深刻な感じが薄い。⇩手術

せっかち 気が短くて先を急ぎ落ち着かない性格をさして、会話や軽い文章に使われる和語。〈生まれつき―な性分〉〈―だから今すぐやりたがる〉✎夏目漱石の『坊っちゃん』に「おれと同様に―で肝癪持らしい」とある。⇩Q気短・性急・短気

せっき【節季】盆と暮れ、特に年末の意で、主に文章に用いられる古めかしい漢語。〈―払い〉〈―大売出し〉✎「季」は末の意で昔の大きな決算期に当たる。⇩節気

せっき【節気】一年を立春・春分・立夏・夏至・立秋・秋分・冬至・大寒などの二十四に区分して季節の変わり目の目安にしたもの。会話でも文章でも使われる古風で専門的な漢語。〈二十四―〉〈大暑は夏の最後の―に当たる〉✎「二十四気」ともいう。⇩節季

ぜっきょう【絶叫】恐怖や驚きに興奮して思わず声を限りに叫ぶ意で、改まった会話や文章に用いられる漢語。〈―調のスポーツ放送〉〈あらん限りの声で―する〉✎太宰治の『富嶽百景』に「かん高い声で或る朝、茶店の外で、娘さんが―したので、私は、しぶしぶ起きて」とある。宮本百合子の『伸子』には「上気《ぼ》せあがり、舌のひりついたソプラノで刺すように―した」とある。⇩金切り声・叫び・叫び声・Q悲鳴

せっきん【接近】近づいて距離や差のない状態になる意で、会話にも文章にも使われる漢語。〈異常―〉〈台風が―す

る〉〈船舶が―する〉〈両者の実力が―している〉✎状態的な「近接」と違い、動きに重点を置く例が多い。⇩近接

セックス 感情的なニュアンスを排除するために外国語を借りて「性交」を意味することのある俗っぽい表現。〈―シーン〉〈―の経験〉✎村上春樹の『回転木馬のデッド・ヒート』に「ある種の好意と好意(略)が出会えば(略)自然発火のごとくに―が生じる」とある。卑猥《ひわい》な語感を消すために多義的な外国語を利用したもの。原語には「性欲」の意味はあるが、行為そのものをさす用法があるかは疑問。軽い感じで便利なために「―の回数」「―レスの夫婦」などと多用されすぎて、今ではむしろ間接性が薄れている。⇩営み・エッチ・関係②・合歓・交合・交接・情交・情を通じる・Q性交・性行為・性交渉・性的行為・抱く②・契る・同衾《どうきん》・共寝・寝る②・懇ろになる・夜伽《よとぎ》・ファック・深い仲になる・房事・枕を交わす・交わる・やる③

せっけい【設計】 製作や工事に取り掛かる前に材料や費用などを見積もり、その全体像や構造を図面に示すことをさし、会話にも文章にも使われる漢語。〈―図〉〈―ミス〉〈建築―事務所〉〈タワーの―〉✎「人生―」「生活―」のように、大体の計画をさす比喩的用法もある。⇩計画・Qデザイン

せっけん【石鹼】 水に溶けやすく泡の出る固形石鹼をさし、会話でも文章でも幅広く使われる日常漢語。〈洗顔用の―〉〈―をつけてごしごしこする〉⇩シャボン

せつげん【節減】 金銭や物品の使用量を節約して減らす意で、主に文章に用いられる硬い漢語。〈労力を―する〉〈交際費を―する〉⇩軽減・Q削減・低減・逓減《ていげん》

せっけんか【節倹家】「倹約家」の意のやや古風で高級な文章語。〈―として知られる〉✎類義語の中で非難めいたニュアンスが最も少ない。⇩けち・けちん坊・Q倹約家・渋い・渋ちん・締まり屋・しみったれ・しわい・みみっちい・吝嗇《りんしょく》家

ぜっこう【絶交】 喧嘩状態になって互いに交際を絶つ意で、会話にも文章にも使われる漢語。〈友達と―する〉〈―状態に入る〉✎夏目漱石の『坊っちゃん』に「山嵐とおれが―の姿となったに引き易えて、赤シャツとおれは依然として在来の関係を保って」とある。知人や友人との関係に用い、夫婦や家族・親類との間には「絶縁」を用いる傾向がある。⇩Q絶縁・断交

ぜっこうちょう【絶好調】 期待できる最高の調子をさし、会話にも文章にも使われる漢語。〈商売は目下―〉〈練習では―だ〉✎「好調」の幅のうち最高の段階をさすが、長続きしない感じもつきまとう。⇩快調・好調・Q順調

せっしゅう【接収】 公的権力によって個人の財産を強制的に取り上げる意で、改まった会話や文章に用いられる法的な専門漢語。〈建物が―を免れる〉〈国に―される〉⇩Q押収・没収・召し上げる

せっしょう【殺生】 生き物を殺す意の仏教語。古めかしく抹香くささを感じさせる漢語。〈―禁断〉✎夏目漱石の『坊っちゃん』に「不人情でなくって、―をして喜ぶ訳がない」とある。⇩殺す

せっしょう【折衝】 利害の対立する相手側との交渉にあたり具体的にさまざまな駆け引きをする意で、改まった会話や文章に用いられる硬い漢語。〈外交―〉〈政治―〉〈―を重ねる〉✎各レベルで起こる「交渉」に比べ、個人的な関係よ

り団体・役所・会社・国家などの間で行われる雰囲気がある。⇩交渉

せっしょく【接触】 人や物がじかに触れ合う意の漢語で、「触れる」より少し改まった感じの日常的な漢語表現。〈—不良〉〈車の—事故〉〈—しない程度に近づける〉〈外部との—を図る〉✒永井龍男の『胡桃割り』に「病人との—を制限」とあり、堀辰雄の『菜穂子』に「未知の世界との最初の—」とあるように抽象的な用法もある。⇩触る・Q触れる

せっせい【節制】 控えめにする意で、やや改まった会話や文章に使われる漢語。〈飲酒を—する〉⇩摂生

せっせい【摂生】 健康を考えて生活を慎む意で、やや改まった会話や文章に使われる漢語。〈—に努める〉〈日ごろの不—がたたる〉✒時に含みとして飲食や性欲を節制するニュアンスがある。⇩節制

せっせと 休まず精を出して励む様子をさし、会話や硬くない文章に使われる表現。〈—働く〉〈—稼ぐ〉✒「こつこつ」より忙しく立ち働いている感じが強く、夏目漱石は『草枕』で雲雀の鳴き方を「—忙《せわ》しく、絶間なく鳴いて居る」と書いた。⇩齷齪《あくせく》・営々・Qこつこつと・着々と

せっそう【節操】 主義・主張や信念などを安易に変えず、それを一貫して守る意で、やや改まった会話や文章に用いられる漢語。〈—のないふるまい〉〈—を重んじる〉〈—を貫く〉〈—を曲げる〉✒道徳的な「操」に比べ、この語は各自の職業や地位によってこうあるべきだと社会的に期待されている姿を基準にする感じがある。⇩貞操・Q操

せつぞく【接続】 ①ものがつながる意で、会話にも文章にも使われる漢語。〈電源と—する〉〈途中で特急に—する〉〈列車の—がうまく行かない〉✒「連絡」より直接的なつながりを感じさせ、乗り換えの場合では待ち時間が短いというイメージが強い。⇩連絡 ②接続助詞で主節と従属節とを結びつけたり、接続詞で文と文とを関連づけたりすることをさし、会話にも文章にも使われる専門的な感じの漢語。〈動詞の未然形に—する〉〈先行文と後続文とを—する〉⇩連接

せったい【接待】 客をもてなす意で、会話にも文章にも使われる漢語。〈—費〉〈—係〉〈—ゴルフ〉〈得意先を—する〉〈取引先の会社の—を受ける〉✒「応対」より饗応《きょうおう》のイメージが濃い。⇩応対

ぜったいに【絶対に】 必ず、間違いなく確実に、の意で、会話にも文章にも使われる表現。〈—勝つ〉〈—遅刻するな〉〈—諦めない〉〈—他人に言ってはいけない〉✒井伏鱒二の『山椒魚』に「黴は何と愚かな習性を持っていたことであろう。常に消えたり生えたりして、—繁殖して行こうとする意志はないかのようであった」とある。発言者の強い意志の感じられる語。「絶対」以上に強い。⇩必ず・きっと・決して・Q断じて

せつだん【切(截)断】 物を断ち切る意で、いくぶん改まった会話や文章に用いられる硬い感じの漢語。〈—面〉〈針金を—する〉〈片脚を—する大怪我〉✒「切る」より大仰な感じが強く、小枝の先や大根などを切るときにはなじまない。谷崎潤一郎の『細雪』に「自分の脚が—されることに関して議が凝らされている」とある。⇩Q切る・絶つ・断つ・ちょん切る

せっち【設置】ある目的のもとに組織や施設などを設ける意で、やや改まった会話や文章に用いられる、やや専門的な漢語。〈―規準〉〈新しい窓口を―する〉〈対策本部を―する〉✎「開設」「設立」と違って公衆電話や自動販売機などの機械類にも使うが、灰皿や屑籠《くずかご》のような小さな物品にはなじまない。⇩開設・Q設立

せっちゃく【接着】物と物とを離れないようにくっつける意で、会話にも文章にも使われる漢語。〈二枚の板を―剤で張り合わせる〉✎「接着剤」以外の用法はやや専門的。⇩くっつく・張り付く・引っ付く・Q付着

ぜっちょう【絶頂】物事の最高の状態をさし、改まった会話や文章に用いられる漢語。〈得意の―〉〈今や人気の―にある〉〈―を極める〉✎客観的な感じの「頂点」に比べ、主観的で強調された感じが強い。永井荷風の『濹東綺譚』に「小道も呉服屋のあるあたりを明い―にして、それから先は」とある。⇩Q頂点・頂上

せっちん【雪隠】「便所」の意の古い呼称。会話・文章ともに現代ではめったに使われない。〈―大工〉〈―詰め〉✎便所掃除を担当した中国の禅師の名の一字「雪」と、その寺の名の一字「隠」とを組み合わせた「セツイン」からの音転という。判じ物めいて周囲の人間には何のことかわからなかっただろうから、最初のうちは隠語のような働きをしたと考えられる。⇩おトイレ・厠《かわや》・閑所・化粧室・御不浄・洗面所・WC・手水場・手洗い・トイレ・トイレット・はばかり・Q便所・レストルーム

せってい【設定】一定の目的に合わせて物事をあらかじめ定めておく意で、いくぶん改まった会話や文章に用いられる漢語。〈状況―〉〈初期―〉〈―温度〉〈抵当権を―する〉〈トップ会談を―する〉⇩決める・Q定める・指定・制定

せっとう【窃盗】他人の物を盗む意で、改まった会話や文章で用いられる、専門的で硬い漢語。〈―犯〉〈―の容疑で逮捕する〉✎谷崎潤一郎の『愛すればこそ』に「―罪の方も成り立つ」とある。行為だけをさし、人をささない。⇩賊・盗賊・泥棒・ぬすっと・ぬすびと・Q物盗り

せっとく【説得】自分の目指す方向に向かって効果的に説明して相手を納得させる意で、会話にも文章にも使われる漢語。〈―力がある〉〈―に応じる〉〈両親を―して婚約にこぎつける〉⇩説き伏せる

せつない【切ない】悲しみ・寂しさ・恋しさなどによる胸が締め付けられるように苦しくやりきれない思いをさし、会話にも文章にも使われる表現。〈―胸のうち〉〈―思いが募る〉✎堀辰雄の『美しい村』に「病院の裏側の野薔薇の生墻《いけがき》のことを何か―ような気持になって思い出していた」とある。⇩やりきれない・Qやるせない

せっぱく【切迫】時間的・財政的などの面で余裕がなくなっている意で、やや改まった会話や文章に用いられる漢語。〈期日が―する〉〈財政状態が―する〉⇩急迫・Q緊迫

せつび【設備】一定の目的や用途に応じるために必要だとして設ける器具や機械類、時にはそれ専用の建物などをさし、会話にも文章にも使われる漢語。〈―投資〉〈冷暖房の―〉〈防音の―がしっかりしている〉〈各種の―がそろっている〉✎官公庁や企業などが主たる建造物とは別に、何かのために特別設けて、本体であるその機関に付属させる場合は、

独立した一つの建物をさすこともあるが、「施設」と違い、一般には屋内に備え付けるものをさす。⇩施設

せっぷん【接吻】 親愛の表現として相手の手の甲や頬などに唇を接触させる行為、特に相手の唇を吸う愛情表現をさす「キス」の古めかしい漢語表現。〈濃厚な―〉以前はふつうに用いられたが、現在では「キス」や「口づけ」より重い感じがある。高田保の『接吻考』に「セップンという語呂だが、これは何としても生硬で滑らかな感じが出ない」とある。⇩キス・キッス・口吸い・口づけ・ごうし

ぜっぺき【絶壁】「断崖」の意で、改まった会話や文章に用いられる漢語。〈断崖―〉〈―をよじ登る〉見下ろす感じの「断崖」に比べ、見上げるような連想が働きやすい。⇩崖・Q断崖

ぜつぼう【絶望】 望みが完全に絶たれることをさし、会話にも文章にも使われる漢語。〈再建はほとんど―的だ〉〈将来に―する〉〈―の淵《ふち》に沈む〉梅崎春生の『桜島』に「いわば、頭をかきむしるような―の気持」とある。⇩失望

せつめい【説明】 どのようなものか、どう扱うべきか、なぜそうするのかといった事柄についてわかりやすく述べる意で、くだけた会話から硬い文章まで幅広く使われる日常の基本的な漢語。〈取り扱い―書〉〈丁寧に―する〉〈―を求める〉〈―になっていない〉〈―に窮する〉葉山嘉樹の『海に生くる人々』に「彼の―は按摩のように人を柔らかにし」とある。「事実の―に徹する」のように、「解説」ほど踏み込まず客観的な印象がある。⇩解説

ぜつめつ【絶滅】 次第に減ってついにこの世界に存在しなくなる意で、会話にも文章にも使われる漢語。〈―寸前の品種〉〈この言語は話し手が激減し、今や―の危機に瀕《ひん》している〉動植物などの品種について使う例が多いが、病気や凶悪犯罪や詐欺事件などについても「―をめざす」のように用いる例もある。⇩壊滅・全滅・Q撲滅

せつやく【節約】 無駄を切り詰める意で、会話にも文章にも広く使われる漢語。〈水を―する〉〈時間の―になる〉〈費用を―する〉〈こまめに灯を消して電気代の―に努める〉〈エネルギーの―に役立つ〉主に金銭面に使う「倹約」と比べ、それ以外にも幅広い無駄に対して使う。⇩切り詰める・Q倹約

せつりつ【設立】 施設や機関を設ける意で、改まった会話や文章に用いられるやや硬い漢語。〈―資金〉〈―の趣意書〉〈協会の―に力を尽くす〉〈会社を―する〉「開設」より規模の大きなものを連想しやすい。⇩開設・新設・Q創設・創立

せつれつ【拙劣】 技術的に未熟で劣っている意で、主に文章中に用いられる硬い漢語。〈表現が―で読むに堪えない〉〈技術は―をきわめる〉「巧妙」と対立。⇩稚拙・Qつたない・へた・まずい・未熟

せともの【瀬戸物】 陶磁器の意で、日常の会話や軽い文章に使われる日常の和語。〈―の茶碗〉〈―のかけら〉愛知県瀬戸市やその周辺で産する焼き物すなわち「瀬戸焼」が一般化したもの。川端康成の『山の音』は「―を洗う音で聞えないようだった」という一文で結ばれる。夏目漱石の『坊っちゃん』には、「あの―はどこで出来るんだと博物の教師に聞いたら、あれは―じゃありません、伊万里です」と言わ

れ、「伊万里だって―じゃないか」と主張する場面がある。⇩かわらけ・磁器・陶器・Q陶磁器・土器・焼き物

せなか【背中】背の部分をさし、くだけた会話から文章まで広く使われる日常の和語。〈―をこする〉〈―が丸くなる〉円地文子の『老桜』に「黒い影絵のような―がこんもり丸い」とある。福原麟太郎の『泣き笑いの哲学』には「涙と―合せになっている笑い」という比喩的な表現がある。⇩Q背①・背部《はいぶ》

ぜに【銭】小額の貨幣をさし、主として会話に使われる古風な日常語。〈―勘定〉〈小―を用意する〉〈安物買いの―失い〉小津安二郎監督の映画『彼岸花』で、バーのスタンドに腰掛けた近藤(高橋貞二)は「安くても自分の―で飲むがうめえや」と言う。今はほとんどの人が「自分の金で飲む」と言うので、この用語は相当古い感じに聞こえる。百円以下のコインのイメージが強い。字音「セン」の音転という。⇩おあし・Q金・貨幣・金子・金銭

ぜにん【是認】ある事柄を、そのとおりだ、または、いいことだとして認める意で、主に硬い文章に用いられる漢語。〈相手の言い分を―する〉〈申し立てを―する〉⇩肯定・認める

ぜひ【是非】「必ず」に近い意で強い願いや決意を表し、くだけた会話から文章まで幅広く使われる漢語。〈―御覧ください〉〈―一度行ってみたい〉「―見るといい」のような用法は古風に響く。⇩是が非でも・Q是非とも

ぜひとも【是非とも】「是非」の強調表現として、会話にも文章にも使われる。〈―一度お出かけください〉〈―本日中に〉〈皆さんのお力で―国政に送り出していただきたく〉⇩是が非でも・是非

せひょう【世評】世間での評判の意で、やや改まった会話や文章に用いられる漢語。〈―が高い〉〈―を気にかける〉福原麟太郎の『志を立てること』に「ちか頃の学生は、散文的だというのが―である」とある。「評判」以上に評価の面が中心。⇩噂・Q評判

せびる 関係者に金銭などを無理に要求する意で、主に会話に使われる和語。〈金を―〉「せがむ」や「ねだる」よりも悪いイメージが強い。⇩Qせがむ・ねだる

せびろ【背広】男性用の平常の洋服をさし、会話でも文章でも幅広く使われる日常語。〈―上下一式〉〈―姿〉〈チャコールグレイの―を着込む〉柴田翔の『われら戦友たち』に「まるで鳥のように黒っぽい―ばかり着たサラリーマンたち」とある。背幅が広いところからとも、市民服の意の「シヴィルクローズ」からとも、ロンドンの洋服商の多い街「サヴィルロウ」からとも諸説あり、語源も語種も未詳。本来は上着とズボン、または、それにチョッキを加えた三つ揃いをさすが、上着だけを言う場合もある。「スーツ」や「ジャケット」に比べるといくらか古い感じになりかけているように思われる。⇩Qジャケット・スーツ

せぼね【背骨】胴体の背中側の中央を縦に貫いている脊椎の総称として、会話にも文章にも広く使われている日常の和語。〈―が曲がっている〉島崎藤村の『新生』に「体縮み―の跼《くぐま》った老婆」とある。⇩脊髄・脊柱・Q脊椎

せまい【狭い】幅・面積、視界、見識などの範囲が不十分でゆ

とりがない意で、くだけた会話から硬い文章まで幅広く使われる日常の基本的な和語。〈幅が―〉〈―道〉〈―台所〉〈視野が―〉〈料簡が―〉✎林芙美子の『めし』に「うなぎの寝床のように―家で」とある。「広い」と対立。⇩Q狭隘《きょうあい》・手狭

せまる【迫(逼)る】 対象が近づいてそれとの時間や距離などの間隔が狭くなる意で、会話にも文章にも使われる和語。〈出発時刻が―〉〈締め切りが―〉〈敵が―・って来る〉〈必要に―・られる〉✎田宮虎彦の『沖縄の手記から』に「上陸作戦を企図したアメリカの機動艦隊が沖縄近海に―・って来ていることは、もはや疑うことが出来なくなっていた」とある。⇩急迫・Q切迫

せめて 最小限の希望を述べるときに、会話にも文章にも使われる和語。〈―もの慰め〉〈―もの罪滅ぼしに〉〈―この程度は欲しい〉〈―あと十日あれば〉〈―日曜ぐらいはゆっくりしたい〉〈―三部屋はほしい〉〈―この半分あれば〉〈―見るだけでも〉✎客観的な感じの「少なくとも」に比べ、気持ちが直接前面に出ている感じがあって主観的。それだけにその希望が強く伝わりやすい。⇩最小限・最低限・Q少なくとも・少なくも

せめる【攻める】 攻撃する意で、くだけた会話から硬い文章まで幅広く使われる日常の和語。〈果敢に―〉〈弱点を―〉〈一方的に―〉✎有島武郎の『生れ出ずる悩み』に「角立った波を挙げて、岸を目がけて終日―・めよせている」という比喩表現が出る。⇩責める

せめる【責める】 相手のおちどなどを非難する意で、会話でも文章でも使われる和語。〈非を―〉〈失敗を―〉✎林芙美子の『浮雲』に「此の女は、何時まで昔の思い出を、金貸しのように―・めたてるのだろう」とある。「攻める」に比べ、主として言語による行動で精神的な攻撃の感じが強い。⇩攻める

せりあい【競り合い】 互いに負けまいとする激しい争いをさし、会話にも文章にも使われる和語。〈終盤まで―が続く〉〈激しい―を演じる〉✎「競争」のうちの激しいものを連想させ、「ちょっとした競争になる」のような文脈にはこの語はなじまない。また、五位争いよりも首位争いにぴったりの感じがある。永井龍男の『風ふたたび』の花火の場面に「橋をはさんでの、最後の―が、再び始まっていたのだ」とある。⇩競合・競争

せりあげる【迫り上げる】 徐々に押し上げる、だんだん大きくする意で、会話でも文章でも使われる和語。〈舞台上に大道具を―〉〈次第に声を―〉⇩競り上げる

せりあげる【競り上げる】 競って値段を吊り上げる意で、会話でも文章でも使われる、いくらか専門的な感じも漂う和語。〈相場を―〉〈オークションで値段を―〉⇩迫り上げる

せりうり【競り売り】 多くの買い手に買い値を競わせ最高額で売る売り方をさす和語。会話を中心に一般によく使われている日常的な表現。〈家具を―に出す〉⇩Qオークション・きょうばい・けいばい

せりょう【施療】 貧しい人を無料で治療する意で、会話や文章にまれに使われる古めかしい漢語。〈―患者〉〈―院〉✎平林たい子に『施療室にて』と題する短篇小説がある。⇩Q

加療・診療・治療・手当て・療治

ゼロ 「零《れい》」の意で会話や軽い文章に使われるフランス語からの外来語。〈―歳児〉〈―メートル地帯〉〈一対―の息詰まる投手戦〉✎小沼丹の『懐中時計』に「―が一つ、足りないんじゃないのかい？」「―が一つ多過ぎるな」というやりとりが見られる。なお、「零」という漢字を当てることもあり、福永武彦の『草の花』に出る「僕の孤独と汐見さんの孤独と重ね合わせたところで(略)―に―を足すようなものじゃありませんか？」という比喩の例でも漢字表記になっている。耳で聞いて紛らわしくないので口頭表現ではむしろ「零」より多用される。また、「零」と違い、「絵の才能は―だ」「運動神経は―だ」のように、全然ない意の比喩的用法もある。⇩零《れい》

せろん【世論】「輿論《よろん》」の言い換えとして主に文章に使われる漢語。〈―に耳を傾ける〉〈―の動向に気を配る〉✎俗に「輿論」の代用漢字としても使われる。⇩輿論

せわ【世話】あれこれ面倒を見る意で、会話にも文章にも使われる日常の漢語。〈―人〉〈―好き〉〈犬の―をする〉〈―をやく〉〈子供の―が大変だ〉〈親戚の―になる〉✎夏目漱石の『坊っちゃん』に「出立の日には朝から来て、色々―をやいた」とある。太宰治の『富嶽百景』には「ただ富士山だけを、レンズ一ぱいにキャッチして、富士山、さようなら、お―になりました。パチリ」とある。「―がやける」のように手数がかかる意でも、「大きなお―だ」のように余計な口出しの意でも使う。⇩Q面倒・厄介②

せわがかり【世話係】ちょっとした集まりなどでこまごまと面倒を見て進行を助ける役目をさして、会話や軽い文章に使われる表現。〈茶話会の―〉〈―が会費を集める〉✎「世話人」「世話役」より軽い感じに使う。「兎の―」のように、学校などで飼っている動物の世話をする係をさす用法もある。⇩幹事・世話人・Q世話役

せわしい【忙しい】忙《いそが》しくて気が落ち着かない意で、会話や軽い文章に使われる古風な和語。〈―年の暮れ〉〈毎日が―〉✎有島武郎の『或る女』に「呼吸は霰のように―・く」とあるが、一般には「いそがしい」より精神的で主観的。⇩慌ただしい・いそがしい・気ぜわしい・せわしない・多事・多端・多忙・多用

せわしない【忙しない】「せわしい」の意で、会話や硬くない文章に使われる古風な和語。〈来客が多く朝から―一日だった〉✎永井荷風の『ふらんす物語』に「―趣味に乏しい生活」とある。⇩慌ただしい・忙しい・気ぜわしい・Qせわしい

せわにん【世話人】団体あるいは会合や行事などで中心になって実務を担当し運営する役をさし、会話にも文章にも使われる表現。〈研究会の―が集まって運営の仕方を話し合う〉〈祝賀会の―に名を連ねる〉✎同じ団体について使う場合は、「幹事」より非公式で臨時的で緊張も少ない感じがあるが、「世話係」よりは固定的。また、商取引や縁談などの仲介人をさして用いる場合もある。⇩幹事・世話係・Q世話役

せわやく【世話役】会合や行事などが円滑に運営されるようにいろいろ世話をやく役目をさして、会話にも文章にも使われる、やや古風な表現。〈社員旅行の―を仰せつかる〉〈町内会の―に相談する〉✎「世話人」より古い感じで、「世

話係」より固定的な感じがある。⇩幹事・世話係・Ｑ世話人

せん【線】 点と点とを結ぶ細い筋をさし、くだけた会話から硬い文章まで幅広く使われる日常の基本的な漢語。〈細い—を引く〉〈—の上を歩く〉〈輪郭を—で描く〉✎川端康成の『抒情歌』に「今、—を書き直したようにはっきりいたしました西の雑木林」とある。「脚の—が綺麗《きれい》だ」のように物の輪郭をさすほか、「その—で話を進める」「—の細い人」のような抽象化した意味合いの用法もある。⇩ライン

ぜんい【善意】 相手のためを思う心の意で、会話にも文章にも使われる漢語。〈—の人〉〈—から出た行為〉✎「—に解釈する」のように、相手や事柄に対して抱く良い意味の意にも使う。法的な専門語としては、道徳的な善悪とは無関係で、「—の買い主」の例で言うと、例えばそれが盗品であることを知らずに購入した場合のように、ある事実を認識していない意に用いるという。「悪意」と対立。⇩好意

せんいん【船員】 船舶の乗組員の意で、会話にも文章にも使われる漢語。〈—手帳〉✎船長を含む。⇩Ｑ海員・クルー・水夫・セーラー・乗組員・船乗り・マドロス

ぜんいん【全員】 ある組織や集団に属するすべてのメンバー、または、その場にいるすべての人間の意で、会話にも文章にも使われる日常の漢語。〈—合格〉〈—無事〉〈—が参加する〉〈—集まる〉〈—の同意を得る〉⇩一同・Ｑ皆・みんな

せんえき【戦役】「戦争」の意でまれに文章に用いられる古めかしい漢語。〈日清、日露の—〉⇩Ｑいくさ・戦争・戦闘・戦い

せんか【戦火】 戦争やそれによる火災をさし、主に文章に用いられる漢語。〈—の中〉〈—が広がる〉〈—に見舞われる〉〈—を交える〉⇩Ｑ戦禍・戦渦・戦果

せんか【戦禍】 戦争の被害の意で、主に文章に用いられる硬い漢語。〈—に遭う〉〈—をこうむる〉〈—を免れる〉⇩Ｑ戦火・戦渦・戦果

せんか【戦渦】 戦争の混乱の意で、主に文章に用いられる硬い漢語。〈—に巻き込まれる〉⇩戦火・Ｑ戦禍・戦果

せんか【戦果】 戦争の成果の意で、主に文章に用いられる漢語。〈—をあげる〉〈大きな—を得る〉⇩戦火・戦禍・Ｑ戦渦

ぜんかい【全快】 病気や怪我が完全に治る意で、会話にも文章にもよく使われる日常の漢語。〈—祝い〉〈病気が—する〉✎怪我の連想もある「全治」に比べ、重い病気を連想させることが多い。⇩完治・Ｑ全治・本復

ぜんがく【全額】 すべての金額の意で、会話にも文章にも使われる漢語。〈—一括払い〉〈—耳をそろえて支払う〉✎個々の金額の総計を意味する「総額」に比べ、それに関する金額をまるごと問題にしている感じが強い。⇩総額

せんきょう【宣教】 宗教を宣伝する意で、会話にも文章にも使われる漢語。〈—師〉〈—に従事する〉✎「—師」という語は、キリスト教で特に欧米の教会からアジアやアフリカに派遣されて伝道に携わる人を連想させる。⇩伝道・Ｑ布教

せんきん【千金】 多額の金銭、大きな価値の意で、主に文章に用いられる古風な漢語。〈春宵一刻値《あたい》—〉〈—を投じて手に入れる〉✎千両の金の意から。⇩千鈞《せんきん》

せんきん【千鈞】 きわめて重い意で、改まった会話や文章に用いられる漢語。〈—の重みを持つ〉✎「鈞」は重さの単位。⇩千金

ぜんけい【全景】ある場所全体を大きくとらえた風景をさし、改まった会話や文章に用いられる漢語。〈町の―〉〈邸宅の―〉〈―を一望の下にとらえる〉✎「一景」と対立。⇩全体・Q全貌・全面・全容

せんげん【宣言】個人や団体が意見などを広く社会に明確に表明する意で、改まった会話や文章に用いられる正式な感じの漢語。〈共産党―〉〈独立―〉〈開会を―する〉〈―書を採択する〉⇩Q声明・宣告

せんこう【先公】生徒が先生を小ばかにして呼ぶときの昔の俗語。〈―に見つかるぞ〉〈―のやつ、間違いやがった〉⇩教員・教師・先生

せんこう【潜行】水にもぐったまま進む、姿を見せずひそかに行う意で、改まった会話や文章に用いられる漢語。〈水中深く―する〉〈地下に―する〉⇩潜航

せんこう【潜航】水中航行、内密の航海の意で、主に文章に用いられる、やや専門的な漢語。〈―艇〉〈闇に乗じて―する〉✎「潜行」のうち実際の船による場合を特に区別する用字。⇩潜行

せんこう【選考／銓衡】応募した人や作品などから学力・能力・人格や出来栄え・独創性などをもとに適格者や該当作品を選び出す意で、やや改まった会話や文章に用いられる漢語。〈書類―〉〈―基準〉〈最終―に残る〉✎「銓」は「はかる」、「衡」は「はかり」の意。「選考」は代用漢字による表記。⇩選出・Q選定・選抜

せんこく【先刻】「さっき」の意で、かなり改まった硬い表現の中で用いる漢語。〈―御連絡申し上げた件につき〉〈―より伺っております〉〈そんなことは―承知だ〉✎和語の「先程」よりも硬い感じであり、時間単位でなく日数単位で使う同じ漢語の「先般」ほどの改まりは感じさせないレベルにある。⇩Q先程・さっき

せんこく【宣告】特定の相手に公式に告げ知らせる意で、改まった会話や文章に用いられる正式な感じの漢語。〈死刑を―する〉〈刑の―を受ける〉✎大岡昇平の『野火』に「致命的な―を受けるのは私であるのに、なぜ彼がこれほど激昂しなければならないか」とある。専門語としては、裁判長が公判で判決を言い渡すこと。医者が重大な病名を告知する場合などにも使われる。⇩声明・Q宣言

ぜんこく【全国】国の全体をさして、会話にも文章にも広く使われる漢語。〈―大会〉〈―一斉に実施する〉〈―的な規模に上る〉〈日本―から集まる〉⇩全土

ぜんごさく【善後策】事が起こった後にその後始末を効果的に行う方策の意で、会話にも文章にも使われる漢語。〈速やかに―を講ずる〉⇩施策《しさく》・Q対策

せんさい【繊細】細やかで優美な意として、やや改まった会話や文章に用いられる漢語。〈―な指の動き〉〈―な感受性〉〈―な神経〉✎小川洋子の『夕暮れの給食室と雨のプール』に「桜の花びらのようにもろく―な表情」とある。⇩デリカシー・Qデリケート・微妙

ぜんじ【漸次】少しずつ一定方向へ向かって変化する意で、改まった会話や文章に用いられる硬い漢語。〈―快方に向かう〉〈―改革を進める〉⇩おいおい・次第に・Q徐々に・段々

せんじつ【先日】そう遠くない過去のある日をさす。「過日」

や「先頃」ほどではないが、やや改まった漢語表現。〈やあ、―はどうも〉〈―ご案内申し上げた件ですが〉〈―来取り込んでおりまして〉✎井伏鱒二の『珍品堂主人』に「―、丸久さんからの手紙を見て」とある。小林秀雄の『井伏君の「貸間あり」』に「―、街を散歩していたら、映画館で、井伏鱒二君の「貸間あり」を上映していた」とある。「この間」ほど会話的でなく、「先般」や「過日」ほど改まらず、「先頃」のような古風さも感じられない。⇩いちじ・Q過日・この間・先頃・せんだって・先般・一頃

せんじゃ【選者】多数の中から秀作を選ぶ専門家の意で、会話にも文章にも用いられる漢語。〈投稿された俳句の―〉〈―の評〉⇩撰者

せんじゃ【撰者】秀作を選んで歌集などを編纂する歌人等をさし、改まった会話や文章中に用いられる古典的な雰囲気の漢語。〈古今和歌集の―〉〈―自身の作品〉⇩選者

せんしゅつ【選出】ある役目にふさわしい人を選び出す意で、改まった会話や文章に用いられるやや専門的な漢語。〈―方法を見直す〉〈委員を―する〉〈地元―の議員〉✎外部の第三者が選ぶ場合のほか、候補者を含むメンバーの間で互いに選ぶ場合もある。⇩選考・Q選定・選抜

せんじゅつ【戦術】個々の戦闘や争いで勝つための方策の意で、会話でも文章でも使われる漢語。〈人海―〉〈巧みな―で切り抜ける〉〈奇抜な―が功を奏する〉✎「戦略」より細かい部分について用いる傾向がある。⇩戦略

せんじょう【洗浄】「洗滌《せんでき》」の代用語。やや改まった感じの言い方。〈―力に優れている〉〈胃を―する〉✎「洗滌」の慣用読み「せんじょう」に同音で意味も関連する「浄」の字を当てた語。⇩洗滌

せんじょう【戦場】今実際に戦闘の行われている場所の意で、会話にも文章にも使われる漢語。〈若者が―へと駆り立てられる〉〈勇んで―に向かう〉〈―に散る〉〈―と化す〉✎「戦地」の一部でより具体的な地域。「古―」のように昔戦いのあった場所をさすこともある。⇩戦線・Q戦地

ぜんしょう【全焼】火災のために家屋や家財道具一式がすべて焼けてしまう意で、改まった会話や文章に用いられる正式な感じの漢語。〈家屋が―を免れる〉✎家屋や山林のような大きなものに用い、個々の道具について使うと大仰な感じになる。⇩丸焼け

せんしょく【染色】糸や布などを染料で着色することをさし、改まった会話や文章に用いられる専門的な漢語。〈―技術〉✎多く職人や専門業者の作業について言う。⇩染める

せんじる【煎じる】茶や薬草などを煮詰めて成分を取り出す意で、会話にも文章にも使われる表現。〈薬を―・じて飲む〉⇩炒《たい》める・煎《い》る・Q煎ずる・焙《ほう》じる・焙ずる

せんしん【専心】もっぱら一つのことに心を集中させる意で、改まった会話や文章に用いられる漢語。〈一意―〉〈勉学に―する〉✎横光利一の『紋章』に「彼を自身の圏内から離さぬ工夫に―せねばやまぬ権威のあったところから」とある。⇩Q専念・没頭

ぜんしん【全身】体全体の意で会話にも文章にも使われる漢語。〈―麻酔〉〈―打撲〉〈―の運動〉〈―全霊を傾ける〉✎坂口安吾の『白痴』に「夜明けの寒気が彼の―を感覚のない

石のようにかたまらせていた」とある。⇩渾身《こんしん》・総身・満身

ぜんしん【前進】 前方へ進む意で、会話にも文章にも使われる漢語。〈一歩—〉〈ただ—あるのみ〉〈一定の—が見られる〉✎「進行」に比べ、具体物の移動に使った例が多い。「後退」と対立。⇩Q進行・進む

せんす【扇子】「扇」の意で会話にも文章にも使われる漢語。〈—で膝を打つ〉〈手拭を紙に、—を筆に見立てる〉⇩扇

センス 微妙な美的要素などを鋭敏に感じ取って味わう能力の意で、会話にも文章にも使われる新鮮な感じの外来語。〈洋服の—がいい〉〈デザインの—が古い〉〈音楽にかけてはなかなか—がある〉〈いささか—を疑う〉⇩感覚・感性

せんずる【煎ずる】「煎じる」意の少し古風な表現。〈茶を—〉⇩炒《いた》める・煎《い》る・Q煎じる・焙《ほう》じる・焙ずる

せんせい【先生】 学校などで人を指導する立場の人をさして、くだけた会話から文章まで幅広く使われる日常の基本的な漢語。〈担任の—〉〈—と生徒〉〈—に叱られる〉〈—稼業〉✎夏目漱石は『坊っちゃん』で、「—と呼ぶのと、呼ばれるのは雲泥の差だ」と、初めて教員として教場に乗り込んだときの「足の裏がむずむずする」気持ちを吐露した。「お花の—」のように、芸事の師匠をさすこともある。「教員」や「教師」と違い、職業の名称としては用いない。上位者に対する呼び名にもなり、医者や弁護士、作家や議員などの敬称としても使う。⇩Q教員・教師

せんせい【宣誓】 大勢の前で誓いを述べる意で、改まった会話や文章に用いられる正式な感じの漢語。〈—書〉〈選手—〉〈法廷で証人が—する〉⇩声明・Q宣言

せんせん【戦線】 戦場の第一線に当たる交戦地域をさし、会話にも文章にも使われる漢語。〈—に加わる〉〈—を離脱する〉〈—が拡大する〉✎「共同—」「統一—」のような比喩的用法もある。⇩戦場・Q戦地

ぜんぜん【全然】「まったく」の意で、会話でも文章でも広く使われる日常的漢語。〈—なっていない〉〈—駄目だ〉〈—わからない〉〈—問題ない〉✎あとに打消しの形や否定的な意味の表現を伴って用いるのが本来の姿であったが、単に「たいへん」「非常に」という意味で「—大丈夫だ」「—いい」「こっちの方が—すぐれている」のように使う俗な用法が目立ってきた。しかし、現段階では、例えば「—いい」という表現に違和感を覚える割合は、「とてもいい」という表現に抵抗感を覚える場合よりはるかに大きいため、今でもまだ誤用というニュアンスを伴う。⇩一向に・からきし・からっきし・さっぱり②・ちっとも・てんで・全く・まるっきり・まるで①

せんぞ【先祖】 家系や血統の初代、または、初代から亡くなった先代までの代々の人々をさして、くだけた会話から文章まで広く使われる日常の漢語。〈—代々の墓〉〈—伝来の宝〉〈—の供養を欠かさない〉✎先代でも生存中は含まない。「御—様」「—に対して申し訳が立たない」「—に偉い人が何人もいる」のように、遠い存在を連想させやすい「祖先」に比べ、個人を意識させる具体的な存在として扱う例が目立つ。「人類の祖先」という言い方は通常の用法に感じられるが、「人類の—は猿だ」という「先祖」の用法は比喩的な感じが強く、冗談めいた雰囲気になる。⇩祖先

せんそう【戦争】 主権国家の間で互いに軍事力を行使する全

面的な争いをさし、くだけた会話から硬い文章まで幅広く使われる基本的な漢語。〈—責任〉〈—が勃発する〉〈—を回避する〉〈—が終結する〉✎阿川弘之の『雲の墓標』に「軍人と資本家と政治屋とがはじめたこのばくちのような—」とある。各地でいくつかの武力衝突があっても、この語は開戦から終結までを一つと見て用いる点で、「戦闘」と違う。「交通—」「受験—」のように、単に過酷な争いを意味する比喩的な用法もある。⇩いくさ・Q戦役・戦闘・戦い

ぜんそくりょく【全速力】 能力いっぱいの速さの意で、やや改まった会話や文章に用いられる漢語。〈—で逃げる〉〈—で飛ばす〉✎人間や動物にも乗り物にも使われる。⇩フルスピード

ぜんたい【全体】 すべての部分を含む一つのまとまりをさし、会話にも文章にも使われる日常の漢語。〈—像〉〈クラス—をまとめる〉〈—として高く評価できる〉✎すべてを一つの集合体としてまとめたとらえ方で、個々の構成要素が意識に上りにくい感じがあり、〈—として出来が今一つだ〉という表現でも、上出来と不出来を数え上げた評価ではなく、すべてを一括したものの総合評価という感じが強い。⇩ことごとく・すべて・Q全部・みな・みんな

ぜんだいみもん【前代未聞】 今までに一度も聞いたことのないほど珍しいの意で、やや改まった会話や文章に用いられる、いくらか古風な感じの大仰な漢語。〈—の巧妙な犯罪〉〈—の珍しい事故〉⇩空前・空前絶後・Q未曾有《みぞう》

せんたく【洗濯】 汚れた衣服などを洗って綺麗にする意で、会話にも文章にも使われる日常の一般的な漢語。〈—屋に出す〉〈—物が乾く〉〈下着を—する〉〈—物を取り入れる〉〈掃除と—〉✎小沼丹は『銀色の鈴』で「娘が—板でごしごしやっていたら、大寺さんもちょっと困るのである」と書き、「細君が—板でごしごしやっても、大寺さんは困るとは云わないだろう」と続け、娘と妻に対する微妙な気持ちのニュアンスを描き出した。⇩クリーニング・西洋洗濯

せんだって【先達て】 「このあいだ」に近い意味で、主に会話に使う、やや古風な日常語。〈—の話、どうなりました？〉〈—やっと連絡が取れた〉⇩過日・この間・先頃・Q先日・先般

せんち【戦地】 戦争の行われている地域の意で、会話にも文章にも使われる漢語。〈—に赴く〉〈—からの便り〉✎「戦場」を含んで軍隊が出征している地域全体をさし、今現に戦闘が行われているとは限らない。⇩Q戦場・戦線

センチ 「センチメンタル」の意で、主としてくだけた会話に使う古風なことば。〈思い出すといささか—になってね〉✎「センチメンタル」の短縮形。それだけ崩れた感じで口頭語に近い。もとの「センチメンタル」より古い感じがする。⇩おセンチ・感傷的・Qセンチメンタル

ぜんち【全治】 病気や怪我が完全に治る意で、会話にも文章にも使われる専門的な漢語。〈—一週間の軽い怪我で済む〉✎病気の連想が強い「全快」や「本復」に対し、比較的怪我の連想が多く、軽い場合にも使う。⇩完治・Q全快・本復

センチメンタル 「感傷的」の意で、会話やさほど改まらない文章に使う、やや古風な外来語。〈すっかり—な気持ちになる〉✎サトウハチローに『センチメンタル・キッス』という書があり、その「センチメンタル・ベースボール」の章に「科

学的野球には、人情がない。―が、ないように思う」とある。⇩おセンチ・Ｑ感傷的・センチ

せんちゃ【煎茶】 上質の玉露から品質の劣る番茶まで湯で煎じ出す緑茶の総称として、会話にも文章にも使われる漢語。〈玉露は最高級の―だ〉✎多くは中級の緑茶をさす。⇩上がり・お茶・玉露・茶・日本茶・番茶・碾《ひ》き茶・焙《ほう》じ茶・抹茶・Ｑ緑茶

せんちょう【船長】 船舶の乗組員を監督する長をさし、会話にも文章にも使われる漢語。〈―室〉〈客船の―を務める〉⇩Ｑ艦長・船頭

ぜんちょう【前兆】「兆し」に近い意味で、会話にも文章にも使われる漢語。〈地震の―〉✎事柄の起こるより前であることを強調した感じの語。谷崎潤一郎の『肉塊』に「或る恐ろしい出来事の―のような予感」とある。⇩兆し・Ｑ兆候・前触れ・予兆

せんてい【選定】 ある目的に適切な人や物などを選んで決める意で、改まった会話や文章に用いられる硬い感じの漢語。〈―委員会〉〈教科書を―する〉〈曲目を―する〉〈慎重に品物を―する〉〈立地条件のよい土地を―〉⇩選考・Ｑ選出・選抜

ぜんてい【前提】 正しいと仮定して推論の出発点に置く命題をさし、改まった会話や文章に用いられる専門的な硬い漢語。〈―条件〉〈―が崩れる〉✎川上弘美の『センセイの鞄』に「ワタクシと、恋愛を―としたおつきあいをして、いただけますでしょうか」とあるように、「結婚を―とする交際」といった日常の用法には特に専門的な感じはない。⇩Ｑ仮定・想定

せんでき【洗滌】 洗って清潔にする意の漢語で、古めかしく専門的な感じの硬い表現。〈患部を薬品で―する〉✎現在は「洗浄」で代用される。⇩洗浄

せんでん【宣伝】 主張に共鳴させたり商品を売り込んだりするためにその内容や価値を人々に知らせ広める意で、くだけた会話から硬い文章まで幅広く使われる日常の漢語。〈―文句〉〈―効果〉〈大々的に―する〉〈―にこれ努める〉〈いい―になる〉✎サトウハチローの『チンドン長屋の花ムコ』に「わたしの元の家が、エデンというカフェーになってその―をした時が、一番悲しかったですよ」とある。⇩広告

せんてんてき【先天的】 生まれつきそなわっている意で、会話にも文章にも使われる専門的な漢語。〈―な性質〉〈―な能力〉✎「後天的」と対立。⇩生得・本質・本能

ぜんど【全土】 国土全体の意で、やや改まった会話や文章に用いられる少し硬い感じの漢語。〈日本―に広がる〉〈日本―にわたって影響を及ぼす〉✎「全国」に比べ、特に空間的な広がりを意識した表現。⇩全国

せんとう【戦闘】 兵器を用いる軍隊同士の直接の武力衝突を意味し、会話にも文章にも使われる漢語。〈―員〉〈―機〉〈―を交える〉〈―に巻き込まれる〉〈激しい―を繰り広げる〉✎「戦争」の間に、ある時ある場所で行われる激しい武力衝突を、それぞれ一つの「戦闘」と考える。比喩的に、「―再開」のように、スポーツの世界などでも使う。⇩いくさ・戦役・戦争・Ｑ戦い

せんとう【銭湯】 客から料金を取って入浴させる大衆用の浴場をさし、会話にも文章にも使われる日常の漢語。〈町の―に通う〉〈―の帰りに立ち寄る〉✎事務的な感じの「公衆浴

場」に比べ、庶民の生活になじんでいる雰囲気がある。「洗湯」とも書いた。⇩公衆浴場・Q風呂屋・湯屋

せんどう【船頭】和船を操る船乗りの長をさし、会話にも文章にも使われる古風な漢語。〈―が歌いながら櫓《ろ》を漕ぐ〉⇩艦長・Q船長

せんどう【扇(煽)動】ある行動を起こすように仕向ける意で、改まった会話や文章に用いられる漢語。〈大衆を―〉〈暴動を―する〉〈―に乗る〉✐夏目漱石の『坊っちゃん』に「又例の堀田がとか―してとか云う文句が気にかかる」とある。⇩煽《おあ》る・けしかける・Q指嗾《しそう》・そそのかす・たきつける

せんにゅうかん【先入観】対象について予《あらかじ》め抱いている固定観念の意で、少し硬めの会話や文章に使われる漢語。〈―が入る〉〈―にとらわれる〉〈―を排する〉✐誤りを含んでいたり偏っていたりするものとして問題にする。⇩Q思い込み・先入主

せんにゅうしゅ【先入主】「先入観」の意で硬い文章に用いられる、やや専門的で古風な漢語。〈―を捨て心を虚しくして対象に没入する〉⇩思い込み・Q先入観

せんにん【先任】以前その任にあったの意で、やや改まった会話や文章に用いられる硬めの漢語。〈―者〉〈―の大臣〉⇩前任

ぜんにん【前任】直前の先任をさし、会話にも文章にも使われる漢語。〈―の校長〉〈―の部長から引き継ぐ〉✐夏目漱石の『坊っちゃん』に「現に君の―者がやられたんだから、気を付けないといけない」とある。⇩先任

せんねん【専念】もっぱら一つのことに意識を集中させる意で、会話にも文章にも使われる漢語。〈研究に―する〉〈子育てと家事に―する〉〈療養に―する〉⇩Q専心・没頭

ぜんねん【前年】ある年の前の年をさし、やや改まった会話や文章に用いられる若干硬い感じの漢語。〈―比六パーセントの伸び〉〈―から引き続き取り組む〉✐「翌年」と対立。⇩旧年・去年・Q昨年

せんぱく【船舶】大型の船の総称として、改まった会話や文章に用いられる専門的な漢語。〈―安全〉〈沖合いの―〉〈保有する―〉✐法律や取引などの特殊な場合を除き、具体的な一艘の船をさすことはまれで、通常は大型船全体をさす。⇩Q艦船・舟艇

せんばつ【選抜】上位の立場にある外部の人や組織が、一定の基準を満たした多数の候補を比較し、その中で相対的にふさわしい人や団体などを選んで抜き出す意で、会話にも文章にも使われる漢語。〈―試験〉〈―チーム〉〈―高校野球大会〉〈多数の候補者の中から―する〉⇩選考・Q選出・選定

せんぱん【先般】「このあいだ」の意で、主として改まった文章に用いられる硬い感じの漢語。〈―の不祥事につきましては〉〈―御通知致しました一件でございますが〉✐数日でも数ヶ月でも一年ぐらい経過していてもこの語でまかなえる。日数単位でなく時間単位で使う「先刻」よりさらに改まった感じが強い。⇩過日・この間・Q先頃・先日・せんだって

ぜんぶ【全部】あらゆる部分を残さず含めた総体をさし、くだけた会話から硬い文章まで幅広く使われる日常の基本的な漢語。〈―まとめて買う〉〈―使い切る〉〈―そろっている〉✐「すべて」ほどではないが、「全体」に比べて個々の

構成要素の独立性が高く、「どこもかしこも―気に入らない」「―が―悪いわけではない」という表現でも、一つ一つを頭に置いて判断した感じがある。「一部」と対立。⇩ことごとく・すべて・Q全体・みな・みんな

ぜんぶ【前部】 一つの物体のうちの前に位置する部分をさし、主として文章に用いられる硬い漢語。〈―の窓を開け放つ〉夏目漱石の『倫敦塔』に「台の―」とある。口頭では「全部」と誤解されやすい。⇩前

せんべい【煎餅】 小麦粉またはうるち米粉を主たる材料としたたねを型抜きして焼いた菓子をさし、くだけた会話から硬い文章まで幅広く使われる日常の漢語。〈揚げ―〉〈―をばりっとかじる〉小麦粉・卵・砂糖を用いる「瓦《かわら》煎餅」の関西系統と、うるち米の粉をたねに焼いて醤油味に仕上げる「塩煎餅」の関東系統とに分かれる。「―布団」のように薄いものの代表として比喩的に使うこともある。⇩あられ・おかき・Qかきもち

せんぼう【羨望】 羨ましく思う意で、改まった会話や文章に用いられる漢語。〈みんなの―の的〉〈―の眼差《まなざ》しを注ぐ〉永井荷風の『すみだ川』に「富貴の―、生存の快楽」とある。⇩Q羨む・嫉妬・そねむ・ねたむ

せんぽう【先方】 相手方の意で、やや改まった会話や文章に用いられる漢語。〈―の意向を確かめる〉〈―の都合に合わせる〉武者小路実篤の『お目出たき人』に「兄が結婚するまではそういう話を聞くのさえいやだという―の答えだったと聞いた」とある。「あちら」「あっち」はもちろん、「向こう」よりも改まった感じがある。「当方」と対立。⇩Q相手・あちら②・あっち・前方・向こう②

ぜんぼう【全貌】 物事の全体の姿をさし、改まった会話や文章に用いられる、やや硬い感じの漢語。〈―をとらえる〉〈事の―が明らかになる〉野間宏の『真空地帯』に「事件の―を示す報告書類」とある。「一部」と対立。⇩全景・全体・全面・Q全容

ぜんぽう【前方】 自分の前の方向をさし、改まった会話や文章に用いられる漢語。〈―不注意による事故〉〈はるか―に富士を望む〉大岡昇平の『俘虜記』に「私がはじめて米兵を認めたとき、彼はすでに―の叢林から出て開いた草原に歩み入っていた」とある。「後方」と対立。⇩先・先方・Q前

ぜんまい【発(撥)条】 薄い帯状または線状の鋼鉄を渦巻の形に巻いた弾力のある装置をさし、会話にも文章にも使われる和語。〈―秤《ばかり》〉〈―仕掛けで走る玩具の自動車〉〈時計の―を巻く〉形がゼンマイの若葉に似ているところから。⇩Qスプリング・ばね

せんめい【鮮明】 鮮やかではっきりしている意で、やや改まった会話や文章に使われる漢語。〈印刷が―だ〉〈―な映像〉〈―な記憶〉〈印象が―に残っている〉⇩鮮やか・Qくっきり

ぜんめつ【全滅】 全部駄目になる意で、会話にも文章にも使われる漢語。〈敵を―させる〉〈台風で農作物が―する〉難関大学をめざした受験生が入試でことごとく失敗したような場合にも比喩的に「同級生が―という惨憺《さんたん》たる結果になる」などと使う。⇩壊滅・Q絶滅・撲滅

ぜんめん【全面】 物事のすべての面をさし、会話にも文章に

も使われる漢語。〈—戦争〉〈—禁止〉〈—否定〉〈—的に賛成する〉✎「一面」と対立。⇩全景・Q全体・全貌・全容

ぜんめん【前面】一つの物体の前方に面した側をさし、改まった会話や文章に用いられる漢語。〈—に押し出す〉〈建造物の—に位置する〉✎田宮虎彦の『沖縄の手記から』に「私たちの—に上陸作戦を企図したアメリカの機動艦隊」とあるように、対象の向いている側の空間を意味する用法もある。⇩Q正面・前

せんめんじょ【洗面所】間接的に「便所」を意味することもある、やや改まった感じの日常の漢語。〈—に案内する〉✎用便のための施設に付随する手洗い用の流しは、一定の大きさがあれば顔を洗うこともできるため、そちらに焦点を移して間接化した表現。この名づけは便所の機能と間接的なつながりしか持たず、また、実際に顔を洗うための独立した施設であるまさに洗面所をさすこともあるため、間接性がさらに強い。⇩おトイレ・厠《かわや》・閑所・化粧室・御不浄・雪隠・WC・手水場・手洗い・トイレ・トイレット・はばかり・Q便所・レストルーム

せんもんか【専門家】特定の分野を専門に研究・担当している人の意で、会話にも文章にも使われる漢語。〈—の意見を求める〉〈—に相談する〉〈さすが—は違う〉✎「プロ」と違い、必ずしもその収入で生計を立てていなくてもよい。⇩玄人・Qスペシャリスト・プロ

せんゆう【占有】自らの所有とする意で、改まった会話や文章に用いられる、やや専門的な感じの漢語。〈—率〉〈市場を—する〉〈権限を—する〉⇩専有

せんゆう【専有】独占の意で、少し改まった会話や文章に用いられる漢語。〈—面積〉〈—施設〉〈マンションの—部分〉✎「共有」と対立する。⇩占有

ぜんよう【全容】物や事柄の全体の姿をさし、改まった会話や文章に用いられる、やや硬い感じの漢語。〈雲が切れて富士がその—を現す〉〈事件の—を解明する〉✎三島由紀夫の『金閣寺』に「金閣は、大そうあっけなく、私の前にその—をあらわした」とある。⇩全景・全体・Q全貌・全面

ぜんら【全裸】下着も身につけていないまったくの裸の意の漢語。「素裸」や「真裸」より客観的で即物的な感じの表現。会話的な「素っ裸」や「真っ裸」に比べ、やや文章語的。〈入浴中の火事に—で飛び出す〉〈—で発見される〉✎椎名麟三の『自由の彼方で』に「風呂から上った—の彼女を見る」とある。⇩赤裸・素っ裸・素裸・裸・真っ裸・真裸・Q丸裸

せんりつ【旋律】音の高低・長短の変化が一定のリズムで展開する快い調べをさし、主として文章中に用いられる漢語。〈美しい—が流れる〉〈物悲しい短調の—〉✎小沼丹の『銀色の鈴』は、ウイスキーを飲みながらトタン屋根の激しい雨の音を聴く場面で「遠い声と—に耳を傾けていた」として結ばれる。この語は「メロディー」よりも抒情《じょじょう》的な趣を感じさせる。⇩音律・調べ・節・節回し・Qメロディー

せんりつ【戦慄】恐ろしくて体が震える意で、改まった会話や文章に用いられる漢語。〈—が走る〉〈—を覚える〉✎梶井基次郎の『或る崖上の感情』に「薄い刃物で背を撫でられるような—」とある。⇩Qおののく・恐怖・震え上がる・わななく

せんりゃく【戦略】戦争や競争に勝つための総合的で大局的

な策略をさして、改まった会話や文章に用いられる漢語。〈—家〉〈—を練る〉〈—を立てる〉✎「戦術」より高い次元の作戦について使い分ける傾向がある。⇩戦術

せんりょく【戦力】戦争遂行能力の意で、会話にも文章にも使われる漢語。〈大きな—になる〉〈—を蓄える〉〈一大—を誇る〉✎井上靖の『異域の人』に「こちらの—を知った上で、四方から刀を揮って駈け寄って来る」とある。「即—となるスーパールーキーの加入で、チームは優勝争いに絡む—を確保した」のように、戦争に関係なく単に物事の遂行能力を意味する拡大用法もある。⇩軍事力・Q武力・兵力

ぜんりょく【全力】個々の人間が出せる限りのすべての力の意で、くだけた会話から硬い文章まで幅広く使われる漢語。〈—疾走〉〈—投球〉〈—で走る〉〈—を出し切る〉〈—を尽くす〉〈—で事に当たる〉〈職務に—を尽くす〉〈—でぶつかる〉✎志賀直哉の『城の崎にて』に「死ぬに極った運命を担いながら、—を尽して逃げ廻っている様子」とある。一個人や一つの組織を単位に考えたすべての力。会社やチームなどの組織や団体についても使うが、その構成員がそれぞれの能力を発揮するという意味合いが強く、「総力」とはニュアンスに差がある。⇩総力

ぜんりょくとうきゅう【全力投球】全力を傾注する意で、会話や軽い文章で使われる野球用語の拡大用法。〈どんな仕事でも—で頑張る〉✎野球の投手が力を抜かずに全力で投げる意から、一般に「全力を尽くす」意で広く使われる。また比喩的な感じが強い。

せんれい【先例】以前にあった似たような例をさし、やや改まった会話や文章に用いられる漢語。〈—がある〉〈—を引く〉✎「—になる」の形で、以後の同様のケースでの基準となることを意味する例も多い。⇩前例

ぜんれい【前例】「先例」の意で、会話にも文章にも使われる日常の漢語。〈このようなことは—がない〉〈今回認めれば、それが—となる〉✎「これに関しては—を参照のこと」のように、前に挙げた例をさす用法もある。⇩先例

せんれん【洗練(煉)】動作や趣味などを磨き上げて高尚で優雅な感じにする意で、やや改まった会話や文章に用いられる漢語。〈—された衣装〉〈—された話術〉〈—された芸〉✎「垢抜けた」は生まれつき持っているセンスの場合もあるが、この語は磨き上げて身につけた感じが強い。⇩垢抜けた

せんろ【線路】列車などの通る鋼鉄製のレールを中心とする細長い道をさし、会話にも文章にも使われる漢語。〈鉄道—〉〈—工事〉〈—沿いの道〉〈—伝いに歩く〉✎レールだけではなく列車の通り道全体をさす。そのため、二本のレールの間の枕木や砂利の部分は厳密には「レール」と言えないが「線路」の一部である。⇩レール

そ

そう【沿う】 対象から離れないように移行する意で、会話でも文章でも広く使われる和語。〈川に―・った道〉〈列車が海岸線に―・って走る〉〈企業の方針に―・って行動する〉✎堀辰雄の『大和路・信濃路』に「秋篠川に―て歩きながら、これを往けるところまで往って見ようかと思ったりした」とある。線状の対象物をイメージさせやすい。⇩添う

そう【添う】 対象から外れない意で、やや改まった感じの会話や文章に使われる和語。〈期待に―活躍〉〈要望に―・った対応〉〈身に威厳が―〉✎「影の形に―ように」「二人を―・わせる」のような用法は古めかしい感じがある。⇩沿う

そう【僧】 仏門に帰依した人をさし、主に文章に用いられる古風な漢語。〈寺の―〉〈旅の―〉✎夏目漱石の『草枕』に「この―は六十近い、丸顔の、達磨を草書に崩したような容貌」とある。⇩和尚《おしょう》・住持・住職・Q僧侶・坊主

そう【艘】 小さな舟を数えるときの単位として、会話にも文章にも使われる漢語。〈三―のボート〉⇩隻

そうあん【草案】 公的な性格の法律や報告などの文章で正式に決定される前の段階の原案をさし、やや改まった会話や文章に用いられる、やや専門的な感じの漢語。〈憲法の―〉〈―を練る〉⇩原案・原稿・下書き・Q草稿

そうあん【僧庵】 僧の住む粗末な庵をさし、主に文章中に用いられる古風な漢語。〈―での暮らし〉⇩僧堂・Q僧坊

そうい【相違】 似ているものを比較したときにその間に差のある意で、やや改まった会話や文章に用いられる漢語。〈性格の―〉〈両者には意見の―がある〉✎「…に―ない」の形で、「…に違いない」の意のやや古風でやや丁寧な感じの表現となる。俗に「相異」とも書く。⇩差・Q差異・違い

ぞうえん【造園】 本格的な庭造りをさし、改まった会話や文章に使われる、やや専門的な漢語。〈―業〉〈―の技術〉✎趣味的な感じを伴う「庭造り」よりも本格的な感じで専門家による大がかりな工事を連想させやすい。⇩園芸・ガーデニング・庭いじり・Q庭造り

ぞうお【憎悪】 相手を憎み嫌う気持ちをさし、改まった会話や文章に用いられる硬い漢語。〈―に燃えた目〉〈―をかきたてる〉〈激しく―する〉〈―の念を抱く〉✎「憎しみ」より強い。徳田秋声の『あらくれ』に「殺しても飽足りないような、暴悪な―の念」とあり、井伏鱒二の『遥拝隊長』に「むらむらと湧きあがる―の気持」とある。⇩厭悪・Q嫌悪・敵意・敵愾心《てきがいしん》・Q憎しみ・反感

そうおん【騒音】 やかましくて不快な音をさし、会話にも文章にも使われる漢語。〈―公害〉〈機械の―〉✎石坂洋次郎の『山のかなたに』に「教室の中は、蜂の巣をつついたような―に満たされていた」とある。⇩喧噪《けんそう》・雑音・Q噪音《そうおん》

そうおん【噪音】 振動周期の不規則な音をさし、学術的な会話や文章に用いられる専門的な漢語。〈―を発する〉✎これも耳に不快な音であるため「騒音」に含めることもある。⇩雑音・Q騒音

そうが【挿画】 挿絵《さしえ》の意味で、主に文章に用いられる、や

や専門的な硬い漢語。〈―で小説を盛り上げる〉⇩イラスト・カット・Q挿絵

ぞうか【増加】数量が増える意で、会話にも文章にも使われる漢語。〈面積が―する〉〈予算が―する〉〈定員の―に踏み切る〉🖉「喜び」や「苦しみ」のような抽象的なものより数値で表せる対象に使う。「困難が増加する」は具体的な物事を連想させ、精神面を連想させやすい「困難が増大する」と微妙に区別される。「減少」と対立。⇩増大

そうかい【爽快】爽やかな意で、会話にも文章にも使われる漢語。〈―な湖畔の朝〉〈―な気分〉〈心を―にする〉🖉林芙美子の『茶色の目』に「山の流れが爽々と岩の間を流れてくるような、―な曲だった」とある。⇩壮快

そうかい【壮快】元気あふれる意で、会話にも文章にも使われる漢語。〈―な波乗り〉〈―な調べ〉⇩爽快

そうがく【総額】すべてを合計した金額の意で、やや改まった会話や文章に用いられる漢語。〈予算―〉〈被害―数億円に達する〉〈花嫁道具一式で―百万円は下らない〉🖉一括した感じのある「全額」に比べ、個々の金額を加えたイメージが濃い。⇩全額

そうかつ【総括】すべてをまとめる意で、改まった会話や文章に用いられる正式な感じの漢語。〈―質問〉〈意見を―する〉〈本年度の活動を―する〉🖉全体の評価や反省も含む。⇩総轄

そうかつ【総轄】まとめて全体を取り締まる意で、改まった会話や文章に用いられる硬い漢語。〈―責任者〉〈事務を―する〉⇩総括

そうぎ【葬儀】「葬式」の意で、改まった会話や文章に用いられる漢語。〈―社〉〈―場〉〈―を執り行う〉🖉「葬式」より改まった感じの語だが、「葬礼」ほど格式ばった感じはない。⇩告別式・Q葬式・葬礼・弔い

ぞうき【臓器】内臓の意で、学術的な会話や硬い文章に用いられる医学の専門漢語。〈―移植〉〈―バンク〉🖉内臓の総称というより、一つ一つの器官を意識する傾向が見られる。⇩五臓六腑《ろっぷ》・臓腑・臓物・Q内臓・はらわた・もつ

そうきゅう【早急】「さっきゅう」の新しい読み方で、若い世代を中心に広がっている。〈―に引き上げる〉⇩さっきゅう

そうきゅう【送球】「ハンドボール」の古風な呼称。口頭表現では通じにくいが、文章の中では今でも時折用いられる。⇩ハンドボール

そうきょ【壮挙】意気盛んな壮大な企ての意で、主に文章に用いられる硬い感じの漢語。〈ヨットで世界一周の―を成し遂げる〉⇩Q快挙・義挙・美挙

そうぎょう【創業】新たに事業を起こす意で、やや改まった会話や文章に用いられる漢語。〈―五十周年〉〈明治期―の老舗《しにせ》〉🖉小林多喜二の『蟹工船』に「―当時は、幾ら船が沈没したりしたか分らなかった」とある。大規模でかなり長い歴史を持つ企業について用い、小店に使うと大仰な感じになる。⇩開業

ぞうきょう【増強】予算・設備・人員・作用などを補って強さを増す意で、会話にも文章にも使われる漢語。〈筋肉―剤〉〈体力の―をめざす〉〈兵力の―を図る〉🖉「強化」「補強」と違い、手を加える前からある程度の強さをすでに有して

いる感じが強い。⇩Q強化・補強

そうく【痩軀】痩せた体の意で、主に文章に用いられる漢文調の硬い古風な漢語。〈長身―〉〈―を駆って積極的に動く〉✎里見弴の『極楽とんぼ』に「鶴の如き―と共に、誠に好もしい人品」とある。⇩Q痩身・細身

そうけい【総計】すべての分野をまとめた合計をさし、改まった会話や文章に用いられる、やや専門的な漢語。〈支出―〉〈全分野の―を算出する〉✎「合計」と同じ意味に用いることも、「合計の合計」を意味することもある。⇩合計

そうけん【送検】容疑者や捜査書類などを検察庁に送る意の法律用語。〈書類―〉

そうけん【壮健】丈夫で元気な意で、主として手紙その他の文章に用いられる、改まった感じの硬い和語。〈身体―〉〈御―の由何よりと存じます〉⇩元気・健康・Q健勝・健全・丈夫・健やか・息災・達者

そうげん【草原】一面に草で覆われている広々とした原をさし、やや改まった会話や文章に用いられる漢語。〈見渡す限りの大―〉〈阿蘇山麓に広がる―〉✎「くさはら」より広大なイメージが強い。そこで何かをしているというよりそれを眺めている連想があり、深田久弥の『四季の山登り』に「連山がその裾に緑の褥《しとね》のような気持のよさそうな―を敷いていて」とあるのもそういう例である。⇩くさはら

そうこ【倉庫】品物を保管・貯蔵する場所をさし、会話にも文章にも使われる日常の漢語。〈―番〉〈―に保管する〉〈―から出して来る〉✎武田泰淳の『風媒花』に「―のようにコンクリート壁をむき出した焼酎ホール」という比喩の例が出る。⇩倉・Q蔵

そうご【相互】「互い」の意で、改まった会話や文章に用いられる漢語。〈―理解〉〈―作用〉〈―の関係〉〈会員―の親睦を図る〉✎正宗白鳥の『入江のほとり』に「外の者も知らず知らず―の顔や頭に目を留め出した」とある。⇩互い

そうこう【操行】常日ごろの行いの意で、改まった会話や文章に用いられる古風な漢語。〈―が悪い〉✎道徳的な観点から取り上げられることが多い。⇩行状・Q素行・品行・身持ち

そうこう【草稿】下書きの段階の原稿をさし、改まった会話や文章に用いられる、やや専門的な漢語。〈―に手を入れる〉⇩原案・Q原稿・下書き・草案

そうごん【荘厳】場所や建物などの雰囲気に威厳があって重々しい意で、改まった会話や文章に用いられる硬い漢語。〈―な雰囲気〉〈―な神社〉〈―な儀式〉⇩厳か・厳粛・Q森厳・崇高・荘重

そうさ【捜査】警察が犯人を捜し出し、犯罪に関係する証拠物件を調べる意で、会話にも文章にも使われる専門的な漢語。〈―令状〉〈―本部〉〈公開―〉〈―線上に浮かぶ不審人物〉〈―の手が伸びる〉⇩捜索

そうさ【操作】ボタン・スイッチやレバー・ハンドルなどを動かして機械や器具を働かせることをさし、会話にも文章にも使われる、いくらか専門的な漢語。〈―ミス〉〈遠隔―〉〈レバーを―する〉〈―が難しい〉〈パソコンの―に慣れる〉✎小島信夫の『小銃』に「前床をふくという―は、どんなに私の気持をあたためたかしれない」とある。「操る」対象より複雑な機械類について言うことが多い。「帳簿を―する」

「株価を―する」のように、自分に都合のよいように時には不正に動かす意にも使う。⇩操る・操縦

そうさい【相殺】貸借・損得・功罪などが互いに消し合いゼロになる意で、改まった会話や文章に用いられる硬い感じの漢語。〈貸し借りを―する〉〈今度の手柄で前の失敗が―される〉⇩Q帳消し・棒引き

そうざい【惣菜】「おかず」の意で、やや改まった会話や文章に用いられる漢語。〈晩のお―〉⇩おかず

そうさく【捜索】犯罪に関連して警察が強制的に捜し調べる意で、改まった会話や文章に用いられる専門的な漢語。〈―願い〉〈家宅―〉〈くまなく―する〉🖊住民が「―隊」を結成して遭難者を捜し回ったり、行方不明者を捜して山狩りを行ったり、警察以外による場合もある。⇩捜査

そうじ【掃除】ごみや埃《ほこり》を取り除き、汚れをふき取って清潔にする意で、くだけた会話から文章まで広く使われる日常の漢語。〈―機〉〈―当番〉〈便所―〉〈暮れの大―〉🖊「清掃」ほど正式な感じはなく、日常生活でよく使われる。⇩清掃

そうじ【相似】形や姿が互いに似ている意で、主として文章に用いられる専門的な漢語。〈―形をなす〉〈大きさは異なるが構造的に両者は―の関係にある〉⇩近似・酷似・似通う・似る・Q類似

そうしき【葬式】死者を葬るための儀式の意で、くだけた会話から文章まで幅広く使われる日常の漢語。〈―の日取り〉〈―を出す〉🖊類義語のうち日常生活で最もよく使うが、式場の正式の掲示などにはあまり見られない。⇩告別式・Q葬儀・葬式・弔い

そうしつ【喪失】それまで保有していた抽象的な存在を失う意で、改まった会話や文章に用いられる硬い感じの漢語。〈記憶―〉〈自信を―する〉〈信頼を―する〉🖊梅崎春生の『桜島』に「考える力を―した、言わば動物園の檻のけもののようであった」とある。「紛失」と違い、気がつかないうちにというニュアンスは特になく、失われたという結果だけを問題にしている。⇩紛失

そうして【然うして】「そして」に近い意味合いで使う。「そして」より会話的ながら、さほど硬くない文章にも用いられる接続詞。〈さんざん人を困らせ、―、挨拶一つなく立ち去る〉〈この乳飲み子も小学校、中学校、―、やがては高等学校へと進む〉🖊「そして」より思いをこめた感じが強く、一語一語ことばを選びながら話すときや、抒情《じょじょう》的な文章の中でしばしば出てくる表現。多用すると感傷的に響くが、次の例のようにこのことば特有の語感を生かした絶妙の使い方もある。佐藤春夫の『田園の憂鬱』に「こうして幾日かはすぎた。薔薇のことは忘れられた。―また幾日かはすぎた。」といった散文詩を思わせる一節がある。同じ作品のしっとりと降り注ぐ初秋の白い雨の後ろ姿に見入る場面でも、「家のなかの空気をしめやかに、ランプの光をこまやかなものにした」という主体化された情景描写から、「端座した彼に、或る微かな心持、旅愁のような心持を抱かせた」という心理描写へと流れる移行の節にまず「そうして」が現れ、そこから、そういう気持ちを誘った秋の雨そのものに、逆に旅人の姿を思い描く次の屈折した文展開の冒頭に

も、やはり「そうして」という万感をひきずった接続詞が立つ。「そして」ではどうしても表現しきれないこまやかな心情である。⇩そして

そうじて【総じて】例外はあるにしても全体として、といった意味合いで、改まった会話や文章に用いられる、やや硬い表現。〈最近の子供は―早熟だ〉⇩一般に・Q概して

そうしゃ【走者】陸上競技の走り手や野球で出塁した人をさし、主として書きことばで使う漢語。口頭ではふつう「ランナー」と言う。〈―を進塁させる〉〈―一掃の長打が出る〉〈第一―〉⇩ランナー

そうじゅう【操縦】飛行機などの機械を思いどおりに操作する意で、会話にも文章にも使われる漢語。〈―桿《かん》〉〈飛行機を―する〉✎「夫の―術」「部下を巧みに―する」のように、人を動かす意の比喩的用法もある。⇩操る・運転・操作

そうじゅうし【操縦士】飛行機などを操縦する人をさし、会話にも文章にも使われる、やや専門的な漢語。〈副―〉〈直行便の―〉⇩Q運転士・運転者・運転手

そうしゅん【早春】春まだ浅い季節をさし、主として文章中に用いられる漢語。〈こぶしの花が―を告げる〉✎「晩春」と対立。ちなみに、小津安二郎監督に『早春』と題する映画も『晩春』と題する映画もある。⇩初春

そうしょく【装飾】美的効果をねらって物の表面を装い飾る意で、やや改まった会話や文章に使われる漢語。〈―品〉〈室内―〉〈―をほどこす〉✎小林秀雄の『私小説論』に「不安な実生活を新しい技巧によって修正しよう、斬新な感覚によって―しようという希いがあった」とある。「飾り」以上に華やかな連想が強い。⇩飾り・飾る

そうしん【痩身】痩せている体の意で、文章に用いられる漢文調の硬い古めかしい漢語。〈―鶴の如き老紳士〉✎石川淳の『普賢』に「波のまにまにただようごとく―をベッドの上に浮かせている」とある。美容のために痩せる意の「―術」は美容の専門語で、むしろ新しい語感が働く。⇩Q痩軀《そうく》・細身

そうしんぐ【装身具】装飾のために身につける小さな工芸品の意で、改まった会話や文章に用いられる漢語。〈高価な―を身にまとう〉〈―に金をかける〉✎具体的にはネックレス・ブローチ・指輪・かんざしなど。⇩アクセサリー

そうせい【早世】一般よりかなり早く世を去る意で、文章中に用いられる漢語。〈娘の―に親の悲しみは深い〉✎「夭折《ようせつ》」や「夭逝」と異なり、必ずしも若いときに死去したとは限らない。「世」と間接的に表現しており、端的な「早死に」より丁寧な感じがある。⇩Q早死に・夭逝・夭折・若死に

そうせいじ【双生児】「ふたご」の意のやや専門的な漢語で正式な感じの文章語。〈一卵性―〉〈―が誕生する〉⇩ふたご

そうせつ【創設】それまでなかった施設や組織を初めて設ける意で、改まった会話や文章に用いられる硬い漢語。〈当時は珍しかった女子専門の養成所を―した〉⇩開設・新設・設立・Q創立

そうぜん【窓前】窓から見えるすぐ近くをさし、主として改まった文章に用いられる硬い感じの漢語。〈―に咲き誇る花々を眺めつつ〉✎高田保の『ブラリひょうたん』に「すわり直して眉をしかめ、さてしずかに―に目をやると五月の

雨が降っている」という一文が出てくる。「今日こそは堂々たる、内容たっぷりな、いかにも瞑想的で憂鬱な文章を書こうとおもい立った」場面だから、「窓のほう」などという日常生活の表現を避けて「窓前」といった堂々たる漢語を使用してみたのだが、「馬鹿は死ななきゃ治らない」といったいつもの調子に戻ってしまう。その落差がユーモラスに響くのである。⇩窓口

そうぞう【想像】 今現実に存在しないものを頭に思い描く意で、くだけた会話から硬い文章まで幅広く使われる基本的な漢語。〈龍は一上の動物だ〉〈一力を働かせる〉〈一を絶する〉〈一を逞《たく》ましくする〉〈一だにしなかった〉✎小川国夫の『貝の声』に「顔つきを一した。浜に打上げられた古靴のようだろう、と思った。水に晒されて冷い感じを一した」とあり、古井由吉の『弟』に「不安な一を水母《くらげ》の傘みたいにふくらませている」とある。「空想」や「夢想」が非現実的なイメージを描く感じが強いのに対して、この語には「一したとおりだった」「御一に任せる」のように現実的なイメージの例も目立つ。⇩Ⓠ空想・幻想・夢想・妄想・連想

そうぞうしい【騒騒しい】 ほぼ「騒がしい」の意で、やや改まった会話や文章に用いられる表現。〈表の通りがばかに一〉〈やたらに一音楽〉✎客観的な感じの「騒がしい」よりマイナス評価が含まれ、静かにするように注意する際などにはこの語を使う例が多い。夏目漱石の『坊っちゃん』に「八釜しくて一・くって堪らない」と「やかましい」と併用した例が出る。なお、複数の音が不規則に聞こえる場合によく使い、音が大きくても太鼓の音のようにリズミカルな場合は不快感が伴わず、この語を使いにくい。⇩うるさい・Ⓠ騒がしい・やかましい

そうそん【曾孫】「ひまご」の意で改まった文章に用いられる硬い漢語。〈のちにその一に伝えられた〉⇩ひこ・Ⓠひまご

そうたい【早退】 学校や勤務先などを定刻より早く退出する意で、改まった会話や文章に用いられる正式な感じの漢語。〈会社を一する〉〈頭痛のため一する〉⇩早引け

ぞうだい【増大】 数量や程度が増す意で、会話にも文章にも使われる漢語。〈使用料が年々一する〉〈危険が一する〉〈不安が一する〉✎心理面などの抽象的なものについてよく使い、「喜びが一する」などとも言うが、概して好ましくないものに使う例が目立つ。⇩増加

そうだん【相談】 どうしたらいいかについて意見を求めたり困ったことなどについて意見を仰いだりする意で、くだけた会話から硬い文章まで幅広く使われる日常の漢語。〈身の上一〉〈一相手〉〈上司に一する〉〈一を持ちかける〉〈一に乗る〉〈一もなしに勝手にやる〉✎徳田秋声の『縮図』に「打ち明けて一したら(略)腫物《はれもの》を切開して膿を出したようで、さっぱりするかも知れない」とある。「会の運営についてみんなで一する」のような例もあるが、一般に「打ち合わせ」と比べ、問題を抱えた当事者と指導する立場の第三者との間で行われる例が多い。夏目漱石の『坊っちゃん』では「此一を受けた時、行きましょうと即席に返事をした」と、校長から就職の話があったときにこの語を用いている。⇩打ち合わせ・協議・Ⓠ話し合い

そうち【装置】 一定の目的を果たすために設置された機械や

道具をさし、いくぶん改まった会話や文章に用いられる漢語。〈爆破―〉〈舞台―〉〈記憶―〉〈簡単な―を取り付ける〉✒大岡昇平の『俘虜記』に「私は銃をとりその安全―をはずした」とある。⇩Q仕掛け・設備

ぞうちく【増築】既存の建物に新たに部屋などを建てて広くする意で、会話にも文章にも使われる漢語。〈―して店を広げる〉〈子供部屋を―する〉⇩Q改築・新築

そうちょう【荘重】音楽・口調・雰囲気などが厳《おごそ》かで重々しいの意で、改まった会話や文章に用いられる硬い感じの漢語。〈―な調べ〉〈―な雰囲気をかもしだす〉⇩厳か・厳粛・森厳・Q崇高・荘厳

ぞうちょう【増長】好ましくない現象がさらに甚だしくなる意で、いくぶん改まった会話や文章に用いられる漢語。〈あおられて不安が―する〉〈甘やかすとわがままが―する〉〈人気が出てますます―する〉✒「つけあがる」と違い、他人の言動と無関係に、自分のやることが成功したりして思い上がる場合も含まれる。⇩つけあがる

そうてい【想定】ある条件や場面、ありうる事態や状況を推測し、仮にそうである場合を考えることをさし、改まった会話や文章に用いられる漢語。〈―外の出来事〉〈万一の場合を―する〉〈その程度は―の範囲内だ〉〈万一の場合を―して避難訓練を行う〉〈地震の発生を―した訓練〉✒中谷宇吉郎の『立春の卵』に「静かに何遍も調整を繰り返す必要がある。そういうことは、卵は立たないものという―の下ではほとんど不可能であり、事実やってみた人もなかったのであろう」と述べ、人類の盲点を指摘した。「仮定」に比べ、可能性のありそうな雰囲気が強い。⇩Q仮定・前提

ぞうてい【贈呈】お贈りする意で、改まった会話や文章に用いられる漢語。〈―式〉〈花束を―する〉✒直接相手に手渡す場合などにしばしば使われ、「進呈」より改まった正式の感じになりやすい。⇩寄贈・謹呈・献上・献呈・進上・Q進呈

そうてん【装塡】中に詰めて使用に備える意で、改まった会話や文章に用いられる硬い専門的な漢語。〈ピストルに弾丸を―する〉〈カメラにフィルムを―する〉⇩入れる・Q挿入・導入

そうてんねんしょくえいが【総天然色映画】「カラー映画」の意で、廃語に近い古めかしい語。✒「天然色映画」をさらに強調したことば。そのぶん、さらに古さが際立つ。⇩Qカラー映画・天然色映画

そうと【壮図】壮大な計画の意で、主に硬い文章に用いられる、やや古風な漢語。〈―を抱く〉〈―むなしく引き返す〉⇩壮途

そうと【壮途】希望に満ちた勇ましい門出の意で、主に硬い文章に用いられる古風な漢語。〈―に就く〉〈―を祝す〉⇩壮図

そうとう【相当】程度が甚だしい意で、会話にも文章にも使われる漢語。〈―の覚悟が必要だ〉〈問題が―難しかったようだ〉✒「かなり」の程度を超えている感じがある。「時価百万円―の品」のように、あてはまる意にも、また、「それ―の謝礼」のように、釣り合う意にも使われる。⇩かなり

そうどう【僧堂】禅宗の寺で僧が座禅をしたり日常の生活を営んだりする建物をさし、会話にも文章にも使われるやや

専門的な漢語。〈―の修行〉⇩僧庵《そうあん》・Q僧坊

そうどう【騒動】大勢の人間が騒ぎ立てて社会の秩序が乱れることをさし、会話にも文章にも使われる漢語。〈米―〉〈お家―が持ち上がる〉〈―を鎮める〉〈一―持ち上がる〉〈―を巻き起こす〉〈―に発展する〉酔っ払いがわめいて騒いでもそれだけでは「騒動」にならず、何らかの対立があり「騒ぎ」より大きな規模を思わせる。夏目漱石の『坊っちゃん』に「堀田がおれを煽動して―を大きくしたと云う意味なのか」とある。⇩混乱・Q騒ぎ・騒乱

そうなん【遭難】海・空・山などで災難に遭って生命の危険に曝される意で、会話にも文章にも使われる漢語。〈着陸に失敗して―する〉現代では、「山で―する」「―者の救助に向かう」など、ほとんどが登山中の事故を連想させる。⇩被害・Q罹災《りさい》

そうにゅう【挿入】間に挟み込んで入れる意で、いくぶん改まった会話や文章に用いられる漢語。〈―句〉〈解説の文章に図表を―する〉⇩入れる・Q装塡・導入

そうばん【早晩】「遅かれ早かれ」の意で、改まった会話や文章に用いられる、少し古風な漢語。〈―家を継ぐことになる〉〈―引退は避けられない〉井上靖の『氷壁』に「君は―辞表を書かなければならんだろう」とある。⇩遅かれ早かれ

ぞうひん【贓品】盗品や詐欺・横領・賄賂などの犯罪行為によって入手した品物の意で、主に法律関係の専門的な会話や文章に用いられる硬い漢語。〈―の売買に手を貸す〉〈―を横流しする〉総称という感じの強い「贓物《ぞうぶつ》」と比べ、個々の物品が意識される。⇩Q贓物・盗品

ぞうふ【臓腑】「五臓六腑《ろっぷ》」の総称で、西洋医学が導入される以前の古い漢語といわれる。森鷗外の『山椒大夫』に「―が煮え返るようになって」とある。⇩五臓六腑・臓器・臓物・Q内臓・はらわた・もつ

ぞうぶつ【贓物】贓品《ぞうひん》の総称として、法律関係の主に専門的な会話や文章に用いられる硬い漢語。〈―故買の罪〉〈―を売り渡す〉個々の盗品などを意識させやすい「贓品」に比べ、法律に規定されたそのような枠組みを連想させ、それだけ抽象的に感じられる。「ぞうもつ」とも読む。⇩Q贓品・盗品

そうほう【双方】対立または相対している二者をさし、改まった会話や文章に用いられる漢語。〈―が歩み寄る〉〈―の意見をよく聞いてまとめる〉〈―の思惑が一致する〉「両方」より正式な感じの硬い表現で、主に人や組織について使う。「一方」「片方」と対立。⇩両者・両人・Q両方・両名

そうぼう【僧坊(房)】僧やその家族の居住する家屋をさし、改まった会話や文章に用いられるやや古風な漢語。〈―の建ち並ぶ大寺院〉⇩僧庵《そうあん》・僧堂

そうほん【草本】「草」またはその総称として学術的な会話や文章に用いられる植物学の専門的な漢語。〈川辺に自生する―の一つ〉⇩草

そうみ【総身】体の隅々まで全部の意で、会話にも文章にも使われる古めかしい言い方。〈大男―に知恵が回りかね〉「そうしん」とも読む。⇩渾身《こんしん》・Q全身・満身

そうむ【総務】その組織全体の運営事務を扱う仕事をさし、

会話にも文章にも使われる、やや専門的な漢語。〈—部〉✎山崎豊子の『華麗なる一族』に「—部長が芥川常務に何事か耳元で報告し」とある。⇩事務・Q庶務

そうめい【聡明】賢く理解力に秀でている意で、改まった会話や文章に用いられる漢語。〈生まれつき—な人〉〈—な対処〉✎小林秀雄の『実朝』に「確かに非常に—な人物であったが、その—は、教養や理性から来ているというよりむしろ深い無邪気さから来ている」とある。個々の判断・行為に重点のある「賢明」に比べ、生来の知的能力に対する高い評価という面が中心。頭のよさだけを問題にしている「賢い」よりも人間としての総合的な評価が高い感じが伴う。⇩賢い・賢明・Q利口・利発

ぞうもつ【臓物】動物のはらわたの意で、会話にも文章にも使われる漢語。〈鶏の—〉〈—の串焼き〉✎横光利一の『春は馬車に乗って』に「運好く瑪瑙のような—を氷の中から出される」とある。獣・鳥・魚について特に食品の場合に用いることが多い。⇩五臓六腑《ぷ》・臓器・臓腑・内臓・はらわた・Qもつ

ぞうよ【贈与】金品を贈り与える意で、改まった会話や文章に用いられる専門的な漢語。〈—税〉〈資産の—を受ける〉✎「譲与」に比べ、個人的な感じが強い。⇩Q譲渡・譲与・譲る

そうらん【争乱】争いが起こって世が乱れる意で、主に文章に用いられる古い感じの漢語。〈戦国—の世〉✎個々のケースをとりあげる「騒乱」に対し、全体としての大きなスケールで使う。⇩騒乱・乱れる

そうらん【騒乱】騒ぎで世の秩序が乱れる意で、主に文章に用いられる硬い漢語。〈—罪〉〈—を起こす〉〈—を鎮める〉⇩混乱・騒ぎ・騒動・争乱・乱れる

そうらん【総(綜)覧】すべてを見る意で、硬い感じの文章に用いられる公的な雰囲気の漢語。〈法令—〉⇩総攬

そうらん【総攬】一手に掌握する意で、主に文章に用いられる、古い感じの硬い漢語。〈国政を—する〉〈権力を—する〉⇩総覧

そうり【総理】総理大臣の略称として、主に会話やさほど改まらない文章に使われる漢語。〈—の椅子に座る〉〈—のインタビュー〉〈—の座を射止める〉⇩宰相・Q首相・総理大臣・内閣総理大臣

そうりだいじん【総理大臣】内閣総理大臣の略で、会話にも文章にも使われる漢語。〈—の座に就く〉⇩宰相・首相・総理・Q内閣総理大臣

そうりつ【創立】学校や会社などを新たに立てる意で、会話にも文章にも使われる漢語。〈出版社の—記念日〉〈大学の前身である専門学校を—した〉✎「創設」「開設」「新設」より大規模の感じがある。⇩開設・新設・設立・Q創設

そうりょ【僧侶】出家して仏門に入った人をさし、主に文章に用いられる改まった感じの漢語。〈—の位〉〈修行を積んで—になる〉⇩和尚《おしょう》・住持・住職・Q僧・坊主

そうりょく【総力】各部の力の総体、組織や団体が全体として持っているすべての力をさし、改まった会話や文章に用いられる、やや硬い感じの漢語。〈—を結集する〉〈—戦の様相を呈する〉〈社の—をあげて取り組む〉✎個人単位の「全力」に比べ、個々の力の総和としてとらえた感じが強い。会社を一つの単位と考えれば「全力」となるが、社内の各部

署の力を集めると考えれば「総力」となる。⇩全力

そうれい【葬礼】「葬式」の意で、主に文章に用いられる、やや古風で改まった漢語。〈―に参列する〉✎「葬儀」以上に重々しい感じの表現。⇩告別式・葬儀・葬式・弔い

そうわ【挿話】 文章や談話の中に挟み込まれる、話の本筋と関連が薄く物語のプロットに直接関与しない短い話をさし、主に文章中に用いられる専門的な和語。〈―の盛り込まれた伝記〉✎井伏鱒二の『休憩時間』に「こういう類の―を誰から教えられたかは忘れてしまったが、そういう物語だけはことごとく記憶してそれは事実であると信じた」とある。なお、丘の上の庄野潤三邸で『静物』における挿話の配列順について問うと、「作者の中にある美的世界を築くためには、その順序とか間の空白が必然的なものでなきゃならない」と作者自身が語った。単なる「逸話」や「エピソード」との違いである。⇩Q逸話・エピソード

ゾーン 一定の基準のもとに明確に区切られた範囲をさし、会話にも文章にも使われる外来語。〈スクール―〉〈ミステリー―〉〈ストライク―〉〈セーフティー―〉⇩エリア

そがい【阻害(碍)】 妨げる意で、改まった会話や文章に用いられる硬い漢語。〈発展を―する〉〈工事の進行を―する〉⇩疎外

そがい【疎外】 のけものにする意で、会話でも文章でも使われる漢語。〈―感を味わう〉〈よそ者として―される〉✎谷崎潤一郎の『金と銀』に「世間から―され」とある。⇩阻害

ぞく【賊】 悪者、特に「泥棒」の意で、古めかしい漢語。〈―が侵入する〉〈―を捕らえる〉✎森鷗外の『半日』に「何処かの家へ―がはいって」とある。人をさし、行為だけはささない。⇩窃盗・Q盗賊・泥棒・ぬすっと・ぬすびと・物盗り

ぞくあく【俗悪】 低級で良識に欠ける意として、改まった会話や文章に用いられる漢語。〈―番組〉〈―な雑誌〉〈―な趣味〉⇩下品・下劣・通俗・Q低俗・低劣・卑俗・野卑

ぞくがら【続柄】「続き柄」の意で時に会話に使われる俗っぽい語形。〈書類に―を記入する〉✎日常語でないため専門的で正式な感じに響くこともあるが、「つづきがら」の意の「続柄」という表記を、送り仮名がないために誤読したものか。⇩間柄・関係①・関連・Q続き柄

ぞくご【俗語】 標準的な口語に対し、公式の場では通常用いない俗っぽいことばをさし、会話にも文章にも使われる漢語。〈硬質の漢語の中に―が交じる〉✎風雅な趣のある「雅語」に対し、日常生活に普通に使う話しことばをさす用法は古めかしく響く。⇩卑語

そくさい【息災】 健康で無事な意で、会話にも文章にもまれに使われる古めかしい漢語。〈無病―〉〈一病―〉✎古井由吉に『息災』と題する小説がある。⇩元気・健康・健勝・健全・丈夫・健やか・壮健・Q達者

そくし【即死】 事故などによりすぐその場で死ぬ意で、会話にも文章にも使われる漢語。〈交通事故で―する〉〈ほとんど―の状態〉✎「頓死《とんし》」以上に急激な死をさす。⇩Q急死・急逝・頓死

そくしん【促進】 物事が早く進むようにする意で、やや改まった会話や文章に用いられる漢語。〈開発を―する〉〈販売を―する〉⇩促す

ぞくじん【俗人】 高尚な生き方と縁遠く、名声や出世や物欲を追い求める普通の人間をさし、やや改まった会話や文章に用いられる、やや古風な漢語。〈―臭〉〈―の理解を超えた澄み切った境地〉✎風流を解さない人の意にも用いる。古くは、僧でない一般の人の意にも用いた。

ぞくじん【俗塵】 俗世間の汚れや俗事の煩わしさをさし、主に文章中に用いられる、いくぶん古風な漢語。〈―を払う〉〈―にまみれる〉〈―を離れた一角〉✎石川淳の『普賢』に「―に巻きこまれるのが常」とある。⇩Ｑ巷《こう》塵《じん》・黄塵・紅塵

そくせい【促成】 人工的に生長を早める意で、会話でも文章でも使われる、やや専門的な漢語。〈野菜の―栽培〉⇩速成

そくせい【速成】 短期間で仕上げる意で、会話でも文章でも使われる漢語。〈数学の―講座〉〈技術者を―する〉⇩促成

そくだん【即断】 すぐその場で決める意で、やや改まった会話や文章に用いられる漢語。〈―即決〉〈―を下す〉〈―をしぶる〉⇩速断

そくだん【速断】 すばやく判断する意で、やや改まった会話や文章に用いられる漢語。〈―を要する〉〈―に過ぎる〉⇩即断

そくど【速度】「速さ」の意で、やや改まった会話や文章に用いられる漢語。〈―計〉〈制限―〉〈―を上げる〉〈―を速める〉〈―を落とす〉〈―を殺す〉✎物理学の専門語としては、物体の位置が時間とともに変化する割合をさす。木山捷平の『大陸の細道』に「まるで富士山から岩石でもころがすような急―で、病気が二つも同時に発作をおこした」とある。⇩スピード・Ｑ速力・速さ

ぞくとう【続投】 途中で交代せず同じ人が引き続き担当する意で、野球用語の拡大用法。〈内閣不信任案を否決して首相が―する〉〈経営不振に陥り、社長の―が難しくなる〉✎野球で投手を交代させず同じ投手がそれ以後も投げ続ける意。転じて、野球に限らず、一般に「重要なポストにある人物が以後も引き続きその任にあたる」という意味にも用いるが、まだ野球のイメージがつきまとう。

そくばく【束縛】 行動する自由を制限する意で、会話にも文章にも使われる漢語。〈自由を―する〉〈行動を―される〉〈―を受ける〉✎福永武彦の『草の花』に「―された日常を課せられている人間」とある。「拘束」に比べ、制限を受けない自由な部分が少し残っている感じがある。⇩監禁・拘束・軟禁・幽閉

ぞくはつ【続発】 続け様に発生する意で、やや改まった会話や文章に用いられる漢語。〈同種の事件が―する〉✎「連発」に比べれば間隔が少し長く、回数もいくらか少ない感じがある。⇩群発・多発・頻発・Ｑ連発

そくめん【側面】 物体の横の面をさし、学術的な会話や文章の中で用いられる専門的な漢語。〈―図〉〈―に光を当てる〉✎「―からの援助」のように目立たない形をさしたり、「教育という―では」のように考察対象となる部分をさしたりする抽象化した用法ではやや硬い感じになるが専門的な雰囲気は消える。⇩Ｑ面

そくりょく【速力】「速さ」の意で、改まった会話や文章に用いられる硬い漢語。〈全―で走る〉〈飛行機の―〉〈―を増す〉〈―が落ちる〉✎木山捷平の『河骨』に「その足並みは

一歩一歩等差級数のように—を増して行く」とある。「速さ」「速度」「スピード」が物体の移動速度そのものをさすのに対し、「機械が古くなってめっきり—が落ちた」の例が、遅くなった現象の奥に能力の衰えで機能が鈍ったことを連想させるように、この語は単なるスピードだけではなく、背後にある能力を含意している感じがある。⇩スピード・Q速度・速さ

そこ【底】 周囲や表面から離れた深さのある場所や物の最も深い部分をさし、くだけた会話から硬い文章まで幅広く使われる日常の基本的な和語。〈海の—〉〈鍋の—〉〈—が浅い〉〈—まで届く〉〈—が抜ける〉✎横の関係である「奥」に対し、この語は縦の関係をイメージさせ、芥川龍之介の『羅生門』の末尾に「急な梯子を夜の—へかけ下りた」とあり、川端康成の『雪国』の冒頭にも「国境の長いトンネルを抜けると雪国であった。夜の—が白くなった」とあり、同じ「夜の底」という表現が見られる。永井龍男の『蚊帳』に「みんな寝静まった真夜中に、闇の—がほんのり明るんで、また暗くなる」とある。三浦哲郎の『愛しい女』には「その薄暗りの—には、雪野が白い海のようにひろがっていた」となっている。なお、器などの場合は内側も外側もいう。「景気が—をつく」「腹の—から声を出す」「心の—で嘲笑う」のように抽象的な用法もあり、夏目漱石の『坊っちゃん』も「うらなり君はどこ迄人が好いんだか、殆んど—が知れない」とある。⇩Q奥・底面・内奥《ないおう》

そご【齟齬】 事柄や考えなどが合わずうまく行かない意で、主に硬い文章に用いられる漢語。〈性格の—〉〈感情の—〉〈計画に—を来す〉〈言動に—が見られる〉✎歯の噛《か》みあわせが悪い意から、本来ならうまく合うはずのものがずれて噛み合わない意に拡張。一人の話や説明や言行などに生じた場合は矛盾感が出る。⇩Q食い違い・ずれ・行《ゆ》き違い

そこいら【其処いら】「その辺」の意で、くだけた会話に使われる俗語。〈—でやめとこう〉✎「そこら」や「そこらへん」以上に俗っぽい感じがある。⇩Qそこら・そこらへん・そのへん

そこう【素行】 常日ごろの行いの意で、やや改まった会話や文章に用いられる、やや古風な漢語。〈—調査〉〈—不良〉〈日ごろの—が悪い〉✎道徳的な観点から取り上げられ、どちらかというと問題のありそうなケースによく使われる。⇩行状・Q操行・品行・身持ち

そこかしこ【其処彼処】「あちらこちら」の意で、改まった会話や文章中に用いられる古風な和語。〈—に春の気配を感じる〉✎文学的な雰囲気があり、趣のある叙述内容になじむ。⇩あちこち・あちらこちら・Qここかしこ

そこく【祖国】 先祖代々暮してきた国をさして、改まった会話や文章に用いられる漢語。〈—を離れる〉〈さらば—よ〉✎自国を離れたときに使い、「母国」以上に思い入れが強い。移民の場合、二世以上の人にとっては、自分自身でなく先祖の住んでいた国にあたる。⇩故国・自国・Q母国・本国・本土

そこぢから【底力】 普段は見えないがいざというときに出てくるその人の秘めた強い力をさし、会話やさほど硬くない文章に用いられる和語。〈—を示す〉〈終盤になって—を見せる〉〈—を発揮する〉✎「地力」に比べ、そなわっているという印象が強い。⇩実力・Q地力・能力

そこつ【粗忽】不注意による過ち、また、そういうことの多い性格をさし、主として文章に用いられる古めかしい漢語。〈—者〉〈—な振る舞い〉〈—を詫びる〉⇩慌て者・おっちょこちょい・軽はずみ・軽率・Qそそっかしい

そこなう【損(害)なう】望ましい状態を失う意で、やや改まった会話や文章に用いられる和語。〈健康を—〉〈機嫌を—〉〈美観を—〉✒安岡章太郎の『海辺の光景』に「せっかくの上機嫌を—・いたくはなかったが」とある。「器物を—」のように具体物に用いると少し古風で硬い感じに響く。⇩損ねる

そこねる【損ねる】「損なう」より少しくだけた感じで、会話や軽い文章に使われる和語。〈健康を—〉〈機嫌を—〉〈景観を—〉⇩損なう

そこら【其処ら】「その辺」の意で会話に使われるくだけた日常語。〈—の店で買う〉⇩そこいら・Qそこらへん・そのへん

そこらへん【其処ら辺】「その辺」の意で、くだけた会話に使われる俗っぽい表現。〈—がいいとこだろう〉✒「そこら」より俗っぽいが「そこいら」ほどではない。⇩そこいら・そこら・Qそのへん

そざい【素材】物を作る時にもとにする材料をさし、やや改まった会話や文章に用いられる、いくぶん硬い感じの漢語。〈—は羊毛百パーセント〉〈—の味を生かした調理法〉〈彫刻の—となる大理石〉✒「小説の—を吟味する」のように、「題材」の意味でも使い、その場合はより専門的な響きがある。⇩Q材料・資材・題材

そざつ【粗雑】注意が行き届かず粗っぽいさまをさし、会話にも文章にも使われる漢語。〈仕上げが—だ〉〈計画が—でこのままでは実行に移せない〉✒梶井基次郎の『冬の蝿』に「明るい南の海の色や匂いはなにか私には荒々しく—であった」とある。⇩Q雑・雑《ざつ》駁《ばく》・杜《ず》撰《さん》

そし【阻(沮)止】阻んで止める意で、改まった会話や文章に用いられる硬い漢語。〈違法活動を—〉〈実力で—する〉〈ライバルの進出を—する〉⇩食い止める・Q阻む

そじ【素地】発展や大成のもとになる素質や素養の意で、やや改まった会話や文章に使われる、いくぶん古風な漢語。〈芸事の—ができている〉〈大物になる—がある〉〈将来の繁栄の—をつくる〉✒夏目漱石の『明暗』に「そういう—を作っておいた自覚が十分にあった」とある。「下地」に比べ、経験や努力で身につけた基礎力以外に、生得の適性や能力を含む感じが強い。⇩下地

そしき【組織】人や物などを何らかの目標に向かって個々の力が機能するように体系だって組み合わせる意で、会話にも文章にも使われる漢語。〈—図〉〈細胞—〉〈会社の—〉〈—の力〉〈—を動かす〉⇩機関・機構・組み立て・Q構成・構造・仕組み

そしつ【素質】持って生まれた性質や才能のうち将来あることで活躍するのに資する部分、学問・芸術・スポーツなどに適した能力や性質をさし、会話にも文章にも使われる漢語。〈—を遺憾なく発揮する〉〈芸術家の—がある〉〈アスリートとしての—に恵まれている〉〈すぐれた—を見抜く〉〈—を伸ばす〉✒芥川龍之介の『あの頃の自分の事』に「論理を待って確められたもののみが、真理である事を認めるには、

余りに我々は人間的な―を多量に持ちすぎている」とある。⇩才能・Q資質・能力

そして【然して】前を承け、それに続いてという意味合いで次につなげる機能をもち、くだけた会話から硬い文章まで幅広く使われる日常生活の基本的な接続詞。〈英国に留学し、―、五年後には博士の学位を取得して帰国した〉〈真っ青な空に流れる雲、―見渡す限りの白樺林〉✎感情のこもった「そうして」に比べ、簡潔で客観的な感じがする。武者小路実篤の『友情』に「自然はどうしてこう美しいのだろう。空、海、日光、水、砂、松、美しすぎる。―かもめの飛び方のいかにも楽しそうなことよ。―人間にはどうしてこんなに深いよろこびが与えられているのだろう。まぶしいような。」と流れる一節がある。どちらの「そして」も「そうして」より率直な感じに響く。⇩そうして

そしょう【訴訟】訴えに応じてその争いごとを裁判所が法律に基づいて解決する手続きをさし、改まった会話や文章に用いられる、やや専門的な感じの漢語。〈―事件〉〈刑事―〉〈―手続き〉〈―を起こす〉〈―を取り下げる〉⇩訴える・Q告訴・提訴

そしる【謗(誹・譏)る】他人の言動を悪く言う意で、会話にも文章にも使われる、やや古風な感じの和語。〈怠慢を―〉〈態度を―〉✎「なじる」と比べ、激しく問い詰める感じは弱い。⇩Qなじる・ののしる

そせい【蘇生】生き返る意で、改まった会話や文章に用いられるやや硬い感じの漢語。〈―術〉〈人工呼吸で―する〉〈倒産寸前の企業が公的資金の導入で―する〉⇩生き返る・Q蘇る

そぜい【租税】「税金」の意で、まれに文章に用いられる正式な感じの硬い漢語。〈―収入〉〈―負担率〉〈―効果〉✎「―関連の法律」のように、制度などに言及する際に公的な場で用いられ、日常生活ではほとんど使わない。⇩税・Q税金

そせん【祖先】「先祖」とほぼ同義で、改まった会話や文章に用いられる漢語。〈―崇拝〉〈―を敬う〉〈―の御霊を祭る〉✎具体的なイメージの「先祖」に比べ、総合的・抽象的なとらえ方で、「人類の―」とも言うように、家系の代々の故人をさす場合でも遠い代のほうを意識させやすい傾向がある。⇩先祖

そそ【楚楚】清らかで美しいようすをさし、改まった会話や文章の中で用いられるやや古風な漢語。〈―とした優雅な女性〉✎谷崎潤一郎の『細雪』に「弱々しいが、―とした美しさを持った顔」とある。語義の上では男女に共通する状態をさすが、伝統的に若い女に対して用いることが多かった関係で、「貞淑」ほど女性専用というわけではないが、「―とした感じの青年」といった表現には語義上の問題はないのに、語感の点で多少の違和感を覚える。「―とした野郎」「―とした陸軍将校」といった表現の滑稽感はそこから生じる。⇩Q清楚・貞淑

そそう【粗相】失禁の意で、主に改まった会話や文章に用いられる漢語。〈子供が―する〉✎軽率な失敗という広い意味のため、間接性が大きく露骨な感じを免れるだけに丁寧な感じがする。「お漏らし」同様、不注意という面が強くなる。⇩Qお漏らし・失禁

そそぐ【注ぐ】 液体を流し入れる意で、会話にも文章にも使われる和語。〈お湯を―〉〈花瓶に水を―〉〈火に油を―〉✎佐藤春夫の『田園の憂鬱』に「竈《かまど》の底の灰の上へ思いきってあるだけの石油を―・いで」とある。「注意を―」「愛情を―」「視線を―」のような抽象的な用法もあり、「最上川が日本海に―」のような自動詞用法もある。⇩つぐ

そそぐ【雪ぐ】 →すすぐ

そそくさ ある状況になって落ち着かなくなる意で、主に会話に使われる和語。〈形勢が悪くなって―と引き上げる〉✎はっきりした理由があって心理的にその場に居にくくなるような場合によく使う。⇩Qあたふた・せかせか・そわそわ

そそっかしい 態度に落ち着きがなく不注意な間違いの多い意で、主に会話に使われる和語。〈生まれつき―性格〉〈―人間で軽はずみな行動が多い〉✎横光利一の『紋章』に「気をつければつけるほど普段の―ところが不意に現われて」とある。⇩慌て者・おっちょこちょい・軽はずみ・軽率・Q粗忽《そこつ》

そそのかす【唆(嗾)す】 おだてたり騙したりして悪いことをするように仕向ける意で、会話にも文章にも使われる和語。〈犯行を―〉〈カンニングを―〉✎安岡章太郎の『海辺の光景』に「はじめから損になるのを承知で自分をウマく―・して買わせたのだ」とある。⇩煽《あお》る・けしかける・指嗾《しそう》・扇動・Qたきつける

そそりたつ【そそり立つ】 険しい岩山などが見上げるように高く荒々しい感じで突き立つ意で、改まった会話や文章に用いられる和語。〈―岩壁〉〈ひときわ高く―〉✎「そばだつ」以上に高く峻険《しゅんけん》な感じがある。⇩Qそばだつ・そびえる

そぞろ【漫ろ】「何となく」の意で、主として文章中に用いられる古風な和語。〈―歩き〉〈―身にしむ〉〈―昔を思い出す〉✎谷崎潤一郎の『陰翳礼讃』に「ともし火の穂のゆらめきを映し、静かな部屋にもおりおり風のおとずれのあることを教えて、―に人を瞑想に誘い込む」とある。なお、「心も―気も―」のように、何となく落ち着かない気持ちをさす用法もある。⇩Qいわれもなく・落ち着かない・片付かない・そわそわ・何だか・何となく

そぞろあるき【漫ろ歩き】 あてもなくのんびりと歩く意で、主に文章に用いられる古風で優雅な感じの和語。〈春の夕暮れの―に最適のコース〉✎類義語の中で最ものんびりした感じがあり、健康のための歩行などとはなじまない。⇩散策・散歩・Q逍遥

そだち【育ち】 環境の影響による成長の具合の意で、会話や軽い文章に使われるいくぶん古風な和語。〈田舎―〉〈氏《うじ》より―〉〈―がいい〉〈―がわかる〉✎大人になってから子供のころの家庭環境を判断している感じがある。⇩生い立ち

そだてる【育てる】 世話をして成長を助ける意で、くだけた会話から硬い文章まで幅広く使われる日常の基本的な和語。〈子を―〉〈草花を―〉〈部下を―〉〈才能を―〉✎中勘助の『銀の匙』に「伯母さんは私を―のがこの世に生きている唯一の楽しみであった」とある。⇩はぐくむ

そち【措置】 起こった事態を適切に収めるために必要なことを行う意で、改まった会話や文章に用いられる硬い感じの漢語。〈緊急―〉〈予算―を取る〉〈―を講じる〉✎「処置」より抽象的で正式な感じがある。阿川弘之の『雲の墓標』

に「思いやりのある—というものがまったく見られない」とある。⇩処置

そつぎょう【卒業】学校などの所定の課程をすべて終える意で、くだけた会話から硬い文章まで幅広く使われる漢語。〈—式〉〈—証書〉〈—論文〉〈—生〉〈大学を—する〉夏目漱石の『坊っちゃん』に「苦情を云う訳もないから大人しく—して置いた」とある。「入学」と対立。⇩修了

そっくり 似ていて区別がつかない意で、会話やさほど硬くない文章に使われる日常の和語。〈まるで本物—だ〉〈顔が父親—だ〉〈字を—真似る〉堀辰雄の『大和路』に「僕の考えていたものと—そのままなのだ」とある。「借りた金を—返す」「鞄ごと—盗まれる」のように、全部の意にも使う。⇩生き写し・Q瓜《うり》二つ

そっくりかえる【反っくり返る】上半身を後ろに反らす意で、主に会話に使われる和語。〈社長の椅子に—〉板が乾燥して反るようすにも使われるが、その場合は「反り返る」ということが多く、この語は椅子に掛けて後ろに反り威張った態度をするイメージが強い。⇩踏ん反り返る

そっけない【素っ気無い】無愛想で相手に対する行為や思いやりが感じられない意で、会話やさほど硬くない文章に使われる和語。〈—態度〉〈—・く答える〉「素気《すげ》無い」の別語形とも。⇩Qすげない・つれない・無愛想・ぶっきらぼう

そっこう【即効】その場ですぐに効果が出てくる意で、改まった会話や文章に用いられる漢語。〈—薬〉〈景気回復に—の期待される政策〉⇩速効

そっこう【速効】効き目が速い意で、改まった会話や文章に用いられる、やや専門的な漢語。〈—性の肥料〉⇩即効

ぞっこう【続行】途中まで行ってきたことを中断せずにそのまま引き続き行う意で、改まった会話や文章に用いられる漢語。〈雨が降り出しても試合を—する〉〈一定の結論に達するまで会議を—する〉それまでのことが一段落した時点で次の判断をする感じのある「継続」に対し、この語は一つのことが継続中に途中で予期せぬ障害などが生じた際に下す判断。⇩Q継続・断続・連続

そっこく【即刻】「すぐ」に近い意味で、改まった会話や文章に用いられる硬い漢語表現。〈—中止〉〈—退去せよ〉〈—クビだ！〉辻邦生の『天草の雅歌』に「—、切腹仰せつけになるだろう」とある。「すぐ」や「ただちに」よりも時間的余裕を許さない強い響きがある。⇩直ぐ・Q直ちに

ぞっこん 心の底からの意の古めかしい俗語。〈—惚れ込む〉〈あの女に—参っている〉

そっちょく【率直】飾らずに正直な意で、会話にも文章にも使われる漢語。〈—な態度〉〈—に意見を言う〉〈自分の非を—に認める〉他の類義語が実際の状態や話し方をさすのに対し、この語は物事に対する姿勢が中心。⇩あけすけ・有り体・ありのまま・Qあるがまま・ざっくばらん

そっと 音を立てないで、そのまま、きわめて軽くの意で、会話や硬くない文章に使われる和語。〈—耳打ちする〉〈—しておく〉〈—さわる〉⇩うちうち・こそこそ・Qこっそり・内緒・内々・内密・ひそか

そっとう【卒倒】脳出血や強いショックで意識を失う意で、会話にも文章にも使われる漢語。〈血を見ただけで—する〉

〈殴られて―する〉⇩気絶・Q昏倒・失神・人事不省

そっぱ【反っ歯】「出っ歯」の意で、会話や硬くない文章に用いられる、いくらか古風な感じのある和語。〈いくぶん―の気味がある〉✎三島由紀夫は『仮面の告白』で「彼女の前歯はこころもち―だった」とし、「そのこころもち反っているさまは、いおうようない愛嬌を笑いに添えた」と展開する。「反り歯」の転。⇩出っ歯

そでのした【袖の下】「賄賂」の意で、主に会話に使われる古風で俗っぽい和語。〈―を使う〉✎昔、人目をはばかって袖の下からそっと差し出したところから。今でもそれに合わせてしばしば「―をつかませる」「―を握らせる」という言い方をする。⇩鼻薬《はなぐすり》・リベート・Q賄賂

そと【外】囲われていない場所や無関係なところをさし、くだけた会話から硬い文章まで幅広く使われる日常の最も基本的な和語。〈―の空気〉〈―に出る〉〈―で遊ぶ〉〈―の人間〉✎森鷗外の『普請中』に「窓を開けて、―を眺めた」とある。「うち」と対立。⇩外部

そなえる【備(具)える】必要な設備などを据えつける意で、いくぶん改まった会話や文章に用いられる和語。〈調度品を―〉〈冷暖房の設備を―〉✎太宰治の『富嶽百景』に「茶店では、ストオヴを―・えた」とある。「設ける」より小規模な場合が多い。「災害に―」「試験に―」のように、用意を整える意にも、「性質を―」「条件を―」のように、有している意にも使う。⇩しつらえる・設ける

そなわる【具(備)わる】そこにもともとある意で、会話にも文章にも使われる和語。〈生まれつき―・っている〉〈気品が―〉〈素質が―〉〈条件が―〉⇩具備・Q具有

そねむ【嫉む】主として文章に「ねたむ」意で用いられる古風な和語。〈隣家の贅沢《ぜいたく》な暮らしぶりを―〉〈後輩が抜擢《ばってき》されたのを―〉✎小津安二郎監督の映画『麦秋』で会社の専務(佐野周二)が「―・め―・め！ 売れ残りがふたり集まって」と笑いながら部下の女性をけしかける。単に文章語を会話に持ち込んだというだけでなく、この命令形の使い方などは冗談かと思うほど今では相当に古めかしい印象を与える。⇩ねたましい・Qねたみ・嫉妬

そのうえ【其の上】前に述べた内容にさらに同じ方向の内容が積み重なるときに、やや改まった会話や文章に用いられる和語。〈この春は一流企業に就職でき、―婚約もととのって二重にめでたい〉〈夏に地震で被害を受け、―、秋には台風に襲われるダブルパンチ〉✎日常語の範囲に入るが「それに」より少し改まった感じになる。⇩おまけに・Qそれに

そのうち【其の内】そう遠くない日にの意で、会話や軽い文章に使われる和語。〈―何とかなるだろう〉〈―また会おう〉〈ほっといても―治る〉✎志賀直哉の『暗夜行路』に「―女の人は、ふと彼から見られていることを感じたらしく」とある。⇩いずれ②・追って・近々《きんきん》・じきに・程なく・間も無く・Qやがて

そのへん【其の辺】その近く、その程度、その方面を漠然とさして、会話にも文章にも使われる日常語。〈どこか―にあるはずだ〉〈―が妥当なところだ〉〈―の事情がよくわからない〉✎坪田譲治の『風の中の子供』に「立って、―を歩いて見る」とあり、弟の居そうな場所を探す場面で、近くを漠

然とさすのに用いている。⇩そこいら・Ｑそこら・そこらへん

そば【側(傍)】基準となる人や物からすぐ近くの意で、会話やさほど硬くない文章に使われる日常の和語。〈すぐ―にある〉〈川の―に建つ家〉〈―で心配そうに見つめる〉坪田譲治の『風の中の子供』に「お辞儀をして―に坐る」とある。「近く」より距離が近く、「隣」や「脇」ほどぴったり寄らなくてもよい感じがある。また、「隣」や「かたわら」と違って必ずしも横でなく前後に位置してもよく、特に方向の制限は意識されない。⇩Ｑかたわら・近所・近辺・近隣・近く・隣・脇

そばかす【雀斑】顔面などに細かい点として生ずる褐色の色素の小斑点をさし、会話にも文章にも使われる和語。〈―が出る〉〈―だらけの顔〉森田草平の『煤煙』に「窶れたせいか、以前は左程でもなかった―が目に立って、顔が汚く見える」とある。⇩しみ

そばだつ【峙(聳)つ】険しい山や岩などが周囲から抜きん出て高く目立つ意で、主として文章中に用いられる古風な和語。〈連山の奥に―霊峰〉「そびえる」に比べ、険しく荒っぽいイメージがある。⇩Ｑそそり立つ・そびえる

そばづえ【側(傍)杖】自分に直接の関係がないことから思わぬ損害をこうむる意で、会話や軽い文章に使われる、やや古風な和語。〈その―を食らってえらい迷惑を受ける〉喧嘩で振り回した杖が偶然脇にいた無関係な人に当たることから。⇩Ｑとばっちり・巻き添え

そびえる【聳える】山・大木や城・ビルなどの高層の建物などがひときわ高く目に立つ意で、会話にも文章にも使われる和語。〈高山が―〉〈けやきの大木が―〉〈城山に―天守閣〉〈高層ビル群の―大都会〉単に形状をさす「そそりたつ」「そばだつ」に比べ、高く評価している感じが漂う。⇩Ｑそそり立つ・そばだつ

そびょう【素描】鉛筆や木炭などで簡単に描いた下書き用の絵をさし、主に文章に用いられる古風な漢語。〈木炭で人物を―する〉⇩下絵・写生・スケッチ・Ｑデッサン

そぼう【粗暴】他人に危害を加える恐れのあるほど性格や行動が荒々しい意で、主に文章に用いられる硬い漢語。〈―な性格〉〈―な振る舞い〉〈―で手がつけられない〉⇩荒々しい・荒い・荒っぽい・がさつ・粗野・野蛮・Ｑ乱暴①

そほうか【素封家】代々続いた金持ちの意で、主として文章に用いられる古風な漢語。〈―の家に生まれる〉〈町でも屈指の―〉官職や領地はないが巨大な富を有する意。⇩大金持ち・金持ち・金満家・Ｑ財産家・長者・富豪・物持ち

そぼく【素朴(樸)】人や物が自然のままで飾り気のない意で、会話にも文章にも使われる漢語。〈―な人柄〉〈―な味わい〉〈―な感情〉〈―な造り〉大岡昇平の『野火』に「圧制者に気に入られようとする、人民の―な衝動」とある。「―な疑問」「―な考え」のように、深く検討しないの意もあり、単純で時に幼稚なニュアンスを伴う例もある。⇩純朴

そまつ【粗末】金をかけず品質が悪い意で、会話にも文章にも使われる日常の漢語。〈―な身なり〉〈―な食事〉「失敗の連続というお―」のように、出来がみっともない場合にも使う。また、「親を―にする」「命を―にする」のように、大事に扱わない意でも用い、太宰治の『斜陽』にも「お火を

―にすれば火事が起る」とある。⇩おろそか・Q質素

そむく【背(叛)く】指示・約束・規則・期待などに反する意で、会話にも文章にも使われる和語。〈命令に―〉〈教えに―〉〈親に―〉〈期待に―〉⇩裏切る・Q反する

そめる【染める】布や紙などに色や色の模様などをつける意で、会話にも文章にも広く使われる日常の和語。〈布を紺色に―〉〈髪を―〉✎大岡信の『言葉の力』に「桜の花が咲く直前のころ、山の桜の皮をもらってきて―と、こんな、上気したような、えもいわれぬ色が取り出せるのだ」とある。鉛筆画にクレヨンで色をつけたり塀にペンキを着色したりするように物の表面に重ねる場合は、この語も使えないこともないが「塗る」のほうがなじむ。「染める」の場合は「染め物」のように液体が内部に浸透する連想が働く。悪にどっぷりと浸かって次第に「悪に染まる」のも同じイメージだろう。⇩染色

そや【粗野】態度や言動が野性的で洗練されておらず無神経な意で、改まった会話や文章に用いられる漢語。〈―な振る舞い〉〈―な男〉⇩荒々しい・荒い・荒っぽい・Qがさつ・粗暴・野蛮・乱暴①

そよう【素養】日ごろから修養によって身につけた教養や技術をさして、改まった会話や文章に用いられる硬い感じの漢語。〈漢文の―〉〈絵の―がある〉✎「心得」や「嗜《たしな》み」に比べ、学問の比重が大きく、実用性よりも知識の面に重点を置く傾向がある。そのため、「英語の心得」というと英語が話せるという連想があるが、「英語の―」とすると難しい英文が読めるなり英語に関する学識が豊富な印象があるが、必ずしも英会話が達者だという連想は起こらない。ただし、文化や学問の比重の高い「教養」に比べれば、より身近で具体的な技術を連想させやすい。⇩心得・Q嗜み

そら【空】地上から上方に広がる何もない全空間をさし、くだけた会話から硬い文章まで幅広く使われる日常の基本的な和語。〈―模様〉〈―を見上げる〉〈―が明るくなる〉✎森田たまの『菜園随筆』に「おぼろ月夜の、―はうす絹でつつんだように、ぼうっと光って果てしなく、月の姿はどこにあるともわからなかった」とある。高いところだけをイメージさせる「天」に対し、低空から上空までいろいろな高さの空間を含む。「―のかなた」を「天」に換えると違和感があるし、ほかにも「旅の―」「うわの―」など「天」に置換できない例も多い。⇩虚空・Q天・天空

そらいろ【空色】晴れた空のような薄めの青をさし、会話にも文章にも使われる和語。〈―のドレスを身にまとう〉✎日常生活では「水色」とほとんど区別なしに使っているが、専門的には、青の明るく薄い調子の範囲を総称する語という。あまんきみこの『車のいろは空のいろ』は「―のぴかぴかのタクシーが、一台、とまっていました」と始まる。⇩水色

そらす【逸(外)らす】自然な向きやそれまでの方向から意図的に別の方向に変える意で、くだけた会話から硬い文章まで幅広く使われる日常の和語。〈目を―〉〈勢いを―〉〈ボールを後ろへ―〉✎森鷗外の『雁』に「話を余所《よそ》に―・してしまった」とある。⇩躱《かわ》す

そらぞらしい【空空しい】わざとらしくて本心でないとすぐわかる意で、やや改まった会話や文章に用いられる和語。

〈―お世辞〉〈―言葉を繰り返す〉⇩白々しい

そらっとぼける【空っ惚ける】↓そらとぼける

そらとぼける【空惚ける】まったく知らないという振りをする意で、主に会話に使われる和語。〈ひとごとみたいに―〉〈何を聞かれても―・けた応答で相手の追及をかわす〉✍単なる「とぼける」より強調され、自分には関係ないという調子を連想させる。「そらっとぼける」とも言い、その場合はさらに強調され、さらに口頭語的に響く。⇩Qしらばくれる・しらを切る・知らんぷり・とぼける・頬かぶり

そらもよう【空模様】天気の具合を示す雲の様子をさし、会話やさほど硬くない文章に使われる表現。〈―を眺める〉〈今にも降り出しそうな―〉〈―があやしくなってきた〉〈あすの―を見て決める〉✍夏目漱石の『三四郎』に「安心して夢を見ているような―」とあるが、多くは天気が悪くなりそうな場合に多く使う傾向がある。⇩Q天気・天候

そる【反る】平たい物が弓なりに曲がる意で、会話でも文章でも幅広く使われる日常生活の和語。〈指が細くてよく―〉〈日に当たっていつの間にか板が―〉〈体が後ろに―〉〈背中がぴんと―〉✍尾崎士郎の『人生劇場』に「バネ人形のようにぐっと―・りかえった」とある。しなやかな「しなう」と違って、肉体の場合は後方のみ、物体の場合は自然に起こり簡単に元に戻らない感じがある。⇩Q撓《しな》う・撓《たわ》む

それぞれ【其其(夫夫)】人間一人ひとり、物事一つひとつの意で、くだけた会話から硬い文章まで幅広く使われる日常の基本的な和語。〈どれも―よく出来ている〉〈―意見を述べる〉⇩Qおのおの・各自・めいめい

それで 「そのような事情から」として以下にかかり、比較的くだけた会話からさほど硬くない文章に使う和語。〈―、そのあと二人はどうなったの〉〈―、こんな結果になった〉〈―、どうしろとおっしゃるのですか〉✍夏目漱石の『坊っちゃん』に「―うちへ帰ると相変らず骨董責である」とある。「したがって」はもちろん「だから」よりも因果関係が弱く、それだけ自然のなりゆきという面が濃く感じられる。⇩Qしたがって・だから

それとなく【其れと無く】はっきり表現せず遠まわしにの意で、会話やさほど硬くない文章に使われる言いまわし。〈―伝える〉〈―打診する〉〈―たしなめる〉⇩暗に

それに【其れに】前に述べた内容にさらに付け加えるときに、会話やさほど硬くない文章に使われる日常の和語。〈雨が降っている。―、風も強い〉〈なかなか優秀だ。―、性格もいい〉✍「てんぷらにするとうまい。―、塩焼きにしてもなかなかのものだ」「東京や横浜、―、大阪や神戸」のようにも使え、「その上」や「おまけに」より用法が広い。⇩おまけに・Qその上

それる【逸れる】進路や目標などと違った方向に進む意で、会話やさほど硬くない文章に使われる和語。〈ボールが横に―〉〈台風が―〉〈話が脇道に―〉✍志賀直哉の『暗夜行路』に「気持はいつも―・れて行った」とある。「外れる」と違い、具体的な動きをさす場合は上下より左右にずれるイメージが強い。⇩外れる

そろえる【揃える】必要なものをひとそろい集める意で、くだけた会話から硬い文章まで幅広く使われる日常の和語。

〈全集を—〉〈道具を—〉✎「形や色を—」のように、複数の物の状態などを同じにする意や、「順番を—」のように、順に並べる意や、「靴を—」のように、きちんと整える意でも使い、「取り揃える」より用法が広い。⇩取り揃える

そわそわ 期待するものがあって落ち着かない意で、主に会話に使われる和語。〈—にやにや〉〈妙に—した気分〉〈時計を見て—する〉〈さっきから—して立ったり座ったりしている〉✎志賀直哉の『城の崎にて』に「物静かさが却って何となく自分を—とさせた」とある。出発や待ち合わせの時間などが気になるような場合によく使う。⇩あたふた・落ち着かない・片付かない・Qせかせか・そそくさ・そぞろ

そん【損】 利益を失う意で、くだけた会話から文章まで幅広く使われる漢語。〈株で—をする〉〈—を承知で売りに出す〉〈—を埋め合わせる〉✎「—な性分」「—な役目」など、金銭面に限らず何らかの意味で不利な場合に広く用い、夏目漱石の『坊っちゃん』は「親譲りの無鉄砲で小供の時から—ばかりして居る」という一文で始まる。「得」と対立する語。⇩損害・Q損失

そんかい【損壊】 大きな器物や家屋などが全面的に、または中心の重要部分が完全にこわれる意で、主として文章に用いられる、やや専門的で硬い漢語。〈家屋の—〉〈地震で道路が—する〉⇩破損

そんがい【損害】 金銭面・物質面での不利益をさし、会話にも文章にも使われる漢語。〈—賠償〉〈台風によって大きな—を受ける〉〈数百万円相当の—が見込まれる〉✎「損失」に比べ、具体的な損の場合に使う傾向がある。⇩損・Q損失

ぞんがい【存外】 予期以上にの意で、改まった会話や文章で使われる、いささか古い感じの、いくぶん気取った響きを感じさせる漢語。〈試験は—平易な問題のみであった〉〈—優秀な成績を収めた〉⇩あにはからんや・Q案外・意外・思いの外

そんけい【尊敬】 ある人やその行為などを偉いと思ってそれを敬う意で、会話にも文章にも広く使われる日常の漢語。〈—する人物〉〈師を—する〉〈—の念がきざす〉✎人間に対する思いであり、神や仏のような信仰の対象については用いない。⇩Q畏敬・崇敬

そんげんし【尊厳死】 助かる見込みのない瀕死《ひんし》の人間に対し、当人や家族の承認のもとに延命処置を停止させて死に至らせることをさし、改まった会話や文章に用いられる専門的な漢語。〈苦悩の末に—を選ぶ〉✎人間としての尊厳を尊重して選択される死。手段としては生命維持装置を取り外すような連想が強い。⇩安楽死

そんざい【存在】 人間や事物がほんとうにあることをさし、やや改まった会話や文章に用いられる硬い漢語。〈—論〉〈—理由〉〈神の—〉〈—を疑う〉〈—を確かめる〉✎小沼丹の『懐中時計』に「決して見せようとしなかった。だから、僕がその時計の—を疑ったとしても不思議はあるまい」とある。⇩Q実在・実存

ぞんざい 口の利き方や物事のやり方が荒っぽくいい加減なようすをさし、会話やさほど硬くない文章に使われる、いくらか古風な感じの表現。〈—なしゃべり方〉〈扱いが—だ〉✎森鷗外の『青年』に「この坂はSの字を—に書いたように屈曲して」とある。⇩いいかげん・いけぞんざい・Qなげや

り

ぞんじあげる【存じ上げる】「思う」「知る」という意味の謙譲語。特に「知る」意で用いることが多い。「存ずる」以上に丁寧な感じの表現。〈御健勝にてお過ごしのことと―・げます〉〈御高名はかねがね―・げております〉〈お妹さんのことも―・げております〉✎知る対象が一般的なものよりも相手側に関係したものである場合に用いられる傾向がある。また、「存ずる」が自分の状態を伝える静的なことばであるのに対して、相手やその対象に働きかける気持ちを伴う感じがある。⇩知る・Ｑ存ずる

そんしつ【損失】利益や財産を失う意で、改まった会話や文章に用いられる漢語。〈―額は二億円に上る〉〈莫大な―をこうむる〉✎「損害」と比べて、「社会的―が大きい」「度重なる人材の流出による―は計り知れない」のように、金銭面以外でも、惜しい人や物を失った場合など、抽象的な意味合いで用いる例が少なくない。⇩損・Ｑ損害

ぞんずる【存ずる】「思う」「知る」という意味の謙譲語。〈光栄に―・じます〉〈お元気のことと―・じます〉〈その件はすでに―・じております〉〈まったく―・じませんでした〉✎志賀直哉の『暗夜行路』に「私、文学の事は何にも―・じませんのよ」とある。⇩Ｑ知る・存じ上げる

そんだい【尊大】高慢な態度で威張るようすをさして、改まった会話や文章に用いられる漢語。〈―な口調でものを言う〉〈―に構える〉✎徳永直の『太陽のない街』に「大資本は無人島に、君臨したドンキホーテのような―と威厳とをもって」とある。「俺様」「見てつかわす」のような言い方を「―語」と称する。⇩頭ごなし・Ｑ横柄・驕慢《きょうまん》・高圧的・Ｑ傲岸・高慢・傲慢・高慢ちき・高飛車・不遜

そんたく【忖度】他人の心のうちを推し量る意で、改まった会話や文章に用いられる古風な漢語。〈相手の気持ちを―する〉〈先方の意向も―して〉✎上位者の気持ちを特に論拠もなくあれこれ想像する感じが強い。⇩Ｑ臆測・推察・推測・推断・推定・推理・推量・推論・類推

そんちょう【尊重】大切に思う意で、会話にも文章にも使われる漢語。〈人命―〉〈伝統を―する〉〈相手の意思を―する〉✎高村光太郎の詩『道程』に「人間は人間の為した事を―しろ」とある。⇩重視・重要視・Ｑ尊敬

た

た【田】 耕して稲を植えて生育させる農地の意で、会話にも文章にも使われる和語。〈―を耕す〉〈―の草取り〉〈―に水を引く〉✎主に水田をさす。⇩田んぼ

た【他】 それとは違う人や物や事の意で、改まった会話や文章に用いられる硬い漢語。〈―と比べる〉〈―の人を呼ぶ〉〈―の方法を試みる〉〈―を顧みない振る舞い〉〈―の追随を許さない〉〈―を寄せつけない強さ〉⇩別・Qほか

ダークホース 本来は、実力が未知数ながら力量がありそうでひょっとしたら優勝するかもしれない馬の意で、「穴馬」と訳す外来語。〈夏の甲子園の―〉〈優勝候補の一番手とはいえないが―的存在ではある〉〈首相候補の―として注目されている〉✎一般に、思いがけない活躍をするかもしれない存在、意外に有力かもしれない競争相手といった意味合いで競馬用語の拡大用法としても使われる。⇩穴馬

ターゲット 標的、特に、売り込む対象の意で、会話やさほど硬くない文章に使われる外来語。〈若い層に―をしぼる〉〈女性を―として売り出す商品〉⇩意図・Q狙い・目当て・目的・目標

タートルネック 「とっくり襟」の比較的新しい外来語。〈―のセーター〉✎「海亀の首」の意。略して単に「タートル」とも言う。⇩とっくり襟

タイ 「ネクタイ」の略で、会話にも文章にも使われるやや専門的な外来語。〈ループ―〉〈新柄の―できめる〉✎「ネクタイ」より新しい感じがある。⇩ネクタイ

だい【題】 書物・作品・文章などの最初に付す内容の手がかりとなる名称をさし、くだけた会話から硬い文章まで幅広く使われる日常の漢語。〈面白そうな―だ〉〈―が長過ぎる〉✎二葉亭四迷の『平凡』に「平凡な者が平凡な筆で平凡な半生を叙するに、平凡という―は動かぬ所だ」とある。⇩タイトル・題名・Q題目・表題・標題

たいい【大意】 文章や話の意味内容の大筋をさして、主に文章に用いられる硬い感じの漢語。〈―を取る〉〈―をつかむ〉✎国語教育では、論説文や思索的な随想などの文章に関し、主に段落ごとの内容を全体の流れや文脈に沿ってまとめたものをさす。⇩要旨・要約・Q論旨

たいいく【体育】 健康の増進や身体の発育を促進するために体を動かすことをさし、いくらか改まった会話や文章に使われる漢語。〈国民―大会〉〈学校の―の時間〉〈子供のころから―が苦手だった〉✎学校の教科のイメージが濃い。心身の鍛錬という面の強い剣道・柔道・弓道なども含まれるが、それらを「スポーツ」と位置づける場合は勝ち負けや点数を競うゲーム的な要素が加わる。⇩体操

だいいちげんご【第一言語】 生まれて最初に覚えた言語をさし、言語研究の分野で用いられる専門漢語。〈一般の日本人にとって、日本語は母国語であり母語であり―である〉✎いくつかの言語をマスターした場合、最初に習得した言語をさす。最も流暢《りゅうちょう》に使える言語をさす場合もある。⇩Q母語・母国語

だいいちにんしゃ【第一人者】その分野で最も秀でた人の意で、会話にも文章にも使われる漢語。〈マラソンの―〉〈遺伝子研究の―〉〈―としての地歩を築く〉⇩Q大御所・オーソリティー・権威②・大家《たいか》・長老

だいいっせん【第一線】戦場で敵と最も接近する前の位置、転じてその分野ではなばなしく活躍する位置の意で、会話にも文章にも使われる漢語。〈―で活動する〉〈―を退く〉〈―に送り込む〉「最前線」が相手とじかに接して交渉する激しい任務を連想させるのに対し、この語は活発に活動する最要な立場を連想させやすい。⇩最前線

たいおう【対応】物事や事態を相手や情況に応じて処理することをさし、会話にも文章にも使われる漢語。〈―策〉〈速やかに―する〉〈―が遅れる〉〈―を迫られる〉〈―を誤る〉青野季吉の『散文精神の問題』に「時代感覚の自然的の変化に―したもの」とある。「語と意味とが一対一で―するとは限らない」「英語の前置詞は日本語の格助詞に―する」のように、互いに類似の関係で存在している意にも使う。⇩応じる・応ずる・処置・処理・Q対処

だいおう【大王】偉大な王という意味合いで「王」の敬称となり、会話にも文章にも使われる、大仰な感じの古風な漢語。〈アレキサンダー―〉⇩王・王様・君主・Q皇帝・国王・帝王・天子・天皇・帝

たいおん【体温】人間や動物の体の温度をさし、会話にも文章にも使われる漢語。〈―計〉〈―を計測する〉〈風が―を奪う〉川端康成の『千羽鶴』に「姿全体にふと本能的な羞恥が現われた。(略)令嬢の―のように感じた」という比喩的表現がある。⇩熱

たいか【大家】その分野で特に優れた中心的な人物をさし、会話にも文章にも使われる漢語。〈日本画の―〉〈―の風格がにじみだす〉寺田寅彦の『科学者とあたま』に「百の間違いのうちに一つ二つの真実を見付け出して学界に何がしかの貢献をし、誤って―の名を博する事さえある」とある。⇩大御所・大物・巨匠・権威②・第一人者・Q泰斗

たいか【対価】財産や労力を与えた見返りとして受け取る金額をさし、改まった会話や文章に用いられる専門的な漢語。〈―として妥当な金額〉⇩Q代価・代金

だいか【代価】品物の値段をさし、改まった会話や文章に用いられる硬い漢語。〈―を支払う〉「貴重な―を支払って手に入れる」のように、あるものを手に入れるためにやむをえず犠牲にするものの意にも使う。⇩Q対価・代金

たいがい【大概】全体の七割以上の感じで、会話にも文章にも使われる漢語。〈日曜は―家にいる〉〈―の学生はアルバイトをしている〉夏目漱石の『坊っちゃん』に「―の見当は」とある。⇩あらかた・大方・おおよそ・Q大体・大抵・大部分・ほとんど

たいかく【体格】骨格や筋肉という点から見た身体の外観の意、会話にも文章にもよく使われる漢語。〈―がよい〉〈貧弱な―〉〈立派な―をしている〉外村繁の『澪標《みおつくし》』に「―が群を抜いて大きく、太ってもいる」とある。「体つき」より客観的に判断した感じがある。⇩Q体つき・図体《ずうたい》・背恰好・体軀《たいく》・なり・身なり

たいかん【大患】大きく重い病気の意で、主に文章に用いら

れる古風な漢語。〈修善寺の―〉〈夏目漱石が胃潰瘍の発作を起こして重態に陥った一件〉✎「国家の―」など、重大な心配事の意で用いることもある。⇩重患・重症・重病・Q大病

たいかん【退官】官職を退く意で、やや改まった会話や文章に用いられる正式な感じの漢語。〈林教授―記念論文集〉✎国家公務員の退職時に限って用い、教授であっても私立大学の場合は用いない。「任官」と対立。⇩Q退職・退任

たいがん【対岸】川や湖や湾や海峡などの水を隔てた向こう岸をさし、やや改まった会話や文章に用いられる漢語。〈―が霞んで見える〉〈―の街の灯〉✎岸辺だけをさす感じの「向こう岸」に比べ、「―の火事」のようにその岸に続くある程度の土地を含めてさす用法が目立つ。「―の火事」の形で、燃え移る心配のないところから、自分には直接関係のないことの意を表す慣用的な比喩表現ともなっている。⇩Q川向こう・向こう河岸《しが》・向こう岸

たいき【大気】惑星や衛星、特に地球を取り巻く気体の層をさし、学術的な会話や文章に用いられるやや専門的な漢語。〈―圏〉〈―汚染〉〈―の状態が不安定〉✎この下層部が空気。天候などの話題で日常生活に関係する。⇩空気①

たいぎ【大儀】「億劫《おっくう》」の意で、会話や硬くない文章に使われる古風な漢語。〈わざわざ遠くまで買い物に出かけるのは―だ〉✎寺田寅彦の『団栗』に「一間ばかりあとを雪駄を引きずりながら、―そうについて来た妻は、エエと気のない返事をして無理に笑顔をこしらえる」とある。「昨日の疲れで体が―だ」のように、だるくて動かすのに抵抗を感じる意にも使う。「―であった」として下位の者の労をねぎらう用法はいかにも古めかしい感じに響く。⇩Q億劫・面倒・面倒臭い

だいぎし【代議士】国民を代表して国政に参加する人をさし、会話にも文章にも使われる、やや古風な感じのする漢語。〈祖父の代から三代続いて―を出した名門〉〈―の秘書を務める〉✎国民に代わって議論する人の意から出たことば。通常は衆議院議員をさす俗称。⇩国会議員

たいきょく【大局】物の全体像、流動するものの主要な流れをさし、やや改まった会話や文章に用いられる漢語。〈―観〉〈―に大きく影響する〉〈―を見誤る〉⇩大勢《たいせい》

だいきん【代金】商品などの売り手が買い手から受け取る金銭をさし、会話にも文章にも使われる漢語。〈―を受け取る〉〈―と引き換えに渡す〉⇩対価・Q代価

たいく【体軀】身体の大きさの外見をさして、主に文章に用いられる硬い漢語。〈堂々たる―〉✎阿部知二の『冬の宿』に「堂々たる―はたちまちみなを威圧してしまった」とある。主として大きく頑丈な体つきに用い、「貧弱な―」という表現はなじまない。北杜夫は『夜と霧の隅で』で、「そのずんぐりした―はまったくビール樽そっくり」と見立て、「歩いてゆくというより転がってゆくという方が当っていた」と比喩的な誇張で展開している。⇩体つき・図体《ずうたい》・背恰好・Q体格・なり・身なり

たいぐう【待遇】職場などでの地位・給料・勤務条件などの面での従業員の扱いをさし、会話にも文章にも使われる漢語。〈部長―〉〈―改善〉〈―がよい〉✎「処遇」と違い、「客の―が悪い」のように、店などでの一時的な客扱いをさすこ

ともある。⇩処遇

たいくつ【退屈】何もすることがなくて暇をもてあまし、気持ちが満たされずに少しいらいらしている意で、くだけた会話から硬い文章まで幅広く使われる日常の漢語。〈―しのぎ〉〈暇で朝から―しきっている〉🖋尾崎士郎の『人生劇場』に「声の調子さえもおとろえて力のない雨だれの音のような―な講義」とあるように、そういう気持ちにする対象にも使う。⇩所在無い

たいけい【大系】系統的編集の意で、全集などの書名に用いられる専門的な漢語。〈古典文学―〉⇩体系

たいけい【体系】組織立ったシステムの意で、改まった会話や学術的な文章に用いられる専門的な雰囲気の漢語。〈―化する〉〈―的な研究〉〈賃金―〉〈日本語の文法―〉⇩大系

たいけい【体形】体の形の意で、会話にも文章にも使われる比較的新しい漢語。〈―がすっかり変わる〉〈―が崩れる〉〈若いときの―を維持する〉⇩体型

たいけい【体型】体の型、体つきの意で、会話にも文章にも使われる漢語。〈標準―〉〈肥満―〉⇩体形

だいけい【台形】相対する辺が一組だけ平行な四辺形をさす、やや専門的な漢語。〈―の面積〉🖋物を載せる台を連想しての命名。⇩Q梯形《ていけい》・方形

たいけつ【対決】決着をつけようと張り合う意で、会話にも文章にも使われる漢語。〈宿命の―〉〈両雄が―する〉〈法廷で―する〉〈―姿勢を鮮明にする〉🖋単なる「対抗」に比べ、行動に出る激しさが感じられる。⇩Q対抗・対峙《たいじ》・対立・張り合う

たいけん【体験】自分で実際に身をもって経験する意で、やや改まった会話や文章に用いられる漢語。〈―談〉〈―学習〉〈初―〉〈―を積む〉〈戦争を―する〉〈実際に自分で―してはじめて身につく〉🖋広い意味の「経験」よりも、具体的な行動をとおして印象に残っている感じが強い。⇩経験

たいげん【体言】概念を表し活用しない名詞・代名詞・数詞の総称として、学術的な会話や文章に用いられる専門的な漢語。〈―止め〉〈―を修飾する〉⇩名詞

たいご【隊伍】隊を組んで整然と並んだ列の意で、改まった会話や文章に用いられる古風な漢語。〈―を組む〉🖋「伍」は兵士五人の組の意で、森鷗外の『空車』に「―をなした士卒も避《よ》ける」とある。⇩隊列

たいこう【対抗】相対してたがいに競り合う意で、会話にも文章にも使われる漢語。〈クラス―の試合〉〈―意識をむき出しにする〉〈相手に―して戦力を強化する〉🖋具体的な行動を連想させる「対決」と違い、精神的に張り合う場合も含まれる。⇩Q対決・対峙《たいじ》・対立・張り合う

だいこん【大根】根や葉を食用とする野菜の一種をさし、くだけた会話から硬い文章まで幅広く使われる日常生活のことば。〈練馬―〉〈―おろし〉〈鰤《ぶり》―〉〈―の千切り〉🖋水上勉の『土を喰う日々』に「一見してはなはだ出来のわるい姿とみた―が、しっかりと、辛さだけを、独自に固守していたことに感動した」とある。和名「すずしろ」。「大根《おおね》」を音読みにして漢語めかした語。「―脚」「―役者」の連想が働くと一瞬マイナスイメージが発生することもある。

だいこんあし【大根足(脚)】大根のように太い脚をさし、会

話や軽い文章に使われるいくぶん古風な表現。〈―を投げ出す〉✎スカートの下から出ている白いふくらはぎから大根を連想した比喩か、男性には使わない。「大根」は和語「おおね」の漢字表記を音読みした和製漢語。

だいこんやくしゃ【大根役者】演技の下手な役者を軽蔑して会話や軽い文章に使われる古風な表現。〈―がそろっている〉✎小津安二郎監督は撮影中にスタジオが暑過ぎて、これじゃ映画じゃなくて納豆を作る所だとぼやいたあと、名優たちに向かって「君たちいいよな大根で。芋ならとうにふけている」とからかったという。このように単に「だいこん」と言うこともある。

たいざい【滞在】一定の土地にある期間とどまっている意で、やや改まった感じの日常的な漢語。〈―期間を延長する〉〈当地にしばらく―する予定〉✎太宰治の『斜陽』に「京都のお家に永く―して」とある。⇩居留・Q滞留・逗留《とうりゅう》

だいざい【題材】芸術作品などで主題を具体化する材料をさし、会話にも文章にも使われる漢語。〈この絵は―が面白い〉〈主題に合わせて―を選ぶ〉✎「材料」「素材」と違い、具体的な物質をさす用法は見られない。⇩材料・Q素材

たいさく【対策】それぞれの状況に応じ問題の解決に向けて採用する手段をさし、会話にも文章にも使われる漢語。〈受験―〉〈―を練る〉〈―を立てる〉⇩Q施策《しさく》・善後策

たいじ【対峙】相対して睨《にら》み合う意で、主に文章中に用いられる硬い漢語。〈互いに―して譲らない〉〈強敵に―して遜色がない〉〈両軍が川を挟んで―する〉✎太宰治の『富嶽百景』に「三七七八米の富士の山と、立派に相―し、みじんもゆるがず、なんと言うのか、金剛力草とでも言いたいくらい、けなげにすっくと立っていたあの月見草は、よかった」とある。⇩対決・対抗・Q対立・張り合う

だいじ【大事】かけがえのない、重要なの意で、会話やさほど改まらない文章に使われる日常語。〈―な人〉〈―な用事がある〉〈仕事と家庭とどっちが―だ〉〈―を取って休む〉〈どうぞおからだをお―に〉✎太宰治の『桜桃』に「子供より親が―、と思いたい」とある。和語の「おおごと」を漢字で書き、それを音読みした和製漢語。ただし、形容動詞でなく「国家の―に至る」のような名詞の用法の場合は硬い感じの文章語。⇩重大・重要・Q大切

だいしきゅう【大至急】「至急」の強調表現として、会話にも文章にも使われる漢語。〈―返事がほしい〉〈―書類をそろえて締め切りに間に合わせる〉✎「至急」に比べ、くだけた会話でも使う。⇩Q大急ぎ・至急

たいして【大して】取り立てて言うほどのといった意で、会話にも文章にも使われる表現。〈―面白くない〉〈―強くない〉〈―差がない〉✎予想と違ってというニュアンスが伴う。⇩あまり・あんまり・Qさして・さほど

たいしゃ【退社】①会社を辞める意で、やや改まった会話や文章に用いられる漢語。〈すでに三年前に―している〉✎「入社」と対立。⇩退職 ②一日の仕事を終えて会社から帰る意で、やや改まった会話や文章に用いられる漢語。〈―時刻〉✎「出社」と対立。

だいじゃ【大蛇】大きな蛇の意で会話にも文章にも使われる漢語。〈山奥に棲《す》む―〉⇩うわばみ・Qおろち

たいじゅ【大樹】大きくがっしりした樹木をさし、主として文章中に用いられる古風な漢語。〈道を覆うばかりの―〉✎「寄らば―の陰」と言うように、「大木」や「巨木」に比べ、立派で頼もしいというプラスの価値が伴う感じがある。⇩巨木・Q大木

たいしゅう【大衆】一般社会を構成している不特定多数の人々の意で、会話にも文章にも使われる漢語。〈―路線〉〈一般―〉〈―の味方〉✎青野季吉の『現代文学の十大欠陥』に「―に訴え、俗衆を捉える文学は、―に媚び、俗衆に阿ねる文学ではない」とある。「―食堂」の場合は庶民、「―小説」の場合は文学の素人というニュアンスがある。国民のうち特権階級・上流社会・富豪・専門家などを除き、特に一般の勤労者階級を連想させる傾向が強い。⇩庶民・Q民衆

たいしゅうぶんがく【大衆文学】一般大衆を読者対象とする通俗的な内容の文学をさし、会話にも文章にも使われる漢語。〈―として多くの読者を持つ人気作家〉✎純文学に対して、娯楽本位の家庭小説・時代小説・推理小説・ユーモア小説など。⇩通俗文学

たいしょ【対処】物事や事態に応じて適切な処置を取る意で、改まった会話や文章に用いられる硬い漢語。〈要求に―する〉〈状況に―する〉〈―を誤る〉✎大岡昇平の『野火』に「個人的必要を持ち、またそれに―する心を持っている」とある。⇩処置・処理・Q対応

たいしょう【対照】照らし合わせる、コントラストといった意で、会話にも文章にも使われる漢語。〈―言語学〉〈―的な体つきをした二人〉〈好―をなす〉〈比較―する〉⇩対称

たいしょう【対称】二つの部分がそれぞれ対応して視覚的に調和してつりあう意で、会話でも文章でも使われる数学の専門的な漢語。〈線―をなす〉〈左右―〉〈―の位置にある〉⇩対照

たいしょう【対象】目標としている相手や、認識・意志という精神活動の向いている先にあるものをさし、改まった会話や文章に用いられる硬い漢語。〈―物〉〈読者―〉〈研究の―〉〈―を的確にとらえる〉〈―から外す〉✎森鷗外の『青年』に「鋭い観察の―にせられたように感じた」とある。⇩相手

だいじょうぶ【大丈夫】危なげなく心配不要の意だが、近年、ごく軽い意味でも使う俗な用法の広まった漢語。✎従来はかなり大きな不安や特別の心配について否定する場合に用いてきたが、最近の若年層に「格別の不具合がない」「別に構わない」「それには及ばない」といった程度の軽い意味で使う例が広がっている。以前大学で、この椅子をちょっと借りてもいいかと学生に尋ねると、「―です」という受け答えなので、この椅子は丈夫にできているから座ったときに壊れて怪我をするような心配はないという意味かと一瞬錯覚したが、「結構です、どうぞ」という顔なので安心した経験がある。

たいしょく【退職】勤務していた役所や企業などを辞める意で、会話にも文章にも使われる漢語。〈―届〉〈―金〉〈定年―〉〈一身上の都合で―する〉✎当人の意思による「辞職」と違い、単に辞めるという事実を表すだけで、任期の途中での意図的な「辞職」のほか、期間を全うした定年の場合も

あり、当人の意思に反する「免職」の場合も含まれる。「就職」と対立。⇩Q辞職・辞任・退官・Q退社①・退任

たいせい【大勢】大体の形勢の意で、改まった会話や文章に用いられる硬い感じの漢語。〈―が決する〉〈―が判明する〉〈―を占める〉〈―に影響はない〉⇩大局・体制・体勢・Q態勢

たいせい【体制】政治的・社会的な構造の意で、改まった会話や文章に用いられる硬い漢語。〈社会主義―〉〈反―〉〈―をしく〉⇩体勢・態勢・大勢《たいせい》

たいせい【体勢】体の構えの意で会話でも文章でも使われる漢語。〈―が崩れる〉〈―を立て直す〉⇩体制・Q態勢・大勢《たいせい》

たいせい【態勢】状況への対処の意で、やや改まった会話や文章に用いられる漢語。〈臨戦―〉〈受け入れ―が整う〉〈警戒―に入る〉〈万全の―〉⇩体制・Q体勢・大勢《たいせい》

たいせいがわ【体制側】組合側などから、会社の経営陣など組織の中枢を自らと対立するものとして見たときの用語。〈―に立つ〉〈―に与《くみ》する人間〉🖋「組合側」などと対立。

だいせいどう【大聖堂】カトリック教会で司教の座を設けている聖堂をさし、会話にも文章にも使われる漢語。〈パリのノートルダム―〉⇩Qカテドラル・教会・教会堂・聖堂・チャペル・天主堂・礼拝堂

たいせつ【大切】「大事な」の意で、会話でも文章でも広く使われる日常的な漢語。〈―な用件〉〈―な金〉〈―に使う〉〈―に保管する〉🖋林芙美子の『耳輪のついた馬』に「青春を、長い間文箱のように―にしていた」とある。「大事な人」も「―な人」もともに愛する人をさす場合が多いが、恩人や恩師などは「大事な」のほうがより適切で、「大事な人を忘れている」といった例などの場合は、「肝腎の」「当の」といった意味合いでも使われる。⇩重大・重要・Q大事

たいぜん【泰然】物事に動じないで落ち着いている意として、主に文章中に用いられる硬い感じの漢語。〈―自若〉〈―として事に当たる〉⇩沈着・平気・平気の平左・平静・平然・Q悠然・悠々・冷静

たいそう【大層】「大変」程度の甚だしさをさして、改まった会話や文章に用いられる古風な漢語。〈―長い間〉〈―お気に召して〉〈―お怒りとのこと〉🖋使用頻度がかなり減ったように見受けられる。⇩大いに・きわめて・ごく・すこぶる・Qたいへん・とても②・甚だ・非常に

たいそう【体操】「体育」のうち主として徒手体操や器械体操をさし、会話にも文章にも使われる漢語。〈―競技〉〈器械―〉〈ラジオ―〉🖋同じ意味で使う場合には「体育」より日常的な語。学校の教科をさす場合は旧称なので古風な感じが強い。⇩体育

たいだ【怠惰】締まりがなく怠ける意で、改まった会話や文章に用いられる漢語。〈―な生活〉〈生まれつき―な人間〉⇩横着・ぐうたら・Qずぼら・怠慢・無精・ものぐさ

だいだ【代打】野球で次の打者に代わって起用される打者をさす漢語で、書きことばで用いる例が多いが、口頭でも使う。〈―を告げる〉〈―を送る〉⇩ピンチヒッター

だいたい【大体】全体の六、七割ほどの感じで、会話やさほど硬くない文章に使われる漢語。〈―できあがった〉〈―のことは説明できる〉🖋夏目漱石の『坊っちゃん』に「追々ゆる

りと話す積だが、—の事を呑み込んで置いて貰おう」とある。⇩あらかた・大方・おおよそ・Q大概・大抵・大部分・ほとんど

だいたい【代替】別のものでその代わりをする意で、改まった会話や文章に用いられる、やや専門的な漢語。〈—品〉〈—地〉〈—輸送〉✎「だいがえ」ともいう。⇩代わり・Q代用・代理

だいたいぶ【大腿部】腿《もも》の意で、医学的な話題の会話や文章に用いられる専門的な漢語。〈—骨折〉〈—に傷を負う〉⇩Q太腿・腿

たいだん【対談】あるテーマや話題をめぐって二人が相対して語り合うことをさし、会話にも文章にも使われる漢語。〈名人同士の—〉〈文豪の—が実現する〉〈—に応じる〉〈—の相手〉✎永井荷風の『濹東綺譚』に「—の必要が全くない」とある。「対話」に比べ、あらかじめテーマや話題が設定されており、著名人や然るべき地位にある人物どうしの場合が多く、雑誌などに掲載される連想も働く。⇩Q会談・座談・対話

だいたん【大胆】度胸が据わっていて、結果を怖れたり周囲に遠慮したりせず思い切ったことをやる様子をさし、会話にも文章にも使われる漢語。〈—不敵な面構え〉〈—なデザイン〉〈—な改革〉〈—な発想〉〈—な手を打つ〉〈—な行動に出る〉✎寺田寅彦の『科学者とあたま』に「頭が悪いおかげで—な実験をし、—な理論を公にし」とある。⇩太っ腹

だいち【台地】周囲より一段と高くなって台状に拡がる平坦な地形をさし、会話にも文章にも使われる、やや専門的な感じの漢語。〈このあたりは—になっている〉⇩高原・高地・Q高台

たいてい【大抵】全体の七割以上の感じで、会話にも文章にも使われる漢語。〈—の日用品はそろっている〉〈—の人がパソコンを使う〉✎夏目漱石の『坊っちゃん』に「もう—御意見もない様でありますから」とある。⇩あらかた・大方・おおよそ・大概・Q大体・大部分・ほとんど

たいと【泰斗】人々の尊敬を集める学問や芸術方面の権威をさし、主として文章中に用いられる古風な漢語。〈その道の—〉〈英文学の—〉✎「泰山北斗」のように仰ぎ見る存在ということから。⇩大御所・Q大物・巨匠・権威②・第一人者・大家

たいど【態度】その人の感情や意志や熱意などの反映した表情や動作の在り方、その時々の状況に応じた心の動きの反映する表情や言動をさし、会話にも文章にも使われる日常の漢語。〈生活—〉〈授業中の—が悪い〉〈堂々たる—を示す〉〈—がでかい〉〈柔軟な—をとる〉〈反抗的な—をとる〉〈性格が—に現れる〉✎「姿勢」よりも具体的な姿でとらえられる。伊藤整の『氾濫』に「彼は彼女の腕をとって、騎士のような—で駅まで送って行った」とある。安部公房の『他人の顔』には「意識の隅々にまでモルタルを流し込んだような、毅然とした—」とある。⇩姿勢

たいとう【対等】両者に上下や優劣などの差がない意で、会話にも文章にも使われる漢語。〈—の関係〉〈—に話し合う〉〈—の立場で交渉する〉⇩同等

たいとう【台(擡)頭】新しい人・団体・国などが勢力を伸ばす意で、やや改まった会話や文章に用いられる漢語。〈若手の—がめざましい〉〈新勢力が—する〉✎原義は、頭をもたげ

る意。「台頭」は代用漢字。⇩勃興《ぼっこう》

だいどう【大道】多くの人が往来する広い道路をさし、主として文章に用いられる古風な漢語。〈―芸〉〈―演説〉✎森鷗外の『空車』に「この大きい車が―狭しと行く」とある。⇩大通り・表通り

だいとうあせんそう【大東亜戦争】「太平洋戦争」の戦時中の呼称。戦時中はほかの呼び名がなかったため、特別の語感は働かなかったはずであるが、今日になって「太平洋戦争」という呼称と比較すれば、戦争終結以来数十年を経過してなお当時の意識を保持している印象を与える。〈―に突入〉✎帝国主義者や植民地主義の信奉者とまで見られるかどうかは場合により人にもよるが、当時の用語を無自覚に使い続ける時代遅れの人物、あるいは、懐古趣味の人間といった、何らかの色をもって相手に伝わることは避けがたい。⇩太平洋戦争

だいどころ【台所】家庭で調理するための施設や部屋をさし、会話でも文章でも使われるやや古風な日常語。〈―仕事〉〈―に立つ〉〈小さな―が付いたアパート〉✎沢村貞子の『味噌汁』に「せまい横丁の、あけっ放しの―から、おこうこをきざむ音」とある。「勝手」という語の全盛期は、それよりも古い感じに受けとられたが、この部屋が独立している家では、今はむしろスタンダードとして安定して使われている。ちなみに、街の食堂に「キッチン」とつく店名が多い時期に、あえてこの語を用いた都心の食堂もあった。地方から出て来た学生向けに、おふくろの味といった懐かしい雰囲気を出すねらいもあったかもしれない。ただし、「システムキッチン」のほうは「台所」に差し替えるとたんに売り上げが激減しそうだ。⇩Q勝手②・キッチン・庫裏《くり》・くりや・炊事場・厨房《ちゅうぼう》・調理場

タイトル　作品などの題名をさし、会話にも文章にも使われる外来語。〈人目を引く―〉✎「―マッチ」のように「称号」の意でも使う。⇩題・題名・題目・表題・標題

たいない【体内】体の内部の意で、会話でも文章でも使われる漢語。〈―時計〉〈―に取り入れる〉〈―をめぐる〉✎太宰治の『人間失格』に「(ガラスの破片が)―を駈けめぐり」とある。「体外」と対立。⇩胎内

たいない【胎内】母親の腹の中の意で、改まった会話や文章に使われる、やや古風な感じの漢語。〈―に宿る〉✎森敦の『かての花』に「(石の裏側は)まるで―から生みだされて来たように、人肌じみたぬくもりを持つ液体がぬらりとして」という比喩表現が出る。⇩体内

たいにん【退任】それまでの任務から退く意で、やや改まった会話や文章に用いられる漢語。〈大臣を―に追い込む〉〈責任を取って―を申し出る〉〈―は避けられない情勢〉✎「就任」と対立。⇩辞職・Q辞任・退官・退職

たいひ【対比】同類の二者を比べ合わせてそれぞれの性質や異同を明らかにする意で、ややあらたまった会話や文章に用いられる漢語。〈東西文明の―〉〈両者の特徴を―する〉〈文体を―的にとらえる〉✎日常語的な「比較」に比べ、やや専門的な雰囲気がある。⇩対照・Q比較

たいひ【退避】危険な場所から離れる意で、改まった会話や文章に用いられる正式な感じの漢語。〈―訓練〉〈―勧告が

出される〉⇩待避

たいひ【待避】 危険回避のために一定の場所で待機する意で、会話でも文章でも使われる、やや専門的な漢語。〈列車の―線〉〈バスの―所〉⇩退避

たいびょう【大病】 治るにしても長い療養生活を送る必要がある大きな病気という意味で、会話にも文章にも使われる漢語。〈―に打ち克つ〉〈―というほどの病気をしたことがない〉✎「重病」よりやや古風な感じがある。⇩重患・重症・Q重病・大患

だいひょう【代表】 一部で全体を表す意で、会話にも文章にも使われる漢語。〈―作〉〈―理事〉〈日本―〉〈―を選ぶ〉〈春を―する花〉✎谷崎潤一郎『細雪』に「まことに此処の花を措いて京洛の春を―するものはない」とある。⇩典型

たいふう【大風】「おおかぜ」の意で、主に文章中に使われる古風な漢語。〈―一過の秋晴れ〉⇩嵐・おおかぜ・強風・颶風《ぐふう》・時化《しけ》・疾風・陣風・台風・突風・はやて・暴風・暴風雨・烈風

たいふう【台(颱)風】 北太平洋の西部および南シナ海で発生する熱帯性低気圧のうち最大風速一七・二メートル以上のものをさし、くだけた会話から硬い文章まで幅広く使われる日常語。〈―の進路を予想する〉〈大型―が接近する〉〈―が上陸する〉〈―の通り道にあたる〉✎多く「―一過」の形で使う。「大風」「タイフーン」との関連を含め語源未詳。⇩嵐・おおかぜ・強風・颶風《ぐふう》・時化《しけ》・疾風・陣風・Q大風《たいふう》・突風・はやて・暴風・暴風雨・烈風

だいぶぶん【大部分】 全体の八割がたの感じで、会話にも文章にも使われる漢語。〈商品は―が日本製だ〉〈書棚の―が文学作品だ〉⇩あらかた・大方・おおよそ・大概・大体・Q大抵・ほとんど

だいぶん【大分】「だいぶ」の古風な言い方。〈停車場から―遠い〉〈―時間がかかる〉✎小津安二郎監督の映画『東京物語』(一九五三年)で、とみ(東山千栄子)が「―自動車で遠いかったですけの」と尾道の方言交じりで言う。「だいぶ」に比べてこの語形は今では年寄りっぽく感じられる。⇩かなり・Q相当

たいへい【太(泰)平】 世の中が平和で穏やかな意で、会話にも文章にも使われる古風な漢語。〈天下―〉〈―の世〉⇩講和・Q平和・和平

たいへいようせんそう【太平洋戦争】 第二次世界大戦のうちアジア・太平洋地域での戦いをさす漢語。現在における特別の色のない一般的な呼称。〈―が勃発〉〈―のさなか〉⇩大東亜戦争

たいへん【大変】「きわめて」に近い程度の甚だしさをさし、会話にも文章にもよく使われる漢語。〈―よろしい〉〈―結構な店だ〉〈―羨ましい話だ〉〈―長らくお待たせいたしました〉✎「とても」より改まり、「非常に」ほど硬くないレベル。「―な事が持ち上がる」「紛失したら―だ」のように、重要な、一大事といった意味で使う例が多い。⇩大いに・きわめて・ごく・すこぶる・大層・とても②・甚だ・Q非常に

だいべん【大便】 糞の意味で、会話より文章によく使われる正式な感じのいくらか専門的な漢語。〈―を催す〉〈―の検査〉✎「小便」と明確に区別する言い方。「便」より医学的な雰囲気は弱い。⇩うんこ・うんち・Qくそ・人糞・ふん・糞便・便

たいほ【逮捕】 逮捕状によって警察官が被疑者を拘束し、引致・抑留する意で、会話にも文章にも使われる漢語。〈―状〉〈別件―〉〈―に踏み切る〉⇩検挙

たいぼう【待望】 待ち望む意で、やや改まった会話から文章まで幅広く使われる漢語。〈―の夏休みに入る〉〈―のボーナスが出る〉✎谷崎潤一郎の『文章読本』に、「期待」と「希望」とを合わせた「待望」という略語は、文章の品位に欠けるので使用を慎むようにと注意を促す箇所がある。一九三四年当時のこの作家の感覚を示すものであるが、現代人にはすでに略語であるという意識も薄く、今では特に軽薄な感じを与えないように思われる。⇩Q期待・希望

たいぼく【大木】 大きく育った高木をさし、会話にも文章にも使われる日常の漢語。〈欅《けやき》の―が遠くから目立つ〉✎「高木」に比べ、幹も太く枝を広げた感じがある。⇩Q巨木・大樹

だいほん【台本】 演劇・映画・放送ドラマの脚本をさし、会話にも文章にも広く使われる漢語。〈―の読み合わせ〉〈―どおりに進める〉✎日常の話題では「脚本」より一般的によく使われ、その世界では単に「本」と言うことも多い。⇩戯曲・Q脚本・コンテ・シナリオ

たいま【大麻】 麻から採る麻薬の総称として、会話にも文章にも使われる漢語。〈―を栽培する〉⇩覚醒剤・しゃぶ・ドラッグ・Q麻薬・マリファナ・やく

たいまん【怠慢】 やるべきことを怠ける意で、会話にも文章にもよく使われる漢語。〈職務に―な人〉〈日ごろの―がたたる〉〈―にも程がある〉⇩横着・ぐうたら・ずぼら・Q怠惰・無精・ものぐさ

だいめい【題名】 作品・書物・演劇などの標題をさし、会話にも文章にも使われる漢語。〈―は同じだが別の作品だ〉⇩題・タイトル・題目・表題・標題

たいめん【体面】 世間に対する面目の意で、会話にも文章にも使われる漢語。〈―を保つ〉〈―をけがす〉〈―を傷つける〉✎夏目漱石の『坊っちゃん』に「生徒の―にかかわる」とある。単なる「面目」の意味にも使う。⇩外聞・Q世間体・体裁

たいめん【対面】 じかに顔と顔を合わせる意で、会話にも文章にも使われる漢語。〈―交通〉〈初―〉〈五十年ぶりの―が実現する〉〈大臣に直接―する〉✎「向かい合う」「向き合う」と違い、直接顔を合わせていれば、真向かいの席でなく斜めでも横でもこの語が使える。⇩差し・差し向かい・Q向かい合う・向き合う・面会

たいもう【体毛】 体の毛、特に「陰毛」をさして主に文章に用いられる漢語。〈下穿《したば》きに―が付着している〉✎体の毛全体をさす用法もあり、それだけ間接的な表現になる。⇩Q陰毛・恥毛

だいもく【題目】 文章や書物などの標題をさし、会話にも文章にも使われる漢語。〈―がまだ決まらない〉✎「お―」の形で日蓮宗の「南無妙法蓮華経」をさすこともある。⇩題・タイトル・題名・表題・標題

たいよ【貸与】 貸し与える意で、主に硬い文章に用いられる正式な感じのやや専門的な漢語。〈奨学金を―する〉〈職場で制服を―する〉⇩貸し出す・Q貸す・賃貸し

たいよう【太陽】太陽系の中心をなす恒星をさし、会話にも文章にも広く使われる基本的な漢語。〈―光線〉〈―が降り注ぐ〉〈海から―が昇る〉⇩お天道様・お日様・日輪・Q日

たいよう【大洋】大きな海の総称として主として文章中に用いられる漢語。〈―の彼方にある〉〈―を航海する〉✎「大陸」と対立。大岡昇平の『野火』に「―の奇観を語る場面を空想したろう」とある。⇩海・Q海洋

だいよう【代用】一時的に別のもので間に合わせる意で、会話にも文章にも使われる漢語。〈―品〉〈―食〉〈手近なものでーする〉✎仕方なしに臨時に代えるもので、本来のものより質や価値が落ちる。⇩代わり・Q代替《だいたい》・代理

たいら【平ら】地面や物体の表面に凹凸《おうとつ》や高低の差がない状態をさし、くだけた会話から文章まで幅広く使われる日常の基本的な和語。〈表面が―だ〉〈―な土地〉〈―に均《なら》す〉✎「どうぞお―に」のように、膝を崩した楽な座り方をさす用法もある。⇩Q平たい・平べったい

だいり【代理】本人の代わりに事に当たる意で、会話にも文章にも使われる漢語。〈―人〉〈担当大臣の―を務める〉〈課長の―として出席する〉✎「替え玉」や「身代わり」に比べ、当人でないことを先方にきちんと知らせる場合が多い。「部長―」といった役職もある。「―店」のように人間以外にも使い、夏目漱石の『坊っちゃん』にも「会議室は校長室の隣りにある細長い部屋で、平常は食堂の―を勤める」とある。⇩替え玉・ピンチヒッター・身代わり・Q名代《みょうだい》

たいりつ【対立】反対の立場にある者が互いに譲らず張り合う意で、会話にも文章にも使われる漢語。〈―候補〉〈―関係にある〉〈―が深まる〉〈意見が真っ向から―する〉⇩確執《かくしつ》

たいりゅう【滞留】滞在の意で主に文章に用いられる硬い漢語。〈一ヶ月ほど現地に―する〉✎「郵便物の―」など、順調にさばけずに物が滞る場合にも使われる。⇩居留・Q滞在・逗留《とうりゅう》

たいりょう【大量】数や量がきわめて多い意で、会話にも文章にも使われる漢語。〈―生産〉〈―に出回る〉〈―に購入する〉〈―の注文を受ける〉✎「多量」と違い、数の多い場合にも使い、まとまった感じがある。「清濁併《あわ》せ呑《の》む―の人」のように、度量の大きい意でも用い、その場合は古風な感じがある。⇩多量

たいれつ【隊列】隊をなすように組んだ列の意で、改まった会話や文章に用いられる漢語。〈―を整える〉〈―を乱す〉⇩隊伍《たいご》

たいろ【退路】逃げるための道の意で、改まった会話や文章に用いられる漢語。〈―を開く〉✎戦場などの連想が強いが、「―を断つ」の形で必死の覚悟で事に当たる意味を表す比喩的な用法もある。⇩Q逃げ道・抜け道

だいろっかん【第六感】「勘」の意で会話や軽い文章に使われるユーモラスな造語。〈―を働かせる〉✎視覚・聴覚・嗅覚・味覚・触覚をつかさどる五官以外の感覚器官という発想から。⇩Q勘・直感・直観・予感

たいわ【対話】二人が向かい合って話をする意で、やや改まった会話や文章に用いられる漢語。〈―集会〉〈―不足〉〈親子の―〉〈国民との―〉✎三島由紀夫の『潮騒』に「海だ

けが彼の無言の―に答えてくれる」とある。簡単な挨拶程度でも「会話」と言えなくもないが、この語はもっと内容のある話し合いを連想させる。広義には討論・面接・商談などをも含む。⇩会話・Q対談

だえき【唾液】唾の意で、改まった会話や文章に用いられる正式な感じの漢語。〈―腺〉〈―を分泌する〉⇩Qつば・つばき

たえず【絶えず】休むことなくずっとの意で、会話にも文章にも使われる和語。〈―しゃべりまくっている〉〈―体を動かしている〉⇩何時も・始終・終始・常時・しょっちゅう・常に・のべつ

たえま【絶え間】続いているもののとだえている間をさし、会話にも文章にも使われる和語。〈―なく降り続く雨〉〈一人で―なくしゃべっている〉✎もともと連続・継続するのが当然であるものについては使わないため、「列車が―なく走り続ける」といった用法は不自然。永井龍男の『風ふたたび』に「(花火で)五彩の花々は、―なく空を染め、―なく空に吸い込まれた」とある。⇩間断

たえる【堪える】そうするだけの価値がある意で、改まった会話や文章に用いられる、やや古風な和語。〈任に―〉〈鑑賞に―〉〈読むに―・えない〉✎夏目漱石の『坊っちゃん』に「自分はよくこれで校長が勤まるとひそかに慚愧の念に―・えんが」とある。⇩耐える

たえる【耐える】しのぐ、持ちこたえる意で、やや改まった会話や文章に用いられる和語。〈痛みに―〉〈高熱に―〉〈重圧に―〉〈激務に―〉✎森鷗外の『半日』に「脳髄が負担に―・えなくなって」とある。「風雪に―」のような用法では古風な感じに響く。⇩堪える

たえる【絶える】続いていたものが無くなる意で、やや改まった会話や文章に用いられる、いくぶん古風で時にいくらか詩的な和語。〈息が―〉〈交際が―〉〈子孫が―〉〈笑い声が―・えない〉⇩Q途絶える・途切れる

タオル 木綿の布面に小さな輪状の糸をたくさん出して水分を吸収しやすくしたタオル地の西洋風手拭いをさし、会話にも文章にも使う日常の外来語。〈バス―〉〈―で汗を拭く〉⇩手ぬぐい・ハンカチ・ハンケチ

たおれる【斃れる】改まった文章で「死ぬ」意に用いる和語の古風な間接表現。〈旅先で―〉〈凶弾に―〉✎死を忌む気持ちから、死というものを、それまで立っていた人間が倒れて横になるという現象ととらえ直した婉曲《えんきょく》表現。「倒れる」と書くと意味が特定しにくいため、この漢字を使用することが多く、ほかに「仆れる」「殪れる」と書くこともある。⇩敢え無くなる・上がる②・あの世に行く・息が切れる・息が絶える・息を引き取る・往く・いけなくなる・永眠・往生・お隠れになる・落ちる②・おめでたくなる・帰らぬ人となる・くたばる・死去・Q死ぬ・死亡・昇天・逝去・他界・長逝・露と消える・天に召される・亡くなる・儚《はかな》くなる・不帰の客となる・不幸がある・崩御・没する・仏になる・身罷《みまか》る・脈が上がる・空しくなる・藻屑となる・逝く・臨死・臨終

たか【鷹】タカ科のうち中形・小形の鳥の総称として会話にも文章にも使われる和語。〈―匠《じょう》〉〈―を放つ〉✎「―狩り」の連想が強い。⇩鷲《わし》

だが 「しかし」のやや軽い意味として、会話やあまり硬くない文章で用いられる和語。〈思いつきは悪くない。―、問題

はいつだれがやるかだ〉〈仕事は速い。―、仕上がりは不ぞろいだ〉多く男性が使う。⇩が・しかし・でも

たかい【高い】 ①長く突き出ている、上方に位置する、程度が大きいの意で、くだけた会話から硬い文章まで幅広く使われる日常の基本的な和語。〈―建物〉〈―山〉〈―雲〉〈鼻が―〉〈声が―〉〈位が―〉〈理想が―〉〈―水準を保つ〉〈評価が―〉太宰治の『富嶽百景』に「雲が切れて、見ると、ちがった。私が、あらかじめ印をつけて置いたところより、その倍も―ところに、青い頂きが、すっと見えた」とある。「低い」と対立。⇩小高い ②売買に際し大きな金額を要する意で、会話にも文章にも使われる日常の和語。〈値段が―〉〈目の玉が飛び出るほど―〉〈―・く売れる〉〈結局―・くつく〉小島信夫の『アメリカン・スクール』に「それは物価が―ためで」とある。「安い」と対立。⇩高価

たかい【他界】「死亡」の意で、改まった文章に用いる、仏教的な雰囲気の漢語による間接表現。〈祖母が―して早二十年〉死者の住む別の世界、すなわち、あの世を意味し、死を忌む気持ちから、その別世界に移行して住む世界を異にすることととらえ直した表現。⇩敢え無くなる・上がる②・あの世に行く・息が切れる・息が絶える・息を引き取る・往く・いけなくなる・永眠・往生・お隠れになる・落ちる②・おめでたくなる・帰らぬ人となる・くたばる・死去・Q死ぬ・死亡・昇天・逝去・斃《たお》れる・長逝・露と消える・天に召される・亡くなる・儚《はか》なくなる・不帰の客となる・不幸がある・崩御・没する・仏になる・身罷《みま》かる・脈が上がる・空しくなる・藻屑となる・逝く・臨死・臨終

たがい【互い】 関係する二者のそれぞれをさし、くだけた会話から硬い文章まで幅広く使われる日常の和語。〈お―様〉〈―に愛し合う〉〈―の利益になる〉〈―の協力が不可欠〉井伏鱒二の『山椒魚』に「彼等(目高)は茎の林のなかに群をつくって、―に流れに押し流されまいと努力した」とある。会話では「お―に気をつけよう」のように「お」を付ける例が多く、その形は硬い文章になじまない。⇩相互

たかが【高が】 程度や数量が大したことないの意で、会話や硬くない文章に使われる和語。〈―これしきのことでへこたれたりしない〉〈―がスポーツ、されどスポーツ〉「せいぜい」「たかだか」に比べ、想定している程度の幅が狭く、また、それを軽視して小ばかにしたようなニュアンスを伴いやすい。⇩せいぜい・Qたかだか

たかさ【高さ】 高い程度の意で、会話にも文章にも使われる日常の和語。〈―制限〉〈山の―〉〈都会に出て物価の―に驚く〉「技術水準の―」「教養の―」のように抽象的な意味合いでも使うなど、「高度」より用法の幅が広い。⇩高度

たかだい【高台】 周囲の土地より高くて平らな土地をさし、会話にも文章にも使われる日常語。〈―に住む〉〈―から見下ろす〉国木田独歩の『武蔵野』に「畑は重《おも》に―にある、―は林と畑とで様々な区画をなして居る」とあるが、現代では「高地」に比べ、住宅地の連想が強い。⇩高原・高地・Q台地

たかだか【高高】 多く見積もったところでせいぜいの意で、改まった会話や文章に用いられる、やや古風な和語。〈―十万円程度のものだ〉〈―三日ぐらいの遅れで〉「鼻―」「―と旗を掲げる」「―と吊り上げる」のように、ひときわ高くの意でも使う。⇩せいぜい・Qたかが

たかとび【高飛び】遠方に逃亡する意で、主に会話で使われる俗っぽい和語表現。〈犯人が海外へ―する〉⇩高跳び

たかとび【高跳び】高く跳躍する意で、会話でも文章でも使われるスポーツ用語。〈走り―〉〈棒―〉⇩高飛び

たかなる【高鳴る】素晴らしい未来への期待で心が弾む意で、主に文章中に用いられるやや詩的な和語。〈期待に胸が―〉✎本来は鼓動が激しくなる意で、中井英夫の『空き瓶ブルース』には「不安と信頼とに―かれらの心臓の音がはっきり私の耳に届きました」という例もある。⇩ときめき・わくわく

たかびしゃ【高飛車】相手を上から押さえつけるような態度の意で、会話やさほど硬くない文章に使われる慣用的な表現。〈―な態度〉〈―な物言い〉〈―に出る〉✎将棋で、飛車を自陣より高い位置において相手の駒を威嚇する意から。⇩頭ごなし・横柄・Q高圧的・尊大

たかぶる【昂る／高ぶる】興奮状態になる意で、会話にも文章にも使われる和語。〈妙に感情が―〉〈神経が―・って眠れない〉✎高橋和巳の『悲の器』に「冷静になろうとする努力とは裏腹に、せきたてられるように私の感情は―・った」とある。⇩息巻く・いきり立つ・激昂《げきこう》・激情・激する・興奮・高揚・むきになる

たから【宝】高価あるいは稀少価値のある貴重なものをさし、くだけた会話から硬い文章まで幅広く使われる日常の和語。〈―探し〉〈―の持ち腐れ〉〈家の―として大切に保管する〉✎「お―」として、金銭や高値のつく骨董《こっとう》品などをさす場合もある。前者をさす用法は古めかしく、後者をさす用法は俗っぽい感じとなる。「国の―」「いっぱい思い出の詰まった―」「若い頃の苦労が今では―となっている」のように、かけがえのない大切なものをさす比喩的な用法もある。⇩財宝・Q宝もの・宝もつ

だから「前に述べたことが次に述べることの理由や原因になっている」という関係を表し、比較的くだけた会話や、さほど硬くない文章に使われる和語。〈―駄目なんだ〉〈―言ったじゃないか〉〈―、どうしたというんだ〉✎「したがって」よりもやわらかい感じで、上の立場から教えるような雰囲気や、理屈っぽさが少ない。⇩したがって・それで

たからもの【宝物】「宝」とほぼ同義で、会話やさほど硬くない文章に使われる和語。〈先祖伝来の―〉〈―を手に入れる〉✎「子供は―だ」「動かなくなった古い柱時計は今や―だ」のように、値段に関係なく単に大切なものという主観的な価値基準で使う例も多い。⇩財宝・Q宝・宝もつ

たかる【集る】人や動物が「集まる」意で、会話や軽い文章に使われる和語。〈寄って―・って〉〈食べ物に蠅《はえ》が―〉〈砂糖に蟻《あり》が―〉〈路上の芸に人が―〉✎石川淳の『焼跡のイエス』に「うすよごれのした人間が蠅のように―・っている屋台」とある。何らかの目的のもとに集合する場合は含まれない。「ちんぴらに―・られる」のように、金品を巻き上げる目的で人を脅す意にも使う。マイナスイメージがある。⇩集まる・集合・つどう・Q群がる・群れる

たきぎ【薪】木や枝を拾い集めて適当な長さに切った燃料をさし、会話にも文章にも使われる和語。〈―能〉〈―をくべる〉〈―を燃やす〉✎「焚《た》き木」の意から。「まき」より細く太さもまちまち。⇩まき

だきこむ【抱き込む】悪い目的で味方に引き入れる意で、会話や軽い文章に使われる和語。〈会計係を―〉〈社長秘書を―〉✎「丸め込む」や「懐柔」と比べ、相手を騙《だま》すというニュアンスは稀薄。「手懐《てなず》ける」や「懐柔」と違い、ある事柄に限ってそういう関係に持ち込むニュアンスがある。⇩懐柔・手懐ける・Q丸め込む・籠絡《ろうらく》

だきつく【抱き付く】抱くような形で相手にしがみつく意で、会話や硬くない文章に使われる日常の和語。〈幼児が母親に―〉〈再会した恋人に―〉〈―・いて離さない〉✎川端康成の『弱き器』に「長く豊かに垂れていた白い腕を、突然にゅうっと伸ばすと、私の首に―・いた」とある。⇩Qしがみつく・すがりつく

たきつける【焚き付ける】巧みな言い方で他人の気持ちに訴え、自分の思うような行動に駆り立てる意で、会話や軽い文章に使われる和語。〈学生を―・けて抗議運動をやらせる〉⇩煽《あお》る・けしかける・指嗾《しそう》・扇動・Qそそのかす

たぎてき【多義的】複数の意味に解釈できる意で、主に文章に用いられる専門的な漢語。〈―な表現〉✎「低い」の反対でも「安い」の反対でもある「高い」や、「ないものはない」という表現など。⇩曖昧・中間的・不明確・不明瞭

だきょう【妥協】対立する両者が互いに譲歩し合って穏やかに話をまとめる意で、いくぶん改まった会話や文章に用いられる漢語。〈―案〉〈―点を見つける〉〈―を許さない〉〈―の産物〉⇩譲歩

たぎる【滾る】やや改まった会話や文章に用いられる、いくぶん古風な感じの和語。〈鉄瓶の湯が―〉✎「血が―」のように、興奮して熱い感じになる意の比喩的誇張表現としても使う。⇩沸騰・沸き上がる・沸き返る・沸き立つ・Q沸く

たく【焚く】熱を利用する目的で火を燃やす意で、会話にも文章にも使われる日常の和語。〈火を―〉〈落ち葉を―〉〈手紙を―・き捨てる〉〈風呂を―〉〈ストーブを―〉✎「お香を―」の場合は一般に「薫く」と書く。⇩Q焼く・あぶる

たく【炊く】水に浸した米や麦などに火を加えて食べられるようにやわらかくする意で、会話にも文章にも使われる日常の和語。〈釜で飯を―〉〈お祝いに赤飯を―〉〈―・きたての御飯〉✎西日本には、「お豆を―」「大根を―」などと米以外にも「煮る」意に使う用法が残っており、東京でも使う「水炊き」などの形にその名残がある。⇩Qかしぐ・煮る

だく【抱く】①腕で抱えて胸の前で支える意で、くだけた会話から文章まで広く使われる和語。〈赤ん坊を―・いてあやす〉〈腕に―・かれる〉✎近年、抽象的な意味合いの「いだく」の代わりに使われる例が目立つ。⇩いだく・Q抱える ②男性側から漠然と「性交」をさす俗っぽい和風の婉曲《えんきょく》表現。〈その夜、初めて―〉〈男に―・かれる〉✎事前の行為を言語化することによって次の行為を暗示する側写法。表現の焦点を巧みにずらし、あたりをやわらかくする伝達効果がある。⇩営み・エッチ・関係②・合歓・交合・交接・情交・情を通じる・Q性交・性行為・性交渉・性的行為・セックス・契る・同衾《どうきん》・共寝・寝る②・懇ろになる・ファック・深い仲になる・房事・枕を交わす・交わる・やる③・夜伽《よとぎ》

たくさん【沢山】数量が多い意で、会話や軽い文章に使われる表現。〈人が―いる〉〈お土産を―もらう〉〈本が―ある〉

〈—用意する〉〈—召し上がれ〉〈まだ—残っている〉✎「多い」よりくだけた感じで、「いっぱい」ほどではない。「もう—だ」のように、十分足りていてこれ以上は不要だの意でも使われる。漢字の意味が語義と直接結びつかないので仮名書きすることが多い。⇩一杯・うんと・多い・しこたま・たっぷり・たんと・たんまり・どっさり

たくする【託(托)する】物事を他人に頼んで任せる意で、改まった会話や文章に用いられる硬い感じの動詞。〈伝言を—〉〈後輩に希望を—〉✎「手紙を—」は他の人を通じて相手に届ける意だが、「手紙を預ける」は間に立つ人に手渡すところに重点があり、先方に届けてもらうところまで明確に示されていないから、預けておくだけの場合もありうる。⇩預ける

たくましい【逞しい】体が力強い、勢いが盛んだの意で、会話にも文章にも使われる和語。〈—体〉〈商魂—〉〈想像を—・くする〉✎高山樗牛の『滝口入道』に「身の丈六尺に近く、筋骨飽くまで—・く」とある。体軀《たいく》などに使う場合は男性を連想させやすいが、「—生活力」など女性に用いても違和感のない例も多い。⇩雄々しい・頑健・強健・丈夫・精悍《せいかん》

たくみ【巧み】物事を手際よくこなす意で、改まった会話や文章に用いられる和語。〈—な演技で観客を魅了する〉〈技が—だ〉〈—に切り抜ける〉✎正宗白鳥の『入江のほとり』に「文章は次第に—になっている」とある。技術的な巧妙さが強調され、「—に言い逃れる」「ことば—に誘う」のように、好ましくない意味合いでも使う。⇩Q巧い・上手

たくらむ【企む】ひそかに悪いことを計画する意で、会話にも文章にも使われる和語。〈悪事を—〉〈陰謀を—〉〈乗っ取りを—〉⇩企てる・Q仕組む・謀る・もくろむ

たくわえる【蓄(貯)える】金銭・物品・知識などを集めて後々使うために取っておく意で、やや改まった会話や文章に用いられる和語。〈財産を—〉〈経験を—〉✎夏目漱石の『野分』に「人格の修養に附随して—・えられた、芸を教えた」とある。⇩ためる

だけつ【妥結】意見の対立していた両者が歩み寄って話がまとまることをさし、改まった会話や文章に用いられる漢語。〈交渉が—する〉〈ようやく—を見る〉⇩解決

たけのこ【竹の子／筍】春に地下茎から出る若竹をさし、会話でも文章でも広く使われる和語。〈孟宗《もうそう》汁と呼ばれる—の味噌汁〉✎戦後間もなくのころ、竹の子の皮をはぐように衣類などを一枚ずつ売って食いつなぐ暮らしを「—生活」と称した。また、腕が未熟でまじないなどで病気を治そうとする「野巫《やぶ》」が同音の「藪」に置き換えられた藪医者よりも、さらに腕の落ちる医者を「—医者」と称することもあった。そのような知識のある年輩者には、そういう連想が働いてマイナスイメージとなるケースも考えられる。

たける【猛る】興奮したように暴れる意で、文章に用いられる古めかしい和語。〈野牛が—〉〈荒波が—〉〈—心〉⇩哮《たけ》る

たける【哮る】荒々しく吠える意で、文章に用いられる古めかしい和語。〈虎が—〉〈荒海が—〉⇩猛《たけ》る

たける【長ける】優れている、長じている意で、会話でも文章でも使われる、少し古い感じの和語。〈世故に—〉〈悪知

恵に―〉〈文才に―〉⇩Q闌《た》ける

たける【闌ける】盛りになる意で、主に文章に用いられる古風な和語。〈日が―〉〈夏も―・けた頃〉⇩Q長ける

たごん【他言】内密にしておくべきことなどを他人に漏らす意で、主に文章に用いられる硬い感じの漢語。〈―無用〉〈―すべきでない〉✎「口外」以上に意図的な感じがある。「―無用」以外は、「一切―はまかりならぬぞ」といった古めかしい響きに聞こえやすい。⇩口外

ださい「やぼったい」意の比較的新しい俗語。〈―服装〉〈やることがいちいち―〉✎単に格好が悪いというだけでなく、洗練されておらず野暮で垢抜けしないという点に重点がある。⇩Q垢抜けない・田舎じみる・泥臭い・野暮・野暮ったい

たじ【他事】「ひとごと」の意で、多く文章の中で用いられる丁重な感じの漢語。〈―ながら御安心ください〉⇩たにんごと・ひとごと・Qよそごと

たじ【多事】多忙の意で、主に文章中に用いられる硬い漢語。〈―多端〉〈身辺―〉✎一定の言いまわしの中で用い、単独ではあまり使わない。「内外―の折」「―多難」のように、事件が多くて危険だという意味にも使われる。⇩いそがしい・せわしい・多端・Q多忙・多用

たしか【確(慥)か】間違いがなく信用ができる意で、くだけた会話から硬い文章まで幅広く使われる日常の基本的な和語。〈―な証拠〉〈―な情報〉〈―な筋〉〈身許の―な人〉✎大岡昇平の『俘虜記』に「最初彼の姿を見た時、私は射つ気が起らなかった。これは―である」とある。確率の高さに重点のある「確実」に比べ、信頼性に重点のある感じが強く、「品物は―だ」「腕は―」のように優秀さを保証する場合にも使い、「気は―」の形で「正気」の意を表すこともある。また、「―去年の今頃だったと思う」「―最近結婚したはずだ」のように、確実性の高い推測を表す副詞の用法もある。⇩確実

たしかめる【確かめる】調べたり念を押したりして事柄をはっきりさせることをさし、くだけた会話から硬い文章まで幅広く使われる日常の基本的な和語。〈戸締りを―〉〈先方の住所を―〉〈相手の気持ちを―〉〈事実関係を―〉⇩確認

たじつ【他日】将来の別の日の意で、改まった会話や文章に用いられる硬い漢語。〈詳細な報告は―に譲る〉〈残った問題の解明については―を期す〉✎「後日」より漠然とした未来をさす。⇩後日

たしなみ【嗜み】身につけておくべき芸事などの心得をさして、やや改まった会話や文章に用いられる、いくらか古い感じのする和語。〈女の―〉〈お花の―がある〉✎「素養」よりも技術的な側面が強い。「文学から絵や音楽それに演劇・舞踊に至るまで幅広い日ごろの―が知れる」のように「趣味」という意味合いでも用い、「―のよい女性」のように「普段の身だしなみや心がけ」の意でも用い、「―のない行為」のように「慎み」の意でも用いる。⇩心得・Q素養

たしなむ【嗜む】好んで親しむ意で、改まった会話や文章に用いる和語。〈お茶を―〉〈酒は―程度〉✎「やる」より上品で、「愛好する」のような硬さのない、むしろやわらかい感じの和風の表現。趣味と教養が交じり合ったプラスのイメージで用いられる傾向がある。⇩愛好・Qやる①

たしなめる【窘める】 注意して当人の反省を促す意で、会話にも文章にも使われる和語。〈考え違いを―〉〈無作法を―〉〈大人気ないと―〉✎太宰治は『猿ケ島』で「学者」を「死んだ天才にめいわくな註釈をつけ、生れる天才を―・めながらめしを食っているおかしな奴」と定義した。⇩いさめる

だしぬけに【出し抜けに】 相手の意表をついて事を行うようすをさし、くだけた会話から硬い文章まで幅広く使われる日常語。会話やさほど改まらない文章に使われる日常の和語。〈―大きな声を出す〉〈―別れ話を切り出す〉✎里見弴の『椿』に「―叔母が、もうとても耐らない、という風に、ぷっと噴飯すと」とある。相手が驚くことを予測して行う人間行為の場合もある。⇩Qいきなり・急に・突然・不意に

だしもの【出し物】 芝居や演芸などの興行で上演する作品をさし、会話やさほど硬くない文章に使われる、やや古風な和語。〈今月の―〉✎意味に重点を置いて「演し物」と書くこともある。⇩Q演目・番組

たしゃ【他者】 自分以外の人をさし、主に文章中に用いられる、専門的で硬い漢語。〈―の領域〉〈―への働きかけ〉〈―の意見を仰ぐ〉⇩Q他人・別人

だしゃ【打者】 野球で投手の投げるボールをバットで打つ役の選手をさして、主として書きことばで使う漢語。口頭ではふつう「バッター」と言う。〈強―〉〈首位―〉〈―一巡の猛攻〉⇩バッター

たしょう【多少】 主に程度が少しばかりという意味合いで、会話にも文章にも使われる漢語。〈―の欠点は目をつぶる〉〈―よくなった感じがする〉〈弓道に関しては―腕に覚えがある〉〈だれでも―そういう傾向はある〉✎「量の―は問わない」「―にかかわらず注文を受ける」のように、数量が多いか少ないかという意味でも使う。⇩幾分・幾らか・若干・少々・Q少し

たじろぐ 圧倒されてしり込みする意で、改まった会話や文章に用いられる和語。〈気勢に押されて―〉〈幾多の困難にも―ことなく突き進む〉✎有島武郎の『或る女』に「強敵に襲いかかられた孤軍のように、―・ぎながら」とある。主として心の状態を表す「ひるむ」と違い、そのために実際によろめく場合も含まれる。⇩怯《ひる》む

たす【足す】 足し算をする意で、会話やさほど硬くない文章に使われる和語。〈本体の価格に消費税を―・した金額〉〈支出をすべて―〉✎「やかんに水を―」のように同じ種類のものを追加する意にも使う。また、「用を―」の形で、用事を済ませる意に用いることもある。⇩加える

だす【出す】 内側にあるものを外側に移動させる意で、くだけた会話から硬い文章まで幅広く使われる日常の基本的な和語。〈舌を―〉〈広告を―〉〈金を―〉〈店を―〉〈庭に―〉〈口に―〉〈喜びを顔に―〉✎堀辰雄の『菜穂子』に「気休めのようなことは口に―・さなかった」とある。「入れる」と対立。⇩引き出す

たすう【多数】 人や物の数が多い意で、いくらか改まった会話や文章に用いられる漢語。〈―決〉〈不良品が―出回る〉〈大―の人が賛成に回る〉〈―の犠牲者を出す〉〈最大―の最大幸福〉⇩多量

たすける【助ける】力を添えて困っている状況から救い出す意で、くだけた会話から硬い文章まで幅広く使われる日常の基本的な和語。〈困っている人を―〉〈溺れている子供を―〉✎壺井栄の『二十四の瞳』に「足もとのもどかしさを口に―・けてもらうかのように、ゆく手のわが家へむかって叫んだ」とある。「家事を―」のように補佐する意や、「家計を―」のように経済的に楽にする意でも、「消化を―」のように促進する役目を果たす意でも使う。⇩援助・救援・救済・救助・救い・Q救う・手伝う

たずさえる【携える】手に提げて持つ意で、改まった会話や文章に用いられる硬い和語。〈本を―〉〈土産を―・えて訪問する〉✎堀辰雄の『大和路』に「秋の大和路の、何処かあかるい空の下で、読んでみたくて―・えてきた本」とある。⇩Q持参・持つ

たずねる【尋ねる】未知の情報を得る目的で相手の言を聞き出す意で、やや改まった会話や文章で使われる和語。〈人にものを―〉〈交番で道を―〉〈そのわけを―〉〈行方を―〉✎小沼丹の『ウイスキイ工場』に「警官は、その男にその包は何かと―・ねたが男は黙っている」とある。「聞く」より改まった言い方。⇩聞く・Q問う

たずねる【訪ねる】ある場所を目ざしてそこまで足を運ぶ意で、やや改まった会話や文章で用いられる和語。〈知人を―〉〈ついでに―〉〈思い出の地を―〉〈何となく―・ねてみる〉〈思いがけない人が―・ねて来た〉✎井伏鱒二に『丸山警視総監と久米正雄氏を訪ねる』と題した随筆がある。⇩Q訪れる・訪問・やって来る

だせい【惰性】今まで続いてきた癖・習慣・勢いの意で、会話にも文章にも使われる漢語。〈―で進む〉〈―で生きている〉✎丸谷才一の『笹まくら』に「すぐこんなことを思案したのは心の―のようなもの」とある。「慣性」の意の用法では古風。⇩慣性

たそがれ【黄昏】あたりが暗くなりかけた頃をさし、主として文章に用いる、古風で優雅な和語。〈―時〉〈―のひととき〉〈―が迫る〉✎薄暗くて人の見分けがつきにくいため「誰《た》そ彼」（あれは誰だ）と言うような時刻という意味から。芥川龍之介の『東洋の秋』に「この公園にも、次第に―が近づいて来た」という例が見える。谷崎潤一郎の『細雪』には「最も名残の惜しまれる―の一時を選んで」京洛の春を代表する平安神宮の神苑の桜花の下をさまよう場面がある。⇩暮れ方・薄暮・晩方・日暮れ・灯ともし頃・夕・Q夕方・夕暮れ・夕刻・夕べ・夕間暮れ・宵・宵の口

ただ【只】代金が不要な意で、会話や軽い文章に使われる日常の和語。〈―でもらう〉〈―で遊べる〉✎商品などについては「無料」よりこの語を多く使う。漢字の「只」を分解して「ロハ」と称する古風な俗語もある。⇩無償・Q無料

ただいま【只今】「ちょうど今」と強める意味合いで、改まった会話や文章に用いられる丁重な感じの和語。〈―使用中〉〈―の時刻〉〈―帰りました〉〈―御紹介にあずかりました〉✎坪田譲治の『風の中の子供』に「それでも真面目くさって、／「―」／と、上にあがって行く」と帰宅の挨拶の使用がある。⇩Q今・現在・今日《こんにち》・目下《もっか》

たたえる【讃(称)える】貢献・功績・努力・誠意などをすばらし

いものだと高く評価する気持ちを表現する意で、主に文章に用いられる和語。〈栄誉を—〉〈互いの健闘を—〉✎満ち溢《あふ》れる意から、多くの賞讃のことばを口にする意に転じて「神を—」「徳を—」などと用いるようになり、「母校の名を—」もその延長上の例。⇩Q賞讃・褒めそやす・褒めたたえる・褒めちぎる・褒める

たたかい【戦(闘)い】「戦闘」の意で会話や軽い文章に使われる古風な和語。〈関ヶ原の—〉〈—の火蓋《ひぶた》を切る〉✎叩き続ける意からという。現代では「—の日々」「—済んで日が暮れて」のようにいくらか美化した詩的な雰囲気で使われることもある。「女の—」「一丸となっての—」のように単なる争いの意で使われる比喩的拡大用法の場合は特に古風な感じを伴わない。⇩いくさ・戦役・戦争・Q戦闘

たたかう【戦う】武力を用い、あるいはルールに則って、勝敗・優劣を競う意で、くだけた会話から硬い文章まで幅広く使われる和語。〈勇敢に—〉〈正々堂々と—ことを誓う〉〈強敵と—〉〈選挙で—〉✎菊池寛の『忠直卿行状記』に「軍兵悉く奮い立って火水になれと—・った」とある。語源的に「叩く」とつながる。⇩闘う

たたかう【闘う】立ち向かう意で、会話でも文章でも使われる和語。〈裁判で—〉〈労使が—〉〈病魔と—〉〈くじけそうになる自分と—〉✎広い意味で使う「戦う」のうち、部分的で小規模な争闘や、困難に際して逃げずに立ち向かうような抽象的な争いなどの場合にしばしば用いられる表記。夏目漱石の『倫敦塔』に「此の苦痛と—・った末」とある。⇩戦う

たたきうり【叩き売り】常識を破る安売りの意で、主に会話に使われる古風で俗っぽい和語。〈売れ残りの—〉✎「バナナの—」のように、大道商人が品物を載せた台を叩きながら値段をどんどん下げて売ったところから。⇩売り出し・セール・Qダンピング・特売・投げ売り・バーゲン・安売り・廉売

たたく【叩く】相手の体や物体を手や棒などで打つ意で、会話やさほど硬くない文章に使われる日常生活の和語。〈深夜、戸を—者がある〉〈机を—・いて怒る〉〈思わず膝を—・いて納得する〉〈老母の肩を—〉〈後ろからぽんと友達の肩を—〉✎夏目漱石の『坊っちゃん』に「煤掃の時に蓙《ござ》を丸めて畳を—様に、そこら近辺を無暗に—・いた」とあり、川端康成の『花のワルツ』には「腹立たしげに、握拳《にぎりこぶし》で二三度自分の腰を—・いたが」とある。相手に危害を加える意図の感じ取れる「殴る」に対し、この語は親しみの感情や善意にもとづく場合にも使え、悪意があったとしても「殴る」ほどの衝撃を感じさせない。また、「ひっぱたく」ほど感情的な高ぶりを感じさせない。⇩殴る・はたく・はる・ひっぱたく・Qぶつ

ただしい【正しい】法や道理にかなっていてちゃんとしている意で、くだけた会話から硬い文章まで幅広く使われる日常の基本的な和語。〈—行い〉〈—答え〉〈—姿勢を崩す〉〈そうするのが—〉〈—方向に向かう〉⇩正確・Q正当・妥当・まっとう

ただす【正す】正しく直す、はっきりさせる意で、やや改まった会話や文章に使われる和語。〈間違いを—〉〈姿勢を—〉〈襟を—〉〈もとを—・せば〉⇩Q糾《ただ》す・質《ただ》す

ただす【糾（糺）す】 取り調べて追及する意で、改まった会話や文章に用いられる硬い感じの和語。〈罪を―〉〈疑惑を―〉〈身元を―〉⇩正す・Q質《ただ》す

ただす【質す】 質問して明らかにする意で、改まった会話や文章に用いられる、やや古風な硬い和語。〈真意を―〉〈疑問点を―〉〈証人に―〉⇩正す・Q糾《ただ》す

たたずむ【佇む】 じっと立つ意で、主に文章に用いられる、やや古風で詩的な和語。〈水辺に―〉〈夕刻の街角に―〉✎芥川龍之介の『杜子春』に「三日月の光を眺めながら、ぼんやり―・んでいた」とある。主体が周囲の雰囲気を味わっているような情緒的意味合いが感じられる。⇩起立・立ちすくむ・Q立ち尽くす・立つ・突っ立つ

ただちに【直ちに】「すぐ」の意で、改まった会話や丁重な手紙などで用いられる和語。〈―連絡せよ〉〈―伺います〉〈―ご返事いたします〉✎田宮虎彦の『沖縄の手記から』に「壕によって―水際に敵を撃退することになっていた」とある。「すぐ」よりも改まった感じの語。⇩Q直ぐ・即刻

だだっぴろい【だだっ広い】 むやみに広い意で主に会話で使う和語。〈―部屋をあてがわれる〉〈―ばかりで、何の趣もない〉✎大仏次郎の『風船』に「―・く、荒れた感じの寺」とある。単にきわめて広いというだけでなく、不適当だとか、殺風景だとかというマイナスイメージが伴う。⇩広い

ただひとつ【唯一つ】 それだけしかない意で会話にも文章にも使われる和語表現。〈―の取り柄〉〈―の汚点〉✎「唯一」よりやわらかく「たった一つ」ほどくだけていない。⇩たったひとつ・唯一

ただよう【漂う】 水上や空中に浮かんで揺れる意で、改まった会話や文章に用いられる和語。〈海に―〉〈においが―〉〈雰囲気が―〉✎ちなみに、中沢けいの『海を感じる時』は「広い広い海のさざ波のくり返しの上へと、私は―・っている。私は―・っていく。―・っていった」として作品が閉じられる。⇩たゆたう

たたん【多端】 仕事が多く忙しい意で、主に文章中に用いられる硬い漢語。〈多事―〉〈政務―〉〈御―の折〉✎一定の言いまわしの中で用い、単独ではあまり使わない。⇩いそがしい・せわしい・多事・Q多忙・多用

たち【達】 人間の複数を表し、会話にも文章にも使われる。〈子供―〉〈わたし―〉〈君―〉✎古くは神や「公達《きんだち》」のように貴人に用いて尊敬を表した。現代の「友達」はその複数の意味合いが薄れて単数の場合にも使うようになった名残の形。現在でも「ら」より丁寧な感じがあり、「君―」は「君ら」よりあたりがやわらかく、「お前―」は「お前ら」より親しみの感じが濃い。「わたし―」も「わたしら」よりへりくだった感じが薄い。なお、人間以外でも「犬―」「小鳥―」「虫―」のような例もあるが、動物を擬人化した感じが伴う。「花―」のように植物に付く例になると、ますます強い感情移入が感じられる。「ゴキブリ―」「悪魔―」のようなマイナスイメージと結びつく例こそ見ないが、近年は「ことば―」「名曲―」「思い出―」から「悲しみ―」「過去―」といった例まで見られ、甘ったれ、なれなれしさを思わせる現代人の心優しさ、自分をさえ褒めてやりたがる現象となっている。⇩がた・ども・Qら

たち【質(性質)】生来の気質をさし、主に会話に使われる古風な和語。〈なかなか決断できない―〉〈昔からせっかちな―だった〉〈飽きっぽい―〉✎徳冨蘆花の『思出の記』に「大様な、こせこせしない―でね」とある。「性分」以上に、いつまでも変わらない雰囲気がある。「汗をかきやすい―」「風邪を引きやすい―」のように体質をさすこともある。さらに、「―の悪いいたずら」「―の悪い病気」のように事柄についても用いられる。全体として悪いニュアンスで用いられる例が圧倒的に多く、「明るい」「すばらしい」といった完全なプラス評価の語とは結びつきにくい。「ずるい仕打ちを黙って見過ごせない―」のように正義感の強い場合、「人の言うことをすぐ信じ込む―」のように素直な場合などでも、そのために争いが絶えないとか、よく騙《だま》されるとかといった問題を抱えているような連想が働きやすい。⇩気質・Q気象・気性・気立て・性分・人格・人品・人物・性格・性向・性質・人柄・人となり

だち「友達」の意の隠語。〈―公〉✎「友」を略した語形で漢字で書けば「達」となるが、しばしば片仮名書きする。⇩友達

たちぎき【立ち聞き】立ち止まって他人の話をこっそり聞く意で、会話にも文章にも使われる和語。〈人の話を―する〉〈廊下で―する〉〈―は行儀が悪い〉✎夏目漱石の『倫敦塔』に「二人の話しを―した時」とある。「盗聴」と違って道具を使わない。「盗み聞き」ほど計画的・積極的でなく、偶然通り合わせたところに人声が聞こえて思わず立ち止まったようなケースも含まれる。⇩盗聴・Q盗み聞き

たちぐい【立ち食い】立ったまま食うことの意で、会話や改まらない文章に使われる和語。〈―蕎麦《そば》〉〈―は行儀が悪い〉⇩立食

たちくらみ【立ち眩み】立ち上がった瞬間にめまいが起こることをさし、会話にも文章にも使われる和語。〈―がする〉✎島木健作の『生活の探求』に「風呂からあがった時などによく経験するような、―を感じた」とある。⇩めまい

たちすくむ【立ち竦む】あまりの驚きや恐怖感に体がすくんで立ったまま動けなくなる意で、会話にも文章にも使われる和語。〈突然の爆発音に思わず―〉〈崖っぷちに出て―〉〈熊に出くわして―〉✎有島武郎の『或る女』に「裸体を見られた女のように固くなって―・んだ」とある。⇩佇《たたず》む・Q立ち尽くす・突っ立つ

たちつくす【立ち尽くす】何かに心を奪われて立っている意で、改まった会話や文章に用いられる、やや古風な和語。〈呆然《ぼうぜん》と―〉〈雨の中に―〉〈感動のあまりしばらく―〉✎我を忘れてというニュアンスがあり、いくぶん文学的な雰囲気を感じさせる。柴田翔に『立ち尽す明日』と題する小説がある。⇩佇《たたず》む・立ちすくむ・Q突っ立つ

たちっぱなし【立ちっ放し】長時間立ち続ける意で、くだけた会話から軽い文章まで使われる日常の和語。〈電車が満員で終点まで―だった〉〈朝から―でくたびれた〉✎「立ち通し」や「立ち詰め」に比べ会話的で、自分の意志でなく状況の結果そうならざるを得なかったニュアンスが含まれる。⇩立ち詰め・Q立ち通し

たちづめ【立ち詰め】長時間立ち続ける意で、やや改まった

会話や文章に用いられる和語。〈一日中―で仕事をこなす〉〈今日は店が込んでほとんど―だった〉✎座って休む時間がなく結果としてほとんど立っていたという感じの「立ち通し」に対し、この語はあまり出歩いたりせずに一定の範囲に立っている結果になったという連想がある。会話的な「立ちっ放し」より改まった表現で、「立ち通し」よりやや古風な感じもある。⇩立ちっ放し・Q立ち通し

たちどおし【立ち通し】 長時間続けて立っている意で、会話にも文章にも使われる和語。〈―の仕事〉〈―で働く〉〈忙しくて朝から―だ〉✎仕事などに追われて主体的に立ち続ける感じがある。⇩立ちっ放し・Q立ち詰め

たちば【立場】 その人間の置かれた状況や、ものの考え方の拠りどころをさして、会話にも文章にも広く使われる基本的な和語。〈親の―〉〈教師としての―上〉〈―が違う〉〈苦しい―に立たされる〉〈自分の置かれた―をわきまえる〉✎川端康成の『千羽鶴』に「満座のなかで自分がどんな―かも、夫人は忘れたとしか見えない」とある。⇩観点・Q見地・視座・視点

たつ【立つ】 直立した姿勢をとる意で、くだけた会話から硬い文章まで幅広く使われる日常の基本的な和語。〈山頂に―〉〈教壇に―〉〈夢枕に―〉〈居ても―・ってもいられない〉✎立野信之の『軍隊病』に「私はポストのように頼りなく―・っていた」とある。⇩Q起立・たたずむ・突っ立つ

たつ【断つ】 切り離してつながりを無くする意で、会話にも文章にも使われる和語。〈望みを―〉〈退路を―〉〈酒を―〉〈国交を―〉✎森鷗外の『妄想』に「世間と一切の交通を―・っている」とある。⇩切る・Q切断・絶つ・ちょん切る

たつ【絶つ】 続いていたものを終わらせる意で、やや改まった会話や文章に用いられる和語。〈消息を―〉〈交際を―〉〈命を―〉〈犯罪に巻き込まれるケースがあとを―・たない〉✎芥川龍之介の『煙管』に「それ以来、坊主が斉広の煙管をねだることは、ぱったり跡を―・ってしまった」とある。⇩切る・切断・Q断つ・ちょん切る

たつ【経(立)つ】 時間が経過する意で、会話やさほど硬くない文章に使われる日常の和語。〈通い始めて二年―〉〈知らないうちに時間が―〉〈だいぶ―・ってから知らせる〉✎「経つ」と書くのが通例だが、森鷗外の『阿部一族』に「一時《ひととき》立つ」とあるように「立つ」と書いてもよい。⇩経過・過ぎる・経る

だつい【脱衣】 着ている物を脱ぐ意で、会話にも文章にも使われる漢語。〈―所〉〈―室〉✎「着衣」と対立。⇩脱ぐ

だっきゃく【脱却】 好ましくない状態から抜け出す意で、改まった会話や文章に用いられる硬い漢語。〈危機を―する〉〈貧困からの―〉〈ようやく不振から―できた〉✎場所のイメージの強い「脱出」に比べ、抽象的な意味合いで使われる傾向がある。⇩脱出・抜け出す・抜け出る

たっきゅう【卓球】 台の中央のネットを挟んでセルロイド製のボールをラケットで打ち合う室内球技の一種をさす漢語。〈全日本―選手権大会が開催〉〈―の公式試合に出場〉✎字音語であるが、「排球」「籠球」「庭球」のような古くさい感じはなく、日常語としても正式名称としても広く用いられる一般的な語。⇩テーブルテニス・Qピンポン

だっきゅう【脱臼】 骨の関節がはずれることをさし、会話にも文章にも使われる専門的な漢語。〈関節を—する〉⇩挫《じく》く・Q捻挫

たっしゃ【達者】 体が丈夫な意で、会話や文章に使われる古風な漢語。〈—で暮らす〉〈いつまでもお—で〉✎「足が—だ」「英会話が—だ」など、健康とは無関係に、優れている意に使う用法もある。その場合は古風な感じがいくぶん薄れる。夏目漱石の『坊っちゃん』に「読み書きが—でない」とある。⇩元気・健康・健勝・健全・Q丈夫・健やか・壮健・息災

だっしゅつ【脱出】 危険な場所や好ましくない状況から困難を排して逃れ出る意で、やや改まった会話や文章に用いられる漢語。〈国外—を企てる〉〈—を図る〉〈—に成功する〉〈包囲網を—する〉〈どん底生活からの—に成功する〉〈倒産の危機的状況をようやく—する〉✎「脱却」より一般的で、具体的なイメージが強い。「抜け出す」「抜け出る」に比べ、難しいところを何とか切り抜ける感じが強い。⇩脱却・Q抜け出す・抜け出る

たつじん【達人】 武芸や技芸などで格別に優れた腕前を発揮する人物をさし、会話にも文章にも使われる漢語。〈剣道の—〉〈人物画の—〉〈文章にかけては—の域に達している〉✎「名人」よりも使われる分野が狭い。到達している技の高さは「名手」より上で、「名人」よりは若干低い感じがある。また、「名人」がその道でよく知られた存在を連想させるのに対し、この語はあくまで技術面に焦点をあて、知名度を問題にしていない雰囲気がある。⇩名手・Q名人

たっする【達する】 ある範囲・段階・程度・数値に至る意で、改まった会話や文章に用いられる表現。〈目的地に—〉〈骨まで—傷〉〈開始から間もなく五時間にも—長い試合〉〈被害総額は数十億円に—〉〈合意に—〉✎「これでようやく目的を—」のように、念願が実現するという意味合いでも使う。⇩及ぶ・Q届く

たっせい【達成】 目指したことを成し遂げる意で、やや改まった会話や文章に用いられる漢語。〈目標を—する〉〈記録を—する〉✎「成就」ほど大仰でない。⇩成就

だっせん【脱線】 車輪がレールから外れる意で、会話にも文章にも使われる漢語。〈—事故〉〈列車が—して転覆する〉✎「話が—する」のように、話や行動が本来の筋からそれる意に使う比喩的用法もある。そういう現象をさすだけで、そのことに対する評価は特に含まれていない。⇩逸脱

たったひとつ【たった一つ】 「ただ一つ」の意で、くだけた会話や軽い文章に使われる和語表現。〈—の不満〉〈—の宝物〉✎永井龍男の『酒徒交伝』に「もし神さまが、—の願いごとを許してくれるとすれば、あの晩棺の中から出て、この世とあの世の境目の酒の味を、親しい友人達と酌み交わし」とある。⇩Q唯一つ・唯一

たっとい【尊い／貴い】 「とうとい」の古風な表現。✎年寄りじみた響きがある。夏目漱石の『坊っちゃん』に「教育もない身分もない婆さんだが、人間としては頗る—」とある。⇩Q尊《とうと》い・貴《とうと》い

たっとぶ【尊(貴・尚)ぶ】 立派だと思って重んじる意で、会話にも文章にも使われる和語。〈祖先を—〉〈先方の意思を—〉✎「とうとぶ」の古風な表現。「景観を—」のように、

重んずるの意で、神仏や人間以外に対しても使う。⇩崇める・敬う・崇敬・崇拝・尊敬・Qとうとぶ

たっぷり 「たくさん」「十分に」の意で使われる、やや会話的な和語。〈自信―〉〈残りは―ある〉〈予算は―ある〉〈―汗をかく〉〈―水を吸う〉〈時間を―かける〉🖊数的より量的に多く満ち溢《あふ》れている感じが強い。そのため、「鉛筆が―ある」といった例より「砂糖を―入れる」といった例のほうがぴったりする。絶対的な分量よりも、通常よりはるかに多いという程度に重点がある。⇩一杯・うんと・多い・しこたま・たくさん・たんと・たんまり・どっさり

たつぶん【達文】内容や表現意図が相手に正しくはっきりと伝わる文章をさし、主に文章中に用いられるやや専門的な漢語。〈文意明快な―〉🖊「達意の文章」の意。「名文」の一種。⇩美文・Q名文

だつもう【脱毛】毛が抜け落ちることをさし、やや改まった会話や文章に用いられる漢語。〈円形―症〉〈―を防ぐ〉🖊「禿げる」と違って頭髪とは限らず、また、「―剤」のように、美容などのために意図的に体毛を除去する場合も含む。⇩禿《は》げる

だつらく【脱落】①脱け落ちる意で、会話にも文章にも使われる漢語。〈二字―〉〈「してる」は「している」の「い」が―した形だ〉⇩遺漏・落ち・Q欠落・漏れ ②仲間や団体などから抜け落ちる意で、いくぶん改まった会話や文章に用いられる漢語。〈受験戦争から―する〉〈優勝戦線から―する〉🖊「落伍《らくご》」と違い、「政治運動から―する」のように、必ずしも能力不足とは限らず、思想や手段などに関する考え方に開きが出て一緒に行動するのを取り止める場合も含まれる。⇩落ちこぼれ・Q落伍

たて【縦】「―のものを横にもしない」のように上下の方向をさしたり、「長方形の土地の―の長さ」「―一列に並ぶ」のように左右に対する前後の方向をさしたりして、くだけた会話から硬い文章まで幅広く使われる日常の基本的な和語。〈煉瓦《れんが》を―に積み上げる〉〈首を―に振る〉🖊語源的に「立てる」と関連があるとされ、比喩的な「―社会」も上下関係のイメージ。前後の方向をさす派生的な用法では「竪」と書くこともあり、夏目漱石の『坊っちゃん』にも「山嵐の机の上は白墨が一本―に寝て居る丈で閑静なものだ」とあってその漢字になっている。「横」と対立。⇩Q鉛直・垂直

たてかえ【建て替え】それまでの建造物を廃棄して新たに建築する意で、会話やさほど硬くない文章に使われる和語。〈古い家を壊して―をする〉〈―の資金がなく、増築してしのぐ〉⇩改築・新築

たてこむ【立て込む】多くの人や物が集まっていたり、家などがぎっしり建ち並んでいたりする意で、会話にも文章にも使われる和語。〈店が―〉〈仕事が―〉🖊仕事や行事が集中する場合にも使う。島崎藤村の『新生』に「ごちゃごちゃ家の―・んだ細い横町」とあるように狭い場所に多くの家が建っている意味では「建て込む」とも書く。⇩ごった返す・Q込み合う・込む・混雑

たてつづけ【立て続け】同類の出来事が間をおかずに繰り返される意で、会話にも文章にも使われる和語。〈―に物騒な事件が起こる〉〈―に飲んですぐ酔っ払う〉🖊有島武郎の

『或る女』に「―にビールを何杯飲みましたろう」とある。「続けざま」より間隔がさらに短い感じがある。⇩続けざま

たてふだ【立て札】通知内容や注意事項、主張・抗議などを書いて道端などに立てる札をさし、会話にも文章にも使われる日常の和語。〈遊泳禁止の―が出る〉〈キャンパス内の―を禁止する〉✎「看板」より臨時の場合が多い。⇩看板

たてもの【建物】人の住む家屋や物を収納する倉庫などの総称として、くだけた会話から硬い文章まで幅広く使われる日常の基本的な和語。〈土地と―〉〈古い木造の―〉〈洋風の三階建ての―〉✎小沼丹の『ロンドンの記憶』に「ロンドンは古い美しい―を壊して新式の―を造っているが(略)いまにアメリカ人は誰もロンドンに来なくなる」とある。林芙美子の『馬の文章』には「まるで軍艦みたいな―がふえている」とある。「ビル」より広義で、「建築物」「建造物」のような専門語の感じを伴わない。⇩建造物・Q建築物・ビル・ビルディング

たてる【建てる】建物や碑などを造る意で、くだけた会話から硬い文章まで幅広く使われる日常の基本的な和語。〈家を―〉〈倉を―〉〈離れを―〉〈銅像を―〉✎地上に立つ状態に造る場合であり、地下室やダムなどを造る際にはなじまない。井伏鱒二の『荻窪風土記』に「東京郊外に家を―・て静かに詩作に耽る」とある。⇩建設・建造・Q建築

たとい【仮令】→たとえ(仮令)

だとう【妥当】判断や物事の処理などが道理にも実情にも合って適切な意で、会話にも文章にも使われる漢語。〈―な金額〉〈―な扱い〉〈そのあたりが―な線だろう〉✎「穏当」より積極的に評価している感じがある。⇩Q穏当・順当・正当・正しい・真っ当

たとえ【例え】一例の意で、会話でも文章でも使われる和語。〈具体的な―を示す〉〈―を挙げて説明する〉⇩一例・Q喩《たと》え・仮令《たとえ》・例

たとえ【喩(譬)え】あることを他のイメージに置き換えて間接的に伝える比喩の意で、会話でも文章でも広く使われる和語。〈ものの―〉〈―を引く〉〈―が悪い〉✎幸田露伴の『五重塔』に「宝の持ち腐れの―の通り」とある。⇩Q例え・仮令《たとえ》・比喩

たとえ【仮令】「仮に」の意で、改まった会話や特に文章に用いられる、硬い感じの和語。〈―いかなる困難があろうと〉✎志賀直哉の『或る男、其姉の死』に「―それがどんな一寸した雑談にしろ」とある。本来は「たとい」。⇩仮に・Q喩え・例え・よしんば

たとえる【喩(譬)える】ものごとの内容や性質を形容する際に他のイメージを借りて表現する意で、くだけた会話から硬い文章まで幅広く使われる日常の和語。〈女を花に―〉〈―・えようもない美しさ〉✎安岡章太郎の『海辺の光景』に「パラソルを杖のように地面に立てたまま、真直ぐなスカートを着けた軀が棒みたいだった」という例があり、「パラソル」を「杖」に、「軀」を「棒」に喩えている。⇩なぞらえる

たなごころ【掌】「手のひら」の意で、古風でやや文学的な和語的表現。〈―を指すよう〉〈―を返す〉⇩手の平

たにがわ【谷川】谷間を流れる川をさし、会話にも文章にも使われる和語。〈―の音が響く〉⇩Q渓流・せせらぎ

たにん【他人】親戚でない人や無関係な人をさし、会話にも文章にも使われる基本的な漢語。〈—行儀〉〈—任せ〉〈赤の—〉〈—の空似〉〈—の出る幕はない〉✎「この痛みは—にはわからない」のように、当人以外をさす用法もある。⇩Q他者・別人

たにんぎょうぎ【他人行儀】親しい間柄なのにまるで他人に対するように打ち解けない態度をとる意で、会話にも文章にも使われる漢語。〈—に丁重なお辞儀をする〉〈—にふるまう〉⇩すげない・そっけない・ぶっきらぼう・Q水くさい・よそよそしい

たにんごと【他人事】「ひとごと」の意で、会話にも文章にも使われる慣用的な俗語。〈—で済ませる〉〈—に余計な口を挟む〉✎「ひとごと」の当て字「他人事」の「他人」を誤って音読みした形が広まって一般化した語。⇩他事《じた》・Qひとごと・よそごと

たね【種】植物の発芽のもとになるものをさし、くだけた会話から硬い文章まで幅広く使われる日常の基本的な和語。〈西瓜《すいか》の—〉〈—をまく〉✎「—馬」で「精子」、「一粒—(胤)」で血筋の繋がるもとを表すほか、「話の—」「苦労の—」のように材料や原因をさす比喩的用法もある。⇩種子

たねん【多年】多くの年にまたがる長い間の意で、主として文章に用いられる硬い漢語。〈—の功績〉〈—にわたる活動〉✎全体を一つの長いまとまりとしてとらえた感じの「永年」に比べ、一年ずつの連続ととらえた感じの表現。⇩えいねん・Q積年・ながねん

たのしい【楽しい】愉快で心地よい気分をさす和語で、くだけた会話から硬い文章まで広く使われる日常語。〈気心の知れた連中と一杯やるのは—〉✎自分の行動や思考を通して体験している場合に限って使う。小林秀雄の『私の人生観』に「辛かったことも、思い出となれば—・く思われる」とある。⇩嬉しい・喜ばしい

たのしむ【楽しむ】楽しい気分で過ごす意で、くだけた会話から文章まで幅広く使われる日常の基本的な和語。〈余暇を—〉〈スキーを—〉〈気の合った仲間とのおしゃべりを—〉⇩興じる

たのむ【頼む】自分がやることを他の人にやってもらうよう要求する意で、くだけた会話から文章まで幅広く使われる日常の基本的な和語。〈友達に—〉〈買い物を—〉〈子供にお使いを—〉〈頭を下げて—〉✎夏目漱石の『坊っちゃん』に「そこの所はよろしく山嵐に—事にした」とある。「タクシーを—」「出前を—」のように、注文するような意味合いでも使う。⇩Q依頼・頼る

たはた【田畑(畠)】米を作る田と野菜を作る畑の総称として、会話にも文章にも使われる、いくらか古風な和語。〈—を耕す〉✎土地に重点のある「でんぱた」に比べ、農作物の収穫という機能をイメージさせる傾向がある。⇩耕地・田園・でんぱた・農場・農地

たはつ【多発】類似の事柄が数多く発生する意で、改まった会話や文章に用いられる漢語。〈交通事故—地帯〉〈放火事件が—する〉⇩群発・続発・Q頻発・連発

たび【度】回数の意で主に文章に用いられる古めかしい和語。〈今ひと—の逢瀬《おうせ》がかなうならば〉〈両雄ふた—相まみえ

る〉〈同じ過ちをみ―繰り返す〉✎夏目漱石は『倫敦塔』で「留学中只一度倫敦塔を見物した事がある」と書き、再び訪れなかった理由を「一度で得た記憶を二返目に打壊すのは惜い、三―目に拭い去るのは尤も残念だ」と述べている。「一度」「二返目」「三たび目」というふうに「度」「返(遍)」「たび」を使い分けたのは同語回避のレトリック。「惜《お》しい」と「残念だ」、「打壊わす」と「拭い去る」という言い換えにも、同じことばを繰り返さない美意識が感じられる。⇩回・Q度《ど》・遍

たび【旅】一定の期間、自宅から離れた場所に出かける意で、主に文章に用いられる、古風でいくぶん優雅な感じの和語。〈―先からの便り〉〈―に出る〉〈豪華客船の―〉〈―は道連れ、世は情け〉✎小沼丹の『駅二、三』に「乾盃していると窓外の秋色は一段と鮮かで、これが本当の―だと云う気がして来た」とある。鍛えるために「可愛い子には―をさせよ」と言われたように、昔は苦労の多いものという認識が強かった。現代では、「長―」などは出張の場合にも使うが、一般には楽しむためのものを連想させる。⇩旅行

たびだち【旅立ち】旅に出る意から比喩的に、新しい生活の始まりの意で、主に文章の中で使われる、美化した感じの古風な和語。〈―の日を迎える〉〈結婚という新たな人生の―〉⇩Q門出・出発

たびたび【度度】「しばしば」に近い意味で、会話にも文章にも使われる日常の和語。〈―出かける〉〈―見かける〉⇩Qしばしば・ちょいちょい・ちょくちょく・よく

たぶらかす【誑かす】うまいことを言ったり適当にごまかしたりして相手をだます意で、主として会話に使われる俗っぽい和語。〈素人の目を―〉〈年寄りを―・して金品をまきあげる〉〈狐に―・される〉⇩欺く・いつわる・かたる・担ぐ・Qごまかす・だまくらかす・だます・ちょろまかす

ダブリューシー【WC】英語の略語を借りて「便所」を意味する古めかしい俗語。各家庭の便所についてはあまり用いられず、公の場所や会社などの場合に多く用いられた。✎かつて便所(特に公衆便所など)を間接的にさす語としてよく使われたが、有名になりすぎて婉曲《えんきょく》表現の効果が薄れ、現在では使用頻度が大幅に減少した感がある。ちなみに、某美術大学で「便所」を示す表示を廃して、男子用に「ジェントルメン」の「G」、女子用に「レディーズ」の「L」というアルファベットで暗示することを試みたが、「G」を「ガール」の頭文字と勘違いするケースが生じ、短期間に廃止されたという。⇩おトイレ・厠《かわや》・閑所・化粧室・御不浄・雪隠・洗面所・手水場《ちょうずば》・手洗い・トイレ・トイレット・はばかり・Q便所・レストルーム

ダブルプレー「併殺」の意の外来語。多く口頭で使う。字数が多くなるためもあり、書きことばではふつう「併殺」を用いる。〈―でチャンスを逃す〉⇩ゲッツー・併殺

たぶん【多分】そのように推測される気持ちを添え、会話やさほど改まらない文章で使われる日常の漢語。〈―来ると思うよ〉〈―大丈夫だろう〉✎小沼丹の『頰白』に「威勢良く跳ね廻っているから―大丈夫なのだろう」とある。和語の「おそらく」より逆に日常多用される会話的な響きが強い。⇩おそらく

だぶん【駄文】表現が下手で内容的にも見るべきものがなく、全体として価値の低い文章をさし、会話にも文章にも使われる漢語。〈読むに堪えない—〉✎「名文」の対極にある。⇩悪文

たべもの【食べ物】普通の人間が日常生活で口にする物の総称として、くだけた会話からそれほど硬くない文章まで用いられる日常の基本的な和語。〈—が安い〉〈—を持参する〉〈—を受け付けない〉✎村上春樹の『嘔吐1979』に「胃が何の感興もなく—を上に押しあげているだけ」とある。「食物」と違って飲み物を含まず、「食品」にくらべ、生活のぬくもりが感じられる。⇩食い物・食材・食品・Ｑ食物

たべる【食べる】もとは「飲み食いする」意の丁寧な表現だったが、現代では敬語という意識はほとんど感じられず、ぞんざいな「食う」よりはいくらか丁寧な、ごく普通の日常の和語となっている。〈生で—〉〈急いで—〉〈たくさん—〉✎林芙美子の『泣虫小僧』に「まるで馬のように音をたてて—・べた」とある。「飲み食い」のことを「飲み食べ」と言わないのは、「食べる」のもとになった「賜《た》ぶ」に「飲む」意が含まれているからでもあるが、「食い扶持《ぶち》」「大食い」「共食い」などと同様、「食う」として熟した表現まで「食べる」で置き換えるのは抵抗があるのだろう。今では店によって「食べ放題」などという掲示も出ているが、正統的な「食い放題」に比べてまだ違和感がある。⇩頂く・Ｑ食う・食する・召し上がる

たべん【多弁〔辯〕】口数が多い意で、改まった会話や文章に用いられる漢語。〈酒が入るととたんに—になる〉✎単に、おしゃべりである場合のほか、詳しく説明するためにことばが多くなる場合もある。⇩おしゃべり・Ｑ饒舌《じょうぜつ》

たほう【他方】もう一つの方向や面をさし、改まった会話や文章に用いられる漢語。〈—の意見にも耳を傾ける〉〈一方は満員、—はがらがら〉〈仕事は速いが、—出来不出来がある〉〈—、これには欠点もある〉✎「一方」とセットで使う例が多い。⇩Ｑ一方・片一方・片方

たぼう【多忙】非常に忙しい意で、やや改まった会話や文章に用いられる漢語。〈—の身〉〈—の日々を送る〉〈身辺—を極める〉〈—のうちに取り紛れる〉✎芥川龍之介の『侏儒の言葉』に「我我を恋愛から救うものは理性よりも寧ろ—である」とある。⇩Ｑいそがしい・せわしい・多事・多端・多用

だぼくしょう【打撲傷】打ち身の意で、改まった会話や文章に用いられる、やや専門的な医学上の漢語。〈—で全治二週間と診断される〉⇩打ち身

たま【玉】丸い物の意で、くだけた会話から硬い文章まで広く使われる日常生活の基本的な和語。〈目の—〉〈パチンコの—〉〈うどんの—〉〈—のような汗〉✎泉鏡花の『高野聖』に「川幅は一間ばかり(略)美しさは—を解いて流したよう」とあるように美的な喩えによく使われる。「掌中の—」「—磨かざれば光なし」など、宝石の意味でも「玉」でよいが、その美を強調するために「珠」と書くこともあり、その場合は詩的な感じが出る。⇩Ｑ球・弾

たま【球】球技などの「ボール」の意の用法より古い感じのする和語。〈大きな—を転がす〉〈—がめったに飛んで来ない〉✎サトウハチローの『野球思い出帖』は「—がとぶ／思

い出がよみがえる／グローブに—がはいる／ボクも思い出をキャッチする」という詩で始まる。ボールそのものをさして「球」と言う人間は最近ほとんど見かけなくなった。たいていの子供は「ボールを取らせて下さい」と言って庭に入って来るが、もしも、たまに「—を取らせて下さい」と言われたら、うれしくなって泥のひとつも拭いて返そうと思うかもしれない。「いい—をほうる」「速い—を投げる」「いい—を見逃す」のような用法は古い感じがない。⇩Q玉・弾・ボール

たま【弾】弾丸の意で、会話でも文章でも使われる日常の和語。〈鉄砲の—〉〈—に当たる〉〈—を詰める〉✍「弾丸」と漢字で書くと、「だんがん」と読まれやすい。⇩Q球・玉

だまくらかす【騙くらかす】「だます」のやや古風な俗語形。〈子供に甘い母親をいいように—〉〈うまいことを言って—〉✍森鷗外の『雁』に「湯にでも行って、気の利いた支度をして、かかあに好い加減な事を言って、—・して出掛けるのだな」とある。⇩欺く・いつわる・かたる・担ぐ・ごまかす・たぶらかす・Qだます・ちょろまかす

たまげる【魂消る】非常に驚く意で、くだけた会話に使われることのある、古風で俗っぽい和語。〈こりゃあ、—・げた〉✍魂が消えるほどという強調。木下順二の『彦一ばなし』に「こぎゃん—・げたこた無かったぞ」とある。⇩Qおったまげる・驚く・仰天・びっくり・ぶったまげる

たまご【卵】鳥・虫・魚などの雌が産み、かえると子になるものをさし、くだけた会話から硬い文章まで幅広く使われる生活上の基本的な和語。〈生—〉〈鶉《うずら》の—〉〈—が孵《かえ》る〉✍「医者の—」のような比喩的な用法もある。単に「卵」といえば鶏の卵をさすことが多い。「—焼き」「—料理」のように調理済みのものは「玉子」と書くこともあり、その表記はいくらか俗っぽい感じがする一方、家庭的な雰囲気で温かい感じも漂う。ちなみに、夏目漱石の『坊っちゃん』に「野だの面《つら》へ擲《たた》き付けた。—がぐちゃりと割れて鼻の先から黄味がだらだら流れだした」とあり、「玉子」と表記してあるが、「町で鶏卵を八つ買った」とあるので、ここは生卵である。⇩鶏卵

たましい【魂】心の働きをつかさどると考えられているものをさし、会話にも文章にも使われる和語。〈死者の—を鎮める〉〈—が宿る〉〈—がこの世にとどまる〉✍庄野英二の『星の牧場』に「音楽ってばかにいいもんだな。モミイチは—がぬけていくようであった」とある。「仕事に—を込める」「—を入れ替えてまじめに働く」のように、単に気持ちをさす用法が多い。⇩Q霊・霊魂

だます【騙（瞞・欺）す】事実と違うことを他人に信じさせて、自分の有利なように運ぶ意で、会話にも文章にも広く使われる日常の和語。〈人を—〉〈言葉巧みに—〉〈—・されたと思ってやってごらん〉〈狸に—・される〉✍谷崎潤一郎の『細雪』に「こちらを—考えがあったのでないことは明らかで」とある。⇩Q欺く・いつわる・かたる・担ぐ・ごまかす・たぶらかす・だまくらかす・ちょろまかす

たまたま【偶偶／偶】「偶然に」の意で、主に会話に使われる和語。〈—当たる〉〈—見つける〉〈—居合わせただけ〉⇩Q偶然・ひょっこり

たまつき【玉突き】「ビリヤード」の意の和語。〈―に興じる〉✎「ビリヤード」や「撞球《どうきゅう》」に比べ、遊技的性格を感じさせる日常語。⇩撞球・Ｑビリヤード

たまに【偶に】 長い間隔を置いて不定期に繰り返す場合に、会話や軽い文章に使われる和語。〈―会う程度〉〈―は遊びに来いよ〉〈―旅行する〉〈―はいいことを言う〉⇩稀《まれ》に

たまのような【玉の様な】 瑕《きず》もなく美しいようすを形容する比喩的表現。美化するための古風な形容。〈―男の子〉✎古く斎藤茂吉が永井ふさ子を「玉の如き乙女」と形容した例があるように、昔は性別に関係なく用いたが、その後長い間、主として男の子について用いてきた関係で、現代でも男の子を思い浮かべることが多い。

たまもの【賜物／賜】 結果として授かったものの意で、改まった会話や文章に用いられる、やや古風な和語。〈自然の―〉〈これもひとえにファンの応援の―〉〈このたびの成功は永年の努力の―だ〉✎神から賜ったものの意から。「おかげ」よりも恩恵に浴した感じが強く、丁重に響く。⇩おかげ

たみ【民】 統治されているすべての人々をさし、主として文章で使われる古い感じの和語。〈―百姓〉〈―の声に耳を傾ける〉〈無辜《むこ》の―〉✎一般には、国を統治する側からその支配下にある人々をさして使われるが、「流浪の―」「遊牧の―」など、国家支配とは無関係に使われることもあり、その場合には古風で詩的な雰囲気が漂う。⇩Ｑ国民・市民・人民

ダム 発電や水利などの目的で川の途中で流れをせき止めるために造った大規模建造物をさし、会話にも文章にも使われる外来語。〈―工事〉〈―を建設する〉⇩貯水池

だめ【駄目】 効果がない、不可能だの意で、会話や改まらない文章に用いられる基本語。〈まるで―だ〉〈―になる〉〈―でもともと〉✎夏目漱石の『坊っちゃん』に「あの面じゃ―だ」とある。もとは囲碁用語で、どちらの地にもならない無駄な所をさす。それが「役に立たない」「してはいけない」のような意味合いで使われ、現在ではほとんど比喩的な感じを意識させない。無駄な空所を念のため詰めておくという意味の「―を押す」という表現も、確実なところをさらに確実にする「念を押す」意に拡大して用いられ、このほうはまだいくらか比喩的な感じを残している。⇩アウト・Ｑばつ

ためいき【溜め息】 思わず吐き出す長い息の意で、会話にも文章にも使われる日常の和語。〈―をつく〉〈―が出るほど素晴らしい〉✎林芙美子の『下町』に「少しずつちぎって捨てるような苦しい―をついた」とある。⇩嘆息・Ｑ吐息

ためし【試(験)し】 実際にどうかを知るためにやってみる意で、主に会話に使われる和語。〈―に乗ってみる〉〈ものは―だ〉⇩Ｑ試み・試行

ためしぐい【試(験)し食い】「試食」の意で主にくだけた会話に使われる、ぞんざいな感じの和語。〈客に出す前に―する〉⇩味見・Ｑ試食

ためす【試(験)す】 真偽・能力・性質などを調べて確かめる意で、くだけた会話から文章まで幅広く使われる日常の和語。〈力を―〉〈度胸を―〉〈薬の効き目を―〉✎安岡章太郎の『海辺の光景』に「棚の端から両足をブラ下げて、膝頭を手刀で打って、足が飛び上るか、どうかを―・した」とある。

実際にやってみるという感じの「試みる」に比べ、効果や技術を確認する意味合いが強い。⇩試みる

ためらう【躊躇う】すぐに決心がつかず実行に移せないでいる意で、会話にも文章にも使われる日常の和語。〈返答を―〉〈言おうとして一瞬―〉〈―・いがちに声を掛ける〉〈何ら―様子もなく認める〉⇩逡巡《しゅんじゅん》・躊躇《ちゅうちょ》

ためる【溜める】集積し蓄える意で、くだけた会話から硬い文章まで広く使われる日常の和語。〈水を―〉〈目に涙を―〉〈仕事を―〉〈ストレスを―〉✎庄野潤三の『静物』に「どんな犠牲を払っても目標の金額を―・めよう」とある。福原麟太郎の『金銭について』に「金櫃《かねびつ》をあけて、中に―・めてある無数の金貨の堆積を見るや、まず、にこりとする」とあるように、「金を―」など財貨を蓄える意の場合は特に「貯める」と書くこともあり、そういう表記は書き手の分析的な意図を感じさせる。⇩蓄える

たやすい【容易い】わけなくできるほど易しい意で、会話や軽い文章に使われる日常的な和語。〈―御用だ〉〈いとも―・く片づける〉✎特に手数や時間のかからないところに重点がある。⇩簡単・平易・Q易しい・容易

たゆたう 水に浮くなどして定めなく揺れ動く意で、主に文章に用いられる古風で詩的な和語。〈波間に―小舟〉〈―心〉✎池澤夏樹の『骨は珊瑚、眼は真珠』に「水の中を―粉はまだ見える」とある。単に揺れ動く意味で「気持ちが―」などとも言う。この用法は「漂う」に置き換えられない。「揺蕩う」とも書く。⇩漂う・揺らぐ・揺れる

たよう【多用】するべき用事がたくさんある意で、改まった会話や文章に用いられる漢語。〈御―中恐れ入ります〉✎多く「御―中」の形で使う。「やたらに外来語を―する」のように、同じものを多く用いる意にも使う。⇩いそがしい・せわしい・多事・多端・Q多忙

たより【便り】緊急性のない情報伝達、特に手紙などをさし、主として文章中に用いるやや古風なやわらかい感じの和語。〈旅先からの―〉〈花の―が届く〉〈―のないのはいい―〉〈お―ありがとう〉〈時々お―ください〉〈風の―〉✎夏目漱石の『坊っちゃん』に「取り上げて見ると清からの―だ」とある。「手紙」や「書簡」と違って、緊急の問い合わせや重大な用件の通達の場合には不適切で、近況報告などが予想されるため、もらってうれしく読んで楽しいと期待させる好ましい語感がある。⇩書簡・Q手紙

たよる【頼る】あてにし頼みにする意で、くだけた会話から硬い文章まで幅広く使われる日常の基本的な和語。〈親を―〉〈コネを―〉〈金の力に―〉〈永年の勘に―〉〈輸入に―〉⇩Q依存

だらける 緊張感を欠いて締まりがない意で、会話や軽い文章に使われる和語。〈気分が―〉〈―・けきった生活態度〉⇩たるむ・だれる

だらしない ①きちんとしていない、締まりがないの意で、会話や軽い文章に使われる日常の和語。〈―恰好〉〈―寝乱れ姿〉〈生活が―〉〈金銭に―〉〈時間に―〉〈女に―〉✎夏目漱石の『坊っちゃん』に「帯を―・く巻きつけて」とある。ありさまや始末を意味する「しだら」が無い意の「しだら(が)ない」からの転。「だらしがない」とも。⇩締まりがな

い・Ｑふしだら・不貞・不品行・不身持ち・ルーズ　②ふがいない、期待はずれで情けない意で、会話や軽い文章に用いられる日常の和語。〈―負け方〉〈もう諦めるとは―〉〈こんなことで音を上げるとは―〉⇩嘆かわしい・情けない・ふがいない

たりょう【多量】 物の分量が多い意で、改まった会話や文章に用いられる硬い感じの漢語。〈出血―〉〈海に―の油が浮く〉〈―の薬物が検出される〉〈―の薬を服用する〉✐別に「多数」という語がある関係で、「大量」と違い、量の多い場合に限って使う傾向があり、数についてては用いない。「少量」と対立。⇩大量・多数

たる【樽】 味噌・醬油・酒などを入れる木製で円筒形の容器をさし、会話にも文章にも使われる日常の和語。〈酒―〉〈―に詰める〉〈―を抜く〉〈―を開ける〉✐保存用なので桶《おけ》よりがっしりして蓋《ふた》がついている。⇩桶

だるい【怠(懈)い】 体に力が入らず動くのも億劫《おっくう》な感覚をさして、くだけた会話からさほど硬くない文章まで使われる日常の和語。〈疲労で手脚が―〉〈熱があって体が―〉✐有島武郎の『或る女』に「脚部は抜けるように―・く冷え」とある。⇩かったるい・Ｑけだるい・倦怠《けんたい》

だるま【達磨】 禅宗の始祖である達磨大師、および、その張子《はりこ》の人形をさし、会話でも文章でも使われることば。〈―大師〉〈―市〉✐禅宗の始祖とされる達磨大師の座禅姿には見る人を打つ厳しさがあるが、それを模した張り子の人形や、「―落とし」「―ストーブ」「雪―」などのイメージが積み重なって、このことばには滑稽な語感も伴う。岡本かの子の『やがて五月に』に「前裾を高く前へ突き出して立ち上った。可愛ゆい―に蛙の脚が生えたような形になる」という比喩表現が出る。「あいまい宿」を意味する「―屋」を知っている人にとっては語感がさらに複雑に働く。下等な商売女はコロビやすいという比喩的な連想らしく、発想は奇抜ながら語感を悪くし、著しく気品をそこねる。このように語感はそのことばの受け取り手によって違ってくる。

たるむ【弛む】 ぴーんと張っていたものが緩んで垂れ下がる意で、会話にも文章にも使われる和語。〈ぴんと張ってあった紐《ひも》が―〉〈架線が―〉〈腹の皮が―〉✐「緩む」は少しぐらいなら見た目にわからないこともあるが、この語はその結果垂れ下がるところまで進んだ場合で、「緩む」よりひどい段階を連想させる。「このごろ―・んでいる」のように、緊張感を失う意を表す比喩的用法もある。⇩だらける・だれる・Ｑ緩む

たれる【垂れる】 液体がだらだら落ちる意で、会話でも文章でも幅広く使われる和語。〈容器の口をきちんと閉めないと縁から―〉〈額から汗が―〉〈おしっこを―〉✐「したたる」がぽったん、ぽったんと落ちるイメージなのに対し、この語は線状に落ちる場合でも使え、それだけ零《こぼ》れ落ちる水量が多い感じがある。「だらだら」という状態なら「垂れる」がふさわしく、「したたる」は不適切。森鷗外の『阿部一族』に「円形の石の井筒の上に笠のように―・れかかっている葉桜」とあるように、上が固定されて下へ下がっている意で、液体以外にも使われる。⇩滴る

だれる 緊張感がなくなる意で、会話や軽い文章に使われる、いくぶん俗っぽい感じの和語。〈気分が―〉〈雰囲気が―〉

〈試合が―〉〈会が長びいて次第に―・れてくる〉✎「たるむ」以上にマイナスイメージが大きい。⇩Qたるむ・だらける・緩む

タワー 「塔」の意で会話にも文章にも使われる外来語。〈コントロール―〉✎記念タワーと名のるビルもあるが、「塔」に比べ鉄骨をむき出しにした姿を連想しやすい。パリのが「エッフェル塔」なのに日本のが「東京―」と命名された事実は注目される。⇩塔

たわけ 「ばかげたこと」「馬鹿者」の意で、くだけた会話に使われ、方言的な響きを感じさせる俗っぽいことば。〈―！よく見ろ〉〈この―者めが〉✎「たわけたことを抜かすな」のように「たわける」という動詞の形でも使う。⇩Qあほ・あほう・とんま・ばか・まぬけ

たわむ【撓む】 重みなどで折れずに曲がる意で、会話でも文章でも使われる和語。〈弓が―〉〈実の重さで枝が―〉〈本の重みで棚板が―〉✎田宮虎彦の『足摺岬』に「ぎしぎしと―急な梯子段」とある。「しなう」が弾力のあるしなやかさを表現しているのに対し、この語は他の重力の影響で曲がっている形状を表現しており、その重力が取り除かれたときに以前の状態にすぐ戻るかどうかは条件によって異なる。⇩Q撓《しな》う・反《そ》る

たわむれる【戯れる】 遊び興ずる意で、改まった会話や文章に用いられる古風な和語。〈愛犬と―〉〈女と―〉〈酒の席で―〉✎小島信夫の『小銃』に「その女には妹はないか」などと―・れることもあった」とある。⇩遊ぶ・ふざける

たんか【短歌】 五七五七七音の形式を標準とした和歌をさし、いくぶん改まった会話や文章に用いられる、やや専門的な感じの漢語。〈現代―〉〈―五首〉〈―を詠ずる〉〈いささか―をたしなむ〉⇩歌・Q和歌

だんかい【段階】 能力・変化・進行などの程度を一定の基準で区切って順序をつけたものをさし、会話にも文章にも使われる基本的な漢語。〈第一―〉〈準備―〉〈五―評価〉〈―的に解消する〉〈まだそういう―ではない〉〈新しい―に入る〉〈―を追って進める〉〈最終―に入る〉✎開高健の『パニック』に「すべてが手おくれの―に来ている」とある。「程度」が連続的なのに対し、この語は非連続にとらえている。「ステップ」と違い、具体物はささない。⇩ステージ・Qステップ・程度

だんがい【断崖】 特に険しく切り立った崖をさし、やや改まった会話や文章に用いられる漢語。〈切り立った―〉〈―がそそり立つ〉✎福原麟太郎の『志を立てること』に「深山の奥のデルフォイの―には春ながら雪がつもっていた」とある。⇩崖・Q絶壁

だんがん【弾丸】 鉄砲に詰めて発射するための弾をさして、やや改まった会話や文章に用いられる漢語。〈―が命中する〉〈―が炸裂《さくれつ》する〉✎古く自動車専用の高速道路を「―道路」と呼ぶ比喩的な用法もあり、さらに古く、「―列車」の語もあった。⇩Q銃弾・鉄砲玉・砲丸・砲弾

たんき【短気】 気が短い意で、会話にも文章にも使われる日常の漢語。〈―を起こす〉〈―を慎む〉〈親譲りの―な性格が災いする〉✎庄野潤三の『プールサイド小景』に「お願いだから―起こさないで」とある。「せっかち」や「性急」に

比べ、怒りやすくすぐに癇癪《かんしゃく》を起こすような連想が働く。⇩Q気短・性急・せっかち

たんきゅう【探求】探し求める意で、主に文章で用いられる漢語。〈秘宝を―する〉〈平和への道を―する〉⇩探究

たんきゅう【探究】道理を探って明らかにする意で、主に硬い文章に用いられる学問的な雰囲気の漢語。〈真理を―する〉〈人生の意義を―する〉✎梅崎春生の『桜島』に「三十年の―も、この瞬間に明白になるであろう」とある。⇩探求

たんぐつ【短靴】くるぶしの下程度までの浅い靴をさし、会話にも文章にも使われる表現。〈―に履き替える〉✎特に区別する場合に使い、通常は単に「靴」ということが多い。ズック靴より革靴の連想が強い。「たんか」とも言う。「長靴」と対立。⇩Q靴・シューズ

たんけん【短剣】短い剣をさし、会話でも文章でも使われる漢語。〈―をぶら下げる〉✎「小刀」や「短刀」に比べ、洋風の剣の印象が強い。⇩匕首《あいくち》・懐剣・こがたな・小刀・Q短刀・どす・ふところがたな・脇差

たんけん【探検(険)】未知の土地を実地に調査する意で、会話にも文章にも使われる漢語。〈―家〉〈洞窟を―する〉✎「南極―隊」のように、調査することに重点を置いて「探検」と書いたり、「ジャングルを―する」のように、危険を冒すことに重点を置いて「探険」と書いたりする。⇩冒険

だんげん【断言】はっきりと言い切る意で、会話にも文章にも使われる漢語。〈―してはばからない〉〈―するのはためらわれる〉✎夏目漱石の『こころ』に「世の中を見る先生の目が厭世的だから、その結果として自分もきらわれているのだと―した」とある。⇩Q言い切る・断定・明言

たんご【単語】一つのまとまった意味機能を持って文を構成する最小の要素をさし、会話にも文章にも使われる日常の漢語。〈英語の―〉〈初めて見る―〉⇩言語・Q語・語彙・言葉・用語

だんこう【断行】反対や問題があっても思い切って実行する意で、改まった会話や文章に用いられる強い感じの漢語。〈熟慮―〉〈改革を―する〉✎夏目漱石の『坊っちゃん』に「おれは例の計画を―する積りだ」という山嵐のことばが出てくる。⇩Q敢行・強行・決行

だんこう【断交】一切の交際を絶つ意で、改まった会話や文章に用いられる硬い漢語。〈交渉が決裂し、相手国と―状態に突入する〉✎個人の関係でなく、主に国家間の国交断絶をさすことが多い。⇩Q絶縁・絶交

だんごう【談合】相談のための話し合いをさし、会話にも文章にも使われる漢語。〈―を開く〉〈―を持つ〉〈―で決める〉✎単なる話し合いの意では古めかしい用語だが、「業者の―が発覚する」のように特に、入札の前に請負価格をあらかじめ話し合う社会現象が問題になり、現在では「ゼネコン」とともにマイナスイメージが付着している。⇩打ち合わせ・会議・Q協議・相談・話し合い・ミーティング

たんざ【端座(坐)】正座の意で、主に文章に用いられる古風な漢語。〈―し謹んでお話を伺う〉✎佐藤春夫の『田園の憂鬱』に「―した彼に、或る微かな心持、旅愁のような心持を抱かせた」とある。⇩正座

だんし【男子】「男」の意で、会話にも文章にも使われる漢語。

〈―生徒〉〈―用トイレ〉〈―走り幅跳び〉〈成年―〉✎通常は子供から若年層までをさし、老人について使うと違和感がある。学校や会社などの集団生活やスポーツの世界で多く用いる。サトウハチローの『僕の東京地図』に「僕に二十返位、頭を下げさせて、―禁制の校内を通行させてくれた」とあり、「―厨房に入らず」と同様、年齢に関係なく男性全体を含む用法で、今では若干古い感じがある。「女子」と対立。⇩男・男の方・男の子・男の人・Q男性・殿方

だんじて【断じて】「決して」の強調表現として、改まった会話や文章に用いられる硬いことば。〈―まかりならん〉〈―許さない〉✎発言者の強い意気込みが感じられる。⇩決して・Q絶対に

たんしゃ【単車】「オートバイ」をさして一時期盛んに使われ、今ではやや古い感じになりかけている漢語。⇩Qオートバイ・原付・原動機付き自転車・自動二輪・自動二輪車・スクーター・バイク・モーターバイク

たんじゅう【短銃】「拳銃」の意で、主に文章に用いられる硬い漢語。〈胸に―を忍ばせる〉〈―の安全装置を外す〉✎「ピストル」や「拳銃」ほど一般的でない。⇩Q拳銃・小銃・はじき・ピストル

たんしゅく【短縮】時間などを短く縮める意で、やや改まった会話や文章に使われる漢語。〈操業―〉〈―授業〉〈期間を―する〉〈記録を―する〉✎時間に関係する場合は、「コースを―する」「通学距離を―できる」のように空間的な長さに対しても使うことがある。「延長」と対立。⇩縮小・Q縮める

たんしょ【短所】人間の性格や能力などで他に比べて劣っている部分をさし、会話にも文章にも使われる漢語。〈―を指摘する〉〈―を数え上げる〉〈―を補う〉⇩欠陥・欠点・Q弱点・難点

たんしょう【短小】事物の長さや幅が短くて小さい意で、主に文章中に用いられる硬い漢語。〈軽薄―〉✎客観的な「短い」に比べ、軽蔑のニュアンスが伴う例が多い。「長大」と対立。⇩短い

たんじょう【誕生】子供が生まれる意で、改まった会話や文章に広く使われる漢語。〈待望の男の子が―する〉〈長子の―を記念して〉✎「生誕」ほど大仰な感じはなく、「―日」「―パーティー」のような既成のことばを除き、「生まれる」よりは改まった感じがある。小沼丹の『登高』に「僕の―日は九月九日である」とある。「新内閣の―」「最年少の名人が―する」のような比喩的拡大用法もある。⇩降誕・出生・Q生誕

だんしょう【談笑】くつろいで笑いながら談話を楽しむ意で、主として文章に用いられる漢語。〈なごやかに―する〉〈―のひとときを過ごす〉✎目的ではなく行為を結果として言う傾向がある。⇩閑談・Q歓談・懇談

たんす【箪笥】衣類などを収納する引き出し付きの家具をさし、会話から硬い文章まで広く使われる日常漢語。〈総桐の―〉〈―の奥にしまいこむ〉✎三島由紀夫の『仮面の告白』に「この古い―のようにきしむ家」という比喩表現の例がある。単に「箪笥」と言えば和風の箪笥が目に浮かぶ。そのため、洋服用の場合は「洋服ダンス」「洋ダンス」などと

しばしば片仮名書きしてイメージを調節する試みも見られる。⇩チェスト・ワードローブ

ダンス　西洋風の踊りをさし、会話にも文章にも使われる外来語。〈フォークー〉〈ラストー〉〈ーホール〉〈ーパーティー〉〈ーのステップ〉✎特に社交ダンスをさすことが多い。⇩踊り・Q舞踏・舞踊・舞

たんすい【淡水】「真水」の意で、改まった会話や文章に用いられる専門的な漢語。〈ー魚〉〈ー湖〉✎「塩水《えんすい》」「鹹水《かんすい》」と対立。⇩真水

たんずる【嘆(歎)ずる】「嘆く」意で、主として文章に用いられる硬い表現。〈不遇をー〉〈天を仰いでー〉✎石川淳の『普賢』に「運のわるさをー・じているところだ」とある。⇩慨嘆・Q嘆く

たんせい【丹精】心をこめて事を行う意で、会話でも文章でも使われる、やや古風な漢語。〈ーして木を育てる〉✎小沼丹の『珈琲の木』に「ーこめて育てると、と云う前提があるが、木を枯らしてやろうと思って育てる人間もいないだろう」とある。⇩丹誠

たんせい【丹誠】真心自体をさし、改まった会話や文章に用いられる古風な漢語。〈ーを込める〉〈ーを凝らす〉⇩丹精

だんせい【男性】「男」の改まった言い方として、会話にも文章にも広く使われる漢語。〈ー用の化粧品〉〈若いー向き〉〈ーに限る〉〈理想のー〉✎石坂洋次郎の『颱風とざくろ』に「聖人君子という概念に洋服を着せたようなー」とある。成人に対して用いる。「女性」と対立。⇩男・男の方・男の子・男の人・Q男子・殿方

たんそく【嘆(歎)息】溜《た》め息の意で、主に文章に用いられる硬い漢語。〈長ー〉〈思わずーする〉✎石坂洋次郎の『若い人』に「褌《ふんどし》のようにバカ長いーを洩らさざるを得なかった」とある。⇩溜め息・吐息

だんぞく【断続】何度も途切れながら一つのことが続く意で、改まった会話や文章に用いられる漢語。〈雨がー的に降り続く〉〈ー的に交渉を続ける〉〈会話がぽつりぽつりとーしながら長時間に及ぶ〉⇩継続・続行・Q連続

たんたん【淡淡】あっさりしている意。やや改まった会話や文章に用いられる漢語。〈心境をーと語る〉〈ーとした味わい〉✎永井龍男の『青電車』に「勝恵の答えは、いつも水の流れのようにーと鈴木の耳にひびいた」とある。⇩坦々《たんたん》

たんたん【坦坦】平らで変化がない意で、改まった会話や文章に用いられる漢語。〈ーとした道〉〈ーとした展開〉〈何事もなく毎日がーと過ぎていく〉⇩淡々

だんだん【段段】「次第に」の意で、会話や硬くない文章に使われる日常の漢語。〈ーよくなる〉〈問題がー難しくなってゆく〉⇩おいおい・Q次第に・徐々に・漸次

だんちがい【段違い】技術・能力・程度・出来映えに大きな差がある意で、会話やさほど硬くない文章に使われる語。〈成績がーだ〉〈ーに強い〉✎体操競技の「ー平行棒」のように具体物の高さが違う(大差とは限らない)意にも使う。⇩桁違い・桁外れ

たんちょう【単調】変化や起伏にとぼしい状態をさし、会話にも文章にも使われる漢語。〈ーな仕事〉〈ーな暮らし〉〈ーな曲〉✎「一本調子」がいつも同じというニュアンスが

あるのに対し、この語はあくまで今問題にしている一つの対象についての言及にとどまる。⇩Q一本調子・平板

だんてい【断定】推量ではなく、間違いなくそうであるという明確な判断を下す意で、会話にも文章にも使われる漢語。〈―的な言い方〉〈きっぱりと―する〉〈他殺と―する〉〈そうと―できるだけの論拠がとぼしい〉✎夏目漱石の『明暗』に「人間を見そくなったのは、自分でなくて、かえってお延なのだという―」とある。発言を問題にする「断言」に比べ、この語はあくまで判断の問題。⇩断言

たんと「たくさん」の意で、くだけた会話に使われる古風で俗っぽい和語。〈―召し上がれ〉〈―は要らない〉✎小津安二郎監督の映画『浮草物語』でおたか(八雲理恵子)が「―悔しがるがいいよ」と言う。動詞に「…がいい」の付く言いまわしとともに、現代では古めかしい印象を与える。⇩一杯・うんと・多い・しこたま・Q沢山・たっぷり・たんまり・どっさり

たんとう【短刀】腰に差す短い刀の意で、会話でも文章でも使われる漢語。〈相手の胸に―を突きつける〉✎井上靖の『猟銃』に「―でも突き刺すような言葉の感じ」という比喩表現が出る。「短剣」に比べて日本刀のイメージが強い。刀身一尺(約三〇・三センチ)以下。⇩匕首《あいくち》・懐剣・こがたな・小刀・Q短剣・どす・ふところがたな・脇差

たんとう【担当】自分の仕事として責任を持って引き受ける意で、会話にも文章にも使われる漢語。〈―者〉〈―役員〉〈会社で経理を―する〉〈―している業務に専念する〉⇩受け持ち・従事・Q担任・服務

だんどり【段取り】物事を行う方法や順番の意で、会話にも文章にも使われる表現。〈―をつける〉〈式の―を決める〉〈こういう―になっている〉⇩手順・Q手はず

だんな【旦那】一家の主の意で、妻から見た夫をもさし、会話にも文章にも使われる古風な漢語。〈うちの―は今日も帰りが遅い〉✎もと「施主」「檀家」を意味する梵語《ぼんご》の音訳。「大―と若―」「呉服屋の―」のように商家などの主人をさすのが一般的で、商人が男性客に呼びかけるような際にも用いる。⇩うちの人・夫・主人②・Q亭主・ハズ・宿六

たんにん【担任】学校などで任務を受け持つ意で、会話にも文章にも使われる漢語。〈クラス―〉〈―の先生〉〈理科の―〉✎「新しい―」「―の口から伝える」のように、単に「担任」だけで学級担任を表し、また、その先生自身をさすこともある。⇩受け持ち・従事・Q担当・服務

たんねん【丹念】細部にわたって念入りに行うようすをさし、会話でも文章でも使われる、やや古風な漢語表現。〈―な仕事ぶり〉〈―に調べる〉✎芥川龍之介の『玄鶴山房』に「―に白足袋などを繕っている」とある。注意力を持続させて数多くの類似の行為を繰り返す場面を連想させる。⇩丁寧①・Q入念・念入り

だんねん【断念】希望や継続中の事柄などを思い切る意で、改まった会話や文章に用いられる漢語。〈医学志望を―する〉〈資金繰りがつかず工場経営を―する〉⇩諦め・諦める・諦念

たんび【耽美】美の世界にどっぷりと浸る意で、主に文章中に用いられる古風で専門的な漢語。〈―派〉〈―主義の作風〉⇩嘆美

たんび【嘆(歎)美】感動して讃える意で、主に文章中に用いられる古風な漢語。〈―の声が上がる〉〈―の息が漏れる〉⇩耽美《たんび》

ダンピング 市場の開拓などを目的として原価を切るような不当に低い価格で売り出すことをさし、やや改まった会話や文章に用いられる外来語。〈―価格〉〈―に打って出る〉✎外国市場で国内価格より低い値段で売る意の専門的な用法もある。⇩売り出し・セール・叩き売り・特売・投げ売り・バーゲン・安売り・Ｑ廉売

たんぼ【田圃】「田」の意で主として会話に使われる日常語。〈―道〉〈―のあぜ道〉〈―で稲刈りが始まる〉✎「圃」は「花圃《ほか》」などに使う「畑」を意味する漢字であるが、この語は「田畑」の意というより通常は単に「田」を意味する。⇩田

たんぽ【担保】債務の不履行に備え、債務者が債権者に差し出して弁済を保証するものの意で、会話にも文章にも使われる専門的な漢語。〈―に取る〉〈土地を―に金を借りる〉✎「抵当」のほかに保証人のような人的担保を含む。⇩抵当

たんぼうきじ【探訪記事】「ルポルタージュ」に近い意味で、やや改まった文章などに用いる古風な漢語。〈雑誌の―〉〈―を書いて社に届ける〉⇩ルポ・Ｑルポルタージュ・レポート

たんまつ【端末】「端末機」「端末装置」の略で、コンピューターの中央と接続する末端の入出力装置の総称として、主に会話に使われる新しい感じの漢語。〈―につなぐ〉✎本来は「末端」と同義だが、現在はほとんどコンピューター関係で使われる。⇩末端

たんまり「たくさん」の意で、くだけた会話に使われる俗っぽい和語。〈―もうける〉〈―御祝儀をもらう〉〈―お礼をはずむ〉✎「しこたま」ほどではないが、いくぶん悪いニュアンスを帯びる例もある。⇩一杯・うんと・多い・Ｑしこたま・沢山・たっぷり・たんと・どっさり

だんまり【黙り】何を聞かれても一切答えない無言の状態をさし、くだけた会話に使われる俗語。〈―をきめこむ〉〈―を押し通す〉✎「だまり」の転。⇩沈黙・Ｑ黙秘

だんゆう【男優】男性の俳優の意でやや改まった場面や文章に用いる傾向の漢語。〈助演―賞〉〈女優陣に比べ―の配役が見劣りする〉✎「俳優」のうち男女の区別が必要な場合に使われ、「女優」ほど使用頻度が高くない。職業についての質問にほとんどが「俳優」と答え、わざわざ「男優」と答えるケースは考えにくい。その点でも「女優」の場合とは違う。⇩女優・Ｑ俳優

たんらん【貪婪】「どんらん」の意で、主として文章に用いる漢語。〈―な好奇心〉✎梶井基次郎の『桜の樹の下には』に「桜の根は―な蛸のように、それを抱きかかえ、いそぎんちゃくの食糸のような毛根を聚めて、その液体を吸っている」とある。一般には慣用音で「どんらん」と読むことが多い。⇩貪欲・Ｑどんらん

たんりょく【胆力】何事にも驚かない精神力をさし、改まった会話や文章に用いられるいくぶん古風な漢語。〈―が据わっている〉〈―を鍛える〉✎夏目漱石の『坊っちゃん』に「おれは卑怯《ひきょう》な人間ではない、臆病な男でもないが、惜しい事に―が欠けて居る」という主人公の自己分析が出てく

る。⇩Q肝っ玉・度胸

だんろ【暖(煖)炉】室内で火を焚《た》いて暖を取る設備。〈―で暖まる〉〈―の前に集まる〉✎囲炉裏や時にはストーブをさすこともあるが、一般には、洋室の壁の一部に煉瓦《れんが》を積んで造ったものをさす。⇩いろり・Q炉

だんわ【談話】ある件について見解などを述べることをさし、会話でも文章でも使う漢語。〈―室〉〈―がはずむ〉〈大臣の―〉〈―を発表する〉✎夏目漱石の『明暗』に「―のやりとりが(略)頭の中を仕懸け花火のようにくるくると廻転した」とあるように、一般語としては、何人かの人間の改まらない話のやりとり、または、ある話題について一定の立場の個人が意見を述べたものをさすが、言語研究の分野では、人間の伝達行為としての一定の内容や意味的なまとまりをもつ文集合を意味し、特に、文字言語による「文章」に対して、音声言語によるものをさす。そのような用法の場合は専門語という語感が発生する。⇩会話・Q発言・発話

ち

ち【血】血管内の体液の意で、くだけた会話から硬い文章まで幅広く使われる日常の基本的な和語。〈―が通う〉〈―が出る〉〈―を流す〉〈―のつながり〉〈―の巡りがよい〉✎井伏鱒二の『黒い雨』に「二人とも目が血走って、―を噴いたように真赤になっている」という描写が出てくる。⇩血液

ちい【地位】社会集団の中で占めている位置をさし、会話にも文章にも使われる漢語。〈―が上がる〉〈重要な―に就く〉〈―にしがみつく〉〈―が人をつくる〉✎伊藤整の『氾濫』に「余震のように続いて起る可能性のある自分の―の変化」とある。「社会的―」「相対的に―が高い」のように、「位」に比べ抽象的な意味合いでも使う。また、「国際社会における日本の―」のように、人間以外についても言う。⇩Q位①・身の程・身分

ちいき【地域】自然条件や行政上の目的などにより限定された土地の範囲をさし、会話にも文章にも使われる漢語。〈住宅―〉〈―社会〉〈―研究〉〈保護―〉〈―の住民〉〈雨の多い―〉⇩区域・区画・Q地区

ちいさい【小さい】長さ・大きさ・量・程度・規模などがわずかな意で、くだけた会話から硬い文章まで幅広く用いられる日常の基本的な和語。〈子供がまだ―〉〈声が―〉〈スケールが―〉〈―・く畳む〉✎永井龍男の『青梅雨』に「鏡台は、おもちゃのように―・く、古めかしいものであった」とある。

⇩ちっこい・Ｑちっちゃい・ちっぽけ

チーム 仕事やスポーツなどでの一つの集団をさし、会話でも文章でも用いる伝統的な外来語。〈野球の—〉〈—に貢献する〉〈—にとけこむ〉〈—を組む〉✎小沼丹の『リトル・リイグ』に「散歩の途中に見る小学校の—だから驚いた」とある。近年、NHKのアナウンサーなどを中心に、英語の原音に少しでも近づけようと「ティーム」という語形を用いる例も見られる。⇩ティーム

チェスト 整理箪笥《だんす》の意で会話でも文章でも使われる外来語。✎「箪笥」という語が和風のイメージが強いこともあって、比較的近年、洋風の整理箪笥をさして使われるようになった。大型のふたつき収納箱をさすこともある。⇩Ｑ箪笥・ワードローブ

ちか【地下】 地面の下の場所をさし、会話にも文章にも使われる日常の漢語。〈—資源〉〈—十メートル〉〈—を掘る〉〈—に眠る〉✎「地上」と対立。「地中」と違い、「—室」「—道」「—鉄」のように、地面より下に位置すれば必ずしも土中でなくても言える。また、「—組織」「—活動」「—にもぐる」のように、表に出ない形でひそかに行うことをさす比喩的な用法も多い。⇩地中

ちかい【誓い】 将来そのことばどおりに行うことを約束する意で、改まった会話や文章に用いられる和語。〈—のことば〉〈平和の—〉〈—を立てる〉〈—を破る〉✎個人や組織に対して行う約束以外に、神仏に向かって明言することで自分の決心を強固にする場合にも使う。「禁煙の—」のような例は少なく、「約束」ほど具体的・詳細でなく漠然とした内容になる傾向が強い。⇩約束

ちがい【違い】 複数のものを比べたときに一致しない部分やその程度をさし、くだけた会話から文章まで幅広く使われる日常の基本的な和語。〈—が出る〉〈少し—がある〉〈—を見分ける〉〈微妙な味の—がわかる〉✎「そうに—ない」の形で、確実にそうだの意を表す用法もある。⇩差・差異・Ｑ相違

ちがう【違う】 同じでない、一致しないの意で、くだけた会話から硬い文章まで幅広く使われる日常の最も基本的な和語。〈意見が—〉〈値段がまるで—〉✎夏目漱石の『坊っちゃん』に「なもしと菜飯とは—ぞな、もし」とある。「答えが—」「順番が—」のように、間違えているという意味にも、「話が—」「これでは約束が—」のように、合意事項に違反するという意味にも使う。⇩異なる

ちかく【近く】 ある地点を中心にそこから近い範囲をさし、会話や硬くない文章に使われる日常の和語。〈すぐ—にある〉〈駅の—の店〉〈—の交番に届ける〉〈—を通りかかる〉〈この—に住んでいる〉〈—の医者にかかる〉✎「そば」や「わき」より距離がありそうな感じがある。「かたわら」や「わき」と違い、左右でも前後でもよい。また、「—実施される予定だ」のように、遠くない未来をさす時間的な意味でも使う。「遠く」と対立。⇩かたわら・近所・近辺・近隣・周辺・Ｑそば・隣・脇

ちかく【地殻】 地球の表層部をさして、会話や文章に用いられる専門的な硬い漢語。〈—変動〉⇩地核

ちかく【地核】 地球の中心部をさして、主に文章中に用いら

れる専門的な硬い漢語。〈―は液状で高温・高圧〉⇩地殻

ちかく【知覚】感覚器官の働きによって外界をとらえる意で、改まった会話や文章に用いられる専門的な漢語。〈―神経〉〈形や色を―する〉✎野間宏の『崩壊感覚』に「液体のような内部―」とある。⇩感覚

ちかごろ【近頃】「最近」に近い意味で、会話からさほど硬くない文章まで幅広く使われる日常的な和語。〈―の若者〉〈―めったに顔を見せない〉✎小林秀雄の『読者』に「―、週刊誌の流行について、いろいろな事が言われている」とある。⇩近年・このところ・Q最近・昨今

ちかしい【近しい】「親しい」の意で、会話にも文章にも時に使われる古風な和語。〈ごく―間柄〉〈―人が身近に誰もいない〉✎現代ではいくらか方言的な響きもあるか。⇩Q親しい・親密

ちかぢか【近近】近い将来をさして、会話にも文章にも使われる日常の和語。〈―寄せてもらう〉〈―結婚するらしい〉⇩いずれ②・追って・Q近々《きんきん》・そのうち・やがて

ちかづく【近づく】時間的・空間的な距離が短くなる意で、くだけた会話から硬い文章まで幅広く使われる日常の生活和語。〈異様な風体の男が―・いて来た〉〈山頂に―〉〈船が港に―〉〈正月が―〉〈試験が―〉✎人間や動物の具体的な行動に限られる「近寄る」に対して、この語は抽象的な存在についても用いることができる。また、「近寄る」が何らかの意図を持った行為を予想させる主観的な動詞なのに対し、客観的に位置関係の接近を問題にしている感じが強い。芥川龍之介の『東洋の秋』に「この公園にも、次第に黄昏が―・いて来た」という一文があるが、このような場合に「近寄る」に置き換えられないのはそういう事情による。⇩近寄る

ちかみち【近道】ある目的地に行くのに通常の道順より距離の短い行き方をさし、くだけた会話から文章まで幅広く使われる日常の和語。〈駅への―〉〈―をしてやっと間に合う〉✎「英会話をマスターするには英語で生活するのが何より―だ」のように、手っ取り早い方法の意でも使う。「迂回《うかい》」「遠回り」と対立。⇩間道・抜け道・Q早道

ちかよる【近寄る】対象の近くに寄る意で、くだけた会話やさほど改まらない文章に使われる日常の生活和語。〈危ないから―な〉〈―・って覗いてみる〉✎有島武郎の『生れ出ずる悩み』に「死はやおら物憂げな腰を上げて、そろそろとその人に―・ってくる」という擬人法の例が出る。客観的な「近づく」に対して、この語には心理的側面が重要な働きをする。「近づきにくい」場合にはそのような具体的な条件が存在する感じがするのに対して、「―・りがたい」場合には、人を寄せつけない威厳や態度といった目に見えない雰囲気が関係している。また、「危険な場所に」のあと、「近づいてはいけない」となれば、その危険な対象から一定の距離以上に接近するという具体的な行動を規制している。それに対して、「―・ってはいけない」となると、そんな場所に接近しようなどという気を起こさないように注意しているのだという指摘もあるが、つねにそうだというより、そういう場合もありうると考えるほうが現実的。⇩近づく

ちから【力】動物が対象を動かす筋力の強さ、人間では特に

腕力をさし、くだけた会話から硬い文章まで幅広く使われる日常の基本的な和語。〈―持ち〉〈―仕事〉〈―が強い〉〈―まかせに引く〉〈―を入れる〉✎夏目漱石の『坊っちゃん』に「弱虫だが―は強い」とある。「―が拮抗《きっこう》する」「―不足で不合格になる」のように実力や学力をさしたり、「薬の―」のように効力をさしたり、「―のこもった作品」のように熱意・精神力をさしたり、比喩的にも広く使う。⇩馬力・パワー

ちからいっぱい【力一杯】自分の能力をすべて注ぎ込む意で、会話やさほど硬くない文章に使われる表現。〈―押す〉〈―投げる〉〈代表として―やる所存だ〉✎肉体的な力を使う際には「精一杯」より普通に使う。⇩鋭意・Q精一杯

ちからずく【力尽く】腕力や権力によって強引に目的を果たすやり方をさし、会話やさほど硬くない文章に使われる、いくらか古風な感じもする和語。〈―で押さえ付ける〉〈―でも承知させる〉✎暴力という手段よりも、上位・優位にある側の事の進め方の強引さに重点がある。⇩Q腕ずく・腕力

ちからぶそく【力不足】腕力・能力・実力が与えられた任務を満足にこなすだけそなわっていない意で、会話にも文章にも使われる日常語。〈―で期待を裏切る〉✎近年、この意味と誤解し、謙遜したつもりで「役不足」と言う例が目立つ。⇩役不足

ちかん【痴漢】愚かな男、特に女性にみだらな行為をする男をさす漢語。〈―行為に及ぶ〉〈―が出る〉✎「漢」が男を意味することが忘れ去られて時に女の場合にも使われるが、「悪漢」「巨漢」「酔漢」「暴漢」「門外漢」などと同様、もともと男性に限られる。

ちきゅう【地球】太陽系の第三惑星で人類の住む星をさし、会話にも文章にも使われる漢語。〈―物理学〉〈―の温暖化〉〈―は丸い〉✎清岡卓行の『アカシヤの大連』に「罌粟《けし》粒程の小さな―」とある。「世界」が人間の全活動範囲という完結した対象として意識されるのに対し、この語は宇宙に向かって外に開かれた対象としてとらえられている。また、近年、世界旅行のような意味で「―を歩く」「―をめぐる豪華な旅」のような表現が見られるが、結果として同じ範囲をさすとしても、「世界」という語が地球の表面を描く地図のような平面を連想させやすいのに比べ、この語はそれを地表の内部までを意識に入れて立体的にとらえている感じがある。⇩世界①

ちぎる【契る】間接的に夫婦間などの「性交」を意味することのある和風の古めかしい表現。〈一夜を―〉✎基本的には「約束する」意。そこから特に「夫婦約束を交わす」意となり、さらに、その象徴として「肉体関係を結ぶ」意味まで含む場合もある。そのため、どの段階までをさすかが不明確な場合が多く、それだけ婉曲《えんきょく》表現として機能しやすい。⇩営み・エッチ・関係②・合歓・交合・交接・情交・情を通じる・Q性交・性行為・性交渉・性的行為・セックス・抱く②・同衾《どうきん》・共寝・寝る②・懇ろになる・ファック・深い仲になる・房事・枕を交わす・交わる・やる③・夜伽《よとぎ》

ちぎる【千切る】手でむしって細かくする意で、会話でも文章でも広く使われている日常生活の和語。〈紙を細かく―〉〈パンを―・って口に入れる〉〈焼き麩《ふ》を―・って澄まし汁

の具にする〉✎一定の形をなす部分を本体から切り離す感じの強い「もぐ」に比べ、本体の適当な部分を細かくむしり取る感じが強い。庄野潤三の『秋風と二人の男』の中に、親しい作家の小沼丹をモデルにした芝原という人物がウイスキーを飲みながらフランスパンを「食い—・ろう」として入れ歯を噛み割る話が出て来る。「子供には、パンは小さく—・ってから食べるもんだと云っておきながら」「自分で自分の歯をかみ割るんだから、誰に文句の云いようもないよ」とぼやく場面だ。ここは「小さく」とあるから「もぐ」はあてはまらない。⇩ぶっちぎる・Ｑもぐ

ちく【地区〔區〕】特定の目的で人為的に区切られた一区画の土地をさし、会話にも文章にも使われる漢語。〈—予選〉〈文教—〉〈風致—〉〈環境保護—〉⇩区域・区画・Ｑ地域

ちくおんき【蓄音機】レコードに録音された音を再生させる電気装置をさす、廃語に近い古めかしい語。〈古い—のある部屋〉✎音を蓄えるという当時の人の驚きを伝える夢のある発想が感じられる。小林秀雄の『モオツァルト』に「正確な音を出したがらぬ古びた安物の—」とある。⇩電蓄

ちくさん【畜産】家畜を飼育し、肉や乳・卵などを生産し加工する産業をさし、会話にも文章にも使われるやや専門的な漢語。〈—業〉⇩牧畜・酪農

ちくでん【逐電】逃げて行方をくらます意で会話にも文章にも使った古めかしい漢語。〈借財を抱えて—する〉✎稲妻を追うように急ぐ意から。「ちくてん」とも。⇩家出・失跡・失踪・出奔・蒸発・行方不明・夜逃げ

ちぐはぐ 食い違って不均衡・不調和な意で、会話や軽い文章に使われる和語。〈服装が上下—だ〉〈—な感じに仕上がる〉〈やることが—だ〉✎小林一茶は「—の下駄から春は立ちにけり」の句で奇妙なところに春を感じとった。小沼丹の『藁屋根』に「気持は何となく—になって片附かない」とあるように、すっきりと腑《ふ》に落ちずどことなく落ち着かない気分をさす例もある。⇩ばらばら・Ｑ不ぞろい・まちまち

ちくる 告げ口する意の隠語めいた俗語。〈仲間のいたずらを先生に—〉✎「チクる」とする表記も多い。⇩告げ口・密告

ちけい【地形】土地の形態や高低・傾斜などの様子をさし、会話にも文章にも使われる漢語。〈—図〉〈—を調べる〉〈—に恵まれる〉⇩じがた・じぎょう・Ｑ地勢

チケット 入場券や食券など代金の支払い済みを証明する紙片をさし、会話にも文章にも使われる外来語。〈窓口で—を求める〉〈音楽会の—が手に入る〉〈食堂の—〉⇩切符・Ｑ券

ちしき【知識】ある事柄に関する認識内容をさし、くだけた会話から硬い文章まで幅広く使われる基本的な漢語。〈—人〉〈予備—〉〈—がある〉〈豊富な—〉〈—をひけらかす〉✎夏目漱石の『こころ』に「この—は私にとって新しいものであった。私は不思議に思った」とある。まとまった学識のほか株式・ホッケー・食材・流行・倫理学・マージャン・薬品・室町幕府・フィヨルド・楽譜などに関する断片的な知識も含む。仏教的な意味合いでは「智識」と書く例が多い。⇩蘊《うん》蓄《ちく》・Ｑ学識

ちじょう【地上】地面上またはそれより上をさし、会話にも文章にも使われる漢語。〈—権〉〈—二十階のビル〉〈地下道から階段で—に出る〉〈飛行機から—に降り立つ〉✎陸の

上を連想しやすいが、「―に生息する生物」「隕石《いんせき》が―に落下する」のように海面を含める場合もあり、上陸する場合のようにはっきり海と区別する場合には使いにくい。「―の楽園」のように、この世を意味する用法もある。「地下」と対立。⇩Q地表・陸上

ちすじ【血筋】祖先からの血のつながりをさし、会話にも文章にも使われる和語。〈―がいい〉〈名家の―を引く〉流れている血の優劣を意識して用いる傾向が強い。⇩血縁・血族・Q血統

ちせい【地勢】地表の起伏・深浅や川・湖・谷の配置などを含めた土地の様子をさし、会話にも文章にも使われる専門的な漢語。〈―を調査する〉〈険しい―〉⇩地形

ちせつ【稚拙】素朴で技術的に幼い意で、改まった会話や文章に用いられる漢語。〈―な文章〉〈―な作品ながら人の心に訴えるものがある〉技術的には劣るが素朴な味わいのある場合に使う傾向がある。「巧緻《こうち》」と対立。⇩拙劣・Qつたない・へた・まずい・未熟

ちたい【地帯】一つの特徴によって区切られた地域をさし、やや改まった会話や文章に用いられる漢語。〈森林―〉〈工業―〉〈穀倉―〉長谷川四郎の『鶴』に「細長いリボンのような空虚な―」とある。路面電車の「安全―」のようにごく狭い範囲をさすのは例外。⇩区域・Q地域・地区

ちだらけ【血だらけ】血にまみれる意で、主に会話や軽い文章に使われる日常的な和語表現。〈―になる〉〈―の衣服〉人や物の状態に対して用い、状況などの比喩としては使わない。⇩血塗《ちまみ》れ・血みどろ

ちち【乳】乳房と乳首とを特に区別せずに漠然とさす日常の和語。〈赤ん坊に―をふくませる〉〈赤ちゃんが母親の―をまさぐる〉会話では「お―」の形でよく使う。「お」がつかない場合はやや改まった感じがある。ちなみに、平林たい子は『鬼子母神』の中で「七月の葡萄の粒のような小さい二つの―は、これでもこの中に豊穣な稔りを約束する腺や神経が絹糸ほどの細さで眠っているのだと思えば、蕾の時から実の形をつけている胡瓜や南瓜のなり花のように、こましゃくれて見えた」と、小さな女の子の胸にある小さな乳首を、その子の将来を想像しながらイメージゆたかに語っている。⇩Qおっぱい・乳房《ちぶさ》・にゅうぼう・胸②

ちち【父】両親のうちの男のほうをさし、改まった会話や文章に用いられる最も基本的な和語。〈―と子〉〈―の職業〉〈―の跡を継ぐ〉「―もよろしくと申しております」のように、自分の父親をへりくだって他人に言うときにも用いる。「母」と対立。⇩お父様・お父さん・お父ちゃん・男親・親父・父上・Q父親・父さん・父ちゃん・パッパ・パパ

ちちうえ【父上】「父」の古風な尊敬表現として、特別丁寧な会話や文章に用いられる。〈―にはお健やかにお暮らしのことと思います〉〈お―はお元気ですか〉現代では手紙の中で時折使う程度で、会話では冗談めいた響きを感じさせることもある。「母上」と対立。⇩Qお父様・お父さん・お父ちゃん・男親・親父・父・父親・父さん・父ちゃん・パッパ・パパ

ちちおや【父親】「父」の意で、会話にも文章にも使われる和語。〈―似〉〈―の仕事を手伝う〉〈―を説得して留学する〉「父」に比べ、親である点を意識した表現。「母親」と対

立。⇩お父様・お父さん・お父ちゃん・Q男親・親父・父・父上・父さん・父ちゃん・パッパ・パパ

ちちはは【父母】父と母の意で、主に文章中に用いられる古めかしい和語。〈—のふところに抱かれる〉🖊今では日常会話ではほとんど使われないが、訓読みで容易に理解できる。小学唱歌の歌詞に出てくる「いかにいます—」という一節で細々と記憶にとどまって、ふるさとの懐かしさをよびおこす。⇩二親・Q父母《ぼふ》・両親

ちぢめる【縮める】長さ・幅・時間などを小さくする意で、くだけた会話から硬い文章まで幅広く使われる日常の基本的な和語。〈差を—〉〈長さを—〉〈身を—〉〈労働時間を—〉〈命を—〉🖊「伸ばす」と対立。⇩縮小・Q短縮

ちちゅう【地中】地面の下の土の中をさし、改まった会話や文章に用いられる、いくぶん専門的な雰囲気の漢語。〈—温度計〉〈—に埋める〉〈—で冬眠する〉🖊「地表」と対立。位置に重点のある「地下」に比べ、直接に土と接している連想が強い。⇩地下

ちっこい「小さい」意の俗語。〈—手でにぎる〉⇩小さい・Qちっちゃい・ちっぽけ

ちっちゃい「小さい」から音変化した俗っぽい口頭語。〈赤ん坊の—靴下〉〈—時からピアノを始めた〉⇩小さい・Qちっこい・ちっぽけ

ちっと「ちょっと」の意で会話に使われる、少し古い感じの俗っぽい表現。〈—ばかし腑に落ちないとこがあって〉〈これは—面倒なことになってきた〉〈どうだ、—は元気になったか〉🖊「ちと」の音転。「—やそっと押してもびくともしない」の用法ではあまり古い感じがしない。⇩Qちと・ちょい・ちょいと・ちょっと・ちょっぴり

ちっとも 下に打消しの語を伴って、少しもの意で、主に会話に使われる和語。〈—釣れない〉〈—面白くない〉⇩一向に・からきし・からっきし・さっぱり②・全然・Qてんで・全く・まるっきり・まるで①

チップ「心付け」の意で、会話にも文章にも使われる外来語。〈ボーイに—を渡す〉🖊元来は西洋の習慣で相手のサービスに対する少額の礼金の意で、心理的に「心付け」より若干義務的な感じになる。現在では伝統的な「心付け」に代わってよく用いられる。⇩心付け

ちっぽけ 小さく貧弱なという意味の俗語。〈—な庭〉〈—な会社〉🖊大きさだけを問題にする「ちっちゃい」に比べ、評価が入る。謙遜しての用法も多い。小沼丹の『地蔵さん』に「爺さんの前に—な祠があって、そこに高さ二尺ばかりの、赤い涎掛を掛けた石の地蔵さんが立っていた」とある。⇩小さい・ちっこい・Qちっちゃい

ちと「ちょっと」の意で会話に使われる、古めかしく俗っぽい表現。〈—ものを尋ねる〉〈それは—おおげさだ〉⇩Qちっと・ちょい・ちょいと・ちょっと・ちょっぴり

ちのみご【乳飲(呑)み子(児)】「乳児」の意で改まった会話や特に文章に用いられる古風な和語。〈—を抱えて露頭に迷う〉🖊前田河広一郎の『三等船客』に「未熟な果物のような—」とある。⇩おさなご・小児《しょうに》・Q乳児・幼児

ちひょう【地表】地球の表面、特に土の面をさし、改まった会話や文章に用いられる専門的な漢語。〈—の温度〉🖊倉橋

由美子の『ヴァージニア』に「合成皮革のように清潔で退屈なアメリカの―」とある。「地上」と違って表面だけをさし、その上の空間を含まない。⇩地上

ちぶ【恥部】 男女の「外部性器」を漠然と指示することのある漢語の換喩的な婉曲《えんきょく》表現。✎人に知られたくない「恥ずかしい部分」という情報だけを与えて、相手に体外生殖器官を推測させる間接表現。「―をさらけ出す」のような形で、他人に知られると恥ずかしい状態や事柄など、肉体と無関係なことをさす例も多く、露骨さが回避できるとともに、いやらしくほのめかす感じも薄い、比較的乾いた感じの表現。⇩一物・Q陰部・陰門・隠し所・下半身②・下腹部・局所・局部・玉門・金玉・睾丸《こうがん》・女陰・性器・生殖器

ちぶさ【乳房】 女性の胸にある乳汁を出すための隆起した器官をさす一般的な和語。情感に訴えず客観的・分析的にはっきりその器官をさして、会話から硬い文章まで幅広く使われる和語。〈―にすがる〉〈豊かな―〉✎上品にぼかす場合には「胸」という。川端康成の『雪国』の視点人物である島村は、恋人駒子の乳房を「掌のありがたいふくらみはだんだん熱くなって来た」と心情的かつ感覚的にとらえている。男から見た好きな女のそれは、たしかに「ありがたいふくらみ」とも言える。⇩おっぱい・乳・Qにゅうぼう・胸②

ちほう【地方】 地理的な位置関係など、ある観点で区切られた一定の地域をさし、会話にも文章にも使われる漢語。〈―自治体〉〈―公務員〉〈東北―〉✎「地帯」と違い、共通の特徴のあることを条件としない。「―出身者」「―分権」のように「中央」や「大都会」と対立する用法もある。差別意識を避けて「田舎」の言い換えに使うこともある。⇩田舎・Q地域・地帯

ちまみれ【血塗れ】 人や物が血に染まった状態の意で、会話にも文章にも使われる和語。〈全身―になる〉〈―になって倒れる〉✎会話的な「血だらけ」より改まった感じがある。⇩Q血だらけ・血みどろ

ちまよう【血迷う】 ひどく昂奮《こうふん》して正常な判断ができなくなる意で、会話や硬くない文章に使われる古風な和語。〈何を―・ったか〉〈―・ったとしか思えない行動〉✎高橋和巳の『悲の器』に「何を―か、失礼な」とある。⇩逆上

ちみつ【緻密】 細部まで肌理《きめ》細かな注意が行き渡っている様子をさし、やや改まった会話や文章に用いられる漢語。〈―な研究〉〈―に計画を練る〉✎寺田寅彦は『科学者とあたま』で、科学者は「正確でかつ―な頭脳を要する」が、同時に「あたまが悪くなくてはいけない」という命題も正しいと主張する。⇩厳密・細密・精巧・精緻・精密・Q綿密

ちみどろ【血みどろ】 人体が血だらけになる意で、主に文章に用いられる、やや古風な和語。〈―の戦いを繰り広げる〉✎「―の争いを演じる」など、血が出るような激しさの意を表す比喩的用法もある。⇩血だらけ・Q血塗《ちまみ》れ

ちもう【恥毛】 恥部に生える毛の意で主に文章に用いられる、いくぶん古風な漢語。〈―が生える〉✎他の毛を含まないので意義上のぼかしにはならないが、「恥部」が婉曲《えんきょく》なため、よく使われる「陰毛」ほど露骨な響きがない。⇩Q陰毛・体毛

ちゃ【茶】 主として緑茶、広くは紅茶・ウーロン茶などを含め

た総称として、会話にも文章にも使われる漢語。〈―の香り〉〈―を淹《い》れる〉〈―を点《た》てる〉✎「お茶」の形で使うことが多く、単に「―を喫する」「―を持て」のように使うと現在では古めかしく響く。「―を摘む」のように、飲み物になる前の茶の木の若葉をさすこともある。⇩上がり・お茶・玉露・煎茶・Q日本茶・番茶・碾《ひ》き茶・焙《ほう》じ茶・抹茶・緑茶

チャーシュー 「焼き豚」の意で近年よく用いられるようになった語。〈―麺〉✎中国語の音なので意味と直結せず、「焼き豚」という語より露骨な感じが少ない。⇩焼き豚

チャーハン【炒飯】「焼き飯」の意で会話にも文章にも使われる中国語からの外来語。〈中華料理屋から―の出前を取る〉✎家庭で御飯の残りを利用して作る感じの強い「焼き飯」に比べ、以前は料理人の手になる本格的な料理という高級感があったが、今は家庭でも「焼き飯」より普通になり、特に店ではほとんどこの語を使う。⇩ピラフ・Q焼き飯

チャーミング 見る人の気持ちをそそる意で、会話や硬くない文章に使われる外来語。〈―な女性〉〈―な髪型〉✎幅広い「魅力的」に比べ、見かけに重点を置く例が多い。⇩魅力

チャームポイント 「相手を魅了する箇所」を意味する和製英語。〈彼女の―は目にある〉✎舶来の雰囲気を演出するには効果的だが、素養のある人には、ハイカラめかして気取っている腹の底が見え見えで逆効果になりやすい。⇩魅力

チャイム 一定の旋律を奏でるよう調律した一組の鐘や、それに似せて作った呼び鈴をさし、会話にも文章にも使われる外来語。〈授業開始の―が鳴る〉⇩鈴・ブザー・Qベル・呼び鈴

ちゃかい【茶会】 茶の湯の会の意で、会話にも文章にも使われる漢語。〈寺でお―がある〉〈―に使う菓子〉✎川端康成の『千羽鶴』は「鎌倉円覚寺の境内にはいってからも、菊治は―へ行こうか行くまいか迷っていた」と始まる。⇩茶の湯

ちゃくがん【着眼】 目の付け方の意で、やや改まった会話や文章に用いられる漢語。〈―点がユニークでいい〉〈―の鋭さに感心する〉✎「着目」以上に、ふだん人の気が付きにくい点に注目する場合に使われる傾向が強い。⇩着目

ちゃくじつ【着実】 少しずつでも確実にといった意味合いで、やや改まった会話や文章に用いられる漢語。〈―に進歩する〉〈―に成果を上げる〉⇩Q堅実・地道・手堅い

ちゃくしょく【着色】 色を着ける意で、やや改まった会話や文章に用いられる漢語。〈人工―料〉〈真っ赤に―した紅生姜《べにしょうが》〉✎絵画などより彫像や実用品の製作過程を連想させやすい。⇩彩色《さいしき》

ちゃくそう【着想】 事を行う際にその計画や方法として頭に浮かぶ考えをさし、改まった会話や文章に用いられるやや硬い漢語。〈奇抜な―〉〈―が素晴らしい〉✎「発想」よりも具体的な工夫の組み合わせなど具体性のある形を連想させやすい。⇩アイディア・思い付き・Q発想

ちゃくちゃくと【着着と】 仕事などが確実に成果を挙げながら順調にはかどる様子をさし、やや改まった会話や文章に用いられる漢語的表現。〈準備が―進む〉〈工事が―進行する〉〈計画が―実施に移される〉⇩Qこつこつと・せっせと

ちゃくにん【着任】 新しい任地や任務に就く意で、改まった会話や文章に用いられる正式な感じの漢語。〈―式〉〈―の挨拶〉〈名古屋支社に部長として―する〉✎「離任」と対立。

⇩赴任

ちゃくふく【着服】金品などをこっそり自分のものにする意で、会話にも文章にも使われる漢語。〈みんなの会費を黙って―する〉✎「くすねる」よりスケールの大きい不正行為であるが、「横領」ほどの明確な違法性は感じられない。⇩Q横領・くすねる・失敬・猫ばば・横取り

ちゃくもく【着目】ある点に目をつけて注意深く見る意で、やや改まった会話や文章に用いられる漢語。〈いいところに―した〉〈結果の類似に―して両者の関連を調べる〉✎「着眼」ほどではないが、ふだん人の気が付きにくい点に目をつける場合に使う傾向がある。⇩着眼

ちゃくよう【着用】衣服などを身につける意で、改まった会話や硬い文章に用いられる漢語。〈礼服を―する〉〈シートベルトを―のこと〉⇩かぶる・着る

チャック「ファスナー」の意の商標名で、会話にも文章にも使われる古風な外来語。〈―を閉める〉✎古くはよく使われたが、現在では「お口に―」のような比喩的な用法を除き、使用頻度が大幅に減少している。⇩ジッパー・Qファスナー

ちゃっこう【着工】工事に取りかかる意で、会話にも文章にも使われる漢語。〈建設工事に―する〉〈早期―をめざす〉✎「起工」ほどの大工事でなく、例えば一部屋を増築する程度の工事であっても使う。また大仰な感じがないため日常会話に使っても特に違和感がない。⇩起工

ちゃどう【茶道】茶の湯によって精神を修養し礼法を究める道をさし、会話にも文章にも使われる古風な漢語。〈―の大成〉✎現在は「さどう」が一般的。⇩Qさどう・茶の湯

ちゃのま【茶の間】家族が集まったりお茶を飲んでくつろいだりする和室をさし、会話でも文章でも盛んに使われた、今では古風な日常語。〈―の話題〉〈―でちゃぶ台を囲む〉〈―で一家団欒《だんらん》のひととき〉✎黒井千次の『オモチャの部屋』に「―の東南側に少し庭に突き出した形でついていたオモチャの部屋」とある。食事用でもある点が「居間」と違い、いわばリビングとダイニングの機能を兼ねた畳部屋に相当する。類語の中で最も生活のぬくもりを感じさせる懐かしい響きがある。⇩Q居間・居室・リビング

ちゃのゆ【茶の湯】「茶道《ちゃどう》」の意で会話にも文章にも使われる日常語。〈―をふるまう〉〈―でもてなす〉✎「―がある」のように「茶会」をさす例もある。「お茶を習う」のように単に「お茶」とも言い、その場合は会話や硬くない文章に使う。川端康成の『千羽鶴』に「菊治たちが長く茶室にいるので、―がいると思ったのだろう」とあるように、茶を点《た》てるためのお湯をさすこともある。⇩さどう・茶会・Qちゃどう

ちゃぶだい【卓袱台】低い食卓をさし、日常会話でよく使った昔なつかしいことば。〈―を片づける〉〈怒って―をひっくり返す〉✎円形で脚が短くて折り畳める形のものという連想が強い。「ちゃぶ」の部分は「食事」の意の中国語の音から。椎名麟三の『永遠なる序章』に「―が、意地の悪い鬼婆のような気がしてならなかった」とある。⇩食卓・テーブル・Q飯台《はんだい》

チャペル キリスト教の礼拝所をさし、会話や硬くない文章に使われる、やや斬新な感じの外来語。〈―の鐘が街に流れる〉✎学校などに付設されたものをさす例が多い。⇩カテド

ラル・教会・教会堂・聖堂・大聖堂・天主堂・Q礼拝堂

ちゃらんぽらん 言動がその時その時で違う意で、くだけた会話に使われる俗語。〈言うことが―だ〉〈―な人間であってはならない〉✎大岡昇平の『俘虜記』に「彼はあらゆる俘虜の仕事を―でやっていた」とある。⇩Qいい加減・疎《おろ》そか・ないがしろ・なおざり・忽《ゆるが》せ

ちゃりんこ 「自転車」の意で、くだけた会話に使われる俗語。〈―を乗り捨てる〉✎片仮名書きの例も多い。「チャリ」と縮めると親しみが出るという。小型のオートバイを含める場合もある。⇩銀輪・Q自転車

チャレンジ 実力以上と思われる高いレベルに挑む意で、スポーツなどでよく使われる外来語。〈―精神が旺盛だ〉〈難問に―する〉⇩アタック・Q挑戦

チャンス 「好機」の意で、会話やさほど硬くない文章に使われる日常の外来語。〈絶好の―だ〉〈―を生かす〉〈―をものにする〉〈みすみす―を逃す〉⇩機会・Q好機

ちゆ【治癒】 病気や怪我が治る意で、主として文章に用いられる正式な感じのやや専門的な漢語。〈肺炎が完全に―する〉✎梅崎春生の『日の果て』に「傷がまだ―せず歩行が困難である」とある。⇩癒える・回復・治る・Q平癒

ちゅうい【注意】 被害のないよう十分に神経を集中させて気をつける意で、くだけた会話から硬い文章まで幅広く使われる日常の基本的な漢語。〈―事項〉〈要―〉〈落石―〉〈―を怠る〉〈細心の―を払う〉〈通行人の―を引く〉✎網野菊の『風呂敷』に「こういう時にこそ健康に―せねばならぬと思ったりした」とある。「風邪を引かないように―する」のように、「留意」よりも具体的な事項について用いられる傾向がある。「違反者に―する」「―を受ける」のように忠告の意で用いることもある。⇩警戒・Q用心・留意

ちゅういほう【注意報】 災害などに注意を促す知らせをさす漢語。〈大雨洪水―〉〈強風波浪―〉〈―から警報に変わる〉✎「警報」より危険度が小さいため、この語に伴う緊張の度合いも小さい。⇩警報

ちゅうおう【中央】 物や地域などの真ん中に近い一帯をさし、改まった会話や硬い文章に使われる正式な感じの漢語。〈―政府〉〈―広場〉〈地方から―に進出する〉〈本州の―に位置する〉〈県のほぼ―に位置する〉✎「中心」や「真ん中」よりも広い範囲をさす。⇩Q中心・ど真ん中・真ん中

ちゅうかい【仲介】 面識がないなど直接の話し合いが難しい両者の間に立って仲を取り持ち、話をまとめたりする意で、会話にも文章にも使われる正式な感じの漢語。〈―者〉〈不動産売買の―手数料〉〈―の労をとる〉✎「仲立ち」より具体的で、商取引などでよく使う。⇩懸け橋・Q仲立ち・橋渡し

ちゅうがえり【宙返り】 空中で縦に回転する意で、会話にも文章にも使われる表現。〈飛行機が―する〉⇩とんぼ返り

ちゅうかく【中核】 物や事の中心の部分をさし、改まった会話や文章に用いられる硬い感じの漢語。〈―をなす〉〈組織の―〉〈―の部分〉✎「核心」に比べ、中央という位置に重点があり静的な存在を連想させやすい。⇩Q核心・中心

ちゅうかそば【中華蕎麦】 「ラーメン」の意の古風な用語。〈―を注文する〉⇩Qしなそば・ラーメン

ちゅうかりょうり【中華料理】 中国式の料理をさし、会話に

も文章にも使われる漢語。〈―店を営む〉✎伝統的な料理の連想が強く、「中国―」と換言するとイメージがずれる。⇩しなりょうり

ちゅうかん【中間】時間的・空間的に一定の広がりを持つ対象の中央の位置をさし、会話にも文章にも使われる漢語。〈―地点〉〈―テスト〉〈ちょうど―に位置する〉✎一般に「中ほど」よりさらに狭い範囲をさし、厳密にちょうど真ん中を意味する場合もあるが、「―発表」のように単に途中の意で使う例もある。⇩中盤・中頃・半ば・Ｑ中程

ちゅうかんてき【中間的】性質の異なる両者のちょうど真ん中あたりの存在をさし、会話にも文章にも使われる漢語。〈保守と革新の―な思想〉⇩曖昧・多義的・不明確・不明瞭

ちゅうき【中気】「中風」の意で会話や軽い文章に使われる古風な漢語。〈―病み〉✎小沼丹の『白孔雀のいるホテル』は、去年まで「―の婆さんが臥ていた」長屋を買い取ってホテルにし、白い孔雀《くじゃく》を歩かせてみたいという夢を抱くロマンチストの物語。⇩中風

ちゅうくう【中空】空の中ほどの意で、改まった会話や文章に用いられる硬い感じの漢語。〈―に舞い上がる〉⇩中天・なかぞら

ちゅうこ【中古】一度使ってから売りに出た品物をさし、会話でも文章でも使われる、いくらか古くなりかけた感じの漢語。「ちゅうぶる」や「セコハン」ほどの古めかしさは感じられない。〈―車〉〈―ながら新品同様〉✎新品ではないという意味だけであり、「古物」のように機能上の不安を感じさせたり、「骨董《こっとう》」のように歴史を感じさせたりしない。⇩セコハン・Ｑちゅうぶる

ちゅうこうねん【中高年】中年から完全に老年に入る手前ぐらいまでの四十代後半から六十代前半の年齢を広くさす比較的新しい漢語。〈―の労働力〉〈―向けの運動〉✎「中年」や「初老」と違い、全体をまとめてとらえた感じが強く、個人には使いにくい。⇩Ｑ熟年・初老・中年・中老

ちゅうこく【忠告】欠点や問題点を指摘してそれを直すよういさめる意で、会話にも文章にも使われる漢語。〈先輩の―を守る〉〈―に従う〉〈―に耳を貸さない〉✎福原麟太郎の『失敗について』に「私の―は、今の時世のやり方ではない」とある。「勧告」より個人的で、「警告」ほどの強制力がない感じがする。⇩Ｑ勧告・警告

ちゅうさい【仲裁】争っている両者の中に入って和解させる意で、やや改まった会話や文章に用いられる漢語。〈―役を買って出る〉〈―に入る〉〈―の労をとる〉⇩Ｑ調停・仲直り・和解

ちゅうざい【駐在】「交番」の旧称。主に会話に使われる、やや古風な漢語。〈村の―さん〉✎通常は駐在所に勤務するという勤務形態をさす語であるが、井伏鱒二の『多甚古村』に登場する甲田巡査は「―さん、―さん」と呼びかけられる。この例のように、そこに駐在している巡査自身をさす用法もあり、その場合はローカルな雰囲気で、親しみを感じさせる。ちなみに、この作品には、「隣村の―に連行し、カイゼル髭の隣村が主任になって取調べた」というふうに、「隣村」という語さえも巡査という人間をさす換喩の例も現れる。⇩お巡り・お巡りさん・警官・警察官・Ｑ巡査

ちゅうざいしょ【駐在所】 巡査が受け持ちの区域に常駐して勤務する場所をさし、会話でも文章でも用いられる日常漢語。〈村の―〉〈―のお巡りさん〉✎井伏鱒二の『多甚古村』に「―が寒帯で、お隣りの役場が温帯だ」とある。⇩Q交番・派出所

ちゅうし【中止】 予定されていたことを取り止める意、および、始めたことを途中で打ち切る意で、くだけた会話から硬い文章まで幅広く使われる基本的な漢語。〈雨天のため―〉〈資金難で計画を―する〉✎大岡昇平の『俘虜記』に「私は前進を―した」とある。「試合が雨で―になる」という表現は、雨が降ったために試合を行わない場合と、試合開始後に降雨のため続行不能になって途中で打ち切られる場合との両方の事実に対応する。⇩Q打ち切る・切り上げる・中断

ちゅうし【注視】 注意して見つめる意で、改まった会話や文章に用いられる硬い漢語。〈成り行きを―する〉〈通行人の注視を浴びる〉⇩Q見入る・見る

ちゅうじき【昼食／中食】「昼飯」の古めかしい表現。〈―をしたためる〉⇩お昼・午餐《ごさん》・Qちゅうしょく・昼餉《ひるげ》・昼御飯・昼飯・ランチ

ちゅうしゃ【駐車】 運転者が離れている状態で自動車が継続的に停止する意で、会話にも文章にも使われる漢語。〈有料―場〉〈―禁止〉〈―違反〉〈店の前に―される〉⇩停車

ちゅうしゃじょう【駐車場】 自動車を駐車させるために設けた場所をさし、会話にも文章にも使われる漢語。〈有料―〉〈地下―〉〈家を建て替えて二台分の―を設ける〉⇩ガレージ・車庫・駐車スペース・Qパーキング

ちゅうしゃスペース【駐車スペース】 自動車を駐車させることのできる空間をさし、会話にも文章にも使われる表現。〈なんとか―を確保する〉✎「駐車場」ほど駐車専門という感じが強くない。⇩Q駐車場・パーキング

ちゅうしゅう【中秋】 陰暦八月十五日をさして主に文章に用いられる専門的な感じの漢語。〈―の名月〉✎陰暦八月全体をさす場合は「仲秋」と書く。⇩仲秋

ちゅうしゅう【仲秋】 秋の半ばにあたる陰暦八月をさし、主に文章に用いられる古風で専門的な感じの漢語。〈―の候〉✎井伏鱒二の詩『逸題』は「今宵は―明月／初恋を偲ぶ夜／われら万障くりあわせ／よしの屋で独り酒をのむ」と始まり同じ聯で終わる。特に陰暦八月十五日を意味する場合は「中秋」と書く。⇩中秋

ちゅうしょく【昼食】「昼飯」の意で改まった会話や文章で用いられる漢語。〈―会を開く〉〈―の時間〉〈公園のベンチで―を取る〉✎今では古風な「ちゅうじき」より普通の読み方として広く使われる。⇩お昼・午餐《ごさん》・Qちゅうじき・昼餉《ひるげ》・昼御飯・昼飯・ランチ

ちゅうしん【中心】 平面や立体のちょうど真ん中の位置をさし、やや改まった会話から文章まで幅広く使われる漢語。〈円の―〉〈台の―に据える〉〈都会の―にあたる〉〈―人物〉✎「中央」より狭く、「真ん中」よりいくらか余裕を感じさせるが、数学などで用いる場合には一点に限定される。芥川龍之介の『芋粥』に「幸に談話の―は、程なく、この二人を離れてしまった」とあるように、抽象的な意味合いでも使う。「周辺」と対立。⇩中央・ど真ん中・Q真ん中

ちゅうしん【中震】震度4の旧称。⇩強震・軽震・弱震・微震

ちゅうせん【抽籤(選)】「くじ引き」そのもの、または、くじ引きで決めることを意味し、いくぶん改まった会話や文章に用いられる漢語。〈組み合わせを決める―会〉〈厳正な―の結果〉〈応募者の中から―で選ぶ〉⇩くじ・Ｑくじ引き

ちゅうだん【中断】続いていた物事が途中で切れる意で、会話にも文章にも使われる漢語。〈会議を一時―する〉〈仕事を―中〉✎試合が途中で「中止」の場合は同日に再開されることはないが、「中断」の場合は再開される可能性がある。⇩Ｑ中止・途絶える・途切れる

ちゅうちょ【躊躇】決心できずに迷う意で、やや改まった会話や文章に用いられる漢語。〈―なく引き受ける〉〈―している間に機会を失う〉⇩逡巡《しゅんじゅん》・ためらう

ちゅうてん【中天】「中空」の意で、やや改まった会話や文章に用いられる、やや古風な漢語。〈月が―にかかる〉〈日が―に昇る〉✎円地文子の『老桜』に「―に雲の縁を紅色に彩った満月が照っていた」とある。⇩ちゅうくう・Ｑなかぞら

ちゅうと【中途】進行中の物事のある時点、または目的地に向かう間のある地点をさし、会話にも文章にも使われる古風な漢語。〈仕事を―でやめる〉〈―であきらめる〉〈―で引き返す〉✎「途中」が空間的にも使うのに対し、この語は時間的な要素が強い。「―退学」「―解約」「―採用」のように語構成要素として使う場合はやや改まった感じで、特に古い響きも感じない。「―半端」の場合は逆に会話的な雰囲気になる。⇩Ｑ途中・途次

ちゅうとん【駐屯】軍隊がある目的のためにある土地にとどまる意で、会話にも文章にも使われる専門的な漢語。〈―部隊〉〈―地〉⇩進駐・Ｑ駐留

ちゅうねん【中年】若くもなく年寄りでもない四十代から五十代前半の年齢をさし、会話にも文章にも使われる漢語。〈―女〉〈―肥り〉〈―の男性〉✎マイナスイメージを伴うこともある。川端康成の『千羽鶴』に「―の女の過去がもやつく前で、清潔に茶を立てる令嬢を、菊治は美しく感じた」とある。⇩熟年・初老・Ｑ中高年・中老

ちゅうねんおとこ【中年男】中年の男性という意味にすぎず、学術論文などの硬い文章以外、広く使われる混種語。時にマイナスイメージをもつ。〈―に騙《だま》される〉〈―につけられる〉✎中年の男性自体がみなマイナス評価を浴びるわけではないが、おそらくは過去の使用例の偏りの影響で、この語には「中年の男性」とは違い、「いやらしい」といった語感がしみついている。井上ひさしは『犯罪調書』で「思いつめた目をした―が冷たく光る鋭利な刃物を握りしめ、娘の下腹部へ」と、帝王切開の手術をする医師を思わせぶりに描く際にもこの語のそういう語感が効果的。

ちゅうばん【中盤】物事の中ほどの局面やその前後を含む広がりをさし、会話にも文章にも使われるやや専門的な漢語。〈―戦〉〈―は押し気味に試合を運ぶ〉〈選挙戦も―に差し掛かる〉✎囲碁・将棋のほか、スポーツの試合や選挙戦などによく使い、前の「序盤」、後の「終盤」と対立する。⇩中間・中頃・Ｑ半ば・中程

ちゅうぶう【中風】脳出血の後などに麻痺《ひま》が残って半身が不随になる症状をさし、会話にも文章にも使われる古風な漢

語。〈—を患う〉✎脳卒中の後遺症。「ちゅうふう」とも「ちゅうぶ」ともいう。⇩中気

ちゅうぶる【中古】主として会話で使った「ちゅうこ」の意の古めかしいことば。〈—の背広〉〈車を—で安く買う〉✎小津安二郎監督の映画『お茶漬の味』（一九五二年）で茂吉（佐分利信）に「いい背広買ったじゃないか」と褒められた岡田（鶴田浩二）が「放出ですよ、—」と応じている。「ちゅうこ」と発音すれば今でもさほど古い感じはないが、当時の会話では「ちゅうぶる」が普通だったのだろう。その語感を利用して中古《ちゅうこ》文学の研究者がたわむれに「ちゅうぶる文学」と自嘲的な響きを楽しむこともある。⇩セコハン・Q中古

ちゅうぼう【厨房】改まった文章などで「調理場」の意で用いられる硬い感じの漢語。〈—用品〉〈—に入る〉〈中華料理店の—を預かる〉✎昔は「男子—に入らず」などとこの語を家庭でも使ったが、今では設備の整った専門的なイメージがあって、主にレストランなどの店で用いられ、各家庭で使うと大げさな感じになる。⇩勝手②・キッチン・庫裏《くり》・くりや・炊事場・台所・Q調理場

ちゅうもん【注文】買う約束で品物を要求したり、品質や寸法などを指定して製作や送付を依頼したりする意で、くだけた会話から硬い文章まで幅広く使われる日常の漢語。〈料理を—する〉〈—を受ける〉〈—が殺到する〉⇩誂《あつら》える

ちゅうりゅう【駐留】軍隊が他の国や地域に一時とどまる意で、会話にも文章にも使われる専門的な漢語。〈—軍〉〈軍隊が—する〉⇩進駐・Q駐屯

ちゅうろう【中老】初老の次の段階の年齢をさし、主に文章に用いられる古めかしい漢語。〈—といった年恰好の人物〉✎永井龍男の『手袋のかたっぽ』に「—の人の孤独さが身の周りに滲んで来るように思われ」とある。現代では六十代半ばから七十代前半あたりのイメージだが、あまり使われなくなった。⇩熟年・Q初老・中高年・中年

ちょい「ちょっと」の意でくだけた会話に使われる俗語。〈もう—こっち〉〈もう—大きなやつがいいや〉✎多く「もう—」の形で使う。⇩ちっと・ちと・Qちょいと・ちょっと・ちょっぴり

ちょいちょい「ちょくちょく」の崩れた形でさらに俗っぽい表現。〈—お邪魔する〉〈—休む〉⇩しばしば・度々・Qちょくちょく・よく

ちょいと「ちょっと」のくだけた形で、より会話的な和語。男でも女でも、いくぶん頽廃的で都会的なセンスの感じられる街に暮らす、ちょっと垢抜けた人びとが親しみをこめていくらか甘え気味に使う。〈目のあたりが—似てるかしら〉〈まあ、—おいでよ〉〈—一杯ひっかける〉✎小津安二郎監督の映画では大都会を舞台にした作品で大人なら男でも女でも若くても中年でも初老でも盛んにこの語形を用いる。畏敬する志賀直哉の口癖であったらしく、ほとんどが小津好みの登場人物である。いささか崩れた感じのことばで、ちょっとばかり小粋な響きをもって盛んに使われたが、最近は使用する幅が狭くなったように見受けられる。⇩少々・少し・ちょこっと・Qちょっと・ちょっぴり・僅か

ちょうい【弔意】哀悼の意という意味で、主に文章に用いられる改まった漢語。〈—を表す〉⇩弔慰

ちょうい【弔慰】死者を弔い遺族を慰める意で、主に文章に用いられる硬い漢語。〈―金〉⇩弔意

ちょうかん【鳥瞰】高所から見下ろして広い範囲を眺める意で、主に文章に用いられる硬い漢語。〈―図〉〈丘の上から市街を―する〉✎空を飛ぶ鳥の視点を想像した発想の語。「日本近代史を―する」のように、概観する意を表す比喩的な用法もある。⇩俯瞰《ふかん》

ちょうきょり【長距離】移動距離の長い意で、会話にも文章にも使われる漢語。〈―列車〉〈―輸送〉〈―走〉✎二点間の隔たりというイメージの「遠距離」に対し、この語は移動する長さという線的なイメージでとらえている感じがある。「短距離」との関係は相対的であり、陸上競技では「短距離」に対して三〇〇〇メートル以上を長距離とするらしいが、一般社会では一万メートルの輸送でも通常は「長距離」という感覚にはならない。⇩遠距離

ちょうく【長軀】「長身」の意で文章に用いられる硬い漢語。〈―をもてあます〉✎「短軀《たんく》」と対立。横光利一の『日輪』に「―は(略)だんだんと痩せていった」とある。⇩Q長身・のっぽ

ちょうけし【帳消し】貸借関係が消えて帳面の記載を無効とする意で、会話や改まらない文章に使われる、やや古風な表現。〈これまでの借金を―にする〉✎「先日の活躍もこの失態で―だ」のように、意味を拡大して使う比喩的な用法もある。⇩相殺・Q棒引き

ちょうこう【兆(徴)候】「兆し」に近い意味で、やや改まった会話や文章に用いられる漢語。〈危険な―を示す〉〈発作の―が見られる〉✎「兆し」よりその変化が具体的にとらえやすい感じがある。「兆候」と書く例が多いが、医学の方面の話題では「徴候」を用いる傾向があり、医大出身の作家山田風太郎の『あと千回の晩飯』でも「いろいろな―から、晩飯を食うのもあと千回くらいなものだろうと思う」という例で「徴候」と記している。⇩兆し・前兆・Q前触れ・予兆

ちょうごう【調合】薬などを決まった分量ずつ混ぜ合わせる意で、会話にも文章にも使われるやや専門的な漢語。〈薬を―する〉⇩処方・Q調剤・調薬

ちょうさ【調査】事実を明らかにするために本格的に調べる意で、会話にも文章にも広く使われる漢語。〈国勢―〉〈実態―〉〈サンプリング―〉〈面接―〉〈方言―〉〈予備―〉〈事故の原因を―する〉✎「調べる」より大がかりな感じがあり、電話番号を調べたり、辞書を引いてことばの意味を調べたりする日常の個々のケースには不適。⇩研究・調べる

ちょうざい【調剤】薬剤を調合する意で、会話にも文章にも使われる専門的な漢語。〈―室〉〈―薬局〉⇩処方・調合・Q調薬

ちょうし【銚子】清酒の燗《かん》をする際に用いる瓶の形の主に陶磁器製の容器。〈晩飯にお―を一本つける〉✎徳利に比べ、一合入り程度の小ぶりな物が多い。⇩とくり・Qとっくり

ちょうし【調子】物事の進み具合、体や機械の動きなどをさして、会話にも文章にも広く使われる日常の基本的な漢語。〈一本―〉〈激しい―で主張する〉〈胃の―がおかしい〉〈エンジンの―が悪い〉〈―を整える〉〈どうも―が出ない〉〈―の波に乗る〉✎夏目漱石の『坊っちゃん』に「うまい具

合にこっちの―に乗ってくれない」とある。⇩按配《あんばい》・Q具合・コンディション

ちょうじゃ【長者】 大金持ちの意で、会話にも文章にも使われる古めかしい漢語。〈億万―〉〈村でも指折りの―〉✎「―番付」として現代でも時折目にする。その年の年収に焦点があたる用法もある。⇩大金持ち・金持ち・金満家・財産家・素封家《そほうか》・Q富豪・物持ち

ちょうしゅ【聴取】 聞き取りを意味するやや専門的な漢語。〈事情―〉〈状況を―する〉✎「ラジオの―率」などのように日常生活でも使われるが、警察関係の連想が働きやすい。⇩取調べ

ちょうじゅ【長寿】 人間の寿命が長く高齢になるまで生きる意で、やや改まった会話や文章に用いられる漢語。〈不老―〉〈―の祝い〉〈―を保つ〉✎「寿」は「ことぶき」で、「長命」や「長生き」よりめでたい雰囲気がある。⇩Q長命・長生き

ちょうしゅう【徴収】 規約に基づいて取り立てる意で、会話でも文章でも用いられる改まった感じの漢語。〈会費を―する〉〈料金を―する〉⇩徴集

ちょうしゅう【徴集】 国家などが強制的に集める意で、改まった会話や文章に用いられる硬い漢語。〈臨時―〉〈兵を―する〉⇩徴収

ちょうしゅう【聴衆】 講演会や音楽会あるいは街頭演説などを聴きに集まった多くの人々をさして、やや改まった会話や文章に用いられる漢語。〈―を話に引き込む〉〈―が総立ちになって惜しみない拍手を送る〉✎「観客」に対応する「聴客」という語がないぶん「観衆」ほどの大きな規模でない場合にも使う傾向がある。⇩観客・Q観衆・見物客・見物人

ちょうしょ【長所】 人間の才能や性格、物事の優れた点をさし、会話にも文章にも使われる漢語。〈―を生かす〉〈―を伸ばす〉〈最大の―は視野の広いことだ〉✎武者小路実篤の『愛と死』に「自信の強いことはいいことだが、他人の―を認めないことで自信を無理につくろうとするのは醜い」とある。「短所」と対立。⇩Q取り柄・美点・利点

ちょうしょ【調書】 取り調べた内容を記載した文書をさし、裁判所や警察などで用いる法律用語。〈供述―〉〈―を取る〉

ちょうしょう【嘲笑】 嘲笑《あざわら》う意で、改まった会話や文章に用いられる漢語。〈―の的になる〉〈衆人の―を買う〉✎大江健三郎の『セヴンティーン』に「森の嵐のようにどよめく全世界の他人どもの―」とある。⇩Qあざ笑う・せせら笑う・冷笑

ちょうじょう【長上】 年齢や地位が自分より上で敬意をもって接すべき相手をさし、主として文章に用いられる古風で硬い漢語。〈―に伺いを立てる〉〈―に対する態度〉✎「目上」以上に、厳格な上下関係を感じさせる。⇩目上

ちょうじょう【頂上】 山などの一番上の部分をさし、会話から文章まで幅広く使われる日常的な漢語。〈山の―を極める〉〈―に登りつめる〉✎大岡昇平の『花影』に「富士が急に頭を出した。―だけ、切り取って見ると、瘤のようにふくれ上った、意外に厳《いか》めしい形」とある。「頂《いただき》」のような古風なやわらかさ、「てっぺん」のような会話的な俗っぽさ

もない、最も普通のことば。⇩Q頂・山頂・山巓《さんてん》・絶頂・頂点・てっぺん

ちょうしょく【朝食】 朝の食事の意で、改まった会話や文章に用いられる、やや硬い感じの漢語。〈―をしたためる〉〈早めに―をとる〉✎小沼丹の『珈琲の木』に「遅い―の後、ひととき、珈琲を喫みながらぼんやりしていると、いろいろのことを想い出す」とある。⇩Q朝御飯・朝はん・朝めし

ちょうしん【長身】 背の高い意で、やや改まった会話や文章に用いられる漢語。〈―痩軀《そうく》〉〈―の力士〉〈―を二つに折る〉〈―から投げ下ろす速球〉✎高見順の『故旧忘れ得べき』に「足のすらりと延びた颯爽たる―」とある。阿部昭は『大いなる日』で、父親の死に際し「夏蒲団がみじかいので、―だったおやじの足首が、突き出ているのが見えた」と書き、「左右の足の甲が思い思いのちぐはぐな角度にねじれて、まったく力なく傾いていた」と統一的な意志の欠如を冷静に描きとった。⇩Q長軀《ちょうく》・のっぽ

ちょうずば【手水場】「便所」をさす、古くてどこか田舎じみた雰囲気の和風のことば。〈―から出て来る〉✎「ちょうず」は「てみず」の音転で、もともと手を洗う水を意味し、手を洗う行為をもさした。寺社で参拝の前に手を洗い清めるのもそれである。のちに婉曲《えんきょく》に用便や大小便をさすようになった。排尿・排便のあとに手を洗うために近くに手水鉢を用意するので、便所とその周辺は手を洗う場所でもある。芥川龍之介の「元日や手を洗ひをる夕ごころ」の句は、座敷に続く手洗いを出て縁側の手水鉢を使いながら暮色に沈みかける庭木にけだるさを感じる一景だろうか。その点を利用して、主たる排尿・排便の過程を捨象し、そのあと手を洗うという従たる行為に焦点を移して、便所そのものを「手水場」とぼかした間接表現。⇩おトイレ・厠《かわや》・閑所・化粧室・御不浄・雪隠・洗面所・WC・手洗い・トイレ・トイレット・はばかり・Q便所・レストルーム

ちょうせい【長逝】 間接的に「死」を意味して、改まった文章に用いる漢語。〈―なさいました由〉✎死を忌む気持ちから、「逝去」と同様の発想から、それを「長らく行って帰らない」という意味にとらえ直した間接表現。⇩敢え無くなる・上がる②・あの世に行く・息が切れる・息が絶える・息を引き取る・往く・いけなくなる・永眠・往生・お隠れになる・落ちる②・おめでたくなる・帰らぬ人となる・くたばる・死去・Q死ぬ・死亡・昇天・逝去・斃《たお》れる・他界・露と消える・天に召される・亡くなる・儚《はかな》くなる・不帰の客となる・不幸がある・崩御・没する・仏になる・身罷《みまか》る・脈が上がる・空しくなる・藻屑となる・逝く・臨死・臨終

ちょうせい【調製】 相手の好みや注文に応じて作る意で、改まった会話や文章に用いられる、やや専門的な漢語。〈仕出し弁当を―する〉〈洋服を―する〉⇩謹製

ちょうせい【調整】 調子を整えたり過不足を均したりして適切な状態に近づける意で、会話にも文章にも使われる漢語。〈微―〉〈―中〉〈音量を―する〉〈機械を―する〉〈人数を―する〉〈意見の―を図る〉〈スケジュールを―する〉✎機能や量のバランスを最適にすることに重点がある。⇩調節

ちょうせつ【調節】 大きさ・分量・重さ・強弱・温度・スピード・味などをバランスのよい状態に近づける意で、会話にも文章にも使われる漢語。〈受胎―〉〈室温を―する〉〈速度を

—する〉〈分量を—する〉〈火加減を—する〉✎程度を最適に保つことに重点がある。⇩調整

ちょうせん【挑戦】戦いを挑んだり手ごわい相手や困難なものに勇気を持って立ち向かったりする意で、会話にも文章にも使われる漢語。〈—者〉〈—状〉〈大物に—する〉〈記録への—〉〈限界に—する〉⇩アタック・Ｑチャレンジ

ちょうてい【調停】争っている両者の間に入り仲直りさせる意で、改まった会話や文章に用いられる専門的な漢語。〈—裁判〉〈家庭裁判所の—委員〉〈喧嘩の—に入る〉⇩Ｑ仲裁・仲直り

ちょうてん【頂点】最も高いところの意で、会話にも文章にも使われる漢語。〈—に立つ〉〈—に上り詰める〉〈興奮が—に達する〉✎谷崎潤一郎の『細雪』に「此の一瞬こそ、二日間の行事の—であり」とある。「三角形の—」という本来の用法はいくらか専門語的。⇩Ｑ頂・絶頂・頂上

ちょうど【丁(恰)度】「まるで②」の意で、会話や硬くない文章に使われる漢語。〈泥だらけの脚が—掘りたての大根のようだ〉✎志賀直哉の『暗夜行路』に「老人は黙って立った。背が高く—風雨にさらされた山の枯木のような感じがした」とある。「—十二時だ」「—その場所にある」「前と—同じだ」のように、時刻・位置・形態・数量・長短などが基準や予測などにぴったり合う意にも使う。⇩あたかも・Ｑさながら・まるで②

ちょうば【帳場】和風の旅館や料亭、昔ながらの大型商店などの勘定場をさし、会話にも文章にも使われる古風な表現。〈—格子〉〈—を預かる〉⇩受付・Ｑフロント・窓口

ちょうはつ【調髪】(主に男性の)髪を切りそろえたり形を整えたり頭の手入れをすることの総称で、やや改まった会話や文章に用いられる専門的な漢語。〈—料〉〈—してもらう〉⇩散髪・整髪・Ｑ理髪

ちょうほう【重宝／調法】役立って便利だの意で、会話や軽い文章に使われるやや古風な漢語。〈—な道具〉〈いつも—している〉〈電子レンジは—だ〉✎谷崎潤一郎の『細雪』に「雪子ちゃんがいれば—だものだから、それで此方へ帰らしてくれないのだ」とある。人にも物にも事柄にも使うが、場所などには用いにくく、幅が狭い。「便利」「利便」と違い、便利だということ自体よりも、そのために助かっているという意味合いが強く、それだけ主観的。⇩Ｑ便利・利便

ちょうぼう【眺望】広く景色を眺める意で、改まった会話や文章に用いられる漢語。〈—が利く〉〈—絶佳〉〈雄大な—を楽しむ〉✎太宰治の『富嶽百景』に「頂上のパノラマ台という、断崖の縁《ふち》に立ってみてもいっこうに—がきかない」という例がある。⇩展望・Ｑ見晴らし

ちょうほうけい【長方形】四つの角がすべて直角である四辺形をさす漢語。会話的な「長《なが》四角」の正式名称。〈—の面積〉⇩Ｑ矩形《くけい》・四角・四角形・四辺形・長四角

ちょうめい【長命】高齢になるまで生きながらえる意で、改まった会話や文章に用いられる古風な漢語。〈御—の相がある〉〈代々—の家系〉⇩Ｑ長寿・長生き

ちょうめん【帳面】「ノート」の古めかしい言い方。〈—に付ける〉⇩ノート

ちょうやく【調薬】調剤の意で、専門的な会話や文章に使わ

れる漢語。〈処方箋《しょほうせん》に従って—する〉✎一般には「調剤」より使用頻度が少ない。⇩処方・調合・Q調剤

ちょうやく【跳躍】飛び跳ねる意で、改まった会話や文章に用いられる漢語。〈—種目〉✎「ジャンプ」より本格的な感じが強く、ちょっと跳ねるぐらいでは使わない。⇩Qジャンプ・跳ぶ・跳ねる

ちょうよう【重用】重要な職務に取り立てる意で、改まった会話や文章に用いられる硬い漢語。〈部下を—する〉✎「じゅうよう」と読むこともある。⇩取り立てる・Q抜擢《ばってき》・引き立てる

ちょうらく【凋落】「おちぶれる」意で、改まった会話や文章に用いられる漢語。〈—の秋〉〈—の兆しが見える〉〈—の運命をたどる〉✎花や葉がしぼんで落ちる意から。⇩おちぶれる・転落・没落・落魄《らくはく》・Q零落

ちょうり【調理】料理の意で改まった会話や文章に用いられる専門的な感じの漢語。〈—台〉〈—場〉〈—師〉〈—法〉〈—済み〉✎手軽な場合にも広く使われる「料理」に比べ、それを職業とする人が店の客などのために行うというニュアンスがある。社員食堂や学校などの「—室」といった連想も働く。⇩料理

ちょうりし【調理師】料理人やその資格をさし、会話にも文章にも使われる正式名称。〈—の資格を持つ〉✎都道府県の知事が免許を与える。⇩板場・Q板前・コック・シェフ

ちょうりば【調理場】調理をするための場所をさし、会話でも文章でも使われる日常語。〈旅館の—を仕切る〉✎「厨房《ちゅうぼう》」と同様、設備の整った専門的なイメージがあって、一般家庭では使いにくく、旅館のほか割烹《かっぽう》・料理屋など日本料理の店にぴったりと合う雰囲気がある。「炊事場」のように煮炊きを中心とした感じは特になく、材料を捌《さば》き味付けする手の込んだ料理が連想されやすい。⇩勝手②・キッチン・庫裏《くり》・くりや・炊事場・台所・厨房

ちょうろう【長老】学識や経験が豊富でその分野や集団で指導的立場にある年長者をさし、会話にも文章にも使われる古風な漢語。〈村の—〉〈政界の—〉〈文壇の—〉〈—の考えに従う〉✎島崎藤村の『桜の実の熟する時』に「教会の—の家庭」とあるように、キリスト教の教会の信徒代表をさすこともある。この語は多く男性を連想させる。何人か存在する場合もあり、他の類義語と比較し、威圧する感じは弱い。⇩Q大御所・オーソリティー・権威②・第一人者

ちょうろう【嘲弄】嘲りからかう意で、改まった会話や文章に用いられる、いくぶん古風な漢語。〈公衆の面前で激しい—を受ける〉✎芥川龍之介の『芋粥』に「同僚の侍たちになると、進んで、彼を—しようとした」とある。態度だけでも可能な「愚弄」と違い、嘲るという行為を伴う。「愚弄」よりもさらに相手を見くびって激しい言葉を発する連想が強い。⇩嘲る・愚弄・やゆ

ちょきん【貯金】金銭を蓄える意の漢語で、くだけた会話でも違和感のない日常語。〈—箱〉〈ボーナスを—する〉〈—を使い果たす〉✎永井荷風の『濹東綺譚』に「あんたの方に—があれば、後が安心」とある。「預金」が銀行を連想させるのに対し、この語は正式な「郵便—」のほか、「たんす—」のような比喩的な用法も可能。⇩預金

ちょくし【直視】目を背けないでしっかり見つめる意で、改まった会話や文章に用いられる硬い感じの漢語。〈現実を—する〉〈置かれた状況を—する〉✎具体的に視線を注ぐ場合より、客観的に冷静に認識する意味合いで用いられる例が目立つ。⇩正視・見る

ちょくせつ【直接】間に物を介さず、時間的・空間的に間をおかずに物事をする場合に、くだけた会話から硬い文章まで幅広く使われる基本的な漢語。〈—手渡す〉〈当人から—聞く〉〈—日が当たる〉〈出先から—その場に向かう〉〈—関係がない〉✎夏目漱石の『こころ』に「ありのままを告げられては、—と間接の区別があるだけで、面目のないのに変わりはありません」とある。「間接」と対立。⇩じかに

ちょくぜん【直前】空間的・時間的にきわめて接近している意で、会話にも文章にも使われる日常の漢語。〈車の—を横切る〉〈ゴール—で失速する〉〈入試の—対策〉〈出発の—になってあわてる〉〈試合の—になって作戦を変更する〉✎「目前」より緊迫しているが「寸前」よりは余裕のありそうな雰囲気がある。「車の—を横切る」のように、空間的な接近をさす例もあるが、時間的用法が多い。⇩眼前・Q寸前・間近・目前

ちょくちょく「しばしば」に近い意味で、くだけた会話に使われる俗っぽい表現。〈—誘われる〉〈—現れる〉⇩Qしばしば・度々・ちょいちょい・よく

ちょくゆ【直喩】喩《たと》える概念と喩えられる概念とを区別して掲げ、「まるで」「ような」といった比喩指標で両者を関係づける比喩表現の一類をさし、やや学術的な話題の会話や文章に用いられる専門的な漢語。〈「詩って小説にない小説の息みたいなものなのね」という室生犀星の小説『杏っ子』の表現は巧みな—の例と言えよう〉✎「隠喩」と対立。⇩Q明喩

ちょこっと「少し」の意の俗語。〈—残る〉〈頭を—下げて挨拶する〉〈—やってみただけで、すぐやめる〉⇩少々・少し・ちょいと・ちょっと・ちょっぴり・僅か

ちょさくか【著作家】著述業を営む人をさす漢語で、やや硬い感じの文章語。著作者や著作権を話題にする折に使用することが多い。〈—として身を立てる〉⇩作家・小説家・著作者・著述業・文学者・文士・文人・文筆家・Q物書き

ちょさくしゃ【著作者】法的に著作を行った者をさす漢語。やや専門語寄りで改まった感じの文章語。〈—の権利〉〈—の許可を取る〉⇩作家・小説家・Q著作家・著述業・文学者・文士・文人・文筆家・物書き

ちょしゃ【著者】その書物を書き著した人の意で、会話にも文章にも使われる漢語。〈—紹介〉〈この本の—〉〈—のサイン入りの本〉✎「読者」と対立。⇩書き手・作者・Q筆者

ちょじゅつぎょう【著述業】文章を書いて生計を立てる人をさす漢語で、「作家」や「小説家」より改まった形式的な感じの語。〈—を営む〉〈職業欄に—と記入する〉✎文章を書くことを生業としていれば文学関係に限らず使われる。永井龍男の『そばやまで』によれば、まだ「作家」とか「小説家」とかと名乗れるほど一人前の物書きになっていないという意識から控えめに言う際に用いることもあるという。⇩作家・小説家・著作家・著作者・文学者・文士・文人・文筆家・Q物書き

ちょすいち【貯水池】水道・水力発電・灌漑《かんがい》などのために用水を貯えておく人工の池をさし、会話にも文章にも使われる漢語。〈―の水位が下がる〉⇩ダム

ちょっかい　直接関係のない人間が手出しをする意で、くだけた会話に使われる俗語。〈横から―を出すと承知しないぞ〉✎ゆがんだ腕や指の曲がった手をののしっていう語という。⇩口出し・Q手出し・容喙《ようかい》

ちょっかん【直感】深く考えずに瞬間的に感じ取る意で、会話でも文章でも使われる日常的な漢語。〈―が働く〉〈―で見抜く〉〈裏があると―する〉✎今日出海の『天皇の帽子』に「この人こそ一生の伴侶とその時―した」とある。⇩直観

ちょっかん【直観】分析的推理を経ずに対象を直接とらえる意で、硬い文章に用いられる古風で哲学的雰囲気を感じさせる漢語。〈―教育〉〈―的認識〉〈―で把握する〉✎三木清の『人生論ノート』に「論理の根柢に―がある」とある。⇩直感

チョッキ　ワイシャツなどの上に着る、袖がなく丈の短い胴着をさすポルトガル語からの外来語。「ベスト」の古風な呼び名。日常会話ではまだよく用いられる。〈―を着込む〉✎里見弴の『多情仏心』に「―の脇の下の剔《く》りに両手の親指を突っ込み」とある。⇩ベスト

ちょっきゅう【直球】正々堂々とした手段をさし、会話や軽い文章などで使われる野球用語の拡大用法。〈交渉に際しても、あくまで―で勝負する〉〈何をやるにも―勝負に徹する〉✎野球で投手が変化球に頼らずに速球で打者に対することから、一般に「正攻法」という意味合いで使われるが、まだ比喩性が強い。「変化球」と対立。

ちょっけい【直径】円や球の中心を通り、両端が円周または球面に達する直線をさし、会話にも文章にも使われる、やや専門的な漢語。〈地球の―〉〈―一五センチの円の面積〉⇩差し渡し

ちょっと【一寸】「ちょいと」ほどではないが、「少し」よりくだけた会話的な和語。〈―の間〉〈―待って〉〈もう―何とかなりそうなものだ〉✎井伏鱒二の『本日休診』に「―待って。すぐ支度して来るからね」とある。⇩少々・少し・ちょいと・ちょこっと・ちょっぴり・僅か

ちょっぴり　ほんの少しの意で、くだけた会話に使われる俗っぽい口頭語。〈ほんの―〉〈―余る〉〈―さびしい〉✎「ちょっと」より少なく「ほんの少し」という意味合いで使う。⇩少々・少し・ちっと・ちと・ちょい・ちょいと・ちょこっと・Qちょっと・僅か

ちょめい【著名】「有名」に近い意味で、やや改まった会話や文章に用いられる漢語。〈―な作家〉〈―な学者〉〈―な存在〉✎「有名」ほどは世間一般に広く名が知られていない場合にも使う。また、「有名」に比べ、マイナス評価の例は少ない。⇩高名・名高い・Q有名・雷名

ちょめいじん【著名人】世間に広くその名を知られている人物の意で、やや改まった感じの会話や文章に使われる漢語。〈―の素顔〉〈―をずらりとそろえる〉〈このたびの受賞で晴れて―の仲間入りをする〉✎「名士」より分野を越えてよく知られ、政界や論壇・文壇、芸術などの分野を連想することが多く、「有名人」よりその存在が重んじられている傾向

がある。⇩名士・Q有名人

ちょろまかす　人目をかすめてちょっとした物を盗んだり、自分の有利なように見せかけたりする意で、くだけた会話に使われる俗語。〈店の品物を―〉〈会社の金を―〉✐大きな金額を連想しにくい。⇩欺く・いつわる・かたる・担ぐ・Qごまかす・たぶらかす・だまくらかす・だます

ちょんぎる【ちょん切る】無造作に切り落とす意で、主にくだけた会話に使われる俗っぽい和語。〈小枝の先を―〉〈原稿が長過ぎるので初めの挨拶を―〉〈社員の首を―〉⇩切る・切断・断つ・絶つ

ちらし【散らし】宣伝・広告用に印刷した紙をさし、会話にも文章にも使われる和語。〈―広告〉〈大売り出しの―〉〈店の前で―を渡す〉✐手で配るか新聞に折込むかする。専ら商業用の目的であり、政治的な主張や選挙運動などのびらは含まない。「チラシ」と片仮名書きする例もある。⇩びら

ちらつかせる　そのことが相手にわかるようなヒントをばら撒く意で、会話や軽い文章に使われる和語。〈儲《もう》け話を―〉〈自慢話を―〉〈大臣のポストを―〉✐「刃物を―」「札束を―」のように、実際にちらちら見えるようにして脅かしたり気を引いたりする場合もあり、「ほのめかす」や「におわす」よりも相手に伝える意図が明確。⇩におわす・におわせる・Qほのめかす

ちらばる【散らばる】一箇所に固まらず互いに間を置いていろいろな所に存在する意で、会話にも文章にも広く使われる日常の和語。〈あちらこちらに―〉〈机の上に書類が―〉〈支店や営業所が全国に―・っている〉⇩散乱・Q分散・分布

ちり【塵】空気中に散らばっている細かいごみや飛んで来た土砂などの埃《ほこり》をさし、会話にも文章にも使われる和語。〈―を払ってベンチに腰掛ける〉〈―ひとつ落ちていないほど丁寧に掃除をする〉✐永井荷風の『歓楽』に「―一ツなく清められた上に軽く打水してある入口の敷石」とある。近年、宇宙空間に打ち上げられたまま機能しなくなった人工衛星やそのかけらなどを「宇宙の―」と称することもある。⇩芥《あくた》・屑《くず》・Qごみ・埃

ちりがみ【塵紙】鼻紙や落とし紙として使う粗末な紙をさして、会話にも文章にも使われる日常の和語。〈―で洟《はな》をかむ〉✐「鼻紙」より範囲が広く用途も曖昧なだけ間接的で、露骨な感じの「鼻紙」よりよく使う。⇩ちりし・ティッシュ・Q鼻紙

ちりがみこうかん【塵紙交換】→くずや

ちりし【塵紙】「ちりがみ」の意で会話で使うことのある語。〈―でさっと拭う〉✐「ちりがみ」ほど露骨でない「ちりがみ」の「紙」の部分をも音読みにすることで間接性を高めて汚い感じを薄めようとした語形か。⇩Qちりがみ・ティッシュ・鼻紙

ちりばめる【鏤める】刻んではめこむ意で会話にも文章にも使われる和語。〈宝石を―〉✐谷崎潤一郎の『刺青』に「瑠璃珊瑚を―・めた金冠」とある。「学術論文に難解な漢語を―・めて威厳を保つ」のような比喩的用法もある。

ちりみだれる【散り乱れる】多数の花が乱れた感じに散り敷く意で、主に文章中に用いられる、やや古風で趣のある和語。〈庭一面に花が―〉⇩散乱・分散

ちりょう【治療】 病気や怪我を治すための処置の意で、会話にも文章にも使われる日常の漢語。〈―費〉〈患部を―する〉〈―を施す〉〈―を受ける〉✎井伏鱒二の『本日休診』に「―器具を消毒した。幸い、―に適当とする見込の分量だけ洗浄液が（略）残っていた」とある。⇩Q加療・診療・施療・手当て・療治・療養

ちんあげ【賃上げ】 賃金を引き上げる意で、会話や軽い文章に使われる俗っぽい表現。〈―闘争〉〈―要求〉✎「賃金引き上げ」の略。ひところ口頭でよく使ったが、放送などではその俗っぽさを避けてか、「ベースアップ」か「賃金の引き上げ」という表現を用いることが多い。⇩ベースアップ

ちんあつ【鎮圧】 反乱・内乱・暴動などを武力で抑え込める意で、改まった会話や文章に用いられる漢語。〈暴動を―する〉〈反乱を―する〉✎「平定」「征服」に比べ比較的小規模で一時的な反抗に対して用いる傾向がある。⇩Q制圧・征服・平定・抑圧・抑制

ちんうつ【沈鬱】 気分が沈んでふさぎこむ意で、主に文章中に用いられる硬い漢語。〈―な表情を浮かべる〉✎石川淳の『普賢』に「錘がぶらさがっているかのごとく、たましいが血管を流れ下り、足の裏を突き抜けて地にめりこんで行くような―」とある。⇩暗鬱・陰鬱・Q憂鬱

ちんがし【賃貸し】 使用料をとって貸し出す意で、会話や改まらない文章に使われる、やや古風な日常語。〈―の駐車場〉⇩Q賃貸・リース・レンタル

ちんぎん【賃金（銀）】 提供した労働の対価として使用者から労働者に支払われる金銭の意で、会話にも文章にも使われる漢語。〈名目―〉〈―カット〉〈―の格差〉〈安い―でこき使われる〉✎「給料」「給与」に比べ、それほど長期にわたらず、また、いくらか不定期であっても用いられる傾向があり、労働契約に基づいて働く人の視点を連想させやすい。なお、「賃金」の表記は本来「ちんきん」であり、賃貸契約で借り手が貸し手に支払う金銭の意でも使われる。「ちんぎん」の場合は「賃銀」の表記が正統的とされるが、現代では「賃金」が一般的。⇩給与・給料・Q月給・サラリー・俸給

ちんしゃ【陳謝】 事情を説明して謝る意で、主に文章中に用いられる改まった感じの漢語。〈相手の発言に行き過ぎがあり、―を求める〉〈―の意を表明する〉〈失礼の段深く―致します〉✎「陳」は「述べる」意で、「謝罪」ほど大げさではない。⇩謝る・御免・失礼・Q謝罪・済まない・申し訳ない・詫《わ》びる

ちんじょう【陳情】 公的機関などに実情を訴えて善処するよう要請する意で、改まった会話や文章に用いられる硬い漢語。〈―団〉〈大臣に―する〉〈役場に―する〉✎権利の行使である「請願」とは違い、上位者に泣きつく雰囲気が感じられる。⇩請願

ちんせい【沈静】 静かになる、活気がないの意で、主に文章に用いられる、やや古風な漢語。〈薄暮の―した空気〉〈景気が―する〉✎三島由紀夫の『金閣寺』に「水の面はますます―に、何の兆もうかべていなかった」とある。⇩鎮静

ちんせい【鎮静】 鎮めて落ち着かせる意で、改まった会話や文章に用いられる漢語。〈―剤〉〈―作用がある〉〈昂《たか》ぶった神経を―させる〉〈暴動が―化する〉⇩沈静

ちんたい【賃貸】一定の料金を受け取って貸す意で、改まった会話や文章に用いられる硬い漢語。〈―マンション〉〈―契約を結ぶ〉⇩Q賃貸し・リース・レンタル

ちんちゃく【沈着】何事にも動じない意で、主として文章に用いられるやや古風な硬い漢語。〈―冷静〉〈―な態度を保つ〉✎安岡章太郎の『悪い仲間』に「「すげえなア、君は」と僕の―ぶりをほめた」とある。⇩落ち着く・泰然・平気・平気の平左・平静・平然・悠然・悠々・Q冷静

ちんつう【沈痛】深い悲しみなどに心が沈む意で、改まった会話や文章に用いられる漢語。〈―な表情〉〈―な思い〉✎すでに起こってしまった事実に対する衝撃を示す「悲痛」に比べ、この語はその衝撃的な事実をもとに将来に対する強い不安を含む感じがある。また、「悲痛」より悲しみが内にこもっている感じが強く、小沼丹の『風光る丘』に「―な面持をして云った」とあるように、表情から察せられる程度で、激しい行動となっては現れにくい。なお、これは悲しみだけでなく心配事などによっても引き起こされる感情である。⇩傷心・悲痛

ちんぴら 小物の悪党をさして、主にくだけた会話に使われる俗っぽい和語。〈―にからまれる〉〈―に金を脅し取られる〉✎実際には、大人ぶる生意気な子供から不良ややくざの手下のような者までいろいろ入る。⇩ごろつき・ならず者・無頼漢・暴力団・無法者・やくざ・Q与太者

ちんぷ【陳腐】ありふれていて新鮮さに欠ける意で、やや改まった会話や文章に用いられる漢語。〈―な服装〉〈―な芸〉〈―な意見〉✎代わり映えのしない古くさい感じに重点がある。中島敦の『狼疾記』に「黴の生えそうな程―な欧羅巴出来の享楽主義」とある。⇩ありきたり・ありふれた・月並み・平凡・Q凡庸

ちんぼつ【沈没】①物体が水中を下へ移動する意、船の中に水が入って海底に沈む意で、会話にも文章にも使われる漢語。〈暴風のために船が沖で―する〉〈―船を引き揚げる〉✎小沼丹の『風光る丘』に「君たちのボロ車は健在かね?」「あれは―しました」というやりとりがあるが、現代では船について使う例がほとんど。「沈む」が下への移動に重点があるのに対し、この語は姿が見えなくなる点が中心。⇩沈む ②比喩的に、酔いつぶれてまったく正体をなくしてしまう意で会話や軽い文章に使う古風で俗っぽい漢語。〈―寸前〉〈背広にネクタイ姿で―する〉⇩Q泥酔・酩酊《めいてい》・酔い痴れる・酔い潰れる・酔う・酔っ払う

ちんもく【沈黙】黙りこんで口を開かない意で、会話にも文章にも使われる漢語。〈―を続ける〉〈―を守る〉〈長い間の―を破る〉✎石坂洋次郎の『若い人』に「艶消のような柔かい―」とある。⇩Qだんまり・黙秘

つ

つい ほかに気を取られていて無意識に行う意を表し、会話や改まらない文章に使われる日常語。〈ほかに気を取られて―見逃す〉〈話に引き込まれ、―時を過ごす〉〈興奮して―大声を出す〉〈―口をすべらす〉〈好物なので―食べ過ぎる〉〈―貰《もら》い泣きをする〉〈―だまされてしまう〉✎夏目漱石の『坊っちゃん』に「―遅くなって済まない」とある。「うっかり」とは違って、単純な不注意のせいばかりでなく、何かに気を取られたり夢中になったりして無意識のうちに起こった失態を後悔する感じが伴う。⇩うっかり・Q思わず

ついおく【追憶】 昔を懐かしく思い偲《しの》ぶ意で、主として文章中に用いられる、いくぶん古風で詩的な漢語。〈幼時を―する〉〈―にひたる〉✎芥川龍之介の『河童』に「こんな―に耽《ふけ》っていた僕」とある。⇩思い出・懐旧・Q回想・追懐・追想

ついか【追加】 あとから付け加える意で、会話にも文章にも使われる漢語。〈―注文〉〈材料を―する〉✎「付け足し」のような軽視した感じを伴わない。⇩Q付け足し・添加

ついかい【追懐】 昔のことを懐かしく思い出す意で、文章中に用いられる古風で抒情《じょじょう》的ながらいくらか硬い感じの漢語。〈―の情こぼれんばかり〉〈―の念やまず〉⇩思い出・懐旧・回想・Q追憶・追想

ついき【追記】 本文に追加して記載する意で、主として文章に用いられる硬い漢語。〈今後の会議日程を―する〉✎「付記」に比べ、事柄の重要性に幅がある感じ。⇩付記

ついきゅう【追及】 相手の非を突いて追い詰める意で、やや改まった会話や文章に用いられる硬い漢語。〈不正を―する〉〈責任を―する〉〈野党の―をかわす〉✎志賀直哉の『暗夜行路』に「(不正を)―すれば、するだけ不愉快になりそう」とある。⇩Q追求・追究

ついきゅう【追求】 追い求める意で、やや改まった会話や文章に用いられる漢語。〈美を―した作品〉〈理想を―する〉〈利潤を―する〉〈快楽を―する〉⇩Q追及・追究

ついきゅう【追究】 探って本質を明らかにする意で、硬い文章に用いられる学問的な雰囲気のやや古風な漢語。〈真実を―する〉〈本質を―する〉〈美とは何かを―する〉⇩追及・Q追求

ついせき【追跡】 追い詰める目的で後から追いかける意で、会話にも文章にも使われる漢語。〈パトカーが不審な車を―する〉✎「―調査」のように、比喩的に、物事の経過をたどる意でも用いられる。⇩Q追尾・尾行

ついそう【追想】 過去の出来事や故人などを思い出して懐かしむ意で、主に文章中に用いられる古風でやや詩的な漢語。〈往時を―する〉〈―に耽《ふけ》り時を忘れる〉✎小沼丹に中学時代の米人教師の思い出を綴った『汽船』と題する小説があり、「ミス・ダニエルズの―」という副題が付されている。⇩思い出・懐旧・回想・Q追憶・追懐

ついに【遂(終)に】 最後にやっとの意で、会話にも文章にも使われる、いくぶん硬い感じの表現。〈―その日が来た〉〈―完成した〉✎「―会えなかった」のように、とうとう最

後までの意でも使う。⇩いよいよ②・とうとう

ついび【追尾】ぴたりと後ろについて跡をつける意で、改まった会話や文章に用いられる専門的な漢語。〈容疑者の―を続行する〉⇩追跡・Q尾行

ついやす【費やす】時間・労力・財貨などを使ってしまう意で、改まった会話や文章に用いられる和語。〈大金を―〉〈多大の労力を―〉〈長い歳月を―・してようやく完成する〉✎夏目漱石の『明暗』に「残りの秋の日を土の上に―べく、ふたたび庭へ下り立った」とある。⇩消費

ついらく【墜落】飛行機や人間などが高い場所から空中を飛んで下まで落ちる意で、会話にも文章にも使われる漢語。〈飛行機の―事故〉〈崖から足を滑らして海に―する〉✎「落下」よりもはるかに高い場所から落ちるイメージがある。⇩落ちる①・降下・転落・Q落下

つうがく【通学】児童・生徒・学生がそれぞれの学校に通う意で、会話にも文章にも使われる漢語。〈―路〉〈自転車で―する〉✎幸田文の『おとうと』に「朝はまだ早く、―の学生と勤め人が村から町へむけて出かけて行く」とある。学生が他大学に通ったり教員が学校に通ったりする場合には使わない。⇩通う・Q通勤

つうぎょう【通暁】ある分野の事柄を隅々まで非常に詳しい知識を持っている意で、改まった会話や文章に用いられる、やや古風な感じの漢語。〈政界に―する〉〈古典文学に―する〉✎永井荷風の『濹東綺譚』に「遊里の消息に―した老人」とある。「精通」に比べ、その時々の情報よりまとまった知識について使う。⇩詳しい・Q精通

つうきん【通勤】勤め先に通う意で、会話にも文章にも使われる漢語。〈―時間帯〉〈長距離―〉〈―客で込み合う〉✎清岡卓行の『朝の悲しみ』に「住家は、その南部のはずれにあり、勤め先の大学は、その中央にある。―時間は一時間二十分」とある。⇩通う・Q通学

つうこう【通行】人間や自動車などが道路を通ることをさし、会話にも文章にも使われるいくぶん硬い漢語。〈―人〉〈―止め〉〈右側―〉〈―の邪魔になる〉✎サトウハチローの『僕の東京地図』に「男子禁制の校内を―させてくれた。何故女子大学の中を―するのがそんなに嬉しかったか、いまでもわからない」とある。⇩交通・通る

つうこん【痛恨】取り返しがつかずひどく残念に思う意で、改まった会話や文章に用いられる漢語。〈―のエラー〉〈―の極み〉〈―に堪えない〉✎三島由紀夫の『橋づくし』に「自分の願い事の破れたのを知って、橋のむこうを―の目つきで見やると」とある。⇩悔悟・Q悔恨・悔い

つうし【通史】古代から現代まで通して広範囲を総合的に述べた歴史の意で、学術的な話題の会話や文章に用いられる専門的な漢語。〈日本―〉〈―を試みる〉⇩歴史

つうじょう【通常】日常一般の意で、やや改まった会話や文章に用いられる漢語。〈―国会〉〈―の手続き〉〈―のとおり実施する〉〈―そのように説明する〉✎「普通、朝はパン食だ」は「平均的な日本の家庭では」というニュアンスが強く、「―、朝はパン食だ」は「特別な日は別として」というニュアンスが強い。⇩常々・常日頃・日常・日常茶飯事・普段・普通・平常・平生・平素

つうせつ【通説】 世間一般に広く認められている考え方をさし、やや改まった会話や文章に用いられる漢語。〈学界の—〉〈—に基づく〉〈これまでの—が書き換えられる〉✎学問的な「定説」に比べ、学術的な世界に限らず広く使う。⇩定説

つうぞく【通俗】 大衆的で興味本位な意として、会話にも文章にも使われる漢語。〈—小説〉〈—的な映画〉〈いささか—に流れ過ぎたきらいがある〉✎福原麟太郎の『人生の幸福』に「反俗精神に生きることが上手になってくることを—というのかも知れない」とある。⇩下劣・俗悪・Q低俗・低劣・卑俗・野卑

つうぞくぶんがく【通俗文学】 一般大衆の娯楽としての価値に重点を置く文学をさし、会話にも文章にも使われる漢語。〈—の中でも特に知られた長編〉✎芸術性・文学性に重点を置いて書かれる純文学に対して、興味本位の作品をさす。「大衆文学」に比べ、実質的にはほぼ同じ性格の作品が含まれるものの、「通俗に流れる」といった用法を持つ「通俗」の部分が「低俗」を連想させ、純文学より価値が低いとする若干軽蔑的な響きを感じさせる。⇩大衆文学

つうたつ【通達】 上位者から下位者に知らせるという感じの強い、改まった漢語表現。〈本庁からの—〉〈—を受ける〉〈役所から—がある〉⇩告知・知らせ・Q通知・伝える・伝達・報告

つうち【通知】 公の機関から知らせる感じの、改まった漢語。〈合格—〉〈納税—書〉〈結果を—する〉〈文書で—する〉✎上位者から下位者へという感じがいくらかあるが、「通達」ほどではない。⇩告知・知らせ・Q通達・伝える・伝達・報告

つうどく【通読】 最初から最後まで通して読む意で、会話にも文章にも使われる漢語。〈長編小説を—する〉✎福原麟太郎の『虚栄について』に「長い長い章で、ちょっと—するわけにゆかない」とある。「一読」に比べ、読み通すことに重点がある。⇩一読

つうれつ【痛烈】 表現などの働きかけがきわめて激しく刺激が大きい意で、やや改まった会話や文章に用いられる漢語。〈—に非難する〉〈—な批判を浴びる〉✎「—に殴打する」「—なライナー」のように物理的な激しさについても用いる。⇩強烈・激烈・辛辣・Q手厳しい・激しい・猛烈

つうろ【通路】 通り道の意で、会話にも文章にも使われる日常の漢語。〈—が狭い〉〈—をふさぐ〉〈公園内の—〉✎敷地内でも家の中の廊下なども含まれ、歩行者の通行を連想しやすい。漠然とした一般の道に比べ、ある場所からどこかまでの間をイメージすることが多い。⇩往還・往来・街道・街路・道路・Q通り・道

つえ【杖】 歩行を助ける細長い棒一般をさし、会話にも文章にも使われる和語。〈金剛—〉〈仕込み—〉〈松葉—〉〈—を引く〉〈—にすがって歩く〉✎和風・洋風いずれにも言い、「転ばぬ先の—」「—とも柱とも頼む」のような比喩的用法もある。⇩ステッキ

つかい【使い】 用を言い付かって出かける人を広くさし、会話にも文章にも使われる和語。〈—を出す〉〈父の—〉〈神の—〉〈—の者〉✎「お—に行く」の場合は行為そのものをさす。「剣術—」「魔法—」のように、ある技術に熟達している人をさす用法もある。⇩Q使者・使節

つかいかた【使い方】 人間や道具やことば・概念などをどう効果的に用いるかという意味で、会話やさほど硬くない文章に使われる和語表現。〈秘書の―〉〈包丁の―〉〈敬語の―〉⇩用法

つかいみち【使い道（途）】 物品や人間などを使う方法・方面の意で、会話にも文章にも使われる和語。〈金の―〉〈―に困る〉〈―がない〉⇩Q使途・用途

つかいもの【使いもの】 役に立つものの意で、会話や軽い文章に使われる和語。〈これでは到底―にならない〉⇩遣い物

つかいもの【遣い物】 贈り物の意で、会話でも文章でも使われる日常の丁寧な感じの和語。〈お―にする〉⇩使いもの

つかう【使う】 目的をもって人や物の働きを利用する意。くだけた会話から文章まで幅広く使われる基本的な日常の和語。〈英語を―〉〈頭を―〉〈人をあごで―〉〈時間をたっぷり―〉〈あらゆる手を―〉✎司馬遼太郎の『国盗り物語』に「信長はこの人物を手あかで磨くほど―・っている」とある。「用いる」のような堅苦しい感じがないので、日常の生活でよく使われる。⇩用いる

つかのま【束の間】 ごく短い時間の意で、会話にも文章にも使われる、いくぶん古風な和語。〈―の命〉〈―の恋〉〈喜びも―〉〈―も忘れたことがない〉✎向田邦子の『ねずみ花火』に「顔も名前も忘れてしまった昔の死者たちに―の対面をする」とある。「つか」はもと、手を握ったときの四本の指の幅をさし、古く長さの単位としたことから。⇩瞬く間

つかまえる【捕まえる】 動いているものを押さえる意で、主として日常会話に使われる和語。〈犯人を―〉〈タクシーを―〉〈上司を―・えて何という言い方だ〉✎堀辰雄の『美しい村』に「夢中で彼女の腕を―・えたのは、そんなこんがらがった気持の中でだった」とある。⇩とらえる

つかむ【摑む】 対象を手でしっかり持つ意で、会話でも文章でも幅広く使われる日常生活の和語。〈溺れる者は藁《わら》をも―〉〈鍋の取っ手を―〉〈相手の腕を―〉〈ネクタイを―〉〈襟を―・んで放さない〉✎和田伝の『沃土』に「彼女の袂を挘《むし》るように―と」とある。「握る」が手の平まで使うのに対して、「つかむ」は指先だけで持ち、そのとき親指の腹と他の指との間が接触しないといわれる。⇩握る

つかる【浸（漬）かる】 水などの液体の中に入る意で、会話にも文章にも使われる日常の和語。〈露天風呂に肩までどっぷりと―〉〈川があふれて家が水に―〉✎湯に「ひたる」より「つかる」ほうが深く体を沈める感じがあり、「ぬるま湯に―」快適さも、「ひたる」にすると風邪を引きそうな雰囲気に変わる。⇩ひたる

つかれる【疲れる】 肉体や精神を使いすぎてその機能が一時的に衰える意の基本的な和語。会話的な「くたびれる」とは違って、くだけた会話から硬い文章まで幅広く使われる日常語。〈手が―〉〈神経が―〉✎林芙美子の『放浪記』に「働く家をみつけに出掛けては、魚の腸《はらわた》のように―・れて帰って来て」とある。疲労度の大小に関係なく使えるので、「適度な疲れ」「心地よい疲れ」という用法も可能だが、これらは「くたびれ」に置き換えることはできない。⇩くたびれる・しんどい・疲労

つき【付き】 幸運の意の俗っぽい口頭語。〈―がない〉〈―に

見放される〉⇩僥倖《ぎょうこう》・Q幸運・ラッキー

つきあい【付き合い】「交際」の意で、会話やさほど改まらない文章に使われる日常の和語。〈親戚―〉〈―が広い〉〈―が長続きしない〉〈結婚を前提にした―〉武者小路実篤の『友情』に「友だち―の多い方だった」とある。「―で参加する」「―だから仕方がない」のように、気が進まず義理でいやいやする場合も含まれる。⇩交際

つきさす【突き刺す】先のとがったものを対象に勢いよく入り込ませる意で、会話にも文章にも使われる和語。〈棒を―〉〈刀で―〉安部公房の『他人の顔』に「疲れが、棒杭のように眉間の芯に―・さっていた」という比喩表現の例がある。⇩刺す

つきずえ【月末】その月の終わりごろの意で、会話やさほど硬くない文章に使われる日常の和語。〈―に支払う〉〈―は何かと忙しい〉「月初め」に対立。⇩げつまつ

つきとめる【突き止める】いろいろ調べた結果ようやく明らかにする意で、やや改まった感じの会話や文章に使われる和語。〈行方を―〉〈正体を―〉〈原因を―〉⇩探し当てる・捜し当てる・探し出す・捜し出す・Q探り当てる

つきなみ【月並み】どこにでもあるようで新味のないさまをさし、会話にも文章にも使われる、いくぶん古風な和語。〈―な表現〉〈―なデザイン〉見るべきところがないという低い評価は「凡庸」ほど明確でなく、ちっとも珍しくないという点が意味の中心。「―の会」のように、文字どおり「月ごと」の意もある。⇩ありきたり・Qありふれた・陳腐・平凡・凡庸

つきまとう【付き纏う】傍《そば》を離れないでついて歩く意で、会話にも文章にも使われる和語。〈小さな子が母親に―〉〈悪い奴がうるさく―〉徳田秋声の『縮図』に「放浪時代から―・っていた茨城生れの情婦」とある。比喩的に、「不安が―」「悪い評価が一生―」のように、抽象的な意味合いでも使う。⇩まつわり付く・まつわる・Q纏《まと》い付く

つきる【尽きる】使ってしまって残りがなくなる意で、くだけた会話から硬い文章まで幅広く使われる日常の和語。〈食糧が―〉〈資金が―〉〈採るべき手段が―〉〈力が―〉島崎藤村の『破戒』に「根気も、精分も、わが輩のからだの内にあるものはすっかりもう―・きてしまった」とある。数量のある具体物のほか、「運が―」「興味は―・きない」「名残が―・きない」のように抽象的なものにも使う。「道が―」の例では、「道が果てる」と同じく、たどってきた一本の道が途中でなくなるという意味にもなり、いろいろ験してみてほかに手段が考えられないという意味にもなりうる。⇩果てる

つく【突く】細い先で対象を強く押す意で、くだけた会話から硬い文章まで幅広く使われる和語。〈鞠《まり》を―〉〈地面に手を―〉〈杖を―〉〈相手の胸を―〉〈書類に印鑑を―〉「弱点を―」「痛いところを―・かれる」のように、弱いところを鋭く攻撃する意に使う比喩的用法もある。⇩こづく・Qつつく・突っつく

つく【着く】物が移動して予定の場所に至る意で、くだけた会話から硬い文章まで幅広く使われる日常の基本的な和語。〈手紙が―〉〈列車が終点に―〉〈予定より早く―〉夏目漱

石の『坊っちゃん』に「東京へ―・いて下宿へも行かず、革鞄《かばん》を提げた儘、清や帰ったよと飛び込んだら」とある。「到着」と違い、「足の先が地面に―」「指の先が天井に―」のように、「届く」という意味合いでも使う。⇩Q到着・届く

つぐ【次ぐ】 想定するその対象の次に位置する意で、改まった会話や文章に用いられる和語。〈社長に―ポスト〉〈昨年に―・いで史上二番目に多い〉☞伊藤左千夫の『野菊の墓』に「野菊の様な人だと云った詞に―・いで、其野菊を僕はだい好きだと云った」とある。⇩Q継ぐ・接ぐ

つぐ【注ぐ】 容器に飲み物を流し入れる意で、会話にも文章にも使われる和語。〈急須から湯呑みにお茶を―〉〈グラスにワインを―〉☞「炭を―」のように補充する意の用法もあり、「客にビールを―」の場合にも空になっているのに気がついて失礼にならないように補給するような連想が働くこともある。⇩そそぐ

つぐ【接ぐ】 つなぎ合わせる意で、会話でも文章でも使われる和語。〈骨を―〉〈台木に―〉〈木に竹を―〉☞「骨接ぎ」「接ぎ木」などに限定的に使用される表記。文章中では「はぐ」と紛らわしいので注意。⇩Q継ぐ・次ぐ

つぐ【継ぐ】 切れ目なくつなぐ意で、会話でも文章でも使われる和語。〈息を―〉〈家業を―〉〈志を―〉〈夜を日に―・いで働く〉☞遠藤周作の『海と毒薬』に「橋本教授が医学部長を―のは至極当然」とある。「跡を―」「家を―」のような跡目相続の意味では「嗣ぐ」とも書き、その表記の場合は古風な感じが生じて文体的なレベルも高くなる。⇩次ぐ・Q接ぐ

つくえ【机】 物を書いたり本を読んだりするための台をさし、くだけた会話から硬い文章まで幅広く使われる日常的な和語。〈勉強―〉〈―に向かう〉〈―の上を片づける〉☞夏目漱石の『坊っちゃん』に「つまらない冗談をするなと銭をおれの―の上に掃き返した」とある。⇩デスク

つくづく【熟熟／熟】 じっくり、心底の意で、会話やさほど硬くない文章に使われる和語。〈―考えてみると〉〈今度ばかりは―愛想が尽きた〉☞福原麟太郎の『顔について』に「―自分の顔を鏡に見て、よくも今日まで苦労してくれた顔だと、いたわる心持にもなる」とある。⇩Qしみじみ・しんみり

つくりだす【作り出す】 それまでなかったものを新たに作る意の和語。くだけた会話から硬い文章まで幅広く使われる日常語。〈新製品を―〉〈画期的な辞典を―〉☞中山義秀の『厚物咲』に「自分の―・した新種の菊」とある。「捏造《ねつぞう》」や「でっち上げる」のような負のイメージはなく、むしろ斬新な期待を乗せて使う。「創り出す」と表記すればその画期的な感じがさらに鮮明になる。⇩Qでっち上げる・捏造

つくる【作る／造る】 材料を用いて完成品に仕立てる意で、くだけた会話から硬い文章まで幅広く使われる基本的で日常的な和語。〈米を―〉〈料理を―〉〈書類を―〉〈庭を―〉〈酒を―〉〈船を―〉☞吉本ばななの『哀しい予感』に「きちんと整った色の薄い唇が、やさしい形に笑いを―」とあるように抽象的な意味合いでも使う。「こしらえる」より一般的・標準的な語。⇩こさえる・Qこしらえる

つくろう【繕う】 破損箇所を、特に布などの破れた所を縫い

合わせるなどして直す意で、会話にも文章にも使われる、いくぶん古風な感じの和語。〈靴下の穴を―〉〈ズボンの鉤裂《かぎざ》きの箇所に継ぎを当てて―〉〈上着のほころびを―〉〈屋根の雨漏りの箇所を―〉⇩Q修繕・修理

つけあがる【付(附)け上がる】相手の厚意につけこんで思い上がった態度をとる意で、会話や軽い文章に使われる日常の和語。〈優しくすると相手は―〉〈一度褒めるとすぐ―〉✎当人だけの問題である「増長」と違い、他人のお世辞や思いやりなどを契機としていい気になる場合に使う。⇩増長

つげぐち【告げ口】他人の悪事や失敗や秘密などを他の人にこっそり知らせる意で、会話やさほど改まらない文章に使われる和語。〈先生に―する〉〈上司に―する〉✎知らせる相手は上位にあって権力を持つ個人であることが多い。犯罪のにおいのする「密告」に比べ、内容は深刻な感じが薄い。⇩Q告発・密告

つけたし【付(附)け足し】補って付け加える意で、会話や軽い文章に使われる和語。〈ほんの―にすぎない〉〈本筋と無関係な―の部分〉✎「追加」に比べ、その部分の重要性が低い感じがあり、マイナス評価のニュアンスを伴う。⇩Q追加・添加

つけね【付け値】買い手の要求する値段の意で、会話にも文章にも使われる専門的な和語。〈上得意だから先方の―で手放す〉✎この値段なら買ってもいいという、買う側の一方的な主張という響きがある。⇩Q買値《かいね》・買価《ばいか》

つけもの【漬物】野菜などを味噌・塩・醤油・糠などに漬けこんだ食品をさし、くだけた会話から硬い文章まで幅広く使われる和語。〈―を漬ける〉〈白菜の―〉✎長塚節の『土』に「塩を嚙むような―」とある。一般に、メインディッシュとなる魚の粕漬けや肉の味噌漬けなどでなく、箸休めとなる野菜の漬物をさすことが多い。⇩おこうこ・Qおしんこ・香の物

つげる【告げる】ことばで相手に知らせる意の和語で、改まった感じの文章語。日常会話にはなじまない。〈当人にその旨―〉〈開会を―〉〈時を―〉〈別れを―〉✎永井龍男の『風ふたたび』に「数番の仕掛花火が終りを―・げたばかりらしく」とあるように、単にそのことがわかる意にも使う。こっそり告げる意で「告《ち》くる」と言う若者の俗語表現もある。⇩告知・告白・知らせる・伝達

つごう【都合】必要な金品や時間・予定などをいろいろやりくりして捻出し整える意で、会話にも文章にも使われる日常の漢語。〈資金を―する〉〈どうにも―がつかない〉✎武者小路実篤の『その妹』に「近いうちに二人だけでお話ししたいと思いますが、御―のいい時をお知らせください」とある。「工面」や「算段」より一般的。「仕事の―」「―が悪い」など幅広い用法がある。「―をつける」「―がいい」「自分の―で」のように、他の事との関係による状況をさす用法のほうがよく使われる。⇩工面・Q算段

つたう【伝う】それに沿って移り動く意で、会話にも文章にも使われる和語。〈鎖を―・って水が落ちる〉〈軒を―・って流れる〉✎円地文子の『妖』に「雨の降りしきる時は坂から崖を―・って流れ落ちる水の声が際だって耳に入った」とある。「伝わる」と比べ、途中経過に重点がある。⇩Q伝わる

つたえる【伝える】相手に情報を届ける意で、会話にも文章

にも広く使われる基本的な和語。〈名を―〉〈来意を―〉〈メッセージを―〉〈電話で気持ちを―〉〈よろしくお―・え下さい〉✎夏目漱石の『こころ』に「Kから聞かされた打ち明け話を、奥さんに―気のなかった私は」とある。言語表現以外にも「熱を―」「振動を―」「伝統文化を後世に―」などと使う。⇩Q知らせる・通達・通知・告げる・伝達

つたない【拙い】「下手」の意で主に文章に用いられる古風な和語。〈―出来〉〈―ながら少々絵の心得がある〉✎自分の技術や作品を謙遜する際によく使う。漢字表記は「まずい」と区別ができない。⇩Qへた・へたくそ・へたっぴい・まずい

つたわる【伝わる】ものごとやその作用などが時間的・空間的に離れたところに届く意で、くだけた会話から文章まで幅広く使われる基本的な和語。〈うわさが―〉〈音が―〉〈熱が―〉〈古くから―民話〉✎大仏次郎の『帰郷』に「下男の階級の間に飛び火のように―だろう」とある。「伝う」と違い、伝わり先が意識に上る。⇩Q伝う

つち【土】陸地の表面を覆う土砂などの総称として、くだけた会話から硬い文章まで幅広く使われる日常の基本的な和語。〈―いじり〉〈肥えた―〉〈―を耕す〉〈異国の―を踏む〉✎「記念に甲子園の―を持ち帰る」など、「土壌」に比べ、手に持ったり肌に触れたりする物質としての面を連想しやすい。⇩Q土壌・泥

つつ【筒】円筒形で内部が空洞になっている棒をさし、会話にも文章にも使われる和語。〈免状を―に入れて保管する〉✎「捧げ―」のように銃身をさすこともあった。「管」よりも相対的に太くて真直ぐ。「茶―」などのように底のある保存容器をさす場合もある。⇩Q管・パイプ・ホース

つっかけ【突っ掛け】足先をひっかけるだけの簡易な履物をさし、会話にも文章にも使われる日常の和語。〈―で庭を歩く〉✎「―ぞうり」もあり、樋口一葉の『たけくらべ』には「―下駄」とある。⇩Qサンダル

つづきがら【続き柄】親子・夫婦・兄弟などという親族の間の関係をさし、会話にも文章にも使われる和語。〈世帯主との―〉⇩Q間柄・関係①・関連・続柄

つつく【突く】細い先で軽く突く意で、会話やさほど硬くない文章に使われる和語。〈鳥が実を―〉〈箸で鍋を―〉〈背中を―・いて促す〉✎「突く」に比べ、その動作を繰り返すイメージが強い。⇩Qこづく・Q突く・突っつく

つづけざま【続け様】同じようなことがすぐに繰り返される意で、会話にも文章にも使われる和語。〈事故が―に起こる〉〈―に賞を取る〉✎「立て続け」よりいくらか間隔が長い感じがある。⇩Q立て続け

つつしむ【慎む】差し障りがないように言動に気をつけたり、自分の意志でまったく行わなかったり量や程度を控えめにしたりする意で、改まった会話や文章に用いられる和語。〈行いを―〉〈身を―〉〈少し言葉を―・め〉〈飲酒を―〉✎「控える」や「差し控える」に比べ、個別の行為だけでなく漠然とした意味合いでも使われる。⇩Q差し控える・控える①

つったつ【突っ立つ】何もしないで立っている意で、主に会話や軽い文章に使われる和語。〈ぼうっと―・っていないで手伝ったらどうだ〉✎井伏鱒二の『珍品堂主人』に「棒を呑んだみたいに―・って」とある。無駄に立っている、気が利

かない、といったニュアンスで用いる例が目立つ。⇩起立・Q佇《たたず》む・立ちすくむ・立ち尽くす・立つ

つっつく【突っ付(突)く】「つつく」意で、会話や軽い文章に使われる和語。〈鶏がえさを―〉〈指でほっぺたを―〉✎「つつく」より会話的。⇩こづく・突く・Qつつく

つっぱしる【突っ走る】勢いよく走る意で、主として会話や改まらない文章に使われる口頭語に近い和語表現。〈往来を―〉〈首位を―〉✎単なる「走る」より勢いを感じさせるのは、造語要素「突く」の添える意味のほか、促音とそれに続く「パ」という破裂音の働きもあるかもしれない。⇩走る

つつみ【堤】川が氾濫《はんらん》した際に水が溢《あふ》れて住宅地などに流れ込まないように川に沿って長く石や土を高く盛り上げたものをさし、会話にも文章にも使われる、やや古風な和語。〈桜の―が続く〉〈川が増水して―が切れる〉✎「堤防」はもちろん「土手」よりも風情を漂わせる。⇩堤防・Q土手

つつむ【包む】対象の外側を全体的に覆う意で、くだけた会話から硬い文章まで幅広く使われる日常の基本的生活和語。〈本を風呂敷に―〉〈贈り物を包装紙で―〉〈中身が見えないように新聞紙で―〉✎川端康成の『千羽鶴』に「花を出して、水を捨てて、拭いて、箱に入れて、―・んだ、その文子の早業に、菊治はひどく驚いた」とある。主として具体物を覆う「くるむ」に対し、この語は「炎に―・まれる」「闇に―・まれる」「両親の愛情に―・まれて育つ」「会場は異様な雰囲気に―・まれる」のような現象や抽象体について用いる例も多い。⇩くるむ

つづりかた【綴り方】国語教育での「作文」の旧称で、会話にも文章にも使われる古めかしい和語。〈―教室〉〈―の時間〉〈―の天才少女〉✎井伏鱒二の『悪戯』に「私は―に耽っているかのように見せかけながら、森政保の教えてくれた材料によって、鷗外に反駁文を書いた」とある。⇩作文

つて【伝】人と人とのつながりの意で、会話や軽い文章に使われる和語。〈いい―がある〉〈―を頼る〉〈―を求める〉✎親戚などを連想させる「縁故」に比べ、もう少しつながりが薄い感じがある。「手づる」ほど目的意識が露《あら》わでない。⇩縁故・コネ・Q手づる

つどい【集い】「集まり」の意で、主として文章に用いられる優雅な感じの和語。〈若者の―〉〈名曲鑑賞の―〉〈励ます―〉✎「会」や「集まり」なら、どんな目的で開かれ、どういう服装で参加しても自由な感じだが、この「つどい」の場合は何か楽しいことがありそうで、気軽に人が集まりそうな雰囲気があり、堅苦しい服装は似合わない。⇩会・会合

つどう【集う】人間が目的を持って集まる意で、主に文章中に用いる古風で優雅な感じの和語。〈若者の―祭典〉〈激励のために―〉✎谷崎潤一郎の『細雪』に「佳き人のよき衣つけて寄り―都の嵯峨の花ざかりかな」という短歌が出る。名詞形の「つどい」は「集まり」を優雅にした感じで好感度が高い。⇩Q集まる・集合・たかる・群がる・群れる

つとめ【務め】社会的道徳上あるいは立場上当然なすべきことをさして、会話にも文章にも使われる和語。〈最低限の親の―だ〉〈学生の―を疎《おろそ》かにする〉⇩Q義務・責務・任務

つとめさき【勤め先】「勤務先」の意で、会話やさほど硬くない文章に使われる和語。〈―に電話を掛ける〉〈今度の―は

自宅から通える〉✎「勤務先」より日常会話で気楽に使う。⇩Q勤務先・仕事場・職場

つとめにん【勤め人】 役所や企業に勤務している人の意で、会話や硬くない文章に使われるやや古風な表現。〈―風の男〉〈朝は―で電車が込み合う〉✎幸田文の『おとうと』に「朝はまだ早く、通学の学生と―が村から町へむけて出かけて行く」とある。⇩Q会社員・勤労者・サラリーマン・社員・従業員・ビジネスマン・労働者

つとめる【努める】 そのために努力する意で、やや改まった会話や文章に用いられる和語。〈サービスに―〉〈事故防止に―〉〈泣くまいと―〉✎谷崎潤一郎の『細雪』に「雪子ちゃんが献身的に看護に―・めたか」とある。「励む」という意味合いでは「勉める」と書くこともあるが、少し古い感じになる。⇩Q勤める・務める

つとめる【務める】 役目をこなす意で、やや改まった会話や文章に使われる和語。〈委員を―〉〈主役を―〉✎永井荷風の『腕くらべ』に「宴会だの園遊会だのある折にはいつも接待係を―」とある。⇩Q勤める・努める

つとめる【勤める】 勤務する意で、くだけた会話から硬い文章まで広く使われる基本的な和語。〈会社に―〉〈同じ学校に定年まで―〉✎小沼丹の『ギリシャの皿』に「学校を出ると中山は或る会社に―・めて」とある。仏道の修行をする意にも使われる。⇩努める・務める

つな【綱】 植物性繊維や針金などを長く縒《よ》り合わせたものをさし、会話にも文章にも使われる和語。〈―引き〉〈―を打つ〉✎「縄」より強く、「紐《ひも》」より太い。「ロープ」に比べ植物性繊維のものを連想させやすく、「―を張る」「―を目指す」のように、相撲《すもう》で「横綱」の婉曲《えんきょく》表現ともなる。⇩縄・紐・Qロープ

つながり【繫がり】 二者が互いに結びついて関わり合う意で、会話やさほど硬くない文章に使われる日常の和語。〈両者の間には深い―が見られる〉〈何の―もない話〉〈血の―は争えない〉⇩縁①・掛かり合い・Q関わり・係わり合い・関係①・関連・連関

つねづね【常常】 日常の日々においていつもの意で、いくぶん改まった会話や文章に用いられる、いくらか古風な感じの和語。〈―思っている〉〈―心掛けていること〉✎長い間継続してというニュアンスがある。⇩いつも・通常・Q常日頃・日常・日常茶飯事・日頃・普段・平常・平生・平素

つねに【常に】「いつも」の意で、改まった会話や文章に用いられる、やや硬い感じの和語。〈―一定の温度を保つ〉〈―努力を続ける〉〈―笑顔を絶やさない〉⇩Qいつも・始終・終始・常時・しょっちゅう・絶えず・のべつ

つねひごろ【常日頃】 いつも変わらぬ日常の意で、会話にも文章にも使われる、いくぶん古風な和語。〈―気をつけている〉〈―の身だしなみ〉⇩いつも・通常・常々・Q日常・日常茶飯事・日頃・普段・平常・平生・平素

つのる【募る】 広く呼びかけて集める意で、主に文章中に用いられる和語。〈会員を―〉〈希望者を―〉〈寄付金を―〉✎「雨風が―」「恋しさが―」「不信感が―」のように、ますます激しくなる意に使う場合も文章語的。⇩募集

つば【唾】 口中に分泌される消化液の意で、日常の会話でも

文章でもよく使われる和語。〈―を飲み込む〉〈―を吐く〉〈手に―をつける〉✎長塚節の『土』に「薄い水のような―」とある。「唾液」ほど正式な感じではないが、「つばき」より標準的。⇩唾液・Ｑつばき

つばき【唾】 口にたまる唾液をさし、会話でも文章でも使われるやや古風な日常の和語。〈―を飛ばす〉〈道端に―を吐き散らす〉〈思わず―を飲み込む〉✎「つば」を意味する「つ」と「吐く」との結合した動詞の連用形から転成し名詞化したものという。小津安二郎監督の映画『晩春』(一九四九年)のアヤ(月丘夢路)のせりふに「―だらけ。それが紅茶に這入るのよ、だから、まわりの人だあれも飲まないの」という箇所がある。日常会話で「つば」が普通になり、使用頻度の減った今日から見ると、この語形は古い感じを受ける。⇩唾液・Ｑつば

つばさ【翼】 鳥類の飛ぶための器官をさし、改まった会話や文章に使われる和語。〈―を広げる〉〈―を休める〉✎前脚の変化したもの。「飛行機の―」という拡大用法には特に改まった感じはなく、「ヨク」と音読みすれば専門的な響きになる。⇩羽

つぶやく【呟く】 相手に伝える気がないのに小声でことばを口に出す意で、会話にも文章にも使われる日常の和語。〈不平を―〉〈小さな声で―〉〈何やらぶつぶつ―〉✎太宰治の『富嶽百景』に「男は、しかし、身なりなんか気にしないほうがいい、と小声で―・いて私をいたわってくれたのを、私は忘れない」とあるように、独り言のような調子であれば脇に相手のいる場面でも使う。⇩独白・Ｑ独り言

つぶる【瞑る】 瞼《まぶた》を閉じる意で、会話にも文章にも使われる和語。〈目を―・って十数える〉〈目を―・って心を落ち着ける〉✎「つむる」より一般的。⇩つむる

つぼ【壺】 ①口が狭くつぼまって胴の部分の膨らんだ陶磁器製またはガラス製の容器をさし、会話にも文章にも使われる和語。〈茶―〉〈骨―〉〈―に花を生ける〉✎一般に「かめ」より小さな物が多い。「滝―」のように、狭く深くくぼんだ場所をさすこともある。⇩かめ ②ものごとの中で特に大事な部分をさし、会話にも文章にも使われる和語。〈思う―〉〈―を心得る〉〈―を押さえた処置〉✎幸田文の『おとうと』に「ちゃんと―をはずしていないから憎い」とある。⇩勘所・呼吸②・Ｑこつ・秘訣・要領

つぼにわ【坪庭】 建物や垣根に囲まれた小規模な内庭をさし、会話にも文章にも使われる古風な和語。〈―の手入れ〉✎古く宮廷の中庭を「壺」と呼んだところから。和風庭園を連想させる。⇩Ｑ内庭・中庭

つぼまる【窄まる】「つぼむ」の意で、会話や硬くない文章に使われる和語。〈口の―・った容器〉⇩しぼむ・すぼまる・すぼむ・Ｑつぼむ

つぼむ【窄む】 全体または部分が狭く細くなる意で、会話や硬くない文章に使われる和語。〈口の―・んだ花瓶〉✎「すぼむ」と違い、長い物の先のほうが細くなっているという意味では使わない。なお、「蕾む」「莟む」と書けば、つぼみになる意。⇩しぼむ・すぼまる・すぼむ・つぼまる

つぼめる【窄める】 開いていた物を狭くしたり閉じたりする意で、会話にも文章にも使われる和語。〈口を―〉〈傘を―〉

✎川端康成の『伊豆の踊子』に「踊子はきゅっと肩を―・めながら」とあり、「きゅっと」とあるように、「すぼめる」よりもさらに狭くしぼる感じがある。⇩すぼめる

つま【妻】 夫から配偶者をさす和語で、現代では最も一般的な語。率直な呼び名で相手への配慮やはにかみなどの感情的な色彩が感じられない。〈―に迎える〉〈―が車で迎えに来る〉〈―の田舎の雑煮〉✎木山捷平の『大陸の細道』に「長い間の貧乏にやつれた―が、女のひとり旅、夫の遺骨を首にぶら下げて汽車にのっている図なんか思っただけでもみじめで」とある。古くは男女を問わず用い、男をさす場合は「夫」と書いた。⇩いえの者・うちの者・お上さん・奥方・奥様・奥さん・お内儀・家内・かみさん・愚妻・細君・Ｑ女房・伴侶・ベターハーフ・嫁・令閨・令室・令夫人・ワイフ

つましい【倹(約)しい】 生活に無駄な金をかけない意で、やや改まった会話や文章に使われる、やや古風な感じの和語。〈―生活〉〈―・く暮らす〉✎衣食住の個々の物品についてではなく生活ぶり全体をさす例が多い。⇩質素

つまずく【躓く】 足先が障害物に突き当たって前のめりになる意で、会話にも文章にも使われる和語。〈夜道で―〉✎「人生に―」「大会の緒戦で―」「入試で―」などと、失敗や挫折の意味合いで比喩的に使われることも多い。⇩蹴躓《けつまず》く・つんのめる・のめる

つまはじき【爪弾き】 嫌って遠ざける意で、会話や軽い文章に使われる少し俗っぽい感じの和語。〈みんなでいじめて―する〉〈―に遭う〉✎親指を支えにして人差し指や中指で跳ね飛ばす意からの比喩表現。⇩邪慳《じゃけん》・仲間外れ・Ｑ除《の》け者

つまらない【詰まらない】 関心や面白みがない意で、会話や軽い文章に使われる和語。〈―映画〉〈話が―・くて、聞いているうちに眠くなる〉〈遊び相手がいなくて―〉✎「―ことで喧嘩になる」のように、どうでもいい些細《ささい》なの意でも使う。「―ものですが、どうぞお納めください」のように、謙遜して価値の低い意にも使うが、「―人間」「―講義」など、興味が持てない点が中心で、必ずしも価値がないという評価とは直結せず、「下らない」と違う。⇩くだらない・ばかくさい・ばかばかしい・ばからしい

つまり【詰まり】「言い換えれば」「結局のところは」という意味合いで、結果として行き着くところをさし、会話にも文章にも使われる和語。〈―こういうことだ〉〈母の父―私の祖父〉〈―性格の不一致ってやつだ〉✎芥川龍之介の『侏儒の言葉』に「まだ死よりも強いものは沢山あるのに相違ない。―あらゆる情熱は死よりも強いものなのであろう」とある。「結局」と比べ、結末の部分に重点が集中。「すなわち」ほど格式ばらず日常会話でも使う。単なる換言ではなく、もっと簡単にわかりやすく言うという感じの言い換えに多く使う。⇩結局・すなわち・Ｑ要するに

つみ【罪】 法律・道徳・社会通念・宗教などのきまりに違反する意で、くだけた会話から硬い文章まで幅広く使われる日常の基本的な和語。〈―を犯す〉〈―を償う〉〈―つくり〉〈―がない〉〈―が深い〉〈―を認める〉〈―をかぶる〉〈―一等を減ずる〉✎夏目漱石の『坊っちゃん』に「手前のわるい事は悪るかったと言って仕舞わないうちは―は消えないもんだ」とある。⇩Ｑ罪科・罪過・とが・犯罪

つみこむ【積み込む】 貨物を運搬するために船やトラックなどに積み入れる意で、会話にも文章にも使われる日常の和語。〈車のトランクに荷物を―〉⇩Q積載・積む・搭載

つむ【積む】 次々に重ねて載せる、前の事を土台としてその上に同じ行為を重ねる意で、会話でも文章でも幅広く使われる日常生活の和語。〈荷台に荷物を―〉〈煉瓦《れんが》を―〉〈新聞紙を高く―〉〈読み終えた本を何冊も―・んでおく〉〈練習を―〉〈経験を―〉✎林房雄の『青年』に「家財道具を山のように―・みのせた馬車と荷車の行列」とある。「重ねる」のように一定の形状でなくても使える。⇩重ねる・積載・積み込む・搭載

つむじまがり【旋毛曲がり】 性格が素直でなく、しばしば周囲と逆の言動をとるような意味合いで、主に会話や軽い文章に使われる和語。〈何しろ―だから人の言うことに反対ばかりしている〉✎里見弴の『極楽とんぼ』に「こう言うと、いかにも―のように聞えようけれど」とある。「臍《へそ》曲がり」はおのずと周囲と違う変わった言動となり、「旋毛曲がり」はわざと相手の逆の言動をとるような連想が働く。⇩変わり者・奇人・気難しい・Q臍曲がり・偏屈・変人

つむる【瞑る】「つぶる」意で会話にも文章にも使われる、いくぶん古風な和語。〈目を―・ってじっと考える〉⇩つぶる

つめたい【冷たい】 大気や物の温度が低く、それに触れたときに冷ややかに感じられる場合に、くだけた会話から硬い文章まで幅広く使われる日常の和語。〈―飲み物〉〈水が―〉〈手が―〉✎幸田文の『流れる』に「―空気が胸の奥はこんなに深い道がついていると知らせて、ちりりとする」とある。全身で感じる「寒い」に比べ、体の接触した部分に受ける感覚で、不快に感じるだけでなくむしろ心地よく感じる場合もある。⇩寒い・涼しい・Q冷ややか

つもり【積もり／心算】 こうしようと心の中で思うことをさし、会話にも文章にも使われる和語。〈参加する―だ〉〈いったいどういう―だ〉〈そんな―ではなかった〉✎夏目漱石の『坊っちゃん』に「君はいつ迄こんな宿屋に居る―でもあるまい」とある。「海外旅行をした―で貯金に回す」のように、実際には起こらないことを頭の中だけで考えてその気になる意にも使う。「―が外れる」のような用法以外、多くは連体修飾語を受けて使う。⇩Q意向・意図・魂胆

つや【艶】 なめらかな表面に浮かび出るやわらかな反射光をさし、会話でも文章でも幅広く使われる日常的な和語。〈色―がいい〉〈肌に―がある〉〈髪の―〉✎大江健三郎の『芽むしり仔撃ち』に「粗土の壁は柔い金色の―のある光を照りかえしていた」とある。艶のあるものとしてよく連想されるのは肌・果実・顔色・髪の毛・木製家具・廊下など。「―っぽい女」「声に―のある粋な男」「年齢を重ねるにつれて芸に―の出る役者」「人間として円熟し、人柄に―を加える人物」というふうに比喩的な用法も多い。⇩Q光沢・照り

つやっぽい【艶っぽい】 主に女の表情やしぐさに色気が感じられる意で、会話や軽い文章に使われる古風な和語。〈―話〉〈からかった客を―目でにらむ〉✎夏目漱石の『こころ』に「そういう―問題になると、正直に自分を開放するだけの勇気がない」とある。⇩あだっぽい・婀娜《だあ》な・Q色っぽい・なまめかしい・妖艶

つゆ【梅雨】陰暦五月ごろの雨の多い季節や、その頃の雨をさし、会話にも文章にも使われる和語。〈―入り〉〈―が明ける〉〈―の季節〉✎円地文子の『妖』に「―時のしんめり冷ややかな午後」という創作的擬態語が出る。⇩入梅・Q梅雨《ばいう》

つゆときえる【露と消える】「死ぬ」意の古風で和風の美的間接表現。〈断頭台の―〉✎死を忌む気持ちから、それと明言せずにほのめかす婉曲《えんきょく》表現。「露」は「はかなさ」の象徴。⇩敢え無くなる・上がる②・あの世に行く・息が切れる・息が絶える・息を引き取る・往く・いけなくなる・永眠・往生・お隠れになる・落ちる②・おめでたくなる・帰らぬ人となる・くたばる・死去・死ぬ・死亡・昇天・逝去・斃《たお》れる・他界・長逝・天に召される・亡くなる・儚《はかな》くなる・不帰の客となる・不幸がある・崩御・没する・仏になる・身罷《みまか》る・脈が上がる・空しくなる・Q藻屑となる・逝く・臨死・臨終

つよい【強い】物理的・精神的・感覚的に圧力・腕力・能力・実力・程度・衝撃などが大である意で、くだけた会話から硬い文章まで幅広く使われる日常の基本的な和語。〈力が―〉〈気が―〉〈意志が―〉〈風が―〉〈日ざしが―〉〈寒さに―〉〈度の―眼鏡〉〈においが―〉〈酒が―〉〈―酒〉〈―口調〉〈―・く引く〉✎夏目漱石の『坊っちゃん』に「おれより脊が高くて強そうなのが居る。あんな奴を教えるのかと思ったら何だか気味が悪るくなった」とある。「弱い」と対立。⇩頑強・Q強力

つよき【強気】気が強く積極的に立ち向かう意で、会話にも文章にも使われる漢語。〈―な性格〉〈―の発言〉〈―で臨む〉〈―に転じる〉⇩雄々しい・鼻っぱし・Q向こう意気

つら【面】「顔」の意でくだけた会話などに使うぞんざいな和語。相手をののしるときなどによく使う。〈しかめっ―〉〈相手の―を見返す〉〈大きな―をしやがって〉〈どの―下げて〉✎夏目漱石の『坊っちゃん』に「―でも洗って議論に来いと云ってやったが、誰も―を洗いに行かない」とある。⇩Q顔・顔ばせ・かんばせ・顔面

つらい【辛い】肉体的・精神的にきつく、我慢するのが難しい状態をさし、会話やさほど硬くない文章に使われる日常の和語。〈立っているのが―〉〈仕事がきつくて体が―〉〈朝が―〉〈別れが―〉✎夏目漱石の『坊っちゃん』に「下宿に居て芋許り食って黄色くなって居ろなんて、教育者は―ものだ」とある。体全体に関する苦痛で、「胃が―」というふうに身体部位を限定しては用いない。また、肉体的な苦痛が原因であっても、直接にはそれに伴って生ずる精神的な苦しみを表現した感じが強く、「間に立って―立場にある」「そう言われると―」「見ているだけでも―」のようにもっぱら精神的な苦痛の場合にもよく使う。⇩苦しい・しんどい

つらなる【連(列)なる】重なって続く、加わる意で、改まった会話や文章に用いられる和語。〈山々が―〉〈会合に―面々〉⇩並ぶ・列する

つらぬく【貫く】最初の考えなどを最後まで持ち続ける意で、会話にも文章にも使われる和語。〈主張を―〉〈最後まで信念を―〉〈一定の方針を―〉✎平林たい子の『施療室にて』に「要求は、昔から貧乏人の伝統の中を針金のように―・いて来た」とある。「貫く」「貫徹」は最初から最後までという時間的な連続性に重点があり、「徹する」「徹底」はそのことだけという不変性に重点がある。⇩貫徹・Q徹する・徹底

つらねる【連(列)ねる】一列に長く並べる意で、やや改まった会話や文章に用いられる和語。〈家々が軒を─〉〈車を─・ねて出発する〉〈名簿に名を─〉⇩Q並べる・排列

つりあい【釣り合い】両方がよく調和し、大きさ・重さ・色合い・力などの割合がうまく行っている意で、くだけた会話から文章まで幅広く使われる日常の和語。〈よく─がとれている〉〈上下の─がとれない服装〉⇩均衡・Qバランス・平衡

つる【吊る】一方を固定して上から下げる意で、会話でも文章でも広く使われる和語。〈天井からシャンデリアを─〉〈相手力士を高々と─〉〈棚を─〉〈首を─〉〈橋を─〉✎「吊《つ》るす」が対象物を一定の位置に保つ点に中心があるのに対して、この語は対象を上に引っ張る物理的作用に重点をおいた表現。したがって、対象物の下端が空中にあるか机上または床面に接触しているかは重要でない。⇩釣る・吊す

つる【釣る】ひっかけて引き寄せる意で、会話でも文章でも広く使われる日常の和語。〈魚を─〉〈とんぼを─〉〈餌で─〉✎夏目漱石の『坊っちゃん』に「鮪の二匹や三匹─・ったって、びくともするもんか」とある。「広告で客を─」のように、誘い込む意に使う比喩的な用法の場合は、いくらか俗っぽい響きがある。⇩吊《つ》る

つる【弦】弓に張り渡す糸などをさし、会話でも文章でも使われる和語。〈弓に─をかける〉〈矢が─を離れる〉✎「バイオリンの─」の場合には「絃」と書くこともあり、古風な趣を感じさせる。土瓶や鍋の取っ手を意味する場合には「鉉」とも書き、これも古めかしく見える。⇩蔓《つる》

つる【蔓】植物の茎やそれに似た形状のものをさし、会話でも文章でも使われる。〈朝顔の─〉〈眼鏡の─〉〈金─〉✎岡本かの子の『母子叙情』に「こんな腐った髪の毛のような─からも、やっぱり春になると、ちゃんと芽を出すのね」とある。植物以外の場合は仮名書きされる傾向がある。⇩弦《つる》

つるぎ【剣】片刃の太刀《たち》に対して諸刃《もろは》の大刀《だいとう》をさし、主に文章に用いられる古めかしい和語。〈─を帯びる〉〈─を抜く〉〈─を植える〉⇩Q刀・剣《けん》・刀剣

つるし【吊し】「既製服」の意で、くだけた会話に使われる古風で俗っぽい和語。〈─の背広上下〉✎すでに出来上がって店に吊すところから。⇩既製・Q出来合い・レディーメード

つるす【吊す】吊ってぶら下げる意で、会話でも文章でも広く使われる日常生活の和語。〈垂れ幕を─〉〈照る照る坊主を─〉〈軒下に干し柿を─〉〈首からブローチを─〉〈天井からシャンデリアを─〉✎長塚節の『土』に「太い縄でぐっと─・されたかと思うように後へ反りかえって」とある。上から支える「吊る」と違って、吊られた対象物が適切な位置に保たれるところに重点があり、その下端は床やテーブルなどに載らず原則として空中にある。小沼丹の『炉を塞ぐ』に「小さな書斎を建て増したとき、一隅にささやかな炉を切って自在鍵を─・した」とある。利用する自在鍵の位置に意識の重点があるのだろう。⇩吊る

つれあい【連れ合い】夫婦関係にある男女の一方から見た相手をさし、会話にも文章にも使われる古風な和語。〈─に先立たれる〉〈お互いに─が達者で何よりだ〉✎古い感じになって次第にあまり使われなくなってきていたが、「主人」「亭主」などという上位者を意識する語の使用を敬遠する傾

向が高まり、近年それに代わるものとしてこの語がまた使われだした感がある。⇩配偶者

つれない【情無い】接し方が思いやりに欠けて冷淡な意で、会話にも文章にも使われる、やや古風な和語。〈―仕打ち〉〈―・くされる〉〈―そぶりを見せる〉✎「そっけない」「すげない」よりさらに冷淡な感じが強い。⇩Qすげない・そっけない・無愛想・ぶっきらぼう

つんのめる 前にのめる意を強め、主にくだけた会話で使われる和語。〈後ろから押されて―〉✎現代は単なる「のめる」の使用が減り、「のめる」の会話的な表現として一般に使われるが、この語のほうがのめり方に勢いが感じられる。⇩蹴躓《けつまず》く・躓《つまず》く・Qのめる

つんぼ【聾】耳の聞こえない人を伝統的にさしてきた語。差別意識が指摘されて、今では使用を控えている。✎「聾」という漢字を音読みした「ロウ」という音で間接的にさす場合もある。音読みすることで語感を薄め、意味との直接のつながりをぼかして、一種の記号のような働きに変換する試み。「耳の不自由な人」とやわらげた表現も見られる。なお、舞台から遠すぎて役者の台詞がよく聞こえない客席を意味する「―桟敷」という語も「聾」を連想させるため語義とは無関係に使用を控えている。

て

て【手】人体の肩から先の部分、または、手首から先の部分をさし、くだけた会話から硬い文章まで幅広く使われる基本的な和語。〈―を振って歩く〉〈―に―を取る〉✎坪田譲治の『正太の馬』に「―は肘まで赤くなって風の中に出ていた」とある。⇩お手手

てあい【手合い】ある種の人々の意で、くだけた会話や軽い文章に使われる古風な和語。〈あの―ときたら遠慮も何もないからな〉〈あの―を相手にするのは苦手だ〉✎何人かの集団を連想させる「連中」に比べ、同種の人間の中のある一人を意識する例が多い。囲碁や将棋の対局を意味する用法もあり、その場合は専門語的。⇩やから・Qれんじゅう・れんちゅう

であう【出合う】両者が一緒になる、対象に接するの意味で、会話でも文章でも使われる和語。〈二つの川がこの先で―〉〈珍しい光景に―〉〈雄大な景色に―〉✎夏目漱石の『坊っちゃん』に「大事件にも―・わないのに」とある。「奇妙な出来事に―」の場合、偶然性を強調して「出遇う」と書いたり、好ましくない対象であることを表すために「出遭う」と書いたりするケースもある。また、「曲者だ、―・え、―・え」のような、出て立ち向かう意の用法はきわめて古く、時代物めく。⇩出会う

であう【出会う】人と人とが偶然会う意で、やや改まった会

話や文章に用いられる和語。〈街でばったり知人に―〉✎夏目漱石の『草枕』に「旅中に―人間」とある。「思いがけない所で初恋の人に―」のような場合に、特別の思いを込めて「出逢う」と書くこともあり、いくぶん美化された感じになる。相手が人間でなくても、「思い出の品に―」「すばらしい本に―」のように心を動かされる対象を擬人化してこの表記をあえて用いるケースもある。⇩合う・出合う

てあて【手当て】 病気などの適切な処置の意で、くだけた会話から文章まで幅広く使われる日常の基本的な和語。〈応急―〉〈怪我の―〉〈すぐに―を受ける〉✎井伏鱒二の『本日休診』に「自分で―をしたらいいでしょう」とある。「人員の―」「金銭の―」のように必要な用意の意や、「残業―」「家族―」のように本給以外の賃金の意をさすなど、きわめて広い意味で使われる。⇩加療・診療・施療・治療・療治

てあらい【手洗い】「便所」の意で今でも用いる間接表現の日常の和語。「お手洗い」という形で使う例が多い。〈―に立つ〉✎近代的な便所では、手水鉢とは違って、手を洗うための流しも同じ部屋の一角に位置することが多く、主たる目的の行為を言語化せず、それに付随する行為である「手洗い」ということばで便所全体をさりげなくさすのに好都合であった。⇩おトイレ・厠《かわや》・閑所・化粧室・御不浄・雪隠・洗面所・WC・手水場・トイレ・トイレット・はばかり・Q便所・レストルーム

ティーム「チーム」の意の新しい感じの外来語。〈―の一員〉〈―バッティングに徹する〉✎NHKのアナウンサーなどを中心に近年見られるようになった語形。英語の原音に近いが、「ゴロ」を「グラウンダー」とは言わず、日常会話で用いるとまだ気取った感じを与えやすい。⇩チーム

ていえん【庭園】 大規模で立派な庭をさし、やや改まった会話や文章に用いられる正式な感じの漢語。〈屋上―〉〈―灯〉〈小高い築山《つきやま》から―を一望できる〉✎観賞用に造られたものに限られ、「庭」と違って単なる空き地は含まれない。それも、「回遊式―」というようにある程度スケールの大きな庭に限定され、「日本―」とわざわざ断るように、「庭」に比べ西洋式の庭を連想させやすい。小沼丹の『外来者』に「広い芝生の庭」「庭を一周してテエブルに着く」など「庭」と記された場所も正式名称は「大隈―」となるように、漢語の格式からこの語は「庭」よりも正式な雰囲気を漂わせる。⇩庭

ていおう【帝王】「皇帝」の意で、やや改まった会話や文章に用いられる、やや硬い感じの漢語。〈―学を修める〉〈無冠の―〉✎「暗黒街の―」「闇の―」のように、その分野での絶対権力者を意味する俗っぽい用法もある。⇩王・王様・君主・Q皇帝・国王・大王・天子・天皇・帝

ていか【定価】 商品についている売値の意で、会話にも文章にも使われる漢語。〈―一万円の品〉〈―をつける〉〈―を崩す〉⇩正価

ていかかく【低価格】 価格、すなわち、物の価値を金額で表示した数値が低い意で、経済などの専門的な話題の会話や文章に用いられる正式な感じの漢語。〈―で購入する〉〈―の取引に終始する〉✎「高価格」と対立。⇩Q安価・安い・廉価

ていきゅう【低級】 程度が低く俗悪な意で、会話にも文章にも使われる軽い漢語。〈趣味が―だ〉〈―で見るに堪えな

い〉✎永井龍男の『朝霧』に「―な茶番を演ずる必要はない」とある。「低劣」に比べると、評価が低いだけで、軽蔑・非難の感じは薄い。⇩低俗・Q低劣・低い

ていきゅう【庭球】「テニス」の古風な呼称。「排球」や「籠球《ろうきゅう》」に比べればまだいくらか使われる。〈軟式―ではバックハンドでもラケットの同じ面を使う〉✎「ご趣味は?」と問われてこの語を用いて答えると「趣味が低級」という響きがあり、颯爽《さっそう》としたテニスウエア姿にマッチしないかもしれない。⇩テニス

テイクアウト レストランなどで食べ残したものを持ち帰る場合のほか、近年、ファストフードの店などの外食店で売るようになった持ち帰り用の料理をさしてよく使われるようになった外来語。〈―を買って夕飯を済ませる〉〈懇親会で―をとる〉✎今のところまだ、おにぎりや塩辛などに使うとイメージが合わない感じが残る。「テークアウト」とも書く。⇩持ち帰り

ていけい【梯形】「台形」の旧称。✎梯子《はしご》を連想しての命名。⇩Q台形・方形

ていげん【低減】数量・程度・価格などが減少する意で、主に文章中に用いられる硬い漢語。〈取り扱い件数の―〉〈料金が―する〉〈負担を―する〉〈労働量の―を図る〉⇩軽減・削減・節減・Q逓減《ていげん》

ていげん【提言】意見を発表しその実行を求める意で、改まった会話や文章に用いられる硬い漢語。〈―を行う〉〈政府に対する―〉〈―を受け入れる〉〈―を採択する〉✎会議の席上などで大きな問題に対して建設的な意見を述べるイメージが強く、日常生活上の話題で用いると大仰に響く。⇩言い張る・強調・Q主張・力説

ていげん【逓減】時を追うごとに次第に減る意で、主に文章中に用いられる硬い漢語。〈人口の―をくいとめる〉〈収穫がこのところ―の傾向にある〉⇩軽減・削減・節減・Q低減

ていこう【抵抗】自然な流れや外部からの圧力に従わず、逆に押し返そうとする動きをさし、会話にも文章にも使われる漢語。〈空気―〉〈―運動〉〈―の姿勢を崩さない〉〈無駄な―はよせ〉✎安部公房の『砂の女』に「―は空しいと知りながらも、彼は砂をかき続けた」とある。「反発」はもちろん「反抗」に比べても攻撃性は弱く、「急激に起こったアクセントの平板化には―がある」「そういう極端な意見は気持ちの―があって簡単には賛成できない」のように、不自然で受け入れがたいという意味合いでも使う。⇩敵対・反抗・Q反発

ていこく【定刻】予定の時刻をさし、改まった会話や文章に用いられる硬い感じの漢語。〈―どおり出発する〉〈―を十五分も過ぎてようやく開会する〉⇩定時

ていこく【帝国】皇帝が統治する国をさす漢語。〈―議会〉✎「―主義」という語があり、それが侵略に加担してきたという歴史が連想されるため、平和な感じの「王国」とは違い、侵略戦争のイメージがつきまとっている。⇩王国

ていさい【体裁】他人から見られたときのようすの意で、会話にも文章にも使われる漢語。〈―がいい〉〈―を整える〉〈―よく断る〉✎谷崎潤一郎の『細雪』に「そうでなくて済めばその方が―がよく、それに越したことはない」とある。

「―よく並べる」のように、物の見た目にも使う。⇩外聞・Q世間体・体面

ていし【停止】途中で止まる意でやや改まった会話や文章に用いられる漢語。〈一時―〉〈―線〉〈ただちに―する〉〈運転を―する〉✎もっぱら現象をさす「ストップ」に比べ、「発行―」「販売―」のように強制的に差し止める場合にも使う。⇩Qストップ・静止・止まる

ていじ【呈示】具体物を差し出して見せる意で、改まった会話や文章に用いられる漢語。〈身分証明書を―する〉〈運転免許証の―を求める〉⇩提示

ていじ【提示】問題となる物事を取り上げて示す意で、やや改まった会話や文章に用いられる漢語。〈資料を―する〉〈証拠を―する〉〈新しい見解を―〉⇩呈示

ていじ【定時】一定の時刻や時期の意で、改まった会話や文章に用いられる、やや専門的な感じの硬い漢語。〈―に発車する〉〈―に退社する〉〈市報を毎年―に刊行する〉〈―制の高校〉⇩定刻

ていしゃ【停車】電車や自動車などが走行を一時的に停止し、短時間その場にとどまる意で、会話にも文章にも使われる漢語。〈臨時―〉〈急行列車の―駅〉〈―中の車〉〈門の前に―する〉✎「駐車」と違い、自動車に限らず使う。⇩駐車

ていしゃば【停車場】「駅」の昔の呼び方。〈―の真向かいに百貨店が店開きした〉✎夏目漱石の『坊っちゃん』に「車を並べて―へ着いて」とある。⇩Q駅・ステーション

ていしゅ【亭主】一家の主《あるじ》の意で、妻から見た夫をさし、会話にも文章にも使われる古めかしい漢語。〈―関白〉〈―を尻に敷く〉〈髪結いの―〉✎室生犀星の『杏っ子』に「―という兵営」とある。「主人」同様、上位者のニュアンスがあり、また、いかにも古い感じもして、今ではめったに使われない。「茶店の―」「宿屋の―」のように店主を意味する用法もある。⇩あるじ・うちの人・夫・主人②・Q旦那・ハズ・宿六

ていしゅく【貞淑】操が堅くしとやかなさまをさす古風な漢語。〈―な妻〉✎芥川龍之介の『侏儒の言葉』に「白蓮《びゃくれん》女史ほど美人ではない。しかし白蓮女史より―である」とある。操を立てることを女性に要求してきたかつての社会通念の関係で、時代の変わった現在でも女性専用の語であるが、あまり使用されなくなった。⇩Q清楚・楚々

でいすい【泥酔】深酔いしてぐでんぐでんになる意で、やや改まった会話や文章に用いられる漢語。〈前後の見境もつかないほど―する〉⇩沈没②・Q酩酊《めいてい》・酔い痴れる・酔い潰れる・酔う・酔っ払う

でいすいしゃ【泥酔者】酒に酔って正体をなくした人をさし、主に文章に用いられる漢語。〈―を介抱する〉✎「酔っ払い」よりさらに酔った感じがある。井伏鱒二は『場面の効果』で、本物のビールを飲んだエキストラの男は「立ち上がってセットを出たが、すでに―に変化してしまっていた」と書いている。⇩酒酔い・酔客・Q酔っ払い

ディスカッション「討論」の意で、会話やさほど硬くない文章に使われる外来語。〈―に参加する〉〈一方的に決めるのではなく大いに―してほしい〉✎「クラスで―する」のように、「討議」より軽い感じで使われることも少なくない。⇩議論・Q討議・討論・論議

ていせい【訂正】談話や文章の表現や文字などを正しく改める意で、くだけた会話から硬い文章まで幅広く使われる日常の基本的な漢語。〈―版が出る〉〈記述の誤りを―する〉〈発言中の不適切な箇所を―する〉⇩Q改正・改定・改訂・是正・批正・補正

ていせつ【定説】正しいとして一般に認められている考え方をさし、やや改まった会話や文章に用いられている漢語。〈―となっている〉〈―に従う〉〈―を覆す〉✒「通説」より学術的な雰囲気が濃く、それだけに書き換えられることも起こりやすい。⇩通説

ていせん【停戦】双方の合意により戦闘を一時的に中断する意で、会話にも文章にも使われる、やや専門的な漢語。〈―区域〉〈―協定に調印する〉✒区域を限定して実施することも多く、その間に降伏・撤退などの交渉を行う。⇩休戦

ていそ【提訴】裁判所などに訴訟を提起する意で、改まった会話や文章に用いられる硬い専門的な漢語。〈裁判所に―する〉〈―に踏み切る〉✒堀田善衛の『広場の孤独』に「中労委へ―することに定めて」とある。⇩訴える・Q告訴・訴訟

ていそう【貞操】性的な純潔を守る意で、会話にも文章にも使われる古風な漢語。〈―が堅い〉〈―を守る〉〈―を売る〉✒徳永直の『太陽のない街』に「重大な―を(略)まるで、使い古したハンカチでも棄てるように無雑作に扱う」とある。「―観念が薄い」などと、伝統的に女性について多く用いられた。⇩節操・Q操

ていぞく【低俗】好みや趣味などが低級でやぼったい意で、改まった会話や文章に用いられる漢語。〈―なテレビ番組〉〈道楽が―きわまる〉〈―なメロドラマ〉〈―な趣味〉⇩下品・下劣・俗悪・Q通俗・低級・低劣・卑俗・野卑

ていたい【停滞】物事が滞ってはかばかしく先に進まない意で、やや改まった会話や文章に用いられる漢語。〈前線が―する〉〈景気の―が長びく〉〈作業が―する〉✒「停頓」に比べ、超スローペースであれ断続的であれ少しは進む感じが強く、事情が好転すればまたスムーズに進行しそうな雰囲気もある。⇩停頓

ていたく【邸宅】立派な門構えの大きな家屋敷の意で、改まった会話や文章に用いられる漢語。〈大―を構える〉✒伊藤整の『氾濫』に「大きな鳥が羽根をひろげて伏したようなイギリス風の―」とある。⇩いえ・うち・家屋・居宅・住居・住宅・住まい・屋敷

ていたらく【体たらく】とても褒められたものではないひどい状態をさし、主としてくだけた会話に使われる、いくぶん古風な俗っぽい表現。〈さんざんな―〉〈大きな口を叩《たた》いておきながら、何たる―だ〉✒非難・軽蔑のこもった感情的な言い方。「為体」と書くこともある。⇩ありさま・Qざま

ていちょう【丁(鄭)重】礼儀正しく心がこもっている意で、改まった会話や文章に用いられる漢語。〈―な御挨拶痛み入ります〉〈―な扱いを受けて恐縮する〉〈―なもてなし〉〈―に葬る〉✒礼儀に適《かな》っていてそつのない感じの「丁寧」に比べ、仮に若干行き届かない点があったとしても、それを補って余りある心遣いが感じられる場合に用いる傾向がある。⇩丁寧②

ティッシュ 薄くてやわらかい上質の洋風の塵紙《ちりがみ》をさし、

会話にも文章にも使われる外来語。〈―で口をぬぐう〉🖋「ティッシュ」の原義は薄絹などの織物。本の口絵写真などの表面を保護するために挟んだり、美術品の包装に用いたりする「ティッシュペーパー」の略。近年は「塵紙」という語の代わりによく使うが、箱入りの連想が強い。最近は「ティシュー」という語形も耳にする。⇩Qちりがみ・ちりし・鼻紙

ていど【程度】 ものの大小・長短・軽重・優劣・美醜・価値などの割合をさし、くだけた会話から硬い文章まで幅広く使われる日常の基本的な漢語。〈―の問題〉〈―が軽い〉〈―を心得る〉〈強いといってもこの―だ〉🖋夏目漱石の『坊っちゃん』に「丁度歯どめがなくっちゃ自転車へ乗れないのと同―ですからね」とある。⇩位②・段階・Q度合い・ばかり・程②

ていとう【抵当】 金銭を借り入れる際に、借り手が万一返済できない場合には、貸し手が損害を埋めるためにそれを自由に処分してよい、という約束の下に差し出す借り手の財産や権利をさし、会話にも文章にも使われる、やや専門的な漢語。〈―流れの物件〉〈―権の抹消〉〈家を―に入れる〉⇩担保

ていとん【停頓】 物事が行き詰まって進展しない意で、改まった会話や文章に用いられる、やや古風で硬い漢語。〈交渉が―する〉〈事業が―する〉🖋「停滞」に比べ、全く進まなくなる感じが強く、その先どうなるかについては言及していないため、見通しが立たない雰囲気もある。⇩停滞・頓挫

ディナー 晩餐《ばんさん》の意で、近年、ふつうに使われるようになった外来語。〈―におよばれする〉🖋近年、レストランなどでよく使う。⇩晩御飯・Q晩餐・晩飯・夕御飯・夕食・夕はん・夕めし

ていねい【丁寧(叮嚀)】 ①粗雑なところがないように細かいところまで神経を遣う意で、くだけた会話から硬い文章まで幅広く使われる漢語。〈―な造り〉〈―に説明する〉〈―に扱う〉〈一字一字―に書く〉🖋志賀直哉の『好人物の夫婦』に「菓子折から―に卵を一つ一つ巣函へ移して居た」とある。見落としや不具合の生じないようにと気を配り、遺漏のないように行う点に表現の中心がある。②の丁重さを意味する表現もその延長線上にあり、失礼な点のないように細部まで気を配ることである。⇩丹念・Q入念・念入り
②扱いが手厚く礼儀正しい意で、くだけた会話から硬い文章まで幅広く使われる日常の基本的な漢語。〈―な言葉遣い〉〈―な応対〉〈―に挨拶する〉🖋「丁重」と比べればいくらか形式的な感じもある。⇩丁重

でいねい【泥濘】「ぬかるみ」の意で、主として硬い文章に用いられる、やや古風な語。〈―と化す〉🖋福永武彦の『風花』に「―の道に薄氷が張った」とある。⇩ぬかるみ

ていねん【定年】 企業や官公庁などで勤務できる年齢を制限して退職・退官を義務づけてある一定の年齢をさし、会話にも文章にも使われる漢語。〈―退職〉〈―間近の社員〉〈間もなく―になる〉〈―後しばらく嘱託の身分で勤める〉🖋古くは「停年」と書いたが、戦後は強制的に停止させるという連想を回避するため、決まりだから仕方がないと思わせる「定年」という穏やかな用語を採用している。⇩退職

ていねん【諦念】 物事の道理を悟って諦める心をさし、主として文章に用いられる硬い漢語。〈―を抱く〉〈―の境地に

達する〉✎安岡章太郎の『朝の散歩』に「なつかしいという情緒の底には、—ないしは断念がある」とあり、山田風太郎の『あと千回の晩飯』に「死は—をもって受け入れても」とある。⇩Qあきらめ・あきらめる・断念

デイパック　ちょっとした外出や通学などに使う小ぶりのリュックサックをさし、会話にも文章にも使われる比較的新しい外来語。〈—を背にした軽快な姿〉⇩Qナップザック・背嚢《はいのう》・ランドセル・リュックサック

ていぼう【堤防】「堤」の意で、会話にも文章にも使われる硬い漢語。〈—を築く〉〈—が決壊する〉✎「堤」や「土手」に比べて露骨で実用的な感じが強い。⇩堤・Q土手

ていぼく【低木】通常、人間の背丈より低い樹木の総称として「灌木《かんぼく》」にあたる現在の呼称である漢語。〈落葉—〉✎「高木」と対立。⇩灌木

ていめん【底面】立体の底の面をさし、学術的な会話や文章に用いられる専門的な漢語。〈円錐《えんすい》の—〉〈—の面積を求めよ〉⇩底

ていり【定理】公理から論理的に導かれ、真であることが証明されている一般的命題をさし、学術的な話題の会話や文章に用いられる専門的漢語。〈ピタゴラスの—〉⇩公理・法則

でいり【出入り】出たり入ったりする意で、会話にも文章にも使われる和語。〈人の—が激しい〉〈—の業者〉〈—差し止め〉✎「ではいり」より正式な感じで、抽象的な意味にも使われ、やや古風な感じがある。林芙美子の『めし』に「潮の満干のように、時々待合室の—が、激しくなる」とあるが、「出いり」とも「出はいり」とも解せる例。⇩ではいり

ているい【涕涙】「涙」の意で硬い文章に用いられる古めかしい漢語。〈—頬を下る〉✎夏目漱石の『倫敦塔』に「号泣、—、其他凡て自然の許す限りの排悶的手段を尽した後」とある。⇩涙

ていれつ【低劣】品性が劣り程度が低い意で、主に文章中に用いられる硬い漢語。〈趣味が—だ〉〈内容・表現ともに—で読むに堪えない〉✎小林秀雄の『モオツァルト』に「ネオンサインとジャズとで充満し、—な流行小歌は、電波の様に夜空を走り」とある。⇩下劣・俗悪・通俗・低級・Q低俗・低い・卑俗・野卑

デーゲーム　昼間に行うプロ野球などの試合をさす、比較的新しい外来語。〈休日に—を組む〉✎「ナイトゲーム」と対立。

データ　判断や推論の根拠となる事実や情報をさし、会話にも文章にも使われる、やや専門的な外来語。〈—ベース〉〈—収集〉〈—を改竄《かいざん》する〉〈豊富な—を使って説明する〉〈貴重な—が得られる〉✎「資料」という物的な存在よりも、そこから得られる情報という手で触れることのできない抽象的な存在をさす傾向が強い。⇩資料

デート　別々に住んでいる男女が日時や場所を打ち合わせて会い、しばらく一緒に時を過ごす意で、会話や軽い文章に使われる外来語。〈あしたは—の約束がある〉〈—を申し込む〉〈—を重ねる〉✎「あいびき」「忍び会い」よりも人目を忍ぶ感じが薄い。⇩逢引《あいびき》・逢瀬《おうせ》・忍び会い・密会・ランデブー

テーブル　「食卓」をさす外来語。現代では最もよく使われる一般的な語。〈—マナー〉〈—クロス〉〈—につく〉〈—の上

を拭《ふ》く〉✎大岡昇平の『武蔵野夫人』に「暗いロビイにはただ大衆食堂のような安っぽい—と椅子が並んでいるだけであった」とある。脚の長い洋風の食卓を連想しやすく、応接間でソファなどの前に置く比較的低いものもさすが、純和風の食卓とはイメージが合わない。⇩Q食卓・ちゃぶ台・飯台

テーブルスピーチ　パーティーなどの際に自分の席で行う短い挨拶のことばをさす和製英語。〈—で会場を沸かせる〉✎最近は演説の意を含まない「テーブルトーク」という英語が使われることもあるが、まだ日本語としてなじんでいない。⇩演説・Qスピーチ・弁論

テーブルテニス　「卓球」の意の外来語。〈スポーツは—を少々〉✎いまだ外来語として普及していないため、こなれない英語を交ぜたような気障《ざき》な感じがぬぐえない。⇩卓球・Qピンポン

テーマ　文章・講演・芸術作品などの中心思想をさし、会話にも文章にも使われるドイツ語からの外来語。〈—ソング〉〈研究—〉〈—を明らかにする〉✎小林秀雄の『モオツァルト』に「大阪の道頓堀をうろついていた時、突然、このト短調シンフォニイの有名な—が頭の中で鳴ったのである」とある。⇩主題

テーマソング　「主題歌」を意味する和製洋語。〈番組の—〉✎ドイツ語の「テーマ」と英語の「ソング」を組み合わせた奇妙な語形。

ておち【手落ち】「手ぬかり」の意で会話からさほど改まらない文章まで使われる日常語。〈当方の—〉〈くれぐれも—のないように〉✎「片手落ち」より無難か。⇩片手落ち

でか　刑事巡査をさし、くだけた会話に使われる俗語。〈やばい、—が張り込んでいる〉✎幸田文の『おとうと』に「なんでもないや、あんなやつ。あれ—さ」とある。明治時代に刑事が着ていた「角袖」を逆にした「そでかく」の略という。しばしば片仮名書きする。⇩刑事

でかい　「大きい」の意で、くだけた会話に使われる俗っぽい和語。〈図体が—〉〈—望み〉〈態度が—〉⇩Q大きい・でっかい

てかず【手数】一つの事を成し遂げるまでに費やす行為・動作の数の意で、会話にも文章にも使われるやや古風な和語。〈途中で—を省く〉〈—が少なくて済む〉〈このたびはお—をおかけしました〉✎近年は「てすう」と言う例が多い。⇩Qてすう・手間

でかせぎ【出稼ぎ】よその土地に働きに出かける人をさし、会話や改まらない文章で用いる、やや古い感じの和語。謙遜して言う場合もある。〈—労働者〉〈農閑期に—に行く〉⇩季節労働者

てがたい【手堅い】確かで危なげのない意で、会話にも文章にも使われる和語。〈—商売〉〈—作戦〉〈—・くバントで送る〉✎冒険をしない点に中心がある。⇩堅実・Q地道・着実

てがみ【手紙】用件を書いて相手に送る文書をさし、くだけた会話から改まった文章まで幅広く使われる、最も一般的な日常語。〈—を書く〉〈—を出す〉〈—を投《とう》函《かん》する〉〈お—ありがとう〉✎井伏鱒二の『珍品堂主人』に「先日、丸九さんからの—を見て、一年後には伊万里なるものが実質的な相場になると予想して、前祝に飲みすぎて腹を毀したの

です」とある。⇩書簡・Ｑ便り

てがら【手柄】 勝ち取っためざましい成果をさし、会話や硬くない文章に使われる、いくぶん古風な日常の和語。〈―話〉〈そいつはお―だ〉〈戦で―を立てる〉〈―を見せびらかす〉〈―を独占する〉〈―を横取りする〉客観的な感じの「功績」「功労」に比べ、評価や賞讃が表に出た感じがある。⇩業績・功績・Ｑ功労・殊勲

てき【的】 そのような性質・状態・傾向があるの意を添えるのに、会話でも文章でも幅広く使われる造語要素。〈経済―に苦しい〉〈自動―に処理する〉〈病―なこだわりよう〉従来は「美―」「知―」「精神―」「科学―」のように、もっぱらそのような状態・性質・傾向などがあることを表してきたが、近年、「おれ―に」「わたし―には」「学校―にも」のように単なる名詞や代名詞に後接させる俗な用法が増えてきている。⇩傾向・ぽい

でき【出来】 できあがった状態の良し悪しをさし、会話やさほど硬くない文章に使われる日常の和語。〈―のいい弟子〉〈―の悪い作品〉〈作物の―が心配〉永井荷風の『腕くらべ』に「演芸会は結構な―でしたな」とある。⇩できばえ

できあい【出来合い】「既製」の意で、会話やさほど改まらない文章に使われる、いくらか古風な和語。〈―の背広〉〈―で間に合わせる〉⇩既製・吊《つる》し・レディーメード

てきい【敵意】 相手を敵としてそれに刃向かう気持ちをさし、会話にも文章にも使われる漢語。〈心に―がきざす〉〈露骨に―を示す〉〈嫉妬がいつしか―に変わる〉野間宏の『暗い絵』に「あらわな―をまるで心が滝に打たれたかのように感じていた」とある。「敵愾《てきがい》心」ほど激しく外に向かって行かない段階を連想させる。⇩憎悪・Ｑ敵愾心・憎しみ・反感

てきおう【適応】 その場面・環境・条件などに適合する意で、いくぶん改まった会話や文章に用いられる漢語。〈―不全〉〈―性を欠く〉〈事態の変化にすぐ―する〉変化についていけるか否かというより、それに合うか合わないかを問題にする意味合いが強い。⇩順応

てきがいしん【敵愾心】 相手を自分の敵と見なし、戦ってそれを倒したいと思う気持ちをさし、やや改まった会話や文章に用いられる漢語。〈―を抱く〉〈―を燃やす〉有島武郎の『或る女』に「激しい―が急に燃えあがっていた」とある。「憎悪」などと異なり、相手が圧倒的な上位者ではなく自分と対抗する存在と見なすときに生じる感情。⇩憎悪・Ｑ敵意・憎しみ・反感

てきかく【的確】 核心をとらえ状況などにぴったり合っていて確かな意で、会話でも文章でも使われる漢語。〈―な判断〉〈―に処理する〉⇩Ｑ適確・適格

てきかく【適確】 適切で確実な意で用いられることのある俗っぽい漢語。〈―な処置〉〈―に対応する〉小林秀雄の『志賀直哉論』に「正確な観察の為に、作家が自分のうちに住んでいる詩人を犠牲にした事が、その表現をどれだけ―なものにしたろうか」とある。「的確」のうち適切な点を明瞭に示す意図で特に用いられるようになった比較的新しい表記。どちらの表記でも「てっかく」と読めば俗な感じになる。⇩Ｑ的確・適格

てきかく【適格】 資格に適《かな》う意で、改まった会話や文章に用

いられる硬い感じの漢語。〈—者〉〈不—〉✎資格を問う立場からの視点を感じさせる。⇩的確・適確

できごと【出来事】世の中に起こる大小の事柄をさし、くだけた会話から文章まで幅広く使われる日常の基本的な和語。〈歴史上の—〉〈ちょっとした—〉〈よくある—〉〈その日の—を記録する〉✎横光利一の『機械』に「誰もが予想しなかった新しい—」とある。「一瞬の—」のように、「事件」とは違って、事の大小より事が起こることに重点を置いて使う傾向がある。殺人は「出来事」でも「事件」でもあるが、病死となるといくら非日常的で重大な「出来事」であっても「事件」には含めない。また、「不思議な—もあればあるものだ」のように事件というより現象をさすこともある。⇩事件

できし【溺死】水に溺れて死ぬ意で、改まった会話や文章に用いられる漢語。〈深みにはまって—する〉〈—による水の犠牲者〉⇩溺れ死に・Q水死

てきしゅつ【摘出】つまんで取り出す、暴き出すの意で、主に硬い感じの文章に用いられる漢語。〈臓器の病変部を—する〉〈要点を—する〉〈不正を—する〉⇩剔出《てきしゅつ》

てきしゅつ【剔出】抉《えぐ》り出す意で、硬い文章に用いられる専門的な感じの漢語。〈弾丸の—手術〉〈問題点を—する〉⇩摘出

テキスト　学校などの授業に使用する教材用の本をさし、会話にも文章にも使われる外来語。〈英語の—〉〈—に沿って説明する〉✎「教科書」と違って必ずしも授業用に編集したものでなくてもよく、一般の単行本でも講義や授業で採用すればその間だけ「テキスト」となる。⇩Q教科書・教材

てきせつ【適切】まさにそれにふさわしい意で、会話にも文章にも使われる漢語。〈—な答え〉〈—な例を挙げる〉〈—な処置を取る〉〈—に対応する〉✎「適当」以上にぴったり合う感じがある。⇩適当

てきたい【敵対】相手を敵と見なしてそれに対抗する態度をとる意で、やや改まった会話や文章に用いられる漢語。〈—行為〉〈—関係にある〉✎「抵抗」や「反抗」と違い、相手が自分より上位者や強力な存在であるとは限らない。⇩抵抗・Q反抗・反発

てきちゅう【的中】狙いどおり目標物に当たる意で、やや改まった会話や文章に用いられる漢語。〈みごとに真ん中に—する〉〈狙《ねら》った獲物に—する〉✎「的」は「まと」、「中」は「あたる」で、本来は、弓で射た矢が的に当たること。現在では、「予想が—する」「予感が不思議なほど—する」のように抽象化した意味合いで使うほうが多く、その場合は「適中」とも書く。⇩命中

てきとう【適当】ちょうど合っている意で、会話にも文章にも使われる漢語。〈—な判断〉〈—な人物〉〈—な場所〉〈数が—だ〉✎「—に答えておく」「—にごまかす」のように、いい加減の意でも使う。⇩適切

できばえ【出来栄(映)え】物事の出来具合をさし、やや改まった会話や文章に用いられる、いくぶん古風な感じの和語。〈みごとな—〉〈なかなかの—だ〉✎客観的な「出来」に比べ、評価の高い場合によく使う傾向がある。⇩出来

てきぱき　手際よく機敏にの意で、会話にも文章にも使われ

る和語。〈—仕事をこなす〉〈—片づける〉✎「—指示を出す」のように、言動に無駄がなくスピーディーな意にも使われる。⇩Qきびきび・はきはき

てきびしい【手厳しい】相手の立場や気持ちに配慮せず手心を加えず率直に欠点に言及するなど遠慮なく行動する態度をさし、会話にも文章にも使われる和語。〈—批評〉〈—・く罰する〉〈やり方が—〉〈—批判にさらされる〉〈問題点を—・く指摘する〉〈当然の権利であると—要求を突きつける〉✎堀辰雄の『大和路』に「小さな仕事さえ、こんな僕を—・くはねつけるのだ」とある。時に「痛烈」という意味合いに響く。もっぱら人の態度について用い、「厳しい」より具体的で限定的。ある事柄に対する態度・行動に用い、「厳しくしつける」のような長期にわたる行いにはなじまない。⇩Q厳しい・厳格・厳重・辛辣・Q痛烈

てきほう【適法】きちんと法律や法規にかなっている意で、改まった会話や文章に用いられる専門的な漢語。〈—行為〉✎「違法」と対立する語。⇩合法

できもの【出来物】小さな腫《は》れ物をさし、会話や改まらない文章に使われる日常のやや古風な和語。〈—が膿《う》む〉✎里見弴の『桐畑』に「(気持)それが膿み腫れた—のように、気味悪く膨れ上って」とある。⇩Qおでき・腫物《しゅもつ》・腫れ物・吹き出物

できる【出来る】することが可能だの意味を添えて、くだけた会話から硬い文章まで幅広く使われる日常の基本的な和語。〈早期に実現—〉〈気安く相談が—〉〈—だけ安く仕上げる〉〈—・きない相談だ〉✎「子供が—」のように「生まれる」意でも、「まとまった金が—」のように「手に入る」意でも、「食事の用意が—」のように「仕上がる」意でも広く使う。⇩可能

できるかぎり【出来る限り】「できるだけ」に同じ。〈—期日は守る〉⇩Qできるだけ・なるたけ・なるべく

できるだけ【出来るだけ】「なるべく」の意で、会話や硬くない文章に使われる日常的な和語。〈—早く出かけよう〉〈—安い物で間に合わせる〉⇩Qできるかぎり・なるたけ・なるべく

てぎわ【手際】物事をてきぱき処理する腕前や要領の意で、会話にも文章にも使われる和語。〈—よくこなす〉〈—が悪く時間がかかる〉〈みごとな—を見せる〉〈—も鮮やかに〉✎マイナスイメージの「手口」「やり口」と違い、ほめる際によく使われる。夏目漱石の『坊っちゃん』では「なに教頭の御—じゃ(魚が)かかりますよ」とあり、この語自体に高い評価をこめて使っている。⇩手段・手口・Q方法・やり口

てきん【手金】手付けのために渡す金銭の意で、会話にも文章にも使われる表現。〈—として五十万円払う〉✎「手付金」の略。契約履行の意思表示なので一般には頭金より少額。⇩頭金・内金・手付け・Q手付金

てぐち【手口】口頭語的な「やり口」に比べ、日常語として軽い文章の中でも使われるが、「手段」のような改まった感じを伴わない。〈あくどい—〉〈同じ—の犯行を重ねる〉〈巧妙な—で金を騙《だま》し取る〉✎井上友一郎の『受胎』に「同じ—で、別の学校へ転じた」とある。「やり口」以上に悪いニュアンスが濃く、犯罪行為を連想させるため、「あっと驚く—で人を助ける」とか「鮮やかな—の救済を続ける」とか

といった用法には違和感がある。「答えを教えるやり方」なら教師の指導法でもよいが、「答えを教える―」となると試験のときのカンニングという不正行為を連想してしまうのも語感の差である。また、「寄付を募る方法」なら創立一二五周年の大学の記念事業のために卒業生やその父母の好意にすがるようなまともな連想が働くのに対し、「寄付の―」とするとたんに、企業が政治献金という形を装って内密に賄賂《わいろ》を渡すような雰囲気に変わるのも、この語の不正なニュアンスの影響である。なお、一般には法的あるいは道徳的な基準の評価であるが、囲碁や将棋などで相手の作戦を評する際などに、ことさら敵意をこめて「小賢《こざか》しい―」とか「欺瞞《ぎまん》に満ちた―を弄《ろう》する」とかと主観的な評価で用いる場合もある。⇩手段・方法・やり方・Qやり口

テクニック　物事を巧みにこなすための特殊な技をさし、会話にも文章にも使われる外来語。〈運転の―〉〈―を駆使する〉〈プロの―を盗む〉✎「高度の―を駆使する」のように高い評価でも使うが、小手先の技術を連想させやすい。⇩腕②・腕前・Q技巧・技術・技能・技法・技

デコレーションケーキ　祝い事などのため美しく飾り立てた大形のケーキをさす和製英語。〈誕生日の―を注文する〉

デザイン　服飾・建築・車輌などの製品の機能や美的効果を考えて設計すること、また、その意匠をさし、会話にも文章にも使われる外来語。〈商業―〉〈斬新な―〉〈大胆な―で人目を引く〉〈―に凝る〉✎「設計」の意味では専門的な用語。⇩設計

てさき【手先】①指先やその働きをさし、会話にも文章にも使われる和語。〈―が器用だ〉⇩指先　②命令を受けて働く末端組織の一員をさし、会話や軽い文章に使われる、やや俗っぽい和語。〈泥棒の―〉〈悪の―となる〉✎好ましくない集団を連想させる。⇩家来・子分・下っ端・手下・Q手の者・配下・部下

てさげ【手提げ】手に提げて持つ袋や鞄の総称として、会話にも文章にも使われる、いくぶん古風な和語。〈―鞄〉〈―袋〉〈買った物を―に入れる〉⇩Qハンドバッグ・バッグ

てざわり【手触り】手で触れた感じの意で、会話にも文章にも使われる和語。〈―がやわらかい〉〈―がふわふわで何ともいえない〉⇩Q感触・触感・肌触り

でし【弟子】師匠について技芸や学問を教わる人をさし、会話にも文章にも使われるやや古風な漢語。〈―入り〉〈内―〉〈兄―〉〈―を取る〉〈―を置く〉✎相撲《すもう》部屋で使えば特に古風さはないが、大学などでの教え子をさす俗っぽい用法は古風。⇩教え子・Q門人・門弟

デジカメ　画像をデジタル信号に変換し磁気ディスクなどに記録するシステムのカメラをさす、新しい和製英語。〈―の小型化〉✎「デジタルカメラ」の構成要素のそれぞれ語頭を組み合わせた語形。

てした【手下】人に命令されて使われる立場の人をさし、会話や軽い文章に使われる古風で俗っぽい和語。〈やくざの―〉〈盗賊の―〉✎犯罪組織など好ましくない集団を連想させる。⇩家来・Q子分・下っ端・手先②・手の者・配下・部下

てじな【手品】気づきにくい仕掛けや巧妙な手さばきで人目を欺いて楽しませる芸をさし、会話にも文章にも使われる

和語。〈―師〉〈―の種を明かす〉〈隠し芸に―をやる〉✎「―使い」となると古風な感じがある。⇩Q奇術・手づま・マジック

でしゃばる【出しゃばる】ひとを押しのけて目立った言動をする意で、主にくだけた会話に使われる俗っぽい和語。〈―・ったまねをするな〉〈何かというとすぐ―のが悪い癖だ〉⇩Qしゃしゃり出る・出過ぎる

てじゅん【手順】物事をする順番の意で、会話にも文章にも使われる日常語。〈―を踏む〉〈―が狂う〉〈―をととのえる〉〈―を間違える〉✎囲碁・将棋で〈―前後でそれが敗着となる〉のように打ったり指したりする手の順番の意でも使う。⇩Q段取り・手はず

てすう【手数】一つのことを成し遂げるまでに要する手間の意で、会話にも文章にも使われる日常語。〈―料〉〈―がかかる〉〈お―ですが、よろしく〉✎近年「てかず」よりも一般によく使われる。「てかず」が完成までの手段の数という意味合いが強いのに比べ、この語はもう少し漠然と完成までの時間や労力をさすような感じがある。⇩Qてかず・手間

ですぎる【出過ぎる】自分の能力や立場を顧みずよけいなことに出しゃばる意で、会話にも文章にも使われる和語。〈―・ぎた真似《まね》をするな〉⇩しゃしゃり出る・Q出しゃばる

デスク 会社などの机をさす外来語。〈―ワーク〉〈会社の事務所に―を用意する〉✎「机」がどこでも使われるのに対して、企業の事務用の机をさし、家庭や学校の場合は用いない。⇩机

テスト 人の知識や能力、機械などの性能や状態を調べる目的で実施する試みをさして、会話やさほど改まらない文章に使われる日常の外来語。〈ペーパー―〉〈学力―〉〈一夜漬けで―を受ける〉〈一斉―を実施する〉✎「考査」「試験」に比べ、日常生活で気軽に使う。「―ケース」「―パイロット」のように、広く試行の意で使い、演劇や放送などでは本番前のリハーサルの意で使う。⇩考査・Q試験

てすり【手摺り】階段・窓・橋などに転落防止のために設ける横木や柵をさし、会話にも文章にも使われる日常の和語。〈階段の―につかまる〉〈―によりかかる〉✎「欄干」に比べてもっぱら実用に重点を置く感じが強く、擬宝珠《ぎぼし》の付いた橋の欄干にはこの語はなじまない。⇩欄干

てせい【手製】素人が自分の手でつくる意で、会話にも文章にも使われる、いくぶん古風な表現。〈お―のケーキ〉〈―の買い物袋〉✎機械に頼らずにつくる意もあるが、その意味では「手作り」のほうが一般的。⇩手作り

てぜま【手狭】人数や用途の割に場所が狭い意で、会話やさほど硬くない文章に使われる和語。〈―な部屋〉〈家が―になって引っ越す〉⇩狭隘《きょうあい》・Q狭い

てだし【手出し】第三者が脇から余計な世話を焼く意で、会話やさほど硬くない文章に使われる日常の和語。〈よけいな―は無用〉⇩口出し・Qちょっかい・容喙《ようかい》

でだし【出出し】連続する物事の開始時または開始直後の部分をさし、会話や軽い文章に使われる日常の和語。〈―は順調だ〉〈―から苦戦する〉〈―につまずく〉✎「出だし」と重複感を薄める表記も多い。⇩のっけ・滑り出し

てだすけ【手助け】手伝いの意で、会話や硬くない文章に使

われる和語。〈—になる〉〈配達の—をする〉✎「助力」と違い、慣れない人や子供などの連想もある。永井荷風の『あめりか物語』に「材料を蒐集する—をする」とある。⇩助力・Q手伝う

でたらめ【出鱈目】思いつくままにいい加減なことを言ったり書いたり行ったりする意で、会話や軽い文章に使われる和語。〈—を言う〉〈—に並べる〉〈やり方は—もいいところだ〉✎夏目漱石の『坊っちゃん』に「全く君の事も—に違いない」とある。「出任せ」と違い、ことばだけでなく行動や生活まで含む。⇩出任せ

てぢか【手近】手の届くような自分の体から近い場所をさし、くだけた会話から文章まで幅広く使われる日常の和語。〈—な行楽地〉〈—なところで間に合わせる〉〈—にあるものから順に片づける〉✎「手元」より少し範囲が広く、「手元の辞書」は机上にある感じだが、「—な辞書」は隣の部屋か二階にあっても言えそうな感じがある。「身近」より範囲が狭い。また、「—な例を引く」のように、身近なために誰でも知っていてわかりやすいという意味にも使う。⇩身辺・Q手元・身近・身の周り

てちょう【手帳(帖)】小型の帳面の意で、会話でも文章でも使われる日常語。〈警察—〉〈—に書きとめる〉〈古い—に控えてある〉✎小沼丹の『のんびりした話』に「酒を飲んでいて、忘れると不可ない語があった場合、—に書留めて置く」とある。今では通常「手帳」と書くが、伝統的な「手帖」を用いると、古風で懐かしい雰囲気が漂う。⇩帳面

でっかい「でかい」の強調形で、さらに俗っぽい。〈—家に住む〉〈—声を出す〉✎「態度が—」のような慣用的な表現にはなじまない場合もある。⇩大きい・Qでかい

てっかく →てきかく(的確・適確・適格)

てづかみ【手摑み】物を素手で直接つかむ意で、会話にも文章にも使われる和語。〈飯を—で食う〉〈魚を—で捕る〉✎通常は直接手で触れないものに対して言うから粗野ではあるが、「鷲摑《わしづか》み」ほど荒々しい感じはない。⇩鷲摑み

てっきょ【撤去】施設などを取り除く意で、改まった会話や文章に用いられる漢語。〈不法建造物を—する〉〈廃線になった区間のレールを—する〉〈バリケードを—する〉✎「除去」「排除」と違い、大きな具体物について使う。⇩Q除去・排除

てっきん【鉄筋】張力に弱いコンクリートを強化するために中に埋め込む細長い鉄材をさし、会話にも文章にも使われる漢語。〈—コンクリート〉〈—を入れる〉⇩鉄骨

てづくり【手作(造)り】自分の手でつくる意で、会話にも文章にも使われる和語。〈—の自慢料理〉〈—の味を楽しむ〉✎店で買わずに素人が家庭でつくる意のほか、「当店の品はすべて—」のように、専門家が機械に頼らないでつくる意もある。⇩手製

てつけ【手付け】売買や賃貸や請負の契約に際し、買い手・借り手・注文主が契約の履行を保障する目的で相手に一定の金額を渡す意で、会話にも文章にも使われる、やや専門的な和語。〈—を打つ〉〈—を渡す〉✎この語でそういう行為でなく手付金を意味する場合は、取引に慣れている感じが漂う。⇩頭金・内金・手金・Q手付金

てつけきん【手付金】 手付けのために渡す金銭をさし、会話にも文章にも使われる表現。〈—を置いて来る〉✎「手金《てきん》」「手付け」に比べ、いくらか改まった感じがある。⇨頭金・内金・Q手金・手付け

てっけん【鉄拳】 硬く握り締めた拳《こぶし》の意で、主として文章に用いられる硬い漢語。〈—制裁〉〈—を見舞う〉✎殴打する場合に用い、類義語の中で最もきつい感じがある。⇨拳固・Q拳骨・拳・握り拳

てっこつ【鉄骨】 建造物の骨組みを作る頑丈な鉄材をさし、会話にも文章にも使われる、やや専門的な漢語。〈—を組む〉⇨鉄筋

デッサン 絵画や彫刻の制作に先立って、対象の基本的な形をあらかじめ描いておく意で、会話にも文章にも使われるフランス語からの外来語。〈人物の—が残っている〉〈—をもとに本格的な制作に取りかかる〉✎単色の線描が多い。⇨下絵・写生・Qスケッチ・素描

てっする【徹する】 考え方や態度・行動などを一つのことで通す意で、やや改まった会話や文章に用いられる表現。〈裏方に—〉〈清貧に—〉✎森鷗外の『妄想』に「夜を—・してしまうこともある」とある。⇨貫徹・貫く・Q徹底

てつだう【手伝う】 他人の仕事などに手を貸す意で、くだけた会話から硬い文章まで幅広く使われる日常の基本的な和語。〈家事を—〉〈引っ越しを—〉〈親の仕事を—〉✎志賀直哉の『焚火』に「自分も—・った。妻も時々手を出した」とある。⇨助力・助ける・Q手助け

でっちあげる【でっち上げる】 「捏造《ねつぞう》」の意の和風の俗語。〈事件を—〉〈スキャンダルを—〉✎芥川龍之介の『戯作三昧』に「小手先の器用や生噛りの学問で、—・げたものじゃげえせん」とある。本来存在しないものを勝手に作り出して事実のように見せかける場合によく用いられる。「一晩で—」「レポートを二時間で—」のような用法も、無から有を生じさせることの延長上にある。だが、形だけそれらしく雑に仕上げる意のこういう用法は「捏造」ではまかなえない。いずれも単に「作り出す」とした場合に比べ、マイナスイメージが強い。⇨作り出す・Q捏造

てつづき【手続き】 物事を行う際の方法手順やその事務処理をさし、会話にも文章にも使われる日常の和語。〈面倒な—をとる〉〈入会の—を済ます〉〈正規の—を踏む〉✎夏目漱石の『坊っちゃん』に「何も縁だと思って規則書をもらってすぐ入学の—をして仕舞った」とある。⇨手順

てってい【徹底】 中途半端でなく隅々まで、あるいは最後まで通す意で、会話にも文章にも使われる漢語。〈周知—〉〈通知が—する〉〈—した合理主義〉✎志賀直哉の『暗夜行路』に「—的に父を納得させる」とある。⇨貫徹・貫く・Q徹する

てっていてき【徹底的】 一つの物事を最終段階まで徹底して行う意で、くだけた会話から硬い文章まで幅広く使われる日常の漢語。〈—に鍛える〉〈—な調査を実施する〉✎中途半端と対立する概念で、ある程度のところで妥協しないところに重点がある。⇨根本的・Q抜本的

でっぱ【出っ歯】 上の前歯が通常より前方に突き出ている意で、会話や硬くない文章に使われる和語。〈—を気にする〉

✎いくらか控えめな「反《そ》っ歯」に比べて欠点を露骨に示す印象があり、木山捷平は『河骨《こうほね》』で「大きな口をぐわッと開けて、黄色い—がふうふうと喘いでいた」と不快感を描き出した。古くは「でば」とも。⇩反っ歯

てつびん【鉄瓶】鋳鉄製の湯沸かしをさし、会話にも文章にも使われる漢語。〈南部—〉〈長火鉢に—を掛ける〉〈—の湯がたぎる〉⇩やかん・Q湯沸かし

てっぺん【天辺】物の一番上の部分をさし、もっぱら会話で使うやや古い感じの日常語。〈山の—〉〈頭の—から声を出す〉〈頭の—から足の爪先まで〉✎小沼丹の『珈琲の木』は「珈琲の木の—の所を軽く抓んでやることもある。子供の頭を撫でて、いい子、いい子をしてやる気分に似ているかもしれない」と結ばれる。「頂《いただき》」や「頂上」より俗っぽく、古風で親しみの感じられることば。⇩頂上・Q頂

てっぽう【鉄砲】火薬の力で金属などの筒から弾丸を発射させて目標物を損壊する武器をさし、会話にも文章にも使われる少し古い感じの日常の漢語。〈—を撃つ〉〈猟師が—で獲物を仕留める〉✎大砲と小銃との総称とされるが、通常は小銃をさす。⇩Q銃・銃器・小銃

てっぽうだま【鉄砲玉】鉄砲に詰める弾の意で、主にくだけた会話や軽い文章に使われる古風でやや俗っぽい表現。〈—が飛んで来る〉✎行ったっきりなかなか戻って来ない人をさす比喩表現としても使う。⇩Q銃弾・弾丸・砲丸・砲弾

てづま【手妻】「手品」の古めかしい言い方。〈—を使う〉✎「つま」は「端」の意で、本来は手先の仕事をさし、仕掛けは二の次だったと思われる。⇩奇術・Q手品・マジック

てつめんぴ【鉄面皮】ひどく厚かましく図々しい意で、会話にも文章にも使われる古めかしい漢語。〈—にも程がある〉✎顔の皮が鉄でできているほど厚く丈夫だと強調した表現。⇩Q厚かましい・厚顔無恥・図々しい・恥曝し・恥知らず・破廉恥

てつや【徹夜】一晩中寝ないで過ごす意で、会話にも文章にも使われる日常の漢語。〈—麻雀〉〈—で語り合う〉〈試験の前の晩に—する〉✎夜に寝床に入れば眠れなくても、この語はなじまない。⇩夜明かし

てづる【手蔓】依頼したり交渉したりする際の手掛かりという意味で、会話にも文章にも使われる、やや古風な和語。〈—を求める〉〈—を探して宣伝してもらう〉⇩縁故・コネ・Qつて

でてくる【出て来る】それまでの場所から移動して主体側に近づく意で、会話やさほど硬くない文章に使われる和語。〈田舎から東京に—〉〈応接間で主人が—のを待つ〉〈後から次々に—〉✎夏目漱石の『坊っちゃん』に「山嵐を待ち受けた。所が中々—・来ない。うらなりが—。漢学の先生が—。野だが—。仕舞には赤シャツ迄—・来たが」とある。⇩出る

てなずける【手懐ける】相手がなついて自分の意のままに動くように仕向ける意で、会話にも文章にも使われる和語。〈犬を—〉〈部下を—〉✎他の類語と違い、目下か動物に限って使う。「丸め込む」「籠絡《ろうらく》」と違い、相手を騙《だま》すという感じは薄く、自分との友好関係が長続きしそうな雰囲気がある。⇩懐柔・抱き込む・Q丸め込む・籠絡

てなみ【手並み】物事をやってのける巧みさの程度をさし、

会話や硬くない文章に使われる、やや古風な和語。〈お―拝見〉〈あざやかな―を見せる〉✎他の技術を評価する際によく使う語。⇩腕②・腕前・技量・Q手腕・力量

てならい【手習い】「習字」の古めかしい和風表現。〈―の師匠〉✎「六十の―」のように、習字に限らず芸事から学問まで含めてその稽古をさすこともある。⇩Q習字・書・書道

テナント 貸しビルなどの一区画を賃借りする人の意で、会話にも文章にも使われる外来語。〈―募集中〉〈―が見つかる〉✎賃貸物件が大規模なため、個人よりも企業のイメージが強い。⇩借り手・Q借り主

テニス 地面のコートの中央のネットを挟んでラケットでボールを打ち合う球技をさす外来語。古風な「庭球」に代わる現代の標準的な呼称。〈ウィンブルドンの―大会に出場する〉〈―の世界ランキングでトップテンに入る〉⇩庭球

てぬかり【手抜かり】なすべきことを不注意でもらす意で、会話やさほど硬くない和語。〈―のないよう万全を期する〉✎精神的な「油断」に比べ、具体的な行為を問題にする傾向がある。⇩遺漏・Q手落ち・不注意・油断

てぬぐい【手拭い】現在の「ハンカチ」や「タオル」の役目に用いた木綿の布をさすため、やや古風な感じのする語。〈―で顔を拭《ふ》く〉✎夏目漱石の『坊っちゃん』に「此―を行きも帰りも、汽車に乗ってもあるいても、常にぶら下げて居る」とある。タオルと区別するため特に「日本―」と言うこともある。⇩Qタオル・ハンカチ・ハンケチ

てのひら【手の平】手の内側をさし、くだけた会話から硬い文章まで幅広く使われる日常の和語。〈―に載せる〉〈―を返したよう〉✎里見弴の『椿』に「石のような冷たさが、右の―へ滲みた」とある。⇩たなごころ

てのもの【手の者】「手下」に近い意で、会話や軽い文章に使われる古めかしく俗っぽい和語。〈親分の―〉✎犯罪組織とは限らないが、社会的に好ましくない存在を連想させる。⇩家来・子分・下っ端・手先②・Q手下・配下・部下

デパート 多種多様な商品を集め、部門別に陳列・販売する大型店をさし、会話でも文章でも「百貨店」の意で用いる最も標準的な外来語。〈ターミナル―〉〈―でショッピングを楽しむ〉✎小沼丹の『登高』に「登高が気になって、―の最上階のビヤホオルに行った」とある。かつては「百貨店」をさす斬新な響きを感じさせたが、今はごく普通の語となり、特に新味は感じさせない。⇩百貨店

ではいり【出入り】「出入《でい》り」の意で、主に会話に使われる和語。〈―自由〉〈―の邪魔になる〉✎「でいり」より具体的な動きの用法が多く、より口頭語的。⇩でいり

てはず【手筈】前もってしておく具体的な準備の意で、会話にも文章にも使われる和語。〈―をととのえる〉〈―がととのう〉⇩段取り・Q手順

てびき【手引き】経験の皆無な人に物事の方向づけをする意で、会話にもさほど硬くない文章にも使われる和語。〈初心者の―をする〉✎もともと手を引いて案内する意で、「泥棒の―をする」「出世街道の―をする」のように便宜を図っていざなう意の用法もある。また、「海外旅行の―」のように案内書・入門書をさす場合は「手引」と書くことが多い。初歩的な「手ほどき」以前の入門程度をさす感じがある。⇩手

てびょうし【手拍子】手の平を打ち合わせて調子をとる意で、会話にも文章にも使われる語。〈—を取る〉⇩拍手

でぶ　太り過ぎの意で、主にくだけた会話で軽蔑の気持ちを込めて使われる俗語。〈—のわりに軽快な身のこなし〉✎「百貫—」はいかにも古い感じの表現。「でぶっちょ」は「でぶ」を強めた俗語。状態だけをさす「肥満」と違い、そういう状態の人をさす用法もある。⇩Q肥満・太っちょ

でふね【出船】船が出発する意で、会話にも文章にも使われる古風で懐かしい感じの和語。〈—を告げる銅鑼《どら》の音〉✎「—入船」のように、港を出て行く船をもさす。⇩出港・出航・出船《しゅっせん》・出帆・Q船出

てほどき【手ほどき】学問・技芸・スポーツなどの初心者にその分野の基礎を与える意で、会話や硬くない文章に使われる和語。〈ゴルフの—を受ける〉〈初心者にわかりやすく—をする〉✎入門的な「手引き」を含み、もう少し具体的で初歩段階まで広がる感じがある。⇩手引き

てほん【手本】模倣するための当面の目標となるものをさし、会話や硬くない文章に使われる日常の表現。〈習字のお—〉〈みんなの—となる〉〈—を示す〉✎「模範」以上に真似るものという雰囲気が強い。⇩規範・見本・Q模範

てま【手間】あることを完成させるまでに要する時間や労力の意で、会話やさほど硬くない文章に使われる和語。〈—賃〉〈二度—になる〉〈—暇かけて〉〈—のかかる仕事〉〈—をとらせる〉⇩てかず・Qてすう

デマ　根拠のないでたらめな情報をさし、会話やさほど硬くない文章に使われる外来語。〈—が飛ぶ〉〈—が流れる〉✎ドイツ語「デマゴギー」の略形。本来は、政治的な宣伝やパニック防止などの目的で、民衆を一定方向に導くために意図的に事実を歪《ゆが》めて流す場合をさすが、現在では広く虚偽情報をさすことが多い。⇩流言

でまえ【出前】注文を受けてそば・すし・どんぶり物などの店屋物をその家に配達することをさし、会話にも文章にも広く使われる和語。〈—をあつらえる〉〈—を取る〉〈昼は—で間に合わせる〉✎阿部昭の『父と子の夜』に「父が息をひきとるのと、ソバ屋の—持ちが病室のカーテンごしに威勢よく声をかけるのとがほぼ同時だった」とある。「仕出し」と違って、通常は特別のメニューではなく、また、一人前の場合も少なくない。⇩ケータリング・Q仕出し

でまかせ【出任せ】よく考えもせずに口から出るままに無責任なことを言う意で、会話や軽い文章に使われる和語。〈口から—〉〈苦し紛れに—を言う〉✎永井荷風の『ひかげの花』に「冗談半分口から—な事を言っていた」とある。「でたらめ」より狭く言語表現に限られる。⇩でたらめ

てまね【手真似】ことばの代わりに手の動作で表すことをさし、会話や軽い文章に使われる和語。〈—でそっと知らせる〉⇩ジェスチャー・ゼスチュア・Q身振り

てみやげ【手土産】「土産」のうち、訪問先に持参する贈り物をさして、会話にも文章にも使われる和語。〈—をぶらさげて恩師を訪ねる〉✎さほど高価ではない挨拶代わりのちょっとした品を連想させる。⇩Qお持たせ・到来物・土産

でむかえる【出迎える】こちらから出て行って相手を迎える

意で、やや改まった会話や文章に用いられる和語。〈駅まで—〉〈犬が玄関まで—〉✎森鷗外の『雁』に「女は自分の家よりは二三軒先へ—・えていた」とある。⇩迎える

でむく【出向く】 目的の場所まで出かけて行く意で、いくぶん改まった会話や文章に用いられる和語。〈こちらから—〉〈社長自ら挨拶に—〉⇩いく・Q赴く・ゆく

てめえ【手前】 主に男性が相手を見下して言う二人称として、ごくくだけた会話でののしるときに使う。〈—なんかにわかってたまるか〉〈やい、—、よくもやってくれたな〉✎谷崎潤一郎の『お艶殺し』に「—は一体何者だ」とある。「—で—のことを褒めてりゃ世話はない」のように自分自身の意に使うこともあり、「てまえ」と読めば確実に自分をさす。⇩あなた・あなた様・あんた・おまえ・Q貴様・君

でも 「だが」より軽い意味として、主としてさほど改まらない会話に使われる、やわらかい感じの和語。〈いい品物がたくさん並んでいるね。—、これはちょっといただけないな〉〈ぜひ一度訪ねてみたい。—、今は金がない〉⇩が・しかし・だが

てもと【手元(許)】 手を伸ばせば届く程度のごく近いあたりをさし、くだけた会話から硬い文章まで幅広く使われる日常の和語。〈いつも—に置く〉〈—にある辞典を引いて確かめる〉〈—の金で何とかやりくりする〉✎「手近」のうちでもさらに自分に近い部分に相当。「—が狂う」のように手の使い方をさす用法もある。⇩身辺・Q手近・身近・身の周り

でもどり【出戻り】 女性が一度結婚して家を出たあと夫との死別や離婚のために親の家に戻る意で、会話や硬くない文章に使われる古風な和語。〈—の娘〉✎網野菊の『金の棺』に「—となって実家に肩身狭く暮している」とある。家制度下での「嫁に行く」という女性差別の意識が感じられるとして今では使用を控えている。川端康成の『山の音』に、嫁ぎ先から子供を連れて大晦日に実家に戻り、まだ正式に離婚していない状態の房子を母親は「まあ半—というんですかね」と夫に言う場面が出てくる。

てら【寺】 僧などが仏道の修行をし、仏事を営む場所や建物をさし、会話でも文章でも幅広く使う日常の基本的な漢語。〈荒れ—〉〈お—参り〉〈—の境内〉✎小沼丹の『障子に映る影』に「伯母の一周忌か何かで—の広い本堂に坐っていた」とある。「寺院」とは違って、規模の大きさや格式の高さに関係なく使え、門構えがみすぼらしくてもいかめしくても、また、どんなに荒れ果てていても「寺」と呼んで違和感がないが、真言宗か浄土真宗か曹洞《そうとう》宗かはともかく、仏教の寺を連想させる。⇩寺院

てらう【衒う】 自分の学識や才能などを誇らしげに見せびらかす意で、改まった会話や文章に用いられる和語。〈奇を—〉〈学問を—〉〈—・った態度〉✎谷崎潤一郎の『細雪』に「大家の坊々《ぼんぼん》として鷹揚さを—様子が見えて不愉快なのである」とある。⇩Qひけらかす・見せびらかす

てらす【照らす】 光を当ててその部分を明るくする意で、会話にも文章にも幅広く使われる和語。〈日に—・される〉〈夕日が海面を—〉✎上林暁の『月魄《つきしろ》』に「月の光は、或る夜は、枕の上から見上げる南隣の家の屋根を—・しているる」とある。⇩照明

テラス 洋風の建物で一階の主にリビングから屋外に張り出した屋根のない台の意で、会話にも文章にも使われる外来語。〈―に出る〉〈―でお茶を飲む〉⇩バルコニー・Qベランダ・露台

てり【照り】「つや」に近い意で、会話でも文章でも使われる和語。〈―が続く〉〈葉に―が出る〉〈―をつけた料理〉✎連想されるのは日照りや照り焼きのほか木の葉などで、「艶《つや》」や「光沢」ほどの広がりはない。ちなみに、幸田文は『蜜柑の花まで』で、短い旅行をした三月末の山形について、「あちらはまだ梅のつぼみがようやくふくれ」と書いたあと、「桜の幹もいくぶん―を持ちはじめたかなという気候」と振り返っている。桜のつぼみがふくらみを持つ前に、それに先立って幹が照りを持ち始めるのを見てとる繊細な感覚に驚く。⇩Q光沢・艶

てりかえし【照り返し】光や熱の反射をさし、会話にも文章にも使われる和語。〈舗装した路面の―がきつい〉✎高樹のぶ子の『追い風』に「車の屋根が、灰色の光を照り返しながらゆっくりと流れてゆく」という動詞の例がある。⇩反映・Q反射

デリカシー 感情や配慮の繊細さを意味し、会話にも文章にも使われる、比較的新しい外来語。〈―のない人〉〈―に欠ける言動〉⇩Q繊細・デリケート・微妙

デリケート 繊細で微妙な意として、会話にも文章にも使われる外来語。〈―な神経の持ち主〉〈―な感情〉〈―な味〉〈―な問題〉✎岡本かの子の『やがて五月に』に「蓮の浮葉のような―で艶治《えんや》な花嫁姿」とある。⇩Q繊細・デリカシー・微妙

てる【照る】一面に光を放つ意で、会話でも文章でも使われる和語。〈ようやく日が―・ってきた〉〈日が燦々《さんさん》と―〉〈今日は一日、朝から―・ったり曇ったりしている〉〈月が煌々《こうこう》と―・っている〉〈夜の闇に包まれた町でその家の窓だけがあかあかと―・っていた〉✎庄野潤三の『秋風と二人の男』に「家を出る時には、空に太陽が―・っていた」とある。「光る」「輝く」と違って、ほとんどの例が日光と月光に集中し、比喩的な用法も見当たらない。「輝く星座」といった誇張表現はあるが、一般に星の光は「照る」と表現するには明るさが足りない。照明器具の場合、「照らす」とはよく言うが、「照る」とする例はあまり多くない。⇩Q輝く・光る

でる【出る】内から外に移動する、表面に現れるといった意味合いで、くだけた会話から硬い文章まで幅広く使われる日常の基本的な和語。〈大学を―〉〈家を―〉〈社会に―〉〈試合に―〉〈宿題が―〉〈結論が―〉〈日が―〉〈涙が―〉〈怒りが顔に―〉✎夏目漱石の『坊っちゃん』に「教場へ―と今度の組は前より大きな奴ばかりである」とある。⇩出て来る

てれ【照れ】人の注目を浴びて恥ずかしく思う意で、会話にも文章にも使われる和語。〈―笑い〉〈―隠し〉〈内心の―〉〈―が先に立つ〉⇩含羞《がんしゆう》・恥・恥じらい・Qはにかみ

てれくさい【照れ臭い】気恥ずかしくためらわれる気持ちをさし、主に会話や軽い文章に使われる和語。〈人前で褒められて―〉〈夫婦仲の良いところを見られて―〉〈口に出すの

は―・く、手紙を出す〉✎小沼丹の『村のエトランジェ』に「大人が泣いているのを見るのは、ひどく―・かった」とある。⇩面映《おも》《はゆ》い・Q気恥ずかしい・決まり悪い・恥ずかしい・ばつが悪い・間が悪い

てわたす【手渡す】自分の手で相手の手にじかに渡す意で、会話にも文章にも使われる和語。〈大事な書類を―〉〈原稿を編集者に直接―〉⇩渡す

てん【天】空よりさらに上の最も高いところをさし、会話にも文章にも使われる漢語。〈思わず―を仰ぐ〉〈―まで上がれ〉〈―を翔《か》《け》る〉〈―にそびえる〉✎何もない空間としての「空」の最果てに広がる漠然とした世界のようなイメージでとらえられる傾向がある。「―高く」はよく晴れて天がいつも以上に高く感じられるようすであり、「空高く」では単なる上空にすぎず、秋になっても馬が肥えそうにない雰囲気になってしまう。飛行機も空を飛ぶ間は安心感があるが、「天」になると吸い込まれて地上の空港に戻れないようなけはいが漂う。川端康成の『雪国』に「薄く雪をつけた杉林は、その杉の一つ一つがくっきりと目立って、鋭く―を指しながら地の雪に立った」という大きなスケールの鮮やかな一文が出る。意味だけならここを「空」にすることも可能だが、語感の点で雄大な印象を失う。「天と地」という表現も、「空」に置き換えたのでは「空き地」に見えてくるし、「―にまします」を「空」に換言しては「われらの神」も有難みが薄れる。⇩Q空・天空

てん【点】「読点」の意で、主に会話に使われる日常の漢語。〈列挙する語句の間にそれぞれ―を打つ〉✎「まる」と並立。「―をかせぐ」「―がからい」のように得点の意や、「そういう―が問題だ」「その―で物足りない」のように箇所の意で使う例も多い。⇩句読点・Q読点

てんい【転位】位置などが移る意で文章中に用いられる古めかしく硬い専門的な漢語。〈星が―する〉✎心理学の「感情の―」、物理学の「結晶の―」など、学術用語の中でも用いられ、全体として専門語の雰囲気の濃い表現。⇩転移

てんい【転移】別の場所に移る意で、会話でも文章でも使われる専門的な漢語。〈癌《がん》の―を防ぐ〉✎もともとは単に移る意として「美意識の―」などと使われたようであるが、そういう用法は現代では古めかしい響きがある。化学の「―温度」、生物学の「―酵素」、心理学の「正の―」「負の―」など各分野の学術用語の中でも用いられているが、日常生活ではもっぱら「癌の―」という医学用語が話題になる。⇩転位

てんいむほう【天衣無縫】性格や行為などが自然のままで作意の感じられない意で、改まった会話や文章に用いられる、いくぶん古風な感じの漢語。〈―の生き方〉〈―の大らかなふるまい〉✎天人の衣に人工的な縫い目のない意から。ものにとらわれない武者小路実篤の作品のように、詩歌や文章に技巧的な跡の見えない場合にも使う。⇩純情・純真・Q天真爛漫《らん》《まん》・無邪気

てんいん【店員】店頭で客に商品を販売する役の人をさし、会話でも文章でも幅広く使われている日常漢語。〈―募集〉〈―教育〉〈―の態度〉✎「売り子」と違って、社内や館内を移動する販売員を含まず、店長などの責任者を含む感じが

ある。⇩売り子

てんうん【天運】 天によって定められている運命の意で、やや改まった会話や文章に用いられる古風な漢語。〈―が尽きる〉✎天体の運行の意にも使う。⇩運・運勢・運命・宿命・天命・回り合わせ・命運・巡り合わせ

でんえん【田園】 田畑や緑が多く広々としてのどかな感じのする田舎をさし、主として文章に用いられる好感度の高い漢語。〈―風景〉〈―地帯〉〈一面に広がる―〉✎「田畑《でんばた》」「農村」に比べ、垢抜けした感じがある。佐藤春夫に『田園の憂鬱』と題する小説がある。⇩田舎・たはた・でんぱた

てんか【天下】 世界・世の中・世間といった意味合いで、会話にも文章にも使われる、やや古風な漢語。〈―太平〉〈―一品〉〈―を治める〉〈―を統一する〉〈―国家を論じる〉〈―の一大事〉〈―晴れて〉〈―広しといえども〉✎福原麟太郎の『天才について』に「(シェークスピアは)全然伝記がないのだから―太平である」とある。庶民感覚の「世の中」と比べ、覇気や野心を感じさせる。⇩社会・世間・Q世の中

てんか【添加】 他の種類のものを付け足す意で、主に文章に用いられる漢語。〈食品―物〉〈調味料を―して味を調える〉✎具体物に用い、「付け足し」より必要性が感じられる。⇩追加・Q付け足し

てんが【典雅】 気品があり奥ゆかしく雅やかな意で、主に文章中に用いる漢語。〈雅楽の―な調べ〉✎伊藤整の『変容』に「二重の入母屋作りの破風《はふ》を見せて、―な形でこの町の上にそびえている」とある。⇩気高い・Q高尚・上品

てんかい【展開】 繰り広げる意で、会話でも文章でもよく使われる漢語。〈―図〉〈試合―〉〈車窓に―する風景〉〈論を―する〉〈予断を許さぬ―〉✎芥川龍之介の『トロッコ』に「つき当りの風景は、忽ち両側へ分かれるように、ずんずん目の前へ―・して来る」とある。⇩転回

てんかい【転回】 くるりと回って方向を変える意で、やや改まった会話や文章に用いられる硬い感じの漢語。〈コペルニクス的―〉〈方針を一八〇度―する〉✎石川達三の『結婚の生態』に「全面的な生活の―」とある。⇩回転・展開・回る

てんかん【転換】 やり方・性質・傾向などがはっきりと切り換わる意で、会話にも文章にも使われる漢語。〈方向―〉〈気分―〉〈―期を迎える〉〈方針を―する〉⇩Q転向・転身

てんかんかい【展観会】 物品を広げて見せる催しの意で、会話にも文章にも使われる古めかしい漢語。〈―が開かれる〉✎夏目漱石の『吾輩は猫である』に「鞍馬山で―があっても恐らく一等賞だろうと思われる位な鼻」とある。⇩展示会・Q展覧会・博覧会・発表会

てんがんきょう【天眼鏡】 易者などの占い師が人相や手相などを見るときに使う大型の拡大鏡の意で、会話にも文章にも使われる古風な漢語。〈八卦見《はっけみ》が―で覗《のぞ》く〉✎高垣眸の『怪傑黒頭巾』に大道易者の天命堂が「―をかまえて、丁ちょう発止、受けつ流しつ大奮戦」する場面が出る。当人が「天眼通でもって、そのにせ者のばけの皮をはがしてやる」と言うとおり、「天眼」はあらゆるものを見通す神通力のある千里眼をさす。⇩拡大鏡・Q虫眼鏡・ルーペ

てんき【天気】 晴雨の観点で見た空模様をさし、くだけた会話から硬い文章まで幅広く使われる日常の基本的な漢語。

〈いい―〉〈―は下り坂〉〈―が崩れる〉〈―が持ち直す〉✎夏目漱石の『坊っちゃん』に「空の底が突き抜けたような―だ」とある。「天候」のうち晴雨を中心に見た語。そのため、「天候」にはない用法、「今日は―はいいが風が強い」という言い方が可能である。⇩空模様・天候

でんき【電気】「電灯」の意で主として会話に使われる日常漢語。〈―をつける〉〈―を消す〉〈―を暗くする〉✎小林多喜二の『蟹工船』に「浜なすのような―がついた」とある。⇩電灯

でんき【電器】「電気器具」の略で、会話でも文章でも使われる新しい感じの生活用漢語。〈―店〉〈家庭用―〉⇩電機

でんき【電機】電力で動く機械の意で、主に文章の中で使われるやや専門的な漢語。〈重―〉〈―産業〉⇩電器

でんきがま【電気釜】電気炊飯器をさし、くだけた会話から改まらない文章まで使われる、やや古風な日常語。〈―のスイッチを押す〉✎「炊飯器」は電気式のほかガス式のもあるが、これはそのうちの「電気炊飯器」にあたる。普通の釜をかまどやガスコンロにかけて温度調節に気を配っていた生活から一変して、自動で飯が炊ける便利な器械が出現したという驚きを感じさせたことば。そのため、今でも昔なつかしく感じる人もある。「炊飯器」より庶民の生活と密着した感じが強く、より会話的。⇩Q炊飯器・炊飯ジャー

でんきかみそり【電気剃刀】電気の力で刃を回転させるひげ剃り器具。〈―の替え刃〉⇩Qシェーバー・ひげそり

でんきせんたっき【電気洗濯機】電気の力で洗濯する機械をさし、やや古い感じになってきた語。〈―でそのまま洗える〉✎人力によらない画期的なという気持ちも働いて、新しい感じの「電気」を冠したのかもしれない。ガス洗濯機などは考えにくく、特に「電気」とことわる必要はないため、今では単に「洗濯機」と言うほうが普通になった。「せんたくき」と発音する人もいる。

でんきそうじき【電気掃除機】電気の力で掃除をする機械をさし、やや古い感じになってきた漢語。〈―をかける〉✎人力によらない画期的なという気持ちから、新しい感じの「電気」を冠したものと思われるが、ガスなどの動力は考えにくく、特に「電気」とことわる必要がないため、今では単に「掃除機」と言うほうが普通になった。

でんきブラン【電気ブラン】ブランデー風の雑酒。廃語的。✎明治から大正にかけて、浅草の神谷バーで売り出し評判になった。永井荷風も入りびたったという。当時は電気がまだ珍しかったため、それを冠して斬新な魅力を宣伝した命名。

てんきぼ【点鬼簿】主として文章の中で「過去帳」の意で用いられる漢語。〈―に加える〉✎芥川龍之介に亡くなった両親と姉について語ったまさに『点鬼簿』と題する作品があり、「―」に加えた三人は皆この谷中の墓地の隅に、――しかも同じ石塔の下に彼等の骨を埋めている」という一文がある。⇩Q過去帳・鬼籍

てんきょ【転居】住む場所を他に移す意で、改まった会話や文章で用いられる事務的な感じの漢語。〈―先不明〉〈―通知〉〈―届〉⇩移転・Q転宅・引っ越し

てんきょ【典拠】正しい拠ょりどころとなる信頼できる出典を

さし、改まった会話や文章に用いられる専門的で硬い漢語。〈―を引く〉〈きちんと―を示す〉⇩Q根拠・論拠

でんきれいぞうこ【電気冷蔵庫】 電気の力で食品を冷やしておく機械をさし、廃語に近く感じられる古めかしい漢語。〈当時はまだ―というものが珍しかった〉✎昔、大きな氷を入れて冷やした氷式の冷蔵庫さえ各家庭にそろっていなかったころに、電気式の冷蔵庫が出現したため、得意げに「電気」を冠して斬新な感じを誇ったものと思われる。電力から原子力に切り替えるはずはなく、また、ガス式なら「ガス」とことわるだろうから、現在では単に「冷蔵庫」と言って普通の電気式の冷蔵庫をさすのが一般的である。電気式が普通になってからわざわざ「電気」とことわるこの語は、氷式と区別するための誇らしい名称がまかりとおっていた時代を連想させるため、「電気洗濯機」や「電気掃除機」以上に古くさい響きがある。

てんくう【天空】 果てしなく広がる大空をさし、主として硬い文章に用いられる古風で美的な漢語。〈―を翔《かけ》る〉〈―海闊〉✎宮本輝の『蛍川』のラストシーンに、「蛍の大群は、滝壺の底に寂寞《ひっそり》と舞う微生物の屍のように、はかりしれない沈黙と死臭を孕んで光の澱と化し、―へ―へと光彩をぼかしながら冷たい火の粉状になって舞いあがっていた」という夢幻の光景が描かれている。「空」でも「天」でもない「天空」という語の品格が大きなスケールを印象づける働きをしているように思われる。⇩空・Q天

てんけい【典型】 同類のうちでその本質や特徴を最もよく表している代表例をさし、やや改まった会話や文章に用いられる漢語。〈明治の日本人の―〉〈メロドラマの―〉〈―的な娯楽番組〉〈―的な例〉〈渓谷美の―〉✎野間宏の『暗い絵』に「奴は、一歩前進二歩退却の―だよ」とある。⇩象徴・シンボル・Q代表・標本・見本・モデル

てんこう【天候】 一定期間の天気の状態をさし、少し改まった会話や文章に用いられる、やや専門的な漢語。〈―不順〉〈―に恵まれる〉〈―が定まらない〉〈悪―に見舞われる〉✎永井荷風の『濹東綺譚』に「季節と―とに注意し」とある。もっぱら晴雨を問題にする「天気」に対して、この語は天気のほか気温・湿度・風などを含めた総合的な状態をさす。⇩時候・空模様・天気

てんこう【転向】 思想・態度・立場・職業・嗜好《しこう》などがすっかり別方向に転ずる意で、やや改まった会話や文章に用いられる、いくぶん専門的な感じの漢語。〈―文学〉〈共産主義から―する〉〈スポーツ選手から俳優に―する〉⇩転換・Q転身

てんごく【天国】 キリスト教で、空のはるか上の天にある神の支配する国をさして、会話にも文章にも使われる漢語。〈―に召される〉〈―で結ばれる〉〈―の母が見守る〉✎「地獄」と対立し、善人が死後に行くとされる悲しみも苦しみもない永遠の命の楽園。「この世の―」「野鳥の―」のように、比喩的に、苦難のない理想的な環境をさすこともあり、「歩行者―」のように気楽に使う。⇩Q極楽・パラダイス・楽園

でんごん【伝言】 「ことづて」の意で会話にも文章にも使われる漢語。〈―板〉〈―を残す〉〈―を届ける〉✎谷崎潤一郎の『細雪』に「品物だけ置いて、―をして帰って来た」とある。

⇩Qことづけ・ことづて・メッセージ

てんさい【天才】 生まれつきのずば抜けた才能の持ち主をさす漢語。くだけた会話から硬い文章まで幅広く使われる日常語。〈音楽の―〉〈ゴルフの―〉✎小林秀雄の『モオツァルト』に「どんな音楽の―も、この様な驚くべき経験を語ったものはない」とある。主として学問的な分野に限られる「秀才」と比較すると、はるかに範囲が広く、遊びでも運転でも予測などにも使え、「言い訳の―」「サボることにかけては―だ」などと悪いことにも使える。同じ学問的な分野で比べると、秀才よりもさらにずば抜けた存在として位置づけられる。「秀才」が達成度を問題にしているのに対して、「天才」は持って生まれた才能に重点がある。⇩秀才・俊才

でんさんき【電算機】 漢語「電子計算機」の略称で、会話でも時折用いられるが、字数が少なくて済む関係で文章中にしばしば用いられる。〈―を稼動させる〉⇩コンピュータ・コンピューター・Q電子計算機

てんし【天子】 天の子という発想で特に天皇をさし、会話にも文章にも使われる古風な漢語。〈―様〉〈―に即位する〉⇩王・王様・君主・皇帝・国王・大王・帝王・Q天皇・帝

てんじ【展示】 芸術作品や研究の成果などを並べて一般の人々に見せる意で、会話にも文章にも使われる漢語。〈―即売会〉⇩掲示・Q展覧会・博覧・表示

てんじかい【展示会】 学校や企業あるいは趣味の集まりなどの組織が作品などを外部に知らせる目的で開く催しをさし、会話にも文章にも使われる漢語。〈新型車の―〉〈生徒作品の―を計画する〉✎「展覧会」より素人作品に近い雰囲気が濃い。「展示即売会」のように宣伝販売するものや、仲間同士のごく小規模なものも含めて広く使われる。⇩展観会・展覧会・博覧会・Q発表会

てんしき【転失気】「屁」を意味する昔の医者の隠語。〈時に―はありますかな〉✎落語の題にある。⇩おなら・屁

でんしけいさんき【電子計算機】 電子回路を用いて複雑な計算や記憶・判断・制御などを高速で行う機械をさす漢語で、正式な感じのする最もオーソドックスな呼称。〈大型の―を導入する〉✎日常会話では「コンピューター」が多用され、改まった文章でこの語が用いられる傾向にある。⇩コンピュータ・Qコンピューター・電算機

てんしゃ【転写】 文書などをほかの紙にそっくり書き写す意で、やや改まった会話や文章に用いられる漢語。〈文献を―する〉✎「コピー」や「複写」と違い、手作業を連想しやすい。⇩Q写し・コピー・複写

でんしゃ【電車】 電気の力で軌道上を走る車両をさし、くだけた会話から硬い文章まで幅広く使われる日常漢語。〈路面―〉〈通勤―〉〈満員―〉〈―の運転間隔〉✎佐多稲子の『くれない』に「小さな箱のような―」とある。蒸気機関車で牽《けん》引《いん》する「汽車」に対して電気の力で走る列車のすべてをさすが、日常会話では、そのうち長距離列車は「列車」と呼び、通勤電車のような短距離のものだけをさす場合もある。⇩汽車・Q列車

てんしゅどう【天主堂】 カトリック教会の建物をさし、会話にも文章にも使われる古風な漢語。〈大浦―〉⇩カテドラル・

教会・教会堂・聖堂・大聖堂・チャペル・Q礼拝堂

てんしん【転身】身分・職業・生活などが大きく変わる意で、会話にも文章にも使われる漢語。〈野球選手からゴルファーに―する〉〈思い切った―を図る〉⇩転換・Q転向

でんしんばしら【電信柱】「電柱」をさし、会話にも文章にも使われる古風な表現。〈―の影が長く伸びる〉✎井伏鱒二の『夜ふけと梅の花』に「全く突然、暗がりの―のかげから一人の男がよろめき出た」とある。⇩電柱

てんしんらんまん【天真爛漫】性格や行為などに偽りも飾り気も気兼ねもなく自然のままである意で、会話にも文章にも使われる漢語。〈―に育った子供〉〈―にふるまう〉⇩純情・純真・天衣無縫・Q無邪気

てんせい【天性】生まれつきの意で、会話でも文章でも使われる漢語。〈―の美質〉〈体の柔軟さは―のものがある〉✎福永武彦の『草の花』に「―の器用さが手術台に向った場合のメスのさばきにも如実に現れて」とある。⇩天成

てんせい【天成】自然にできあがっているの意で、主に文章に用いる古風な漢語。〈―の美〉〈―の要塞〉〈―の良港〉✎芥川龍之介の『侏儒の言葉』に「―のデマゴオグを持たない限り、発し得ない名言」とある。⇩天性

でんせつ【伝説】確証はないが昔から人々の間で言い伝えられてきた話をさし、会話にも文章にも使われる漢語。〈浦島―〉〈―上の人物〉〈松の大木にまつわる―〉✎「言い伝え」と違いある程度まとまった話だけをさし、「民話」「昔話」より特定の土地や時代や人物にまつわる話が目立つ。また、現代の著名人に関する珍しい逸話を、信じがたい気持ちでこう呼ぶこともあり、「―的な大喧嘩」「―的な名演技」「驚異的な記録で新たな―を作る」などとする派生的な用法も目に入る。井伏鱒二は『休憩時間』で「大木というものは、その附近いったいに起った―や挿話を真実らしく思いこませがちなのである」と書き、噂の信憑《しんぴょう》性をうやむやにする。⇩Q言い伝え・民話・昔話②

でんせん【伝染】病原菌が他に移って同じ症状を呈する意で、会話にも文章にも広く使われる漢語。〈空気―〉〈病気が―する〉✎「感染」と違い、病気を中心に考えた表現。「あくびが―する」「悪習が―する」のように、単に同様の現象が生ずる際にも比喩的に用いられる。⇩感染

でんせんびょう【伝染病】感染症の旧称で、今でも会話や文章に使われる漢語。〈法定―〉〈―の一つに数えられる〉⇩疫病・Q感染症・流行《はや》り病・流行病

てんたい【天体】太陽・月・星・地球など宇宙空間に存在する物体の総称として、学術的な会話や文章に用いられる専門的な漢語。〈―望遠鏡〉〈―の運行〉〈―を観測する〉✎日常会話では「星」という。⇩星

てんたく【転宅】「転居」の意で、主として文章で用いられる、やや古風な漢語。〈このたび空気のいい郊外に―いたしました〉⇩移転・転居・引っ越し

でんたつ【伝達】意志や指示内容・連絡事項などを伝える意で、改まった会話や文章に用いられるやや硬い漢語。〈―事項〉〈―手段〉〈情報を―する〉〈―を受ける〉〈―が遅れる〉〈本部からの指示を―する〉⇩知らせる・通達・通知・告げる・Q伝える

でんちく【電蓄】「電気蓄音機」の短縮形。廃語に近い古めかしい語。〈昔の―を飾り物に据える〉⇩蓄音機

でんちゅう【電柱】電線や電話線を架け渡すための柱をさし、会話にも文章にも使われる漢語。〈道端の―〉〈―の陰になる〉✎坪田譲治の『風の中の子供』に「―のような木の幹」という比喩表現の例がある。⇩電信柱

てんで「まるっきり」の意で、くだけた会話に使われる俗っぽい和語。〈―問題にならない〉〈相手のことなんか―考えない〉〈―相手にされない〉⇩一向に・からきし・からっきし・さっぱり②・全然・Ｑちっとも・全く・まるっきり・まるで①

てんてき【点滴】「しずく」特に雨垂れなどの水の滴りをさし、文章中に用いられる古風で硬い漢語。〈―石を穿《うが》つ〉✎井伏鱒二にまさに『点滴』と題する太宰治を悼む鎮魂歌があるが、本文では「しずく」「したたり」を用い、この語は出てこない。古井由吉の『息災』に「右腕に―の針を立てられ」とあるように、現在はむしろ「―注射」の略として使うために病院を連想させ、その場合は古風さも硬い感じもない。⇩しずく・Ｑしたたり・水滴

てんとう【店頭】店の内部の外に面した場所をさし、やや改まった会話や文章に用いられる漢語。〈―販売〉〈新商品が―に並ぶ〉〈―の飾りつけ〉⇩店先

てんとう【転(顚)倒】ひっくり返る意で、改まった会話や文章に用いられる漢語。〈―事故〉〈人込みで押されて―する〉✎本来、物事の方向や順序などが逆になる意であるため、「転ぶ」より激しく倒れる感じがあり、手や膝を突く程度でなく横倒しや仰向けに倒れる連想があるほか、「主客―」「本末―」のような抽象化した用法もある。⇩転ぶ

でんとう【伝統】同じ民族や社会において昔から受け継がれてきたしきたり・風俗・文化などをさし、会話にも文章にも使われる漢語。〈―芸能〉〈―校〉〈長い―を誇る〉〈歌舞伎の―を守る〉〈日本の―を重んじる〉✎佐藤春夫の『田園の憂鬱』に「貴金属の鉱脈のような一脈の―」とある。⇩歴史

でんとう【電灯(燈)】電気照明器具をさし、改まった会話や文章で用いられる漢語。〈―の明かり〉〈―の光で照らされる〉✎梶井基次郎の『檸檬』に「店頭に点けられた幾つもの―が驟雨のように浴せかける絢爛」とある。日常会話で使うと取り澄ました感じになって少々ぎこちないので、通常「電気」と言う。⇩電気

でんどう【伝道】キリスト教で救世主イエス・キリストの福音を広く知らせることをさし、会話にも文章にも使われる漢語。〈―師〉〈キリスト教の―に生涯を捧げる〉⇩Ｑ宣教・布教

てんにめされる【天に召される】「死ぬ」意を表すキリスト教的な雰囲気の美的な間接表現。✎死を忌む気持ちから、天上の神に召されて魂が昇天するという美的な解釈を前面に押し出した婉曲《えんきょく》表現。⇩敢え無くなる・上がる②・あの世に行く・息が切れる・息が絶える・息を引き取る・往く・いけなくなる・永眠・往生・お隠れになる・落ちる②・おめでたくなる・帰らぬ人となる・くたばる・死去・死ぬ・死亡・昇天・逝去・斃《たお》れる・他界・長逝・露と消える・亡くなる・儚《はか》なくなる・不帰の客となる・不幸がある・崩御・没する・Ｑ仏になる・身罷《みまか》る・脈が上がる・空しくなる・藻屑となる・逝く・臨死・臨終

てんねん【天然】「自然」とほぼ同義で、会話にも文章にも使われる、やや古風な漢語。〈―ガス〉〈―記念物〉〈―の美〉✎天から与えられたままに存在するという発想の語。「―パーマ」「―ぼけ」のように、俗に「生まれつき」の意でも使う。⇩自然

てんねんしょくえいが【天然色映画】「カラー映画」の意で、廃語に近い古めかしい語。✎ごく初期の不自然な着色に対して本格的な色彩映画であることを宣伝するねらいがあったと思われる。⇩Qカラー映画・総天然色映画

てんねんすい【天然水】自然の環境で採取した水をさし、会話にも文章にも使われる漢語。〈富士山麓の―〉〈―で茶を淹《い》れる〉⇩ミネラルウォーター

てんのう【天皇】天に代わって一国を統治する王という意味合いで、特に日本の場合をさし、くだけた会話から硬い文章まで幅広く使われる漢語。〈―制〉〈―家〉〈―陛下〉〈―誕生日〉〈―に即位する〉✎現代日本では国民統合の象徴とされる。⇩王・王様・君主・皇帝・国王・大王・帝王・天子・Q帝

でんぱた【田畑(畠)】田と畑の総称として、会話にも文章にも使われる古めかしい表現。〈田地―〉〈先祖伝来の―を手放す〉✎収穫という機能に意識の重点のある「たはた」に比べ、同じものを土地という点に意識を置いて言うときに用いる傾向がある。⇩耕地・Qたはた・田園・農場・農地

でんぶ【臀部】尻の意で、改まった文章に用いられる正式な感じの硬い漢語。〈―に衝撃がある〉⇩けつ・Q尻

てんぽ【店舗】店として品物を並べるための建物をさし、改まった会話や文章に用いられる専門的な感じの硬い漢語。〈貸し―〉〈大通りに独立した―を構える〉✎井伏鱒二の『珍品堂主人』に「―を持たないで骨董商を営んでいる女」とある。「店」は大小さまざまだが、この語はある程度以上の規模を連想させ、「ちっぽけな―」「ちゃちな―」のような表現には違和感が伴う。⇩商店・Q店

てんぼう【展望】遠くまで見渡す意で、会話にも文章にも使われる漢語。〈―車〉〈―台〉〈―が開ける〉✎庄野潤三の『プールサイド小景』に「校舎を出外れて不意にひらけた―」とある。「長期的―」「学界―」などと抽象的な意味での見渡しをさす比喩的用法もある。⇩眺望・見晴らし

てんめい【天命】人の力では如何《いかん》ともしがたい運・不運の現象をさして、改まった会話や文章に用いられる古風な漢語。〈人事を尽くして―を待つ〉✎「天の命令」という発想から。「―を知る」「―が尽きる」のように、天から授けられた命をさす用法もある。⇩運・運勢・運命・宿命・天運・回り合わせ・Q命運・巡り合わせ

てんもんがくてき【天文学的】会話でも文章でも使われる、巨大な数字の象徴的な表現。〈―な数値に達する〉〈―な額に上る〉✎尾崎一雄の『虫のいろいろ』に父と娘が宇宙の広さについて話し合う場面がある。父親は地球から最も遠い星雲までの距離を二億五千万光年という仮説を持ち出し、まず娘に一光年をキロに換算させる。それだけで「うわ、ゼロが紙からハミ出しちゃった」と驚く娘に「そいつを二億五千万倍してくれ」と追加注文すると、娘は「そんな―数字、困る」とつぶやき、「何だか、ぼおッとして、悲しくなっちゃう」と鉛筆を放り出す。「天文学的」ということばは、

「人間の頭で実感がわかないほど巨大な」といった意味合いで使われるが、同時に、天文学を想定して成立したという語源的な雰囲気を漂わせている。だからこそ父親は「だって、これ、天文学だぜ」と応じる。論理よりも語感の面から用法を限定する一例といえるだろう。

てんらく【転(顚)落】 転げ落ちる意で、会話にも文章にも使われる漢語。〈―事故〉〈屋根から―する〉✎「首位から―する」のように、高い地位から滑り落ちる意にも、「大会社の社長からその日の食事も儘《まま》ならない境遇へと―する」のように、身分や財産を失う意にも、「―の一途をたどる」のように、身を持ち崩して堕落する意にも用いる比喩的な用法も多い。⇩おちぶれる・落ちる①・Q凋落《ちょうらく》・没落・落魄《らくはく》・零落

てんらんかい【展覧会】 美術品や工芸品などを陳列して見せる催しの意で、くだけた会話から硬い文章まで幅広く使われる日常の漢語。〈絵の―〉〈―に出品する〉〈―が開かれる〉⇩展観会・Q展示会・博覧会・発表会

と

と【戸】 家や部屋の出入り口や窓に取り付けて開閉する板状の建具の意で、くだけた会話から硬い文章まで幅広く使われる日常の基本的な和語。〈雨―〉〈格子―〉〈―が開く〉〈―を閉める〉〈―の滑りが悪い〉✎引き戸や開き戸などがある。⇩ドア・Q扉

ど【度】 同じことを繰り返す回数をさして、会話にも文章にも広く使われる漢語。〈一―で覚える〉〈もう一―行きたい〉〈同じことばを二―ずつ発音する〉✎「遍」はもちろん「回」よりも若干改まった感じで、類義語中で最も標準的な語。⇩Q回・度《たび》・遍

ドア 洋風の開き戸をさして、くだけた会話から硬い文章まで幅広く使われる日常の外来語。〈―越しに呼ぶ〉〈―をノックする〉〈―がきしむ〉✎戸板をあおるだけでなく、回転式のものもある。「自動―」の場合は引き戸式もある。⇩戸・扉

どあい【度合い】 物事の程度の意で、会話にも文章にも使われる、やや古風な表現。〈―を計る〉〈発達の―〉〈緊張の―が違う〉⇩Q程度・程①

とある たまたま通り合わせた場所や建物をさし、主に文章中に用いられる古風で趣のある和語。〈―街角〉〈日本橋の―店〉〈古い城下町の―横町で〉✎偶然の出合いというちょっとした感動をこめて使う表現であり、予定していた場所

や人の移動に関係のない建物などには用いない。⇩Q或る・然《さ》る

とい【問い】質問の意で、改まった会話や文章に用いられる硬い感じの和語。〈―を発する〉〈―に正しく答える〉〈永遠の―〉✎「次の文章を読んであとの―に答えよ」のように、試験の問題すなわち設問の意でよく使う。福原麟太郎の『交友について』に「人は、本当に親しい友人というものを持っているものであろうか。そういう―を、私は時に、自分にかけてみることがある。何だか私には一人もないような気がする」とある。⇩質問

という　列挙した名詞をまとめる際に用いる連語で、会話にも文章にも広く使われる。〈富士山や浅間山や鳥海山―山はよく知られている〉✎「といった」に比べ、それ以外に類例があるという含みが弱く、時にはそれですべてという場合もある。⇩といった

といき【吐息】溜《た》め息の意で、改まった会話や文章に用いられる古風な漢語。〈青息―〉〈―をもらす〉✎井伏鱒二の『多甚古村』に「酒のみの焦げつくような―を好かない」とある。「ため息」と違い、感嘆の場合は使わない。⇩溜め息・嘆息

といった　列挙した名詞をまとめる際に用いる連語で、会話にも文章にも広く使われる。〈仙台、静岡、熊本、高松―県庁所在地〉✎「という」に比べ、それ以外に類例があるという含みが大きく、表現されたのが代表か典型か一例かは明確でないが、ともかく全体の一部であるという感じになる。⇩という

トイレ　「便所」の意味で現在最も普通に幅広く使われている日常語。〈―に入る〉〈―に立つ〉✎「化粧室」を意味する英語「トイレット・ルーム」を単に「トイレット」として「便所」の意味で借用したものをさらに短縮してできた語形。「便所」とのつながりがますますたどりにくくなり、婉曲《えんきょく》な表現として普及していった。なお、「―を済ませる」のように、部屋や施設ではなく、排泄《はいせつ》行為そのものの間接表現としても用いられる。「手洗い」という語も同様であるが、それ以上の婉曲表現である「洗面所」や「化粧室」にはそのような行為をさす用法は見られない。⇩おトイレ・厠《かわや》・閑所・化粧室・御不浄・雪隠・洗面所・WC・手水場・手洗い・トイレット・はばかり・Q便所・レストルーム

トイレット　一時期、間接的に「便所」をさして使うようになった英語からの外来語。✎外国語の場合は母国語の場合ほど語感が働かないので不潔な印象がやわらげられる。そのうえ、この場合は原語では「化粧」という意味なので二重に間接的な表現となった。「化粧室」を意味する「トイレット・ルーム」が間接的に「便所」をもさすようになったようである。日本語として発音するには長すぎるために、肝腎の「ルーム」の部分を省略し、単に「トイレット」として借用したために、よけい婉曲《えんきょく》な表現になった。それでも長すぎると感じた日本人はさらに「トイレ」と短縮し、以後その形で普及することになる。⇩おトイレ・厠《かわや》・閑所・化粧室・御不浄・雪隠・洗面所・WC・手水場・手洗い・トイレ・はばかり・Q便所・レストルーム

とう【問う】「尋ねる」の意で、主として硬い文章で用いられ

る、改まった感じのやや古風な和語。〈地名の由来を—〉〈存在の意義を—〉〈社長の責任を—〉✎永井荷風の『濹東綺譚』に「恐らくは—に及ばぬことであろう」とある。⇩聞く・Q尋ねる

とう【塔】細くて高く聳《そび》え立つ建造物をさし、会話にも文章にも使われる漢語。〈鉄—〉〈管制—〉〈五重—《ごじゅうのとう》〉〈—の先端が見える〉✎近松秋江の『黒髪』に「東山は白い霧に包まれて清水の—が音羽山の中腹に夢のように浮んで見える」とある。⇩タワー

とう【疾う】会話などで「ずっと以前」の意で使われる古風な和語。〈—からわかっていた〉〈—の昔に亡くなっている〉✎「早い」の意の「疾し」の音便形。小津安二郎の映画『戸田家の兄妹』の中で和子(三宅邦子)が、子供が一人で寝るようになったかと聞かれ、「ええ、もう—から」と答えている。この「—から」や別項「とうに」の形はまだ使われることがあるが、現代なら「とっくに」となるのが自然で、今では古めかしい響きがある。⇩とっく

どう「如何に」の意で、会話や硬くない文章に使われる和語。〈僕等は—したらいいんだ?〉〈—頑張っても無理だ〉⇩いかに・Qどのように・どんなに

どう【胴】人間や動物の体のうち頭と手足を除いた部分の総称として、会話にも文章にも使われる日常の漢語。〈—まわりを測る〉〈—の長い犬〉✎幸田文の『流れる』に「—はわりあいにずぼらんと太い」とある。「—上げ」の場合は手脚もついでに上がるが、持ち上げる箇所の重点は胴の部分にある。⇩胴体

どうい【同意】他人の意見や行為に賛成し承諾する意で、会話にも文章にも使われる日常の和語。〈すでに—を得ている〉〈保護者の—が必要〉〈—を取り付ける〉⇩Q賛成・賛同

どうい【胴囲】胴の周囲の意で、多く服飾関係で使われる、やや専門的な漢語。〈—の寸法を採る〉⇩ウエスト・Q胴回り

どういう「いかなる」の意で、会話やさほど硬くない文章に使われる日常の表現。〈いったい—つもりだ〉〈—わけでそう急ぐのだ〉✎「どのような」より会話的で、「どんな」ほどくだけないレベルのことば。⇩いかなる・どのような・Qどんな

どういご【同意語】「同義語」に同じ。⇩Q同義語・類意語・類義語

とういつ【統一】いくつかに分かれている具体的または抽象的なものを一つの組織や系統のもとにまとめる意で、会話にも文章にも使われる漢語。〈—見解〉〈意思—がとれていない〉〈国を—する〉〈組織を—する〉✎「統合」に比べ、一つのまとまりとして機能するところに重点がある。⇩統合

どういつ【同一】「同じ」の意で、改まった会話や文章に用いられる硬い感じの漢語。〈—人物〉〈—の条件を備える〉〈本社とまったく—の待遇を与える〉⇩Q同じ・おんなし・おんなじ・同様・等しい

とうか【灯(燈)火】電灯、古くは蠟燭《ろうそく》の明かりをさし、主に文章中に用いられる古風で硬い漢語。〈—管制〉〈無—運転〉〈—を点ずる〉〈窓から—がもれる〉✎梶井基次郎の『器楽的幻覚』に「—を赤く反映している夜空」とある。手紙では、夜長で読書に適した秋の意。「—親しむべき候」と

いう慣用的な時候の挨拶がある。⇩Qあかり・照明・ともし火・灯《ひ》・ライト

どうか「どうぞ」に近い意味合いで使う和語。「どうぞ」よりいくらか口頭語的なレベルで、懇願する意味合いが強い。〈―お助けください〉〈―命が助かりますように〉🖊宮沢賢治の『注文の多い料理店』に「―帽子と外套をおとり下さい」とある。映画監督の小津安二郎は尊敬する作家の志賀直哉からもらった手紙の最後に「―遊びに来てくれ給え」と書いてあったのを見て、「どうぞ」でなく「どうか」ということばを選んだところに、ぜひいらっしゃいという志賀さんの気持ちがこもっていると喜んだという。ちなみに、不祥事を起こして社長が交代した折、老舗《しにせ》割烹《かっぽう》の新社長は「―よろしくお願いします」と「どうか」という語を選んで挨拶した。「どうぞ」にすると新規開店の挨拶に近くなり、平身低頭という感じが出ないのかもしれない。⇩どうぞ

どうが【動画】「アニメーション」の訳語として会話にも文章にも使われるやや専門的な漢語。〈―の製作に携わる〉🖊単に動きのある映像をさし、「静止画(像)」と対立する用法もある。⇩アニメ・アニメーション・劇画

とうかん【等閑】「なおざり」の意で、主に文章に用いられるやや古風な漢語。〈―視する〉〈―に付す〉⇩おろそか・Qなおざり・ゆるがせ

どうかん【同感】その人と同じように思う意で、会話にも文章にも使われる漢語。〈まったく―だ〉〈その意見に―する〉🖊国木田独歩の『武蔵野』に「多分―の人も少なからぬことと思う」とある。感じることと考えることの総体。⇩共感・共鳴・Q賛成・賛同・同意

どうがん【童顔】子供っぽいあどけない顔の意で、会話にも文章にも使われる漢語。〈―のせいで若く見える〉〈―をほころばせる〉🖊その人間の子供時分の顔というより、一般に子供のような顔立ちの大人の顔についてよく使う。谷崎潤一郎の『蘆刈』に「―という方の円いかおだち」で「ぼうっと煙っているような」女性が登場する。⇩幼顔《おさながお》

とうき【冬季】冬の季節の意で、改まった会話や文章に用いられる漢語。〈―オリンピック競技〉⇩冬期

とうき【冬期】冬の時期の意で、改まった会話や文章に用いられる漢語。〈―休業〉〈―限定の品〉⇩冬季

とうき【投棄】投げ棄ててそのままにする意で、主に文章中に用いる専門的な硬い漢語。〈不法―〉⇩Q捨てる・投げ出す・放棄

とうき【陶器】陶土などで形を作って素焼きにし、釉薬《うわぐすり》をかけて焼いた器をさし、改まった会話や文章に用いられる、やや専門的な漢語。〈―の酒器〉〈―でできた飾り物〉🖊磁器より焼く温度が低く、不透明で比較的軟らかく若干の吸水性がある。薩摩焼や萩焼など。夏目漱石の『坊っちゃん』に、「おれは江戸っ子だから、―の事を瀬戸物というのかと思って居た」とあるように、磁器との区別が意識されず、この語で陶磁器全体をさすこともある。⇩かわらけ・Q磁器・瀬戸物・陶磁器・土器・焼き物

とうき【登記】私法上の権利に関する事項を公示するために登記簿に記載することをさし、会話にも文章にも使われるやや専門的な漢語。〈―所〉〈不動産―〉〈購入した土地の

—を済ませる〉⇩登載・Q登録

とうぎ【討議】 あるテーマに基づき、何人かが意見をぶつけ合って何らかの結論に達することをめざす意で、改まった会話や文章に用いられる硬い漢語。〈—資料〉〈慎重に—を重ねる〉✎「議論」や「討論」に比べ、「活発な—を経て決定する」といった用例に見られるように、論じ合うだけでなく結論や方向づけを得たい場合によく使う。⇩議論・ディスカッション・Q討論・論議

どうき【動悸】 平常より激しい鼓動をさして、会話にも文章にも使われる漢語。〈—がする〉〈—が激しい〉〈—を抑える〉✎伊藤整の『氾濫』に「左の肋骨に軽くつき当るような—を打っていた」とある。異常さを不快に感じて発することば。⇩Q鼓動・脈・脈搏《みゃくはく》

どうぎご【同義語】 何を指し示すかという点でまったく差のない二つ以上の語の関係をさし、学術的な話題の会話や文章に用いられる専門的な漢語。〈「あした」と「あす」と「みょうにち」は—だ〉〈—だが語感が違う〉✎「教師」と「教員」、「めし」と「ごはん」と「ライス」のような同義語の間でも、文体的なレベルや丁寧さや斬新さや連想など、語感に何らかの差がある。⇩Q同意語・類意語・類義語

とうきゅう【等級】 優劣の程度を示す段階の意で、会話にも文章にも使われる漢語。〈—をつける〉〈—が下がる〉⇩クラス・Qグレード・ランキング・ランク

どうきゅう【撞球】「ビリヤード」の旧称。〈街の—場〉⇩玉突き・Qビリヤード

どうきゅうせい【同級生】 学校で同じ学級に属する人をさし、くだけた会話から文章まで幅広く使われる漢語。〈中学時代の—〉〈—のよしみで貸してやる〉⇩級友・Qクラスメート

どうきん【同衾】 文章で間接的に「性交」を意味する古めかしい漢語。〈初めて—する〉✎基本的には、一つの布団に二人で寝る意。そこから、男女が一緒に寝る意に特定され、そこに含みとして体の交わりという意味が呼び起こされる、という構造の婉曲《えんきょく》表現。「共寝」と同じ発想だが、もう少し硬い感じの語。⇩営み・エッチ・関係②・合歓・交合・交接・情交・情を通じる・Q性交・性行為・性交渉・性的行為・セックス・抱く②・契る・共寝・寝る②・懇ろになる・ファック・深い仲になる・房事・枕を交わす・交わる・やる③・夜伽《よとぎ》

どうぐ【道具】 何かをしたり物を作ったりするために使う物の総称として、くだけた会話から硬い文章まで幅広く使われる日常の基本的な漢語。〈茶—〉〈嫁入り—〉〈—を買いそろえる〉〈—だけは立派だ〉✎主に手で扱う簡単な構造の物を連想させる。林房雄の『青年』に「家財—を山のように積みのせた馬車と荷車の列」とある。「用具」と違い、「ことばは伝達の—だ」のように「手段」の意にも使う。⇩Q器具・機具・用具・用品

どうくつ【洞窟】 崖や大きな岩にできた空洞をさし、会話にも文章にも使われる漢語。〈—にひそむ〉〈—の中に住む〉✎「ほらあな」のうち特に大きなものを連想させやすい。⇩ほら・Q洞穴《ほらあな》

とうけい【統計】 母集団の現象を数量的に表示することをさし、会話にも文章にも使われるいくぶん専門的な漢語。〈—学〉〈—処理〉〈—をとる〉✎夏目漱石の『坊っちゃん』に

「今日は何人客があって、泊りが何人、女が何人と色々な―を示すのには驚いた」とある。⇩集計

どうけい【憧憬】あこがれの意で主に文章中に用いられる漢語。〈―の的〉〈―を抱く〉✎本来は「しょうけい」と読む。新しい常用漢字表には「憧」「憬」とも入り、「憧」の音は「ショウ」で採用された。⇩あこがれ・Qしょうけい

とうけん【刀剣】片刃の刀と諸刃《もろは》の剣の総称として、改まった会話や文章に用いられる硬い感じの漢語。〈―類を所有する〉〈―を鑑定する〉✎木山捷平の『大陸の細道』に「―をとり出すと、子供に飴玉でも与えるように逸見の手にわたした」とある。⇩Q刀・剣・つるぎ

とうこう【投降】敵軍に対して自ら降伏の意思を示す意で、主に文章中に用いられる硬い漢語。〈―兵〉〈抵抗を放棄して敵に―する〉⇩降参・Q降伏

とうごう【統合】二つ以上の組織や建物などを一つにまとめる意で、改まった会話や文章に用いられるやや硬い感じの漢語。〈町や村を一つの市に―する〉〈会社を―する〉✎「統一」に比べ、複数のものを合わせるところに重点がある。なお、天皇は日本国憲法で「日本国および日本国民―の象徴」とされる。⇩統一

どうこう【瞳孔】眼球中央の虹彩《こうさい》に囲まれた穴の意で、学術的な会話や文章に用いられる医学の専門的な漢語。〈―反射〉〈―が開く〉⇩黒目・Q瞳

どうこく【慟哭】悲しみに耐え切れずに身を震わせ激しく号泣する意で、主として文章に用いられる硬い漢語。〈母の訃報に―する〉〈遺体にすがって―する〉✎堀田善衛の『鬼無鬼島』に「涙を拭っては、く、く、く、と―した」とある。大声を出すイメージの「号泣」と比べ、身もだえするような連想が働く。⇩号泣・Q号哭《ごうこく》

とうこん【闘魂】あくまで闘おうとする激しい気持ちの意で、主として文章に用いられる硬い漢語。〈不屈の―〉〈―がたぎる〉〈激しい―を燃え立たせる〉⇩Q闘志・闘争心・ファイト

とうざ【当座】事が起こってしばらくの間の意で、会話にも文章にも使われる漢語。〈―はどうなることかと思った〉〈―の生活費〉〈―しのぎにはなる〉〈上京した―は右も左もわからず〉✎二葉亭四迷の『平凡』に「ポチの殺された―は、私は食が細って痩せた程だった」とある。⇩差し当たり・Q当面・ひとまず

どうさ【動作】行動における体の動きの意で、会話にも文章にも使われる日常の漢語。〈機敏な―〉〈無駄な―〉〈―が緩慢だ〉✎曾野綾子の『たまゆら』に「鼻たれ子供が鼻をふくような―で手の甲で両方の眼をこすった」とある。一定の目的を達成するための「行為」「行動」に比べ、そのうちの個々の動きをさすイメージがあり、無意識の動きの場合をも含む。⇩行い・活動①・行為・Q行動・ふるまい

とうさい【搭載】車輌や船舶、特に航空機に資材などを積み込む意で、改まった会話や文章に用いられる専門的な硬い漢語。〈ミサイル―機〉〈船に貨物を―する〉⇩Q積載・積み込む・積む

とうさい【登載】必要事項を帳簿・台帳に、文章を新聞・雑誌に載せる意で、改まった会話や文章に用いられる硬い漢語。〈紳士録に―される〉⇩Q掲載・登記・登録・載せる

とうさく【倒錯】ひっくり返って通常と逆になる意で、主に文章中に用いられる専門的な漢語。〈精神―〉〈性の―〉✎大岡昇平の『俘虜記』に「『他人を殺したくない』というわれわれの嫌悪は、おそらく『自分が殺されたくない』という願望の―したものにほかならない」とある。異常で病的な雰囲気を感じさせる。⇩逆・逆さ・逆さま・反対

どうさつ【洞察】物事の本質や動向を見抜く意で、改まった会話や文章に用いられる、やや硬い感じの漢語。〈深い―力〉〈―が鋭い〉〈今後の社会構造を―する〉✎論理的な思考の積み重ねが基本にあり、「感知」「察知」のような瞬間的なイメージはない。本来は「とうさつ」という。⇩感知・察知・推察・Q見抜く

とうさん【倒産】資産を使い果たして企業がつぶれる意として、会話にも文章にも使われる漢語。〈計画―〉〈会社が―に追い込まれる〉〈不景気で中小企業の―が相次ぐ〉✎「破産」と違って個人には用いない。某出版社の倒産直後、家庭で子供から同音語「父さん」と呼ばれるたびにどきりとしたという編集者の実話がある。⇩破産

とうさん【父さん】「お父さん」のよりくだけた親密な表現として、主に会話に使われる古風な和語。〈―の肩たたきをする〉✎「ととさん」の転。「母さん」と対立。⇩お父様・Qお父さん・お父ちゃん・男親・親父・父・父上・父親・父ちゃん・パッパ・パパ

とうし【凍死】凍えて死ぬ意で、改まった会話や文章に用いられる漢語。〈雪の中で道に迷い―する〉⇩凍え死に

とうし【投資】事業や株券・債券の取得などに資金を投入することをさし、会話にも文章にも使われる漢語。〈―家〉〈―信託〉〈公共―〉〈設備―〉〈IT産業に―する〉⇩出資

とうし【闘志】闘おうとする強い意気込みの意で、会話にも文章にも使われる漢語。〈―満々〉〈―を燃やす〉〈―をかき立てる〉✎富田常雄の『姿三四郎』に「殺気と―に包まれて、触るれば火を発しそう」とある。⇩Q闘魂・闘争心・ファイト

とうじ【当時】過去のある時期をさし、会話にも文章にも使われる日常の漢語。〈創立―の建物〉〈―の面影を残す〉〈―としては斬新な服装〉〈―の世相を回顧する〉〈あの―はまだ木造の校舎だった〉✎福原麟太郎の『この世に生きること』に「(夏目漱石の亡くなった)―の新聞の切りぬきなど今も持っている」とある。「往時」より日常的で懐旧の情に浸る感じも薄い。⇩往時

どうし【同志】自分と同じ主義や志を持つ人をさし、会話にも文章にも使われる漢語。〈―を募る〉〈―を糾合する〉〈―を裏切る〉✎島崎藤村の『破戒』に「―の者ばかり集まって、一致して教育事業をやるんでもなけりゃあ」とある。⇩一味・友達・Q仲間

とうじき【陶磁器】陶器と磁器の総称として、やや改まった感じの会話や文章に用いられる正式な感じの漢語。〈―の食器〉〈―製の置物〉✎特に会話での日常語としては「せともの」と言うほうが一般的。⇩かわらけ・磁器・Q瀬戸物・陶器・土器・焼き物

とうじつ【当日】あることの行われる丁度その日をさし、会話にも文章にも使われる漢語。〈―券〉〈結婚式の―〉〈―

持参されたし〉〈—になって変更する〉⇩同日

どうじつ【同日】今述べたのと同じその日の意で、改まった会話や文章に用いられる硬い漢語。〈—付で退職する〉〈—の委員会に諮る〉〈—引き続き懇親会を開催する〉⇩当日

どうして「なぜ」の意で主に会話や硬くない文章に使われる和語。〈—うまく行かないんだろう〉〈きょうは—休んだの?〉✎「なぜ」より会話的で、「なんで」よりは改まった感じに響く。武者小路実篤の『友情』に「自然は—こう美しいのだろう。空、海、日光、水、砂、松、美しすぎる」という箇所がある。また、「ところが—」「——大したものだ」のように、「それどころか逆に」といったニュアンスで使うこともある。⇩Qなぜ・なにゆえ・なんで

とうしゃ【当社】自分側の「この会社」の意で、改まった会話や文章に用いられる漢語。〈—の経営方針〉〈—宛て直接ご連絡ください〉✎神社の場合も使う。⇩自社・Q弊社

とうしゅ【投手】野球でボールを投げて打者と勝負する役の選手をさす漢語。主として書きことばで使う。口頭ではふつう「ピッチャー」と言う。〈先発—陣〉〈—戦〉⇩ピッチャー

とうしょ【当初】継続する物事の最初の部分をさし、やや改まった会話や文章に用いられる漢語。〈新婚—〉〈—の計画では〉〈—は慣れない仕事でとまどった〉⇩最初

どうじょう【同乗】複数の人間が同じ乗り物に同時に乗っている意で、やや改まった会話や文章に用いられる漢語。〈—者の中に医者がいる〉〈社長の車に—させてもらう〉✎意図的な場合も偶然の場合も含まれる。⇩相乗り・Q乗り合わせる

どうじょう【同情】他人をかわいそうに感じて親身になって思いやる意で、会話にも文章にも使われる漢語。〈心から—する〉〈境遇に—する〉〈—を寄せる〉〈世間の—を買う〉〈—を禁じえない〉〈—の余地はない〉✎永井龍男の『眼』に「二三度振り返りながら、角を曲がって行く男を、私は—の念をもって見送った」とある。⇩思いやる・情・情け・人情

とうしろう【藤四郎】素人の意の俗語。〈—は引っ込んでろ〉〈—の出る幕じゃねえ〉✎「しろうと」を逆にして人名めかした語形。もとは香具師《しゃ》の隠語という。⇩アマ・アマチュア・Q素人・ノンプロ

どうしん【童心】子供の純真な心の意で、会話にも文章にも使われる漢語。〈—を傷つける〉〈—を利用して一儲《ひともう》けする〉✎「—に返って遊ぶ」のように、子供のような気持ちの意で大人について使う例が多い。⇩Q幼心《おさなごころ》・子供心

とうせい【統制】一定の意図に沿って全体を指導し制限する意で、会話にも文章にも使われる、やや専門的な漢語。〈—経済〉〈言論—〉〈活動を—する〉〈—を撤廃する〉⇩管制・Q規制

どうせい【同棲】正式に結婚していない男女が一緒に暮らすことをさし、会話でも文章でも普通に使う漢語。〈目下—中〉〈—相手と正式に結婚する〉✎男女二人の間柄よりも、その生活形態に重点を置く言い方。今日では珍しくなくなったためにさほど話題にならず、この語は大仰な感じに響き、いくぶん古風な感じが出始めている。⇩内縁関係

どうせき【同席】同じ会合などに居合わせる意で、やや改まった会話や文章に用いられる漢語。〈思いがけず恩師と—す

る〉〈上司も―の上で交渉に入る〉⇩陪席

とうせん【当選】 選挙や各種の軽い選抜試験などで選ばれる意で、会話にも文章にもよく使われる漢語。〈―確実〉〈―御礼〉〈上位―を果たす〉〈衆議院議員の選挙で―する〉〈クイズの―者〉✎「当籤《とうせん》」の代用としても使われる。⇩当籤《とうせん》・入選

とうせん【当籤】 籤《くじ》に当たる意で、会話でも文章でも使われる漢語。〈―番号〉〈―発表〉〈宝くじで二等に―する〉✎「当選」で代用されることもある。⇩当選

とうぜん【当然】 道理に適っていて疑う余地のない意で、会話にも文章にも使われる漢語。〈理の―〉〈―の結果〉〈―の義務〉〈勝って―、負けたら恥になる〉〈相手が怒るのは―だ〉✎夏目漱石の『坊っちゃん』に「何で此両人が―の義務を免かれるのか」とある。⇩当たり前

どうぞ 相手に丁寧に頼んだり勧めたりするときに使う和語。手紙や会話でふつうに用いる日常語で、口頭語的な「どうか」に比べればいくらか改まった感じがある。〈―よろしく〉〈―お気軽に〉〈―ご遠慮なく〉✎川端康成の『伊豆の踊子』に「さあ―御遠慮なしにお通り下さい」とある。人に何かを奨めるときのほか、頼む際にも用いるが、その場合は「どうか」ほど懇願するという姿勢は強くない。⇩どうか

とうそうしん【闘争心】 闘って相手をやっつけようと激しく争う心の意で、会話にも文章にも使われる漢語。〈―に火がつく〉〈―をむき出しにする〉⇩闘魂・闘志・Qファイト

とうぞく【盗賊】「泥棒」に近い意で、改まった会話や文章で用いられる、やや大仰で古風な感じの漢語。〈―団〉〈―が押し入る〉✎人をさし、行為だけはささない。⇩窃盗・Q賊・泥棒・ぬすっと・ぬすびと・物盗り

とうそつ【統率】 集団をまとめて指示どおり行動させる意で、改まった会話や文章に用いられるやや硬い感じの漢語。〈―力〉〈部隊を―する〉〈劇団の―者〉✎「引率」に比べ、全体が機能するようにまとめる点に中心がある。⇩引率・Q率いる

どうたい【胴体】 体の真ん中の部分をさして、会話や文章に使われる漢語。〈太った―〉〈―が重い〉✎高見順の『故旧忘れ得べき』に「―は牛乳瓶のように丸く、腰のくびれが全くといっていいほど無かった」という「ずんべら棒の身体」が出てくる。宇野千代の『色ざんげ』には「細い―の柔らかさは赤ん坊を抱いた時のように頼りなく哀れ」とある。人間や動物以外に、「―着陸」のように飛行機や船舶の中心部をさすこともある。⇩胴

とうたつ【到達】 めざす場所や目標などに至り着く意で、改まった会話や文章に用いられる硬い漢語。〈―目標〉〈山頂に―する〉〈ようやく結論に―する〉✎大岡昇平の『野火』に「私の―したものは、社会に対しては合理的、自己については快楽的な原理であった」とある。⇩Q達する・到着・届く

とうちゃく【到着】 目的地に着く意で、やや改まった会話や文章に用いられる漢語。〈―予定時刻〉〈空港に定時に―する〉〈来賓の―が遅れる〉✎日常的な「着く」と違い、登校・出社・帰宅といった日常の行為について使うと大仰な感じになり、何か事件でも発生したかのような雰囲気になりやす

い。⇩着く

どうちゃく【撞着】つじつまの合わない意で、主として硬い感じの文章に用いられる古めかしい漢語。〈自家—〉〈—語法〉〈論理的にいささかの—も認められない〉⇩矛盾

とうちゃん【父ちゃん】「父さん」の意で、子供などが、または子供に向かって母親が、親しみをこめて呼ぶ、やや古風な和語。〈ねえ、—、あれ買ってよ〉✎子供に向かって父親自身が自分のことをさして言うこともある。「母ちゃん」と対立。⇩お父様・お父さん・Qお父ちゃん・男親・親父・父・父上・父親・父さん・パッパ・パパ

とうちょう【盗聴】他人の話を内密の手段を講じてひそかに耳に入れ、情報を仕入れる意で、やや改まった会話や文章に用いられる漢語。〈—器を仕掛ける〉〈電話の回線を操作して—する〉✎「立ち聞き」や「盗み聞き」に比べ、組織などの公的な情報を内密に収集するために機械などを用いて不当に探り取る感じが強く、犯罪の雰囲気が漂う。⇩立ち聞き・Q盗み聞き

とうてい【到底】(否定的表現を伴って)「とても」の強意で会話にも文章にも使われる漢語。〈—かなわない〉〈—容認できない〉✎夏目漱石の『坊っちゃん』に「野だの様なのは、馬車に乗ろうが、船に乗ろうが、凌雲閣へのろうが、—寄り付けたものじゃない」とある。⇩とても①

どうてい【道程】「道のり」の意で、主に文章に用いられる硬い漢語。〈長く険しい—〉✎「事業が軌道に乗るまでの—」のように抽象的な過程をさす比喩的用法もある。高村光太郎に『道程』と題する詩集がある。⇩行程・Q道のり

とうてつ【透徹】透き通って冴えた感じの意で文章中に用いられる硬い漢語。〈—した水の流れ〉〈—した秋の空気〉✎現代では、「玲瓏《れいろう》—」「—した理論」のように、明晰《めいせき》できちんと筋道が通っている意に使う比喩的用法のほうが多い。⇩Q透き通る・透明

とうてん【読点】日本語の文の途中の節の終わりなどに付けて読みやすくするための記号「、」をさして、会話にも文章にも使われる専門的な漢語。〈接続詞のあとに—を打つ〉✎日常会話では単に「てん」という。「句点」と並立。⇩句読点・点

とうとい【尊い】尊敬すべき、大切なの意で、会話でも文章でも使われる和語。〈—仏の教え〉〈—心がけ〉〈—犠牲となる〉〈—命が失われる〉✎太宰治の『斜陽』に「学問なんかより、ひとりの処女の微笑が—」とある。⇩Qたっとい・貴《とうと》い

とうとい【貴い】高貴・貴重の意で、会話でも文章でも使われる和語。〈—身分の方〉〈—贈り物〉〈—経験を積む〉⇩たっとい・Q尊《とうと》い

とうとう【到頭】「ついに」の意で、会話や軽い文章に使われる日常の表現。〈—やりとげた〉〈—ここまでたどり着いた〉〈—諦めた〉✎川端康成の『伊豆の踊子』に「男は—夕方まで坐り込んでいた」とある。「—最後まで口を割らなかった」のように、否定の状態が最後まで続く場合にも使う。⇩いよいよ②・ついに

どうとう【同等】程度や等級などが同じレベルにある意で、やや改まった会話や文章に用いられる、いくぶん硬い感じ

の漢語。〈―の地位〉〈―の価値がある〉〈―の資格を有する〉〈―の学力と見なす〉⇩対等

どうどう【堂堂】誰はばかることなく力強くふるまう様子をさし、会話にも文章にも使われる漢語。〈威風―〉〈正々―〉〈―たる体格〉〈―とした態度〉〈―たる成績〉✎阿部昭の『大いなる日』に「おやじを連れてきた時は―と表から入ったのだが、帰る時は裏口から」とある。「白昼―と盗む」のような例では「こそこそ」と対立。⇩立派

どうとく【道徳】健全な社会生活を送るための人間の行動規準をさし、会話にも文章にも使われる漢語。〈公衆―〉〈―教育〉〈―を守る〉✎芥川龍之介の『侏儒の言葉』に「―は便宜の異名である」とある。⇩義理・正義感・モラル・良心・倫理

とうとぶ【尊(貴・尚)ぶ】尊敬・尊重すべき存在として大事に思う意で、会話にも文章にも使われる和語。〈並々ならぬ努力を―〉〈相手の気持ちを―〉✎「たっとぶ」の現代的な表現。⇩崇める・Q敬う・崇敬・崇拝・尊敬・たっとぶ

とうに【疾うに】ずっと前に、とっくの昔にの意で、会話や硬くない文章に使われる古風な和語。〈―終わっている〉〈―出発している〉✎小沼丹の『古い編上靴』に「その連中の多くは―死んだろう。濃艶な微笑を送る美女もいまは皺だらけの婆さんだろう」とある。単に、長い時間が経過しているだけでなく、思い込みと著しく異なるという驚きが感じられる。⇩すでに・とっく

どうにゅう【導入】その組織・分野・世界・作品などに導いたり取り入れたりする意で、やや改まった会話や文章に用いられる漢語。〈―部〉〈外資―〉〈新しいシステムを―する〉〈大型装置を―する〉⇩入れる

とうにん【当人】話題になったり物事を行ったりする当事者の意で、会話にも文章にも使われる漢語。〈―の努力次第〉〈―の希望に合わせる〉〈―は案外平気だ〉〈―が言うのだからこれほど確かなことはない〉⇩本人

とうはつ【頭髪】頭部の毛をさして、主に文章に用いられる硬い感じの漢語。〈ふさふさした―〉〈―を整える〉✎井伏鱒二の『多甚古村』に「女のパーマネントをかけた―が縄屑のようにもつれ」とある。⇩髪・髪の毛・Q毛髪

とうはん【登坂】坂を登る意で、主として文章中に使われる漢語。〈―車線〉✎交通関係の用語などで時折目にふれる。⇩登攀《とうはん》

とうはん【登攀】よじ登る意で、主として文章中に使われる硬い漢語。〈―訓練〉〈アイガー氷壁の―に成功する〉✎「とはん」とも。⇩登坂

どうばん【銅版】銅を用いた印刷版の意で、会話でも文章でも使われる、やや専門的な漢語。✎小沼丹の『胡桃』に「胡桃の新芽はなかなかいい。かっちりした精巧な―画を見るような気分がする」とある。⇩銅板

どうばん【銅板】銅の板の意で、会話でも文章でも使われる漢語。〈―を張る〉⇩銅版

とうひ【逃避】自分にとって都合の悪いものを避けて逃げる意で、やや改まった会話や文章に用いられる漢語。〈恋の―行〉〈現実から―する〉✎北杜夫の『夜と霧の隅で』に「なんの関係もない自分の研究に―するだけではなかったか」とある。⇩Q逃亡・逃げる

どうひょう【道標】道路の方向やその先にある町までの距離などを示すために道端に立てる木や石の標識をさし、主に文章に用いられる漢語。〈―に従って進む〉⇩道路標識・Ｑ道しるべ

とうひん【盗品】窃盗などにより不法に手に入れた品物の意で、やや改まった会話や文章に用いられる漢語。〈―と知らずに買い取る〉〈―を売りさばく〉⇩Ｑ贓品《ぞうひん》・贓物《ぞうぶつ》

とうぶ【頭部】頭の部分の意で、改まった会話や文章に用いられる専門的な感じの漢語。〈―がつかえる〉✎大岡昇平の『野火』に「―は蜂にさされたように膨れ上っていた」とあり、大江健三郎の『芽むしり仔撃ち』に「体操選手のように簡潔で逞しい―」とある。⇩頭①

どうぶつ【動物】「植物」とともに「生物」を構成する区分、人間・獣・鳥・虫・魚などの総称として、くだけた会話から硬い文章まで幅広く使われる日常の基本的な漢語。〈―園〉〈脊椎―〉〈草食―〉〈―愛護の精神〉〈―を飼う〉〈想像上の―〉✎自然界では「植物」「鉱物」と対立。「―じみた人間」のように、狭義には人間を含まない。志賀直哉の『暗夜行路』にも「大きな―の背のような感じのするこの山の姿」とある。⇩Ｑけだもの・けもの

とうぶん【当分】これから先のある程度長い期間をさし、会話にも文章にも使われる日常の漢語。〈これで―安心だ〉〈―の間これでしのげる〉〈―続きそうだ〉✎正宗白鳥の『入江のほとり』に「―会えんかも知れんな」とある。⇩さしあたり・しばらく・Ｑ当座・当面

とうぼう【逃亡】逃げて身を隠す意で、改まった会話や文章に使われる漢語。〈敵前―〉〈被疑者が―を企てる〉✎「逃げる」より大仰な表現。⇩逃げる

どうまごえ【胴間声】太くてげびた調子外れの濁った声をさし、会話にも文章にも使われる古めかしい和語。〈―をふりしぼって唄う〉✎夏目漱石の『吾輩は猫である』に「「泥棒！」と主人は―を張り上げて寝室から飛び出して来る」とある。⇩奇声・Ｑ蛮声・悲鳴

どうまわり【胴回り】胴囲の意で、会話や軽い文章に使われる和語。〈―が太い〉✎「胴囲」よりやわらかい感じで、いくぶん日常語的な色彩が強い。⇩ウエスト・Ｑ胴囲

とうめい【透明】物体が光をそのまま通し、曇りや汚れもない状態をさし、会話にも文章にも使われる日常の漢語。〈―度〉〈無色―〉〈―なガラス〉✎川端康成の『雪国』に夕闇の迫る列車の中で半ば鏡と化した窓に映る女性客を眺める場面があり、「人物は―のはかなさで、風景は夕闇のおぼろな流れで」と描いている。比喩的に「―な声」など、澄んだ感じをさすやや文学的な表現もある。小林秀雄の『モオツァルト』には「無思想無性格と見えるほど―な人間」とある。⇩透き通る

どうめいひぎょう【同盟罷業】「ストライキ」の意の古めかしい言い方。〈―という手段に訴える〉⇩スト・Ｑストライキ

とうめん【当面】今および今後しばらくの意で、やや改まった会話や文章に用いられる漢語。〈―心配はない〉✎「―の課題は何とかクリアーできた」のように、現在直面しているの意でも使う。⇩Ｑ差し当たり・当座・ひとまず

どうもう【獰猛】性質が荒く乱暴な意の漢語。〈―な動物〉✎

木山捷平の『大陸の細道』に「動物のような―な顔をした医者」とある。「ねいもう」と読むのは誤読。⇩ねいもう

とうやく【投薬】 患者に薬を出す意で、病院や薬局の側が用いる専門的な漢語。〈―の処方箋〉〈患者に―を続ける〉⇩投与

とうよ【投与】 患者に特定の薬剤を与える意で、病院や薬局側が用いる専門的な漢語。〈抗生物質の―〉✎「投薬」より具体的・限定的な感じがある。⇩投薬

どうよう【同様】 形や種類や方法などがほとんど同じである意で、やや改まった会話や文章に用いられる漢語。〈―のやり方〉〈家族―の間柄〉〈社員と―に扱う〉⇩同じ・同一・等しい

どうよう【動揺】 外力を受けて起こる物体の本来でない動きや、ショックなどで心が安定を失うことをさし、会話にも文章にも使われる漢語。〈車体の―を防ぐ〉〈人心の―を招く〉〈―の色は隠せない〉✎三島由紀夫の『美徳のよろめき』に「今私は、全速力で走っていた自動車が急ブレーキをかけて止まった時におきる―のようなものを感じています」とある。⇩Qぐらつく・震える・ゆらぐ・ゆれる

どうよう【童謡】 子供が歌うのにふさわしく作った歌をさし、会話にも文章にも使われる日常の漢語。〈―歌手〉〈―を口ずさむ〉✎広義には「わらべ歌」を含む。吉行淳之介にまさに『童謡』と題する作品があり、「「そんなもんだよ。こういう―があるよ」と、友人は言って、―の一節を口に出した」とある。⇩唱歌・Qわらべ歌

どうよく【胴欲(慾)】 ひどく欲が深くて不人情な意で、主として文章に用いられる硬い漢語。〈あの―さには呆れる〉✎「貪欲」(どんよく)の音転に漢字をあてた語形という。⇩強欲・貪欲・欲深・欲張り

とうらいもの【到来物】 よそから贈られた物の意で、改まった会話などに用いられる表現。〈―のカステラ〉〈―で失礼ですが、どうぞお持ちください〉✎「頂き物」に比べ、与え手に対する待遇の意識は稀薄で、それだけ客観的な感じの表現。⇩Q頂き物・お持たせ・手土産・土産・もらい物

どうらく【道楽】 ①「趣味」に近い意味で、会話にも文章にも使われるやや古風な漢語。〈食い―〉〈―で骨董《こっとう》に手を出す〉〈―で身を持ち崩す〉✎広く骨董いじりや三味線・義太夫なども連想され、「趣味」に比べ、和風で古風なものによくなじむ。マイナス評価のものも含まれる感じが強い。⇩遊ぶ・Q趣味　②酒・女・ばくちなどにはまりこんで生活を顧みない意で、会話にも文章にも使われるやや古風な日常の漢語。〈―息子〉〈―者〉〈―の限りを尽くす〉〈―で身をほろぼす〉✎永井荷風の『濹東綺譚』に「中年後に覚えた―は、むかしから七ツ下りの雨に譬えられている」とあり、内田百閒の『特別阿房列車』には「―の挙げ句だとか、好きな女に入れ揚げた穴埋めなどと云うのは性質《たち》のいい方で」とある。「放蕩」「遊蕩」「淫蕩」よりマイナスイメージは軽い。⇩淫蕩・放蕩・遊蕩

どうり【道理】 物事の正しい考え方の意で、やや改まった会話や文章に用いられる、いくぶん古風な感じの漢語。〈それがものの―だ〉〈―に合わない〉〈―に外れる〉〈―をわきまえる〉✎「論理」に比べ、純粋に科学的な思考・推論によ

る客観的な真理だけでなく、経験的事実や人の道といった倫理的な観点も含まれる感じが強い。⇩Q理屈・理論・論理

とうりつ【倒立】 逆立ちの意で、改まった会話や文章に用いられる、正式な感じのやや専門的な漢語。〈—運動〉〈片手—〉✎本格的な体操競技を連想させ、子供の遊びには使いにくい感じがある。⇩Q逆立ち・鯱《しゃち》鉾《ほこ》立ち

とうりゅう【逗留】 滞在の意で、会話にも文章にも使われたいかにも古めかしい漢語。〈—先〉〈長《なが》—になる〉〈名所見物のため宿屋にしばらく—する〉✎島崎藤村の『夜明け前』に「旅人は最寄り最寄りの宿場に—して」とある。⇩居留・Q滞在・滞留

とうりょう【等量】 等しい分量の意で、改まった会話や文章に用いられる、やや専門的な感じの漢語。〈醬油に—の酒を入れる〉✎薬品の調合などでも使いそうな雰囲気があり、「同量」より厳密な感じに響くこともある。⇩同量

どうりょう【同量】 同じ分量の意で、やや改まった会話や文章に用いられる硬い感じの漢語。〈—の塩と砂糖を加える〉✎「等量」に比べ、日常生活でも使い、目分量で大体同じならよさそうな雰囲気がある。⇩等量

どうりょう【同僚】 同じ職場で働いている似たような地位の人をさし、会話にも文章にも使われる漢語。〈—のよしみで〉〈会社の—と一杯やる〉✎吉行淳之介の『鳥獣虫魚』に「見覚えのある人間たち、私の—の、色彩をもった人間たち」とある。平社員から社長や専務のようなはるかに上位の人をさすケースは考えにくいが、逆はありうる。地位や役目の同じ人に限る使い方もある。「友達」や「仲間」と違い、必ずしも親しい必要はない。⇩一味・友達・Q仲間

どうろ【道路】 人間や自動車などの通行のために造った道をさし、会話にも文章にも使われる日常の漢語。〈高速—〉〈—工事〉〈道幅の広い—〉〈—が渋滞する〉〈—際で立ち話をする〉✎小沼丹の『エジプトの涙壺』に「広場に面した—に沿って、何軒かの土産物店が並んでいる」とある。人が通ることで長い間に自然にできた道は「道路」と呼びにくい。「道」に比べ、ある程度の規模に整備された感じが強く、門から玄関までの間や田畑や庭などの中を通る道にはこの語はなじまない。⇩往還・往来・街道・街路・通路・通り・Q道

とうろく【登録】 帳簿などに正式に記載する意で、会話にも文章にも使われる漢語。〈—済み〉〈住民—〉〈選手として—する〉〈履修科目の—手続きを済ませる〉⇩Q登記・登載

どうろひょうしき【道路標識】 交通の規制などを図案化して一目でわかるようにした標識をさして、会話にも文章にも使われる日常の漢語。〈「進入禁止」の—〉✎「一方通行」「一時停止」「駐車禁止」などがある。⇩Q道標・道しるべ

とうろん【討論】 一定の問題をめぐり会場で何人かの人が論じ合う意で、会話にも文章にも使われる漢語。〈—会〉〈政治—〉〈激しい—を繰り広げる〉⇩議論・ディスカッション・Q討議・論議

どうわ【童話】 子供のために書いた物語をさし、会話にも文章にも広く使われる日常の漢語。〈—作家〉〈—劇〉〈—の世界〉✎安岡章太郎の『海辺の光景』に「黒ぐろと樹木をコンモリ茂らせたその島は、まるで—の絵本でも見るような、ある典型的な眺め」とある。⇩おとぎ話・Q児童文学・メルヘン

とうわく【当惑】 とっさにどうしてよいかわからずにとまどう意で、改まった会話や文章に用いられる漢語。〈―顔〉〈―の表情を浮かべる〉〈断るに断りきれずほとほと―する〉✎原因を強く意識した感じの「迷惑」に比べ、もっぱら困っている当人の気持ちに言及。「困惑」より急に起こり時間も短い感じがある。谷崎潤一郎の『春琴抄』に「ちょいちょい杯をさされるので大いに―した」とある。⇩困る・困惑・迷惑

とうをえた【当を得た】 肝要な点をしっかり押さえたという意味の表現。〈―処置をくだす〉✎「的を得た」は誤用。⇩的を射た・的を得た

どえらい【ど偉い】 驚くほど程度が大きい意で、俗っぽい口頭語。〈―話が持ち上がる〉〈―ことをしでかす〉✎「えらい」が「想定外の規模」といった判断をある程度客観的に伝えるのに対して、この語はその点を強調しながら同時に、驚き・困惑の気持ちをこめた主観的な表現。⇩えらい②

とおく【遠く】 空間的に遠い場所をさし、くだけた会話から硬い文章まで幅広く使われる日常の和語。〈―から通っている〉〈―で太鼓の音が聞こえる〉〈―に花火が見える〉〈―に人家が見える〉〈―に出かける〉〈―に引っ越す〉〈―から通勤する〉〈―にかすむ〉✎川端康成の『雪国』に「二人は果しなく―へ行くものの姿のように思われた」とある。目や耳で感覚的にとらえうる範囲の対象については、「遠方」よりこの語を多く使う傾向がある。「―平安の昔」のように形容詞の連用形が副詞的に時間的な大きな隔たりをさす用法は古風な感じになりやすい。⇩Q遠方・彼方

とおざかる【遠ざかる】 遠く離れてゆく意で、会話にも文章にも使われる和語。〈ふるさとから―〉〈船が次第に―〉〈雷が―〉〈危険が―〉✎阿川弘之の『夜の波音』に「下り列車の長い車輛の響きが海の音を掻き消して、山の鼻と山の鼻との間を過ぎて行くが、それが―につれて、波の音は又夜の静寂さの底から湧いて来た」とある。「遠のく」に比べ、距離が離れる点に中心がある。⇩遠のく

とおのく【遠のく】 遠く去って行く意で、会話にも文章にも使われる和語。〈足音が―〉〈雷鳴が―〉〈可能性が―〉✎福原麟太郎の『金銭について』に「おやじの墓へ詣ってくれたりしたが、いつしか―・いてしまった」とある。「客足が―」のように、接触の機会が間遠になって関係が薄れる意にも使う。「遠ざかる」に比べ、その場所に存在しなくなる点に中心がある。⇩遠ざかる

とおまわり【遠回り】 目的地まで近道をせずに逆に通常より長い距離を行く意で、会話にも文章にも使われる日常の和語。〈―でも明るい道を帰る〉✎「迂回《うかい》」のように障害を避ける場合だけでなく、時間が早いので景色のよい場所を通るなど、意図的に回り道する場合も含まれ、結果として長い距離になるところに重点がある。「―でも確実な方法」のように、手数のかかる意の比喩的用法もある。川端康成の『雪国』に「はじめからただこの女がほしいだけだ、それを例によって―しているのだ」とあるのも類例である。⇩迂回

とおり【通り】 バスなども通るその地域での大きな道路をさし、会話にも文章にも使われる日常の和語。〈バス―裏〉

〈目抜き―〉〈―に面している〉〈路地を抜けて―に出る〉〈賑やかな―にさしかかる〉✎川端康成の『千羽鶴』に「その―は省線とほぼ直角に、東西に通っていて、ちょうど西日を照り返していた」とある。高速道路などは含まれない雰囲気がある。「銀座―」「パリのシャンゼリゼ―」など、道路の通称の一部に使う例も多い。⇩往還・往来・街道・Q街路・通路・道路・道

とおりあめ【通り雨】ひとしきり降ってすぐに上がる雨の意で、会話にも文章にも使われる和語。〈―に遭う〉✎小さな雨雲が通りかかって通過するまでの短い間だけ局地的に雨を降らせるもの。⇩時雨・驟雨《しゅう》・Qにわか雨・村雨・夕立

とおりあわせる【通り合わせる】たまたまそこを通る意で、会話にも文章にも使われる和語。〈交通事故の現場に―〉〈偶然―・せたお巡りさんに道を尋ねる〉✎「差し掛かる」「通りかかる」に比べ、何かが起こった場所に偶然出合わせる感じが強い。⇩さしかかる・Q通りかかる

とおりいっぺん【通り一遍】形式的で誠意の感じられない意で、会話にも文章にも使われる表現。〈―の挨拶〉〈―のもてなし〉✎通りかかったついでに立ち寄っただけで日ごろ付き合っている馴染《なじ》みでない意から。⇩御座《お》なり

とおりがかり【通りがかり】どこかへ行く途中にその場所を通りかかる意で、会話にも文章にも使われる和語。〈―に立ち寄る〉✎自分の側から言う例が多い。⇩Q通りがけ・通りすがり・行きずり

とおりかかる【通りかかる】ちょうどその場所を通る意で、会話にも文章にも使われる日常の和語。〈店の前を―・ったときに声を掛けられる〉〈祭りの山車《だし》が宿の前を―〉✎小沼丹の『猿』に「吉祥寺駅近くの空地にちっぽけな芝居小屋が掛った。その前を―・ったので立停って眺めた」とある。「通り合わせる」に比べ、特別な場所という感じは薄い。⇩Qさしかかる・通り合わせる

とおりがけ【通りがけ】目的地に行くためにそこを通るついでの意で、会話にも文章にも使われる和語。〈―に本屋を覗《のぞ》く〉✎自分の行為に言う例が多い。⇩Q通りがかり・通りすがり・行きずり

とおりすがり【通りすがり】たまたまそこを通っている途中の意で、会話にも文章にも使われる日常の和語。〈―の人に道を聞く〉〈―に店に立ち寄る〉✎道で擦れ違うような連想が働く。阿部知二の『冬の宿』に「―のタクシに乗った」とある。⇩通りがかり・通りがけ・行きずり

とおりみち【通り道】人間や乗り物や移動性の自然現象などの通り過ぎる道筋をさし、くだけた会話から文章まで幅広く使われる日常の和語。〈駅への―〉〈―にある店〉〈―をふさぐ〉〈台風の―にあたる〉⇩Q経路・路線

とおる【通る】通行・通過・合格などの意で、くだけた会話から硬い文章まで幅広く使われる日常生活の基本的な漢語。〈バスが―〉〈繁華街を―〉〈火が―〉〈審査を―〉〈試験に―〉〈理屈が―〉✎佐藤春夫の『田園の憂鬱』に「秋の雨自らも、遠くへ行く淋しい旅人のように、この村の上を―・り過ぎて行く」とある。「カーテンを―・って明かりが漏れてくる」のように、透過する意で使われたり、「よく―声」のように、遠くに届く意で使われたりする場合には、特に「透

る」と書き分けることもあり、やや古風でいくらか美的な印象を与えやすい。⇩合格・通行

とが【咎】 人から咎められる行為をさし、会話にも文章にも使われる古風な和語。〈何の—もない人〉〈強請《ゆすり》の—で罰せられる〉「罪—」の形で使われることが多く、現在では単独での使用は少ない。⇩Q罪科・罪過・罪・犯罪

とかい【都会】 文化交流や物資の流通の盛んな大きな都市をさし、会話にも文章にも使われる漢語。〈—の喧騒《けんそう》〉〈—に出る〉〈—の生活に慣れる〉〈—暮らしは性に合わない〉水上勉の『越前竹人形』に「紅い襦袢の衿をのぞかせた女には—の匂いがあった」とある。「田舎」と対立。「都市」より大きく華やかな雰囲気がある。⇩都市

とかす【溶かす】 固まった状態のものを液状に変化させる意で、くだけた会話から硬い文章まで幅広く使われる日常の和語。〈砂糖を水に—〉〈お湯で粉を—〉「溶く」に比べ、液体の作用で溶けた状態になるよう人間がお膳立てをする感じが強い。⇩溶く

どかた【土方】 土木工事などに従事する人をさして伝統的に用いられてきた語。職業差別の意識が感じられるとして現在は使用を控えている。〈—仕事〉そのような意識のしみついたこの語を避けて「肉体労働者」と拡大した呼称も用いられたが、事務員も教員も労働者に含まれる現代では、それをことさら「知的」あるいは「頭脳的」と「肉体的」とに二分するような考え方自体にやはり差別意識が映っている。また、「肉体労働」という呼称には頭脳を使わないという含みが感じられて、むしろ感じが悪い。体を使って働くことを軽視する社会の風潮に問題がある。⇩土工

とがる【尖る】 物の先の部分が細く鋭くなっている状態をさし、会話にも文章にも使われる和語。〈先を—・らせる〉野間宏の『真空地帯』に「鼻が途中で欠けているかのようにさきが—・っている」とある。⇩とんがる

とき【時】 過去・現在・未来と移る現象をさす和語。「時間」や「時刻」に比べ、やや古風な感じの文章語。ただし、「困った—はお互いさま」のような形式名詞の用法の場合は、会話でも文章でも使う一般語。〈—の経過〉〈—の首相〉〈—はまさに春〉〈—が解決する〉〈—を刻む〉〈—を稼ぐ〉〈—を移さず〉〈—を告げる〉安部公房の『他人の顔』に「意味もなく、愚かしげで、通過する—がことごとく、ほこりまみれの飴細工のように思われた」とある。⇩時間・時刻

どき【土器】 素焼きの焼き物、特に、原始時代の土製の器をさし、会話にも文章にも使われる漢語。〈縄文式—〉⇩Qかわらけ・磁器・瀬戸物・陶器・陶磁器・焼き物

ときおり【時折】「時々」の意で、いくぶん改まった会話や文章に用いられる和語。〈—やって来る〉〈—甲高い声が聞こえる〉〈雲の切れ目から—日が差す〉堀辰雄の『菜穂子』に「林の中では、—風がざわき過ぎて」とある。日常会話としては「時々」のほうが一般的で、この語はいくらか文学的な響きを感じさせる。⇩時たま・Q時々・時に・間々《まま》

ときたま【時偶】「時々」に近い意味で、主にくだけた会話に使われる、いくらか俗っぽい和語。〈—映画を見る〉〈—顔を見せる〉〈—人声が聞こえる程度だ〉起こる頻度が「間々《まま》」よりも少ない感じがある。⇩時折・時々・Q時に・間々

どぎつい 音・色、性質や程度などが人に不快感を抱かせるほど度を越して強烈な印象を与える意で、会話や改まらない文章で使われる和語。〈—色〉〈—化粧〉〈—表現〉〈—言葉を投げる〉✎感じを客観的に表す「きつい」に比べ、この語は語頭の濁音の印象もあり、その点を強めるとともに不快感を添えた感じの主観性の勝った表現。太宰治の『斜陽』に「真昼の光を浴びて海が、ガラスの破片のように—・く光って」とある。「きつい」に強めの接頭辞「ど」のついた語。⇩きつい・けばけばしい・Q毒々しい

どきっと 不意のことに心臓が止まりそうに驚く意で、会話や軽い文章に使われる擬態語。〈一瞬—する〉✎堀辰雄の『美しい村』に「人影がこちらを向いて歩いてくるのを認めた。私は—して立ち止まった」とある。⇩ぎくっと・ぎくりと・ぎょっと・どきりと・Qどきんと・はっと

ときどき【時時】 頻繁にとはいえないが、それほど長い間隔を空けずに不定期に繰り返す場合に、くだけた会話から硬い文章まで幅広く使われる日常の基本的な和語。〈晴れ—曇り〉〈—遊びに来る〉〈—手紙を出す〉✎夏目漱石の『坊っちゃん』に「眼をぐるぐる廻しちゃ、—おれの方を見る」とある。頻繁さの間隔が広い。「その—で違った趣が出る」「—の花」「—の流行」のように、「その時その時」の意でも使い、その場合は若干古風な感じが漂う。⇩Q時折・時たま・時に・間々《まま》

ときに【時に】「時々」に近い意味で、会話にも文章にも使われる和語。〈—は失敗もある〉〈—夜更かしをすることもある〉✎「時々」より頻度が少ない感じがある。「時には」の形は日常的だが、「時に」の形はいくらか古風で文学的な雰囲気に感じる例もある。夏目漱石の『草枕』に「—は自分の魂の居所さえ忘れて正体なくなる」とある。⇩Q時折・時たま・時々・間々《まま》

ときはなす【解き放す】 束縛を解いて自由に行動させる意で、いくぶん改まった会話や文章に使われる和語。〈綱を外して飼い犬を—〉⇩Q解放・解き放つ

ときはなつ【解き放つ】「解き放す」の意で、改まった会話や文章に用いられる和語。〈人質を—〉〈囚人を—〉✎「解き放す」に比べ、やや古風で大げさな感じがある。⇩解放・Q解き放す

ときふせる【説き伏せる】 説得して従わせる意で、会話にも文章にも使われる和語。〈親を—・せて留学する〉〈社長を—・せて事業を拡張する〉✎「説得」以上に相手の抵抗を連想させ、それだけ強引な感じもある。⇩説得

ときめき 喜びや期待で心地よい興奮状態に入る意で、主に文章中に用いられる詩的な和語。〈胸の—を覚える〉〈あの—はどこへ消えたのか〉✎心臓がドキドキする意から。宝くじに当たったことを知った瞬間の喜びより、それによる素晴らしい未来を想像して昂《こう》奮《ふん》するほうに中心がある。井伏鱒二の『駅前旅館』に「私の胸が意外にも動悸をうちだしたのには驚きました。私としては、色恋でなくって、遊戯か冗談みたいなつもりですが、なるほど、こんな胸の—は、火遊びの面白さの一つなんだな」とある。⇩高鳴る・わくわく

どきょう【度胸】 恐れたりうろたえたりせず物事に動じない精神の意で、会話にも文章にも使われる漢語。〈—がある〉

〈—がすわっている〉〈いい—をしている〉〈そこまでの—はない〉✎有島武郎の『生れ出ずる悩み』に「筋骨と—とを鉄のように鍛え上げた」とある。昔はやった「男は—、女は愛嬌」は脚韻をふんでいる。⇩肝っ玉・Q胆力

ときょうそう【徒競走】順位や記録を争って走る競技をさし、改まった会話や文章中に用いられる、専門的で硬い感じの漢語。〈運動会の—に出る〉〈—なら自信がある〉✎運動会などにおける競技の正式名称として、短距離走や長距離走の総称とされることがあるが、それ以外の生活場面ではあまり使われない。⇩駆けくらべ・Q駆けっこ

どきりと「どきっと」の意で、会話や硬くない文章に使われる擬態語。〈暗い道で声をかけられて一瞬—する〉✎横光利一の『機械』に「—胸を刺された思いになりかけた」とある。⇩ぎくっと・ぎくりと・ぎょっと・Qどきっと・どきんと・はっと

とぎれる【途切れる】連続するはずのものが一時的に切れたり断続的になったりする意で、会話にも文章にも使われる日常的な表現。〈電話の声が—〉〈会話が—〉〈援助が—〉✎森鷗外の『山椒大夫』に「話は水が砂に沁みこむように—・れてしまう」とある。⇩絶える・中断・Q途絶える

ときわぎ【常磐木】常緑樹の意で、改まった会話や文章に用いられる古風な和語。〈雨のあとの—の緑がひときわ美しい〉✎「ときわ」が「とこいわ」の転で、永久に変わらないという意味であるため、植物の分類という感じの「常緑樹」に比べ、めでたいという雰囲気が感じられ、美称ともなる。⇩常緑樹

どきんと「どきっと」の意で主に会話に使われる擬態語。〈突然の指名を受けて—する〉✎「どきっと」や「どきりと」以上に心臓の高鳴りを意識させやすい。三浦哲郎の『団欒』に「怖いと思う先に、わけもなく、くるものがきたという感じがして、—しました」とある。⇩ぎくっと・ぎくりと・ぎょっと・Qどきっと・どきりと・はっと

とく【解く】結び合わさっているものをほぐしてそれぞれを離す意で、会話にも文章にも使われる、いくぶん古風な和語。〈帯を—〉〈包みを—〉〈旅装を—〉✎森鷗外の『山椒大夫』に「わななく手に紐を—・いて、袋から出した仏像」とある。きつい束縛を緩めたりまったく無くしたりするという中心的意味は共通ながら、「寝乱れた髪を—」のほか「囲みを—」「警戒を—」「任務を—」「緊張を—」「誤解を—」「謎を—」「問題を—」のように、抽象的な対象を含めさまざまな意味合いで使い、そういう用法では古風な感じのない日常語となる。⇩ほぐす・Qほどく

とく【溶く】固まった状態のものをばらばらにほぐしたり、液状に混じり合うようにしたりする意で、会話でも文章でも幅広く使われる日常の和語。〈絵の具を—〉〈粉ミルクを—〉✎「溶かす」に比べ、早くよく溶けるように掻きまわすなど、人間が具体的に手を加えるイメージがある。⇩溶かす

とく【得】儲《もう》けや利益になる意で、主に会話に使われる日常の漢語。〈うんと—をする〉〈一文の—にもならない〉〈買い叩いて—をする〉〈まとめて買うほうが—だ〉✎「利益」「もうけ」その他が数量という物的な存在なのに対し、この語は状態的な意味合いなので、そのまま「追求する」「上げる」「他に回す」などの対象にはなりにくい。「早起きは三

文の―」「―な立場」「―な性分」のように、必ずしも金銭に限らず何らかの意味で有利な場合に広く用いる。「損」と対立する語。利益の意味の場合は「徳」とも書く。⇩収益・Q儲け・利益・利潤

とぐ【研ぐ】 こすって磨きあげる意で、会話でも文章でも使われる和語。〈米を―〉〈包丁を―〉〈爪を―〉✎こする動作には共通点があるが、猫が爪を「研ぐ」のと女性が爪を「磨く」のとを比べれば明らかなように、綺麗に光らせるための「磨く」とは違って、この語は不純物を削り取ったり切れ味を増したりする目的で試みる場合に用いる。⇩磨く

どく【退く】 体を移動させてその場所を空ける意で、会話や軽い文章に使われる和語。〈邪魔だからちょっとそこ―・いて〉〈さあ、―・いた、―・いた〉✎「のく」より具体的で体を動かすイメージが強い。⇩しりぞく・Qのく・引き下がる・引っ込む

とくい【得意】 ①自分の望みどおりになって満足している気持ちをさし、会話にも文章にも使われる漢語。〈―の絶頂〉〈―になって話す〉✎幸田文の『おとうと』に「―になって勝ち誇った心はみしっと音をたてた」とある。⇩満悦・満足 ②熟達していて自信のある意で、くだけた会話から文章まで幅広く使われる日常の漢語。〈―科目〉〈―の技〉〈料理が―だ〉⇩得手 ③人や店などをひいきにしてくれる客をさし、会話や硬くない文章に使われる日常の漢語。〈客のお―さん〉⇩ひいき

どくがく【独学】 学問を学校に通わず先生にもつかずに独力で学ぶ意で、会話にも文章にも使われる漢語。〈―でロシア語を修める〉⇩独習

どくけし【毒消し】 毒の働きを消す意で、会話でも文章でも使われる古風な日常的和語。〈―の効能がある〉✎毒を消す薬をさす場合は「どっけし」ともいう。⇩Q解毒・殺菌・消毒

どくじ【独自】 他と違うそのものに特徴的なの意で、会話にも文章にも使われる漢語。〈―性を発揮する〉〈―の方法を開発する〉〈―の見解を発表する〉✎「独特」や「特有」ほど個性的な面が強調された感じはなく、他から独立している点に中心がある。「―に調査を開始する」のように、他と別に単独で行う場合にも使う。⇩固有・Q独特・特有

とくしつ【特質】 そのものの有する他とは違う特別の性質をさし、改まった会話や文章に用いられる硬い感じの漢語。〈素材の―を活用する〉〈ルネサンス芸術の―〉〈よく―をとらえた的確な批評〉〈新感覚派の文体的―を探る〉✎「特性」に比べ、数字で示しにくい性質をさすことが多い。太宰治の『人間失格』に「人間の―を見たというような気さえして、そうして、力無く笑っていました」とある。⇩個性・特色・Q特性・特徴

どくしゃ【読者】 書物や新聞・雑誌などの文章を読む人をさし、会話にも文章にも使われる漢語。〈―層〉〈―対象〉〈―の反応〉〈―からの手紙〉✎小林秀雄の『ドストエフスキイの生活』に「―も亦作者が―を置いて遠ざかるのを如何とも為し難いのである」とあるように、「作者」「著者」と対立。⇩読み手

とくしゅ【特殊】 普通と比べてはっきり違っている例外的な意で、会話にも文章にも使われる漢語。〈―部隊〉〈―な例〉

〈きわめて—な環境に育つ〉〈—な感情を抱く〉〈そこに—性がある〉✎夏目漱石の『明暗』に「結果はかえって前よりわるくなるかもしれないという—な心理を、叔父はまるで承知していないらしかった」とある。「普通」と対立。時に優遇された感じを伴う「特別」に比べ、あくまで普通でないところに重点がある。⇩特別

どくしゅう【独習】 先生の指導を受けず自分一人で習う意で、会話にも文章にも使われる漢語。〈—で英会話をマスターする〉〈—でギターをものにする〉✎「独学」と違い、勉強に限らずスポーツや芸能をも含む。⇩Q独学・自習

とくじょう【特上】 上等よりさらに質がよい意で、会話や硬くない文章に使われる漢語。〈—の牛肉〉〈—の品物〉✎「特別上等」の略。ランクとしては最上位であるが一定の幅があり、その中でも上質なのが「極上」という関係を思わせる。⇩極上

とくしょく【特色】 ほかと比べて特に異なるところの意で、会話にも文章にも使われる基本的な漢語。〈—がある〉〈—を生かす〉〈何の—もない〉✎三島由紀夫の『潮騒』に「この島の人たちの—をなす形のよい鼻と、ひびわれた唇を持っている」とある。「この辞典の—」のように、マイナスの面を除外し、よい特徴だけをさす場合もある。⇩個性・特質・特性・Q特徴・特長

とくしん【得心】 十分に納得する意で、改まった会話や文章に用いられる古風な漢語。〈その説明でようやく—が行く〉✎「納得」よりも深く腑《ふ》に落ちる感じがある。⇩納得

どくしん【独身】 現在結婚していない意で、会話にも文章にも使われる漢語。〈まだ—だ〉〈一生—で過ごす〉〈—を貫く〉✎「未婚」と違い、一度結婚して配偶者と死別したり離婚したりした場合にも使う。⇩売れ残り・Q独り身・独り者・未婚

とくせい【特性】 場所・物・人が持っている特別の性質をさし、改まった会話や文章に用いられるいくぶん硬い感じの漢語。〈地域の—を生かす〉〈各自の—を発揮する〉〈ゴムの—を利用する〉✎永井荷風の『濹東綺譚』に「紅茶珈琲の本来の—は暖かきにある」とある。物の性質それ自体をさす「特質」に対し、この語は数字で示せる特徴をさす例も多く、その点を何に役立てるかというその特質を活用・応用する観点から取り上げる傾向がある。⇩個性・Q特質・特色・特徴・特長

どくせん【独占】 単独で占有する意で、会話にも文章にも使われる漢語。〈—資本〉〈—禁止法〉〈—欲が強い〉〈利益を—する〉✎「ひとりじめ」より硬い感じなため、より大きな規模の対象に使う傾向が見られる。⇩独り占め

どくせんじょう【独擅場】 「独り舞台」と同じく、自由自在にふるまえる意に用いる漢語。〈この断とくれば師匠の—だ〉✎田中英光の『オリンポスの果実』に「今夜は正に自分の—だなと得意な気がして」とある。字形の似た漢字の混同から生じた「独壇《どく》《だん》場」という本来は誤った形が現実に広く用いられるため、特に親しい間での日常会話に用いると、少し衒学《げんがく》的に響き、気取った感じを与える可能性もある。⇩どくだんじょう

とくそく【督促】 早くするようにと急きたてる意で、改まった会話や文章に用いられる漢語。〈—状が舞い込む〉〈納税

を―される〉✎日常的でいろいろな場合に使われる「催促」に比べ、支払い・返済や納税など金銭関係によく用い、より正式で厳しい感じがある。⇩催促

どくだん【独断】自分だけの考えで勝手にきめる判断をさし、会話にも文章にも使われる漢語。〈―専行〉〈―と偏見〉〈―で行う〉✎永井荷風の『ひかげの花』に「己《おの》れの―には疑を挟まない」とある。きわめて主観的だというだけで、「偏見」とは違い、誤っているとは限らない。⇩偏見

どくだんじょう【独壇場】「どくせんじょう」のつもりでしばしば使う誤った慣用的な表現。〈こうなれば彼の―だ〉✎「独擅《どくせん》場」の「擅」(ほしいままにする意)を字形の似た「壇」と混同して生じた。学術的な文章中に使用すると、著者の素養が疑われかねない。⇩どくせんじょう

とくちょう【特長】すぐれた特徴の意で、文章に使われる漢語。〈新製品の―〉〈本校の教育の―〉〈一人一人の―を生かす〉✎プラス・マイナスいろいろある「特徴」のうち、秀でた点だけをさすための書き分けで、「本辞典の―」などとしばしば宣伝用に使われる。自分側について用いると自慢に響き、「特徴」に比べていくぶん俗っぽい感じを伴う。⇩特徴

とくちょう【特徴】同類と比べ他と目だって違う点の意で、会話でも文章でも広く使われる日常的な漢語。〈犯人の―〉〈目に―のある顔〉〈―を見分ける〉✎太宰治の『人間失格』に「印象さえ無い。―が無いのだ」とある。⇩個性・特質・特色・特性・特長

とくてい【特定】特別に指定する意で、会話にも文章にも使われる漢語。〈―銘柄〉〈―郵便局〉〈―の人だけを優遇する〉✎「品種を―する」「犯人を―する」のように、他でなくまさにそれだと限定する意にも用い、その場合はやや専門的な響きがある。⇩指定

どくとく【独特(得)】それだけが特別に持っているという意味合いで、会話にも文章にも使われる漢語。〈―の解釈〉〈―の味を出す〉〈―の趣を醸し出す〉〈松茸には一種―の香りがある〉✎「固有」「特有」に比べ、普通一般との違いが大きい感じがある。⇩固有・独自・Q特有

どくどくしい【毒毒しい】毒や悪意などを含んでいるように思うほどきつい感じを与える様子をさし、会話やさほど硬くない文章に使われる不快な感じの語。〈―色彩〉〈―言葉を投げつける〉✎松本侑子の『植物性恋愛』に「松葉ぼたんの―ほどに赫い花びら」とある。⇩Qけばけばしい・どぎつい

とくに【特に】特別取り立てての意で会話にも文章にも使われる基本語。〈夕方は―忙しい〉〈―その件は速やかに進める〉〈―言うことはない〉✎大岡昇平の『俘虜記』に「我々の現在地を―米軍から秘匿しようとはしなかった」とある。⇩ことに・Qとりわけ・なかんずく

とくばい【特売】通常の値段より特別に安く売る意で、会話にも文章にも使われる漢語。〈―日〉〈―場〉〈―品〉✎「特別販売」の略で、入札をせずに特定の相手に売り渡す意味もある。⇩売り出し・セール・叩き売り・ダンピング・投げ売り・バーゲン・安売り・Q廉売

どくはく【独白】「独り言」の意で、主として文章に用いられる漢語。〈苦しい胸の内を―する〉✎「―体の小説」「―の

場面」のように小説や演劇で読者や観客にひとりで語りかける形式をさすこともあり、その場合は専門的な感じに響く。⇩呟《つぶや》く・Q独り言

とくべつ【特別】一般的でない意で、会話にも文章にも広く使われる日常的な漢語。〈―会計〉〈―扱いにする〉〈―の事情〉〈―にあつらえる〉〈―安く売る〉✎「一般」と対立。例外的な「特殊」と違い、「―顧問」「―待遇」などプラスの方向にずれている場合も多い。「―の日」「―の人」のように「大切な」の意の婉曲《えんきょく》表現ともなる。⇩格別・Q特殊

とくぼう【徳望】人徳がそなわり信頼される意で、主として文章に用いられる漢語。〈―家〉〈あの人物には―がある〉✎類義の「人望」や「信望」よりも重い感じがする。⇩Q信望・人望

どくやく【毒薬】微量でも生命の危険を招く激しい薬品をさし、会話でも文章でも一般に使われる漢語。〈―の扱いに注意〉✎辻邦生の『旅の終り』に「死んだのは若い男女で、何か―で自殺したんです」とある。⇩劇薬

とくゆう【特有】そのものに特に具《そな》わっている意で、会話にも文章にも使われる漢語。〈―の匂《にお》い〉〈―の性質を利用する〉〈港町―の風情〉〈この病気に―の症状〉✎普通一般とは違う個性的な程度は、「固有」や「独自」より強く「独特」より弱い感じがある。⇩固有・独自・Q独特

とくり【徳利】主に清酒を入れる口が狭く細長い陶磁器製の容器をさし、会話にも文章にも使われる漢語。〈五合―〉〈空になった―が横になって何本も並ぶ〉✎「銚子」と違って大きな物もあり、陶磁器製のほか金属製やガラス製もある。会話では「とっくり」の形で使うことが多い。⇩銚子・Qとっくり

どくりつ【独立】他に従属することなく支配や援助も受けずに自分の意志と力でやっていく意で、会話にも文章にも使われる漢語。〈―独歩〉〈―記念日〉〈子供が親から―する〉〈編集者が会社を辞めて―し、自分で出版社を立ち上げる〉⇩自活・自立・Q独り立ち

どくりょく【独力】一人だけの力という意味で、会話にも文章にも使われる漢語。〈―で挑む〉〈―で道を切り開く〉✎「自力」よりも幅広い能力について用いられる傾向がある。⇩自力

とくれい【特例】通例とは違う特別の例という意味で、例外的な場合をさし、やや改まった会話や文章に用いられる漢語。〈―を設ける〉〈今回だけは―として認める〉〈―は一切認めない〉⇩異例・破格・別・Q例外

どける【退ける】邪魔な物などを他に移してその場所を空ける意で、主として会話に使われる日常の口頭語。〈じゃま物を―〉〈くるまを―〉✎改まらない会話では「のける」よりよく使われる。⇩除外・取り除く・のける・外す

とこ【床】寝るために敷いた蒲団やその場所をさし、会話にも文章にも使われる古風な和語。〈―に就く〉〈―を取る〉〈―を上げる〉✎尾崎一雄の『霖雨』に「―を、何もかも一緒に裾の方から折り返すと、隣りの四畳半へずるずると押し込み」とある。「―の間」「―柱」のように本来は一段高くしつらえた台をさす。⇩Q寝床・蒲団

どこ【何処】不明または不定の場所をさし、くだけた会話か

ら文章まで幅広く使われる日常の和語。〈場所は―だ〉〈近ければ―でもいい〉✎夏目漱石の『坊っちゃん』に「おい君―に宿《まと》ってるか」とある。⇩Qいずこ・いずれ①・どちら②

どこう【土工】「土方」の別称。「土方」と同様に職業差別の意識が感じられるとして使用を控えている。⇩土方

とこしえ 「永遠」を和風にした雅語的表現。「とわ」以上に古風な雰囲気がある。〈―の繁栄を祈る〉✎国木田独歩の『夫婦』に「結婚の楽しさに、恋そのものも夢を再演したと誤認し、其の夢の―なれかしと念じた」とある。「永久」「永遠」という当て字はそれぞれ音読みされやすく、「常しえ」「長しえ」のように漢字を当てても読みにくいので、仮名書きが無難。⇩何時までも・永遠・Q永久・永劫・恒久・とこしなえ・とわ・悠遠・悠久

とこしなえ 「永遠」を和風にした雅語的表現。「とこしえ」よりも古めかしく、気どった感じもあって、例が少ない。〈愛よ、―に〉✎徳冨蘆花の『自然と人生』に「古英雄の―に眠る所」とある。仮名書き以外は無理がある。⇩何時までも・永遠・永久・永劫・恒久・Qとこしえ・とわ・悠遠・悠久

とこや【床屋】(男性の)頭髪を切りそろえ形を整える職業(の人)をさすやや古風な和語。正式で改まった感じの「理髪師」「理髪店」に対する日常語。〈―のおやじ〉✎内田百閒の『弾琴図』に「留置場を出る時には、庁内に―があるから、さっぱりして、帰って来られる」とあり、「もし留置場の―の事まで知っているとすると、その外に考えるのは脱獄」とある。会話でふつうに使われるが、職業差別を感じる人もある。⇩散髪・理髪

ところ【所(処)】人や物が存在したり事が起こったりする空間をさし、くだけた会話から硬い文章まで幅広く使われる日常の基本的な和語。〈時と―をわきまえる〉〈高い―から見下ろす〉〈景色のいい―を選ぶ〉〈閑静な―に住む〉✎志賀直哉の『小僧の神様』に「お―とお名前をこれへ一つお願い致します」とあるように、単に「お―」としてその人の住所をさすこともあるが、一般には、夏目漱石の『坊っちゃん』に「おれは江戸っ子で華奢に小作りに出来て居るから、どうも高い―へ上がっても押しが利かない」とあり、中野重治の『歌のわかれ』に「浦井の家は、かたつむりの渦巻の中心のような―にあって」とあるように、「至る―にある」「寒い―は苦手だ」など、連体修飾語を伴って使う例が多い。「場所」と違い、空間だけでなく「もうちょっとの―だった」「まずい―を見つかる」「あいつもなかなかいい―がある」「いい―で会った」「危ない―を助けられる」のように純粋な空間というより場面をさす抽象化した用法もある。「時は春、―は吉野」のように連体修飾語を伴わない独立用法は古風な感じがある。⇩場・Q場所・場面

ところばんち【所番地】居住地の名称や番地を意味し、会話や軽い文章で使われる日常語。〈新しい住まいの―を知らせる〉✎実質的に「住所」を表すくだけた会話的表現。⇩居所《いどころ》・居場所・居住地・Q住所

どこんじょう【ど根性】「根性」の強調として、主として改まらない会話で使われる俗っぽい表現。〈―でやりのける〉〈―で立ち向かう〉✎接辞の「ど」には、並の人間では考えられないといった驚きの気持ちがこもっている。あまりの

図太さに呆《あき》れて軽蔑的に言うことが多かったが、近年は何事にも挫《くじ》けない強い気持ちに驚嘆していう例が増えてきた。⇩意気込み・意欲・意力・気概・気骨・気迫・気力・Q根性・精神力・やる気

とざす【閉ざす】ふさいで出入りできないようにする意で、主として文章に用いられる古風な感じの和語。〈門を―〉〈堅く口を―〉〈冬は雪に―・される〉✎「閉める」はもちろん「閉じる」と比べても、通行や交流を一切遮断する雰囲気があり、きつい語感が働く。倉橋由美子の『ヴァージニア』に「二枚貝みたいに自分を―・してしまう」とある。⇩閉める・Q閉じる

とし【年】一年の意で、くだけた会話から硬い文章まで幅広く使われる日常生活の基本的な和語。〈―を越す〉〈―の始め〉〈新しい―を迎える〉〈平和な―〉✎永井荷風の『雨瀟瀟』に「その―の二百十日はたしか涼しい月夜であった」とある。「―の暮れ」などでは「歳末」という漢語を意識して特に「歳」と書くこともある。

とし【年(齢)】生まれてから経過した年数の意で、くだけた会話から硬い文章まで幅広く使われる日常の基本的な和語。〈―を取る〉〈いたずらに―を食う〉〈いい―をしてみっともない〉〈―に不足はない〉✎「年齢」とは違い、「もう―だ」「―には勝てない」「―のせいか物忘れがひどい」のように、それだけで婉曲《えんきょく》に老齢を意味する用法も多い。年齢の意である点を明確にするため特に「齢」と書く例も少なくない。⇩年齢

とし【都市】それぞれの地方における政治・経済・文化の中心をなす場所をさし、やや改まった会話や文章に用いられる漢語。〈地方―〉〈未来―〉〈―計画〉〈―化が進む〉✎島木健作の『癩』に「町全体がどこか眠ってでもいるかのような、瀬戸内海に面したある小―」とある。⇩都会

とじ【途次】移動する間の途中の地点の意で、主に文章に用いられる、やや古風で硬い漢語。〈出張の―京都に立ち寄る〉✎空間的な意味合いが強い。⇩中途・Q途中

どじ 間の抜けたしくじりをさし、くだけた会話に使われる俗っぽい口頭語。〈―をふむ〉〈―な野郎だ〉✎類義語の「へま」や「間抜け」に比べてきつい感じがするのは、「ド」という語頭の濁音も関係しているかもしれない。⇩Qへま・間抜け

としうえ【年上】自分や話題の人物と比べて、その人のほうが年齢が上である意で、会話にも文章にも使われる日常の和語。〈―の妻〉〈五歳も―だけに兄はさすがに落ち着いている〉✎「年下」と対立する語で、「年かさ」や「年長」より、個々の比較というニュアンスが強い。⇩Q年嵩《としかさ》・年長

としかさ【年嵩】「年上」の意で、会話にも文章にも使われる、やや古風な和語。〈二つ―の同僚〉〈少し―の相手〉✎「かなり―に見える先生」などと、それだけで高齢の意にも使うように、他と比較してという意識が「年上」ほど強くない。⇩Q年上・年長

とじこめる【閉じ込める】人間や動物を中に入れて外に出られないようにする意で、会話にも文章にも使われる和語。〈檻《おり》に―〉〈押入れに―〉✎村上知行の『殉情の人』に「旱魃時の蝸のようにじっと己を―・めて」とある。「同居人を

二階の一室に―・めて客に会わせない」のように、必ずしも当人に対する悪意によらない場合もある。また、「悪天候のため一日中ホテルに―・められる」のように、人間による意図的行為以外にも使える。⇩Q監禁・拘束・軟禁・幽閉

としつき【年月】何年何ヶ月という長い時間をさし、改まった会話や文章に用いられる少し古風でやわらかい和語。〈はや幾―〉〈長の―を経る〉〈―を重ねる〉〈長い―のうちに〉✎夏目漱石の『吾輩は猫である』に「人間の―と猫の星霜と同じ割合に打算するのははなはだしき誤謬である」とある。通常は漢字表記のため、「ねんげつ」との区別は文体の差で判断するほかなく、紛らわしいことも多い。「ねんげつ」より、思いをこめて振り返るしっとりとした雰囲気がある。「子供の生まれた―を記入する」のように、年と月という意味で使うこともある。⇩歳月・Qねんげつ

どしどし　遠慮なく次々に事を行う様子をさし、会話や軽い文章に使われる擬態語。〈―質問する〉〈―仕事を言い付ける〉✎遠慮せずに積極的にという意味合いが強く、自然現象や単なる進行には使わない。なお、「―と歩く」のように、力強く地面を踏むときの擬声語としても使う。⇩ぐんぐん・Qじゃんじゃん・ずんずん・どんどん

としのくれ【年(歳)の暮れ】年末の意で、会話にも文章にも使われる、やや古風な和語。〈―の雑踏〉〈―は何かと忙しい〉✎「日の暮れ」という言い方があまり使われなくなるにつれて、この語の使用も減り、単に「暮れ」と言うことが多くなった。⇩暮れ・歳末・歳暮・年の瀬・Q年末

としのせ【年の瀬】年末の意で、主に文章に用いられる古風な和語。〈―が迫る〉✎語義は「年の暮れ」と同じでも、いよいよ押し詰まったという気分で使う傾向がある。「瀬」の意味に合わせて「―を渡る」「―を越す」のような表現を採用する例もある。⇩暮れ・歳末・歳暮・Q年の暮れ・年末

としょ【図書】「本」の意で、改まった会話や文章で用いられる正式な感じの漢語。〈―館〉〈学習用の―〉〈―の整理〉〈学校の推薦―〉〈―を閲覧する〉〈―を販売する〉〈―を貸し出す〉✎「本を読みふける」のような例で「図書」に置き換えると落ち着かないのは、この語が多く、個々の本の内容よりも、その種類や取り扱いに重点があるからであろう。⇩書籍・書物・Q本

どじょう【土壌】陸地の表層を構成する土砂などの全体をさし、改まった会話や文章に用いられる専門的な硬い漢語。〈肥沃な―〉〈―を改良する〉✎特に農作の観点からある場所の土の性質を問題にするときによく用い、手で掬《す》い取った少量の土には使いにくい。⇩土

としより【年寄り】年を取った人をさし、くだけた会話からさほど改まらない文章まで幅広く用いられる和語の日常語。〈―を大事にする〉〈―の冷や水〉✎志賀直哉の『暗夜行路』に「頰はすっかりこけ、頭だけがいやに大きく、恰《まる》で―の顔だった」とある。「老人」や「高齢者」と違って、中年以下でも相対的な意味で使うことがある。⇩高齢者・老人

とじる【閉じる】一時的に開いていたものを元の閉じた状態に戻す意で、会話でも文章でも広く使われる和語。文体的レベルは「閉める」より高く、「閉ざす」よりは低い。〈本を―〉〈扇子を―〉〈目を―・じて考える〉〈会を―〉〈客足が

遠のいて店を—〉✎川端康成の『名人』に「生きて眠るように—・じた瞼の線に、深い哀愁がこもった」とある。「手術した切り口を—」などの例からも、必要に応じて開いたものを一段落して元に戻すというイメージが伴う。⇩Q閉める・閉ざす・塞《ふさ》ぐ

どじん【土人】その土地に生まれ育ち、そのまま住んでいる人の意で、会話にも文章にも使われた古めかしい漢語。〈南洋の—〉✎土着の人の意で本来は各地に存在するが、特に未開の地で原始的な生活をしている人種を連想させやすく、現代は人種差別の響きが嫌われ、ほとんど使用しない。林芙美子の『放浪記』に「夜になれば、白人国に買われた—のような淋しさで、埒もない唄をうたっている」とあるように黒人を連想させることもある。⇩原住民・土着民・Q土民

どす ふところに隠し持つ匕首《あいくち》などの短い刀をさし、主として会話に使われる俗っぽいことば。〈懐に—を呑《の》む〉〈—を利かす〉✎隠し持つという印象が強い。やくざなどを連想する傾向もある。「おどす」から出た隠語を思わせる。⇩Q匕首《あいくち》・懐剣・こがたな・小刀・短剣・短刀・ふところがたな・脇差

どだい【土台】物事を築き上げる際の基盤をなす部分をさし、会話にも文章にも使われる日常の漢語。〈家の—〉〈—を築く〉〈—がしっかりしている〉〈—が揺らぐ〉✎具体的には木造建築で基礎の上に柱を受けるために据える横木をさし、「物事は—が大事だ」のように意味が抽象化しても、「基本」より「基礎」に近いイメージで使われる。⇩いしずえ・Q基礎・基盤・基本・根本

とだえる【途絶える】連続するはずのものが途中で無くなる意で、やや改まった会話や文章に用いられる、いくぶん古風で時に詩的な感じの表現。〈連絡が—〉〈仕送りが—〉〈人通りが—〉〈風の音が—〉✎永井荷風の『濹東綺譚』に「人通りも共に—・えてしまう」とある。⇩Q絶える・途切れる・中断

どたキャン 「土壇場(で)キャンセル(する)」の短縮形。くだけた会話でよく使われる俗語。〈ホテルの予約を当日になってから—する〉〈記者会見を—する〉✎慣れないと一瞬意味のとりにくいユーモラスな響きがある。ベストセラーだった丸谷才一の『文章読本』を当時「マルサイのブンドク」と略す例もあった。日本語ではこのように四拍に短縮する試みが盛んに行われる。「エノケン」「アラカン」から「ハマコー」「キムタク」に至る人名の略称も多くはこの原理に立つ。「アルプス中学校」のように、略されると思いがけない同音異義語が連想されて、名称が採用されなかったり、極端になると笑いを招くケースが増えて滑稽な語感を形成する。

とだな【戸棚】前面に開閉用の戸が付き、内部に棚を渡した箱型の収納用の家具をさし、会話にも文章にも使われる、いくぶん古風な和語。〈造り付けの—〉〈—にしまう〉✎特に食器棚をさす例もある。⇩食器棚

とち【土地】大地、特に宅地や耕地など人間が利用するための所有地をさし、くだけた会話から硬い文章まで幅広く使われる日常の基本漢語。〈肥沃《ひよく》な—〉〈—が高騰する〉〈—を手に入れる〉✎夏目漱石の『坊っちゃん』に「—が—だから一級俸上って行く事になりました」とある。「—の人」の形で特に自分の生まれ育った市町村をさすこともあ

る。⇩Q地所・用地

どちゃくみん【土着民】昔から長い間その土地で暮らしてきた人たちをかなり客観的に見た感じで会話にも文章にも使われる漢語。〈—の間の風習〉✎よそものの視点から好奇の目を注ぐ感じが強い。文明が未発達で文化程度が低いというニュアンスを伴うこともある。⇩原住民・Q土人・土民

とちゅう【途中】「中途」の意で、会話にも文章にも使われる漢語。〈—下車〉〈—で休憩する〉〈—で飽きる〉〈本を—まで読む〉〈映画を—から見る〉✎現代では「中途」より一般によく使われ、特に「走っている—で」「書いている—で」のように動詞に続く場合は、「中途」でなくほとんどこの語になる。「中途」では道を意味する「途」、「途中」では間を意味する「中」が、それぞれの意味の中核をなすということが、あるいは関係するかもしれない。⇩Q中途・途次

どちら【何方】①二つのうちの一つを不定のまま指し示す場合に、やや改まった会話や文章に用いられる和語。〈—が近いか〉〈—もぱっとしない〉✎くだけた感じの「どっち」より丁寧。⇩いずれ①・どっち ②主として改まった会話や手紙で用いる、「どこ」の意の丁重な表現。〈—にお住まいですか〉〈—に参りましょうか〉〈—へいらっしゃいますか〉〈—へなりと伺います〉⇩いずこ・Qどこ

とちる 言い損なう、失敗する意で、くだけた会話に使われることのある俗語。〈せりふを—〉〈試験を—〉✎本来は舞台上の台詞やしぐさの失敗をさした。⇩エラー・Qしくじる・失策・失態・失敗・抜かる・ぽか・ミス・ミスる・やり損なう

とっく【疾っく】会話などで「ずっと以前」の意で使われる和風のくだけた日常語。〈もう—に終わっている〉〈その話は—に知っている〉〈—の昔に別れちゃった〉✎「疾し」の連用形の名詞化。⇩すでに・疾う・とうに

とつぐ【嫁ぐ】女性が「結婚する」意の和語で、改まった会話や文章の中で使う古風でいくらか詩的な表現。〈—日も近い〉〈たった一人の姉が—〉✎網野菊の『遠山の雪』に「四度目の母が—・いで来た日」とある。⇩家庭を持つ・結婚・結婚する・こし入れ・婚姻・所帯を持つ・嫁入りする・Q嫁に行く

とっくり【徳利】「とくり」の意で、特に日常会話によく使う表現。〈—が空になる〉✎「—のセーター」のように、これに似た形をさす比喩的な用法もある。⇩Q銚子・とくり

とっくりえり【徳利襟】とっくりの形に似た襟。「タートルネック」の古風な和語表現。〈—に仕立てる〉✎単に「とっくり」とも言う。⇩タートルネック

どっこいどっこい 同程度ではっきりとした差がない意で、主にくだけた会話に使われる俗っぽい和語。〈どっちも一長一短あって—っていうとこかな〉⇩拮抗《きっこう》・互角・Q五分五分・とんとん・伯仲・比肩・匹敵

どっさり 主として会話に使われる「たくさん」の意の古めかしい和語。〈—食う〉〈—注文が来る〉〈宿題が—出る〉✎小津安二郎監督の映画『晩春』(一九四九年)に、アヤ(月丘夢路)がジャムを「持って来て、少し」と言うと、紀子(原節子)が「—、実は」とちゃかす場面がある。⇩一杯・うんと・多い・しこたま・Q沢山・たっぷり・たんと・たんまり

とつぜん【突然】思いがけない事が急に起こるようすをさし、会話でも文章でも幅広く使われる日常の漢語。〈—泣き出

す〉〈―大きな揺れが来る〉〈―話を打ち切る〉〈―の出来事〉〈―の申し出ですぐには返事のしようがない〉🖉金井美恵子の『燃える指』に「―ふり向いたアイに驚いたのか、男は眼を白黒させている」とある。瞬間的にそれまでとはまるでかけ離れた事態が起こる感じが強い。⇩いきなり・Q急に・だしぬけに・不意に

どっち 「どちら」のくだけた言い方として改まらない日常会話に使う。〈―がいいかな〉〈―も―だ〉⇩どちら①

とっちめる きびしく叱って懲らしめる意の俗語。〈悪いやつだ、―・めてやれ〉🖉乱暴な行動を連想させる「懲らしめる」に比べ、みんなで盛んに叱責するといった口だけの攻撃も含まれる。⇩懲らしめる・Qやり込める

とって【取っ手／把手】手で持ちやすくするために家具や器具に取り付ける部分をさし、会話にも文章にも使われる和語。〈ドアの―〉〈冷蔵庫の―〉⇩Q柄《え》・握り・ノブ

とっぱつ【突発】予期しない出来事が突然起こる意で使われる漢語。〈―的な事故〉〈クーデターが―する〉🖉「―的」「―事故」は日常会話にも使うが、「―する」の形は時に文章に使われる程度。⇩しゅったい・Q勃発《ぼっぱつ》

とっぴ【突飛】常識を超えて変わっている意で、会話や軽い文章に使われる、いくぶん古い感じの俗っぽい漢語。〈―な提案〉〈―な行動に出る〉〈―なことを言い出す〉🖉類語の中でも、思いがけない感じが強い。⇩奇想天外・Q奇抜・風変わり

とっぴょうしもない【突拍子も無い】いきなり常軌を逸した行動に出る場合に、主に会話に使われるやや俗っぽい表現。〈―ことを口にする〉〈―振る舞いに出る〉🖉標準から外れる大きさよりも、唐突で、普通の人には考えつかないほど変わっている点に特徴がある。⇩途轍《とて》も無い・Q途方も無い

とっぷう【突風】突然強く吹いてすぐにやむ風をさし、会話にも文章にも使われる漢語。〈―の吹く恐れがある〉〈―に傘が裏返る〉🖉特に寒冷前線の通過する際に起こりやすく時に雷雨を伴う。⇩嵐・おおかぜ・強風・颶風《ぐふう》・時化《しけ》・疾風・Q陣風・大風・台風・はやて・暴風・暴風雨・烈風

どて【土手】「堤」の意で、会話やさほど硬くない文章に使われる日常語。〈河原の―〉〈―の桜並木〉〈―で涼む〉🖉幸田文の『おとうと』に「川に沿って葉桜の―が長く道をのべている」とある。優雅な「堤」や硬い「堤防」に比べ、普段の暮らしになじみのある感じが強い。⇩Q堤・堤防

とてつもない【途轍も無い】度を超えた非常識な意で、主に会話に使われるやや俗っぽい表現。〈―夢を抱く〉〈―大事業に手を出す〉〈―・く大きな声〉🖉標準より大きいほうに外れている場合に使うことが多い。⇩突拍子も無い・Q途方も無い

とても【迚も】①「とうてい」の意の会話的な日常語。〈―わかりそうもない〉〈―今日中にはできない〉〈あの相手には―かなわない〉🖉この副詞は本来、打消しの形と呼応して「とても…ない」という形で用いられたが、「―駄目だ」「―無理だ」など否定的な意味合いの肯定表現にも使われるようになり、次第に打消しの形も否定的な意味ももたない表現にも広がって、「―具合がいい」「―快適だ」のように「たいへん」「非常に」という意味合いで使われるようにな

って今日に至った。現在ではほとんど違和感なく使われているが、そのような事情に精通している一部の知識層では、形も意味もまったく否定のニュアンスを伴わない例に若干の抵抗感を意識する場合もありうる。ただし、その違和感も、「全然いい」の「全然」に対して抱く抵抗感よりははるかに小さい。⇩とうてい ②「大変」と同じ程度の甚だしさをさし、主に会話に使われる、いくぶん俗っぽい感じの和語。〈―すばらしい〉〈―いい感じだ〉〈―丁寧だ〉〈―気になる〉⇩大いに・きわめて・ごく・すこぶる・大層・Qたいへん・甚だ・非常に

どとう【怒濤】激しく荒れ狂う大波をさし、主に文章中に用いられる硬い漢語。〈疾風―〉〈―が押し寄せる〉〈―逆巻く大海原〉✎三島由紀夫の『潮騒』に「―がしぶきを立てて打ちかかる高い岩」とある。「激浪」以上に荒々しく、また、押し寄せる流れとして、さらに大きなスケールでとらえた雰囲気がある。「―の如く」の形で、激しい勢いをさす比喩的な用法もある。⇩荒波・Q激浪・波濤《はとう》

とどく【届く】意図した場所や範囲に到達する意で、くだけた会話から硬い文章まで幅広く使われる日常の基本的な和語。〈荷物が―〉〈手が―〉〈声が遠くまで―〉〈相手の心に―ことば〉✎「思いが―」のように、願いがかなうといったニュアンスで用いることもある。⇩及ぶ・達する

とどけ【届(届け)】公的機関や団体などに申し出る意や、その書類をさして、会話にも文章にも使われる、やや正式な感じの和語。〈欠勤―〉〈婚姻―〉〈出生―〉〈役所に―を出す〉✎届ける行為自体をさす場合に「け」と送り、その書類をさす場合に送り仮名を省く傾向がある。⇩届け出

とどけで【届(届け)出】公的機関などに状況を知らせるために正式に申し出る意で、会話にも文章にも用いられる改まった感じの和語。〈被害の―がある〉〈―を済ませる〉✎きまりに従った所定の手続きの場合の多い「届」に比べ、不慮の事故や事件など臨時の状況変化を連想させる場合もある。⇩届け

ととのえる【整える】乱れた部分などを直してきちんとする意で、会話でも文章でも広く使われる和語。〈身だしなみを―〉〈形式を―〉〈環境を―〉✎小島信夫の『アメリカン・スクール』に「服装はどんなことをしても―・えておくべきです」とある。⇩調える

ととのえる【調える】準備する、調和させるといった意味合いで、やや改まった会話や文章に用いられる和語。〈材料を―〉〈味を―〉〈体調を―・えて試合に臨む〉✎夏目漱石の『坊っちゃん』に「支度を―・えて」とある。⇩整える

とどろく【轟く】大音響が響き渡る意で、主として文章中に用いられる和語。〈雷鳴が―〉〈爆音が―〉✎石川淳の『紫苑物語』に「声は大きく、はてしなくひろがって行き、谷に鳴り、崖に鳴り、いただきにひびき、ごうごうと宙に―・き、岩山を越えてかなたの里にまで―・きわたった」とあるように、「鳴る」「響く」「轟く」と音が次第に大きくなる感じが強い。「雷名が―」のように、広く世間に知れ渡る意で使う比喩的用法もある。⇩鳴る・Q響く

となえる【称える】名乗る意で、改まった会話や文章に用いられるやや古風な和語。〈家元を―〉〈旧姓を―〉⇩唱える

となえる【唱える】繰り返し口にする、提唱する意で、会話にも文章にも使われる和語。〈念仏を―〉〈反対を―〉〈新説を―〉✎夏目漱石の『坊っちゃん』に「知事が祝詞を読む。参列者が万歳を―。それで御仕舞だ」とある。⇩称《とな》える

となり【隣】家・場所・人などが横に並んで接していることをさし、くだけた会話から硬い文章まで幅広く使われる日常の基本的な和語。〈向こう三軒両―〉〈お―さん〉〈一軒置いて―に引っ越す〉〈―の席が空いている〉⇩かたわら・そば・近く・Q脇

どなる【怒鳴る】怒ったり興奮したりして大声を出す意で、くだけた会話や軽い文章に使われる日常語。〈遠くから―・っている〉〈相手を―・りつける〉✎遠藤周作の『海と毒薬』に「手術台から体を起し、突然怒りのこもった声で―・った」とある。語頭の「ド」という濁音のせいもあって、「叫ぶ」や「わめく」よりも若干きつく響く。⇩Qがなる・どやす

とにかく【兎に角】ほかのことはどうであっても、いずれにせよの意で、会話にも文章にも使われる和語。〈―これで終わった〉〈―健康には気をつけて〉〈―行くだけ行ってみよう〉✎今話題にしていることにこれ以上言及せずに、あるいは、頭に浮かんでくることを振り払って、次に述べることに相手の注意を集中させる意図で使う。日常会話では類語の中で最も一般的。⇩とにもかくにも・ともあれ・Qともかく

とにもかくにも【兎にも角にも】「とにかく」の意で、会話にも文章にも使われる、いくらか古風な感じの和語。〈―慣れることだ〉〈―練習は欠かせない〉✎省略せずにここまで言うと現代では重い感じになり、あまり使われない。⇩とにかく・ともあれ・Qともかく

とのがた【殿方】女性が男性を敬って呼ぶ言い方として、改まった会話や文章に用いられる古風な和語。〈―用〉〈―に差し上げる〉〈―の気持ちは察しが付く〉✎商業や接客業の方面で多く使われる。旅館の浴場やトイレなどによく見かけ、「(御)婦人」と対立。⇩男・Q男の方・男の子・男の人・男子・男性

どのような「いかなる」の意で、やや改まった会話や文章に用いられる表現。〈―ことが起こっても取り乱しはしない〉〈―規模の事業か皆目見当もつかない〉✎「いかなる」ほど格式ばらず、「どういう」より改まった感じ。⇩いかなる・Qどういう・どんな

どのように「いかに」の意で、改まった会話や文章に用いられる表現。〈わたくしたちは―すべきでしょうか〉〈―努力しても完成は覚束《おぼつか》ない〉✎「いかに」のような文語的な響きはなく、「どう」や「どんなに」より改まった標準的な表現。⇩いかに・Qどう・どんなに

とばく【賭博】金品を賭けて勝負する意で、改まった会話や文章に用いられるやや専門的な漢語。〈―師〉〈花札―〉〈―で大金をする〉〈―の現行犯で逮捕する〉⇩ばくち

とばっちり【迸り】偶然その近くにいたせいで思いがけず損害を受ける意で、くだけた会話に使われる俗っぽい和語。〈―を受ける〉〈とんだ―を食う〉✎飛び散る水しぶきの意の「とばしり」の転。⇩Qそばづえ・巻き添え

トピック「話題」の意で、会話にも文章にも使われる外来語。〈今日の―〉〈いくつかの―を拾って話す〉✎身近で軽い感

じがあり、時事問題などが多い。⇩話題

とびぬける【飛び抜ける】 他と格段の差のある意で、会話にも文章にも使われる和語。〈クラスでも—・けた存在〉✎通常いい意味で目立つときに使う。⇩群を抜く・図抜ける・Ⓠずば抜ける・抜きん出る・抜群

どひょう【土俵】 対決・勝負の場の意味で、相撲《すもう》用語の拡大用法。〈同じ—に上がる〉〈自分の—に引きずり込む〉✎土を詰めた俵を並べて丸く囲んだ、相撲を取るための地面の意から、一般に対決・交渉の場といった意味に広げて用いる。まだ相撲の連想が残っている。⇩Ⓠ土俵際・土俵を割る

どひょうぎわ【土俵際】 追い詰められた瀬戸際の意の相撲《すもう》用語の拡大用法。〈—に追い詰められる〉〈—でふんばる〉✎もう少しで外に出される場所の意から、一般に、物事の決着する瀬戸際といった意味に広げて用いる。⇩Ⓠ土俵・土俵を割る

どひょうをわる【土俵を割る】 争いに敗れて相手に譲る意で、相撲《すもう》用語の拡大用法。〈驚異的なねばりを見せたが、ついに—・った〉✎相撲で相手力士に押されて土俵の外に出される意から、一般に、対立する相手の主張に押し切られる、交渉などで負ける、といった意味に広げて用いる。まだ比喩性は残っており、相撲の連想を伴う。⇩勇み足・Ⓠ土俵・土俵際

とびら【扉】 開閉式の戸をさして、改まった会話や文章に用いられる、やや古風な和語。〈防火—〉〈門に—を取り付ける〉〈重そうな—があく〉✎島崎藤村の『夜明け前』に「大きな巌《いわお》のような堅い—に突き当る」とある。語源的には「戸」に「片《ひら》」のついた語構成という。「ドア」に比べて重厚な感じがあり、現代の日常生活で口頭では、よほど豪華なもの以外、出入り口の戸についてはあまり使わず、むしろ物入れや収納庫などの開閉式のものなどに使う傾向が見られる。「本の—」といった拡大用法や「心の—」のような比喩的用法もある。⇩戸・Ⓠドア

どびん【土瓶】 湯茶を入れて湯呑みに注ぐための陶磁器製の器をさし、会話にも文章にも使われる漢語。〈—蒸し〉〈—から番茶を注ぐ〉✎急須より大きく本体と別に弦の持ち手が付いている。⇩急須

とぶ【飛ぶ】 空中を移動する意で、くだけた会話から硬い文章まで幅広く使われる日常の和語。〈鳥が—〉〈飛行機が—〉〈ヒューズが—〉〈噂が—〉✎内田百閒の『東京日記』に「小鳥も光のかけらの様に—・び廻っている」とある。⇩跳ぶ

とぶ【跳ぶ】 脚のばねを利かせて地面を蹴り、前方または上方に勢いよく体を移動する意で、会話にも文章にも使われる和語。〈思い切り—〉〈溝を—・び越える〉✎新美南吉の『正坊とクロ』に「ドアのむこうにお千代さんの顔を見つけだすと、正坊は—・びあがってよろこびました」とある。「走り幅跳び」「棒高跳び」のように運動競技ではこの語を用い、「跳ねる」は用いない。⇩飛ぶ・跳ねる

どぶ【溝】 下水などの汚れた水の流れる細い水路をさし、会話や改まらない文章でよく使われる生活臭の漂う和語。〈—川〉〈—掃除〉〈—を浚《さら》う〉〈—に捨てる〉✎「溝」より汚いイメージがある。語頭の「ド」という濁音も不快な印象を強めているかもしれない。富岡多恵子の『立切れ』の「ま

た、子供が落ちて死んでいないかな、と―川のふちを通るたびに菊蔵は思う」というラストシーンはすごみがある。⇩溝

とほ【徒歩】 乗り物を使わずに歩くことをさす、やや改まった感じの漢語。〈―通学〉〈―で十五分の距離〉✎「歩み」や「歩き」が歩行という行為をさすのに対して、この語はもっぱら乗り物を用いない移動手段という意味合いで使う。⇩歩み・Q歩き

とほうもない【途方も無い】 程度が並外れている意で、会話にも文章にも使われる表現。〈―広さ〉〈―迫力〉〈―要求〉✎小田実は『何でも見てやろう』で、当時のアメリカの圧倒的なエネルギーとバイタリティーに接した驚きを、「―怒り、悲しみ、笑い」を一例とする列挙法で描き取った。⇩突拍子も無い・Q途轍《とて》も無い

とぼける【恍(惚)ける】 故意に知らない振りをする意で、会話にも文章にも使われる日常の和語。〈いつも都合が悪くなるととたんに―〉〈―・けてごまかす〉✎「―・けた返事」「―・けた顔」のように、間の抜けて滑稽なの意でも使われる。「餅はなぜかびるか」という問いに先代の林家正蔵(彦六)は「早く食わないから」と答えたという。このように質問の意図を外し、問題をそらして矛先をかわすのも一種のおとぼけである。井伏鱒二は『本日休診』で婦女暴行事件の核心部分を「彼女に対して全く画期的な行為を敢てした」と記述した。こうして思いがけない角度からとらえ直して煙に巻くのも別種のおとぼけで、ともに聴衆や読者の笑いを誘う手段となっている。⇩しらばくれる・しらを切る・知らんぷり・Qそらとぼける・頬かぶり

とまどう【戸(途)惑う】 予期せぬことや慣れないことなどでどうすべきか迷う意で、会話にも文章にも使われる和語。〈急な申し出で対応に―〉〈勝手がわからずに―〉〈慣れない仕事で―ことが多い〉✎安部公房の『他人の顔』に「誰も僕の視線を感じて―・ったりする気づかいなど、少しもなかったはず」とある。さまざまな場合に使える「迷う」に比べ、迷っている時間が短く、「一瞬―」のような用例も多い。泥棒が入ったり火事になったりといった重要な局面でなく、日常一般のケースで使われる。また、ごくくだけた会話ではあまり使われず、「迷う」よりいくらか文体的レベルが高い。⇩まごつく・Q惑う・迷う・面食らう

とまる【止まる】 移行・変化・活動などがストップする意で、くだけた会話から硬い文章まで広く使われる日常の基本的な和語。〈時計が―〉〈エンジンが―〉〈血が―〉〈交通機関が―〉✎山本有三の『波』に「行介の足は、ブレーキをかけられたように、ぴたりと―・った」とある。「停電」「停車」などの連想で、「電気が―」「急行が―」などの場合は「停まる」と書き分けることもある。⇩Q留まる・泊まる

とまる【留まる】 とどまる、固定されるの意で、会話でも文章でも使われる和語。〈枝に鳥が―〉〈竿の先にとんぼが―〉〈目に―〉〈お高く―・っている〉⇩Q止まる・泊まる

とまる【泊まる】 宿泊・停泊の意で、会話でも文章でも広く使われる日常の和語。〈旅館に―〉〈一晩―〉〈船が港に―〉✎夏目漱石の『坊っちゃん』に「小供の時から、友達のうちへ―・った事は殆んどない位だ」とある。⇩止まる・留まる

どまんなか【ど真ん中】「真ん真ん中」を意味するやや俗っぽい感じの口頭語。〈―の直球を思いっきり引っぱたく〉〈東京の―じゃないか〉✎「真ん中」を強調したぶん、それだけ中心点にごく近い部分に限られる感じがする。この場合の接辞「ど」は「まさに真ん中」と強調するだけだが、これは例外的。同じく強調の「ど根性」もあるが、一般には、好ましくないものの前に付けてそれを強めるために悪いニュアンスが生じやすい。「どあほ」「ど近眼」「ど助平」「ど田舎」「ど素人」など、いずれもその点を強調することで軽蔑の気持ちをこめているように感じられる。⇩中央・中心・Q真ん中

どみん【土民】「土着民」の略として会話や硬くない文章に使われる漢語。〈武蔵野の―〉✎「土人」と違って黒人の連想はない。「土着民」よりいくらか軽視する感じが強いように思われる。⇩原住民・土人・Q土着民

とむらい【弔い】「葬式」の意で、主に会話に使われる古めかしい和語。〈―客〉〈―を出す〉⇩告別式・葬儀・葬式・葬礼

とむらう【弔う】死者を悼み遺族を慰める意で、会話にも文章にも使われる古めかしい和語。〈先祖の霊を―〉〈手厚く―〉✎永井荷風の『濹東綺譚』に「我青春の名残を―」という比喩的な用例がある。⇩Q葬る・埋葬

とも【友】「友達」の意で主に文章に用いられる古風でやや詩的な和語。〈竹馬の―〉〈終生の―〉〈わが―よ〉✎平林たい子の『桜』に「語るに足る―は(略)見えない世の中とたたかっている人たち」とある。「風月を―とする」「旅の―」「お茶の―」のように、いつも「共」にあるものという意味でも使う。⇩Q友達・仲間・友人

ども【共】複数の人や動物などを、目下として軽んじたり軽蔑したりする気持ちを持って表し、会話や軽い文章に使われる、いくぶん古風な表現。〈者―〉〈男―〉〈野郎―〉〈悪人―〉〈虫けら―〉✎「わたくし―」「手前―」のように一人称の代名詞につくと、「ら」以上にへりくだった感じが強くなる。なお、「犬たち」が仲間意識を感じさせるのに対して、「犬―」は人間に隷属する、あるいは無関係な存在として扱う意識を感じさせる。⇩がた・たち・Qら

ともあれ【兎もあれ】「とにかく」の意で、主に文章に用いられる古風な和語。〈―無事でよかった〉〈―全力を尽くされたし〉✎日常会話で使うと若干気どった響きが出やすい。⇩とにかく・とにもかくにも・Qともかく

ともかく【兎も角】「とにかく」の意で、会話にも文章にも使われる和語。〈―油断するな〉〈―一度試してみよう〉〈―終わってよかった〉✎国木田独歩の『武蔵野』に「天下の名所は―、武蔵野の様な広い平原の林が限なく染まって、日の西に傾くと共に一面の火花を放つというも特異の美観ではあるまいか」とある。「素質は―実績がない」「出来は―仕事は速い」のように二つの点を対比する場合は「とにかく」よりこの語をよく用い、「それは―」として話題の焦点を移す用法でもこの語のほうが自然。⇩Qとにかく・とにもかくにも・ともあれ

ともかせぎ【共稼ぎ】夫だけでなく妻も社会に出て働いて収入を得る意で、会話にも文章にも使われる古風な和語。〈夫婦―〉〈―で何とかやっている〉✎女性の社会進出が一般的

でなかった時代、夫の少ない稼ぎを補うために仕方なく妻も収入のある道に進むといった印象が強く、この語は差別意識が伴うとして嫌われた。⇩共働き

ともしび【灯(燈)火／灯(燈)】ともした灯《ひ》の意で、主に文章中に用いられる古風で優雅な和語。〈山小屋の—〉〈—がまたたく〉✎淡く小さな明かりをさす傾向がある。川端康成の『雪国』に「この鏡の映像は窓の外の—を消す強さはなかった。—も映像を消しはしなかった。そうして—は彼女の顔のなかを流れて通るのだった」という場面がある。存続の危うい意で用いる「風前の—」の比喩的用法は会話でも使い、特に優雅な感じはない。漢字表記は「とうか」との区別が困難なため、通常「ともし火」「ともしび」と書く。⇩あかり・照明・灯火・Q灯《ひ》・ライト

ともすると「ともすれば」の意で、会話やさほど硬くない文章に使われる和語表現。〈—健康のありがたさを忘れがちになる〉⇩Qともすれば・ややもすると・ややもすれば

ともすれば 特別に意識せずにほうっておくとの意で、会話にも文章にも使われる和語表現。〈—怠けがちになる〉✎多くは次に、好ましくない事柄が続く。⇩ともすると・ややもすると・Qややもすれば

ともだち【友達】おしゃべりをしたり一緒に遊んだりして仲良く付き合っている相手をさし、くだけた会話から文章まで幅広く使われる日常の基本的な和語。〈飲み—〉〈—ができる〉〈—になる〉〈—と遊ぶ〉✎「達」はもと複数を表す「だち」の当て字。現在では一人でもこの語を使う。富田常雄の『姿三四郎』に「お—は一人去り二人は結婚をするという風に、櫛の歯が抜けて行くように私の側から消えて行く」とある。⇩一味・同志・同僚・Q友・仲間・友人

ともね【共寝】間接的に「性交」を意味するかなり古くやわらかい感じの和風の言い方。〈いつしか—する仲となる〉✎基本的な意味としては、二人で同じ寝床に寝ること。そこから男女が一緒に寝るという意味に特定され、含みとして体の交わりを連想させる表現。「同衾《どうきん》」と同じ発想だが、もっとやわらかい感触の語。⇩営み・エッチ・関係②・合歓・交合・交接・情交・情を通じる・Q性交・性行為・性交渉・性的行為・セックス・抱く②・契る・同衾・寝る②・懇ろになる・ファック・深い仲になる・房事・枕を交わす・交わる・やる③・夜伽《よとぎ》

ともばたらき【共働き】「共稼ぎ」の意で、会話にも文章にも使われる和語。〈—の夫婦〉〈—のため昼間は子供を預ける〉✎「共稼ぎ」の「稼ぐ」の部分に、収入を得るためという意味合いがあるため、その露骨な感じを薄める目的で「働き」に置き換えた、差別意識回避の語形。ひところ盛んに使われたがその後、女性の社会進出が一般化し、夫婦がそろって勤めに出るケースが珍しくなくなり、今ではあまり使われなくなって、いくらか古風な感じさえ漂わせるに至った。⇩共稼ぎ

どもり「吃音《きつおん》」またはそのような障害を持つ人を伝統的にさしてきた和語。差別意識が指摘されて、使用を控えている。✎人ではなく単にその現象をさす場合もあり、差別語の問題は微妙である。このような身体的な欠点を表すことばをすべて控えるとなると、「出べそ」「扁平足」「猫背」「短足」「音痴」などもひっかかってくる。問題はことばよ

り差別意識なのである。

どや 宿屋、特に簡易旅館を意味する隠語。〈―街〉〈―住まい〉✎「やど」を逆転させた語形。⇩やど

どやす 「どなりつける」「殴る」意で、くだけた会話で使われる俗語。〈不良に―・される〉〈いきなり後ろから―・される〉✎語頭が「ド」という濁音であることも作用して、「叱る」や「殴る」よりも若干きつい語感がある。ちなみに、夏目漱石の『坊っちゃん』に「背中を棒で―・した奴がある」という例が出てくる。⇩がなる・Q怒鳴る

どよめき【響めき】 多くの人間が一瞬驚いて立てる物音や声をさして、改まった会話や文章に用いられる和語。〈大記録の達成にスタンドから―が起こる〉〈思いもかけない判定に一瞬観客の―が沸き起こる〉✎「ざわめき」に比べ、驚きが大きく音響も大きいが短時間に消える感じがある。⇩ざわめき

とらい【渡来】 外国から渡って来る意で、会話にも文章にも使われる、やや古風な漢語。〈南蛮―の品〉✎「―人」は主に古代に中国や朝鮮半島から渡って来て日本に定住した人たちをさす。⇩舶来

ドライバー ねじまわしの意で会話にも文章にも使われる日常の外来語。〈電動の―〉〈―でビスを締める〉✎今は日常会話で和語の「ねじまわし」と同じく一般的に使う。自動車の運転者やゴルフの長距離用のクラブをさす用法もある。⇩ねじまわし

とらえる【捉える】 意識に収める、把握する意で、主に文章に用いられる和語。〈カメラがその瞬間を―〉〈人の心を―〉〈要点を―〉〈実態を―〉〈機会を―〉〈核心を―〉〈機会を―・えて言っておく〉〈―・えて放さない〉⇩つかまえる・捕らえる

とらえる【捕らえる】 人や動物をつかまえる意で、改まった会話や文章に用いられる、やや古い感じの和語。〈犯人を―〉〈言葉じりを―〉〈腕を―・えてはなさない〉✎中村真一郎の『遠隔感応』に「私に―・えられることを願いながら歩きまわる」とある。⇩捉える

ドラッグ 医薬品をさし、まれに会話に使われる新しい外来語。✎通常は「―ストア」の形で用い、単独使用は時に「麻薬」の婉曲《えんきょく》表現ともなるが、その場合は俗っぽい感じが伴う。⇩覚醒剤・しゃぶ・大麻・Q麻薬・マリファナ・やく

ドラッグストア 日用雑貨も扱う薬の販売店をさし、会話にも文章にも近年使われだしたアメリカからの外来語。〈駅前の―に立ち寄る〉✎漢方薬専門となるとイメージが合わない。⇩Q薬屋・薬局

トラブル 揉《も》め事の意で、会話や硬くない文章に使われる外来語。〈―メーカー〉〈―を解決する〉〈行く先々で―を巻き起こす〉✎「エンジン―」「電気系統の―」のように、故障の意味でも使う。⇩諍《いさか》い・いざこざ・ごたごた・Q揉め事

ドラマ 主にテレビやラジオでの放送劇をさし、会話にも文章にも使われる外来語。〈メロ―〉〈ホーム―〉〈―に出演する〉✎波瀾万丈の人生や劇的な幕切れの試合などを「筋書きのない―」「まさに一編の―だ」のようにたとえる比喩的な用法もある。⇩演劇・劇・Q芝居

とらまえる【捕らまえる】「つかまえる」意で、くだけた会話

に使われることのある古めかしい俗語。〈やっとこさ―・え たとこだ〉✎「とらえる」と「つかまえる」との混交語。ちなみに、夏目漱石の『坊っちゃん』には「引っ捕っらまえてやろう」という語形も出る。⇩つかまえる・とらえる

トランク 大型の直方体の硬い旅行鞄をさし、会話にも文章にも使われる、いくぶん古風な外来語。〈―にぎゅうぎゅうに詰め込む〉✎小沼丹の『昔の仲間』に「あちらこちらに空席が出来ていて、座席の主は帰って来ない。棚の上に残されたのは、追憶という―だけである」とあるように、旅の象徴として郷愁を誘う比喩に使うこともある。⇩スーツケース・ボストンバック・Q旅行鞄

とりあえず【取り敢えず】何よりもまず第一にの意で、会話にも文章にも使われる和語。〈―電話で知らせる〉〈―ビールを頼もう〉〈―このぐらいにしておく〉〈―御礼まで〉✎ほかにもいろいろあるが、それは後のことにして、という含みがある。⇩さしあたり・さしずめ①・Qひとまず

とりあげる【取り上げる】相手から奪い取る、没収・徴収する意で、会話や軽い文章に使われる和語。〈武器を―〉〈授業中に生徒からゲーム機を―〉〈税金として―・げられる〉⇩奪う・ひったくる・ふんだくる・まきあげる

とりあつかう【取り扱う】「扱う」の意で、改まった会話や文章に用いられる正式な感じの和語。〈現金を―〉〈薬品を―〉〈窓口で―〉〈ユーザーからの苦情を―係〉〈平等に―〉〈くれぐれも慎重に―ように〉✎梅崎春生の『桜島』に「不当に―・われているという反撥」とある。物事に対して用いる傾向があり、「家族同様に―」「正社員として―」のように人間について用いる場合は、「扱う」より事務的な感じが強くなる。⇩扱う

とりいる【取り入る】自分の利益になることをねらって上位者が喜ぶようなことをする意で、会話にも文章にも使われる和語。〈先生に―・っていい成績をもらう〉〈うまく社長に―・って出世街道を進む〉✎機会を利用してお世辞を言うだけでも使えそうな「へつらう」に比べ、もっと積極的に、相手の喜びそうなことを探して自ら進んでやるような連想がある。⇩おもねる・迎合・媚《こ》びる・Qへつらう

とりうちぼう【鳥打帽】前びさしの付いた円く平たい軽便な帽子をさし、会話にも文章にも使われる古風な表現。〈―を深めにかぶった目の鋭い男〉✎狩猟でよく用いたことから。小沼丹のまさに『鳥打帽の男』と題する初期の短編に「這入る前に少々深く被りすぎた―を被り直した」とある。⇩ハンチング

とりえ【取り柄(得)】他に比べて優れているところをさし、会話や硬くない文章に使われる、やや古風な感じの和語。〈最後まで諦めないのが―だ〉〈丈夫な点だけが―だ〉〈何の―もない〉✎二葉亭四迷の『平凡』に「私に何の―がある？」とある。「長所」や「美点」と比べ、全体として大した価値はないが、その中で比較的いい点を取り上げた感じがある。⇩Q長所・美点・利点

とりおこなう【執(取)り行う】式典や改まった行事などを実施する意で、改まった会話や文章に用いられる硬い感じの和語。〈これより記念式典を―〉✎「挙行」以上に改まった感じが強い。⇩行う・Q挙行・する・やる①

とりかえす【取り返す】再び自分のものとする、元の状態に戻す意で、会話にも文章にも使われる和語。〈貸した品物をやっと―〉〈取られた点を―〉〈勉強の遅れを―〉 状態的な「取り戻す」に比べ、具体的な行動のイメージが強い。⇩取り戻す

とりかえる【取り替(換)える】それぞれを互いに換え合う意で、くだけた会話から硬い文章まで幅広く使われる日常の基本的な和語。〈窓際の人と席を―〉〈コインを札と―〉 「水を―」「シーツを―」「係を―」のように、それまでのものを廃し別のものに替える意でも使う。⇩交換

とりきめ【取り決め】関係者間で相談して決めた事柄をさし、改まった会話や文章に用いられる、正式な感じの和語。〈―を結ぶ〉〈―に従う〉 「申し合わせ」よりも拘束力があり、「国家間の―」のように、条約に近い意味でも使う。⇩申し合わせ

とりけし【取り消し】一度決めたことを無いことにする意で、くだけた会話からさほど硬くない文章まで日常よく使われる和語。〈予約の―〉〈免許の―〉〈発言の―を求める〉⇩解約・Qキャンセル

とりさる【取り去る】邪魔になる物や不要になった物を他に移してその場所から無くする意で、改まった会話や文章に用いられる和語。〈路上の石を―〉〈庭の石灯籠《いしどうろう》を―・って花壇にする〉⇩取り除く・Q取り払う

とりしらべ【取調べ】詳しく調べる意の和語。一般的な使い方もあるが、警察関係の連想が働きやすい。〈任意の―〉〈警察の―を受ける〉〈容疑者の―〉⇩聴取

とりすます【取り澄ます】実際の感情とは別にいかにも真面目くさったようすを気取る意で、やや改まった会話や文章に用いられる和語。〈―・した顔〉〈―・した声で答える〉 大仏次郎の『宗方姉妹』に「整い過ぎた顔立は、彫刻した人形のように―・した感じで」とある。⇩Q気取る・もったいぶる

とりせつ「取り扱い説明書」の短縮形。くだけた会話で使われることのある近年の俗語。〈―を読めば書いてある〉 しばしば片仮名表記される。

とりそろえる【取り揃える】漏れなく集めて揃える意で、改まった会話や文章に用いられる格式ばった和語。〈さまざまな品を―〉〈釣り道具一式を―〉⇩揃える

とりたてる【取り立てる】自分より下位にある一人物に特に目をかけ重要な役に任用する意で、会話にも文章にも使われる和語。〈弟子に―〉〈主役に―〉⇩重用・抜擢《ばってき》・Q引き立てる

とりにがす【取り逃がす】捕まえそこなう意で、やや改まった会話や文章に用いられる和語。〈獲物を―〉〈泥棒を追い詰めながら、惜しいところで―〉⇩逃がす・Q逃《のが》す

とりのぞく【取り除く】好ましくないものを無くする意で、改まった会話や文章に用いられる和語。〈不純物を―〉〈障害物を―〉〈痛みを―〉〈不安を―〉⇩除外・除去・どける・Q取り去る・取り払う・除く・外す

とりはずす【取り外す】取り付けてあるものを取り去る意で、改まった会話や文章に用いられる和語。〈襖《ふすま》を―〉〈電話を―〉 庄野潤三の『プールサイド小景』に「コースロープを全部―・した水面」とある。「外す」より大仰な感じがあ

り、受話器や腕時計やシャツのボタンのように簡単に外れる対象には使いにくく、あえて用いるとかなり形式ばった物言いに響く。⇩外す

とりはだがたつ【鳥肌が立つ】急に寒さや恐怖に襲われて皮膚が、毛をむしり取った鳥のようにぶつぶつに粟立つ意で、会話でも文章でも用いられる慣用的な言いまわし。〈―ほどの寒さだ〉〈あまりの恐ろしさにぞうっとして―・った〉従来、寒さや恐ろしさといったマイナス評価の対象によって生ずる場合に用いられてきたが、近年、「―ような名演技」「あまりにすばらしい演奏で―・った」のように、プラス評価の対象に使う例が目立ってきた。「ぞくぞくっとする」感じでつながるのだろう。そのような用法の場合は、従来の慣用を破っているという語感が伴う。⇩悪寒・寒け

とりはらう【取り払う】遮っている物を無くして広く使えるようにする意で、会話にも文章にも使われる和語。〈塀を―・って見通しをよくする〉「学部間の垣根を―・って他学部の科目を自由に履修できるようにする」のように抽象的な意味合いで使う比喩的な用法もある。くだけた会話ではしばしば「取っ払う」となる。⇩取り去る・Q取り除く

とりひき【取引】物品の売買など営利目的の経済行為をさし、くだけた会話から硬い文章まで幅広く使われる和語。〈―先の会社〉〈商―に応じる〉〈その銀行と―がある〉〈高値で―されている〉「政党間の―」のように互いの利益を考えた交渉の意の比喩的用法もあり、その場合はマイナスのイメージが伴う。⇩Q交渉・折衝

とりまく【取り巻く】「囲む」に近い意で、くだけた会話から硬い文章まで幅広く使われる和語。〈スターを―連中〉〈わが身を―困難と危険〉島尾敏雄の『出発は遂に訪れず』に「私を―すべてのものの運行は、はたとその動きを止めてしまった」とある。「囲む」が静的な感じであるのに対して、「取り巻く」は中の対象に向かって働きかける力が感じられる。「みんなで鍋を囲んで一杯やる」という例で、「囲む」を仮に「取り巻く」に置き換えてみると、鍋の中身がまたたく間になくなりそうなけはいになるし、「恩師を囲むつどい」も「取り巻く」にしたとたん、なごやかな雰囲気から殺気立った空気に一変しそうな感じが漂うのは、両語のそういった語感の違いの反映である。⇩囲む

とりもどす【取り戻す】一度失ったものを元の状態に戻す意で、やや改まった会話や文章に用いられる和語。〈貸した本を―〉〈調子を―〉〈仕事の遅れを―〉〈落ち着きを―〉〈街が活気を―〉行動的な「取り返す」に比べ、状態が旧に復する意味合いの用法が目立つ。⇩取り返す

とりやめ【取り止め】予定したことを中止する意で、会話やさほど硬くない文章に用いられる和語。〈あすの集会は―だ〉〈雨のため遠足が―になる〉「廃止」に比べ一時的な感じが伴う。⇩中止・Q廃止

どりょく【努力】ある目的を達成するために精を出して頑張る意で、くだけた会話から硬い文章まで幅広く使われる日常の基本的な漢語。〈―家〉〈人一倍―する〉〈―に―を重ねる〉〈―を惜しむ〉〈日頃の―を怠る〉〈あの―には頭が下がる〉〈地道な―が実る〉志賀直哉の『城の崎にて』に「自分は矢張り鼠と同じような―をしはしまいか」とある。

⇩いそしむ・頑張る・Ｑ精進・励む

とりわけ【取り分け】同類のもののうち特にその性質が甚だしいとして別に取り上げる意で、改まった会話や文章に用いられるやや古風な和語。〈今年の夏は―暑い〉〈いつもこの時期は―多忙を極める〉⇩ことに・Ｑ特に・なかんずく

ドリンク「飲み物」に近い意味で、主に会話で使うことのある、新しい感じの外来語。〈ホット―〉〈―の自動販売機〉🖊栄養剤の入った清涼飲料をさすこともあり、容器に入れて売っている飲み物をさす場合が多い。スープや甘酒はもちろん、ワインやビールをさすことも、水をさすケースも少ない。レストランなどではアルコールの入っていない飲み物を「ソフト―」と言う。「お飲み物」という意味で「―のほうは何になさいますか」と客に尋ねることはありそうだが、客どうしが「おい、お前、―どうする？どぶろくか、抹茶か」などと話し合うことは考えにくい。家庭でいれた緑茶やコーヒーや紅茶なども、通常、「ドリンク」とは言わない。また、販売機で買ってきたドリンク類でも、自宅で飲むときには「ドリンク」などと呼ばず、ジュースやコーヒーなど個々の名称を使う傾向がある。その点では業界用語に近い。⇩飲み物

とる【取る】持つ、取り去る、その他の広い意味で、くだけた会話から硬い文章まで使われる日常の最も基本的な和語。〈手を―〉〈資格を―〉〈新聞を―〉〈休みを―〉〈意味を―〉〈不覚を―〉〈汚れを―〉〈機嫌を―〉〈相撲《すもう》を―〉🖊永井龍男の『手袋のかたっぽ』に「その手で煙草を―と、いつもの慈顔であった」とある。意味があまりに広範囲にわたるため、「畑でとうもろこしを―」のように収穫する意の場合に「穫る」、「山で獲物を―」のように捕獲する意の場合に「獲る」、「栄養を―」のように摂取する意の場合は「摂る」、「他人の物を―」のように盗む意の場合は「盗る」、「政権を―」のように奪う意の場合は「奪る」、「ビデオに―」のように録音・録画の意の場合に「録る」などと書き分けることもある。意味がしぼられてわかりやすい半面、表外訓を用いるこれらの表記は趣味的な雰囲気があり、「穫る」「獲る」「奪る」「録る」などは俗っぽい感じも漂う。⇩Ｑ採る・撮る・執る

とる【採る】採取・採用・採決・採寸の意で、会話でも文章でも広く使われる日常の和語。〈山菜を―〉〈血を―〉〈社員を―〉〈案を―〉〈決を―〉〈寸法を―〉⇩Ｑ取る・撮る・執る

とる【執る】執り行う意で、やや改まった感じの会話や文章に使われる和語。〈筆を―〉〈事務を―〉〈手続きを―〉〈教鞭《きょうべん》を―〉〈指揮を―〉⇩Ｑ取る・採る・撮る

とる【撮る】撮影の意に限定して会話や文章に使われる日常の和語。〈写真を―〉〈時代劇を―〉🖊阿川弘之の『雲の墓標』に「カビネ判の写真を一枚―・って帰途につく」とある。⇩Ｑ取る・採る・執る

トレードマーク「商標」の意で、会話や軽い文章に使われる外来語。〈おなじみの―〉🖊「真赤なベレーが―」「―のちょびひげで登場する」のように、ある人物を特徴づける際立ったしるしをさす比喩的用法も多い。⇩Ｑ商標・ブランド・銘柄

どろ【泥】水分を吸収してやわらかくなった土をさし、会話

にも文章にも使われる和語。〈—よけ〉〈—だらけ〉〈—にまみれる〉〈—をこねる〉⇩Q土・泥んこ

とろう【徒労】役に立たない無駄な労力の意で、改まった会話や文章に用いられる漢語。〈何の効果もないから疲れるだけで—だ〉〈せっかくの助力も—に終わる〉〈永年の努力も—に帰する〉✎無償の美を求める川端康成は『雪国』で、読んだ小説のメモを書いた雑記帳が十冊にもなったと言う駒子に、「全く—であると、島村はなぜかもう一度声を強めようとした途端に、雪の鳴るような静けさが身にしみて、それは女に惹きつけられたのであった」という場面を描いた。⇩無益・無駄・無駄骨

どろくさい【泥臭い】洗練されていない意で、会話でも文章でも使われる表現。〈—趣味〉〈やることが—〉✎「田舎じみた」という意味のほか、実際に泥の匂いがする場合にも使われる。⇩垢抜けない・Q田舎じみる・ださい・野暮・野暮ったい

どろぼう【泥棒】他人の物を盗む人をさし、会話でも文章でも最も広く使われる普通の日常語。〈—が入る〉〈—を働く〉✎福原麟太郎の『泣き笑いの哲学』に「盗んだ着物を大きな風呂敷包にした—が、座敷のまん中の碁盤を囲んでいる主客の置石に見入り、つい助言をする」とある。行為と人の両方をさす。⇩窃盗・賊・盗賊・ぬすっと・Qぬすびと・物盗り

とろろいも【薯蕷芋】自然薯《じねんじょ》や長芋など、とろろにする芋の総称として、会話にも文章にも使われる和語。〈—にもいろんな種類がある〉⇩Q自然薯・長芋・山芋

どろんこ【泥んこ】「泥」または「泥まみれ」の意で、主にくだけた会話に使われる子供っぽい和語。〈—遊び〉〈—になる〉⇩泥

とわ【永遠・永久】「永遠」を和風にした雅語的表現。「とこしえ」「とこしなえ」より多く使われる。〈—の別れ〉〈—の眠りに就く〉〈—に幸あれかし〉✎伊藤左千夫の『野菊の墓』に「新墓が民子が—の住家であった」とある。漢字表記は音読みされやすく、文頭や読点の次なら仮名書きでよいが、文字環境によって文中に埋もれて紛らわしいので、ルビつきの漢字表記のほうがわかりやすい。⇩何時までも・Q永遠・永久・永劫・恒久・とこしえ・とこしなえ・悠遠・悠久

とんがる【尖んがる】主としてくだけた会話で使う、「とがる」意のやや強調ぎみの口頭語。〈先の—・った帽子〉〈口を—・らせる〉⇩とがる

どんかん【鈍感】感覚が鈍く物の感じ方・考え方が冴えない意で、会話にも文章にも使われる漢語。〈においに—な人〉〈人一倍皮膚が—だ〉〈四季の変化に—だ〉✎小津安二郎監督の映画『お茶漬の味』では佐分利信の演ずる都会的センスにとぼしい男が「—さん」と陰口を言われている。⇩無神経・Q無頓着《むとんちゃく》

どんこう【鈍行】くだけた会話や改まらない文章で使われる、「普通列車」の意の俗語。〈たまには—でのんびり旅するのも悪くない〉✎三浦哲郎の『一尾の鮎』に「短篇仕立ての章をいくつも繋いだ—列車のようなもの」という比喩表現が出る。通勤電車よりも、ある程度以上の長距離列車を連想しやすい。「鈍い」意の「鈍」という漢字のイメージと、語頭の「ド」という濁音の響きが相乗効果をなして、いかにも鈍くさい軽蔑的なニュアンスを与え、それが滑稽な感じに

つながることもある。⇩Q各駅停車・緩行《かんこう》・普通列車

とんざ【頓挫】 物事が行き詰まりその進行が途中で急に停止する意で、やや改まった会話や文章に用いられる漢語。〈―を来す〉〈計画が―する〉太宰治の『富嶽百景』に「私の結婚の話も、一―のかたちであった」とある。「停頓」に比べ、そのまま取り止めになる雰囲気が強い。⇩停頓

とんし【頓死】 突然死ぬ意で、会話より文章に多く使われる、やや古風な漢語。〈勤務中の―〉〈旅行中に―する〉「即死」ではないが、「急死」以上にあっけない感じ。⇩Q急死・急逝・即死

どんじり【どん尻】 順番の最後をさし、主にくだけた会話に使われる古風でやや俗っぽい和語。〈―に控える〉〈―から巻き返す〉⇩最下位・最後尾・Qしんがり・びり・びりっけつ

とんずら 逃げる意の隠語。〈―をきめこむ〉「とん」は遁走《とんそう》の略、「ずら」は「ずらかる」の略。⇩逃げる

とんだ 思いがけず迷惑な事態をさして、主にくだけた会話に使われる俗っぽい和語。〈こいつは―災難だ〉〈―人に見込まれたものだ〉〈―騒ぎになる〉〈これは―失礼を〉「このたびは―ことで」の形でお悔やみのことばとなる場合もあり、その場合は「とんでもない」に換言しにくい。⇩とんでもない

とんち【頓智(知)】 その場に即応して働く奇抜な知恵の意で、会話にも文章にも使われる、やや古風な漢語。〈―比べ〉〈―を働かせる〉少年講談『曾呂利新左衛門』に、豊臣秀吉に望みの物を褒美につかわすと言われ、新左衛門は紙袋に一杯の米を所望して欲のない人間だと思わせ、米蔵がすっぽり入る大きな紙袋を持参する話が出てくる。「機知」や「機転」以上に笑いと結びつきやすい傾向が感じられる。⇩ウイット・エスプリ・Q機知・機転・ヒューマー・ユーモア

とんちき【頓痴気】 愚かで気の利かない意で、主に人をののしるときに使う古めかしい俗語。〈この―め、ちっとは手伝ったらどうだ〉⇩Qぼんくら・野暮天

どんちゃんさわぎ【どんちゃん騒ぎ】 大勢で酒を飲み歌を歌い楽器を鳴らすなどして大きな音を立てて騒ぐ意で、主としてくだけた会話に使われる俗っぽい和語。〈夜遅くまで―を繰り広げる〉⇩乱痴気騒ぎ

どんちょう【緞帳】 巻いて上げ下ろしする芝居などの厚地の幕をさし、会話にも文章にも使われる古風な漢語。〈―芝居〉〈―役者〉三島由紀夫の『金閣寺』に「雨音は厚い―のように戸外をとざしていた」という比喩表現の例がある。⇩幕・Q幔幕《まんまく》

とんでもない 常識から悪い方向に大きく外れている意で、主に会話に使われるくだけた表現。〈―値段をつける〉〈―ことを言い出す〉〈―まねをやらかす〉〈あいつは―やつだ〉自分が成功したのを相手に褒められたときに、「―、まぐれです」と相手の言を打ち消す形で謙遜する場合にも使う。「途《と》でもない」から変化した一つの形容詞なので、丁重に言う場合には「―ことでございます」か「とんでものうございます」となるが、誤解から近年は「とんでもありません」「とんでもございません」という俗な形が横行している。⇩とんだ

とんとん 同じ程度で優劣の差が認めにくい状態をさし、改

まらない会話に使われるやや俗っぽい和語。〈儲《もう》けも損もなく—だ〉〈どちらも飛び抜けて優秀だというわけでなく成績も—だ〉✎利害・収支・損得などの場面でよく使う。⇩拮抗《きっこう》・互角・五分五分・Qどっこいどっこい・伯仲・比肩・匹敵

どんどん 物事が次から次へと勢いよく進む様子をさし、会話や硬くない文章によく使われる日常の擬態語。〈—召し上がれ〉〈遠慮なく—やる〉〈仕事を片っ端から—片づける〉✎「戸を—とたたく」のように擬声語としても使う。⇩Qぐんぐん・じゃんじゃん・ずんずん・どしどし

どんな 「いかなる」の意で、会話やごく軽い文章に使われるくだけた表現。〈—部屋でもいいよ〉〈—仕事に向いてるかな〉✎「どういう」より会話的で、論文のような硬い文章には不適。⇩いかなる・Qどういう・どのような

どんなに 程度の疑問や仮定を表し、ややくだけた会話や軽い文章に使われる和語。〈子供は—喜ぶだろう〉〈—忙しくっても〉⇩いかに・どう・Qどのように

とんぼがえり【蜻蛉返り】 「宙返り」の意で、会話や軽い文章に使われる和語。〈—をしてみせる〉✎とんぼが素早く方向転換することから。「博多まで—の出張だ」のように、比喩的に、出かけた先から用を済ませてそのまま戻る意にも使う。⇩宙返り

とんま【頓馬】 「間抜け」に近い意味で、くだけた会話で使われる、いささか古めかしいことば。〈何やってんだ、—！〉✎「間抜け」同様、とんだ失敗をやらかしたことに対する評価という面が強い。⇩あほ・あほう・たわけ・ばか・Qまぬけ

どんよく【貪欲】 欲が深くどこまでもむさぼり求める意で、改まった会話や文章に用いられる漢語。〈—に金をためる〉〈知識を—に吸収する〉✎「ド」という濁音で始まることも作用して、きつく響く。⇩たんらん・胴欲・どんらん

どんらん【貪婪】 むやみにむさぼる意で、主として文章に用いられる硬い感じの漢語。〈—な食欲〉〈—な商法〉✎語頭が「ド」という濁音であることも作用して、「とんらん」「たんらん」と読む場合よりきつい響きがある。⇩Qたんらん・貪欲

な

な【名】 姓名、または、姓を除く個人名のみをさして、会話や軽い文章に使われる古風な日常の和語。〈変わった—〉〈—を名乗る〉〈—が売れる〉〈他人の—を騙《たか》る〉✎大原富枝の『婉という女』に「低い声で呼ばれた自分の—が矢のようにわたくしの心に、体に刺さった」とある。「—もない」「—を成す」「—をけがす」「功成り—を遂げる」のように特に名声の意で用いる場合もある。また、「虫の—」「花の—」「組織の—」のように、名称の意で人間以外にも広く使う。さらに、「顧問とは—ばかりで」「改革という—のもとに」のように、実質を伴わない名目だけのといった意味合いで使う用法もある。⇩氏名・姓名・Q名前

な【菜】 葉や茎を食用とする野菜の総称として、会話にも文章にも使われる和語。〈小松—〉✎「—の花」「—種」のように、特にアブラナをさすこともある。単独ではあまり使わない。長塚節の『土』に「春の野を飾って黄色な布を掩うような—の花」とある。⇩菜っ葉

ない【無い】「存在しない」という意味合いで、くだけた会話から硬い文章まで幅広く使われる日常生活の最も基本的な和語。〈金が—〉〈身寄りが—〉〈何の関係も—〉〈遠慮の—間柄〉〈影も形も—〉〈血も涙も—〉〈油断も隙も—〉✎仮名書きが一般的だが、「有ること—こと」のように、物や事よりその有無に重点がある場合は漢字で書くことが多い。小津安二郎監督の映画『宗方姉妹』に満里子(高峰秀子)が宏(上原謙)に「奥さんは？ お留守？」と尋ねるシーンがある。宏が「いないよ、奥さんなんか」と独身を主張するところまでは現代と同じだが、満里子はそれに「いないの」と応じたあと、「そう、—の」と換言し、宏も「—よ」と繰り返す。特定の妻という個人を意識するか、妻という存在を意識するかによって「いない」と「ない」を使い分けているように思われ、ともに「いない」と言う現代から見れば、ここの「ない」の用法は古い感じを与える。「有る」と対立。

ナイーブ 世間でもまれた経験がなく思考や感情が純粋な意で、会話にも文章にも使われる外来語。〈—な感情〉〈—な青年〉〈—で傷つきやすい〉✎清新なプラスのイメージと弱々しく脆《もろ》いマイナスのイメージが共存している。⇩初々しい・Qうぶ・純情・純真

ないえんかんけい【内縁関係】 婚姻届を提出せずに実質的な夫婦の関係にあることをさし、改まった会話や硬い文章に用いられる、客観的な感じの漢語。〈—の夫〉〈二人はすでに—にある〉✎生活形態よりも入籍を済ませていない点に着目して用いる法的なにおいのする言い方。「同棲」より正式な雰囲気があり、報道関係でよく使う傾向がある。⇩同棲

ないおう【内奥】 奥深いところをさし、主として文章に用いられる硬い漢語。〈人の心の—にひそむ闇〉⇩Q奥・底

ないかく【内閣】 国の行政を担当する最高機関をさし、やや改まった会話や文章に用いられる漢語。〈—総理大臣〉〈—官房長官〉〈政党—〉〈—改造に踏み切る〉〈初の—入り〉✎具体的には総理大臣と各国務大臣によって構成される統合

体。⇩政府

ないかくそうりだいじん【内閣総理大臣】内閣の長として国の行政のすべてを統括する最高責任者をさし、ごく改まった会話や硬い文章に用いられる正式用語。〈―に就任する〉〈―として初の会見に臨む〉⇩宰相・Q首相・総理・総理大臣

ないがしろ【蔑ろ】軽んじて無視する意として、改まった会話や文章に用いられる、やや古風な和語。〈親を―にする〉〈忠告を―にする〉✎森鷗外の『栗山大膳』に「二代続いて忠勤を励んでいる此老爺を―にすると云うことがあるものか」とある。⇩いい加減・疎《おろ》か・ちゃらんぽらん・Qなおざり・忽《ゆる》せ

ないこうてき【内向的】他人に働きかける積極性に欠け非社交的な意で、会話にも文章にも使われる、やや専門的な感じの漢語。〈―で人前に出るのが苦手だ〉✎「内気」と違って、自分の内面に向かう思索的な感じがある。「外向的」と対立。⇩内気・内弁慶・Q引っ込み思案

ないし【乃至】上限と下限を設定してその範囲であることを示し、改まった会話や文章に用いられる、やや硬い感じの漢語。〈北―北東の風〉〈二年―三年継続する〉✎「中国―ロシア」のように、そのどちらかであることを表す用法もあり、「左翼―進歩的といわれる作家詩人たち」という堀田善衛『広場の孤独』の例もそれにあたる。⇩あるいは①・Qまたは

ないしきょう【内視鏡】胃・腸・膀胱《ぼうこう》・気管支などの内部に挿入して直接観察する検査・医療用の装置をさし、会話にも文章にも使われる専門的な漢語。〈―検査〉〈―で精密検査をする〉〈―で覗《のぞ》く〉⇩胃カメラ

ないしょ【内緒(所・証)】他人に知られないようにひそかに行う意。会話やさほど改まらない文章で使われる日常の漢語。〈―話〉〈―の話〉〈―にしておく〉〈みんなには―だよ〉✎三木卓の『隣家』に、一人で住んでいる老女が「このごろは、―で煙草を吸っている」という一見奇妙な表現が出てくる。「―といっても、だれがみているわけではないのだが、それでも身内に叱られないように気をつけている気分が楽しい」のだという。一人暮らしの微妙な心理がよく描かれているように思う。⇩こっそり・そっと・内分・内聞・Q内密・ひそか

ないしん【内心】心の中ではの意で、会話にも文章にも使われる漢語。〈―びくびくしていた〉〈―面白くない〉〈―穏やかではない〉〈―は窺《うかが》い知れない〉✎夏目漱石の『倫敦塔』に「―大いに驚ろく」とあり、尾崎一雄の『玄関風呂』に「―私はいくらかふくれた」とあるように、当人の発言や外面に現れている表情や様子と違うことを前提としているニュアンスが強い。⇩胸中・心中・Q本心・本音・胸の内

ないせい【内省】自分の言動や考え方などを振り返って内面的に観察する意で、改まった会話や文章に用いられる、やや専門的な漢語。〈―が利く〉〈日頃の言葉づかいを質問されて―によって答える〉⇩Q自省・反省

ないせい【内政】外交に対し、国内の政治の意で、会話にも文章にも使われるいくらか専門的な漢語。〈―干渉〉〈―に力を入れる〉⇩国政

ないせん【内戦】同じ国民同士が国内で敵味方に分かれてた

たかう意で、会話にも文章にも使われる漢語。〈―に発展しかねない様相を呈する〉⇩内乱

ないぞう【内臓】体内諸器官の総称として、改まった会話や文章に用いられる漢語。〈―疾患〉〈―の病気〉✎大岡昇平の『俘虜記』に「全―がストライキに入ろうとしている」とある。⇩五臓六腑《ろっぷ》・臓器・Ｑ臓腑・臓物・はらわた・もつ

ナイター「夜間試合」の意の、やや古い感じの和製英語。〈―中継〉〈―で行われる〉✎サトウハチローの『スタンドの古狸』に「アメリカ球界でも、―を好きな選手は、ほとんどいない」とある。英語の「ナイト」を加工した日本人の造語。「デーゲーム」に対しては「ナイトゲーム」という。⇩ナイトゲーム・Ｑ夜間試合

ないてい【内定】未発表ながら内部では決定していることをさし、会話にも文章にも使われる漢語。〈就職先が―する〉〈―を出す〉〈―を取り消す〉⇩確定・決定・本決まり・Ｑ予定

ナイトゲーム「夜間試合」の意の、比較的新しい外来語。〈今日のセ・リーグはすべて―が組まれている〉✎放送では和製英語を気にするせいか、伝統的な「ナイター」よりもこの語を用いることが多い。「デーゲーム」と対立。⇩Ｑナイター・夜間試合

ないない【内内】内輪の意や表立たない意で、やや改まった会話や文章に用いられる漢語。〈―で決める〉〈―に知らせる〉✎横光利一の『紋章』に「―調査いたしますと、ごく内輪に見つもりましても、年額一万五千石の醬油」とある。他に知られないようにする「内密」と違い、非公式にこっそり知らせる感じが強い。「うちうち」とも読む。⇩うちうち・こっそり・そっと・ひそか

ないふん【内紛】組織内に対立が生じて互いに争う意で、改まった会話や文章に用いられる硬い漢語。〈政党の―が報道される〉〈会社で営業方針をめぐって―が起こる〉✎中島敦の『李陵』に「偶々匈奴の―に関係したために、使節団全員が囚えられることになって了った」とある。企業や政党や国家など、「内輪揉《も》め」よりも大規模な集団の場合に使う。球団や小さな会社などはこの語でも「内輪揉め」でも違和感がない。「内輪揉め」より対立が深刻な感じがある。⇩内輪揉め

ないぶん【内分】内々で行い表ざたにしない意で、会話でも文章でも使われる、やや古い感じの漢語。〈―に済ませる〉〈―に処理する〉⇩内緒・内聞・内密

ないぶん【内聞】正式のルートでなしに情報を耳にする意で、会話でも文章でも使われる、やや古い感じの漢語。〈この話はご―に願います〉✎表ざたにしない意のほか、「―に達する」の形で、内々に聞く意にも用いられる。⇩内緒・Ｑ内分・内密

ないみつ【内密】関係者の間だけで行い、他にもれないようにする意で、改まった会話や文章に用いられる硬い感じの漢語。〈―に事を運ぶ〉〈―に調べる〉✎辻邦生の『天草の雅歌』に「―に与力の原隼人に命じて、告訴状の連署人の身もとを調査させた」とある。⇩こっそり・そっと・Ｑ内緒・内分・内聞・ひそか

ないよう【内容】物事に含まれる具体的な事柄や意味をさし、会話にも文章にも使われる漢語。〈外見は立派だが―にと

ぼしい〉〈本の―が理解できない〉〈仕事の―を詳しく知りたい〉✎太宰治の『女生徒』に「美しさに、―なんてあってたまるものか。純粋の美しさは、いつも無意味で、無道徳だ」とある。「―物」として包みなどに入っている具体物をさすこともある。「形式」と対立。⇩実質・Ｑ中身

ないらん【内乱】 国内の騒乱をさして、会話にも文章にも使われる漢語。〈―が起こる〉〈―罪を適用する〉〈―を鎮圧する〉✎大規模な暴動に相当し、通常は政府に反乱する武力闘争をさす。国家間の争いでないため、そのままでは「戦争」に含まれない。⇩内戦

ナウい 今風で新鮮だの意で、ひところ盛んに使われた古めかしい造語。〈きょうはちょっと―格好をして出かける〉✎「今」という意の英語を日本語の形容詞のような活用語の形に変えた新造語。最初は「ナウだ」という形容動詞として使われたようで、それが「ナウい」に変わって流行し、それからかなり経過したのちに、すでに使われなくなっていた形容動詞の形で一部の辞典に登場した。現在では「ナウい」のほうもすっかり廃れ、中年以上の人々の耳にかすかな記憶として残っている程度である。まだいくらか使われている「ださい」の対義語に相当する俗語。英語の「ナウ」をそのまま日本語の中で使う試みも見られる。⇩いかす・Ｑはやり・流行

なえ【苗】 種から発芽して間もない草や木をさし、会話にも文章にも使われる和語。〈草花の―〉〈―を育てる〉⇩苗木

なえぎ【苗木】 樹木の苗をさして、会話にも文章にも使われる和語。〈―を植える〉〈―から育てる〉⇩苗

なお【尚(猶)】 「もっと」の意で、会話にも文章にも使われる、いくぶん古風な和語。〈それなら―ありがたい〉〈そちらは―悪い〉〈しょうがを加えると味が―引き立つ〉⇩Ｑさらに・もっと

なおさら【尚更】 一般にそれほどと思われていない事実をあげ、だから当然として以下を認めさせる場合に、会話にも文章にも使われる和語。〈予選を通過するだけでも難しいのだから、優勝となれば―大変だ〉✎「まして」と違い、単に「なおさらだ」で済ませることもできる。また、両者は機能が異なるため、「子供にも容易だから、まして大人には―容易だ」のように、「まして」と併用する例もある。⇩まして

なおざり【等閑】 物事を心をこめてやらずにほうっておく意で、改まった会話や文章に用いられるやや古風な和語。〈仕事を―にする〉〈―な返事〉✎漢字を当てると「とうかん」と読まれやすい。音の似た「おざなり」と混同されることもある。⇩いい加減・Ｑ疎《おろそ》か・ちゃらんぽらん・ないがしろ・忽《ゆるが》せ

なおす【直す】 あるべき状態に改める意で、会話にも文章にも広く使われる日常の和語。〈化粧を―〉〈答案を―〉〈時計を―〉〈機嫌を―〉〈癖を―〉✎太宰治の『女生徒』に「おふとんを―・してあげて、おふとんのすそのところをハタハタたたいてあげる」とある。⇩治す

なおす【治す】 治療する意に限定して会話でも文章でもよく使われる和語。〈病気を―〉〈虫歯を―〉✎遠藤周作の『海と毒薬』に「肺結核を―新方法」とある。⇩直す

なおる【治る】病気や怪我が癒えて元の状態に戻る意で、くだけた会話から硬い文章まで幅広く使われる日常の基本的な和語。〈怪我が―〉〈病気が―〉🖋森鷗外の『高瀬舟』に「どうせ―・りそうにもない病気だから、早く死んで少しでも兄きにらくがさせたい」とある。本格的な感じの「回復」と違い、ちょっと擦り剝《む》いた程度の傷の場合でもこの語を使って違和感がない。⇩Q癒える・回復・治癒・平癒

なおん　女を意味する昔の隠語。🖋「おんな」の「おん」と「な」を逆転させた語形。⇩女・すけ

なか【中】仕切り線より奥のほうをさし、くだけた会話から硬い文章まで幅広く使われる日常生活の基本的な和語。〈箱の―を確かめる〉〈家の―にとじこもる〉〈森の―を散策する〉〈雨の―を出かける〉〈心の―を忖度《そんたく》する〉🖋小沼丹の『後家横丁』に「自然の成行として、―に入ってカウンタアに向って椅子に尻を載せることになる」とある。対象を内部からとらえた感じの「内《ちう》」に対し、この語は客観的にとらえた感じが強い。⇩内①

ながい【永い】時間的な長さについて改まった挨拶や文章に用いられる、やや古風で詩的な感じも漂う和語。〈日が―〉〈―別れ〉〈―間のご愛顧〉🖋庄野潤三の『静物』に「湯タンポで火傷したのは―・くかかる」とある。「末―・くお幸せに」「―眠りに就く」のように、「長い」のうち時間的な長さを特に強調・美化して用いる表記。⇩長い

ながい【長い】長さ・距離・時間などの程度が大きい意で、くだけた会話から硬い文章まで幅広く使われる日常の最も基本的な和語。〈髪が―〉〈脚が―〉〈―橋〉〈―手紙〉〈話が―〉〈―目で見る〉〈―時間〉🖋井上ひさしの『ブンとフン』に「金魚のフンのようにただだ―だけの副題」とある。空間的にも時間的にも用いられる一般的な表記。⇩永い・長たらしい・長ったらしい

ながいき【長生き】人間や動物が平均寿命よりかなり長く生きる意で、くだけた会話から文章まで広くよく使われる日常の和語。〈丈夫で―する〉〈―の秘訣《ひけつ》〉〈―するといろんなことがある〉⇩長寿・Q長命

ながいも【長芋】山芋の栽培種の一つをさし会話にも文章にも使われる和語。〈―のさくさくとした食感〉⇩自然薯《じねんじょ》・とろろ芋・Q山芋

なかごろ【中頃】時間的な中間あたりの部分をさして、会話にも文章にも使われる和語。〈五月の―を予定する〉〈シーズンの―は込み合う〉🖋「中程」より広い。⇩中間・中盤・半ば・Q中程

ながしかく【長四角】「長方形」の会話的な表現。〈―の広さ〉🖋いくぶん子供じみた感じもある。⇩矩形《いくけ》・Q長方形・四角・四角形・四辺形

なかぞら【中空】「中天」の意で、主に文章中に用いられる古風で趣のある和語。〈月が―に浮かぶ〉🖋竹西寛子の『蟻と松風』に「―に無数の羅《う》の襞《すもの》を寄せ続けているような松風の音」とある。⇩Qちゅうくう・中天

なかたがい【仲違い】仲の良かった二人が何かのきっかけで急に仲が悪くなる意で、会話やさほど改まらない文章に使われる、いくぶん古風な和語。〈勝負事は―のもと〉〈友達と―する〉🖋田宮虎彦の『銀心中』に「嫂《あによめ》と―して、友達

をたよって東京に出ていた」とある。主に人間同士の関係で使う。「仲直り」と対立。⇩反目・Q不仲・不和

なかだち【仲立ち】互いに知らなかったり対立していたりする二者の間に立って良好な関係をつくるのに役立つ意で、会話やさほど硬くない文章に使われる、やや古風な和語。〈縁談の—〉〈交渉の—を務める〉「仲介」より漠然とした感じがある。⇩懸け橋・Q仲介・橋渡し

ながたちょう【永田町】東京都千代田区の地名。〈—の論理〉国会議事堂や首相官邸などがあるため、政界の象徴というニュアンスを帯びる。⇩Q霞ヶ関・兜町

ながたらしい【長たらしい】不快になるほど度を超えて長い意の和語。「長い」より若干会話的な感じの語。〈—スピーチ〉〈やたらに—作品〉〈—挨拶は抜きにして〉谷崎潤一郎の『鮫人』に「余り—く説明すると読者の迷惑」とある。単に長いだけでなく、内容に興味が持てず途中で飽きて嫌になるといった不快感を伴う。「—名前」のように、話や文章だけでなく一つの単語についても使える。井伏鱒二に『「槌ツァ」と「九郎治ツァン」は喧嘩して私は用語について煩悶すること』と題する小説がある。⇩散漫・冗長・冗漫・長い・長ったらしい

ながったらしい【長ったらしい】「長たらしい」の強調形で、主に会話に使われる。〈途中で飽きるほどやたらに—文章〉「冗長」「冗漫」が比較的客観的なマイナス評価であるのに対し、この語は不快感を前面に出した主観的な評価に感じられる。⇩散漫・冗長・冗漫・長い・Q長たらしい

ながっぽそい【長っ細い】「細長い」「長細い」の強調表現として、主に会話に使われる俗っぽい和語。〈—池〉〈やけに—棒〉⇩Q長細い・ひょろ長い・細長い

なかなおり【仲直り】不仲になった相手と、仲の良かった元の関係に戻る意で、会話やさほど硬くない文章に使われる和語。〈—のしるしに居酒屋で一杯やる〉〈喧嘩別れした友達と—する〉「和解」に比べ、ちょっとした喧嘩であまり長くない絶交期間のあとの個人的な関係について使う。「仲違い」と対立。宮沢賢治の『どんぐりと山猫』に「裁判ももうきょうで三日目だぞ。いいかげんに—をしたらどうだ」とある。⇩和解

なかにわ【中庭】屋敷内の建物で囲まれた比較的小規模な庭をさし、会話にも文章にも使われる和語。〈—に面した部屋〉「内庭《うちにわ》」より一般的。瀧井孝作の『積雪』に「障子に—の積雪の明りがうつった」とある。⇩Q内庭・坪庭

ながねん【永(長)年】長い年月の意で、くだけた会話から硬い文章まで幅広く使われる日常の表現。〈—の経験を生かす〉〈—の努力が実を結ぶ〉〈—住み慣れた家を手放す〉⇩Qえいねん・積年・多年

なかば【半ば】時間的・空間的な中間部分をさして、会話にも文章にも使われる和語。〈四月—に咲き出す〉〈道の—で引き返す〉「—出来上がる」「—諦める」のように、全体の半分ほどの意にも、「宴—に退席する」「志—にして病に倒れる」のように、単に途中の意にも用いるが、やや古風な感じになる。⇩中間・中盤・Q中頃・中程

ながほそい【長細い】「細長い」の意で会話にも文章にも使われる古風な感じの和語。〈—箱〉〈—四角〉「細長い」のほ

うが一般的・標準的。⇩長っ細い・ひょろ長い・Q細長い

なかほど【中程】時間的・空間的な真ん中あたりをさして、会話にも文章にも使われる和語。〈車輛の―〉〈レースの―でリードを奪う〉✎「中頃」より範囲が狭い。⇩Q中間・中盤・中頃・半ば

なかま【仲間】同じ団体の構成員や仕事を一緒にする相手や、いつも一緒に遊ぶ友達などの親しい間柄をさし、くだけた会話から文章まで幅広く使われる日常の和語。〈教師―〉〈―が集まる〉〈―に入る〉〈―を裏切る〉〈―に好かれる〉〈―割れ〉〈―はずれ〉〈―に加わる〉〈―に相談する〉✎森鷗外の『舞姫』の冒頭に「夜毎にここに集ひ来る骨牌《カルタ》―」が出てくる。「友人」以上に強い絆《きずな》が感じられて親しい雰囲気があり、小沼丹の『昔の仲間』も格別親しかった友人と一緒に旅した思い出である。⇩一味・Q同志・同僚・友・友達・味方・友人・僚友

なかまはずれ【仲間外れ】仲間に入れない状態をさし、会話や軽い文章に使われる和語。〈―にされる〉〈―にしていじめる〉✎結果としてそうなる場合と意図的にそうする場合とがある。⇩爪弾《つまはじ》き・Q除《の》け者

なかみ【中身(味)】中に入っている実質的な内容をさし、くだけた会話から文章まで幅広く使われる日常の基本的な和語。〈財布の―〉〈仕事の―〉〈頭の―〉〈話は面白いが―がほとんどない〉✎島崎藤村の『破戒』に「雑誌屋で一冊を買って取って、それを抱いて―を想像しながら下宿へ帰った」とある。「箱の―」のように、入れ物と分離できる例が多く、「実質」や「内容」より具体的。⇩実質・内容

ながめ【眺め】ある地点から見た風物のようすをさし、会話でも文章でも使われる日常生活の和語。〈―のいい部屋〉〈―を楽しむ〉〈屋上からの―がすばらしい〉✎三島由紀夫の『潮騒』に「―のもっとも美しいもう一つの場所は、島の東山の頂きに近い燈台である」とある。「庭の―」など、「景色」や「風景」を使うと大げさな感じになる、狭い範囲の対象でも自然な感じで用いられる。また、「景色」と違って、高層ビルが建ち並び高速道路の走る都市の人工美の場合にも使うことができる。「眺める」という動詞からの転成名詞だけに、対象そのものというより、人間が見る場所や方角が意識にのぼりやすく、「車窓からの」「丘の上からの」「南の方角の」といった限定を伴うこともある。⇩Q景色・光景・風景

ながめる【眺める】しばらく全体をぼんやり見ている意で、くだけた会話から硬い文章まで幅広く使われる日常の基本的な和語。〈庭を―〉〈遠くの山並みを―〉✎三島由紀夫の『美徳のよろめき』に「旅立ちの折に旅行者が、自分のうしろへ残してゆく風景に向って最後の一瞥を投げるように、それを―・めている」とある。「変わり果てた姿をまじまじと―」のように、じっと見つめる意の用法もある。⇩Q観察・凝視・見詰める

ながらぞく【ながら族】互いに無関係な二つの行為を同時にする人をさし、かつて流行し、今では古い感じになったユーモラスな俗っぽい造語。〈―だから、ラジオを聴きながらのほうが能率が上がる〉✎二つのことを同時に行う新しいタイプの人の出現に驚いて、あたかも異民族のように名づけ

たことば。かなりの誇張表現だが、「新人類」ほど大げさではない。ちなみに、「僕は—じゃないから、二つのことを同時にはしないよ」と言う相手に、「嘘つけ、この間、いびきかきながら寝てたじゃないか」と突っ込む笑い話もある。

ながれぼし【流れ星】「流星」の意で、会話やさほど硬くない文章に使われる、いくぶん抒情《じょじょう》的な和語。〈—に願いをかける〉〈—が飛ぶ〉⇩彗星《すいせい》・ほうき星・Q流星

ながれる【流れる】液体自体の移動、それに伴って物体が低い方向に運ばれる意で、くだけた会話から文章まで幅広く使われる日常の基本的な和語。〈川が—〉〈汗が—〉〈川面を木の葉が—〉✎「雲が—」のように空間の移動にも使う。川端康成の『雪国』に「踏みこたえて目を上げたとたん、さあと音を立てて天の河が島村のなかへ—・れ落ちるようであった」とある。「試合が—」「歳月が—」のような比喩的用法もある。

なかんずく【就中】同類の多い中でも特にの意で、改まった会話や文章に用いられる古風で硬い和語。〈年来の犬好きだが、—この一匹には目がない〉〈名品の多いこの美術館でも—これは貴重な逸品だ〉✎「中に就く」から。⇩ことに・特に・Qとりわけ

なきがお【泣き顔】泣いている顔の意で、会話にも文章にも使われる和語。〈叱られて—になる〉〈—を他人に見られる〉⇩泣きっ面《つら》・Q泣き面

なきがら【亡骸】「遺骸」の古風な和風表現。〈—に取りすがって泣き崩れる〉〈—を手厚く葬る〉✎堀辰雄の『大和路』に「山に葬られた貴いお方の—が、塚のなかで、突然深いねむりから(略)呼びさまされる」とある。その死者に対して敬意や親愛の情をこめて用いる。⇩Q遺骸・遺体・かばね・死骸・しかばね・死屍《しし》・死者・死体・しにん・しびと・むくろ

なぎさ【渚(汀)】波が打ち寄せるあたりをさし、主に文章中に用いられる、いくぶん古風な和語。〈—に憩う〉〈—をさまよう〉✎日常的な「波打ち際」に比べ、やや美化した感じがある。⇩磯・うみべ・沿岸・海岸・海浜・かいへん・岸・岸辺・Q波打ち際・浜・浜辺・みぎわ・水際・水辺

なきっつら【泣きっ面】「泣き面《づら》」を強めた、さらにぞんざいな表現。〈—を人前にさらす〉✎「—に蜂」という比喩的慣用句にも用い、「泣き面」ほど古い感じがしない。⇩泣き顔・Q泣き面

なきづら【泣き面】泣き顔の意で、くだけた会話などに使われる、古風でぞんざいな和語。〈—をかく〉〈—なんか見たくもない〉⇩Q泣き顔・泣きっ面

なきむせぶ【泣き咽(噎)ぶ】むせび泣く意で、主に文章中に用いられる和語。〈夜ごと—〉✎川端康成の『美しさと哀しみと』に「せきを切ったように—・んだ」とある。⇩嗚咽《おえつ》・忍び泣き・しゃくりあげ・すすり泣き・Qむせび泣き・むせぶ

なく【泣く】感情が極度に達して涙を流す意で、くだけた会話から硬い文章まで幅広く使われる日常の基本的な和語。〈しくしく—〉〈さめざめと—〉〈感極まって—〉〈人目もはばからず声を上げて—〉✎太宰治の『走れメロス』に「ひしと抱き合い、それから嬉し泣きにおいおい声を放って—・いた」という例が出てくるように、悲しみだけではなく、悔しさでも、このような喜びでも、さまざまな感情から生ずる。

⇩涙ぐむ・Q涙する・落涙

なく【鳴く】 獣や鳥や虫が声を発する意で、くだけた会話から硬い文章まで幅広く使われる和語。〈牛がモーと—〉〈朝から鳥が—〉〈秋になって虫が—〉鈴木三重吉の『桑の実』に「まだ早い蟋蟀《こおろぎ》が一匹、ひそひそと青白い糸を引くように—・いている」とある。獣や鳥には「啼く」とも書く。「啼」は本来、涙を流す「泣」に対し、声を出す場合に使い分けた。⇩いななく・Qさえずる・吠える

なぐさみ【慰み】 一時的に気を晴らすことをさし、会話にも文章にも使われる和語。〈—に花を植える〉〈—半分〉「慰め」が他人への働きかけなのに対し、これは基本的に自分自身のための行為。⇩憂さ晴らし・Q気晴らし・慰め

なぐさめ【慰め】 不幸に打ちひしがれた人の挫折感・喪失感・悲哀・孤独感をやわらげ励ますために言葉をかけたり物を贈ったりすることをさし、会話にも文章にも使われる和語。〈—の言葉をかける〉〈失意の友への—〉〈何の—にもならない〉〈せめてもの—〉⇩慰み

なぐさめる【慰める】 悲しみ・淋しさ・苦しさなどを紛らわせて相手の心をやわらげる意で、くだけた会話から硬い文章まで幅広く使われる日常の和語。〈不運な友人を—〉〈遺族を—〉夏目漱石の『坊っちゃん』に「余り気の毒だから「行く事は行くがじき帰る。来年の夏休には屹度帰る」と—・めてやった」とある。⇩Qいたわる・なだめる・ねぎらう

なくす【無くす】「失う」意で、会話やさほど硬くない文章に使われる日常的な和語。〈財布を—〉〈自信を—〉〈元も子も—〉〈交通事故を—〉〈先の望みを—〉小沼丹の『小さな手袋』に「買っても直ぐ—・しちゃうから、仕方が無いからまた買うんだ」とある。「無くする」という形でも使われ、いくらか新しい感じがある。「親を—」など、死別の意味では「亡くす」と書く。⇩失う

なくなる【亡くなる】「死ぬ」という意味のやわらかい丁寧な間接的な和語表現。〈祖母が昨夜—・りました〉〈病気で—〉〈父が—・って五年経つ〉三木卓の『隣家』に「六つで—・った長女の和子の写真をアルバムから剥がそうとしている」とある。死を忌む気持ちから、それを直接露骨に表すのを控え、姿を消してこの世に存在しなくなるという意味にとらえ直した婉曲《えんきょく》表現。落語の世界なら「なに？—・ったって？よく探したのか？」などといったトンチンカンな受け答えが出るほど、口頭表現では間接効果を発揮する。文字に書く場合、平仮名だけで「なくなる」とすれば同様だが、「無くなる」と書くと財布か何かが消え失せた感じになるため、たいてい「亡くなる」と書く。すると「亡」という漢字が明記されることで意味が死と直接結びつくため、それだけ間接性が減少する結果となる。⇩敢え無くなる・上がる②・あの世に行く・息が切れる・息が絶える・息を引き取る・往く・いけなくなる・永眠・往生・お隠れになる・落ちる②・おめでたくなる・帰らぬ人となる・くたばる・死去・Q死ぬ・死亡・昇天・逝去・斃《たお》れる・他界・長逝・露と消える・天に召される・儚《はかな》くなる・不帰の客となる・不幸がある・崩御・没する・仏になる・身罷《みまか》る・脈が上がる・空しくなる・藻屑となる・逝く・臨死・臨終

なぐる【殴る】 手や棒などで相手を強く打つ意で、会話でも文章でも幅広く使われる日常生活の和語。〈拳《こぶし》で思い切

り—〉〈近くにあった棒で—〉〈—蹴るの乱暴を働く〉✐夏目漱石の『坊っちゃん』に「よっぽど—・りつけてやろうかと思った」とある。「叩く」と違って親しみや善意から出ることはなく、相手に危害を加える意図が感じられ、それだけ衝撃も強い。⇩Q叩く・はたく・はる・ひっぱたく・ぶつ

なげうり【投げ売り】利益を度外視してでも急いで売る意で、会話や軽い文章に使われる和語。〈赤字覚悟の—に出る〉〈—同然の捨て値で家を処分する〉⇩売り出し・セール・叩き売り・Qダンピング・特売・バーゲン・安売り・廉売

なげかわしい【嘆かわしい】腹立たしく嘆かないでいられない意で、改まった会話や文章に用いられる和語。〈最近の世相は—限りだ〉〈ちょっとつまずくと仕事をすぐに投げ出すとはまことに—〉✐「情けない」や「みじめ」と違って自分以外の対象について用いるのが原則で、自分自身のことに用いると他人めかした感じで自嘲的な響きが出る。⇩だらしない②・Q情けない・ふがいない・みじめ

なげき【嘆(歎)き】深い悲しみをもらす意で、会話にも文章にも使われる和語。〈親の—〉〈—の声〉〈—の種〉✐中河与一の『天の夕顔』に「悲しみと怒りは、深い—に変った」とある。「悲しみ」自体ではなく、それが他人に察知できる形の言動に表す。⇩Q慨嘆・悲嘆

なげく【嘆(歎)く】深く悲しむ意で、会話にも文章にも使われる和語。〈身の不運を—〉〈若者の態度を—〉〈世の乱れを—〉✐谷崎潤一郎の『春琴抄』に「春琴女の不幸を—あまり知らず識らず他人を傷つけ呪うような傾きがあり」とある。⇩慨嘆・Q嘆ずる

なげすてる【投げ捨てる】物を投げて捨てる、捨て去るの意で、会話にも文章にも使われる和語。〈窓から—〉〈従来の方針を—〉〈プライドを—〉⇩おっぽり出す・投げ出す・Q放り出す・ほっぽり出す

なげだす【投げ出す】前に突き出す、放り出す、辞めるの意で会話にも文章にも使われる和語。〈脚を—〉〈職を—〉〈仕事を途中で—〉✐永井荷風の『雪解』に「銅貨がばらばらに—・したままになっているのは大方隠居の払った湯銭であろう」とある。「試合を—」「大金を—」のように「捨てる」の一用法としても、「足を—」のように勢いよく出す意にも使う。⇩おっぽり出す・捨てる・投棄・投げ捨てる・放棄・Q放り出す・ほっぽり出す

なげやり【投げ遣り】物事に心をこめず無責任なようすをさし、会話やさほど硬くない文章に使われる和語。〈—な態度〉〈仕事が—だ〉⇩Qいい加減・いけぞんざい・ぞんざい

なげる【投げる】手でつかんで遠くへ飛ばす意で、くだけた会話から硬い文章まで幅広く使われる日常生活の基本的な和語。〈石を—〉〈カーブを—〉〈的をめがけて—〉✐夏目漱石の『坊っちゃん』に「どやされたり石を—・げられたり」とある。比較的大ざっぱな「ほうる」に比べ、「投げる」の場合は何らかの意図を持って目標とする地点に向かって力を入れて放し、投げられたものも勢いよく飛んで行くようなイメージがある。⇩ほうる

なこうど【仲人】結婚の仲介人の意で、会話やさほど改まらない文章に広く使われる日常の和語。〈頼まれ—〉〈—に立てる〉〈教え子同士の結婚の—を務める〉⇩媒酌人

なごり【名残】 影響・余韻・心残りなどの意で、改まった会話や文章に用いられる、古風でしっとりとした感じの和語。〈―の雪〉〈―を惜しむ〉〈―は尽きない〉〈昔の―をとどめる〉✎永井荷風の『つゆのあとさき』に「あまり―を惜しむような様子を見せて、無理に引留められても困るし」とある。⇩余波《なごり》

なごり【余波】 風が静まった後も立っている波の意で、会話でも文章でも使われる和語。〈台風の―〉✎「よは」と読まれやすいので仮名書きが無難。⇩名残

なさけ【情け】 他人、特に弱者に同情し親切にしようとする気持ちをさし、会話にも文章にも使われる、いくぶん古風な和語。〈人の―〉〈―をかける〉〈―にすがる〉〈―が仇《あだ》となる〉✎島崎藤村の『破戒』に「人々の―に見送られて蓮華寺の門を出た」とある。なお、「―を交わす」として男女の肉体関係をさす婉曲《えんきょく》表現もあるが、古めかしい感じが漂う。⇩情・同情・Q人情

なさけない【情け無い】 みじめでがっかりする意で、会話やさほど改まらない文章に使われる和語。〈―気分になる〉〈子供の成績が悪く親としても―〉〈体が言うことを聞かず我ながら―〉✎夏目漱石の『坊っちゃん』に「食いたい団子の食えないのは―」とある。⇩だらしない②・嘆かわしい・ふがいない・Qみじめ

なさけぶかい【情け深い】 他人に対して親切で思いやりの心が深い様子をさし、会話にも文章にも使われる、やや古風な感じの和語。〈―人〉〈―扱い〉✎行為自体に焦点のある「親切」に比べ、行為の奥にある心に焦点があたっている。⇩親切・Q優しい

なし【無し】「存在しない」という意味の文語的な表現。〈恐いもの―〉〈賞罰―〉〈異議―〉〈見るべき成果―〉✎「あり」と対立。

なじむ【馴染む】 慣れてしっくり来る、慣れ親しむ、そぐうといった意味合いで、会話にも文章にも幅広く使われる和語。〈手に―〉〈耳に―〉〈都会の空気に―〉〈職場に―〉〈オノマトペは条文には―・まない〉✎「馴れ染む」の転という。人や動物に限る「なつく」と違い、土地や風景や店や飲食物など幅広く使う。⇩合う・親しむ・Q慣れる

なじる【詰る】 相手を問い詰める形で非難する意で、会話にも文章にも使われる和語。〈相手の非を―〉〈―ような物言い〉✎三浦哲郎の『忍ぶ川』に「志乃は、むしろ―ような目で、私をにらんでつよくいった」とある。悪口を言うだけの「そしる」に比べ、面と向かって責め立てる感じが強い。⇩Qそしる・ののしる

なす【生す】 子を生む意で、きまった言いまわしに限定的に用いられる古語的な和語。〈子を―〉〈―・さぬ仲〉⇩為す・Q成す

なす【成す】 作り上げる、やりとげる意で、主に文章に用いられる、硬い感じの古めかしい和語。〈名を―〉〈財を―〉〈群れを―〉〈意味を―・さない〉✎大岡昇平の『野火』に「確然たる一線を―・したお供餅のような雲」とある。⇩Q為す・生《な》す

なす【為す】 行為をする意で、主に文章に用いられる、硬い感じの古語的な和語。〈―すべがない〉〈―ところを知らな

い〉〈相手の―がまま〉〈―・せば成る〉✎大岡昇平の『野火』に「―ところなくその日を送っていた」とある。⇩Q成す・生《な》す

なす【茄子】夏野菜の紫紺の実をさし、会話でも文章でも幅広く使われる一般的な日常語。〈焼き―〉〈―の浅漬け〉✎角田房子の『茄子』に「露を含んだ―紺の鮮やかな色、口中にひろがるさわやかな香気、これらを愛でるのは、日本人独特の感覚」とある。⇩なすび

なすび【茄子】「なす」の古風な呼び名。〈初―〉〈―歯〉〈親の意見と―の花は千に一つも徒《あだ》はない〉✎村上龍の『紋白』に「女の乳首にゴム輪が巻きつけられて乳首が―みたいになっていた」という比喩表現が出る。⇩なす

なぜ【何故】原因・理由が不明な場合にそれを問うのに、会話でも文章でも使われる和語。〈―黙っている?〉〈―途中でやめるのだ〉〈―かは知らない〉✎小沼丹の『懐中時計』に「じゃ、―見せないんだい? 買主は品物を見てから買うものだろう」とある。漢字表記は「なにゆえ」と読まれやすい。「なにゆえ」ほど古風な感じはなく、「なんで」はもちろん「どうして」よりも改まった感じがある。⇩Qどうして・なにゆえ・なんで

なぞ【謎】実体のつかめない不思議な現象や出来事をさし、くだけた会話から硬い文章まで幅広く使われる和語。〈宇宙の―〉〈―の物体〉〈―をかける〉〈―を解く〉〈―に包まれる〉〈―を秘める〉✎小林秀雄の『モオツァルト』に「―は解いてはならぬ。解けるものは―ではない」とある。「何ぞ」の転。⇩怪奇・Q神秘・ミステリー

なぞらえる【擬(準)える】あることを説明する際に、それと何らかの共通点のある他のものに仮に置き換えてわかりやすく伝える意で、会話にも文章にも使われる、いくぶん古風な和語。〈人生を旅に―〉〈人の一生を山登りに―〉✎「たとえる」と違い、そのイメージを強調する意図はない。⇩たとえる

なぞる そっくり書き写す、真似るの意で、会話にも文章にも使われる和語。〈点線を―〉〈前人の作風を―〉✎丸谷才一の『横しぐれ』に「そんなわたしの気持を―ようにしてつぶやいた」とある。⇩Qまねる・模倣

なた【鉈】幅が広く短く厚い刃のついた鉄片に木製の柄のついた道具をさして、会話にも文章にも使われる和語。〈―で薪《まき》を割る〉✎片手に持って立ち木の枝を払ったり薪を割ったりする際に用いる。「大―をふるう」の形で、思い切った処置を取る意を表す比喩的用法もある。⇩おの・Qまさかり

なだかい【名高い】世間にその名が知れ渡っている意で、会話にも文章にも使われる、いくぶん古風な和語。〈―山〉〈名医として―〉✎「悪賢いので―」「―凶悪犯人」のように明らかなマイナス評価に用いると違和感がある。⇩高名・著名・Q有名・雷名

なだめる【宥める】怒ったり悔しがったりする人を慰めて感情をやわらげる意で、会話にも文章にも使われる和語。〈負けて悔しがっている相手を―〉〈いきりたつ仲間を―〉✎三島由紀夫の『潮騒』に「神のお怒りを―にはどうしたらいいでしょうか」とある。もと、「なだらかにする」意という。⇩いたわる・Qなぐさめる・ねぎらう

ナチュラルチーズ 加熱処理をしないで作ったチーズをさす最近の和製英語。〈空輪の―〉

なつ【夏】 春と秋の間にあり、太陽が照りつけ草木が生い茂る暑い季節をさし、くだけた会話から硬い文章まで幅広く使われる日常の基本的な和語。〈―向きの家〉〈―の避暑地〉〈―の日盛り〉〈―の入道雲〉〈花火は―の風物詩〉〈今年の―はしのぎやすい〉🖉太宰治の『葉』に「これは―に着る着物であろう。―まで生きていようと思った」とある。⇩サマー

なついん【捺印】「押印《おういん》」と同じ意味で、改まった会話や文章に用いられる硬い漢語。〈契約書に署名―する〉🖉手で押さえつける意の「捺」の字面から、時に丁寧に押すようなイメージを伴う。⇩押印

なつかしい【懐かしい】 前に親しんだ時代・場所・人などにしきりに心を引かれる意で、くだけた会話から硬い文章まで幅広く使われる日常の基本的な和語。〈―ふるさと〉〈昔―駄菓子〉〈あの頃が―〉〈―顔が見える〉🖉小沼丹の『椋鳥日記』に「往来に蹄の音を聞くと、失ったものが甦る気がして―・かった」とある。「慕わしい」と違って対象が人間とは限らず、「恋しい」より幅広い対象に使う。⇩郷愁・恋しい・慕わしい・なつかしさ・ノスタルジア・ノスタルジー

なつかしさ【懐かしさ】 過去になじんだ対象に心ひかれる思いをさし、くだけた会話から硬い文章まで幅広く使われる日常の基本的な和語。〈ふるさとの―〉〈―を禁じえない〉🖉中野重治の『むらぎも』に「不幸を共にしたことで逆に―が湧いてくる」とある。⇩Q郷愁・なつかしい・ノスタルジア・ノスタルジー

なづける【名付ける】 人・物・組織などに名前をつける意で、やや改まった会話や文章に用いられる和語。〈両親から一字ずつ取って娘を一枝と―〉〈丘の上の喫茶店、―・けてモンマルトルという〉🖉夏目漱石の『坊っちゃん』に「どうです教頭、是からあの島をターナー島と―・け様じゃありませんか」とある。⇩ネーミング・Q命名

なっとく【納得】 他人の考えや行為を理解して認める意で、会話にも文章にも使われる漢語。〈―ずくで〉〈―が行く〉〈どうもその点が―できない〉🖉大岡昇平の『俘虜記』に「遂に自分がここで死ななければならないことを―した」とある。「了承」より内面的で私的な事柄に使う例が多く、積極的な賛成まで達しないニュアンスでも使う。⇩得心・了承

なっぱ【菜っ葉】 葉を食べる野菜をさし、会話や硬くない文章に使われる日常の和語。〈―のお浸し〉〈畑から―をつまんで来る〉🖉高村光太郎の詩『道程』に「青物市場に―の山」とある。⇩菜

ナップザック 日帰りのハイキング程度に適するように小型化したリュックサックをさし、会話にも文章にも使われるドイツ語からの外来語。〈―姿で森を散策する〉🖉商標名から。⇩デイパック・背嚢《はいのう》・ランドセル・Qリュックサック

なつメロ 「なつかしのメロディー」の短縮形。かなり普及している俗語。〈―番組〉🖉思いがけない大胆な略し方に滑稽な響きを感じさせることもある。「一般教育科目」の「パンキョー」、「アジア太平洋研究科」の「アジ平」なども同様。「キョブタ」とはどんな豚かと思ったら「清水の舞台から飛

び降りる」の略だという。この調子だと、そのうちに「トラタヌ」や「アワコジ」などの例が笑いを誘うことにもなりかねない。

なでる【撫でる】対象に手のひらを軽く触れた状態でやさしく動かす意で、くだけた会話から硬い文章まで幅広く使われる日常の生活和語。〈子供の頭を—〉〈指を濡らして乱れた髪を—・でて整える〉〈そよ風が頬を—〉✎高見順の『如何なる星の下に』に「面の皮でも剝ぐような乱暴さで、ずるずると顔を—・でおろした」とある。反復動作の「さする」と違って、一回だけの場合でも使える。⇩さする

ななめ【斜め】ある基準となる線や面に対して垂直でも平行でもなく傾いている意で、くだけた会話から硬い文章まで幅広く使われる日常の基本的な和語。〈—前方〉〈道を—に横切る〉〈夕日が—に差し込む〉✎幸田文の『おとうと』に「雨と葉っぱは煽られて—になるが、すぐまたまっすぐになる」とある。「世間を—に見る」のように、一般の人と違った角度から眺める意の比喩的用法もある。⇩すじかい・Ｑはす・はすかい

なにか【何か】正体も原因・理由もはっきりしないが何となくの意で、会話や硬くない文章に使われるやわらかいタッチの和語。〈—変だ〉〈—元気がない〉✎永井龍男の『蜜柑』に「私が、—切なさのようなものを感じたのは、女が細い手袋の指を、一本一本しごくように、念入りにはめている横顔を見た時だった」とある。⇩何だか

なにげない【何気無い】特に意図もなく無意識にの意で、会話や硬くない文章に使われる日常の和語。〈—そぶり〉〈—一言が相手の心を傷つける〉〈—・くのぞいてみる〉⇩さりげない

なにゆえ【何故】「なぜ」の意で、改まった文章に用いられる古めかしく硬い感じの和語。〈人生は—かくもはかないのか〉〈—このような結果が生じたのであろうか〉⇩どうして・Ｑなぜ・なんで

なびく【靡く】風に吹かれたりして横になって揺れる意で、会話にも文章にも使われる和語。〈旗が風に—〉✎竹西寛子の『兵隊宿』に「鬣《たてがみ》だけでなく、尻尾の先まで風に—・かせた」とある。「時の権力者に—」「美人に—」のように、しっかりとした信念もなく心をひかれる意の比喩的用法もあり、その場合は俗っぽい感じに響く。⇩揺らぐ・揺れる

なま【生】食品を乾したり熱を加えたりしないそのままの状態をさし、くだけた会話から硬い文章まで幅広く使われる日常の基本的な和語。〈—菓子〉〈—卵〉〈—野菜〉〈—で食べる〉〈—のまま〉✎夏目漱石の『坊っちゃん』に「刺身も並んでるが、厚くって鮪の切り身を—で食うと同じ事だ」とある。食品以外にも「—原稿」「—の声」のように用い、テレビなどで録画や録音でないものを「—放送」「—出演」などと呼ぶ比喩的用法もあり、派生的用法には俗っぽさが残る。⇩新鮮・Ｑ生鮮

なまいき【生意気】実力に似合わず偉そうにふるまう意で、くだけた会話から文章まで広く使われる日常の表現。〈—盛り〉〈—な奴だ〉〈—な態度〉〈—にもこんなまねをしやがった〉✎夏目漱石の『坊っちゃん』に「そんな—な奴は教えないと云ってすたすた帰って来てやった」とある。⇩利い

た風・Q小賢しい

なまえ【名前】姓か姓名、または、姓を除く個人名のみをさして、会話にも文章にも使われる日常の基本的な和語。〈—負け〉〈子供の—〉〈—を呼ぶ〉〈お—は?〉✎夏目漱石の『明暗』に「二人の間に伏せ字のごとく潜在していたお延という—」とある。「委員会の—」「昆虫の—」「果物の—」「店の—」「本の—」のように、人名以外にも幅広く使う。⇩氏名・姓名・Q名

なまがし【生菓子】水分が多く日持ちのしない菓子をさし、会話にも文章にも使われる表現。〈煉《ね》り切りは高級—の典型〉✎洋菓子ではクリーム類、和菓子では餡《あん》を主体としたものが多いが、洋菓子では「ケーキ」という語が別にあるため、主として大福・団子・饅頭《まんじゅう》・羊羹《ようかん》などの和菓子を連想させやすい。⇩ケーキ・南蛮菓子・洋菓子・Q洋生《ようなま》

なまける【怠(懶)ける】労を惜しんで仕事や勉強をきちんとこなさない意で、会話にも文章にも広く使われる日常の和語。〈勉強を—〉〈仕事中に—〉✎梅崎春生の『桜島』に「皆、あまり働かないで、—・けたり、ずる寝をしたがる傾きがあるが、戦争に勝てば、いくらでも休めるじゃないか」とある。手をつけない場合、非能率にだらだらやる場合、やっている途中で一定時間中断する場合など、形は多様。⇩Qおこたる・サボる・ずるける

なまじ【慭】中途半端にあることを行ったためにかえって悪い結果になるような場合に、会話にも文章にも使われるやや古風な和語。〈—高等教育を受けたばかりに〉〈—細工をしたせいで〉〈—まったく教えないほうが〉⇩なまじっか

なまじっか【慭っか】「なまじ」の意の俗っぽい口頭表現。〈—なことは言えない〉〈—ちょいとばかし知識があったばかりに〉⇩なまじ

なまっちょろい【生っちょろい】「手ぬるい」意の俗語。くだけた会話や、そういう調子で書く文章に現れる。〈やり方が—〉〈鍛え方がまだまだ—〉✎「なま」は不十分で物足りない気持ちを添える。⇩生ぬるい

なまぬるい【生温い】熱いものが冷めかかったり冷たいはずのものが冷たくなくなったりして不適当な温度である意で、会話やさほど硬くない文章に使われる和語。〈—サイダー〉〈冷めて—・くなったラーメン〉✎その中途半端な温度を不快に思う感じが単なる「ぬるい」以上に強い。「—処置」のように「手ぬるい」意の比喩的用法もある。⇩ぬるい

なまめかしい【艶めかしい】女の容姿やしぐさなどがその性的な魅力で男に悩ましい気持ちを起こさせる意で、会話やさほど硬くない文章に使われる和語。〈—寝乱れ姿〉〈—姿態に思わずそそられる〉✎「色っぽい」に比べ、個々の表情やしぐさよりも全体的な雰囲気について用いる傾向が見られる。⇩あだっぽい・婀娜《あだ》な・色っぽい・Q艶っぽい・妖艶

なみ【波(浪・濤)】風や震動などによって海・湖・川などに生ずる水の表面の起伏をさし、くだけた会話から硬い文章まで幅広く使われる日常の基本的な和語。〈—が立つ〉〈—が荒い〉〈—が打ち寄せる〉〈—に乗る〉〈—とたわむれる〉✎夏目漱石の『坊っちゃん』に「—は全くない。是で海だとは受け取りにくい程平だ」とある。阿川弘之の『夜の波音』には「心にかぶさるような—の音」とある。「波浪」や「波濤《はとう》」

と違い、さざ波から大波までの総称。「好不調の―」「成績に―がある」のように、変化が激しく安定しない意の比喩的用法もある。⇩荒波・波濤・Q波浪

なみ【並み】普通程度、中ぐらいの意で、会話や硬くない文章に使われる日常の和語。〈―の大きさ〉〈―の成績〉〈鮨《すし》の―を四人前注文する〉⇩普通

なみうちぎわ【波打ち際】波が打ち寄せるあたりの陸地をさし、会話にも文章にも使われる日常の和語。〈―に立つ〉〈―で遊ぶ〉⇩磯・うみべ・沿岸・海岸・海浜・かいへん・岸・岸辺・Qなぎさ・浜・浜辺・みぎわ・水際・水辺

なみき【並木】道路や神社の参道などに沿って両側に植え連ねた木をさし、会話にも文章にも使われる日常の和語。〈―道〉〈ポプラ―〉〈東海道の松―〉✎林芙美子の『浮雲』に「淡い灰色の御所の建物が、雨に煙り、―の黒い塊が、如何にも外国の絵でも見るように、新鮮だった」とある。⇩Q街路樹・木立

なみだ【涙】悲しみや悔しさ、あるいは極度の喜びなど人間の感情が昂《たか》ぶったときなどに涙腺から分泌される透明な液体をさし、くだけた会話から硬い文章まで幅広く使われる日常の基本的な和語。〈―がにじむ〉〈―をこらえる〉〈―にむせぶ〉〈―がこぼれる〉〈泣きの―で別れる〉✎梅崎春生の『桜島』に「突然瞼を焼くような熱い―が、私の眼から流れ出た。拭いても拭いても、それはとめどなくしたたり落ちた。風景が―の中で、歪みながら分裂した」とある。⇩涕涙《ているい》

なみだぐむ【涙ぐむ】目に涙を浮かべる意で、会話にも文章にも使われる和語。〈話を聞きながら―〉✎芝木好子の『湯葉』に「白い手拭に滲みでた血の色を見ていて、―・んだ」とある。目が涙に濡れて光る程度で、こぼれる前の段階。⇩泣く・Q涙する・落涙

なみだする【涙する】涙を流す意で、主に文章に用いられる、古風でやや詩的な和語。〈当時を振り返って思わず―〉⇩Q泣く・涙ぐむ・落涙

なみはずれる【並外れる】普通の程度を大きく外れる意で会話や硬くない文章に使われる和語。〈―・れて背が高い〉〈―・れた腕力〉⇩群を抜く・Q図抜ける・ずば抜ける・飛び抜ける・抜きん出る・抜群

なめらか【滑らか】表面がすべすべして摩擦が少ない状態をさし、会話にも文章にも使われる日常の和語。〈表面が―だ〉〈―な肌〉✎永井荷風の『腕くらべ』に「その肌の―さいくら抱き〆めて見ても抱き〆るそばからすぐ滑りぬけて行きそうな心持」とある。「指が―に動く」「―に弁舌を揮う」のように、摩擦や抵抗がなくて滞らず思うように動く様子をさす比喩的な用法もある。⇩円滑・流ちょう

なめる①【嘗（舐）める】舌の先で触れる意で、くだけた会話から文章まで幅広く使われる日常生活の和語。〈舌でぺろりと―〉〈唇を―〉〈飴《あめ》を―〉〈傷口を―〉✎夏目漱石の『坊っちゃん』に「余計な事を言わずに絵筆でも―・めて居ろ」とある。高樹のぶ子の『遠すぎる友』には「小指を口に含んだ。針を―・めたような味」とある。「苦汁を―」「辛酸を―」のように経験する意で用いる場合は古風で文章語的。⇩しゃぶる　②【舐める】相手の力を過小評価して甘く見る

意で、くだけた会話に使われる俗っぽい和語。〈相手を―・めてかかる〉〈―・めたまねをしやがって〉⇩あなどる・軽蔑・さげすむ・見下す・Qみくびる・見下げる

なやみ【悩み】 克服できずに困っている精神的苦痛をさし、会話にも文章にも使われる日常の和語。〈恋の―〉〈それが―の種だ〉〈―が尽きない〉〈―を打ち明ける〉〈永年の―を解消する〉「思い悩む」に比べ、対象が具体的に絞られている感じが強い。川端康成の『古都』に「心をよそにうしなうような時があって、気がつくとやはりそれは、―のためのようであった」とある。獅子文六の『沙羅乙女』には「泥沼に墜ちたようなこの頃の―」とある。⇩懊悩《おうのう》・苦痛・Q苦悩・苦悶・苦しみ・煩悶・憂悶

なやむ【悩む】 どうしていいかわからずに困って心を傷める意で、会話にも文章にも広く使われる和語。〈恋に―〉〈進路に―〉〈持病に―・まされる〉〈職場の人間関係に―〉谷崎潤一郎の『春琴抄』に「春琴も亦同じ思いに―・んだであろう」とある。⇩Q思い悩む・思い煩う・煩悶・悶える・憂悶

ならう【習う】 知識や技術を身につけるために指導を受けたり繰り返し練習したりする意で、くだけた会話から文章まで幅広く使われる日常の和語。〈先生に古文を―〉〈生け花を―〉〈ピアノを―〉〈昔―・った先生〉「前例に―」のように「従う」「まねる」意では「倣う」と書く。⇩Q教わる・学ぶ

ならずもの【ならず者】 悪事も平気でやる乱暴者の意で、会話にも文章にも使われる古風な和語。〈街の―〉〈手のつけられない―〉どうにもならない者という意味から。「破落戸」と漢字を当てることもある。⇩Qごろつき・ちんぴら・無頼漢・暴力団・無法者・やくざ・与太者

ならびに【並びに】 名詞などの並列におけるつなぎ役として「及び」に類する働きをし、改まった会話や文章に用いられる和語。〈現住所―電話番号〉〈大学の学生及び教授、―、中学の生徒及び教諭〉単独使用では「及び」より改まった感じが強い。他と併用する場合は、「と」「及び」「並びに」の順に次第に大きな結びつきを担当して、「鯛と平目、及び、鰹と鮪、―、烏賊《いか》と蛸《たこ》、及び、浅蜊《あさり》と蜆《しじみ》」のように用いるのが通例。なお、「囲碁及び将棋、―マージャン」の形の並列では、「及び」による連結のほうが同類で同等の扱い、「並びに」以下はあとから追加した感じになり、それだけ軽い扱いとして伝わりやすい。⇩及び

ならぶ【並ぶ】 複数の人や物が列をなす形で近くに位置する意で、くだけた会話から硬い文章まで幅広く使われる日常の基本的な和語。〈人が一列に―〉〈店が―〉〈看板が―〉〈豪華な料理が―〉〈―・んで写真を撮る〉「この技術に関しては彼と―者がいない」のように同等・互角という意味で使うこともある。⇩Q連なる・列する

ならべる【並べる】 積み重ねないで平面に一つずつ置く意で、くだけた会話から硬い文章まで幅広く使われる日常の基本的な和語。〈肩を―〉〈机を―・べて勉強する〉〈食卓に皿を―〉〈本を三列に―〉夏目漱石の『吾輩は猫である』に「いやに高慢ちきな、きいたふうの事ばかり―・べていたので、始終それを聞かされた主人は、全くこの点に立腹したものと見える」とある。「連ねる」と違い、必ずしも一列で

なくてもよい。「排列」と同様、「五十音順に―」のように一定の基準で行うこともあるが、それは必須ではない。また、「理屈を―」「証拠を―」「欠点を―」のように、同じ事を次々に行う意でも用いる。⇩Q連ねる・排列

ならわし【習(慣)わし】 個人や社会が前から繰り返し行って固定化したやり方をさし、改まった会話や文章に用いられる古風な和語表現。〈世の―〉〈初詣という昔からの―〉〈お歳暮を贈る―〉✎川端康成の『抒情歌』は「死人にものいいかけるとは、なんという悲しい人間の―でありましょう」と始まり、「悲しい人間の―にならって、こんな風に死人にものいいかけることもありますまいに」として一編が結ばれる。⇩慣習・慣例・Qしきたり・習慣・風習

なり 体の外見の意で、主に会話に使われる古風な和語。〈―は大きくてもまだ子供だ〉✎宇野千代の『おはん』に「花街《いろまち》で客稼業《しょうばい》してる女《おなご》の恰好かと思いますほど、もう、竈《かま》の中から出てきたような―」とある。「形」や「態」の漢字をあてることもあるが、振り仮名がないと読みにくい。「派手な―で出かける」のように、装いを含めてさす用法もある。⇩Q体つき・図体《ずうたい》・背恰好・体格・体軀《たいく》・身なり

なり【也】「である」意の文語的な表現。〈一円―、二円―〉〈本日は晴天―〉〈金五百万円―、確かに受け取りました〉

なりきん【成金】 急に金持ちになった人をさし、会話や改まらない文章に使われることば。〈―趣味〉〈土地―〉✎もとは将棋用語で、「歩兵《ふひょう》」が敵地に入って「成り」、とたんに「金将」と同等の強さになった駒の意。それを拡大して「急に金持ちになった人」の意味に用い、今ではほとんど比喩性を感じさせない。

なりたつ【成り立つ】 成立する意で、会話にも文章にも広く使われる和語。〈推測が―〉〈そういう考え方も―〉〈経営が―・たない〉〈こんな安月給では生活が―・たない〉✎夏目漱石の『草枕』に「一種の関係が―・ったとするならば」とある。⇩成立

なりふり【形振り】 身なりや態度・振る舞いをさし、会話や硬くない文章に使われる、いくぶん古風な和語。〈―なんかかまっていられない〉〈―を気にする〉✎太宰治の『富嶽百景』に「井伏氏は、人の―を決して軽蔑しない人であるが」とある。「―構わず」の形で、他人の目など気にかける余裕のない意を表す例が多い。⇩Qなり・身なり

なりゆき【成り行き】 物事が移り進んでゆく過程・経過・結果などをさし、会話やさほど硬くない文章に使われる和語。〈そうなるのが自然の―〉〈―に任せる〉⇩時勢・時流・Q趨勢《すうせい》・風潮

なりわい【生業】 生活していくための仕事をさし、会話にも文章にも使われる古風な和語。〈物書きを―とする〉〈庭造りを―とする〉✎公務員や会社員などのサラリーマンについては通常用いない。⇩仕事・商売・職・Q職業

なる【生る】 植物に実ができる意で、会話や軽い文章に使われる和語。〈実が―〉〈みかんがたくさん―〉⇩実る

なる【鳴る】 音が出る意で、くだけた会話から硬い文章まで幅広く使われる日常の和語。〈ベルが―〉〈おなかが―〉✎川端康成の『雪国』に「雪の―ような静けさが身にしみて、それは女に惹きつけられたのであった」とある。⇩轟《とどろ》く・

Q響く

なるたけ【成る丈】「なるべく」の意で、主として会話に使われる古風な和語。〈—消化のいいものを食って〉〈—怒らせないようにうまくやってくれ〉⇩できるかぎり・できるだけ・Qなるべく

なるべく【成る可く】可能な限りの意で、会話にも文章にも使われる和語。〈—早く仕上げてほしい〉〈—早めに提出するようにしている〉✎自分にできる範囲で最大の努力をする場合に用いる。⇩Qできるかぎり・できるだけ・なるたけ

ナレーター ドラマなどで筋の進行などを説明する役の人をさし、会話でも文章でも使われる外来語。〈テレビドラマの—を務める〉⇩語り手

なれる【慣れる】順応・熟練の意で、会話でも文章でも広く使われる日常の和語。〈仕事に—〉〈職場に—〉〈—・れない手つき〉✎庄野潤三の『静物』に「父親はもうずっとそんな具合にやって来たのだ。そうして、子供の方でもそれに—・れている」とある。「生徒が先生に—」「よく人に—・れた犬」のように、なじむ、なつくという意味合いでは「馴れる」、「—・れて礼を失する」「—・れた口を利く」のように、なれなれしい意では「狎れる」、「漬物が—」「魚が酢に—」のように、熟成したという意味合いや、「—・れた洋服」のように、長く着用して体になじむといった意味合いでは「熟れる」とあえて書き分けることもあるが、表外字や表外訓を用いたこれらの表記はいずれも古い印象を与えやすい。⇩親しむ・馴染む

なわ【縄〔繩〕】藁《わら》などを縒《よ》り合わせて作る細長い紐《ひも》状のものをさし、会話にも文章にも使われる和語。〈しめ—〉〈—を綯《な》う〉〈—で縛る〉✎現在「—跳び」に用いるビニール製の紐は、材質としては「縄」と呼べないが、慣用としてそう呼んでいる。⇩綱・Q紐《ひも》・ロープ

なわばり【縄〔繩〕張り】勢力範囲をさし、会話にも文章にも使われる、やや古風な和語。〈—争い〉〈—を荒らす〉✎地面に縄を張って境界線を定めたことから。建築上の専門語のほか、やくざや動物についても使われてきた。「分野」「領域」の意でも使われ、その場合は俗語的な響きが伴う。⇩分野・領域・Q領分

なんぎ【難儀】難しくて面倒で苦労する様子をさし、会話にも文章にも使われる古風な漢語。〈—な仕事〉〈収入が少なく暮らすだけでも—をしている〉✎「—をかける」のように相手に与える肉体的負担をさすこともある。小川洋子の『夕暮れの給食室と雨のプール』に「冬の雨も、雨に濡れた長靴も、玄関に寝そべる犬も、—といえば—」とある。⇩Q苦難・苦労・困難・難しい

なんきん【軟禁】外出や外部との交渉を禁止または著しく制限する程度の軽い監禁をさし、会話にも文章にも使われるいくぶん専門的な漢語。〈—状態にある〉⇩Q監禁・拘束・束縛・閉じ込める・幽閉

なんきんまめ【南京豆】「ピーナツ」の伝統的な呼称である「落花生」よりさらに古めかしいことばで、もはや死語になりかけている感がある。〈突き出しの—を口に放り込む〉✎小津安二郎監督の映画『彼岸花』に、バーのスタンドに腰掛けた高橋貞二の演ずる客が「安くても自分のゼニで飲む方

がうめえや。オ、―来てねえぞ。―」と突き出しを催促する場面がある。「銭」とともに昭和中期にはまだ盛んに使われていた。三つのことばが共存していた過渡期には、殻付きのままのを「南京豆」、殻が取れて薄皮の付いた状態のものを「落花生」、薄皮も取れて特にバター風味のものを「ピーナツ」というふうに、状態によって呼び分けることもあったようである。⇩ピーナツ・Q落花生

なんくせ【難癖】無理やり他人のちょっとした欠点を取り上げて強引に非難する際に、主に会話で使う俗っぽい表現。〈―をつける〉⇩Q言い掛かり・いちゃもん・因縁②

なんこう【軟膏】脂肪・ワセリン・グリセリンなどと練り合わせて塗りやすくした外用薬をさし、会話にも文章にも使われる、やや専門的な漢語。〈傷口に―を塗る〉⇩膏薬《こうやく》

なんじゃく【軟弱】①軟らかくて弱い意で、やや改まった会話や文章に用いられる漢語。〈地盤が―だ〉〈―な学生〉〈―な態度〉✎「強固」と対立。⇩軟らかい ②意志が弱く態度がしっかりしない意。非難めいた響きで、会話でも文章でも広く使われる、やわらかい感じの漢語。〈―な態度〉〈―な若者〉〈―な外交姿勢〉✎意味としては女性にもあてはまるが、本来軟弱であるべきでないとされてきた男性を批判するときに多く用いられた関係で、この語は「弱々しい」などとは異なり、何となく男を連想させる傾向がある。⇩かよわい・弱小・弱体・ひよわ・弱い

なんだい【難題】解くのが困難な難しい問題や解決しがたい課題をさし、やや改まった会話や文章に用いられる漢語。〈数学の試験での最大の―だ〉〈―が持ち上がる〉〈―と取り組む〉✎「無理―」「―をふっかける」のように、無理な要求の意にも使い、「難問」に比べて困惑した感じに重点がある。⇩難問

なんだか【何だか】原因や理由が思い当たらないのになぜかといった意味合いで、会話や軽い文章に使われる和語。〈―妙な具合だ〉〈―急に欲しくなる〉〈―気がすまない〉✎夏目漱石の『坊っちゃん』に「余っ程動き出してから、もう大丈夫だろうと思って、窓から首を出して、振り向いたら、矢っ張り立って居た。―大変小さく見えた」とある。小沼丹の『猿』には「お猿の真似をして空を仰いで見ると、星が疎らに見えて―憂鬱になった」とある。ともに、理屈で説明できない心理を不思議がっている感じを読者に伝える。⇩いわれもなく・そぞろ・なにか・Q何となく

なんで【何で】「なぜ」の意で、くだけた会話に使われる俗っぽい口頭語。〈―こうなっちゃったんだ〉〈―って言われても答えようがない〉✎「どうして」よりも、さらにくだけた表現。「―行ったの?」のように手段の意と紛らわしい場合もある。⇩Qどうして・なぜ・なにゆえ

なんてん【難点】非難に値するところをさして、会話にも文章にも使われる漢語。〈計画に―がある〉〈そこが最大の―だ〉✎谷崎潤一郎の『細雪』に「五十歳以上の老人に見えると云うこと、これが幸子の考えでは最大の―で」とある。悪い点が具体性に欠け、「欠陥」に比べて解消するのが難しい感じがある。⇩欠陥・欠点・Q弱点・短所

なんとなく【何と無く】これと特定できるほどはっきりとした理由があるわけではないがといった意味合いで、会話や

硬くない文章に使われる和語表現。〈―変だ〉〈―気になる〉〈―好きになれない〉〈―そんな気がする〉島崎藤村の『破戒』に「それを聞かれたり、話したりすることは、―心に恐ろしい」とある。⇩いわれもなく・そぞろ・Q何だか

なんばんがし【南蛮菓子】 十六世紀からの南蛮貿易により特にポルトガル人が長崎に渡来して伝えた西欧の菓子をさし、会話にも文章にも使われる古めかしい漢語表現。〈カステラは代表的な―だ〉カステラもその一つで、本来は西洋起源であるが、水飴《みずあめ》や蜂蜜を入れてしっとりとした食感を出すなど次第に日本化し、今では和菓子に含める。⇩ケーキ・生菓子・Q洋菓子・洋生《ようなま》

なんびょう【難病】 治りにくい病気の意で、会話にも文章にも使われる漢語。〈―を克服する〉⇩業病

なんもん【難問】 解決困難な問題や課題をさし、会話にも文章にも使われる漢語。〈―が出題される〉〈―を抱える〉〈―が山積している〉〈―にぶつかる〉試験問題の難度を話題にする場合は「難題」よりこの語のほうが一般的。また、「難題」に比べ、それを解決する方法に頭を悩ましているという雰囲気が強い。⇩難題

に

にあう【似合う】 違和感なくぴったり調和する意で、くだけた会話から硬い文章まで幅広く使われる日常の和語。〈赤いベレーがよく―〉〈和服の―女性〉〈悪役の―顔〉太宰治の『富嶽百景』に「富士には、月見草がよく―」とある。「似つかわしい」より外面的で、自然に調和のとれた外面を問題にする傾向が強い。⇩Q似つかわしい・ふさわしい

におい【匂い】 物質から漂い嗅覚を心地よく刺激するものをさす基本的な和語。くだけた会話から硬い文章まで幅広く使われる日常語。〈くちなしの―〉〈おいしそうな―が流れてくる〉嗅覚を伝える類義語のうち最も一般的な語。特に芳香であることを明確に伝えるためには「香り」を用いるが、好ましい匂いでも、パン・カレー・おでん・鰤《ぶり》大根などは「香り」より「匂い」のほうがよく使われる。逆に悪臭であることを明確にするためには「臭い」と書き分ける。ただし、「変な―」「異様な―」「何の―だろう」などの場合、評価を示さなければ仮名書きが最適。ちなみに芥川龍之介の『東洋の秋』では、「苔の―や落葉の―が、湿った土の―と一しょに」、「うす甘い―のするのは、人知れず木の間に腐って行く花や果物の香り」、「誰が摘んで捨てたのか、青ざめた薔薇の花が一つ、土にもまみれずに匂っていた」などと、必ずしも芳香と断定できない対象の多くに「匂い」という語を用いている。⇩香・香り・薫り・Q臭い

におい【臭い】 物質から漂い出て嗅覚を刺激して不快な気分に誘う意の和語。会話でも文章でも使う日常語。〈汗くさい—〉〈へどろの—〉〈トイレの—〉✎好ましくない臭気であることを伝える表記。遠藤周作の『海と毒薬』に「薪のきなくさい—」とある。薬品など種類によって「臭い」と書きたいものと「匂い」でよいものとがあるが、「薬品の」と一括する場合は一般的な「匂い」を用いるのが無難。納豆やブルーチーズなど嗅覚的な評価の分かれる場合は個人の好みにしたがって書き分けている。区別がわずらわしければ、和語だから「におい」と仮名書きしてもまったく問題がない。⇩香・香り・薫り・Q匂い

におう【匂う】 嗅覚を刺激する意で、くだけた会話から硬い文章まで幅広く使われる基本的な日常の和語。〈くちなしが—〉〈沈丁花がかすかに—〉✎三浦哲郎の『愛しい女』に「湯の花の匂いがする。妻の肌が—のか、浴衣が—のか、わからない」とある。円地文子の『なまみこ物語』に「下襲《したがさね》の紅の鮮やかに—・っている袖口」という箇所がある。現代では通常は嗅覚的に用いる「匂う」の主体がここでは「紅」という色彩になっており、文脈からもこの例では「色が照り映える」という視覚的な意味合いで使われている。作者自身が古語的な意味も交えて使いたいときがあるとインタビューで語ったように、その用法次第では現代文の中に古典的な雰囲気を漂わせることもある。「—が如き気品」などと抽象化した用法も同様の語感を響かせる。⇩臭う

におう【臭う】 「臭《くさ》い」においを発する意で、くだけた会話から硬い文章まで幅広く使われる日常の基本的な和語。〈ひどく—〉〈靴下が—〉✎露骨に感覚的な「くさい」に比べれば、いくらか客観的。開高健の『パニック』に「課長は胃がわるいのでひどく口が—」とある。⇩匂う

におわす【匂(臭)わす】 何となくそう思われる発言や態度を示す意で、会話にも文章にも使われる和語。〈議題に取り上げる意向を—〉〈犯行を—供述〉✎「におわせる」とも言うが、このほうが伝統的。⇩ちらつかせる・Qほのめかす

におわせる【匂(臭)わせる】 →におわす

にがす【逃がす】 捕らえていたものを自由に解き放つ意と、捕らえようとして逃げられてしまう意とがあり、会話でも文章でも使われる日常の和語。〈飼っていた小鳥を籠から—・してやる〉〈もう一歩のところで犯人を—・してしまう〉〈絶好のチャンスを—〉✎尾崎一雄の『虫のいろいろ』に、便所の「窓の二枚の硝子戸の間に、一匹の蜘蛛が閉じ込められているのを発見」する場面がある。主人公は「—・さないでくれ」と妻に言うが、それから二ヶ月近く経ったある日、便所の方で「逃げた」という妻の声が聞こえた。その折の主人公の反応は、「蜘蛛を—・したな、と思ったが、それならそれでいいさ、という気持で黙っていた」と描かれる。妻が掃除をしている間に逃げられたという意味にも、かわいそうになって逃がしてやったという意味にも解釈できる例である。⇩取り逃がす・Q逃《のが》す

にがて【苦手】 不得意でうまくこなせない意として、会話やさほど硬くない文章に使われる日常の和語。〈—科目〉〈—を克服する〉〈スポーツが—だ〉〈人前で堅苦しい挨拶をするのが—だ〉✎安部公房の『他人の顔』に「ガラスをこする

音が、大の―」とある。「―な対戦相手」「今度の課長は皮肉屋でどうも―だ」「―な食べ物」のように、接触したくない好ましからぬ対象の意でも使う。そのため、仮に巧みにこなす能力があっても心理的な負担が大きく自ら行うことを避けたい場合に使っても「不得手」や「不得意」より自然。⇩Q不得手・不得意

にかよう【似通う】互いによく似ている意で、会話やさほど硬くない文章に使われる和語。〈感じの―・った姉妹〉〈境遇が―〉〈それとよく―・った話がある〉〈―・った内容の本〉✎志賀直哉の『小僧の神様』に、他人に親切をしたあとで感じる「変に淋しい、いやな気持」を「人知れず悪い事をした後の気持に―・って居る」とある。「似る」とほとんど同じような意味で用いるが、比較的客観的な感じの「似る」に比べ、この語には、そう判断する人間の側にひきつけて表現する、いくらか感情のこもった雰囲気があり、「日ごろの彼に似ず」のような例では用いにくい。⇩似る

にがわらい【苦笑い】苦々しく思いながら無理に笑う意で、会話にも文章にも使われる和語。〈思わぬ失敗に―する〉〈間違いを指摘されて―する〉⇩苦笑《くしょう》

にぎやか【賑やか】人が多く活気のある物音や人声が聞えてくる状態をさし、会話にも文章にも使われる日常の和語。〈宴会で―だ〉〈商店の建ち並ぶ―な町に出る〉✎夏目漱石の『坊っちゃん』に「燗徳利が頻繁に往来し始めたら、四方が急に―になった」とある。「―な人」のように、陽気で周囲にうるさいほどしゃべりまくる場合には、一人の場合でも使う。栄えている点を中心とする「繁華」と違い、音に重点があり、「周囲がばかに―で話がよく聞こえない」のように、騒音が不快に感じられる際の間接表現にもなる。「繁華」と違い、その時の状態を示すので、すぐにおさまるような一時的な場合も含まれる。なお、「―な曲」「―な柄」「―な人」のように、テンポが速く陽気な感じの意にも使う。徳永直の『太陽のない街』に「このトンネル長屋は(略)赤ん坊や女房たちが、追い込まれたばかりの豚小舎のようにー に騒々しくなる」とあるのは音が中心だが、横光利一の『春は馬車に乗って』に「海際の白い道が日増しに―になって来た」とある例は単に音響というより動きを含めた感じを全体として表現している。「さびしい」「静か」と対立。⇩Qうるさい・繁華・やかましい

にぎり【握り】道具などの手で握る部分をさし、会話にも文章にも使われる和語。〈ドアの―に手を掛ける〉〈バットの―の部分〉✎「握り鮨《ずし》」をさす用法もある。⇩柄《え》・取っ手・Qノブ

にぎりこぶし【握り拳】拳《こぶし》の意で、会話や文章に使われる古風な和語。〈―を振り上げる〉✎高見順の『故旧忘れ得べき』に「逞しく黒い―を卓の前にドンと置き」とある。「拳」に比べ、ぎゅっと硬く握り締めた感じが強い。⇩拳固・拳骨・Q拳・鉄拳

にぎりめし【握り飯】御飯を丸や三角に握って中に梅干や鮭や鱈子などを入れた食品をさし、主として男性がくだけた会話で使う、ややぞんざいな感じの和語。〈でっかい―〉〈―をほおばる〉✎尾崎士郎の『人生劇場』に「後頭部のおそろしく出っぱった、―をさかさまにしたような顔」という

比喩表現の例が出る。⇩おにぎり・おむすび・むすび

にぎる【握る】対象を指で包む形に力を加える意で、会話でも文章でも幅広く使われる日常生活の和語。〈手を―〉〈相手の手首を―〉〈釣竿を―〉〈筆を―〉〈鮨《すし》を―〉✐夏目漱石の『坊っちゃん』に「汗をかいてる銭を返しちゃ、山嵐が何とか云うだろうと思ったから、机の上へ置いてふうふう吹いて又―・った」とある。ステッキやバットは「つかむ」だけでは力が入らないから、ふつうは「握る」し、「ハンドルを―」のも「つかむ」では運転が危なっかしい感じがある。また、「つかむ」がつねに物の一部であるのに対し、「百円玉を―」のように手の平の中にすっぽりと入って外から見えなくなる場合もある。⇩つかむ

にくい【憎い】しゃくにさわって懲らしめてやりたいほど疎ましい意で、くだけた会話から文章まで幅広く使われる日常の基本的な和語。〈こんな目に遭わせた相手が―〉〈あの仕打ちが―〉〈―ほど巧い〉✐永井龍男の『灯』に「(娘の結婚は)淋しいなんてもんじゃない、―よ。どうせ誰かに、持って行かれるんだと覚悟はしていたが、こんなことだとは知らなかった」とある。「ちょいと―男」「なかなか―ことを言う」のように、癪《しゃく》に障るぐらい見事だという意味に使うこともある。⇩憎たらしい・Q憎らしい

にくしみ【憎しみ】相手を憎いと思う気持ちをさし、主として文章に用いられる和語。〈―が募る〉〈―に満ちた表情〉〈愛から―に変わる〉✐「憎悪」ほど強くない。有島武郎の『或る女』に「抱きしめても飽き足らないほどの愛着をそのまま裏返したような―」とあるように、「愛」と対立。⇩厭悪《お》・嫌悪・Q憎悪・敵意・敵愾《てきがい》心・憎む・反感

にくしゅ【肉腫】体の表皮でなく中にできる悪性の腫れ物の意で、学術的な会話や文章に用いられる医学の専門漢語。〈―が見つかる〉⇩腫物《しゅもつ》・腫瘍・Q腫れ物・ポリープ

にくしん【肉親】ごく近い血族をさして改まった会話や文章に用いられる漢語。〈―の情〉〈離れ離れになった―を探す〉✐具体的には親子や兄弟、伯父・叔母、甥《おい》・姪《めい》などで、血のつながっていない配偶者側は含まれない。⇩Q近親・身内

にくせい【肉声】マイクや電話などの機械を通さずに人間の口から直接発せられる生《なま》の声をさし、いくぶん改まった会話や文章に用いられる漢語。〈―が館内に響く〉〈―で会場の奥まで通る〉〈作家の―に接する〉✐平林たい子の『施療室にて』に「厚みのある―がビリビリと復音を伴って幅の広い廊下をどこまでも流れる」とあり、石坂洋次郎の『草を刈る女』に「腹の底から絞り上げる逞しい―」とある。⇩地声

にくたい【肉体】生身の体をさし、会話にも文章にも使われる漢語。〈―美〉〈―労働〉〈強健な―を誇る〉〈―的な衰え〉✐横光利一の『ナポレオンと田虫』に「その若々しい―は(略)割られた果実のように新鮮に感じられた」とある。⇩からだ・Q身体・体軀《たいく》

にくたらしい【憎たらしい】態度や様子がいかにも憎い感じだの意で、主に会話に使われる和語。〈―顔つき〉〈見るからに―態度〉〈―口を利く〉✐「憎い」「憎らしい」と違い、あくまで外見に重点を置いた判断。「憎い」より感情をこめた雰囲気がある。⇩憎い・Q憎らしい

にくむ【憎む】自分にひどい仕打ちをした相手を恨んで仕返ししたいと思う意で、会話にも文章にも使われる和語。〈敵を―〉〈卑劣な手段を―〉✎「恨む」より積極的・攻撃的な感じが強い。三島由紀夫の『金閣寺』に「私は、背筋を硬ばらせて、母を―・んでいた」とある。⇩Q恨む・憎悪・憎しみ

にくよく【肉欲】精神的な愛情とは無関係な肉体的欲望をさし、主として硬い文章に用いられる古い感じの漢語。〈むらむらと―が起こる〉✎意味の共通部分をもつ「愛欲」「情欲」「色欲」「性欲」「淫欲」より強烈な感じがあるが、「獣欲」ほどのすごさはない。各語の意味の違いというより、「欲」と結びつくもう一つの漢字のイメージの差だろう。⇩愛欲・淫欲・色欲・Q獣欲・情欲・性欲

にくらしい【憎らしい】憎くて癪《しゃく》に障るようすをさして、主に会話に使われる和語。〈―人〉〈―ほど落ち着いている〉〈―物の言い方〉〈―仕打ち〉〈見るからに―顔つき〉✎志賀直哉の『流行感冒』に「本統に―わ、あんなうまい事を云って」とある。自分の心理状態をさす「憎い」に対し、見る人が憎いと感じるような言動や態度を相手がとったりする場合に使う。「まあ、―」のように女性が仲の良い男性を軽くにらむような場面も浮かぶ。⇩憎い・Q憎たらしい

ニグロ「黒色人種」や「黒人」の意で会話にも使われる外来語。✎特に中部アフリカ原住のそれをさすことが多い。堀田善衛の『広場の孤独』に「―スピリチュアルに似た哀調を帯びた歌」とある。独特の文化などを語る折に使われることもあり、特に差別意識を感じさせないようである。⇩黒ん坊・黒色人種・Q黒人

にげごし【逃げ腰】相手と争わずに逃げ出そうとする腰つきやそういう弱気な態度をさして、会話やさほど硬くない文章に使われる和語。〈ちょっと強く出ると、すぐ―になる〉⇩尻込み・Q弱腰

にげみち【逃げ道】逃げるための道の意で、会話でも文章でも使われる和語。〈―を用意する〉〈敵の―をふさぐ〉✎「そういう―があったか」のように、逃《のが》れる手段という意味の抽象化した用法もある。⇩退路・Q抜け道

にげる【逃げる】危険などを避けてその場から離れる意で、くだけた会話から文章まで幅広く使われる日常の基本的な和語。〈追われて―〉〈命からがら―〉〈一目散に―〉〈嫌な仕事から―〉〈犬が―〉✎夏目漱石の『坊っちゃん』に「おれは―・げも隠れもせん」とある。「逃《のが》れる」より具体的な行動を連想させる。⇩Q逃亡・逃れる

にこみ【煮込み】食材に水をたっぷり入れ調味料を加えて長時間煮た料理をさし、会話にも文章にも使われる和語。〈もつの―〉⇩煮転がし・煮しめ・煮つけ・煮っ転がし・Q煮物

にごる【濁る】不純なものが混じって不透明になったり汚れたりはっきりしなくなったりして清らかさが失われる意で、くだけた会話から文章まで幅広く使われる日常の和語。〈水が―〉〈色が―〉〈音が―〉〈心が―〉✎永井龍男の『風ふたたび』に「みそ汁のように赤く―・った溝」とあり、石坂洋次郎の『山のかなたに』には「霧は少しうすれて、どんより暗い空の一隅に、古い血のように―・った赤い色が一と筋滲んでいるのが見えた」とある。⇩混濁

にころがし【煮転がし】里芋やじゃが芋などを少なめの煮汁

で煮きった料理をさし、会話にも文章にも使われる古風な和語。〈芋の―〉〈新じゃがの―〉「にっころがし」というと古風さが減りさらに会話的。「にころばし」ともいう。⇩煮込み・煮しめ・煮つけ・煮っ転がし・煮びたし・煮物

にしび【西日】西に沈もうとする太陽、また、西に傾いた午後の日ざしを意味し、くだけた会話から文章まで使われる日常の和語。〈―が差し込む〉〈―を受ける〉✎永井荷風の『すみだ川』に「―が燃える焔のように狭い家中へ差し込んで来る」とある。夏の連想が強く、それを苦にするイメージで使う傾向がある。夕日そのものより、「―のまぶしい部屋」のように西からの日ざしをさす例が多い。同じく永井荷風の『雨瀟瀟』に出てくる「いつに変らぬ残暑の―に蜩《ひぐらし》の声のみあわただしく夜になった」という例も、「残暑の―」とあるからには光をさすと解するのが素直だろう。⇩入り日・斜陽・夕陽《せきよう》・夕日・落日・落陽

にじむ【滲む】濡れて輪郭がぼやける、液体が内側から表面に出て広がる意で、会話でも文章でも広く使われる和語。〈インクが―〉〈涙で目の前が―〉〈うっすらと血が―〉✎富岡多恵子の『富士山の見える家』に「部屋は、ストーブをたくようになって壁から汗のように水分が―・み」とある。「しみいる」「にじみだす」というそれぞれの複合語から推測されるように、同じく液体の浸透する現象を表現する動詞でも、「しみる」は対象に入り込む方向、この「にじむ」は対象の中から外表面に出て来る方向でとらえた表現。汗はまず皮膚の表面に「にじむ」が、そこから下着の中に「しみる」。⇩しみる

にしめ【煮染め(煮〆)】芋類や乾し椎茸・こんにゃく・昆布などを醤油で濃い味に煮上げた日持ちのよい料理をさし、会話にも文章にも使われる和語。〈魚と野菜の―〉✎島崎藤村の『桜の実の熟する時』に「―屋」が出てくる。林芙美子の『市立女学校』には「汚れた―のような革のふっとぼおる」という比喩表現の例がある。⇩煮込み・煮ころがし・煮つけ・煮っころがし・煮びたし・煮物

にせ【偽/贋】他人を騙《だま》すために本物と紛らわしくする意で、くだけた会話から文章まで幅広く使われる和語。〈―札〉〈―刑事〉〈―の弁護士〉〈―の図面〉✎「似せ」の意から。⇩Qえせ・まやかし

にせもの【偽(贋)物】他人を騙《だま》すために本物と紛らわしく造った品物をさし、会話や軽い文章に使われる日常の和語。〈ブランド品の―〉〈真っ赤な―〉〈―を見分ける〉〈とんだ―をつかまされる〉✎夏目漱石の『坊っちゃん』に「あの金鎖は―である」とある。⇩Q贋物《がんぶつ》・偽物・にせ者・まがい物

にせもの【偽(贋)者】他人を騙すために別の人物と紛らわしく装った人間をさし、会話や軽い文章に使われる和語。〈―の医者〉〈警官の―〉〈―とすぐ見破る〉⇩贋物《がんぶつ》・偽物・Qにせ物・まがい物

にたき【煮炊(焚)き】御飯を炊いたりおかずを煮たりすることをさし、会話や硬くない文章に使われる、いくぶん古風な和語。〈部屋で―をする〉✎火を使って調理をすることが中心で、焼いたり蒸したりすることも常識として含まれる。✎芥川龍之介の『鼻』に「―の談話の中に、鼻という語が出てくるのをなによりも恐れていた」とある。⇩Q炊事・調理・

料理

にちじょう【日常】 ごく一般的な毎日の意で会話にも文章にも広く使われる漢語。〈—茶飯事〉〈—生活〉〈—の手入れ〉✎大江健三郎の『飼育』に「小さな集落にあらゆる—がすっぽりつまっていた」とある。⇩いつも・通常・常々・Q常日頃・日常茶飯事・日頃・日々・普段・平常・平生・平素

にちじょうさはんじ【日常茶飯事】 日常生活のどこにでも見られるごく平凡なことの意で、会話にも文章にも使われる漢語。〈その程度の夫婦喧嘩は—だ〉✎大岡昇平の『野火』に「戦場では殺人は—にすぎない」とある。もとは、ふだんの食事の意。⇩いつも・通常・常々・常日頃・日常・日頃・普段

にちぼつ【日没】 太陽が西に沈む意で、やや改まった会話や文章に用いられる正式な感じの漢語。〈—を迎える〉〈—のため中止〉✎その現象の生ずる時刻が中心で、「日の入り」に比べ視覚的イメージが弱く概念的。⇩日の入り

にちりん【日輪】「太陽」の意で主に文章に用いられる古風な漢語。〈—に手を合わせる〉〈輝く—を仰ぎ見る〉✎美化した感じも漂う。ちなみに、横光利一にずばり『日輪』と題した小説がある。⇩お天道様・お日様・太陽・Q日

につかわしい【似つかわしい】 好みや性格などの点でよく合っている意で、会話にも文章にも使われる、いくぶん古風な感じのある和語。〈自分に—仕事を探す〉〈そのポストに—人物〉✎堀辰雄の『大和路』に「こんな立派な貌に—天平びとは誰だろうか」とある。比較的客観的な感じの「ふさわしい」に比べ、この語はそう判断する主体を意識させやすい感じがある。⇩ふさわしい

にっき【日記】 毎日の出来事やそれに対する感想などを書き綴《つづ》ったものをさして、会話にも文章にも使われる日常の漢語。〈—帳〉〈旅—〉〈—文学〉〈一日も欠かさずに—をつける〉✎「日誌」に比べ個人的な色彩が濃い。⇩日誌

ニックネーム「あだな」の意で、会話や硬くない文章に使われる外来語。〈ありがたくない—〉〈互いに—で呼び合う仲〉✎「あだな」に比べ、特徴を誇張した例を連想させやすい。⇩愛称・あざな・Qあだな

につけ【煮付け】 煮汁の味がしみこむまでよく煮た料理をさし、会話にも文章にも使われる和語。〈鰈《かれい》の—〉✎俗に、「煮物」全体の意にも使う。夏目漱石の『坊っちゃん』に「見ると今夜も薩摩芋の—だ」とある。⇩煮込み・煮ころがし・Q煮染め・煮びたし・煮物

にっこう【日光】 日の光の意で、くだけた会話から硬い文章まで幅広く使われる日常の漢語。〈—消毒〉〈直射—〉〈—に当たる〉〈—を浴びる〉〈—が差し込む〉✎開高健の『流亡記』に「肩に淡い秋の—を感じながらぼんやりとたたずんだ」とある。⇩日ざし・Q陽光

にっころがし【煮っ転がし】「煮ころがし」の意で、くだけた会話に使われる俗っぽい日常語。〈芋の—〉⇩煮込み・Q煮転がし・煮しめ・煮つけ・煮物

にっし【日誌】 その日の出来事や行動などを簡潔に記録したものをさし、改まった会話や文章に使われる、やや正式な感じの漢語。〈学級—〉〈航海—〉〈—に書き込む〉✎個人的な感じの「日記」に比べて公的な性格を帯び、感想や意見などを含まない客観的な記述が原則。⇩日記

にっしゃびょう【日射病】 強い直射日光を長時間浴びたために起こる病気。〈—で倒れる〉⇩Q熱射病・熱中症

にっちゅう【日中】 日の出から日の入りまでの間全体をさし、会話にも文章にも使われる漢語。〈—は日差しが強い〉〈—いっぱいは晴れる〉〈—の最高気温〉✎特に、朝のうちと夕方を除いた、日の高い間を意識して使うことが多い。⇩白昼・日盛り・昼日中《ひるひなか》・Q昼間・真っ昼間・真昼

にっぽん【日本】「にほん」の国をさし、改まった表現に用いられる正式の国名。〈大—帝国〉〈—の期待を一身に担う〉✎戦時中まではよく用いた。現在でもオリンピックやワールドカップなどで国家意識の高まったときに多く用いる。国対抗のスポーツを観戦中にも「—、チャチャチャ」「がんばれ、—！」と応援する。そのほうが力強く響き、「ニホン」では力がこもらない感じがする。「ニッポン」には促音があってそこで一度唇をきちっと閉じて息をとめる。次の「ポ」がPという閉鎖破裂音で始まり、唇の閉鎖を破って呼気が強く吐き出される。その促音と破裂音との相乗効果で力強い印象を与える。戦時中の肩を怒らせた国家の姿勢や、国際試合での闘争心むき出しの応援に、そういう力感あふれる響きがマッチするからである。⇩にほん

にのうで【二の腕】「上腕」の意で、主として日常会話や改まらない文章中に使われる、やや古風な感じを伴う日常語。〈相手の—をつかむ〉✎三島由紀夫の『仮面の告白』に「私はうつろな目つきで、自分のかぼそい—にある、みじめな種痘の痕をこすった」とある。「腕」という語が古く肘《ひじ》から手首までをさすこともあったため二番目の腕と称したところからという。専門語としては「上腕」を用いる。⇩腕①・かいな・Q上腕

にびたし【煮浸し】 さっとあぶった鮎や鮒などを醤油・味醂《みりん》などの煮汁をたっぷりしみこませて煮た料理をさし、会話にも文章にも使われるいくぶん古風な和語。〈鯵《あじ》の—〉✎夏目漱石の『三四郎』に「鮎の—」が出てくる。⇩煮ころがし・煮染め・煮つけ・煮物

にぶい【鈍い】 感度や切れ味が悪い意で、会話にも文章にも使われる日常の和語。〈頭の働きが—〉〈反応が—〉〈体の動きが—〉✎阿川弘之の『雲の墓標』に「高空では頭のはたらきが相当—・くなるようで」とある。「鋭い」と対立。⇩遅い・のろい

にほん【日本】 日本国をさして平時の日常会話で通常用いられる国名。〈—の歴史〉〈—の景気〉〈—に伝わる〉✎戦時中は「ニッポン」と発音する日本人が今とは比較にならないほど多かったが、現在ではほとんどの日本人がたいていの場合「ニホン」と発音する。「日本国憲法」や「日本銀行」の場合でさえ、正式名称は「ニッポン」でも普段は「ニホン」と発音している。⇩にっぽん

にほんご【日本語】 日本人が用いる日本国の正式言語をさし、くだけた会話から硬い文章まで幅広く使われる基本的な漢語。〈—を教える〉〈—の特色〉〈こなれた—をあやつる〉✎「国語」と比べ、この語は諸外国の言語の存在を意識し、それらと並ぶ一言語として対比的な視点で客観的にとらえる感じがあり、「国語」の見地からは「乱れ」として眉をひそめる現象も「—の変化」として冷静に受け止める傾向があ

る。極論すれば、国家が国民に教育するのが「国語」、外国人が学習するのが「日本語」という図式になる。⇩公用語・Q国語・母語・母国語

にほんごがく【日本語学】日本語を研究対象とする学問をさし、学術的な会話や文章に用いられる比較的新しい漢語。〈―の講義科目〉〈―を専攻する〉〈―の論文を投稿する〉✎かつての「國語學會」が「日本語学会」に名称変更したように、意味としては「国語学」と同義であるが、語感の点で新しい雰囲気があるため、外国語を視野に入れ、言語学の方法論などを参考にしながら、現代日本語の性格を論ずるところに主たる関心があるようなイメージを連想しやすい。⇩Q国語学

にほんごきょういく【日本語教育】主に日本語を母語としない外国人に外国語として日本語を教えることをさし、会話にも文章にも使われる比較的新しい漢語。〈留学生に対する―〉〈―の教授法〉✎日本語を母語とする日本人を対象とする国語教育とは明確に区別される。ただし、現場では、帰国子女に対する漢字その他の日本語力向上のためのクラスも実施され、厳密に日本語を母語としないとはいえない例外もあるが、あくまで語学教育の一環としてである。近年は日本で生活する必要から、母国語の次の第二言語として学ぶケースも増え、単なる伝達手段として日本語を身につけるだけでなく、社会生活の中に生きる日本文化を学び取る場合もあるが、基本はあくまで、コミュニケーションを円滑にするための言語技能の習得をめざすのが主眼である。そのため、教材は現代日本語が圧倒的に多く、価値のある内容や優れた表現よりも各分野の自然な日本語の文章が重要視される。⇩国語教育

にほんしゅ【日本酒】米と麹《こうじ》で醸造した日本特有の酒をさし、会話にも文章にも使われる漢語。〈鍋料理には―の熱燗《あつかん》に限る〉✎単に「酒」とも言う。洋酒と対立する。中心は清酒でどぶろくを含む。通常これだけで清酒をさすが、どぶろくでないことを特に明確にする際ははっきり「清酒」と言う。⇩Q酒・清酒

にほんちゃ【日本茶】日本製の茶をさし、会話にも文章にも使われる漢語表現。〈和菓子には―が一番だ〉✎紅茶やウーロン茶などの外国産の茶を意識し、それと区別するための用語で、通常は緑茶、特に中級の煎茶をさすことが多い。⇩上がり・お茶・玉露・煎茶・茶・番茶・碾《ひ》き茶・焙《ほう》じ茶・抹茶・Q緑茶

にほんぶんがく【日本文学】日本の文学やその研究を意味し、会話にも文章にも使われる漢語。〈―を海外に紹介する〉〈―の研究に携わる〉✎最近は「国文学」という呼称に取って代わりつつある。「国文学」と同義ながら、語感の点で伝統的な雰囲気が薄いため、現代の流行作家やベストセラー小説などを扱っても抵抗感が少ない。⇩Q国文学

にほんま【日本間】日本式にしつらえた「和室」をさし、くだけた会話から文章まで広く使われる日常語。✎以前は日常一般の用語だったが、近年使用頻度が減ったように思われる。谷崎潤一郎の『細雪』に「洋間に一段高くなった四畳半の―の附いた部屋」とあるように、「洋間」と対立。なお、夏目漱石の『坊っちゃん』には「西洋間は一つで沢山です」とあるので、当時の「日本間」は「西洋間」と対立して

いたらしい。⇩和室

にもつ【荷物】 運搬・運送するためにまとめた品物をさし、くだけた会話から硬い文章まで幅広く使われる日常の漢語。〈手―〉〈旅行用の―〉〈―をまとめる〉〈―を運搬する〉✎林芙美子の『耳輪のついた馬』に「―が山のように積み重ねてあった」とある。業者の運ぶ「貨物」だけではなく、鞄や包みなど個人が手に提げるものをも含む。「お―になる」のように負担をさす比喩的用法は硬い文章には用いない。⇩貨物

にもの【煮物】 野菜・魚・肉などを煮た料理の総称として、会話にも文章にも使われる和語。〈―をする〉〈焼き魚と―が食卓に並ぶ〉✎日本料理では刺身・焼き物と並ぶ主要な調理法。森鷗外の『雁』に「―を見ていておくれ」とある。⇩煮込み・煮転がし・煮しめ・Q煮つけ・煮っ転がし・煮びたし

ニュアンス 意味や語感、色彩・音質・調子・感情などの微妙な違いをさし、会話にも文章にも使われる、フランス語からの外来語。〈微妙な―の違い〉〈「疲れる」と「くたびれる」とは―が違う〉⇩意味・Q意味合い・語感

にゅうじ【乳児】 生後一年くらいまでのまだ乳(ミルク)で育てられている子供をさし、改まった会話や文章に用いられる専門的な漢語。〈―を抱える〉✎和風の「ちのみご」より正式の感じがある。⇩Qおさなご・小児《しょうに》・ちのみご・幼児

にゅうしゃ【入社】 新たに採用されてその会社に社員として勤める意で、会話にも文章にも使われる漢語。〈―順〉〈同期に―する〉✎芥川龍之介の『或阿呆の一生』に「それは彼が或新聞社に―することになった為だった」とある。「退社」と対立。⇩就職

ニュース 報道や知らせの意の外来語。伝統的な発音。〈ビッグ―がある〉〈テレビの―〉✎芥川龍之介の『河童』に「ラディオの―で知った」とある。⇩ニューズ

ニューズ 慣用的な「ニュース」より原語の発音に近いとして稀に用いられる外国語。✎世間の慣用を退け、原語に近づけた忠実さとともに、ことさら英語めかした語形を採用した気取りが感じられる。⇩ニュース

にゅうせん【入選】 応募した作品が審査に合格する意で、会話にも文章にも使われる漢語。〈―作〉〈コンクールで―する〉〈―に漏れる〉⇩当選

にゅうねん【入念】 細部にも気を配って気持ちを集中させるようすをさし、改まった会話や文章に「念入り」の意で用いられる少し硬い感じの漢語表現。〈―な準備〉〈―な仕上げ〉〈―に調査する〉✎獅子文六の『てんやわんや』に「普請が―で」とある。「念入り」と同様、細部に至るまで集中力を切らさないところに重点がある。⇩丹念・丁寧①・Q念入り

にゅうばい【入梅】 梅雨の季節に入る意で、改まった会話や文章に用いられる、やや古風な感じの漢語。〈―のころ〉✎俗に、梅雨時そのものをもさす。⇩Qつゆ・梅雨《ばいう》

ニューフェース 芸能界などにデビューした俳優や歌手などをさして、主に会話で使われる外来語。〈映画界の―〉〈―がいきなり人気を集める〉✎「新顔」「新人」などより華やかな雰囲気を感じさせる。⇩新入り・新顔・新参・Q新人・ルーキー

にゅうぼう【乳房】「ちぶさ」の意の医学用語。〈—の一部を剔出《てきしゅつ》する〉⇩おっぱい・乳・Qちぶさ・胸②

にゅうもん【入門】師匠の下に弟子入りする意で、会話にも文章にも使われる漢語。〈相撲《すもう》部屋に—する〉〈師匠の下《もと》に—してまだ日が浅い〉✎師匠の家に住み込むいわゆる内弟子の場合もある。また、「—書」「—編」「哲学—」のように、初歩の意でもよく使う。⇩Q師事・私淑

にゅうよう【入用】「入《い》り用」の意で、改まった会話や文章に用いられる丁重な漢語。〈御—の品は何なりとお申し出ください〉〈御—の金子《きんす》はいかほどでもご用意いたします〉✎「不用」と対立。⇩入り用・必須・必要

にゅうわ【柔和】表情・態度・性格などが穏やかで心の和む感じを与える意として、やや改まった会話や文章に用いられる漢語。〈—な表情〉〈争いを好まない—な性格〉✎室生犀星の『あにいもうと』に「ゆったりと物わかりのよい—な女だった」とある。⇩大人しい・穏健・温厚・穏和

にょう【尿】小便の意で、学術的な会話や医学的な内容の文章などに用いられる客観的な感じの専門漢語。〈—の検査〉〈—に血が混じる〉✎行為をも意味する「小便」「おしっこ」とは違い、「小水」同様もっぱら排出された液体をさす。「水を流して下さい」という小便所の注意書きの「水」に手を加えて「尿」に変形させた落書きがあった。手段と対象という差はあっても同じ結果になるからそれなりに有効で、機転が利いている。⇩おしっこ・Q小水・しょうべん・しょんべん

にょうかん【尿管】腎臓から膀胱《ぼうこう》に尿を送る左右一対の管をさし、会話にも文章にも使われる専門的な漢語。〈—結石〉⇩Q尿道・尿路

にょうどう【尿道】膀胱《ぼうこう》に蓄えた尿を体外に排出する管状の器官をさし、会話にも文章にも使われる、やや専門的な漢語。〈—に炎症がある〉⇩Q尿管・尿路

にょうぼう【女房】「妻」をさす古めかしい漢語風の呼称。〈恋—〉〈—をもらう〉〈—の尻に敷かれる〉✎「にょうぼ」と言う例も多い。小沼丹の『十年前』に「—の替りに、今迄出て来たことも無い亭主が現れたから面喰ったのだろう」とある。「房」は部屋の意で、もと宮中に部屋を賜って住んだ身分の高い女官をさし、貴族の侍女の意を経て広く婦人の意に転じた。⇩いえの者・うちの者・お上さん・奥方・奥様・奥さん・お内儀・家内・かみさん・愚妻・細君・Q妻・伴侶・ベターハーフ・令閨・令室・令夫人・ワイフ

にょうろ【尿路】尿の体外排出に関係する器官、具体的には腎臓・尿管・膀胱《ぼうこう》・尿道の総称として、会話にも文章にも使われる専門的な漢語。〈—感染症〉⇩Q尿管・尿道

にらみつける【睨み付ける】怒りをこめて激しく睨む意で、会話にも文章にも使われる和語。〈対戦相手を怖い顔で—〉✎「睨む」以上に対象を定めて鋭い視線を送る感じが強い。⇩睨む・Qねめつける・睥睨《へいげい》

にらむ【睨む】鋭い目つきで見据える意で、会話にも文章にも使われる和語。〈からかわれて軽く—〉〈相手を—・んで震え上がらせる〉✎水上瀧太郎の『山の手の子』に「黒門は、固くしまって扉に打った鉄鋲が魔物のように—・んでいた」という擬人的な直喩表現が出る。「睨み付ける」に比べ、明確に個別の対象に焦点を絞らずそちらの方向であっ

ても使える。「部長に―・まれている」のように、要注意人物として目をつける意にも拡大して使う。また、「嘘だと―」「真犯人と―」のように、見当をつける意にも使う。⇩Q睨み付ける・ねめつける・睥睨《へいげい》

にる【似る】 両者に際立った共通点があり互いに同じように感じられる意で、くだけた会話から硬い文章まで幅広く使われる日常の基本的な和語。〈子供が親に―〉〈似た者夫婦〉〈服装も鞄もよく似ている〉〈あの双子は顔も声もあまりに似ていて区別がつかない〉〈いつもに似ず今日は元気がない〉✎通常「似ている」「似ていた」の形で用いるが、川端康成の『千羽鶴』には、「「行方不明になってしまうのは、さびしいわ。」と、消え終るような声は母に似た」という例が出てきて、突然それに気づいた視点人物菊治の一瞬の衝撃を映し出した。⇩似通う

にる【煮る】 米以外の食品を水に入れ、多くは調味料を加えて加熱し、やわらかく食べやすくする意で、くだけた会話から文章まで幅広く使われる日常の基本的な和語。〈お粥《かゆ》を―〉〈芋を―〉〈ことこと―〉✎水上勉の『土を喰う日々』に「(わらびを)ひとゆでして、油揚げと―・たら舌が躍った」とある。西日本では「炊く」と言うことが多い。⇩かしぐ・Q炊く

にわ【庭】 敷地内の家屋の周囲の空き地をさし、くだけた会話から硬い文章まで幅広く使われる日常の基本的な和語。〈―が広い〉〈芝生の―〉〈和風の―〉〈下駄を突っかけて―に降りる〉✎佐藤春夫の『田園の憂鬱』に「―の樹立がざわめいて、見ると、静かな雨が野面を、丘を、樹を仄白く煙らせて」とある。「―造り」「―に面した座敷」のように、通常は草木を植え、時には花壇や池を造り石灯籠《いしどうろう》を配するなど、観賞用に整えた庭園をさす。「泉水を配した洋風の―」ともいうが、「庭園」に比べ、和風の造園を連想しやすい。一方、「庭園」と違って「―の一部を畑にする」とも言えるように、造園していない単なる空き地をも含む。もともと、何かを行う土間を意味したらしく、「裁きの―」「学びの―」といった古風で優雅な感じの抽象化した用法はそこから出たものと思われる。⇩庭園

にわいじり【庭いじり】 趣味として庭の草木の手入れをすることをさし、会話や改まらない文章に使われる和語。〈定年後は―が道楽になる〉✎「造園」ほど本格的ではなく、個人の庭に植えてある草木の趣味的な手入れが中心で、枝の剪定《せんてい》などのイメージが強く、盆栽の世話なども含まれる感じがある。⇩園芸・Qガーデニング・造園・庭造り

にわかあめ【俄雨】 突然降り出してすぐにやむ雨の総称で、会話にも文章にも広く使われる日常の和語。〈―がある〉✎吉行淳之介の『驟雨』に「町を―が襲ったのだ」とある。いきなり降り出す特徴に着目した命名。⇩時雨・驟雨《しゅうう》・Q通り雨・村雨・夕立

にわづくり【庭造(作)り】 庭を作る意で、会話や文章に広く使われる和語。〈―に精を出す〉〈借景を生かした―〉✎「造園」ほど必ずしも専門家の本格的な工事を連想せず、素人の趣味的な「ガーデニング」なども含まれる感じがある。⇩園芸・ガーデニング・Q造園・庭いじり

にんい【任意】 その人自身の意のままという意味合いで、主

に文章に用いられる、やや専門がかった硬い漢語。〈—同行を求める〉〈—に選ぶ〉〈—の箇所に印をつける〉⇩恣意《いし》・Q随意

にんか【認可】 申請内容を認めて許可を与える意で、改まった会話や文章に用いられる、やや専門的な漢語。〈国の—を求める〉〈—が下りる〉〈営業を—する〉⇩許可・受諾・承知・承諾・承認・免許・容認・了承

にんき【人気】 世間の評判や一般大衆の受けをさし、くだけた会話から硬い文章まで幅広く使われる日常の漢語。〈—者〉〈—商品〉〈—が出る〉〈女性に—のある店〉〈若い層に圧倒的な—を誇る〉〈—に溺れる〉〈—にかげりが出る〉✒菊池寛の『藤十郎の恋』に「洛中洛外の—を咬《さ》らって」とある。「実力が—に追いつかない」というように、移り気の大衆にもてはやされる一時的な現象という性格が強く、人間的評価を基礎とする「人望」とは異質。店舗・商品・髪型・観光スポットなど人間以外にも広く使う。評価に関する「評判」と比べ、この語は話題性が中心で評価とは結びつかない感じがある。⇩人望・評判

にんげん【人間】 動物の一種としての人やその類をさし、やや改まった会話から硬い文章まで幅広く使われる日常生活の基本的な漢語。〈—関係〉〈—国宝〉〈—として恥ずかしい〉〈—としての務めをきちんと果たす〉〈真底悪い—ではない〉〈もともと東北の—だから〉〈—らしい生活〉〈—の目から見ると〉〈なかなか—ができている〉✒夏目漱石の『それから』に「ほかの—と話していると、—の皮と話すようで歯痒くってならなかった」とある。人類をさすのに「人」よりも正式な感じがある。「人」に比べ、傍観者的な視点が感じられるとする指摘もある。⇩人

にんしき【認識】 物事を見分けてその本質を理解し判断する意で、改まった会話や文章に用いられる、やや硬い漢語。〈—不足も甚だしい〉〈—が甘い〉〈—を深める〉〈—を改める〉〈時期尚早という—を示す〉✒小林秀雄は『様々なる意匠』でマルクスに関し「—論中への、素朴な実在論の果敢な、精密な導入による彼の唯物史観」と述べた。大岡昇平の『俘虜記』には「あたりで行われることを正しく—していると思っていた」とある。⇩意識・思考・Q認知・認定

にんじょう【人情】 まともな人間には自然に具わっているはずの他人を思う優しい心をさし、会話にも文章にも使われる日常の漢語。〈義理と—〉〈—を解する〉〈—に厚い〉〈—のかけらもない〉✒谷崎潤一郎の『お国と五平』に「—紙の如したあ、よく云ったもの」とあり、小沼丹の『風光る丘』に「あの娘も多少は—を解すると見えるぜ」とある。「それが—というものだ」「秘密と言われるとよけい知りたくなるのが—だ」のように、単に自然な感情という意味にも使う。⇩Q義理・情・同情・情け

にんしん【妊娠】 胎内に子を宿す意で、会話にも文章にも広く使われる、やや専門的な漢語。〈想像—〉〈—三ヶ月〉〈—の兆候がある〉✒宇野浩二の『蔵の中』に「—五六ヶ月ぐらいの御中《おなか》をかかえている、ちょっと小綺麗なおかみ」とある。⇩懐胎・Q懐妊・受胎・孕《はら》む・身籠もる

にんずう【人数】 人の数をさし、くだけた会話から硬い文章まで幅広く使われる漢語。〈—が多い〉〈—が減る〉〈—が

足りない〉〈—を数える〉✎「にんず」とも。⇩頭数《あたまかず》

にんそう【人相】 顔立ちの意で、会話にも文章にも使われる、やや古風な漢語。〈—書き〉〈福々しい—〉〈—の悪い男〉✎永井荷風の『濹東綺譚』に「人殺しでもしたことのありそうな、—」とある。「—を占う」のように、顔で占うその人の性質や運命をさす用法もある。⇩面差し・顔立ち・顔つき

にんたい【忍耐】 苦しいことや腹の立つことを堪え忍ぶ意で、改まった会話や文章に用いられる漢語。〈—力〉〈—を要する仕事〉〈こんなことで音《ね》を上げるようでは—が足りない〉✎佐藤春夫の『田園の憂鬱』に「この小さなものが生れるためにでも、此処にこれだけの—がある」とある。幅広く使う「我慢」や「辛抱」と違って、暑さ・寒さ・空腹などには用いにくく、主に精神的な重圧などについて用いる。⇩我慢・Q辛抱

にんたいりょく【忍耐力】 苦しさを我慢して耐え忍ぶ力をさし、改まった会話や文章に用いられる漢語。〈相当の—を要する〉〈—の必要な仕事〉✎「根気」に比べ受け身の感じ。⇩根気

にんち【認知】 対象の存在や状態、事実関係などをきちんと知覚し認めることをさし、学術的な会話や文章に用いられる専門的な漢語。〈—心理学〉〈目標を—する〉✎大岡昇平の『野火』に「怯えた兵士として、初めそれを—しなかったばかりではなく、—した後も、眼はその細部を辿ることが出来なかった」とある。なお、「自分の子であることを—する」といった用法は法律用語。⇩認識・Q認定

にんてい【認定】 公的機関などが資格や事柄に関して判断し決定することをさし、会話にも文章にも使われる硬い漢語。〈—試験〉〈資格を—する〉〈国の—を受ける〉✎夏目漱石の『明暗』に「私のは—じゃありませんよ。事実ですよ」とある。⇩Q認識・認知

にんぷ【人夫】 土木工事や荷物の運搬などの力仕事に従事する労働者をさし、会話にも文章にも使われる古風な漢語。〈日雇い—〉✎芥川龍之介の『東洋の秋』に「公園の掃除をする—の類《たぐい》とは思われない」とある。職業差別の意識が感じられるとして今では使用を控えている。女性を連想しにくい。⇩Q労働者

にんぷふく【妊婦服】「マタニティードレス」をさす古めかしい感じの漢語。〈百貨店の—売り場〉✎女性は「妊婦」という露骨な名づけを嫌い、そこをカモフラージュして何となくかっこうのいい外国語へと逃げてゆく傾向が強い。⇩マタニティーウェア・Qマタニティードレス

にんむ【任務】 組織や集団の中でメンバーが責任を持って行うべき仕事の意で、改まった会話や文章に用いられる硬い感じの漢語。〈重い—を負う〉〈—を全うする〉〈着実に—を遂行する〉⇩義務・責務・Q務め

ぬ

ぬか【糠】玄米を精米する際に出る外皮などの粉をさし、会話にも文章にも使われる和語。〈―に漬ける〉✎現代では「こぬか」より一般的。「米ぬか」とも言う。⇩こぬか

ぬかあめ【糠雨】米の糠のように細かい雨の意で、会話にも文章にも使われる古風な和語。〈外は―が降っている〉✎谷崎潤一郎の『肉塊』に「(噴泉は)―よりも細かくなりながら」とある。⇩Q霧雨・小雨・こぬか雨・時雨

ぬかす【吐かす】「言う」「しゃべる」の意で相手を軽蔑して言う和語の俗語。〈何を―か〉〈勝手なことを―〉〈いいかげんなことを―な〉✎夏目漱石の『坊っちゃん』に「利いた風な事を―野郎だ」とある。⇩ほざく

ぬかす【抜かす】追い抜く、省くの意で、会話や軽い文章に使われる日常の和語。〈ゴール直前に前の人を―〉〈うっかり途中を―・して読む〉⇩追い越す・Q追い抜く・抜く

ぬかる【抜かる】油断して失敗する意で、くだけた会話に使われる俗っぽい古風な和語。〈いいか、―なよ〉⇩エラー・しくじる・失策・失態・失敗・とちる・ぽか・ミス・ミスる・やり損なう

ぬかるみ【泥濘】舗装していない道が雨や雪解けなどの影響でどろどろになって歩きにくい状態をさし、会話やさほど硬くない文章に使われる日常の和語。〈雪解けの―の道〉〈―に足を取られる〉✎久保田万太郎の『春泥』に「沼のような―」とある漢字表記は「でいねい」との区別が困難。⇩

ぬきうち【抜き打ち】予告なしにだしぬけに事を行う意で、会話やさほど硬くない文章に使われる和語。〈―検査〉〈―にテストを実施する〉✎刀を抜いた途端に斬りつける意から。⇩不意打ち

ぬきずり【抜き刷り】書物や雑誌の一部を別に刷って独立させた冊子をさし、会話にも文章にも使われるやや専門的な感じの和語。〈論文の―を配る〉✎自分の執筆した部分だけを寄贈する場合などに利用する。「別刷り」より一般によく使う。⇩別刷り

ぬきんでる【抜(抽)きん出る】「群を抜く」の意で、改まった会話や文章に用いられる和語。〈才能は―・でている〉〈―・でた好成績を残す〉✎いい意味で用いる。⇩Q群を抜く・図抜ける・ずば抜ける・飛び抜ける・抜群

ぬく【抜く】引っ張って取り去る、省くの意で、くだけた会話から硬い文章まで幅広く使われる日常の基本的な和語。〈大根を―〉〈歯を―〉〈栓を―〉〈しみを―〉〈手を―〉✎夏目漱石の『草枕』に「頭の毛を悉く―・いて」とある。目の前をさえぎる厚みをもった対象に働きかけてその一部に空白を作るのが基底的意味であり、その力が対象の背後に達する場合と、逆に主体側に戻る場合とに分かれ、さまざまな意味合いを実現する。⇩追い越す・追い抜く・扱《こ》ぐ・Q抜かす

ぬぐ【脱ぐ】身に着けていた物を取り去る意で、くだけた会話から硬い文章まで幅広く使われる日常の和語。〈シャツを―〉〈靴を―〉〈仮面を―〉✎大岡昇平の『俘虜記』に「上衣

を—・いでしまって、それを夜着のように顎までかぶったり」とある。「着る」「穿《は》く」「履く」「かぶる」と対立。「花衣—やみだるる恋に似て」という千原叡子の句は、脱ぎ捨てた花見の衣装と恋のイメージとの比喩的な取り合わせが悩ましい。⇩Q脱衣・外す

ぬぐう【拭う】 汚れたり濡れたりした箇所を拭き取るために布や紙をあてがって軽くこする意で、会話にも文章にも使われる和語。〈額の汗を—〉〈ハンカチでそっと涙を—〉〈ナプキンで口を—〉〈手で洟《はな》を—〉✎永井荷風の『かし間の女』に「ちらりと目にした瞬間の嬌態に、もう汗を—のも忘れて、突然十年のむかし或日の午後に起ったことをありありと思い浮べた」とある。こするように動かす際に「拭く」より手に少し力が入る感じがある。「テーブルの上をさっと—」のように、汚れを除去する点より布の動きに重点があるため、それで卓上がきれいになったという情報までは伝達しない。顔を洗った後に乾いたタオルを動かさずに押し付けるだけで水気を吸収させるような場合は「拭《ふ》く」がふさわしく、「拭《ぬぐ》う」はイメージが合わない。⇩拭き取る・Q拭く

ぬくもり【温もり】 温かみがかすかに感じられることをさして、会話にも文章にも使われるやや古風な和語。〈日中の—の残る部屋〉〈肌の—が忘れられない〉〈母の—を感じさせる〉✎三浦哲郎の『愛しい女』に「宿の浴衣を通して伝わってくる妻の軀の—で、清里の頬が熱くなってきた」とある。肌に接して感じるやわらかいかすかな温かさを美化した感じで、寝起きの布団のような物理的な温度や感覚だけでなく精神的な意味合いに抽象化した用法もある。「木の—を感じさせる家」「家庭の—」「世の中がまだぎすぎすしていなかった古き佳き時代の—」のように抽象的にとらえた、しっとりとした味わい、懐かしさをさす比喩的な例も多く、「温かみ」以上のプラスイメージが感じられる。芥川龍之介の『或日の大石内蔵助』にある「胸底を吹いている春風は、再《ふた》び幾分の—を減却した」の例も心理的。⇩暖かさ・Q温かみ

ぬけだす【抜(脱)け出す】 ある好ましくない場所や状況からひそかに逃れ出る意で、会話にも文章にも使われる和語。〈夜中にこっそり—〉〈会議中に—〉〈逆境から—〉✎横光利一の『機械』に「細君の睨みの留守に脱兎のごとく—・して」とある。結果に重点を置いた感じの「抜け出る」に比べ、意図にも言及した感じが伴い、「抜け出る」よりよく使われる。⇩脱却・脱出・抜け出る

ぬけでる【抜(脱)け出る】 「抜け出す」とほぼ同義で、会話にも文章にも使われる和語。〈授業中に巧みに教室から—〉✎結果を客観的にとらえただけで、「抜け出す」ほど積極的な意図が表に出ていない感じがある。⇩脱却・脱出・抜け出す

ぬけみち【抜け道(路)】 本道以外に通り抜けられる細い近道をさして、会話にも文章にも使われる和語。〈神社の脇の—を通ると早い〉〈ひそかに—を教える〉✎「退路」より狭く、「逃げ道」より一般に知られていない感じが強い。「国道が込んでいるので途中から—をする」のように、そこを通る手段に重点のある使い方もある。「法の—」「あらかじめ—を作っておく」のように、逃れる手段といった抽象的な意味合いでもよく使われ、「逃げ道」より一般人には気づきにく

い感じが強い。⇩間道・退路・近道・Q逃げ道・脇道

ぬし【主】所有者や行為をした当人、物事の中心となっている人物をさし、会話やさほど硬くない文章に使われる古風な和語。〈持ち―〉〈落とし―〉〈飼い―〉〈あの山の―〉〈噂の―〉✎森鷗外の『青年』に「声の―は大村であった」とあり、夏目漱石の『倫敦塔』にも「歌の―」とある。⇩あるじ・主人①

ぬすっと【盗人】「泥棒」の意の古めかしい和語。〈―たけだけしい〉✎「ぬすびと」の転で、より会話的。人をさし、行為だけはささない。落語の世界の「ぬすっと」は、手ぬぐいで頬かむりをして唐草模様の大きな風呂敷包みを背負い、中には家を出るときから抜き足差し足で歩き出す間抜けな手合いもいて、憎めない感じがある。⇩窃盗・賊・盗賊・Q泥棒・ぬすびと・物盗り

ぬすびと【盗人】「泥棒」の意で、古めかしい和語。〈―に追い銭〉〈―にも三分の利〉✎芥川龍之介の『羅生門』に「―になるよりほかにしかたがない」ということを、積極的に肯定するだけの、勇気が出ずにいた」とある。「ぬすっと」ほど会話的ではない。人をさし、行為だけはささない。古風な語感が、殺伐とした現代の世相に比べればまだ少しはのんびりしていた時代のイメージを誘うため、「泥棒」ほどの恐怖感をかきたてない。⇩窃盗・賊・盗賊・Q泥棒・ぬすっと・物盗り

ぬすみぎき【盗み聞き】他人の話を物陰に隠れるなどして当人に気づかれないようにこっそり聞く意で、会話にも文章にも使われる和語。〈隣の部屋の壁に耳をつけて―する〉〈密談を―する〉✎「立ち聞き」より意図的・積極的であるが、「盗聴」と違って内密に機械を操作するという連想は稀薄で、犯罪の雰囲気は弱い。⇩Q立ち聞き・盗聴

ぬの【布】織物の総称で、くだけた会話から硬い文章まで幅広く使われる日常の和語。〈―でできている〉〈―を当てる〉✎「きれ」と違い、大きさに関係なく使う。⇩生地・切れ・Q布地

ぬのじ【布地】衣服を作る材料としての布をさして、会話にも文章にも使われる和語。〈―を裁つ〉✎太宰治の『葉』はいきなり「死のうと思っていた」と始まり、「ことしの正月、よそから着物を一反もらった」という一見何の関係もない一文が続き、以下「着物の―は麻であった」など、着物の話が展開する。⇩Q生地・切れ・布

ぬま【沼】周りを陸地に囲まれ水を湛えた場所をさし、会話にも文章にも使われる和語。〈底なし―〉✎夏目漱石の『吾輩は猫である』に「―へでも落ちた人が足を抜こうと焦慮《あせ》る度にぶくぶく深く沈む様に、(餅を)嚙めば嚙む程口が重くなる」という比喩表現が出る。通例、湖より小さく池より大きいイメージがある。水深五メートル以内で底が泥深く藻の類が生える。⇩池・Q湖

ぬまち【沼地】泥が多く湿った土地をさし、会話にも文章にも使われる表現。〈―がひろがる〉〈―に足をとられる〉⇩Q湿原・湿地

ぬるい【温い】通常の熱さより温度が低い場合の感じをさして、くだけた会話から硬い文章まで幅広く使われる日常の基本的な和語。〈―湯にゆったりと浸かる〉✎熱いお茶が冷

めかかったり冷たいジュースが温まりかけたり、その温度を好ましくないと思う例が多く、小沼丹の『外来者』も、周囲に気をとられているうちに「ビイルはすっかり―・くなっているのである」と結ばれる。⇩生ぬるい

ぬれえん【濡れ縁】部屋に沿って雨戸より外側に設けた簡易な板敷きをさし、会話にも文章にも使われる日常語。〈―に腰を掛ける〉三木卓の『隣家』に「竹竿を―の下に押し込んでその奥に住んでいる猫を脅していた」とある。⇩縁②・Q縁側・廊下

ぬれば【濡れ場】男女の色事の現場をさし、会話やさほど硬くない文章に使われる古風な和語。〈―を目撃する〉〈―を演ずる〉井伏鱒二の『珍品堂主人』に「「あら御免なさい」と云ったのは、「その―、見届けた」というのと同義語のようなもの」とある。本来は歌舞伎で濡れ事(情事)を演ずる場面の意。⇩ラブシーン

ね

ね【音】小さな音や声をさし、主に文章中に用いられる古風な和語。〈虫の―〉〈笛の―が近づいてくる〉虫・笛・琴・鐘・鈴など用法はかなり限定的で、心にしみいる感じを伴う場合が多い。三浦哲郎の『忍ぶ川』に「静けさの果てから、さえた鈴の―がきこえ」とある例は「ね」とも「おと」とも読めるし、「鐘」は「おと」「こえ」「ね」のいずれも使える。⇩Qおと・声

ね【根】木や草の土中にあって幹や茎を支える部分をさし、くだけた会話から文章まで幅広く使われる基本的な和語。〈―を張る〉〈―を下ろす〉上林暁の『野』に「櫟の―が、病菌に侵されたのであろう、大きな瘤のように膨れている」とある。⇩根っこ

ね【値】売買の代価の意で、会話や軽い文章に使われる、やや古風な和語。〈―が張る〉〈―を踏む〉「―が出る」のように価値の意でも使う。⇩価《あたい》・価格・価額・Q値段

ねいもう【獰猛】「どうもう」の誤読。「獰」の旁《つくり》につられた読み違い。「獰猛」が比較的よく使われる語だけに教養が疑われかねない。⇩どうもう

ねいりばな【寝入り端】眠って直ぐの意で、会話にも文章にも使われる和語。〈―を起こされる〉⇩寝際・Q寝しな

ねいる【寝入る】深い眠りに入る意で、会話にも文章にも使われる、いくぶん古風な感じもする和語。〈すやすや―・っ

ている〉〈前後不覚に―〉✎川端康成の『眠れる美女』に「沈みこむように―・った」とある。⇩Q寝込む・寝付く

ねいろ【音色】同じ高さ・強さの音であっても楽器の種類などによって生ずる感じの違いをさし、会話にも文章にも使われる日常の和語。〈バイオリンの―〉〈冴えた―〉〈―の違いを聴き分ける〉✎小林秀雄の『モオツァルト』に「後から後から色々な構想は、対位法や様々な楽器の―にしたがって私に迫って来る」とあり、三浦哲郎の『愛しい女』に「枕元の明りを消すと、急にその風鈴の―が冴えてきこえた」とある。物理的な感じの「おんしょく」と比べ、美的・芸術的な価値を問題にする感じが強い。「音いろ」という表記であれば意味もわかり「おんしょく」との区別もできる。⇩おんしょく

ねうち【値打ち】「価値」の意で、会話や軽い文章に使われる、やや古風で日常的な和語。〈大変な―がある〉〈―が出る〉✎抽象的なものにも使われる「価値」に比べ、具体物に使うことが多い。⇩値《あた》い・価値

ねえさん【姉さん】姉の敬称や若い女性への呼びかけとして、主に会話で使われる和語。〈―と妹〉〈―の嫁ぎ先〉〈ちょいと―、お酒〉✎旅館や料亭などの接客の女性をさす場合は慣用的に「姐さん」と書く。⇩姉・実姉

ネーミング 新商品や新しい企画・組織や会などの命名をさし、会話や軽い文章に使われる比較的新しい外来語。〈同じ機種でも―次第で売れ行きが違う〉⇩名付ける・命名

ねおき【寝起き】寝たり起きたりする意、また、目が覚めて起き出す意で、会話にも文章にも使われる和語。〈家族が―する部屋〉〈この子は―がいい〉⇩Q寝覚め・目覚め

ねがい【願い】こうありたいと望んだり頼んだりする意で、会話やさほど硬くない文章に使われる和語。〈一生のお―〉〈切なる―〉〈やっと―がかなう〉〈―を聞き入れる〉✎国木田独歩の『牛肉と馬鈴薯』に「死ちょう事実に驚きたいという―です」とある。「退職―」「休学―」のように願書の意味にも使う。⇩Q願望・期待・希望・願い事・ねぎごと・念願・望み・夢②

ねがいごと【願い事】神仏などに願う事柄の意で、会話や軽い文章に使われる、やや古風な和語。〈―を聞く〉〈―がかなう〉✎永井龍男の『酒徒交伝』に「もしも神さまが、たった一つの―を許してくれるとすれば、あの晩棺の中から出て、この世とあの世の境目の酒の味を、親しい友人達と酌み交わし、それから心おきなく三途の川の方へ旅立ってみたい」とある。⇩願望・期待・希望・願い・Qねぎごと・念願・望み・夢②

ねがう【願う】自分の希望や期待が実現するように他人に頼んだり神仏に祈ったりする意で、くだけた会話から硬い文章まで幅広く使われる日常の基本的な和語。〈よろしくお―・いします〉〈心から―〉〈安全を―〉〈―・ってもないチャンス〉〈―・ったり叶ったり〉✎網野菊は『遠山の雪』で「幼い子供をみすてて年下の愛人なんかを持った」母親について「実母が不幸であるようにと―・ったことは全然ない」と書く。「祈る」より宗教色が弱く、実現可能性がいくらか高い感じがある。⇩Q祈る・頼む・念じる・念ずる・望む①

ねぎごと【祈(願)ぎ事】神仏に祈願する事柄の意で、主に文

章中に使われる古めかしい和語。〈並んで拝んでも―はそれぞれ違う〉三島由紀夫の『橋づくし』に「今夜の―はお互いに言ってはならない」とある。⇩願望・期待・希望・願い・Q願い事・念願・望み・夢②

ねぎらう【労(犒)う】相手の骨折りに対してそれを多とする態度や行為を示す意で、会話にも文章にも使われる和語。〈労を―〉〈ねぎらいの言葉を掛ける〉安岡章太郎の『海辺の光景』に「その語調は―よりは、強制的に追い立てようとするひびきがあった」とある。上位者が下位者に対してとる行動を言い、逆には用いない。⇩いたわる

ねぎわ【寝際】寝ようとして横になっているときの意で、会話にも文章にも使われる、やや古風な和語。〈―に電話がかかってくる〉⇩寝入り端・Q寝しな

ネクタイ ワイシャツの襟の下に巻いて結び胸に垂らす布の意で、会話にも文章にも使われる外来語。〈蝶―〉〈―を締める〉〈―着用のこと〉川端康成の『山の音』に「―をお取りなさいよ、暑苦しいわ」とある。⇩タイ

ネグリジェ ワンピース形式の女性用の寝巻きをさし、会話にも文章にも使われるフランス語からの外来語。〈―のまま鏡に向かう〉富岡多恵子の『幸福』に「羽衣のような、透けた水色の―」とある。「パジャマ」より装飾的な雰囲気が漂う。⇩寝巻き・Qパジャマ

ねこばば【猫糞】拾得物などを届け出たり落とし主に返したりせずにそのまま自分の所有とする意で、くだけた会話に使われる俗語。〈財布を拾って―する〉〈そのまま―をきめこむ〉「横領」はもちろん「着服」よりも罪意識は軽い。猫が自分の「ばば(糞)」に砂をかけて隠すところから。⇩横領・Qくすねる・失敬・着服・横取り

ねこむ【寝込む】深く眠る意で、会話や文章に使われる和語。〈酒に酔ってぐっすり―〉〈―・んでいるところを襲われる〉「風邪で―」のように病気になって床に就く意でも用いられる。⇩寝入る・Q寝付く

ねころがる【寝転がる】ごろんと横になる意で、会話や硬くない文章に使われる和語。〈畳にごろんと―〉〈―・ったまま教科書を広げる〉太宰治の『走れメロス』に「全身萎えて、もはや芋虫ほどにも前進かなわぬ。路傍の草原にごろりと―・った」とある。横か下を向いてしばらく休むか、そういう楽な恰好で何かちょっとしたことをするような連想があり、「寝転ぶ」に比べ、その姿勢に移る動作よりも、そのような状態にあることに重点があるような感じもある。くだけた会話では「寝っころがる」となることも多い。⇩寝転ぶ・Q寝そべる・横たわる

ねころぶ【寝転ぶ】寝床以外の場所でごろりと横になる意で、会話や硬くない文章に使われる和語。〈縁側に―〉〈ごろりと―・んでテレビを見る〉梶井基次郎の『愛撫』に「私はゴロッと仰向きに―・んで、猫を顔の上へあげて来る」とある。静かな感じの「横たわる」に比べ、粗野な動作が連想され、状態的な「寝転がる」に比べ、そういう姿勢に移る動作に重点があるような感じが強い。⇩Q寝転がる・寝そべる・横たわる

ねさげ【値下げ】物の値段や料金などをそれまでより引き下げる意で、会話やさほど改まらない文章に使われる日常の

和語。〈―断行〉〈―品〉〈小幅《こはば》な―にとどまる〉⇩Q値引き・割引

ねさげひん【値下げ品】通常より値段を下げた品物をさす語。〈―のコーナー〉✎「セール品」と比べ、古くなって安くても早く処分しようとしている感じが強く、前日に焼いて売れ残ったパンや、採ってから数日経過した蕗《ふき》の薹《とう》などが連想される。⇩セール品

ねざめ【寝覚め】眠りから覚める意で、会話にも文章にも使われる古風な和語。〈―にせせらぎの音が心地よい〉✎「―が悪い」という表現には、単に目が覚めたときの気分がよくないという意味のほか、悪いことをしたという呵責《かしゃく》の念に駆られる場合も含まれる。⇩Q寝起き・目覚め

ねじける【拗ける】曲がって素直でなくなる意として、主に会話に使われる和語。〈性格の―・けた子供〉〈心が―・けて何でも悪くとる〉⇩すねる・僻《ひが》む・Qひねくれる

ねしな【寝しな】寝かかっているときの意で、会話にも文章にも比較的よく使われる和語。〈―に地震があって飛び起きる〉✎「しな」は時の意の接尾語という。「寝ぎわ」より広く、眠りかけているところまで含む。⇩寝入り端・Q寝際

ねじまげる【捻じ曲げる】故意にゆがめる意で、会話や軽い文章に使われる和語。〈事実を―・げて伝える〉✎「腕を―」のように具体的な意味合いでも使う。⇩歪曲《わいきょく》

ねじまわし【螺子回し】ねじ釘やビスを回して締め込んだり緩めて抜き取ったりするための道具をさして、会話にも文章にも使われる日常の和語。〈―できつく締める〉✎外来語の「ドライバー」と比べるといくぶん古風な感じがする。⇩ドライバー

ねしょうべん【寝小便】睡眠中に無意識に排尿する意で、会話や改まらない文章に使われる日常語。〈―の癖が直らない〉⇩遺尿・Qおねしょ

ねじる【捩じる】指でつまんだ対象の両端に強い逆向きの力を加えながら回す意で、会話やさほど硬くない文章に使われる日常生活の和語。〈容器の蓋《ふた》を何度も強く―・ってやっと開ける〉〈足首を変な具合に―・ってしまう〉〈相手の腕を―〉✎「ひねる」よりも対象に強い力が加わる感じで、それを何度か繰り返すことも可能。⇩ひねる

ねすぎる【寝過ぎる】必要以上に長い時間寝る意で、会話にも文章にも使われる和語。〈―・ぎると、かえって体が重い〉⇩寝過ごす

ねすごす【寝過ごす】予定よりも遅く目を覚ます意で、会話にも文章にも使われる和語。〈朝うっかり―・して会社に遅刻する〉⇩寝過ぎる

ねそべる【寝そべる】両脚を伸ばしてだらしなく横になる意で、会話や硬くない文章に使われる和語。〈縁側に―・って猫とたわむれる〉〈ベッドに―・って雑誌を読む〉✎堀辰雄の『風立ちぬ』に「白樺の木蔭に―・って果物を齧じっていた」とある。腹這《はらば》いになる場合が多く、横を向いてもこの語を使うが、眠るために寝床に横になる場合には言わない。類語の中で最もだらしのないイメージがある。⇩寝転がる・Q寝転ぶ・横たわる

ねたましい【妬ましい】羨ましくて妬みを感じる意の和語。どのような会話でも文章でも使える「羨ましい」に比較し、

ごくうちとけた関係での会話には使いにくい感じがある。〈相手の若さが―〉〈ライバルだけに、最近の活躍ぶりが―〉✎岡本かの子の『河明り』に「ときどきにもせよ、そういう一室に閉じ籠れるのは羨ましい。寧ろ―」とある。淡白な「羨ましい」と比べ、「妬む」気持ちが強く、嫉妬心が内攻して容易に抜けない雰囲気が伝わってくる。⇩羨ましい

ねたみ【妬み】 うらやましくねたましく思う気持ちをさし、会話でも文章でも使われる日常的な和語。〈―に思う〉〈人の―を買う〉✎男女間の感情以外に広く用いる。⇩嫉妬・やきもち

ねだる しつこく頼み込む意で、会話や硬くない文章に使われる和語。〈子供におもちゃを―・られる〉〈親に―・って車を買ってもらう〉✎大岡昇平の『俘虜記』に「発熱と共に下痢をして彼にクレオソート丸を―・った時も「あれは痛み止めだ、下痢止めじゃない」といってくれなかった」とある。しつこい場合は「強請る」とも書く。⇩Qせがむ・せびる

ねだん【値段】 売買に際して物品や乗り物その他のさまざまなサービスに対して決める価格をさし、会話にも文章にも使われる表現。〈―をつける〉〈―をつりあげる〉〈タクシーの―〉✎夏目漱石の『明暗』に「正札を見つけて、その―どおりのものを彼が注文してこしらえた」とある。⇩価《あたい》・Q価格・価額・値《ね》

ねつ【熱】 体の温度、特に平熱より高い体温をさし、会話にも文章にも広く使われる日常の漢語。〈―冷まし〉〈―を測る〉〈―が出る〉〈―がある〉〈―が下がる〉✎梶井基次郎の『檸檬』に「―を見せびらかすために手の握り合いなどをしてみるのだが、私の掌が誰れのよりも熱かった」とある。「―を加える」「―を奪う」のように物体についても使う。「―に浮かされる」は高熱のためにうわごとを言う意のほか、物事に夢中になって我を忘れる意の比喩的表現としても使い、「ひところの―は冷めた」のように常に後者の意となる用法もある。⇩Q体温・熱意

ねつい【熱意】 物事を実現しようとする熱心な気持ちをさし、いくぶん改まった会話や文章に用いられる漢語。〈―に打たれる〉〈―が感じられない〉〈―を買って起用する〉✎有島武郎の『或る女』に「―が身をこがすように燃え立った」とある。⇩熱

ネッカチーフ 保温や装飾のために首に巻く四角く薄い布をさし、会話にも文章にも使われるいくぶん古風な外来語。〈絹の―〉✎「スカーフ」に比べ小さい印象がある。⇩スカーフ

ねつく【寝付く】 眠りに入る意で、会話にも文章にもよく使われる和語。〈ぐずっていた赤ん坊がようやく―〉✎病床に就く意にも使う。⇩寝入る・寝込む

ねっこ【根っこ】「根」をさして改まらない会話で使う俗っぽい和語の口頭語。〈―を掘り起こす〉〈―ごと引き抜く〉✎小林多喜二の『蟹工船』に「「木の―のように」正直な百姓」とある。子供はふつう「根」よりもこの語形を使う。「根」が一拍しかないので意味が通じるか不安な場合、大人も、特に改まらない通常の会話ではこの語を選ぶ傾向がある。ただし、文章中に用いる場合は漢字で表記すれば意味が紛れないため、そのような配慮は働かない。⇩根

ねっしゃびょう【熱射病】高温多湿の場所で体内の熱が発散しにくくなり、体温調節がうまく行かなくなる病気。〈―と診断される〉⇩日射病・Ｑ熱中症

ねつじょう【熱情】燃えるほど激しい熱い思いや熱心さの意で、改まった会話や文章に用いられる漢語。〈―がたぎる〉〈―がほとばしる〉〈―をこめて思いを語る〉佐多稲子の『くれない』に「―は、その瞬間に灰をかぶったように暗澹となり」とある。⇩情熱

ねっしん【熱心】物事に情熱を持って打ち込む様子をさし、くだけた会話から硬い文章まで幅広く使われる日常の和語。〈練習―〉〈―な生徒〉〈―な信者〉〈教育―な母親〉〈―に仕事に励む〉〈―に勧める〉尾崎一雄の『霖雨』に「入籍のことが―な話題になったのは、昌造にとって意外だったが」とある。⇩一生懸命・Ｑ一所懸命・真剣・熱烈・まじめ

ねつぞう【捏造】事実であるように見せかけて偽りのものをつくりあげる意の漢語で、やや専門語寄りの文章語。〈証拠を―する〉〈今度の報告書は―の疑いがある〉前田河広一郎の『三等船客』に「あることの限りを―して語りあっている」とある。「でっち上げる」以上に計画性や悪意が感じられる。「でっち上げる」の用法のうち、形だけつくようにいい加減にやっつけるといった意味合いでは代用できない。⇩作り出す・Ｑでっち上げる

ねっちゅう【熱中】気持ちが一つのことに集中する意で、会話にも文章にも使われる漢語。〈サッカーに―する〉〈音楽に―する〉井伏鱒二の『朽助のいる谷間』に「若し私が好色家であるならば、彼女のまくれた上着のところに興味を持ったであろうが、私は元来そういうものではなかったので、杏を食べることに―している様子を装った」とある。⇩専念・Ｑ没頭・夢中

ねっちゅうしょう【熱中症】高温の場所で仕事や運動をしすぎたことが原因で起こる病気の総称。〈―対策〉〈―を防ぐため激しいスポーツを控える〉日射病・熱射病などの総称だが、特に熱射病をさすこともある。⇩日射病・Ｑ熱射病

ネット 網や網状の物をさして会話にも文章にも使われる外来語。〈野球場の―裏〉〈テニスコートに―を張る〉〈ボールが―に引っかかる〉スポーツ用具の場合は「網」でなく一般にこの語を使う。「インターネット」の略称の場合は平板型のアクセントで俗っぽい響きがある。⇩網

ねつれつ【熱烈】情熱的で激しい意で、会話にも文章にも使われる漢語。〈―な恋愛〉〈―な支持者〉〈―な歓迎を受ける〉田山花袋の『蒲団』に「初めて恋するような―な情は無論なかった」とある。⇩熱心・激しい

ねどこ【寝所】「寝室」の意で会話にも文章にも使われる古めかしい和語。〈―から出て来ない〉⇩Ｑ寝室・しんじょ・寝床・寝ま・寝や

ねどこ【寝床】蒲団などを敷いて寝る用意をした場所をさし、会話にも文章にも使われる、やや古風な和語。〈―を作る〉〈―で本を読む〉〈―にもぐり込む〉里見弴の『椿』に「五寸ほど離して並べてとった―には、姪にあたる二十歳の娘が」とある。加能作次郎の『世の中へ』には「青く明るく照して、二つの―がその中に小舟の浮んでいるように見えた」とある。和室に蒲団を敷いたイメージが強いが、ベッドの

普及した現在では和洋を問わずに使うことも多い。⇩寝台・とこ・Q寝所《ねどこ》・蒲団・ベッド

ねばつく【粘付(着)く】ねばって物によくくっつく意で、会話にも文章にも使われる和語。〈手に―〉〈飴《あめ》がとけて―〉✎三島由紀夫の『金閣寺』に「運動靴の粗悪なゴム裏は、石のひとつひとつに―・いた」とある。接着剤などの粘液性のものに言う傾向が強い。⇩ねばっこい・ねばねばする・ねばる・Qべたつく・べとつく

ねばっこい【粘っこい】ねばねばしている様子をさし、会話や硬くない文章に使われる和語。〈―触感〉✎大江健三郎の『芽むしり仔撃ち』に「唇のうちがわで唾液が―・くかたまりはじめ、舌が痛みながらひきつった」とある。「―性格」のように、「しつこい」意の比喩的用法もある。⇩ねばつく・Qねばねばする・ねばる・べたつく

ねばねばする【粘粘する】やわらかく物によくくっつく意で、会話や硬くない文章に使われる和語。〈表面が―〉✎井伏鱒二の『黒い雨』に「固形石鹼にする前の―・した液体のまま罐に入れたものである」とある。開高健の『蒸暑い夜』に「粥のように―・した暑熱」という比喩的な用例がある。⇩ねばつく・Qねばっこい・ねばる・べたつく

ねばる【粘る】やわらかく伸縮性に富んでちぎれにくく、触れた物にくっつきやすい意で、会話にも文章にも使われる日常の和語。〈納豆が―〉〈餅が―〉✎石川淳の『普賢』に「白栲《しろたえ》の腕《ただむき》は飴のようにとろけて頸筋に―・りつく」とある。「最後まで―」「交渉が成立するまで―」のように、諦めずに根気強く続ける意の比喩的用法もある。⇩Qねばつく・ねばっこい・ねばねばする・べたつく・べとつく

ねびき【値引き】商品の値段を正価より安くする意で、会話やさほど改まらない文章に使われる日常の和語。〈―率〉〈交渉して―させる〉⇩値下げ・Q割引

ねま【寝間】「寝室」の意の古めかしい和語。〈―に下がってゆっくり休む〉✎「寝間」の字面から、離れでなく母屋の一角にある和室を連想させる。ちなみに、井伏鱒二は李白の『静夜思』の「牀前看月光／疑是地上霜」の部分を現代日本語に訳すにあたって、「牀前、月光を見る。疑ふらくは是、地上の霜かと」といった漢文調の厳かな響きを排し、「―ノウチカラフト気ガツケバ／霜カトオモフイイ月アカリ」と、庶民の土俗趣味に徹して七七調の俗謡風の調べに乗せている。「牀前」といった重々しい語を「ねま」という生活語に移し変えた点が注目される。⇩寝室・寝所《しんじょ》・Q寝屋・ベッドルーム

ねまき【寝巻き】夜に寝るときに着る衣服をさし、会話にも文章にも使われる、やや古風な和語。〈―姿で顔を出す〉〈―に着替える〉✎林芙美子の『放浪記』に「―や帯が、海草のように壁に乱れていた」とある。「寝間着」と書くこともある。西洋風のパジャマの普及に伴い「パジャマ」という語も一般化したため、今あえてこの語を使うと和服を連想させやすい。⇩ネグリジェ・Qパジャマ

ねむい【眠い】眠ってしまいそうな状態をさし、会話から文章まで幅広く用いる日常的な和語。〈朝が―・くてつらい〉〈―目をこする〉✎内田百閒の『居睡《いねむり》』に「そろそろ―・くなり、先生の手の動くのを夢と現《うつつ》の間に追っている内に、

もう何も解らなくなってしまう」とある。「眠たい」のほうは俗っぽく会話的。⇩眠たい

ねむたい【眠たい】「眠い」に近い意味で、主としてあまり改まらない会話に用いる和語。〈だんだん―・くなってきた〉〈―・くてしょうがない〉✎幅のある「眠い」のうちかなり眠い部分をさす傾向が強い。「眠い」よりくだけた感じの語。⇩眠い

ねむり【眠り】眠ることの意で、会話にも文章にも使われる和語。〈―に就く〉〈―が浅い〉〈心地よい―から覚める〉✎古井由吉の『水』に「心地よく小波立ちながらどこまでも平らかにひろがっていく―」とある。健康というよりその快適さに言及する例が目立つ。「永い―につく」という形で「死去」の婉曲《えんきょく》表現としても用いられる。⇩Q睡眠・ねんね

ねむりぐすり【眠り薬】催眠剤や麻酔薬などを漠然とさし、会話や硬くない文章に使われる、やや古風な日常の和語。〈―で眠らされる〉⇩催眠剤・睡眠剤・Q睡眠薬

ねむる【眠る】緊張が緩んで心身の活動が休止し一時的に無意識の状態になる意で、くだけた会話から硬い文章まで幅広く使われる日常の基本的な和語。〈八時間―〉〈ぐっすり―〉〈授業中に―〉✎庄野潤三の『静物』に「まるで息をしていないように―・っていた」とある。「墓地に―」「安らかに―」のように「死ぬ」の婉曲《えんきょく》表現「永眠」の意に用いる場合は古風でやや雅語的。「豊かな資源が地下に―」のように、活用されずにある意に使う比喩的用法もある。⇩寝入る・寝つく・Q寝る

ねめつける【睨め付ける】「睨《にら》み付ける」意で、会話にも文章にも使われる古風な和語。〈憎い相手をじろりと―〉✎「睨み付ける」に比べ、攻撃的な視線の動きが連想され、より迫力を感じる傾向がある。⇩Q睨み付ける・睨む・睥睨《へいげい》

ねや【寝屋】「寝室」の意の古めかしい和語。〈―に入る〉✎字面から離れの和室を連想させることもある。また、「閨」の字を当てて、特に女性の寝室、夫婦の寝室をさす場合もある。⇩寝室・寝所《しんじょ》・Q寝間・ベッドルーム

ねらい【狙い】めざす目標の意で、くだけた会話から硬い文章まで幅広く使われる和語。〈―をつける〉〈―を定める〉〈―どおりに運ぶ〉⇩意図・ターゲット・目当て・目的・Q目標

ねらう【狙う】命中させたり自分の手に入れたりするために目標を定める意で、くだけた会話から硬い文章まで幅広く使われる日常の和語。〈的の真ん中を―・って矢を放つ〉〈―・った獲物は逃さない〉〈相手の隙《すき》を―〉〈新人賞を―〉〈大臣のポストを―〉〈相乗効果を―〉✎太宰治の『人間失格』に「いつも、年の暮を―・って、こんな事(自殺騒ぎ)をやられたひには、こっちの命がたまらない」とある。⇩Q目掛ける・目指す

ねる【寝る】①床に入る、眠るの意で、会話でも文章でも自由に使える基本的な日常の和語。〈―子は育つ〉〈ベッドで―〉〈寝ながら本を読む〉✎堀辰雄の『大和路』に「ねられぬまま、仕事のことを考えているうちに」とある。⇩お休みになる・伏せる・休む② ②漠然と「性交」を暗示することのある日常の和語の俗っぽい表現。〈女と―〉✎「寝る」の一部に「男女の共寝」があり、そこで自然に起こる行為をほのめかす。⇩営み・エッチ・関係②・合歓・交合・交接・情交・情を通じる・

Q性交・性行為・性交渉・性的行為・セックス・抱く②・契る・同衾《どうきん》・共寝・懇ろになる・ファック・深い仲になる・房事・枕を交わす・交わる・やる③・夜伽《よとぎ》

ねる【練る】水を加えたり火にかけたりしてこねて固める意で、会話でも文章でも使われる和語。〈飴《あめ》を―〉〈羊羹《ようかん》を―〉✎「こねる」が多方向から力を加える印象があるのに対して、この語は一定方向の反復動作を連想させやすく、その過程よりも結果としてできあがる製品のほうに意識の重点がある表現。⇩こねる

ねんいり【念入り】「入念」の意で、会話やさほど硬くない文章に使われる、いくぶん使用頻度が落ちた感じのする表現。〈―に仕上げる〉〈―に化粧をする〉〈―に点検する〉✎夏目漱石の『坊っちゃん』に「―に認《したた》めなくっちゃならない」とある。「丹念」と違って、類似行為の繰り返しに限らず、一連のことでも一つのことでも、ともかく細部に至るまで気持ちを集中させて行うところに表現の中心がある。⇩丹念・丁寧①・Q入念

ねんがじょう【年賀状】新年を祝う手紙やはがきをさし、会話にも文章にも使われる日常の漢語。〈―を出す〉〈手書きの―が届く〉〈―だけの付き合い〉✎本来は書状をさしたが、現在では多く年賀はがきを連想させる。⇩Q賀状・年始状

ねんがらねんじゅう【年がら年中】「年中」の強調表現で、主にくだけた会話に使われるいくぶん古風で少し俗っぽい表現。〈―遊び歩いている〉〈―風邪ばかり引いている〉✎「年中」に比べ、マイナス評価の内容が続きやすく、批判めいた響きが感じられる。⇩年中

ねんがん【念願】あることを目標としそれに向けて一心に願い努める意で、改まった会話や文章に用いられる硬い漢語。〈かねてよりの―どおり〉〈ようやく―がかなう〉〈―を果たす〉✎単なる「願い」や「願望」より熱心に求め努力している雰囲気がある。⇩願望・期待・希望・願い・Q願い事・ねぎごと・望み・夢②

ねんき【年季】奉公の約束期間や修行の期間を意味して、会話でも文章でも用いられる古風な漢語。〈―奉公〉〈―が要る〉〈―が明ける〉〈―が入っている〉⇩年期・年忌

ねんき【年期】年単位の期間の意で、改まった会話や文章に用いられる硬い漢語。〈今―の決算〉⇩Q年季・年忌

ねんき【年忌】年ごとの祥月命日の意で、改まった会話や文章に用いる古風な漢語。〈―の法要を営む〉⇩Q年季・年期

ねんげつ【年月】年と月を単位にして数える長い期間をさし、やや改まった会話や文章に使われる漢語。〈長い―が経つ〉〈幾多の―をかけてようやく完成にこぎつける〉✎夏目漱石の『倫敦塔』に「かかる文を草する目的で遊覧した訳ではないし、且―が経過して居るから」とある。やわらかい雰囲気のしっとりとした「としつき」に比べ、日常生活で一般によく使う格別の情緒なく淡々とした感じの語。⇩Q歳月・としつき

ねんごろになる【懇ろになる】まれに「性交」を意味することのある和風の古めかしい間接表現。〈気がついたら―・っていた〉✎基本的には「男女が仲のよい親しい関係になる」意。そこに含みとして肉体関係が入ってくる場合がある、というきわめて婉曲《えんきょく》な表現。⇩営み・エッチ・関係②・合歓・

交合・交接・情交・情を通じる・Q性交・性行為・性交渉・性的行為・セックス・抱く②・契る・同衾《きんどう》・共寝・寝る②・ファック・深い仲になる・房事・枕を交わす・交わる・やる③・夜伽《よとぎ》

ねんざ【捻挫】 手足の関節に無理な力が働いて靭帯《じんたい》などが損傷する現象をさし、会話にも文章にも使われる、やや専門的な漢語。〈転倒して足首を―する〉⇩挫《くじ》く・Q脱臼

ねんしじょう【年始状】「年賀状」の意で、改まった会話や文章に用いられる古風な漢語。〈―のやりとりがある〉✎「年賀状」に比べ書簡形式を連想させやすい。夏目漱石の『吾輩は猫である』に「某画家からの―であるが、上部を赤、下部を深緑で塗って、其の真中に一の動物が蹲踞って居る所をパステルで書いてある」とある。⇩賀状・Q年賀状

ねんじゅう【年中】 一年中いつでもの意で、会話にも文章にも使われる漢語。〈―文句ばかり言っている〉〈―暇を持て余している〉✎夏目漱石の『坊っちゃん』に「おやじも―持て余している」とある。⇩年がら年中

ねんしょう【燃焼】 物質が空気中の酸素と化合し、熱や光を発する現象をさし、学術的な会話や文章に用いられる、やや専門的な漢語。〈不完全―〉〈完全に―し尽くす〉⇩Q燃える・燃す・燃やす・焼く・焼ける

ねんじる【念じる】「念ずる」の日常語的な語形。⇩祈る・頼む・願う・Q念ずる

ねんずる【念ずる】 こうありたいと心の中で強く願う意で、改まった会話や文章に用いられる、やや古風な表現。〈神仏を―〉〈友の無事を―〉✎網野菊は『遠山の雪』で子を捨てた実母について「せめて晩年は幸福であってくれと―・じていた」と書く。⇩祈る・頼む・Q願う・念じる

ねんだい【年代】 時の流れをある程度の長さで区切った比較的長い期間をさし、会話にも文章にも使われる漢語。〈明治―〉〈―物〉〈―順に並べる〉〈今とは―が違う〉〈あの―の人〉〈―を感じさせる〉✎「同―」のように年齢層をさす用法もあり、その場合は「世代」よりも幅が狭い感じがある。⇩Q時代・世代

ねんちょう【年長】「年上」の意で、やや改まった会話や文章に用いられる漢語。〈―だけあって一番しっかりしている〉✎「年少」と対立する語で、「―組」「―の人たち」のように、幼稚園児や社員・会員といった一つの組織や一定の集団の中で最も年齢の高い構成員をさす用法もある。また、「―者」「当時でもすでにかなり―の部類だった」のように、それだけで「高齢」に近い意味に使う用法もあり、個々の比較というより、上のほうの年齢層というとらえ方が認められる。⇩Q年上・年嵩《としかさ》

ねんとう【年頭】 年の始めの意で、改まった会話や文章に用いられる、やや硬い感じの漢語。〈―の所感〉〈―にあたって一言ご挨拶申し上げます〉✎通常は元日、または三が日、せいぜい七日ぐらいまでを連想させやすい。⇩元日・元旦・Q正月

ねんね「眠り」の意の幼児語。〈―の時間〉〈―の部屋〉✎多く「お―」の形で使われる。世間慣れしていない大人、特に若い女性を子供じみた存在と見てこう呼ぶ例もある。⇩睡眠・Q眠り

ねんまつ【年末】 一年の終わりの時期をさし、くだけた会話

から硬い文章まで幅広く使われる日常の漢語。〈―調整〉〈―特別警戒〉〈―は多忙を極める〉類義語の中で最も普通に用いる。⇩暮れ・Q歳末・歳暮・年の暮れ・年の瀬

ねんれい【年齢】生まれてから経過した年数の意で、会話にも文章にも広く使われる漢語。〈精神―〉〈―層〉〈―順〉〈―相応のしわ〉〈―のわりに若く見える〉〈―が足りない〉〈―を感じさせない〉川端康成の『千羽鶴』に「唇が片方へゆがんで、つり上りそうだった。―の醜さが見えた」とある。「年」よりも硬く正式な感じがある。⇩年

の

の【野】自然のまま放置されている平らな土地をさし、会話にも文章にも使われる古風な和語。〈―の花〉〈―を越え山を越え〉〈林を抜けると―に出る〉「山」と対立する概念。国木田独歩は『武蔵野』で「―は風が強く吹く」「突然又た―に出る」と展開した後、「山は暮れ―は黄昏の薄かな」という与謝蕪村の俳句を引用している。「―に出て働く」のように、整地された田畑をさすこともある。⇩原野・Q野原・野良・原・原っぱ

のう【脳】頭蓋骨に保護されており意識・生命活動をつかさどる神経中枢部をさし、会話にも文章にも使われる、やや専門的な漢語。〈―血栓〉〈―の働き〉〈―を休ませる〉阿川弘之の『雲の墓標』に「爆弾の破片で―を半分にそがれた」とある。「―が弱い」のようにその働きをさす例もあるが、「頭脳」に比べて物的な存在という意識が強い。⇩頭②・Q頭脳・脳・脳髄・脳味噌

のういっけつ【脳溢血】「脳出血」の旧称。〈―で倒れる〉⇩Q脳出血・脳内出血

のうえん【農園】野菜・果物・草花などの園芸作物を栽培する農場の意で、改まった会話や文章に用いられる漢語。〈学校―〉〈ぶどう―〉正式な感じがあってしばしば名称の一部に使う。⇩Q農場・農地

のうけっせん【脳血栓】脳の動脈硬化により脳内血管が詰ま

る血行障害の疾患をさし、会話にも文章にも使われる専門的な漢語。〈—から脳梗塞《のうこうそく》が起こりやすい〉⇩脳梗塞

のうこう【濃厚】色や味や印象などが濃くこってりとしつこい感じである意で、やや改まった会話や文章に用いられる漢語。〈—な味〉〈—な化粧〉〈—なラブシーン〉✎中勘助の『銀の匙』に「あるへいの棒に肉桂の粉をまぶったもので、—な甘みのなかに興奮的な肉桂の匂がする」とあり、小川国夫の『警備隊のいる町』には「昨夜の—な臭いのエッセンスだけが屋内には漂っているようで、なぜかその方が神経を堪えがたく刺激して、きわどく吐き気になりそうだった」とある。「淡泊」と対立。「敗色—」のように、気配がはっきりしてきた意の比喩的用法もあり、その場合は「稀薄」と対立。⇩濃い・Q濃密

のうこうそく【脳梗塞】脳内の血行障害によりその部分の脳細胞が壊死《えし》する疾患をさし、会話にも文章にも使われる専門的な漢語。〈—から脳卒中を起こす〉⇩Q脳血栓・脳卒中

のうさくぶつ【農作物】田畑で栽培する穀物・野菜・果物などの総称として、やや改まった会話や文章に用いられる漢語。〈台風が上陸し—に被害が出る〉✎収穫された産物という意識の強い「農産物」に対し、この語は栽培・生育という過程を意識させ、少量の場合でも抵抗なく使える。⇩作物《さくもつ》・Q農産物

のうさんぶつ【農産物】農業による生産物の意で、やや改まった会話や文章に用いられる漢語。〈余剰—〉〈—を輸入する〉✎育てて作るという意識の強い「農作物《のうさくぶつ》」に比べ、収穫物という結果を意識した感じの表現で、大量の場合に使う傾向がある。⇩作物《さくもつ》・Q農作物

のうしゅっけつ【脳出血】脳の血管が破れて脳の中に血が出る病気をさし、会話にも文章にも使われる専門的な漢語。〈高血圧による—〉⇩Q脳溢血《のういっけつ》・脳内出血

のうじょう【農場】農業経営に必要な設備を備えた農地をさし、改まった会話や文章に用いられる専門的な感じの漢語。〈—で働く〉〈—を経営する〉✎「田畑」などより近代的な感じに響く。⇩たはた・でんぱた・Q農園・農地

のうずい【脳髄】「脳」の意で学術的な会話や文章に用いられる専門的な漢語。〈—の発達〉〈—の障害〉✎里見弴の『妻を買う経験』に「この南京綿のような—をもった男」とある。⇩頭②・頭脳・Q脳・脳味噌

のうぜい【納税】税金を納めることをさし、やや改まった会話や文章に用いられる漢語。〈—者〉〈—の義務〉⇩納付

のうそっちゅう【脳卒中】脳の急激な循環障害に伴って起こる神経麻痺《まひ》などの症状をさし、会話にも文章にも使われる古風な漢語。〈—に見舞われる〉⇩脳血栓・Q脳梗塞《のうこうそく》

のうち【農地】耕作用の土地をさし、会話にも文章にも使われる、やや専門的な漢語。〈—改革〉〈—を宅地に地目変更する〉⇩たはた・でんぱた・Q農場・耕地

のうないしゅっけつ【脳内出血】「脳出血」の意の専門語。〈—を引き起こす〉⇩脳溢血《のういっけつ》・Q脳出血

のうなんかしょう【脳軟化症】脳内の血行障害のために一部の脳組織が軟化する症状をさし、会話にも文章にも使われる専門的な漢語。〈—と診断される〉⇩脳梗塞《のうこうそく》・Q脳卒中

のうにゅう【納入】支払うべき金銭や注文を受けた物品を納

めることをさし、やや改まった会話や文章に用いられる硬い漢語。〈—期日〉〈購入先の会社に商品を—する〉〈会費を—する〉✎金銭の場合は「徴収」と対立。⇩納付

のうふ【農夫】 農業に従事する男性をさし、改まった会話や文章に用いられる古風な漢語。〈—は田植えで忙しい〉〈春もまだ浅く—の姿も見えない〉✎火野葦平の『麦と兵隊』に「朴訥にして土のごとき—らに限りなき親しみを覚えた」とある。「農民」に比べ、昔ののんびりした時代の空気を感じさせ、古い絵の画題などに用いられそうな懐かしい雰囲気がある。そのため、「農民が立ち上がる」というような例で「農夫」に置き換えると多少の違和感が生ずる。「人夫」「道路工夫」「消防夫」「郵便配達夫」など「夫」のつく一連の単語に伴う職業差別の感じがこの場合は弱いように思われる。⇩農婦・Q農民・百姓

のうふ【農婦】 農業に携わる女性をさし、主に文章に用いられる古風な漢語。〈—の姿もちらほら〉⇩Q農夫・農民・百姓

のうふ【納付】 国や役所に物や金銭を納めることをさし、改まった会話や文章に用いられる専門的な漢語。〈—期限〉〈—額〉⇩納税・Q納入

のうみそ【脳味噌】「脳」「脳髄」の意で会話や軽い文章に使われる俗っぽい漢語。〈—が足りない〉〈—の働きが鈍い〉✎小林秀雄の『モオツァルト』に「—に手術を受けた様に驚き」とある。「—をしぼる」のように知恵の意にも使う。⇩頭②・頭脳・Q脳・脳髄

のうみつ【濃密】 色や味が濃く細やかな意で、改まった会話や文章に用いられる漢語。〈—な色彩〉〈—な味わい〉✎「—な感情」「—な関係」「—に描写する」のように抽象的な意味合いでも使う。⇩濃い・Q濃厚

のうみん【農民】 農業で生計を立てている人の意で、やや改まった会話や文章に用いられる、やや硬い漢語。〈村の—〉〈—の暮らし〉✎謙遜して「—の出」などと言うケースもまだ見られるが、一方で「—文学」「—としての自覚」のような例もあり、悪い語感をひきずっている「百姓」に代わって、会話にも文章にも最も普通に用いられる。⇩Q農夫・農婦・百姓

のうり【脳裏(裡)】 頭の中の意で、主に文章の中で使われる硬い漢語。〈—に浮かぶ〉〈—を横切る〉〈—をかすめる〉〈—を去来する〉✎夏目漱石の『倫敦塔』に「歴史を吾が—に描き出して」とある。いくぶん美化した感じが漂う。表記は「脳裏」で代用されることが多いが、本来の「脳裡」のほうがそういう雰囲気が濃い。⇩頭②

のうりつ【能率】 仕事量と所要時間との割合をさし、会話にも文章にも使われる日常の漢語。〈—給〉〈仕事の—が上がる〉〈勉強に集中して—を上げる〉⇩効率

のうりょく【能力】 人間・動物・機械などが物事を成し遂げる力の程度をさし、会話にも文章にも使われる漢語。〈—給〉〈潜在—が高い〉〈優れた—を具える〉〈—を秘める〉〈—を高める〉〈—を遺憾なく発揮する〉〈—の限界に挑戦する〉✎「実力」に比べ、すでにそなわっているという印象が強い。谷崎潤一郎の『異端者の悲しみ』に「思うがままに好きな錯覚を作り出す—」とあり、小林秀雄の『ドストエフスキイの生活』に「人間を自然化しようとする—と自然を人間

化しようとする―は、僕等の裡で、成る程離し難く混合している」とある。⇩Q機能・才能・資質・実力・地力《じりき》・性能・底力・素質

ノート 外来語「ノートブック」の短縮形で、会話にも文章にも使われる。〈大学―〉〈まじめに―をとる〉〈試験前に友達の―を借りる〉✎「ノートブック」の形ではめったに使わない。⇩帳面

のがす【逃す】逃げられる、失うの意で、会話にも文章にも使われる和語。〈大きな魚を―〉〈この機会を―と当分手に入らない〉〈優勝を―〉✎「逃がす」に比べ抽象的な印象が強い。⇩Q取り逃がす・逃がす

のがれる【逃れる】好ましくない場所や状態から遠ざかる意で、やや改まった会話や文章に用いられる和語。〈難を―〉〈危うく火災現場から―〉〈海外に―〉〈責任を―〉✎芹沢光治良の『愛と死の書』に「東京を―・れて、軽井沢の小さい貸別荘に」とある。場所の連想の強い「逃げる」に比べ、抽象的な意味合いで使われる傾向がある。⇩Q逃げる・免れる

のく【退く】「どく」意で主に会話に使われる、やや古風な和語。〈道路の拡張で店が立ち―〉〈古本屋の―・いた跡地にブティックができる〉〈今年度限りで社長の地位を―〉✎一茶に「雀の子そこ―・けそこ―・けお馬が通る」の句があるように、動いてその場所を空けるという意味でも使われる「どく」より古めかしい感じがある。⇩しりぞく・Qどく・引き下がる・引っ込む

のけもの【除け者】嫌って相手にしない意で、会話や軽い文章に使われる和語。〈一人だけ―にされる〉⇩爪弾《つまはじ》き・Q仲間外れ

のける【除(退)ける】「どける」意で、会話やさほど改まらない文章に使われる和語。〈やじうまを―〉〈不良品を―〉✎会話的な「どける」に比べ、やや古風な感じがする。⇩除外・どける

のこす【残す】余す、後にとどめる、しのぐの意で、くだけた会話から硬い文章まで幅広く使われる日常の和語。〈料理を―〉〈証拠を―〉〈痕跡を―〉〈面影を―〉〈土俵際で―〉✎永井荷風の『濹東綺譚』に「下町生粋の風俗を、そのまま崩さずに―・している」とある。「幼い子を―・して世を去る」「財産を―」「名を―」「名作を―」のように、死後に残す、後世に伝えるという意味合いで用いる場合は特に「遺す」と書くこともあり、その表記は書き手の感情がこもっている印象を与えやすい。

のこり【残り】全体からすでに使ったり行ったりして済んだ分を引いて残った部分をさし、くだけた会話から硬い文章まで幅広く使われる日常の基本的な和語。〈―の時間〉〈―は次にまわす〉〈―はごくわずか〉〈―の仕事を片づける〉✎「余り」と違い、単に今のところ残っている部分のことで、不要であるとは限らない。ただし、なすべきことを完了した段階では実質的に「余り」と同じになる。⇩余り②

のこりが【残り香】人が立ち去った後にまで残るその人の匂いをさし、主に文章に用いられる、古風で趣のある和語。〈―を慕う〉✎多く好ましい場合に用い、不快な体臭などにはなじまない。宮本輝の『道頓堀川』に「まち子の―を舌でぬぐいながら、夜の街を急ぎ足で歩いた」とある。⇩残香

のこる【残る】 存在し続ける、伝わる、余る、こなしきれずに一部が未解決のままとどまる意で、くだけた会話から硬い文章まで幅広く使われる日常の基本的な和語。〈仕事が―〉〈遅くまで会社に―〉〈御飯が―〉〈翌日まで疲れが―〉〈疑問が―〉〈思い出に―〉〈後世に―〉〈時間が―〉✎岡本かの子の『落城後の女』に「男と末遂げない触れ合いをした経験が、悪酔いのように、まだ体の何処かに―・っていて物憂かった」とあり、三木卓の『隣家』に「かれらは、いっせいに逃げだしていき、やがてだれもいなくなった庭だけが―・った」とある。⇩Q余る・残存

のさばる 好ましくない人間が大きな顔をして横柄にふるまう意で、会話や軽い文章に使われる、やや俗っぽい感じの和語。〈軍部が―〉〈悪人が世に―〉〈犯罪集団が―〉⇩跋扈《ばっこ》・Qはびこる・蔓延《まんえん》

ノスタルジア 故郷や昔を懐かしく思う気持ちの意で、会話にも文章にも用いられる外来語。〈―を覚える〉〈―に駆られる〉⇩Q郷愁・懐かしい・懐かしさ・ノスタルジー

ノスタルジー 「ノスタルジア」に相当するフランス語。⇩Q郷愁・懐かしい・懐かしさ・ノスタルジア

のせる【乗せる】 乗り物に乗らせる意で、会話でも文章でも広く使われる日常の和語。〈車に友達を―〉✎小沼丹の『倫敦の屑屋』に「馬は不服そうな様子も見せずに、二人を―・せてぱかぱか行く」とある。「事業を軌道に―」「うまい話に―」「軽快なリズムに―」のような比喩的用法も多い。⇩載せる

のせる【載せる】 積載・掲載の意で、会話にも文章にも使われる日常の和語。〈棚に―〉〈トラックに荷物を―〉〈新聞に広告を―〉〈名簿に電話番号を―〉✎小沼丹の『山鳩』に「縁の上に麻の実を―・せて置いたら、このときは山鳩の奴も沓脱石の上で暫く考えていた」とある。⇩掲載・積載・乗せる

のぞく【除く】 そこから取り去って別にする意で、会話にも文章にも使われる和語。〈雑草を―〉〈不良品を―〉〈邪魔者を―〉〈不安を―〉〈例外を―〉✎多くは好ましくないものに使う。⇩除外・除去・Q取り除く・排除・外す

のぞましい【望ましい】 望むべき、期待されるの意で、改まった会話や文章に用いられる和語。〈―方向に話が進む〉〈全員参加が―〉〈挙党一致が―〉✎個人的な感じの「好ましい」に比べ、組織などの要望として用いることもあり、それだけ論理的・客観的な感じがある。また、採用や応募などの条件として、必ずしも強制的ではないというニュアンスでしばしば使われる。⇩思わしい・好ましい・欲しい

のぞみ【望み】 そうありたいと願う意、実現の可能性の意で、くだけた会話から文章まで広く使われる日常の基本的な和語。〈―が薄い〉〈まだ―がある〉〈―を託す〉〈―をつなぐ〉〈―をかなえる〉〈―無きにしも非ず〉✎武者小路実篤の『お目出たき人』に「(求婚の結果について)自分には―があるようにもないようにも思える」とある。⇩願望・期待・Q希望・願い・願い事・ねぎごと・念願・夢②

のぞむ【望む】 ①将来そうありたいと強く思う意で、いくぶん改まった会話や文章に用いられる基本的な和語。〈平和な社会を―〉〈出世を―〉〈高給を―〉✎堀辰雄の『菜穂子』に

「美しい器量を—・まれて」とある。⇩期待・願う ②遠く眺めるの意で、やや改まった会話や文章に使われる和語。〈はるかに富士山を—〉✎夏目漱石の『草枕』に「菜の花を遠く—・んだときに」とある。⇩臨む

のぞむ【臨む】 直面・出席といった意味合いで、改まった会話や文章に用いられる硬い感じの和語表現。〈海に—・んで建つ豪邸〉〈会議に—〉〈試合に—〉〈難局に—〉✎阿部知二の『冬の宿』に「清らかな流に—・んだ盆地」とある。⇩望む②

のたれじに【野垂れ死に】 寒さ・疲れ・飢え・病などにより道端などに倒れて死ぬ意で、会話や軽い文章に使われる、やや軽蔑的なニュアンスのこもった古風な和語。〈荒野をさまよい—する〉✎小林秀雄『作家の顔』によれば、正宗白鳥は「人生救済の本家のように世界の識者に信頼されていたトルストイが、山の神を怖れ、世を怖れ、おどおどと家を抜け出て、孤往独邁の旅に出て、ついに—した経路を日記で熟読すると、悲壮でもあり、滑稽でもあり、人生の真相を鏡に掛けて見る如くである」と書いたという。なお、「行《ゆ》き倒れ」と違い、この語には、そうなった人間をさす用法はない。⇩行路病者・Q行き倒れ

のち【後】 今または基準の時から見た未来をさし、改まった会話や文章に用いられる基本的な和語。〈曇り—晴れ〉〈—に判明する〉〈—の首相〉〈退職した—に受け取る〉✎井伏鱒二の『喪章のついている心懐《しんね》』に「先生は実際に怒っていたということだが、それから—、先生に会う機会はなかった」とある。⇩Qあと・のちほど

のちほど【後程】 少し時間を経たあとでの意で、改まった会話や文章に用いられる丁寧な和語。〈ではまた—〉〈—お届けいたします〉✎「あとで」の意の丁寧な表現で、多くはその日のうちで、そうでなくてもあまり長い時間を隔てないでまた会う予定のある場合に用いる。⇩Qあとで・後刻《ごこ》

のっかる【乗っかる】 「乗る」の意で、くだけた会話に使われる俗っぽい和語。〈バスに—〉〈上に—〉✎東京方言という。⇩乗る

のっけ 初めの意で、くだけた会話に使われる古風な和語。〈—からとちる〉〈—からへまをやる〉✎「真っ先」と違い、連続するものの最初の部分をさす。以下に想定外の事柄が述べられることが多い。⇩滑り出し・Q出だし・真っ先

のっける【乗っける】 「乗せる」意で、くだけた会話に使われる俗っぽい和語。〈自転車の荷台に子供を—〉⇩Q乗せる・載っける

のっける【載っける】 「載せる」意で、くだけた会話に使われる俗っぽい和語。〈雑誌にちっぽけな記事を—〉⇩Q載せる・乗っける

のっぽ 背の高いことをからかったり悪く言ったりするときに主に会話で使われる俗語。〈背高—〉〈—とちび〉⇩長軀《ちょうく》・Q長身

のてんぶろ【野天風呂】 屋外にある風呂の意で、会話にも文章にも使われる、いくぶん古風な表現。〈—から遠くの山並みを眺める〉✎字面から平地にあるような連想が浮かびやすいのか、近年は案内に「露天風呂」と書く例が多い。⇩露天風呂

のどか【長閑】 天気がよく温暖で穏やかな意で、会話にも文

章にも使われる和語。〈—な春の風景〉〈穏やかに晴れた春の—な昼下がり〉✎春の季語。夏目漱石の『草枕』に「—な春の日を鳴き尽くし、鳴きあかし」という雲雀の声が描かれ、「—さや出支度すれば女客」という素丸の句もある。季節に関係なく、「親子連れの平和で—な光景」のように、静かで穏やかな意にも、「—な気分」のように、差し迫ったことのないのんびりした意にも使う。⇩うららか・のんびり

ののしる【罵る】 大きな声で非難する意で、会話にも文章にも使われる和語。〈人前で激しく—〉〈口汚く—〉〈相手を大声で—〉✎芥川龍之介の『芋粥』に「京童にさえ「なんじゃ、この赤鼻めが」と、—・られている」とある。「そしる」より激しく、「なじる」に比べ陰湿な感じは薄い。⇩そしる・Qなじる

のはら【野原】 人家も耕地もなく自然に草の生えた広い平地をさし、会話にも文章にも使われる日常の和語。〈広々と—が広がる〉〈—を駆けまわる〉⇩原野・野・野良・原・原っぱ

のびる【伸びる】 伸長・向上の意味合いで、会話や文章に使われる日常の基本的な和語。〈ゴムが—〉〈背が—〉〈皺《しわ》が—〉〈成績が—〉〈売り上げが—〉✎木山捷平の『初恋』に「今年の春ごろから秋にかけて、背丈がスカンポのように—・びていた」とある。⇩延びる

のびる【延びる】 延長・延期の意味合いで、会話や文章に使われる日常の基本的な和語。〈会期が—〉〈出発が—〉〈寿命が—〉〈日が—〉✎夏目漱石の『吾輩は猫である』に「蕎麦の—・びたのと、人間の間が抜けたのは」とある。「蕎麦《そば》が—」「殴られて—」のようにぐったりと生気を失う意では「伸びる」とも「延びる」とも書くが、仮名書きの例が多い。⇩伸びる

ノブ 扉などに取り付ける丸い取っ手をさし、会話やさほど硬くない文章に用いられる外来語。〈ドア—〉〈—を握る〉⇩柄《え》・Q取っ手・握り

のべつ ほとんど間も置かないで、気がつくといつもといった意味合いで、改まらない会話に使われる、いくぶん古風で俗っぽい表現。〈—口を動かしている〉〈—喧嘩ばかりしている〉✎「—まくなし」は芝居で幕を引かずに進行させることから出たという。⇩何時も・始終・終始・常時・Qしょっちゅう・絶えず・常に

のべる【述(陳)べる】 ある程度まとまった内容を伝達する意で、改まった会話や文章に用いられる和語。〈意見を—〉〈所信を—〉〈その件についてはいずれ改めて—〉✎「語る」より客観的。多数の人を相手とすることが多く、文章で不特定多数の読者に伝えるケースも含まれる。⇩言う・語る・しゃべる・Q話す

のぼる【上る／登る／昇る】 下から上へ順に移動するという基本的意味をもち、くだけた会話から硬い文章まで幅広く使われる基本的な日常生活の和語。〈階段を上る〉〈川を上る〉〈頭に血が上る〉〈山に登る〉〈日が昇る〉〈天にも昇る心地〉✎志賀直哉の『焚火』に「今さら引き返す気もしないので、蟻の這うように—・って行く」とある。前と違って今は上にあるという状態を中心に述べる「あがる」に対して、この「のぼる」は上に達するまでの線的な途中経過を意識した表現である。したがって、ヘリコプターで頂上に降り

立った場合は「山に―・った」とは言えず、ロープウエーの場合も「山に―・った」より「あがった」のほうがぴったりした感じがある。⇩あがる①

のみすけ【呑(飲)み助】 酒好きでしょっちゅう飲んでいる人をさして、主にくだけた会話に使われる俗っぽい和語。〈近所でも評判の―〉✎「呑ん兵衛」と同様、「飲む」という動詞を人名めかした表現。⇩酒飲み・酒豪・呑んだくれ・Q呑ん兵衛・左利き

のみほす【飲(呑)み干(乾)す】 容器の中の液体を残さずに全部飲む意で、会話にも文章にも使われる和語。〈ジョッキを―〉〈コップの水を一気に―〉✎有島武郎の『或る女』に「一語一語を美酒のように―・した」という比喩表現が出る。「呷《あお》る」に比べ、飲むスピードよりも一滴も残さないで飲みきるところに重点がある。⇩呷る

のみみず【飲み水】 人が飲むための水をさし、会話やさほど硬くない文章に使われる和語。〈―には向かない〉〈―が不足する〉⇩Q飲用水・飲料水・お冷や・水

のみもの【飲み物】 飲用の液体の総称として、くだけた会話から硬い文章まで幅広く使われる日常的な和語。〈―を用意する〉〈冷たい―がほしい〉〈お―はいかがなさいますか〉✎ジュース・コーヒー・ビールなど水以外をさす傾向が強い。⇩ドリンク

のむ【飲む】 液状のものなどを口から流し入れる意で、くだけた会話から硬い文章まで幅広く使われる日常生活の基本的な和語。〈水を―〉〈薬を―〉〈息を―〉✎井伏鱒二の『珍品堂主人』は「前祝に―・みすぎて腹を毀したのです。このところ、下痢のために少し衰弱しているのです」と結ばれる。「がぶがぶ―」「大酒を―」「涙を―」「雰囲気に―・まれる」のように、勢いよく飲んだり丸呑みしたりする場合や、比喩的に用いる場合には特に「呑む」と書くことがあり、その表記はやや俗っぽい雰囲気がある。「たばこを―」の例では「喫煙」の連想で「喫む」と書くこともあるが、これは用法自体にかなり古い感じが漂う。

のめる 前に倒れかかる意で、会話にも文章にも使われる、やや古風な和語。〈つまずいて前に―〉〈裾を踏んで―〉✎山本有三の『嬰児殺し』に「力なく、イモ虫のようにゴロリと前へ―」とある。現代では口頭語的な「つんのめる」のほうが一般的に使われる。⇩蹴躓《けつまず》く・躓《つまず》く・Qつんのめる

のら【野良】 田畑の意で、会話にも文章にも使われる古風な和語。〈―着〉〈―仕事に精を出す〉〈―に出て汗を流す〉✎もとは「野原」の意。⇩原野・野・Q野原・原・原っぱ

のりあい【乗合】「乗合自動車」の略称。✎運転手のほかに車掌が乗っていて、首にかけた鞄《かばん》の口を開けたまま、車内で切符を切っている姿を連想しやすい。自動車だけでなく馬車や船の場合も「乗合」を用いた。⇩乗合自動車・Qバス

のりあいじどうしゃ【乗合自動車】「バス」の意味で用いた古めかしい呼称。✎現代の直方体の車体よりも、前にボンネットの突き出た姿が連想されやすく、まれには木炭の煙やら、坂道で乗客が降ろされてみんなで車体のお尻を押している場面やらをほほえましく思い浮かべるお年寄りもあるかもしれない。ちなみに、井伏鱒二は一九三五年発表の『集金旅行』では「―にストップを命じた」と書き、一九四

○年発表の『多甚古村補遺』では「ニッカボッカなどはいてバスに乗っていることがある」、同年の『おコマさん』でも「黄色に塗った古めかしい箱型のバスである」と書いている。⇩乗合・Ｑバス

のりあわせる【乗り合わせる】 複数の人間が偶然同じ乗り物に乗る意で、会話にも文章にも使われる和語。〈彼女とたまたま同じバスに―〉⇩相乗り・Ｑ同乗

のりき【乗り気】 ぜひやりたいという積極的な気持ちをさし、会話にも文章にも使われる表現。〈提案に―になる〉〈この縁談に先方は―だ〉〈大衆路線にはあまり―でない〉✎「気乗り」に比べ、理由も明確ではっきりした気持ちをさし、肯定的に使う例も多い。⇩気乗り

のりくみいん【乗組員】 船や飛行機の乗務員をさし、会話にも文章にも使われる、いくぶん古い感じの表現。〈大型客船の―〉〈ジャンボジェット機の―〉〈乗客・―ともに全員無事が伝えられる〉✎野上弥生子の『哀しき少年』に「白い制服の―が、甲板と艦橋に蚕のようにべったりたかっていた」とある。⇩海員・Ｑクルー・水夫・セーラー・船員・船乗り・マドロス

のりこす【乗り越す】 乗客が降りる予定の駅や停留所より先まで乗る意で、会話にも文章にも使われる和語。〈居眠りしていてうっかり―〉〈予定を変更して新宿まで―・し、追加料金を支払う〉✎予定よりも遠くまで乗ることをさし、その原因については特に言及していない。⇩乗り過ごす

のりすごす【乗り過ごす】 乗客がうっかりしていて、降りる予定だった電車の駅やバスの停留所に気づかずに降り損ね、その先まで行ってしまう意で、会話にも文章にも使われる日常の和語。〈本を読んでいて気づかずに―〉✎気づかずに失敗する場合に限って使う。⇩乗り越す

のる【乗る】 乗り物の中や物の上に体を置く意で、くだけた会話から硬い文章まで幅広く使われる日常の和語。〈馬に―〉〈自転車に―〉〈屋根に―〉〈体重計に―〉✎庄野潤三の『秋風と二人の男』に「それに―と早く着き過ぎることは分っているが、来たのに―・らない法もないので、―・ってしまった」とある。「降りる」と対立。具体的には多く乗車・乗船など移動する場合に使うが、派生的に、「波に―」「電波に―」「調子に―」のように勢いに従って動く意や、「おだてに―」「相談に―」のように相手になる意にも使う。⇩乗っかる

のろい【鈍い】 通常より動きが鈍くて時間がかかる意で、主として改まらない会話に使われるやや俗っぽい和語。〈動作が―〉〈計算が―〉〈頭の回転が―〉✎小林多喜二の『蟹工船』に「なめくじが地面を匐《は》うほどののろさ」とある。事実を客観的に伝える「遅い」と違い、この語にはそのことを好ましくないと思うマイナス評価が含まれる。⇩遅い

のろま【鈍(野呂)間】 頭の働きも動作ものろい意で、主に会話に使われる古風な俗語。〈―だから何をするにも時間がかかる〉〈―で用件を飲み込ませるのが大変だ〉⇩Ｑうすのろ・ぐず

のんき【暢(呑)気】 性格が楽天的で気分がのんびりしている意で、会話や軽い文章に使われる漢語。〈―者〉〈生まれつき―な性分だ〉〈―に構える〉✎本来は「暖気」と書き、「ノンキ」は「暖」の唐音。尾崎一雄の『暢気眼鏡』と題する小説

に「芳枝のかけた強度の「―眼鏡」もいずれ壊れずには居ない」とあり、作者はその「追記」に「「―眼鏡」などと云うもの、かけていたのは芳枝でなくて、私自身だったかも知れない」と書いた。⇩Q気楽・のんびり

のんだくれ【呑んだくれ】 酒をたくさん飲んで正体を失った状態や、習慣的にそうなりやすい人の意で、主にくだけた会話に使われる俗っぽい和語。〈―の亭主に手を焼く〉⇩酒飲み・酒豪・呑み助・Q呑ん兵衛・左利き

のんびり 焦ることなくゆったりとくつろいでいる意で、会話や軽い文章に使われる和語。〈生来の―屋〉〈田舎で―育つ〉〈夏は軽井沢で―過ごす〉✎志賀直哉の『暗夜行路』に「自由に―と、仕たい事をずんずんやって行けるようにならねば駄目だ」とある。⇩Q気楽・のどか・暢気《のんき》

ノンプロ それを職業としていない意で、会話やさほど硬くない文章に使われる表現。〈―でプレーを続ける〉✎野球の例でいえば、プロ野球以外で、大学や実業団などの野球部で正式に野球をやっている選手を連想させ、素人野球より技術は数段上の印象が強い。⇩アマ・Qアマチュア・素人・とうしろう

のんべえ【呑(飲)ん兵衛】 酒好きでたくさん飲む人をさして、主にくだけた会話に使われる俗っぽい表現。〈―の亭主を持って女房が苦労する〉✎「呑み助」と同様、「飲む」という動詞を人名めかした表現。⇩酒飲み・酒豪・Q呑み助・呑んだくれ・左利き

は

は【葉】 枝や茎から出る植物の基本的な器官をさし、くだけた会話から改まった文章まで幅広く使われる基本的な和語。〈―が茂る〉〈楓《かえで》の―が色づく〉〈―が落ちる〉✎堀辰雄の『恢復期』に「暗緑色の細かい―をもった草が一かたまりになって密生していた」とある。⇩葉っぱ

ば【場】 物事を行う場所や機会などをさして、会話にも文章にも使われる和語。〈物の置き―〉〈子供の遊び―〉〈その―を足早に立ち去る〉✎「場所」に比べ、単なる空間や位置だけでなくそこにいる人間を含めた状況や条件を総合してとらえた感じが強い。空間をさす本来の意味より、現代では「―違い」「その―しのぎ」「共通の―を持つ」「―を踏む」のように状況・局面をさす抽象化した意味でよく使われる。志賀直哉の『小僧の神様』に「若しかしたら、あの―に居たんだ」とあるのも、「京橋の屋台鮨屋」という単なる店をさすのではなく、小僧が「恥をかいた」あの雰囲気を共有したことを意味する。⇩所・場所・Ｑ場面

はあ 改まった会話で「はい」の意に用いる応答や相づちのかしこまった感じの表現。〈―、さようでございます〉〈―、かしこまりました〉〈―？ 何とおっしゃいましたか〉✎小津安二郎監督の映画『彼岸花』で、バーに連れて行かれた男（高橋貞二）が会社の上司に「ここだよ、ルナ」と店の前で促されて「―」、「イエ」、「おなじみらしいじゃないか」と図星をさされて「―」、以下「―、すみません」「―、頂きます」と恐縮してこの語形を連発する場面がある。上下関係が緩んだのか相対化したのか、近年は使用頻度が減ったらしく、あまり耳にしないようである。ただし、相手が信じられないような発言をした際に、呆れたようにいくらか非難めいた調子で「―？」と応じる用法がむしろ若年層に見受けられる。⇩うん・ええ・はい

ばあい【場合】 その時（の事情や状態）の意で、くだけた会話から硬い文章まで幅広く使われる日常生活の基本的な和語。〈その―〉〈いろいろな―を想定する〉〈―が―だけに〉〈時と―による〉✎小沼丹の『のんびりした話』に「酒を飲んでいて、忘れると不可ない話があった―、手帳に書留めて置く」とある。「ばやい」「ばわい」となると古風な俗語という感じが強い。⇩ケース②・Ｑばやい・ばわい

パーキング 「駐車」の意で、会話や硬くない文章に使われる外来語。〈―メーター〉〈―エリア〉✎「駐車場」の意にも使うが、主に有料駐車場や商業施設・集合住宅などに設けられたものに使い、各家庭用の場合にはあまり用いない。⇩Ｑ駐車場・駐車スペース

バーゲン 見切り品などを値下げして大々的に売り出す意で、会話や軽い文章に使われる、やや古い感じの外来語。〈―品〉〈デパートの―会場が混雑を極める〉✎「バーゲンセール」の略でよく使われたが、現在では「セール」のほうが一般的。⇩売り出し・Ｑセール・叩き売り・ダンピング・特売・投げ売り・安売り・廉売

パーセント 全体を百とした場合の個々の割合をさし、会話

にも文章にもよく使われる日常の外来語。〈二割五分は二五一にあたる〉✎記号は「％」を用いる。⇩百分比・Q百分率

パーソナルコンピューター 個人用の小型コンピューターを意味し、改まった会話や硬い文章などに正式な感じで用いる、玄人好みの専門的な雰囲気の外来語。〈高性能の―を導入する〉✎理系の社会では「コンピュータ」と語末をのばさずに表記する例が目立つ。⇩Qパソコン・PC

パーツ 機械や器具などの製品を構成している部分をさし、会話や軽い文章に使われる外来語。〈―を取り替えるだけで済む〉✎連結部のボルトやねじのようなものでなく、もう少し大きな部品を連想させやすい。⇩部品

パートナー 「相棒」に近い意で、会話にも文章にも使われる外来語。〈人生のよき―〉✎共同事業の相手やテニスでダブルスを組む相手などをさすほか、近年、正式な結婚の手続きを経ないで生活を共にする相手をさす用法が現れ、その場合はまだ斬新な感じが残り、一つの考え方に基づいてそのような形態を選択したという雰囲気があって、「同棲《どうせい》相手」という語に比べてマイナスイメージが少ない。⇩Q相方・相手・相棒

ハードル 陸上競技で障害物として走路に置く木の枠をさすスポーツ用の外来語。〈―を越える〉〈―が高い〉〈―を下げる〉✎陸上競技の用語を借りて比喩的に「障害となる条件」という意味を表す例も多い。⇩障害

ハーフ 混血児の意で主に会話で使われる俗っぽい外来語。〈アメリカ人と日本人との―〉✎「ハーフブラッド」の略。多義的なこともあって他の類義語より抵抗が少なく、比較的軽い気持ちで使われる。さらに発想の転換で「ダブル」と呼ぶ例もあるという。混合比が半分ずつとは限らず四分の一（クオーター）の組み合わせになる場合もあるため「ミックス」と呼んだりするが、かえって露骨に響くかもしれない。⇩Q合いの子・混血児

パーフェクトゲーム 一つのミスもなく完全にやってのける意で、会話や軽い文章で使われる外来語の野球用語の拡大用法。〈野党の追及をすべて退け、―を演じる〉✎野球で投手が一人の走者も塁に出さずに試合を最後まで投げ抜くこと。そこから比喩的に、「仕事などを完璧にやってのける」という意味に広げて用いることもあるが、まだ比喩性が強い。「完全試合」という訳語のほうはこのような派生的な意味ではあまり使われない。

パーマ 「パーマネントウェーブ」の略。日常語として使われる外来語の短縮形。〈―をかける〉✎藤枝静男の『壜の中の水』に「毛端が―をかけたように巻き縮れている」とある。

パーマや【パーマ屋】 ほぼ今の美容院に相当する店をさして、ひところ使われた俗っぽい名称で、古めかしい感じの語。〈バス通りに―が店開きする〉✎「パーマネントウェーブ」を「パーマ」と短縮したのを利用した名づけ。「パーマ」のほうは今でも「パーマをかける」などと使うため特に古い感じがないが、この「パーマ屋」のほうはいかにも昔のことばという印象を与え、今こう呼ばれると設備も古い店を連想する。⇩ビューティーパーラー・Q美容院・美容室・ヘアサロン

はい 相手の呼びかけに対する応答、質問の形に合わせた肯定的な返答、あいづちなどとしてやや改まった場面で用い

られる感動詞。〈—、そのとおりです〉〈—、—、そうですね〉✎サトウハチローの『わが師わが友』で「ほんとか、サトウ」と言われて「—」と答えるのが典型的な用例。「まだ返事が来ない？」「—、まだ来ません」、「君、行かないんだって？」「—、行きません」のように、否定の形の問いに否定形で応じる場合にこの「はい」を使うのが伝統的だったが、近年、答えの否定形に合わせて「いいえ」を使う英語のような応じ方が増えている。あいづちの「はい」を肯定と誤解する外国人との間で文化的摩擦が生じるケースもある。⇩うん・ええ・はあ

ばいう【梅(黴)雨】 梅雨時の雨をさし、改まった会話や文章に用いられる漢語。〈—前線〉〈じめじめした—の時期〉⇩Qつゆ・入梅

はいえい【背泳】「背泳ぎ」の意で改まった会話や文章に使われる、硬くて正式な感じのする漢語。〈—の選手として国体に出場した〉✎サトウハチローの『バタフライその他』に「ロスアンゼルスで—の一二三着をとって有名だ」とある。⇩背泳ぎ・バック②

はいか【配下】 支配下にある意で、改まった会話や文章に用いられる、やや専門的な硬い漢語。〈—の者〉〈経理部長の—にある〉✎そのような立場にある人間をさすこともあるが、基本的にはその関係をさす。⇩家来・子分・下っ端・手先②・手下・手の者・Q部下

ばいか【売価】 売値《うりね》の意で主に文章に用いられる正式な感じの漢語。〈—を調整する〉⇩言い値・Q売値

ばいか【買価】 買値の意で主に文章に用いられる正式な感じの漢語。〈—がかさむ〉⇩Q買値《ねかい》・付け値

はいかい【俳諧】 発句《ほっく》や連句の総称として、会話にも文章にも使われる古めかしい漢語。〈—の道〉✎滑稽・たわむれの意から。⇩Q俳句・発句

ハイカラ 新しがって西洋風の流行を追いかける様子をさし、会話や硬くない文章に使われる外国語の古めかしい日本的用法。〈—趣味〉〈—な服を着る〉✎明治後期に洋行帰りの外交官が丈の高いカラーを着用したのをからかったことからという。夏目漱石の『坊っちゃん』で「えらい奴が来た。色の白い、—頭の、脊の高い美人」と初めて見たマドンナを形容している。⇩斬新

はいき【廃棄】 使わないものとして棄て去る意で、改まった会話や文章に用いられる漢語。〈—処分〉〈条約を—する〉⇩破棄

はいきぶつ【廃棄物】 不要物として捨て去ったものをさし、やや改まった会話や文章に用いられる少し硬い漢語。〈産業—〉〈—を不法に投棄する〉✎役所や企業などの連想が強く、日常会話の中で一般家庭のものに関しては通常用いない。⇩廃品・廃物

ばいきゃく【売却】 そっくり売り払う意で、改まった会話や文章に用いられる、やや専門的な感じの硬い漢語。〈—済み〉〈土地を—する〉〈経営権を—する〉✎大仰な感じが強く、納豆や塩辛のような細々とした日用品にはなじまない。⇩売る

はいきゅう【排球】「バレーボール」の旧称。〈—の選手で前衛のセンターを務めた〉✎当時は九人制だったから現在の

ような六人制のゲームには用いにくい。仮に用いても、一人時間差、Cクイック、バックアタック、スパイクサーブなどなく、アンダーパスは組み手でなく指先を使いそうな時代の雰囲気が漂う。⇩バレーボール

ばいきん【黴菌】有害な細菌の俗称として会話にも文章にも使われる日常の漢語。〈傷口から―が入る〉〈―がはびこる〉✎太宰治の『人間失格』に「銭湯には、目のつぶれる―が何十万」とある。⇩菌・Q細菌・バクテリア

ハイキング 野山を歩きまわる小旅行をさす外来語。〈―コース〉✎「ピクニック」に比べ、山歩きに重点がある。⇩ピクニック

はいく【俳句】五・七・五音から成る季語入りの短詩をさし、会話にも文章にも広く使われる日常の漢語。〈蕪村の―〉〈―をひねる〉〈―をたしなむ〉✎夏目漱石の『坊っちゃん』に「君―をやりますかと来たから、こいつは大変だと思って、―はやりません、左様ならと、そそこに帰って来た」とある。「俳諧の発句《ほっく》」の略。⇩Q俳諧・発句

バイク 「オートバイ」の意味で現在広く日常一般に使われている外来語。✎普通には「モーターバイク」の短縮形として用いられるが、「マウンテン―」のようにエンジンのつかない自転車をさす場合もある。⇩Qオートバイ・原付・原動機付き自転車・自動二輪・自動二輪車・スクーター・単車・モーターバイク

はいぐうしゃ【配偶者】結婚している男女の一方から見た相手の関係をさし、主に書類などに記載する正式で事務的な感じの硬い漢語。〈―控除〉〈―の欄に名を記載する〉〈―のある社員〉✎自分の場合にも他人の場合にも使える客観的な表現。ただし、その人物を個人として話題にする場合には用いない。⇩連れ合い

はいけい【背景】中心的な対象物の背後にある光景をさし、会話にも文章にも使われる漢語。〈舞台―〉〈富士山を―にして記念写真を撮る〉✎清岡卓行の『アカシヤの大連』に「乾燥した感じの明るい赤を―として、ポッカリと女の顔が浮かんでいる」とある。⇩バック①

はいけんする【拝見する】「見る」の謙譲表現。〈謹んで―・します〉〈お手紙を―・しました〉〈お手並みを―〉✎井伏鱒二の『珍品堂主人』に「あの漆塗りの机なら―・しましたが、箸置はまだ―・しませんですな」とある。手相を趣味とする友人に「見てやろうか」と言われたときより、「―・しよう」と言われたほうがくすぐったい感じがするのは両者の語感の差である。⇩ご覧になる

はいご【背後】自分やある対象の背中の方向をさし、やや改まった会話や文章に用いられる漢語。〈相手の―に回る〉〈―から忍び寄る〉〈―を振り返る〉〈―で操る〉✎具体的な位置としては「後方」より接近している感じがある。黒井千次の『オモチャの部屋』に「―のドアの間から差し込む居間の明りが、一塊になって玄関の扉口に立つ親子三人のぼやけた影をたたきの上に投げかける」とあり、柳美里の『水辺のゆりかご』に「―で黒いうねりが立ちあがり、波に頭を叩かれ」とある。なお、「―関係を調べる」のように、見えない場所、隠れたところでという意味合いでも使う。⇩Q後ろ・後部・後方・バック①

はいし【廃止】やめて行わない意で、会話にも文章にも使わ

れる漢語。〈虚礼―〉〈赤字路線の―に踏み切る〉〈従来の制度を―する〉✎「中止」に比べ、将来も行わない雰囲気が強い。芥川龍之介の『侏儒の言葉』に「奴隷―と云うことは」とある。⇩取り止め

はいしゃ【歯医者】 歯科専門の医師をさし、会話や硬くない文章に使われる日常語。〈―に通う〉〈―にかかる〉✎庄野潤三の『秋風と二人の男』に「真っ二つに割れた入れ歯をちり紙に包んで、―へ持って行った」とある。⇩歯科医

ばいしゃくにん【媒酌人】「仲人《なこうど》」の意で、改まった会話や文章に用いられる正式な感じの漢語。〈恩師夫妻に―をお願いする〉⇩仲人

はいしゅつ【排出】 不要物を外に出す意で、やや改まった会話や文章に使われる漢語。〈―口〉〈体外に―する〉⇩輩出

はいしゅつ【輩出】 優れた人物が世に出るという意味合いで、主に文章の中に用いられる硬い漢語。〈偉人が―する〉〈多くの著名な作家が―した名門〉⇩排出

ばいしゅん【売春】 女性が金銭目的で不特定の男性と性交渉を持つ行為をさし、会話にも文章にも使われる漢語。〈―宿〉〈―婦〉✎「春」は「春の目覚め」「春をひさぐ」同様、性的な意味合い。⇩買春《かいしゅん》

はいじょ【排除】 好ましくないものを取り除く意で、やや改まった会話や文章に用いられる漢語。〈障害を―する〉〈反対勢力を―する〉〈暴力を―する〉✎物体や人間も対象になるが、「撤去」「除去」と比べ、抽象的な要素に対して使われる例が目立つ。⇩Q除去・撤去・除く・外す

ばいしょう【賠償】 他人や他の組織や他国に与えた損害を償うことをさし、改まった会話や文章に用いられるやや専門的な漢語。〈―金〉〈―責任を負う〉〈損害―を請求する〉✎「弁償」と違い、重大で規模の大きな損害、特に違法行為による損害に対して用いる。国家間の問題でこの語を使うため、個人的な場合に使うと法律の専門語といった雰囲気をかもしだす。⇩Q弁償・補償

はいすい【配水】 水を使う場所にそれぞれ配る意で、改まった会話や文章に用いられる専門的な漢語。〈―管〉〈各箇所に―する〉⇩給水

はいする【配する】 適当なものを取り合わせる、適当なところに置く意で、改まった会話や文章に用いられる表現。〈梅に鶯を―〉〈人員を適所に―〉⇩配置

ばいせき【陪席】 身分の高い人と同席する意で、ごく改まった会話や文章に用いられる硬い漢語。〈―裁判官〉〈―の栄に浴する〉✎謙遜して用いるケースも多い。⇩同席

はいせん【敗戦】 戦争に敗れる意で、特に「終戦」に代わって用いられる漢語。〈―国〉〈―の痛手〉〈―後の混乱〉✎太宰治の『斜陽』に「―後、私たちは世間のおとなを信頼しなくなって」とある。「終戦」という語が現実の認識をうやむやにし、ふれたくない事実の別の側面に焦点を当ててうまくおさめた絶妙のしのぎであったのに対して、現実を率直に見据える自覚を映す表現。そこに立場や考え方の違いが鮮明に見られる。⇩終戦・敗退・敗北・負ける・敗れる

はいそう【配送】 配達・発送の意で会話にも文章にも使われる漢語。〈―業〉⇩配達

はいぞく【配属】 組織内で社員などその構成員をそれぞれ一

定の部署に配してそこに所属させる意で、改まった会話や文章に用いられる専門的な漢語。〈新入社員の―が決まる〉〈経理部に―となる〉⇩所属

はいたい【敗退】 戦いに敗れて退く意で、改まった会話や文章に用いられる漢語。〈あっけなく―する〉✎スポーツ、特にトーナメント方式の大会などで「緒戦―」のようによく使われる。⇩敗戦・敗北

はいたつ【配達】 品物を配って届ける意で、会話にも文章にも使われる漢語。〈新聞―〉〈郵便―〉〈荷物を―する〉✎島崎藤村の『嵐』に「毎日の新聞はそれで―を受ける」とある。⇩配送

はいち【配置】 人や物を適切な場所に置く意で、会話にも文章にも使われる漢語。〈気圧―〉〈―転換〉〈要所に実力者を―する〉〈家具の―に工夫する〉✎夏目漱石の『草枕』に「全体の―が此風韻のどれ程かを伝える」とある。「―につく」のように、そのようにきまった持ち場をさす用法もある。⇩配する

ハイテク 先端技術の意で比較的新しい和製英語。〈―産業〉✎「ハイテクノロジー」の構成要素のそれぞれ語頭を組み合わせた語形。

バイト 「アルバイト」の短縮形で、主にくだけた会話で使われる軽い感じの口頭語。〈―の口を探す〉〈―を雇い入れる〉〈―に明け暮れる〉⇩アルバイター・Ⓠアルバイト

はいにょう【排尿】 小便を排出する意で、医学的な話題の会話や学術的な文章に用いられる専門的な漢語。〈―時に痛みを伴う〉⇩放尿

はいのう【背嚢】 兵士などが背負う革やズックでできている四角い鞄をさし、会話にも文章にも使われる古めかしい漢語。〈―を背に行軍する〉⇩デイパック・ナップザック・ランドセル・Ⓠリュックサック

はいひん【廃品】 古くなったり役に立たなくなったりして所有者がその場所では不用と判断した物品をさし、会話にも文章にも使われる漢語。〈―を回収する〉〈―として扱う〉✎別の場所で利用価値があるとして売買の対象となる場合を連想する傾向がある。昔の「屑屋《くずや》」という語に付着した差別の感じを嫌い、ひところ「―回収業」と呼び替えて一時的によく使われた。⇩廃棄物・廃物

はいひんかいしゅうぎょう【廃品回収業】 →くずや

はいふ【配布】 広く多くの人に配る意で、改まった会話や文章に用いられる漢語。〈教室でプリントを―する〉〈駅前でビラを―する〉⇩Ⓠ配付・配賦

はいふ【配付】 特定の人間に一人ずつ配る意で、改まった会話や文章に用いられる硬い漢語。〈市報を各家庭に―する〉〈各人にそれぞれの資料を―する〉✎公式の感じがあるが、法令ではともに「配布」を用いている。⇩Ⓠ配布・配賦

はいふ【配賦】 割り当てる意で、主に硬い文章に用いられる、やや専門がかった漢語。〈資金を―する〉⇩配布・Ⓠ配付

はいぶ【背部】 背中の意で、改まった文章に用いられる硬い漢語。〈―の傷がうずく〉⇩背①・Ⓠ背中

パイプ 気体や液体を通すための細長い円筒をさし、会話にも文章にも使われる外来語。〈―ライン〉〈―でつなぐ〉✎複数のものをつなぐところに重点があり、「上層部と現場

との—役」のように、両者の間をとりもつ存在をさす比喩的用法もある。「—をくわえる」のように喫煙具をもさす。⇩Q管・筒・ホース

はいぶつ【廃物】本来の目的としては役に立たなくなった物品をさし、会話にも文章にも使われる、いくらか古風な漢語。〈—利用〉〈—を有効に活用する〉⇩廃棄物・廃品

バイブル　「聖書」の意で会話やさほど硬くない文章に用いられる外来語。〈片時も—を手放さない〉✎内田魯庵の『くれの廿八日』に「—で真四角に育てられた静江」とあり、「聖書」と書いて「バイブル」と振り仮名を付している。「聖書」と違い、「経済学の—」のように、キリスト教と関係のない分野で最高の権威をもつ書をさす比喩的用法もある。⇩聖書

はいぼく【敗北】争いに敗れることをさし、改まった会話や文章に用いられるやや硬い感じの漢語。〈—宣言〉〈—を認める〉〈なすすべもなく—を喫する〉✎志賀直哉の『或る男、其姉の死』に「兄の場合では—と云う気が父にはしたに違いないのです」とあり、大岡昇平の『野火』に「彼等は要するに私同様、—した軍隊から弾き出された不要物であった」とある。「勝利」と対立。本来は敗れて逃げる意。⇩敗戦・敗退・負ける・敗れる

バイヤー　買い付ける人、特に海外貿易での買い付け人をさして、会話にも文章にも使われる外来語。〈外国人—から引き合いが来る〉⇩買い方・Q買い手・買い主

はいゆう【俳優】映画や演劇で演技をすることを職業とする人をさし、会話から文章まで幅広く使われる日常の漢語。〈映画—〉〈人気—の競演〉✎武田泰淳の『風媒花』に「あらかじめ台詞を打ち合わせておいた—のように、待ちうけていた彼女はふり向いた」とある。別に「女優」という語があり、対する「男優」という語があまり使われない関係で、この「俳優」という語からは男性を連想することが多い。女性の場合は、「女優」に比べ、一人前の俳優として認められたように感じるケースもあるかもしれない。⇩女優・男優・Q役者

はいりょ【配慮】気を遣う意で、改まった会話や文章に用いられる漢語。〈慎重な—が必要だ〉〈—が足りない〉〈家庭の事情に—する〉✎三木清の『人生論ノート』に「過去に対する—は未来に対する—から生じる」とある。⇩気配り・Q気遣い・心配り・心遣い

はいれつ【排(配)列】一定の基準で並べる意で、会話でも文章でも使われる、やや硬い感じの漢語。〈五十音順に—する〉〈機器の—を変える〉〈—に工夫をこらす〉✎本来は「排列」だが、今は一般に「配列」と書く例が多い。そのため「排列」という表記は古風で本格的な印象を与える。

はえぬき【生え抜き】その土地に生まれ育ち、以後もずうっとそこに住んでいる意で、会話にも文章にも使われる和語。〈—の京都人〉✎そのことに好感を持っている感じの表現。「—の社員」「この球団の—の選手」のように、土地以外に組織などについて用いる比喩的用法もある。⇩Q生粋《きっすい》・純粋・無垢《むく》

はえる【映える】光を浴びて輝く、引き立って見える意で、会話でも文章でも使われる、いくぶん詩的な和語。〈紅葉が

夕日に―〉〈常緑樹を背景に桜の花が一段と―〉〈濃紺のドレスに銀色のブローチがよく―〉✎林真理子の『言わなきゃいいのに…』に「早春の陽ざしが、紺色の肩のあたりや、短く手入れされたえり足のあたりに―・えて、私は胸がきゅんと熱くなるの」とある。⇩栄える

はえる【栄える】 引き立って見える意で会話にも文章にも使われる和語。〈見た目が―・えない〉〈―・えない成績に終わる〉✎徳田秋声の『縮図』に「俄仕込で、粒揃いの新橋では座敷の―笞もなく」とある。⇩映える

はか【墓】 遺体や遺骨を埋葬する場所をさし、くだけた会話から硬い文章まで幅広く使われる日常の和語。〈先祖代々の―〉〈―を建てる〉〈―を守る〉✎夏目漱石の『こころ』に、「御友達の御―へ毎月御参りをなさるんですか」と不審そうに尋ねる場面がある。福原麟太郎の『この空しき日々』には「今さら覚えても―の中へ運んでゆくよりほかもう用がないかも知れない言葉や言葉づかいを、丹念に字引きで引いてみたりする」とある。⇩Qはかいし・ぼせき・墓碑・墓標

ばか【馬鹿／莫迦】 会話や軽い文章に使われる、「愚か」の意のことば。〈―言え〉〈この―、何をしやがる〉〈―につける薬はない〉〈―と鋏《はさみ》は使いよう〉〈―は死ななきゃ治らない〉✎尾崎一雄の『暢気眼鏡』に「思い切りの大声で「―」と云った。(略)前の原を隔てた或大学の野球部合宿の建物が闇の中から「―」と木魂を返して来た」とある。関西で生まれ育った人が東京で「ばか」と言われてひどくショックを受けるのは、「あほ」と違って日ごろ言われつけていないためにきつく響くのだろうが、「ばか」という語がいきなり「バ」という濁音で始まることも関係するかもしれない。⇩あほ・Qあほう・たわけ・とんま・まぬけ

はかい【破壊】 原形を失いまったく機能しないところまで毀《こわ》すことをさし、改まった会話や文章に用いられる漢語。〈―力〉〈―工作〉〈環境―〉〈銅像を―する〉〈建造物を―する〉〈施設を―する〉〈敵陣を―する〉〈家庭を―する〉〈環境―につながる〉✎大きな物でも小さな物でも部分的な場合に使う「破損」と違って、スケールの大きな物について決定的な打撃を与える場合に用いる。「こわす」より大掛かりで徹底した感じが強く、「家庭を―する」のように比喩的な用法でも「こわす」以上に修復不可能なイメージがある。太宰治の『斜陽』に「いったん―すれば永遠に完成の日が来ないかも知れぬのに」とある。⇩こわす・破損

はかいし【墓石】 墓にしるしとして据える石をさし、くだけた会話やさほど硬くない文章に使われる日常の和語。〈黒御影《くろみかげ》の―を注文する〉〈―に水を掛ける〉✎上林暁の『薔薇盗人』に「―は黒い坊主頭のように並んでいた」とある。伊藤一彦には「死ののちも故郷にあらむ―の縁の蜻蛉を追ひがたくいつ」という微妙な心理を詠んだ一首がある。「ぼせき」と読まれるのを避けるためには「墓いし」のように仮名を交ぜる。⇩墓・Qぼせき・墓碑・墓標

はかく【破格】 標準や慣例や常識などを大幅に破る意で、会話にも文章にも使われる漢語。〈―の値段〉〈―の抜擢《ばってき》〉〈―の待遇〉✎武者小路実篤の『お目出たき人』に「美しい、美しい、優しい、優しい、気高い、気高い、鶴は女だ」という一文が出てくる。語順の乱れたこの文は、「鶴は美しい

優しい気高い女だ」という整った文では表せない書き手の気持ちの昂《たか》ぶりを伝えており、文法上の「破格」が表現効果を奏している。「異例」とは違って、「破格」という語は単に大きく外れているだけではない何らかの意義のあるときに使われる傾向がある。⇩異例・特例・例外

ばかくさい【馬鹿(莫迦)臭い】何の興味もない、馬鹿みたいなの意で、主に会話に使う古風な表現。〈―話〉〈こんな日に家にこもっているのは―〉⇩くだらない・つまらない・ばかばかしい・Qばからしい

はかしょ【墓所】「ぼしょ」の意で、主に会話に使われる古めかしい表現。〈山の―〉⇩墓場・墓所《ぼしょ》・墓地・霊園

ばかしょうじき【馬鹿正直】正直すぎて融通が利かない意で、主にくだけた会話に使われる表現。〈―に答える〉〈―に信じる〉✎「真っ正直」を批判的に評することば。⇩Q愚直・真正直・真っ正直

はがす【剝がす】接触している対象の表面のほうを取り除く意で、会話でも文章でも広く使われる日常生活の和語。〈ペンキを―〉〈ポスターを―〉〈傷口のガーゼを―〉〈身ぐるみ―・される〉✎和田伝の『沃土』に「夫の背中から―・し取るように銀が赤子を抱きとる」という比喩表現の例が出る。対象の表面の一部やそれに接触している物を分離させる意の「剝《は》ぐ」に対し、これは対象にぴったりとくっついている状態にある物を除去する場合に用いる。⇩剝ぐ

はかせ【博士】専門の学問分野において特に優れた業績を挙げた者に授与される最高の学位をさし、会話や硬くない文章に使われる漢語。〈医学―〉〈―論文を提出する〉〈―号を取る〉✎「はくし」よりも日常的な語で、「相撲《すもう》―」「鉄道―」のように、ある分野に非常に豊富な知識のある人を俗にそう呼ぶこともある。⇩はくし

ばかでかい 並外れてむやみに大きいという意味の俗っぽい口頭語。〈―サイズ〉〈―家に住む〉✎単にきわめて大きいだけでなく、ふさわしくないというマイナスイメージを伴う。⇩でかい・Qでっかい

はかどる【捗る】物事が効率よく進む意で、会話にも文章にも使われる日常の和語。〈静かで勉強が―〉〈こつがわかって仕事が―〉✎谷崎潤一郎の『吉野葛』に「私の旅はほぼ日程の通りに―・った」とある。⇩進捗《しんちょく》

はかない【儚い】もろく消えやすくて頼みにならない意で、少し改まった会話や文章に用いられる、いくぶん詩的で抒情《じょじょう》的な和語。〈―命〉〈―夢と消える〉〈―望みを抱く〉✎永く続いてほしい対象に用い、火事・ピンチ・不運など好ましくないものには用いない。円地文子の『女坂』に「男の器量によって動かされる妻の位置は蔓草のように―ものである」とある。⇩あっけない

はかなくなる【儚くなる】「死ぬ」意の和語による間接表現。✎死を忌む気持ちから、それを露骨に表現することを控え、「儚い」状態への変化と広くとらえ、核心を外して衝撃をややわらげる婉曲《えんきょく》表現。⇩敢え無くなる・上がる②・あの世に行く・息が切れる・息が絶える・息を引き取る・往く・いけなくなる・永眠・往生・お隠れになる・落ちる②・おめでたくなる・帰らぬ人となる・くたばる・死去・Q死ぬ・死亡・昇天・逝去・斃《たお》れる・他界・長逝・露と消える・天に召される・亡くなる・不帰の客となる・不幸がある・崩御・没

する・仏になる・身罷《かみま》る・脈が上がる・空しくなる・藻屑となる・逝く・臨死・臨終

はかば【墓場】墓のある場所の意で、会話にも文章にも使われる、いくぶん古風な日常の和語。〈―荒らし〉〈夜―を通り抜ける〉✎尾崎一雄の『美しい墓地からの眺め』に、「俺はこの頃、何か―へもぐる準備ばかりしているようだが、実は、そうではないのだ、と思う。すべては「生」のためだ」という一節があり、「人間は「生」のためには、自殺さえする」と展開する。⇩はかしょ・墓所・Q墓地・霊園

ばかばかしい【馬鹿馬鹿（莫迦莫迦）しい】いたって馬鹿らしくまったく価値がない意で、会話や軽い文章に使われる表現。〈―小説で読むに堪えない〉〈こんなものに金を遣うのは―〉〈―にも程がある〉〈―・くて話にならない〉✎「―値段」のように、常識では考えられない意に使うこともある。「くだらない」ほどの価値もなく、「ばからしい」以上の強調で、正常な判断力がちょっとでもあれば取り合わないという程度を連想させる。⇩くだらない・つまらない・ばかくさい・Qばからしい

ばからしい【馬鹿（莫迦）らしい】何の意義も価値も面白みもなく、ただくだらないだけという意味で、会話や軽い文章に使われる表現。〈実に―作品だ〉〈―めにあう〉〈何の役にも立たない―作業〉〈考えるだけでも―〉✎「酒を造るのにお前が水を出して俺が米を出すなんて―」のように、割に合わない意に使うなど、しばしば、損だというニュアンスで用いる。⇩くだらない・つまらない・ばかくさい・Qばかばかしい

はからずも【図（計）らずも】予想だにしない思いがけない意で、改まった会話や文章に用いられる古風で硬い感じの和語表現。〈―意見が一致する〉〈―恩師にめぐりあう〉〈―部長に抜擢《ばってき》される〉✎多く好ましい結果について言う。⇩端《し》無くも

ばかり【許り】「くらい」の意で、改まった会話や文章に用いられる、いくぶん古風な和語。〈二十万円―都合してもらえまいか〉〈一週間―旅行に出かける〉✎さほど改まらない会話では「ばかし」となることもある。⇩位②・程度・Qほど②

はかる【図る】企てる意で、改まった会話や文章に用いられる硬い感じの和語。〈安全を―〉〈調整を―〉〈解決を―〉⇩計る・Q謀る・諮る

はかる【計る】数量・時間を計測する、見積もるといった意味合いで、会話でも文章でもよく使われる、日常生活の最も基本的な和語。〈時間を―〉〈タイミングを―〉✎「測る」「量る」「図る」の意を含めて広く使われる。⇩Q測る・量る・図る

はかる【測る】高さ・深さ・広さ・速さなどを測定する意で、会話でも文章でもよく使われる日常の和語。〈距離を―〉〈面積を―〉〈速度を―〉〈温度を―〉✎広義である「計る」より厳密な数値を連想させる。⇩Q計る・量る

はかる【量る】重量や容積などを調べる意で、会話でも文章でも使われる和語。〈重さを―〉〈体積を―〉✎測量関係に限られ、「測る」より幅が狭い。「相手の気持ちを―」のように推量する場合にも使われるが、推測する「測る」にも同様の用法がある。⇩計る・Q測る

はかる【諮る】 公式に意見を求める意で、改まった会話や文章に用いられる硬い和語。〈理事会に―〉〈職員会議に―〉⇩Q図る・計る

はかる【謀る】 たくらむ意で、やや改まった会話や文章に用いられる和語。〈暗殺を―〉〈政権交代を―〉⇩Q図る・諮る

はき【破毀(棄)】 不用として破り捨てる、約束を取り消すの意で、改まった会話や文章に用いられる硬い漢語。〈婚約―〉〈書類を―する〉✎上訴を認め下級裁判所の判決を取り消す意にも用いられ、その場合は法律の専門語。⇩廃棄

はぎ【脛】 膝から足首までをさす古めかしい和語。〈着物の裾が割れて白い―がちらちら見える〉✎「すね」と逆に、後ろ側をさす例が多い。三浦哲郎の『めまい』に、女の「足首のくびれた―に力がみなぎったり退いたりする」のを覗《のぞ》き見て胸が鳴る官能的な場面がある。⇩すね・Qふくらはぎ

はきはき 物の言い方や態度などがはっきりしている意で、会話にも文章にも使われる和語。〈―答える〉〈―した態度〉⇩Qきびきび・てきぱき

はきゅう【波及】 波のように影響が広がる意で、やや改まった会話や文章に用いられる硬い感じの漢語。〈―効果〉〈経済面に―する〉〈全国に―する〉〈意外なところまで問題が―する〉⇩Q影響・波紋・余波

はく【吐く】 口を通って外に出す意で、くだけた会話から硬い文章まで幅広く使われる和語。〈へどを―〉〈道端で―〉〈血を―〉✎「口に出して言う」意にも使われ、時に勢いを感じさせる。夏目漱石の『坊っちゃん』に「条理に適わない議論を―・いて」とある。「泥を―」または単に「吐く」の形で隠していたことを話す、「白状する」意をさす。⇩戻す

はく【穿く】 下半身に身につける意で、会話でも文章でも使われる日常の和語。〈ズボンを―〉〈スカートを―〉✎壺井栄の『二十四の瞳』に「若布《わかめ》のようにさけたパンツを―・き」とある。⇩履く

はく【履く】 履き物を身につける意で、会話でも文章でも使われる日常の和語。〈靴を―〉〈下駄を―〉✎井伏鱒二の『休憩時間』に「黒板にフランソワ・ヴィヨンの詩を書いていた学生は、歯の高い足駄を―・いていた」とある。⇩穿《は》く

はぐ【剝ぐ】 接触している対象を引き離す意で、会話でも文章でも幅広く使われる日常の生活和語。〈布団を―〉〈木の皮を―〉〈化けの皮を―・いでやる〉✎室生犀星の『杏っ子』に「顔を赧らめることを失い、はにかみを―・ぎとられていた」という比喩表現が出る。ぴったりとくっついているものを除去する場合に使う「はがす」に対して、表面の一部や接触している物を分離させる場合に用いる。「布団」のような場合はどちらも使えるが、「はがす」ほうが途中経過が意識され、それだけ抵抗がありそうな感じがするかもしれない。⇩はがす

ばくおん【爆音】 爆発音やエンジンなどから発する激しく大きな機械的音響をさし、改まった会話や文章に用いられる漢語。〈飛行機の―〉〈―を轟《とどろ》かせる〉✎三浦哲郎の『驢馬』に「さいしょの―は、おくれたサイレンが鳴り終らぬうちに、われわれの頭の真上を、建物の屋根すれすれにかすめていった」とある。⇩轟音《ごうおん》

はくがく【博学】 学問に通じ知識の豊富な意で、会話にも文

章にも使われる漢語。〈―の士〉〈―をもって知られる〉✎「博識」よりも知識が学問分野に限定される感じがあり、「物知り」より体系的な知識を連想させやすい。⇩学識・Ｑ博識・物知り・有識

はぐくむ【育む】育てる意で、主として文章中に用いられる古風で詩的な和語。〈教え子を―〉〈親鳥がひなを―〉✎「夢を―」「愛を―」のようにプラスイメージの比喩的表現として使われる。⇩育てる

ばくげき【爆撃】航空機から爆弾を投下して攻撃する意で、会話にも文章にも使われる漢語。〈―機〉〈―を加える〉〈―を受けて壊滅する〉✎「爆破」が破壊に重点があるのに対し、この語は攻撃に重点があるため、作業の手段とはならない。⇩空襲・Ｑ空爆・爆破

はくし【博士】「はかせ」の意で、改まった会話や文章に用いられる正式な感じの漢語。〈―請求論文〉〈文学―の称号を授ける〉〈―号を取得する〉✎「はかせ」より改まった語で、物知りをさす俗な用法はない。⇩はかせ

はくしき【博識】物事に関して広範な知識をもっている意で、やや改まった会話や文章に用いられる漢語。〈見かけによらずなかなか―だ〉✎「博学」ほど体系的な知識でなくともよいが、さらに幅広い知識を連想させる。⇩学識・Ｑ博学・物知り・有識

はくしゅ【拍手】期待や賞讃の意を表するために両手を打ち鳴らすことをさし、会話にも文章にも広く使われる漢語。〈―喝采〉〈―鳴りやまず〉〈―で迎える〉✎尾崎士郎の『人生劇場』に「湧き立つような―をうけて」とある。⇩Ｑかしわで・手拍子

はくじょう【白状】悪事や秘密などを自分の口で明らかにする意で、会話や軽い文章に使われる、いくぶん古風な感じもある日常の漢語。〈とうとう―した〉〈残らず―する〉✎夏目漱石の『坊っちゃん』に「正直に―してしまうが、おれは勇気のある割合に知恵が足りない」とある。「自白」や「自供」のような専門性は薄く、違法行為だけでなく日常生活上の嘘やいたずらなどについても使う。⇩供述・告白・自供・Ｑ自白

はくじょう【薄情】他人を思い遣る気持ちの薄い意で、会話にも文章にも使われる漢語。〈―者〉〈困っているのに見て見ぬふりとは―なものだ〉✎井上靖の『氷壁』に「兄さん、憤りますよ、―なやつだって」とある。「冷淡」ほどひどくはない感じがある。⇩不親切・不人情・冷酷・Ｑ冷淡

ばくぜん【漠然】ものごとの範囲や内容、人の思考や感情などがはっきりしない様子をさし、いくぶん改まった会話や文章に用いられる漢語。〈―とした話〉〈―とした印象〉〈―と考える〉✎芥川龍之介の『玄鶴山房』に「何か―とした不安も感じた」とある。⇩ぼんやり

はくそ【歯糞(屎)】歯の表面に付着する滓《かす》などの異物をさして、主にくだけた会話で使われる日常の俗っぽい和語。〈―をきれいに落とす〉⇩歯垢《しこう》

ばくだい【莫大】程度や数量がきわめて大きい意で、会話にも文章にも使われる漢語。〈―な利益〉〈―な損害〉〈―な遺産がころがりこむ〉✎小沼丹の『お祖父さんの時計』に「考えるのは愉快だが、実際にそんなことをしたら―な費用

がかかる」とある。原義は、これ以上「大」きいのは「莫《な》」い意。⇩膨大

ばくち【博打】金品を賭けてさいころ・花札・トランプなどで勝ち負けを競う遊びをさし、会話や軽い文章に使われるやや古風な表現。〈―打ち〉〈―を打つ〉〈―に手を出す〉〈―で身を持ち崩す〉✎「大―を打つ」のように、一《いち》か八《ばち》かの思い切った勝負に出る意の比喩的な用法もある。⇩賭博

はくちゅう【白昼】一日のうち完全に明るい時間帯をさし、改まった会話や文章に用いられる漢語。〈―堂々とやってのける〉✎「日中」のうちでも「真っ昼間」を中心としてそれより広い範囲をさす。人目を忍ぶはずの行動、特に放火・誘拐・強盗・殺人などの犯罪行為の行われた場合に「―堂々と」の形で使う例が多い。⇩日中・日盛り・Q昼日中《ひるひなか》・昼間・真っ昼間・真昼

はくちゅう【伯仲】互いに似ていて優劣の差がほとんどない意で、やや改まった会話や文章に用いられる漢語。〈実力が―している〉✎「伯」は長兄、「仲」は次兄の意。通常、ともに優れている場合に用いる。⇩拮抗《きっこう》・Q互角

はくちょう【白鳥】カモ科の大形で白く首の長い水鳥をさし、会話にも文章にも使われる漢語。〈―が渡来する〉✎死に瀕《ひん》して美しい歌を歌うという北欧の伝説から、その人の最後の作品や歌唱・演奏を「―の歌」とする比喩的用法もある。⇩しらとり

バクテリア「細菌」の意で会話にも文章にも使われる専門的な外来語。〈根粒―〉⇩Q菌・細菌・黴菌《ばいきん》

ばくは【爆破】火薬などの力で物を破壊する意で、会話にも文章にも使われる漢語。〈ダイナマイトで岩を―する〉〈軍事施設を―する〉〈―作業〉⇩爆撃

はくはつ【白髪】白くなった頭髪の意で、主として改まった文章に用いられる漢語。〈―の紳士〉〈―がひときわ目立つ〉✎三島由紀夫の『鹿鳴館』に「私が女でなくなるときに、曙がその―を染めるのですわ」とある。全体として白くなった頭髪をさし、一本ずつについては用いない。⇩銀髪・Qしらが

ばくはつ【爆発】物理的・化学的な反応により瞬間的に物質の体積が極度に増大して生ずる破壊的な現象をさして、会話にも文章にも使われる日常の漢語。〈ガス―〉〈地雷が―する〉✎坂口安吾の『白痴』に「地軸もろとも引き裂くような―音」とある。⇩Q炸裂《さくれつ》・破裂

はくぼ【薄暮】あたりが薄暗くなった状態や時間をさし、主として文章に用いられる、「日暮れ」の意の硬い感じの漢語。〈―試合〉〈―の迫る時刻〉✎「夕方」のように時刻そのものをさすより、日が暮れかけて薄暗くなった状態をさすほうに重点がある。⇩暮れ方・たそがれ・晩方・日暮れ・灯ともし頃・夕・夕方・Q夕暮れ・夕刻・夕べ・夕間暮れ・宵・宵の口

はくや【白夜】北極や南極の暮れきらず空が薄明るい夜をさす漢語。〈北欧で―を迎える〉✎「びゃくや」の伝統的な語形。⇩びゃくや

はくらい【舶来】外国から船で運んで来る意で、会話にも文章にも使われる古風な漢語。〈―の高級品〉⇩渡来

はくらん【博覧】各種の産業や技術などの宣伝を兼ねて広く一般の人々に見てもらいその振興に寄与する意で、会話に

も文章にも使われる、いくらか古風な感じの漢語。〈万国—会〉〈—に供する〉⇩展示・Q展覧会

はくらんかい【博覧会】産業や学芸・技術などの宣伝や振興を兼ねて各地から産物や製品や文化財などを収集・陳列する大規模な催しをさし、会話にも文章にも使われる、やや古風な感じの漢語。〈万国—〉〈—を開催する〉⇩展観会・展示会・Q展覧会・発表会

ばくろ【暴(曝)露】悪事や秘密、醜聞などを明るみに出す意で、やや改まった会話や文章に用いられる漢語。〈—記事〉〈不倫を—する〉〈秘密を—する〉⇩Q暴く・すっぱ抜く・ばらす
①

はけ【刷毛】塗料や糊などを塗るときに用いる柄のついた毛の束をさし、会話にも文章にも使われる和語。〈—でひとなでする〉〈—でペンキを塗る〉✎「ブラシ」に比べ、日本の伝統的な道具をさす傾向が強い。⇩ブラシ

ばけがく【化け学】「化学」を意味する俗語。〈明日は—の試験だ〉〈—をちょっとかじる〉✎日常会話で、類似した文脈で現れる同音の「科学」と区別するために用いる言い換えのことば。俗語を用いても正確な情報伝達を心がけていることが相手に伝わる。漢字の違いで簡単に区別がつくため文章中では用いる必要がない。⇩化学

はけぐち【捌け口】水や感情などが内側から外に流れ出る場所をさし、会話にも文章にも使われる和語。〈たまった汚水の—〉〈商品の—〉〈不満の—〉✎遠藤周作の『海と毒薬』に「この犬だけが当時のわたしの愛情の—でした」とあるように、「やり場」と違って出口のイメージで、明らかなプラス評価の対象にも使われる。⇩Qやり場

はげしい【激(烈・劇)しい】ものごとの程度や変化などの勢いが強い様子をさし、くだけた会話から硬い文章まで幅広く使われる基本的な和語。〈—争い〉〈—攻撃にさらされる〉〈—抵抗にあう〉〈競争が—〉〈気性が—〉〈思い込みが—〉〈雨が—・く降る〉〈痛みが—〉✎田宮虎彦の『沖縄の手記から』に「—空襲の中に、やがて朝焼けに空が焼けて、夜が明けていく日もある」とある。有島武郎の『或る女』には「雷のような—その怒りの声」とある。⇩強烈・Q激烈・痛烈・熱烈・猛烈

はげむ【励む】なすべきことを一心に努める意で、会話にも文章にも広く使われる和語。〈勉強に—〉〈仕事に—〉〈せっせと金儲《かねもう》けに—〉✎使命を遂行し本分を尽くす場合によく使う。⇩いそしむ・頑張る・精進・Q努力

ばけもの【化け物】狐や狸あるいは年古りた猫など獣の化けた怪しい姿をさして、くだけた会話から文章まで幅広く使われる和語。〈—屋敷〉〈—が出るという噂が立つ〉✎安部公房の『他人の顔』に「たぶんおまえの顔を掻きむしって(略)—にしてやっていたことだろう」とある。「お化け」と違って、人間の幽霊を連想させない。また、信じられない能力を持つ人間をさして「あいつは—だ」などと言うこともある。⇩Qお化け・亡霊・幽霊・妖怪

はげる【禿げる】頭髪が大量に抜けて頭部の皮膚が剝《む》き出しの状態になる意で、くだけた会話から文章まで幅広く使われる和語。〈頭が—〉✎野上弥生子の『秀吉と利休』に「どこまでが顔で、どこから頭部になるか判明しないほど—・げ

て」とあり、井伏鱒二の『珍品堂主人』に「あながち頭の―のを気に病むわけではありません。頭が―・げ募ったと思うのは、ときたまぼろい儲けをした後になってからのことであるのです」とある。「枯草を焼いて―・げた山」のように、草木が枯れて地面が見える意の比喩的用法もある。⇩脱毛・剝げる

はげる【剝げる】剝がれ落ちる、色が薄くなる意で、会話でも文章でも使われる生活上の和語。〈塗りが―〉✎山本周五郎の『青べか物語』に「青いペンキはあばたのように―・げ」とある。⇩禿《は》げる

はこ【箱(函)】物を入れるための厚紙・木・金属などで作った、多くは蓋《ふた》付きの容器をさし、くだけた会話から硬い文章まで幅広く使われる日常の基本的な和語。〈宝石―〉〈空き―〉〈―入り〉〈―に詰める〉✎中に収納する物に応じて形をきめる「ケース」と違い、「箱」の場合は逆にその形や大きさやデザインに合わせて入れる物を選ぶ傾向がある。小沼丹の『珈琲の木』に「長さ二、三十糎の細長い紙の―」とある。通常は四角で蓋付き。文書を入れる小箱には「函」、竹製の四角い箱には「筺」、同じく丸い箱には「筥」、衣類などを納める直方体の箱には「篋」、小箱や手箱には「匣」というふうに、用途や材質や大きさなどに応じて特に書き分けることもあるが、いずれも古めかしい印象を与える。⇩入れ物・ケース①・容器

はこぶ【運ぶ】物などを手に持ったり車に載せたりして他の場所に移動させる意で、くだけた会話から文章まで幅広く使われる基本的な和語。〈荷物を―〉〈怪我人を病院に―〉✎「足を―」の形でその場所に行く意を表したり、「とんとん拍子で話が―」のように進展する意を表す用法もある。小沼丹の『風光る丘』に「両脇から抱えさせて、タクシーまで―・んだ」と急性アルコール中毒の患者を運ぶ例がある。室生犀星の『あにいもうと』には「逞しいからだを―・んでいった」とある。⇩運送・Q運搬・搬送

はこん【破婚】婚約や結婚を解消する意で、主に文章に用いられる硬い漢語。〈ついに―となる〉〈―のショックをひきずる〉⇩ばついち・離縁・Q離婚

はさむ【挟(挿)む】狭い隙間に差し込んだり、対象を間に置いてその両側に位置したり、物を両側から押さえつけたりする意で、くだけた会話から硬い文章まで幅広く使われる基本的な和語。〈本にしおりを―〉〈ドアに指を―〉〈腋の下に体温計を―〉✎「口を―」「疑いを―」のような抽象化した用法もある。石坂洋次郎の『若い人』に「長椅子の中央に左右からサンドイッチのように―・まれていた」とある。⇩隔てる

はさん【破産】経済的に行き詰まって全財産を失う意で、会話にも文章にも使われる漢語。〈自己―〉〈―宣告〉〈―手続き〉〈―管財人〉〈経営悪化で―寸前の状態だ〉✎法的な用語としての厳密な用法以外に、日常生活の話題でもしばしば使う。井伏鱒二の初期作品『文章其他』は「自分が―したと自覚した日の夜から、急に青春時代のように性欲が盛んになってしまった」という五十歳の女性の滑稽で悲痛な告白で始まる。⇩倒産

はし【箸】食べ物を挟むための二本の細い棒をさし、くだけ

た会話から硬い文章まで幅広く使われる日常の和語。〈移り—は不作法とされる〉〈—でつまむ〉〈—をつける〉⇩おてもと

はし【端】細長い物の先の方、または、物の中央から遠い周辺の部分をさし、くだけた会話から硬い文章まで幅広く使われる日常の基本的な和語。〈テーブルの—に載せる〉〈ひもの—を結ぶ〉✎類語の中で最も標準的な語。⇩Qはじ・はしっこ・はじっこ

はし【橋】川や線路や道路などの上に架けて通行できるようにした建造物をさし、くだけた会話から文章まで幅広く使われる日常の和語。〈—のたもと〉〈—を渡ってすぐ右に曲がる〉〈—を架ける〉〈—を渡す〉✎三島由紀夫の『橋づくし』に「自分の願い事の破れたのを知って、—のむこうを痛恨の目つきで見やると」とある。⇩橋梁《きょうりょう》

はじ【恥】面目を失う意で、くだけた会話から硬い文章まで幅広く使われる日常の基本的な和語。〈—をかく〉〈—をさらす〉〈—を—とも思わない〉✎三浦哲郎の『恥の譜』に「からだがふるえるほどの—を感じた」とある。「—を知れ」のように、名誉を大事にする心をさす用法もある。恥辱という意味合いでは「辱」とも書く。日本は「—の文化」と言われることもある。⇩含羞《がんしゅう》・照れ・Q恥じらい・はにかみ

はじ【端】「はし」の意で、会話に使われるやや古風な和語。〈座敷の—の方にかしこまって座る〉✎夏目漱石の『坊っちゃん』に「たった一人列を離れて舞台の—に立ってるのがある許りだ」とあるが直筆原稿にも振り仮名がなく、「はし」の例か「はじ」の例か確定できない。⇩Qはし・はしっこ・はじっこ

はしがき【端書き】書物でその本を書いた動機や狙《ねら》いなどを記して本文の前に置く挨拶の文章をさし、いくぶん改まった会話や文章に使われる和語。〈著書の—〉⇩序・緒言・序文・Q前書き

はじき　ピストルをさす隠語。〈相手は—を持っているから気をつけろ〉✎弾をはじくところからの呼称。古くは「パチンコ」とも言った。⇩Q拳銃・小銃・短銃・ピストル

はじく【弾く】瞬間的に強い力を加え、不要な物などをその場所から遠ざける意で、会話でも文章でも広く使われる和語。〈指で—〉〈そろばんを—〉〈この生地はよく水を—〉〈不良品を—〉✎島木健作の『生活の探求』に「頸筋をつたわって流れる汗が、喉の凹みにたまったのを、彼は大きな手の平で—・いた」とある。⇩かっぱじく

はじさらし【恥曝し】恥を世間にさらけ出す意で、会話や硬くない文章に使われる、やや古風な和語表現。〈いい—だ〉〈こんな事件を起こすなんて町の—だ〉✎当人の恥だけでなく、関係する人や一族、組織や地元などがそのせいで恥ずかしい思いをするようなときに多く用いられる。⇩厚かましい・厚顔無恥・図々しい・鉄面皮・Q恥知らず・破廉恥

はじしらず【恥知らず】恥ずかしいという感情などないかのように相手にどんな迷惑が及んでも平然としている意で、会話や軽い文章に使われる和語表現。〈—にも程がある〉〈とんだ—だ〉⇩厚かましい・厚顔無恥・図々しい・鉄面皮・Q恥曝し・破廉恥

はしっこ【端っこ】「端」の意で、くだけた会話に使われる、

やや俗っぽい和語。〈―に寄る〉🖊くだけてはいるが、「すみっこ」ほど子供っぽい感じはない。⇩Ｑはし・はじ・はじっこ

はじっこ【端っこ】「はしっこ」の意で、くだけた会話に使われる、古風でやや俗っぽい和語。〈―に集まる〉⇩はし・Ｑはじ・はしっこ

はしなくも【端無くも】ふと、思いがけずの意で、主として改まった文章中に用いられる古めかしい和語表現。〈―父の漏らした一言〉〈―社長の目にとまる〉⇩図らずも

はじまる【始まる】それまで存在しなかったものごとが新たに起こる意で、くだけた会話から硬い文章まで幅広く用いられる最も基本的な和語。〈会が―〉〈工事が―〉〈学校が―〉〈喧嘩《けんか》が―〉🖊小沼丹の『西條さんの講義』に「やっと講義が―ことになって、西條さんは持って来たプリントを学生に配った」とある。⇩Ｑ開始・スタート・発足《ほっそく》

はじめ【初め】一定期間の最初の部分の意で、会話でも文章でもよく使われる日常の基本的な和語。〈月―〉〈来年の―〉〈小説の―のほう〉〈―のうちが肝心〉〈―からやり直す〉🖊動的なイメージのある「始め」に比べ、これは時に関する静的な存在としてとらえている。⇩始め

はじめ【始め】起源や開始の意味合いで、会話にも文章にも使われる和語。〈仕事―〉〈国の―〉〈―あるものは必ず終わりがある〉🖊時に関する「初め」に対し、これは事に関して使う傾向がある。「当人を―家族はみなスポーツ好きだ」のように、いくつかのうちの主なものをさす用法では仮名書きが多い。⇩開始・初め

はしゃぐ【燥ぐ】嬉《うれ》しさや楽しさにじっとしていられずに騒ぐ意で、会話や軽い文章に使われる日常の和語。〈遠足を前にして子供が―〉〈お祭りで町中―・いでいる〉🖊安部公房の『他人の顔』に「はじめて鎖を解かれた、犬のような―・ぎよう」とある。⇩騒ぐ

パジャマ ゆったりと仕立てた上着とズボンからなる西洋風の寝巻きをさし、会話にも文章にも使われる外来語。〈―姿〉〈―に着替える〉🖊女性用でも「ネグリジェ」より装飾的な要素は少なく実用的な感じがある。⇩Ｑネグリジェ・寝巻き

はしゅつしょ【派出所】「交番」の旧称。主として改まった会話や文章に用いられた、やや専門的な感じの漢語。〈巡査―〉⇩Ｑ交番・駐在所

はしゅつふ【派出婦】臨時に一般家庭に出向いて家事などをする女性をさすやや古風な漢語。「家政婦」ほど仕事内容が家事に限定されない感じがあり、また、個人契約というより人材を派遣する会社などから送り込まれるケースを連想しやすい。〈―を送り込む〉⇩お手伝いさん・Ｑ家政婦・下女・女中・召し使い

ばしょ【場所】人や物の存在する空間やその位置をさし、くだけた会話から硬い文章まで幅広く使われる日常の基本的な漢語。〈居―〉〈狭い―〉〈暗い―〉〈隠し―を突き止める〉〈待ち合わせの―〉〈―をとる〉〈―を移す〉〈置き―に困る〉〈―が不便だ〉〈―が―だけに人通りが多い〉🖊「所」や「場」と違い、空間的な意味に限られる。会社などで「―が空いている」「自分の居―がない」のようにポストをさす用法はあるが、立場や役割のような抽象的な意味合いでは

使わない。木山捷平の『大陸の細道』に「一八なんて変てこな雪隠のような―に飛車を据えた」とある。⇩所・Q場

はしら【柱】建造物の上部を支えるために垂直に立てる材をさし、くだけた会話から文章まで幅広く使われる基本的な和語。〈大黒―〉〈―時計〉〈―がしっかりしている〉〈―によりかかる〉✎夏目漱石の『倫敦塔』に「寝台の―」とある。「一家の―」のように中心になる部分をさしたりする比喩的用法も多い。三島由紀夫の『金閣寺』に「白骨のようにコンクリートの―があちこちにころがっていた」とある。⇩支柱

はじらい【恥じらい／含羞】恥ずかしそうな表情やしぐさの意で、主に文章の中に用いられる、やや古風で詩的な感じの和語。〈―の色を見せる〉〈―を忘れる〉✎三浦哲郎の『忍ぶ川』に「顔には―の色があふれていたが、その声には卑屈のひびきがみじんもなかった」とある。日本文化の中では好ましいものとして受け取られる。⇩Q含羞《がんしゅう》・照れ・恥・はにかみ

はしる【走る】速く進む意で、くだけた会話から硬い文章まで幅広く使われる日常生活の基本的な和語。〈速く―〉〈相手に合わせてゆっくり―〉〈最後まで全速力で―〉〈高速道路をトラックが―〉✎木山捷平の『大陸の細道』に「がばとはね起き、脱走犯人か何かのように、改札口目がけて―・り出した」とあり、内田百閒の『東京日記』に「街の混雑の中を何の滞りもなく、水の流れる様に―・って行った」とある。「駆ける」のような制限はなく、「水が―」「道が縦横に―・っている」「筆が―」「痛みが―」などという比喩的・抽象的な用法もある。⇩駆ける・突っ走る

はしわたし【橋渡し】両者の間に立って良好な関係を築く意で、会話にも文章にも使われる和語。〈恋の―〉〈政界と財界との―〉〈アジア諸国との―の役を果たす〉✎物自体に重点を置く「懸け橋」に対し、橋でつなぐ行為に重点がある。川によって隔てられているものを橋を渡して結びつける意からの比喩的拡大用法。⇩Q懸け橋・仲介・仲立ち

はす【斜】「斜め」の意で、主に会話に使われる、やや古風な和語。〈―向かい〉〈ねぎを―に切る〉✎幸田文の『おとうと』に「まだ手垢ずれていない白ズックの鞄吊りが―にかかって」とある。⇩すじかい・Qななめ・はすかい

はす【蓮】スイレン科の水生多年草の一種をさし、会話にも文章にも使われる和語。〈―の根は食用〉✎古くは「はちす」。仏教との縁が深く、花は「蓮華《れんげ》」といい浄土の象徴で、「―の台《うてな》」として極楽往生した者の座とされる。なお、この語を「蓮根《れんこん》」の意味でも使う地域は東京近辺に限られるという。⇩Q睡蓮・蓮根

ハズ　夫の意の古い俗語。〈今度いらしたら―を紹介するわ〉✎英語「ハズバンド」の短縮形。⇩Qうちの人・夫・主人②・旦那・亭主・宿六

バス　大型の乗り合い自動車をさし、くだけた会話から硬い文章まで幅広く使われる日常の外来語。〈―ガール〉〈―ガイド〉〈スクール―〉〈―に乗り遅れる〉✎小沼丹の『倫敦のバス』に「倫敦の―の停留所に名前があるかどうかよく判らない」とある。典型的には直方体の形をした車体で車掌が同乗しないいわゆるワンマンバスを連想する。⇩乗合《のりあい》

い・Q乗合《あい》自動車

ばすえ【場末】町の中心部から遠く離れた場所をさし、会話にも文章にも使われる、いくぶん古風な和語。〈―の古本屋〉〈―の酒場〉✎客観的な感じの「町外れ」に比べ、うらぶれた雰囲気が漂い、謙遜としても使う。小池滋の『行間を読む』に「―の駅のひとつひとつで降り、そのあたりのなるべく貧相な店をのぞいて」とある。⇩町外れ

はすかい【斜交い】斜めに交差している意で、主に会話に使われる、やや古風な和語。〈郵便局の―に銀行がある〉⇩すじかい・Qななめ・はす

はずかしい【恥ずかしい】面目がつぶれるほどの過ちや欠点などを意識して人前に出たくない思いをさして、くだけた会話から硬い文章まで幅広く使われる日常の基本的な和語。〈顔から火が出るほど―〉〈漢字を読み違えて―思いをする〉〈まことにお―限りです〉〈これでは世間に対して―〉✎木山捷平の『長春五馬路』に「野暮なことを言って、わしは―」とある。「腕を組んで歩いているときに同僚と出会って―・かった」のように、決まりが悪くてまともに相手の顔を見られない意にも用いる。⇩面映《おもはゆ》い・Q気恥ずかしい・決まり悪い・照れ臭い・ばつが悪い・間が悪い

バスケットボール 五人ずつの組が円い輪にとりつけた底なしの網にボールを入れる回数を競う球技をさす外来語。現代の標準的な呼称。古くは「籠球」とも称した。〈―で三点シュートを決める〉✎徳永直の『太陽のない街』に「―のような顔」とあるように、ボールそのものをさすこともある。⇩籠球

はずす【外す】もとの位置、本来の場所、正常な状態などから逸れたり離したりする意で、くだけた会話から硬い文章まで幅広く使われる日常の和語。〈眼鏡を―〉〈ボタンを―〉〈席を―〉〈候補から―〉〈議題から―〉〈狙《ねら》いを―〉✎永井荷風の『二人妻』に「蒲団のない炬燵櫓を却て便利だというように腰をかけてボタンを―・し始めた」とある。「着ける」「当たる」と対立。「音程を―」「狙いを―」「タイミングを―」のように、結果として外れてしまう場合にも使う。⇩除外・除去・どける・取り除く・取り外す・脱ぐ・のける・Q除く・排除

バスタブ 洋風の浴槽をさし、会話にも文章にも使われる、やや斬新な外来語。〈―に体を横たえる〉✎ホテルなどの連想があり、浅いイメージがある。⇩風呂桶・湯壺・湯船・Q浴槽

パステル 粉末顔料を白土に混ぜてアラビヤゴムなどで練り固めた絵の具をさし、会話にも文章にも使われる外来語。〈鉛筆画に―を加える〉✎色調がクレヨンより淡く軟らかい感じで、永井龍男は『風ふたたび』で「うすく、オレンジがかった夕空に、紫や黄の火薬の煙が、ゆるやかな線を描くと、―でいたずら書きをしたような、不思議な美しさが、しばらく空に残った」と花火を描写した。⇩クレパス・クレヨン

バスト 胸囲の意で、改まらない会話などに使われる外来語。〈―パッド〉〈豊かな―の女性〉✎女性について使われる例が多い。⇩Q胸囲・胸回り

はずむ【弾む】弾力のあるものが硬い物体に当たって勢いよく跳ね返る意で、会話にも文章にも使われる和語。〈ボールがよく―〉✎「声が―」「会話が―」「胸が―」のように活発

に調子づく意にも使い、そういう比喩的用法はいくぶん詩的な感じが伴う。永井龍男の『冬の日』に「元日の夕日であった。(略)それは―・んでいるようにも見え、煮えたぎって音を立てているようにも感じられた」とある。「跳ねる」は「泥が跳ねる」「兎《うさぎ》が跳ねる」のようにそれ自身は弾力がなくても使えるが、この語はそれ自体の弾力で跳ねる場合に使う。「息が―」「―・んだ声」「話が―」「心が―」のように比喩的な拡大用法も広く行われる。⇩跳ねる

バスルーム 「浴室」の意の斬新な感じの外来語。〈最新の―で、電話も使え、乾燥室にもなる〉〈古いアパートの一室だが、狭いキッチンとちょっとした―が付いている〉✎各家庭の近代的な浴室やホテルなどの客室の一角に付設された浴室部分などが連想され、ユニットバスでもイメージは合う。逆に入浴を楽しむ感じからはほど遠く、湯上がりに涼んだり冷たいビールをきゅうっとやるような気分にはなりにくい。まして檜《ひのき》風呂や岩風呂や大浴場などには使えない雰囲気がある。⇩風呂場・湯殿・Q浴室・浴場

はずれる【外れる】 本来の場所や狙《ねら》ったところから離れる意で、くだけた会話から文章まで幅広く使われる和語。〈障子が―〉〈ボタンが―〉〈調子が―〉〈予想が―〉✎志賀直哉の『城の崎にて』に「遠く町端れの灯が見え出した」とあるように、「中心部を―」といった「それる」意の用法もある。⇩それる

パソコン 外来語「パーソナル・コンピューター」の短縮形が一般語化。〈―を使いこなす〉〈―が普及する〉✎今では特に俗語という感じはなく、会話でも文章でも通常この形で用いる一般的な語となっている。最近は「PC」という語形も使われる。⇩Qパーソナルコンピューター・PC

はそん【破損】 外から力が加わって物体の一部がこわれ、機能に支障を来す意で、主として文章に用いられる、いくぶん専門的な感じの漢語。〈―箇所を点検する〉〈機械が―する〉✎「損壊」より小規模で部分的な感じが強い。⇩損壊・破壊

はた【端(傍・側)】 路傍や水辺など、対象のへりやそれに沿った外側をさし、主として会話に使われる、やや古風な和語。〈古びた池の―で休む〉〈道の―で立ち話を始める〉✎「道端」の「はた」で、「池之端」という地名や「川端」という人名としても残っている。また、「―で見るほど楽じゃない」のように当事者の周囲をさしたり、「―が迷惑する」のように周囲の人をさしたりする用法もある。⇩ほとり

はだ【肌(膚)】 皮膚をさして会話にも文章にも使われる日常生活の和語。〈―の手入れ〉〈―が荒れる〉〈白く艶やかな―〉〈―を刺すような冷たい風〉✎永井荷風の『腕くらべ』に「その―の滑かさいくら抱き〆めて見ても抱き〆るそばからすぐ滑りぬけて行きそう」とある。「皮膚」と違って、感触を基礎とし、主に美容的な見地から使われる例が多い。「―を許す」「―を合わせる」のような性的な意味の間接表現はいずれも古風な感じがある。「木の―」のように人間以外にも使われる。⇩はだえ・Q皮膚

はたいろ【旗色】 勝負の優劣のようすをさし、会話や軽い文章に使われる古風な和語。〈―が悪い〉✎昔の戦で旗の翻る様子から戦況を占ったところから「形勢」の意に転じた。⇩

Q形勢・情勢

はだえ【肌(膚)】「皮膚」の意の古語的な表現。〈雪の―〉✎円地文子の『なまみこ物語』に「―の透きとおる白さ」とある。美的な肌に用いられる傾向が強い。⇩Q肌・皮膚

はだか【裸】衣服を身につけず肌が剝き出しな意の基本的な和語。類義語中で最も一般的な語。くだけた会話から硬い文章まで幅広く使われる。〈―同然の身なり〉〈上半身―になる〉✎川端康成の『伊豆の踊子』に「仄暗い湯殿の奥から、突然―の女が走り出して来たかと思うと」とある。この意味を強調したことばに漢語系の「全裸」、和語系の「赤裸」「素っ裸」「素裸」「真っ裸」「真裸」「丸裸」などがあるが、比喩的・抽象的な用法で「―をさらけ出す」「―の付き合い」などとする表現では、唯一この語だけが使われる。「素っ裸」「素裸」系統の語と「真っ裸」「真裸」系統の語との間にはそれぞれの発想の違いがうかがわれる。「素肌」は衣類を、「素手」は手袋を、「素足」は足袋や靴下を、それぞれ身につけていない状態をさす。前者はこの系列だから、衣服や下着などの衣類を身につけているか、いないかを問題にするという発想から、何ひとつ身につけていない状態であることを強調することばであると考えられる。一方、後者は「真っ赤」「真っ昼間」「真っ正直」の系列だから、厚着の状態から少しずつ脱いで衣類を減らし、やがて薄着の状態をも通り越して、ついにほんとの裸という状態に達する、という思考経路をたどって表現したものと推定できる。これを図式的に単純化すれば、「素っ裸」はゼロか一以上かという二者択一のいわばデジタルのとらえ方であり、「真っ裸」のほうは衣類で覆われる面積ゼロに向かって連続的に迫るいわばアナログの世界での思考法であった、と考えることができよう。「上半身―」で「素っ裸」のほうが自然なのもそういう関係からと思われる。なお、「丸裸」の「丸」は「まるまる」の「まる」で、どの部分もすべてという発想の強調の仕方である。⇩赤裸・素っ裸・素裸・全裸・真っ裸・真裸・丸裸

はだぎ【肌着】肌に直接ふれる衣服をさし、やや改まった感じの会話や文章で用いる和語。〈夏用の―に替える〉✎和服の場合の肌襦袢《はだじゅばん》などは「下着」より「肌着」のほうがイメージが合う。ともにシャツなどをさす場合は、日常生活で多用する「下着」よりも、ワンクッション置いた感じの「肌着」のほうがいくらか上品な印象を与えやすい。一般に、パンツの類をさす場合は「肌着」よりも「下着」のほうがよく使われる。⇩インナー・Q下着・ランジェリー

はたく【叩く】たたいて払いのける意で、会話でも文章でも使われる、やや古い感じもする和語。〈はたと膝を―〉〈はたきで埃《ほこり》を―〉〈布団を―〉✎「相手力士が頭を下げて突進して来るのを体を開いて―」のように相撲《すもう》で「はたきこみ」の意味で使う場合には今でも特に古風な感じはない。「たたく」と同じような意味合いで用いる場合には、現代では「たたく」より接触時の衝撃が軽い感じに響く。⇩Qたたく・なぐる・はる・ひっぱたく・ぶつ

はたけ【畑(畠)】野菜や穀物を栽培する耕地の意で、くだけた会話から硬い文章まで幅広く使われる基本的な和語。〈麦―〉〈―仕事〉〈―を耕す〉✎「畑」は水田に対して「火」を

加えて乾いた意を添え、「畠」は土が白く乾いた田を表した、ともに日本製の国字。「―違い」「文学―の研究者」のように専門領域をさす用法では「畑」と書く。島崎藤村の『千曲川のスケッチ』に「落葉松《からまつ》の―も見えた」とあるように、苗木を育てる土地をさすこともある。安岡章太郎の『海辺の光景』に「まるで花壇のような玩具じみた―」とある。⇩畑地

はださむい【肌寒い】肌に冷ややかに感じる意で、会話にも文章にも使われる和語。〈さすがに秋で朝夕は―〉〈―・く感じる〉✎「薄ら寒い」より感覚的。「はだざむい」とも。深沢七郎の『月のアペニン山』に「もう夜の風は―時もあったので季節はずれの台風だった」とある。⇩薄ら寒い

はだざわり【肌触り】素肌に触れた感じの意で、やや改まった会話や文章に使われる、いくぶん古風な和語。「―が滑らかだ」〈―がゴツゴツしている〉✎有島武郎の『或る女』に「暖かい桃の皮のような定子の頬の―」とある。⇩Q感触・触感・手触り

はだし【裸足／跣】素足の意で、くだけた会話から文章まで使われる日常の和語。〈―で逃げ出す〉〈―になって走る〉✎外村繁の『澪標』に「女の―も好色的なものである。(略)土ふまずの浅いのはいかにも鈍臭いが、げてもの的好色をそそる」とある。足自体をさす「素足」に対し、足の裸の状態に重点がある。⇩素足

はたして【果たして】見込んだとおりにの意で、主として改まった文章中に用いられる、古風で格調高い和語。〈―彼は大喜びだった〉〈結果は―成功裏に終わった〉〈―予期した通りであった〉⇩Q案の定・やっぱ・やっぱし・やっぱり・やはり

はたち【畑地】畑にしてある土地を意味し、会話にも文章にも使われる和語。〈裏に―が広がる〉✎用途による土地の種別で、「宅地」や「田地《でんち》」に対する語。⇩畑

はため【傍目】当事者以外の脇の人の目の意で会話にも文章にも使われる、やや古風な和語。〈―には楽に見える〉〈―にも哀れに映る〉⇩余所目《よそめ》

はためく 布や紙などが風に吹かれてはたはたと音を立ててひらひら揺れる意で、やや改まった会話や文章に用いられる和語。〈日の丸が風に―〉✎石坂洋次郎の『若い人』に「風に煽られた雨の筋が幕のように白く―・いて街頭の光の中を移動して行った」とある。時に翻って裏を見せたりするが、重点は音を立てるところにある。⇩ひらめく①・Q翻る

はたらき【働き】順調に活動して本来の作用を起こすその役割や機能をさし、会話やさほど硬くない文章に使われる日常の和語。〈肝臓の―〉〈酵素の―〉〈頭の―が鈍る〉〈回転部分の―を調べる〉✎「機能」のやわらかい表現として使う。夏目漱石の『草枕』に「うつむいて、瞳の―が、こちらへ通わないから」とある。「格別の―」「担当者の―によるところが大きい」のように活躍の意を表したり、「亭主の―が悪いから生活が苦しい」のように収入をさしたりする用法もある。⇩機能・作用

はたらく【働く】仕事をする、活動する、作用するの意で、くだけた会話から硬い文章まで幅広く使われる日常の基本的な和語。〈朝から晩まで―〉〈頭がよく―〉〈引力が―〉✎「盗みを―」「乱暴を―」のように、よくないことをする意

にも使う。相馬泰三の『六月』に「何の変りもなく機械のように―・いていた」とある。⇩勤労・Q労働

はたん【破綻】ものごとが途中でうまく行かなくなって最悪の事態に陥る意で、改まった会話や文章に用いられる漢語。〈―を来す〉〈経営が―する〉✎宮本百合子の『伸子』に「世間に家庭生活の―を示し」とある。語源は「破れ綻《ほころ》びる」意。⇩破滅

ばち【罰】悪事の報いとして与えられる懲らしめの意で、会話や軽めの文章に使われる古風な漢語。〈―が当たる〉〈たちの悪いいたずらをした―だ〉✎里見弴の『多情仏心』に「それこそ―を被《こうむ》るところだろう」とある。偶然の結果でも神仏によってもたらされたと考える用法が多い。「バツ」は漢音、「バチ」は呉音。⇩罰《ばつ》

ばつ「駄目」「間違い」を示す記号をさし、主として会話で使うことば。〈試験の採点できびしく―をつける〉〈惜しいところで―になる〉✎「×」印を書くことが多い。「罰点」の意だが、漢字では書かず、しばしば片仮名書きにする。⇩アウト・駄目・Q罰点・ペケ

ばつ【跋】一冊の書物や一巻の書画の終わりに付ける文章をさし、主として文章に用いられる古めかしい漢語。〈巻物の終わりに―を付す〉✎「序」と対立する語であるが、現代ではあまり使われない。⇩後書き・後記・Q跋文

ばつ【罰】悪い行為に対する懲らしめや法律に違反した人に対して科せられる制裁や道徳に反する行為をした人に与えられる報いをさし、会話にも文章にも使われる漢語。〈―になる〉〈―を与える〉〈―を受ける〉〈当然の―だ〉✎夏目漱石の『坊っちゃん』に「嘘を吐いて―を逃げる」とある。⇩刑・Q刑罰・ばち

はつあん【発案】最初に思いついて案を出すことをさし、改まった会話や文章に用いられる漢語。〈彼の―による新しい試み〉✎何をするかというアイディアで、「立案」の前段階に当たる。⇩立案

ばついち【ばつ一】一度離婚した経歴を持つ意の近年の俗語。〈―男〉〈相手は―で子供が二人いる〉✎戸籍に×印が一つ付くことから。通常「バツイチ」と書く。⇩破婚・離縁・離婚

はつが【発芽】植物の種が芽を出す意で、改まった会話や文章に用いられる、やや専門的な漢語。〈―期〉〈まいた種が―する〉✎「芽生え」と違い、比喩的用法はない。⇩芽生え

はっかく【発覚】悪事を犯したことが社会的に明らかになる意で、改まった会話や文章に用いられる漢語。〈贈賄が―する〉〈詐欺が―する〉〈裏金が―する〉✎「ばれる」はもちろん「露見」よりも犯罪行為を連想させやすい。⇩ばれる・Q露見

ばつがわるい【ばつが悪い】状況にふさわしくないと感じて具合の悪い思いをする意で、主に会話に使われる和語表現。〈とんちんかんな答えをしてしまい―〉〈ばつが悪そうに下を向く〉✎谷崎潤一郎の『鍵』に「意外ナトコロヲ僕ニ見ラレテ彼女ハバツガ悪ソウデアッタ」とある。「ばつ」は「場都合」の略といい、「ばつを合わせる」などとも使う。⇩面映《おもはゆ》い・気恥ずかしい・決まり悪い・照れ臭い・恥ずかしい・Q間が悪い

はっかん【発刊】書籍・雑誌・新聞などを新たに刊行する意で、

改まった会話や文章に用いられる硬い漢語。〈―の辞〉〈ようやく―にこぎつける〉✎よく使う「発行」以上に、このたび新たにというニュアンスが強い。主に出版社側の用語。⇩刊行・公刊・出版・上梓・Q発行

はっきり 鮮明で紛らわしくなく明瞭な意で、会話や硬くない文章に使われる和語。〈肉眼で―見える〉〈テレビが―映る〉〈―ものを言う〉〈態度を―させる〉〈空模様が―しない〉✎森田たまの『あぶら蠟燭』に「どこにも暗い陰などのない真昼のように―した話」とある。⇩明らか・明快・明確・明白・Q明瞭・歴然

ばっきん【罰金】 一般に罰として払わせる金銭の意で、会話にも文章にも使われる漢語。〈―刑に処する〉〈―を科す〉✎法律では、財産刑の一つで「科料」より重い。⇩Q違約金・科料・過料・反則金

バック ①「背後」「背景」「背走」の意で、会話や硬くない文章に使われる外来語。〈―を信頼して投げる〉〈満開の桜を―に一枚撮る〉〈前の車が急に―する〉⇩背景・背後
②「背泳ぎ」の意。最近は使用頻度のやや低い外来語。〈―がもう少し早くなれば、個人メドレーで入賞が期待できる〉✎「バックストローク」の略。⇩背泳ぎ・Q背泳

バッグ 「鞄《かばん》」の意味で使われる外来語。〈ショルダー―〉〈―を抱える〉〈―を提げる〉✎吉本ばななの『哀しい予感』に「―の中身をぶちまけたかのように小物が散乱していた」とある。女性が用いることの多い語。外来語だけに「鞄」より新しい感じがある。ランドセルやスーツケースなどをさすケースは少ない。アタッシェケースは手提げ鞄の一種だが、バッグとは呼ばないようである。⇩鞄

バックネット 野球場で捕手の後方に高く張りめぐらした金網をさす和製英語。〈―を越えるファールボール〉

バックミラー 自動車の内部にあって後方を確認するための鏡をさす和製英語。〈―にパトカーが映る〉✎「ミラー」は鏡であるが、その音の環境から偶然「後方を見るもの」という連想が働くこともありそうだ。

ばつぐん【抜群】 「群を抜く」意の漢語表現で、会話にも文章にもよく使われる。〈力量が―だ〉〈―の知名度を生かして立候補する〉✎井上ひさしの『青葉繁れる』に「―の不成績」という表現が出るが、「痩せぎすの肥っちょ、見上げるような小男」などと並ぶ矛盾の見本なので、この語が好ましい方向に突出している場合に限って使うという認識を示す。⇩Q群を抜く・図抜ける・ずば抜ける・飛び抜ける・抜きん出る

はっけん【発見】 それまで知られていなかった事物を新しく見つけ出す意で、会話にも文章にも広く使われる漢語。〈世紀の大―〉〈血の跡を―する〉〈文豪の意外な面を―する〉✎「見つける」より大仰な感じがあり、「机の上の山の中から返事を出すのを忘れていた往復はがきを―した」などと日常の些事《さじ》について使うとユーモラスな味が出やすい。ちなみに、里見弴を鎌倉の自宅に訪ねた折、作者の存在を強く意識させる表現を指摘したところ、「そりゃ君の新―かもしれねえや」とこの作家は呟《つぶや》いた。⇩Q見出す・見つける

はつげん【発言】 意見・主張・感想などを口頭で述べることをさし、会話でも文章でも広く使われる漢語。〈―権〉〈爆弾―〉〈当人の―だけに注目を集めた〉〈自由に―する〉〈―

を求める〉✎単なるおしゃべりでなく、何らかの点に関する意見を述べる感じが強い。⇩会話・Q談話・発話

ばっこ【跋扈】好ましくない存在が周囲を無視して勝手に勢いを揮う意で、主に文章中に用いる古風で硬い漢語。〈跳梁《ちょうりょう》―〉〈悪が―する〉✎大きな魚が竹籠に入らずに跳び上がる意から。⇩Qのさばる・はびこる・蔓延《まんえん》

はっこう【発行】書籍・雑誌・新聞などを印刷・刊行する意で、やや改まった会話や文章に用いられる漢語。〈―所〉〈―日〉〈新しい女性向け週刊誌を―する〉著者より出版社が多く用いる。✎紙幣・証券・証明書などを作って通用させる場合にも使う。⇩刊行・公刊・出版・上梓・Q発刊

はっこう【薄幸(倖)】運つたなく幸薄い意で、主として文章に用いられる古めかしく硬い漢語。〈―の佳人〉〈―のうちに生涯を閉じる〉⇩Q不幸・不しあわせ

はっしゃ【発射】矢・弾丸・ロケットなどを打ち放す意で、会話にも文章にも使われる漢語。〈ピストルを―する〉〈ミサイルを―する〉⇩発砲

はっしょう【発症】病状がはっきり認められるようになる意で、学術的な会話や文章に用いられる医学の専門漢語。〈長い潜伏期間を経て―する〉✎「発病」より部分的・具体的。⇩Q発病・発作

はっしん【発疹】皮膚にできる粒状の病変をさし、会話にも文章にも使われる医学上の専門漢語。〈―チフス〉〈胸に―が現れる〉✎「吹き出物」より数が多く広い範囲にわたる感じがある。⇩Q吹き出物・ほっしん

はっしんしゃ【発信者】話す側や文章などを書く側の人間をさし、硬い感じの会話や文章に使われる専門的な漢語。〈―不明の情報が出まわる〉✎言語によるコミュニケーションの場合は、話し手と書き手との総称である「送り手」に相当する。「受信者」と対立。⇩送り手・書き手・話し手

はっせい【発生】新たに物事が現れることをさし、改まった会話や文章に用いられる漢語。〈害虫の―を防ぐ〉〈火災が―する〉〈大惨事が―する〉〈容易ならぬ事態が―する〉✎井上靖の『氷壁』に「事件の―した状態は、厳密には再現できません」とある。「起こる」に比べ文体的なレベルが高い関係で大規模な物事を連想させやすく、「問題が―する」という表現は個人よりも社会的なレベルの事柄を思わせる。⇩起きる・起こる・Q生じる・生ずる

はっそう【発想】頭に思い浮かぶ考えの意で、会話にも文章にもよく使われる漢語。〈独特の―法〉〈ユニークな―で面白いが、実現は難しい〉〈―の転換が必要だ〉✎小林秀雄の『実朝』に「大海に向って心開けた人に、この様な―の到底不可能な事を思うなら」とある。芸術や創作では最も基本をなす考えをさし、具体的な「構想」の前段階に位置づけられる。⇩アイディア・思い付き・Q着想

はっそく【発足】↓ほっそく

バッター「打者」をさす外来語で多く口頭で使う。書きことばではふつう「打者」を用いる。〈四番―〉〈次の―を歩かせる〉⇩打者

はったつ【発達】機械文明などの進歩や心身の成長を意味し、会話にも文章にも使われる基本的な漢語。〈文明が―を遂げる〉〈交通が―する〉〈通信手段が著しい―を見る〉〈肉

体の健全な―を妨げる結果となる〉✎伊藤整の『小説の方法』に「フランスで―した実証的な近代小説の手法」とある。⇩Ⓠ進歩・発展

ばってき【抜擢】多数の中から特にある一人を選び出して重要な任務を与える意で、やや改まった会話や文章に用いられる漢語。〈新人を―する〉〈異例の―〉〈いきなり委員長に―される〉✎順番を跳び越えて選ばれる感じが強い。⇩重用《ちょうよう》・取り立てる・引き立てる

はってん【発展】勢力が盛んになる意で、会話にも文章にも使われる漢語。〈―途上国〉〈―的解消〉〈会社の―に貢献する〉〈貴社のますますの御―を祈る〉✎夏目漱石の『明暗』に「それ以上に―する余地のなかった題目は、そこでぴたりと止まってしまった」とある。「事件が思わぬ方向へ―する」のように、次の段階に進む意にも用いる。⇩栄える・進歩・Ⓠ発達・繁栄・繁盛

ばってん【罰点】「ばつ」の記号をさし、主として会話に使われる漢語。〈答案に大きく―を書く〉✎片仮名書きが普通。記号で「×」印を書くこともある。⇩Ⓠばつ・ペケ

はってんとじょうこく【発展途上国】産業などの近代化が遅れ発展の途中段階にある国をさす漢語。〈―に対する技術指導〉✎「後進国」の軽蔑的な感じをやわらげるための言い換え。⇩開発途上国・後進国

はっと ふいに思いついたり驚いたりするときに会話や硬くない文章に使われる擬態語。〈―思い当たる〉〈黒枠に―する〉✎川端康成の『千羽鶴』に「医者が来ていないのかと菊治は驚いたが、―気がついた。／夫人は自殺なのだ」とある。⇩ぎくっと・ぎくりと・Ⓠぎょっと・どきっと・どきりと・どきんと

はつねつ【発熱】病気などにより体温が平熱より高くなることをさし、やや改まった会話や文章に用いられるやや専門的な漢語。〈―作用〉〈風邪で―する〉✎中河与一の『天の夕顔』に「八月の炎天の下を歩きつかれて、次の日にはとうとう―してしまいました」とある。「解熱」と対立。⇩熱

はっぱ【葉っぱ】「葉」の意味でもっぱらくだけた会話で用いる口頭語。〈柿の―〉〈―でくるむ〉✎幸田文の『おとうと』に「雨と―は煽られて斜になるが、すぐまたまっすぐになる」とある。仲間内でざっくばらんにしゃべるときのことば。子供は「葉」でなくたいていこの語を使うが、これは幼児語とは違って、あくまで緊張度の問題。そのため、格調の高い論文のような硬い文章の中で用いると、それだけで筆者のまじめさが疑われる。⇩葉

パッパ「パパ」の古い言い方。✎森茉莉の『気違いマリア』に、「―が痰を吐く音は独逸《ドイツ》語の咽喉《のど》の音《おん》のような声で、吐く時の顔も素敵だった」と父鷗外を偲ぶ記述がある。⇩パパ

はつはる【初春】「新春」の意で、年賀状などの挨拶に用いられる文語的で雅《みや》びやかな和語。〈―の装い〉〈―のおよろこびを申し上げます〉✎「初春」を訓読みしたこの語は正月の雅語となり、実際の早春の意ではめったに用いない。⇩正月・初春《しょしゅん》・Ⓠ新春・新年

はつびょう【発病】病気が起こる意で、やや改まった会話や文章に使われる漢語。〈感染してもすぐには―しない〉〈―

に至る過程〉✎「発症」よりも総合的な判断として一般的に使われる。⇩Q発症・発作

はっぴょう【発表】 一般に広く知らせる意で、くだけた会話から硬い文章まで幅広く使われる日常の漢語。〈合格―〉〈婚約―〉〈研究―〉〈ピアノの―会〉〈結果を―する〉✎夏目漱石の『坊っちゃん』に「もう―になるから話しても差し支えないでしょう」とある。私的な事柄も公的な事柄も含まれ、類語の中で最も広く頻繁に使う。⇩公示・Q公表・公布・告示

はっぴょうかい【発表会】 習い事などで練習成果を一般に公開するための催しをさし、会話にも文章にも使われる日常の漢語。〈ピアノの―〉〈踊りの―〉〈生け花の―〉⇩展観会・Q展示会・展覧会・博覧会

ばつぶん【跋文】 「跋《ばつ》」として作品の末尾に置く文章をさし、主として文章に用いられる古風な漢語。〈―を添える〉✎「序文」と対立する語。現代ではあまり使われないが、それでも「跋」よりはいくらか使用例が多いように思われる。⇩後書き・後記・跋

はっぽう【発砲】 銃や大砲などを発射する意で、改まった会話や文章に用いられるやや専門的な感じの漢語。〈逃走する犯人を威嚇するため警官が―する〉⇩発射

ばっぽんてき【抜本的】 おおもとの原因を取り除く意で、改まった会話や文章に用いられるやや硬い漢語。〈―な対策を講じる〉〈現状に合わなくなった制度を―に改める〉✎現状の弊害を認識しそれを断ち切る場合によく使う。一時しのぎの応急措置と対立する概念。⇩Q根本的・徹底的

はつまご【初孫】 内孫と外孫を含めて初めてできた孫の意で、会話にも文章にも使われる和語。〈―が生まれる〉✎「ういまご」より一般的によく使う。⇩ういまご

はつらつ【潑溂(剌)】 元気よくきびきびしている意で、やや改まった会話や文章に用いられる漢語。〈元気―〉〈―とした姿〉〈―とした動きを見せる〉✎谷崎潤一郎の『細雪』に「どこか―とした、色つやのよい、張り切った感じの人」とある。壺井栄の『二十四の瞳』に「大石先生の―とした姿は、朝よりもいっそうおてんばらしく、村人の目にうつった」とあるように、「活発」に比べ、目に映る具体的な対象に多く使う。⇩活発

はつわ【発話】 ことばを発する行為や、その際に発せられたことばそのものをさし、言語研究の分野で用いられる専門的な漢語。〈―者〉〈―行為〉〈一回の―〉✎沈黙から次の沈黙までに発せられたことばのまとまりを一つの単位とすることが多い。⇩会話・Q談話・発言

はで【派手】 衣装・外見・態度・行動などが人目をひく様子をさし、会話にも文章にも広く使われる和語。〈―好み〉〈―な顔立ち〉〈―な服装〉〈―な暮らし〉〈―な喧嘩《けんか》〉〈―に宣伝する〉✎谷崎潤一郎の『細雪』に「衣裳が―であるから若く見えると云うのではなくて、顔つきや体つきが余り若々しいために―なものを着なければ似合わない」とある。「地味」と対立。少しマイナスのイメージがある。⇩華やか

パティシエ 洋菓子を製造する職人をさし、会話にも文章にも使われる斬新な感じのフランス語からの外来語。✎「菓子職人」以上に高級感が漂う。原語では男性に限るが、日

本語としては性別に関係なく使う。⇩菓子職人

はてなマーク 「疑問符」の記号「?」をさすユーモラスな俗語。「はてな」と首をひねるところから。⇩びっくりマーク

はてる【果てる】 終わりになる意で、改まった会話や文章に用いられる、いくぶん古風な和語。〈会が―〉〈人通りが―〉〈道が―〉〈命が―〉〈いつ―ともなく続く〉梅崎春生の『桜島』に「廃墟の―ところに海があった」とある。数量的なイメージの濃い「尽きる」に対して、この語は一本の線が切れるというイメージがあるため、「話が尽きる」がいろいろ話をしてきてもうほかに話す話題が考えつかないという意味になるのと違い、「話が―」の場合は長々と続いてきた一つの話や一回の話す行為が終了するという意味になる。⇩尽きる

ばてる 疲れ果てる意で、くだけた会話によく使われる俗語。〈暑さ続きで―〉〈重労働で―〉〈途中で―〉時に「バテる」という表記も。⇩Qへたばる・へばる

はとう【波濤】 大きな海の大きな波のうねりをさし、硬い文章に用いられる古風な漢語。〈万里の―を越えて〉実際の大波をさして漢文調の美文にまれに用いるほかは、大きな困難の比喩的な例に出る程度で、日常生活にはあまり使わないが、気象情報を思わせる「波浪」に比べ、文学的な雰囲気を感じさせる。⇩荒波・激浪・怒濤《どとう》・波・Q波浪

パトロール 警察官などが犯罪や事故の防止・発見を目的として巡回する意で、会話にも文章にも使われる外来語。〈―隊〉〈―を強化する重点地域〉「見回り」「巡回」よりもすぐに警官を連想させやすい。⇩Q巡回・見回り

はな【花】 草の茎や木の枝の先に咲いて実を結ぶものをさし、くだけた会話から硬い文章まで幅広く使われる日常の基本的な和語。〈―が咲く〉〈―がしおれる〉〈―が散る〉〈―を活《い》ける〉植物の花をさすほか、「―を持たせる」「―を添える」「―も実もある」「―も恥じらう」「言わぬが―」「両手に―」など比喩的な用法も広い。ちなみに、安西均の詩『花の店』は「かなしみの夜の／とある街角をほのかに染めて／―屋には―がいっぱい／賑やかな言葉のように」と始まる。店先にあふれる花々が自分に語りかけてくるようだととらえたこの詩に「華」という表記はいかにもふさわしくない。福原麟太郎の『チャールズ・ラム伝』に「わたしゃロンドン、―の都の会社員」とあるように、はなやかな憧れの象徴ともなる。⇩華

はな【華】 「花」に近い意で、主に文章に用いられる古風で詩的な和語。〈火事と喧嘩は江戸の―〉〈職場の―〉〈演技に―がある〉意味の広い「花」のうち、華やかで美しいものを讃える際に特に書き分けとして用い、現実の花には用いない。⇩花

はな【洟】 鼻の粘膜から分泌され、穴を通って出てくる粘液をさし、会話にも文章にも広く使われる日常の和語。〈―をかむ〉〈―をすする〉〈―を垂らす〉〈―もひっかけない〉室生犀星に「わらんべの―も若葉を映しけり」という俳句がある。こういう光景は最近すっかり影をひそめたが、人と自然との一瞬のかかわりの中に、美と醜との偶然のめぐりあいをとらえた俳味が心にくい。⇩鼻・鼻汁・Q鼻水

はな【鼻】嗅覚をつかさどる呼吸器官をさして、会話や文章でよく使われる日常の基本的な和語。〈―が高い〉〈―が利く〉〈―にかかった声〉〈―を突き合わせる〉✎川端康成の『名人』に「たくましい―も不気味なほど大きく見えた」とある。⇩洟《はな》

はながた【花形】「スター」の意の古風な和語。〈―選手〉〈―的存在として人気を集める〉〈歌舞伎の―〉⇩スター

はながみ【鼻紙】鼻汁を拭うときなどに使う薄い紙をさし、会話や軽い文章などに使われる日常の和語。〈―で鼻水をぬぐう〉✎「塵紙《ちりがみ》」に比べて用途が明確で汚い感じがするため「花紙」と書いて美化することもある。⇩Qちりがみ・ちりし・ティッシュ

はなぐすり【鼻薬】少額の賄賂をさして、主にくだけた会話に使われる古風で俗っぽい和語。〈―を利かせる〉✎「鼻薬」の原義に合わせて「―を嗅がせる」という言い方をすることもある。⇩Q袖の下・リベート・賄賂

はなくそ【鼻糞(屎)】鼻水と埃《ほこり》が混じって鼻の穴の中で固まった異物をさし、会話や改まらない文章に使われる日常の和語。〈人前で―をほじくる〉✎谷崎潤一郎の『雪後庵夜話』に「髪の毛がちらばったような、果敢ない、細い、―のような文字」という比喩表現が出る。

はなし【話】会話・話題・相談などの意で、くだけた会話から硬い文章まで幅広く使われる日常の基本的な和語。〈面白い―〉〈―がある〉〈―がわかる〉〈―を持ち込む〉〈―を合わせる〉〈―をそらす〉〈―に乗る〉〈―に身が入る〉〈―にならない〉✎大庭みな子の『啼く鳥の』に「喋りようによっては激した下品なものになる―を、静かな水が流れるように、ときには愛らしくさえ聞こえる旋律で伝える」とある。⇩噺《はなし》

はなし【噺】落語などの作品の意で限定的に用いられる、古風で専門的な雰囲気の和語。〈廓《くるわ》―〉〈―を仕込む〉〈新しい―を高座にかける〉✎「噺」のうち、「小―」「落とし―」のような短い笑い話をさして特に「咄」と書く傾向が見られる。⇩話

はなしあい【話し合い】互いの意見を述べ合って妥協点を探る意で、会話にも文章にも使われる日常の和語。〈―で決める〉〈―に応じる〉〈―が不調に終わる〉✎互いの意見をぶつけ合うだけの「言い合い」と違い、互いの利益が対立したり意見や希望の異なる問題などについて、その解決を意図して妥協点を探りながら話し合う。⇩言い合い・打ち合わせ・会議・協議・相談・談合・ミーティング

はなしことば【話し言葉】口頭表現を行うときに用いる音声言語をさし、会話にも文章にも使われる専門的な和語。〈丁重な―〉〈文章に―の調子が交じる〉✎「書き言葉」と対立する。⇩口語・Q口頭語

はなして【話し手】話す側の人をさし、くだけた会話から硬い文章まで幅広く使われる和語。〈コミュニケーションは―と聞き手との共同作業〉✎「なかなか大した―だ」のように、話の巧みな人をさす用法もある。「聞き手」と対立。⇩送り手・Q語り手・発信者・話者

はなしぶり【話し振り】話をするときの声や表現の調子をさし、会話にも文章にも使われる和語。〈おっとりとした―〉

〈せかせかした―に性格が表れる〉⇩Q語り口・口調・語気・語調・弁

はなじる【鼻汁】 洟《はな》の意で、会話にも文章にも使われる和語。〈―をすすり上げる〉〈―を拭う〉✎「洟」ほどの粘りけを感じさせず、「鼻水」よりは水分の少ない連想がある。⇩Q洟・鼻水

はなす【放す】 拘束を解く意で、会話にも文章にも使われる日常の和語。〈握っていた子供の手を―〉〈鎖をはずして犬を―〉✎小沼丹の『タロオ』に「夜分暫くタロオ(犬)を―ことにしていたが」とある。⇩離す

はなす【話す】 ある内容を口頭で伝える意で、会話でも文章でも幅広く使われる日常生活の基本的な和語。〈一部始終を―〉〈こうなったわけを―・そう〉〈―・せばわかる〉〈若いころの経験を―〉✎葉山嘉樹の『海に生くる人々』に「重々しい論調で、肋骨の間から、心臓を目がけて、錐でも刺すように―・してると」とある。「言う」と違って、発言行為よりもある程度まとまった発言内容のほうに意識が向かう表現。「言う」が一方的なので「言い合い」は口論に近いイメージがあるのに対し、相手の必要なこの「話す」から成立する「話し合い」は互いに譲り合いながら妥協点を探る印象が強くなる。また、「おしゃべり」と「お話」とを比較すると、この動詞が行為より内容に重点のあることがよくわかる。その関係で、「英語を―」というと、まとまった内容を英語で表現できる感じがあり、「英語をしゃべる」人以上の本格的な英語力を連想させる。⇩言う・Qしゃべる

はなす【離す】 接触をやめる、距離を置くといった意味合いで、会話や文章に広く使われる日常の和語。〈他を大きく―〉〈間を―・して並べる〉〈ハンドルから手を―〉〈ちょっと目を―・した隙に〉✎横山美智子の『R夫人のサロン』に「弾かれたように、彼から身を―・した」とある。⇩放す

はなすじ【鼻筋】 眉間から鼻の先端までの線をさし、会話にも文章にも使われる和語。〈―が通る〉✎椎名麟三の『自由の彼方で』に「高い上品そうな―を白く残して」とある。⇩鼻・Q鼻梁《びりょう》

はなぞの【花園】 草花がたくさん植えてある比較的広い場所をさし、主に文学的な雰囲気の文章に用いられる古風で優雅な和語。〈―をめぐる〉〈―にしばし憩う〉✎「花壇」と違って必ずしも縁取りを連想させない。横光利一に『花園の思想』と題する小説があり、愛妻の死の直後「一枚の紙のようにふらふらしながら、―の中へ降りていった」と結ばれる。もとは花を栽培する場所だったが、語感が古風になるにつれて意味も美化され、「花壇」ではふさわしくない「天国の―」といったイメージも漂う。「文学の―」といった抽象化された用法でも「花壇」よりぴったりした感じがある。⇩花壇

はなたば【花束】 草花を何本か束ねたものをさし、会話にも文章にも使われる和語。〈―贈呈〉〈教え子が―を渡す〉〈―を手に舞台で挨拶する〉✎横光利一の『春は馬車に乗って』は「明るい―の中へ蒼ざめた顔を埋めると、恍惚として眼を閉じた」と結ばれる。⇩ブーケ

はなっぱし【鼻っぱし】 相手に負けまいと張り合う様子をさし、主に会話に使われる、やや俗っぽい和語。〈―が強い〉

〈あの―をへし折ってやる〉✎「鼻っ柱」の転。外面に現れた感じをとらえた語で、実際の力には言及していない。⇩強気・Ｑ向こう意気

はなはだ【甚だ】「大変」に近い意味合いで、会話にも文章にも使われる古風で硬い和語。〈―困る〉〈―心細い〉〈―けしからん〉〈―遺憾である〉✎「―愉快だ」「―快適だ」「―立派な心がけ」のようにも使うが、「甚だしい」同様、否定的な意味に使う例が目立つ。⇩大いに・きわめて・ごく・すこぶる・大層・Ｑたいへん・とても②・非常に

はなはだしい【甚だしい】大きく度を超えている意で、やや改まった会話や文章に用いられる和語。〈痛みが―〉〈―心得違い〉〈思い上がりも―〉〈誤解も―〉〈―・く危険だ〉✎「甚だ」以上に、望ましくない事柄に使う例が圧倒的に多い。「おびただしい」と違って数量の大きさを直接表せないため、「―数の人間」などとする。⇩夥《おびただ》しい

はなばなしい【華々しい】はなやかで目立つ様子をさし、改まった会話や文章に用いられるプラスイメージの和語。〈―活躍〉〈―デビューを飾る〉✎外見より行動の評価や印象に使う傾向が強い。堀田善衛の『広場の孤独』に「―舞台」とある。⇩輝かしい

はなびら【花弁(片)】おしべやめしべを保護する花冠のひとひらずつをさし、会話にも文章にも使われる日常の和語。〈桜の―が一面に散り敷く〉✎坂口安吾の『桜の森の満開の下』は「あとに―と、冷たい虚空がはりつめているばかりでした」として結ばれる。⇩花片《かへん》・Ｑ花弁《かべん》

はなみず【鼻水】洟《はな》の意で、会話にも文章にも使われる和語。〈―を垂らす〉〈―が止まらない〉✎「洟」が粘液を連想させるのに対し、この語は粘りけのない鼻汁を連想させる傾向がある。⇩Ｑ洟・鼻汁

はなやか【華(花)やか】明るく美しく目立つ意で、会話にも文章にも使われる和語。〈―な衣装〉〈―な飾りつけ〉〈―に舞う〉✎川端康成の『千羽鶴』に「―な振袖の肩や袂に、やわらかい反射がある」とある。「花が咲いたような」というところから。「―な会」「―な暮らし」のように具体物以外にも広く使われる。⇩Ｑ華麗・きらびやか・絢爛《けんらん》・派手

はならび【歯並び】歯の並び方の意で、会話にも文章にも広く使われる日常の和語。〈きれいな―〉〈―が悪い〉✎石川淳の『紫苑物語』に「白くにおう―を光らせて、歓喜の鐘をつくような笑をひびかせた」とある。⇩歯列

はなればなれ【離れ離れ】互いに離れて過ごす意で、会話にも文章にも使われる和語。〈兄弟姉妹が―に住む〉✎「別れ別れ」に比べ、ばらばらになる点に中心がある。また、「部員の心が―になる」のように一つにまとまらない点に中心を置く用法もある。⇩別れ別れ

はにかみ【含羞み】恥ずかしそうな表情やそぶりの意で、会話にも文章にも使われる和語。〈大仰な―を見せる〉✎若い女性が恥ずかしそうにうつ向く様子を外から見た感じのイメージがあるが、比喩的に、文学作品などで、露骨に詳細に書き過ぎることなく読者の推測にゆだねるといった表現のたしなみをさす場合もある。永井龍男を訪問した折、井伏鱒二が「―の文学」と評したことを話題にして、そう呼ぶ井伏自身にもはにかみがあるのではと問いかけると、「大有

りですよ」と永井龍男は目を輝かせた。⇩Q含羞《がんしゅう》・照れ・恥・恥じらい

はね【羽】 鳥などの翼や羽毛をさして広い意味で用いられる和語。〈―が生える〉〈―を広げる〉〈―をもがれる〉〈―を並べる〉⇩羽根・Q翅《はね》

はね【翅】 会話でも文章でも使われる和語。〈昆虫の―〉〈蟬《せみ》の―〉✎川端康成の『雪国』に「秋風が来ると、その（蛾の）―は薄紙のようにひらひらと揺れた」とある。「羽」のうち昆虫のものを特に区別して書く場合の表記で、厳密な印象を与えやすい。⇩Q羽・羽根

はね【羽根】 鳥の体から離れた一本ずつの羽やそれに似た形状のものをさして、会話や文章に使われる和語。〈赤い―〉〈―をつく〉〈扇風機の―〉✎井伏鱒二の『屋根の上のサワン』に「この鳥の両方の翼を―だけ短く切って」とある。⇩Q羽・翅《はね》

ばね【発（撥）条】 鋼を曲げたり螺旋《らせん》状に巻いたりして弾力を強めた装置をさし、会話にも文章にも使われる和語。〈―仕掛け〉〈―を利用する〉✎「スプリング」はその一種。比喩的に「足腰の―」などとも言う。漢字は難しく平仮名ではわかりにくいため、しばしば片仮名書きされる。⇩スプリング・Qぜんまい

はねつける【撥ね付ける】 相手からの申し出などを厳しい態度で拒絶する意で、会話やさほど改まらない文章に使われる和語。〈組合の要望を―〉〈親の忠告を―〉✎「拒絶」に比べても、頭から問題にしない感じが強い。⇩一蹴《いっしゅう》・Q拒絶・拒否・断る・拒む

はねのける【撥ね除ける】 勢いよく押しのける意で、会話にも文章にも使われる和語。〈布団を―〉〈相手の手を―〉✎「払い除《の》ける」よりも重い対象を力を入れてはじく感じが強く、「困難を―」のような比喩的な例でも同様。⇩払い除ける

ハネムーン 「新婚旅行」をさすやや古い感じの洋風の言い方。〈―でオーストラリアへ飛ぶ〉✎「蜜月旅行」と訳す。⇩Q新婚旅行・蜜月旅行

パネラー 「パネリスト」をさす和製英語。〈―に専門家を起用する〉✎正式名称としては避けたい。⇩パネリスト

パネリスト パネルディスカッションで問題提起をする役の討論者をさし、会話でも文章でも使われる外来語。〈地球温暖化に関するパネルディスカッションで―を務める〉⇩パネラー

はねる【刎ねる】 「はねる」のうち特に首切りを区別する場合の表記。〈首を―〉⇩跳ねる・Q撥《は》ねる

はねる【跳ねる】 跳び上がる意で、会話でも文章でも使われる和語。〈兎が―〉〈思いきり―〉〈泥が―〉〈ぴょんぴょん―〉〈ボールが不規則に―〉✎正式の運動競技には「跳ぶ」を用い、「跳ねる」というと子供が遊んでいる連想がある。中勘助の『銀の匙』に「ねじ鉢巻の男が（略）ひょんひょん―・ねながらかかってゆく」とある。「芝居が―」のように、終わる意の場合は仮名書きが多い。⇩跳ぶ・弾む・Q撥《は》ねる・刎《は》ねる

はねる【撥ねる】 勢いよく弾《はじ》き飛ばす意で、会話やさほど改まらない文章に使われる和語。〈車に―・ねられる〉〈枝を

―〉〈不良品を―〉〈要求を―〉⇩Q跳ねる・刎《は》ねる

はは【母】 両親のうちの女のほうをさし、改まった会話や文章に用いられる最も基本的な和語。〈―に甘える〉〈―の胸に抱かれる〉〈―の膝に乗る〉✎夏目漱石の『坊っちゃん』に「乱暴で乱暴で行く先が案じられると―が云った」とある。「―からもよろしくとのことでございます」のように、自分の母親のことをへりくだって他人に言うときにも用いる。「父」と対立。⇩お母様・お母さん・お母ちゃん・おふくろ・女親・母さん・母ちゃん・母上・Q母親・ママ

はば【幅】 物の左端から右端までの長さの意で、くだけた会話から文章まで広く使われる日常の和語。〈思ったより―がある〉〈道の―を広げる〉✎専門語の「幅員」とは異なり、永井龍男の『そばやまで』に「独り言と私の間に、思わぬ―がひろがり」とあるように、「人間の―」「研究の―」その他の抽象的用法も多い。⇩幅員

パパ 父親を親しく感じて呼ぶ外来語。〈―に買ってもらう〉〈―に言いつける〉✎古くは「パッパ」と書いた。⇩パッパ

ばばあ【婆】 女性の老人をさすぞんざいな和語の口頭語。〈くそ―〉〈梅干―〉✎徳永直の『太陽のない街』に「―は、犬に追っかけられた牡鶏のように、ふかふかした足どりで」とある。「―、何しやがる」「あの―、よくまあ、しゃあしゃあと」などとののしる感じで用いることが多いが、「あの―、ずいぶん気前がいいや」というふうに親しみをこめて用いる例もある。「ちぇっ、―のやつ、弁当に箸入れるのを忘れやがった」などと口汚くののしる場合でも、そこに悪意がなければ、むしろ親しみの表現となる。「お婆さん」の具体的な欠点をついてくるわけでもないのに聞き手にきつく響くのは、そのことばの選択に話し手の軽蔑の気持ちが映っているときである。⇩高齢者・Q老人

ははうえ【母上】「母」の古風な尊敬表現として、格別丁寧な会話や文章に用いられる。〈遠く離れていると秋の夜など―のことがしきりに思い出されます〉〈お―にもよろしくお伝え願います〉✎現代では手紙の中で時折使う程度で、会話では冗談めいた響きを感じさせることもある。「父上」と対立。⇩Qお母様・お母さん・お母ちゃん・おふくろ・女親・母さん・母ちゃん・母・母親・ママ

ははおや【母親】「母」の意で会話にも文章にも使われる和語。〈老いた―〉〈―の愛に餓えている〉〈―が付き添う〉✎「母」に比べ、親であることを意識して使う。「父親」と対立。⇩お母様・お母さん・お母ちゃん・おふくろ・Q女親・母さん・母ちゃん・母・母上・ママ

はばかり【憚り】「便所」を意味する古風な和風の間接表現。〈夜中に―に起きる〉✎排泄《はいせつ》は万民共通の必須の行為であるが、文化的な伝統から人前を「憚る」ところから、それを名詞の形にした名づけ。人目を憚るものはいろいろあるから当初はかなり婉曲《えんきょく》な表現であったはずである。⇩おトイレ・厠《かわや》・閑所・化粧室・御不浄・雪隠・洗面所・WC・手水場《ちょうずば》・手洗い・トイレ・トイレット・Q便所・レストルーム

はばむ【阻む】 自分にとって好ましくない他の行動を食い止める意で、やや改まった会話や文章に用いられる和語。〈行く手を―〉〈優勝を―〉⇩食い止める・Q阻止

はびこる【蔓延る】 好ましくないものが勢いよく広がる意で、

会話や軽い文章に使われる和語。〈庭に雑草が―〉〈悪が―〉〈悪性のインフルエンザが―〉⇩のさばる・跋扈《ばっこ》・蔓延《まんえん》

はぶく【省く】 効率を考えて簡略化するために必要性の少ないものを取り除く意で、くだけた会話から硬い文章まで幅広く使われる日常の基本的な和語。〈話の途中を―〉〈説明を―〉〈手続きを―〉〈手間を―〉〈できるだけ無駄を―〉⇩割愛・Ｑ省略・除外・略す

はへん【破片】 硬質の物体が破損した際に生ずる小片をさし、会話にも文章にも使われる漢語。〈ガラスの―〉〈―が飛び散る〉✎井伏鱒二の『庄野君と古備前』に「洗面器の水にあの(備前焼の)―を入れますと、割れ口につぶつぶの気泡が出来ます。その可愛らしい気泡が水を清浄にしてくれるような気持がします」とある。「かけら」と違い、抽象化した用法では使いにくい。⇩かけら

はま【浜】 海や湖の水際に沿ったなだらかな砂地をさし、会話にも文章にも使われる日常の和語。〈―の真砂〉〈―に出る〉✎夏目漱石の『坊っちゃん』に「見返えると、―が小さく見える位もう出ている」とある。⇩磯・うみべ・沿岸・海岸・Ｑ海浜・かいへん・岸・岸辺・なぎさ・波打ち際・浜辺・みぎわ・水際・水辺

はまべ【浜辺】 浜のほとりをさし、会話にも文章にも使われる和語。〈―で遊ぶ〉〈―をさまよう〉✎林古渓作詞の唱歌『浜辺のうた』もあり、懐かしく暖かい雰囲気がある。⇩磯・うみべ・沿岸・海岸・海浜・かいへん・岸・岸辺・なぎさ・波打ち際・Ｑ浜・みぎわ・水際・水辺

はまる【嵌(塡)まる】 ある場所に落ち込む、丁度入る、適合するの意で、会話にも文章にも使われる和語。〈型に―〉〈溝に―〉〈―・り役〉✎「敵の計略に―」のように「だまされる」意にも使う。近年、「ガーデニングに―」のように、好きになってやめられなくなる意に使う俗な用法が広まっている。⇩あてはまる・陥る・落ちる①

はむかう【歯(刃)向かう】 上位者や権力者などに敵対して反逆的な態度をとる意で、会話にも文章にも使われる和語。〈自然の圧力に―〉〈権威に―〉〈当局に―〉✎指示に従わないだけでなく、「逆らう」より積極的に反抗する感じがある。⇩逆らう

はめつ【破滅】 根底から駄目になってしまう意で、やや改まった会話や文章に用いられる漢語。〈身の―を招く〉〈財政が―する〉〈―に向かう〉〈―に追い込む〉✎中村真一郎の『天使の生活』に「男女の共同生活がどうして突然に―してしまったのだろうか」とある。⇩破綻

はめる【嵌(塡)める】 ぴったり合うように入れる意で、会話にも文章にも使われる和語。〈ボタンを―〉〈指輪を―〉〈手袋を―〉✎丸谷才一の『横しぐれ』に「この解釈を―・めこめばきれいな図柄がまとまる」とある。⇩うめる

ばめん【場面】 物事の進行・展開している情景や情況、映画などのシーンをさし、会話にも文章にも使われる漢語。〈判断の難しい―を迎える〉〈―を転換する〉〈感動の名―〉⇩所・場

はもん【波紋】 水面に物を落としたときに生じた波が次々に大きな波を引き起こして広がっていく現象や、次から次へと連動して生じる影響をさし、会話にも文章にも使われる漢語。〈―を投げる〉〈―を広げる〉〈―を呼ぶ〉✎相馬泰三

の『六月』に「池の水の面《おもて》には雨が描き出す小さな―が、音もなく夢のように数限りもなくちらちらと入り乱れていた」とある。⇩影響・Ｑ波及・余波

はやい【早い】時刻や時期について、標準や想定より前であるようすをさし、くだけた会話から硬い文章まで幅広く使われる日常の最も基本的な和語。〈まだ―〉〈―・く起きる〉〈―うちに手を打つ〉〈気が―〉〈―者勝ち〉✎井伏鱒二の『珍品堂主人』に「おかみを喜ばせるにはまだ早すぎたと気のついたことでした」とある。「早足」「足早」と書くように、「速い」の意を含めて総合的に用いる場合もある。⇩迅速・速やか・速い

はやい【速い】標準や想定よりスピードがある意で、会話や文章で使われる和語。〈足が―〉〈流れが―〉〈―攻撃〉✎「早い」のうち速度の部分をさして特に書き分ける場合の表記。志賀直哉の『暗夜行路』に「隼のような―飛行機」とあって「早い」となっているが、現代では「速い」と書くことが多い。⇩迅速・速やか・早い

ばやい【場合】「ばあい」の訛《なま》りで、かなりの高齢者を連想させる俗語。✎鎌倉の自宅を訪問した際、里見弴は「ことばの値打を測る―は」「雑誌と新聞の続きものの―は」と発音した。⇩ばあい・Ｑばわい

はやがてん【早合点】人の話を途中まで聞いて自分でわかったつもりになる意で、主に会話に使われる表現。〈それがとんだ―で、大失敗だった〉✎「合点」は「がってん」ともいう。⇩早とちり・Ｑ早飲み込み

はやさ【速さ】同じ行為や等量の動きに対して所要時間の少ない度合いの意で、くだけた会話から文章まで幅広く使われる日常の基本的な和語。〈書く―〉〈人の歩く―〉〈―を競う〉〈直球の―を比べる〉⇩Ｑスピード・速度・速力

はやし【林】樹木がたくさん生えている土地をさす、「森林」ほど改まらない日常語で、くだけた会話から硬い文章まで広く使われる和語。〈近所の杉の―〉〈木漏れ日を浴びながら―の中を散策する〉✎国木田独歩の『武蔵野』に「日が落ちる、野は風が強く吹く、―は鳴る、武蔵野は暮れんとする」とある。木がまばらに生えているというほどではないが、「森」に比べると木の密集の度合いが低く、奥行きの浅い感じがある。「森」の中は草を掻き分けながら進むという印象であるのに対し、「林」の中にはすでに道がついており、「森」の小路より明るい印象が強く、清純な恋は芽生えても、「森」と違って小人や魔法使いに出会いそうな雰囲気は期待できない。そして、「森」ほど厚みを持たない「林」では、その中にある家はたとい一軒家であっても、「森」の中の一軒家よりは暮らしやすいイメージがある。また、「林」には「森」ほど大木の生えている感じは薄く、「森」が雑多な木が自然に生えている感じなのに対し、「林」の場合は、人工的な感じの薄い武蔵野の雑木林などもある一方、「梅林」「からまつ林」「くぬぎ林」「白樺林」「杉林」「松林」など、同じ種類の樹木が時には計画的にまとまって植えてあるケースも少なくない。さらに、「森」が山や丘などの高地を連想させやすいのに対し、「林」は一般的に平地を連想させる場合が多く、「森」に比べて、明るく田園的で牧歌的なイメージが濃い。⇩森林・森

はやじに【早死に】その時代の平均寿命などをもとにした一般常識よりかなり早く死ぬ意で、会話にも文章にも使われる和語。〈意外な―〉〈―の部類に入る〉✎「早世」と同様、「若死に」などとは違って、必ずしも若くして死亡する場合だけではない。⇩早世・夭逝《ようせい》・夭折《ようせつ》・Q若死に

はやて【疾風／早手】にわかに激しく吹き起こる強い風をさし、今では主として文章に用いられる古めかしい和語。〈―が襲う〉⇩嵐・おおかぜ・強風・颶風《ぐふう》・時化《しけ》・Q疾風・陣風・大風・台風・突風・暴風・暴風雨・烈風

はやとちり【早とちり】早飲み込みしてしくじる意で、主にくだけた会話に使われる俗っぽい和語。〈―して大変なことをしでかす〉✎「とちる」はやり損なう意。そのため、「早飲み込み」「早合点」が勘違いする段階を表すのに対し、この語はそれによる失敗行動を含めて言う傾向がある。⇩Q早合点・早飲み込み

はやのみこみ【早飲(呑)み込み】話などをよく聞かずに自分で勝手に解釈する意で、会話や軽い文章に使われる和語。〈課長の言ったことを―して大量に発注してしまう〉⇩早合点・Q早とちり

はやびけ【早引け】「早退」の意で、会話や軽い文章に使われるやや古風な和語。〈生徒が学校を―する〉⇩早退

はやみち【早道】少ない時間で目的を達成する手っ取り早い方法をさし、会話やさほど硬くない文章に用いられる和語。〈上達の―〉〈あせらずに確実にやるのが結局いちばん―だ〉✎実際に通る道路や経路そのものをさす例はめったにない。⇩近道

はやり【流行り】今流行している意で、会話や改まらない文章で使われる日常の和語。〈今―の色〉〈―すたりのない定番〉✎大仏次郎の『風船』に「―の絵描さん」とあるように人間にも使う。⇩ナウい・ファッション・Q流行

はやりやまい【流行り病】伝染病の古めかしい言い方で、時代劇などによく出てくる和語。〈―で命を落とす〉⇩疫病・感染症・Q伝染病・流行病

はやる【流行る】一定期間もてはやされ人気が出て盛んになる意で、会話やさほど硬くない文章に使われる和語。〈あのころ―・った曲〉〈今―・っている髪型〉✎二葉亭四迷の『平凡』に「だらだらと、牛の涎《よだれ》のように書くのが―そうだ」とある。「風邪が―」「妙なまねをするのが―」のように、好ましくない対象に使うこともある。その現象を一時的なものと認識して用いる。⇩流行

はら【原】耕作されずに草の生えたままになっている平らな広い土地をさし、主に文章中に用いられる古風な和語。〈焼け野が―〉〈一面の雪の―〉✎犬養健の『姉弟と牛乳配達』に「小住宅の影を長々と引いた―」とあるが、現在はこのように単独で名詞に用いる例は少なく、たいてい「野原」か会話的な「原っぱ」を使う。⇩原野・野・野原・野良・原っぱ

はら【腹】体の前側の胸の下から脚の付け根の上までの部分特に胃腸を全体としてさし、くだけた会話から文章まで幅広く使われる日常的な和語。〈―が減る〉〈―いっぱい食う〉〈―が出て来た〉〈―を痛めた子〉〈―を抱えて笑う〉✎現在では「おなか」よりぞんざいな言い方に聞こえるが、かつては男性のふつうの言い方。横光利一の『頭ならびに腹』に

「巨万の富と一世の自信とを抱蔵しているかの如く素晴らしく大きく前に突き出ていて」とあり、深沢七郎の『楢山節考』に「大きな―を前かがみにしているので蛙みたいな恰好」とある。肉体に関する和語の基本語によく見られるように、「―を探る」「―に据えかねる」「―をくくる」といった比喩的な慣用表現が多く、「腹部」や「胃腸」といった漢語には見られない用法が目立つ。⇩おなか・腹部

はらいのける【払い除ける】手で振り払って取り除く意で、会話にも文章にも使われる和語。〈蜘蛛《くも》の巣を―〉〈ついた埃《ほこり》を―〉✎「撥《は》ね除ける」よりも軽い対象をさほど力を入れずに除去する感じがあり、「不安を―」のような比喩的な例でも同様。⇩撥ね除ける

はらう【払う】①じゃまな物や要らない物をその場所から取り除く意で、会話でも文章でも広く使われる和語。〈顔の前の蠅《はえ》を―〉〈本の埃《ほこり》を―〉〈相手の手を―・いのける〉✎徳田秋声の『あらくれ』に「片意地らしく脅《おど》しつけるように言って、筋張った彼の手をきびしく―・い退けた」とある。⇩かっぱらう ②代金や料金などを「支払う」意で、くだけた会話から文章まで幅広く使われる日常の基本的な和語。〈税金を―〉〈従業員に給料を―〉〈その場で―〉〈耳をそろえて―〉✎「支払う」ほど正式で改まった感じがなく、日常会話でよく使われるが、意味が広いため文脈次第で「支払う」より不明確になる場合も起こる。⇩支払う

はらくだし【腹下し】下痢の意で、主に会話に使われる古風な和語。〈出先での―には参る〉✎下剤の意でも用いられる。⇩下痢・Q腹下り

はらくだり【腹下り】下痢の意で、主に会話に使われる古風な和語。〈急に―を起こす〉⇩Q下痢・腹下し

ばらす ①他人が隠している欠点などをわざと周囲に知らせる意で、くだけた会話に使う俗っぽい和語。〈乱れた私生活を―〉〈世間に―ぞ〉〈友達のカンニングを先生に―〉〈政治家のスキャンダルを―〉〈指輪がイミテーションなのを―〉✎「機械を―」「セットものを―・して売る」のように解体して「ばらばら」にする意味から。「本を―」「時計を―」「鮪《まぐろ》を―」のように分解・解体してばらばらにする意にも使う。「殺す」意で「やつを―」と言うのもその延長か。「あばく」「すっぱぬく」に比べて、しばしば脅し文句に使われることもあって犯罪のにおいが伴う。⇩暴く・Qすっぱ抜く・暴露 ②「殺害する」という発想でくだけた会話に使うことのある俗語。〈おとなしくしないと―ぞ〉〈一思いに―・しちゃえ〉✎人体をばらばらにするという発想から。「束を―」のように本来は、まとまっているものをばらばらの状態にする意。殺人の意をはっきりさせるために「バラす」と書くこともある。⇩Q殺す・殺害・殺人・殺戮《さつりく》・人殺し

バラス 道路や線路に敷くための小石や砂の集合をさし、会話や軽い文章に使われる、やや専門的な感じの外来語の俗っぽい省略形。〈泥道に―を敷く〉✎「バラスト」から。⇩砂利

パラソル 強い日差しを避けるための女性用の洋傘をさし、会話にも文章にも使われる外来語。〈海岸に色とりどりの―が見える〉✎「日傘」のうち、女性用で洋風のもの。太宰治の短編『満願』は「簡単服を着た清潔な姿が、さっさと

飛ぶようにして歩いていった。白い—をくるくるっとまわした」という印象的な場面で終わる。⇩日傘

パラダイス　一切の悩みや苦しみや悲しみから解放された安楽の世界をさして、会話にも文章にも使われる外来語。〈夢の—〉〈この世の—〉✎もと、旧約聖書で、人類の祖であるアダムとイブが住み、やがて禁断の木の実を食って神に追放されたというエデンの園の意。⇩極楽・天国・Q楽園

はらだち【腹立ち】「立腹」の意で、やや改まった会話や文章に使われる、いくぶん古風な感じの和語。〈—まぎれに〉〈お—はごもっとも〉〈—を抑える〉✎「怒り」が感情そのものなのに対し、この語や「立腹」は感情の変化に重点がある。⇩怒り・Q立腹

はらっぱ【原っぱ】「原」の意で主にくだけた会話に使う和語。〈—で野球をして遊ぶ〉〈裏の—を走りまわる〉✎北杜夫の『幽霊』に「—の雑草のはく匂い」とある。⇩原野・野・野原・野良・Q原

はらばい【腹這い】腹部を下にして体を伏せる意で、会話や軽い文章に使われる和語。〈—になって雑誌を読む〉✎「うつぶせ」と同じ姿勢。「あおむけ」と対立。⇩うつぶせ

ばらばら　本来一つだったもの、同じであることが望ましいものが別々でそろわない意で、会話や軽い文章に使われる和語。〈品質が—でそろわない〉〈分解して部品を—にする〉〈みんなの気持ちが—になる〉〈意見が—でまとまらない〉✎大岡昇平の『俘虜記』に「大して疲れた様子もなく、元気に笑って、中央道路から—に中隊地区に入って来る」とある。⇩ちぐはぐ・不ぞろい・Qまちまち

はらぺこ【腹ぺこ】極度に空腹の意で、くだけた会話に用いられる俗語。〈朝から何も口に入れていないので—でぶっ倒れそうだ〉✎「ぺこ」は「へこむ」ようすと関連か。「空腹」や「空き腹」のうち、程度のひどい場合を連想させやすい。⇩Q空腹・空《す》き腹・ひだるい・ひもじい

ばらまく【ばら撒(蒔)く】細かいものをばらばらに放り投げる、めりはりをつけずに分け与える意で、会話や改まらない文章に使われる和語。〈豆を—〉〈名刺を—〉〈コインを—〉〈予算を—〉✎「撒き散らす」と違い、水のように一つずつ分かれない対象には用いにくい。金銭などの場合は無計画な感じが強く、マイナスイメージが伴いやすい。⇩振り撒く・Q撒き散らす

はらむ【孕む】妊娠する意で、会話にも文章にも使われる、やや古風な和語。〈子を—〉✎「帆が風を—」「危険を—」のような比喩的な用法も多い。⇩懐胎・懐妊・受胎・妊娠・身籠もる・宿す

はらわた【腸】主に動物の内臓をさし、会話やさほど改まらない文章に使われる、やや古風な和語。〈魚の—を取り出す〉✎尾崎士郎の『人生劇場』に「秋の夜風が—にしみるようだ」とある。「—が腐る」「—がちぎれる」「—が煮えくり返る」のように比喩的な慣用句の中でよく使われ、その場合はあまり古い感じがしない。⇩五臓六腑《ろっぷ》・臓器・臓腑・Q臓物・内臓・もつ

はらん【波瀾】ものごとの起伏・変化の意で、改まった会話や文章に用いられる硬い漢語。〈—含み〉〈—万丈〉〈ひと—ありそうだ〉〈—を巻き起こす〉〈—に富んだ生涯〉✎騒ぎ・

もめごとの意では「波乱」で代用することもあるが、軽い感じになる。本来は大波小波という起伏を意味するため、実際の波をさす場合はその代用漢字を使わない。⇩もめごと・悶着《もんちゃく》

バランス 左右・前後・上下などの釣り合いをさして、会話にも文章にも使われる日常の外来語。〈―がとれている〉〈―が悪い〉〈―を崩す〉〈―を失う〉✎「―のよい食事」のように数量的な配分にも用いる。⇩均衡・釣り合い・平衡

はり【針】 縫ったり刺したりする金属製の細い道具の意で、会話でも文章でも使われる日常生活の和語。〈縫い―〉〈―に糸を通す〉〈注射の―〉〈時計の―〉✎井伏鱒二の『本日休診』に「ほんの小さな、毛のような細い細い白銀色の―」とある。⇩鍼《はり》

はり【鍼】 鍼灸《しんきゅう》師が治療に用いる道具をさし、会話でも文章でも使われる和語。〈―治療〉〈―を打つ〉✎治療用でも注射針は含まない。⇩針

はりあい【張り合い】 努力の甲斐があるという満足感をさし、会話にも文章にも使われる和語。〈―がある〉〈―がないことおびただしい〉✎徳田秋声の『あらくれ』に「反抗する―がぬけたような気がして、何だか涙ぐましくなってきた」とある。「あっけない」「物足りない」と対立。⇩満悦・満足

はりあう【張り合う】 互いに負けまいと争う意で、会話にも文章にも使われる和語。〈ライバルと―〉⇩対立

はりがね【針金】 丸く線状に伸ばした細い金属の紐をさして、会話にも文章にも使われる日常の和語。〈―細工〉〈―を曲げる〉〈―を巻きつける〉✎物をつないだり縛ったりする際に用いる。⇩ワイヤー

ばりき【馬力】 動力や仕事率を表す単位の意から精力的な力をさし、会話や軽い文章に使われる漢語。〈―がある〉〈―を掛ける〉〈―を出す〉✎「パワー」に比べ、ある一定の行動に強い力が発揮される点に中心があるように感じられる。⇩力・パワー

はりつく【張(貼)り付く】 物がぴったりとくっつく意で、会話やさほど硬くない文章に使われる和語。〈ぴたっと―〉〈ひどい汗でシャツが背中に―〉✎林芙美子の『放浪記』に「目も鼻も硝子窓に押しつけて、塩辛い干物のように―・いて泣いていた」とある。「話題の大臣に報道陣が―」のように、人が人に離れずにつきまとう意の比喩的用法もある。⇩Qくっつく・接着・引っ付く・付着

はる【張る】 たるみがなく広がるなどの意で、くだけた会話から硬い文章まで幅広く使われる日常の基本的な和語。〈根を―〉〈氷が―〉〈値段が―〉〈障子を―〉〈胸を―〉〈意地を―〉〈みえを―〉✎永井龍男の『風ふたたび』に「人の一生の中にも、あの花火のように、―・りつめた一瞬があり得るのだろうか」とある。⇩貼る

はる【貼る】「張る」のうち、糊などでくっつける意の部分を特に区別する場合の古風な表記。〈ポスターを―〉〈アルバムに写真を―〉✎川端康成の『千羽鶴』に「手紙がとどいてましたよ。切手の―・ってない」とある。⇩張る

はる【撲(張)る】 平手で横に強く打つ意で、主として会話に使われる、やや古い感じになりかけている和語。〈頬っぺたを思い切り―〉〈懲らしめに一発―〉✎夏目漱石の『坊っち

ゃん』に「無茶苦茶に―・り飛ばしたり、―・り飛ばされたり」とある。「張り倒す」の語形は今でも普通に使われる。拳骨《げんこつ》でもよい「叩く」や「殴る」と違って、平手打ちに限る。⇩叩く・殴る・はたく・Qひっぱたく・ぶつ

はる【春】 冬と夏の間にあり、花が咲き新緑のもえる暖かい季節をさし、くだけた会話から硬い文章まで幅広く使われる日常の基本的な和語。〈―爛漫《らんまん》〉〈―の訪れ〉〈―が来る〉〈―まだ浅く〉〈―とは名ばかり〉柳田国男の『雪国の春』に「昨日も今日も一つ調子の、長閑な―の日の久しく続く国」とある。陰暦では立春の頃に新しい年を迎えるので新春の意にも使うが、その用法は古風な感じを伴う。⇩スプリング

バルコニー 洋風建築の主として二階以上の部屋から外部に張り出した、屋根のない手《て》摺《す》りつきの台の意で、会話にも文章にも使われる外来語。〈―に出て涼む〉⇩テラス・ベランダ・露台

はるさめ【春雨】 春の細かい雨をさし、やや改まった会話から文章まで広く使われるやわらかい感じの和語。〈―がしとしとと降る〉〈けむるような―〉〈―にぬれる〉岡本かの子の『花は勁し』に「生毛のように柔く短く截れて降る―」とある。伝統的に、けむるように細かくしとしとと降る春の弱い雨をさし、日本人の季節感と深く結びついて季語となっている。新国劇の行友李風の戯曲で月形半平太が「―じゃ、濡れて行こう」という粋な文句が吐けたのも、そんな典型的な春雨だったからで、いくら春でも、はげしく叩《たた》きつけるような大粒の雨だったら、河童や蛙ででもないかぎり、そんな優雅な気分にひたっていたら風邪を引く。「春の雨」との違いは明確な語義の差というより、この語にしみついたそういうやわらかな語感の違いなのである。⇩雨

ばれいしょ【馬鈴薯】「じゃがいも」の意で、今では主として文章に使われる、やや古風で硬い感じの表現。〈―を薄く切っていためる〉駅鈴《えきれい》のように芋が生る形の連想からとも。⇩Qじゃが芋・ジャガタラ芋

バレーボール ネットを挟んで六(九)人ずつの組がボールを床に落とさずに打ち合う球技をさす外来語。現代の標準的な呼称。古くは「排球」とも称したが、縦の時間差攻撃とかリベロとかという語とはなじまない。〈―でセッターを務める〉⇩排球

はれぎ【晴れ着】 晴れの場所に着て行く衣装の意で、会話にも文章にも使われる和語。〈―姿〉〈正月用の―に袖を通す〉「普段着」に対する語。⇩余所行《よそゆ》き

はれつ【破裂】 内側から強い圧力を受けて破れ裂ける意で、会話にも文章にも使われる漢語。〈水道管が―する〉〈爆弾が―する〉比喩的に「ヒステリーが―する」などとも言う。「談判が―する」の形で決裂の意を表す用法は古めかしい響きがある。⇩炸裂《さくれつ》・Q爆発

はればれ【晴れ晴れ】 心のわだかまりが消えてすっきりする意で、会話にも文章にも使う和語。〈―とした顔つき〉〈心が―とする〉志賀直哉の『暗夜行路』に「雨の上がった戸外《とそ》の空気に触れると、急に気分の―したのを感じた」とある。⇩さっぱり・Qすかっと・すっきり・清々

はれもの【腫れ物】 炎症を起こして皮膚の一部が腫れた物の意で、会話にも文章にも使われる和語。〈首の―〉〈胃に―ができる〉✎「出来物」よりいくらか悪性の連想が働きやすい。「―に触るよう」として、こわごわ扱う意を表す比喩的慣用表現もある。⇩おでき・Q腫物《しゅもつ》・腫瘍・出来物・肉腫

はれる【腫(脹)れる】 打撲や病気・炎症などで体の一部分がふくれあがる意で、くだけた会話から硬い文章まで幅広く使われる和語。〈瞼《まぶた》が―〉〈虫に刺された所が―〉✎夏目漱石の『坊っちゃん』に「顔はいくら―・れたって、口は慥《たし》かにきけますから、授業に差し支えません」とある。⇩むくむ

ばれる ひそかにやったことや隠していたことが他人に知られる意で、主にくだけた会話に使われる俗っぽい和語。〈いたずらが―〉〈へそくりが―〉〈使い込みが―〉〈妻子のいることが―〉〈浮気が―〉✎「露見」や「発覚」に比べ、犯罪や悪事というほどでもない比較的些細《いささ》な事柄について多く使う傾向がある。⇩Q発覚・露見

はれんち【破廉恥】 恥を恥とも思わず平気で行う意で、会話にも文章にも使われる、やや古風な漢語表現。〈―な行為〉〈―きわまる〉〈―なまねをする〉✎永井荷風の『かし間の女』に「僕は女を人に取持って、それでどうこうしようと云うような―な男じゃない」とある。特に道徳に反する、人道にもとる行為について使い、軽い文章では時に片仮名表記の例も見かける。「恥知らず」より強烈な響きがある。⇩厚かましい・厚顔無恥・図々しい・鉄面皮・恥曝し・Q恥知らず

はろう【波浪】 主に海面に生じる大小の波をさし、改まった会話や文章に用いられる専門的な硬い漢語。〈―注意報〉✎注意報や警報の際に用いられる用語であるため、大きな高い波を連想しやすいが、地震などによる海底の地殻変動とともに生ずる津波は含まないという。「波濤《はとう》」ほどのスケールは感じさせない。⇩荒波・波・Q波濤

パワー 人の肉体的な力や機械などの動力の強さをさし、会話や軽い文章に使われる外来語。〈―全開〉〈―がある〉〈―にあふれる〉〈持ち前の―を発揮する〉✎「馬力」と違い、「住民―」のような抽象的な力をさす用法もある。また、「馬力」に比べ、瞬間的な力より持続する力強さに重点がある感じがする。⇩力・馬力

ばわい【場合】「ばあい」の訛《なま》りで、高齢者を連想させる古くさい響きがある。⇩ばあい・Qばやい

はん【判】「印鑑」の意で、主として会話によく使われる日常漢語。〈―がついてあれば有効〉✎「はんこ」ほどくだけていない。三島由紀夫の『仮面の告白』に「(逢瀬は)―で押したようなものにすぎなかった」とあるように、変化のない意の比喩的慣用表現もある。⇩印・印鑑・印形《いんぎょう》・印章・印判・Qはんこ

はん【班】 集団をいくつかに区分けした際の一つをさし、会話でも文章でも広く使われる日常の漢語。〈救護―〉〈各―の報告〉✎野間宏の『真空地帯』に「―内は全て陰うつで残忍な洞窟のよう」とある。自然にできあがる感じの「グループ」に比べ、組織の上の者の指示によってきめられ、作業内容も与えられる場合が多く、遊びなどの楽しい活動が少ないような印象がある。⇩グループ

ばん【晩】 夜全体、または、夕方以降で夜の更けないうちを

さし、会話にも文章にも使われる漢語。〈きのうの―〉〈何とか―までには仕上げる〉〈朝から―まで立ち通しだ〉✎夏目漱石の『坊っちゃん』に「其―は久し振に蕎麦を食ったので、旨かったから天麩羅を四杯平げた」とある。「きのうの―は一睡もしていない」のように、夜全体をさす例もある。「朝」と対立する場合と「朝」「昼」と対立する場合とがある。なお、「―の支度」のようにそれだけで間接的に「晩飯」を暗示する用法もあるが、「お昼」の場合と違い、単独では食事をささない。⇩晩方・夜間・夜分・夕・夕方・夕刻・夕べ・Q宵・夜《よる》

ばん【番】 ものの順序をさし、会話にも文章にも使われる日常の漢語。〈―を待つ〉〈自分の―になる〉〈―がなかなか回って来ない〉✎横光利一の『機械』に「今度は自分が他人を疑う―になった」とある。「順番」と違い、「店の―をする」のように、見張りの意にも使う。⇩順番

はんい【範囲】 空間的・時間的などに制限された内側の広さをさし、会話にも文章にも幅広く使われる日常の漢語。〈試験―〉〈交際―〉〈―内におさまる〉〈―を逸脱する〉〈知っている―で答える〉〈―が狭い〉✎「国の領域」「地球物理学の領域」のように使う「領域」と違い、区切られた広がりの共通性や専門性という条件が特にない。⇩領域・枠

はんえい【反映】 光が反射して物に映る意で、主に文章に用いられる漢語。〈夕日が窓ガラスに―する〉✎近くの物がその色を帯びて見えるところから、他の影響を受ける意に広がり、「世相を―する」「国民性の―」「要望を―した妥協案」のように、視覚よりもむしろその抽象化した用法でよく使われる。⇩Q照り返し・反射

はんえい【繁栄】 「栄える」意で、会話にも文章にも使われる漢語。〈会の―に尽くす〉〈―を招く〉〈―を誇る〉✎永井荷風の『濹東綺譚』に「この土地の―はますます盛になり」とある。⇩Q栄える・発展・繁盛

はんか【繁華】 街などが栄えていて人通りが多く賑《にぎ》やかな意で、やや改まった会話や文章に用いられる漢語。〈―街〉〈―な通り〉✎「賑やか」と違って騒音などには無関係で、その状態や機能は長期間継続する感じが強く、繁華街は人通りが絶えて賑やかでなくなった深夜でも依然として繁華街であり続ける。⇩賑やか

ハンガー 洋服などを掛けたり吊《つる》したりするための道具をさし、会話にも文章にも使われる外来語。〈―につるす〉✎「衣桁《いこう》」や「衣紋掛《えもんか》け」と違い洋風の感じが強く、針金状のものの連想もある。⇩衣桁・Q衣紋掛け

はんかがい【繁華街】 商店や飲食店などの立ち並ぶにぎやかな通りをさし、会話にも文章にも使われる漢語。〈市きっての―で人通りが激しい〉⇩歓楽街・Q盛り場

はんがく【半額】 決まった金額の半分の意で、会話にも文章にも使われる漢語。〈―料金〉〈―支払う〉〈通常の料金の―で済む〉⇩半値

ばんがた【晩方】 日が暮れたばかりの頃をさし、主として会話に使われた、やや古い感じのことば。〈―になってから友人を訪ねる〉〈―になると急に冷えてくる〉✎日が西に傾く時刻よりも後の、日が沈むときからしばらくの間の時間帯をさす。⇩Q暮れ方・たそがれ・薄暮・日暮れ・灯ともし頃・夕・夕

方・夕暮れ・夕刻・夕べ・夕間暮れ・宵・宵の口

ハンカチ 手を拭くための小さな四角の布をさす外来語。〈見送りに―を振る〉〈―で手を拭く〉〈ポケットに―をしのばせる〉✎林芙美子の『松葉牡丹』に「娘の置き忘れた青い―が卓の上にあじさいの花のように見えた」とある。近年、汗を拭くのが「ハンカチ」で、涙を拭くのが「ハンケチ」だとする俗な用法を耳にする。⇩タオル・手拭い・Ｑハンケチ

はんかつう【半可通】 よく知りもしないのにいかにもよく知っているようにふるまう意で、会話にも文章にも使われる古風な漢語。〈―を並べる〉〈―をふりまわす〉✎夏目漱石の『吾輩は猫である』に「その言語動作が普通の―のごとく、文切り形のいやみを帯びてない」とある。単なる知ったかぶりよりも、その道の通ぶって偉そうにする連想が強い。⇩知ったかぶり

ばんカラ【蛮カラ】 身なりや言動の粗野な意を表す古めかしい俗語。〈―学生〉✎学ランの上のボタンをはずし、腰手拭に朴歯《ほおば》の高下駄をつっかけた往時の姿を髣髴《ほうふつ》とさせることば。「野蛮」の「蛮」に粗野という意味を託し、当時はやった「ハイカラ」ということばに語呂を合わせた造語。風采や言動の粗野な人間は男に限らないし、勇壮活発な女子学生がわざと汚い格好をてらってキャンパスを闊歩《かっぽ》する姿も散見する。それでも彼らにこの語をあてはめにくいのは、語の意味のせいではなく、かつて「ばんカラ」という語で形容されてきた人間がことごとく男子であったという歴史的な事情が性別の語感として反映しているからである。⇩Ｑ粗野・野蛮

バンガロー キャンプ場などに設けられる簡易小屋をさし、会話にも文章にも使われる外来語。〈―が点在する〉✎もと、正面にベランダの付いたインドのベンガル地方独特の平屋住宅。⇩コテージ・山荘・山房・ヒュッテ・Ｑ山小屋・ロッジ

はんかん【反感】 相手のやり方や時にはその存在に対して悪感情を持ち、それに反発・反抗したい気持ちをさし、会話にも文章にも使われる漢語。〈―を覚える〉〈―を抱く〉〈相手の―を買う〉✎志賀直哉の『暗夜行路』に「猫背のなんとなく見すぼらしい老人だった。私はなんという事なくそれに―を持った」とある。⇩憎悪・Ｑ敵意・敵愾《てきがい》心・憎しみ

はんきょう【反響】 声や音が物体に当たって跳ね返ってくる現象をさし、会話にも文章にも使われる漢語。〈壁に―する〉〈声が―して話が聴き取りにくい〉✎物理現象としてとらえた感じが強く、「こだま」や「やまびこ」のような神秘的な感じはなく、少し専門的に響く。「番組を放映したが思ったほどの―がない」のように、反応や影響といった意味合いの比喩的用法も多く、「大きな―があった」のような両方の解釈が可能な例もある。⇩エコー・こだま・Ｑ残響・山彦《やまびこ》

パンク タイヤのチューブが破れる意の英語の日本的短縮形。〈自転車の後輪が―する〉✎「パンクチャー」の略。「財政が―する」のように、使い過ぎて機能しなくなる意の比喩的用法もある。

ばんぐみ【番組】 放送などの組み合わせや順番などをきめたプログラムをさし、会話にも文章にも広く使われる語。〈教養―〉〈報道―〉〈特集―〉〈―を編成する〉✎庄野潤三の『夕べの雲』に「その―を見ない木曜日の晩というのは考え

られないような気がする」とある。⇩演目・出し物

はんげき【反撃】 攻めて来た相手に逆に攻め返す意で、会話にも文章にも使われる漢語。〈―開始〉〈―に出る〉〈―に転ずる〉「逆襲」に比べ、攻められて被害があったかどうかを問題にせず、どの段階かで攻撃に転じたことに重点を置く表現。⇩逆襲

ハンケチ 「ハンカチ」の古い言い方。〈そっと―で目をぬぐう〉芥川龍之介の『手巾』「膝の上の―を、両手で裂かないばかりに緊《たか》く握っている」とある。⇩タオル・手拭い・ハンカチ

はんけつ【判決】 口頭弁論などを経て裁判所が言い渡す最終判断をさし、会話にも文章にも用いられるやや専門的な漢語。〈―文を読み上げる〉〈―が下る〉〈一審の―をくつがえす〉⇩判例

はんこ【判子】 「印鑑」の意で、主としてくだけた会話によく使われる日常語。〈―をつく前に契約内容をよく読む〉〈うっかり―をついてしまう〉漢字表記はまれで、しばしば片仮名で書かれる。三笠宮崇仁の『円筒印章の話』でも「お役所ともなればすべての流れ作業がこの―を原動力として動いていく」と片仮名表記で出る。⇩印・印鑑・印形《いんぎょう》・印章・印判・Q判

はんご【反語】 伝えたい真意とは逆の意味のことばを発し、場面や文脈との違和感などをヒントに、その言語的な意味とは正反対の真意を感じ取らせる表現法をさし、会話にも文章にも使われる、やや専門的な漢語。〈―を駆使して皮肉っぽくつぶやく〉「ばか」を「おめでたい人」、「死ぬ」を「おめでたくなる」と言うような類。野坂昭如の『殺さないで』に「顔に泥ぬられたやて、えらいすまんだな、立派な顔に泥塗って。洗うたるわな」という例があり、一見やさしそうな表現の雰囲気がかえって凄《すご》みを感じさせる。なお、「あれは人を見下した態度ではないか」という否定の形で問いかけ、相手が「まさに人を見下した態度だ」と肯定的に思うように導く修辞的な疑問表現を「反語」と言うこともある。⇩アイロニー

はんこう【反抗】 上位者や強力な対象に素直に従わず寧ろ敵対する態度をとる意で、会話にも文章にも使われる漢語。〈―期〉〈子供が親に―する〉〈むらむらと―心がわく〉〈上司に対して―的な態度をとる〉夏目漱石の『明暗』に「自分の立場をいやがるのが、結局自分をいやがるのと同じ事に帰着してくるので、彼女はそこに―の意地を出したくなった」とある。「反発」ほどではないが「抵抗」より積極的。⇩抵抗・敵対・Q反発

ばんごはん【晩御飯】 夕方から晩にかけての食事の意で、会話や軽い文章に使われる、少し丁寧な日常語。〈―に麺類では物足りない〉⇩ディナー・晩餐《ばんさん》・Q晩飯・夕御飯・夕食・夕はん・夕めし

はんざい【犯罪】 罪を犯す意で、会話にも文章にも使われる、いくぶん専門的な感じの基本的な漢語。〈戦争―人〉〈完全―〉〈―行為に相当する〉〈―を犯す〉法律用語としては、刑罰を科せられる行為に限定。⇩Q罪科・罪過・罪・とが

はんざいしゃ【犯罪者】 「犯人」の意で改まった会話や文章に用いられる硬い漢語。〈―の心理〉〈まるで―扱いだ〉

「犯人」と違い、重々しい響きがあるため、いたずらのような軽いものには用いない。⇩くろ②・犯罪人・犯人

はんざいにん【犯罪人】「犯罪者」の意で改まった会話や文章に用いられる正式な感じの漢語。〈戦争―〉✎「犯罪者」には個人的な感情が働くことがあるが、この語は事務的で客観的で冷ややかな感じもある。⇩くろ②・犯罪者・Q犯人

はんざつ【煩雑】 複雑で煩わしい意で、やや改まった会話や文章に用いられる漢語。〈―な規定〉〈―な手続き〉〈―な仕組み〉✎広津和郎の『神経病時代』に「刺戟の多い―な生活」とある。⇩繁雑

はんざつ【繁雑】 事柄が多過ぎてごたごたする意で、主に文章に用いられる漢語。〈窓口が―を極める〉✎石川達三の『結婚の生態』に「日常の―な雑多な事務」とある。⇩煩雑

ハンサム 男性の顔立ちのよいことをさし、会話や硬くない文章に使われるいくぶん古風になりかけている外来語。〈―ボーイ〉〈―で通る〉✎男性に関する評価で人自体はささない。⇩いけめん・男前・好男子・美男子

ばんさん【晩餐】 改まった晩御飯の意で、主に文章に用いられる硬い漢語。〈宮中―会〉✎イエス・キリストの「最後の―」が有名。一般には豪華な食事の連想がある。⇩Qディナー・晩御飯・晩飯・夕御飯・夕食・夕はん・夕めし

はんじ【判事】 裁判官の官名の一種をさし、法律関係の話題の会話や文章に用いられる専門的な漢語。〈最高裁の―を務める〉✎判事だけだった旧制度のなごりで、俗にすべての裁判官をさして使うこともある。⇩裁判官

はんしゃ【反射】 光・音・電波などが物に当たって跳ね返す意で、会話にも文章にも使われる漢語。〈―光〉〈―鏡〉〈光が―してまぶしい〉✎三島由紀夫の『金閣寺』に「西日は池水の―を、各層の庇の裏側にゆらめかせていた」とある。「条件―」「―神経」「―的に答える」のように、意志や意識と無関係に、刺激に対して瞬間的に応じる意味でも使われる。⇩Q照り返し・反映

はんじょう【繁盛(昌)】 商店などが栄えて賑《にぎ》わう意で、会話にも文章にも使われる日常の漢語。〈商売―疑いなし〉〈店が―する〉⇩栄える・発展・Q繁栄

はんする【反する】 命令・約束事・常識・理屈・期待などの反対になる意で、改まった会話や文章に用いられるやや硬い感じの語。〈指示に―〉〈約束に―〉〈規則に―〉〈論理に―〉〈趣旨に―〉〈国益に―〉〈礼儀に―〉〈大方の予想に―結果〉⇩Q裏切る・背く

はんせい【反省】 自分の言動や態度などを振り返って悪かった点を改めようとする意で、会話にも文章にも使われる日常の漢語。〈―材料〉〈深く―する〉〈―の弁を述べる〉〈責任者の―を促す〉〈過ちを―して出直す〉✎堀田善衛の『広場の孤独』に「背筋にある冷たいものの流れるような―」とある。⇩省みる・後悔・Q自省・内省

ばんせい【蛮声】 下品で野蛮な声をさし、多く文章に用いられる古風な漢語。〈―をふるう〉✎太宰治の『人間失格』に「雷の如き―を張り上げる」とある。⇩奇声・Q胴間声・悲鳴

はんぜん【判然】 はっきりわかる意で、改まった会話や文章に用いられる、やや古風な漢語。〈意図が―としない〉〈論旨が―としない〉✎夏目漱石の『虞美人草』の冒頭に、登山

口を探しながら「何処《こど》か已《れお》にも―せんがね」と言う場面がある。このように「する」をつけて動詞にする用法は今では古めかしい感じが強い。⇩明晰・明白・Q明瞭・歴然

ハンセンびょう【ハンセン病】癩《らい》菌によって引き起こされる慢性の感染症をさし、会話にも文章にも使われる表現。〈―の化学療法〉✎「ハンセン氏病」ともいう。⇩らい病

はんそう【搬送】重い物や貴重な物などを目的の場所まで運んで送り届ける意で、改まった会話や文章に用いられる専門的な感じの漢語。〈ピアノ―業〉〈絵画を美術館まで―する〉⇩Q運送・運搬・運ぶ・輸送

はんそくきん【反則金】規則に違反した者に支払わせる金銭をさし、会話にも文章にも使われる漢語。〈―を取られる〉⇩Q違約金・罰金

はんたい【反対】「逆」の意で、くだけた会話から文章まで幅広く使われる日常の漢語。〈正―〉〈―の側〉〈―の方向〉〈持ち方が―だ〉〈それと―の考え方もありうる〉✎「―の立場」「―の考え方」あたりまでは「逆」とも言えるが、この語はさらに「―意見を述べる」「―の意思表示をする」「案に―する」のように、「賛成」と対立する用法まで広がり、その場合は「逆」「さかさま」「あべこべ」などに置き換えられない。夏目漱石の『坊っちゃん』にも「私は徹頭徹尾―です」とある。⇩あべこべ・Q逆・さかさ・さかさま・倒錯

はんだい【飯台】「ちゃぶ台」をさす古風な呼称。〈―の前に並ぶ〉⇩食卓・Qちゃぶ台・テーブル

はんだん【判断】ものごとの真偽・善悪・美醜などの評価を定め考えをまとめることをさし、会話にも文章にも広く使われる基本的な漢語。〈適切な―〉〈―を下す〉〈―を誤る〉〈難しい―を迫られる〉〈―材料〉〈―がつかない〉✎中山義秀の『醜の花』に「―の針を狂わされたように混乱した」とある。⇩判定

ばんちゃ【番茶】摘み残りの茶葉でつくる品質の劣る煎茶をさし、会話にも文章にも使われる漢語。〈熱い―をすする〉〈―も出花はうまい〉✎太宰治の『富嶽百景』に「どてらを二枚かさねて着て、茶店の椅子に腰かけて、熱い―を啜っていたら」とあるように、「熱い―をすする」の形でよく使う。⇩上がり・お茶・玉露・煎茶・茶・日本茶・碾《ひ》き茶・Q焙《ほう》じ茶・抹茶・緑茶

ハンチング「鳥打帽」の意で会話にも文章にも使われる外来語。〈―をあみだにかぶる〉⇩鳥打帽

パンツ「ズボン」の意味では近年、若年層を中心に使われている斬新な感じの外来語の呼称で、男性用・女性用ともに使われる。〈トレーニング―〉〈赤いブラウスにピンクの―できめる〉✎下穿《ばした》きの意味では伝統的な語で、男性用では今でも、さるまた・ブリーフ・トランクスの総称として一般的に広く使われる。女性でも家庭内の日常会話などではまだ使う。⇩ショーツ・Qズボン・スラックス・ズロース・パンティー

はんてい【判定】よく見分けて決定することをさし、会話にも文章にも使われる漢語。〈―に従う〉〈―をくつがえす〉〈―を不服とする〉✎スポーツなどでよく使われる。質的に幅のある「判断」に比べ、ニュアンスを切り捨て「―はアウト」「B―」のように大なたをふるう感じがある。⇩判断

パンティー　女性用の短いおしゃれな下穿《ばした》きを意味する外

来語。女性のふつうの言い方だったが、近年「ショーツ」が優勢になりつつある。〈おしゃれな―〉✎幸田文の『流れる』に「若い娘らしく薄桃色の―が股《もも》を刳りぬいているが、胴はわりあいにずぼらんと太い」とある。⇩ショーツ・ズロース・パンツ

バンド 「ベルト」の古風な言い方。〈鰐革《わにがわ》の―を贈られる〉✎小津安二郎監督の映画『秋刀魚の味』(一九六二年)のシナリオに「三浦は―をゆるめる」とある。「バンド」というと今ではすぐに軽音楽の楽団を連想しやすい。⇩革帯

ハンドバッグ 女性用の小型の手提げ鞄をさし、会話にも文章にも使われる外来語。〈鰐革《わにがわ》の―〉〈―を抱える〉⇩手提げ・Ｑバッグ

ハンドボール 二チームに分かれ、互いにボールを相手方のゴールに投げ込む回数を競う球技をさす外来語。標準的な呼称だが、文章中では「送球」と書くこともある。⇩送球

ハンドル 自動車などで方向などを手で操作する器具をさす和製英語。〈―を握る〉〈―操作を誤る〉✎最近は「パワーステアリング」のくるまが一般的になり、「パワステ」と短縮しても使われるが、「ステアリング」を単独で用いるとまだ気障《ざき》な感じは避けられない。

はんにゃとう【般若湯】「酒」をさす僧侶の隠語。✎煎《せん》じ薬めかした造語かという。⇩清酒・Ｑ日本酒

はんにん【犯人】 事件などで犯罪行為をなした人間をさし、会話にも文章にも幅広く使われる日常の漢語。〈真―〉〈―検挙〉〈―がつかまる〉〈―が自首する〉✎「犯罪者」「犯罪人」ほど大仰な感じがなく、ちょっとしたいたずらなどの場合にも軽い感じで使う。木山捷平の『大陸の細道』に「がばとはね起き、脱走―か何かのように、改札口目がけて走り出した」とある。⇩くろ②・犯罪者・犯罪人

はんね【半値】 定価の半分の値段の意で、会話にも文章にも使われるいくぶん古風な表現。〈市価の―で買う〉〈いつもの―以下の安さ〉✎数量的な存在の「半額」に対し、数値を示すだけなので、「値段」と同様、それを「支払う」という用法はない。⇩半額

ばんねん【晩年】 その人の生涯の末期をさし、会話にも文章にも使われる漢語。〈―の作品〉〈―は人間として円熟した〉〈不幸な―を過ごす〉✎高田保の『若芽の雨』に「学問をしなかったから、―の画は駄目になった」とある。通常は死去する前の数年間をさし、三十代以上であれば年齢には無関係。ちなみに、太宰治は第一創作集に『晩年』というタイトルを選んだ。⇩老後

はんばく【反駁】 相手の意見に反対し論難する意で、主に文章に用いられる硬い漢語。〈―を加える〉〈出された意見に激しく―する〉⇩反論

はんぱつ【反発(撥)】 動きや考え方に抵抗して逆方向に働きかける意で、会話にも文章にも使われる漢語。〈―は必至だ〉〈国民の―を買う〉〈マーケットの―を招く〉〈政府案には―を覚える〉✎「―力」のように、原義は圧迫を受けて逆に跳ね返す意。⇩抵抗・敵対・Ｑ反抗

はんぷく【反覆(復)】 同じことをたびたび繰り返す意で、いくぶん改まった会話や文章に使われる漢語。〈―練習〉〈何度も―して覚える〉✎「繰り返す」に比べ、三度以上に及ぶ

連想が働きやすい。なお、「同じ失敗を繰り返す」のように、意図的でなく結果として起こる場合はこの語を用いにくい。⇩繰り返す

はんべつ【判別】 他のものとの違いを認識し区別する意で、改まった会話や文章に用いられる漢語。〈―不能〉〈曰くと日との漢字の―が難しい〉⇩鑑識・鑑定・鑑別・区別・識別・Q弁別・見分け

ばんめし【晩飯】 夕方から晩にかけての食事の意で、主にくだけた会話や軽い文章に主として男性の使う日常語。〈―のあとで腹ごなしに散歩に出る〉⇩ディナー・晩御飯・晩餐《ばんさん》・夕御飯・夕食・夕はん・Q夕めし

はんめん【反面】 反対の側面の意で、会話でも文章でも使われる漢語。〈嬉《うれ》しい―寂しくもある〉〈便利な―不経済でもある〉✎真似《まね》たくない悪い見本を意味する「―教師」という用法は毛沢東を連想させ、一時期盛んに使われた。⇩半面

はんめん【半面】 別のある面の意で、改まった会話や文章に用いられる漢語。〈―の真理〉〈―その指摘は当たっている〉✎「コートの―を使用する」のように、具体的な面の半分の意で使う場合はくだけた会話でも用いられる。⇩反面

はんもく【反目】 憎んで対立する意として、改まった会話や文章に用いられる硬い漢語。〈互いに―し合っている〉〈長い間―し合ってきた国の間に交流が再開する〉✎もと、睨《にら》み合う意とされるが、「仲違い」と違って、個人と個人との間に限らず、家と家、学校と学校、会社と会社、宗教と宗教、国家と国家などさまざまなレベルで使う。⇩仲違い・不仲・Q不和

はんもと【版(板)元】 書籍や雑誌の発行所をさし、会話にも文章にも使われる専門的な表現。〈―に問い合わせる〉〈―に若干の残部がある〉✎「出版元」の略。「版」はもと文字や図形を彫った板、それを印刷して書物を造る意。⇩Q出版社・書肆《しょし》・書店・書房・本屋

はんもん【煩悶】 解決する方法が見当たらず心で思い悩み苦しむ意で、改まった会話や文章に用いられる漢語。〈日々―が絶えない〉〈ひとり―する夜が続く〉〈問題を抱えて―する〉〈痛烈に非難し過ぎた自分の行為に―する〉✎二葉亭四迷の『平凡』に「私は接近が出来ないで此様《こん》なに―しているのに、隣の俗物は苦もなく日増しに女に親しむ様子で」とあり、井伏鱒二の『槌ツァ』と「九郎治ツァン」は喧嘩して私は用語について煩悶すること』に「私は―した。地球が逆に廻転するような大異変でも起らないかぎり、「カカサン」という用語など断じて復活しないだろう」とある。⇩懊悩《おうのう》・思い悩む・Q思い煩う・苦痛・苦悩・Q苦悶・苦しみ・悩み・悩む・悶える・憂悶

はんらん【反(叛)乱】 自分の所属する組織に背いて攻撃を仕掛ける意で、やや改まった会話や文章に用いられる漢語。〈―軍〉〈―を起こす〉〈―を鎮圧する〉✎単なる「暴動」と違い、一般には軍の組織やその一部が引き起こす場合で、大きくなれば内乱に発展する。⇩騒乱・Q暴動

はんらん【氾濫】 川の水が溢《あふ》れ出して洪水を引き起こす意で、会話にも文章にも使われる漢語。〈川が―しそう〉〈河川の―を警戒する〉✎「街に車が―する」「部屋に英語が―

する」のような比喩的な用法も少なくない。徳永直の『太陽のない街』に「失業者は、驟雨を喰った河水のように都市に農村に―した」とあるのもその例。⇩大水・Q洪水・出水・水害

はんりょ【伴侶】「仲間」という意味で間接的に夫や妻をさす古風で改まった漢語。〈よき―を得る〉✎島崎藤村の『飯倉だより』に「終生の好い―」とある。⇩いえの者・うちの者・お上さん・奥方・奥様・奥さん・お内儀・家内・かみさん・愚妻・細君・妻・女房・Qベターハーフ・令閨・令室・令夫人・ワイフ

はんれい【判例】判決の実例をさし、改まった会話や文章に用いられる専門的な漢語。〈―集〉〈過去の―に照らして判断する〉⇩判決

はんろん【反論】相手の主張に対して反対する議論をさし、会話にも文章にも使われるやや硬い漢語。〈真っ向から―する〉〈―が出る〉〈―の余地がない〉⇩反駁《はんばく》

ひ

ひ【日(陽)】「太陽」や「日光」をさして、くだけた会話から硬い文章まで幅広く使われる日常の基本的な和語。〈―の入り〉〈―が出る〉〈―が暮れる〉〈―が沈む〉〈―に当たる〉〈―に焼ける〉✎林芙美子の『うず潮』に「秋の―はつるべ落しで、黄ばんだ―が白く乾き」とある。「―が長い」「―が短くなる」では日の出から日の入りまでの昼間の時間、「―を重ねる」「―が経つ」「もう―がない」では日数、「約束の―」ではある特定の一日、「若き―の思い出」では過去のある時期をさすなど、幅広い意味で使う。⇩お天道様・お日様・Q太陽・日輪

ひ【比】あるものと他のものとの割合を示し、会話にも文章にも使われる漢語。〈AとBとの―を求める〉〈Aに対するBの―を計算する〉✎「比率」と違い、「寒さは北海道の―でない」のように、比べても意味がないほど大差がある意にも用いる。⇩Q比率・比例・割合

ひ【灯】照明用の光の意で、主に文章に用いられる、いくぶん趣を感じさせる和語。〈街の―〉〈―をともす〉〈館内に―が入る〉〈赤い―青い―が川面に映える〉✎志賀直哉の『城の崎にて』の末尾近くに「遠く町端れの―が見えた」とあり、心理を背景とした情景描写となっている。「青い―、赤い―が美しく川面に映える」のように、特にネオンの明かりをさす場合もある。漢字表記は「あかり」との区別が

難しく、仮名書きでは読みにくい。⇩あかり・灯火・ともし火

ひあい【悲哀】悲しく哀れな意で、改まった会話や文章に用いられる漢語。〈人生の―を感じる〉〈―をなめる〉✎田山花袋の『蒲団』に「此の―は華やかな青春の―でもなく、単に男女の恋の上の―でもなく、人生の最奥に秘んで居るある大きな―だ」とあり、庄野潤三の『佐藤春夫』に「父の夢を叶えられなかったことへの、心の負い目というものが語られていて、かすかな―の情を漂わせる」とある。⇩Q哀感・哀愁・うら悲しい・悲しさ・Q悲しみ・傷心・悲痛・ペーソス・憂愁

ひいき【贔屓】気に入った人やチームや店などに特別目をかけ、他よりも大事に扱う意で、くだけた会話から硬い文章まで幅広く使われる漢語。〈―力士〉〈いつも―にしている店〉〈毎度御―にあずかる〉✎夏目漱石の『坊っちゃん』に「母は兄ばかり―にしていた」とあるが、特に大事にしたり応援したりするところに重点があり、「えこひいき」に比べて不公平感に対する非難のニュアンスは弱い。⇩Q依怙贔屓《えこひいき》・得意③・偏愛・身贔屓・分け隔て

ピーシー【PC】近年目立ってきた「パソコン」の省略形。〈―を使ってインターネットで調べる〉✎かなり普及しつつあり、特に専門語とも俗語とも感じられない。⇩パーソナルコンピューター・Qパソコン

ひいでる【秀でる】抜きん出て優れている意で、改まった会話や文章に用いられる和語。〈学業に―〉〈一芸に―〉✎「眉が―・でた青年」のように、くっきりと目立つ意に使う場合は古風に響く。⇩優れる

ピーナツ「落花生」の実を煎ったものをさす、現代では最もふつうの日常の外来語。ただし、「ピーナッツ」の語形は古風。〈バター―〉〈―をつまみにビールを飲む〉⇩南京豆・Q落花生

ひうん【非運】運に恵まれない意で、主として文章に用いられる硬い漢語。〈―の名将〉〈わが身の―を嘆く〉⇩Q悲運・不運

ひうん【悲運】不幸で悲しい運命の意で、主に文章に用いられる漢語。〈―に泣く〉〈―に見舞われる〉⇩Q非運・不運

ひえこむ【冷え込む】寒さが増して冷たく感じられる意で、会話にも文章にも使われる和語。〈明け方はめっきり―〉〈今夜は一段と―〉✎室内が心地よく「冷える」ことはあるが、「冷え込む」となると冷えすぎて寒く感じられるように、客観的な「冷える」に比べ、その低温が予測や常識を超えて不快感をよぶ感じが伴う。⇩冷える

ひえる【冷える】温度が下がって寒く、または、冷たく感じる意で、くだけた会話から文章まで幅広く使われる和語。〈朝夕は―〉〈よく―・えた西瓜《すいか》〉〈体が―〉✎村上春樹の『遠い太鼓』に「目の奥が痛くなるくらいよく―・えたビールである」とあるように快感ともなる点で「冷え込む」と違う。⇩Q冷める・冷え込む

ひがい【被害】損害を受ける意で、会話にも文章にも広く使われる日常の漢語。〈―者〉〈―総額〉〈盗難の―に遭う〉〈大きな―が出る〉✎「遭難」や「罹災《りさい》」を含めた総称。「―を」の次に「受ける」「こうむる」が続くと「被」との重複感が気になる。⇩遭難・Q罹災

ひがいしゃ【被害者】危害や損害を受けた人をさし、幅広く

使われる標準的な漢語。〈—の身元を割り出す〉〈—との示談が成立する〉✎「加害者」と対立。⇩がいしゃ

ひかえしつ【控え室】 招かれた特定の人が会の始まりや自分の出番を待つための部屋をさし、会話にも文章にも使われる表現。〈講師—〉〈親戚一同が—で婚礼の始まるのを待つ〉✎「待合室」に比べ、晴れがましい雰囲気の場が多い。ただし、かしこまった感じの「控える」を避けるためか、私立大学などでは近年、「教員」に「ロビー」や「ラウンジ」をつけたやわらかい表現に切り替える試みが目立つ。⇩待合室

ひかえる【控える】 ①見合わせる意で、会話にも文章にも使われる和語。〈激しい運動を—〉〈公表を—〉✎「酒もタバコも—」のように一切やらないというニュアンスで用いる場合と、「塩分を—」のように少量にとどめる場合とがある。「隣の部屋に—」「背後に山を—」「大会を間近に—」など、「差し控える」にはない多様な用法がある。夏目漱石の『坊っちゃん』に「今日の主人公だと云うのでうらなり先生、是も日本服で—・えて居る」とある。⇩Q差し控える・慎む ②メモ程度に書きとめる意で、会話にも文章にも使われる、やや古風な和語。〈約束の日時を手帳に—〉⇩書き入れる・書き込む・書き付ける・Q書き留める・記入

ひかく【比較】「比べる」ことをさして、会話にも文章にも使われる漢語。〈—検討する〉〈スピードを—する〉〈昨年の同時期と—する〉〈海外と—する〉✎日常的な「比べる」に比べてやや正式な感じがあり、数字を用いたりデータを調べたりする場合によく用いる傾向がある。⇩Q比べる・比する

ひかげ【日陰(蔭)】 物の陰になって日ざしが届かない場所の意で、会話でも文章でも広く使われる和語。〈—になる〉〈—で休む〉〈—に入ると涼しい〉✎相馬泰三の『六月』に「—と日の照るところとが鬼ごっこでもしているように走り動いていた」とある。⇩日影

ひかげ【日影】 日ざしの意で、主に文章に用いられる、古風で少し詩的な和語。〈うららかな春の—〉〈雲の切れ間から—が漏れる〉✎夏目漱石の『草枕』に「春の—は一面に射し込んで」とある。⇩日陰

ひがさ【日傘】 直射日光を避けるための傘をさし、会話にも文章にも使われる和語。〈絵—〉〈—を広げる〉✎洋風の傘も含まれるが、「パラソル」という語が別にあるため、この語は和風の傘を連想させやすい。⇩パラソル

ひがむ【僻む】 心がねじけて物事を素直にとらえず悪く解釈する意で、会話にも文章にも使われる和語。〈自分だけ置いて行かれて—〉〈いつまでも出世できずに—〉✎夏目漱石の『坊っちゃん』に「—・んで、そう聞くんだ」とある。⇩Qすねる・ねじける・ひねくれる

ひかり【光】 太陽や電灯などの発光体から出る光線やその反射をさし、くだけた会話から硬い文章まで幅広く使われる日常の基本的な和語。〈日の—〉〈懐中電灯の—〉〈—を当てる〉〈—が差す〉✎庄野英二の『星の牧場』に「こずえの葉のあいだから、—のかけらが星のように光っていた」とある。⇩光線

ひかる【光る】 光を発する、光を反射する意で、くだけた会

話から硬い文章まで幅広く使われる日常生活の基本的な和語。〈稲妻が―〉〈星が―〉〈川べりで蛍が―〉〈街灯がぼうっと―〉〈海が―・って見える〉〈髪がてかてか―〉〈指に真珠が―〉〈監視の目が―〉〈ひときわ―〉✎丸谷才一の『彼方へ』に「羽虫の羽のように鈍く―・っている文字盤をみつめ」とある。⇩輝く・きらめく・Q照る・ひらめく②

ひきあげる【引き上げる】引いて上方へ移動させる意で、会話にも文章にも使われる和語。〈沈没船を―〉✎「引き下げる」と対立。志賀直哉の『赤西蠣太』に「君の身体でも直ったら、いい機会に早く白石に―・げた方がいいよ」とある。「外地から―」「現場から―」なども同様、もとの場所に戻る意に使う場合は「引き揚げる」と書くことが多い。また、「部長に―」「公定歩合を―」「料金を―」のように、程度・地位・価格などを上げる意に用いる場合は、正式に改まった感じがある。⇩上げる・引き揚げる

ひきあげる【引き揚げる】そこから本来のところへ戻る・戻すの意で、会話でも文章でも使われる和語。〈外地から―〉〈現場から―〉〈出資金を―〉⇩引き上げる

ひきあわせる【引き合わせる】互いに見知らぬ複数の人間を取り持って対面させる意で、会話にも文章にも使われる和語。〈知人を先輩に―〉〈二人を―〉✎「紹介」と違って人間どうしの場合に使う。⇩紹介

ひきいる【率いる】大勢の人間を引き連れて行ったり、指図して行動させたりする意で、やや改まった会話や文章に用いられる和語。〈チームを―〉〈楽団を―〉✎阿川弘之の『雲の墓標』に「先生は、法文経の学生を―・いて」とある。⇩Q引率・統率

ひきうける【引き受ける】仕事や役割などの依頼を受け入れる意で、くだけた会話から硬い文章まで幅広く使われる日常の基本的な和語。〈委員を―〉〈販売を一手に―〉〈一も二もなく―〉〈二つ返事で―〉✎二葉亭四迷の『平凡』に「前以て書面で、世話を頼む、―・けたと、話が着いてから出て来た」とある。⇩請け負う

ひきさがる【引き下がる】その場を去って離れる意で、やや改まった会話や文章に用いられる和語。〈ここはおとなしく―〉〈黙って―わけにはいかない〉✎夏目漱石の『坊っちゃん』に「おれが間違ってたと恐れ入って―のだけれども、今夜はそうは行かない」とある。⇩しりぞく・どく・のく・Q引っ込む

ひきさげる【引き下げる】位置や値段などを低いほうに移す意で、やや改まった会話や文章に用いられる和語。〈賃金を―〉〈関税を―〉✎「引き上げる」と対立。⇩下ろす・Q下げる

ひきしまる【引き締まる】「締まる」意で、やや改まった会話や文章に用いられる和語。〈贅肉《ぜいにく》がなく―・った肉体〉〈気持ちが―〉〈身の―思い〉✎池波正太郎の『剣客商売』に「鉄人のように―・った、鍛練しつくした肉体」とある。「締まる」より精神的な用法が多く、少しプラスのイメージが感じられる。⇩締まる

ひぎしゃ【被疑者】「容疑者」の意で専門的な会話や文章に使われる法律用語。〈―の身柄を拘束する〉〈―を取り調べる〉⇩容疑者

ひきだす【引き出す】内にあったものを外に出す意で、会話にも文章にも使われる和語。〈預金を―〉〈妙案を―〉〈可能性を―〉〈解答を―〉✎三島由紀夫の『潮騒』に「話題を―・そうとは思わない」とある。「引き入れる」と対立。⇩出す

ひきたてる【引き立てる】自分より下位にある一人物に特に目をかけて重く用いる意で、会話にも文章にも使われる和語。〈後輩を―〉〈よろしくお引き立てのほどを願いあげます〉✎「引き立て役」「主役を―」のように、自分が目立たない形で一定の人物を際立たせ印象に残るようにふるまう意にも使う。⇩重用《ちょうよう》・Q取り立てる・抜擢《ばってき》

ひきちゃ【碾(挽)き茶】新芽からつくった上質の緑茶を臼で挽いて粉にした茶をさし、会話にも文章にも使われる表現。〈―入りの羊羹《ようかん》〉⇩上がり・お茶・玉露・煎茶・茶・日本茶・番茶・焙《ほう》じ茶・Q抹茶・緑茶

ビギナー スポーツなどを習い始めの人の意で、近年主に会話に使われ出した新しい感じの外来語。〈スキーの―向けの講習〉⇩初心者

ひきぬく【引き抜く】引いて抜き取る意でくだけた会話から硬い文章まで用いる和語。〈釘を―〉〈腕利きの編集者を―〉✎対象が人間である場合、相手サイドの抵抗感が意識され、強引な感じが伴う。⇩引っこ抜く

びきょ【美挙】社会的に立派な行為の意で、主に文章に用いられるやや古く硬い感じの漢語。〈賞讃に値する―〉〈―を讃える〉⇩快挙・義挙・壮挙

ひきょう【卑怯】臆病でずるい意で、会話にも文章にも使われる日常の漢語。〈―者〉〈逃げるとは―だ〉〈―な手を使う〉✎夏目漱石の『坊っちゃん』に「将棋をさしたら―な待駒をして、人が困ると嬉しそうに冷やかした」とある。勇気がなくて正々堂々と争えない場合に使い、「卑劣」に比べて陰険な感じは薄い。⇩卑劣

ひきわたし【引き渡し】他人の手に移す意で、「返還」や「返上」に比べてやわらかい感じの和風の日常語。〈新築家屋の―〉〈―の期日を定める〉⇩返還・返上

ひく【引く】①対象を自分の側に近づけたり、左右や後方に動かしたり、その他の広い意味合いで、くだけた会話から硬い文章までよく使われる日常の最も基本的な和語。〈線を―〉〈弓を―〉〈幕を―〉〈椅子を―〉〈綱を―〉〈電話を―〉〈辞書を―〉〈風邪を―〉〈注意を―〉✎夏目漱石の『坊っちゃん』に「生徒の足を引っ攫《つか》んで、力任せにぐいと―・いたら、そいつは、どたりと仰向けに倒れた」とある。井伏鱒二の『珍品堂主人』に「珍品堂の気を―・いてみるためであったんでしょう」とあるように抽象化した比喩表現も多い。基本的な意味は「押す」と対立。「一歩も後へは―・かない」「第一線から身を―」「腫れが―」のように引き下がる意で用いる場合は「退く」、「馬を―」「船を―」のように引き寄せる意で用いる場合には「曳く」、「ロープで故障車を―」のように引っ張る意で用いる場合には「牽く」、「籤《くじ》を―」のように抜き出す意で用いる場合には「抽く」、「同情を―」「気を―」のように引きつける意で用いる場合には「惹く」と、それぞれ特に書き分けることもあるが、いずれも古い感じが出る。⇩Q弾く・挽く・碾《ひ》く・轢《ひ》く・引っ張る

②引き算をする意で、くだけた会話から文章まで幅広く使われる日常の基本的な和語。〈値段を―〉〈収入から必要経費を―〉〈所要時間から休息した時間を―〉⇩Q差し引く・差っぴく

ひく【挽く】 刃物で削る、細かく砕くの意で、会話でも文章でも使う、やや専門的な感じの和語。〈のこぎりで木を―〉〈肉を細かく―〉⇩引く・弾く・Q碾《ひ》く・轢《ひ》く

ひく【弾く】 弦楽器や鍵盤楽器を演奏する意で、会話でも文章でもよく使われる和語。〈ピアノを―〉〈三味線を―〉✎中勘助の『銀の匙』に「あねさんかぶりをした女がじゃんじゃかじゃんじゃか三味線を―・いてくる」とある。⇩Q引く・挽く・碾《ひ》く・轢《ひ》く

ひく【碾く】 石臼などですりつぶす意で、会話でも文章でも使われる和語。〈臼で豆を―〉✎「コーヒーを―」などの場合は道具によって「挽く」がふさわしい場合もある。⇩引く・弾く・Q挽く・轢《ひ》く

ひく【轢く】 乗り物が踏み潰す意で、会話にも文章にも使われる和語。〈車で人を―〉〈電車に―・かれる〉⇩Q引く・弾く・挽く・碾《ひ》く

ひくい【低い】 基準点から上方(時に前方)への距離が短い意、そこから派生して、地位・能力・品位・程度などが劣る意をさし、くだけた会話から文章まで幅広く使われる基本的な和語。〈―塀〉〈鼻が―〉〈気温が―〉〈関心が―〉〈問題意識が―〉〈位が―〉✎田山花袋の『田舎教師』に「背の―小づくりな弱々しそうな人」とある。水上勉の『越後つついし親不知』に「しぼり出すような―声」とあるように低音についても言う。⇩Q低級・低劣

ピクニック 野外に出かけて自然と親しむ小旅行をさす外来語。〈野山へ―に出かける〉✎「ハイキング」より景色を眺めながら食事を楽しむ行楽気分が強い。⇩ハイキング

びくびく 恐れていることが起こるのではないかと近い未来の不安におびえる意で、会話や軽い文章に使われる和語。〈どうなるかと―しながら状況を見つめる〉〈見つかるのではないかと―しながら隠れている〉✎佐藤春夫の『田園の憂鬱』に「―しながら薪の上へ石油をぶっかけた」とある。⇩おずおず・恐る恐る・おっかなびっくり・おどおど・Qこわごわ

ひぐれ【日暮れ】 日が沈むことやその時間帯をさし、さほどくだけない会話や文章に用いられる、やや古風でしっとりした感じの和語。〈―が近い〉〈静かな―の村里〉✎志賀直哉の『城の崎にて』に「他の蜂が皆巣へ入って仕舞った―、冷たい瓦の上に一つ残った死骸を見る事は淋しかった」とある。「―時」「晩秋は―が早い」などと言うように、この語は時刻や時間帯そのものより、日が暮れかかってあたりが薄暗くなり始めた状態をさすのに重点がある。⇩暮れ方・Qたそがれ・薄暮・晩方・灯ともし頃・夕・夕方・夕暮れ・夕刻・夕べ・夕間暮れ・宵・宵の口

ひげ【髭／髯／鬚】 口の周りに生える毛の意で、くだけた会話から硬い文章まで幅広く使われる和語。〈不精―〉〈―を生やす〉〈―を剃《そ》る〉〈―を蓄える〉✎永井龍男の『黒い御飯』に「―が、湯気であろうか水鼻汁であろうか、ぬれて光っている」とある。総称としては「髭」と書く例が多いが、本来は「髭」は口ひげ、「髯」は頬ひげ、「鬚」は顎《あご》ひげと、

部位によって漢字を使い分ける。

ひげ【卑下】自分側を実際よりも価値を低めて表現する意で、やや改まった会話や文章に用いられる漢語。〈自分を—する〉〈—し過ぎるとかえって厭味《いや み》になる〉⇩謙遜・Qへりくだる

ひげそり【髭剃り】「電気かみそり」をさす会話的な和語。〈—をあてる〉⇩シェーバー・Q電気かみそり

ひけつ【秘訣】一般に知られていない特別効果的な方法の意で、会話にも文章にも使われる漢語。〈長生きの—〉〈成功の—〉〈—を授ける〉✎自分の経験からつかむ感じの「こつ」に比べ、他から伝授される雰囲気が強い。⇩勘所・呼吸②・こつ・壺②・要領

ひけめ【引け目】相手や一般と比較して自分のほうが劣っていて恥ずかしいと思う気持ちの意で、会話やさほど硬くない文章に使われる和語。〈相手に—を感じる〉〈学歴の点で—がある〉✎能力的で長期にわたる「コンプレックス」や「劣等感」と比べ、この語はある点に限っての一時的な心理状態を連想させやすい。⇩コンプレックス・Q劣等感

ひけらかす 自慢そうに見せびらかす意で、ややあらたまった会話や文章に用いられる和語。〈学歴を—〉〈肩書きを—〉〈知識を—〉⇩衒《てら》う・Q見せびらかす

ひけん【比肩】実力において優劣がつけがたい意で、主に文章中に用いられる硬い漢語。〈名人に—する腕前〉✎肩を並べる意から。単に同等であるだけでなく、ともに優れている場合に使う。⇩拮抗《きっ こう》・互角・五分五分・どっこいどっこい・とんとん・伯仲・Q匹敵

ひこ【曾孫】「ひまご」の意で主に会話に使われる古めかしい和語。〈ぼけずに—の顔が見たい〉✎孫を「ひこ」とも言ったところから、さらにその子供という意味で「ひひこ」と言い、「ヒーコ」「ヒコ」となったその音転という。⇩曾孫《そう そん》・Qひまご

ひご【庇護】庇《かば》い守る意で、改まった会話や文章に用いられる硬い感じの漢語。〈親の—〉〈—を受ける〉⇩Q保護・擁護

ひご【卑語】卑しい感じがあるため人前で使いにくい下品なことばをさし、学術的な会話や文章に使われる専門的な漢語。〈—を交えた話し方で気品に欠ける〉⇩俗語

びこう【尾行】ひそかに跡をつける意で、会話にも文章にも使われる漢語。〈刑事が被疑者を—する〉〈興信所の—を受ける〉⇩追跡・Q追尾

ひこうき【飛行機】翼に働く揚力で重さを支え、プロペラの回転や燃焼ガスの噴射などによって空中を飛行する乗り物をさし、くだけた会話から文章まで幅広く使われる日常の漢語。〈—雲〉〈小型—〉〈—の墜落事故〉〈—が離陸する〉⇩航空機

ひこうじょう【飛行場】飛行機の発着する場所をさして、会話にも文章にも使われる漢語。〈—を飛び立つ〉〈—を後にする〉✎「空港」に比べ、地方都市にある小規模な施設にも抵抗なく使える感じがある。⇩空港

ひごうほう【非合法】法律で認められていない意で、改まった会話や文章に使われる専門的な漢語。〈—活動〉〈—組織〉✎「合法に非ず」すなわち「合法でない」という意味合いで、特に政治的な体制に反する場合に用いることが多い。

⇩違法・Q不法

ひごうり【非合理】道理や理屈と合わない意で、改まった会話や文章に用いられる硬い漢語。〈説明が―で納得できない〉論理に基づかない、理屈が通らないという段階であり、「不合理」のように積極的に逆方向とまでは踏み込んでいない評価。⇩不合理

ひこようしゃ【被雇用(傭)者】雇われている側の人をさし、改まった会話や文章に用いられる専門的な漢語。〈―の立場〉「雇用者」の多義性を回避し、意味を限定するために、雇われる側であることを明確にした表現。「雇用者②」と対立。⇩雇用者①

ひごろ【日頃】何でもない普通の生活においての意で、会話やさほど硬くない文章に使われる和語。〈―の心掛け〉〈―の行い〉〈―の鍛錬がものを言う〉〈―の鬱憤《うっぷん》を晴らす〉芥川龍之介の『地獄変』に「―可愛がってくれた娘なればこそ、猿もいっしょに火の中へはいったのでございましょう」とある。⇩いつも・通常・常々・Q常日頃・日常・日常茶飯事・日々・普段・平常・平生・平素

ひざ【膝】腿《もも》と脛《すね》との連結部をさして、会話にも文章にも幅広く使われる日常の基本的な和語。〈―に水がたまる〉〈―を突き合わせて話す〉三浦朱門は『箱庭』で、女性の膝の裏側を、「生白く、のっぺりと平らで」「形も色もあまりに無防備で、つい先刻まで、そこに何かがはりついていたのを、むりやりはがして、はじめて外気にさらされた、という感じ」と描写している。なお、「―枕」「はたと―を打つ」のように、腿を含めていう用法もある。⇩Q膝頭・膝小僧

ピザ イタリア料理の平たいパイをさし、会話でも文章でも使われる今では最も一般的な外来語。〈冷凍の海鮮―〉〈宅配の―を注文する〉イタリア語の発音を無視し、綴りをローマ字読みにした語形。この食品の普及とともに広まった言い方。⇩ピザパイ・Qピッツァ

ひさい【被災】「罹災《りさい》」の意で、改まった会話や文章に用いられる一般的な漢語。〈―状況〉〈―地に足を踏み入れる〉〈―者を救援する〉⇩罹災

ひざがしら【膝頭】膝の関節の前面をさして、会話や文章に使われる、やや古風な和語。〈―をぶつける〉川崎長太郎の『漂流』に「着ているものからはみ出した鈍い牛乳色の―」とある。⇩Q膝・膝小僧

ひさかたぶり【久方振り】「久しぶり」の意で、会話にも文章にも使われる、やや古風な和語。〈―の海外旅行〉〈―に故郷へ帰る〉枕詞「久方の」を連想する人にとっては、それのかかる空・雲・光などとこの語が意味的に直接つながらないため、「久し振り」より標準的でない感じが伴う。⇩Q久し振り・久々

ひざかり【日盛り】日差しの最も強い時間帯をさし、会話にも文章にも使われる、いくぶん古風な感じの和語。〈―を避けて出かける〉尾崎一雄の『虫のいろいろ』に「蠅はうるさい。もう冬だから、―にしか出て来ないが」とあるが、一般には暑さの苦になる夏の季節に使う。⇩日中・白昼・昼日中《ひるひなか》・Q昼間・真っ昼間・真昼

ひざこぞう【膝小僧】膝頭の意で、主にくだけた会話で使われる和語の擬人的表現。〈―をすりむく〉谷崎潤一郎の

『細雪』に、「洋服の癖が出て膝が崩れ、上ん前がはだけて―が露われるのを」、大人たちが「それ、悦ちゃん、弁天小僧」とからかう場面がある。古くは「膝坊主」「膝法師」とも。⇩膝・Q膝頭

ひさし【庇(廂)】 雨や日光をさえぎるために突き出した小さな屋根をさし、会話にも文章にも使われる和語。〈―が深い〉〈―が突き出ている〉✎谷崎潤一郎の『陰翳礼讃』に「―をくぐり、廊下を通って、ようようそこまで辿りついた庭の陽光は、もはや物を照らし出す力もなくなり」とある。⇩屋根

ひざし【日(陽)差(射)し】 太陽から降り注ぐ光線をさし、会話でも文章でも幅広く使われる日常生活の和語。〈やわらかい春の―〉〈―が延びる〉〈―がきつい〉✎田宮虎彦はインタビューに際し、夏の強いヒザシを「日射」、秋の弱いヒザシを「日差」と原稿で書き分け、やわらかい感じにしたいときは「し」を送るが、校正者が統一してしまうと不満を述べた。たしかに、安岡章太郎の『海辺の光景』でも「頭の真上から照りつける日射し」と、「着衣の一枚一枚、体のすみずみまで染みついた陰気な臭いを太陽の熱で焼きはらいたい」と思う強烈な光に対して「日射し」という表記を採用している。⇩光線・日光・Q光・陽光

ひさしぶり【久し振り】 前回から長い時間を経て同様のことが繰り返される場合に、それを懐かしく思いながら、くだけた会話から硬い文章まで幅広く使われる日常の基本的な和語。〈―に出かける〉〈―の青空がのぞく〉〈―に会に顔を出す〉〈―に会って旧交を温める〉✎永井龍男の『風ふたたび』に「つきはぎだらけの、職業安定所の上にも、―の青空が見える」とある。懐かしむ気分が伴うため、地震・火事・豪雨・事故その他の好ましくない事柄については用いず、「―に本格的な雨になる」のような例も、雨を待ちかねていた場合に限って使う。⇩Q久方振り・久々

ピザパイ 「ピザ」の意の古めかしいことば。✎この食品が日本に伝わって広まりかけたころに、「ピッツァ」とともに使われていた説明的な言い方。イタリア語のローマ字読みと英語とを組み合わせた語形で落ち着きが悪い。次第に普及してそれが「パイ」の一種であることが知られるにつれて、この説明的な語形は廃れ、単に「ピザ」と言うようになった。⇩ピザ・ピッツァ

ひさびさ【久久】 ほんとに久しぶりという意味で、会話にも文章にも使われる和語。〈―のいい天気〉〈―の対面〉〈―に作品を発表する〉✎「久しぶり」をさらに強調した感じがあり、少々の期間のあとでは使いにくい雰囲気がある。⇩久方振り・Q久し振り

びじがく【美辞学】 文飾の技術としての西洋レトリックを移入した明治期に、一時期その訳語として用いられた漢語。〈レトリックを―とも訳した〉✎高田早苗に『美辞学』、島村瀧太郎に『新美辞学』と題する著書があり、坪内逍遥も「美辞学」と題して論文を発表したが、次第に「修辞学」という訳語に統一され、今ではめったに使われない。⇩修辞・Q修辞学・修辞法・レトリック

ビジネスマン 会社員のうち現業部門に対して特に事務系職員をさして、会話にも文章にも使われる比較的新しい感じ

の外来語。〈―必読の書〉〈いかにも―といった服装〉✒実業家をさす用法もある。⇩会社員・勤労者・サラリーマン・勤め人・労働者

ひしゃかくおち【飛車角落ち】有力な部分を欠いた不利な条件で相手に対することをさす、将棋用語の拡大用法。〈―で試合に臨む〉✒本来は、強い駒を二つとも落として不利な条件で格下の相手と将棋を指すこと。最も有力な人物を共に欠いている状態をそれにたとえた表現。「成金」より比喩性が意識にまだのぼる。

びじゅつ【美術】絵画や彫刻などの視覚的芸術をさし、会話にも文章にも使われる漢語。〈―館〉〈―品〉〈―全集〉✒広義には建築・工芸・写真なども含む。⇩Ｑアート・芸術

びじょ【美女】「美人」が女性専用になった現在でも、特に女性であることを意識して主として会話や軽い文章で男性の使う漢語。〈目の覚めるような―〉〈―を侍《はべ》らせる〉✒稲垣足穂の『弥勒』に「―というものは何事を持ってきても似合うな、と彼は思う。それはちょうど音楽のように、相手が最も具体的であると同時に、この上もなく抽象的な存在であるせいであろうか?」とある。会話や軽い文章で近年は「―コンテスト」「―軍団」などと興味本位で使う例も多い。⇩佳人・Ｑ美人・麗人

びしょう【微笑】にっこりと笑みを浮かべる意で、会話にも文章にも使われる漢語。〈―を浮かべる〉〈―を絶やさない〉✒永井龍男は『高田保さんのこと』で、「世の中を吹く風を、いつもさり気なく受け流し、―を捨てたことはないが、それが悲しい表情に見える日もあった」と、鬼才の内面を描き取った。⇩微笑《ほほえ》み

ひじょうに【非常に】程度が「大変」より若干強く「きわめて」ほどではない甚だしさをさし、会話にも文章にもよく使われる表現。〈今朝は―寒い〉〈―優秀な成績〉〈―難しい問題〉〈―厳しい状況〉✒「大変」より少し硬い感じに響く。⇩大いに・きわめて・ごく・すこぶる・大層・Ｑたいへん・とても②・甚だ

びしょくか【美食家】美味で贅沢《ぜいたく》な料理を特に好む意で、会話にも文章にも使われる漢語。〈―で舌が肥えている〉✒鰻はこの店、ステーキはどこ産の肉に限るというふうに贅沢な料理にこだわる雰囲気があり、「食《しょく》道楽」に比べて、うまい料理を求めて方々を食べ歩くという感じは弱い。⇩食い道楽・グルメ・食通・Ｑ食道楽

びしん【微震】震度1の旧称。⇩強震・軽震・弱震・中震

びじん【美人】顔や姿の美しい女性をさし、会話から改まった文章まで幅広く使われる最も一般的な漢語。〈絶世の―〉〈水もしたたる―〉〈ふるいつきたいほどの―〉✒川端康成の『山の音』に「同じ腹と信じられぬほど姉は―だった」とある。昔は美男子を含めてこの語を用いたという。⇩佳人・Ｑ美女・麗人

ビスケット　小麦粉・卵・砂糖・バターで作る小型の焼き菓子をさし、会話にも文章にも使われる外来語。〈―の詰め合わせ〉✒俗にイギリスで「ビスケット」、アメリカで「クッキー」ともいわれるが、日本ではバターの含有量が多くてリッチな感じのものを「クッキー」、バターの少ない淡泊な味のものを「ビスケット」と使い分けることもあり、乳幼児用の

健康志向の食品にはこの語がぴったりする。ちなみに、網野菊は小説の登場人物にいちいち名前をつけるのが面倒で、ある時期ＡＢＣにしたら、ビスケットみたいだと評されたという。⇩Ｑクッキー・クラッカー・サブレ・ボーロ

ピストル　片手で撃てる小型の銃をさし、会話では最も多用される日常の外来語。〈―の口径〉〈―を発射する〉✎「短銃」はもちろん「拳銃」よりも一般によく使う。尾崎士郎の『人生劇場』に「役目を果した―自身が何事かをささやいているように見える」とある。改まった文章では正式な感じの「拳銃」が使われる傾向がある。⇩Ｑ拳銃・小銃・短銃・はじき

ひずむ【歪む】　形や音などに狂いが生じて本来の状態を失う意で、会話にも文章にも使われる日常の和語。〈床に落として容器が―〉〈音が―・んで聞こえる〉✎比喩的に「国家財政が―」のように用いることもあるが、一般には物理的な変化に用いることが多い。立体でも平面でも図形であれば「ゆがむ」とも「ひずむ」とも言えるが、一本の線が曲がって見えるような場合は「ひずむ」とは言いにくい。また、顔の形は両方言えるが、表情になると「ひずむ」はなじまない。漢字表記は「ゆがむ」との区別が困難なので仮名書きが無難。⇩いびつ・ゆがむ

ひする【比する】「比べる」意で、主に硬い文章に用いられる表現。〈労力に―・して得るものが少ない〉〈桜の開花は例年に―・して早い〉✎「―者なし」「比すべくもない」のような用法は古めかしく文語的な雰囲気がある。⇩Ｑ比べる・比較

ひせい【批正】　批判して正しく直す意で、主に文章中に用いる硬い漢語。〈御―を請う〉✎上位の立場の相手に依頼する場合などによく使うへりくだった表現。⇩改正・改定・改訂・是正・Ｑ訂正・補正

びせいぶつ【微生物】　細菌や原生動物などの、肉眼で観察できない微小な生物をさし、会話にも文章にも使われる、やや専門的な漢語。〈顕微鏡で―を調べる〉✎宮本輝の『蛍』に「蛍の大群は、滝壺の底に寂莫と舞う―の屍のように」とある。⇩かび・Ｑ菌・細菌・黴菌《ばいきん》

びそ【鼻祖】　物事の創始者の意で主に文章に用いられる古めかしい漢語。〈志賀直哉は私小説の―と目される〉✎一家の初代という意味でも使われたが、現在はあまり使わない。人間が胎内で鼻から先に形成されると考えたところからできた語という。⇩開基・開山・開祖・元祖・Ｑ始祖

ひそう【皮相】　物事の表面、また、表面だけ見て判断する浅いやり方をさし、主に文章に用いられる硬い漢語。〈―にとらわれる〉〈―な解釈〉〈―なものの見方〉⇩うわつら・上辺・Ｑ表層・表面

ひそう【悲壮】　悲しさの中に凛々《りり》しさを秘めている意で、改まった会話や文章に用いられる漢語。〈―な決意〉〈―な覚悟で臨む〉〈―な最期を遂げる〉✎永井龍男の『枯芝』に「大罪を犯した犯人のように、自分が思われてきて、―な気持がわいてきた」とある。⇩悲愴

ひそう【悲愴】　悲しく痛ましい意で、主に文章に用いられる詩的な漢語。〈―感が漂う〉〈―な面持ち〉✎芥川龍之介の『枯野抄』に「その慟哭は勿論、―を極めていた」とある。

⇩悲壮

ひそか【密（秘）か】他人に気づかれないように行うさまをさし、会話にも文章にも使われる和語。〈―に事を運ぶ〉〈―に運び出す〉〈―に計画を練る〉⇩うちうち・こそこそ・こっそり・そっと・内緒・内々・内密

ひぞく【卑俗】品位に欠け垢《あか》抜《ぬ》けない意で、改まった会話や文章に用いられる漢語。〈―な話〉〈―に流れる〉「―な例」「―な話題」のように、改まらずに身近な日常から材をとる場合に、「卑近」に近い意味合いで用いることもある。⇩下品・下劣・俗悪・通俗・Q低俗・低劣・野卑

ひそむ【潜む】人目につかない場所に身を隠す意で、いくぶん改まった会話や文章に使われる和語。〈物陰に―〉〈逃亡犯が繁華街に―〉佐藤春夫の『田園の憂鬱』に「其処にはいろいろの蜘蛛が―・んでいた」とある。「隠れる」よりも悪いイメージが強い。「心に意地悪な気持ちが―」のように、表に出ない存在をさす比喩的な用法もある。⇩隠れる

ひたい【額】顔のうち髪の生え際から眉の上までの部分をさし、会話にも文章にも使われる和語。〈富士―〉〈―が広い〉〈―に汗する〉尾崎一雄の『虫のいろいろ』に「―に出来たしわが、蠅の足をしっかりとはさんでしまった」とあり、島尾敏雄の『島へ』に「思慮深くそしてきまじめに見える白い―」とある。⇩おでこ・眉間

ひたすら【只管】もっぱら同じことだけする意で、会話にも文章にも使われる和語。〈ただ―走り続ける〉〈―研究に打ち込む〉〈―神に祈るのみ〉芥川龍之介の『トロッコ』に「良平は―走り続けた」とある。「一途《いちず》」がただ一つのことを継続して行うニュアンスがあるのに対し、この語は同じ事を繰り返し行う場合をも含む。⇩いちず・ひたむき・Qもっぱら

ひだまり【陽（日）溜まり】特に日当たりがよく風も入り込まない暖かい場所をさし、会話にも文章にも使われる和語。〈―で暖まる〉〈―に集まる〉プラスイメージが強く懐かしい感じもある。⇩日向《ひなた》

ひたむき【直向き】一つのことに熱中する意で、やや改まった会話や文章に用いられる和語。〈―な愛〉〈―な練習態度〉〈―に努力する〉⇩いちず・Qひたすら・もっぱら

ひだりきき【左利き】多くの人と違って右手より左手のほうがよく利く意で、会話にも文章にも使われる和語。〈―用のグラブ〉〈―の投手〉鑿《のみ》を持つのがふつう左手であることから、その「鑿手」を同音の「飲み手」にひっかけて、俗に酒飲みをさすこともある。⇩Q酒飲み・酒豪・呑み助・呑んだくれ・呑ん兵衛

ひたる【浸る】液体の中に浅く入ったり、部分的に濡れたりする意で、会話にも文章にも使われる日常の和語。〈床下まで水に―〉〈腰まで湯に―〉〈ズボンのすそが水に―〉「酒に―」の形で、溺れて抜け出せない意を表すこともあり、「郷愁に―」「喜びに―」のように、ある雰囲気や感情などをたっぷり味わう意に用いることもある。⇩浸《つ》かる

ひだるい【饑い／干だるい】空腹でつらい感じをさし、文章にまれに用いられる、古語に近い古めかしい和語。〈堪えがたいひだるさ〉⇩空腹・空《す》き腹・腹ぺこ・ひもじい

ひたん【悲嘆（歎）】深く悲しみ嘆く意で、改まった会話や文

章に用いられる硬い感じの漢語。〈—の涙に暮れる〉✎嘉村礒多の『業苦』に「箸を投げて—に暮るる老父の姿」とあり、小林秀雄の『ゴッホの手紙』には「パリの老いぼれた馬車馬が、—にくれたクリスチャンのような、大きな美しい眼をよくしている」という比喩表現が出る。⇩慨嘆・Q嘆き

ひつう【悲痛】激しい悲しみに心が痛む意で、改まった会話や文章に用いられる漢語。〈—な出来事〉〈—な面持ち〉〈—な叫び〉✎井伏鱒二の『二つの話』に「顔にはやはり—の色が現われていた」とあり、中河与一の『天の夕顔』に「泣いても泣ききれない—が、胸にこみあげてくる」とある。「沈痛」より外面に現れる感じが強い。また、「沈痛」と比べ、起こってしまった事実に対する衝撃が中心。感情は激しいが「悲嘆」より内面的。⇩悲しさ・悲しみ・傷心・沈痛・Q悲哀

ひつぎ【柩(棺)】棺《かん》の意で、改まった会話や文章に用いられる和語。〈—を据える〉〈—をおおう〉✎小沼丹は『黒と白の猫』に「白い布に包まれた—の方に眼をやった」として、突然の妻の死に茫然として猫の姿を見る幻覚を描く。⇩棺

ひっきりなしに【引っ切り無しに】短い間隔で何度も起こる場合に、主に会話に使われるくだけた感じの表現。〈—電話がかかってくる〉〈—口を動かしている〉✎回数の多いことに重点のある「しきりに」「頻繁に」と違い、間隔の短さに重点がある。⇩Qしきりに・頻繁

びっくり【吃(喫)驚】「驚く」意で会話や軽い文章によく使われる日常の和語。〈—箱〉〈おっかな—〉〈—して飛び上がる〉✎尾崎一雄の『芳兵衛』に「ああ—した。お父ちゃんをおどかそうと思ったら、自分が—しちゃった」とある。⇩おったまげる・Q驚く・仰天・たまげる・ぶったまげる

ひっくりかえす【引っくり返す】裏表・上下・前後などを逆にする意で、会話や軽い文章に使われる和語。〈ちゃぶ台を—〉〈うっかり瓶を—〉〈セーターの表と裏を—〉〈負けていた試合を最後に—〉✎「くつがえす」に比べ、具体的な物に多く使う。⇩Q裏返す・覆す

びっくりマーク「感嘆符」の記号「！」をさすユーモラスな俗語。✎驚きの気持ちを表すところから。⇩はてなマーク

ひっこし【引っ越し】それまで使っていた家や社屋などから別の場所に移ることをさし、会話や改まらない文章で使われる日常的な和語。〈—先〉〈—の手伝い〉⇩移転・Q転居・転宅

ひっこぬく【引っこ抜く】「引き抜く」という意でくだけた会話に使われる俗語。〈畑で大根を—〉〈根元から—〉✎「歯を—」とすると、「引き抜く」より乱暴に抜く雰囲気が出る。⇩引き抜く

ひっこみじあん【引っ込み思案】先々のことを心配するあまり、何事も積極性に欠け、新しいことに取り組む決断が困難な意で、会話や硬くない文章に使われる表現。〈—でなかなか自分の主張ができない〉⇩内気・内弁慶・Q内向的

ひっこむ【引っ込む】引き下がる意で、主に会話や改まらない文章に使われる日常の和語。〈舞台の袖に—〉〈現役を退いて田舎に—〉〈お前の出る幕じゃない、—・め〉✎具体的にその場を立ち去る意味よりも、目立たないところに控えるようなニュアンスが強く、「自分の部屋に—・んだまま出

て来ない」のように、こもってしまう意にも使われる。庄野潤三の『静物』に「商店街から少し―・んだ路地の奥にある映画館」とあるように、人間以外にも位置関係を示すのに使う。⇩しりぞく・どく・のく・Q引き下がる

ひっし【必死】 おおげさに言えば死ぬ覚悟で物事に懸命になる意で、会話にも文章にも使われる日常の漢語。〈―の形相〉〈受験生はもう―だ〉〈―に取り組む〉〈生活に追われ―で働く〉✎有島武郎の『或る女』に「荒神《あらがみ》に最愛のものを生牲《にえ》として願いを聴いてもらおうとする太古の人のような―な心」とあるが、現代では一般に、「死に物狂い」や「命懸け」より幅広くよく使われ、現実に生命の危険が及ぶ例がほとんどない点、それだけ軽い感じがする。⇩一所懸命・命懸け・Q死に物狂い

ひっしゃ【筆者】 その文章や書画を書いた人をさし、会話にも文章にも使われる漢語。〈―の肩書き〉〈―の言わんとするところ〉✎「―の勤務先」「―は以上のように考える」のように、書き手が一人称「私」の代わりとして使うことで客観性を増す用法もあり、その場合は改まった感じで硬く響く。「読者」と対立。⇩Q書き手・作者・著者

びっしり 隙間がないほど並んでいたり詰まっていたりする様子をさし、会話や硬くない文章に使われる擬態語。〈小さな分譲住宅が―建て込む〉〈細かい字でノートに―書き込む〉✎「ぎっしり」「ぎっちり」に比べ、細かいものが沢山集まっているイメージがある。⇩Qぎっしり・ぎっちり・ぎゅうぎゅう

ひっす【必須】 欠かせない意で、改まった会話や文章に用いられる漢語。〈―条件〉〈―科目〉〈この分野には―の知識〉✎「必要」のうちでも、なくてはならない程度が特に高い段階。⇩入り用・入用・Q必要

ひったくる【引っ手繰る】 他人の持っている物をむりやり引っ張って素早く奪い取る意で、主に会話に使われる、いくぶん俗っぽい和語。〈人込みでハンドバッグを―・られる〉⇩奪う・せしめる・取り上げる・Qふんだくる・分捕る・まきあげる

ピッチャー 「投手」の意の外来語。多く口頭で使う。字数が多くなるためもあり、書きことばとしてはふつう「投手」を用いる。〈―返し〉〈―交代〉〈―ゴロに討ち取る〉⇩投手

ピッチャー 取っ手付きの比較的大きな水差しをさし、会話にも文章にも使われる新しい外来語。〈店でビールを―ごと運んで出す〉⇩水差し

ピッツァ イタリア料理の平たいパイをさすイタリア語からの外来語。「ピザ」という通称と一線を画し、本格的な専門店や一部の通が頑固に守り続けている古風な語形。〈―専門店〉〈海老とアンチョビの―〉✎この食品が日本に伝わった当時使われた、イタリア語の原語に近い発音。味自慢の店などで今でも使用しており、「ピザ」と名のる店は味がピンからキリまであるが、「ピッツァ」と名のる店はたいてい本格的で、冷凍などを使用することがなく、味に定評がありそうな雰囲気をかもしだしている。⇩Qピザ・ピザパイ

ひっつく【引っ付（附・着）く】 「くっつく」の意でくだけた会話に使われる俗っぽい和語。〈靴底にガムが―・いてなかなか取れない〉⇩Qくっつく・接着・張り付く・付着

ひってき【匹敵】 力量などが同じぐらいである意で、会話に

も文章にも使われる漢語。〈実力はプロにも—する〉〈彼に—する人材は得がたい〉⇩拮抗《きっこう》・互角・五分五分・どっこいどっこい・とんとん・伯仲・Q比肩

ひっぱたく【引っぱたく】強く叩《たた》く意で、主としてくだけた会話でよく使われる俗っぽい和語。〈横っ面を—〉〈思いっきり—〉✎正宗白鳥の『泥人形』に「我儘を云ったら御遠慮なく—・いて下さい」とある。「たたく」の場合は軽くトントンとたたくものから、相手をたたきのめすものまで、多様な動作が含まれるが、この語はかなり強い叩き方に限られる。内田百閒の『掻痒記』に「頭を縦横無尽に—・いて、掻き廻した」とあるように、「叩く」と違って親しみや善意から出ることはなく、衝撃も強い。促音とそれに続く「パ」という破裂音が働いて激しい感じを印象づける面もあるかもしれない。⇩Qたたく・なぐる・はたく・はる・ぶつ

ひっぱる【引っ張る】力を加え対象を強く引いて自分側か進行方向などに動かす意で、会話や改まらない文章に使われる、少し口頭語的な和語。〈紐《ひも》を—〉〈袖を—〉〈力任せに—〉✎夏目漱石の『坊っちゃん』に「便所へ這入《はい》るのを忘れて、おれ等を—のだろう」とあり、『吾輩は猫である』にも「餅の中へ堅く食い込んで居る歯を情け容赦もなく—」とある。「引く」より対象に及ぶ力が強い感じがする。促音とそれに続く「パ」という破裂音といった音構造もそういう語感にかかわっているかもしれない。⇩引く①

ひっぽう【筆法】筆運び、物事のやり方の意で、改まった会話や文章に用いられる硬い感じの漢語。〈—を会得する〉〈いつもの—で行く〉⇩筆鋒《ひっぽう》

ひっぽう【筆鋒】筆先、文勢の意で、主に文章中に用いられる古風な漢語。〈—鋭く批判する〉〈鋭い—で斬って捨てる〉⇩筆法

ひつめい【筆名】文章を発表する際に執筆者名として書く本名以外の名前をさして、主に文章中に用いる硬い感じの漢語。〈初めて—を用いて小説を発表する〉✎会話に用いると改まった感じになり少し古風に響く。⇩雅号・芸名・号・Qペンネーム

ひつよう【必要】どうしてもなくてはならないの意で、会話にも文章にも広く使われる基本的な漢語。〈—性〉〈—経費〉〈—不可欠〉〈—最小限〉〈資金が—だ〉〈—なだけ買う〉〈—に応じて〉〈—に迫られる〉✎小林秀雄の『ゴッホの手紙』に「現実という石の壁に頭をぶつけて了った人間に、どうしてあれこれの理想という様なものが—であろうか」とある。必要度が「入《い》り用」や「入用《にゅうよう》」より高いが、「必須」ほどではない段階も含む。「不要」と対立。⇩入り用・入用・必須

ひてい【否定】打ち消す、認めない意で、いくらか改まった感じの会話や文章に用いられる漢語。〈二重—〉〈部分—〉〈頭から—する〉〈—的な見解〉〈—しがたい事実〉✎小沼丹の『タロオ』に「医者で冷静である筈のチェホフが、自分が結核であることを只管《ひたすら》—しようとしていたと云うことである。否定——それも自分に対して」とある。⇩打ち消す・Q否認

ひでり【旱】日照りのために田畑が乾ききる意で、会話にも文章にも使われる和語。〈—の被害〉⇩Q旱魃《かんばつ》・日照り

ひでり【日照り】長い間雨が降らずに強く照りつける日が続く意で、会話にも文章にも使われる和語。〈何日も―が続く〉⇩旱《ひでり》

びてん【美点】美しいところ、秀でている点をさし、改まった会話や文章に用いられる、いくぶん古風なやや硬い感じの漢語。〈数々の―をそなえている〉〈―をうまく生かす〉✎特に人間について、効率や経済性などよりもっと価値のある長所を積極的に主張している雰囲気がある。数量的に対比しにくい部分のよさを取り上げる例が多い。「欠点」と対立。⇩Q長所・取り柄・利点

ひと【人】社会の構成員としての人間をさし、くだけた会話からさほど硬くない文章まで幅広く使われる日常生活の最も基本的な和語。〈道行く―〉〈―を求めている〉〈―の道を外れる〉〈―を―とも思わぬ態度〉〈都会は何しろ―が多い〉〈―に道を聞かれる〉〈―に頼ってばかりいる〉〈あの―、どこかで見たことがある〉✎夏目漱石の『坊っちゃん』に「猿と―とが半々に住んでる様な気がする」とある。大上段に構えた感じの「人間」よりも、生活に溶け込んだ温かみを感じさせる語。なお、もと「われ」に対する語で自分以外の人間をさしたため、「ひとごと」に「他人事」という漢字をあてる場合もある。⇩人間

ひどい【酷い】「甚だしい」の意で、会話やさほど改まらない文章などによく使われる和語。〈―仕打ちを受ける〉〈―目にあう〉〈―出来だ〉✎尾崎一雄の『なめくじ横丁』に「―や、―や」と泣きながら怒り出した」とある。「こっぴどい」とは違い、度が外れているというニュアンスで、「―・く喜ぶ」のようにプラスの意味合いを修飾するケースもある。⇩こっぴどい・むごい・むごたらしい

ひといきに【一息に】途中で休まずにの意で、会話にも文章にも使われる和語表現。〈ビールを―飲み干す〉〈―仕上げる〉✎文字どおりには一呼吸の間にの意だけに、息もつかずにという感じが強く、「一気に」よりも短い時間でという雰囲気がある。⇩Q一気に・一挙に

ひとがら【人柄】人間の性格・品格の意で、会話にも文章にも使われる和語。〈温厚な―〉〈―が偲《しの》ばれる〉〈―を見抜く〉✎武田泰淳の『才子佳人』に「つつましい中に犯しがたい―をうかがうことが出来た」とある。「―を慕って人が寄って来る」など、多くその良さを褒めるときに使われる。⇩気質・気象・気性・気立て・性分・人格・人品・人物・Q性格・性向・性質・たち・人となり

ひとぎき【人聞き】他人が聞いたときの印象をさし、会話や軽い文章に使われる和語。〈―が悪い〉〈―の悪いことを言うな〉✎多く悪い場合に使う。直接見られたときでなく、あとで噂になるのを気にするところに重点がある。⇩外聞・世間体

ひときわ【一際】他と比べて特に際立つさまをさし、やや改まった会話や文章に用いられる和語。〈―鮮やかだ〉〈―目立つ〉〈―美しい〉〈―背が高い〉✎武者小路実篤の『友情』に「大いなる期待をもってその勝負をむかえた。拍手は―盛んに起った」とある。⇩いっそう・いよいよ①・ひとしお・ますます

ひとごと【人事／他人事】自分とは直接関係のないことの意

で、会話にも文章にも使われる日常の和語。〈―ながら気の毒だ〉〈―だと思って手伝いもしない〉〈―とは思えない〉✎「わたくしごと」と対立する語だから、意味上も本来は「他人事」と書くが、「ひと」の意味が忘れられ、「たにんごと」と読む人が増えた。⇩他事《じた》・Qたにんごと・よそごと

ひとごみ【人込(混)み】多くの人間が集まって込み合う意で、会話やさほど改まらない文章に使われる和語。〈初詣《はつもうで》の―〉〈―を掻き分けて進む〉〈都会の―に紛れて姿を消す〉〈―に流される〉✎「雑踏」ほど広範囲でなく、例えば催し物の周囲の人だかりなど、ある場所に人が固まっているような場合にも使う。⇩雑踏

ひところ【一頃】過去の一時期をさす、やや改まった和風表現。〈―好景気に沸いた〉〈―の勢いはない〉〈―流行したファッション〉✎森鷗外の『妄想』に「―芸術の批評に口を出して」とある。「先頃」より時間的に長く、「近頃」と違って現在を含まない。⇩Qいちじ・過日・この間・先頃・先日・ひととき

ひとごろし【人殺し】「殺人」の意で、会話や硬くない文章に使われるいくぶん古風になりかけている和語。〈近所で―がある〉〈―の現場を目撃する〉〈―の疑いでしょっぴく〉〈―の罪を償う〉✎谷崎潤一郎の『お艶殺し』に「斬りかけられつつ逃げ廻って、「―」と叫んだ」とある。有島武郎の『或る女』には「―でもするような気負いでずたずた引き裂いた」とある。「―が捕まる」のように殺人者をさす用法もある。⇩殺す・殺害・Q殺人・殺戮《さつりく》・ばらす②

ひとしい【等しい】形や数量などがまったく同じである意で、改まった会話や文章に用いられる、いくぶん古風な和語表現。〈二つの図形は面積が―〉〈―数値を記録する〉〈犯罪にも―卑劣なやり口〉〈無に―〉〈いずれも―精巧な造りである〉✎幸田文は『おとうと』で、腹を立てて雨の中を傘も持たずに飛び出した弟を追って、傘を渡そうと必死に急ぐ姉のようすを「げん」自身の視点で展開する。そのシーンの最後で、「げんも傘なしに―・く濡れていた」と、作者は視点を転じて主人公の姿をようやく画面中央に描き出す。⇩Q同じ・おんなし・おんなじ・同一・同様

ひとしお【一入】さらに一段との意で、改まった会話や文章に用いられる古風な和語。〈人の情けが―身にしみる〉〈年をとると寒さが―身にこたえる〉〈家族のこととなれば喜びも―だ〉✎川端康成は盟友横光利一への弔辞で「国破れてこのかた―木枯にさらされる僕の骨は、君という支えさえ奪われて、寒天に砕けるようである」と述べた。染める際に一度染め汁に入れておくと色が濃く染まることからという。⇩Qいっそう・いよいよ①・ひときわ・ますます

ひとたび【一度】「一度《いちど》」の意で、主に文章中に用いる古風でやわらかい感じの和語。〈今―試みる〉〈―言い出したら最後てこでも動かない〉〈―事が起こると収拾がつかなくなる〉⇩いちど・一回・Q一旦・一遍

ひととおり【一通り】全体にわたってざっとの意で、会話にも文章にも使われる日常の和語。〈―目を通す〉〈―済ませる〉〈―説明する〉⇩一往

ひととき【一時】しばらくの間を漠然とさし、改まった会話や文章に用いられる、いくぶん古風で趣の感じられるやわ

らかい和語。〈楽しい―を過ごす〉〈一家団欒《だんらん》の―〉🖋中村真一郎の『天使の生活』に「この朝の―は、男の生活のなかで、最も甘美な味を持つ時間だった」とある。「一刻」のように何分何秒という感じはなく、多くは一、二時間程度の快い時間をイメージし、苦難の時にはなじまない。ただし、「―はやった服装」のように過去の一時期をさす場合は年単位の長さにもなりうる。漢字表記は「いちじ」と読まれやすい。⇩いちじ・一刻・Ｑいっとき・ひところ

ひととなり【人となり】 持って生まれた性格の意で、改まった会話やさほど硬くない文章に用いられる古風な和語。〈―が偲《しの》ばれる〉〈その―を如実に物語る〉🖋宇野千代の『色ざんげ』に「この兄という人の温和な―」とある。「人柄」と同様にプラスのイメージがあり、「ずるい」「ひねくれた」といったマイナス評価の語と結びつきにくい。ごくまれに「為人」と漢字を当てるとおり、「人柄」という語が、苦労を重ねることで人間的に成長するなどの後天的に獲得した部分を含む感じがするのに対して、この語は生まれつき有しているという先天性が強調される。⇩気質・気象・気性・気立て・性分・人格・人品・人物・性格・性向・性質・たち・Ｑ人柄

ひとばんじゅう【一晩中】 「夜通し」の意で、会話にも文章にもよく使われる日常表現。〈―起きている〉〈―車の往来が絶えない〉〈―かかってようやく仕上げる〉⇩終夜・夜っぴて・Ｑ夜通し・夜もすがら

ひとまず【一先ず】 まずはと一区切りつける意味合いで、会話にも文章にも使われる和語。〈これで―安心だ〉〈今日のところは―これで〉〈―帰宅する〉〈―身を寄せる〉🖋全体としてはまだ途中かもしれないが、といった含みがある。十分ではないが一息ついた感じで用いる表現。「当面」「当座」と違い、ここ当分という時間をさす用法はない。⇩さしあたり・さしずめ①・当座・当面・Ｑとりあえず

ひとみ【瞳(眸)】 瞳孔《どうこう》の意で、会話にも文章にもよく使われる和語。〈黒い―の若者〉〈―を凝らす〉🖋「―を輝かす」「つぶらな―」など、目全体をさす美称ともなる。そのプラスイメージを利用して女の子の名づけに使われる。日常的な「黒目」は命名に用いにくい。夏目漱石は『道草』で魂との交流を失った目を描き、「漫然と瞳孔《ひとみ》の向いた見当を眺めていた」と述べている。⇩黒目・Ｑ瞳孔・目

ひとめぼれ【一目惚れ】 一度出会っただけですぐ好きになる意で、会話や軽い文章に使われる和語。〈俗に言う―ってやつだ〉🖋「見初める」と違い、「才能に―して引き抜く」のように恋心以外にも用い、また、「―してその場で買っちゃった」のように人間以外にも使う。⇩見初める

ひともしごろ【灯点し頃】 薄暗くなって明かりをともす時間帯をさし、主として文学的な文章で使われる、古風で詩的な表現。〈―になると人恋しさが増す〉🖋ちなみに、小沼丹の『遠い昔』に、「人恋し―を桜散る」という白雄の句が好きだとあり、「口誦むと遠い昔がゆらゆら浮んで、何となく誰かと酒が飲みたくなる。どう云う訳かしらん？」と結ばれる。⇩Ｑ暮れ方・たそがれ・薄暮・晩方・日暮れ・夕・夕方・夕暮れ・夕刻・夕べ・夕間暮れ・宵・宵の口

ひとり【一人】 人間一名をさして、くだけた会話から文章まで幅広く使われる日常の基本的和語。〈―旅〉〈たった―〉

〈男の子と女の子が—ずつ〉〈だれ—気づかない〉✎小沼丹の『黒と白の猫』に「大声で細君を呼ぼうとして、大寺さんは家のなかに自分—なのに気附いた」とある。⇩独り

ひとり【独り】単独・独身の意で、会話や文章によく使われる日常の和語。〈—者〉〈—暮らし〉〈—寂しく〉〈—でやりとげる〉〈まだ—でいる〉✎横光利一の『春は馬車に乗って』に「妻はそう—定めてかかると」とある。⇩一人

ひとりぐらし【一人暮らし】会話やさほど硬くない文章に使われる和語。〈—は楽じゃない〉〈—は気楽でいい〉〈—の老人〉✎住むことに焦点のあたる「一人住まい」に対し、生活に重点がある。⇩一人住まい

ひとりごと【独り言／一人言】相手がいないのに声に出して物を言う口頭表現をさし、くだけた会話から文章まで使われる和語。〈ぶつぶつ—を言う〉✎小沼丹の『銀色の鈴』に「—を云って、—を云ったのに気が附いて、余計面白くない気分になる」とある。⇩呟《つぶや》く・Q独白

ひとりじめ【独り占め】自分一人だけで占有する意で、改まらない会話や軽い文章に使われる和語。〈もうけを—にする〉〈人気を—する〉〈母親の愛情を—にする〉✎「独占」に比べ、個人的・小規模な場合によく使われる傾向がある。⇩独占

ひとりずまい【一人住まい】自分一人だけで住む意で、会話にも文章にも使われる、いくぶん古風な感じの和語。〈わびしい—〉〈—に慣れないうちは、暗くなると心細くなる〉⇩一人暮らし

ひとりだち【独り立ち】自分の力だけでやっていく意で、会話やさほど硬くない文章に使われる和語。〈息子が社会に出て—する〉〈職人が親方から離れて—する〉✎「やっと—できるようになる」のように、赤ん坊が自分の力で立ち上がる意もある。⇩自活・自立・Q独立

ひとりでに　意図的な働きかけなしにの意で、会話でも文章でも使われる、やわらかい感じの日常の和語。〈—手が出る〉〈—動き出す〉〈ドアが—開く〉⇩自《おの》ずから・自ずと・自然・自然と・Q自然に

ひとりぼっち　身寄りも仲間もいない意や、その場に一人だけという意味で、会話や軽い文章に使われる和語。〈いつも—で淋しい〉〈—は子供のころから慣れている〉⇩孤独

ひとりみ【独り身】独身の意で、主に文章に用いられる古風な和語。〈まだ—だ〉〈—は気楽でいい〉〈—を託《かこ》つ〉✎福原麟太郎の『チャールズ・ラム伝』に「夢からさめて見ると、自分は、—の肱かけ椅子に静かに坐っていた」とあるように、さびしい感じが漂う。⇩売れ残り・独身・独り者・未婚

ひとりもの【独り者】独身者の意で、会話やさほど硬くない文章に使われる和語。〈—のわびしい暮らし〉〈—で通す〉⇩売れ残り・独身・Q独り身・未婚

ひなた【日向】日光のよくあたる場所をさし、会話にも文章にも使われる和語。〈—ぼっこ〉〈—に出る〉〈—に干す〉✎「日陰」と対立する語。⇩陽だまり

ひなん【批難】批判的に非難する意で、主に文章に用いられる漢語。〈先輩に—めいた口を利く〉✎単なる「非難」よりも論評を交える感じがある。⇩Q非難・批判

ひなん【非難】他人の欠点や失敗を厳しく責める意で、会話

にも文章にも使われる漢語。〈―囂々《ごうごう》〉〈―の的となる〉〈―を浴びせる〉大岡昇平の『俘虜記』に「何事にも見切りがよすぎるといって私を―した」とある。論拠が前面に出ず、「批判」よりも感情的な感じが否めない。⇩Q批難・批判

びなんし【美男子】顔のよい男をさし、会話にも文章にも使われるやや古風な漢語。〈クラスでも一、二を争う―〉「びだんし」と読むといくぶん俗っぽく響く。⇩いけめん・男前・好男子・ハンサム

ひにく【皮肉】意地悪く故意に遠まわしに批判・非難する意で、会話にも文章にも使われる漢語。〈―を言う〉〈―な言い方〉〈―に響く〉有島武郎の『或る女』に「明白な―が矢のように葉子の唇から岡に向かって飛ばされた」とある。レトリックの専門語としては、「お宅は泥棒に狙われる心配がなくて羨ましい」のように、表面上穏やかに述べながらその表現の裏に棘《とげ》をひそませて当てこする修辞技法を「―法」と呼ぶ。また、「―な結果」「―なめぐり合わせ」のように、予測と逆になるなど、思いどおりにならない意に使う用法もある。⇩Qあてこすり・あてつけ

ひにん【否認】事実ではないとしてそのことを認めない意で、改まった会話や文章に用いられる専門的な雰囲気の硬い漢語。〈犯行を―する〉〈罪状をあくまで―する〉警察や裁判などの連想が強い。⇩打ち消す・Q否定

ひねくる【捻くる】手でいじりまわす意で、主に会話に使われる俗っぽい和語。〈ハンカチを―〉〈あれこれ―・ってもうまく行かない〉「俳句を―」「文言を―」のように、苦労して作り出したりあれこれ直したりする意にも使うが、小手先でいじるという感じがつきまとい、大きな変更にはなじまない。⇩いじくる・Qいじる・まさぐる・もてあそぶ

ひねくれる【捻くれる】性質や考え方がねじけて素直でない意として、会話やさほど硬くない文章に使われる和語。〈性格が―・れている〉〈―・れた根性を叩き直す〉〈―・れた考え〉川端康成の『花のワルツ』に「根性の―・れた、意地の悪い、こましゃくれた子」とある。一時的な「すねる」に比べ、性格的に身についている感じがある。⇩すねる・Qねじける・僻《ひが》む

ひねる【捻る】指先でつまんで横に回す意で、会話でも文章でも幅広く使われる日常生活の和語。〈足首を―〉〈なぜかと首を―〉〈鶏の首を―〉森鷗外の『雁』に「幾らか紙に―・って女中に遣って」とある。強い力を加える「ねじる」とは違って、「軽く―」と言うこともでき、また、通常一度だけの行為であって同じ動作をすぐに繰り返すことはない。⇩ねじる

ひのいり【日の入り】「日没」の意で、改まった会話や文章に用いられる古風で若干詩的な和語。〈―までにはまだ間がある〉坪内逍遥の『当世書生気質』に「恰ど―の頃であった」とある。「日の出」と対立。「日没」より生活の感じがあり視覚的なイメージも強い。⇩日没

ひので【日の出】太陽が地平線・水平線上に姿を現すことをさし、会話にも文章にも使われる日常的な和語。〈初―〉〈―が近い〉〈―から日の入りまで〉プラスイメージがあってアパートなどの命名に使われたが、現在では古くさい感じ

になり「サンライズ」のほうが好まれる。なお「—の勢い」の形で前途盛んな感じの比喩的形容ともなる。「日の入り」と対立。⇩夜明け

ひのべ【日延べ】 予定日の延期および期間延長の意で、会話や硬くない文章に使われる、いくぶん古風な和語。〈催しが—になる〉〈—興行〉⇩Q延期・延長・繰り下げ・繰り延べ

ひばら【脾腹】「脇腹」の意の時代がかった古めかしい言い方。〈—に傷を負う〉⇩横っ腹・横腹・Q脇腹

ひはん【批判】 人間の考えや行動、物事のあり方などを論拠を持って否定的に評価する意で、やや改まった会話や文章に用いられる漢語。〈政府の方針を—する〉〈—的な発言を繰り返す〉〈—を招く〉〈—にさらされる〉✎田山花袋の『蒲団』に「熱い主観と冷めたい客観の—とが絡《よ》り合わせた糸のように固く結び着けられて、一種異様の心の状態を呈した」とあるように、「非難」よりもきちんと理屈で運ぶ傾向があり、「批難」よりあたりがやわらかい。⇩Q批難・非難

ひび【罅】 亀裂の意で、会話にも文章にも使われる日常の和語。〈ガラスに—が入る〉〈骨に—が入る〉〈両者の関係に—が入る〉✎長塚節の『土』に「木材は赤い歯を喰いしばったような無数の—が火と煙とを吐いていた」とある。⇩皹《びひ》

ひび【皹(皸)】 手足の皮膚が乾燥しすぎて出来る細かい割れ目の意で、会話にも文章にも使われる、やや古風な和語。〈手に—ができる〉〈寒さに—が切れる〉✎尾崎士郎の『人生劇場』に「乾いた下塗りの壁のように—の入っている足の裏」とある。漢字表記は「あかぎれ」と区別できない。⇩あかぎれ・罅《びひ》

ひび【日日】 来る日も来る日も毎日という意味で、やや改まった会話や文章に用いられる、いくぶん古風でいくらか美化した感じのやわらかい和語。〈—努力する〉〈犬のいた—〉〈—の暮らしに役立つ〉〈充実した—を送る〉〈過ぎ去った—を思い返す〉✎正宗白鳥の『微光』に「—幸福を祈らぬ日とてはなし」とある。どの日も欠かさずすべてというニュアンスのある「毎日」ほど厳密でなく、「日頃」「日常」に近い緩やかな限定で使う傾向がある。「毎日」に比べ、一日ずつというより普段の日をまとめてとらえた感じが強く、「酒びたりの—が続く」「楽しい—を過ごす」のように一定の範囲の何日かをさす用法もある。⇩日常・日頃・Q毎日・連日

ひびき【響き】 音や声、また、耳に聞こえるその感じをさし、会話にも文章にも使われる和語。〈列車の—〉〈鐘の美しい—〉〈—が伝わる〉〈—のいいことば〉✎音色を意識しやすい「音」に比べ、「—がきつい」「やわらかい—」など、体に感じる振動の快感・不快感の印象が強い。阿部昭は『人生の一日』で玩具のピアノについて「幼児のちっちゃな手が無心にふれると、グラスをはじいたような高く澄んだ—を立てる」と書く。⇩音・Q音響

ひびく【響く】 音が鳴り渡る、反響する意で、会話にも文章にも使われる和語。〈歌声が—〉〈教会の鐘が—〉〈耳にがんがん—〉✎徳田秋声の『黴』に「泣いている子供の声は(略)頭脳《あたま》に針を刺すように—・いた」とあり、石川淳の『紫苑物語』に「谷に鳴り、崖に鳴り、いただきに—・き」と

ある。「胸に―」の形で強く訴える、応えるの意で使う比喩的用法もあり、「不況が―」「寝不足が―」のように悪い影響を与える意にも使う。⇩Q轟《とど》ろく・鳴る

ひひょう【批評】 ものごとの長所や欠点を指摘した上でその本質的な価値を総合的に判定する意で、会話にも文章にも使われる日常の漢語。〈―家〉〈文芸―〉〈好意的な―〉〈手厳しく―する〉✎訪問時に小林秀雄は鎌倉の自宅で「まず感動がなきゃ、僕の―はなかった」と内省する。他人を貶すのは論理でできるが、褒めるときには感動がある、批評には、そういう分析的な論理では説明のつかないものが必要なのだという。⇩Q評論・論評

ひふ【皮膚】 動物の体表組織をさして、会話にも文章にも広く使われる漢語。〈―病〉〈―が弱い〉✎谷崎潤一郎は『刺青』で、「清冽《せいれつ》な岩間の水が絶えず足下を洗うかと疑われる―の潤沢」と、女の足を美化して描いた。⇩Q肌・はだえ

ビフテキ 「ビーフステーキ」をさし示す古めかしい呼称。〈今夜は―をふるまう〉〈肉汁のしたたる焼きたての―〉✎獅子文六の『沙羅乙女』に「好物の炭焼―も、ゴムを嚙むような気がした」とある。今ではそう珍しくないが、かつては庶民の憧れの高級料理であったため、その当時に青春を送った人にとっては、「ステーキ」以上に美味な感じのする響きを伴う。⇩ステーキ

びぶん【美文】 内容の正確な伝達よりも視覚的・聴覚的な快さの面に重点を置き、各種の技巧を駆使して華麗な表現をちりばめて美しく飾り立てた文章をさし、会話にも文章にも使われる、やや古風な漢語。〈―調で謳《うた》いあげる〉✎特に、明治中期以後に落合直文や大町桂月らの国文学者を中心に流行した一連の文章をさし、美辞麗句を並べ立てて花鳥風月を感傷的に扱った趣味的な擬古文が多い。高山樗牛の『わがそでの記』にある「夕なみ千鳥あはれに鳴きわたり物さびしき空にたぐひて」といった調子。⇩達文・Q名文

ひほう【悲報】 悲しい知らせの意で主に文章中に用いられる、やや古風な漢語。〈―が入る〉〈―に接する〉〈旅先に―が届く〉✎死の知らせを意味することが多いがそうとは限らない。そのため「訃報」より間接的な表現で、「凶報」よりも若干婉曲《えんきょく》に響く。⇩Q凶報・訃音《ふいん》・訃報

ひぼし【干乾し】 食べ物がないために飢えて痩せる意で、会話や軽い文章に使われる古風な和語。〈―になる〉✎夏目漱石は『野分』で、「自らみいらとなるのを甘んじても妻を―にする訳には行かぬ。―にならぬ余程前から妻君は既に不平である」と書いている。⇩日干し

ひぼし【日干(乾)し】 天日に干す意で、会話にも文章にも使われる、やや専門的な和語。〈魚を―にする〉✎「陰干し」の対。⇩干乾《ぼ》し

ひま【暇】 特にすることのない時間や休暇・余暇などの意で、くだけた会話から硬い文章まで幅広く使われる日常の和語。〈―を出す〉〈仕事が―だ〉〈―をつぶす〉〈―を持て余す〉〈―に飽かして〉〈―があればいつも庭いじりだ〉✎柴田翔の『されどわれらが日々』に「君、明日は―かね」とある。「休む―もない」「車の途切れる―がない」のように、すきまの意味合いでは「隙」と書くことが多い。「―な人」「―な時間」のように、することがない意では「閑」と書くこと

もある。これらの表記は文体的なレベルを若干高める。⇩間隙・隙《す》

ひまご【曾孫】孫のさらに子供をさし、会話やさほど硬くない文章に使われる和語。〈長生きして—の顔を見る〉🖉「ひいまご」と発音することもある。⇩曾孫《そうそん》・Qひこ

ひまつ【飛沫】「しぶき」の意で、主として文章に用いられる硬い漢語。〈噴水の—を浴びる〉〈—が飛び散る〉🖉島木健作の『癩』に「ぽったりと大きな血塊が封筒のまん中に落ち、—がその周囲に霧のように飛んだ」とある。⇩Qしぶき・水煙

ひまん【肥満】太り過ぎた体の状態をさして、やや改まった感じの会話や文章に用いられる漢語。〈—児〉〈—体〉〈—を防ぐ〉🖉北杜夫の『夜と霧の隅で』に「—した身体をゆすって笑った」とある。⇩Qでぶ・太っちょ

びみ【美味】「おいしい」意で改まった会話や文章に用いられる硬い感じの漢語。〈—なる料理をふるまう〉〈なかなか—である〉🖉水上勉の『土を喰う日々』に「(松茸の甘煮の)—にはあきれた」とある。「うまい」や「おいしい」が食した人間の感覚を直接表現している感じがするのに対して、この語は飲食物自体の評価に重点があり、そこから間接的に感覚をも表す、という関係になるように思われる。⇩うまい・Qおいしい

ひみつ【秘密】他人に知られないように隠しておく意で、くだけた会話から硬い文章まで幅広く使われる基本的な日常的な漢語。〈—結社〉〈企業—〉〈—文書が出回る〉〈—にする〉〈—を守る〉〈—を漏らす〉〈—がばれる〉〈—裏に事を運ぶ〉🖉「機密」と違い、「二人だけの—」のように個人的な事柄にも使う。夏目漱石の『坊っちゃん』にも「昨日帰りがけに船の中で話した事は、—にしてくれ玉え」とある。⇩機密

びみょう【微妙】きわめて細かい点のごくわずかな意味・感情・感覚・性質などの違いが問題になるときに、会話にも文章にもよく使われる漢語。〈—なニュアンスの違い〉〈—な情勢〉〈—な判定〉〈—に変化する〉〈当事者にしかわからない—な感情〉〈—な問題が絡んでくる〉🖉林芙美子の『晩菊』に「—な人生の真実」とある。複雑過ぎて明快な分析や表現のできない場合によく使われ、「繊細」のようなプラスのイメージはない。⇩繊細・デリカシー・Qデリケート

ひめい【悲鳴】恐怖や極度の苦痛や驚きから思わず発する叫び声をさし、会話にも文章にも使われる漢語。〈—をあげる〉〈深夜に—が聞こえる〉🖉井伏鱒二の『黒い雨』に「—と喚き声に分厚く取巻かれ、僕に被さっている人を振落して辛うじて起き上った」とあり、宮本輝の『蛍川』に、夥しい数の蛍に取り囲まれた「英子が—をあげて身をくねらせ」るラストシーンがある。注文が殺到して製造が追いつかないような場合に「うれしい—」という喜びの例もある。⇩Q金切り声・奇声・叫び・叫び声・絶叫・胴間声・蛮声

ひめる【秘める】「隠す」に近い意で、主として文章に用いるやや古風でいくらか美化した感じの和語表現。〈思いを胸に—〉〈闘志を内に—〉〈可能性を—〉🖉谷崎潤一郎の『細雪』で「ゆく春の名残惜しさに散る花を袂《たもと》のうちに—・めておかまし」という幸子の歌に夫の貞之助は「いとせめて

花見ごろもに花びらを―・めておかまし春のなごりに」という訂正案を示している。「隠し持つ」に近いが、「ふところにドスを」と来ると、「呑《の》む」であって「秘める」とはならない。この語は意図的に「隠す」という意味合いでなく、外からわからない形で内側に存在することをさす場合が多い。⇩隠す

ひめん【罷免】 任命権者などが一方的に任務・職務、特に公職を解いて辞めさせる意で、改まった会話や文章に用いられる専門的な漢語。〈不正のあった会計課長を―する〉〈―を言い渡す〉「内閣総理大臣は国務大臣の―権を有する」のように、大臣にも適用されるが、それによって直ちに議員の身分を失うわけではない。⇩解雇・解職・Ｑ解任・首切り・免職

ひも【紐】 物を結んだり縛ったりする糸・布・革・ビニールなどで作った細長いものの総称として、会話にも文章にも使われる日常の和語。〈靴―を結ぶ〉〈―で結わえる〉〈―をかけて縛る〉「綱」より細く、物を一つにまとめる目的で使うことが多い。⇩綱・Ｑ縄・ロープ

ひもじい 空腹の感覚をさし、会話にも文章にも時折用いられる古風な和語。〈―思いをする〉〈ひもじさに堪える〉人前で「ひだるい」と露骨に表現するのを控えて、ヒントとなる「ひ」に「文字」を添えて間接的に表した「ひ文字」という女房詞の一つに現代語の形容詞の語尾を付した語形。⇩空腹・空《す》き腹・腹ぺこ・Ｑひだるい

ひもとく【繙く】 書物を読む意で、主に文学的な文章中に用いる古風で雅《みや》びやかな感じの和語。〈古い文献を―〉〈哲学書を―〉昔の書物の帙《ちつ》の紐《ひも》をほどいて広げる意の「紐解く」から出た語であるため、書類・図面・地図・新聞など綴《と》じていないものを読む場合には使いにくい。「ひもどく」とも。⇩読む

ひやかす【冷やかす】 からかって恥ずかしがらせたり気をもたせたりする意で、会話や改まらない文章で使われる和語。〈新婚夫婦を―〉〈たどたどしい英語で買い物をする仲間を、さすが本場で小便して来ただけあると―〉得意になっている相手を覚めた目で見ながらそれに水をさして当人の高ぶった気分を醒《さ》ます行為で、親しみの感情を伴う「からかう」とは違い、意地悪く感じられるという指摘もある。夏目漱石の『明暗』に「一通り夜店でも―・して」とあるように、買うつもりなしに商品を見たり値段の交渉をしたりする意にも使う。三遊亭円右の新作落語『苦情』に「これが五万円か、安いね、安い、五万円ね、安すぎはしないか、五万円とはばかに安いね、いいのか五万円で。そうか、ではまたくる」とあるのはその一景。⇩おちょくる・Ｑからかう

ひやく【飛躍】 格段に高いレベルで活躍するようになる意で、会話にも文章にも使われる漢語。〈いっそうの―が望まれる〉〈めざましい―を遂げる〉「成績が―的に伸びる」のように、急に大幅な向上を見せる場合に使うのもその延長上の用法。「話が―する」「論理に―がある」のように、必要な手順を跳び越えてしまってつながりがない意にも使う。⇩躍進

ひやく【秘薬】 「秘伝の薬」の意で製法などを内密にしてある薬をさし、改まった会話や文章に用いられる古風な漢語。〈家伝の―〉〈江戸時代から伝わる―〉単に世の中に知ら

れていない妙薬の意にも使う。⇩Q妙薬・良薬

ひゃくしょう【百姓】農業を生業とする人の意で、会話にも文章にも使われる漢語。〈一一揆〉〈お一さん〉〈一が汗水垂らして作った米〉✎以前、「どん一」「水呑み一」「一の出」などと軽蔑の気持ちを込めて使われることがあったため、現代では職業に対する不当な差別意識を伴う語としてその使用を控える傾向にあるが、誇りをもって自称したり、農業問題などを自ら提示するときに用いる例もある。大原富枝の『婉という女』に「健やかに強い体臭を発散する、素朴な一」とある。⇩農夫・農婦・Q農民

ひゃくぶんひ【百分比】「パーセント」の意で、主に文章中に用いられる、やや古風な漢語。〈統計結果を一で示す〉⇩パーセント・Q百分率

ひゃくぶんりつ【百分率】「パーセント」の意で、主に文章に用いられる漢語。〈年利率を一で表示する〉⇩Qパーセント・百分比

びゃくや【白夜】「はくや」の慣用的な読み。〈一を体験する〉⇩はくや

ひやざけ【冷や酒】燗《かん》をしない日本酒をさし、会話にも文章にも使われる和語。〈茶碗で一をあおる〉〈一はあとで利く〉✎「冷酒《れいしゅ》」と違い、通常お燗をして飲む普通の酒を常温で飲む場合に言う。⇩燗冷《ざかん》まし・Q冷酒

ひゃっかてん【百貨店】「デパート」をさす古風な漢語。〈一で買い物をする〉〈銀座にある老舗一の本店〉✎小林秀雄の『モオツァルト』に「一に駈け込み、レコオドを聞いたが、もはや感動は還って来なかった」とあるように、当時はごく普通に用いられたが、今では相当古めかしい用語に感じられるようになった。ただし、「デパート券」はスーパーでも使え、「一券」はデパートのみの使用となるケースもあるという。現代における新しい使い分けであり、「百貨店」も細々と権威をとどめている。⇩デパート

ぴやぴや　艶があってなめらかな感じを表す創作的なオノマトペ。✎中勘助の『銀の匙』に「円くあいた唇のおくから一した声がまろびでる」という表現が出てくる。「ぴやぴや」は擬声語か擬態語かと一瞬迷うが、「円くあいた唇」から「まろびでる」という言語環境に置かれたこの表現は、いずれにしても読む者に、艶のある声のなめらかな質感を連想させる。幼い日の思い出として、「その美しい声にうたわれた無邪気な謡《うた》は今もなおこの耳になつかしい余韻をのこしている」とそこにはある。

ひややか【冷ややか】「冷たい」意で、改まった会話や文章に用いられる、いくぶん古風な感じの和語。〈秋の山の一な空気〉✎辻邦生の『天草の雅歌』に「一な、威圧するような態度」とある。「一な目で見る」「一に笑う」のように冷淡の意で使う例が多い。⇩寒い・涼しい・Q冷たい

ひゆ【比喩】対象を他のイメージをとおして間接的に伝える表現技法をさし、会話にも文章にも広く使われるやや専門的な漢語。〈一表現の一種〉〈一的意味〉✎直喩・隠喩などの種類に分かれる。「たとえ」より正式な用語。⇩喩え

ビューティーパーラー「美容院」をさしてある時期盛んに用いられた美称。今ではむしろ時代遅れの感じが伴う。⇩パーマ屋・Q美容院・美容室・ヘアサロン

ヒューマー 「ユーモア」のうち、単なる滑稽ではなく、人間らしさの横溢《おういつ》するしみじみとしたおかしみの部分をさす専門的な外来語。〈人間味あふれる―の世界〉作家訪問の際に庄野潤三は「僕の求めてるのは美しい文章じゃなくて、読んでるとひとりでに笑えてくるような文章」だとし、「イギリス風に言えば―ですね」と語った。⇩ウイット・エスプリ・機知・機転・頓智《とんち》・Qユーモア

ヒュッテ 「山小屋」をさすやや古風な外来語。〈頂近くの―にたどり着く〉「ザイル」や「ピッケル」などとともにドイツ語から入って来た登山用語で、ひところ斬新な感じで愛用されたが、最近では使用頻度の減少とともに、むしろ古い感じに受けとられる傾向がある。⇩山小屋

ひよう【費用】 何かを買ったり行ったりするのに必要な金額をさし、会話にも文章にも使われる日常の漢語。〈増築の―〉〈―を捻出する〉〈―がかかり過ぎる〉〈―をまかなう〉「経費」より日常生活で気軽に使う。一定の枠で集計する感じの「経費」に比べ、個々の事柄について算出する感じが強い。⇩経費

ひょういつ【飄逸】 世俗的なことにこだわらず、型にはまらないで気楽に生きている意で、主に文章に用いられる漢語。〈―な人物〉〈明るく―なところがある〉〈―な作風〉小沼丹の『木山捷平』に「虚実とりまぜながらこのことに触れた作品で、―の味がある」とある。⇩飄然・Q飄々

びよういん【美容院】 髪のカットやパーマなどを施す店をさし、会話でも文章でも広く使われる日常漢語。〈行きつけの―〉類語の中で最も一般的な言い方。小沼丹の『黒と白の猫』に「大寺さんの細君はその日、珍しく―に行った。(略)それが死出の化粧となろうとは夢にも思わなかっただろう」とある。⇩パーマ屋・ビューティーパーラー・Q美容室・ヘアサロン

びょういん【病院】 患者の収容病床二十以上の大規模医療施設をさし、くだけた会話から文章まで幅広く使われる日常の基本的な漢語。〈専門―〉〈大学―〉〈救急―〉〈―勤務〉〈―に担ぎ込む〉〈―に入院する〉遠藤周作の『海と毒薬』に「病院の窓々にはうるんだ灯がともり、港にはいる満艦飾の船のように見えた」とある。⇩医院・クリニック・Q診療所

ひょうか【評価】 価値や成績を判定する意で、会話にも文章にも使われる漢語。〈―基準〉〈相対―〉〈過大―〉〈土地の―額〉〈高い―を受ける〉〈―が低い〉〈高く―する〉〈まだ―の定まらない現代作家〉夏目漱石の『こころ』に「私の論文は自分が―しているほどに、教授の目にはよく見えなかったらしい」とある。「その点は―できる」のように、近年は高い評価に限定する用法も見られる。その場合、「評価しない」は価値判断をしない意味ではなく、悪い評価を与える意味になる。⇩成績・評定

びょうが【病臥】 病気で床に伏す意で、主として改まった漢文調の文章に用いられる硬い感じの漢語。〈―の身となる〉〈長期に及ぶ―のためすっかりやつれ果てる〉瀧井孝作の『積雪』に「老父は七八日―したらしかった。―して介抱などそうあてにせず、覚悟のよい大往生のようであった」といった一節がある。「丈余の積雪」「痩顔白骨の如く」という語も自らの感傷を律しきった硬質の表現環境の中で、この語も自らの感傷を律しきった

冷たく勁《つよ》い響きを感じさせる。⇩Q仰臥・伏せる

ひょうき【表記】ことばの書き表し方の意で、改まった会話や文章に用いられる専門的な漢語。〈—法〉〈—上の約束事〉〈簡略な—を採用する〉〈漢字で—する〉✎「—の住所に郵送する」のように、物の表面に書き記す意で用いる場合は、主に文章に使われる改まった感じの漢語。⇩標記

ひょうき【標記】目印・符号や題目などを書く意で主として文章に用いられる正式な感じの硬い漢語。〈禁止事項を示す—に注意されたし〉〈—の件につき審議する〉⇩表記

びょうき【病気】体や心の異状の意で、くだけた会話から硬い文章まで幅広く使われる日常の基本的な漢語。〈—になる〉〈—にかかる〉〈—が重る〉〈—が快方に向かう〉✎網野菊の『風呂敷』に「主治医の見立て通りで、不治の—ではないことがハッキリした」とある。⇩障り・疾患・Q疾病・病魔・病・患い

ひょうきん【剽軽】言動が軽率で滑稽な感じを与える意で、会話にも文章にも使われる、いくらか古風な感じの漢語。〈—な人〉〈—なことを言う〉✎徳田秋声の『風呂桶』に「—な女ではあったけれど、決して踊りはしなかった」とある。⇩可笑《おか》しい①・傑作②・滑稽・Qコミカル・ユーモラス

ひょうけつ【表決】賛否などの態度を表明して決める意で、改まった会話や文章に用いられる硬い漢語。〈賛否を—する〉〈挙手による—〉⇩Q評決・票決

ひょうけつ【票決】投票による決定の意で、改まった会話や文章に用いられる正式な感じの漢語。〈議案を—する〉⇩表決・Q評決

ひょうけつ【評決】評議して決定する意で、改まった会話や文章に用いられる硬い漢語。〈陪審員による—〉⇩Q表決・票決

ひょうげん【表現】人間の内面にある思想・知識・感覚・感情などの情報を、他の人間が自分の感覚で具体的に認知できる表情・身振り・行動や言語・音楽・絵画・彫刻などの形で外面に示す行為をさし、くだけた会話から硬い文章まで幅広く使われる日常の基本的な漢語。〈—力〉〈—態度〉〈言語—〉〈待遇—〉〈喜怒哀楽の—〉〈—しがたい不思議な味わい〉〈素直な—〉〈大胆な—〉〈微妙な心理を巧みに—する〉〈説得力のある効果的な—〉〈—しがたい不思議な味わい〉✎小林秀雄の『モオツァルト』に「批評も亦一種の文学である限り(略)—様式の変化を経験しただけ」とある。同じく小林秀雄の『様々なる意匠』には「詩人は如何にして、已れの—せんと意識した効果を完全に—し得ようか」とある。意図的な行為に限定し、無意識に出る場合を「表出」「流露」などとして区別することもある。⇩表す・Q表出・表明

ひょうげんがく【表現学】「表現論」をすでに学問的整備がなされたという認識で、学術的な会話や文章に用いられる専門的な漢語。〈—の成立〉⇩表現論

ひょうげんぎじゅつ【表現技術】表現を行う際に採用する手段・方法やその折に試みるさまざまな表現上の工夫をさし、会話にも文章にも使われる漢語。〈—に秀でている〉✎修辞技法や文彩もその一部にあたる。⇩Q表現技法・表現法

ひょうげんぎほう【表現技法】個々の独立した方法として慣用的に固定されている各種の表現技術をさし、学術的な会

話や文章に用いられる専門的な漢語。〈―をひととおり修める〉⇩表現技術・表現法・Q文彩

ひょうげんほう【表現法】表現の仕方を漠然とさし、会話にも文章にも使われる漢語。〈国語―〉〈文章―〉✎「表現技術」というほど特殊でなく「表現技法」というほど固定的でない場合を含めて広くさし示すゆるやかな表現。レトリックにおける具体的な表現部門や、ある作品・作家・ジャンルなどに特徴的なことばづかいをさす用法もあり、それらの場合は専門語。⇩表現技術・Q表現技法

ひょうげんろん【表現論】主として言語表現の方法と伝達効果との関係を研究する学問分野をさし、学術的な会話や文章に用いられる専門的漢語。〈近代詩の―〉⇩表現学

ひょうご【標語】モットーやスローガンなど、主義主張を表す短いことばの意で、会話にも文章にも使われる漢語。〈交通安全の―〉〈―を掲げる〉⇩評語

ひょうご【評語】批評のことばの意で、改まった会話や文章に用いられる、やや専門的な漢語。〈作品審査の―を記す〉〈辛辣な―〉⇩標語

ひょうこう【標高】「海抜」の意で、現在では「海抜」より一般的によく使われるいくぶん専門的な漢語。〈富士山は―三七七六メートルで日本の最高峰〉⇩海抜

ひょうじ【表示】文書や図表などの形でわかりやすく示す意で、やや改まった会話や文章に用いられる漢語。〈意思―〉〈住居―〉〈非常口の―〉〈結果を整理して―する〉⇩Q掲示・展示

びょうし【病死】病気で死ぬ意で、やや改まった会話や文章に用いられる漢語。〈父が―し、今は母がひっそり暮らしている〉⇩病没

びようしつ【美容室】実質的には「美容院」に近い意味で、会話でも文章でも使われる漢語。〈―を経営する〉〈最近オープンしたばかりの―〉✎「院」と「室」との違いから「美容院」よりこぢんまりした感じを受ける一方で、店名に用いる例が多いこともあり、一流の美容師による個性的な店を連想させる面もあり、やや専門的な響きがあるように思われる。⇩パーマ屋・ビューティーパーラー・Q美容院・ヘアサロン

びょうしゃ【描写】対象を客観的に観察して知覚・認識したものをありのままに描き写す意で、会話にも文章にも使われる漢語。〈自然―〉〈人物―〉〈見たとおりに―する〉〈夜の盛り場を―する〉✎「説明」と対立。永井荷風の『濹東綺譚』に「世をしのぶ境遇を―する」とある。⇩Q描く・表現・描出

ひょうしゅつ【表出】内面の思想や感情などを、言語・絵画・音楽など相手が感覚的にとらえうる形にして表すことをさし、改まった会話や文章に用いられる専門的な漢語。〈感情を―する〉✎文学作品などでは、意図的なものを「表現」、無意識に現れるものを「表出」として区別する立場もある。⇩Q表す・表現・描出・表明

びょうしゅつ【描出】観察した内容をそのまま文章などに描き出す意で、主に文章に用いられる専門的な漢語。〈―話法〉✎夏目漱石の『草枕』に「―した一種の気韻」とある。直接話法と間接話法との中間的な話法を「―話法」と呼び、客観性を保ちながら登場人物の心理を生き生きと伝えるの

に効果がある。⇩描く・表現・Q描写・表出

ひょうじゅん【標準】比較や判断のよりどころとなる基準や手本などをさし、会話にも文章にも幅広く使われる基本的な漢語。〈—語〉〈—服〉〈—時〉✎宮本百合子の『二つの庭』に「何を—にしているのかとにかくきまりすぎた席次」とある。単なる目安や平均ではなく規範とすべきものという意識がある。⇩基準

ひょうじゅんご【標準語】その国で規範とされ、教育の場や公用文・放送などに用いる言語体系をさし、会話にも文章にも使われる漢語。〈—教育〉〈人前では—を使う〉✎通用するという実用性に重点のある「共通語」と違い、規範として理想的にとらえるところに重点がある。⇩共通語

ひょうじょう【表情】気持ちなどの内面が顔に現れたようすをさして、会話にも文章にも広く使われる日常の基本的な漢語。〈—が豊かだ〉〈—に出やすい〉〈—が明るい〉〈—を変えない〉✎宮本百合子の『伸子』に「蒼白い皮膚の下から悦びが照り出すような—」とある。「顔色」や「面持ち」と違い、「街の—」のような比喩的用法もあり、その場合は詩的な雰囲気が漂う。⇩面持ち・Q顔色・顔つき

びょうじょう【病状】病気の状態の意で、やや改まった会話や文章に用いられる漢語。〈—が安定している〉〈—の回復を待つ〉〈—の悪化を招く〉✎「症状」より総合的な判断。⇩症状

ひょうぜん【飄然】ふらりとやって来たり、ふらりと立ち去ったりする意で、主に文章に用いられる漢語。〈—と来て—と去る〉〈—と家を出る〉✎池谷信三郎の『橋』に「まるで

黒いゴム風船のように、—とこの屋上庭園に上って来た」とある。比喩的に世間離れした暢気《のんき》な生き方を意味することもある。⇩飄逸・Q飄々

ひょうそう【表層】物の表面近くの層をさし、改まった会話や文章に用いられる専門的な漢語。〈—雪崩〉〈—構造〉✎「深層」と対立。⇩うわつら・うわべ・皮相・Q表面

ひょうだい【表題】表紙に示された書物の題名をさし、改まった会話や文章に用いられる硬い感じの漢語。〈—がなかなか決まらない〉〈本の—に工夫する〉⇩題・タイトル・題名・題目・標題

ひょうだい【標題】講演の演題や演劇の演目や書類の見出しなどをさし、改まった会話や文章に用いられる硬い漢語。〈奇抜な—を掲げる〉〈—音楽〉⇩題・タイトル・題名・題目・表題

びょうたい【病態】病的な状態の意で、学術的な会話や文章に用いられる専門的な雰囲気の漢語。〈—に若干の変化が見られる〉⇩容態

ひょうちょう【表(標)徴】「象徴」の意で文章中に用いられる硬い漢語。〈碇《いかり》のマークは船の—となる〉✎「平等な話し合いは民主主義の—である」のように、外部に現れるしるしを広くさすが、「象徴」「シンボル」と違って一般にはあまり使われない。⇩Q象徴・シンボル

ひょうてい【評定】一定の基準に従って評価を定める意で、改まった会話や文章に用いられる専門的な漢語。〈勤務—〉〈価格の—が出る〉⇩評価

びょうどう【平等】取り扱いに差別がなくすべて等しい意で、やや改まった会話や文章に用いられる正式な感じの漢語。

〈男女―〉〈―に分配する〉〈どちらの意見も―に聞く〉〈―の権利を有する〉特に人間の価値や権利などを問題とする際に、日常的な「公平」よりよく使う。「不平等」と対立。⇩公正・Q公平

びょうにん【病人】 病気になった人の意で、くだけた会話から硬い文章まで幅広く使われる日常の漢語。〈家族に―が出る〉〈―を見舞う〉〈―の看護〉横光利一の『時間』に「厄病神のように思われて皆から厄介扱いにされていた―」とある。病院に行けば「患者」ともいえる。⇩患者

ひょうはく【漂泊】 さまよい歩く意で、主として文章中に用いられる古風で美化した感じの漢語。〈あてどなく―を続ける〉〈―の旅〉〈―の詩人〉帰宅しないだけでなく、一つの場所にとどまっていない感じが強く、比喩的用法も多い。⇩さすらい・さまよう・Q彷徨《ほうこう》・放浪・流浪

ひょうばん【評判】 世間一般の批評、世間で話題になっていることをさし、会話にも文章にも広く使われる漢語。〈―倒れ〉〈前―が高い〉〈―がいい〉〈悪い―が立つ〉〈―が―をよぶ〉〈今―の品〉〈―倒れに終わる〉〈世間で―になる〉〈中高年に―が悪い〉夏目漱石の『坊っちゃん』に「生徒の―は堀田さんの方がええというぞなもし」とある。話題性に重点のある「人気」と比べ、いいか悪いかの評価が含まれる。泉鏡花の『高野聖』に「蜘蛛の巣のように―が八方へ」とある。⇩Q噂・世評・人気・風説・風評・風聞

ひょうひょう【飄飄】 態度・考え方・行動などが世事にも形式にもとらわれず思うままに行われる意で、改まった会話や文章に用いられる漢語。〈―とした人柄〉〈―としてとらえどころがない〉山本有三の『真実一路』に「物にこだわるところがなく、いつも、―としている」とある。風の吹くままに翻る意から。⇩Q飄逸・飄然

びょうぼつ【病没(歿)】 人が病気で亡くなる意で、文章に用いられる、やや古風で改まった漢語。〈旅先にて―〉〈祖父の―後はや十年が経つ〉端的な「病死」に比べ、「死」の文字を避けて「歿」と若干間接化した表現で、やや丁寧な感じがある。⇩病死

ひょうほん【標本】 学習用の実物見本をはじめ一般に典型的な例をさし、会話にも文章にも使われる、いくぶん専門的な漢語。〈昆虫の―〉〈―を集める〉〈真面目人間の―〉岡本かの子の『母子叙情』に「十坪程の表庭の草木は、硝子箱の中の―のように、くっきり茎目立って、一きわ明るい日暮れ前の光線に形を截り出されている」という比喩表現の例がある。なお、標本(サンプリング)調査で母集団から抽出された個々の対象をさす用法もあり、その場合は専門的な響きがある。⇩一例・サンプル・典型・Q見本・例

びょうま【病魔】 病気の意で、主に文章に用いられる漢語。〈―に冒される〉〈―に襲われる〉重くて治り難い病気を魔物に見立てた表現。⇩障り・疾患・疾病・Q病気・病・患い

ひょうめい【表明】 立場・態度・意思などを正式に広範囲に知らせる意で、改まった会話や文章に用いられる漢語。〈決意―〉〈所信―演説〉〈引退を―する〉⇩Q公表・表現・表出

ひょうめん【表面】 対象の見てわかる外に面している部分、特に他からすぐ見える部分をさし、会話にも文章にも使われる漢語。〈―張力〉〈―に光沢がある〉〈板の―がなめら

かだ〉〈―はぱりっと、中はしっとり〉〈―はおとなしい〉✎「―を飾る」「内部抗争が―化する」のように物体以外にも使う。「裏面」と対立。⇩Qおもて・うわつら・うわべ・皮相・Q表層

ひょうろん【評論】 ものごとの是非・善悪・価値・美醜・優劣などを論ずる意で、会話にも文章にも使われる、やや硬い漢語。〈―家〉〈美術―〉〈雑誌に―を寄せる〉✎図式的には、評価するまでが「批評」で、それを文章化したのが「評論」となるが、現実にはほとんど区別なしに使われている。⇩Q批評・論評

ひょっこり 思いがけないことにの意で、くだけた会話に使われる俗っぽい和語。〈―姿を現す〉〈街で―出会う〉✎小沼丹の『障子に映る影』に「炬燵に当ってぼんやりしている。そんなとき、―遠い昔の記憶が甦ることがある」とあるように、どうしてそうなるのかわからないという軽い驚きとささやかな感動がある。⇩偶然・Qたまたま

ひょっとしたら 「もしかしたら」の意で、くだけた会話に使われる和語表現。〈―あいつが好きなんじゃないか〉⇩あるいは②・Qひょっとすると・もしかしたら・もしかすると

ひょっとすると 「もしかすると」の意で、比較的くだけた会話に使われる和語表現。〈―もう生きていないかもしれないなあ〉✎「もしかすると」よりさらに確率の低い感じがある。⇩あるいは②・ひょっとしたら・もしかしたら・Qもしかすると

ひより【日和】 「天気」の意で、会話にも文章にも使われる、いくぶん古風な感じの和語。〈遠足―〉〈本日はお―もよく〉✎「小春―」「秋―」のように通常は好天をさすが、川上弘美は『溺レる』で、淡い雪の降る日を「ちょっと死に―すぎて困ってしまいますね」と書き、まさに心中事件としてさまになる天候という意味をこめた。⇩空模様・Q天気・天候

ひょろつく 足元が定まずふらつく意で、くだけた会話に使われる俗っぽい和語。〈足元が―・いて危なっかしい歩き方〉⇩Qふらつく・よろける・よろめく

ひょろながい【ひょろ長い】 ぶかっこうに細長い意で、主にくだけた会話に使われる俗っぽい和語。〈―体つき〉〈いやに―木〉✎バランスが悪く弱々しくて頼りない感じもある。⇩長っ細い・長細い・Q細長い

ひよわ【ひ弱】 弱々しい感じをさす和語。「かよわい」よりこころもち改まった感じの語。〈―な子供〉〈―な体質〉〈見るからに―な感じ〉✎「かよわい」が頼りなく見えて力になってやりたい気持ちにさせる感じが中心なのに対して、この語は体が弱くて病気になりそうな状態を客観的に表す感じがある。林芙美子の『うず潮』に「雨にたたかれている、小さなしじみ蝶のような、ひよわい悠一の姿」とあるように、「ひよわい」という形容詞形もある。⇩か弱い・軟弱②・弱い

びら 宣伝・広告のために文章や絵を印刷した紙をさし、会話や軽い文章に使われる和語。〈アジ―〉〈―を撒く〉〈駅前で―を配る〉✎手で配ったり新聞に折り込んだりする以外に「ちらし」と違って壁や電柱などに貼ることもある。「枚」や「片」の漢字を当てることもあったが、現在はむしろ英語 bill の連想もあってか「ビラ」と片仮名書きする例が多い。⇩散らし

ひらおよぎ【平泳ぎ】うつぶせになって両手で左右に水をかき分けながら進む泳法をさし、会話でも文章でも最も普通に使われる和語。〈二〇〇米―決勝〉✎サトウハチローの『バタフライその他』に「バタフライは、目下のところ、未だ―の部にはいっている」とある。⇩ブレスト

ひらき【開き】「差」の意で、会話にも文章にも使われる和語。〈多少の―がある〉〈実力の―は歴然としている〉✎「両―の戸」「鯵《あじ》の―」「会をお―にする」「店―」など多様な意味で使う。⇩懸隔・Q隔たり

ひらく【開く】閉じた状態から広く開いた状態に変わる（変える）意で、会話から硬い文章まで幅広く使われる、日常生活の基本的な和語。〈扉を―〉〈窓を―〉〈新たに店を―〉〈会を―〉〈傘が―〉〈花が―〉✎夏目漱石の『坊っちゃん』に「(手紙を)―・いて見ると、非常に長いもんだ」とある。漢字表記は「あく」と区別がつきにくい。引き戸より押し開くドア式の場合にぴったりし、片引きの戸の場合は若干イメージが合わない。窓なら左右に押し開くタイプが最もイメージがぴったりする。なお、電車の「ドアが―・きます」という車内アナウンスは、左右に分かれるドアによく合い、片側に引き込むタイプでは多少違和感を覚える。「あく」よりやや改まった感じがあるため、乗客へのいくらか丁寧な表現として選ばれやすいという面もあるかもしれない。⇩Qあく・あける

ひらたい【平たい】厚みが薄く、横に広がっていて凹凸《おうとつ》に乏しい意で、会話にも文章にも使われる日常の和語。〈―皿〉〈―顔〉✎志賀直哉の『暗夜行路』に「中の海の大根島にも陽が当り、それが赤鱏《えい》を伏せたように―・く」とある。「―・く言えば」のように、平易の意で使うこともある。⇩平ら・Q平べったい・扁平

ピラフ　バターで炒めた米に肉・海老・貝・野菜などを加えてスープで炊き上げた混ぜ御飯をさし、会話にも文章にも使われるフランス語からの外来語。〈レストランで―を注文する〉✎中近東を起源とする米料理で、もとペルシャ語から出た語という。⇩Q炒飯《チャーハン》・焼き飯

ひらべったい【平べったい】「平たい」の意で、主にくだけた会話に使われる俗っぽい和語。〈横に広く―建物〉〈胸が―〉✎大江健三郎の『芽むしり仔撃ち』に「広く―顔」とある。⇩平ら・Q平たい・扁平

ひらめき【閃き】鋭い勘の働きをさし、改まった会話や文章に用いられるプラスイメージの和語。〈一瞬の―〉〈―がある〉⇩Qインスピレーション・勘・直観・直感・霊感

ひらめく【閃く】①風に翻る意で、会話にも文章にも使われる和語。〈旗が―〉⇩はためく・Q翻る　②一瞬ぴかりと光る意で、やや改まった会話や文章に用いられる和語。〈稲妻が―〉〈―雷光に一瞬浮かぶ〉⇩輝く・煌《きら》めく・Q光る　③瞬間的に思い浮かぶ意で、会話にも文章にも使われる和語。〈名案が―〉〈突然いい考えが―〉✎相馬泰三の『六月』に「慄え上るような心持ちが電光のように―・いた」とある。「考えつく」はもちろん「思いつく」と比べても、論理的な思考過程とは無関係に瞬間的に脳裏をよぎる唐突な感じが強い。⇩Q思いつく・考えつく

びり　「最下位」の意で、くだけた会話に使われる俗っぽい和

語。〈徒競走で—になる〉〈成績はクラスで—から三番目〉⇩Q最下位・最後尾・しんがり・どんじり・びりっけつ

ひりつ【比率】 一方の他方に対する割合をさし、会話にも文章にも使われる漢語。〈—が低い〉〈通貨の交換—〉✎「比」と違い、「合格の—」「成功する—」のように、可能性の程度や確率をさす用法もある。⇩Q比・比例・割合

びりっけつ 「びり」のさらに俗っぽい表現。〈なんと—とは呆《あ》きれた〉✎「けつ」に「穴」をあてる表記もある。⇩最下位・最後尾・しんがり・どんじり・Qびり

ビリヤード 台上に数個の玉を置き棒で突いて勝敗を争うゲームをさす外来語。現代の標準的な呼称。古くは「撞球《どうきゅう》」とも称した。〈—に興じる〉⇩玉突き・Q撞球

ひりょう【肥料】 植物の生育を促進するための栄養物質をさし、会話にも文章にも使われる日常の漢語。〈化学—〉〈農作物に—をやる〉✎下肥《しもごえ》や堆肥《たいひ》も含むが、化学肥料を連想する傾向が強い。⇩肥・Q肥やし・下肥

びりょう【鼻梁】 「鼻筋」の意で、主として文章中に用いられる専門的な硬い漢語。〈—の鋭い人〉✎堀田善衛の『広場の孤独』に「鋭い直線的な—」とある。⇩鼻・Q鼻筋

ひる【昼】 正午、または、日の出から日の入りまでの明るい時間をさし、くだけた会話から硬い文章まで幅広く使われる日常の基本的な和語。〈—前〉〈—過ぎ〉〈—のうちから酒びたりだ〉〈—のうちに片づける〉✎森鷗外の『半日』に「—の食事の支度をする」とある。「夜」と対立する場合と「朝」「晩」と対立する場合とがある。「—の支度で忙しい時刻」として間接的に昼食をさすこともある。「お—を済ませる」のように、「お昼」の形で昼食をさす用法も多い。⇩昼日中《ひるひなか》・Q昼間・真昼

ひる【蛭】 会話でも文章でも使われる環形動物の名。〈山—〉〈—が吸い付く〉✎一般に醜いもの、不快な対象とされるが、川端康成の『雪国』では、動物じみた奔放な女性として描かれるヒロイン駒子の魅力的な唇の比喩として使われる。「小さくつぼんだ唇はまことに美しい—の輪のように伸び縮みがなめらかで」、「映る光をぬめぬめ動かしているよう」だという。作中でこの比喩が繰り返され、象徴化が進む。

ビル 「ビルディング」の略として会話にも文章にも使われる日常語。〈—風《かぜ》〉〈高層—〉〈—の陰になる〉〈高い—がなく遠くまで見渡せる〉✎永井龍男の『風ふたたび』に「対岸の—の灯も、川を渡る総武線の灯も、その(花火の白煙)中に見えがくれした」とある。⇩建造物・建築物・建物・ビルディング

ひるがえる【翻る】 風を受けてひらひらと揺れながら時折裏を見せる意で、改まった会話や文章に用いられる和語。〈日章旗が翩翻《へんぽん》と—〉✎「態度が—」「決定が—」のように、ひっくり返る意にも使う。⇩Qはためく・ひらめく①

ひるげ【昼餉】 「昼飯」の意で主として文学的な雰囲気の文章に用いられる古風で優雅な感じの和語。〈—時〉〈—のひととき〉⇩お昼・午餐《ごさん》・ちゅうじき・ちゅうしょく・昼御飯・Q昼飯・ランチ

ひるごはん【昼御飯】 「昼飯」の意で会話や改まらない文章に用いる日常語。〈—のしたくにかかる〉〈友達の家で—をご

馳走になる〉✎「昼飯」より丁寧な表現だが、改まった感じはない。⇩お昼・午餐《ごさん》・ちゅうじき・ちゅうしょく・昼餉《ひるげ》・Ｑ昼飯・ランチ

ひるさがり【昼下がり】「昼過ぎ」に近い意味で、改まった会話や文章に用いられる古風な和語。〈のんびりとくつろぐ日曜の―〉〈うららかな春の日の―〉✎事務的な感じの「昼過ぎ」に比べ、のどかな情緒が感じられ、放火事件や殺人事件などの報道にはなじまない。感覚としては「昼過ぎ」よりも長く、午後二時頃まで含みそうな雰囲気がある。⇩昼過ぎ

ひるすぎ【昼過ぎ】正午を少し過ぎた頃の意で、会話にも文章にも使われる日常の和語。〈―から雨になる〉〈―に出かける〉✎通常は午後一時あたりまでを連想しやすい。⇩昼下がり

ビルディング 鉄筋コンクリートなどの高層建築物をさし、改まった会話や文章に用いられる少し正式な感じの外来語。〈巨大な―が建ち並ぶ〉✎尾崎士郎の『人生劇場』に「高い―の層が凹凸の線を空に描いて、削りたてた丘のようにつらなり」とある。古くは「ビルヂング」とも書いた。⇩建造物・建築物・建物・ビル

ひるね【昼寝】昼間の時間に寝る意で、くだけた会話から文章まで広く使われる日常の和語。〈食後の―〉〈―の習慣〉✎夜寝る人がそれ以外に昼間も寝る場合に用いるのが通例で、夜間勤務の翌日に昼間の時間に就寝するようなケースにはなじまない。⇩午睡

ひるひなか【昼日中】「昼間」の意の強調表現で、主として会話に使われる。〈―の犯行〉〈この―にラブシーンを見せつけられちゃ、よけい暑くなる〉✎そういう時刻にふさわしくないというニュアンスで使われる傾向がある。⇩Ｑ昼間・真っ昼間・真昼

ひるま【昼間】朝から夕方までの時間をさし、会話やさほど硬くない文章によく使われる日常の和語。〈―のうちに片づける〉〈―から宴会でもあるまい〉✎小沼丹の『タロオ』に「夜は犬小屋に眠るが、―は窓の下に鎖で繫がれている」とある。⇩Ｑ昼日中《ひるひなか》・真っ昼間・真昼

ひるむ【怯む】勢いに押されて弱気になる意で、会話にも文章にも使われる和語。〈相手の剣幕に思わず―〉〈―ことなく立ち向かう〉✎久保田万太郎の『末枯』に「鈴むらさんは決して―・まなかった」とある。⇩たじろぐ

ひるめし【昼飯】昼時の食事をさし、主として男性がくだけた会話に用いる日常的な和語表現。〈―を食いそこねる〉〈急いで―をかきこむ〉✎もとは普通のことばだったが、今では「昼御飯」のぞんざいな言い方に感じられる。⇩お昼・午餐《ごさん》・ちゅうじき・ちゅうしょく・昼餉《ひるげ》・Ｑ昼御飯・ランチ

ひれい【比例】AとBの比がCとDの比に等しい意、または、二つのものが互いに一定の関係で変化する意を表し、会話にも文章にも使われるやや専門的な漢語。✎井上ひさしの『日本亭主図鑑』に「余暇の量と物事について考える量との間に―の関係はまったくない」とある。⇩Ｑ比・比率・割合

ひれき【披瀝】心の中で考えていることを包み隠さずに打ち明ける意で、主に文章中に用いられる硬い漢語。〈苦しい胸のうちを―する〉〈本心を―する〉✎田山花袋の『田舎教

師』に「打解けて語ると言っても心の底を互に―するようなことはなかった」とある。⇩披露

ひれつ【卑劣】品性が卑しくやり方が汚い意で、改まった会話や文章に用いられる硬い漢語。〈―な手段に訴える〉〈―な行動に出る〉✎臆病な感じの「卑怯」と比べ、品性が劣り陰険な感じが強い。⇩卑怯

ひろい【広い】幅や面積が大きい意の基本的な和語。くだけた会話から硬い文章まで使える。〈―部屋〉〈川幅が―〉〈額が―〉✎小沼丹の『外来者』に「かなり―芝生の庭を見ながら」とある。⇩だだっ広い

ひろう【拾う】落ちているものを取り上げる意で、くだけた会話から文章まで幅広く使われる基本的な和語。〈落とし物を―〉〈空き缶を―〉✎加能作次郎の『世の中へ』に「鼠が物を引くように、おずおずと膝の前に散っている銀貨を―・った」とある。敵失《てきしつ》で勝つ場合に「負け試合を―」というように、失ったはずのものを手に入れる意でも使う。なお、タクシーの場合、乗客は「車を―」と言い、運転手は「客を―」と言う。⇩拾得

ひろう【披露】多くの人に見せたり知らせたりする意で、改まった会話や文章に用いられる漢語。〈襲名―〉〈結婚―宴〉〈長年にわたる研究で積み上げてきた蘊蓄を―する〉〈取って置きの芸を―する〉⇩披瀝

ひろう【疲労】肉体的・精神的に疲れることをさし、やや改まった会話や文章に用いられる漢語。〈―困憊《こんぱい》〉〈―回復〉〈―が重なる〉✎安部公房の『他人の顔』に「―が、つまった下水のようにあふれ出し、関節という関節に、ねっとりタールのような淀みをつくりはじめた」とある。「金属―」のように比喩的に使うこともある。⇩疲れる

びろう【尾籠】人前で口に出すのをはばかるほど汚らしい意。和語の「痴《をこ》」の「を」に「尾」、「こ」に「籠」という漢字をあて、それを音読みして漢語めかした和製語。もともとの漢語ほど堅苦しい響きはないが、今では古めかしい感じの語。〈―なお話で恐れ入ります〉✎「尾籠」と明言せず「変な話になりますが」「例は悪いけど」などとぼかす表現も可能。⇩汚い

ひろがる【広(拡)がる】幅・面積・眺望・範囲・規模などが大きくなる意で、くだけた会話から硬い文章まで幅広く使われる日常の基本的な和語。〈青空が―〉〈大草原が―〉〈道幅が―〉〈傷口が―〉〈被害が―〉〈噂が―〉⇩広まる

ひろしま【広島】中国地方の瀬戸内海側に位置する県の名、また、その県庁所在地である都市をさし、会話でも文章でも広く使われる地名。〈―市の平和公園〉〈―県の南東部に位置する城下町〉✎片仮名で「ヒロシマ」と書くと、とたんに原子爆弾の被災地という側面に焦点が絞られる。

ひろっぱ【広っぱ】建物のない広々とした場所をさし、くだけた会話や軽い文章に使われるやや俗っぽい和語。〈―を子供たちが走りまわる〉⇩広場

ひろば【広場】遊びや集会に利用できる町中の広く平らな場所をさし、会話にも文章にも使われる日常の和語。〈駅前―〉〈―に大勢集まる〉✎小沼丹の『エジプトの涙壺』は「長い坂道を登り詰めると、やっと―に出た」という一文で始まる。部屋として仕切られていなければ屋根があっても

「広場」と呼ぶことがある。「話し合いの―」のような比喩的用法ではいくぶん詩的に響く。⇩広っぱ

ひろまる【広(弘)まる】 広く知れ渡り行き渡る意で、会話にも文章にも使われる和語。〈店の評判が―〉〈スキャンダルが―〉〈理解が―〉〈新興宗教が―〉〈交際範囲が―〉✎具体的な空間や物体でなく、抽象的な意味での浸透をさす傾向がある。⇩広がる

ひわい【卑猥】 態度・表現・内容などが下品で慎みのない意で、主に文章に用いる漢語。〈―な目つき〉〈―な話〉〈―な言葉を浴びせる〉✎田山花袋の『田舎教師』に「七八歳の子供が―極まる唄など覚えて来てそれを平気で学校で唄って居る」とある。「卑しい」意と「乱れる」意の結合だけに表面上は性的な連想が弱い。⇩いやらしい・Q淫猥・淫ら・猥褻《わいせつ》

ひん【品】 人や物の価値を判断するもとになる外観や質をさし、くだけた会話から文章まで広く使われる日常の漢語。〈―がよい〉〈―がない〉〈どことなく―がある〉✎阿川弘之の『雲の墓標』に「深井家の食事は、―がよすぎて、われわれにはすこし物足りなかった」とあるように、「品位」や「品格」と違って人間以外にも用いる。⇩Q気品・品位・品格

ひんい【品位】 それぞれの人間にそなわっている格式の高さをさし、改まった会話や文章に用いられるやや硬い漢語。〈―が感じられる〉〈いささか―に欠ける〉✎小島信夫の『アメリカン・スクール』に「われわれ英語を教えている者の―をおとす」とある。⇩気品・品・Q品格

ひんかく【品格】 人間としての品位や格をさし、改まった会話や文章に用いられる漢語。〈―を保つ〉〈―が疑われる〉✎伊藤左千夫の『野菊の墓』に「可憐で優しくてそうして―もあった」とある。「気品」や「品位」が上流の上品さに中心があるのに対し、この語は人物の大きさや幅も含まれる感じがある。⇩Q気品・品・品位

びんかん【敏感】 感度がよくちょっとした刺激にもすぐ反応する様子をさし、会話にも文章にも使われる漢語。〈音に―だ〉〈皮膚が―だ〉〈世相の変化に―だ〉〈―に察知する〉✎有島武郎の『生れ出ずる悩み』に「少女のように―な魂を見出す」とある。⇩Q鋭敏・鋭い

ひんきゅう【貧窮】 貧しくて生活がひどく苦しい意として、改まった会話や文章に用いられる硬い漢語。〈―にあえぐ〉〈―のどん底にある〉✎三浦哲郎の『初夜』に「日ごとに―に追いこまれていった」とある。「貧苦」や「貧困」よりさらに生活に窮した感じが強い。⇩Q貧苦・貧困・貧乏・貧しい

ひんく【貧苦】 貧しくて生活が苦しい意で、改まった会話や文章に用いられる漢語。〈―にめげず勉学にいそしむ〉✎生活の苦しさは「貧困」と同じかやや軽い感じがする。⇩貧窮・Q貧困・貧乏・貧しい

ピンク 「桃色」の意で、会話でも文章でも広く使われる外来語。〈襟元に―のスカーフをあしらう〉〈あえかな―で上品な色に仕上がる〉✎大岡信の『言葉の力』に「花びらの―は、幹の―であり、樹皮の―であり、樹液の―であった」とある。現代では「桃色」よりも気軽に使われる。性的な意味合いで使われる場合は、「桃色」のほうは「桃色遊戯」程度でかなり古めかしい感じであり、「―街」「―映画」「―がかった話」など「ピンク」のほうが広がりが見られるが、

これもいくらか古い感じになりつつある。⇩桃色

ひんこう【品行】日ごろの行いの意で、会話にも文章にも使われる、いくぶん古風な漢語。〈―が悪い〉✎小沼丹の『銀色の鈴』に「いまの家内を貰う迄は―方正でした」とある。「操行」より道徳的な観点から取り上げられることが多く、世間でよく話題になる。⇩行状・操行・Q素行・身持ち

ひんこん【貧困】貧しくて生活に困る意で、改まった会話や文章に用いられる漢語。〈―生活〉〈―に耐える〉✎金銭面に重点のある「貧乏」と違い、生活の苦しさが中心になる表現。「貧窮」に比べれば程度が軽い感じがある。「語彙が―だ」のように、単に乏しい意にも使う。⇩貧窮・Q貧苦・貧乏・貧しい

ひんじゃく【貧弱】充実感に乏しく見劣りがして頼りない意で、会話にも文章にも使われる漢語。〈―な体格〉〈知識が―だ〉〈内容が―で見るべきものがない〉✎外見に使う「貧相」や「みすぼらしい」と違って、外見以外にも抽象的な対象にも使う。⇩Q貧相・みすぼらしい

ひんしゅく【顰蹙】非難や軽蔑の気持ちで眉をひそめる意で、改まった会話や硬い文章に用いられる漢語。〈世間の―を買う〉✎ひところ、この難解な漢語が中学生の会話からも飛び出すほど流行した。その場合は、この難しい漢字が思い浮かばないままにフィーリングで使用していたため、多く片仮名書きし、「ヒンシュクー!」などとほとんど感動詞のように叫ぶ俗な用法であり、「―を買う」といった本来の用法は見られなかった。このような例は今ではすでに昔の流行語といった古めかしい印象を与える。

びんしょう【敏捷】動作が素早い意で、やや改まった会話や文章に用いられる漢語。〈動きが―だ〉〈―な身のこなし〉〈―性に欠ける〉⇩機敏・迅速・Q敏速

ひんそう【貧相】顔立ちや服装などが貧しい感じに見える意で、会話にも文章にも使われる古風な漢語。〈―な顔〉〈―な身なり〉〈見るからに―な男〉✎川端康成の『東京の人』に「その真実を裏切った今となると、自分の不実ばかりが、―に寒け立って来た」とある。もと、貧乏になる運命の人相をさした。「福相」と対立。「貧弱」と違って人間に限り、また、中身の乏しい感じは特にない。⇩Q貧弱・みすぼらしい

びんそく【敏速】動作が素早く仕事などがてきぱきしている意で、改まった会話や文章に用いられる漢語。〈―な行動〉〈事務を―にこなす〉✎横光利一の『紋章』に「頭脳が極めて―に動きすぎる」とある。「遅鈍」と対立。⇩機敏・迅速・敏捷《びんしょう》

ピンチ「危機」の意で会話や軽い文章に使われる外来語。〈絶体絶命の―〉〈―に陥る〉〈―を免れる〉〈何とか―を乗り越える〉✎スポーツ放送などでよく使う。⇩危機

ピンチヒッター「代打」の意から急な代役をさし、主としてくだけた会話で使われる外来語。〈係の者が休みで―に起用される〉〈社長の―として挨拶する〉✎字数の関係で書きことばではふつう「代打」を用いる。野球の「代打者」の意味から、一般に、「臨時の代役」といった意味で広く使われる。比喩性が抜け切れず、一瞬野球を連想することが少なくない。「代打」という訳語がこういう意味合いで使われることは少ない。⇩代打・代理

ヒント 間接的な手がかりの意で、会話やさほど硬くない文章に使われる外来語。〈―を出す〉〈そこから―を得る〉〈それが―となる〉✎小林秀雄に『考えるヒント』と題する連載エッセイがあり、「「ヒント」という題を貫って、考えつくところを、こうして書いているわけだが」と書いている。⇩Q暗示・示唆

ひんぱつ【頻発】 短い期間に頻繁に発生する意で、改まった会話や文章に用いられるやや硬い漢語。〈通り魔事件が―する〉✎椎名麟三の『美しい女』に「追突事故が―しはじめていた」とある。多く事件や事故について使う。⇩群発・続発・Q多発・連発

ひんぱん【頻繁】 一定の時間・期間の間に同類の事が数多く起こる意で、会話にも文章にも使われる日常的な漢語。〈―に事件が起こる〉〈電車が―に通るので踏切がなかなか開かない〉✎間隔の短さよりも起こる回数が多いことに重点がある。⇩Qしきりに・ひっきりなしに

びんぼう【貧乏】 財産や収入が少なく貧しい意で、くだけた会話から硬い文章まで幅広く使われる日常の漢語。〈―人〉〈―暮らし〉〈器用―〉〈―な家に生まれる〉✎内田百閒の『大晦日』に「―の絶対境は、お金のない時であって、生中《まな》手《か》に入ると、しみじみ―が情けなくなる」とある。和語の「貧しい」以上に日常生活でよく使う。⇩貧窮・Q貧苦・貧困・貧しい

ピンポン 「卓球」の古風な外来語表現。〈―に興じる〉〈景品付きの―大会〉✎武者小路実篤の『友情』に「女の為に―までならうようになっては少し堕落だね」とあるが、現在では「バレーボール」「バスケットボール」「テニス」などとは違って、同じ外来語ながらむしろ高齢者のことばとなっている。ただし、「―玉」となれば古風な語感は消えるが、それでも「卓球のボール」と比べれば遊びの雰囲気が強い。「ピン」「ポン」という打球音を模したこの語は、その間延びした音の連想から、台の上に手でボールを落とし、弾んだところをラケットで掬《すく》い上げる初心者特有のサーブに始まり、のんびりと打ち合っているような雰囲気がある。「強烈なスマッシュ、スピンの利いたカット、目にもとまらぬショートの応酬」といった高度なプレーとは縁が薄く、遊びの域を出ない感じがある。そのため、「ピンポン」という響きにはスポーツというより娯楽の印象が強く、体育館で運動靴を履いてプレーするのが「卓球」で、旅館でスリッパをつっかけて楽しむのが「ピンポン」だといったイメージが強い。⇩Q卓球・テーブルテニス

びんわん【敏腕】 物事を判断して処理する能力に優れている意で、改まった会話や文章に用いられる漢語。〈―刑事〉〈―記者〉〈―を揮《ふ》るう〉〈―をもって鳴る〉✎何かを発見・創造するというより、ものをうまく処理する能力が中心。⇩Q腕利き・切れ者・遣《や》り手

ふ

ふ【譜】「楽譜」の意で、会話や軽い文章に使われる日常的な漢語。〈—を買って来て練習する〉✎くだけた会話でよく使う。川端康成の『雪国』でも、駒子が三味線を膝に構え、親しい間柄のなじみ客である島村に「この秋、—で稽古したのね」と言う。⇩音譜・Q楽譜・譜面

ぶあいそう【無愛想】 むっつりとして相手に対する愛想のない意で、会話にも文章にも使われる漢語。〈—な店員〉〈—な受け答え〉〈—の一言に尽きる〉✎北条民雄の『いのちの初夜』に「ぽきっと木の枝を折ったように—な答え方」とある。⇩すげない・そっけない・つれない・Qぶっきらぼう

ファイト 闘志の意で会話やさほど改まらない文章に使われる外来語。〈—がわく〉〈—を燃やす〉✎「がんばれ」の意の掛け声でも使う。また、「—マネー」のように、ボクシングなどの試合の意に用いることもある。⇩闘魂・闘志・Q闘争心

ファスナー 衣服や鞄などの合わせ目に取り付ける、金属などの小片を互いにかみ合わせて開閉させる留め具をさして、会話にも文章にも使われる外来語。〈開閉部に—を取り付ける〉〈肥り過ぎてスカートの—がきつい〉✎商標名である「チャック」や「ジッパー」より正式名称の雰囲気がある。⇩ジッパー・Qチャック

ファック「性交」の意で使われる、英語からの比較的新しい外来語。✎俗っぽい「セックス」が多用されて次第に意味と直結するようになってから、一部で使われだした。まださほど普及していないので、通じる場合には間接化の効果が高い。ちなみに、四半世紀ほど前の、著名な詩人谷川俊太郎が実際にこの語を使う現場に司会者として立ち会った経験がある。語感をテーマにした座談会の折、⇩営み・エッチ・関係②・合歓・交合・交接・情交・情を通じる・Q性交・性行為・性交渉・性的行為・セックス・抱く②・契る・同衾《どうきん》・共寝・寝る②・懇ろになる・深い仲になる・房事・枕を交わす・交わる・やる③・夜伽《よとぎ》

ファッション 主として髪型や服装の流行について会話でも文章でも使われる外来語。〈—に敏感だ〉〈—モデル〉✎はやりの服装そのものをさす場合もある。⇩Qはやり・流行

ふあん【不安】 悪いことが起こりそうで安心できない意で、会話にも文章にも広く使われる日常の基本的な漢語。〈—そうな面持ち〉〈—を抱く〉〈—に襲われる〉〈—でならない〉✎芥川龍之介は『或旧友へ送る手記』の中で自殺の事情を「将来に対するぼんやりした—」と記している。⇩恐れ・Q気掛かり・危惧・懸念・心配

ファン 熱烈な愛好者をさす古風な外来語。〈—の皆様〉〈昔からの宝塚—〉〈映画—のつどい〉〈—の心理〉⇩ファン

ファン 熱烈な愛好者をさす現代の普通の外来語。〈—レターの山〉〈—への感謝デー〉〈—が押しかける〉⇩ファン

フィアンセ 婚約した相手の意で、会話にも文章にも使われる、今ではいくぶん古風でやや気取った感じの外来語。〈写真のこの女性が彼の—らしい〉✎以前は「妻」をしばしば「ワイフ」と言ったように、この語も当時は照れて外国語に逃げたという面もあったかもしれない。⇩許婚《いいなずけ》・Q婚約者

ふいうち【不意打(討)ち】 だしぬけに攻撃する意で、会話やさほど硬くない文章に使われる和語。〈―をかける〉〈―にあう〉〈―をくらう〉✎相手の備えができていない隙を狙うところがポイントで、必ずしも珍しい戦法でなくともよく、また、「奇襲」ほど大がかりな感じはなく個人の場合も含まれる。⇩奇襲・Ｑ抜き打ち

ふいちょう【吹聴】 積極的に言い触らす意で、改まった会話や文章に用いられる、いくぶん古風な感じの漢語。〈近所に―する〉〈偉い先生の直弟子だとやたらに―してまわる〉✎正宗白鳥の『微光』に「お前の事をおれに―した時だって」とある。「言い触らす」と比べ、「自慢話を声高に―する」のように宣伝するニュアンスを伴う例が目立つ。「風聴」と書く例もあり、その転かともいう。⇩Ｑ言い触らす・触れ回る

ふいに【不意に】 思ってもいない事が前ぶれもなく起こるようすをさし、さほどくだけていない会話や文章に使われる、いくらか古い感じになりかけている表現。〈―起こった災難〉〈―遠出を思いつく〉✎志賀直哉の『暗夜行路』に「謙作は―脾腹を突かれたような気がした」とある。客観的な「突然」と違って、心の準備ができていないための驚きを感じる人間の側に立った表現。⇩いきなり・Ｑ急に・だしぬけに・突然

フィルム 写真の感光板をさして会話でも文章でも用いられる、やや古風な感じの外来語。〈写真機に―を入れる〉〈―を巻き戻す〉〈撮り終えた―を現像に出す〉✎「フィルム」という語形が出現し、カメラに装塡するものを「フィルム」、放映するものを「フィルム」と使い分ける傾向が生じた。両方とも「フィルム」を使うほうがまだ多いようであるが、若年層やマスコミ関係では両方とも「フィルム」とする人も少なくない。⇩フィルム

フィルム 「フィルム」の意の比較的新しい感じの外来語。〈カメラに―を装塡する〉〈―を放映する〉〈貴重な―を保存する〉✎安岡章太郎の『海辺の光景』に「窓枠で四角く区切られたそんな光景はチカチカ光りながら、―の切れかけた映画の一とコマをおもわせた」とある。「フィルム」より若い世代に多く、一方、やや専門的な職業を連想させる雰囲気もある。中年以上の場合、文章中にこの語形を記すのは穏やかだが、日常会話でこう発音すると、若干気取って感じられる場合がある。ただし、「エックス線―」のような専門語の場合は、通常、年齢に関係なく「フィルム」を用いる。「カラー―」の場合は、「カラーフィルム」という語形はあまり用いられず、高年齢になるほど「カラー写真のフィルム」と言う割合が高い。⇩フィルム

ふいん【訃音】 死亡の知らせの意で、文章に用いられる古風で硬い漢語。〈―至る〉〈―を耳にする〉⇩凶報・悲報・Ｑ訃報

ふうがわり【風変わり】 様子や性格ややり方などが見るからに普通と違う意で、会話にも文章にも使われる日常の表現。〈―な服装〉〈―な老人〉〈やり方が―だ〉⇩奇想天外・Ｑ奇抜・突飛《とっぴ》

ブーケ 「花束」の意で、時に会話や軽い文章に近年使われるようになった新しい感じのフランス語からの外来語。〈―ガルニ〉✎西洋風の花の組み合わせを連想しやすい。洋服の飾りにする小形のものもある。⇩花束

ふうけい【風景】眺める対象としての自然や社会のようすをさし、やや改まった会話や文章に用いられる日常の漢語。〈美しい―を写真に撮る〉〈―画〉〈田園―〉〈山里の―を描く〉✎井上靖の『猟銃』に「冷たく沈んだ瀬戸物の絵のような、伊豆の美しい雑木林の―」とある。自然を眺める専門の「景色」とは違って、「親子の仲むつまじい―」「エールの交換―」「野球の練習―」というふうに人間の活動についても用いられる。⇩景色・Q光景・眺め

ふうこう【風向】「風向き」の意で、改まった会話や文章に用いられる、専門的な雰囲気の漢語。〈―計〉〈―に細心の注意を払う〉✎和語の「風向き」と違って比喩的な用法はない。⇩風向き

ふうさ【封鎖】通行や流通を阻止する目的で出入り口を閉ざしたり通り道を封じたりする意で、改まった会話や文章に用いられる漢語。〈学園―〉〈海上―〉〈港を―する〉〈預金を―する〉✎ある目的のもとに一定期間に限り通行を禁止する非常事態の臨時的手段という雰囲気がある。⇩閉鎖

ふうさい【風采】外見から受けるその人の印象をさし、会話にも文章にも使われる、やや古風な漢語。〈堂々たる―〉〈立派な―の老人〉〈―が上がらない〉〈―がぱっとしない〉✎谷崎潤一郎の『細雪』に「―の点で、写真で見たところえらく老けていて、じじむさい感じのする顔」とある。⇩姿形・Q風体《ふうてい》・容姿

ふうしゅう【風習】それぞれの地域ごとの行事や衣食住に関する慣習をさし、会話にも文章にも使われる漢語。〈日本特有の―〉〈この地方に古くから伝わる―〉〈珍しい―が残っている〉✎「慣習」に比べ伝統的な性格が強く、地域ごとに違う独特のというニュアンスが感じられる。⇩慣習・慣例・しきたり・習慣・Q習わし

ふうせつ【風説】世間に流れている無責任な噂をさし、改まった会話や文章に用いられる漢語。〈―が流布する〉〈単なる―と聞き流す〉⇩噂・評判・Q風評・風聞

ふうぞく【風俗】衣食住に関する社会生活上のしきたりをさし、やや改まった会話や文章に使われる漢語。〈―小説〉〈―描写〉〈―営業〉〈―が乱れる〉✎永井荷風の『濹東綺譚』に「市井の―を観察して自ら娯しみとしていた」とある。片仮名で「フーゾク」と書くと意味が限定されていかがわしい感じが強くなる。⇩しきたり・習わし・風習

ふうぞくえいぎょう【風俗営業】客に遊興させたり偶然の運による損得を競う遊技をさせたりする営業の総称として、会話にも文章にも使われる専門的な漢語。〈―の店〉〈―の届を出す〉✎喫茶店・麻雀屋・パチンコ店なども含まれるが、すぐに連想されるのは待合・キャバレー・バーなど。俗に「フーゾク」という表記も試みられ、いかがわしい雰囲気を漂わせる。⇩水商売

ふうちょう【風潮】時勢の流れ、世の中の傾向の意で、会話にも文章にも使われる漢語。〈現代社会の―〉〈安易に流れる―〉✎「困った―」のように、マイナス評価の表現に現れやすい。⇩Q時勢・時流・趨勢《すうせい》・成り行き

ふうてい【風体】身なりを中心としたその人の外見をさし、会話にも文章にも使われる古めかしい漢語。〈怪しい―の者〉〈―のみすぼらしい男〉✎永井荷風の『濹東綺譚』に

「人相と━の悪い破落戸《ならずもの》」とある。「容姿」や「風采」と違って顔立ちやスタイルよりも身分や職業のうかがわれる衣装などに重点がある。⇩Q姿形・風采・容姿

ふうひょう【風評】人びとの間に広がる根拠のない噂、とりとめのない評判をさし、改まった会話や文章に用いられる漢語。〈━が流れる〉〈━被害〉〈━が立つ〉〈━を耳にする〉〈とかくの━がある〉✎よくない噂をさすことが多い。⇩噂・評判・Q風説・風聞

ふうふ【夫婦】結婚している一組の男女の意で、くだけた会話から硬い文章まで幅広く使われる日常の基本的な漢語。〈━喧嘩〉〈━別姓〉〈似たもの━〉〈仲の良い━〉〈━おそろいで出かける〉〈━関係にひびが入る〉✎川端康成の『山の音』に「━というものは、おたがいの悪行を果しなく吸いこんでしまう、不気味な沼のようでもある」とある。「夫妻」より日常的によく使う。⇩Q夫妻・めおと

ふうぶん【風聞】どこからともなく伝わってくる風の便りをさし、改まった会話や文章に用いられる、やや古風な漢語。〈━が事実なら〉〈単なる━に過ぎない〉〈━によれば最近離婚したらしい〉✎有島武郎の『或る女』に「いろいろな━が(略)佗住居の周囲を霞のように取り捲き始めた」とある。⇩Q噂・評判・風説・風評

ふうみ【風味】洗練された味を意味する、やや改まった日常の漢語。〈独特の━〉〈━を損なう〉✎井上靖の『氷壁』に「他の土地のつけ物から味わえない一種独特の━」とある。味だけでなく香りを含めていう感じが強い。⇩Q味・味わい

ふうりゅう【風流】俗を超越した趣のある意で、会話にも文章にも使われるプラスイメージの漢語。〈━な庭〉〈━を楽しむ〉〈━を解する〉〈━の道〉〈━とは縁がない〉✎夏目漱石の『坊っちゃん』に「━人なんて云うものは、画を見ても、頭巾を被るか短冊を持ってるものだ」とある。⇩粋《いき》

ふうん【不運】運が悪い意で、会話にも文章にも使われる漢語。〈━に見舞われる〉〈━な事故〉〈度重なる━にもめげず〉⇩Q非運・悲運

ふえて【不得手】うまくできず苦手としている意で、主に会話に使われるいくぶん古風になりかけている語。〈━な学科〉〈力仕事は━だ〉〈小さい子供の相手はどうも━だ〉⇩Q苦手・不得意

ふえる【増える】数量や程度が前より多くなる意で、会話でも文章でも幅広く使われる日常生活の基本的な和語。〈仕事が━〉〈店が━〉〈売り上げが━〉〈人数が━〉〈水量が━・え続ける〉〈白髪が━〉〈顔の小じわが━〉〈体重が二キロ━〉✎二葉亭四迷の『浮雲』に「人一人━・えた事ゆえ」とあるように、「増す」が抽象的な存在について程度の増加を問題にするのに対して、この語は逆に具体的な存在についてその数量の増加現象を問題にしているとされる。⇩増す

フェンス 柵・囲い・塀などの総称として、会話にも文章にも使われる、やや斬新な感じの外来語。〈金網の━〉〈白いペンキ塗りの洒落た━〉✎塀をさす場合は、洋風の造りを連想させ、塀よりも重厚さがなく開放的な連想が強い。⇩生垣・垣・垣根・囲い・柵・Q塀

ぶか【部下】組織内で上位者の指示に従って活動する立場の人をさし、会話にも文章にも使われる漢語。〈直属の━〉

〈―に命じる〉✎「上司」と対立。⇩家来・子分・下っ端・手先②・手下・手の者・Q配下

ふかい【深い】周囲や表面あるいは入り口から奥や底までの距離が長い意で、くだけた会話から文章まで幅広く使われる基本的な和語。〈―穴〉〈―森〉〈雪が―〉〈彫りが―〉〈縁が―〉〈―・く掘り下げる〉〈根が―〉〈霧が―〉〈奥が―〉✎「―傷を負う」「もう秋も―」「欲が―」「関係が―」「―眠り」「―味わい」「―悲しみ」「―仲になる」「―・く考える」のように、程度の大きい意にも使い、そのように抽象化した用法は一般にやや改まった感じになりやすい。丹羽文雄の『顔』にも「深淵のように―哀しみ」とある。「浅い」と対立。⇩濃い

ふかい【不快】気分のよくない意で、会話にも文章にも広く使われる漢語。〈―感〉〈―な思いをする〉〈人を―にする〉✎小沼丹の『バルセロナの書盗』に「君のような者に訊問されたのは洵に―である」とある。単なる気分だけでなく、「―指数」「蒸し暑くて―な一日」のように肉体的な苦痛を伴う場合にも使う。また、「御―の折」のように、体の具合が悪い意に用いる古風な用法もある。⇩鬱陶しい・重苦しい・不愉快

ふがいない【不(腑)甲斐無い】情けないほど頼りがいがない意で、会話やさほど硬くない文章に用いられる、やや古風な日常語。〈―負け方〉〈生活力のない―男〉⇩だらしない②・嘆かわしい・Q情けない

ふかいなかになる【深い仲になる】まれに「性交」を意味することのある和語の古風な間接表現。〈二人はいつしか―・っていた〉✎基本的には「男女関係が深まる」意。そこに含みとして肉体関係が入ってくる場合がある、というきわめて婉曲《えんきょく》な表現。⇩営み・エッチ・関係②・合歓・交合・交接・情交・情を通じる・Q性交・性行為・性交渉・性的行為・セックス・抱く②・契る・同衾《どうきん》・共寝・寝る②・懇ろになる・ファック・房事・枕を交わす・交わる・やる③・夜伽《よとぎ》

ふかしぎ【不可思議】人間の知恵では考え及ばないほど「不思議」の意で、改まった会話や文章に用いられる、古風で硬い漢語。〈人知《じんち》の及ばぬ―な現象〉〈霊妙にして―〉✎国木田独歩の『牛肉と馬鈴薯』に「毎日太陽を見る、毎夜星を仰ぐ、是に於てか此―なる天地も一向―でなくなる」とある。「不思議」の本来の語形で、略形の「不思議」より大仰な感じがある。⇩怪奇・奇異・奇怪・奇っ怪・奇妙・奇妙奇天烈《きてれつ》・Q不思議・変・摩訶《まか》不思議・妙

ふかす【蒸かす】食品を蒸《む》してやわらかくする意で、主に会話に使われるやや古風な和語。〈さつま芋を―〉〈饅頭《まんじゅう》を―〉⇩蒸す

ぶかっこう【不恰(格)好】恰好の悪い意で、会話や軽い文章に使われる、くだけた感じの漢語。〈―な帽子〉〈―な歩き方〉✎物の形や人の姿・動作などについて用いる。⇩無様《ぶざま》・Q不体裁

ふかん【俯瞰】高所から広範囲を見下ろす意で、主に文章に用いられるやや古風な硬い漢語。〈―図〉〈―撮影〉〈山頂から庄内平野を―する〉⇩鳥瞰

ふき【附(付)記】本文とは別に書き添える意で、主に文章に用いられる硬い漢語。〈―事項〉〈但し書きを―する〉✎あ

くまで追加という扱いの「追記」に比べ、この語はあくまで本文に添えるものという位置づけになる。⇩追記

ぶき【武器】戦闘のための道具の意で、会話にも文章にも使われる漢語。〈—を手に闘う〉〈—を捨てて投降する〉〈—弾薬を輸送する〉✎「兵器」に比べ、ピストルのような小型の物についても違和感なく使え、また、刀剣や弓矢のような古い時代の物にも用いられる。「巧みな弁舌を—とする」「練習熱心な点が大きな—となる」のように、その人間の持ち合わせている役立つ能力などをさす比喩的な用法もよく見られる。⇩兵器

ふきげん【不機嫌】機嫌の悪い意で、会話にも文章にも使われる漢語。〈—な顔〉〈—そうにそっぽを向く〉〈途端に—になる〉✎「上機嫌」と対立。志賀直哉の『真鶴』に「—な皺を眉間に作って、さも厭々に歩みを運んでいた」とある。⇩不興

ふきでもの【吹き出物】皮膚に現れる小さな出来物の意で、くだけた会話や軽い文章に使われる専門性の薄い和語。〈顔の—〉〈—をつぶす〉✎「発疹」より病的な感じが少なく、にきびなど数の少ない印象もある。⇩Q出来物・はっしん・ほっしん

ふきとる【拭き取る】布や紙で汚れや水気を取り去る意で、会話にも文章にも使われる和語。〈雨に濡れた体をタオルで丁寧に—〉〈窓の汚れを—〉〈足の泥を雑巾で—〉✎「拭《ぬぐ》う」「拭《ふ》く」に比べ、汚れや水気の除去という結果を強く意識させる。⇩Q拭う・拭く

ふきのきゃくとなる【不帰の客となる】「帰らぬ人となる」に相当する漢語的な表現。⇩敢え無くなる・上がる②・あの世に行く・息が切れる・息が絶える・息を引き取る・往く・いけなくなる・永眠・往生・お隠れになる・落ちる②・おめでたくなる・帰らぬ人となる・くたばる・死去・Q死ぬ・死亡・昇天・逝去・斃《たお》れる・他界・長逝・露と消える・天に召される・亡くなる・儚《はかな》くなる・不幸がある・崩御・没する・仏になる・身罷《みまか》る・脈が上がる・空しくなる・藻屑となる・逝く・臨死・臨終

ぶきみ【不(無)気味】事実が不明で不安になる気持ちをさし、会話にも文章にも使われる漢語。〈—な姿〉〈—な動き〉〈—に静まり返る〉✎梅崎春生の『桜島』に「血も凍るような—な時間が過ぎた」とある。「—な存在」のように、正体や実力が不明で油断ならない意にも使う。⇩気味悪い

ふきゅう【普及】広い範囲の人々の間に広がる意で、やや改まった会話や文章に用いられる漢語。〈—版〉〈教育の—に力を入れる〉〈全国に—する〉〈パソコンが—する〉✎それぞれに届く点に中心のある「行《ゆ》き渡る」と比べ、この語は物や情報の伝達にとどまらず、それを活用する人々の行為が社会に広まる現象まで含んでいる感じがある。⇩広がる・広まる・Q行き渡る・流布

ふきょう【不況】景気が悪く経済活動が沈滞している意で、やや改まった会話や文章に用いられる少し硬い感じの漢語。〈—対策〉〈—にあえぐ〉〈—の波が押し寄せる〉〈長引く—のあおりを受ける〉〈—が深刻化する〉✎「好況」と対立する語で、「好況」より日常生活でも比較的よく使われる。⇩不景気

ふきょう【不興】機嫌を損ねる意で改まった会話や文章に用

いられる漢語。〈―を買う〉〈いかにも―げな様子〉✎上林暁の『極楽寺門前』に「腹の底には、さっきの―がいぶりつづけているんだなと思われた」とある。「座が―になる」のように「白ける」意にも使う。⇩不機嫌

ふきょう【布教】宗教を広める意で、やや改まった会話や文章に用いられる漢語。〈―活動に従事する〉〈仏教の―に努める〉✎ある宗派の布教のために派遣する人を「―師」という。⇩Q宣教・伝道

ぶきりょう【不(無)器量】顔が醜い意で、会話や改まらない文章に使われる古風な漢語。〈気立てはよいが生まれついての―な娘〉✎「不細工」に比べ、顔全体の印象に重点がある。⇩不細工

ふきん【附(付)近】基準となる地点から比較的近い範囲をさし、会話にも文章にも使われる漢語。〈国境―で紛争が起こる〉〈自宅の―には店がない〉〈現場―の地図〉✎井伏鱒二は『休憩時間』で「こんな大木というものは、その―いったいに起こった伝説や挿話を真実らしく思いこませがちなのである」と書いて事実関係をうやむやにしてしまう。「界隈《かいわい》」と違い、その場所自体は含まない。⇩界隈・近所・Q近辺・近隣

ふく【吹く】空気を動かす、息を吐きかける、表面に出るなどの意味で、くだけた会話から硬い文章まで広く使われる日常の和語。〈風が―〉〈笛を―〉〈お茶を―・いて冷ます〉〈木が芽を―〉〈ほらを―〉✎国木田独歩の『武蔵野』に「野は風が強く―、林が鳴る」とある。⇩噴く

ふく【拭く】汚れや水気を取り去るために布や紙をあてがって軽く押し付けるように動かす意で、会話にも文章にも使われる日常の和語。〈バスタオルで全身を―〉〈洗い上げた皿を布巾で―〉〈ハンカチで涙を―〉〈雑巾で廊下を―〉✎辻邦生の『天草の雅歌』に「ぴかぴかに―・きこんだ廊下に新緑のかげが淡くうつっていた」とある。「拭《ぬぐ》う」ほど力を入れない傾向がある。⇩Q拭う・拭き取る

ふく【噴く】気体や液体が勢いよく飛び出す意で、会話でも文章でも使われる和語。〈霧を―〉〈銃口が火を―〉〈火山が白煙を―〉⇩吹く

ふく【服】衣服、特に洋服の意で、会話や軽い文章に使われる日常の漢語。〈―を脱ぐ〉〈―を着る〉〈着物と―〉✎伊藤整の『火の鳥』に「キャンディーの包装紙のような―」とある。衣服全体の意にも、洋服だけの意にも使うが、さらに、「ズボンじゃなく―のポケット」のように、洋服の上着だけをさす場合もある。⇩衣服・衣料・着物・Q洋服

ふぐ【不具】体の一部にハンディキャップを持つこと、また、そういう人をさして、伝統的に用いてきたが、「かたわ」同様、差別意識が感じられるとして使用を控えるようになった漢語。✎川端康成の『波千鳥』に「僕はね、―じゃないよ。―じゃない。しかしね、僕の汚辱と背徳の記憶、そいつが、まだ、僕をゆるさない」とある。⇩Q片端・身障者・身体障害者

ふぐあい【不具合】変調を来しなめらかに機能しない意で、会話や硬くない文章に使われるやや古風な表現。〈エンジンに―が生じる〉〈体調の―を訴える〉✎「故障」ほど詳細が明確でない感じがある。⇩故障

ふくいん【幅員】硬い文章に用いられる「幅」の意の専門的な漢語。〈―三十メートルのバイパス〉〈道路の―を拡張する〉⇩幅

ふぐう【不遇】運が悪くて才能が世間に認められず、その能力にふさわしい名誉・地位・境遇を得られない意で、改まった会話や文章に用いられるやや硬い感じの漢語。〈身の―をかこつ〉〈―のうちに世を去る〉✒井伏鱒二の『丹下氏邸』に「この―な罪人のために、丹下氏がどのくらい遠くまで行ったか偵察してやろうとした」とある。「不運」「不幸」に比べ、この判断は当人の感じ方もあってかなり主観的な面がある。⇩Q不運・不幸

ふくえき【服役】兵役や懲役に服する意で、改まった会話や文章に用いられる、やや専門的な漢語。〈―中の身〉〈―を終え出所する〉⇩受刑

ふくげん【復元】元の状態に戻す意で、会話でも文章でも使われる漢語。〈―図〉〈壁画を―する〉〈山城の―作業〉⇩復原

ふくげん【復原】乗り物の傾きを修正する意で、会話でも文章でも使われる専門的な漢語。〈―力の大きな船〉⇩復元

ふくしゃ【複写】文書や絵画・写真などの現物をそっくり写し取る意で、会話にも文章にも使われる、古風で正式な感じの漢語。〈―機で大量に―する〉〈絵を―する〉〈提出物は―にても可〉✒必ずしも機械によるものだけでなく、カーボン紙などによる手書きなども含まれ、オリジナルでない点に意味の中心がある。「コピー」より古風で、正式な感じも漂う。⇩写し・Qコピー・転写

ふくしゅう【復習】習ったことを自分でもう一度確認する意で、会話でも文章でも使われる日常漢語。〈教わったことを―する〉〈予習と―を欠かさずにやる〉✒学校の勉強のほか、習い事などでも使うことがあるが、芸事の場合は「おさらい」といったほうが収まりがよい。⇩おさらい

ふくしゅう【復讐】相手の仕打ちに対する恨みを晴らすことをさし、改まった会話や比較的硬い文章に用いられる漢語。〈―心に燃える〉〈―の鬼と化す〉〈―を企てる〉✒福原麟太郎の『チャールズ・ラム伝』に「やがて王子は―の念がゆらいでくる」とある。「仕返し」や「返報」に比べ、根強い恨みのこもった行為という感じが強い。⇩仕返し・返報・Q報復

ふくじゅう【服従】他人の命令・指示に従い、その意向に沿って行動する意で、やや改まった会話や文章に用いられる漢語。〈絶対―を誓う〉〈上司の命令に―する〉✒「従う」はもちろん「服する」よりも厳格な上下関係を連想させ、すべてにおいて相手の意のままに行動するという含みがある。「反抗」と対立。⇩Q従う・服する

ふくする【服する】納得して従う意で、改まった会話や文章に用いられる硬い動詞。〈喪に―〉〈罪に―〉〈命令に―〉✒「従う」や「服従」に比べ、何らかの行為を行うというニュアンスが強い。⇩Q従う・遵守・服従・守る①

ふくそう【服装】衣服に装飾品を含めた全身の様子をさし、会話でも文章でも広く使われる日常漢語。〈―に気を配る〉〈―を改める〉✒有島武郎の『或る女』に「若々しく装った―までが(略)痩せ形なその肉を痛ましく虐げた」とある。⇩衣装・衣服・衣類・着物・Q身なり・装い

ふくぶ【腹部】「腹」の部分をさし、改まった会話や硬い文章に用いられる、やや専門的な感じの漢語。〈―の痛み〉〈―を強打する〉〈―を押さえてうずくまる〉✎吉行淳之介の『原色の街』に「正面から抱きついて脂肪のたまった―をすりよせながら」とある。和語の「腹」と違って、比喩的な用法には発展していない。⇩おなか・腹

ふくみ【含み】直接はっきりとは表現していないが、何となく感じとれる意味・内容・情報をさし、会話やさほど硬くない文章に使われる和語。〈―のある言い方〉〈―を持たせる〉〈―を残す〉⇩含蓄

ふくむ【含む】物や体や頭や心などの内部に持っている意で、会話にも文章にも幅広く使われる基本的な和語。〈湿気を―風〉〈鉄分を―・んだ水〉〈口に水を―〉〈手数料を―〉〈卒業生を―〉〈憂いを―目〉✎志賀直哉の『焚火』に「新緑の香を―・んだ気持のいい山の冷々した空気」とある。「含める」と違い、内部に入っているものに焦点があたる感じが強い。⇩Q含める・包含

ふくむ【服務】職務、特に事務に従事する意で、改まった会話や文章に用いられる正式な感じの硬い漢語。〈―規程〉〈―中〉⇩受け持ち・Q従事・担当・担任

ふくめる【含める】中に入れて全体として扱う意で、会話にも文章にも使われる日常の和語。〈交通費を―〉〈子供を―・めて五人〉〈その点を―・めてよく検討する〉✎開高健の『パニック』に「是正する意味を―・めていたのかもしれない」とある。「含む」と違い、内部に入るものより全体に焦点のあたる感じがある。⇩Q含む・包含

ふくやく【服薬】薬を飲む意で用いられる専門的な漢語。〈二週間の―という指示がある〉⇩服用

ふくよう【服用】薬を飲む意で一般に使われる、やや専門的な漢語。〈食後に―する〉⇩服薬

ふくらはぎ【脹(膨)ら脛】「はぎ」のうち後ろ側のふっくらした部分をさして、会話や文章に使われる日常の和語。〈―を痛める〉〈―を揉《も》む〉✎三浦哲郎の『めまい』に「夕闇のなかでなにかをこっそり踏み洗いするときの、あの―の白さ」という例がある。⇩Qこむら・はぎ

ふくらむ【膨らむ】内側から外側に向かって盛り上がるように大きくなる意で、会話でも文章でも広く使われる日常の和語。〈パンが―〉〈風をはらんで帆が―〉〈春になって木の芽が―〉〈女の子は成長するにつれて胸が―〉✎「ふくれる」に比べ、自然で全体的で正常な膨張に対応する語感がある。そのため、夢や希望が大きくなる場合にも、それが好ましい方向であればこの「ふくらむ」が用いられる。川端康成の『雪国』に、主人公の島村がヒロイン駒子の乳房を求める場面で、「掌のありがたいふくらみはだんだん熱くなって来た」という例が出てくる。このような胸の「ふくらみ」が、もしも「ふくれ」などと書かれていたとしたら、すぐ病院で診察を受けたほうがいいような病的な雰囲気に変化する。「ふくらむ」と「ふくれる」という両語の語感の違いがそこに端的にあらわれている。⇩ふくれる

ふくれつら【膨(脹)れ面】不満そうに頬を膨らませた顔をさし、会話や軽い文章に使われる和語。〈―で黙って突っ立っている〉✎実際に頬がふくれていなくても不満顔であれば

使い、会話ではしばしば「ふくれっつら」となる。小沼丹の『更紗の絵』に「なに、―してるんだ?」とある。⇨仏頂面

ふくれる【膨れる】「ふくらむ」より若干会話的な和語。〈異様に―〉〈餅を焼いたら一部分だけぴゅうっと―・れた〉〈食い過ぎて腹が―〉✎「ふくらむ」に比べ、均衡のとれない膨張をさす場合が多く、不自然さや異常さ、時には病的な感じを伴う傾向があって、基本的に好ましくない感触で使われる。そのため、「ちょっと叱られるとすぐ―」というように、頬をふくらませることで不満の意をあらわす慣用的な比喩表現も成立する。小沼丹の『狆の二日酔い』に「中途半端の気分で、苦い烟草を喫んでいたら、家の者が帰って来て」、「何を―・れているんですか?」と「不思議そうな顔」をする箇所がある。「予算がふくらむ」という表現では、単に当初の見込みよりも予算の金額が大きくなったという事実を伝えるにすぎないが、「予算が―・れた」と表現する場合には、予算が膨張したというその事実を好ましくないと考えている話し手の気持ちも、ニュアンスとして相手に伝わる。⇨ふくらむ

ふくろ【復路】目的地や折り返し点からの経路をさして、改まった会話や文章に用いられる硬い漢語。〈―は一転して山道となる〉〈箱根駅伝、―のエース区間〉✎「往路」と対立。⇨家路・帰り・帰り道・帰途・Q帰路

ぶけ【武家】「武士」の意で、会話にも文章にも使われる古風な漢語。〈―階級〉〈―屋敷〉〈お―様〉✎「―の出」などと言うように、本来は個人でなく、公家に対して武士の系統の家柄の意。そこから間接的に個人をさすようになったため、「武士」よりいくらか丁寧な感じが漂う。⇨侍・Q武士

ふけいき【不景気】景気が悪い意で、会話にも文章にも使われる漢語。〈―な世の中〉〈―で物が売れない〉〈―が長引いて店がつぶれる〉✎「好景気」と対立する語で、「好景気」より日常生活でよく使われる。谷崎潤一郎の『黒白』に「―になると、雑誌などは却って売れる」とある。小林多喜二の『蟹工船』に「今にもお陀仏《だぶつ》するような―な面《つら》」とあるように、元気のないようすを表す用法もある。⇨不況

ふけいざい【不経済】金銭や時間や労力をむだに費やすことをさし、会話にも文章にも使われる漢語。〈―な買い物〉〈二人暮らしは何かと―だ〉⇨無駄

ふけこむ【老け込む】「老ける」の強調形で、会話にも文章にも使われる和語。〈年相応に―〉〈まだ―年ではない〉⇨Q老い込む・老いる・老ける

ふけつ【不潔】非衛生的、けがらわしいの意で、会話でも文章でも広く使われる日常漢語。〈―な肌着〉〈―にしておく〉〈―な交際〉✎小津安二郎監督の映画で潔癖派のヒロインがしばしば口にする。『晩春』の紀子(原節子)は父の友人が再婚したと聞いて当人に「何だか、―よ。きたならしいわ」と言い、『秋日和』の紀子(司葉子)も未亡人である母に再婚話が持ち上がったと聞いて「相手はお父さんのお友達よ。―だわ」と会社の同僚につぶやく。女性だけではない。『秋刀魚の味』の周吉(笠智衆)でさえ、娘と三つ違いの若い女と再婚した友人に面と向かって「このごろお前がどうも―に見えるんだがね」と真情を吐露する。「清潔」と対立。

ふける【老ける】年寄りじみる意で、会話にも文章にも使わ

れる和語。〈―・けた顔をしている〉〈しばらく会わない間にすっかり―・けた〉✎志賀直哉の『赤西蠣太』に「三十四五だと云うが、―・けて居て四十以上に誰の眼にも見えた」とある。「実際の年より―・けて見える」とも言うように、必ずしも老年に達しなくても使われる。⇩老い込む・Q老いる・老け込む

ふこう【不幸】 心が満たされず気持ちがつらい状態をさして、会話にも文章にも使われる漢語。〈―な生い立ち〉〈―な出来事〉〈―中の幸い〉〈突然―が襲う〉✎川端康成の『山の音』に「よろこんですることに、―はありませんわ」とある。「―にして」の形で「不運」に近い意を表すほか、「親戚に―がある」のように人の死の婉曲《えんきょく》表現ともなる。⇩薄幸・Q不しあわせ

ふごう【符号】 約束により一定の情報と対応する印をさし、会話にも文章にも使われる和語。〈モールス―〉〈長音―〉〈区切り―〉〈移項すると―が変わる〉✎狭義には、プラス(正数)を表す「+」とマイナス(負数)を表す「－」との二つの記号だけをさす。この狭義で主に「符号」を用い、広義では多く「記号」を用いる傾向がある。そのため、広義に用いた「符号」はやや古風な感じが伴う。⇩記号

ふごう【符合】 事柄どうしがつながって辻褄《つじつま》が合う意で、主に文章中に用いられる硬い漢語。〈話が―する〉〈事実と―する〉⇩一致・合致・Q整合

ふごう【富豪】 莫大な財産を持つ意で、やや改まった会話や文章に用いられる漢語。〈アラブの大―〉〈―の大邸宅〉✎他の類語よりも財産が多い感じがある。森鷗外の『空車』に「―の自動車も(馬の牽く荷車を)避《よ》ける」とある。⇩Q大金持ち・金持ち・金満家・財産家・素封家《そほうか》・長者・物持ち

ふこうがある【不幸がある】 家族や親戚などの身近な人が「死ぬ」ことを言う、やや丁寧な婉曲《えんきょく》表現。〈身内に―〉✎死を直接さすことばを口にすることを忌み嫌って表現する場合の言いまわし。「不幸がない」とも「幸福がある」とも言わないところからも、特殊な用法であることがわかる。⇩敢え無くなる・上がる②・Qあの世に行く・息が切れる・息が絶える・息を引き取る・往く・いけなくなる・永眠・往生・お隠れになる・落ちる②・おめでたくなる・帰らぬ人となる・くたばる・死去・死ぬ・死亡・昇天・逝去・斃《たお》れる・他界・長逝・露と消える・天に召される・亡くなる・儚《はか》なくなる・不帰の客となる・崩御・没する・仏になる・身罷《みまか》る・脈が上がる・空しくなる・藻屑となる・逝く・臨死・臨終

ふこうへい【不公平】 判断や取り扱いに偏りがある意で、会話にも文章にも使われる日常の漢語。〈―な扱い〉〈―な人事〉〈仕事の配分が―だ〉〈それでは―が生ずる〉✎「公平」と対立。夏目漱石の『坊っちゃん』に「御兄様《おにいさま》は御父様が買って御上げなさるから(買って上げなくても)構いませんと云う。是は―である」とある。⇩不平等

ふごうり【不合理】 道理や理屈に反する意で、会話にも文章にも広く使われる漢語。〈―な要求〉〈―を改める〉〈―な制度を廃止する〉✎「非合理」である段階を超えて、論理のむしろ逆方向にはみ出した感じがある。⇩非合理

ぶこつ【無骨／武骨】 ごつごつして垢抜けない意の古風な感じの漢語。〈生来の―者〉〈いかにも―な手〉〈―なやり方〉✎芥川龍之介の『奉教人の死』に「―な腕に幼子を抱き上げ

ては、にがにがしげな顔に涙を浮べて」とある。洗練されていない体つきやしぐさは男女を問わず存在するが、従来の用例が男性についてのものが圧倒的に多く、「―な娘」などとは言わずに「山出しの」などと言いならわしてきた関係で、今でもこの語はすぐに男性を連想させる。

ブザー 電磁石で振動板を振動させて音を出す装置をさし、会話にも文章にも使われる外来語。〈防犯用の―〉〈終了した合図に―を鳴らす〉⇩鈴・チャイム・Qベル・呼び鈴

ふさい【夫妻】 夫と妻の一対をさして、改まった会話や文章に用いられる漢語。〈部長―を招待する〉〈社長―に仲人を頼む〉✎「夫婦」より改まった丁寧な表現で、自身や自分側には用いない。⇩Q夫婦・めおと

ふざい【不在】 通常いるはずの場所にいない意で、改まった会話や文章に用いられる硬い感じの漢語。〈―証明〉〈―地主〉〈―者投票〉〈恩師を訪ねたがあいにく―であった〉✎「留守」と違って、家を空ける場合に限らず、勤務先や自分の席など広く使われる。また、「国民―の政治」のように、存在を顧慮しない意味でも使うことがある。⇩留守

ぶさいく【不(無)細工】 不器量の意で、主にくだけた会話に使われる、やや古風な漢語。〈―な顔〉✎「不器量」に比べ、目・鼻・口といった顔の構成要素の個々の形やその配置が整っていない感じがある。⇩不器量

ふさぐ【塞ぐ】 空いているところを覆ったり物を詰めたりして通じなくする意で、会話にも文章にも使われる和語。〈穴を―〉〈耳を―〉〈入り口を―〉✎夏目漱石の『坊っちゃん』に「狼狽の気味で逃げ出そうと云う景色だったから、おれが前に廻って行手を―・いで仕舞った」とある。⇩閉じる

ふさぐ【鬱(塞)ぐ】 気持ちが晴れず暗くなる意で、会話にも文章にも使われる和語。〈雨続きで気分が―〉✎堀辰雄の『美しい村』に「何もかも自分の責任のような気がされて、私はふっと気が―・いだ」とある。他人の表情やしぐさを見ながら「―・いだ様子」のように外見から推測することもある。⇩アンニュイ・思い屈する・Q滅入る・物憂い

ふざける【巫山戯る】 不真面目な態度で冗談を言ったり戯《たわむ》れたりする意で、会話や軽い文章に使われる和語。〈友達と―〉〈若いカップルが―〉〈―・けた態度〉〈―・けたことを抜かすな〉✎志賀直哉の『暗夜行路』に「少し―・けた調子で」とある。⇩戯れる

ぶざま【無(不)様】 見苦しい、体裁の悪い意で、会話や軽い文章に使われるいくぶん古風でやや俗っぽい表現。〈―な負け方〉〈―な姿をさらす〉〈このていたらくは何とも―だ〉✎谷崎潤一郎は『蓼喰う虫』で「いかに感情の激越を表現するのでも、ああまで―に顔を引き歪めたり、唇を曲げたり、仰《の》け反《ぞ》ったり、もがいたりしないでもいい」と書き、はにかみ屋の東京人はあっさり洒落にしてしまうと、関西人との違いを述べている。みっともない程度が強く、人をあざける場合に使われる一方、「―なところをお目にかけて」などと謙遜していうこともある。⇩不恰好・不体裁・みっともない

ふさわしい【相応しい】 釣り合いや適性や能力などの点で条件にぴったり合っている意で、会話にも文章にも広く使われる日常の和語。〈地位に―人〉〈役に―俳優〉〈自分に―相手〉〈場に―服装〉✎梶井基次郎の『冬の蠅』に「回想と

いう言葉に―位一晩の経験としては豊富すぎる内容」とある。「似つかわしい」に比べ、外から客観的に判断している感じが強い。⇩似つかわしい

ふし【節】 歌の抑揚や調子をさし、会話や軽い文章に使われる古風な日常の和語。〈―をつけて歌う〉〈歌の―は思い出したが、文句を忘れた〉✎夏目漱石の『吾輩は猫である』に「朗読会と云うと何か―でも附けて詩歌文章の類を読む様に聞えますが」とあるように音楽とは限らない。⇩音律・調べ・旋律・節回し・Qメロディー

ぶし【武士】 武芸を身につけ主に戦に備えて主君に仕える者をさし、会話にも文章にも使われる硬い感じの漢語。〈―道〉〈―の家柄〉〈―の面目が立つ〉〈―に二言はない〉〈―にあるまじきふるまい〉⇩Q侍・武家

ふしあわせ【不幸せ／不仕合わせ】 不運による不幸の意で会話やさほど硬くない文章に使われるいくぶん古風な表現。〈―な身の上〉〈晩年は―だった〉⇩薄幸・Q不幸

ふしぎ【不思議】 現象・正体・原因などについて常識や論理で説明がつかず、人間の考えうる範囲を超えている意で、くだけた会話から硬い文章まで幅広く使われる日常の基本的な漢語。〈世界の七―〉〈―な出来事〉〈―なことが起こる〉〈―な縁〉〈―に占いがよく当たる〉✎夏目漱石の『坊っちゃん』に「風呂の数は沢山あるのだから、同じ汽車で着いても、同じ湯壺で逢うとは極まっていない。別段―にも思わなかった」とある。「不可思議」の略。⇩怪奇・奇異・奇怪・奇っ怪・奇妙・奇妙奇天烈《きてれつ》・Q不可思議・変・摩訶《まか》不思議・妙

ふしだら だらしのない、特に品行のよくない意で、会話にも文章にも使われる古風な和語。〈―な暮らし〉〈―な女〉〈―をしでかす〉✎ありさま・始末の意の「しだら」に打消しの「不」を付けてできた語形。⇩Qだらしない①・不貞・不品行・不身持ち

ふしぶし【節節】 あちらこちらの関節の意で、会話や軽い文章に使われる、やや古風な和語。〈体の―が痛い〉✎永井龍男の『一個』に「骸骨かなにかのように、―が鳴った」とある。⇩関節

ふしまわし【節回し】 歌や語り物などの声の高低・強弱・長短などの変化をさし、会話にも文章にも使われる和語。〈独特の―で詠み上げる〉〈民謡の素朴な―〉✎井上友一郎の『受胎』に「ねっとり吸い付いてくるような吉田の―に聴き入る」とある。作品ごとに固定している「節」に比べ、個性的な調子を含める傾向がある。⇩音律・調べ・旋律・Q節・メロディー

ふじょ【婦女】 「婦人」に近い意の古風な漢語。〈―をやさしくいたわる〉〈家庭の―〉✎二葉亭四迷の『浮雲』に「通常の―と違ッて教育も有る」とある。「―暴行事件」のような一定の慣用的な表現の場合を除き、古めかしい感じを与える語。⇩おなご・女・じょし・女性・Q婦人

ふしょう【不詳】 その点に関して詳しいことはわかっていない意で、主に文章中に用いられる硬い漢語。〈姓名―〉〈年齢―〉✎詳しいことは不明だが、少しは手掛かりがありそうな雰囲気もある。⇩不明・Q未詳・未知

ふしょう【負傷】 深い傷を負う意で、改まった会話や文章に用いられる漢語。〈―者〉〈名誉の―〉〈試合中に―して退

場する〉✎戦争・災害・事故などの連想が強く、膝をすりむいた程度では使いにくい大仰な感じがある。⇩怪我

ふじょう【浮上】水中から水面に浮かび上がる意で、主として文章に用いられる硬い感じの漢語。〈潜水艦が―する〉〈座礁した船が―する〉✎「一躍首位に―する」「総理候補に―する」のような比喩的用法もある。⇩浮揚

ぶしょう【無(不)精】何をするのも面倒がる意で、会話にも文章にも使われる漢語。〈―髭〉〈筆―〉〈―を決め込む〉⇩横着・ぐうたら・ずぼら・怠惰・怠慢・Qものぐさ

ふしょく【腐植】土壌中で微生物の作用で分解して生ずる意で、会話や文章中に限定的に用いられる専門的な漢語。〈―土〉⇩腐食

ふしょく【腐食(蝕)】腐ったり錆《さ》びたりして組織が崩壊する意で、改まった会話や文章に用いられる、やや専門的な漢語。〈―作用〉〈柱が―する〉〈鉄が―してぼろぼろになる〉✎大江健三郎の『われらの時代』に「自分の周囲のあらゆる隅ずみに―菌のように食いこみ工作し、味方を拡大した」とある。本来は「腐蝕」で、「腐食」はその代用漢字。⇩傷む・腐る・腐植・Q腐敗・腐乱

ぶじょく【侮辱】人前で相手を馬鹿にして恥をかかせる意で、会話にも文章にも使われる漢語。〈―罪〉〈―を受ける〉〈部下の前で上司に―される〉✎「侮蔑」よりも程度がひどく、時には相手の人間性を傷つけることもある。⇩Q侮蔑・凌辱《りょうじょく》

ふしん【不信】信用できない意で、やや改まった会話や文章に用いる漢語。〈政治―を招く〉〈人間―に陥る〉〈―感を募らせる〉〈―の念を抱く〉⇩不審

ふしん【不審】疑わしい意で、改まった会話や文章に用いられる硬い感じの漢語。〈―訊問《じんもん》〉〈挙動―〉〈―の念が芽生える〉〈―に思う〉✎佐藤春夫の『田園の憂鬱』に「犬どものその様子が彼には―でならなかった」とある。⇩不信

ふしん【腐心】あれこれと心を遣い努力する意で、改まった文章に用いられる少し古風で硬い漢語。〈計画の実現に向けて―する〉〈会社の再建に―する〉⇩Q苦心・苦慮

ふじん【婦人】落ち着いた年齢の女性をさす、やや改まった日常の漢語。〈貴―〉〈―参政権〉〈―服売場〉〈妙齢の―〉✎ある年齢に達した家庭人を連想させる。若干古風な感じはあるが、「婦女」ほど古めかしい語感はない。井伏鱒二の『文章其他』は「自分が破産したと自覚した日の夜から、急に青春時代のように性欲が盛んになってしまった」という「すでに五十歳の―」の滑稽で悲痛な告白で始まる。⇩おなご・女・じょし・女性・Q婦女

ふしんせつ【不親切】親切さに欠けて配慮が行き届かない意で、会話にも文章にも使われる漢語。〈―な応対〉〈―な教え方〉〈―な通りすがりの人〉〈店員が―だ〉✎「冷淡」「薄情」「不人情」に比べ、心の冷たさに限らず気が利かない場合を含む感じが強い。⇩薄情・Q不人情・冷酷・冷淡

ぶす　不美人を軽蔑して言うときの、俗語に近い口頭語。✎「おかちめんこ」や「すべた」などと違い、差別的な意識を伴って現在でも比較的よく使われている。⇩悪女・おかちめんこ・Qしこめ・醜女・醜婦・すべた・不美人

ふずい【附(付)随】主なものに関連してついている意で、改

まった会話や文章に用いられる硬い漢語。〈—品〉〈—事項〉〈入学に—する費用〉⇩随伴・Q付帯

ぶすう【部数】書物・雑誌・新聞など出版物の数をさし、会話にも文章にも使われる、やや専門的な漢語。〈新聞の発行—〉〈売り上げ—が伸びる〉✎「冊数」と違い、刊行される個々の出版物ごとに話題にする場合に使う傾向が強い。⇩冊数

ふすま【襖】木製の骨組みの両面に紙や布を張った建具をさし、会話でも文章でも使う日常生活の和語。〈—を張り替える〉〈—の陰から呼ぶ〉✎「襖障子」とも言った。小沼丹の『障子に映る影』に「遠くの—に眼を向けたら途端に—が開いて」とある。⇩唐紙

ふぜい【風情】そぞろ心ひかれる趣をさし、改まった会話や文章に用いられる古風な漢語。〈—のある庭〉〈—を添える〉〈何の—もない街並み〉✎「触れなば落ちんという—」のように「ようす」といった意味で用いた例はさらに古めかしい感じがする。小沼丹の『黒と白の猫』に「猫は落着き払って、細君なぞ歯牙にも掛けぬという—を示した」という一文が出てくる。ここは古風というより、猫を大仰に擬人化して滑稽な感じを添えている。⇩Q趣・情趣・情緒

ふせぐ【防ぐ】備えをして被害が生じないようにする意で、くだけた会話から硬い文章まで幅広く使われる日常の基本的和語。〈敵の攻撃を—〉〈事故を—〉〈細菌の感染を—〉〈日焼けを—〉✎夏目漱石の『こころ』に「金だらいから立ち上がる湯げで、呼吸の苦しくなるのを—・いでいた」とある。⇩防止

ふせる【伏せる】「寝る」の少し丁寧な感じの和風間接表現。「やすむ」より若干古風な言い方。〈お先に—〉〈きのうから風邪で—・せっております〉✎病気で床に就く場合によく使うため、体の具合が悪いような連想も働きやすい。その意味では特に「臥せる」と書いて区別することもある。⇩お休みになる・寝る①・Q休む②

ふそく【不足】必要な数量や程度に足りない意で、会話にも文章にも使われる日常の基本的な漢語。〈燃料—〉〈認識—〉〈練習—〉〈時間—〉〈資金が—する〉〈人数が—だ〉✎野間宏の『崩壊感覚』に「意志力の—から生れる彼の弱い人生観」とある。使い果たして底をついた感じの「欠乏」に対し、初めから足りない場合を含め、ある基準量に達しないという事実だけを述べた感じが強い。「何の—もない」のように「不満」に近い意味合いでも使う。⇩欠乏

ふぞく【附(付)属】主たるものに付き従う関係をさして、会話にも文章にも使われる漢語。〈大学—の病院〉〈学部に—する研究所〉〈機械の—品〉✎「所属」と違い、人間には用いない。井上ひさしの『吉里吉里人』に「中学校—大学」と常識を逆転させて矛盾感で笑いを誘う例が出る。⇩所属

ふぞろい【不揃い】物の形・大きさ・柄・種類などがそろっていない意で、会話にも文章にも使われる語。〈粒が—のりんご〉〈上下—の背広〉〈形が—で売り物にならない〉⇩ちぐはぐ・Qばらばら・まちまち

ふそん【不遜】思い上がって慎みに欠ける意で、主として文章に用いられる、やや古風で硬い漢語。〈傲岸—な顔つき〉〈—な態度で応対する〉⇩Q驕《きょう》慢《まん》・傲岸・高慢・傲慢・高慢ちき・

尊大

ふだ【札】他と区別するために必要な事項などを記した紙切れや木・金属・プラスチックなどの板をさし、会話にも文章にも使われる和語。〈名前を書いた―〉〈神社でお―をもらう〉〈―を貼る〉〈百人一首の―を読み上げる〉「カード」に比べ、和風で縦長の形が多い。⇩カード

ふたい【附(付)帯】主たる物事に伴う意で、改まった会話や文章に用いられる専門的な漢語。〈―条件〉〈―決議〉⇩随伴・Q付随

ぶたい【舞台】演劇や舞踊などを演じて観客に見せる目的で客席より高く造った場所をさし、会話にも文章にも広く使われる漢語。〈晴れ―〉〈―俳優〉〈―度胸〉〈初―を踏む〉〈―に立つ〉〈―の袖〉川端康成の『雪国』に「お座敷だのにまるで―のように弾いてるじゃないか」とある。「ステージ」に比べ、野外音楽や新しい音楽のライブなどに用いると若干違和感がある。⇩ステージ

ふたおや【二親】父親と母親の意で、会話にも文章にも使われる、いくぶん古風な和語。〈―がそろって健在で何より〉〈幼い頃に―を病気で亡くした〉「両親」や「父母」に比べ、父親も母親も、男親も女親もそろっており、片親ではないという意識が強く感じられる。⇩ちちはは・父母・Q両親

ふたご【双子】一回の出産で二人生まれた子供をさし、会話や手紙などで広く使われる日常の和語。改まった硬い文章の中では「双生児」を用いることが多い。〈―が生まれる〉〈―の兄弟〉石坂洋次郎の『颱風とざくろ』に「まるで―のような白いつやつやした隆起が、胸いっぱいに行儀よく並んでいる」とある。⇩双生児

ふたたび【再び】「もう一度」の意で、改まった会話や文章で用いられる若干やわらかな感じの和語。〈―同じ失敗を繰り返す〉〈―めぐり会う〉〈両雄が―相まみえる〉⇩Q再度・又

ふたりづれ【二人連れ】一緒に行動する二人の人間をさし、会話にも文章にも使われる、「カップル」より一般的な和語。男女の組み合わせとは限らない。〈仲のよさそうな―〉⇩アベック・Qカップル

ふだん【不断】絶え間ない意で、改まった会話や文章に用いられる硬い感じの漢語。〈―の努力が報われる〉〈―の練習の賜物《たまもの》〉「優柔―」のように、決断力に乏しい意で用いることもある。⇩普段

ふだん【普段】特に変わったことのない日常の意で、会話にも文章にも使われる漢語。〈―の暮らし〉〈―から摂生に努める〉〈―の行いが肝心だ〉〈―の生活に戻る〉〈―どおりのやり方で通す〉山本有三の『真実一路』に「年末で最もせわしい時期だが、この一家では―とたいして変わりがなかった」とある。「―着」のように、日常の中でも特に家でくつろいでいるような状態をさす場合もある。⇩いつも・通常・常々・常日頃・Q日常・日常茶飯事・日頃・不断・平常・平生・平素

ふだんぎ【普段着】日常の改まらない場面で着ている服装をさし、会話にも文章にも使われる表現。〈―でぶらりと散歩に出る〉永井龍男の『そばやまで』に「―の上に襟巻をし、長身を少し前屈みにした歩き方」とある。「晴れ着」に対する語で、平服の中でも特に、通勤用や外出用の衣服よ

り自宅でくつろいで過ごすときの服装を連想させやすい。⇩Q平服・略装・略服

ふち【縁】 物体のうち周囲に接している最も外側の部分をさし、くだけた会話から硬い文章まで幅広く使われる日常生活の和語。〈—なしの眼鏡〉〈茶碗の—が欠ける〉〈目の—が赤い〉✎川端康成の『千羽鶴』に「雲のなかにかがやくので、星はなお大きく見えるらしい。光の—が水に濡れているようだった」とある。「プールの—に煉瓦《がれん》をあしらう」と「プールのへりを歩く」との対比からうかがわれるように、「へり」よりも「ふち」のほうが狭い範囲で、プールの一部という認識の表現に感じられる。⇩ふちどり・へり・輪郭

ふちどり【縁取り】 物のへりの部分やその周辺を別の物で囲ったり、その部分だけ特別の色や飾りなどで区別したりするものをさし、会話にも文章にも使われる和語。〈刺繡《ししゅう》で—をする〉〈赤い—が目立つ〉⇩ふち・へり・輪郭

ふちゃく【附(付)着】 物に好ましくない物がくっつく意で、改まった会話や文章に用いられる漢語。〈—物を除く〉〈汚れが—して落ちない〉⇩Qくっつく・接着・張り付く・引っ付く

ふちゅうい【不注意】 注意や配慮が足りない意で、会話にも文章にも使われる漢語。〈前方—〉〈—で失敗する〉〈自分の—から事故になる〉✎「油断」が警戒を怠ることであるのに対し、この語は当然なすべきことをしないというニュアンスがある。⇩手ぬかり・油断

ふちん【浮沈】 栄えたり衰えたりする意で、主として文章中に用いられる漢語。〈社の—がかかる〉〈国家の—にもかかわりかねない大事件〉✎「浮き沈み」に比べ、特に「沈む」懸念として問題になりやすい。⇩Q浮き沈み・消長

ぶつ【打つ】「打《ぅ》つ」の意で、主としてくだけた会話に使われる、やや古く俗っぽい日常語。〈お尻を—〉〈いたずらして先輩に—・たれる〉〈いじわるすると、—わよ〉✎夏目漱石の『坊っちゃん』に「おやこれはひどい。御《お》—・ちになったのは情ない」とある。「打つ」の音転。女性のほうがよく使った印象があり、「殴る」「ひっぱたく」より衝撃が弱い感じもある。⇩Q叩く・殴る・はたく・はる・ひっぱたく

ふつう【普通】 特別でなく一般的の意で、くだけた会話から硬い文章まで幅広く使われる日常の最も基本的な漢語。〈—列車〉〈—預金〉〈—の人の—の暮らし〉〈ごく—のやり方〉〈—の成績〉〈—誰でもそう思う〉✎梶井基次郎の『冬の日』に「お前の身体も—の身体ではないのだから大切にして下さい」とある。「特別」「特殊」と対立。日常的という感じのある「通常」に比べ、平均的という感じが強い。⇩通常

ふつうに【普通に】 他と比べて特に変わっていないの意だが、近年、若年層の間で、「特別なことなしに、そのままで」「お世辞でも誇張でもなく」といった意味合いで使われだした俗な用法。〈—うまい〉〈—かわいい〉✎「中間的・平均的」という従来の意味だと思い込む世代をとまどわせる。

ふつうれっしゃ【普通列車】「各駅停車」の列車をさし、会話でも文章でも使われる、正式な感じの漢語表現。〈次の駅で—に連絡する〉✎「列車」と名がつくため、通勤電車の場合には用いにくい。⇩各駅停車・緩行《かんこう》・Q鈍行

ふっかつ【復活】 一度機能しなくなったものが再び盛り返す意で、会話にも文章にも使われる漢語。〈—折衝〉〈軍国主

義の―を阻止する〉〈昔の伝統行事を―させる〉✎中村真一郎の『天使の生活』に「以前の習慣が、いつのまにか―したのだった」とある。「キリストの―」「―祭」のように、本来は、死者が蘇生《そせい》する意。⇩復帰

ぶつかる 激しく接触する意で、主として会話に使われるくだけた日常語。〈電柱に―〉〈バスとトラックが―〉〈強敵に―〉〈困難に―〉✎単に「当たる」だけでなく激しい接触による強い衝撃を感じさせる。サトウハチローの『僕の東京地図』に「銀座を歩くと、誰かに―・らないことはない」とあるように、「出くわす」意にも使う。⇩当たる

ふっき【復帰】 事情があって一度その場を離れた人が再び元の場所や状態に戻る意で、やや改まった会話や文章に用いられる漢語。〈社会―を果たす〉〈政界への―はおぼつかない〉〈元の職場に―する〉⇩Q返り咲き・カムバック・再起・復活

ふつぎょう【払暁】 「明け方」の意で文章に用いられる硬質の漢語表現。〈―に発つ〉✎三島由紀夫の『潮騒』に「西風の強い―など、富士を見ることがあった」とある。⇩暁・明け方・曙・朝ぼらけ・朝まだき・しののめ・未明・夜明け・Q黎明《れいめい》

ぶっきらぼう【ぶっきら棒】 言動に愛嬌がない意で、主に会話に使われる少し俗っぽい表現。〈―に答える〉〈―な応対〉〈―な店員〉✎木の切れ端のように粗雑な意からという。⇩すげない・そっけない・つれない・Q無愛想

ブックカバー 汚れ防止などのために本の表紙に掛ける覆いをさす和製英語。〈モスグリーンの革製の―〉✎英語では本の表紙の意。

ふっこう【復興】 衰えたり破壊されたりしたものを再び盛んな状態に戻す意で、会話にも文章にも使われる漢語。〈文芸―〉〈戦後の日本の―〉〈被災地の―作業〉〈伝統芸能の―を図る〉✎具体的な物にも抽象的な存在にも広く使われる。⇩再興

ふつごう【不都合】 具合の悪い事情をさして、会話にも文章にも使われる漢語。〈―が生じる〉〈買い換えなくても一向に―はない〉✎「―な事態」「―な場合」のように形容動詞の用法もあり、また、「―を働く」のように、不届きなという意味でも使う。⇩差し障り・Q差し支え

ぶっし【物資】 人間の活動や生活に必要な物品の総称として、やや改まった会話や文章に用いられる漢語。〈救援―〉〈―の補給〉〈―を調達する〉〈―を輸送する〉✎自然のままでなく人手が入って使えるようになっている感じが強く、樹木は「資源」で、材木は「物資」になる。⇩資源

ぶっしつ【物質】 空間にあって形や重量やにおいなどを感覚的にとらえうる存在の総称として、会話にも文章にも使われる、やや専門的な基本漢語。〈―文明〉〈抗生―〉〈水に溶ける―〉〈―的な豊かさ〉✎固体を連想しやすい「物体」に対し、液体も気体も含めた連想が強い。梶井基次郎は『愛撫』で猫の耳を「硬いような、柔らかいような、なんともいえない一種特別の―である」と書いた。「精神」と対立。⇩物体・Q物

ふっしょく【払拭】 好ましくない状態をすっかり消し去る意で、改まった会話や文章に用いられる硬い感じの漢語。〈疑惑を―する〉〈宗教色を―する〉✎井上靖の『あすなろ物語』に「その後何年かその疑いを―することはできなかっ

た」とある。「一掃」より抽象性が高い。⇩一掃

ぶったい【物体】さまざまな物質で構成されている個々の形ある実体をさし、会話にも文章にも使われる、いくぶん専門的な基本漢語。〈未確認飛行―〉〈巨大な―〉〈得体の知れない―〉✎「物質」が構成要素、「物体」はその構成物という図式を思わせる。液体も気体も含まれる「物質」と違い、この語は固体を連想させる。⇩Q物質・物

ぶったまげる【打っ魂消る】「たまげる」の強調形。さらに古風でさらに俗語的。〈値段を見ると二桁も違うので―・げた〉⇩おったまげる・驚く・仰天・Qたまげる・びっくり

ぶっちぎり 他を寄せつけない、圧倒的なの意で、くだけた会話で使われる俗っぽい感じのことば。〈―の優勝〉✎圧倒的な差という意味を強めて近年よく使われるようになった。「打っ千切り」と書けるが、俗語的なので仮名書きが普通。

ぶっちょうづら【仏頂面】不機嫌な、または、無愛想な顔をさし、会話や硬くない文章に用いられる表現。〈主《じ》《あるじ》が―して店に座っている〉✎上林暁の『聖ヨハネ病院にて』に「妻がぷすんとした―をして、黙って、何んとも言わないで坐っている」とある。「仏頂」は仏の頂に宿る仏頂尊で、その恐ろしい形相に喩えた表現という。⇩ふくれつら

ふっとう【沸騰】液体が十分に熱せられて内側から気泡となって蒸発する現象をさし、会話にも文章にも使われる漢語。〈―点〉〈やかんのお湯が―する〉✎「沸く」より正式な感じに響く。「人気―」「議論が―」「株価が―する」のように、熱くなって騒がしくなる意の比喩的な用法もある。⇩たぎる・沸き上がる・沸き返る・沸き立つ・Q沸く

フットボール 古風な「蹴球」より一般的によく使われる外来語。✎サッカーだけでなくラグビーやアメリカンフットボールを含む総称。⇩ア式蹴球・Qサッカー・蹴球

ぶっぴん【物品】取引の対象となる品物をさして、改まった会話や硬い文章に用いられる専門的な漢語。〈―を購入する〉〈―を納入する〉✎動産のみをさし、不動産や無形物は含まない。一般人の日常会話にはなじまない。⇩品・Q品物

ふてい【不貞】貞節に反する意、特に夫や妻の不倫をさし、改まった会話や文章に用いられる古風な漢語。〈―行為が発覚する〉〈―を働く〉⇩だらしない①・ふしだら・Q不品行・不身持ち

ふてい【不逞】世間に従わず勝手にふるまうさまをさし、主として文章に用いられる硬い感じの漢語。〈―の輩《やから》〉〈高圧的な父親の態度に、―の気持ちがきざす〉✎藤沢周平の『おぼろ月』は「おさとは、胸の中にほんの少し―な気分が入りこんで来たのを感じている」という一文で終わる。これまで親の意に逆らったことのない娘が、親が乗り気の縁談を受け入れて間もなく嫁ぐことになっている。浮いた噂ひとつないまま嫁に行くのが何となく物足りないという気持ちもあり、偶然のことから思わぬ親切を受けた見知らぬ男に別れを告げたあと、「こんなにいい月夜に、いそいで家にもどることはない」と日ごろ感じたことのない気分がきざす。そんな娘の心理を簡潔に描写した的確な一語である。⇩勝手②・Q気まま・わがまま

ふていき【不定期】時期も期限も特に定まっていない意で、会話にも文章にも使われる漢語〈―便〉〈―運行〉〈―刊行〉

〈—の集会〉「臨時」に比べ、何度か繰り返し実施される雰囲気が強い。「定期(的)」と対立。⇩随時・Q臨時

ふていさい【不体裁】体裁の悪い意で、会話にも文章にも使われる漢語。〈—な身なりで臨席する〉〈場にふさわしくない—な行動〉人間の世間体の悪い状態や行動について使う。⇩Q不恰好・無様《ぶざま》

ぶとう【舞踏(蹈)】西洋風の舞踊をさして、改まった会話や文章に用いられる古風な漢語。〈仮面—会〉〈—用の靴〉⇩踊り・ダンス・Q舞踊・舞

ぶどうしゅ【葡萄酒】葡萄の果汁を発酵させた酒をさし、会話にも文章にも使われる、いくぶん古風な漢語。〈—で乾杯〉〈年代物の—〉角田房子の『ユトリロと赤ぶどう酒』に「飲みごろのピークを過ぎ、タンニンが勝ちはじめ渋みを増した赤—を、私はユトリロの顔から想像した」とある。⇩ワイン

ふとくい【不得意】技術的に一定水準に達していないことを苦にする意で、会話にも文章にも使われる漢語。〈交渉ごとが—だ〉〈—なスピーチで緊張する〉⇩苦手・Q不得手

ふところがたな【懐刀】「懐剣」の意で、会話でも文章でも使われる古風な和語。〈とっさに帯に挟んであった—を抜いて身を守る〉腹心の部下をさす比喩的な用法の場合でもやや古風な感じがある。⇩匕首《あいくち》・Q懐剣・こがたな・小刀・短剣・短刀・どす・脇差

ふとっちょ【太っちょ】主にくだけた会話で、太り過ぎた人をからかっていう俗語。〈お前のような—には無理だ〉⇩Qでぶ・肥満

ふとっぱら【太っ腹】度量が大きく細かいことにこだわらないようすをさし、会話や軽い文章に使われる和語。〈—な親分肌の人〉〈—なところを見せる〉⇩Q気丈・大胆

ふとどき【不届き】法や道徳に反する意で、会話にも文章にも使われる古風な表現。〈—千万〉〈あまりといえば—な行為〉〈—にも上司の命令を無視する〉⇩もってのほか

ふともも【太腿(股)】腿《もも》のうち脚の付け根に近い部分をさして、会話や文章に使われる和語。〈—に違和感がある〉尾崎一雄の『まぼろしの記』に「—も、膝の骨より細くなっていた」という例が出る。⇩大腿部《だいたいぶ》・Q腿

ふとる【太(肥)る】体が太くなる意で、会話にも文章にもよく使われる日常の基本的な和語。〈—・りやすい体質〉〈運動不足で—〉〈まるまると—・っている〉安岡章太郎の『海辺の光景』に「—・ってシマリをなくしたその体」とある。⇩肥える

ふとん【蒲(布)団】綿などを入れて布製の袋状に縫った寝具をさし、くだけた会話から硬い文章まで幅広く使われる日常の漢語。〈敷き—〉〈—を掛ける〉〈—から顔だけ出す〉里見弴の『椿』に「左の片手に持っていた雑誌を、そうッと—の上へ置き、手先を引っ込めて、胸のところで握り合わせた」とある。座布団もその一種だが、単に「ふとん」といえばふつうは夜寝るときに使う敷き布団や掛け布団をさす。もと蒲の葉などで編んだところから。⇩とこ・Q寝床

ふなか【不仲】人と人との仲が悪い、もしくは悪くなる意で、会話や軽い文章に使われる、やや古風な日常語。〈—説が流れる〉〈同僚と—になる〉⇩Q仲違い・反目・不和

ふなで【船出】 船が出発する意で、今では主に文章に用いられる古風な和語。〈―を知らせる汽笛の響き〉〈横浜から―する〉✎「人生の―」「若い二人の―を祝す」のように、卒業や結婚などをきっかけにして新しい生活を始める意の比喩的用法も多い。⇩出港・出航・出船《しゅっせん》・Q出帆・出ふね

ふなのり【船乗り】 船員の意で、主に会話や軽い文章に使われる、やや古風な和語。〈代々―をしてきた家に生まれる〉✎船長をも含む。比較的小型の船や和船などに用いても特に違和感がない。⇩海員・クルー・Q水夫・セーラー・船員・乗組員・マドロス

ふにん【赴任】 新たに命じられた勤務地に赴く意で、改まった会話や文章に用いられる正式な感じの漢語。〈単身―〉〈今度―して来た先生〉✎夏目漱石の『坊っちゃん』に「君が延岡に―されたら、其地の淑女にして、君子の好逑となるべき資格あるものを択んで一日も早く円満なる家庭を」とある。「帰任」と対立。⇩着任

ふにんじょう【不人情】 人情を解さず思いやりに欠ける意で、会話にも文章にも使われる漢語。〈都会の人は概して―だ〉〈そんな―なまねはできない〉✎夏目漱石の『坊っちゃん』に「うつくしい人が―で、冬瓜の水膨れの様な古賀さんが善良な君子なのだから、油断が出来ない」とある。⇩薄情・不親切・冷酷・Q冷淡

ふぬけ【腑抜け】 「意気地なし」の意で、会話や軽い文章に使われる古風な和語。〈この―め！〉〈―になる〉✎はらわたを抜き取られたかのようなようすから。「間抜け」の意もある。尾崎一雄の『虫のいろいろ』に「馬鹿で―の蚤に、どこか私は似たところがあるかも知れない」とある。⇩意気地無し・臆病・Q腰抜け・怖がり・弱虫

ふね【船／舟】 水上の乗り物をさし、会話でも文章でも日常よく使われる基本的な和語。〈渡し―〉〈屋形―〉〈―を漕ぐ〉〈―を出す〉〈乗りかかった―〉✎志賀直哉の『暗夜行路』に「―は風に逆らい、黙って闇へ突き進む」とある。大型のふねには「船」を用い、総称ともなる。手漕ぎなどの小型のふねは「舟」と書く。「宝ブネ」や「フナ旅」は「舟」では心細いので「船」と書くが、「フナ下り」の場合はその大きさによって書き分ける。⇩艦船・舟艇・船舶

ふはい【腐敗】 食べ物などが「腐る」意で、改まった会話や文章に用いられる漢語。〈―防止〉〈食品が―する〉〈―が起こる〉〈―が進む〉〈―をくいとめる〉✎「―した政治」のように、劣化して修復困難な状態になる意の比喩的用法もある。⇩傷む・腐る・Q腐食・腐乱

ふはく【浮薄】 心がしっかりしておらずすぐに他の影響を受けやすくて軽々しい意で、主に文章に用いられる硬い漢語。〈軽佻《けいちょう》―〉〈―な気風〉〈生活が―に流れる〉⇩浅はか・軽はずみ・軽率・Q軽薄

ふびじん【不美人】 女性の容姿が美しくない意の漢語で、会話よりも文章に多く用いられる。〈―ながら立ち居振る舞いに気品がある〉✎ののしる響きはなく、冷静に客観的に評した感じの語。⇩悪女・おかちめんこ・しこめ・Q醜女・醜婦・べた・ぶす

ふびょうどう【不平等】 差別があって公正でない意で、やや改まった会話や文章に用いられる漢語。〈―条約〉〈男女の

—を是正する〉✎条約や法律関係の話題によく使う。「平等」と対立。⇩不公平

ふびん【不憫(愍)】かわいそうなの意で、会話にも文章にも使われる古風な漢語。〈—な子〉〈—に思う〉〈—でならない〉⇩憐れ・Qかわいそう・気の毒

ぶひん【部品】機械や器具類などの製品を組み立てている個々の部分をさし、会話にも文章にも使われる漢語。〈—メーカー〉〈—交換〉〈自動車の—〉〈—を組み立てる〉〈—がそろわない〉✎「部分品」の略。「パーツ」より細かい連結部のボルトやねじ一本まで含まれる感じがある。⇩パーツ

ふひんこう【不品行】日頃の生活態度や行いが悪い、特に異性関係にだらしのない意で、主として文章に用いられる古風な漢語。〈—な娘〉〈—として世間の噂になる〉⇩だらしない①・Qふしだら・不貞・不身持ち

ふふく【不服】納得できず承服できない意で、会話にも文章にも使われる漢語。〈—を申し立てる〉〈提案を—とする〉✎井上靖の『氷壁』に「相手は明らかに—そうであった」とある。⇩不平・Q不満

ぶぶん【部分】全体をいくつかに分けた場合の一つ一つをさし、会話にも文章にも広く使われる日常の基本的な漢語。〈—修正〉〈最も重要な—〉〈難しい—を除いて一通り読む〉〈三つの—に分けて考える〉✎辻邦生の『天草の雅歌』に「長谷川権六の態度にはどこか説明しかねる—があった」とある。「全体」と対立。⇩Q一部・一部分

ふへい【不平】気に入らないことがあって気持ちがおさまらない意で、会話や軽い文章に使われる日常の漢語。〈—を言う〉〈—を並べる〉〈—不満をもらす〉✎川端康成の『雪国』に「都の落人じみた高慢な—よりも、単純な徒労の感が強かった」とある。対象の明確な「不服」に比べ、日常のさまざまな点が対象になりやすい。⇩不服・Q不満

ぶべつ【侮蔑】相手を見下して馬鹿にした態度をとる意で、主に文章に用いられる硬い漢語。〈—的発言〉〈—の目で見る〉〈表情に—の色を浮かべる〉✎夏目漱石の『明暗』に「半ば自分の直覚を信用して成り立ったこの—の裏には、まだひとに向かって公言しない大きな因子があった」とある。「侮辱」に比べ、気持ちの内部に中心があり、具体的な言行よりも表情や態度に表れる場合が多い。⇩Q侮辱・凌辱《りょうじょく》

ふへん【不変】変わらないの意で、改まった会話や文章に用いられる硬い漢語。〈永久—〉〈—資本〉〈—の愛〉⇩Q普遍・不偏

ふへん【不偏】偏らないの意で、主に硬い文章に用いられる漢語。〈—不党の報道〉〈—をモットーとして取り組む〉✎多く「—不党」の形で用いる。⇩Q普遍・不変

ふへん【普遍】あまねく行き渡る意で、改まった会話や文章に用いられる硬い漢語。〈—性がある〉〈—的な問題〉〈人類—の真理〉✎「—妥当性」は哲学用語。「普遍」自体にもいくらか哲学的な雰囲気がある。⇩Q不変・不偏

ふぼ【父母】父と母の意で、改まった会話や文章に用いられる漢語。〈—の恩〉〈—の墓参り〉〈—からの仕送り〉〈—と一緒に住む〉✎学校などの「—会」という形では改まらない会話にも使われる。「両親」に比べれば、父や母という個人の意識がいくらか感じられる。⇩ちちはは・二親・Q両親

ふほう【不法】法律に従わない意で、改まった会話や文章に用いられる、やや専門的な感じの漢語。〈―入国〉〈―占拠〉〈―監禁〉〈―行為として罰せられる〉✐他人の権利を侵したり、必要な許可なくして物事を行ったりする場合によく使われ、「違法」よりも若干狭い感じがあるが、一方、「―な要求」「―な仕打ち」のように厳密な法律違反というより道理にそむくといった漠然とした用法もある。⇩Q違法・非合法

ふほう【訃報】死亡の知らせの意で、主として文章に用いられる硬い漢語。〈突然―が舞い込む〉〈―に接し驚きを禁じえない〉⇩凶報・悲報・Q訃音《ふいん》

ふほんい【不本意】自分の希望や本当の気持ちに合わない意で、やや改まった会話や文章に用いられる漢語。〈―な結果〉〈―ながら従う〉〈―にも物別れに終わる〉✐意に反する事態や相手にいやいや合わせるときによく使い、「心外」と違って特に意外という感じは伴わない。小沼丹の『鶺鴒』に「生憎、誰も婆さんに酒を注いでやらなかったから、婆さんとしては甚だ―であったかもしれない」とある。⇩心外

ふまん【不満】満足できない意で、会話にも文章にも使われる日常の漢語。〈欲求―〉〈―そうな顔〉〈―を解消する〉〈―に思う〉〈結果に―が残る〉✐島尾敏雄の『出発は遂に訪れず』に「やり場のない―が、からだの中をかけめぐる」とある。⇩Q不服・不平

ふみしめる【踏み締める】力を入れてしっかり踏む意で、会話にも文章にも使われる和語。〈大地を―〉✐有吉佐和子の『紀ノ川』に「石段を一歩一歩―ように上って行った」とある。「踏みつける」のようなマイナスイメージはない。⇩Q踏みつける・踏む

ふみつける【踏み付ける】強く踏んで押さえつける意で、会話にも文章にも使われる和語。〈乗客の足を―〉✐夏目漱石の『吾輩は猫である』に「霜柱の融けかかったのを―・けながら」とある。「他人を―・けて出世する」のように犠牲にするというマイナスのニュアンスを伴うこともある。⇩Q踏み締める・踏む

ふみもち【不身持ち】酒に溺れたり女関係にだらしがなかったりしてまともな暮らしができない意で、会話にも文章にも使われる古めかしい語。〈―で女房を泣かせる〉⇩だらしない①・ふしだら・Q不貞・不品行

ふむ【踏む】足で押さえつける、その地に立つの意で、くだけた会話から文章まで幅広く使われる基本的な和語。〈足で―〉〈地団太を―〉〈薄氷を―思い〉✐芥川龍之介の『秋』に「久しぶりで東京の土を―・んだ」とある。「場数を―」のように経験する意の用法もある。⇩踏み締める・Q踏みつける

ふめい【不明】その点に関して明らかでないの意で、会話にも文章にも広く使われる漢語。〈行方―〉〈年代―〉〈原因―〉✐情報がなくまったくわからないというニュアンスが強い。夏目漱石の『吾輩は猫である』に「自己の―を恥ずるであろう」とあるように、物事を洞察するだけの見識がない意にも使う。⇩Q不詳・未詳・未知

ふめいかく【不明確】はっきりしない意でいくぶん改まった会話や文章に用いられる漢語。〈―な説明〉⇩曖昧・多義的・中間的・不明瞭

ふめいりょう【不明瞭】はっきりしない意で改まった会話や文章に用いられる漢語。〈肝心な点が―で判断できない〉⇩曖昧・多義的・中間的・不明確

ふめん【譜面】楽譜の紙面をさし、やや改まった会話や文章に用いられる、いくぶん専門的な感じの漢語。〈―台〉〈―をめくる〉〈―を見ないで弾く〉⇩音譜・Q楽譜・譜

ふもと【麓】山の最も低いもとの部分をさし、くだけた会話から硬い文章まで幅広く使われる日常の基本的な和語。〈―の村に住む〉✎志賀直哉の『暗夜行路』に「―の村は未だ山の陰で、遠い所より却って暗く、沈んでいた」とある。「いただき」と対立。広くなだらかな裾野だけでなく、急に盛り上がったり切り立った崖になったりしている場所をも含む。⇩Q山麓・裾・裾野・山すそ

ふやす【増やす】数量や程度を前より多くする意で、会話でも文章でも幅広く使われる日常生活の基本的な和語。〈正社員を―〉〈作業量を―〉〈本数を―〉〈収入を―〉〈貯金を―〉✎「増す」が抽象的な存在について程度の増加を問題にするのに対して、この語は逆に具体的な存在についてその数量を増加させる行為を問題にしているとされる。太宰治の『斜陽』に「お金を―事を工夫なさる」とあり、財産については「殖やす」と書く例が多い。⇩増す

ふゆ【冬】秋と春の間にあり、草木が枯れ雪の降る寒い季節をさし、くだけた会話から硬い文章まで幅広く使われる日常の基本的な和語。〈―支度〉〈―景色〉〈―を越す〉〈厳しい―がやって来る〉✎小川洋子の『冷めない紅茶』に「外には―の闇が満ちていた。どこか甘い匂いがするような、しっとりとした闇だった」とある。⇩ウインター

ふゆかい【不愉快】嫌な気分になる意で、会話にも文章にも使われる漢語。〈―千万〉〈―な思いをする〉〈話に聞いただけでも―になる〉✎幸田文の『おとうと』に「母は如何にも―そうにむっとしている」とある。肉体的な苦痛に対して用いても、「不快」の場合と違って精神的な不快感に及んでいる感じがある。なお、「応援したチームが負けて―だ」のような意味合いでは「面白くない」という表現を使う例も多い。⇩鬱陶しい・重苦しい・不快

ふよ【附(付)与】授け与える意で、主に法律などの硬い文章に用いられる専門的で正式な感じの漢語。〈権限を―する〉〈資格を―する〉⇩賦与

ふよ【賦与】分け与える意で、硬い文章に用いられる古風な漢語。〈天から―された才能〉⇩附与

ふよう【不用】使わない意で、会話にも文章にも使われる漢語。〈―品〉〈―の施設を売却する〉⇩不要

ふよう【不要】要らない意で、改まった感じの会話や文章に用いられる、やや硬い感じの漢語。〈切手―〉〈―不急の業務〉〈―の品を買ってしまう〉〈―になった電気製品〉〈予約は―とのこと〉⇩不用

ふよう【扶養】生活の面倒を見る意で、改まった会話や文章に用いられる漢語。〈―家族〉〈―の義務を負う〉✎福原麟太郎の『チャールズ・ラム伝』に「家のものを―したり世話したり」とある。経済的な面に重点がある。⇩育てる・育む・養う・Q養育

ふよう【浮揚】空中や水中で上方に移動する意で、改まった

会話や文章に使われる、やや硬い漢語。〈軽気球が―する〉〈沈没した船が―する〉✎「―力」となると専門的な雰囲気になる。「景気―策を打ち出す」のように、低い水準から浮かび揚がる意の比喩的用法もある。⇩浮上

ぶよう【舞踊】音楽の調子に合わせて体や手脚をリズミカルに動かす身体芸術の総称として、改まった会話や文章に用いられる漢語。〈―家〉〈日本―〉〈民族―〉〈いささか―の心得がある〉✎和風・洋風の両方が含まれる。⇩踊り・ダンス・Q舞踏・舞

ぶらいかん【無頼漢】無職で素行の悪いならず者の意で、会話にも文章にも使われる古風な漢語。〈このへんでちょっとは知られた―〉⇩ごろつき・ちんぴら・ならず者・暴力団・Q無法者・やくざ・与太者

プライド　「誇り」「自尊心」の意で、会話にも文章にも使われる日常の外来語。〈―が高い〉〈―が傷つく〉〈―をずたずたにされる〉〈―が許さない〉⇩気位・矜持《きょうじ》・自尊心・自負・Q誇り

フライトアテンダント　「客室乗務員」の硬い感じを避け、新味を出すための外来語の呼称。⇩エアホステス・客室乗務員・Qキャビンクルー・スチュアデス

プライバシー　「私事《しじ》」の意で、会話にも文章にも使われる、少し新しい感じの外来語。〈―を守る〉〈―にかかわるためコメントを差し控える〉✎「―の侵害」「―を尊重する」のように、私生活を他人に知られたり干渉されたりしない権利をさす用法も多い。⇩Q私事《しじ》・わたくしごと

フライパン　柄のついた浅い鉄製などの鍋をさす和製英語。〈―でいためる〉✎英語「フライングパン」の日本的短縮形。「アメリカン」が「メリケン」と聞こえたように、意図的な省略というより、「ラ」と「パ」が強く発音されるために「ング」の部分がほとんど聞こえなかったとも考えられる。椎名麟三の『自由の彼方で』に「錆びた―をたたいているような声」という比喩表現の例が出る。

ブラシ　こすって磨いたりさっとはたいて汚れを落としたりする洋風の刷毛《けは》をさし、会話にも文章にも使われる外来語。〈歯―〉〈―で洋服をはたく〉〈靴を―で磨く〉⇩はけ

ふらつく　ふらふらして安定しない意で、会話や軽い文章に使われる和語。〈酒に酔って足元が―〉〈めまいがして―〉〈盛り場を―〉〈考えが―〉✎「つまずいて」のように急な衝撃の後には続きにくい。⇩Qひょろつく・よろける・よろめく

ぶらつく　何となくぶらぶら歩きまわる意で、会話や改まらない文章に使われる、「ぶらぶらする」意のくだけた表現。〈公園の周りを―〉〈銀座通りを―〉✎「ぶらぶら」という擬態語の動詞化で、文体的レベルは低い。「うろつく」「ほっつきまわる」などが何らかの目的を持った歩行であるのに対して、この語にはその人間が歩くこと自体を楽しむという雰囲気があり、そのため歩く速度が遅く、また疲労しない程度の範囲に限られる。⇩Qうろつく・ほっつきまわる

ふらん【腐乱(爛)】細菌の作用で動物の体の組織が変質して爛《だた》れ崩れる意で、改まった会話や文章に用いられる漢語。〈―死体〉〈死骸の―した臭い〉✎梶井基次郎の『桜の樹の下には』に「屍体はみな―して蛆が湧き、堪らなく臭い」とある。⇩傷む・腐る・Q腐食・腐敗

プラン　日常生活における計画の意で会話や改まらない文章に使われる外来語。〈旅行の—を立てる〉〈—を練る〉〈—どおりに事が運ぶ〉✎詐欺や賄賂などの違法行為はもちろん、一般に悪事を働くような場合には用いない。⇩青写真・企画・Q計画・構想

フランス　ヨーロッパの西部に位置する国をさし、会話でも文章でも広く使われる国名。〈—語〉〈—料理〉〈本場—の高級ワイン〉✎「フランス」という通常の片仮名表記では特別の語感は生じないが、「仏蘭西」と書くと漢字の重々しい雰囲気のせいで高級感が増す感じになる。新字体の「仏」を「佛」という正字体にすればそういう感じはさらに強まる。「佛蘭西料理」という店の看板は単に古風だというだけでなく、値段が心配になって店の前で財布の中身を調べたくなるような高級感を演出する。また、平仮名で書くとやわらかい感じになり、語学校の前で「ふらんす語」という看板を見ると、宿題を出さずに手を取って教えてくれそうな優しい雰囲気を感じ、その代わり何年通ってもスタンダールやサルトルが読める段階まで進まないような気がしてしまう。平仮名表記のもたらす語感である。萩原朔太郎の有名な詩『旅上』は「ふらんすへ行きたしと思へども／ふらんすはあまりに遠し」と始まる。⇩おフランス

ブランド　「商標」の意で、会話にも文章にも使われる外来語。〈—イメージ〉〈有名—〉✎「—品を買いあさる」のように、特に名の通った高級な銘柄を連想させる。「—力で多数の志願者を集める」のように、商品に限らず大学や企業の伝統や信頼による集客力などを話題にする際にも比喩的に使う。⇩商標・トレードマーク・Q銘柄

ふり【不利】　相手に比べて条件や形勢が悪い意で、会話にも文章にも使われる漢語。〈体力的に—だ〉〈立場が—だ〉〈戦況は—だ〉〈—な条件をのむ〉✎損失・失敗・敗北などの好ましからぬ結果が予想される場合に用い、「有利」と対立。今東光の『お吟さま』に「御父上を—に陥し参らせようと」の例があるという。「劣勢」と違い、「人数の点で—だ」など、争いの起こる前の条件や状態についても使う。⇩劣勢

ぶりかえす【ぶり返す】　病気や天候などが一度よい方向に向かったあとまた元の悪い状態に戻る意で、会話や硬くない文章に使われる和語。〈風邪が—〉〈寒さが—〉〈騒ぎが—〉✎病気などが治り切らないうちに元の症状に戻ってしまう場合に言う。⇩再発

ふりかえる【振り返る】　後方を向く意で、会話にも文章にも幅広く使われる日常の和語。〈今来た道を—〉〈立ち去る人が曲がり角で—・ってお辞儀をする〉✎尾崎一雄の『あの日この日』に「—・って南方を見る。鳥居をこえて、足柄平野」とある。後方を向き返る際に、「振り向く」が首だけを回す感じなのに対し、首を回しても体を回してもよい感じがある。単に後ろを向くというより、それまで自分のいた方向をもう一度眺めるというニュアンスがある。そのため、「過去を—」「わが身を—」「大会を—」のように顧みるという意味合いでの比喩的な用法に広がる。⇩顧みる・Q振り向く

ふりそそぐ【降り注ぐ】　空から雨や日光などが落ちて来てそれに注ぐように降りかかる意で、改まった会話や文章に用いられるいくぶん抒情《じょじょう》的な感じの和語。〈川面に激しく

―雨〉〈太陽がさんさんと―〉〈火の粉が―〉✎宮本輝の『蛍川』に「一陣の強風が木立を揺り動かし、川辺に沈澱していた蛍たちをまきあげた。光は波しぶきのように二人に―・いだ」とある。⇩降る

ふりまく【振り撒く】撒き散らす意で、会話にも文章にも使われる和語。〈水を―〉〈塩をひとつまみ―〉〈愛嬌を―〉✎「撒き散らす」より狭い範囲を連想させる。⇩ばら撒く・Q撒き散らす

ふりまわす【振り回す】勢いよく振って動かす意で、会話やさほど硬くない文章に使われる和語。〈刀を―〉〈棒を―〉〈傘を―〉✎石川淳の『普賢』に「しおたれた上着をつかんで縄のように―・し」とある。⇩振る

ふりむく【振り向く】首を回して後ろを向く意で、くだけた会話から硬い文章まで幅広く使われる日常の和語。〈後ろから声をかけられて―〉✎夏目漱石の『坊っちゃん』に「何が来たかと驚ろいて―奴を」とある。後方を見るための動作というニュアンスが強い。「だれも―・いてくれない」のように注意を向ける、関心を向けるという意味合いでも使われる。⇩振り返る

ぶりょく【武力】外交などの話し合いに対して、暴力や軍隊の力をさし、改まった会話や文章に用いられる、やや硬い感じの漢語。〈―革命〉〈―行使〉〈―衝突が起こる〉〈―に訴える〉✎大小さまざまな規模があり、近代以前についても使う。⇩軍事力・Q戦力・兵力

ふりん【不倫】道徳に反し人道を外れる意で、主に文章に用いられる漢語。〈―と言われても仕方のない行為〉〈―の恋に落ちる〉✎「―に走る」「―の現場をおさえる」「―がばれる」のように、近年、夫婦の一方が別の異性と交わる意に限定して使う用法が広まっており、その場合は俗語の響きを伴う。⇩移り気・Q浮気

プリンター「印刷機」に近い意味で、会話でも文章でも使われる新しい感じの外来語。〈―を接続する〉〈パソコンの―が故障する〉✎「印刷機」よりも小型で簡便な器械を連想させやすい。⇩印刷機

ふる【降る】空などの上方から雨や雪などの細かいものが落ちて来る意で、くだけた会話から文章まで幅広く使われる日常の基本的な和語。〈春雨が―〉〈粉雪が―〉〈灰が―〉〈木の葉が―〉✎福永武彦の『風花』に「蒼空の部分は無限に遠く見えた。かすかな粉のようなものが、次第に広がりつつあるその裂け目から、静やかに下界に―・って来た」とある。⇩降り注ぐ

ふる【振る】体の一部や手に持った物を前後・左右・上下に揺り動かす意で、くだけた会話から文章まで幅広く使われる日常の基本的な和語。〈手を―〉〈首を―〉〈旗を―〉〈ハンカチを―〉✎木山捷平の『大陸の細道』に「風に吹かれるベコ人形が首を―ように、首を左から右に―・った」とある。「さいころを―」「塩を―」のように手から勢いよく放す意でも使う。⇩振り回す

ふるい【古(旧)い】始まってから長い年月が経過した意で、くだけた会話から硬い文章まで幅広く使われる日常の基本的な和語。〈―建物〉〈―つきあい〉〈―時代〉〈―習慣〉✎「考え方が―」「感覚が―」のように、その時代に合わない

というマイナス感情を伴う用法もあるが、主観的・感情的な「古くさい」に比べ客観性が強い。⇩古風・Q古くさい・古めかしい

ふるう【奮う】勇み立つ意で、少し改まった感じの会話や文章に使われる和語。〈勇気を―〉〈―・ってご参加ください〉⇩Q振るう・篩《ふる》う

ふるう【篩う】篩《ふる》いにかける、選別するの意で、会話にも文章にも使われる和語。〈粉を―〉〈志願者を面接で―〉⇩Q振るう・奮う

ふるう【振るう】思うように扱う、勢いがある、突飛だといったさまざまな意味で、会話にも文章にも使われる和語。〈刀を―〉〈采配を―〉〈言うことが―・っている〉〈成績が―・わない〉✎「権力を―」「熱弁を―」「台風が猛威を―」「存分に腕を―」のように、発揮するという意味合いでは「揮う」と書き分けることもある。⇩Q奮う・篩《ふる》う

フルーツ「果物」の意で会話にも文章にも使われる外来語。〈―ケーキ〉〈―パーラー〉〈デザートに―が出る〉✎近年、会話などで「果物」の代わりに単独でも使うが、果物類を漠然とさす例が多く、個々のりんごや柿やみかんを指差して「この―」と言う例はあまり見かけない。⇩果実・Q果物・実・水菓子

ふるえあがる【震(顫)え上がる】ひどい怖さや寒さなどで体が細かく震える意で、会話にも文章にも使われる日常の和語。〈寒気に襲われて―〉〈恐怖のあまり―〉✎夏目漱石の『吾輩は猫である』に「臆病な主人のことだからびりびりと―に相違ない」とある。⇩おののく・震える・Qわななく

ふるえる【震(顫)える】寒さや恐怖・怒り・興奮などで体やその一部が連続して小刻みに揺れ動く意で、くだけた会話から硬い文章まで幅広く使われる日常の和語。〈寒さにぶるぶる―〉〈恐ろしくて脚が―〉〈極度の緊張で体が―〉〈声が―〉✎渡辺淳一の『訪れ』に「当直の看護婦の顔は恐怖に蒼ざめていた。白衣の袖口に入れた手が―・えている」とある。⇩動揺・震え上がる・Q揺れる

ふるがお【古顔】その場所や組織などに古くからいる人の意で、会話にも文章にも使われるやや古風な和語。〈―が集まる〉〈この土地では―の部類だ〉⇩古参・Q古株・古手・ベテラン

ふるかぶ【古株】集団や組織などに古くからいる人の意で、会話にも文章にも使われる若干古風な感じの和語。〈店で一番の―〉〈―の社員〉⇩古参・Q古顔・古手・ベテラン

ふるくさい【古くさい】古くて新鮮みに欠けるという意味の和語。文章にも使えるが、「古風」「古びた」「古めかしい」に比べ、会話でよく使われる。〈昔はやった―衣装〉〈―デザイン〉〈考え方が―〉〈―人間〉✎椎名麟三の『深夜の酒宴』に「このアパートの人々は僕には―昔話の人々のような気がしてならない」とある。なつかしさや落ち着きを感じさせる面もある「古風」、評価を伴わない「古めかしい」や「古びた」と比較し、時代遅れといったマイナス評価をこめた表現。実際に時代を経ていなくても、様式などが古く感じられれば使える。⇩古風・古びた・Q古めかしい

ふるさと【古里／故里】「出身地」に近い意味で会話から文章まで幅広く使われる、やわらかいやや詩的な和語表現。〈―の山〉〈―を懐かしく思い出す〉〈―の訛《なま》りが交じる〉〈第

二の―〉〈心の―〉✎藤沢周平の『旧友再会』に「いまは幻となったかつての山青く水清かった―」とある。「ふるさと」と仮名書きする例が多い。「出身地」はもちろん、「郷里」よりも、情のこもった表現。生まれ故郷から長く遠く離れている人が、昔を思い出して懐かしむ気持ちが強く、「故郷」の和風版に相当する。思い出の土地となるのは当時の生活圏であり、一般に「出身地」より狭い範囲を思い浮かべる傾向が強い。生家が人手に渡り、帰省する場所を失った人間にとって痛切に思い出すのは、この「ふるさと」か「故郷」がふさわしい。灯ともし頃に鋪道をぬらす雨を見ながら、まぶたに描くのは「ふるさと」の町や小川であり、「出身地」の自然ではない。後ろ髪を引かれる思いで後にするのも同様である。ちなみに、八木重吉に「心のくらい日に／―は祭のようにあかるんでおもわれる」という二行の詩があり、タイトルは『故郷』となっている。⇩郷土・郷里・Q故郷・出身地

フルスピード　可能な最大の速度の意で、会話やさほど硬くない文章に使われる外来語。〈―を出す〉〈―で追跡する〉〈―で仕上げて納品する〉✎多く乗り物その他の機械類について用いる。⇩全速力

ふるて【古手】　その職業などに古くから携わってきた人の意で、会話にも文章にも使われるやや古風な和語。〈―の社員〉〈―の官僚〉⇩古参・古顔・Q古株・ベテラン

ふるどうぐ【古道具】　使い古した道具をさし、会話にも文章にも使われるやや古風な表現。〈―屋の店先〉〈―を安く買う〉✎売りに出された場合に言う例が多い。骨董《こっとう》品の一部も含むが、さほど高価なイメージはない。小沼丹の『炉を塞ぐ』に「湖畔の―屋で天狗は大枚千円を投じて鉄の自在鍵を買い求めた」とある。⇩アンティーク・Q骨董

ふるびた【古びた】　時が経ってすっかり古くなったという意味の和語。「古くさい」ほど会話的な感じがない一般的な語。〈見るからに―家〉〈―安物の家具〉✎小林秀雄の『モオツァルト』に「決して正確な音を出したがらぬ―安物の蓄音機」とある。「古くさい」のようなマイナスイメージもなく、「古風」のような昔なつかしい感じもなく、外見の古さを客観的に伝える。他の類義語と違って、実際に古いと感じられる場合に使う。⇩古風・古くさい・Q古めかしい

ふるほん【古本】　一度買ってから売り払った本や刊行後時が経った本をさし、会話やさほど硬くない文章に使われる日常語。〈―市〉〈―屋〉〈―で安く買う〉✎「新本」と対立。⇩古書

ふるまい【振る舞い】　その人間の性格や態度の表れた体の動きや行動をさし、会話にも文章にも使われるやや古風な和語。〈立ち居―〉〈けしからん―に及ぶ〉✎「美しい―」「粗野な―」のように、人前での動作を評価する場合に使う傾向がある。稲垣足穂の『弥勒』に「懐手のまま他人の座敷を素通りするような―」とあるようにマイナス評価の例が多い。⇩行い・Q挙動・行為・行動・所作・動作

ふるめかしい【古めかしい】　いかにも古いという感じがする意の和語。「古くさい」ほど会話的な感じのしない一般的な表現。〈―構えの建物〉〈―しきたり〉〈―儀式〉✎堀田善衛の『広場の孤独』に「―赤煉瓦の低いビル街」とある。「古

くさい」のようなマイナス評価もなく、「古風」のように昔なつかしさも特に感じさせない。実際に時代を経ていなくても、様式などが古く感じられれば使う。⇩古風・古くさい・Q古びた

ぶれい【無礼】礼を失する意で、会話にも文章にも使われる古風な漢語。〈―者〉〈慇懃《いんぎん》―〉〈口の利き方が―だ〉〈―を働く〉〈御―仕《つかまつ》る〉✎小沼丹の『タロオ』に「タロオを横目に睨んで、片足上げて垣根に小便を引掛けて行く。この―な振舞にも」とある。「失礼」「失敬」と比べ、多く自分の立場をわきまえず、分を超えた態度や口の利き方をするような場合に使われる。⇩失敬・失礼

プレーボーイ「遊び人」の意で、主として会話で使われる洋風の日常語。〈なかなかの―だ〉✎粋に遊びまわる点は「遊び人」と共通するが、男女関係に放埒《ほうらつ》な印象が強い。⇩遊び人

プレス 新聞・新聞社・新聞界の意で会話や軽い文章に使われる新しい感じの外来語。〈―センター〉〈―キャンペーン〉✎単独ではあまり使わない。⇩新聞

ブレスト 最近は使用頻度の低い、「平泳ぎ」をさすやや特殊な外来語。〈得意種目は―〉✎「ブレストストローク」の略。⇩平泳ぎ

ふれまわる【触れ回る】歩き回って積極的に知らせる意で、会話やさほど硬くない文章に使われる和語。〈あちこち―〉〈自分の手柄を―〉✎「言い触らす」以上に、機会を作ってそのために積極的に歩き回るイメージがある。⇩Q言い触らす・吹聴

ふれる【触れる】「接触する」意の和語で、「さわる」に比べ、会話的な調子が薄い。〈じかに肌に―〉〈飾り物に手を―〉〈すれ違うときに肩が―〉〈―・れなば落ちん風情〉〈目に―〉〈逆鱗に―〉〈法に―〉〈その話題に―〉〈事件の核心に―〉〈折に―・れて〉✎幸田文の『流れる』に「新聞紙を通して―死骸の硬さがあわれだった」とある。自然な接触を思わせ、「さわる」ほど露骨な感じがない。⇩Q触る・接触

プロ あることを専門とし、それを職業にしている人の意で、会話にも文章にも使われる外来語の略。〈セミ―〉〈―入り〉〈―意識〉〈―級の腕前〉〈―の料理人〉〈―を目指す〉✎英語「プロフェッショナル」の簡略形。「専門家」がそのことを専門としている点を中心とするのに対し、この語はそれを職業としてその収入で生計を立てている点を中心とした表現。⇩Q玄人・スペシャリスト・専門家

ふろおけ【風呂桶】桶の形に作った木製の浴槽をさし、会話や硬くない文章に使われる、やや古風な表現。〈檜《ひの》きの―〉〈―が古くなって水が漏る〉✎徳田秋声に『風呂桶』と題する小説があり、「―のなかへ入っているのが窮屈で」「段々自分の棺桶のような気がして来る」場面がある。⇩バスタブ・湯壺・湯船・Q浴槽

ふろく【附(付)録】雑誌の本誌以外にサービスとして付けてある品物や、書物の本文以外に添えたページなど、本体以外のおまけの部分や品物をさし、会話にも文章にも使われる日常の漢語。〈別冊―〉〈巻末―〉〈雑誌の―〉✎永井荷風の『濹東綺譚』に「―でもあれば、意外の掘出物だ」とある。⇩おまけ・Q景品

プロセス 過程・手順・工程の意で、会話やさほど硬くない文章に使われる外来語。〈―を踏む〉〈決定までの―を明らかにする〉✎「過程」に同音異義語が多いためもあり、会話ではよくこの語を使う傾向が見られる。⇩過程

ふろば【風呂場】 入浴のために設けた部屋をさし、くだけた会話からさほど改まらない文章で使う、やや古風な日常語。〈旅館の長い廊下の奥に―がある〉〈―の掃除〉✎川崎長太郎の『伊豆の街道』に「地下室のような―」とある。設計図などには「浴室」と記すことが多いが、日常会話では今でも多くこの語を使う。やや古風な語感にユニットバスなどはぴったり合わない。檜《ひの》風呂などは「浴室」よりこの「風呂場」のほうが似合う。⇩バスルーム・湯殿・Q浴室・浴場

プロポーズ 結婚の申し込みをさして、会話にも文章にも広く使われる外来語。〈付き合い始めてすぐに―する〉〈―をお受けする〉✎現在では「求婚」より一般によく使う。⇩求婚

ブロマイド 人気のある俳優・歌手・スポーツ選手などの小型の肖像写真をさし、会話にも文章にも使われる外来語。〈机上にヘップバーンの―を飾る〉⇩写真・スチール・スナップ・Qポートレート

プロムナード 「散歩道」の意で使われるおしゃれな感じの外来語。〈ショッピング―〉✎「散歩道」や「散策路」であれば、腕を組む若い恋人たちでも杖をひく老人の姿でもなじむが、おしゃれな感じのこの語にはおのずと年齢制限がありそうな雰囲気が漂う。そういう語感を利用して、公園や商店街などの名称に使われることが多い。四つ目垣や黒板塀などが並ぶ小路の場合だと、こういう名づけはイメージが合わない。⇩散策路・Q散歩道・遊歩道

ふろや【風呂屋】 「銭湯」の意で、会話にも文章にも使われる古風な日常語。〈横町の―〉〈―の煙突が見える〉⇩公衆浴場・Q銭湯・湯屋

プロやきゅう【プロ野球】 観客から入場料をとり、職業として試合をする野球の意で、会話でも文章でも広く使うことば。〈―の放送〉〈―の人気選手〉✎サトウハチローの『青春野球手帖』に「―の方は練習はみない。／ゲームの数が多いから、みなくてもいいのだ」とある。⇩職業野球

フロント ホテルなどの正面の受付をさし、会話にも文章にも使われる外来語。〈―でチェックインを済ませる〉〈―に部屋の鍵を預ける〉✎和風旅館の帳場に相当する。⇩受付・帳場・Q窓口

ふわ【不和】 個人や団体や国家などの間の関係が悪化する意で、改まった会話や文章に用いられる漢語。〈家庭の―が明るみに出る〉〈グループ内の―が取り沙汰される〉〈両国間の―が深刻な段階に達する〉✎志賀直哉の『和解』に「妻との結婚が父との―の最近の原因になっていた」とある。⇩仲違い・反目・Q不仲

ふん【糞】 くその意で、会話にも文章にも使われる漢語。〈犬の―〉✎音読みしているだけ間接的で、「くそ」ほど露骨に感じない。通常は動物の場合に使うが、「脱―」の形では人間の場合にも用い、上林暁の『黒鱒』に「彼が脱―すると言っても、彼女はかくべつ嫌な顔をしなかった」とある。⇩うんこ・うんち・Qくそ・人糞・大便・糞便・便

ぶん【文】 句点で挟まれる一続きの言語である「センテンス」を主としてさす漢語。センテンスを意味する用法としては、くだけた会話から改まった文章まで幅広く使われる。〈命令—〉〈一つ一つの—が長い〉〈過去形で—を結ぶ〉✎「手紙—」「—は人なり」「内容はともかく—がうまい」のように、センテンスの集合としての文章やその表現を意味する世俗的な用法の場合は、非専門的という語感が働くため学術的な文章にはふさわしくない。小池滋は『行間を読む』に「ひとり灯《ともしび》のもとに—をひろげて、見ぬ世の人を友とする」という『徒然草』の一文を引用している。⇩文章

ふんいき【雰囲気】 周囲の人々の気分に左右されるその場にふさわしい期待感をさし、会話にも文章にも広く使われる日常の漢語。〈都会の—〉〈芸人の—が感じられる〉〈えもいわれぬ—が漂う〉〈せっかくのなごやかな—をこわす〉〈いい—をかもしだす〉〈職場の—がいい〉〈大会の—にのまれて日頃の力が発揮できない〉✎宇野千代の『刺す』に「しっとりとした雅趣のある—」とあり、大岡昇平の『花影』に「客が詰めかける前のバーの—が好き」とある。「独特の—を持っている」のように、ある個人の身につけているその人らしい感じをさすこともある。⇩空気②・気色・気配・Qムード

ぶんか【分化】 発達に伴って分かれる意で、主に文章に用いられる漢語。〈未—〉〈組織の—が進む〉⇩分科

ぶんか【分科】 専門別に分ける意で、改まった会話や文章に用いる、学問的雰囲気の硬い漢語。〈詳細は—会で検討する〉〈社会科学の一—をなす〉⇩分化

ぶんか【文化】 その社会固有の思考・行動・生活の様式をさし、会話にも文章にも広く使われる基本的な漢語。〈—国家〉〈—遺産〉〈—水準〉〈—の違い〉〈伝統—を守る〉〈—の発展に寄与する〉✎小林秀雄の『ゴッホの手紙』に「翻訳—などという脆弱な言葉は、凡庸な文明批評家の脆弱な精神のなかに、うまく納っていればそれでよい」とある。戦後間もない頃にもてはやされた「—住宅」という語には今や古めかしい語感がしみついている。機械の発達に重点のある「文明」に比べ、精神的な営みに重点がある。⇩文明

ふんがい【憤慨】 激しく腹を立てる意で、会話にも文章にも使われる漢語。〈盛んに—する〉〈—に堪えない〉✎丸谷才一の『笹まくら』に「軽蔑されるのはおかしいと—していた」とある。⇩憤り・激怒・憤激・Q憤怒

ぶんかい【分解】 組み立ててある物が部分に分かれてばらばらになったり、そういう状態にしたりする意で、会話にも文章にも使われる漢語。〈時計を—掃除に出す〉✎「飛行機が空中—する」とも言うが、一般には比較的小さな機械類について言い、建物のような大きな構造物には用いない。「電気—」の場合は化学変化を意味し、専門的な感じが強い。⇩解体・分割・分離・分裂

ぶんがく【文学】 言語をとおして思想や感情、美的感動などを表現する芸術作品をさし、くだけた会話から文章まで幅広く使われる基本的な漢語。〈近代—〉〈大衆—〉〈—史〉〈児童—〉〈—を志す〉✎高田保の『ブラリひょうたん』の「若芽の雨」に「こんな話をすると誰もが一応面白がる。モウパッサンの—などに何の関心も持たぬ連中でも面白がる。

ゴシップの興味というやつだろう」とある。小説や詩歌を研究対象とする学問分野をさすこともある。⇩文芸

ぶんがくしゃ【文学者】 小説家や劇作家のほか随筆家や批評家、詩人・歌人・俳人を含めて文学作品を書く人、それに文学を研究する人を加えた広い範囲を漠然とさす、専門性の薄い日常の漢語。〈―の端くれ〉〈―と言語学者との考え方の違い〉✎小林秀雄の『文学者の思想と実生活』に「―の間には、抽象的思想というものに対する抜き難い偏見がある」とある。⇩Q作家・小説家・著作家・著作者・著述業・文士・文人・文筆家・物書き

ぶんかじん【文化人】 豊かな知識や教養を身につけているいわゆる知識人をさし、会話にも文章にも使われる漢語。〈―の集まり〉✎特に学問や芸術の分野に従事する人を連想しやすい。このようなレッテルをはって特別視することへの反発を感じる人には軽薄な響きが伝わるかもしれない。⇩文明人

ぶんかつ【分割】 一つのものをいくつかに分ける意で、会話にも文章にも使われる漢語。〈―払い〉〈―統治〉〈―民営化〉〈土地を―して売りに出す〉✎ある目的に応じて計画的に分ける場合が多い。⇩分解・分散・分離・分裂・分かつ・Q分ける

ぶんかつばらい【分割払い】 代金を一度に払わず何回かに分けて支払う意。〈―で新築の一戸建てを購入する〉⇩月賦

ぶんぐ【文具】 文房具の意で、会話にも文章にも使われる漢語。〈―を商う〉〈―を扱う〉✎独立した用法より「―商」「―メーカー」「―専門店」のような語構成要素として近年よく使われる。「暖房器具」などは略さずに使うところから見ると、「房」が部屋を意味することがわかりにくいからというより、書斎を意味する「文房」と文房具との関係が薄れたために省略が起こりやすくなったとも考えられる。⇩学用品・Q文房具

ぶんげい【文芸】 「文学」を芸術の一種と見る面を表に出した用語として、やや改まった会話や文章に用いられるいくぶん専門的な漢語。〈―批評〉〈―思潮〉〈―雑誌〉〈―復興〉✎志賀直哉は改造社版「現代日本文学全集」の『志賀直哉集』の序文に「作者というものからそれが完全に遊離した存在となっているからで、これは又格別な事である。―の上で若し私にそんな仕事でも出来ることがあったら、私は勿論それに自分の名などを冠せようとは思わないだろう」とある。「文学」という語が研究分野をさすこともあるため、紛らわしさを避けてこの語を用いることもある。⇩文学

ふんげき【憤激】 激しく憤る意で、主に文章に用いられる硬い漢語。〈大いに―する〉〈―のあまり〉✎武田麟太郎の『銀座八丁』に「さも―に耐えぬように、ふんと鼻をならして、口を歪めて見せた」とある。⇩憤り・激怒・Q憤慨・憤怒

ぶんご【文語】 平安時代語を基礎として発達した古典文法のきまりに則して表現する言語体系を意味し、会話にも文章にも使われる漢語。〈―文〉〈―文法〉✎「燃ゆ」「白し」「静かなり」のような形になる。「口語」と対立する。まれに、「書きことば」の意味で使うこともある。⇩書き言葉・Q文章語

ふんさい【粉砕】 力を加えて粉々に砕く意で、会話にも文章にも使われる漢語。〈―機〉〈岩石を―する〉✎比喩的に、

「相手チームを―する」のように、徹底的にやっつける意にもよく使う。その場合、「撃破」と違って、相手の実力には関係なく、打ち破る際の圧倒的な感じに重点がある。⇩撃破

ぶんさい【文彩】 話しことば・書きことばにおいて伝達効果を高める言語表現の工夫をさし、主に文章中に用いられる古風な漢語。〈数々の―を駆使した華麗な文章〉✍かつては「あや」とも読み、西欧レトリックにおける特殊な技法をさした。⇩修辞学・Q修辞法・表現技法

ぶんさん【分散】 いくつかに分かれて散らばる意で、やや改まった会話や文章に用いられる漢語。〈プリズムは光を―させる〉〈重さを―させる〉〈施設が各地に―している〉〈団体旅行で―して宿泊する〉✍日常生活の例では「散らばる」より意図的な感じが強く、計画的な場合もある。数学で平均値からの散らばり具合をさす場合は専門語。⇩散乱・Q散らばる・散り乱れる・分割・分離・分裂

ぶんし【文士】「作家」の意の古風な用語。〈―劇〉〈三文―〉〈―の卵〉〈―の集まり〉〈―の魂〉✍小林秀雄の『私小説論』に「思想の力によって―気質なるものを征服した」とある。立松和平は、「物書き」という語に生計のためという自虐的なにおいが感じられるのに対して、この語には凛然としていた時代の空気が感じられると述べたことがある。尾崎一雄が没した折に「最後の―」と評されたのも、文士としての気概を漂わせる雰囲気があったためであろう。⇩作家・小説家・著作家・著作者・著述業・文学者・文人・文筆家・Q物書き

ふんしつ【紛失】 所有していた具体物が見当たらなくなる意で、やや改まった会話や文章に用いられる漢語。〈書類を―する〉〈家の鍵を―する〉〈パスポートを―して大使館に届け出る〉✍井上靖の『あすなろ物語』に「―物をこんどは帯に挟まないで口に銜えていた」とある。気がつかないうちに無くなっていた感じが強く、捨てたり奪われたりした場合は使わない。⇩喪失

ぶんしょ【文書】 書類など文字で書き記したものをさし、改まった会話や文章に用いられる正式な感じの漢語。〈公―〉〈機密―〉〈―で回答する〉〈―を取り交わす〉✍森鷗外の『舞姫』に「独逸語にて記せる―」とある。「古―」のように「もんじょ」と読めば古めかしい響きに変わる。⇩文章

ぶんしょう【文章】 文字で記載された言語作品やその表現を意味する一般的な用法としては、会話でも書かれた文章でも使われる漢語。個々の文が文脈をなして寄り集まった意味的統一体をさす言語学的な意味合いで用いる場合は、専門的なニュアンスを漂わせる。〈―作法〉〈あの作家は―が美しい〉〈小説の―〉✍夏目漱石の『道草』に「細君の読み上げる―は、まるで旧幕時代の町人が町奉行か何かへ出す訴状のように聞こえた」とある。「一つ一つの―が長すぎてわかりにくい」「極端に長い―が交じる」というふうに、個々の文それ自体をさす俗っぽい用法の場合は意味が紛らわしく、また、非専門的という語感がつきまとうこともあって、学術的文章にはふさわしくない。⇩文・文書

ぶんしょうご【文章語】 硬い文章や改まったスピーチに用いられ、日常のくだけた会話で使うと違和感のある語をさし、学術的な会話や文章に用いられる専門の漢語。〈会話に時折―が交じる〉✍「かぐわしい」「あたかも」「安価」「白日」

などのレベルのことば。「口頭語」と対立する。⇩Q書き言葉・文語

ぶんじん【文人】「武人」に対する漢語で、きわめて古風な言い方。〈―趣味〉〈―宰相〉✎小林秀雄の『私小説論』に「小説論とは当時の―の純粋小説論だ」とある。趣味や教養として、詩文をよくする「文人」と、書画をよくする「墨客」とを「文人墨客」と呼んで一括し、学問や芸術を通して文雅の道に携わる人びとをそう呼んだが、現在では世情に恬淡《てんたん》とした趣味人といった雰囲気で使われることも多い。⇩作家・小説家・著作家・著作者・著述業・Q文学者・文士・文筆家・物書き

ふんそう【紛争】関係がこじれて争いに発展する意で、会話にも文章にも使われる漢語。〈学園―〉〈国際―に発展する〉〈―の渦中にある〉〈―が拡大する〉✎個人間の喧嘩などには用いず、組織や国家などの規模の場合をさし、武力衝突になれば小規模な戦争に近くなるが、通常は国家どうしの全面戦争までは含まない。⇩係争・抗争・Q戦争

ふんぞりかえる【踏ん反り返る】反っくり返る意で、主にくだけた会話に使われる和語。〈高級ソファに―〉〈―・って横柄な口を利く〉✎山本有三の『波』に「赤んぼは(略)火にあぶったスルメのように、―・ってしまって」とあるが、一般には「反っくり返る」以上に、相手を見下した態度が連想される。⇩反っくり返る

ぶんたい【文体】文章の表現上の性格を他と対比的にとらえた特殊性をさし、会話にも文章にも使われる漢語。〈夏目漱石の―〉〈『坊っちゃん』の―〉〈新聞記事の―〉✎語法の違いによる文語体、文末表現の違いによるデスマス体、文章の種類の違いによる会話体、時代の違いによる王朝体、表現者の属性の違いによる女性の文体、老人の文体といった類型的な文体から、新感覚派の文体、川端康成の文体、『雪国』の文体といった個性的な文体まで多様なとらえ方がある。⇩スタイル

ふんだくる 力ずくで強引に奪い取る意で、主に会話に使われる、やや俗っぽい和語。〈財布を―・って逃げる〉✎実際に腕力を用いなくても、「暴力バーでウイスキー一杯で三万円も―・られる」のように、身に危険を感じるほどの圧力を受けていやいや払わされる場合にも使う。また、貸したものを無理やり取り立てる場合にも使う。⇩奪う・取り上げる・せしめる・Qひったくる・分捕る・まきあげる

ぶんどる【分捕る】他人の物を争って奪い取る意で、くだけた会話に使われる、やや俗っぽい和語。〈敵の武器を―〉〈座席を―〉〈予算を―〉✎「ひったくる」は一瞬のうち、「ふんだくる」もあっという間に、相手の油断をついて奪う感じなのに対して、この語は相手と争う時間を連想させる。⇩せしめる・ひったくる・Qふんだくる・巻き上げる

ふんにょう【糞尿】大小便の意で、主に文章に用いる硬い漢語。〈―を肥料に用いる〉✎火野葦平に『糞尿譚』という作品があり、安岡章太郎編で『滑稽糞尿譚』という随筆集も出ている。⇩Q汚わい・し尿・便

ふんぬ【憤怒】怒りに興奮する意で、主として文章に用いられる硬い漢語。〈―の形相〉✎中山義秀の『テニヤンの末日』に「彼の―には狂気めいた殺気がこもっていた」とある。⇩Q憤り・激怒・憤慨・憤激

ぶんぱい【分配】分けてそれぞれに配る意で、会話にも文章にも使われる漢語。〈―金〉〈利益を―する〉〈残った食糧を―する〉⇩分割・分離・分かつ・Q分ける

ぶんぴつか【文筆家】著述を生業としている人をさす漢語の文章語。「著作家」より少し古風で、いくらか自負の感じられることば。職業を問題にする際にしばしば用いる。〈―として生計を立てる〉⇩作家・小説家・Q著作家・著作者・著述業・文学者・文士・文人・物書き

ぶんぷ【分布】いくつかの場所に分かれて存在する意で、やや改まった会話や文章に用いられる専門的な漢語。〈―図〉〈植物の―を調べる〉〈ヨーロッパの各地に広く―する〉⇩散らばる

ふんべん【糞便】糞の意で、主に文章に用いられる硬い漢語。〈―の処理〉⇩うんこ・うんち・くそ・人糞・Q大便・ふん・便

ぶんべん【分娩】出産の意で、学術的な会話や文章に用いられる医学の専門的な漢語。〈―室〉〈無痛―〉学術的に現象・行為をさし、「出産」や「お産」に比べて新生児のイメージが薄い。⇩お産・Q出産

ぶんぽう【文法】語の用法や文構造に関するその言語としてのきまりや体系をさし、会話にも文章にも幅広く使われる漢語。〈―論〉〈英―〉〈文語―〉〈―上の誤り〉梶井基次郎の『城のある町にて』に「つくつく法師が鳴いた。「文法の語尾の変化をやっているようだな」」とある。「映画の―」のように、単に作り方の法則の意で用いる比喩的用法もある。⇩語法

ぶんぼうぐ【文房具】鉛筆・ペンなどの筆記用具や消しゴム・ノート・下敷き・定規・糊《のり》・鋏《はさみ》などの総称として、会話にも文章にも広く使われる日常の漢語。〈―屋〉〈―売り場〉〈―を一通りそろえる〉「文房」は書斎の意で、もと書斎で使う道具をさした。⇩学用品・Q文具

ふんまつ【粉末】きわめて微細な粉状の物質をさして、やや改まった会話や文章に用いられる、やや専門的な感じのする漢語。〈―状〉〈金属の―〉〈―を練る〉〈砕いて―にする〉粉以上に細かい印象がある。⇩粉《こ》・こな

ぶんみゃく【文脈】ある文の意味に関係するそれまでの言語表現の意味や働きをさし、会話にも文章にも使われる専門的な漢語。〈―をたどる〉〈―から類推する〉〈―に合わない〉「特殊な―での発言」のように、その言語行動に影響を与える場面や状況や背景などをさすこともあり、その場合は専門性が薄い。⇩コンテクスト・脈絡

ぶんめい【文明】人知が開けて科学技術が進歩・発展をとげることにより物質的な面で生活が豊かになる意で、会話にも文章にも使われる漢語。〈オリエント―〉〈機械―〉〈―の利器〉夏目漱石の『草枕』に「―は(略)個性を発達せしめたる後、(略)此個性を踏み付け様とする」とある。精神的な豊かさに重点のある「文化」に比べ、物質面での豊かさに重点がある。「―開化」などの連想からいくぶん古風な響きを感じさせる用法もある。⇩文化

ぶんめいじん【文明人】機械文明の発達した社会に暮らす人々をさし、会話にも文章にも使われる漢語。〈―には耐えられない生活〉「野蛮人」と対立。文化人は文明人のごく一部に相当。⇩文化人

ぶんめん【文面】文章、特に手紙などの表現面をさし、会話にも文章にも使われる漢語。〈手紙の―〉〈―から判断する〉✎文章の表現の仕方やそこから推測される趣旨や書き手の意図などを問題にするときに用いることが多い。⇩書面

ぶんや 新聞記者をさす隠語。〈―が押し寄せる〉✎「新聞屋」の頭部省略だから漢字で書けば「聞屋」となるが、ほとんど用いず、片仮名表記がふつう。⇩新聞記者

ぶんや【分野】全体のうち自分が担当し活動する範囲をさし、会話にも文章にも使われる漢語。〈勢力―〉〈専門―〉〈学問の―〉〈得意の―〉✎研究に関しては「領域」より広い範囲をさす傾向がある。⇩縄張り・Q領域・領分

ぶんり【分離】それぞれに分けて離すこと、特に物質を分け離して抽出することをさし、会話にも文章にも使われる漢語。〈中央―帯〉〈―課税〉〈声の―が悪く聞きづらい〉〈政教―の原則〉〈歩道と車道を―する〉〈言語研究所から日本語部門が―独立する〉✎横光利一の『紋章』に「あれは遠心―器の応用で脱臭操作はなるほど魚油の方にだと良いでしょうね」とある。「水と油は―する」の例ではやや専門的な感じがあり、結晶・蒸留・昇華などによって物質を分け離す意に用いれば完全に専門語となる。一つのものがばらばらになる「分裂」と違い、もともと異質な小さな部分が本体から離れるというイメージがある。「結合」「総合」と対立。⇩分解・分割・分散・分配・Q分裂・分かつ・分ける

ぶんるい【分類】多くのものを一定の基準に従って各グループに分けて整理する意で、会話にも文章にも広く使われる基本的な漢語。〈―整理〉〈―基準〉〈年代別に―する〉〈採集した用例を細かく―する〉⇩類別

ぶんれい【文例】例として考えついたり引用したりする文や文章をさし、改まった会話や文章に用いられる硬い感じの漢語。〈―を集める〉〈―を並べる〉✎「―集」の場合は文章の一節であることが多い。⇩一例・作例・用例・類例・例・例文

ぶんれつ【分裂】一つにまとまっていたものが、いくつかの独立した部分に分かれる意で、会話にも文章にも使われる漢語。〈細胞―〉〈―騒ぎ〉〈内部―〉〈党内が―する〉〈意見が―する〉✎山本有三の『波』に「男だとか、女だとか、親だとか、子だとか(略)原生殖細胞が―し発展して、一個の多細胞生物になっただけのことじゃないか」とある。静的な「分離」に対して動的なイメージが強く、分かれた者どうしが反目・対立する構図を描きやすい。「細胞―」「核―」のような化学反応を意味する場合は専門性が高い。異質な一部分が本体から離れる感じの「分離」と違い、一つのものが互いに主と従という関係なくいくつかの部分に分かれるイメージになる。⇩分解・分散・分割・Q分離

へ

へ【屁】 腸で発生し肛門から排出されるガスの意で、主に男性がくだけた会話や改まらない文章に使うぞんざいな感じの和語。〈—をひる〉〈—をこく〉✎井伏鱒二の『丹下氏邸』に「所詮は、—はカゼですがな」とある。⇩Qおなら・ガス・放屁

へアサロン ひところ「美容院」をさしてよく使われた和製洋語。〈—でシャンプーとカットをしてもらう〉✎斬新な雰囲気を演出するための横文字のつもりだったと思われるが、英語とフランス語の合併のせいか落ち着かず、使用頻度が次第に減ってきている印象がある。その後、新しい外国語に置き換えられることなく、「美容院」という漢語が一般的な名称として通用している。⇩パーマ屋・ビューティーパーラー・Q美容院・美容室

へい【兵】「兵士」「兵卒」の意で、改まった会話や文章に用いられる硬い漢語。〈—を挙げる〉〈—を送る〉〈—を率いる〉✎梅崎春生の『日の果て』に「支柱を失った—たちが修羅のように青ざめてさまよい歩く」とある。「—力」「—を進める」などと言うときに特に士官を除く意識はないから、現実には将兵を含めて考えていることになるが、個人個人を問題にする場合は将校は除かれる。「兵士」や「兵卒」より抽象的なとらえ方。⇩軍人・軍属・Q兵士・兵卒・兵隊

へい【塀】 敷地の境界に設ける仕切りをさし、会話にも文章にも使われる日常の漢語。〈黒板—に見越しの松〉〈高い—で囲う〉〈—の中を覗《のぞ》く〉✎類語の中で最も遮断された感じがあり、永続的な感じも強い。⇩生垣・垣・垣根・囲い・柵・Qフェンス

へいい【平易】 理解しやすい意で、改まった会話や文章に用いられる漢語。〈—な文章〉〈—な表現に換言する〉〈—に解説する〉✎「難解」と対立。⇩簡単・たやすい・Q易しい・容易

へいき【平気】 気にせず物に動じない意で、会話や改まらない文章に使われる日常の漢語。〈暗くなっても—だ〉〈こんな傷ぐらい—だ〉〈—で嘘をつく〉✎寺田寅彦の『団栗』に「あるき方がよほど変だ。それでも当人は—でくっついて来る」とある。⇩泰然・沈着・平気の平左・平静・Q平然・悠然・悠々・冷静

へいき【兵器】 戦闘に用いて敵を殺傷し破壊するための道具。〈核—〉〈大量破壊—〉〈生物化学—〉〈—産業〉〈新しい—を開発する〉✎主に近代以降について用い、「武器」より大型の物をさす傾向がある。また、「新兵器」の形では、「インターネットという新—を利用する」といった比喩的な用法もある。⇩武器

へいき【併記】 両方とも記す意で、主に文章に用いる硬い漢語。〈年号で記載し、西暦年を—する〉⇩並記

へいき【並記】 複数のものを並べて記す意で、主に文章に用いる硬い漢語。〈賛同者の氏名を—する〉✎両方記すときには「併記」を用いるが結果として並べて書くことが多いので、表現者の意識によって使い分ける。⇩併記

へいきのへいざ【平気の平左】「平気」の強調表現で、くだけ

た会話に使われる古風な言いまわし。〈これぐらい—だい〉✎幸田露伴の『五重塔』に「—で酒に浮かれ」とある。「へイ」の音を重ねて意味を強め、人名めかしたユーモラスな言い方。⇩泰然・沈着・Q平気・平静・平然・悠然・悠々・冷静

へいぎょう【閉業】㋐「事業所を本日限りで—する」のように、営業をやめる意、㋑「もうすぐ—時間になる」のように、その日の営業を終了する意で、会話にも文章にも使われる漢語。⇩Q閉店・店じまい

へいきん【平均】大小や多少の差がないように不ぞろいをならすことをさし、会話にも文章にも使われる日常的な漢語。〈—して生活水準が高い〉〈全体の—をとる〉✎「—値」「—点」「—身長」「—寿命」のように数量の大きさを代表するその集団全体を均《なら》した値を意味する用法では少し専門的な響きがある。⇩平均値

へいきんち【平均値】ある集合の数量を平均することで算出される数値をさし、学術的な会話や文章の中で用いられる専門的な漢語。〈—を出す〉〈—を求めよ〉⇩平均

へいげい【睥睨】睨《にら》んで威圧する意で、主に文章に用いられる古風で硬い漢語。〈あたりを—する〉✎本来は横目で睨む意。比喩的に「天下を—する」のようにも用いる。⇩睨み付ける・睨む・Qねめつける

へいげん【平原】平地の広大な野原をさし、改まった会話や文章に用いられる硬い漢語。〈見渡す限りの大—〉✎「平野」が整然とした田園の中に農家が点在する風景を連想させるのに対し、この語は人の住まない荒涼とした野を思わせ、日本より海外を連想させやすい。井上靖の『洪水』に「—の遥か向うから、あたかも黄色の熔岩でも流れ出したように」とある。⇩平地・Q平野

へいこう【平行】二つの直線や面などがどこまでも交わらずに等しい間隔でのびている意で、会話でも文章でも使われる、数学の雰囲気を感じさせる漢語。〈—四辺形〉〈—移動〉〈二本の道が—に走っている〉⇩Q並行・平衡

へいこう【平衡】両方の重さや力がちょうど釣り合いが取れている意で、主として文章に用いられる硬い漢語。〈—感覚がいい〉〈—が保たれる〉〈—が失われる〉✎小林秀雄の『正宗白鳥』に「事実は次第に夢を征服して行ったが、この二つのものが—を得た後も、依然として事実は夢を征服するのを止めない」とある。⇩Q均衡・釣り合い・バランス・平行・並行

へいこう【並行】並んで進行する意で、改まった会話や文章で用いられる硬い感じの漢語。〈バスとトラックが—して走る〉〈線路に—して高速道路が通っている〉✎「二つの催しを—して実施する」「二つの議案を—して審議する」のように、両者が同時に行われる意に用いる場合は「併行」とも書く。⇩Q平行・平衡

へいこう【閉口】困り果ててどうしていいかわからなくなる意で、会話にも文章にも使われる漢語。〈すっかり—する〉✎小沼丹の『更紗の絵』に「泣いている女性を前に坐っていると、細君が何事かと覗いたりして、吉野君はほとほと—した」とある。もと、ことばに詰まって口を閉じてしまう意。⇩辟易《へきえき》

へいごう【併合】「合併」の意で、改まった会話や文章に用い

られる硬い漢語。〈市町村を—する〉✎「合併」に比べ、勢力の強い方が弱い相手を吸収する意識があり、特に、「日韓—条約」の連想が働くと語感が複雑になる。⇩合併

へいさ【閉鎖】建物の入り口を閉め切ったり機械の機能を停止したりする意で、やや改まった会話や文章に用いられる漢語。〈インフルエンザによる学級—〉〈経営不振により工場を—する〉✎一定期間活動を停止する場合が多い。一時的な感じの強い「封鎖」と違い、当分の間活動を停止する雰囲気があり、そのまま再開されないケースも多い。⇩封鎖

へいさつ【併殺】野球で二人の走者を続けてアウトにする一連のプレーをさす漢語。主として書きことばで使う。口頭ではふつう「ダブルプレー」を用いる。〈—を喫する〉⇩ゲッツー・ダブルプレー

へいし【兵士】軍隊で士官の指揮を受ける立場の者をさし、改まった会話や文章に使われる硬い漢語。〈—に告ぐ〉〈—として出征する〉✎大岡昇平の『俘虜記』に、若い米兵を銃で撃たなかった自分の行為の背景として殺人への嫌悪を想定し、「この嫌悪は平和時の感覚であり、私がこのときすでに—でなかったことを示す」と述べている。⇩軍人・軍属・兵・兵卒・Q兵隊

へいしゃ【弊社】「わが社」をさす謙称として、主として商用文などの文章中に用いられる丁重な漢語。〈—のモットー〉〈—の製品〉✎「貴社」と対立。⇩自社・Q当社

へいじょう【平常】特に故障もなく突発的な事故もなくいつもと同じという意味合いで、改まった会話や文章に用いられる漢語。〈—心〉〈—どおり営業する〉✎事故などがあった際の話題によく使う。⇩いつも・Q通常・常々・常日頃・日常・日頃・普段・平生・平素

へいせい【平静】興奮することなくいつもどおり落ち着いている意で、やや改まった会話や文章に用いられる漢語。〈—を保つ〉〈—を装う〉〈こんな時によく—でいられるな〉✎森鷗外の『青年』に「心は哲人の如くに—になっている」とある。「町が—を取り戻す」のように、他の類義語と違って人間以外について用いることもある。⇩落ち着く・泰然・沈着・平気・平気の平左・平然・悠然・悠々・Q冷静

へいぜい【平生】何事もない毎日の意で、会話にも文章にも使われる、いくぶん古風な漢語。〈—から注意を怠らない〉〈—の生活習慣が大事だ〉✎井上靖の『氷壁』に「—は寝床の中で煙草を喫うことを自分に禁じているが山から帰った翌朝は例外である」とある。⇩いつも・通常・常々・Q常日頃・日常・日頃・普段・平常・平素

へいぜん【平然】取り乱さず落ち着き払っている意で、改まった会話や文章に用いられる漢語。〈—と答える〉〈事態を—と見守る〉✎里見弴の『多情仏心』に「日頃のてれ性にも似ず、信之は—と構えていた」とある。⇩Q泰然・沈着・平気・平気の平左・平静・悠然・悠々・冷静

へいそ【平素】普通の日々の意で、改まった会話や文章に使われる漢語。〈—の冷静さを失う〉〈—からの努力の賜物《たまもの》〉⇩いつも・通常・常々・常日頃・日常・Q日頃・普段・平常・平生

へいそつ【兵卒】最下級の軍人の意で改まった会話や文章に用いられる古風な漢語。〈一—に過ぎない〉⇩軍人・軍属・兵・兵士・Q兵隊

へいそん【併(並)存】一定の分野に複数のものが同時に存在する意で、改まった会話や文章に用いられる硬い漢語。〈利害が対立するため―は困難だ〉✎「並立」と比べ、抽象的な対象にも使われる傾向がある。「へいぞん」ともいう。⇩共生・共存・Q並立・両立

へいたい【兵隊】「兵士」「兵卒」の意で、会話や軽い文章に使われる漢語。〈―を送り込む〉✎本来は、多くの兵士によって構成される一隊をさす。次第にその兵隊に属する一個人をさすようになり、「―さん」などと親しまれた。「部長の―となって働く」のように、軍隊と関係なく、指揮を受けて実働に参加する人間をさす比喩的用法もある。⇩軍人・軍属・兵・Q兵士・兵卒

へいち【平地】傾斜のない平らな土地の意で会話にも文章にも使われる漢語。〈―にある〉〈―の気温〉✎土地が平らであることに重点があり、「平原」や「平野」と違って、比較的狭い土地でも言う。芥川龍之介の『トロッコ』に「村外れの―へ来ると、自然と其処に止まってしまう」とある。「山地」と対立。⇩平原・Q平野

へいてい【平定】乱を鎮めて世の中を平穏にし人心を落ち着かせる意で、主として文章に用いられる古風な漢語。〈武力―〉〈天下を―する〉✎「征服」と違い、同じ国の内部での争いについて用いる。支配者としての意識を持つ側からの用語。⇩制圧・Q征服・鎮圧・抑圧・抑制

へいてん【閉店】㋐「―売り尽くしセール」「通の客に惜しまれながら―の日を迎える」のように、店を閉じて営業をやめる意、㋑「―の時間」「本日は間もなく―いたします」のように、その日の営業を終了する意で、会話にも文章にも使われる漢語。⇩Q閉業・店じまい

へいばん【平板】抑揚・起伏に乏しいために盛り上がりに欠け、めりはりがなくて面白みがないという意味合いで、会話にも文章にも使われる漢語。〈―な記述〉〈さしたる事件もなく―な展開に終始する〉✎「単調」が作中の展開を問題にしているのに対し、この語は表現・描写や作品全体の構成などを問題にしている感じが強い。「―型のアクセント」は専門的。⇩一本調子・単調

へいふく【平服】「礼服」に対し日常の社会生活で着用しているふつうの服装をさし、会話にも文章にも使われる漢語。〈あいにく礼服の持ち合わせがなく―で間に合わせる〉✎語義としては普段着まで含まれるが、現実には、招待状に「当日は―にてお越しください」とある場合、真っ赤なセーターや浴衣姿などは論外で、スーツか少なくともジャケットにネクタイを着用する程度が世間の常識と思われる。⇩普段着・略装・Q略服

へいぼん【平凡】どこにでもあるごく普通の、といった意味合いで、くだけた会話から硬い文章まで幅広く使われる日常の生活漢語。〈―な人間〉〈―な暮らし〉〈―な考え〉〈―な記録に終わる〉✎二葉亭四迷は作品『平凡』に、「―！―に、限る。―な者が―な半生を叙するに、―という題は動かぬところだ」と書いた。同じ語を繰り返すことで、「平凡」という単語の平凡な語感では説明のつかない言語的活力が生じた。「平凡」ということばの伝える情報としての意味とは別に、その反復によって生まれた臨時の語感が読者

に強く訴えてくる。⇩通常・Q普通

へいめん【平面】 凹凸のない平らな表面をさし、学術的な会話や文章に用いられる専門的な漢語。〈―図〉〈―幾何学〉✎「ものごとを―的にとらえる」のように、掘り下げずにうわべだけを扱う意味で使う場合は一般語。⇩面

へいや【平野】 目立った起伏もなく広々と広がる平地をさし、会話にも文章にも使われる日常の漢語。〈関東―〉〈―が広がる〉✎森敦の『月山』に「庄内―を見おろして日本海の気流を受けて立つ月山」とある。⇩Q平原・平地

へいゆ【平癒】 病気が治る意で主に文章中に用いられる古風な硬い漢語。〈―を祈願する〉✎「治癒」には回復具合の程度の幅があるが、この語は完治した状態をイメージさせやすい。⇩癒える・回復・Q治癒・治る

へいりつ【並立】 両者が対等に並び立つ意で、改まった会話や文章に用いられる硬い漢語。〈保革―〉〈両雄―せず〉〈科学と宗教との―〉✎本来が異質で対立関係にある二者について用いる傾向がある。「併存」に比べ、具体的な組織や行為に使う例が多い。⇩共生・共存・併存・両立

へいりょく【兵力】 兵員の数や兵器の質量などを総合した戦闘力の意で、改まった会話や文章に用いられる漢語。〈現有―〉〈―の削減に踏み切る〉〈―を増強する〉⇩Q軍事力・戦力・武力

へいわ【平和】 戦争や戦闘がなく社会秩序が保たれている状態をさして、くだけた会話から硬い文章まで幅広く使われる基本的な漢語。〈―憲法〉〈―の誓い〉〈―条約を締結する〉〈世界の―を願う〉〈鳩は―の象徴〉〈―な時代を迎える〉✎佐藤春夫の『田園の憂鬱』に「―と幸福とは、短い人生の中にあって最も短い」とある。「―な家庭」「―に暮らす」のように、単に揉《も》め事のない状態という小規模な対象にも使う。⇩講和・太平・Q和平

ベースアップ 賃金のベースを引き上げる意で、会話でも文章でも使われる和製英語。〈―を求める〉〈―を勝ち取る〉✎略して「ベア」とも言う。⇩賃上げ

ベースボール 「野球」の意で使われる外来語。〈―プレーヤー〉〈メジャーの―〉✎この球技が明治初期に日本に伝わってから少なくとも「野球」という訳語が普及するまでの間はこの英語を使っていたため、実際にその記憶のある人や、親から聞いて知識として知っている人にとっては「野球」以上に昔なつかしいことばという語感が働く。ひところ人気を博した野球解説者の小西得郎が小西節と呼ばれた独特の口調で「ベースボール」という語を頻発したのはその一例であろう。一方、そのような意識を持たないそれ以後の世代の人々の多くには、逆に斬新な響きを持ったことばに感じられる。長嶋茂雄が明るく愛用したのはそういう西洋語のスマートさを好んだ言動であったかと思われる。⇩野球

ペーソス しんみりとした哀れみをさし、会話にも文章にも使われる外来語。〈ユーモアと―〉✎理知に対する情感を意味するギリシャ語「パトス」の英語読み。涙と笑いの背中合わせになった人間味あふれる「ユーモア」に含まれる、しみじみとした感じ。⇩Q哀感・哀愁・うら悲しい・悲哀・物悲しい

ペーパードライバー 免許を持ちながら実際には自動車の運転をしない人を簡潔に表現する和製英語。〈運転免許を取得

してからずうっと―を続けている〉

へきえき【辟易】 どうするすべもなく困り果てる意で、やや改まった会話や文章に用いられる、やや古風な感じの漢語。〈あれには―させられた〉✎永井荷風の『つゆのあとさき』に「あたりを憚らぬ松子の声に―して」とある。本来は、相手の勢いに押されて尻込みする意。⇩閉口

へきくう【碧空】「青空」の意で文章に用いられる硬い漢語。〈―の彼方〉✎「碧」は緑がかった青。宮本百合子の『伸子』に「透明な二月の―」とある。⇩青空・Ｑ青天井

へきち【僻地】 都会から遠く離れた辺鄙《びへん》な片田舎をさし、やや改まった会話や文章に用いられる漢語。〈―教育〉〈交通の便の悪い―に住む〉⇩奥地・Ｑ辺境

へきめん【壁面】 壁の表面をさし、改まった会話や文章に用いられる漢語。〈―に鏝《てこ》むらをあしらって素朴な感じを出す〉✎「壁」と違い比喩的用法はまれ。⇩壁

ヘクトパスカル 気圧の単位「ミリバール」にあたる現在の呼称である外来語。⇩ミリバール

ペケ 「ばつ」の記号をさし、くだけた会話で使う人もある俗語。〈こんなに―が多くちゃ通らない〉✎方言的な感じもある。⇩Ｑばつ・罰点

へこたれる 主として会話で使われる、「くじける」「へたばる」意の口頭語。〈途中で―〉〈これくらいでは―・れない〉✎夏目漱石の『坊っちゃん』に「男がこれしきの事に―・れて仕様があるものか」とある。⇩Ｑくじける・へたばる

へこむ【凹む】①衝撃を受けて表面の一部分が引っ込む意で、主として会話に使われるやや俗っぽい和語。〈卓球のボールが―〉〈床に落っことしてやかんが―・んだ〉〈よく大型トラックが切り返しに使う部分だけ門先の道路が―・んでいる〉✎木山捷平の『大陸の細道』に「地球の一部がどかんと―・んだような戦車壕」とある。「くぼむ」よりも狭い範囲に起こる、衝撃などによって瞬間的または短期間で生じる変化について言う傾向がある。⇩くぼむ ②「落ちこむ」意で近年盛んに使われる和語の俗っぽい用法。〈やっつけられて―〉〈事業に失敗して―〉✎「相手にやり込められて屈服する」という意味では以前から用いていたが、最近そこから意味が微妙にずれて、精神的に落ち込んで気力を喪失している状態に焦点を当て、「わたしが―・んでいるときに支えてくれた」というふうに使う用例が増えている。⇩Ｑ落ち込む・くじける

べし【可し】 現代でも硬い感じの表現に時折現れる推量・当然・命令などの意を添える文語の助動詞。〈後世恐る―〉〈驚くべき事実が明らかになる〉〈実現すべく全力を尽くす〉〈立ち入るべからず〉✎近年、「すぐ行くべき」のように連体形で本来の終止形「べし」の代わりをする俗語的な使用例が見られる。

へしおる【圧し折る】 強い力を加えて折る意で、会話や硬くない文章に使われる和語。〈太い枝を力任せに―〉〈あの高い鼻を―・ってやる〉⇩折る

ベスト 「チョッキ」よりやや改まった新しい感じの外来語。〈―を着用する〉⇩チョッキ

へそ【臍】 腹部の中央にあるへその緒のとれた跡をさし、くだけた会話から硬い文章まで幅広く使われる日常の和語。

〈出―〉〈―のごま〉〈―まるだし〉平林たい子の『鬼子母神』に「―はみずみずして母親と交通していた局所が、まだ死にも枯れも乾きもせずに、体とは別な生存を続けている」とある。⇩ほぞ

へそまがり【臍曲がり】性格がひねくれていて往々に世間の人と違った感情・思考・行動を示す意味合いで、主としてくだけた会話や軽い文章に使われる和語。〈―だから素直に喜ばない〉藤沢周平に『臍曲がり新左』と題する小説があり、「稀代の―」である治部新左衛門が娘と好き合っている隣の若侍に何かとけちをつける場面がある。⇩変わり者・奇人・気難しい・Q旋毛《つむじ》曲がり・偏屈・変人

へた【下手】技術的に劣る意で、会話や軽い文章に使われる日常の基本的な和語。〈話し方が―だ〉〈野球が―だ〉〈字が―で読みにくい〉小沼丹の『懐中時計』に「―な人は、得てして、そんなことを云うもんでね」とある。「―をすると命取りになりかねない」「うっかり―なことは言えない」「―な学者よりよっぽど詳しい」のような多彩な用法がある。⇩Qつたない・へたくそ・へたっぴい・まずい

ベターハーフ　「妻」の古めかしい美称。〈―にぞっこん惚れている〉正宗白鳥の『泥人形』に「自分の―になる所だった」と考える例がある。他人に言えばのろけた感じになる。⇩いえの者・うちの者・お上さん・奥方・奥様・奥さん・お内儀・家内・かみさん・愚妻・細君・妻・女房・Q伴侶・令閨・令室・令夫人・ワイフ

へたくそ【下手くそ】呆れるほど下手な意を表す俗語に近い和風の口頭語。〈野球が―だ〉〈―な演技〉〈文章が―で読むに堪えない〉太宰治の『人間失格』に「図画のお手本はつまらないし、先生の絵は―だし」とある。技術的に未熟なことの客観的な評価でなく、そのことを軽蔑する気持ちをこめた表現。「この―！ ひっこめ！」と当人に向かってののしる場合にも使う点で「下手」と違う。自分のことについて使えば親しい間での謙遜のことばとなるが、他人について使えば相手をののしる感じになる。そういう語感が反映して「下手」よりもっと下手な連想が生ずる傾向がある。⇩つたない・Qへた・へたっぴい・まずい

へだたり【隔たり】距離や差の意で、会話にも文章にも使われる和語。〈中心からの―約五十センチ〉〈認識の―〉〈両者の間には大きな―がある〉⇩懸隔・Q開き

べたつく　肌などにべたべたと粘りつく意で、会話やさほど硬くない文章に使われる和語。〈汗で髪の毛が額に―〉〈糊がくっついて机が―〉性質・状態を客観的に描写する感じの「ねば」系統の類義語に比べて感覚的で不快感を伴い、「人前で―」のように男女がいちゃつく意の比喩的用法もある。⇩ねばつく・ねばっこい・ねばねばする・ねばる・Qべとつく

へたっぴい【下手っぴい】「下手」の強調表現で、くだけた会話に使われる、いくらか古くなりかけている俗語。〈やい、―！〉多く相手を直接ののしる場合に使うが、「へたくそ」よりさらに俗っぽく、それだけ親しい感じが伴うという面もある。⇩つたない・へた・Qへたくそ・まずい

へだてる【隔てる】間に物や空間的・時間的な距離を置く意で、改まった会話や文章に用いられる和語。〈テーブルを―・てて座る〉〈川を―・てて対峙《たいじ》する〉〈三十年の時を―〉森鷗外の『青年』に「東の窓の外は狭い庭を―・てて、

すぐ往来になっている」とある。同じく空間的位置関係を表す場合、「はさむ」が間に位置する対象に向かって目に見えない力が働く感じがあるのに対し、この語は逆に間を広げるような力を意識させる。⇩挟む

へたばる 疲れ果てる意で、主にくだけた会話に使われる口頭語。〈朝から働きずくめで―〉〈猛練習で―〉✎類語中で疲労度が最も高く、その場に座り込むようなイメージを伴う。太宰治の『富嶽百景』に「あまり好かないこの「富士三景の一つ」と、―ほど対談した」とある。⇩ばてる・Qへばる

べつ【別】 差異あるいは同じでない意で、くだけた会話から硬い文章まで幅広く使われる日常の基本的な漢語。〈男女の―〉〈まったく―の意見もある〉〈―の人を推薦する〉〈あれとこれとは―だ〉✎小林秀雄の『私小説論』に「ゾラは彼等とは全く―の道を進んだ」とある。⇩異例・他・特例・Qほか・例外

べつじん【別人】 その人と別の人間をさし、やや改まった会話や文章に使われる漢語。〈同姓同名の―〉〈―と取り違える〉〈まるで―のように見える〉✎何らかの意味で紛らわしい場合に使う。⇩他者・Q他人

べつずり【別刷り】「抜き刷り」の意で会話にも文章にも使われる専門的な表現。〈―を送って批評を請う〉✎人文科学の分野では「抜き刷り」、自然科学の分野では「別刷り」を使う傾向があるという指摘もある。⇩抜き刷り

へっちゃら 「平気」の意の俗語。〈このぐらいの道なら―だ〉〈こんな傷―だい〉✎「へいちゃら」の転。小津安二郎監督の映画『東京物語』で母親に叱られた男の子が「―だい！怖かねえやい！」と口答えする。こういう「だい」や「やい」の形も使用頻度がぐっと減った。この「へっちゃら」も昔の子供がよく使ったものだが、現代ではあまり耳にしないようで、それだけ古い感じを受ける。⇩Q平気・平気の平左・平然

ベッド 洋式の寝台をさし、会話にも文章にも広く使われる日常の外来語。〈二段―〉〈―メーキング〉〈―に入る〉✎円地文子の『妖』に「―は坂に面した壁に寄せてあるので」とあり、「棺の中にねているような異様な静かさ」を誘うという。⇩Q寝台・寝床

ベッドタウン 大都市周辺のまとまった住宅地域をさす和製英語。〈東京の―として人気がある〉

ベッドルーム 「寝室」の意で使われだした斬新な感じの外来語。〈設計変更で、キッチン横のリビングを広く取り、―を二階に移した〉✎建売住宅やマンションなどの間取りを示すときにしばしば用いられるが、日常会話で使うとまだ気障《ざき》な感じが抜けない。「寝室」と違い、すぐに洋室を連想させる。通常はベッドが備えてあり、睡眠以外の目的に流用しにくい雰囲気が感じられる。⇩Q寝室・寝所《しんじょ》・寝間・寝屋

へっぴりごし【屁っ放り腰】 放屁《ほうひ》するときのように尻を後ろに突き出した不安定な姿勢の意で、主にくだけた会話に使われる俗っぽい和語。〈―でこわごわ触る〉〈初めてのスキーで―で滑る〉✎「―で事に当たる」のような比喩的な用法もあるが、そのような抽象化した意味では「及び腰」のほうをよく使う。⇩及び腰

べっぴん【別嬪】 主として会話などに「美人」の意で使われ

た古めかしい漢語。〈そろいもそろって大変な―〉〈すこぶる付きの―〉✎夏目漱石の『倫敦塔』に「何頗《すこぶ》る―だって？ ―倫敦にゃ大分―が居ますよ、少し気を付けないと険呑ですぜ」とある。⇩佳人・シャン・Ⓠ美女・美人・麗人

へつらう【諂う】 上位者に気に入られようと機嫌をとる意で、会話にも文章にも使われる、やや古風な和語。〈直属の部長に―・ってばかりいる〉✎「阿《おも》ねる」「媚《こ》びる」と違い、権威といった抽象的な存在や世間・大衆のような集合体に対して迎合するというより、具体的な一個人の機嫌をとるという連想がある。⇩おもねる・迎合・媚びる・Ⓠ取り入る

べつり【別離】 親しい人と別れる意で、主に文章に用いられる硬質の抒情《じょじょう》の漂う漢語。〈肉親との―〉〈―の悲しみ〉〈―の涙〉✎宇野千代の『刺す』に「私達の―は、ごく自然に行われた。秋になって、木の葉がその枝から落ちるのと同じように」とある。短期間の一時的なものも含む「別れ」と違い、やむを得ない事情による二度と会えないかもしれない長期間の別れを連想させる。⇩Ⓠ離別・別れ・別れる

ベテラン 長年にわたって経験を積み、技能に熟練した人の意で、会話やさほど改まらない文章に使われる外来語。〈大―〉〈―選手〉〈―の運転手〉〈―がそろう〉✎「古顔」「古株」などと違い、単に長くやっているだけではなく、知識や技能の面で安心感がもてる感じが強い。が、時にその面が忘れられ、年をとっているという面だけを連想して敬遠する場合も起こる。⇩Ⓠ古参・古顔・古株・古手

ぺてん 相手を巧みに騙《だま》す意で、会話や軽い文章に使われる俗語。〈―師〉〈―にかける〉〈まんまと―に引っかかる〉✎類語の中でも特に、巧みな話の運びで鮮やかに引っ掛ける雰囲気がある。中国語の訛《なま》りからともいわれ、片仮名表記の例も多い。夏目漱石の『坊っちゃん』に「ハイカラ野郎の、―師の、イカサマ師の」とあるが、ここも片仮名で出てくる。⇩Ⓠいかさま・いんちき・詐欺

へど【反(嘔)吐】 胃から吐き戻した汚物をさして主に会話で使われる日常の和語。〈―を吐く〉〈―が出る〉✎林芙美子の『山中歌合』に「まるで―でも吐きかけるような豪然たる雨」という比喩表現が出る。⇩嘔吐《おうと》・Ⓠげろ

べとつく 不快に粘りつく意で、会話や軽い文章に使われる和語。〈つまむと指が―〉〈汗ばんで肌が―〉✎井伏鱒二の『黒い雨』に「その水面には、―油のような茶色の泡が溜っていた」とある。⇩ねばつく・ねばる・Ⓠべたつく

へばる 疲れ果てる意で、主にくだけた会話に使われる口頭語。〈途中で―・って棄権する〉⇩ばてる・Ⓠへたばる

ベビーカー 乳幼児を座らせて運ぶ小型の手押し車をさし、会話にも文章にも使われる外来語。〈折りたたみ式の―〉✎近年は形にかかわらず広くこの語で間に合わせることもある。⇩乳母車

へま 間の抜けた失敗を意味し、主としてくだけた会話で使われる俗っぽい和語。〈とんだ―をやらかす〉〈―ばかりやってる〉✎里見弴を鎌倉の自宅に訪ねた折、小説の中に「従来」と書いて「これまで」、「行為」と書いて「しうち」と読ませるような当て字の多いことを話題に出したら、「漢字でヘマと書きようがないのでチセツと書いて稚拙《へま》とした、ありゃうまいと二、三人に言われた覚えがあるよ」と得意げ

な顔をした。⇩Qどじ・間抜け

へや【部屋】 住宅などの建物の中を壁などで仕切った一つの空間をさし、くだけた会話から硬い文章まで幅広く使われる日常の生活和語。〈子供—〉〈—割り〉〈広い—〉〈奥の—に通される〉〈—が散らかっている〉🖊田宮虎彦の『菊坂』に「—にはいった時、じめじめした古畳の匂いが私をつつんで、私は、不意にうすぐらい谷間に追いつめられたような気がした」とあり、宮本輝の『二十歳の火影』に「長襦袢が畳の上に落ち、一呼吸ののち、—に沈んでいた女の匂いが浮いてきた」とある。ホテルのフロントで部屋に関するいさかいを目撃した。従業員が「ちゃんとお—もご用意いたしておりますので」と弁解を始めると、客は「あれが—？—というのは窓がついていて、開ければ外が見えるようになっているものだ」と定義を始めた。おそらくその日はひどく込んでいて、その客は蒲団部屋か何かをあてがわれたのだろう。窓を開けたらすぐ壁だったのかもしれない。一往は「部屋」の概念をめぐる論争だが、「部屋」というのは物理的空間なのか生活の場なのかといった、その語のイメージにかかわる語感の問題にも発展する。⇩室《しつ》・Q間《ま》②

ベランダ 洋風建築で外に張り出した屋根つきの台の意で、会話にも文章にも使われる外来語。〈夏の晴れた日は—で朝食をとる〉〈—からせせらぎを見下ろす〉⇩テラス・Qバルコニー・露台

へり【縁】「ふち」を含む外側部分の細い幅の周囲全体をさし、会話でも文章でも使われる、やや古い感じの和語。〈畳の—がすり減る〉〈断崖の—を一歩一歩慎重に歩く〉🖊漢字表記は「ふち」と読まれやすい。「川のふちを歩く」より「川の—を歩く」ほうがいくらか安全な感じがするように、「ふち」が川の側端という意識なのに対して、「へり」はそれに沿った外側の部分を連想させやすい。串田孫一の『秋の組曲』に、真紅の落日に向かう乙女たちの姿を後方から眺める場面があり、「彼女たちの影の—は金色になり、それが段々と影の方へ浸入して来て、しまいには細い腕だの、ひるがえる帽子のリボンなどは光の中へ溶けてしまった」と、時間が止まってしまいそうなまぶしい光景が描かれる。⇩ふち・ふちどり・輪郭

へりくだる【謙(遜)る】 自分側を低めることで相手側を高く待遇する意で、会話にも文章にも使われる和語。〈—・った言い方〉〈—・った態度をとる〉⇩Q謙遜・卑下

へる【経る】 時間が経過したり場所を通過したり段階を通り過ぎたりする意で、主として文章中に用いられる、やや古風で趣のある和語。〈時代を—〉〈過程を—〉〈京都を経て大阪に至る〉〈時を経て味わいを増す〉⇩Q経過・過ぎる・経つ

へる【減る】 数量や程度が少なくなる意で、くだけた会話から硬い文章まで幅広く使われる日常の基本的な和語。〈収入が—〉〈需要が—〉〈客が—〉🖊夏目漱石の『坊っちゃん』に「ひろびろとした海の上で潮風に吹かれるのは薬だと思った。いやに腹が—」とあるように、「腹が—」の形で空腹になる意を表す。「靴底が—」の形で磨り減る意を表す用法もあり、その場合は「減少」「減ずる」に換言できない。「増える」「増す」と対立。⇩Q減少・減ずる

ベル 半球状の金属を手や電磁石の利用で鳴らす装置を意味

し、会話にも文章にもよく使われる外来語。〈発車の―〉〈自転車に―を取り付ける〉〈電話の―が鳴る〉✒相馬泰三の『六月』に「汽車の出発を知らせる大―の音が(略)幽かに遠く聞かれた」とある。⇩鈴・Qチャイム・ブザー・呼び鈴

ヘルシー 健康によい意で、会話や硬くない文章に使われる外来語。〈―な献立〉〈おいしくて―な料理〉✒特に飲食物について使う。⇩健康的

べろ くだけた会話で使う「舌」の意の俗っぽい口頭語。〈ぺろりと―を出す〉〈どれ、―を見せてごらん〉✒子供に向かって言うことが多い。⇩舌

へん【変】 普通と違って変わっている意で会話や硬くない文章に使われる漢語。〈調子が―だ〉〈―な人〉〈―に親切だ〉✒「妙」より使用頻度が高く会話的。文体的レベルは口頭語程度で、俗語までは落ちない。梶井基次郎の『泥濘』に「失敗の仕方の―に病的だったことが後の生活にまでよくない影響を与えていた」とある。⇩おかしい②・へんちくりん・へんてこ・Q妙・妙ちきりん

へん【遍】 同じことを繰り返す回数の意で、主に会話に使われるやや古風な漢語。〈一―に片づける〉〈あの店へは何―行ったかわからない〉✒「度」や「回」より文体的にくだけた感じで、少し古い響きもある。⇩Q回・度《たび》・度《ど》

べん【弁〔辯〕】 話しぶりの意で、改まった会話や文章に用いられる漢語。〈就任の―〉〈―をふるう〉〈―が立つ〉⇩語り口・口調・語気・語調・話し振り

べん【便】 排泄《はいせつ》物、特に糞の意で、会話にも文章にも使われる、やや医学的な感じを伴う専門漢語。〈―が軟らかい〉〈―を調べる〉⇩うんこ・うんち・汚わい・くそ・し尿・人糞・大便・ふん・糞尿・糞便

へんあい【偏愛】 同じような関係にある者のうち特定の人だけを大事に思う意で、主として文章に用いられる漢語。〈兄弟姉妹の中で跡取りの長男だけ―する〉⇩依怙贔屓《えこひいき》・贔屓・Q身贔屓・分け隔て

へんい【変位】 物体が位置を変える意で、専門的な文章に用いられる数学・物理学の学術用語。〈―電流〉⇩Q変異・変移・変化・変動・変貌・変容

へんい【変異】 平常と違う、異変の意で、主に文章に用いられる硬い漢語。〈潮位に若干の―が認められる〉✒「突然―」は生物学の専門語ながら、比喩的には日常会話でも使われる。⇩Q変移・変位・変化・変動・変貌・変容

へんい【変移】 移り変わる意で、主に文章に用いられる硬い漢語。〈世相の―〉⇩Q変異・変位・変化・変動・変貌・変容

へんか【変化】 それまでの位置・形・色・状態などから変わることをさし、会話にも文章にも広く使われる日常の漢語。〈時代の―〉〈―が激しい〉〈―に富む〉〈―を持たせる〉〈―を遂げる〉〈―に応じる〉✒伊藤整の『氾濫』に「余震のように続いて起る可能性のある自分の地位の―」とあり、大岡昇平の『俘虜記』に「それを聞いても彼の態度には何の―も現われなかった」とある。⇩変える・変わる・Q変移・変異・変更・変動・変貌・変容

べんかい【弁〔辯〕解】 「言いわけ」の意で、会話にも文章にも使われる漢語。〈―に努める〉〈苦しい―〉〈―の余地がない〉⇩言い訳・Q釈明・弁明・申し開き

へんかきゅう【変化球】 相手の予想に反する思いがけない手段をさし、会話や軽い文章などで使われる野球用語の拡大用法。〈交渉中に時折—を交ぜる〉〈先方が最初から—を投げてきたのでとまどった〉✎野球で投手が目先をまどわすために投げる、軌道が打者の手元で変化するボールの意から、一般に、相手が予測しない手段、対応にとまどう方策を講ずる意味でも用いる。まだまだ比喩性の強い表現。「直球」と対立。

へんかく【変革】 社会制度や方法などを根本的に変える意で、改まった会話や文章に用いられる、やや硬い感じの漢語。〈—の時代〉〈社会の—を求める〉〈意識の—が必要だ〉✎島崎藤村の『夜明け前』に「交通の持ち来たす—は水のように、あらゆる—の中の最も弱く柔らかなもので、しかも最も根深く強いもの」とある。「改革」より規模が大きく、より抽象的。⇩改革・改変

へんかん【返還】 借りたり手に入れたりしたものを元に戻す意で、主として文章に用いるやや硬い感じの漢語。〈優勝旗の—〉〈賜杯を—する〉〈北方四島の—を求める〉✎大岡昇平の『父』に「その金を借財の—にはあてず、何となく使ってしまった」とある。本来の所有権がある側に戻すというニュアンスが強い。⇩引き渡し・返上

へんきゃく【返却】 借りたり受け取ったりしたものを返す意で、改まった会話や文章に用いられる漢語。〈期日までに—する〉〈借り出した図書を—する〉〈応募原稿は—しない〉⇩返す・Q返還・返済・返上

へんきょう【辺境(疆)】 中央から遠く隔たった地域や国境地帯の意で、主として文章中に用いられる硬い漢語。〈—の地〉〈—に身を置く〉✎島国の日本では陸地で外国と接していないため、実質的に内陸の僻地《へきち》をさす傾向がある。「中央」と対立。⇩奥地・Q僻地

べんきょう【勉強】 講義を受けたり学術的な文献に目を通したりして知識や技術を学び取る意で、くだけた会話から文章まで幅広く使われる日常の基本的な漢語。〈—中〉〈—時間〉〈試験—〉〈よく—する〉〈—がよく出来る〉✎生徒の学習だけでなく、大人になって真面目な本を読んだり、学者が研究書を読んだりするのも、社会で実地に経験を積むのも、広く含まれる。学校で教わる印象の強い「学習」に比べ、自分の意志で学び取るという部分が多くなる。⇩学習

へんきん【返金】 借りた金や預かった金を返す意で、会話にも文章にも使われる漢語。〈期日どおり—する〉〈—に行き詰まる〉✎「返済」とは違い、売った商品に欠陥が見つかった際に代金を返すような場合にも使われる。⇩Q返済・弁済

へんくつ【偏屈】 性格や考え方が著しく偏っている意で、会話にも文章にも使われる漢語。〈—者で知られる〉〈—な男で一筋縄ではいかない〉⇩変わり者・奇人・Q気難しい・旋毛《つむじ》曲がり・臍《へそ》曲がり・変人

へんけい【変形】 形が変化する意で、会話でも文章でも使われる漢語。〈熱で—する〉⇩変化・変型・変動・変貌・変容

へんけい【変型】 規格と少し違ったタイプの意で、会話でも文章でも使われる漢語。〈珍しい—の鞄〉✎「B6判—サイズの辞書」のような用法は出版社などの専門語。⇩変形

へんけん【偏見】 偏った考え方の意で、改まった会話や文章

に用いられる漢語。〈女性に対する―〉〈―を持つ〉〈―が強い〉林房雄の『青年』に「俗論と―の渦巻き」とある。⇩独断

へんこう【変更】一度決めたことを変える意で、やや改まった会話や文章に用いられる漢語。〈予定―〉〈方針―〉〈行き先を―する〉〈開催日時を―する〉〈―を余儀なくされる〉〈―を加える〉小島信夫の『アメリカン・スクール』に「見学時刻が―になった旨達しがあった」とある。⇩Q変える・変化

へんさい【返済】借りた金品を返す意で、改まった会話や文章に用いられる、やや専門的な漢語。〈―義務〉〈月々の―額〉〈―に窮する〉〈借金の―に当てる〉「返金」とは違い、金銭以外にも使われる。⇩完済・Q返金・弁済

へんざい【偏在】偏って存在する意で、主に改まった文章に用いられる硬い漢語。〈富の―〉⇩遍在

へんざい【遍在】あまねく存在する意で、主に文章に用いられる、哲学的雰囲気の感じられる古風な漢語。〈神の―〉〈津々浦々に―する〉⇩偏在

べんさい【弁済】借りていた金品をすべて返し終わる意で、主に文章中に用いられる専門的な硬い漢語。〈―能力〉〈債務を―する〉一般的な意味で使われる「完済」に比べ、債務の履行により債権を消滅させるという明確な規定がある。⇩Q完済・返金・返済

へんさん【編纂】材料を集めて取捨選択し書物に作り上げる作業をさし、やや改まった会話や文章に用いられる硬い漢語。〈辞典を―する〉辞典や大規模な全集などの場合に用いる。新聞や雑誌やパンフレットなどにも使う「編集」より大がかりで重い仕事という雰囲気がある。⇩編集

へんじ【返事（辞）】呼びかけに対する応答や問いかけに対する返答をさし、くだけた会話から硬い文章まで幅広く使われる日常の基本的な漢語。〈生―〉〈大きな声で―をする〉〈先方の―を待つ〉〈手紙の―を書く〉夏目漱石の『草枕』に「「おい」と声を掛けたが―がない」とあり、「―がないのに床几に腰をかけて、いつ迄も待ってるのも少し二十世紀とは受け取れない。ここらが非人情で面白い」という茶店の場面がある。⇩Q応答・回答・解答・答え・返答

へんしゅう【編修】しっかりした資料をもとに歴史書などを編む意で、主として硬い文章に用いられる、正式で専門的な雰囲気の漢語。〈日本古代史の―に携わる〉〈教科書を―する〉⇩編集

へんしゅう【編集（輯）】出版する目的で原稿などを整理・排列する意で、会話でも文章でも使われる漢語。〈―者〉〈―委員〉〈出版社の―部〉〈雑誌の―〉〈フィルムを―段階でカットする〉「編輯」という本来の表記は、現代では古風だが、いかにも本格的な感じを伴う。⇩編修

べんじょ【便所】大小便を排泄《はいせつ》するための場所をさす、類語中で最も基本的で率直で感情のこもらない客観的な日常の漢語。そのため、教科書や学術的な文章に向いているが、長年の使用でしみついた非衛生的なにおいが嫌われ、上品な会話では使用を避ける傾向がある。〈公衆―〉〈―掃除〉⇩おトイレ・厠《かわや》・閑所・化粧室・御不浄・雪隠《せっちん》・洗面所・WC・手水場《ちょうずば》・手洗い・Qトイレ・トイレット・はばかり・レストルーム

へんじょう【返上】「返す」意の丁寧な表現で、やや改まった感じの漢語。〈汚名―〉〈休日を―して働く〉✎本来の所有権という意識が薄い。⇩引き渡し・返還

べんしょう【弁償】相手に与えた損害を償うために金銭を支払う意で、会話にも文章にも使われる日常の漢語。〈―能力〉〈―して済む問題ではない〉〈割った窓ガラスの代金を―する〉✎「賠償」ほど重大でない日常生活での個人的な損害補塡に使う傾向がある。夏目漱石の『こころ』に「養家から出して貰った学資は、実家で―する事になった」とある。⇩Q賠償・補償

へんしん【変心】それまで永い間抱いていた、あるいは公言していた気持ちに変化を来す意で、少し改まった会話や文章に用いられる漢語。〈相手の―を恨む〉〈―したと相手をなじる〉✎恋愛感情など重要な事柄に対する態度について使う傾向がある。⇩心変わり

へんじん【変(偏)人】性格や言動が通常の人間と大きくかけ離れている人をさし、会話でも文章でも使われる漢語。〈政界でも―として通る〉〈―で多くの逸話を残す〉✎生活レベルの「変わり者」に対し、この語には周囲が何と言おうと妥協しない頑《かたく》なさが感じられる。⇩Q変わり者・奇人・気難しい・旋毛《つむじ》曲がり・臍《へそ》曲がり・偏屈

へんせい【変成】形が変わって出来上がる意で、主に文章に用いられる地学の専門用語。〈―岩〉⇩変性

へんせい【変性】通常のと性質が変わっている意で、主に文章に用いられる化学の専門用語。〈―アルコール〉⇩変成

へんせい【編成】個々のものを集め組み合わせて機能的にまとめる意で、会話にも文章にも使われる、やや専門がかった漢語。〈十両―の列車〉〈予算―〉〈番組を―する〉⇩編制

へんせい【編制】団体を統一的に組織する意で、主に文章に用いられる、古風で硬い漢語。〈部隊を―する〉✎「戦時―」など軍隊の連想が強く、「学級―」などでは「編成」と書く例が多い。⇩編成

べんぜつ【弁(辯)舌】話しぶりをさし、やや改まった会話や文章に用いられるいくぶん古風な漢語。〈―さわやか〉〈―をふるう〉✎夏目漱石の『坊っちゃん』に「あの―に胡魔化されて、即席に許諾したものだから」とある。「演説」にくらべ、主張より話す巧みさに重点があるが、「弁論」と違って他と競う感じはない。⇩Q演説・スピーチ・弁論

へんせん【変遷】時の経過とともに次第に移り変わる意で、改まった会話や文章に用いられる硬い漢語。〈時代の―を追う〉〈書物の―をたどる〉✎永井荷風の『濹東綺譚』に「時勢と趣味との―を思い知る機会」とある。⇩Q移り変わり・推移

べんたつ【鞭撻】厳しく指導する意で、主として文章に用いられる硬い漢語。〈今後ともよろしく御―のほどを〉✎もと、鞭《むち》で打って励ます意。⇩Q激励・鼓舞《こぶ》

へんちくりん「変」の意でくだけた会話に使われる俗語。〈―な帽子〉⇩変・へんてこ・妙・妙ちきりん

へんてこ「変」の意でくだけた会話に使われる俗語。〈―な格好〉✎井上靖の『あすなろ物語』に「天と地が―な方向で見えたと思った。と、次の瞬間、地面が急速に自分をめがけて突進してくる」とある。「変」より狭く視覚的にとらえた

状態に使う。⇩Q変・へんちくりん・妙・妙ちきりん

へんとう【返答】 呼びかけや問いかけに応じる返事をさし、やや改まった会話や文章に用いられる漢語。〈―を迫る〉〈―に窮する〉〈先方の―次第で対応が変わる〉✎簡潔な「応答」に比べ、相手の質問・依頼・要求などに対する意思表明といった内容のある情報が含まれる傾向がある。⇩応答・回答・解答・答え・Q返事

へんどう【変動】 状態や条件などがその時々で変化する意で、改まった会話や文章に用いられる専門的な硬い漢語。〈地殻―〉〈―相場制〉〈物価が―して安定しない〉✎林房雄の『青年』に「飄々風のごとき―」とある。⇩変異・変化・変貌・Q変容

ペンネーム 筆名の意で、会話にも文章にも使われる外来語。〈二つの―を使い分ける〉✎辞典類の記述では「筆名」が多いが、一般にはこの語がよく使われる。小説家の福永武彦はほかに「加田伶太郎」名で推理小説を、「船田学」名でSFを書いた。⇩雅号・芸名・号・筆名

へんぺい【扁(偏)平】 凹凸《おうとつ》が少なく平べったい意で、改まった会話や文章に用いられる漢語。〈―足〉〈―な胸〉✎吉行淳之介の『驟雨』に「高い場所から見下ろしている彼の眼に映ってくる男たちの―な姿」とある。⇩Q平たい・平べったい

べんべつ【弁(辨)別】 他との差異をわきまえて見分ける意で、主に文章に用いられる、やや古風で硬い漢語。〈―力〉〈―的特徴〉〈理非曲直を―する〉⇩鑑識・鑑定・鑑別・区別・Q識別・判別・見分け

へんぼう【変貌】 姿や形などがすっかり変わってしまう意で、改まった会話や文章に用いられる硬い漢語。〈めざましい―を遂げる〉✎太宰治の『人間失格』に「写真の顔は、これはまた、びっくりするくらいひどく―していた」とある。⇩変異・変化・変動・変容

へんぽう【返報】 他人からこうむった迷惑や被害をその相手に返すことをさし、会話でも文章でも使われる、やや古風な漢語。〈即座に―する〉〈相手の―を恐れる〉✎漢語だけに和語の「仕返し」よりは若干重く響くが、「復讐《ふくしゅう》」ほど恨みがこもっておらず、「報復」というほど大げさでない感じがある。⇩Q仕返し・復讐《ふくしゅう》・報復

へんめい【変名】 ある目的のために名を変えることをさし、会話にも文章にも使われる漢語。〈―を使ってホテルに宿泊する〉✎借金取りの目をごまかすためとか、不倫を隠すためとか、ファンや報道陣を避けるためとか、動機はいろいろ考えられ、「偽名」に比べて犯罪行為との結びつきが弱い感じがある。「本名」と対立。⇩偽名

べんめい【弁(辯)明】 責任を問われた行為について説明に自らの正当性を主張する意で、改まった会話や文章に用いられる専門的な雰囲気の硬い漢語。〈―に相努める〉〈―を求める〉〈―の機会を与える〉〈―に終始する〉✎三島由紀夫の『潮騒』に「まっすぐに―しついでに安夫の暴行をも打明けた」とある。「事理を―する」のように、単に「明らかにする」という意味に使われることもあり、その場合は古風な感じになる。⇩言い訳・Q釈明・弁解・申し開き

へんよう【変容】 姿形や様子などが変わる意で、主に文章中

に用いられる硬い漢語。〈文化―〉〈―を見せる〉三島由紀夫の『金閣寺』に「この美しい顔に、突然、―が現われた」とある。⇩変異・Q変化・変動・変貌

べんり【便利】都合が好い、役に立つ、という意味合いで、くだけた会話から硬い文章まで幅広く使われる日常の基本的な漢語。〈―な道具〉〈交通の―な場所〉〈買い物に―だ〉〈携帯電話は―だ〉小沼丹の『銀色の鈴』に「日頃、世のなかが矢鱈に―になって面白くない」と言っていた男が、妻が急死したら「世のなかが―になったんで、助かるよ」と言って友人に「一体、何の話だね？」と呆れられるしみじみとおかしい場面が出る。「利便」よりも具体的で、「重宝」よりも幅広い場合に用い、より客観的。⇩重宝・Q利便

べんろん【弁〔辯〕論】大勢の人の前で自分の考えを筋道立てて述べることをさし、会話にも文章にも使われる漢語。〈―術〉〈口頭―〉〈―大会〉〈―をたたかわせる〉夏目漱石の『坊っちゃん』に「どれ程うまく論理的に―を逞しくしようとも」とある。「演説」に比べ、話す技術を競うところに重点のある感じが強い。⇩演説・スピーチ・Q弁舌

ほ

ほあん【保安】社会や施設の安全・秩序を保つことをさし、いくぶん改まった会話や文章に用いられる漢語。〈―要員〉〈―林〉〈―基準を満たす〉「防犯」より基本的・総合的で大規模な感じがある。⇩防犯

ぽい そのような割合や傾向が強いといった意を添えて、主として会話や改まらない文章に使われる造語要素。〈水っ―〉〈色っ―〉〈湿っ―〉名詞や動詞の連用形に後接して、その度合いが多い、そういう傾向が強いといった意味合いを添える。近年、「確定っ―」「前っ―席」のように本来つかないはずの単語に後接したり、「バスが行っちゃったっ―」のように語でなく文に接続したりする俗な拡大用法が横行し始めている。⇩傾向・的

ボイラー 暖房や給湯のために湯を沸かす装置をさし、会話にも文章にも使われる外来語。〈―を焚《た》く〉「湯沸かし器」より大型のイメージが強い。⇩湯沸かし器

ほう【法】ある社会の中ですべての構成員が守るべきものとして義務づけたり禁止したりしている決まりをさし、改まった会話や文章に用いられる漢語。〈―の精神〉〈―の整備〉〈―の下に平等〉〈―に照らす〉〈―に背く〉〈―に触れる〉〈―の裁きを受ける〉慣習として伝統的に決まっている場合も、統治権を握る実力者やその組織などが決める場合もある。国家単位ならば「法律」となる。⇩掟《おきて》・Q法律・

法令

ほうい【方位】水平面上に東西南北を基準として定めた方角をさし、主に文章に使われる専門的な漢語。〈―を計測する〉✎北北東、西南西などの十六方位が標準。「―が悪い」「―を占う」のように、易で吉兆を問題にすることもある。⇩Q方角・方向

ほうえい【放映】テレビで放送することをさし、主として文章中に用いられる専門的な漢語。〈―権〉〈―中〉✎「映像」を流すことを取り立ててテレビ放送を独立させた比較的新しい用語で、一般人の日常会話にはまだなじまない。⇩放送

ぼうえい【防衛】防ぎ守る意で、やや改まった会話や文章に用いられる漢語。〈正当―〉〈専守―〉〈国家を―する〉〈タイトルの―に成功する〉✎大岡昇平の『俘虜記』に「一般俘虜に対する唯一の―法は、彼等のことを考えないことであった」とある。「防禦《ぼうぎょ》」や「防戦」よりスケールが大きい感じがある。⇩防御・Q防戦・守る②

ぼうえき【貿易】外国との間で行う商業取引をさし、会話にも文章にも広く使われる漢語。〈―商〉〈―収支〉〈保護―〉〈―が盛んだ〉✎大規模という感じが強い。⇩交易

ほうえつ【法悦】うっとりとするような気持ちよさをさし、文章に用いられる古風で硬い漢語。〈―の境〉〈―にひたる〉✎もと仏教語で、仏の教えを受けたときの無上の喜びを言う。芥川龍之介の『地獄変』に「さながら恍惚とした―の輝きを、皺だらけな満面に浮べながら」とある。⇩歓喜・喜悦・欣喜《きんき》雀躍《じゃくやく》・Q随喜・愉悦・喜び

ほうおう【法王】ローマカトリック教会の最高聖職者である教皇をさし、会話でも文章でも使われる漢語。〈―庁〉〈ローマ―〉⇩法皇

ほうおう【法皇】譲位して仏門に入った前の天皇をさし、会話でも文章でも使われる、古めかしく歴史的な感じの漢語。〈後白河―〉⇩法王

ほうかい【崩潰(壊)】建造物などがこわれて崩れ落ちる意で、改まった会話や文章に用いられる硬い漢語。〈橋が―する〉〈線路が―する〉〈大地震でビルが―する〉✎比喩的に、「内閣が―する」「家庭の―」のように、組織などのまとまりががたがたに崩れる意に使う例も多い。⇩瓦解《がかい》

ぼうがい【妨害】他の行動の妨げになる意で、会話にも文章にも使われる漢語。〈電波―〉〈安眠―〉〈守備―〉〈営業―になる〉〈作業を―する〉✎「邪魔」に比べて対象が抽象的ながら明確で、妨げの理由や程度も客観的。⇩邪魔

ほうがく【方角】「方位」に近い意で、会話にも文章にも使われる古風な漢語。〈―違い〉〈駅の―〉〈東の―をめざす〉〈―の見当がつかない〉✎「―を気にする」のように易の吉兆を問題にする用法もある。吉行淳之介に帝国ホテルの一室で小説を結ぶときの感覚を問うと、書き出したら「大体の―に向かってやみくもに歩いて行きますね。そうすると、どっかにたどり着いたような感じになってくる」と、結びを特に意識しないことを述べた。このように抽象的な意味でも使うことがある。⇩方位・Q方向

ほうがん【砲丸】大砲の弾の意で、主に文章に用いられる少し古風な漢語。〈―が撃ち込まれる〉✎実際の弾の意では「砲弾」ほど使われず、現在は砲丸投げに使う金属の玉をさ

す拡大用法のほうが多い。⇩銃弾・弾丸・鉄砲玉・Q砲弾

ほうがん【包含】その内部に包み含む意で、主として文章中に用いる硬い漢語。〈その論は矛盾を—する〉〈真理を—する教え〉〈さまざまな問題を—する事態〉✎抽象的な事柄に使う。⇩Q含む・含める

ぼうかん【傍観】第三者という立場から自分には無関係なものとして眺めたり突き放して考えたりする意で、会話にも文章にも使われるやや硬い漢語。〈旅の—者〉〈その窮状は—するに忍びない〉✎「静観」と違い、実際に目で見ている場合にも使う。⇩静観

ほうき【放(抛)棄】投げ捨てて顧みない意で、やや改まった会話や文章に用いられる、やや硬い漢語。〈戦争—〉〈試合—〉〈権利を—する〉✎安岡章太郎の『海辺の光景』に「ようやくつかんだ職場を—する」とある。⇩捨てる・Q投棄・投げ出す

ほうきぼし【箒星】大きな彗星《すいせい》をさし、会話や硬くない文章に使われる和語。〈東の空に—が現れる〉✎長い尾が箒のように見えるところから。⇩Q彗星・流れ星・流星

ぼうきゃく【忘却】過去の記憶などをすっかり忘れ去る意で、主に文章に用いられる漢語。〈—の彼方に去る〉〈過去を—する〉✎夏目漱石の『草枕』に「いくら詩人が幸福でも、あの雲雀のように思い切って、一心不乱に、前後を—して、わが喜びを歌うわけにはゆくまい」とある。硬い感じの語ながら美文調の文章の中にも現れる。「失念」より大仰な感じがあり、お礼を言い忘れたり一品買い忘れたりするようなちょっとしたことにはなじまない。⇩失念・Q忘れる

ほうきゅう【俸給】会社員や公務員などの勤め人に支払われる給与をさし、主に文章に用いられる、やや古風な漢語。〈—表〉〈—生活者〉〈—が上がる〉✎職務に対する報酬で基本給が対象になる。⇩Q給与・給料・月給・サラリー・賃金

ほうぎょ【崩御】天皇・皇后・皇太后など格別高貴な方に対する尊敬の気持ちから、その死をさして、改まった文章に用いる丁重な間接表現。〈天皇—の報が入る〉✎死を忌むところから、それを「くずれる」「こわれる」といった別の概念に置き換えて婉曲《えんきょく》に表現したことば。⇩敢え無くなる・上がる②・あの世に行く・息が切れる・息が絶える・息を引き取る・往く・いけなくなる・永眠・往生・お隠れになる・落ちる②・おめでたくなる・帰らぬ人となる・くたばる・死去・Q死ぬ・死亡・昇天・逝去・斃《たお》れる・他界・長逝・露と消える・天に召される・亡くなる・儚《はかな》くなる・不帰の客となる・不幸がある・没する・仏になる・身罷《みまか》る・脈が上がる・空しくなる・藻屑となる・逝く・臨死・臨終

ぼうぎょ【防御(禦)】危険なこと、特に敵の攻撃を防ぐ意で、やや改まった会話や文章に用いられる漢語。〈—システム〉〈—率〉〈—を怠る〉〈—が甘い〉✎「防衛」より小規模な感じが強い。⇩防衛・Q防戦・守る②

ほうけい【方形】角がすべて直角の四角形、すなわち正方形・長方形を意味する、古風でやや硬い漢語。〈ほぼ—をなす〉⇩Q四角形・四辺形

ほうげん【方言】一つの言語の中の地方によって異なる音韻・語彙・文法などの体系をさし、会話にも文章にも使われる漢語。〈西日本—〉〈—調査〉〈その地方独特の—が今も残る〉〈いつまでも—が抜けない〉✎「俚言《りげん》」より体系的なとら

え方。「―が交じる」のように単語をさすこともある。⇩里言葉・Q俚言

ほうげん【放言】無遠慮で無責任な発言をさし、会話にも文章にも使われる漢語。〈―癖がある〉〈大臣の―が波紋を呼ぶ〉✒結果として失言になる例も多いが、そういうことを意に介さずに口に出すのが特徴。小林秀雄の『志賀直哉論』に「これから小説は社会化するとともに堕落する(略)という意味の―をやって、批評家だからそんな無責任な事が言えるのだと言われ」とある。⇩失言

ぼうけん【冒険】成功の確率の低いことに危険を冒して挑む意で、会話にも文章にも使われる漢語。〈―家〉〈―小説〉〈―談〉〈そこまで手を広げるのは―だ〉✒太宰治の『斜陽』に「小説ではずいぶん恋の―みたいな事をお書きになり」とある。「探検(険)」と違い、特に調べるという目的はない。⇩探検

ほうこう【方向】「方位」に近い意味で、くだけた会話から硬い文章まで幅広く使われる日常の基本的な漢語。〈進行―〉〈―転換〉〈―を定める〉〈―を誤る〉〈―を見失う〉✒「時計と同じ―に回転する」のように直線以外にも使い、「考えている―は悪くない」のように抽象的な意味にも使う。⇩方位・Q方角

ほうこう【彷徨】「さまよう」意で、主として文章に用いられる硬い漢語。〈荒野を―する〉〈深夜の大都会を―する〉〈生死の境を―する〉✒夏目漱石の『草枕』に「縹緲《ひょうびょう》のちまたに―する」とある。⇩さすらい・Qさまよう・漂泊・放浪・流浪

ぼうこう【暴行】「強姦」の意のやや間接的な提喩的ぼかしの漢語表現。〈―事件〉〈女性に―を働く〉✒井伏鱒二の『本日休診』に「女は消え入るようにうなだれていた。ひと目で―を受けた娘だとわかった」とある。一般に暴力をふるって事を起こせばこれに該当するから必ずしも強姦を意味するわけではないが、相手を明言して「婦女―」とすれば、もう少しストレートな表現になる。それでも、女性に対する殴る蹴るの暴力である可能性もあるが、その場合はわざわざ「婦女―」とは呼ばないからである。「乱暴」と比べると、これでも露骨な表現。新聞では「強姦容疑で逮捕」としながら解説部分では「暴行」を採用することが多い。⇩Q強姦・乱暴②・レイプ

ほうこうにん【奉公人】昔の武家や商家に雇われて働く人をさし、会話にも文章にも使われる古めかしい漢語。〈―の手前、言葉に気をつける〉〈多くの―を抱える大店《おおだな》〉✒番頭や手代や丁稚《でっち》、あるいは女中や下女などの連想が強い。「あるじ」「主人」と対立。⇩従業員・使用人・Q雇い人

ほうこく【報告】下位者の立場から上位者に知らせる意を表す、改まった感じの漢語。〈―書〉〈中間―〉〈上司に―する〉✒井伏鱒二の『休憩時間』に「興奮していると見え、教壇に駆けあがると私たち一同にむかって次のように―した」とある。「わかり次第すぐ―してください」というふうに、自分に知らせる意味でこの語を用いると、尊大な態度と受け取られかねない。⇩知らせ・通達・Q通知

ほうこくしょ【報告書】指定された事柄に関してその経過や結果や実情などを調べてまとめた文書をさし、やや改まっ

た会話や文章で用いられる硬い感じの漢語。〈研究―〉〈―を作成する〉〈提出済みの―〉✎「レポート」より役所や企業などの業務という雰囲気が強く、個人の自主的な活動という色彩は薄い。⇩レポート

ほうし【奉仕】自分の利益を度外視して他人や社会のために貢献する意で、会話にも文章にも使われる漢語。〈―精神〉〈―活動〉〈勤労―〉〈社会に―する〉✎太宰治は『桜桃』の中で「自分では、もっとも、おいしい―のつもりでいるのだが、人はそれに気づかず、太宰という作家も、このごろは軽薄である、面白さだけで読者を釣る、すこぶる安易、と私をさげすむ」と楽屋をさらけ出した。⇩尽力

ぼうし【防止】害を防いでその侵入を止める意で、やや改まった会話や文章に用いられる漢語。〈事故を―する〉〈危険を―する〉〈未然に―する〉⇩防ぐ・予防

ぼうし【帽子】防寒や装飾などのために頭にかぶるものをさし、会話から文章まで幅広く使われる日常漢語。〈―をかぶる〉〈―をとって会釈する〉✎ちなみに、樋口一葉の『にごりえ』に「表を通る山高―の三十男」という使用例が見られ、内田百閒には『山高帽子』と題する随筆がある。⇩シャッポ

ぼうじ【房事】改まった文章などで間接的に「性交」をさす古風な漢語。〈―過多〉✎閨房《けいぼう》すなわち女性あるいは夫婦の寝室で行う事柄、という語義から、そこでの男女の営みを類推させる婉曲《えんきょく》な表現。部屋での行為というところまで意味を抽象化してぼかした分、品位を保つ表現となっている。⇩営み・エッチ・関係②・合歓・交合・交接・情交・情を通じる・Q性交・性行為・性交渉・性的行為・セックス・抱く②・契る・同衾《どうきん》・共寝・寝る②・懇ろになる・ファック・深い仲になる・枕を交わす・交わる・やる③・夜伽《よとぎ》・Qやり方

ほうしき【方式】あることをするのに定まっている形式や手続きやり方をさし、やや改まった会話や文章に用いられる漢語。〈記入―〉〈従来の―に従う〉〈新しい―を編み出す〉✎「手法」に比べ一般的・固定的な感じが強い。⇩手法・Qやり方

ほうじちゃ【焙じ茶】番茶を焙じてつくった独特のにおいを楽しむ茶をさし、会話にも文章にも使われる表現。〈香ばしい―〉✎液は茶色で、通常は緑茶と区別される。⇩上がり・お茶・玉露・煎茶・茶・日本茶・Q番茶・碾《ひ》き茶・抹茶・緑茶

ほうしゃせん【放射線】放射性元素の原子核の崩壊に伴って放出されるアルファ線・ベータ線などの電磁波の総称として会話にも文章にも使われるやや専門的な漢語。〈―治療〉〈―を浴びる〉✎エックス線を含める用法もある。⇩Qエックス線・レントゲン

ほうしゅう【報酬】労働や仕事・骨折りなどに対する謝礼として支払う金品をさし、やや改まった会話や文章に用いられる漢語。〈無―で働く〉〈―を受け取る〉✎夏目漱石の『明暗』に「夫のこの驚ろきをあたかも自分の労力に対する―のごとくに眺めた」とある。⇩見返り

ほうしょう【報奨】善行・精勤などに報いて金品を与え励ます意で、改まった会話や文章に用いられる漢語。〈全納―金〉〈永年勤続の社員を―する〉✎与える立場の上位者の視点が感じられる用語。⇩報償

ほうしょう【報償】 公的機関による弁償の意で、改まった会話や文章に用いられる、法的・専門的な感じの漢語。〈被害者に―金が支払われる〉⇩報奨

ほうしょう【褒章】 国が著しい功績のあった者に授ける勲章の意で、会話でも文章でも使われる硬い漢語。〈紫綬《しじゅ》―〉✎授ける側の視点が感じられる用語。⇩褒賞

ほうしょう【褒賞】 褒め讃える行為や褒美の意で、会話でも文章でも使われる硬い漢語。〈国家から―を授けられる〉✎与える立場からの視点を感じさせる用語。⇩褒章

ほうじょう【豊穣】 豊作の意で、改まった会話や文章に用いられる硬い漢語。〈五穀―を祈る〉〈―の秋〉✎「豊饒」が土地の性質に中心があるのに対し、この語はその成果に着目。⇩豊饒《ほうじょう》

ほうじょう【豊饒】 肥沃でよく実る意で、改まった会話や文章で用いられる硬い漢語。〈地味―〉✎小林多喜二の『蟹工船』に「肥えた黒猫の毛並のように―な土地」とある。⇩豊穣《ほうじょう》

ほうじる【焙じる】 お茶の葉などを火にあぶって湿り気を取り除く意で、会話にも文章にも使われる表現。〈茶を―〉⇩炒《たい》める・煎《い》る・煎《せん》じる・煎ずる・Q焙ずる

ほうしん【方針】 あることをなすにあたって予《あらかじ》め定めた基本的な方向や原則をさし、やや改まった会話や文章に用いられる漢語。〈基本―〉〈教育―〉〈経営―〉〈―を貫く〉〈―を変更する〉✎森鷗外の『舞姫』に「前途の―」とある。⇩計画・構想・Q指針

ほうしん【放心】 突然の出来事などに心を奪われてぼうっとしているさまをさし、会話にも文章にも使われる漢語。〈しばらく―状態で返事もしない〉〈驚きのあまり―する〉✎谷崎潤一郎の『細雪』に「事件が起ると、最初に先ず茫然としてしまって、―したような状態になる」とある。失望から来る「虚脱」と違い、あまりの驚きから生じる。⇩虚脱

ぼうず【坊主】 僧の総称として主にくだけた会話に使われる日常の漢語。〈寺の―〉〈―のお経〉✎本来は、僧坊の主をさしたが、現代では僧を親しみや蔑みの気持ちを込めて呼ぶときに使う。「やんちゃ―」「いたずら―」のように、男の子をからかい気味に呼ぶときにも使う。⇩和尚《おしょう》・住持・住職・Q僧・僧侶

ほうずる【焙ずる】 「焙じる」意の少し古風な表現。〈茶葉を―〉⇩炒《たい》める・煎《い》る・煎《せん》じる・煎ずる・Q焙じる

ぼうせん【防戦】 戦争や試合で相手の攻めを防ぐ意で、会話にも文章にも使われる漢語。〈―に追われる〉〈―一方の試合展開〉⇩防衛・Q防御・守る②

ぼうせん【傍線】 縦書きの文章で文字列の右側に引く線をさし、会話にも文章にも使われる漢語。〈―を引く〉〈―の箇所〉⇩アンダーライン・Q下線

ぼうぜん【呆然】 あっけにとられぼんやりしてしまう意で、会話にも文章にも使われる漢語。〈―と見送る〉〈―と立ち尽くす〉✎佐藤春夫の『都会の憂鬱』に「理由を解しかねて―としていた」とある。「唖然《あぜん》」より時間的に長い感じがある。⇩Q唖然・茫然《ぼうぜん》

ぼうぜん【茫然】 気が抜けてぼんやりする意で、改まった会話や文章に用いられる漢語。〈―として無為に日を送る〉✎

「―自失」のように、「呆然《ぼうぜん》」に近い意で使うこともあり、また、「前途はいまだ―としている」のように、漠然として定まらない意にも用いる。夏目漱石の『坊っちゃん』に「赤シャツは(略)とっさの場合返事をしかねて―としている」とある。⇩唖然《あぜん》・Ｑ呆然

ほうそう【放送】 テレビやラジオで電波を通じて報道・ドラマ・音楽・スポーツなどの番組を多数の人に送り届けることをさし、くだけた会話から文章まで幅広く使われる日常の漢語。〈―局〉〈実況―〉〈―番組〉〈民間―〉〈全国向けに―する〉✎庄野潤三の『夕べの雲』に「決った日の決った時間にある―は、いつの間にか家族の生活の一部になってしまっていて」とある。⇩放映

ほうそく【法則】 一定の条件下で常に成立する関係をさし、やや改まった会話や文章に用いられるいくぶん硬い感じの漢語。〈万有引力の―〉〈質量不変の―〉✎人為的な「規則」に対して、おのずから定まっているというニュアンスが強い。「自然の―」「―どおりには運ばない」のように緩やかな関係をさす用法もある。⇩定理

ぼうだい【膨(厖)大】 内容や分量・数値などが非常に大きい意で、改まった会話や文章に使われる硬い漢語。〈―な金額〉〈―な資料〉〈―な計画〉〈―な数にのぼる〉✎「厖」は大きい・厚い意で「膨」はふくれあがる意。⇩莫大

ほうだん【砲弾】 大砲の弾の意で、改まった会話や文章に用いられる漢語。〈―を浴びる〉〈―が命中して民家が大破する〉⇩銃弾・弾丸・鉄砲玉・Ｑ砲丸

ほうち【放置】 置きっ放しにする、やるべきことをせずにそのままにしておく意で、やや改まった会話や文章に用いられる漢語。〈―された自転車の除去作業〉〈遺体をその場に―する〉✎「なすべき職務を―する」「―できない緊迫した情勢」のように抽象的な対象にも使う。「放任」と違って、人に限らず物にも事柄にも使い、その対象にとって好ましくない状態にある。⇩ほうっておく・放任・ほったらかし・Ｑほったらかす・ほっておく

ほうっておく【放って置く】 人や物や事柄に手をかけずそのままにする意で、会話や軽い文章に使われる和語。〈このまま―・いたら枯れる〉〈しばらく―・いても大丈夫だ〉〈子供の喧嘩だ、―・け〉✎「ほっておく」「ほっとく」と変化するほど俗っぽさが増す。なすべきことをせずにというニュアンスは「放置」や「ほったらかす」より弱く、それがいい結果をもたらす場合もある。⇩Ｑ放置・放任・ほったらかす

ほうてい【法廷】 裁判官が訴訟事件を取り調べて判決を下す場所をさし、改まった会話や文章に用いられるやや専門的な漢語。〈―闘争〉〈―に持ち込む〉〈―で争う〉✎空間的な存在よりも機能を意識して用いる語。⇩裁判所

ほうとう【放蕩】 日常的に酒や女遊びや賭け事などに夢中になって品行がおさまらない意で、改まった会話や文章に用いられる古風な漢語。〈―息子〉〈―三昧の暮らし〉〈―の限りを尽くす〉✎内田百閒の『特別阿房列車』に「だれが君に貸すものか。―したと云うではなし、月給が少くて生活費がかさんだと云うのでは、そんな金を借りたって返せる見込は初めから有りゃせん」とある。「遊蕩」「淫蕩」と同様、酒色に溺れる意であるが、それらと比べればこの語は

まだ程度がいくらか軽く、意見をして立ち直る見込みを感じさせる。通常、女性には用いない。⇩淫蕩・道楽②・Q遊蕩

ぼうとう【冒頭】物事や作品などの最初の部分をさし、会話にも文章にも使われる漢語。〈―陳述〉〈会の―の挨拶〉〈文章の―の一文〉✎夏目漱石の『明暗』に「―から結末に至るまで、彼女はいつでも彼女の主人公であった」とある。「末尾」「結尾」と対立。⇩発端

ぼうどう【暴動】不満を持つ者たちが徒党を組んで乱暴を働き、社会の治安や秩序を乱す行為をさして、会話にも文章にも使われる漢語。〈各地で―が起こる〉〈―を鎮める〉✎「反乱」と違い、軍の組織を持たない一般民衆が引き起こす場合に言う。⇩反乱

ほうどうきかん【報道機関】新聞やテレビ・ラジオなど報道を目的とする組織体をさし、やや改まった会話や文章に用いられるいくぶん専門的な漢語。〈―に通達する〉〈―に自粛を要請する〉⇩マスコミ

ほうにょう【放尿】小便を出す意で、主に文章に用いられる漢語。〈―禁止〉〈木陰で―する〉✎井伏鱒二の『本日休診』に「娘は連れの二人をやりすごした。塀のかげにかくれて―するためであった」とあるが、一般には、「排尿」より勢いを感じさせ、主として男性による戸外での行為を連想させやすい。⇩排尿

ほうにん【放任】人の自由や自主性を尊重して束縛・干渉をせず、当人の希望どおり成り行きに任せる意で、会話にも文章にも使われる漢語。〈自由―〉〈―主義〉⇩放置・ほうっておく・ほったらかす

ほうのう【奉納】社寺に物品や芸能などを寄付する意で、会話にも文章にも使われる漢語。〈―試合〉〈―相撲《ずもう》〉〈神楽《かぐら》を―する〉⇩Q寄進・献納

ぼうはん【防犯】犯罪行為を防ぐ意で、会話にも文章にも使われる漢語。〈―ベル〉〈―装置〉〈―灯〉✎「保安」より局所的で具体的な感じがある。⇩保安

ほうひ【放屁】(勢いよく)屁《へ》をひる行為をさし、主として文章に用いられる硬い感じの漢語。〈所かまわず―する〉✎太宰治の『富嶽百景』に「井伏氏は、濃い霧の底、岩に腰をおろし、ゆっくり煙草を吸いながら、―なされた」という一文が出てくる。露骨な日常語の「へ」や間接化して少し上品にした「おなら」、あるいは間接的な俗語の「ガス」などの類語に比べ、堂々たる響きのあるこの「放屁」という漢語を尊敬表現に用いた例である。苦労してパノラマ台まで登ったら折悪しく濃い霧がたちこめ富士の姿はまったく望めず、「いかにも、つまらなそう」な大作家の憮然《ぶぜん》としたようすを叙する絶妙の一語。このあたり一帯に漂う上質のユーモアの点睛《てんせい》となっている。ちなみに、青木放屁という芸名の俳優あり、小津安二郎監督の命名になるという。⇩おなら・ガス・Q屁

ぼうびき【棒引き】金銭面での帳消しの意で、会話や改まらない文章に使われる古風な表現。〈これで借金を―にする〉✎本来は帳簿の記載を棒を引いて消すこと。「帳消し」ほど比喩的な拡大用法は認められない。⇩相殺・Q帳消し

ほうふ【豊富】十分な量があり豊かに富む意で、会話にも文章にも使われる漢語。〈―な資源〉〈知識が―だ〉〈経験が

―で頼もしい〉〈話題の―な人〉✐小林秀雄の『様々なる意匠』に「種々の色彩、種々の陰翳を擁して―である」とある。「豊か」と違い、心の状態までは踏み込んでいない。⇩潤沢・Ｑ豊か

ぼうふう【暴風】激しく吹いて大きな損害を与える恐れのある強い風をさし、会話にも文章にも使われる日常の漢語。〈―警報〉〈―で木が根こそぎ倒れる〉✐風力階級11の旧称。⇩嵐・おおかぜ・強風・颶風《ぐふう》・時化《しけ》・疾風・陣風・大風・Ｑ台風・突風・はやて・暴風雨・烈風

ぼうふうう【暴風雨】雨を伴って激しく吹き荒れる風をさし、主として文章に用いられる漢語。〈―圏に入る〉〈激しい―に見舞われる〉✐「嵐」と違って通常比喩的には用いない。⇩Ｑ嵐・おおかぜ・強風・颶風《ぐふう》・時化《しけ》・疾風・陣風・大風・台風・突風・はやて・暴風・烈風

ほうふく【報復】他人から受けたひどい仕打ちをその相手にそっくり返すことをさし、改まった会話や文章中に用いられる、硬い感じの漢語。〈―行為に及ぶ〉〈―攻撃と見なす〉✐「仕返し」や「返報」より重大な行為を連想させやすい。⇩仕返し・Ｑ復讐・返報

ほうほう【方法】やや硬いことばという印象のある「手段」に比べ、日常会話から硬い文章まで幅広く使われる漢語。〈―論〉〈有効な―を講じる〉〈打開の―を探る〉〈―に若干の問題がある〉✐芥川龍之介の『鼻』に「内供の考えたのは、この長い鼻を実際以上に短く見せる―である」とある。「金儲けの―」とも「金儲けの手段」とも言えるが、「手段」のほうが具体的で小規模なものをさすというニュアンスの差が感じられる。⇩Ｑ手段・手口・やり方・やり口

ぼうぼう【茫茫】草や髪などが伸びて生え乱れている意で、主に会話に使われる漢語。〈雑草が―と生い茂る〉〈髪の毛が―と伸び放題になっている〉✐「―たる海原」のように、広く遥かな意にも、「視界は―として薄墨色の世界が広がる」のように、ぼうっとしてぼんやり見えるような意にも使い、それらの用法は逆に古風で硬い感じになる。⇩ぼさぼさ

ほうまつ【泡沫】「泡《あわ》」の意で文章中に用いられる硬い漢語。〈―となって消える〉✐池澤夏樹の『骨は珊瑚、眼は真珠』に「表面についている―をきらきらと光らせているビニールの袋」とあるが、「―候補」「―的な作家」のように、すぐに消えてしまう取るに足らない存在をさす例が多い。⇩Ｑ泡・うたかた・水泡・みなわ

ほうまん【豊満】肉づきのよい意で、くだけた会話以外で幅ひろく用いられる漢語。〈―な肉体〉〈―な肢体を投げ出す〉✐広津和郎の『再会』に「美貌とは云えなくとも吉祥天のように―な肉体の匂い」とある。「恰幅《かっぷく》がいい」が男性に対するプラスの評価であるように、この語は多く女性の肉体美を高く評価する場合に用いられる。そのため、太鼓腹の紳士やあんこ型の力士について用いると、性別の語感の点で違和感が出る。⇩Ｑ恰幅・体つき

ほうむる【葬る】死体や遺骨を作法どおりに墓地に埋める意で、改まった会話や文章に用いられるやや古風な和語。〈故郷の墓に―〉✐森鷗外の『じいさんばあさん』に「臨終を見届け、松泉寺に―・った」とある。「闇に―」「社会から―」のように見えない場所に追い遣る意の比喩的用法もある。

⇩Q弔う・埋葬

ほうもつ【宝物】 珍しくて貴重な品をさし、やや改まった会話や文章に使われる、少し古い雰囲気の漢語。〈—殿〉〈神社の—を拝観する〉〈伝来の—を一般公開する〉✎普段は目にすることのない歴史や由緒のある物を連想しやすい。⇩財宝・宝・Q宝もの

ほうもん【訪問】 目的をもって他人の家を訪ねる意で、改まった会話や文章で用いられる硬い感じの漢語。〈—客〉〈—販売〉〈家庭—〉〈作家を—する〉〈恩師の自宅を—する〉✎井伏鱒二の『丸山警視総監と久米正雄氏を訪ねる』に「丸山総監を—する前の晩、カフェでひどく酒をのんだ」とある。やや大仰な語感があり、挨拶・インタビュー・商談など何かの用で訪ねるような雰囲気になるため、「ぶらりと—する」とか「仲間を—して雑談した」とかという軽い感じの例に用いると違和感を覚える。⇩訪れる・Qたずねる・やって来る

ほうりだす【放(抛)り出す】 投げ出す意で、主に会話や軽い文章に使われる和語。〈ごみを—〉〈ランドセルを—・して遊びに行く〉〈社長のポストを—〉✎「投げ出す」より粗野な感じが強く、「おっぽり出す」「ほっぽり出す」ほど乱暴な感じはしない。自分の身から離れる感じがあり、「足を投げ出す」のような場合には使いにくい。⇩おっぽり出す・投げ捨てる・Q投げ出す・ほっぽり出す

ほうりつ【法律】 国民の守るべきものとして国家が制定・承認した、文章の形で明文化された決まりをさし、くだけた会話から硬い文章まで幅広く使われる日常の基本的な漢語。〈—事務所〉〈—に従う〉〈—に触れる〉〈—に違反する〉、〈—を制定する〉〈—を遵守する〉✎現代の用法としては、「法」のほうが抽象的・精神的で、この語のほうが具体的・現実的なイメージが強い。⇩掟《おきて》・Q法・法令

ぼうりゃく【謀略】 相手を陥れるためのはかりごとの意で、改まった会話や文章に用いられる硬い漢語。〈相手の—にまんまと乗せられる〉〈—が露見し失敗に終わる〉✎「計略」や「策略」より悪意が感じられる。⇩Q陰謀・計略・策略

ぼうりょくだん【暴力団】 暴力行為や脅迫や麻薬・銃の密売など常習的に違法行為を行う無法者の組織の意で、会話にも文章にも使われる漢語。〈指定—〉〈—の取締りを強化する〉〈—同士の抗争に発展する〉✎構成員個人をさす場合は「—員」という。⇩ごろつき・ちんぴら・ならず者・無頼漢・無法者・Qやくざ・与太者

ほうる【抛る】 投げ捨てる意で、会話や改まらない文章に使われる日常生活の和語。〈荷物を乱暴に—〉〈紙くずを—〉〈吸殻を窓から—〉✎夏目漱石の『坊っちゃん』に「早速起き上がって、毛布をぱっと後ろへ—と」とある。意図的な「投げる」に対し、この語は不要物などを自分から遠ざけるイメージがあり、物を粗末に扱う雰囲気がある。したがって、「丁寧に」「慎重に」といった意味の連用修飾語をつけにくい。⇩投げる

ほうれい【法令】 法律と命令の意で、会話でも文章でも使われる法律関係の専門的な漢語。〈—を出す〉〈—に定める〉〈—に従う〉⇩法例

ほうれい【法例】 法律の適用に関する規定の意で、主に文章に用いられる法律関係の専門的な漢語。〈—に照らす〉✎

「法令」より具体的。⇩法令

ぼうれい【亡霊】死者の魂が人の姿となって現れるとされる現象をさして、改まった会話や文章に用いられる硬い漢語。〈―の祟《たた》り〉〈―に取り憑《つ》かれる〉✎安部公房の『他人の顔』に「臭いだとか、足音だとか、そんな木霊のたぐいだけが住んでいる、―の館《やかた》」とある。化け物類と違い、人間の姿にイメージが限られる。⇩お化け・化け物・幽霊・妖怪

ほうろう【放浪】さすらい旅する意で、会話にも文章にも使われる漢語。〈―癖がある〉〈―の旅〉〈―の画家〉〈大陸を―する〉✎『放浪記』という林芙美子の自伝的小説の題名にもあるように象徴的・比喩的な用法が多い。⇩さすらい・さまよう・漂泊・彷徨《ほうこう》・Q流浪

ほえる【吠える】比較的大型の獣が大きな声を出す意で、くだけた会話から硬い文章まで幅広く使われる日常の和語。〈番犬が盛んに―〉✎小沼丹の『タロオ』に「庭に誰が這入って来ようと―・えたことの無い犬が、猛烈に―ようになった」とある。虎やライオンなどが大声で吠えたてる場合には「吼える」「咆える」とも書く。犬の場合、「ワンワンと―」「クンクンと鳴く」と使い分ける。「海が―」として荒れ狂う音を強調する例もある。「おやじが怒って―」のように、どなる、わめくの意に使う比喩的用法は俗っぽく響く。⇩Qいななく・さえずる・鳴く

ほお【頰】顔の左右の耳から口にかけての柔らかい部分をさし、会話にも文章にも使われる和語。〈―が赤い〉〈―を染める〉〈―の肉が落ちる〉✎宮本百合子の『伸子』に「下脹《しもぶく》れた豊かな―」とあり、円地文子の『老桜』に「白い―には薄い桜色がさして、自分が恋しているようになまめいて見えた」とある。現代東京語では「ほお」が一般的で、「ほほ」は若干古風な感じを与える。⇩ほっぺ・ほっぺた・ほほ

ほおかぶり【頰被(冠)り】責任逃れなどのために知らない振りをする意で、主として会話に使われるやや古風な和語。〈―を決め込む〉〈やった張本人が―して澄ましている〉✎頭から頰や顎《あご》まで手拭などで覆い隠す意の表現からの比喩的な拡大用法。「頰かむり」とも言うがさらに古風。「ほっかぶり」「ほっかむり」の語形はやや強調的で、さらに口頭語的。⇩しらばくれる・しらを切る・Q知らんぷり・そらとぼける・とぼける

ほおかむり【頰被り】→ほおかぶり

ホース 液体や気体を送るために用いるゴム製・ビニール製の管をさし、会話にも文章にも使われるオランダ語からの外来語。〈ゴム―〉〈―で車を洗う〉〈消防車の―〉✎ごく細い管や短い管には用いにくい。⇩Q管・筒・パイプ

ポーチ 西洋建築の車寄せをさし、会話にも文章にも使われる外来語。〈―まで乗り入れる〉✎小津安二郎の映画『麦秋』で淡島千景の扮するアヤが「だんだらの日除けのある―か何かでさ」と言う。⇩車寄せ

ボード 板状の材料をさし、会話にも文章にも使われる外来語。〈石膏―〉〈―を張る〉✎建築用の加工板をさすことが多い。⇩板

ポートレート 肖像画・肖像写真の意で、主に文章中に用いられる外来語。〈チャップリンの―を壁に掛ける〉⇩写真・スチール・スナップ・Qブロマイド

ボーナス　賞与など臨時に支給される特別手当の意で、会話にも文章にも広く使われる外来語。〈—払い〉〈—が出る〉〈—をはずむ〉✎現代では日常生活で「賞与」より一般的によく使われる。⇩賞与

ホームドクター　「かかりつけの医者」を意味する和製英語。〈まず—に相談する〉✎一部で英語の「ファミリードクター」を用いることもあるが、まだ外国語を借用した感じが抜けず外来語になりきれていない。⇩医者

ボール　球技に用いるゴム製・布製などの球形の道具をさし、くだけた会話から硬い文章まで現在では最も普通に使われる日常の外来語。〈バレー—〉〈—カウント〉〈記念の—〉〈—が転がる〉✎サトウハチローの『スタンドの古狸』に「外野で—をひろうと、—が(夜露で)しっとりしてるそうだ」とある。⇩球

ボーロ　小麦粉・砂糖・卵・牛乳などをたねにして焼いた円い小型の南蛮菓子をさし、会話にも文章にも使われるポルトガル語からの外来語。〈しっとりとした佐賀—〉〈京都のそば—〉✎原語では単に「菓子」の意という。伝来当初のカステラ系統から次第に日本化し、表記も幼児用の「衛生ボーロ」を除いて「ぼうろ」「ぼうる」などと平仮名で書くことが多く、今では和菓子の雰囲気が濃い。⇩クッキー・クラッカー・サブレ・Qビスケット

ほか【外(他)】　それ以外の意で、くだけた会話から硬い文章まで幅広く使われる日常の基本的な和語。〈—の場所に移る〉〈—の人に代わる〉〈—に考えられない〉〈—の原因も考えられる〉✎芥川龍之介の『芋粥』に「まるで—の話が聞こえないらしい」とある。⇩Q他・別

ぽか　容易なことをうっかりやり損なう意で、くだけた会話に使われる俗語。〈しょっちゅう—をやる〉⇩エラー・しくじる・失策・失態・失敗・とちる・抜かる・Qミス・ミスる・やり損なう

ほかはない　それ以外にないの意味合いで、主として硬い文章に用いられる古風な言いまわし。〈覚悟を決めて取り組む—〉〈事ここに至っては、徹底抗戦を試みる—〉✎「やるしかない」などの違和感を気にする場合に、代わりに使われることもある。⇩しか

ほがらか【朗らか】　人の気持ちや様子が明るく晴れ晴れとした感じである意で、会話にも文章にも使われる和語。〈—な歌声〉〈—な笑顔〉✎三浦朱門の『箱庭』に「何だか—なんだね。外科というのはああいう陽性の人が多いのかな」とある。「空が—に晴れる」のように晴れやかな天候をさす用法は古風。⇩陽気

ほきょう【補強】　対象の弱い部分を補って強くする意で、会話にも文章にも使われる漢語。〈—材〉〈—工事〉〈地震に備えて筋交《すじかい》いを入れて建物を—する〉〈トレードで手薄な投手陣を—する〉✎全体的に弱体な場合は「強化」のほうがより適切。⇩Q強化・増強

ぼく【僕】　「俺」より丁寧で、「私」よりぞんざいな男の自称の漢語。「俺」に比べて青少年が多用する感じがあり、老年層の使用に若干の違和感を覚える場合もある。日常会話や改まらない手紙などで使われる。話しことばの調子があるため、硬い文章にはなじまない。〈君と—〉〈—が教えてやるよ〉✎夏目漱石の『坊っちゃん』の主人公も他人の前では

「—の前任者が誰に乗ぜられたんです」とこの自称詞を使う。ある中学教師の話によると、女子生徒も使うことがあるという。ふざけて使う場合、男の子めかして使ってみる場合、ことばの性差別に対する反抗心からあえて使う場合など、理由や動機はさまざまであれ、ともかく思春期の不安定な情緒から意図的に使ってみるのであれば、そういう心理の働くこと自体が、「僕」という語が男のことばだという意識の強いことを示していることになる。⇩あたくし・あたし・おいら・Q俺・わし・わたくし・わたし

ぼくし【牧師】 プロテスタントで、教会を預かり説教をして信者を導く職に在る人をさし、会話にも文章にも使われる漢語。〈—の説教〉✎新約聖書で、イエス・キリストが自らを羊を飼う牧者にたとえたところから。カトリックの「神父」にあたる。⇩司教・司祭・Q神父

ぼくじょう【牧場】 牛や馬を放し飼いにするための場所をさし、会話から文章まで幅広く使われる日常的な漢語。〈—を経営する〉〈—に牛を放つ〉✎古風な「まきば」よりも現代生活に密着した語で、「まきば」のような詩的な雰囲気は特に感じさせない普通の語。イメージとしては、「まきば」より規模が大きく近代的な設備が整っている感じがある。⇩まきば

ほぐす【解す】 固まったりくっついたりしたものをばらばらに捌《さば》いて離す意で、会話にも文章にも使われる和語。〈もつれた糸を—〉〈寝癖のついた髪を解き—〉〈肩の凝りを揉《も》み—〉〈魚の身を—〉✎「解きほぐす」という複合動詞もあり、「解く」がほどく段階を、「ほぐす」がそれをばらばらに広げる段階を連想させる。「緊張を—」「感情のもつれを—」「別れた相手とのしこりを—」のように、抽象的な対象に使う比喩的用法も多い。⇩解く・Qほどく

ほくそえむ【ほくそ笑む】 自分の思い通りになってにんまりする意の和語で、やや古風な感じの語。〈しめしめと—〉〈うまくいったと独り—〉✎太宰治の『走れメロス』に「残虐な気持で、そっと—・んだ」とある。ひそかに喜ぶのは他に知られたくない事情があるからで、現代ではどこか後ろめたいマイナスの語感が働く。⇩微笑み・Q笑う

ぼくたち【僕達】「僕」の複数として、男の子などが会話にも文章にも使う表現。〈—の学校〉〈—にも分けてよ〉〈—が大人になる頃〉✎「僕等」に比べ、子供がよく使う傾向があり、大人が使ってもいくらか幼い響きを感じさせる。⇩俺たち・Q僕ら・わたくしたち・わたしたち・我ら・我々

ぼくちく【牧畜】 牧場で馬・牛・羊などを飼い育てて増やす仕事をさし、会話にも文章にも使われる漢語。〈—業〉〈—が盛んだ〉⇩畜産・酪農

ぼくめつ【撲滅】 完全に打ち滅ぼす意で、やや改まった会話や文章に用いられる硬い漢語。〈害虫を—する〉〈癌《がん》—をめざす運動〉〈振り込め詐欺の—を図る〉✎人間にとって有害な対象に積極的に立ち向かう感じが強い。⇩壊滅・Q絶滅・全滅

ぼくら【僕等】「僕」の複数で、会話にも文章にも使われる、やや古風で少しくだけた感じの表現。〈—の青春〉〈—は貧しかったが夢があった〉〈—にしてみればあんまり有り難くない話だ〉〈—の時代は終わった〉〈あの頃の—はみんな腹

をすかしていたものだ〉「僕たち」に比べ、中年以上の男性が昔を回顧して語る際にしばしば現れる印象が強い。小林秀雄の『ゴッホの手紙』に「近代の日本文化が翻訳文化であるという事と、—の喜びも悲しみもその中にしかあり得なかったし、現在も未だないという事とは違うのである」、「—を幽閉し、監禁し、埋葬さえしようとするものが何んであるかを、—は、必ずしも言う事が出来ない」とある。⇩俺たち・Q僕たち・わたくしたち・わたしたち・我ら・我々

ほけんきん【保険金】保険会社が契約に従って被保険者に支払う金額をさし、会話にも文章にも使われるやや専門的な漢語。〈—が下りる〉〈—目当ての犯行〉⇩保険料

ほけんりょう【保険料】保険の加入者が契約に基づいて保険会社に支払う料金をさし、会話にも文章にも使われる漢語。〈—が安い〉〈—が滞る〉⇩保険金

ほご【保護】危険から守る意で、会話にも文章にも使われる漢語。〈—者〉〈—貿易〉〈過—〉〈迷子を—する〉⇩Q庇護《ひご》・擁護

ぼご【母語】生まれ育つ時期に用いた言語をさし、言語研究の分野で用いられる専門的な漢語。〈—話者〉〈第二言語習得における—の干渉〉幼時に母親や家庭の内外から自然に習得する言語をさす。「母国語」のような国の意識を伴わない。⇩第一言語・Q母国語

ぼこう【母校】自分の卒業した学校をさし、会話でも文章でも幅広く使われる日常的な漢語。〈—の校歌〉〈—の先輩〉〈—の教壇に立つ〉卒業した学校を客観的にとらえた「出身校」と比べ、それを自分側に引きつけて見た、話し手の思い入れの感じられる懐かしいことば。履歴などに記す場合は正式な感じの「出身校」を用いる。「心のふるさと」として自分を支えるのは「母校」であり、単なる出身校ではない。⇩出身校

ぼこく【母国】自分の生まれた国の意で、会話にも文章にも使われる漢語。〈—のことば〉〈—を懐かしむ〉自国を離れたときに最も普通に使うことば。⇩Q故国・自国・祖国・本国・本土

ぼこくご【母国語】母国の言語をさし、会話でも文章でも普通に使われる漢語。〈—は日本語だが、パリジャン並みのフランス語を話す〉〈外国語の学習に際して—の影響があらわれる〉「母語」に比べ、いくらか国家意識が感じられる。⇩第一言語・Q母語

ほこら【祠】神を祭った小さな社をさし、会話にも文章にも使われる古風な和語。〈—に手を合わせる〉志賀直哉の『小僧の神様』に「其番地には人の住いがなくて、小さい稲荷の—があった」とある。⇩社殿・神社・Qやしろ

ほこり【埃】すぐに舞い上がるほど軽く微細な塵《ちり》をさし、会話にも文章にも広く使われる日常の和語。〈砂—〉〈—をかぶる〉〈—をはたく〉〈—が立つ〉〈—がたまる〉野間宏の『崩解感覚』に「大きな耳が—をかむったような白い汚れた色をして外につき出ている」とある。砂埃や土埃をさすことが多い。⇩芥《あくた》・屑《くず》・ごみ・Q塵《ちり》

ほこり【誇り】自ら名誉に思う気持ちをさし、会話にも文章にも使われる和語。〈家系に—を抱く〉〈任務に—を持つ〉〈—に傷がつく〉有島武郎の『或る女』に「—が塵芥のよ

うに踏みにじられる」とある。自分自身の事に限らず、「大学の―だ」「偉人を輩出したことを―に思う」のように、自分に関係する他人のことを自分側に引きつけて感じる場合もある。「自慢」と違って事柄にも用い、ひそかに心に抱くことが多い。⇩気位・矜持《きょうじ》・自尊心・自負・Qプライド

ほさ【補(輔)佐】 ある上位者を助けて務めを十分に果たさせる意で、改まった会話や文章に用いられる形式張った感じのやや専門的な漢語。〈課長―〉〈―官〉⇩補助

ほざく 「言う」「しゃべる」の意で相手を軽蔑して言う、やや古い感じの俗語。〈よくも―・いたな〉〈さっきから生意気なことを―・いている〉✒火野葦平の『糞尿譚』に「老いぼれが何を―か。(略)気の利いたことを―な」とある。⇩ぬかす

ぼさぼさ 手入れせずに先が乱れている意で、主に会話に使われる和語。〈髪を―にしている〉〈使い古したほうきの先が―だ〉✒毛髪の場合には長くて艶《つや》のない状態を連想しやすい。⇩ぼうぼう

ほし 犯人を意味する隠語。〈―の見当がつく〉〈―を挙げる〉✒漢字で書けば「星」だが、ふつう片仮名で書く。⇩ほんぼし

ほし【星】 恒星・惑星・衛星・彗星《すいせい》・流星の総称として、くだけた会話から硬い文章まで幅広く使われる日常の基本的な和語。〈―明かり〉〈一番―を頂く〉〈―をちりばめる〉✒定義上は太陽・月・地球もその一種だが、日常生活ではそれ以外をさすことが多い。川端康成の『雪国』に「弱い光の日が落ちてからは寒気が―を磨き出すように冴えて来た」とある。⇩天体

ほじ【保持】 現在の状態をそのまま続ける意で、主として文章に用いられる硬い漢語。〈記録―者〉〈権力を―する〉⇩維持・Q保存

ほしい【欲しい】 手に入れて自分のものとしたい意で、くだけた会話から硬い文章まで幅広く使われる和語。〈玩具が―〉〈―物が手に入る〉✒「意欲とねばり強さが―」のように、他人に欠けているものを期待する用法もある。⇩思わしい・Q望ましい

ほしゅ【捕手】 野球で投手からの投球を受ける役の選手をさす漢語。主として書きことばで使う。口頭ではふつう「キャッチャー」と言う。〈強肩で鳴らした―〉〈―のリードが冴える〉⇩キャッチャー

ほじゅう【補充】 数量の定まっている対象に不足が生じた場合にそれを補う意で、会話にも文章にも使われる漢語。〈減った分を―する〉〈欠員を―する〉⇩Q補足・補塡

ぼしゅう【募集】 希望者などを広く呼びかけて集める意で、会話にも文章にも使われる漢語。〈―要項〉〈生徒―の広告を出す〉〈社員を―する〉✒夏目漱石の『坊っちゃん』に「物理学校の前を通り掛ったら生徒―の広告が出て居た」とある。和語の「募る」よりむしろ日常語的。「応募」と対立。⇩募る

ほじょ【補助】 不十分なところを補い助ける意で会話にも文章にも使われる日常の漢語。〈―椅子《いす》〉〈―金〉〈生活―〉〈―的な役目〉⇩補佐

ぼしょ【墓所】 特定の家や人の墓場をさし、やや改まった会

話や文章にも使われる古風な漢語。〈実家の―〉〈裏にある―〉✎その区域全体をさす「墓地」に対し、個々の墓場をさす傾向がある。⇩はかしょ・Q墓場・墓地・霊園

ほしょう【保証】確かだと責任を持って請け合う意で、会話でも文章でもよく使われる漢語。〈連帯―人〉〈品質を―する〉〈人物は―できる〉〈結果は―の限りでない〉⇩Q保障・補償

ほしょう【保障】立場や権利の保護という意味で、主に文章に用いられる専門的な感じの漢語。〈社会―〉〈安全―条約〉〈国民の自由と安全を―する〉⇩Q保証・補償

ほしょう【補償】損害を償う意で、会話にも文章にも使われる、専門的な雰囲気の漢語。〈―額〉〈損害―〉〈国に―を請求する〉⇩賠償・弁償・Q保証・保障

ほす【干す】自然に乾燥するように広げる意で、会話でも文章でも幅広く使われる日常生活の和語。〈風の通る高い場所に―〉〈洗濯物を竿《おさ》に―〉〈手摺りに布団を―〉〈軒下に大根を―〉✎「乾かす」場合と違い、日光や風などにあてる自然乾燥に限られ、ドライヤーで髪を乾かすような場合には使わない。⇩乾かす

ポスト 郵便箱・郵便受けの総称として、会話にも文章にも使われる外来語。〈駅前の―に投函する〉〈門先の―から郵便物を受け取る〉✎郵便箱をさす例が多い。また、「重要な―につく」「大臣の―をねらう」のように、職務上の地位をさす用法もある。⇩郵便受け・Q郵便箱

ボストンバッグ 底が長方形で広く、軟らかい感じの手提げ鞄をさし、会話にも文章にも使われる、いくぶん古風な感じの外来語。〈―を片手に旅行に出かける〉✎ボストンの学生が使い始めたからとも。⇩スーツケース・トランク・Q旅行鞄

ほせい【補正】不十分な点を補って全体として正しくする意で、会話にも文章にも使われる、専門的な感じの漢語。〈―予算〉〈―を組む〉⇩改正・改定・改訂・是正・訂正・批正・補整

ほせい【補整】不十分な点を補って整える意で、主に文章に用いられる漢語。〈計器を―する〉〈パッドを用いて体形を―する〉⇩補正

ぼせき【墓石】「はかいし」の意で、改まった会話や文章に用いられる漢語。〈―が建ち並ぶ〉〈―に「森林太郎墓」と刻む〉✎通常ともに漢字表記なので「はかいし」との区別が困難。小沼丹の『黒と白の猫』の「石屋に寄って、―を注文した」の例も、「はかいし」のほうが自然に感じられるが、「ぼせき」と読むと特に違和感があるほどではない。三島由紀夫の『金閣寺』に「世界は―のように動かない」という比喩表現の例がある。⇩墓・Qはかいし・墓碑・墓標

ぼせん【母船】遠洋漁業などの船団の中心になり、漁獲物の保存や加工の設備を備えた大きな船をさし、会話にも文章にも使われる、やや専門的な漢語。〈捕鯨船団の―〉⇩親船・本船

ほぞ【臍】「へそ」の意で会話にも文章にも稀に使われる古めかしい和語。〈―を人目にさらす〉✎決心する意の「―を固める」や、後悔する意の「―をかむ」のような慣用句として使う程度で、実際のへそをさす例は少ない。⇩へそ

ほそい【細い】物の縦の割に横が著しく狭い意で、くだけた会話から硬い文章まで幅広く使われる日常の基本的な生活

和語。〈―ズボン〉〈目が―〉🖋宇野千代の『おはん』に「―、糸みたようなおはんの眼がつりあがって」とある。「食が―」「神経が―」のように、少ない、ひ弱い意にも使う。⇩か細い

ほそうどうろ【舗(鋪)装道路】 コンクリートやアスファルトで舗装した道路の意で、会話にも文章にも使われる正式な感じの漢語。〈今では街中はほとんどが―だ〉⇩鋪道

ほそく【補足】 不十分なところを補って充実させる意で、やや改まった会話や文章に用いられる漢語。〈―説明〉〈具体例を―する〉⇩Q補充・補塡

ほそながい【細長い】 幅が細く長さが長い意で、会話にも文章にも使われる和語。〈―部屋〉〈―町〉〈―ケース〉🖋「長細い」より一般的・標準的。⇩長っ細い・Q長細い・ひょろ長い

ほそみ【細身】 幅が狭くほっそりした作りの意で、会話にも文章にも使われる、やわらかい感じの和語。〈―の体〉🖋「―の刀」「―のズボン」など、人体以外の物に広く使われる。⇩痩軀《そうく》・Q痩身

ほそめ【細目】 すがめた目の意で、会話にも文章にも使われる和語。〈海岸の日射しを受けて思わず―になる〉〈近視の人は―で見る癖がある〉🖋光の入る量を制限したり目の焦点を調節したりする目的で実現し、他人に気づかれないように開ける「薄目」より一般に開きが大きい。⇩薄目

ほぞん【保存】 そのままの状態で残す意で、会話にも文章にも使われる漢語。〈―食〉〈―状態がよい〉〈―が利く〉〈景観を―する〉〈昔ながらの街並を―する〉🖋福原麟太郎の『チャールズ・ラム伝』に「コウルリッジからの手紙はほとんど―されていないのに、コウルリッジはラムの手紙をこんなにも沢山残しておいてくれた」とある。「維持」に比べ、具体的な物として存在する対象に用いる。⇩維持・保持

ぼたい【母体】 母親の体、基盤になる組織の意で、会話でも文章でも使われる漢語。〈―保護〉〈―を守る〉〈出身―〉〈経営―〉⇩母胎

ぼたい【母胎】 母親の胎内の意で、会話にも文章にも使われる漢語。〈―に新しい命が宿る〉〈―への影響が懸念される〉🖋田久保英夫の『海図』に「海は原初、人間のいのちの―だった」という比喩表現が出現し、「この試みが後の繁栄の―となった」のような比喩的な用法もあるが、意味が抽象化するほど、生々しくない「母体」のほうが使われる傾向が強い。⇩母体

ぼたもち【牡丹餅】 もと、秋の「おはぎ」に対する春の呼称。現在では日常一般的な「おはぎ」より会話的で、昔なつかしい感じが伴う。〈―を作ってたらふく食う〉⇩おはぎ

ほたる【蛍】 水辺に住み後から青白い光を出すホタル科の甲虫をさすと同時に、はかなさを感じさせる語。〈―狩り〉〈川べりの草むらに―が舞う〉🖋宮本輝の『蛍川』に「絢爛たる―の乱舞を一度は見てみたかった」とある。

ぼち【墓地】 多くの墓のある区域をさし、会話にも文章にも使われる漢語。〈共同―〉〈公園―〉〈外人―〉🖋尾崎一雄の『美しい墓地からの眺め』に、「ずっとつづいた神主だったにかかわらず、―には仏式の墓石が二三立っていて、中学生時分の緒方を不思議がらせた」とある。⇩はかしょ・Q墓場・墓所・霊園

ほっかぶり【頰被り】↓ほおかぶり

ほっかむり【頰被り】↓ほおかぶり

ほっく【発句】「俳句」の意で会話にも文章にも使われた古めかしい漢語。〈いささか—の心得がある〉✎連句の第一句すなわち最初の五・七・五が独立して俳句となったところから。夏目漱石の『坊っちゃん』に「—は芭蕉か髪結床の親方のやるもんだ」とある。⇩俳諧・Q俳句

ぼつご【没(歿)後】「死後」の意で、改まった会話や文章に用いられる、やや硬い漢語。〈—百年の記念行事〉〈先代の—にその名を襲名する〉✎改めて振り返る雰囲気が強い。著名人などの場合によく用い、身内には使わない。「死後の世界」のような用法でこの語は用いにくい。⇩死後

ぼっこう【勃興】急に出てきたりにわかに勢いづいたりして盛んになる意で、主として文章中に用いられる硬い漢語。〈新しい宗教の—〉〈北の小国が—する〉〈新興産業の—により勢力分布が変わる〉⇩台頭

ほっさ【発作】症状が突発的に生ずる意で、会話にも文章にも使われる漢語。〈心臓—〉〈喘息《ぜんそく》の—〉〈—が起こる〉〈—がおさまる〉✎梅崎春生の『桜島』に「にが笑いは、何か生理的な—のように、止め度なく湧き上って止まなかった」とある。⇩発症

ぼっしゅう【没収】権威によって所有物や権利などを強制的に取り上げる意で、会話にも文章にも使われる漢語。〈土地を—される〉〈所持品を—される〉✎法的な用語として用いられるが、「押収」「接収」ほどの専門性は意識されず、俗に「授業中に遊んでいるのが見つかってゲームを先生に—された」などと、公的機関以外にも拡大して使われることがある。⇩押収・接収・Q召し上げる

ほっしん【発疹】「はっしん」のやや古風で専門的な雰囲気の読み方。〈—が広がる〉⇩はっしん・Q吹き出物

ぼっする【没する】改まった文章で「死ぬ」意に用いられる硬い漢語的表現。〈異国の地で—〉✎死を忌む気持ちから、それを「沈む」意にとらえ直して比喩的に真意を類推させる婉曲《えんきょく》表現。⇩敢え無くなる・上がる②・あの世に行く・息が切れる・息が絶える・息を引き取る・往く・いけなくなる・永眠・往生・お隠れになる・落ちる②・おめでたくなる・帰らぬ人となる・くたばる・死去・Q死ぬ・死亡・昇天・逝去・斃《たお》れる・他界・長逝・露と消える・天に召される・亡くなる・儚《はかな》くなる・不帰の客となる・不幸がある・崩御・仏になる・身罷《みまか》る・脈が上がる・空しくなる・藻屑となる・逝く・臨死・臨終

ほっそく【発足】組織や団体などが活動を開始する意で、改まった会話や硬い文章に用いられる正式な感じの漢語。〈会が—する〉〈新たな事業が—する〉✎「はっそく」と読むと俗に響く。⇩開始・Qスタート・始まる

ほったらかし そのままにして放っておく意で、くだけた会話に使われる俗っぽい和語。〈家事を—にする〉〈子供を—にする〉〈宿題を—にして遊ぶ〉⇩放置・Qほっておく

ほったらかす やるべきことをしないで放置しておく意で、主にくだけた会話に使う俗っぽい和語。〈仕事を—〉〈子供を—・して遊び歩く〉✎「ほうっておく」と違って、そのほうがいいという判断であえてそうするケースは含まれず、「放置」以上に無責任な感じが強い。⇩放置・Qほうっておく・

放任

ほったん【発端】 事の起こりの意で、やや改まった会話や文章に用いられる、いくぶん古風な漢語。〈事件の―〉〈そもそもこうなった―は〉✎中野重治の『歌のわかれ』に「これが安田の恋物語の(略)―だった」とある。出来事の最初の部分というより、そのきっかけになったことをさす傾向が強い。「終末」と対立。⇩冒頭

ほっつきまわる 「うろつく」に近い意の俗語レベルの和語。〈怪しい男が近所を―〉✎「うろつく」に比べ、目的もなく徘徊《はいかい》している感じが強い。⇩うろつく

ほっておく【放って置く】 手当ても何もせずにそのままにする意で、主に会話に使われる和語表現。〈このまま―と枯れてしまう〉〈大したことはないから―・け〉✎くだけた会話ではしばしば「ほっとく」となる。⇩放置・Qほったらかし

ポット 壺の形をした容器をさし、会話にも文章にも使われる外来語。〈シュガー―〉〈―でコーヒーを温める〉✎「魔法瓶」をさすこともある。⇩Qジャー・魔法瓶

ぼっとう【没頭】 あることに夢中になって他を顧みない意で、やや改まった会話や文章に用いられる漢語。〈仕事に―する〉〈実験に―する〉✎佐藤春夫の『田園の憂鬱』に「植木の道楽に―し出した」とある。⇩専心・専念・熱中・夢中

ぼつねん【没(歿)年】 ①死んだ年をさし、主に文章に用いられる正式な感じの漢語。〈生―〉〈―不詳〉〈祖父の―は昭和五十四年〉✎現代ではこの意味で使う例が多い。②死んだときの年齢の意で、主に文章に用いられる漢語。〈若くして他界、―二十三と伝えられる〉⇩Q享年・行年《ぎょうねん》

ぼっぱつ【勃発】 大きな事件や事故などが突然起こる意で、主として文章中に用いられる硬い漢語。〈戦争―〉〈大事故が―する〉✎「出来《しゅったい》」や「突発」に比べ望ましくない、スケールの大きな感じが強い。⇩Qしゅったい・突発

ほっぺ【頬っぺ】 「頬っぺた」の幼児語。〈―が赤い〉〈―がふっくらしている〉⇩ほお・Qほっぺた・ほほ

ほっぺた【頬っぺた】 「頬」の意で主としてくだけた会話で使われる口頭語。〈―をふくらます〉〈―をひっぱたく〉✎頬のあたりを意味する「頬べた」の転。木山捷平の『初恋』に「―が苺のように赤かった」とある。⇩ほお・Qほっぺ・ほほ

ほっぽりだす【ほっぽり出す】 「放り出す」の俗語形。〈無責任に業務を―〉✎具体物を実際に投げ捨てる場合にはあまり使わない。⇩おっぽり出す・投げ捨てる・Q投げ出す・放り出す

ぼつらく【没落】 栄えていたものが衰えておちぶれる意で、やや改まった会話や文章に用いられる漢語。〈―貴族〉〈一大帝国の―〉〈旧家が―する〉〈―の憂き目にあう〉✎富豪の破産や会社の倒産など特に金銭的な面で使う例もある。⇩おちぶれる・Q凋落《ちょうらく》・転落・落魄《らくはく》・零落

ボディーガード 重要人物に付き添って危険から護る人をさし、くだけた会話や軽い文章に使う外来語。〈―を雇う〉〈―をつける〉✎「エスピー」と違って、警察官とは限らず広い意味で使われる。⇩Qエスピー・護衛

ホテル 洋式旅館をさして会話でも文章でも広く使われる日常の外来語。〈―経営〉〈一流―〉〈―の支配人〉〈―のプール〉〈―を予約する〉✎伊藤整の『氾濫』に「―は新式の建築で、道路に面した壁は、高い城壁のように窓のないもの」

とある。基本的なイメージは、洋風建築で客室はすべてベッドやバス・トイレつきの洋室、プールなどの設備が期待できる場合もあり、食事は館内のレストランなどを利用し、別料金となることが多い。近代的で高級な印象と結びつきやすく、現実には和風の旅館でも「ホテル」を名乗る例が多い。⇩宿・宿屋・Q旅館

ほてん【補塡】 主に金銭上の不足分を穴埋めする意で、改まった会話や文章に用いられる専門的で硬い漢語。〈―金〉〈赤字を―する〉⇩Q補充・補足

ほど【程】 ①それを限度とする程度の意で、会話や軽い文章に使われる古風な和語。〈――にする〉〈冗談にも―がある〉⇩Q程度・度合い　②「くらい」の意で、会話にも文章にも使われる和語。〈一万円―あれば間に合う〉〈畳一枚―の大きさ〉✎「くらい」ほどくだけず、「ばかり」ほど丁寧で古風な感じもない。⇩位②・Q程度・ばかり

ほどう【舗(鋪)道】「舗装道路」の略で、会話にも文章にも使われる漢語。〈昔の砂利道が今では―に変わる〉✎石坂洋次郎の『青い山脈』に「午後の陽ざかりで、―のアスファルトが溶けて、踏むとぶよぶよした」とある。⇩舗装道路

ほどく【解く】 結んだり縫ったりしたものを元の状態に戻す意で、会話にも文章にも使われる和語。〈結び目を―〉〈着物を―・いて洗う〉〈風呂敷包みを―〉〈後ろで結んだ髪を―〉✎三島由紀夫の『潮騒』に「風に吹きとばされるように、身を伏せて、体の綱を―・いた」とある。「とく」と違って多様な用法はないが、現代ではこの意味では「とく」より一般的によく使う。⇩とく

ほとけになる【仏になる】「死ぬ」意の仏教的な雰囲気の和語による古風な間接表現。〈―・ってからでは、もう遅い。今のうちだ〉✎死を忌む気持ちから、それを露骨に表現せず、死後に成仏することに重点を移した婉曲《えんきょく》表現。⇩敢え無くなる・上がる②・Qあの世に行く・息が切れる・息が絶える・息を引き取る・往く・いけなくなる・永眠・往生・お隠れになる・落ちる②・おめでたくなる・帰らぬ人となる・くたばる・死去・死ぬ・死亡・昇天・逝去・斃《たお》れる・他界・長逝・露と消える・天に召される・亡くなる・儚《はかな》くなる・不帰の客となる・不幸がある・崩御・没する・身罷《みまか》る・脈が上がる・空しくなる・藻屑となる・逝く・臨死・臨終

ほどこす【施す】 困っている者や弱い立場にある人間に無料で金品を与えたり必要な処置を行ったりする意で、やや改まった会話や文章に用いられる和語。〈食糧を―〉〈薬を―〉✎太宰治の『駆込み訴え』に「その金をば貧乏人に―・してやったら」とある。動作の主体が明らかに上位にある意識が強く、施される側の反感を買うこともある。だが、「手当てを―」「対策を―」のように、単に「行う」意の格式ばった表現となる例もあり、その場合は上下関係が意識に上らない。⇩上げる・Q与える・呉れる・差し上げる・授ける・やる②

ほどなく【程無く】「間もなく」の意で、改まった会話や文章に用いられる、やや古風な和語。〈―新しい年を迎える〉〈―姿を現すものと思われる〉⇩いずれ②・じきに・そのうち・Q間も無く・やがて

ほとり【畔(辺)】 水辺や建物などの周辺をさし、主として文章中に用いられる古風で詩的な和語。〈湖の―をさまよう〉〈小川の―にたたずむ〉〈古城の―に憩う〉✎森鷗外の『山

椒大夫』に「泉の―に立って、並木の松に隠れては又現れる後影を小さくなるまで見送った」とある。⇩はた

ほとんど【殆ど】 全体の九割以上の感じで、会話にも文章にも使われる和語。〈―が知らない名前だ〉〈出席者の―が賛成した〉⇩あらかた・大方・おおよそ・大概・大体・大抵・Q大部分

ほね【骨】 脊椎動物の骨格を支え内臓を保護する組織をさし、くだけた会話から硬い文章まで幅広く使われる日常の基本的な和語。〈魚の―〉〈腰の―〉〈―の髄まで〉〈転んで足の―を折る〉〈―を埋める〉〈―を拾う〉✎芥川龍之介の『地獄変』に「―と皮ばかりに痩せた、意地の悪そうな老人」とあり、北杜夫の『夜と霧の隅で』に「―に薄く皮をかぶせた骸骨と変りがなかった」とある。⇩こつ

ほねぐみ【骨組み】 体の骨の構造の意で、会話にも文章にも普通に使われる日常の和語。〈―のがっしりした体〉〈大柄でいかにも丈夫そうな―〉✎芥川龍之介の『戯作三昧』に「痩せてはいるものの―のしっかりした、寧《むし》ろいかついと云う体格」とある。「家の―」「報告書の―だけはできている」のように、比喩的に建物や機械類、あるいは文章などの基本構造という意味でも使われる。⇩骨格

ほねやすめ【骨休め】 休息の意で、会話や軽い文章に使われるいくらか古風な和語。〈―をする〉✎「息抜き」より時間が長い感じがある。⇩息抜き

ほのか【仄か】 形や色や匂《にお》いや暖かさなどがはっきりとではないがぼんやり感じられる意で、改まった会話や文章に用いられる優雅な感じの和語。〈―な明かり〉〈―に赤らむ〉〈―に匂う〉〈―に暖かい〉✎川端康成の『千羽鶴』では志野の茶碗について「―な赤」「―な紅」「―な赤み」と繰り返し、優艶な印象を深化させている。聴覚的な用例はまれだが、「―な希望」のような抽象化された用例も見られる。⇩かすか・Qほんのり

ほのぐらい【仄暗い】 ぼんやりと暗い意で、いくぶん改まった会話や文章に用いられる、いくらか古風で雅の雰囲気を感じさせる和語。〈―小道〉〈朝早く外はまだ―〉✎丸谷才一の『彼方へ』に「病院の長くつづく―廊下を歩いて行った」とある。「ほの」は「ぼんやりと」の意。⇩薄暗い・暗い

ほのめかす【仄めかす】 それとなく知らせる意で、会話にも文章にも使われる和語。〈昇進人事を―〉〈引退を―〉✎志賀直哉の『暗夜行路』に「間接に断る意志を―・して居る」とある。⇩ちらつかせる・Qにおわす・におわせる

ほばしら【帆柱】 船の帆を揚げるための柱をさし、会話にも文章にも使われる、やや古風な感じの和語。〈―を立てる〉✎和風の船にも洋風の船にも使う。⇩マスト

ぼひ【墓碑】 墓のしるしとして建てる平たい石の碑をさし、主に文章に用いられる漢語。〈―に事跡を刻む〉✎阿部昭は『子供の墓』に「小さな子どもの―銘」と題する詩を引用している。⇩墓・はかいし・ぼせき・Q墓標

ぼひょう【墓標】 死者を埋葬した場所の目印の意で、具体的にはそこに建てた木や石の柱をさし、主に文章中に用いられる漢語。〈白木の―〉〈土饅頭《どまんじゅう》の上に仮の―を立てる〉✎これを本格的にして建てたのが墓石。田山花袋の『田舎教師』に「墓石はまだ立ててなく、風雨に曝されて黒くなった―が土饅頭の上にさびしく立って居る」という一節があ

る。時に少し感傷的な雰囲気も感じさせる。安岡章太郎の『海辺の光景』には「歯を立てた櫛のような、―のような、杙の列をながめながら彼は、たしかに一つの〝死〟が自分の手の中に捉えられたのをみた」という比喩表現の例がある。⇩墓・はかいし・ぼせき・Ｑ墓碑

ほほ【頰】顔の両面の耳と口の間の部分をさし、会話にも文章にも使われる和語。〈豊かな―〉〈―をふくらます〉〈―を染める〉〈涙が―をつたう〉✎田沢稲舟の『五大堂』に「女の絹のような―に、自分の桜色の―をくッつけて」とある。現在では「ほほえむ」の場合以外「ほお」と発音する例が多く、この語形は単独ではいくぶん古風な響きがある。⇩Ｑほお・ほっぺ・ほっぺた

ほぼ【略】すべて(完全)ではないがそれに近い状態であることを表し、いくぶん改まった会話や文章に用いられる和語。〈―同じ〉〈―間違いない〉〈―完成だ〉〈―終わった〉✎野間宏の『真空地帯』に「―わかったような気がした」とある。割合が「大体」より多く「ほとんど」や「九分九厘」までは達しない感じで使う。⇩約

ほほえみ【微笑み】声に出さず頰のあたりをにこやかにする表情をさして、主に文章に用いられる、いくぶん古風で詩的な雰囲気の和語。〈―を湛える〉〈―を浮かべる〉〈―を絶やさない〉✎小川洋子の『夕暮れの給食室と雨のプール』に「間違いなく―でありながら(略)桜の花びらのようにもろく繊細な表情」とある。⇩微笑《びしょう》

ほまれ【誉れ】最高の評判を得て誇りに思う気持ちをさし、主に文章に用いられる古風な和語。〈秀才の―が高い〉〈母校の―〉✎当人自身よりその関係者などが感じるものとして述べる例が目立つ。⇩栄冠・栄光・栄誉・栄え・Ｑ名誉

ほめそやす【褒(誉)めそやす】みんなで同じ対象を盛んに褒める意で、会話やさほど硬くない文章に使われる和語。〈今世紀最高の傑作だと―〉〈口々に―〉⇩賞讃・讃える・Ｑ褒めたたえる・褒めちぎる・褒める

ほめたたえる【褒(誉)め讃(称)える】素晴らしいと思う気持ちを声に出す意で、主に文章に用いられる和語。〈神を―〉〈妙技を―〉⇩Ｑ賞讃・讃える・褒めそやす・褒めちぎる・褒める

ほめちぎる【褒(誉)めちぎる】最大級の讃辞を送る意で、会話や軽い文章に使われる和語。〈この世で最も美しい行為だと―〉✎井上ひさしが『自家製文章読本』で、夏目漱石の『坊っちゃん』の末尾にある「だから清の墓は小日向の養源寺にある」という一文中の「だから」を、「日本文学史を通して、もっとも美しく、もっとも効果的な接続言」であり「百万巻の御経に充分拮抗し得ている」と述べたのはその一例。⇩Ｑ賞讃・讃える・褒めそやす・褒めたたえる・褒める

ほめる【褒(誉)める】能力・出来栄え・行為・態度・性格などを高く評価する意で、くだけた会話から文章まで幅広く使われる日常の基本的な和語。〈なかなかの出来だと―〉〈よく我慢したと―〉〈ちょっと―とすぐつけあがる〉✎夏目漱石の『坊っちゃん』に「「あなたは真っ直でよい御気性だ」と―事が時々あった」とある。「先生が生徒を―」「上司が部下を―」というふうに、上位の立場の者が自分と同等以下の人間に対して行う賞讃行為に用いるのが基本。⇩Ｑ賞讃・讃える・褒めそやす・褒めたたえる・褒めちぎる

ぼやく　ぶつぶつ不平を言う意で、会話や軽い文章に使われる、やや俗っぽい和語。〈不注意による失敗を―〉〈身の不運を―〉〈暇のないのを―〉〈―・いてばかりいても始まらない〉✎梅崎春生の『桜島』に「しくじりと―・いてもおっつかない」とある。「愚痴」や「こぼす」に比べ、自身や自分側の失敗を悔やんで言う用例が多い。⇩愚痴・ぐちる・Qこぼす

ほよう【保養】健康の回復を待って体を休める意で、会話でも文章でも使われる漢語。〈―所〉〈温泉に―に行く〉✎病後を連想させる「静養」と違い、疲労を癒《い》やす程度でも使われる。⇩Q静養・養生・療養

ほら【洞】内部がうつろな所を意味し、会話にも文章にも使われる古風な和語。〈大木の―に入り込む〉⇩洞窟・Q洞穴

ほら【法螺】話を誇張する意、また、その大げさなでたらめ話をさし、会話や軽い文章に使われる表現。〈大―を吹く〉〈また例の―話が始まった〉✎夏目漱石の『坊っちゃん』に「世の中に何が一番―を吹くと云って、新聞程の―吹きはあるまい」とあるが、一般には、人を欺くという陰険な感じは薄く、話を面白くして逆に人を楽しませるという明るい雰囲気がある。法螺貝を吹くと大きな音がすることから。⇩偽り・Q嘘・嘘っぱち・虚偽

ほらあな【洞穴】崖や大きな岩、大木などにできる大きな穴をさし、会話にも文章にも使われる和語。〈―に身を隠す〉✎「ほら」は中空の意。「洞窟」に比べ、大小さまざまある感じがする。⇩Q洞窟・ほら

ポリープ　胃や腸などの粘膜に生ずる突起状の腫れ物をさして、学術的な会話や文章に用いられる医学の専門的な外来語。〈大腸の―を内視鏡で切除する〉⇩潰瘍・Q腫瘍

ほりだす【掘り出す】掘って中に埋まっているものを取り出す意で、会話にも文章にも使われる和語。〈埋めた物を―〉✎掘るよりも取り出すほうに重点がある。「宝石を―」のように、外部から見えないものを深く掘る感じが強い。井伏鱒二の『珍品堂主人』に「よく珍品や風変りな品物を―ので、誰が云い出したともなく珍品堂主人と通称されるようになって今日に及んでいる」とあるように、価値が世の中に知られていない物を探し出す意でも用い、「隠れた才能を―」のように抽象化した比喩的用法もある。⇩掘削・掘る

ほりゅう【保留】その場で取り決めずに先送りする意で、会話にも文章にも使われる漢語。〈態度を―する〉〈決定を―する〉〈処分を―する〉⇩留保

ほる【掘る】地面などに穴を開ける意で、会話にも文章にも広く使われる日常の和語。〈土を―〉〈穴を―〉〈井戸を―〉✎室生犀星の『愛猫抄』のラストシーンに「あした―・って見ましょうか」「何を―んだ」「あそこに猫がいるかどうか」というやりとりが出てくる。「芋を―」「石炭を―」のように掘って地中から取り出す意でも使うが、「掘り出す」と違って、その所在が外からわかるものでもよく、また、掘る深さも浅くてもよい。⇩掘削・掘り出す

ほれる【惚れる】異性に心を奪われて夢中になる意で、会話や軽い文章に使われるいくぶん古風な和語。〈年上の女に―〉〈―・れた相手と一緒になる〉〈ぞっこん―〉✎小津安二郎監督の映画『麦秋』に、紀子役の原節子が「この人なら心

から安心できるって気持」と言うと、アヤ役の淡島千景は「―・れちゃったのよ、あんた！　本惚れよ！」と解説する場面がある。なお、この語は「腕前に―」「気っ風に―」「この街に―」のように、恋愛関係以外に用いることもある。⇩愛する・恋する・慕う・Ⓠ好く

ぼろ【襤褸】使い古して役に立たなくなった布や衣服をさし、くだけた会話や軽い文章に使われる日常の和語。〈―になる〉〈―として捨てる〉✎野間宏の『真空地帯』に「―はまるで魚か牛のはらわたのように」とある。片仮名書きすることもある。⇩ぼろきれ

ぼろきれ【襤褸切れ】ぼろになった布の切れ端をさし、くだけた会話や軽い文章に使われる日常の和語。〈―で靴を磨く〉〈―を縫い合わせて雑巾にする〉✎徳永直の『太陽のない街』に「おしめの襤褸っ切れが、滴《しずく》を氷柱《つらら》にしたまま棒鱈のようにぶらさがっていた」とある。⇩ぼろ

ほろびる【滅(亡)びる】栄えていた国・種族・組織などの勢力が衰え、ついに消えて無くなる意で、会話にも文章にも使われる和語。〈悪が―〉〈国が―〉〈文明が―〉✎通常、個人には用いないが、横光利一死去に際しての川端康成の弔辞に「君の文学は永く生き、それに随って僕の―・びぬ時もやがて来るであろうか」とある。現代語としては「ほろぶ」より一般的。⇩Ⓠ滅ぶ・滅亡

ほろぶ【滅(亡)ぶ】「滅びる」の意で、主として文章に用いられる古めかしい和語。〈侵略により小国が―〉✎口語としても用いるが「滅ばない」の形は見られず、現代では「ほろびる」のほうが一般的。⇩Ⓠ滅びる・滅亡

ほん【本】文章や図表などを印刷した紙を綴じたものをさし、主として日常会話や改まらない文章中に使う、親しみやすい漢語。〈よく―を読む〉〈―の虫〉〈―の表紙〉〈初めて―を出す〉✎村上春樹の『風の歌を聴け』に「僕が時折時間潰しに読んでいる―を、彼はいつもまるで蠅が蠅叩きを眺めるように物珍しそうにのぞきこんだ」とある。⇩書籍・Ⓠ書物・図書

ほんい【本意】本来の意志や願いの意で、改まった会話や文章に用いられる硬い漢語。〈―を伝える〉〈それは―ではない〉〈―を得る〉〈―を遂げる〉✎夏目漱石の『明暗』に「話の根をほじって、相手の―を突き留めようとした」とある。単なる気持ちというより望みをさす例が多い。⇩真意・Ⓠ本心・本音

ほんかくてき【本格的】簡略化したり自己流に変えたりせずに本来のやり方をそのまま行う意で、会話にも文章にも使われる漢語。〈―な論文〉〈―な発声〉〈素人離れした―な演技〉✎アマチュアの趣味という域を脱し、専門家並みの技術を獲得している場合のほか、「―な練習」「―に習い始める」のように、小手先ではなく本腰を入れてといった意味合いでも使われる。「雨が―になってきた」のように人間の行為以外にも用いる。⇩公式・正式・Ⓠ本式

ほんき【本気】表面だけではない本当の気持ちの意で、会話にも文章にも使われる漢語。〈―になる〉〈―で取り組む〉〈―を出す〉✎武者小路実篤の『友情』に「病気を―に見舞ったのか、ただ礼儀に見舞ったのか」とある。ふざけていたり冗談半分のいいかげんな気持ちだったりという点をきっ

ぱりと否定する語であり、そのうち最も真面目な段階が「真剣」で、この語はもう少し幅が広い。⇩真剣

ほんぎまり【本決(極)まり】本式に決まる意で、会話やさほど硬くない文章に使われる表現。〈採用が―になる〉〈理事会を通れば―だ〉⇩Q確定・決定・内定

ぼんくら【盆暗】ぼんやりして気の利かない意で、主にくだけた会話に使われる古風な俗語。〈―で場の空気が読めない〉〈この忙しいのにぼうっと突っ立ってる奴があるか、この―〉盆の上の勝負に暗い意の賭博用語からという。⇩Qとんちき・野暮天

ほんご【本碁】囲碁の意で、会話やさほど改まらない文章に使われる漢語。〈小さい時から―に親しむ〉同じ碁石を使う「五目並べ」などの遊びと区別して囲碁をさす。⇩Q囲碁・碁

ほんごく【本国】生まれ育ち、ずっと暮らしてきた国の意で、改まった会話や文章に用いられる正式な感じの硬い漢語。〈留学期間終了後ただちに―に帰還する〉特に感情を交えないで用いる。「―に送還する」の場合は、国籍のある国をさす。植民地に対して本来の国土をさす用法もある。「―からの指示を待つ」のように、海外に派遣された者から見た自国の政府などをさすこともある。⇩故国・自国・Q祖国・母国・本土

ほんしき【本式】簡略化せずに本来の形に従ったの意で、会話にも文章にも使われる漢語。〈―の懐石料理〉〈―に習う〉〈―のやり方〉伝統的に正しいとされてきた形。⇩公式・正式・Q本格的

ほんしつ【本質】それ自体に本来そなわっている根本的な性質をさし、改まった会話や文章に用いられるやや硬い漢語。〈―をとらえる〉〈―を見失う〉〈―に迫る〉〈―を突く〉島木健作の『生活の探求』に「ただそれだけで―的に高く立派な道であるという考え」とある。⇩Q核心・基底

ほんじつ【本日】「きょう」の意で、改まった会話や文章に用いられる丁重で格式ばった漢語表現。〈―開店〉〈―の予定〉〈―限り有効〉〈―のところは〉〈―中にお召し上がり下さい〉井伏鱒二に『本日休診』と題する小説があり、「開業一周年の記念日には、「―休診」の札をかけ、八春先生が留守番で、ほかのものはみんな遊山に出ることにした」とある。⇩きょう・Qこんにち

ほんしょうぎ【本将(將)棋】将棋の意で、会話や軽い文章に使われる漢語。〈小学校に上がる前から―が強かった〉「挟み将棋」や「将棋倒し」などの遊びと区別するための言い方。⇩将棋

ほんしん【本心】本当の気持ちの意で、会話にも文章にも使われる漢語。〈―から謝る〉〈―を明かす〉〈―を打ち明ける〉獅子文六の『沙羅乙女』に「―は藻の蔭の金魚のように、見え透いている」とある。表面上とは違う気持ちだと推測される場合に使う。「―に立ち返る」のように、本来の正しい心の意でも使う。⇩胸中・真意・心中・内心・本意・Q本音・胸の内

ほんせき【本籍】その人の戸籍のある場所をさし、会話にも文章にも使われる漢語。〈―地〉〈―を移す〉⇩原籍

ほんせん【本船】船団の中心となる船や、はしけに対する本

体に相当する大型船をさして、改まった会話や文章に用いられる漢語。〈—渡し〉〈桟橋からはしけで—に向かう〉⇩親船・Q母船

ほんたい【本体】 物事の真の姿をさし、改まった会話や文章に用いられる硬い漢語。〈—を明かす〉✎神社の神体、寺院の本尊をさすこともある。「—だけの値段」のように、機械などの付属品を除く主たる部分をさす場合は日常語。現象を超越してその背後にある恒常的な存在をさす場合は哲学の専門語。⇩実体・Q正体

ほんだい【本題】 話題の中の中心的な部分をさし、会話にも文章にも使われる漢語。〈そろそろ—に入る〉〈話が—からそれる〉✎単発の「話題」に比べ、周辺的な部分を除いた本格的な感じがある。志賀直哉の『濁った頭』に「事件の—には全然触れずに」とある。⇩Q主題・テーマ・話題

ほんだな【本棚】 本を並べておくための棚の意で、会話にも文章にもよく使われる日常語。〈リビングの壁に吊った—〉〈—に参考書を並べる〉✎福原麟太郎の『書斎』に「書庫みたいな、ただ—を、列べたり壁によせて立てたりしてある室」とある。「書架」はもちろん「書棚」よりも一般人の日常生活にとけこんだ感じがある。⇩書架・Q書棚・本箱

ほんと【本当】「ほんとう」の意でくだけた会話によく使われる日常語。〈え？ それ—の話？ 信じられないなあ〉〈—のことだってば〉✎「うそ」と対立。しばしば片仮名書きされる。⇩実際・真実・Qほんとう

ほんど【本土】 政治・経済・地理的に中心となる国土をさして、やや改まった会話や文章に用いられる漢語。〈—上陸〉〈—に渡る〉✎島から見た主要な陸地をさす場合もあり、「アメリカ—」はハワイなどを除き、日本では本州をさす用法もある。⇩故国・自国・祖国・母国・Q本国

ほんとう【本当】 偽りでない事実・真実、本来の姿をさし、会話にも文章にも使われる日常の基本的な漢語。〈—のことを言う〉〈—は違う〉〈そうなるのが—だ〉✎「うそ」と対立。志賀直哉の『和解』に「大きな愛という言葉の内容を本統に経験した事もない人間が無闇にそんな言葉を使うものではない」とあるように、「本統」という漢字を当てるケースも見られる。⇩実際・Q真実・真理・ほんと・本来

ほんどう【本堂】 本尊を安置し、寺院の中心をなす堂宇をさし、会話にも文章にも使われる漢語。〈お寺の—を再建する〉⇩金堂

ほんとうに【本当に】 程度の大きさを強調する場合に、会話にも文章にも使われる表現。〈あのときは—うれしかった〉〈—何と申し上げたらよいか〉✎「実に」や「まことに」以上に真実の意を残しながら程度の甚だしいことに重心を移した用法。⇩実に・ほんとに・Qまことに

ほんとに【本当に】「ほんとうに」の意で、会話によく使われるくだけた表現。〈—安い〉〈—旨かった〉〈—しょうのない奴だ〉⇩実に・Qほんとうに・まことに

ほんにん【本人】 別人や代理のものではなくその人自身という意味で、会話にも文章にも使われる漢語。〈—に直接知らせる〉〈—の意志を尊重する〉〈—を呼んで確かめる〉〈—が名乗り出る〉⇩当人

ほんね【本音】 本当の気持ちを表す言葉の意で、会話や軽い

文章に使われる、いくらか古くなりかけている口頭語的な表現。〈—を漏らす〉〈—を吐く〉〈つい—が出る〉✎里見弴に『本音』と題する小説がある。「建前」と対立する語で、見かけや発言と違うことを考えていると思われる場合に使う。⇩胸中・真意・心中・内心・本意・本心・胸の内

ほんねん【本年】「今年」の意で、かなり改まった会話や文章で用いられる硬い感じの漢語。〈—の下半期には景気が回復する見通し〉〈—もよろしく御厚誼《ごこうぎ》の程を願いあげます〉〈—をもちまして創設十年を迎えます〉⇩ことし・Qこんねん

ほんねんど【本年度】「今年度」の意で、改まった会話や硬い文章に用いられる、正式な感じを伴う漢語。〈—の予算を執行する〉〈—の事業を粛々と進める〉✎「今年度」より形式ばった雰囲気がある。意味の上で「前年度」や「次年度」と対立する。文体的なレベルは「昨年度」「明年度」でも統一がとれる。⇩今年度

ほんのう【本能】動物が生まれながらにして持っている行動様式をさし、会話にも文章にも使われるいくぶん専門的な漢語。〈—的な行動〉〈—のまま自由奔放にふるまう〉〈—のおもむくまま〉〈—を隠す〉✎川端康成の『千羽鶴』に「女の—の秘術のようであった」とある。⇩先天的

ぼんのう【煩悩】心の乱れを意味する仏教語。古めかしいだけでなく、現代でも抹香くさい感じを意識する人も多い。〈百八つの—〉〈—のとりこになる〉✎夏目漱石の『草枕』に「かく—を解脱する」とある。⇩妄想

ほんのり 色・明かり・暖かさ・匂い・味などがほんの少し感じられる意で、会話やさほど硬くない文章に使われる和語。〈—明るくなる〉〈—頬を染める〉〈—色づく〉〈—赤みがさす〉〈—暖かい〉〈—匂う〉〈—甘い〉⇩かすか・Qほのか

ほんばこ【本箱】本を収納するための箱型の家具をさし、会話にも文章にも使われる日常語。〈—の奥にしまいこむ〉✎書棚などよりも扉のついたものが多い。⇩書架・Q書棚・本棚

ほんぷく【本復】全快の意で、会話にも文章にも使われる古風な漢語。〈短期間に—までこぎつける〉〈ここまで来れば—が近い〉✎怪我よりも病気の連想が強い。⇩完治・Q全快・全治

ほんぼし【本ボシ】真犯人を意味する隠語。〈間違いなく—だ〉〈—にたどり着く〉✎漢字で書けば「本星」となるが、ふつう「本ボシ」または「ホンボシ」と書く。⇩ほし

ほんみょう【本名】芸名・筆名・四股名《しこな》・源氏名《げんじな》などでない戸籍上のほんとうの名前の意で、会話にも文章にも使われる漢語。〈俳優の—を調べる〉〈—で作品を発表する〉✎ちなみに、二葉亭四迷の本名は長谷川辰之助、鷗外の本名は林太郎、漱石の本名は金之助。太宰治は『富嶽百景』に「天下茶屋という、小さな茶店があって、井伏鱒二氏が初夏のころから、ここの二階にこもって仕事をしている」と小説の中に「井伏鱒二」を登場させ、三ツ峠頂上のパノラマ台で「放屁」する場面を描いて井伏に叱責され、「事情の如何を問わず—を出すことは、井伏さんのお気持ちに何かとわずらわしさを加えるのみにて」云々という謝罪の手紙を書いた話は有名。井伏の本名は「満寿二」だから、作中に出るのは正確には筆名であるが、手紙では「実名」といった意味合いでこ

の「本名」という語を用いている。⇩実名

ほんもの【本物】 にせものや見かけだけよいものでなく、間違いなく本当のものの意で、くだけた会話から文章まで幅広く使われる基本的な日常語。〈―が手に入る〉〈―のダイヤ〉〈―の実力〉✎太宰治の『斜陽』に「―の貴族は、まあ、ママくらいのものだろう」とある。「にせもの」と対立。⇩現品・現物・Q実物

ほんや【本屋】 本や雑誌を売る店の意で、会話や硬くない文章に使われる日常語。〈―に立ち寄る〉〈―で立ち読みする〉✎出版社や編集者を揶揄《やゆ》して言うこともある。その場合は俗語的。⇩出版社・書肆《しょし》・Q書店・書房・版元

ほんやく【翻訳】 ある言語の表現の意味を他の言語で表現することをさし、会話にも文章にも使われる漢語。〈―家〉〈―権〉〈フランスの短篇小説を―する〉✎小林秀雄の『ゴッホの手紙』に「文学は―で読み、音楽はレコードで聞き、絵は複製で見る」とある。「訳」より正式な感じがする語。⇩訳

ぼんやり 色や形、思考や感情、記憶や印象などがぼやけてはっきりしない様子をさし、会話やさほど硬くない文章に用いられる和語。〈―見える〉〈―した知識〉〈―と感じる〉✎芥川龍之介の『或旧友へ送る手記』に「何か僕の将来に対する唯―した不安である」とある。「車窓から風景を―眺める」「―していて乗り越す」のように、意識や注意が集中しない状態をさすこともある。夏目漱石の『明暗』に「靄とも夜の色とも片付かないものの中に―描き出された町のさまはまるで寂莫たる夢であった」とある。⇩漠然

ぼんよう【凡庸】 特にこれという取り柄のないあたりまえのといった意味合いで、主に文章中に用いられる、やや古風で硬い漢語。〈―な人物〉〈―な作家〉〈―な作品〉✎単に珍しくないというだけでなく、優れたところがないという点に意味の中心がある。小林秀雄の『ゴッホの手紙』に「翻訳文化などという脆弱な言葉は、―な文明批評家の脆弱な精神のなかに、うまく納っていればそれでよい」とある。⇩ありきたり・ありふれた・Q陳腐・月並み・平凡

ほんらい【本来】 もともとそうあるべき、という意味合いで、改まった会話や文章に用いられる硬い漢語。〈―の任務〉〈―の目的〉〈それが―の姿だ〉〈―の調子に戻る〉✎「元来」に比べ、あるべき姿を問題にする感じがあるだけに、それが忘れられているか、失われてきたかした場合によく用いる傾向がある。⇩Q元来・もともと

ほんりゅう【本流】 川の根幹をなす大元の流れの意で、会話にも文章にも使われる漢語。〈―とは別の流れ〉✎「支流」に対する語で、「保守―」のような比喩的用法の場合も、中心をなす意の「主流」に比べ、本来の正統的なといったニュアンスが残っている。⇩主流

ま

ま【間】 ①一続きの物や事の間の切れ目をさし、会話にも文章にも広く使われる日常の和語。〈—が空く〉〈—が抜ける〉〈—がない〉〈話の—の取り方がうまい〉〈—がもたない〉〈—をもてあます〉✎尾崎一雄は下曾我の自宅で「ちょっと—をおいて読者に考えてもらいたいところは一行アキにしたり、行を変えるのもそうだし、棒を引っぱるとか」と語った。⇩Q間《あいだ》・合間 ②個人住宅の中の区切られた空間をさし、会話にも文章にも使われる和語の構成要素。〈—数《かず》が多い〉〈居—〉〈寝《ね》—〉〈応接—〉〈六畳—〉✎単独では使わない。「室《しつ》」に比べ和風で古風な感じがある。「板の—」「床の—」もあるから、独立した部屋には限らない。⇩Q室《しつ》・部屋

ま【魔】 人心を惑わし人に害を与える悪霊をさし、主に文章に用いられる漢語。〈—の手が伸びる〉〈—の交差点〉〈—の八回裏〉〈—に魅入《みい》られる〉✎川端康成の『山の音』に「—が通りかかって山を鳴らして行ったかのようであった」とある。「—がさす」の形で、悪い行為を起こす不可解な理由をさす用法もあり、その場合は会話でも使う。「魔物」より抽象的な感じがある。⇩悪魔・魔女・Q魔物

マーク 特徴的な記号をさし、会話や硬くない文章に使われる外来語。〈—シート〉〈若葉—〉〈地図上の交番の—〉〈赤で—をつける〉✎「すばらしいタイムを—する」のように「記録する」意にも、「—がきつい」のように特定選手の動きに注意する意にも使う。⇩記号・Q印・符号

マーケット ①「市場《しじょう》」の意で、会話にも文章にも使われる専門的な外来語。〈—リサーチ〉〈—の反応が鈍い〉⇩市場《しじょう》 ②食料品などの日用品を商う各種の小さな個人商店が集まっている場所をさし、会話にも文章にも使われる、やや古風な感じの外来語。〈駅前の—で買い物をする〉✎一つの建物の中を区切って各店の売り場を設ける形を連想させやすい。スーパーマーケットは「スーパー」と略す。⇩いち・Qいちば②

マージン 「利鞘《りざや》」および手数料をさして、やや専門的ながら主に会話やさほど改まらない文章に使われる外来語。〈—を稼ぐ〉〈五パーセントの—を取る〉⇩差益・Q利鞘

まい【舞】 音楽の調べに合わせて体や手脚を旋回させながらいろいろな姿を演ずる滑らかな動きをさし、会話にも文章にも使われる古風な和語。〈天女の—〉〈舞妓が—を舞う〉✎上下の動きを中心とする「踊り」に対して、足をすべらせる旋回運動が基本になるという。谷崎潤一郎の『朱雀日記』に「京の—は如何にも大まかな、悠長なもので」とある。⇩踊り・ダンス・舞踏・舞踊

マイカー 「自家用車」をさす比較的新しい和製英語。〈—通勤〉〈—族〉✎次々に新しい英語に飛びつく日本人の習性を、企業は売り込み用に、マスコミは視聴率アップに利用する。必要に応じて自然に増える外来語は何も問題はないが、このような商業主義によって英語が大量輸入され、大幅な対米貿易不均衡を来している。一般民衆が手軽で金のかか

らないおしゃれとしてそれらを次々に身につけてきた。そこに英語の日本的な用法や完全な和製英語が続々と加わって出まわり、目下混乱を極めている。特に和製英語は見極めも難しく、思わぬところで無知をさらけだしたり、欧米に対する劣等感を印象づけたりする危険と背中合わせになっている。

まいかい【毎回】どの回も皆同じくの意で、会話にも文章にも使われる日常の漢語。〈―のように遅れて来る〉〈―好成績を収める〉⇩毎度

まいこ【舞子(妓)】祇園《ぎおん》などで舞いを舞って酒宴に興を添える職業の少女をさし、会話にも文章にも使われる和語。〈―の修業〉〈円山公園に―の姿がちらほら見える〉⇩綺麗どころ・芸妓・Ｑ芸子・芸者

まいそう【埋葬】死体や遺骨を土中に埋めて葬る意で、改まった会話や文章に用いられる漢語。〈亡母の―を済ませる〉✎小林秀雄の『ゴッホの手紙』に「僕等を幽閉し、監禁し、―さえしようとするものが何であるかを、僕等は、必ずしも言う事が出来ない」と比喩的に抽象化した例があるが、「葬る」と違い一般に比喩的な用例は少ない。⇩弔う・Ｑ葬る

まいど【毎度】その度毎《ごと》にの意で、会話やさほど硬くない文章に用いられる漢語。〈―おなじみの〉〈―のことで〉〈―ありがとうございます〉〈―同じ失敗を繰り返す〉✎「毎回」に比べ慣用的な表現の中で使われる例が多く、それ以外はやや古風な感じが伴う。⇩毎回

まいにち【毎日】日頃または、一日一日どの日もの意で、くだけた会話から硬い文章まで幅広く使われる日常の基本的な漢語。〈―の生活〉〈―同じ道を通る〉〈―散歩を欠かさない〉〈―元気に遊びまわっている〉〈掃除も―となると大きな負担になる〉✎夏目漱石の『坊っちゃん』に「――学校へ出ては規則通り働く、――帰って来ると主人が御茶を入れましょうと出てくる」とある。「日々」に比べ、一日ずつが意識されやすい。⇩日々・連日

まいる【参る】①「行く」「来る」の意の謙譲語として、改まった会話や手紙などに用いられる和語。〈間もなく―・ります〉✎谷崎潤一郎の『細雪』に「学校を出て間もなく―・りました」とある。「お参りする」の形で神仏を拝む意にも使う。⇩来る・ゆく　②相手の力に屈して降参する意で、くだけた会話や軽い文章に使われる和語。✎森鷗外の『青年』に「どうだ、―・ったか」とある。「体がすっかり―」「精神的に―」のように「弱る」意でも使い、「女の子にすっかり―」のように、ぞっこん惚《ほ》れる意でも用いる。⇩屈服・Ｑ降参・降伏

まえ【前】空間的な進行方向にあたる「前方」、時間的に早い「以前」の意で、くだけた会話から硬い文章まで幅広く使われる日常の基本的な和語。〈―に見える〉〈玄関の―に立つ〉〈大勢の―で話す〉〈―の社長〉〈ずっと―の話だ〉〈―から考えていた〉✎三木卓の『隣家』に「―にも幾度か、そういう事があったような気がする」とある。「後ろ」あるいは「あと」「のち」と対立。⇩以前・先・正面・前部・Ｑ前方・前面

まえがき【前書き】書物や学術論文などで本文の前に付ける、挨拶や以下の本文の前置きなどを記した文章をさし、会話にも文章にも使われる和語。〈―で断っておく〉✎「はしが

き」ほど改まらず、「序文」ほど硬い感じがなく、必ずしも一冊の本でなくとも、正式の文章などの前に置く場合もある。⇩序・緒言・序文・Qはしがき

まえかけ【前掛け】仕事をする際に衣服の汚れを防ぐため体の前、特に腹部から下を覆う布をさし、会話にも文章にも使われる和語。〈―を掛ける〉〈―を当てる〉✎柳田国男の『清光』に「相撲取りの化粧まわし見たような―」とある。⇩Qエプロン・前垂れ

まえだれ【前垂れ】商家の使用人などが衣服の汚れを防ぐために腰から下を覆う布をさし、会話にも文章にも使われる古風な和語。〈―姿で店に立つ〉✎「前掛け」の一部で、昔風の雰囲気がある。⇩エプロン・Q前掛け

まえぶれ【前触れ】ある事柄の起こるのに先立って生じる何らかの変化をさし、会話やさほど硬くない文章に使われる、やや古風な和語。〈天変地異の―〉〈台風の―〉✎島崎藤村の『破戒』に「病気の―も無くて、突然死去した」とある。「何の―もなくやって来る」のように「予告」を意味する用法もある。⇩兆し・Q前兆・兆候・予兆

まえもって【前もって】「あらかじめ」の意で、主として会話に使われる日常的な和語。〈―連絡しといたから大丈夫だろう〉〈―用意しておかないと間に合わないよ〉⇩Q予《あらかじ》め・事前に

まがいもの【紛い物】「偽物《ぎぶつ》」の意で、会話や軽い文章に使われる、やや古風な和語。〈古道具屋でとんだ―をつかまされた〉✎「紛らわしい物」の意。⇩贋物《がんぶつ》・偽物・Qにせ物・にせ者

まかせる【任せる】判断や実行を他人にやらせる意で、くだけた会話からさほど硬くない文章まで使われる日常的な和語。〈細かい計画はお前に―よ〉〈あとはみんな後任に―・せよう〉✎夏目漱石の『倫敦塔』に「閑に―・せて叮嚀な楷書を用い」とあるように、抽象化した意味合いでも用いる。⇩委任・Q委《ゆだ》ねる

まかふしぎ【摩訶不思議】きわめて不思議な意で、改まった会話や文章に用いられる古めかしい漢語。〈―な幻影が立ち現れる〉〈これは―、たちどころに姿が消えた〉✎「摩訶」は「大」の意で、「不可思議」以上に古めかしく大仰でおどろおどろしい感じ。⇩怪奇・奇異・奇怪・奇っ怪・奇妙・奇妙奇天烈《きてれつ》・Q不可思議・不思議・変・妙

まがる【曲がる】方向が直線的でなくたわんだり折れたり傾いたりする意、また、状態や性格が正常でない意で、くだけた会話から硬い文章まで幅広く使われる日常の基本的な和語。〈腰が―〉〈道が―〉〈次の角で右に―〉〈ネクタイが―・っている〉〈根性が―・っている〉〈―・ったことが大嫌い〉✎森鷗外の『魚玄機』に「生れた家は、長安の大道から横に―・って行く小さい街にあった」とある。⇩屈曲・Q湾曲

まがわるい【間が悪い】その場にそぐわなくて具合の悪い気持ちをさして、会話や軽い文章に使われる和語表現。〈―・くて目をそらす〉〈ひどく―思いをする〉✎森鷗外の『青年』に「少し間の悪いような心持」とある。⇩面映《おもは》ゆい・気恥ずかしい・決まり悪い・照れ臭い・恥ずかしい・Qばつが悪い

まき【薪】木を切り割りしてほぼ一定の長さ・太さにそろえた燃料をさし、会話にも文章にも使われる和語。〈―ストー

ブ〉〈―を割る〉〈暖炉に―をくべる〉✎池波正太郎の『剣客商売』に「まるで、鉄で紙を切るように―を割っていた」とある。「たきぎ」より太く形が整っている。⇩たきぎ

まきあげる【巻（捲）き上（揚）げる】脅したり騙《だま》したりして奪い取る意で、会話や軽い文章に使われる、いくらか俗っぽい和語。〈脅して金を―〉〈ことば巧みに金を―〉✎「ふんだくる」と比べ、実際の暴力より、相手が手放さないでいられないように誘い込んだり心理的に追い詰めたりする場合に用いる傾向が強い。⇩奪う・せしめる・取り上げる・ひったくる・Qふんだくる・分捕る

まきぞえ【巻き添え】自分と無関係な事件に巻き込まれて損害を受ける意で、会話にも文章にも使われる和語。〈―になる〉〈―を食う〉⇩Qそばづえ・とばっちり

まきちらす【撒き散らす】あちこちに散らばるように撒く意で、会話にも文章にも使われる和語。〈水を―〉〈公害を―〉〈噂を―〉✎芥川龍之介の『仙人』に「かき集めた紙銭を（略）せわしく足もとへ―・した」とある。⇩Qばら撒く・振り撒く

まきつける【巻き付ける】紐《ひも》や長い布などを物の周囲にぐるぐる巻く意で、会話やさほど硬くない文章に使われる和語。〈頭に包帯を―〉〈電線に絶縁テープを―〉✎岡本かの子の『やがて五月に』に「新緑の風物を胴に―もののように、一人の乙女が丘の陰から頂の平へ、くるりくるり身を廻しながら現れた」とある。⇩巻く

まきば【牧場】「ぼくじょう」の意で主として文章に使われる、古風で詩的な雰囲気を感じさせる和語。〈霧のたちこめた―の朝〉〈―を見下ろす丘にたたずむ〉✎永井荷風の『あめりか物語』に「彼方には気も晴々する―を望み」とある。現代における生活語彙としては「ぼくじょう」のほうが一般的。そのため、漢字表記は「ぼくじょう」と読まれやすい。「ぼくじょう」ほど大規模でなく近代的な設備も整備されていないような印象を与える傾向がある。文学的な響きがあるため、くだけた日常会話で用いると、少し気どった感じを与えやすい。のんびりとした昔なつかしい雰囲気があり、成分無調整の自然で濃厚な牛乳が飲めそうなけはいを漂わせる語。⇩ぼくじょう

まく【巻（捲）く】軸の周囲に丸くなる、物を丸く回す意で、くだけた会話から文章まで幅広く使われる基本的な和語。〈渦を―〉〈時計のねじを―〉〈包帯を―〉✎夏目漱石の『坊っちゃん』に「何が釣れたって魚は握りたくない。魚も握られたくなかろう。そうそう糸を―・いて仕舞った」とある。⇩巻き付ける

まく【撒く】ばらまく意で、くだけた会話から硬い文章まで使われる日常の和語。〈庭に水を―〉〈節分に豆を―〉〈駅前でびらを―〉✎横光利一の『春は馬車に乗って』に「此の花（スイートピー）は馬車に乗って、海の岸を真っ先きに春を―・き―・きやって来たのさ」とある。⇩蒔《ま》く

まく【蒔（播）く】土の上に種を散らして軽く土をかける意で、くだけた会話から硬い文章まで広く使われる和語。〈畑に種を―〉〈―・かぬ種は生えぬ〉✎漢字としては「播」が伝統的だが、移し植える意から転じた「蒔」を用いることが多い。⇩撒《ま》く

まく【幕】仕切りや覆いにする幅の広い長い布をさし、くだ

けた会話から文章まで広く使われる日常の漢語。〈—を垂らす〉〈芝居の—が上がる〉🖋永井荷風の『すみだ川』に「初秋の黄昏は—の下りるように早く夜に変った」とある。⇩緞帳《どんちょう》・Q幔幕《まんまく》

まくらをかわす【枕を交わす】間接的に「性交」をほのめかす古めかしい和風の言い方。〈—・した仲〉🖋男女が共寝をする意から肉体的な結合を推測させる、気品を保つ婉曲《えんきょく》表現。⇩営み・エッチ・関係②・合歓・交合・交接・情交・情を通じる・Q性交・性行為・性交渉・性的行為・セックス・抱く②・契る・同衾《どうきん》・共寝・寝る②・懇ろになる・ファック・深い仲になる・房事・交わる・やる③・夜伽《よとぎ》

まくる【捲る】覆っているものを端から裏返す意で、会話でも文章でも広く使われる日常生活の和語。〈着物の袖を—〉〈ズボンの裾を—〉〈尻を—〉🖋いくつも重なっている場合に使う「めくる」とは違い、覆っているものを折り返して内部を露《あら》わにする意に用いる。⇩めくる

まけずぎらい【負けず嫌い】勝負事で負けるのを極度に嫌がる性質をさして、会話や硬くない文章に使われる和語。〈—だから自分が勝つまでやめようとしない〉⇩勝ち気・きかん気・Q負けん気

まける【負(敗)ける】戦いや競技などで相手に屈する意で、くだけた会話から硬い文章まで幅広く使われる日常の基本的な和語。〈—が勝ち〉〈試合に—〉〈—ものか〉🖋高井有一の『北の河』に「—・けたんだ。口惜しいだろう。口惜しいだろう。これを忘れるなよ」とある。「暑さに—」「相手の熱意に—」「誘惑に—」のように、対象に抵抗できずに屈する意にも使う。「勝つ」と対立。⇩敗戦・敗北・Q敗れる

まけんき【負けん気】相手に負けまいとする気持ちをさして、主に会話に使われる表現。〈—の強い子供〉⇩勝ち気・きかん気・Q負けず嫌い

まご【孫子】「子孫」の意で主に会話に使われる古風な和語。〈この机は—の代まで使える〉🖋「—を呼び集める」のように、単に孫と子をさす用法もある。⇩後裔《こうえい》・Q子孫・末裔《まつえい》

まごころ【真心】偽りのない真情の意で、会話にも文章にも使われる古風な和語。〈—を伝える〉〈—をこめる〉⇩誠意・Q誠《まこと》

まごつく 状況ややり方などがわからなくてとまどう意で、主に会話に使われる和語。〈入り口がわからず—〉〈慣れない仕事に—〉🖋夏目漱石の『吾輩は猫である』に「あてのない探偵のようにうろうろ、—・いている」とある。⇩Qとまどう・面食らう

まこと【誠】心の底の本当の気持ちの意で、会話やさほど硬くない文章に使われる古風な和語。〈—の心〉〈—を尽くす〉🖋「—のことか」のように真実の意でも用い、「—に申し訳ない」のように「本当に」の意でも用いる。「真事」から。⇩誠意・Q真心

まことに【誠(実・真・洵)に】「本当に」の意で、いくぶん改まった会話や文章に使われる、やや古風な和語。〈—結構な品〉〈—遺憾だ〉〈—申し訳ない〉〈—困ったもんだ〉🖋谷崎潤一郎の『細雪』に「今度のことは—已むを得ない事情なのだ」とある。⇩Q実に・ほんとうに・ほんとに

まごまご うろたえてまごつく意で、会話や軽い文章に使われる擬態語の和語。〈窓口がわからず―する〉〈この際、どうしたらいいかわからずに―する〉✎動きに重点のある「うろうろ」と違い、心の状態に重点があるため、迷っている当人から見た例が多い。⇩Qうろうろ・うろちょろ

まさか【真逆】いくら何でもそれは信じられないという気持ちを表し、主に会話で使われる和語。〈―本気にするとは思わなかった〉〈―、いくら子供でもそんな馬鹿な事をするはずはない〉✎森鷗外の『普請中』に「―一人じゃあるまい」とある。「もしも」と同様、「―の時に備える」という用法もある。漢字表記は、近年の俗語「まぎゃく」と読まれかねない。⇩よもや

まさかり【鉞】木を切り倒すための大型の斧《おの》をさして、会話にも文章にも使われる和語。〈―を担いで山に入る〉⇩Qおの・なた

まさぐる【弄る】指先で触って感触を楽しむ意で、主に文章中に用いられる古風な和語。〈赤ん坊が母親の乳房を―〉〈数珠を―〉✎大きな対象には使わない。⇩いじくる・Qいじる・ひねくる・もてあそぶ

まさご【真砂】細かい砂をさし、まれに文章中に用いられる古めかしい雅語的な和語。〈浜の―〉⇩いさご・Q砂

まさしく【正しく】疑いなくの意の「まさに」と同じ意味で、改まった会話や文章に用いられる、やや古風な和語。〈―その男だ〉〈―それが求めていた姿だ〉✎川端康成の『東京の人』に「今日、母から受けた感じは、―そうであった」とある。⇩まさに

まさに【正(当)に】ほんとうに、間違いなくの意で強調するときに、会話にも文章にも使われる、いくぶん硬い感じの和語。〈―その通りだ〉〈―天才の名に恥じない出来栄え〉〈―鬼の形相だ〉✎「今―出発しようとしている」「―始まろうとするその瞬間」のように、今にも事が行われそうな状態を強めるときにも使い、その場合は「将に」とも書く。⇩まさしく

まざる【交ざる】ある種類のものに別の種類のものが少なからず入り込んで一緒になる意で、くだけた会話から硬い文章まで幅広く使われる日常の基本的な和語。〈白いセーターに赤い花模様が―〉〈ひなあられに甘納豆が―〉✎二葉亭四迷の『浮雲』に「私の言葉には漢語が―から」とある。話の中に英語か専門語か方言かが入り込む場合、大部分はそれ以外の日本語なので「交じる」のほうが自然に感じられ、「交ざる」にすると大量に入る感じが強くなる。同様に、「男の中に女が交じる」とすると、女の割合がごく少なく互いに独立して存在している感じだが、「男と女が―・った集団」となると、どちらも三割以上はいて両者が一体になっていそうな雰囲気に変わる。⇩混ざる・Q交じる・混じる

まざる【混ざる】ある種類のものに他の種類のものが少なからず入り込んで一体化する意で、くだけた会話から硬い文章まで幅広く使われる日常の基本的な和語。〈二つの色が―〉〈紅茶にミルクが―〉✎「混じる」より混合比が大きい感じがある。⇩交ざる・交じる・Q混じる

まじ「真面目」の短縮形。近年、若年層の間で広まった俗語。〈―で?〉〈―かよ〉✎ふつう片仮名で書く。⇩実に・ほんと

うに・Qほんとに

ましかく【真四角】「正方形」の会話的な表現。〈―な土地〉✎島田雅彦の『観光客』に「形式にはめ込まれて―になった紳士淑女」とあるように、「正方形」と違い、比喩的に使うこともある。⇨正方形

マジック　手品・奇術・魔術・魔法など不思議な現象を引き起こすものの総称として、会話にも文章にも使われる外来語。〈―ショー〉〈―にひっかかる〉✎「手品」や「奇術」よりも大がかりな装置を使う雰囲気がある。信じられないほどの効果をあげる巧妙な采配などをさす比喩的用法もある。⇨Q奇術・手品・手づま・魔術

まして【況して】実現可能性のより低い事実をあげ、だからそれより可能性の高いことについては当然成り立つとして次を認めさせる場合に、会話にも文章にも使われる和語。〈高校の数学の問題が解けるのだから―中学のは簡単に解けるはずだ〉〈子供でも持てるぐらいだから―大人なら軽々と持つだろう〉⇨なおさら

まじめ【真面目】真剣で誠実な意として、くだけた会話から文章まで幅広く使われる日常の基本的な和語。〈―にこつこつやる〉〈―一方で面白みがない〉〈態度が―だ〉〈―な顔〉〈―な話〉〈―に答える〉✎夏目漱石の『坊っちゃん』に「こんな聖人に―に御礼を云われたら、気の毒になって、赤面しそうなものだが」とある。⇨堅物・生真面目・Q真剣・真摯《しんし》・真率《しんそつ》

まじゅつ【魔術】魔法の力で不思議な現象を引き起こす術、現実には大がかりなマジックをさし、会話にも文章にも使われる、やや古風な漢語。〈―師〉〈―で観客をあやつる〉✎「手品」や「奇術」より大がかりな仕掛けを使う感じがあり、「マジック」以上に摩訶《まか》不思議と思わせる印象が強い。⇨奇術・マジック・Q魔法

まじょ【魔女】魔法を使う女をさし、会話にも文章にも使われるやや古風な漢語。〈―狩り〉✎中世ヨーロッパの民間伝承で宗教的異端を説く妖女をさし、悪のイメージが濃い。有島武郎の『或る女』に「母は自分以上の法力を憎む―のように葉子の行く道に立ちはだかった」とある。⇨魔・魔物

ましょうじき【真正直】「正直」の強調表現で、改まった会話や文章に用いられるやや古風な語。〈―に告白する〉✎くだけた会話では「真っ正直」ということが多い。⇨愚直・Q馬鹿正直・真っ正直

ましょうめん【真正面】「正面」の意を強めて会話にも文章にも使われる表現。〈―を向く〉〈―から撮った写真〉✎「正面」に比べ、建物の一部よりも方向や位置関係に使う例が多い。「堂々と―から対決する」のように抽象化した比喩的用法もある。「まっしょうめん」は会話的。⇨正面・Q真向かい

まじる【交じる】別種のものが入り込む意で、くだけた会話から硬い文章まで広く使われる日常の和語。〈漢字と仮名が―〉〈方言が―〉〈男の中に女が―〉✎小林多喜二の『防雪林』に「白髪の―・っているモシャモシャした髪」とある。「混じる」と違って、互いに区別可能な状態の場合に用いる表記。なお、「不良品が―」のように、好ましくないものの場合には「雑じる」と書く例もある。⇨交ざる・混ざる・混じる

まじる【混じる】別種のものが混合する意で、くだけた会話

から硬い文章まで広く使われる和語。〈酒に水が―〉〈赤に黄色が―〉〈外国人の血が―〉〈主観が―〉✎水上勉の『雁の寺』に「つきあげてくる嬉しさとかなしみが―・って膝を固くした」とある。「交じる」と違い、異種のものが融けあって判別しにくくなった状態の場合に用いる表記。なお、「不純物が―」のように、好ましくないものの場合には「雑じる」と書く例もある。⇩混濁・交ざる・混ざる・交じる

まじわる【交わる】間接的に「性交」を意味することのある、やや古風な和語表現。〈男と女が―〉✎人と人との交わりの意から、一組みの男女の親密な交際に限定し、含みとしてその一行為である肉体的な交わりを類推させる。⇩営み・エッチ・関係②・合歓・交合・交接・情交・情を通じる・Q性交・性行為・性交渉・性的行為・セックス・抱く②・契る・同衾《どうきん》・共寝・寝る②・懇ろになる・ファック・深い仲になる・房事・枕を交わす・やる③・夜伽《よとぎ》

ます【増す】「ふえる」「ふやす」に近い意味合いで、会話でも文章でも広く使われる日常の和語であるが、会話的な「増える」「増やす」より文体的なレベルが少し高く、ごくくだけた会話ではやや水くさい感じに響くこともある。〈水かさが―〉〈圧力が―〉〈人気が―〉〈年々暑さが―〉〈勢いを―〉〈速度を―〉〈警戒はいよいよ厳重さを―〉✎円地文子の『妖』に「薄鈍びて空に群立つ雲の層が―・して、やがて又小絶えている雨が降りはじめるのであろう」とある。⇩Q増える・増やす

まずい【拙い】「下手」の意で会話やさほど硬くない文章に使われる和語。〈演技が―〉〈やり方が―〉〈―絵でも飾らないよりはいい〉✎夏目漱石の『坊っちゃん』に「あんまり―から、漢学の先生に、なぜあんな―ものを麗麗と掛けて置くんですと尋ねた所、先生があれは海屋《かいおく》と云って有名な書家のかいた者だと教えてくれた。海屋だか何だか、おれは今だに下手だと思って居る」というふうに、この語と「下手」とが一緒に出てくる一節がある。なお、「料理が下手だ」が調理技術の評価なのに対し、「料理が―」や「―料理」は直接には技術の評価でなく調理された物の味を問題にしており、両者は意味合いが違うため、「料理は下手だが、素材がいいので―・くはない」という言い方も可能であり、味に言及する場合は「不味い」と書くこともある。そのほか、この語は「見つかると―」「そりゃ―」のように、困ったという意味でも使う。その場合、「下手をすると―ことになるぞ」というふうに「下手」と共存することもある。⇩つたない・Qへた・へたくそ・へたっぴい

マスコミ 新聞・雑誌やテレビ・ラジオなどを通じて不特定多数の人々に多くの情報を伝えること、また、その組織・機関をさし、会話にも文章にも広く使われる外来語の略語。〈―の論調〉〈―にもれる〉〈―が書き立てる〉✎「マスコミュニケーション」(当初は「大衆通報」と訳された)の略。⇩報道機関

まずしい【貧しい】財産がなく収入も乏しい意で、会話にも文章にも使われる和語。〈家が―〉〈―暮らしに甘んじる〉✎芥川龍之介の『南京の基督』に「―家計を助ける為に、夜々《よなよな》その部屋に客を迎える」とある。「心が―」のような比喩的用法もある。志賀直哉の『暗夜行路』にも「心の―事程、惨めな状態があろうか」とある。⇩貧窮・貧苦・貧困・Q貧

乏

マスト 帆柱の意で会話にも文章にも使われる外来語。〈―によじ登る〉✎今では「帆柱」より一般的だが、和風の船には使いにくい。⇩帆柱

ますます【益益／益】 前よりもさらにの意で、会話にも文章にも使われる日常の和語。〈―の御活躍を〉〈―面白くなる〉〈老いて―旺《さか》ん〉✎安岡章太郎の『海辺の光景』に「―大食になって行き、その大食の原因である畑の労働に専念するばかり」とある。「増す」意から。⇩いよいよ①・Qいっそう・ひときわ・ひとしお

ませる 年齢のわりに大人びているという意味で会話にも文章にも広く使われる日常の和語。〈―・せた顔だちの子供〉〈―・せた口を利く〉✎永井荷風の『濹東綺譚』に「細面の―顔立」とある。大人になってからは用いない。若いのに年寄りじみている場合はこの語ではなく「老成」と言う。⇩老成

また【又】 同じことを繰り返すさまを表し、くだけた会話から硬い文章まで幅広く使われている日常的な和語。〈―来てね〉〈―失敗した〉〈―逢う日まで〉✎夏目漱石の『坊っちゃん』に「―一杯しぼって飲んだ。人の茶だと思って無暗に飲む奴だ」とある。⇩再度・Q再び

また【股】 胴から両脚の分かれ始める箇所をさして、会話やさほど改まらない文章に使われる日常の和語。〈内―〉〈―割り〉〈―を開く〉✎永井荷風の『濹東綺譚』に「五月人形のように―を八の字に開いて腰をかけ」とある。人間に限らず、「木の―」のように、一つの本から二つに分かれる箇所一般について用いる。⇩股間・Q股座《またぐら》

まだ【未だ】 いまだ実現しない、今でも続いているさまを表し、くだけた会話から硬い文章まで幅広く使われる日常生活の基本的な和語。〈起きるには―早い〉〈―しばらく始まらない〉〈―続いている〉〈こっちのほうが―ましだ〉〈―遠い〉✎尾崎一雄の『虫のいろいろ』に「未だ星の光りが残る空に、頂近くはバラ色、胴体は暗紫色にかがやく暁方《あけがた》の富士」という一節がある。「暗紫色」のレベルからは「いまだ」と読むほうがふさわしいが、「光りの残る」でなく「光りが残る」との関係で考えると「まだ」と読むほうが文体のバランスがよい。⇩いまだ

またぐら【股座】 主に人間の両脚の間をさして、主としてくだけた会話に使われる、やや俗っぽい和語。〈―をくぐり抜ける〉⇩Q股間《こかん》・股

またたく【瞬く】 まばたきする意で、主に文章に用いられる、古風で詩的な和語。〈―間もあらばこそ〉✎野間宏の『暗い絵』に「円い小さい顔の中で可愛いいぱっちりした眼を―・き」とある。「夜空に星が―」のような比喩的な用法もある。⇩しばたたく・Qまばたく

またたくま【瞬く間】 瞬きをするぐらいのごく短い時間をさし、会話やさほど硬くない文章に使われる和語。〈―に通り過ぎる〉〈―に出来上がる〉〈―に平らげる〉✎芥川龍之介の『羅生門』に「はぎとった檜皮色の着物をわきにかかえて、―に急な梯子を夜の底へかけおりた」とある。所要時間の短さを強調する誇張表現で、「幸せな日々は―に過ぎる」のように実際にはある程度の時間の幅をさす。⇩あっと

いう間・一瞬・瞬間・瞬時・束の間

マタニティーウェア　妊産婦用の衣服の総称として会話でも文章でも使われる比較的新しい外来語。〈—を取り揃える〉✎「マタニティードレス」より幅が広く、ズボン類なども含まれる。⇩妊婦服・Qマタニティードレス

マタニティードレス　妊産婦用のゆったりとした服をさし、会話でも文章でも使われる外来語。〈ゆったりとした—〉〈—だから、おなかが目立たない〉✎「妊婦服」という語の露骨さを回避するのに利用される。ちゃんとした英語だから、和製英語のような品格や教養の問題はないが、いくらか作為を感じることもある。業界では「妊婦」「妊娠」といった生命誕生にかかわる性的な連想を遠ざけ、古くからある漢語を使わずに、わざわざ語感の利きにくい長い外国語に逃げることでおしゃれな雰囲気をかもしだして売り上げを伸ばそうとする意図が見えるからである。一般の主婦も安易にこの語を使うと、自分でも恥ずかしいと思っているような印象を与えるかもしれない。⇩Q妊婦服・マタニティーウェア

または【又は】「あるいは①」の意味で、会話やさほど硬くない文章に使われる日常の和語。〈電車—バス〉〈ビールかワイン、—日本酒〉〈電話—ファックス、あるいはメールで連絡する〉✎夏目漱石の『吾輩は猫である』に「主人が出かけて来たら、逃げ出すか、—始めから向こう側にいて知らん顔をする」とある。他と併用する場合は、「か」より大きく「あるいは」より小さなまとまりに対応する傾向がある。⇩Qあるいは①・もしくは

マダム　「夫人」「奥様」の意で用いられた古めかしい外来語。〈有閑—〉〈—バタフライ〉✎「バーの—」のような水商売の店の女主人をさす用法は今でも残っているが、一般家庭の奥様連中を「マダム」と呼ぶのは相当古い感じになった。小津安二郎監督の映画『淑女は何を忘れたか』（一九三七年）の配役表に「牛込の重役　杉山　坂本武」とあり、次の行に「そのマダム　千代子　飯田蝶子」とある。⇩Q奥方・奥様・婦人

まだるい【間怠い】「まどろっこしい」の意。会話や硬くない文章に使われる古風な和語。〈—話し方〉✎「まだるし」の口語形。芥川龍之介の『地獄変』に「私のやり方が—・かったのでありましょう」とある。⇩まだるこい・Qまだるっこい・まどろこしい・まどろっこしい

まだるこい【間怠こい】「まどろっこしい」の意。やや古風な和語。〈—・くていらいらする〉✎「まだるこし」の口語形。⇩Qまだるい・まだるっこい・まどろこしい・まどろっこしい

まだるっこい【間怠っこい】「まどろっこしい」の意の会話的な和語。〈—・くて見ていられない〉✎「まだるこい」に促音を添加した強調形。✎二葉亭四迷の『平凡』に「手拭を捻って向鉢巻ばかりでは—」とある。⇩まだるい・まだるこい・まどろこしい・Qまどろっこしい

まち【町】市や村と並ぶ行政区分としての意味や、家が建ち並び多くの住民の集まっている地域などをさして、くだけた会話から硬い文章まで幅広く使われる日常の基本的な和語。〈—起こし〉〈—はずれ〉〈静かな—〉〈萩焼で名高い—〉〈—に出る〉〈—の名称が変更になる〉✎茨木のり子の

詩『はじめての町』は、「はじめての―に入ってゆくとき／わたしの心はかすかにときめく」と始まり、「水のきれいな―／ちゃちな―／とろろ汁のおいしい―／がんこな―／雪深い―／菜の花にかこまれた―／目をつりあげた―」など、さまざまな町の点描が続く。⇩街

まち【街】商店街や繁華街などのにぎやかな地域をさし、会話でも文章でもよく使われる和語。〈とある―角〉〈―の灯〉〈―をぶらつく〉〈ネオンの瞬く―〉〈古本屋が軒を連ねる―〉✍室生犀星の『杏っ子』に「この憐れな親子はくるまに乗り、くるまを降りて、―に出て―に入り、半分微笑いかけてまた笑わず、紅塵の中に大手を振って歩いていた」とある。「町」と比べ、特別な思いを込めて用いる抒情的な例が目立つ。小都市を意味するときは「町」でも「街」でもしっくりせず「都市《まち》」と書くと、『言語生活』の「語感とイメージ」という座談会で辻邦生が発言している。⇩町

まちあい【待合】客が芸者を揚げて遊興するための貸席をさして、会話にも文章にも使われる古風な感じの和語。〈―茶屋〉〈―政治〉〈―で芸者にうつつを抜かす〉⇩Q料亭・料理屋

まちあいしつ【待合室】一般の利用者が列車の到着や自分の順番などを待つための部屋をさし、会話にも文章にも使われる日常の表現。〈駅の―〉〈病院の―〉⇩控え室

まちうける【待ち受ける】来るのを予想してそれを待つ意で、改まった会話や文章に用いられる和語。〈来客を―〉✍夏目漱石の『坊っちゃん』に「山嵐を―・けた」とある。「うれしい知らせが―」「悲しい運命が―」のような比喩的用法も多い。⇩Q待ち構える・待つ

まぢか【間近】空間的・時間的に接近している意で、会話にも文章にも使われる和語。〈スターを―で見る〉〈入試が―に迫る〉〈結婚式を―に控える〉✍「直前」ほど接近した感じがない。「間遠」と対立。⇩眼前・寸前・直前・目前

まちがい【間違い】正しくないことをさして、くだけた会話から軽い文章まで広く使われる和語。〈―だらけ〉〈―を探す〉〈―を直す〉✍小沼丹の『懐中時計』に「そう思ったのが―だったことは間も無く判った。たいへん乱暴な喧嘩碁であった」とある。「誤り」より口頭語的。一般には「過ち」ほど深刻ではないが、「―を犯す」となるとそれに近くなる。それが「―をしでかす」のような形で男女関係の失敗をさすこともあり、その用法では古風な感じが伴う。⇩Q過ち・誤り・過失・誤謬《ごびゅう》

まちがう【間違う】正しくない、正しい判断ができない意で、会話でも文章でも使われる和語。〈試験問題で答えを―〉〈―・った考えを起こす〉〈若い先生が学生と―・われる〉〈まかり―と、とんでもないことになる〉✍太宰治の『斜陽』に「何かこの人たちは―・っている」とある。「間違える」よりこころもち古い感じがある。世間に顔向けができないような行為を連想させる「道を―」など、道徳に反する意では「間違える」は不適。⇩誤る・Q間違える

まちがえる【間違える】「間違う」に近い意で、会話でも文章でも広く使われる、最も普通の日常的な和語。〈計算を―〉〈傘を―〉〈三叉路でうっかり道を―〉✍二葉亭四迷の『平凡』に「家を―・えたか知ら」とある。道徳に反する感じの「道を間違う」に対して、「道を―」は才能や性格と職業と

の不適合を連想させる傾向が見られる。⇩誤る・Q間違う

まちかまえる【待ち構える】心構えや準備をして待つ意で、会話にも文章にも使われる和語。〈獲物を―〉〈今や遅しと―〉〈手ぐすね引いて―〉二葉亭四迷の『浮雲』に「頸を延ばして―・えている」とある。「待ち受ける」以上に、準備をしてそれに備えるという感じが強い。⇩Q待ち受ける・待つ

まちはずれ【町(街)外(端)れ】町の中心から遠く街並みが尽きるあたりをさし、会話にも文章にも使われる和語。〈―の閑静な一角〉〈―にひっそりと建つ一軒家〉志賀直哉の『城の崎にて』には「遠く―の灯が見え出した」という心理的な情景描写の一文がある。⇩場末

まちまち【区区】一定であることが期待されるものがばらばらでそろわない意で、会話にも文章にも使われる和語。〈身なりが―だ〉〈意見が―でまとめようがない〉⇩ちぐはぐ・Qばらばら・不ぞろい

まつ【待つ】順番や人が来たり事が始まったりするのを予期しつつ時を過ごす意で、くだけた会話から硬い文章まで幅広く使われる日常生活の基本的な和語。〈人を―〉〈機会を―〉〈―・ちに―・った知らせ〉〈―身になれば〉〈―・てど暮らせど〉田宮虎彦は『沖縄の手記から』で、敵の上陸を待ち構える兵士の気持ちを、「―という言葉は、私たちの心のありようを決して正しくはつたえなかったが、それは、やはり、―というよりほかいいようはなかった。私たちはその日を―・った。そして、その日は、―間もなく来た」と表現している。⇩Q待ち受ける・待ち構える

まつえい【末裔】その血筋を伝える遠い子孫の意で、会話にも文章にも使われる漢語。〈源氏の―と名乗る男〉〈徳川家の―に当たる〉「後裔《こうえい》」より一般によく使う。すでに亡びているか現在はかつての栄光や勢力を失った有名な家柄について用いられる傾向がある。⇩Q後裔・子孫・まごこ

まっか【真っ赤】きわめて濃い赤一色の意で、会話や軽い文章に使われる和語。〈―なりんご〉〈ほっぺたが―だ〉〈酒に酔って顔が―になる〉〈夕日が―に染める〉永井荷風の『ふらんす物語』に「―な烈しい夕陽が聳え立つこの砂山の彼方に炎々として燃え立っている」とある。⇩真紅《しんく》

まつかさ【松毬(笠)】松の木の果実をさし、会話にも文章にも使われる和語。〈―を拾う〉「松ぼっくり」より標準的で正式な感じがある。井伏鱒二の『厄除け詩集』所収の漢詩訳に「サビシイ庭ニ―オチテ／トテモオマヘハ寝ニクウゴザロ」という一節がある。⇩松ぼっくり

まっくら【真っ暗】物がまったく見えないほどきわめて暗い意で、会話や硬くない文章に使われる日常の和語。〈―で何も見えない〉〈―な夜道〉〈―な部屋〉「お先―」のように、将来にまったく明るい展望が開けない絶望的な状況をあらわす比喩的用法もある。⇩暗黒・暗い

まっくろ【真っ黒】黒そのもの、黒一色の意で、会話や硬くない文章に使われる和語。〈―に塗りつぶす〉〈―な髪〉有島武郎の『生れ出ずる悩み』に「―に天までそり立つ断崖」とある。「―に日焼けする」のように焦げ茶色をさしたり、「―になって働く」のように汚れに中心をおいて使ったり、純粋の黒に対応しない用法もある。⇩漆黒

まっさき【真っ先】一番早くの意で、会話やさほど硬くない

文章に使われる和語。〈―に駆けつける〉〈―に知らせる〉✎井上靖の『あすなろ物語』に「他紙の記者たちがみな愚かに見えた。左山町介は―に帰って行った」とある。「のっけ」と違い、順番の問題。⇩のっけ

まっしょう【抹消】記載事項などを消し去る意で、改まった会話や文章に用いられる専門的な漢語。〈登録を―する〉〈字句を―する〉〈六字―〉✎誤記や不要となった文字などを塗りつぶす意から。⇩消却・消去

まっしょうじき【真っ正直】「正直」の強調表現で、会話や硬くない文章に使われる。〈―に生きる〉✎「真正直」より口頭語寄り。⇩愚直・Q馬鹿正直・真正直

まっすぐ【真っ直ぐ】途中で曲がらずに伸びている様子をさし、くだけた会話から硬い文章まで幅広く使われる日常の和語。〈―な道〉〈―上に伸びる〉〈このまま―進む〉✎「会社から―家に帰る」のように、直線的でなくてもよそに寄らない意でも使う。「―育つ」のような比喩的な用法もあり、夏目漱石の『坊っちゃん』には主人公が「あなたは―でよい御気性だ」と清に賞められる箇所がある。⇩一直線

まったく【全く】下に打消しか否定的な意味の語を伴って、それ以外の可能性を一切排除する意味合いで、会話にも文章にも使われる和語。〈―手掛かりがない〉〈―理解できない〉〈―歯が立たない〉✎小林秀雄の『私小説論』に「どんなつまらぬ思想でも、作家はこれを―新しく発明したり発見したりするものではない」とある。「全然」よりいくらか改まった感じがある。⇩一向に・からきし・からっきし・さっぱり②・Q全然・ちっとも・てんで・まるっきり・まるで①

まったなし【待った無し】まったく猶予のならない段階・状態を迎える意で、会話や改まらない文章に使われる表現。〈―の催促を受ける〉〈食糧不足はもはや―のところまで来ている〉✎相撲《すもう》・囲碁・将棋で「待った」を認めない条件。そこから、一般に、少しの猶予もならない逼迫《ひっぱく》した状況をさす場合にも用いられ、比喩的な感じも薄くなっている。⇩限界

まったん【末端】物の中心から最も遠い端の部分をさし、改まった会話や文章に用いられるやや硬い漢語。〈―まで行き渡る〉〈―肥大症〉✎「―価格」「―まで指示を徹底する」のように、経路や組織などの先の部分をさすこともある。⇩端末

まっちゃ【抹茶】「挽《ひ》き茶」の意で、会話にも文章にも使われる漢語。〈―に湯を注いで茶筅《ちゃせん》でかき混ぜる〉⇩上がり・お茶・玉露・煎茶・茶・日本茶・番茶・Q碾《ひ》き茶・焙《ほう》じ茶・緑茶

まっとう【真っ当】まともで真面目な意として、会話や軽い文章に使われる古風な和語。〈―な暮らし〉〈―な仕事〉〈―に生きる〉〈―なやり方〉✎二葉亭四迷の『浮雲』に「律儀―の気質」とある。「全く」の音便形「全う」から。⇩正当・Q正しい・妥当

まっぱだか【真っ裸】「真裸」の会話的な和語的強調表現。〈湯上がりに―で涼む〉✎全裸の状態をさす点では「素っ裸」と同じだが、両語は発想が違う。「素肌」「素手」「素足」と同様、「素っ裸」は衣類を一枚でも身につけているか否かという観点から、最後の下着を取り去った瞬間に実現する。一方、「真っ赤」「真っ正直」と同様、「真っ裸」は厚着から

次第に薄着の状態に近づくというように連続的に全裸状態に接近する最終の結果である。前者は身をおおう布が一かゼロかというデジタルの世界であり、後者はいわばバスタオルを少しずつずらしながら最終的に実現するアナログの世界と見ることもできるだろう。若年層は俗に「まっぱ」と略して言う。⇩赤裸・Q素っ裸・素裸・全裸・裸・真裸・丸裸

まっぴるま【真っ昼間】「昼間」の意を強める口頭語。〈おや、―に酒盛りかい〉✎単なる強調というより、昼間にはふさわしくないことを見聞きして驚いたり、そういうことを頭に描いてそれに言及する場合に使われる傾向がある。促音に続く破裂音「ピ」という音構造が激しい感じを印象づけるのかもしれない。⇩昼日中《ひるひなか》・昼間・Q真昼

まつぼっくり【松ぼっくり】「松かさ」の意で、会話や硬くない文章に使われる日常の和語。〈―を集める〉✎標準的な「松かさ」に比べ、大人でも子供でも日常会話に使い、いくぶん俗っぽく親しみを感じさせる。⇩松かさ

まつり【祭り】神社の定例の儀式や行事をさし、会話から文章まで幅広く使われる最も日常的な和語。〈秋―〉〈―囃子《ばやし》〉〈―に神輿《みこし》が出る〉✎久保田万太郎に「神田川―の中をながれけり」という句がある。会話では「お―」となることが多い。「雪―」「花火は光と音の―」など、宗教的な雰囲気の稀薄な比喩的用法もある。⇩祭祀・祭典・Q祭礼

まつりごと【政】領土と人民を治める意で、主として為政者の精神などを説くときなどにまれに用いられる古めかしい和語。〈―を行う〉〈―に精を出す〉✎夏目漱石の『倫敦塔』に「心傲《ごお》れる市民の、君の―非なりとて蟻の如く塔下に押し寄せて犇き騒ぐときも亦塔上の鐘を鳴らす」とある。祭政一致だった古代では「祭り事」だったところから。⇩政治

まつわりつく【纏わり付く】纏《まと》い付く意で、会話にも文章にも使われる和語。〈風でスカートが―〉✎武田泰淳の『風媒花』に「相手の迷惑を承知のうえで、―・いて離れなかった」とある。「子供が親に―」のような場合に限らず、「糸が―」のように人間以外の物についてもよく使う。⇩付き纏う・まつわる・Q纏い付く

まつわる【纏わる】絡み付く意で、やや改まった会話や文章に使われる、いくぶん古風な和語。〈幼児が母親に―〉〈髪の毛が額に―〉✎具体的な絡みより、「これに―話」のように、関係するという意味合いで使う例が多い。谷崎潤一郎の『細雪』に「自分たちまでが、繋がる縁で妹に―運勢の中へ捲き込まれたような、薄気味の悪い心持」とあるのもそういう例である。⇩付き纏《とま》う・まつわり付く・Q纏い付く

まといつく【纏い付く】くっついて離れない意で、会話にも文章にも使われる和語。〈子犬が足元に―〉✎野間宏の『真空地帯』に「彼の体に―・いてくる花枝の匂い」とある。「付き纏《とま》う」が若干の距離感を感じさせるのに対し、この語は肉体的な接触のイメージが強い。うるさいという気持ちはあっても、「付き纏う」とは違ってひどく迷惑な感じは薄い。⇩付き纏う・Qまつわり付く・まつわる

まどう【惑う】考えがまとまらず途方にくれる意で、主に文章に用いられる古風で文語的な雰囲気の和語。〈逃げ―〉〈心が―〉〈四十にして―・わず〉⇩戸惑う・Q迷う

まどか【円か】「円い」意で、まれに古風な文章に詩的な雰囲

気で使われる、古語に近い優美な感じの和語。〈—な月〉〈—な表情を浮かべる〉✎森敦の『月山』の冒頭に、まず「彼方に白く輝く—な山」として月山を描き、「渓谷の彼方につねに—な姿を見せ、いつとはなく—に拡がる雪のスロープに導く」と、「まどか」という語を繰り返して展開する。「折から」「遥かな」「ごとく」「ゆえん」「いかなる」「ひとたび」といった格調高く円みを帯びた語群と融けあうよう、「円い」ではなく「まどか」が選択されたものと思われ、この語の文体的な質を物語っている。⇩円い

まどぎわ【窓際】建物や機内や車輛などの窓に最も近い場所をさし、会話にも文章にも使われる和語。〈—の席〉〈—に座る〉✎「—族」の形で、会社などで戦力として期待されなくなった社員などを意味する場合は俗っぽい語感となる。⇩窓辺

まどぐち【窓口】カウンターなどを挟んで来客の応対をしたり関連事務を処理したりする場所をさし、会話にも文章にも使われる和語。〈—業務〉〈—の応対が悪い〉〈銀行の—で融資の相談をする〉〈市役所の—に申し込む〉✎多く小窓を通して客と接したところから。「交渉の—となる」のように、外部と折衝する役目をさす比喩的な用法もある。⇩Q受付・帳場・フロント

まどべ【窓辺】室内の窓の近くをさし、主に文章に用いられる古風でやや詩的な和語。〈—の少女〉✎福原麟太郎の『チャールズ・ラム伝』に「月がこれを書いている私の—にも輝くばかり照り映えています」とある。「—に寄り添う」のように、窓の外側をさす場合もある。⇩窓際

まとめる【纏める】別々のものを一箇所に集める、物事にまとまりをつける意で、くだけた会話から硬い文章まで幅広く使われる和語。〈荷物を—〉〈—・めて払う〉〈自分の考えを—〉〈みんなの意見を—〉〈交渉を—〉✎夏目漱石の『坊っちゃん』に「宿へ帰って荷物を—・めて居ると」とある。最後の結び方に重点のある「締め括《くく》る」と違い、全体を関連づけるところに重点がある。⇩締め括る

まとも【真(正)面】まじめに対している意で、会話や軽い文章に使われる和語。〈—な仕事〉〈—な人間〉〈—に暮らす〉〈—に取り組む〉✎志賀直哉の『邦子』に「私は或時期少しも書けない事があって、その時にはそれを—に解し、煩悶したが」とある。「パンチを—に受ける」「気の毒で相手の顔を—に見られない」のように、本来は正しく相対する意。⇩Q正常・平常

まどろこしい【間緩こしい】「まどろっこしい」の意。やや古風な和語。〈しゃべりながら書き取るのは—〉✎文語「まどろし」からの変化。正宗白鳥の『寂寞』に「絵なんか画いとるのは—・くって厭だ」とある。⇩まだるい・まだるこい・Qまだるっこい・まどろっこしい

マドロス　船員の意で、会話にも文章にもまれに使われることのあるオランダ語からの古めかしい外来語。〈—姿が港町に風情を添える〉✎「—パイプ」として使う以外、単独では小説や歌詞などで見かけることのある程度で、今は日常あまり用いない。⇩海員・クルー・水夫・Qセーラー・船員・乗組員・船乗り

まどろっこしい【間緩っこしい】てきぱきと行動せずに、見

ていていらいらする感じをさし、主に会話で使われる和語。〈盃では—から茶碗をくれ〉✎「まどろこしい」に促音を添加した強調形。⇨Qまだるい・まだるこい・まだるっこい・まどろこしい

まどろむ【微睡む】ごく浅い眠りを意味する古風で文学的な和語的な表現。〈縁側で春の日を浴びながら心地よく—〉⇨Q居眠りする・うとうとする

まとをいた【的を射た】要点を的確にとらえたという意味の表現。〈—意見〉✎「的を得た」は誤用。⇨当を得た・的を得た

まとをえた【的を得た】「当を得た」と「的を射た」との混同から生じた俗語。⇨当を得た・的を射た

マナー　社会生活を円滑に運ぶための節度・作法・ルールの総称として、会話にも文章にも使われる日常の外来語。〈テーブル—〉〈ドライバーの—〉〈—を守る〉〈—がいい〉〈—がまるでなってない〉〈くしゃみをするときは口を覆うのが—だ〉✎「エチケット」のような対婦人といった特殊な雰囲気がなく、近年それを凌《しの》ぐ勢いで盛んに使われる。精神に裏づけられた感じの「エチケット」と比べ、社会のきまりとして個別に定型化した感がある。⇨エチケット・行儀・Q作法・礼儀作法・礼法

まなこ【眼】主として文章に用いられる、「目」の古風な表現。〈金壺《かなつぼ》—〉〈—を開く〉✎幸田露伴の『五重塔』に「涙に浮くばかりの円《つぶ》らの—を剝き出し」とある。「寝ぼけ—をこする」のような慣用的な表現を除き、上品な響きがある。漢字表記は文脈上「め」との区別が難しい。「目を閉じて考える」というと、数学の公式を思い出そうとしていても、冷蔵庫に入っている残り物でどうやって見栄えのするご馳走に仕立てようかと悩んでいてもかまわないが、「—を閉じて考える」となると、昔の恋を思い返すとか、読み終えた作品の余韻に浸っているとか、そういう趣のあることを考えているような連想が働く。それは日常語の「目」と違って、「まなこ」ということばの優雅な語感がそういう方向へと導くからである。⇨目

まなざし【眼(目)差し】対象を見るときの目の表情の意で、主として文章に用いられる、やや古風でいくぶん詩的な和語。〈温かい—で見る〉〈やさしい—を注ぐ〉〈疑り深い—で探る〉✎幸田文の『流れる』に「重い厚い花弁がひろがってくるような、咲くという—だった」という印象的な描写が出てくる。⇨目つき

まなじり【眦】「目尻」の意で主に文章に用いられる古風な和語。〈—の吊《つ》り気味の目〉✎川端康成の『伊豆の踊子』に「—の紅が怒っているかのような顔に幼い凜々しさを与えていた」とある。慣用的に「—を決する」の形で、決意を示す真剣な表情を意味する。⇨目尻

まなびのにわ【学びの庭】「学校」「学園」の古語に近い和風の雅語。〈—がありありと目に浮かぶ〉✎「学窓」より古めかしく美化した感じが強く、「学び舎《や》」よりさらに古い感じで使用も稀。⇨学院・学園・学窓・学校・Q学び舎

まなびや【学び舎】「学校」の意の古風な和風の美称。〈振り返りつつ—を後にする〉✎「学窓」よりやわらかい感じの和語。「学びの庭」と違い今でもよく使われる。⇨学院・学園・学窓・学校・Q学びの庭

まなぶ【学ぶ】繰り返し勉強して知識や技術などを習得する意で、改まった会話や文章に用いられる和語。〈真剣に―〉〈よく―・びよく遊べ〉〈大学で哲学を―〉〈本から―ものも多い〉森鷗外の『妄想』に「外国語を―・んでからも」とある。口真似をする、他人の言をそのまま伝える意の「まねぶ」から。⇩教わる・Q習う

まぬかれる【免れる】大きな負担となる義務や災難などの好ましくない事態になりそうなところを、危うくそうならないで済む意で、やや改まった会話や文章に用いられる和語。〈間一髪で交通事故を―〉〈火災を―〉〈罪を―〉〈義務を―〉夏目漱石の『坊っちゃん』に「狸と赤シャツは例外である。何で此両人が当然の義務を―のかと聞くと」とある。「まぬがれる」の本来の形。「まぬがれる」の形が多用されるにつれ、いくらか古風な趣を呈しつつある。⇩逃れる・Qまぬがれる

まぬがれる【免れる】「まぬかれる」の音転。「まぬかれる」以上によく耳にする。⇩逃れる・Qまぬかれる

まぬけ【間抜け】タイミングが遅れて間が抜けた感じがすることや、愚鈍な者をさし、主としてくだけた会話で使われることば。〈―もいいところだ〉〈―、ちゃんと前見て歩け〉〈―な泥棒もあったものだ〉「ばか」や「あほう」に比べ、生まれつきの愚か者というより、失態をしでかしたことに対する評価というニュアンスが濃い。⇩あほ・あほう・たわけ・どじ・Qとんま・ばか・へま

まね【真似】他の声・話し方・動作・作風などの特徴をとらえて意図的に似せる意で、くだけた会話から文章まで幅広く使われる日常の和語。〈猫の声を―する〉〈そっくり―をする〉〈他人の―がうまい〉小沼丹の『猿』に「木の丸椅子の上に坐って、何やら憂鬱そうに空を仰」いでいる猿が登場し、「僕もお猿の―をして空を仰いで見ると、星が疎らに見えて何だか憂鬱になった」とある。なお、「ばかな―はよせ」「何という―だ」のように好ましくない行為をさす用法もある。⇩模倣

マネージャー　ホテルやバーなどの管理人・責任者をさして、会話にも文章にも使われる外来語。〈高級キャバレーの―〉〈交渉は―に任せる〉「サッカー部の女子―」のように、チームの庶務を担当する世話係の意でも、「有名タレントの―をしている」のように、スケジュールの管理や身のまわりの世話をする人の意でも日常よく使う。⇩支配人

まねく【招く】会などに客として誘ったり、特定の仕事を依頼して臨時に来てもらったりする意で、くだけた会話から硬い文章まで幅広く使われる日常の基本的な和語。〈客を―〉〈友人をパーティーに―〉〈記念行事に講師を―〉〈海外から専門の技術者を―〉谷崎潤一郎の『細雪』に「印刷にするほど大勢の人を―のではないので」とある。「手を振って―」のように手招きする意でも使う。⇩招待・招聘《しょうへい》

まねる【真似る】対象にそっくり似せて行う意で、くだけた会話から文章まで広く使われる和語。〈専門家のやり方を―〉〈絵のタッチを―〉〈歩き方を―〉夏目漱石の『吾輩は猫である』に「西洋人は強いから無理でもばかげていても―・ねなければやり切れないのだろう」とある。⇩なぞる・模倣

まはだか【真裸】「全裸」の意の古めかしい和風の文章語。〈―を人目に曝す〉川端康成の『伊豆の踊子』に「手拭もない真裸だ」、「私達を見つけた喜びで真裸のまま日の光の中に飛び出し、爪先で背一ぱいに伸び上る程に子供なんだ」という例が出るが、とりまく文章環境の品格から見て、「まっぱだか」でなく「まはだか」と読むべき表現と思われる。⇩赤裸・素っ裸・Q素裸・全裸・裸・真っ裸・丸裸

まばたく【瞬く】会話にも文章にも使われる少し古い感じの和語。〈目を気にしてしきりに―〉現代の会話では「まばたき(を)する」の形が最も一般的。⇩しばたたく・Qまたたく

まばゆい【目映い／眩い】眩《ま》しい意で、主に文章に用いられる古風で詩的な和語。〈―光を浴びる〉宮本輝の『道頓堀川』に「川のほとりに―光が浮いてくると」とある。プラスイメージの語だけに、「―ばかりのきらびやかな飾りつけ」「―ほどの花嫁姿」のように、実際の光よりも華麗さを表現する比喩的な用法が「眩しい」以上に目立つ。「ライトが眩しい」は不快感だが、「ライトが―」となればむしろ美的評価。⇩眩しい

まひ【麻(痲)痺】神経の機能障害によって運動や知覚の働きが失われる意で、やや改まった会話や文章に用いられる医学の専門的な漢語。〈心臓―〉〈神経が―する〉「良心が―する」「交通―を起こす」のように、単に働きが鈍くなる意の比喩的な拡大用法もある。永井荷風の『つゆのあとさき』に「良心を―させ廉恥の心を押える」とある。⇩痺《び》れる

まひる【真昼】昼間の真ん中の時間帯をさし、くだけた会話から硬い文章まで幅広く使われる和語。〈夏の―の耐え難い日差しが容赦なく照りつける〉横光利一の『頭ならびに腹』の「―である。特別急行列車は満員のまま全速力で馳けていた」という有名な冒頭は新感覚派の出発点となった。⇩昼日中《ひるなか》・昼間・Q真っ昼間

まぶしい【眩しい】光が強過ぎて目を開けていられない感覚をさし、くだけた会話から文章まで広く使われる日常の和語。〈朝の光が―〉〈夏の海が―・く光る〉〈対向車のライトが―〉小川国夫の『爽かな辻』に「日の当たる斜面に、鶏は白い花が咲いたように―・く散らばっていた」とある。「―ばかりの豪華な衣装」「世界的な芸術家の居並ぶ―会場」など、きらびやかでまともに見ていられない感じをさす比喩的な用法もある。⇩まばゆい

マフラー「えり巻き」をさし、会話でも文章でも使われる外来語。「襟巻」に代わって日常生活で普通に使われるようになった。〈黒いコートに緑の―〉⇩Q襟巻・首巻

まほう【魔法】魔力で不思議な現象を引き起こす術をさし、会話にも文章にも使われる漢語。〈―使いのお婆さん〉〈―を使う〉〈―にかかる〉〈―が解ける〉「魔術」以上に、物語の中だけに起こる感じが強く、現実の世界では比喩的な用法となる。⇩魔術

まほうびん【魔法瓶】保温・保冷用に工夫された瓶をさし、会話にも文章にも使われる、いくぶん古風な日常の漢語。〈―のお湯〉長時間続く保温力に驚いた頃の命名。ガラスやステンレスの内外二層の間を真空にするという理屈がわかり、見慣れてしまった今では少々大仰に感じられる。⇩Qジ

ヤー・ポット

まま【間間】「時々」に近い意味で、主として会話に使われる古風な和語。〈思わぬ失敗をすることが―ある〉〈―そんなこともある〉✎間隔の長い「時々」のうちで起こる頻度のあまり多くない部分に対応する感じがある。⇩時折・Q時たま・時々・時に

ママ「お母さん」の意で、会話やさほど硬くない文章に使われる外来語。〈―のお膝〉〈―が付き添う〉✎年少者が比較的よく使い、子供っぽい響きがある。「パパ」と対立。ひところ「お母さん」を凌《しの》ぐ勢いで広がり、現在でも「パパ」「ママ」を用いる家庭も少なくないが、「お父さん」「お母さん」のほうが優勢。なお、「バーの―」のように、「おかみ」や「マダム」に代わって、酒場などの女主人をさす用法もある。⇩お母様・Qお母さん・お母ちゃん・おふくろ・女親・母さん・母ちゃん・母・母上・母親

ままはは【継母】実の母でない、父の配偶者をさして、会話にも文章にも使われる日常の和語。〈―に分け隔てなく育てられる〉〈―のいじめにあう〉⇩義母・Q継母《けいぼ》・養母

まみず【真水】塩分を含まない普通の水をさし、会話にも文章にも使われる和語。〈―に浸す〉✎「塩水《しおみず》」と対立。⇩淡水

まむかい【真向かい】「真正面」に近い意味で、会話やさほど硬くない文章に使われる和語。〈―の家〉〈社長の―に座る〉✎建物自体の前面をささず、主に位置関係を示す。⇩正面・Q真正面

まめつ【摩(磨)滅】表面がすり減る意で、会話にも文章にも使われる漢語。〈ねじ山が―する〉〈長い間に踏み石が―する〉⇩磨耗

まもう【摩(磨)耗】何度も使っているうちにこすれて減ってしまう意で、やや改まった会話や文章に用いられる、いくぶん専門的な漢語。〈ブレーキが―する〉〈タイヤが―する〉✎特に機械類の部品などに使うことが多い。⇩摩滅

まもなく【間も無く】それほど長い時間の経過しないうちにの意で、くだけた会話から硬い文章まで幅広く使われる日常の基本的な和語。〈―春だ〉〈―到着する〉〈―発売される〉✎芥川龍之介の『羅生門』に「死んだように倒れていた老婆が、死骸の中から、その裸のからだを起こしたのは、それから―の事である」とある。⇩じきに・そのうち・Q程なく・やがて

まもの【魔物】妖怪などの魔性のものの総称で、会話にも文章にも使われる表現。〈―が出る〉〈―が住む〉〈―が取り憑《つ》く〉〈―のしわざ〉✎有島武郎の『或る女』に「葉子の姿を―か何かのように冷笑《あざわら》おうとする」とある。「魔」「悪魔」以上に視覚的イメージが具体化しやすい。⇩悪魔・Q魔・魔女

まもる【守る】①決まったことに反しない意で、会話にも文章にも広く使われる和語。〈約束を―〉〈言いつけを―〉〈教えを―〉〈秘密を―〉⇩Q従う・遵守・服する ②他から侵されないように防ぐ意で、くだけた会話から硬い文章まで幅広く使われる日常の基本的な和語。〈敵の攻撃から―〉〈国土を―〉〈家庭を―〉〈身を―〉〈財産を―〉〈会社の利益を―〉✎中村真一郎の『遠隔感応』に「わずかのイデーを

守銭奴のように—・りながら」とある。「護る」とも書く。「攻める」と対立。⇩Q防衛・防御・防戦

まやかし　いかにもそれらしく見せる意で、会話や軽い文章に使われる、やや古風で俗っぽい和語。〈それがとんだ—物〉〈まんまと—に引っかかる〉⇩えせ・Qにせ

まやく【麻薬】　麻酔作用を持つ薬物の総称として、会話にも文章にも使われる漢語。〈—中毒〉〈—を隠し持つ〉〈—の密売ルート〉✎麻酔・鎮痛・咳止めなど医療目的に使用されるが、常用すると中毒を起こし、やがて精神・肉体をむしばむため規制が厳しい。⇩覚醒剤・しゃぶ・大麻・Qドラッグ・マリファナ・やく

まゆ【眉】　瞼《まぶた》の上の弓形の毛をさして、会話にも文章にも使われる和語。〈太い—〉〈—をかく〉〈—をひそめる〉✎「眉毛」に比べ、全体の形を意識した感じが強い。野間宏は『崩壊感覚』の中で、「細い毛並の間にぬれた黒の色をとどめ、その下端をきつく剃込ませて、上り気味につくられている彼女の—は、すでに険しさを含み始めている」と書いている。⇩眉毛

まゆげ【眉毛】　眉を構成している毛の意で、会話やさほど改まらない文章に使われる和語。〈—が薄い〉〈—を剃《そ》り落とす〉〈—に白いものが交じる〉✎永井荷風は『腕くらべ』に、「真白な—だけは筆の穂のように長く垂れている」と、いかにも福々しい眉を描いている。この例のように、全体の形を意識させる「眉」より、部分的な毛を問題にする場合に出やすい。⇩眉

まゆつばもの【眉唾物】　真偽が怪しく、騙《まだ》されないように用心しなければならない意で、会話や軽い文章に使われる古風な和語。〈—の儲《もう》け話〉〈話としては面白いが、いささか—だ〉✎眉に唾をつけると狐や狸に化かされないという俗説から。⇩胡散《うさん》臭い

まよう【迷う】　どれを選ぶかどうすべきかわからず決断できない意で、くだけた会話から硬い文章まで幅広く使われる日常の基本的な和語。〈道に—〉〈路頭に—〉〈選択に—〉〈判断に—〉✎「女の色香に—」「—・わず成仏する」のような用法は古めかしい感じを与える。⇩戸惑う・Q惑う

まよなか【真夜中】　夜中の真ん中あたりの時間帯をさし、会話にも文章にも使われる和語。〈—に飛び起きる〉〈—の出来事〉〈—に電話で起こされる〉〈—まで語り合う〉✎夜中の二時前後を連想しやすい。「真っ昼間」と対立。⇩深更・深夜・夜間・夜半・夜分・夜《よ》・Q夜中・夜更け・夜《よる》・よわ

マリファナ　大麻の葉を乾燥させて粉にしたものをさし、会話にも文章にも使われる、やや専門的なスペイン語からの外来語。〈—の取締り〉〈—を吸引する〉⇩覚醒剤・しゃぶ・Q大麻・ドラッグ・麻薬・やく

まる【丸】　円形または球形をさし、くだけた会話から文章まで幅広く使われる日常の基本的な和語。〈—印〉〈文の終わりに—を打つ〉〈正しいものに—を付ける〉〈紙に大きな—を描く〉〈ボールの形は—だ〉✎平面上の円形を意味する場合でも、数学的な雰囲気の「円」とは違ってあまり厳密ではなく、句点のような小さなものや、「テストで—をもらう」のようないびつな形をも含んで漠然と使う。また、抽象化された用法でも、「円」が「関東一円」のように地図上の平

面的なとらえ方なのに対し、「社内一丸《いちがん》となって難局にあたる」のように立体的なイメージでとらえている。⇩円・円い・丸い

まるい【丸い】球形・円形の意で、くだけた会話から硬い文章まで幅広く使われる最も基本的な和語。〈地球は―〉〈まん―月〉〈―ピンポン玉〉〈背中が―・くなる〉〈人間が―・くなる〉〈―・くおさめる〉✎野間宏の『真空地帯』に「ぬくぬくとストーブのところに猫みたいに―・うなりやがって」とある。まるければ平面でも立体でも使えるが、もっぱら平面的な「円い」に比べ立体的な連想が強い。「円い顔」が正面から見た顔の形の印象を描いているのに対し、「丸い顔」は奥行きを含めての印象を描いているようなニュアンスを感じさせる。名月は伝統的に「円い」ととらえているが、宇宙科学の発達とともに次第に「丸い」存在と認識されるようになれば表記もそうなるだろう。比喩的・抽象的な用法にも「丸い」という表記が使われる。⇩円い

まるい【円い】円形の意で使われる和語。〈―皿〉〈―お盆〉〈―窓〉〈―テーブル〉〈―・く輪になって座る〉✎大岡昇平の『花影』に「お盆のように―顔は透き通るように白く」とある。具体物の平面的な形態に注目して書き分ける場合の表記で、球形の対象には用いず、比喩的な用法も少ない。「一丸となって」が塊を連想させるのに対し、「関東一円」が地図のような平面的イメージでとらえているという違いに対応する。「―屋根」は見る角度によって「丸い」とも「円い」とも書ける。正木不如丘は『ゆがめた顔』の巻頭言で、「白紙の上にコンパスで正円を画いて満足して居る人がある。それを横に坐る人から見れば楕円を画いたとしか見えない」という例をあげて、「美人も横から見れば、ゆがんだ顔にしか見えない」と話を展開、「人間万事、世相万端、すべてゆがんで見えるのが当然」という結論に達する。⇩丸い

まるっきり【丸っ切り】「まるで」の意で、主にくだけた会話に使われる、やや俗っぽい和語。〈―話にならない〉〈―思い出せない〉✎「まるきり」の形でも使い、その場合は少し古風な感じが生じ、俗っぽさが減る。⇩一向に・からきし・からっきし・さっぱり②・全然・ちっとも・てんで・全く・Qまるで①

まるで【丸で】①下に打消しか否定的な意味の語を伴って、あらゆる点で少しも可能性がない、といった意味合いを表し、くだけた会話から文章まで幅広く使われる日常の和語。〈―見当もつかない〉〈―似ていない〉〈―駄目だ〉⇩一向に・からきし・からっきし・さっぱり②・全然・ちっとも・てんで・全く・Qまるっきり　②うっかり間違えそうなほどよく似ている意で、会話にも文章にも使われる日常の和語。〈―夢みたい〉〈―本物に見える〉〈―絵に描いたような景色〉✎網野菊の『妻たち』に「―胸の中のものを全部こそげとられて了ったような、絶望的な、うつろな気持」とある。⇩あたかも・さしずめ②・Qさながら・丁度

まるはだか【丸裸】「全裸」の意。「素裸」や「真裸」より日常的だが、「素っ裸」や「真っ裸」ほどくだけていないレベルの和語。〈―で露天風呂を楽しむ〉✎夏目漱石の『坊っちゃん』に「―の越中褌《ふんどし》一つになって」とある。⇩赤裸・素っ裸・素裸・Q全裸・裸・真っ裸・真裸

まるめこむ【丸め込む】相手を巧みに騙《まだ》して自分側に引き入

れる意で、会話や硬くない文章に使われる和語。〈相手にうまく―・まれる〉〈上司を巧みに―〉✎相手を操るのは結果であり、騙してそういう関係にするところに重点がある。「手懐《てな》ける」や「懐柔」に比べ、その関係が長続きしない雰囲気もある。⇩懐柔・Q抱き込む・手懐ける・籠絡《ろうらく》

まるやけ【丸焼け】火事で残らず焼けてしまう意で、会話や軽い文章に使われる日常の和語。〈家が―になる〉✎「全焼」と違い、犬小屋・鳥屋、家具など小さなものにも言う。⇩全焼

まれ【稀(希)】きわめて例の少ない意で、会話にも文章にも使われる和語。〈ごく―な例〉〈―にはいいこともある〉〈たぐい―な美人〉〈たぐい―な好青年〉✎「珍しい」よりも例が少ない感じ。「稀有《けう》」のような貴重な感じを伴わず、客観的に響く。⇩稀有・珍しい

まれに【稀(希)に】めったにないほど珍しい意で、やや改まった会話や文章に用いられる和語。〈―当たることもある〉〈―見るほほえましい光景だ〉✎森鷗外の『妄想』に「過去の記憶が、―長い鎖のように、刹那の間に何十年かの跡を見わたせることがある」とある。「たまに」と違って、一度しか起こらない場合も含む。⇩偶《たま》に

まわり【回(廻)り】回る、取り巻く意で、くだけた会話から硬い文章まで幅広く使われる日常の和語。〈遠―〉〈頭の―が速い〉〈火の―が早い〉✎「身のマワリ」は「―の品」「―の世話」「―を調べられる」などと使われるが、静的にとらえれば「周り」、動的にとらえれば「回り」が適切で、仮名書きが無難。⇩周り

まわり【周り】周辺の意で、くだけた文章から硬い文章まで幅広く使われる日常の和語。〈湖の―〉〈家の―〉〈―の景色〉⇩回り

まわりあわせ【回り合わせ】「巡り合わせ」の意で、主として会話に使われる古風な和語。〈―が悪いらしくどうもうまく行かない〉⇩運・運勢・運命・宿命・天運・天命・命運・Q巡り合わせ

まわる【回(廻)る】円を描くように動く意で、くだけた会話から硬い文章まで幅広く使われる日常の基本的な和語。〈車輪が―〉〈右に―〉〈酔いが―〉〈目が―〉✎梶井基次郎の『桜の樹の下には』に「よく―・った独楽が完全な静止に澄む」とある。「帰りによそへ―」「舌がよく―」「よく気が―」「自分に番が―」のような派生的用法も多い。⇩Q回転・転がる・転回・巡る

まんいち【万一】可能性はきわめて低いが、もしもの意で、会話やさほど硬くない文章に使われる漢語。〈―籤《じく》に当たったら何に使おうか〉〈―駄目だったら今度こそ諦める〉〈―の場合に備える〉「―のことがあったら、あとをよろしく」✎のように最悪の事態を仮想する例も多い。⇩Q万が一・もしも

まんいん【満員】定員に達する、人でいっぱいになる意で、会話にも文章にも使われる日常の漢語。〈超―〉〈大入り―〉〈―電車〉〈―で入れない〉✎森鷗外の『青年』に「電車が幾台も来るが、皆―である」とある。⇩満席

まんえつ【満悦】心が満たされて喜ぶ意で、改まった会話や文章に用いられる、やや古風な漢語。〈すっかり御―の体だ〉✎吉行淳之介の『驟雨』に「披露宴は滞りなく終り、―

の表情を隠さず示した」とある。⇩得意①・張り合い・Q満足・満ち足りる

まんえん【蔓延(衍)】広範囲にはびこって広がる意で、改まった会話や文章に用いられる漢語。〈病原菌が―する〉〈悪習が―する〉〈浮薄な風潮が―する〉🖋草が生え広がる意から。堀辰雄の『美しい村』に「蔓草が実にややこしい方法で絡まりながら―していた」という例が出るが、一般的には悪いもの、好ましくない対象に使う例が多い。⇩のさばる・跋扈《ばっこ》・Qはびこる

まんが【漫画】諷刺や滑稽な要素を含む絵をさし、会話にも文章にも使われる日常の漢語。〈―家〉〈少女―〉〈―本を読みあさる〉🖋谷川俊太郎の詩『東京抒情』に東京は「読み捨てられた―の一ページだ」とある。「戯画」に比べ、話の流れのある作品が多い。⇩戯画・Qコミック

まんがいち【万が一】「万一」の意で、会話にも文章にも使われる、やや古風な表現。〈―飛行機に乗り遅れたら旅行は取り止めだ〉〈―合格したら好きなものを買ってやる〉🖋「親に―のことがあれば田舎に帰って家を継ぐ」のように最悪の事態を仮想する用法もある。⇩Q万一・もしも

まんざい【万歳】新年を祝う門付けの芸能をさし、会話でも文章でも使われる古風な漢語。〈三河―〉⇩漫才

まんざい【漫才】滑稽な対話で楽しませる二人の演芸をさし、会話でも文章でも使われる漢語。〈―コンビ〉〈上方―〉〈掛け合い―〉⇩万歳

まんざら【満(真ん)更】下に打消しの語を伴って、悪い方向のその判断や様子が絶対ではないことを表し、会話にも文章にも使われる表現。〈―嘘とも思えない〉〈―嫌いでもない様子だ〉〈こういう味も―悪くはない〉🖋「出来栄えは―悪くもない」のように、否定の形で控えめに肯定する気分が漂う。井伏鱒二の『駅前旅館』にある「気を持たせる様なことを言われると、―でもない気持でした」の例では、「満更でない」の形でむしろ「嬉《うれ》しい」気分を表現している。⇩あながち・Q一概に・必ずしも

マンション 比較的高級な集合住宅をさし、会話にも文章にも使われる外来語。〈高級―〉〈―住まい〉🖋原語は「大邸宅」の意だが、後藤明生の『首塚の上のアドバルーン』に「―の十四階のベランダからすでにおなじみの風景を、天眼鏡でのぞいているわけです」とあるように、鉄筋コンクリート造りの中高層の建物を連想させ、「アパート」と違って賃貸以外に分譲形式もある。「日乃出荘」というアパートがマンションに建て替えられると「サンライズ」と改称されるようなイメージの差がある。⇩アパート

まんしん【満身】体のすべての箇所の意で、主に文章に用いられる古風な漢語。〈―創痍《そうい》〉〈―に力がみなぎる〉🖋堀川直義『文体比較法の一つの試み』によれば、根本進の四コマ漫画『クリちゃん』の内容を文章で説明するアンケートに際し、かつての哲人文相天野貞祐は犬のようすを「尾を振り―に喜びをみなぎらして」と表現したという。たわいのない漫画とは思えない格調の高い文章で、この語の語感を示すエピソードである。⇩Q渾身《こんしん》・全身・総身

まんせき【満席】乗り物や会場などの座席がすべてふさがって空席がない意で、くだけた会話から文章まで幅広く使わ

れる日常の漢語。〈休日はいつも—だ〉⇩満員

まんぞく【満足】願いがかなって申し分ない気持ちをさし、くだけた会話から硬い文章まで幅広く使われる日常の基本的な漢語。〈—感〉〈出来栄えに—する〉〈心遣いを—に思う〉✎小島信夫の『アメリカン・スクール』に「死に行く者が、生きている者に懺悔をしたときのようなかすかな—をおぼえたのだ」とある。⇩得意①・張り合い・満悦・Q満ち足りる

まんなか【真ん中】「中央」のうちでも特にその中心部をさし、会話や改まらない文章に用いる和語。〈的の—に当たる〉〈都会の—に住む〉〈往来の—を大手を振って歩く〉✎夏目漱石の『坊っちゃん』に「浴衣一枚になって座敷の—へ大の字に寝て見た」とある。⇩中央・中心・Qど真ん中

まんまく【幔幕】会場などの周りに長く張りめぐらす幕をさし、会話にも文章にも使われるやや古風な漢語。〈紅白の—〉✎石川達三の『蒼氓』に「デッキに仮舞台をつくり—を張りまわして」とある。⇩緞帳《どんちょう》・Q幕

み

み【実】「果実」の意で、くだけた会話から硬い文章まで幅広く使われる日常の基本的な和語。〈柿の—〉〈—が生る〉〈—が熟す〉✎梶井基次郎の『冬の蠅』に「落葉樹が裸の枝に朱色の—を垂れていた」とある。⇩Q果実・果物・フルーツ・水菓子

みあやまる【見誤る】他と取り違えたり判断を間違える意で、改まった会話や文章に用いられる和語。〈位置を—〉〈交通標識を—〉〈才能を—〉〈本質を—〉⇩見損なう・見違える・見紛《みまが》う・Q見間違える

みあわせる【見合わせる】状況を判断してすぐに実行に移すのを取り止める意で、会話にも文章にも使われる日常の和語。〈購入を—〉〈出場を—〉✎夏目漱石の『坊っちゃん』に「出来るならやって見ろと来た。切れないと外聞がわるいから、おれは—・せた」とある。「風が収まるまで出発を—」「しばらく運転を—」のように、一時的に中止してのちに再開する意味の場合と、「発熱のため出席を—」のように完全に取り止める意の控えめな表現とがあり、その区別が難しいために婉曲《えんきょく》の効果がある。「顔を—」のように互いに見合う意でも、「条件を—」のように見比べる意でも用いる。⇩見送る②

みいだす【見出す】見つける意で、主として文章中に用いられる和語。〈得がたい人材を—〉〈有効な方策を—〉〈解決

のいとぐちを—〉〈活路を—〉〈法則を—〉〈生きがいを—〉夏目漱石の『坊っちゃん』に「増俸を受けるには忍びない、理由を—・したからの様に聞えたが」とある。日常会話に使うと気障《きざ》に響く。「いつかすっかり興味を失っている自分を—」のように、気がつく意で用いるのは英語の直訳文体。⇩発見・Q見つける

ミーティング 打ち合わせのための会合をさし、会話や軽い文章に使われる斬新な感じの外来語。〈スタッフ—〉〈—を開く〉〈試合前の—〉「会議」ほど四角ばらず、短時間の簡単な話し合いを連想させるため、親族会議や教授会などには使わない。⇩打ち合わせ・会議・協議・相談・談合・話し合い

みいる【見入る】 心を集中して見る意で、やや改まった会話や文章に用いられる和語。〈じっと作品に—〉〈テレビ画面に—〉⇩Q注視・見とれる・見ほれる・見る

みうち【身内】 家族やごく近い親族を漠然とさして、会話やさほど硬くない文章に使われる和語。〈—の者〉〈—に医者が多い〉〈—に不幸がある〉同じ親分の配下の者をさす用法もある。⇩家族・Q近親・肉親

みえ【見え(見栄)】 うわべを飾る意で、会話にも文章にも使われる和語。〈—を張る〉〈—も外聞もない〉谷崎潤一郎の『細雪』に「下らない—を張るよりは、少しでも財産を殖やすように心がけた方がよい」とある。⇩見得

みえ【見得】 見せ場で演ずる目立つ表情・動作をさし、会話でも文章でも使われる古風な和語。〈—を切る〉⇩見栄

みおくる【見送る】 ①人がその場を離れるのを見届ける意で、会話にも文章にも使われる和語。〈門に立って客を—〉〈渡米する恩師を空港で—〉同行に重点のある「送る」と違い、この語は相手が立ち去るのを見届けるところに重点がある。「送る」対象は人間だけでなく、その人物の乗った車や電車などをさす場合にも使う。⇩送る ②計画を実施しないことにする意で、やや改まった会話や文章に用いられる和語。〈契約を—〉〈値上げを—〉「見合わせる」と比べ、延期というよりは取り止めというニュアンスが強い。⇩見合わせる

みおとす【見落とす】 見ておきながら気づかないでしまう意で、くだけた会話から硬い文章まで幅広く使われる日常生活の基本的な和語。〈看板を—〉〈集中力が足りずに誤りを—〉〈肝腎の問題点を—〉深田久弥の『わが愛する山々』に「独自性のある立派な山は、多くの人々に—・されている」とある。「見過ごす」や「見逃す」と比較し、似たようなものの中に異質なものが交じっていることに気がつかないといったイメージが強い。「エックス線撮影でかすかな影を—」といえば、影の存在自体に気づかないという意味合いになる。⇩看過・見過ごす・Q見逃す

みかえり【見返り】 謝礼・担保・保証として差し出す金品などをさし、会話や軽い文章に使われる和語。〈—資金〉〈—物資〉〈先方からの—を期待する〉「報酬」に比べ漠然としており、抽象的な存在でも考え方によってこれに含まれる。⇩報酬

みかぎる【見限る】 その対象の能力や将来性に失望して突き放す意で、会話にも文章にも使われる和語。〈上司から—・られる〉〈会社を—・って転職する〉⇩見捨てる・Q見放す

みがく【磨く】表面をこすって艶を出す意で、会話でも文章でも幅広く使われる日常生活の和語。〈靴を―〉〈鏡を―〉〈歯を―〉⊘李良枝の『由熙』に「毎日欠かさず手摺りを―・き、木の一本一本が光沢を放っていた」とある。「研ぐ」が一定方向の摩擦となるのに対して、この語の場合は多様な方向の摩擦が試みられることが多い。⇩研ぐ

みかけ【見かけ】外から見た感じの意で、会話やさほど改まらない文章に使われる和語。〈―倒し〉〈―で判断する〉〈―だけは立派だ〉〈人は―によらない〉⊘上林暁の『薔薇盗人』に「なるほど―はがっしりした大きな骨っ節だ」とある。実際の中身と違う場合によく使う。⇩Q外見・見た目・見場《ばみ》

みかた【味（身・御）方】対立関係にある両者のうち、自分が属していたり自分と協力関係にある側や仲間をさし、くだけた会話から文章まで広く使われる和語。〈―が多い〉〈心強い―〉⊘夏目漱石の『坊っちゃん』に「敵も―も一度に引上げて仕舞った」とあるように、「敵」と対立する語。「弱いほうに―する」のように動詞としても使う。⇩Q加勢・仲間

みかど【帝】天皇の意で会話にも文章にも使われた古語。〈先の―〉〈いずれの―の御世であったか〉⊘古典の現代語訳に見られる。⇩王・王様・君主・皇帝・国王・大王・帝王・天子・Q天皇

みがまえる【身構える】相手の動きにすぐ応じられるよう姿勢を整える意で、会話にも文章にも使われる和語。〈異様な気配を感じてさっと―〉⊘伊藤整の『火の鳥』に「役者というものは、色恋の話となると、それが他人の色恋でも、狐の通り道をかぎつけた猟犬のように―」とあるように精神的な意味でも使うが、「構える」と違って人間や動物にのみ用いる。⇩構える

みがわり【身代わり】本人の代わりを務める意で、会話にも文章にも使われる和語。〈人の―になる〉〈―を立てる〉⊘「替え玉」と違い、極秘裏に進めるとは限らない。「当人の―になって叱られる」「実行犯の―になって警察に自首する」のように、何らかの不利益を受ける際によく使う。⇩替え玉・Q代理・名代《みょうだい》

みかん【未完】まだ完了・完成していない意で、やや改まった会話や文章に用いられる硬い漢語。〈―の大器〉〈―の作品〉〈―に終わる〉⊘川端康成は「未完」として中断した小説『千羽鶴』に後編と銘打って『波千鳥』を書き継ぐが、途中で取材メモが盗難に遭い、最後となった章「妻の思い」の末尾に再び「未完」と記したまま世を去った。⇩未完成

みかんせい【未完成】まだ完成していない意で、会話にも文章にも使われる漢語。〈―の建築〉〈―ながら将来楽しみな逸材だ〉⊘シューベルトの有名な「―交響曲」は第三楽章が草稿の段階に終わったための通称。⇩未完

みぎわ【汀／水際】陸地の水に接するあたりをさし、主に文章中に用いられる、古風で雅やかな和語。〈河原の―を歩む〉⊘「水ぎわ」の意。海や湖や川だけでなく、谷崎潤一郎の『細雪』には「池の―」という用例がある。⇩磯・うみべ・沿岸・海岸・海浜・かいへん・岸・岸辺・なぎさ・波打ち際・浜・浜辺・Q水際・水辺

みくだす【見下す】「見下げる」に近い意味で、会話にも文章にも使われる和語。〈人を―ような態度をとる〉⊘小林秀雄

の『読者』に「君は、何故ジャーナリストとして、そんな風に、読者というものを—・しているのですか」とある。⇩侮る・威張る・軽蔑・蔑む・なめる②・みくびる・Q見下げる

みくびる【見縊る】 相手を実際より低く評価して侮る意で、会話や軽い文章に使われる日常の和語。〈相手を—〉〈ひとを—・った態度〉⇩あなどる・軽蔑・さげすむ・なめる②・Q見下す・見下げる

みぐるしい【見苦しい】 見ているだけでも不愉快になる意で、会話にも文章にも使われる和語。〈—身なり〉〈—ふるまい〉〈—中傷合戦〉〈この期に及んで言い逃れしようとは—〉〈お—ところをお見せして申し訳ありません〉✎川端康成の『伊豆の踊子』に「お—・くても、動けないのでございますから、このままで堪忍してやって下さいまし」とある。正常な人間なら恥ずかしく思うようなことを平気でやる醜い行為について言うことが多い。⇩Qみっともない・醜い

みけん【眉間】 両眉の間にあたる額《ひたい》の中央部をさし、会話にも文章にも使われる漢語。〈—の傷〉〈—に皺《しわ》を寄せる〉✎夏目漱石の『こころ』に「曇りを先生の—に認めたのは、雑司が谷の墓地で、不意に先生を呼び掛けた時であった」とある。⇩おでこ・Q額

みごと【見(美)事】 手際が鮮やかで立派だの意で、会話にも文章にも使われる和語。〈—な演奏〉〈—な腕〉〈—な出来栄え〉〈—に切り抜ける〉〈ものの—にやってのける〉✎川端康成の『伊豆の踊子』に「余りに期待が—に的中したからである」とある。見るだけの価値のある物事の意から。それだけに視覚的なイメージがあり、目の前で見て判断している感じが伴いやすい。「すばらしい料理」と違い、「—な料理」は味わう前にも言えそうな雰囲気がある。また、評価に重点のある「すばらしい」に比べ、技術的な巧みさに重点のある連想が強く、自然をめでる「—な景色」でも、庭造りや借景の巧みさなり、展望台の立地条件のよさなり、人間あるいは造物主の何らかの意思やかかわりを意識させることがある。⇩すてき・Qすばらしい・立派

みこみ【見込み】 多分こうなるはずだと今から予想される将来の姿をさし、会話や硬くない文章に用いられる日常の和語。〈卒業—〉〈とんだ—違いだった〉〈こうなる—だ〉✎谷崎潤一郎の『細雪』に「この先そう月給が上る—はないし、出世の道は止っている」とある。「将来大いに—がある」のように、将来の可能性をさす用法もある。⇩見当・展望・Q見通し・予感・予期・予想・予測

みこむ【見込む】 予想してあらかじめ計算に入れておく意で、会話にも文章にも使われる和語。〈月百万円の利益を—〉〈支出を平年並みと—〉✎川端康成の『伊豆の踊子』に「あんたを—・んで頼むだがね、この婆さんを東京へ連れてってくんねえか」とある。「当て込む」より客観的な感じがある。「将来性を—・んで採用する」「男と—・んで頼む」のように可能性があると頼りにする意にも使う。⇩当て込む

みごもる【身籠もる】 妊娠する意で、改まった会話や文章に用いられる古めかしい和語。〈子供を—〉⇩懐胎・懐妊・受胎・妊娠・孕《はら》む・宿す

みこん【未婚】 一度も結婚の経験のない意で、会話にも文章にも使われる漢語。〈—者〉〈—の女性〉✎結婚していない

のに子供がいることに対する世間の受け取り方によりマイナスのイメージのあった「—の母」は、離婚の結果そうなった場合を含めて現在「シングルマザー」という横文字に受け継がれている。⇩売れ残り・Q独身・独り身・独り者

みこんのはは【未婚の母】結婚していない状態で自分の子を産み育てている女性をさし、やや古い感じの言い方。〈—だけに苦労して子供を育てた〉✎結婚前に子供ができるのを世間に恥じた時代には、その存在が大きなマイナス評価を受け、それがこのことばの語感にも影響を与えている。⇩シングルマザー

みさお【操】忠誠心や貞節などを重んじる道徳的な意思の堅固な意で、会話にも文章にも使われる古めかしい和語。〈—を捧げる〉〈—を立てる〉〈—を守る〉✎世間の期待という面のある「節操」に比べ、社会的というより人間としての道を守るという倫理的な色彩が強い。「女の—」の形で「貞操」をさす例も多い。永井荷風の『かし間の女』に「小娘の時分、その人の為に—を失った」とある。⇩節操・Q貞操

みさげる【見下げる】軽蔑に価すると判断する意で、会話や改まらない文章に使われる日常の和語。〈—・げはてた奴だ〉〈人を—・げた物の言い方〉⇩侮る・軽蔑・蔑む・なめる②・見下す・みくびる

みじかい【短い】空間的・時間的な隔たりが小さい意で、くだけた会話から文章まで幅広く使われる基本的な和語。〈髪が—〉〈—スカート〉〈—距離〉〈—話〉〈—期間〉✎宇野千代の『おはん』に「いうたら蟬の命ほどもない、—間のことでござります」とある。「長い」と対立。⇩短小

みじまい【身仕舞い】身なりや化粧を整えることをさし、主として文章に用いられる古風な和語。〈小ぎれいに—して出かける〉〈—を欠かさぬ滑らかな肌〉✎普通は、化粧をして身なりを整えるという人間の行為をさすが、尾崎一雄の『虫のいろいろ』に「用便のたび眺める富士は、天候と時刻とによって—をいろいろにする」と、富士山を擬人化した感じの表現例が出てくる。⇩支度

みじめ【惨め】かわいそうで見るに忍びない意で、会話や軽い文章に使われる和語。〈—な生活〉〈—な負け方〉〈見るも—な姿〉〈—な思いをする〉〈言いわけをしても自分が—になるだけだ〉✎石川達三の『結婚の生態』に「うちひしがれて喘ぐような—な気持ちになって」とある。⇩嘆かわしい・Q情けない

みじゅく【未熟】修業や経験が足りないために技術的に劣る意で、会話にも文章にも使われる、いくぶん古風な漢語。〈—者〉〈—な腕前〉⇩拙劣・Q稚拙・つたない・へた・まずい

みしょう【未詳】その点に関して詳しいことはまだわかっていない意で、改まった会話や文章に用いられる漢語。〈生没年—〉〈作者—〉✎詳しいことまではまだわかっていないが、調査次第で今後わかる可能性がありそうな雰囲気を残している。⇩Q不詳・不明・未知

ミス　不注意による誤り・失敗の意で、会話や軽い文章に使われる外来語。〈—プリント〉〈思わぬ—が出る〉〈重大な—を犯す〉⇩エラー・しくじる・失策・失態・Q失敗・とちる・抜かる・ぽか・ミスる・やり損なう

みず【水】無色透明で無味無臭の液体をさし、くだけた会話

から硬い文章まで幅広く使われる日常の基本的な和語。〈水道の―〉〈―を飲む〉〈―のいい土地〉〈―に浸かる〉✎古井由吉の『水』に「透明なコップに満たされた汲立ての―」とある。広く雨水や海水を含み、時には「―を摂る」のように飲み物全体をさす。「―が出る」で洪水を意味する用法もある。⇩Q飲用水・飲料水・お冷や・飲み水

みずあそび【水遊び】水辺で遊んだり水と戯れたりする意で、会話やさほど硬くない文章に使われる和語。〈子供がたらいで―する〉〈川原で―に興じる〉⇩泳ぐ・Q水浴び

みずあび【水浴び】海や川で泳ぎを楽しむことをさし、会話や軽い文章に使われる古風な和語。〈近くの川で―をする〉✎プールで本格的に泳ぐ風景にはなじみにくい。⇩泳ぐ・水泳・Q水遊び

みずいろ【水色】青や藍色系統の薄く明るい色をさし、会話にも文章にも使われる和語。〈―のリボンを風になびかせる〉✎川端康成の『みづうみ』に「車の窓ガラスごしに見る町は薄―がかっている」とあり、その先に「運転手の世界は温い桃色で客の世界は冷たい―のようにも、銀平は思う習わしになった」とある。一般には「空色」とほとんど区別なしに使うが、専門的には、淡く緑がかった青をさすという。⇩空色

みずうみ【湖】周りを陸地に囲まれている水を湛えた場所をさし、くだけた会話から硬い文章まで幅広く使われる日常の和語。〈―のほとりを散歩する〉〈―にボートを浮かべる〉✎林芙美子の『浮雲』に「―が金色の針をちりばめたようにこまかに小波をたてている」とある。「湖沼」として一括されるが、中央部に水深五メートル以上で沿岸植物の生えない場所を持つ点で沼と区別される。淡水の海すなわち「水海」の意から。⇩池・湖水・Q沼

みずがし【水菓子】「果物」の意で会話にも文章にも使われる古風な表現。〈食後に―をいただく〉✎今では使用頻度が減り、料亭などで用いる程度となった。食用に供されたものに限り、木に生《な》っている状態では使わない。内田百閒の『特別阿房列車』に「若い娘が食堂車の方から―を売りに来た」とある。東京方言という。⇩果実・Q果物・フルーツ・実

みすかす【見透かす】目に見えない相手の心の中や将来の計画などを見抜く意で、会話にも文章にも使われる和語。〈相手の本心を―〉✎「見通す」に比べ、隠そうとしていることに対してよく使われる。⇩見通す・Q見抜く

みずから【自ら】「自己」に近い意味で、改まった会話や文章に用いられる和語。〈―の行く末〉〈―を犠牲にする〉✎佐藤春夫は『田園の憂鬱』で、「秋の雨―も、遠くへ行く淋しい旅人のように、この村の上を通り過ぎて行くのであった」と雨を擬人化してこの語を用いている。「―出向く」「―範を垂れる」のように、「自分で」の意味合いで副詞的にも使う。⇩おのれ・自己・Q自身・自分

みずぎわ【水際】陸地が海・湖・川などの水面に接するあたりをさし、会話にも文章にも使われる和語。〈―に立つ〉〈―に生える〉✎「―作戦」として、敵が上陸しようとする間際に攻撃して撃退する戦法をさすこともあり、田宮虎彦の『沖縄の手記から』にも「壕によって直ちに―に敵を撃退することになっていた」とある。⇩磯・うみべ・沿岸・海岸・海浜・

かいへん・岸・岸辺・なぎさ・Q波打ち際・浜・浜辺・みぎわ・水辺

みずくさい【水臭い】親しい間柄なのに妙に遠慮があってよそよそしい態度で接する意で、会話にも文章にも使われる日常の和語。〈俺に隠すとは―〉〈割り勘なんて―〉〈夫婦の間でそんな―ことができるか〉泉鏡花の『照葉狂言』に「あなた私たちにお隠し遊ばしては―じゃありませんか」とある。もと、「―酒」のように食物の味が薄く水っぽい意。⇩すげない・そっけない・Q他人行儀・ぶっきらぼう・よそよそしい

みずけ【水気】物に含まれる水分をさし、会話や硬くない文章に使われる日常の和語。〈―を多く含む〉〈―を切る〉〈―のものがほしい〉⇩水分

みずけむり【水煙】細かい水滴のしぶきが一面に飛び散って煙のように見えるものをさし、会話にも文章にも使われる和語。〈―が上がる〉〈―を立てて進む〉時に体感的な感じのある「しぶき」と違い、少し距離を隔てて眺めた感じがある。川端康成の『雪国』の火事を描いたラストシーンに「屋根を外れたポンプの水先が揺れて、―となって薄白いのも、天の河の光が映るかのようだった」とある。⇩Qしぶき・飛沫《ひまつ》

みすごす【見過ごす】見たのに気づかない、気づいてもそのままほうっておく意で、会話でも文章でも広く使われる和語。〈目印の看板を―〉〈ほかのことに気を取られてうっかり―〉〈そこまでずれたら―わけには行かない〉「見落とす」意のほか、気がついても大目に見て問題にせずそのまま過ごすという意味にも用いる。そのため、「エックス線撮影でわずかな影を―」というと、影の存在を認識できない意か、気がついても異状として取り上げない意か、それだけでは判断ができない。⇩看過・Q見落とす・見逃す

みずさし【水差(指)し】コップなどに注ぐための水を入れておく容器をさし、会話にも文章にも使われる和語。〈枕もとの―からコップに水を汲《く》む〉川端康成の『千羽鶴』に「花は白ばらと薄色のカーネーションとであったが、その花束が筒形の―によく似合っていた」と、志野の水指を花立に用いて骨壺の脇に飾る場面がある。⇩ピッチャー

みずしょうばい【水商売】客の人気次第で収入が大きく違う不安定な職業の意で、会話や軽い文章に使われる、やや俗っぽい表現。〈―の女〉接客業、特に風俗営業などの連想が強い。⇩風俗営業

ミステリー 理屈で説明できない不思議な出来事をさし、会話やさほど硬くない文章に使われる外来語。〈―現象〉〈この世の―〉「―小説」「―作家」「―を読む」のように特に推理小説をさす例が多い。⇩Q怪奇・神秘

みすてる【見捨(棄)てる】困難な状況にある対象を見ながら助けずにそのまま放っておく意で、会話にも文章にも使われる和語。〈師匠に―・てられる〉〈仲間を―・て逃げる〉遠藤周作の『白い人』に「その時、彼等は、既にひそかに殺されたピエール・バンを裏切り―・てたのだ」とある。人間の例が多いが、「銀行が中小企業を―」のように使うこともある。⇩Q見限る・見放す

みずびたし【水浸し】水につかる意で、会話や軽い文章に使われる和語。〈―になる〉⇩冠水・Q浸水

みずべ【水辺】海・湖・川などの水のほとりをさし、会話にも

文章にも使われる、いくぶん趣のある和語。〈—の鳥〉〈—に生える〉〈—にたたずむ〉✎谷崎潤一郎の『細雪』に「—の花の蔭」とある。⇩磯・うみべ・沿岸・海岸・海浜・かいへん・岸・岸辺・なぎさ・波打ち際・浜・Q浜辺・みぎわ・水際

みすぼらしい【見窄らしい】見かけがいかにも貧乏じみた感じのする意で、会話にも文章にも使われる和語。〈—服装〉〈落ちぶれて—姿をさらす〉〈—家に住む〉✎身がすぼまるようになる意から。あくまで外見だけで、「貧弱」と違い中身の評価とは無関係。「貧相」と違って顔立ちなどには使わない。中野重治の『歌のわかれ』に「石橋を前にひかえた寺だけはひどく—小寺であった」とある。⇩貧弱・Q貧相

みずみずしい【瑞瑞しい】新鮮で生気にみちた艶々した様子をさし、会話にも文章にも使われるプラスイメージの和語。〈—りんご〉〈—若葉〉〈—素肌〉〈—感覚があふれる〉✎三島由紀夫の『潮騒』に「女の健やかな—体を空想する」とある。藤沢周平『老年』には「帰らない青春といった感傷の中には、まだ現在と青春をつなぐ—道が通じている」とある。⇩新鮮・生鮮

ミスる うっかり間違える意で、くだけた会話に使われることのあるやや古い俗語。〈易しい問題を—〉⇩エラー・しくじる・失策・失態・失敗・とちる・抜かる・ぽか・Qミス・やり損なう

みせ【店】売る品物を客が見やすいように並べた場所をさし、くだけた会話から硬い文章まで幅広く使われる日常の基本的な和語。〈繁華街に—を出す〉〈輸入家具の—を開く〉〈朝早く—を開ける〉〈十時に—を閉める〉〈今月いっぱいで—をたたむ〉〈—の帳場を預かる〉✎小沼丹の『庄野のこと』に「手紙を読んで行くと鰻屋の—の前で匂を嗅がされているようで(略)白焼は芸術品のようでしたとか何とか書いてあると、何だか溜息が出る」とある。「見せ棚」の略で、古くは「見世」とも書いた。「道端に—を広げる」というように、「店舗」と違い、建物の外に開く露店の場合をも含む。⇩商店・Q店舗・店屋

みせさき【店先】店の内側で外に面した場所、特に出入り口の近くをさして、会話にも文章にも使われる和語。〈本屋の—に立つ〉〈—に目玉商品を並べて客の目を引く〉✎「店頭」と同様、店の奥に対して、店の人目にふれる範囲を漠然とさす場合もある。また、「—に車を停める」のように、店の外側のすぐ近くの路上をさすこともある。⇩店頭

みせじまい【店仕舞い】㋐「長らくご愛顧を戴《いただ》きましたが、本日をもちまして—いたします」のように、商売を打ち切る意、㋑「今日は早めに—する」のように、その日の商売を終わりにする意で、会話やさほど改まらない文章に使われる和語。⇩閉業・Q閉店

みせびらかす【見せびらかす】自慢げに人に見せつける意で、会話やさほど改まらない文章に使われる和語。〈宝石を—〉〈新型の外車を—〉〈ブランド物を—〉⇩衒《てら》う・Qひけらかす

みせびらき【店開き】㋐「近く公園のそばに—する店」のように、新たに店を開いて商売を始める意、㋑「いつも—の前から客で行列ができるほどの人気だ」のように、店を開けてその日の商売を始める意で、会話やさほど改まらない文章に使われる和語。✎「店」が「見せ」すなわち品物を見せる場を意味するところから、この語も、必ずしも建物として

の店構えを持たない、例えば往来に品物を並べて売る露天商などの場合に用いても特に違和感がない。⇩開業・Q開店

みせや【店屋】店を出して商売をしている家をさし、会話や硬くない文章に使われる和語。〈―が立ち並ぶ〉✎「しもた屋」と対立する概念なので、店を出していれば食堂や床屋や不動産屋なども含まれそうだが、典型的には商店を連想させる。志賀直哉の『雨蛙』に「道に添うた細長い町で、生垣が多く、―は少かった」とある。⇩商家・商店・店

みせる【見せる】相手に見えるようにする意で、くだけた会話から硬い文章まで幅広く使われる日常の基本的な和語。〈運転免許証を―〉〈買いたての鞄を―〉〈このところ顔を―・せない〉✎小沼丹の『懐中時計』に「肝腎の時計を―・せて呉れと頼んだが、彼は決して―・せようとしなかった」とある。「隙を―」「弱みを―」「意地を―」のように抽象的な対象についても使う。⇩示す

みぞ【溝】細長く掘った人工の水路をさし、会話でも文章でも広く使われる和語。〈―にはまる〉〈―を埋める〉✎永井龍男の『風ふたたび』に「みそ汁のように赤くにごった―」とある。「どぶ」より正式な感じの表現。「どぶ」ほど汚いイメージはない。福原麟太郎の『チャールズ・ラム伝』に「(ラムからコウルリッジへの手紙が)しばらく絶えてしまう。―が掘られた」とあるように、人間関係について「―ができる」「―が深まる」などと比喩的に表現する場合はやや文章語寄り。「どぶ」にはそういう抽象化した意味の用法はない。⇩どぶ

みぞう【未曾有】これまでに一度もなかったの意で、改まった会話や文章に用いられる古風で硬い大仰な漢語。〈これはまさに古今―の出来事だ〉✎横光利一の『紋章』に「わが国の物価は―の奔騰を来たした」とある。「みぞゆう」は誤読。⇩空前・空前絶後・Q前代未聞

みそこなう【見損なう】見て誤って認識する意で、主に会話に使われる和語。〈当選番号を―・ってぬか喜びする〉✎特に、「そんな男だったのか、―・ったよ」のように、誤ってそれまで過大評価していたという意味合いで使う例が多い。また、「楽しみにしていたドラマを―」のように、見る機会を逃すという意味でも使う。⇩Q見誤る・見違える・見紛《みまが》う・見間違える

みそしる【味噌汁】味噌で味つけした汁物をさし、くだけた会話から硬い文章まで幅広く使われる生活上の日常語。〈―をすする〉〈油揚げと葱《ねぎ》の入った―〉✎温かい家庭の小さなしあわせを運ぶ庶民的で懐かしい感じのことば。女優の沢村貞子に『味噌汁』と題するエッセイがある。「浅草の路地の朝は、―の香りで明けた」と始まり、「それを二杯も三杯もおかわりして、浅草の裏町の人たちの、一日がはじまった」と冒頭文に照応させて一編を結ぶ。

みそめる【見初(染)める】初めて出会った相手に恋心を抱く意で、会話にも文章にも使われる古めかしい和語。〈旅先でめぐりあった娘を―〉⇩一目惚《ひとめぼ》れ

みそら【身空】その人間の体やそれが置かれた境遇の意で、会話にも文章にも使われる古めかしい和語。〈若い―で〉⇩環境・境涯・Q境遇・身の上

みたてる【見立てる】あるものを仮に他のものだと考える意

で、会話にも文章にも使われる和語。〈砂利を海に、岩を島に—・てた庭〉✎谷崎潤一郎の『細雪』に「夕空にひろがっている紅の雲を仰ぎ見ると」とあるが、「紅の雲」は咲き誇る桜の花を雲に見立てた伝統的な表現。また、「洋服を—」のように選定する意にも、「医者が胃潰瘍《いかいよう》と—」のように診断する意にも用いる。⇩たとえる・なぞらえる・Q見なす

みため【見た目】ちょっと見た印象の意で、くだけた会話や軽い文章に使われる和語。〈—はきれいにできている〉〈—にごまかされる〉〈—は悪いが味はいい〉✎幸田文の『おとうと』に「—にも明るい人が訪ねて来てくれたことは、家の中じゅうへ光がはいって来たようなもの」とある。⇩外見・Q見かけ・見場《ばみ》

みだら【淫ら】性的な面で品位と節度を欠く意で、やや改まった会話や文章に用いられる硬い感じの和語。〈—な言葉を吐く〉〈—な行為に及ぶ〉〈—な女という噂が広がる〉✎前田河広一郎の『三等船客』に「扁平ったい顔を派手な格子縞のスカートとに向って犯すような—な視線を注いだ」とある。「—なまねをする」といった表現はほとんど性的な方面に限定されるが、露骨でないだけに、仮名書きすればぼかしの効果がある。⇩Qいやらしい・淫猥・卑猥・猥褻《わいせつ》

みだり【濫(妄)り】正当な理由や秩序や思慮分別のない意で、改まった会話や文章に用いられる硬い感じの和語。〈—に立ち入ることを禁ずる〉〈—に話しかけないこと〉〈—に金を浪費する〉⇩Qむやみ・やたら

みだれる【乱れる】整っていたものが崩れて無秩序になる意で、くだけた会話から文章まで幅広く使われる基本的な和語。〈髪が—〉〈服装が—〉〈運行ダイヤが—〉〈生活が—〉✎高山樗牛の『滝口入道』に「胸は麻のごとく—・れ」とある。⇩入り乱れる・ぐらつく・Q混乱・争乱・騒乱

みち【道(路・途)】人や車などが通るための帯状の地面をさし、くだけた会話から硬い文章まで幅広く使われる日常の基本的な和語。〈狭い—〉〈—が悪い〉〈—を急ぐ〉〈—を譲る〉〈暗い—を避ける〉✎内田百閒の『百鬼園随筆』に「細い—が、あやふやな薄明りで、魚の腹のような色をして伸びている」とある。「けもの—」「—無き—」「—がつく」のように、何度も踏んで自然にできたものをも含む点が「道路」と違う。林の中などの細い道の場合は特に「径」を当てることもある。「今来た—を引き返す」のようにコースの意に抽象化すれば「道路」を使わない。また、「—に外れた行い」のように道徳をさしたり、「わが—を行く」「研究者の—を選ぶ」「—を誤る」のように生活上の進路をさしたり、「その—の権威」のように分野をさしたり、意味用法の幅が広い。⇩往還・往来・街道・街路・通路・Q道路・通り

みち【未知】まだ知られていない意で、会話にも文章にも使われる漢語。〈—数〉〈—の人〉〈—の世界〉✎大岡昇平の『野火』に「気紛《きまぐ》れから、私は—の林の中の道を取る気になった」とある。「既知」と対立するが、より一般語的。⇩不祥・不明・未詳

みぢか【身近】生活範囲など自分に近い場所をさし、くだけた会話から文章まで幅広く使われる日常の和語。〈—な人に相談する〉〈—にそんな人はいない〉✎太宰治の『走れメロス』に「飛鳥の如く—の一人に襲いかかり」とある。「手

元」はもちろん「手近」よりも広範囲に及ぶ。また、距離だけでなく、「―で起こる」「―な話題」のように、自分に関係の深い意味にも使う。空間の物理的な距離を問題にする「手近」に比べ、親密な感じが伴う。⇩身辺・手近・手元・身の周り

みちがえる【見違える】見て判断を誤る意で、会話にも文章にも使われる和語。〈すっかり大人になったので一瞬―・えてしまった〉「見間違える」に比べ、「古ぼけた街が―ほど近代的な都市に変貌した」「垢抜けしなかった少女が―ほど綺麗になった」のようにプラスの変化について用いる例が目立つ。⇩見誤る・見損なう・見紛《みまが》う・Q見間違える

みちしるべ【道標】「道標《どうひょう》」の意で、会話にも文章にも使われる古風な和語。〈―を頼りにたどる〉小沼丹の『地蔵さん』に「五日市街道の道端に、石の―が立っていて、或るとき、これを失敬してやろうと思い立った」という穏やかでない一節がある。「研究の―」のように、手引きといった意味での比喩的用法もある。⇩Q道標・道路標識

みちたりる【満(充)ち足りる】心が満たされる思いをさし、改まった会話や文章に用いられる和語。〈―・りた思い〉〈―・りた生活〉「満足」より精神的な充足感に重点がある。田宮虎彦の『沖縄の手記から』に「異常なほど―・りた思いであり、私はもしここでアメリカ兵に発見されれば、殺されてもいいという思いさえした」とある。⇩満悦・Q満足

みちのり【道程】目的地までの空間的な長さをさし、会話や硬くない文章に使われる、やや古風な和語。〈―を測る〉「思えば長い―を来たものだ」の形で抽象的な意味合いに用いることもある。⇩間隔・距離・Q行程

みちびく【導く】ある目標やよい方向へと向かうように手引きすることをさし、会話にも文章にも使われる日常の基本的な和語。〈生徒を―〉〈勝利に―〉〈正しい方向に―〉〈破滅に―〉芥川龍之介の『或阿呆の一生』に「彼自身をここへ―・いたものの何であるかを考えていた」とある。⇩Q教える・教示・指導・指南

みちる【満(充)ちる】いっぱいになる、たっぷりあるの意で、会話にも文章にも使われる和語。〈月が―〉〈潮が―〉〈自信に―〉〈室内に花の香りが―〉夏目漱石の『坊っちゃん』に「活気に―・ちて困るなら」とある。⇩みなぎる

みっかい【密会】他人に気づかれないようひそかに会う意で、会話にも文章にも使われる漢語。〈―したとのもっぱらの噂〉〈―の現場を目撃する〉愛し合う男女の忍び会いに限らず、政治家同士の内密の話し合いや、会社・大学・球団関係者などが人事問題などで極秘裏に話を進める場合など、さまざまなケースが含まれる。⇩逢引《あいびき》・逢瀬《おうせ》・Q忍び会い・デート・ランデブー

みつげつりょこう【蜜月旅行】「新婚旅行」を意味する、今では「ハネムーン」以上に古めかしい感じの漢語。〈―で熱海へと旅立つ〉「ハネムーン」の古風な訳語。⇩新婚旅行・Qハネムーン

みつける【見付ける】探していたものがそこにあることに気づく意で、会話や硬くない文章によく使われる日常の基本的な和語。〈いい相手を―〉〈うまい店を―〉〈さんざん捜

し歩いてやっと―〉〈上着のほころびを―〉〈働き口を―〉✎文章語に近い「見いだす」と対照的に日常会話によく使う。「発見」のような大仰さはなく、ちょっとしたものにも使える。⇩発見・Q見出す

みっこく【密告】 違法行為などの不正を関係者や当局にひそかに知らせる意で、改まった会話や文章に用いられる硬い漢語。〈―者〉〈警察に―する〉✎個人的な感じの「告げ口」に比べ、組織など公的な性格が強く、犯罪のにおいもある。⇩告訴・Q告発・告げ口

みっともない 不快で見ていたくない意で、会話や軽い文章に使われる和語。〈―姿〉〈手も足も出ない―試合〉〈弁解に終始した―会見〉〈他人のせいにするとはあまりに―〉✎太宰治の『富嶽百景』に「そのありさまは、いやになるほど、―・かった」とある。容姿のほか態度や振る舞いを酷評するときによく用いる。「見たくもない」のウ音便「見とうもない」からの転。⇩Q無様《ぶざま》・見苦しい・醜い

みつめる【見詰める】 視線をそらさずにじっと見続ける意で、会話にも文章にも広く使われる和語。〈正面をじっと―〉〈驚いて相手の顔を―〉✎堀辰雄の『聖家族』に「肖像でも描こうとするかのように、熱心に彼を―・めていた」とあり、小川国夫の『貝の声』に「夕刊を読んでいる浩の横顔を、―・めていた」とある。⇩観察・Q凝視・眺める

みつもり【見積もり】 予定を概算することをさし、会話にも文章にも使われる和語。〈―を立てる〉〈建築費の―〉✎「業者から―を取って検討する」のように「―書」の意でも使う。⇩予算

みつりん【密林】 草や樹木が密生している森林をさし、会話にも文章にも使われる、いくぶん古風な漢語。〈―に棲息《せいそく》する〉〈―の奥深く入り込む〉✎川端康成の『伊豆の踊子』は「道がつづら折りになって、いよいよ天城峠に近づいたと思う頃、雨脚が杉の―を白く染めながら、すさまじい早さで麓から私を追って来た」と五拍に三拍を交えリズミカルに始まる。⇩ジャングル

みとう【未到】 いまだに誰も到達していない意で、主に文章に用いられる硬い感じの漢語。〈前人―〉⇩未踏

みとう【未踏】 まだ誰も足を踏み入れていない意で、主に文章に用いられる硬い感じの漢語。〈人跡―〉〈―の奥地〉⇩未到

みとおし【見通し】 先行きの見当をさし、会話やさほど硬くない文章に使われる日常の和語。〈まったく―が立たない〉〈今後の―は明るい〉〈午後には復旧の―〉✎「何でもお―だ」のように、将来のことだけでなく他人の気持ちや考えなどを含めて言う場合もある。「―のよい場所」「遠くまで―が利く」のように、広く見渡せる意からの拡大用法。⇩見当・Q展望・見込み・予感・予期・予想・予測

みとおす【見通(透)す】 空間的に遠くまで見てとる、時間的に未来のことを正しく予測する意で、会話にも文章にも使われる和語。〈遠くまで―〉〈ずっと先のことまで―〉✎幸田文の『おとうと』に「ずっと―土手には点々とからかさ洋傘《こうもり》が続いて、みな向うむきに行く」とある。⇩見透かす・Q見抜く

みどく【味読】 文学作品などを話の筋を追うだけでなく表現

の美しさなどをよく味わいながら鑑賞する意で、改まった会話や文章に用いられる、やや専門的な感じの漢語。〈短編小説は―してはじめてよさがわかる〉✎芸術性を味わう点に中心がある。⇩熟読・⇨精読

みとめる【認める】見て判断し承認して受け入れる意で、くだけた会話から文章まで幅広く使われる基本的な和語。〈痕跡を―〉〈過失を―〉〈実力を―〉〈必要と―〉〈世間に―・められる〉✎大岡昇平の『野火』に「肩に触れてみて、私は彼が死んでいるのを―・めた」とあり、中野重治の『むらぎも』には「それが多数決で―・められた」とある。⇩肯定・⇨是認

みどりご【嬰(緑)児】生まれてから二、三年以内の幼い子供の意で、文学的な文章などに用いられる雅語的な古い和語。〈―を抱えてしあわせそうにほほえむ母〉⇩赤子・赤ちゃん・赤ん坊・⇨嬰児《えいじ》

みとれる【見蕩(惚)れる】心を奪われて眺める意で、会話や文章に広く使われる和語。〈あまりの見事さにしばらく―〉〈豪華な真珠のネックレスに―〉✎佐々木邦の『ぐうたら日記』に、中学校の男の先生が生徒を引率して来た女の先生に「忽ち―・れて了って、茫然自失」、その「―・れているところを写真に撮られた」という場面がある。⇩見入る・⇨見ほれる・見る

みな【皆】すべての人の意で、会話にも文章にも使われる日常の和語。〈―さん、こんにちは〉〈会場にお集まりの―様〉〈―で協力して取り組む〉〈―の言うことを聞く〉〈―が―裕福なわけではない〉✎天皇の挨拶などでは必ず「―の健康」というふうにこの語が用いられるが、人をさす単独用法ではよほど改まらない限り、会話では「みんな」となる例が圧倒的に多い。また、この語は人間に限らず「残さずに―食べる」「どの本も―面白い」「―まで言うな」などと広く使われる。⇩一同・全員・⇨みんな

みなぎる【漲る】あふれ出るほどいっぱいになる意で、やや改まった会話や文章に用いられる和語。〈水が―〉〈力が―〉〈勇気が―〉〈若さが―〉✎「満ちる」に比べ、抽象的な用法が多く、美化した表現に利用される傾向もある。⇩満ちる

みなす【見(看)做す】実際にどうであるかには言及せず仮にそうであると判断する意で、やや改まった会話や文章に用いられる和語。〈棄権と―〉〈賛成多数と―〉〈事実上の挑戦と―〉✎大岡昇平の『俘虜記』に「この判断にはルソン島を不落の安全地帯と―近視眼的前提が含まれていた」とある。事実と類似している場合は「見立てる」に近い用法となる。⇩たとえる・なぞらえる・⇨見立てる

みなと【港(湊)】船が停泊し客の乗り降りや積み荷の上げ降ろしがしやすいように造った所をさし、くだけた会話から文章まで幅広く使われる基本的な和語。〈船が―に入る〉〈―町として栄える〉〈―を見下ろす〉✎倉橋由美子の『蠍たち』に「―の光景は歯の抜け落ちた人間の口のなかをみるようでした」とある。「水の門」の意から。⇩港湾

みなもと【源】水源、広くは、ものごとの起源をさし、会話にも文章にも使われる和語。〈―を発する〉〈元気の―〉〈―をたずねる〉✎宮本百合子の『伸子』に「憂愁の―」とある。実際の水源をさす用法はやや古風。「水の元」の意か

ら。⇩源泉・Q水源

みなり【身なり】衣服を着た姿全体の感じをさし、改まった感じの会話や文章に用いられるやや古風な和語。〈きちんとした―〉〈―を整える〉✎太宰治の『富嶽百景』に「―なんか気にしないほうがいい、と小声で呟いて」とある。着ている物自体よりも衣服を身につけた姿に重点がある。⇩衣装・衣服・着物・Q服装・装い

みなわ【水泡】水の泡の意で古風な文章中に用いられる雅語的な和語。水の泡の意の「みなあわ」の転。〈よどみに浮かぶ―〉✎庄野英二の『星の牧場』に「なぎさでは、真珠のレース編みのように、―が花をさかせていた」とある。⇩Q泡・うたかた・水泡《すいほう》・泡沫《ほうまつ》

みにくい【醜い】見ていると不愉快になって目を背けたくなる意で、会話にも文章にも使われる、いくらか改まった会話や文章に用いられる和語。〈顔が生まれつき―〉〈―言い逃れ〉〈―遺産争い〉✎三島由紀夫の『潮騒』に「自ら―と信じている顔の効能(略)美しい顔よりも、ずっと巧みに感情をいつわることができた」とある。顔や容姿がとうてい美しいとはいえない場合のほか、態度や行為が人間として恥ずかしい場合に用いる。「見難い」すなわち「見ていにくい」意から。⇩Q見苦しい・みっともない

みぬく【見抜く】物事の表面に惑わされず、その奥にある真の姿をとらえる意で、会話にも文章にも使われる和語。〈相手の本心を―〉〈嘘を―〉〈本質を―〉✎小林秀雄の『志賀直哉』に「慧眼の出来る事はせいぜい私の虚言を―位が関の山である。私に恐ろしいのは決して見ようとはしないで見ている眼である」とある。「見破る」と違い、積極的に隠そうとしている場合に限らない。⇩察知・見破る

ミネラルウォーター ミネラルを特に多く含んだ天然水をさし、会話にも文章にも使われる外来語。〈―を買う〉✎通常は自然のままの水ではなく市販されているものをさす。⇩天然水

みのうえ【身の上】その人の運命や境遇をさして会話にも文章にも使われる、やや古風な日常の和語。〈―話〉〈―相談〉〈―を明かす〉〈気の毒な―〉〈天涯孤独の―〉✎森鷗外の『青年』に「パンのために働くには及ばない―だ」とある。⇩環境・境涯・境遇・身空《みそら》・身の程

みのがす【見逃す】「見過ごす」に近い意味で、会話でも文章でも広く使われる日常生活の和語。〈絶好球を―・してあえなく三振に倒れる〉〈近くの映画館で上映していたのに、気がつくのが遅くて残念ながら―・してしまった〉〈不正行為を目撃しながら―〉✎夏目漱石の『坊っちゃん』に「弊風を杜絶する為めにこそ吾々は此学校に職を奉じて居るので、之を―位なら始めから教師にならん方がいい」とある。見ていながら気づかない意と、うっかりして見る機会を逸する意と、認識しながら黙認する意とがある。社会常識や場面の状況などから、「エックス線撮影でかすかな影を―」といえば第一の意味、「ゴッホ展を―」といえば第二の意味、「今度ばかりは―・してやる」といえば第三の意味と解釈することになる。⇩看過・見落とす・見過ごす

みのたけ【身の丈】身長の意で、会話にも文章にも使われる時代がかった古めかしい和語。〈―六尺もあろうかという大

男〉✎「―に合う生活」のように実際の自分の意に使う用法は特に古い感じがない。森田草平の『煤煙』に「―の図抜けて高い大男」とある。⇩Q上背・身長・背②・背丈

みのほど【身の程】自分の身分や能力の程度の意で、会話や硬くない文章に使われる古風な和語。〈―知らず〉〈―をわきまえる〉✎島木健作の『生活の探求』に「―を知ったがいいんだ」とある。軽蔑的ニュアンスを伴うことが多い。⇩位①・地位・Q身分

みのまわり【身の回(周)り】自分自身の周辺の場所をさし、会話にも文章にも使われる日常の和語。〈―の世話〉〈―に実際に起こった放火事件〉〈―を見てもそういう例は見当たらない〉✎芥川龍之介の『芋粥』に「―万端のみすぼらしい事」とある。「―の物」のように普段の生活で使っている意にも、「―の世話」のようにその人に直接関係した日常の意にも用いる。⇩Q身辺・手近・手元・身近

みのる【実(稔)る】草や木に実ができて熟す意で、会話にも文章にも使われる和語。〈稲が―〉〈柿が枝もたわわに―〉✎「永年の苦労が―」「努力がようやく―」のように、成果が上がる意の比喩的表現にもなる。⇩生《な》る

みば【見場(端)】見たときの感じの意で、主として会話に使われる古風な和語。〈―が悪いと売れない〉〈―は悪いが味はいい〉✎物について使うことが多い。⇩Q外見・見かけ・見た目

みはなす【見放す】今後の見通しに絶望し、それまで深くかかわってきた相手を諦めて関係を断つ意で、会話にも文章にも使われる和語。〈親にも―・される〉〈医者の―・した病人が奇跡的に回復する〉✎「運に―・される」「神仏に―・される」のように超自然について用いる場合は通常、受身の形をとる。⇩見限る・Q見捨てる

みはらし【見晴らし】さえぎるものがなく遠くまで見渡せる意で、会話にも文章にも使われる日常の和語。〈―台に立つ〉〈―がいい〉〈―が利く〉✎芥川龍之介の『あの頃の自分の事』に「―の好い二階の廊下」とある。⇩Q眺望・展望

みはり【見張り】注意して番をする意で、会話やさほど改まらない文章に使われる和語。〈―番〉〈―を立てる〉〈―を置く〉✎「監視」に比べ、行為そのものよりその行為を行う人をさす例が多い。⇩監視

みびいき【身贔屓】身内や同郷・同窓など自分と関係の深い人を他より贔屓にする意で、会話や硬くない文章に使われるやや古風な表現。〈同郷の選手を―する〉〈直属の部下を―する〉⇩Q依怙贔屓《えこひいき》・贔屓・偏愛・分け隔て

みぶり【身振り】ことばの代わりに体を動かして、ある情報を伝達する意で、会話にも文章にも使われる和語。〈―で知らせる〉〈―を交えて話す〉✎大岡昇平の『わが復員』に「―手振りで何を通じあっているのかわからないが、要するに巡査は(米兵に)阿諛していた」とある。⇩ジェスチャー・Qしぐさ・ゼスチュア・手真似

みぶん【身分】その人間が自分の属する組織や社会の中で身を置く位置をさし、会話にも文章にも使われる表現。〈高貴な―〉〈卑しい―の出〉〈―を明かす〉〈―が違う〉〈平社員の―〉✎夏目漱石の『坊っちゃん』に「元は―のあるものでも教育のない婆さんだから仕方がない」とある。序列や上

下関係を問題にする雰囲気があり、「―証明書」のような用例を除き、やや古風な感じのことば。⇩位①・Q地位・身の程

みぼうじん【未亡人】夫と死別したあと再婚していない女性を意味する、やや改まった感じの漢語。〈故人に代わって―を招く〉✎川端康成の『千羽鶴』に「―の家へ度々強《こわ》意見に出向いたり」とある。まだ亡くなっていない人というニュアンスが嫌われることもある。⇩寡婦・Q後家・やもめ

みほれる【見惚れる】見てうっとりする意で、会話や文章に使われる古風な和語。〈舞い姿に―〉✎「見とれる」のほうが一般的。⇩見入る・Q見とれる・見る

みほん【見本】商品などの内容や品質などを示すための一例、全体の姿や性質を推測させるために示す代表例をさし、くだけた会話から硬い文章まで幅広く使われる日常の基本的な表現。〈国際―市〉〈内容―〉〈―を示す〉〈―を取り寄せる〉✎小島信夫の『アメリカン・スクール』に「僕がみなさんにあとで―を示しますよ」とある。「悪い―」「努力が報われる―だ」のように、「標本」同様、典型的な例の意にも使うが、基本的には一つの参考例を示す。⇩一例・Qサンプル・手本・典型・標本・モデル・模範・例

みまい【見舞い】病気や災難に遭ったりして苦しんでいる人を元気づけるための訪問や手紙、持参した品をさし、会話にも文章にも使われる日常の和語。〈―客〉〈火事―〉〈病院に―にいく〉✎島崎藤村の『夜明け前』に「暑さの―に村へ来ていた中津川の医者」とある。⇩慰問

みまがう【見紛う】区別がつかず見間違える意で、文章に用いられる古めかしい和語。〈華やかな照明に会場は昼と―明るさ〉〈地面に霜が降りたかと―ばかりの月明かり〉✎しばしば「見まごう」となり、その場合はさらに古語的な雰囲気が増す。⇩見誤る・見損なう・見違える・Q見間違える

みまかる【身罷る】古風な文学的な表現の中で「死ぬ」意でまれに用いられる、古語に近い優雅な和語。〈母の―・りましたのは桜の咲くころでございました〉✎死を忌む気持ちから、それを、「身」が「罷る」、すなわち、体がこの世を辞去するという意味にとらえ直した婉曲《えんきょく》表現。福原麟太郎の『チャールズ・ラム伝』に「メアリーは(略)弟よりも十三年長生きして一八四七年五月二十日八十二歳で―・った」とある。⇩敢え無くなる・上がる②・あの世に行く・息が切れる・息が絶える・息を引き取る・往く・いけなくなる・永眠・往生・お隠れになる・落ちる②・おめでたくなる・帰らぬ人となる・くたばる・死去・Q死ぬ・死亡・昇天・逝去・斃《たお》れる・他界・長逝・露と消える・天に召される・亡くなる・儚《はかな》くなる・不帰の客となる・不幸がある・崩御・没する・仏になる・脈が上がる・空しくなる・藻屑となる・逝く・臨死・臨終

みまちがえる【見間違える】うっかり実際とは違ったように見る意で、会話や軽い文章に使われる和語。〈時計の針を―〉〈直進のみの信号を―・えて左折する〉✎「見違える」がしばしばプラスのイメージで用いられるのに対し、この語は単純に誤認の部分に重点がある。⇩見誤る・見損なう・Q見違える・見紛《みまが》う

みまわり【見回(廻)り】異状がないかどうかを確認するために見て回る意で、会話や軽い文章に使われる和語。〈構内の―を強化する〉〈警備員が―に出る〉⇩Q巡回・パトロール

みみあか【耳垢】耳の穴の中にたまる垢の意で、会話にも文

章にも使われる和語。〈―がたまる〉〈―を取る〉✎「耳糞《みみくそ》」の「糞」という響きを嫌って品位を保つ。「鼻糞」「歯糞」に「垢」は使われず、「目垢」はあるがあまり使われない。⇩耳糞

みみあたり【耳あたり】耳で聞いたときの感じや印象をさす和語表現。〈―のやわらかな心地よいことば〉✎「人あたり」などと同様、感触を主観的に評価することば。近年、この意味で「耳ざわり」を用いる例が見られる。その用法は俗語的。⇩耳障り・耳触り

みみくそ【耳糞(屎)】主にくだけた会話に使われる日常の俗っぽい和語。〈―をほじくる〉✎「耳垢《みみあか》」より下品な感じがある。⇩耳垢

みみざわり【耳障り】聞いて不快になる感じをさし、会話でも文章でも使われる日常の和語。〈―な音〉〈―な意見〉✎正宗白鳥の『入江のほとり』に「呻吟《うめき》が次第に―になって仕様がない」とある。近年この語の音から、「耳触り」の意と誤解して、「耳ざわりのいいことば」のように「耳あたり」の意で使う俗な用法が広がっている。⇩耳あたり・耳触り

みみざわり【耳触り】近年、「耳障り」の音を「耳触り」と誤解し、「耳で聞いたときの感じ」の意で使い出してすっかり広まった俗語。〈―のいいことば〉✎「手触り」「肌触り」からの連想も働いたように思われる。⇩耳あたり・耳障り

みみたぶ【耳朶】耳の下の垂れ下がったふくらみをさし、会話にも文章にも使われる日常の和語。〈―が赤い〉〈大きな―〉✎宮本百合子の『伸子』に「彼女はぽっと―まで赧くした」とある。⇩じだ

みみっちい　くだけた会話で使う「けちくさい」意の俗語。〈―態度〉〈―商い〉〈―話〉⇩Qけち・けちくさい・けちん坊・倹約家・渋い・渋ちん・締まり屋・しみったれ・しわい・せこい・節倹家・吝嗇《りんしょく》家

みめい【未明】夜明け前を意味する、やや改まった文章語レベルの漢語。〈八日―の火災〉〈台風は明日の―に最も接近する〉✎太宰治の『走れメロス』に「きょう―メロスは村を出発し」とある。⇩暁・明け方・曙・朝ぼらけ・Q朝まだき・しののめ・払暁・夜明け・黎明《れいめい》

みもち【身持ち】品行の意で会話にも文章にも使われる古めかしい和語。〈―の悪い女〉✎主として男女関係の貞操観念について用いる傾向があり、多くの類義語の中でこの語は昔なぜか女性の連想が強かった印象がある。⇩行状・操行・Q素行・品行

みもと【身元】氏名や本籍・現住所・経歴など、その人間に関する外在的な情報の総合をさして、会話にも文章にも使われる、やや古風な和語。〈―不明〉〈―引受人〉〈被害者の―が判明する〉〈―を調べる〉〈―を保証する〉✎谷崎潤一郎の『細雪』に「こちらでもその人の―を調べるだけは調べさせていただいて」とある。⇩素性

みゃく【脈】血管の規則的な動きをさして、くだけた会話から文章まで広く使われる日常の漢語。〈―を取る〉〈―を診る〉〈―が早い〉✎生きているという意味の「まだ―がある」という表現は、比喩的に望みがある意をも表す。こういう用法は「脈搏《みゃくはく》」にはない。⇩鼓動・動悸《どうき》・Q脈搏

みゃくがあがる【脈が上がる】「死ぬ」意の古風な間接表現。

✎死を忌む気持ちから、死という現象を全体として指示せず、心臓が停止して脈拍が絶えることだけを限定的に取り上げる換喩《かんゆ》的な婉曲《えんきょく》表現。⇩敢え無くなる・上がる②・Qあの世に行く・息が切れる・息が絶える・息を引き取る・往く・いけなくなる・永眠・往生・お隠れになる・落ちる②・おめでたくなる・帰らぬ人となる・くたばる・死去・死ぬ・死亡・昇天・逝去・斃《たお》れる・他界・長逝・露と消える・天に召される・亡くなる・儚《はかな》くなる・不帰の客となる・不幸がある・崩御・没する・仏になる・身罷《みまか》る・空しくなる・藻屑となる・逝く・臨死・臨終

みゃくはく【脈搏(拍)】「脈」の意で、学術的な会話や文章に用いられる、正式な感じで専門的な漢語。〈―数〉〈―を調べる〉⇩鼓動・動悸《どうき》・Q脈

みゃくらく【脈絡】言語表現などにおける論理的な筋道をさし、会話にも文章にも使われる漢語。〈前後の―〉〈話に―がない〉✎清岡卓行の『アカシヤの大連』に「不意に、何の―もなしに、戦争を一応忘れてしまえと、彼は自分に鞭うった」とある。⇩コンテクスト・筋・筋道・Q文脈

みやげ【土産】旅行先や外出先で買って持ち帰る品、訪問先に持参する贈り物をさし、くだけた会話から文章まで幅広く使われる日常の和語。〈―物屋〉〈沖縄―〉〈お―を持って訪問する〉✎小沼丹の『マロニエの葉』に「多くの―のなかで僕の希望が一番厄介(略)マロニエの葉は手の届く所には無かった」とある。特に会話では、多く「お―」の形で使われる。⇩お持たせ・Q手土産・到来物

みやこ【都】皇居や政府の置かれている都市をさし、会話やさほど硬くない文章に使われるやや古風な和語。〈―落ち〉〈―の人〉〈―に住む〉〈―を遷《うつ》す〉✎宮沢賢治の『銀河鉄道の夜』に「プラタナスの木などは、中にたくさんの豆電球がついて、ほんとうにそこらは人魚の―のように見える」とあるように、単に大都会の意でも使う。⇩Q首都・首府

みやびやか【雅やか】気品と趣のある意で、主に文章中に用いられる古風で雅語的な和語。〈―なたたずまい〉〈羽子板は―な遊び〉〈―に舞う〉✎三島由紀夫の『鹿鳴館』に「あの人はもう頭の先から、爪の先まで―で」とある。⇩優雅・Q優美

みやぶる【見(看)破る】隠し事を暴く意で、会話にも文章にも使われる和語。〈敵の策略を―〉〈トリックを―〉〈一目で正体を―〉✎安部公房の『他人の顔』に「あっさり正体を―・られてしまった」とある。「見抜く」と違い、相手が積極的に隠そうとしている場合に限って用い、「人生の意味」「作品のテーマ」「物事の本質」などにはなじまない。⇩見抜く

ミュージック 「音楽」の意で会話や軽い文章に使われる外来語。〈ポピュラー―〉〈テーマ―〉✎「音楽」に比べて軽く斬新な語感で用いられ、クラシック音楽の連想が薄い。三浦綾子の『石の森』に「静かなバック―が流れる店」とある。⇩音楽

みょう 娘を意味する昔の泥棒社会の隠語。✎漢字の「妙」が女偏に「少ない」と書くところから「少女」をさしたもの。⇩少女

みょう【妙】理屈で説明しにくい不思議なようすをさし、会話や硬くない文章に使われるやや古風な日常の漢語。「変」

ほどくだけておらず、会話でも文章でも使う。〈―なまね〉〈―に素直だ〉〈―に納得できる〉〈―な具合〉〈―な所で会う〉〈―にくわしい〉〈いささか―である〉✎小沼丹の『懐中時計』に「その人物が過去形で語られるのを聞くと、何とも―な気がして淋しかった」とある。「造化の―」「言いえて―」のように、きわめて優れた意の用法は文章語的。⇩Q変・へんちくりん・へんてこ・妙ちきりん

みょうあん【妙案】 意外に優れた思いつきをさし、主として文章に用いられる漢語。〈ふと―を思いつく〉〈実際にやってみると―だとよくわかる〉✎幅広い「名案」のうち、論理の積み重ねで到達する考えより、普通にはちょっと気づきにくい点に着目した意外な手段を連想しやすい。⇩名案

みょうごにち【明後日】「あさって」の意で、改まった会話や文章に用いられる漢語。〈―に伺《うかが》います〉〈―に帰国の予定〉✎「一昨日」と対立。⇩あさって

みょうじ【苗(名)字】 家の名をさして会話にも文章にも使われる漢語。〈珍しい―〉〈結婚して―が変わる〉✎改まったとき以外は「姓」よりよく使う。⇩姓

みょうだい【名代】 目上の人の代理を務める意で、改まった会話や文章に用いられる硬い漢語。〈父の―で伺う〉〈社長の―として臨席する〉✎「なだい」と読めば、「これが―の東照宮」のように、通常は「有名な」の意の別語だが、まれにこの意味でも使う。⇩替え玉・Q代理・身代わり

みょうちきりん【妙ちきりん】「妙」の意でくだけた会話で使われる俗語。〈―な格好〉〈―な話〉〈―な真似しやがる〉⇩Q変・へんちくりん・へんてこ・Q妙

みょうにち【明日】「あす」の意。「あす」よりもさらに改まった硬い漢語表現。〈―参上いたします〉〈一昨日より―までの四日間〉✎菊池寛の『恩讐の彼方に』に「―ともなれば、石工共が妨げを致そう」とある。「あす」と違い、将来といった漠然とした意味では用いない。⇩あした・Qあす

みょうねん【明年】「来年」の意で、相当に改まった会話や硬い文章に用いられる、かしこまった感じの漢語。〈―の春ごろに竣工《しゅんこう》の予定〉〈―には晴れて婚儀が整う〉〈―になりましたら改めて御挨拶に参上いたします〉✎「去年」と「来年」はほぼ「今年」並みのレベルであるが、この語は「昨年」以上に改まりを感じさせる。⇩来年

みょうねんど【明年度】「来年度」の意で、相当改まった会話や硬い文章に用いられる漢語。〈―の予算案を審議する〉〈―の事業計画に盛り込む〉✎「来年度」より丁重な表現。⇩来年度

みょうやく【妙薬】 不思議なほどよく利く薬をさし、改まった会話や文章に用いられる、やや古風な漢語。〈―にめぐりあう〉〈服用してみるとなかなかの―だ〉✎昔ながらの漢方薬を連想しやすいが、特効のある新薬なども発見当初はこの語にふさわしい新鮮な驚きをもって迎えられるだろう。⇩Q秘薬・良薬

みょうれい【妙齢】 女性のうら若い年頃をさし、やや改まった会話や文章に用いられる古風な漢語。〈―の御婦人〉✎田山花袋の『蒲団』に「かの女は―の美しい花」とある。男性には用いない。女性でも高校生以下ではイメージが合わない。特に結婚適齢期あたりをさす用法もあるが、この語に

は大人の雰囲気があって三十代に用いても違和感はない。⇩乙女・少女・娘

みより【身寄り】 親戚関係にある人々の意で、会話や軽い文章に使われる古風な和語。〈―のない憐《あわ》れな年寄り〉✎ふつう家族以外に使う。遠藤周作の『海と毒薬』に「空襲で家族を失った―のない老人」という例がある。⇩Ｑ縁者・親戚・親族・親類

みらい【未来】 過去や現在と対立する、まだ来ていない時を冷静にさし示し、会話にも文章にも使われる基本的な漢語。〈―都市〉〈―永劫《えいごう》〉〈―の大人物〉〈輝かしい―〉〈―を予測する〉〈自分で―を切り開く〉〈明るい―を築く〉✎夏目漱石の『こころ』に「私は寝ながら自分の過去を顧みた。又自分の―を想像した」とある。主体側にひきつけた感じの「将来」と違って、一秒後でも何百年後でも違和感なくさすことのできる客観的な表現。⇩以後・今後・先行き・Ｑ将来・行く末

ミリバール 「ヘクトパスカル」の旧称にあたる外来語。⇩ヘクトパスカル

みりょく【魅力】 それに接する人の心をとらえて離さずすっかりとりこにしてしまう力をさし、会話にも文章にも使われる漢語。〈―的な車〉〈―的な値段〉〈―のある会社〉〈読者を惹きつける―に富んだ本〉✎林芙美子の『浮雲』に「富岡の一切が噴きこぼれるような―なのだ」とある。⇩チャーミング

みる【見る】 視覚でとらえる、および、その延長上の意味で、くだけた会話から硬い文章まで幅広く使われる日常の最も基本的な和語。〈前を―〉〈テレビを―〉〈まじまじと―〉〈夢を―〉〈経過を―〉〈甘く―〉✎森鷗外の『雁』に「その姿を目に吸い込むように見て心の内に非常な満足を覚えた」とあり、小林秀雄の『ゴッホの手紙』に「理想を抱くとは、眼前に突入すべきゴールを―事ではない」とある。「現地を―」「被害状況をみて回る」など、視覚を働かせて調べる意を明確に出したい場合に「視る」、「芝居を―」「試合を―」など、見物する意に「観る」と書くこともある。「病人を―」「子供の勉強を―」など、世話をする意では特に「看る」と書く傾向が見られるが、これらの表記はいずれも若干古風で、意味の細かい違いを区別しようとする配慮の跡が感じられる。なお、「試して―」「数えてみたら」のような補助動詞の用法では仮名書きが普通で、そこを「見る」と書くと古い感じが伴う。⇩正視・注視・直視・見入る・見とれる・見ほれる・診る

みる【診る】 診察する意に限定して、会話にも文章にも使われる日常の和語。〈患者を―〉〈医者に―・てもらう〉✎これも「見る」の一義であるが、一般にこの表記を用いるため、特に古風な感じはない。⇩見る

ミルク 牛乳やその加工品をさして、会話にも文章にも広く使われる日常の外来語。〈粉―〉〈コンデンス―〉〈―ティー〉〈コーヒーに―を入れる〉✎和田伝の『沃土』に「薬屋の店を覗いてごらん。まるでもう人間には乳というものが出なくなっちまったように、並んでるじゃないかね、いろんな―が」とある。牛だけでなく山羊などの乳も含まれる。⇩牛乳

みれん【未練】別れたり手放したりするときに思い切れない気持ちをさし、会話にも文章にも使われる漢語。〈─なふるまい〉〈─を断ち切る〉〈─がましい行い〉〈別れた人に─が残る〉辻邦生の『旅の終わり』に「おそらく私たちは明日午後の列車で町をたつだろう、何一つ─なく……」とある。有島武郎の『或る女』には「我が身で我が身を焼くような─と嫉妬のために前後も忘れてしまった」とある。「心残り」に比べ、その感情が表情・態度・行動に出る場合が多い。⇩愛惜・心残り・残念・無念

みわけ【見分け】似ているものを外見だけで判別する意で、会話や軽い文章に使われる和語。〈ひよこの雄と雌の─がつく〉〈一卵性双生児で二人の─がつかない〉⇩鑑識・鑑定・鑑別・Q区別・識別・判別・弁別

みんか【民家】一般の人が住んでいる家をさして、やや改まった会話や文章に使われる漢語。〈─がかたまっている〉〈─の建ち並ぶ通り〉公共の建物、ビル、集合住宅、工場、店舗などに対して普通の家をさし、一軒一軒が独立した二階建て以下の木造住宅を連想させやすい。⇩家・人家

みんしゅう【民衆】国や社会を構成している一般の人々の意で、やや改まった会話や文章に使われる漢語。〈─が騒ぐ〉〈─に訴える〉〈─の心をつかむ〉国民のうち一部の支配者階級の人々を除くという意識で使うことが多い。⇩庶民・Q大衆

みんぞく【民俗】民衆の生活様式や風俗の意で、主に文章に用いられる、やや専門的な漢語。〈─学〉〈─芸能〉⇩民族

みんぞく【民族】起源や文化の歴史を同じくする人間の集団の意で、会話にも文章にも広く使われる漢語。〈─衣装〉〈─の祭典〉〈農耕─〉〈陽気な─〉⇩民俗

みんな【皆】すべての人の意で会話や硬くない文章に使われる和語。〈─に愛される町〉〈─でやればすぐ終わる〉〈─で考えよう〉阿川弘之の『雲の墓標』に「─が野良犬のように眼の色をかえ、いつもいがみあっている」とある。日常会話では通常この語形で話す。語義は「全員」と同じであるが、実際の用法としてはもっとルーズで、子供が親に物をねだる場合に「友達が─持ってるよ」などと、単に、持っている人がたくさんいるという程度の意味合いでも使われる。「─に反対されて計画がなかなか実行できない」などと言う場合でも、「全員」ほど厳密ではない。「みな」と同様、「宿題を─やっちゃった」「この酒は─飲んでもいいよ」など、人間以外にも広く使われる。⇩一同・全員・Qみな

みんわ【民話】民間の中に生まれ民衆に語り伝えられてきた伝説や昔話をさし、会話にも文章にも使われる漢語。〈─のふるさと〉〈─を語り継ぐ〉⇩言い伝え・伝説・Q昔話②

む

ムード ある場所のある時の独特の雰囲気をさし、会話や軽い文章に使われる外来語。〈—音楽〉〈—が盛り上がる〉〈いい—をかもしだす〉〈—に酔う〉✎特に情緒的な用法が多い。⇩空気②・情緒・Q雰囲気

ムービー 「映画」を意味して使われることのある比較的新しい感じの外来語。〈カルト—〉✎英語から入ったが、日常会話で一般に使われるほど普及しておらず、硬い文章で用いられることも少ない。⇩Q映画・活動②・活動写真・キネマ・シネマ

むえき【無益】役に立たずやる意味がまったくない意で、改まった会話や文章に用いられる漢語。〈—な争い〉〈—な殺生を繰り返す〉✎森鷗外の『半日』に「言うのは—だとは思いながら」とある。「むやく」と読むと古めかしい感じになる。⇩徒労・Q無駄

むえん【無縁】つながりがない意で改まった会話や文章に用いられる漢語。〈われわれ庶民には—な話〉✎「—仏」「—墓地」のように、縁者のいない意にも使う。⇩無関係

むかいあう【向かい合う】人や建物などが互いに正面を向いて位置する意で、会話にも文章にも使われる和語。〈部長と—・って座るとさすがに緊張する〉〈肉屋と魚屋が—・って店を出す〉⇩差し・差し向かい・対面・Q向き合う

むかう【向かう】正面に相対する、その方向に進む意で、会話にも文章にも使われる日常の和語。〈京都へ—〉〈机に—〉〈—ところ敵なし〉〈病気が快方に—〉〈好景気に—〉〈面と—・って批判する〉✎堀辰雄の『大和路』に「すっかり日のかげった築土道を北に—・って歩いていった」とある。方向性に重点のある「向く」に対し、移動を含む例が多い。⇩向く

むかえる【迎える】準備したり出向いたりして相手が来るのを待つ意で、会話にも文章にも広く使われる和語。〈客を—〉〈チャンスを—〉〈正月を—〉〈嫁に—〉✎永井龍男の『朝霧』に「若い明るい女性を—・えて」とある。楽しみに待つ場合だけでなく「強敵を—」などとも言う。⇩出迎える

むかし【昔】現在から見てはるか以前の漠然とした時をさし、くだけた会話から文章まで幅広く使われる日常の基本的な和語。〈—からのなじみ〉〈—の人はうまいことを言ったものだ〉〈—はよかった〉〈—からの言い伝え〉〈はるか—の話〉〈—を偲ぶ〉〈—ながらの家並み〉〈—の夢を追う〉〈—の面影が残る〉✎佐藤春夫の『田園の憂鬱』に「煙のような—」とある。「—の力士と今の力士」「—の選手と今の選手」「—の学者と今の学者」「—の政治家と今の政治家」といった比較でたいてい前者に軍配が上がるのは、「今」をここ数年程度の幅で考えるのに対し、範囲の漠然としたこの語を数十年以上の幅でとらえその中から優れた人材を選んでイメージするためもある。遠く過ぎ去った日々を懐かしむ雰囲気で使う傾向があるが、日進月歩という観念から「—の電話」「—の考え」「—のやり方」のように、時代に後れたという蔑みの気持ちが入る例もある。⇩以前・いにしえ・往時・

往年・Q昔日

むかしばなし【昔話】①過去を懐かしむ回顧談をさし、会話やさほど硬くない文章に使われる日常の和語。〈旧友と—をして往時を懐かしむ〉〈—に花が咲く〉✎永井龍男の『朝霧』に「—をぽつりぽつりするのが唯一の私の話題であったが」とある。「昔語り」ともいうが、古い感じに響く。⇩回顧談 ②「昔むかし」と語り始める子供向けの空想的な物語をさし、会話にも文章にも使われる和語。〈浦島太郎の—〉〈子供に—を語って聞かせる〉✎特定の土地や時代や人物にまつわる「伝説」より普遍的な話が多く、『桃太郎』や『舌切り雀』『猿蟹合戦』など空想的なたとえ話も多い。「昔噺」とも書く。⇩言い伝え・伝説・Q民話

むがむちゅう【無我夢中】周囲の状況を顧みる余裕もなく無意識のまま行動してしまう意で、会話やさほど硬くない文章に使われる漢語。〈—で逃げる〉〈何が何だか—で動き回る〉✎一つのことに没頭する感じの強い「夢中」に比べ、「あの頃は—でした」のように、考えずにあれこれ行動する場合も含まれる。⇩夢中

むかんけい【無関係】関係がない意で会話にも文章にも使う漢語。〈事件に—だ〉⇩無縁

むき【無季】季語のない意で、会話にも文章にも使われる専門的な漢語。〈—の俳句〉⇩無期

むき【無期】期限のない意で、会話にも文章にも使うやや硬い漢語。〈—延期〉〈—懲役〉⇩無季

むきあう【向き合う】「向かい合う」意で、会話にも文章にも使われる和語。〈両者が—・って立つ〉✎「時には子供とちゃんと—・って話を聞いてやることが大事だ」のように、まともに相手になる意の抽象化された用法もある。⇩差し・差し向かい・対面・Q向かい合う

むきになる【向きになる】昂奮《こうふん》して本気になる意で、会話やさほど硬くない文章に使われる和語表現。〈—・って反論する〉〈—・って打ち消すところはかえって怪しい〉✎通常はそれほど昂奮するような事柄でない場合に使う傾向がある。近松秋江の『黒髪』に「むらむらと—・ってきて、体中の血が凍るような心地になり」とある。⇩息巻く・いきり立つ・激昂《げきこう》・激情・激する・Q興奮・高揚・たかぶる

むく【向く】対象に面する、方向づけるといった広い意味合いで、くだけた会話から硬い文章まで幅広く使われる日常の基本的な和語。〈東を—〉〈海に—・いた窓〉〈運が—・いてきた〉〈足の—まま気の—まま〉✎動きを含む「向かう」に対し、方向の状態や変化を表す。「この仕事は自分に—」のように「適する」意でも使う。⇩向かう

むく【剝く】表面を覆っているものを薄くはがして本体と分離させる意で、会話にも文章にも使われる日常の和語。〈みかんを—〉〈りんごの皮を—〉〈牡蠣《かき》の殻を—〉〈思わず目を—〉⇩剝がす・Q剝ぐ

むく【無垢】混ぜ物がない意で、会話にも文章にも使われる漢語。〈金—〉〈白—の装束〉〈桐の木の—をふんだんに使った家具〉✎「純真—」「—な心」「—な乙女」のように、汚れを知らないといった精神的・抽象的な意味合いでも使う。椎名麟三の『永遠なる序章』に「幼女のような—なものが感じられた」とある。⇩生粋・Q純粋・生え抜き

むくち【無口】口数が少なくあまりしゃべらない意で、会話にも文章にも使われる表現。〈―でおとなしい〉〈生まれつき―な男〉✎「注意されて急に―になる」のように、ある場面での状態をさすこともある。⇩寡黙

むくむ【浮腫む】体内にリンパ液などがたまって体やその一部がふくれる意で、会話にも文章にも使われる和語。〈脚が―〉✎「脹《は》れる」より内科的な病状を連想させやすい。内田百閒の『山高帽子』に顔の長い知人に顔が広いとからかわれた話が出る。「太っている」などという生易しいものでなく「ふくれ上がっている」「はれている」「―・んでいる」と形容が次第に迫《せ》り上がり「もう一息で、のっぺらぼうになる顔」だとして頂点に達する。⇩脹れる

むくろ【骸】「死骸」の意の和語の文語的表現。〈―が散乱する〉〈累々と―が積み重なる〉✎有島武郎の『生れ出ずる悩み』に「防波堤は大蛇の―のような真黒い姿を遠く海の面に横たえて」とある。⇩Q遺骸・遺体・かばね・死骸・しかばね・死屍・死者・死体・しにん・しびと・亡骸

むごい【惨(酷)い】見ていられないほど悲惨あるいは無慈悲な様子をさし、会話やさほど硬くない文章に使われる和語。〈―仕打ち〉〈―死にざま〉✎樋口一葉の『にごりえ』に「出てゆけとまでは―・う御座んす」とある。漢字表記は「ひどい」と区別しにくい。⇩残虐・Q残酷・残忍・ひどい・むごたらしい

むこう【向こう】①道・山・川・海などを隔てた反対側や、遠く離れた場所をさし、会話やさほど硬くない文章に使われる日常の和語。〈―側〉〈山の―〉〈はるか―に見える〉〈―からやって来る〉〈―についたら連絡する〉✎「―の大学を出ている」「―での暮らしに慣れる」のように特に海外・外国をさす用法もある。小沼丹の『外来者』にも「学生にとっては英会話の練習に絶好の機会なんだろうが、―の連中は一体どんな気でいるのかしらん」とある。⇩あちら①・あっち ②相手方の意で、会話や硬くない文章に使われる日常の和語。〈―の言い分を聞く〉〈―には―の都合がある〉✎相手を自分と対立する存在と見ている意識が感じられる。「先方」よりくだけた感じだが、「あっち」ほどではない。⇩相手・あちら②・あっち・Q先方

むこういき【向こう意気】相手に対抗して激しく張り合う様子をさし、会話や硬くない文章に使われる、やや古風な感じの表現。〈―の強い人〉⇩雄々しい・強気・Q鼻っぱし

むこうがし【向こう河岸】「向こう岸」の意で、会話にも文章にも使われる古風な和語。〈―に渡る〉⇩川向こう・対岸・向こう岸

むこうぎし【向こう岸】川や湖などの向こう側の岸をさし、会話にも文章にも使われる和語。〈―まで泳ぐ〉〈舟を―に着ける〉〈―が霞んで見える〉✎岸に続く土地を含む「対岸」に比べ、岸辺だけをさす感じが強い。⇩Q川向こう・対岸・向こう河岸《がし》

むこうずね【向こう臑(脛)】「すね」のうち前側を専門にさして、会話や軽い文章に使われる和語。〈―をいやというほどぶつける〉✎大岡昇平の『野火』に「―にある一つの潰瘍は、塩煎餅の大きさに拡がり」とある。肉が薄くぶつけるとひどく痛いので俗に「弁慶の泣き所」という。⇩すね

むこうみず【向こう見ず】周囲も前後もその後のことも考えないで行動に移す意で、会話やさほど硬くない文章に使われる和語。〈—な行動〉〈—に飛び出す〉〈—だから何をやり出すかわからない〉✎尾崎一雄の『虫のいろいろ』に「何とか蜂は、盲者蛇におじずの—だ」とある。個人の性格にも行動の評価にも使う。⇩Q無鉄砲・無分別

むごたらしい【酷(惨)たらしい】いかにもむごい様子をさし、会話や硬くない文章に使われる和語。〈あまりの惨たらしさに思わず目をそむける〉✎芥川龍之介の『偸盗』に「—・く殺された女の死骸」とある。「むごい」以上にひどい感じがする。⇩残虐・残酷・残忍・ひどい・むごい

むし【無視】まったく意に介さず、その対象が存在しない場合と同じく、やりたいようにふるまう意で、会話にも文章にも使われる漢語。〈信号—〉〈相手を—する〉〈忠告を—する〉〈—できない厳然たる事実〉⇩黙殺

むしあつい【蒸し暑い】気温が高く風もないため蒸されるように暑く不快な意で、会話にも文章にも使われる日常の和語。〈—西向きの部屋〉〈—・くて寝苦しい夜が続く〉✎庄野潤三の『蒼天』に「—日であった。じっとしていても、上着の内側で汗が背中を伝って落ちるのが分った」とある。⇩暑い・暑さ

むしかえす【蒸し返す】一度決まったことをまた問題として取りあげる意で、文章でも使われるが、会話で使うことが多い和語。〈話を—〉✎「戻す」や「繰り返す」に比べ、好ましくないというマイナスイメージが強い。⇩繰り返す・反復・Q戻す

むしば【虫歯】乳酸の作用で、虫が食ったように侵された歯をさし、くだけた会話から文章まで幅広く使われる日常生活の和語。〈—になる〉〈—が痛む〉〈—の治療〉✎三島由紀夫の『金閣寺』に「美というものは(略)—のようなものなんだ。それは舌にさわり、引っかかり、痛み、自分の存在を主張する」とある。⇩齲歯《うし》

むしめがね【虫眼鏡】小さな物を拡大して見るための柄のついた凸《とつ》レンズをさし、会話にも文章にも使われる日常の和語。〈—で蝶の羽を観察する〉⇩拡大鏡・天眼鏡・Qルーペ

むじゃき【無邪気】性格やしぐさなどが悪気がなく素直であどけない意で、会話にも文章にも使われる日常の漢語。〈—な子供〉〈—な笑顔〉〈—に遊ぶ〉✎夏目漱石の『坊っちゃん』に「—なら一所に笑ってもいいが、こりゃなんだ。子供の癖に乙に毒気を持っている」とある。主に子供の自然な状態をさし、大人に使う場合は性質というよりその折の態度や行為を問題にし、しばしば考えが浅く実状に疎いというニュアンスが伴う。⇩純情・純真・天衣無縫・Q天真爛漫《らんまん》

むじゅん【矛盾】二つの事柄が論理的に両立し得ない意で、会話でも文章でも広く使われている日常漢語。〈論理—を来す〉〈話に—がある〉〈言うことが—している〉✎芥川龍之介の『鼻』に「人間の心には互いに—した二つの感情がある」とある。昔の中国で、矛《ほこ》や盾《たて》を売る商人が自慢げに「どんな物でも突き通す矛」、「どんな矛で突いても通らない盾」と宣伝しているのを聞いた人が「それでは、その矛でその盾を突いたらどうなるか」と問いかけると商人は答えに窮した、という『韓非子』の故事に由来する表現。有名な

だけにこの語からすぐこの故事を連想しやすい。ほぼ同義の「撞着《どうちゃく》」という漢語とその点で語感が違う。⇩撞着

むしょ 「刑務所」を意味する隠語。〈—帰り〉✎片仮名表記する例が多い。「刑」を略した語形。刑務所と縁の深い特殊な社会に棲息する人間を連想させるため、その隠微な迫力から不本意ながらゴムひもなどを買わされそうな雰囲気を発散する。⇩刑務所

むしょう【無償】 代金を請求しない意で、改まった会話や文章に用いられる専門的な漢語。〈—増資〉✎「有償」と対立。「—の愛」のように、ある行為に対する代価を求めない意に抽象化した拡大用法もある。⇩只・Q無料

むじょう【無上】 この上ないの意で、改まった会話や文章に用いられる硬い感じの漢語。〈—の幸せ〉〈—の喜び〉⇩Q無常・無情

むじょう【無常】 すべてが変化し、とどまることのないはかなさを意味する仏教語。古風な語で、人により多少の仏教臭や古典的な雰囲気を感じさせる。〈—観〉〈諸行—〉〈—迅速〉〈人生は—〉✎小林秀雄の『無常という事』に「現代人には、鎌倉時代の何処かのなま女房ほどにも—という事がわかっていない」とある。⇩あっけない・はかない・無上・無情

むじょう【無情】 思いやりのない意で、会話にも文章にも使われる硬めの漢語。〈冷酷—〉〈—の雨〉〈—な仕打ち〉⇩Q無常・無上

むしろ【筵(蓆)】 藁《わら》・藺草《いぐさ》・蒲《がま》などを編んで作った敷物の総称として、会話にも文章にも使われる和語。〈—旗〉〈—の上に座る〉✎「ござ」よりも厚みがある。⇩ござ

むしろ【寧ろ】 どちらかといえばの意で、会話にも文章にも使われる和語。〈涼しいというより—寒いぐらいだ〉〈こんな絵なら—飾らないほうがすっきりする〉✎芥川龍之介の『侏儒の言葉』に「我我を恋愛から救うものは理性よりも—多忙である」とある。⇩かえって

むしんけい【無神経】 感じ方が鈍く周囲の思惑も気にしない意で、会話にも文章にも使われる漢語。〈病人に向かって—な言葉を吐く〉〈相手の心を傷つけても気づかない—な男〉✎川端康成の『千羽鶴』に「—と言えば、太田夫人もずいぶん—だと思えぬことはない」とある。「鈍感」とは違い、「身だしなみにはいたって—だ」のように、神経を遣わない意にも使われる。⇩Q鈍感・無頓着《むとんちゃく》

むす【蒸す】 水を沸騰させ、その蒸気で材料を熱する湿式加熱の調理法をさして、会話にも文章にも広く使われる日常の和語。〈残った冷や飯を—〉〈蒸籠《せいろ》で—〉✎「ふかす」と違い、「タオルを—」「今夜はばかに—」のように食品以外にも使う。⇩ふかす

むずかしい【難しい】 難解・困難の意で、くだけた会話から硬い文章まで幅広く使われる日常の基本的な和語。〈—・くてわからない〉〈—問題が持ち上がる〉〈優勝は—〉✎夏目漱石の『坊っちゃん』に「そんな—役なら雇う前にこれこれだと話すがいい」とある。「むつかしい」よりも一般的。⇩困難・難儀・むつかしい

むずがゆい【むず痒い】 むずむずするように痒《かゆ》い感覚をさして、会話やさほど硬くない文章に使われる和語。〈鼻の頭が—〉〈傷の治り際が—〉✎三浦哲郎の『ユタと不思議な仲間

たち』に「体が—・くなるような、生暖かい春風」とある。むずむずして落ち着かない感覚が中心で、猛烈な痒さには使われない。⇩痒い

むずかる【憤る】乳幼児が機嫌が悪くて泣いたりだだをこねたりする意で、会話にも文章にも使われる和語。〈—赤ん坊をあやす〉✎「むつかる」ともいう。⇩ぐずる

むすこ【息子】親から見た男の子供をさし、会話にも文章にも使われる和語。〈一人—〉〈孝行—〉〈—の将来〉〈—の嫁〉〈お隣の—さん〉✎安岡章太郎の『海辺の光景』に「母親はその—を持ったことで償い、—はその母親の子であることで償う」とある。⇩子息・Qせがれ

むすび【結び】今では例が少なくなった、「握り飯」の意の古めかしい言い方。〈鮭の—を所望する〉⇩おにぎり・Qおむすび・握り飯

むすびつき【結び付き】結合や関連の意で、会話にも文章にも使われる和語。〈親子の—〉〈企業間の—〉〈—が強い〉✎「音声と意味との—」「二つの条件には何の—もない」のように、単なる繫《つな》がりの意でも使う。⇩化合・Q結合・合成・混合・融合

むすぶ【結ぶ】つなぎ合わせる意で、会話でも文章でも広く使われる日常の和語。〈帯を—〉〈リボンを—〉〈紐《ひも》で—〉〈二点間を直線で—〉〈契約を—〉✎永井荷風の『あめりか物語』に「下髪《さげがみ》を黒いリボンで—・んだ十四五の娘」とある。「括《くく》る」はもちろん「ゆわえる」や「ゆわく」も単にばらばらなものを一つにまとめることに重点があるのに対して、この語は結ぶ際に用いる道具が意識され、結んだ結果がすっきりとした形になることをあらかじめ意図している感じが強い。⇩括る・Qゆわえる・ゆわく

むずむず やりたいことができなくてもどかしく、じっとしていられない状態をさして、主に会話に使われる感覚的な和語表現。〈早く帰りたくて—する〉〈すぐにでも出発したくて—する〉✎「背中が—する」「くしゃみが出そうで鼻が—する」のように気分だけでなく実際の感覚をさす表現もあり、気分的な段階にとどまっている「うずうず」に比べ、落ち着かず体が自然に動き出すような感覚が伴う。⇩うずうず

むすめ【娘】未婚の若い女をさし、会話やさほど改まらない文章まで広く用いられる和語。用法によって古風に響く。〈—心〉〈—盛り〉〈一人—〉〈—の晴れ姿〉〈看板—〉✎川端康成の『雪国』に「涼しく刺すような—の美しさ」とある。自分の家の女の子を親が「うちの—」と呼ぶ例はまだかなり見られるが、「隣の—」「知らない—」のように親子関係のない若い女性をさす用法は今では古く感じられる。⇩乙女・Q少女

むすめし【娘師】土蔵破りを意味した昔の泥棒社会の隠語。✎土蔵の白壁を、白粉を塗りたくった娘に見立てた粋な名づけ。

むせびなき【咽(噎)び泣き】喉を詰まらせるように泣く意で、主として文章中に用いられる、やや古風な感じの和語。〈夜中に—の声が聞こえる〉⇩嗚咽《おえつ》・忍び泣き・しゃくりあげ・すすり泣き・Q泣き咽《むせ》ぶ・むせぶ

むせぶ【咽(噎)ぶ】煙や異物、あるいは感情の高まりなどで

喉を詰まらせる意で、主に文章に用いられる、やや古風な和語。〈―・び泣く〉〈涙に―〉✎川端康成の『美しさと哀しみと』に「せきを切ったように泣き―・んだ」とあり、坪田譲治の『風の中の子供』に「木片をポロリと落し、両手で顔をおおうて―・び入った」とある。単に咳《せ》き込む意で用いると、かなり古い感じになる。⇩嗚咽《おえつ》・忍び泣き・しゃくりあげ・すすり泣き・咳き込む・泣き咽《むせ》ぶ・Qむせび泣き・Q噎《む》せる

むせる【咽(噎)せる】咳《せ》き込む意で、会話にも文章にも使われる和語。〈煙に―〉〈埃《ほこり》を吸って―〉✎三島由紀夫の『潮騒』に「笑いはだんだん烈しくなって、―・せながら笑った」とある。「悲しみに―」など、感情が高まって胸が詰まる意でも使われるが、そういう意味合いでは「むせぶ」を使うことが多い。⇩咳き込む・Q咽《むせ》ぶ

むそう【夢想】夢の中で考えることや、夢のようにあてにならない非現実的な思いを抱くことをさし、改まった会話や文章に用いられるやや古風な漢語。〈―家〉〈―だにしない〉〈遠い未来を―する〉✎芥川龍之介の『芋粥』に「五位が―していた『芋粥に飽かむ』事は、存外容易に事実となって現れた」とある。実際に夢に見たり、夢の中で神仏のお告げがあったりする場合にも用いる。⇩空想・Q幻想・想像・妄想・夢①

むだ【無駄】効果も必要性もない意で、会話にも文章にも広く使われる基本的な和語。〈―遣い〉〈―を省く〉〈―を切り詰める〉〈やっても―だ〉✎夏目漱石の『草枕』に「折角の旅が―になる」とある。⇩徒労・Q不経済・無益

むだづかい【無駄遣(使)い】金銭や物品を無駄なことに使ったり必要以上に費やしたりする意で、会話や硬くない文章に使われる表現。〈―が多過ぎる〉〈―をやめる〉〈税金の―だ〉✎「エネルギーの―」なども言えるが、一般に時間や労力より金や物について使う例が多い。⇩空費・散財・濫費・Q浪費

むだぼね【無駄骨】くたびれるだけで何の役にも立たない骨折りをさし、会話や軽い文章に用いられる、やや俗っぽい和語。〈―を折る〉〈とんだ―だった〉⇩徒労

むちゃ【無茶】筋道が立たず、あるいは、程度が異常な意で、くだけた会話や軽い文章に使われる俗っぽい和語。〈―を言う〉〈―をする〉〈―な要求〉✎夏目漱石の『草枕』に「痛いがな。―をしては」とある。⇩無鉄砲・Q無謀・無理

むちゃくちゃ【無茶苦茶】まったく理屈も何も通らない意で、くだけた会話に使われる俗語。〈―な計画〉〈―な運転〉〈そんな―な話があるか〉✎「電車が―に込む」「問題が―に難しい」「もう―に嬉《うれ》しい」のように、桁違《けたちが》いにひどくの意でも使う。道理に合わない意の「無茶」を強調した表現。⇩支離滅裂・Qめちゃくちゃ・めちゃめちゃ

むちゅう【夢中】我を忘れて熱中する意で、会話にも文章にも使われる日常の漢語。〈ゲームに―になる〉〈―で跡を追う〉〈―で読み続ける〉✎谷崎潤一郎の『細雪』に「雪子に見られていることに気が付かないで、遊びに―になっていた」とある。⇩熱中・Q没頭・無我夢中

むつかしい【難しい】難解・困難の意で会話にも文章にも使われる和語。〈―漢字〉〈解決が―〉✎伝統的な形であるが、今ではやや古風に感じられ、西日本的な響きも伝わってく

る。現在は「むずかしい」のほうが標準的。⇩むずかしい

むっと 突然怒りや不快感がこみあげる意で、会話や硬くない文章に使われる擬態語。〈その一言に―する〉〈―して退席する〉🖊谷崎潤一郎の『猫と庄造と二人のおんな』に「一瞬間―した顔つきで鼻の孔をふくらました」とある。熱気や臭気に対しても使う。⇩かっと

むてっぽう【無鉄砲】せっかちで後のことなど考えもしないでいきなりやってしまう意で、会話や硬くない文章に使われる漢語。〈生まれつき―な男〉〈―にも程がある〉🖊そような行動の評価であるよりも、そういう行動を起こしやすい性格というところに重点をおく感じがある。夏目漱石の『坊っちゃん』は「親譲りの―で小供の時から損ばかりしている」という一文で始まる。「無手法」からの転ともいう。⇩向こう見ず・無茶・Q無分別・無謀・無理

むとんちゃく【無頓着】世間の人が気を遣うものにほとんど神経を用いない意で、会話にも文章にも使われる漢語。〈金には―な人間だ〉〈服装に―な性格〉🖊「むとんじゃく」と読めば古風な語感を響かせる。⇩Q鈍感・無神経

むなぐら【胸倉(座)】胸のうち着物の両方の襟がちょうど重なるあたりをさし、会話や軽い文章に使われる、やや古風な和語。〈―を押さえる〉〈思わず相手の―をつかむ〉⇩胸元

むなしい【空(虚)しい】中身がなく、効果もなく無駄な意で、会話にも文章にも使われる和語。〈今さら何を言っても―〉〈―歳月〉〈努力も―・く〉〈―思いがこみ上げる〉🖊堀辰雄の『大和路』に「夜おそくまで机に向かって最後の努力を試みてみたが、それも―・かった」とある。「むなしくなる」の形で「死ぬ」意の婉曲《えんきょく》表現ともなる。⇩Qうつろ・虚無・空虚

むなしくなる【空しくなる】「死ぬ」意の和語による間接表現。🖊死を忌む気持ちから、それをストレートに表現せず、「空しい」状態への変化と広くとらえて衝撃をやわらげる婉曲《えんきょく》表現。⇩敢え無くなる・上がる②・あの世に行く・息が切れる・息が絶える・息を引き取る・往く・いけなくなる・永眠・往生・お隠れになる・落ちる②・おめでたくなる・帰らぬ人となる・くたばる・死去・Q死ぬ・死亡・昇天・逝去・斃《たお》れる・他界・長逝・露と消える・天に召される・亡くなる・儚《はかな》くなる・不帰の客となる・不幸がある・崩御・没する・仏になる・身罷《みまか》る・脈が上がる・藻屑となる・逝く・臨死・臨終

むなもと【胸元】胸のみぞおちの上あたりをさし、会話にも文章にも使われる和語。〈―がはだける〉🖊「―に刃物を突き付ける」「―をえぐる内角速球」のように、胸自体でなくその前をさす例も多い。⇩胸ぐら

むね【旨】意味・内容の意で、改まった会話や文章に用いられる、硬い感じの和語。〈その―を伝える〉〈解約の―ご了承たまわりたく〉🖊「倹約を―とする」「学生は勉学を―とする」など、最重要という意味では「宗」とも書いたが、今では古めかしい表記。⇩趣旨②

むね【胸】①体の前面の首と腹との間の部分をさし、くだけた会話から硬い文章まで幅広く使われる日常の和語。〈―に名札をつける〉〈―をたたいて引き受ける〉〈―が厚い〉〈―を病む〉〈―を締め付けられる〉🖊横光利一の『春は馬車に乗って』に「―は叩けば、軽い張子のような音を立て

た」とある。⇩胸部　②提喩的に意味を拡大して間接的に女性の「乳房」をさす和風の上品なことば。〈赤ん坊が母親の―をまさぐる〉〈少女は成長とともに―がふくらむ〉〈まだ―が発達していない〉✎乳房が胸の一部であることを利用して語の意味範囲を広げ、指示をぼかした表現。ちなみに、オール阪神・巨人の漫才で、タレントの肉体美をほめる際に、若い女性がいい体をしている例として「―の筋肉が発達している」と口走って笑いを誘う箇所がある。世間の常識を破っているが、胸のふくらみも「筋肉」と言えないこともないから、乳房を「胸」とぼかす慣用を逆手に取ってかえって露骨な感じに引き戻すことから生じる笑いである。なお、「―が躍る」「―がときめく」という慣用句の場合には乳房ではなく心臓との関連が感じられる。⇩おっぱい・乳・Qちぶさ・にゅうぼう

むねのうち【胸の内(中)】心の中で思っているほんとうの気持ちをさし、やや改まった会話や文章に用いられる古風な和語。〈苦しい―をのぞかせる〉〈―は如何《かい》ばかりでありましょう〉✎悲しみ・悔しさといったマイナス感情である場合が多い。⇩Q胸中・真意・心中・内心・本心・本音

むねまわり【胸回り】胸囲の意で、会話や軽い文章に使われる、やわらかいタッチの和語。〈―を測る〉〈―が大きい〉⇩Q胸囲・バスト

むねん【無念】思いどおりに運ばずきわめて悔しい気持ちをさし、やや改まった会話や文章に用いられる古風な漢語。〈―千万〉〈―遣る方ない気持ち〉〈―を晴らす〉✎井伏鱒二の『珍品堂主人』に「―やるかたないけれども金がない」とある。⇩遺憾・心残り・Q残念・未練

むふんべつ【無分別】あと先を考えずに行動を起こす意で、会話にも文章にも使われる、やや古風な漢語。〈―な行動に出る〉〈なにぶんまだ―な年頃だ〉✎「無鉄砲」に比べ、性格だけでなく年齢的にそういう判断力をまだ身につけていない場合も含まれる。⇩向こう見ず・Q無鉄砲

むぼう【無謀】あと先をよく考えもしないで行動に移す様子をさし、やや改まった会話や文章に用いられる漢語。〈―運転〉〈―な計画〉〈―のそしりを免れない〉✎田山花袋の『蒲団』に「私の―で郷里の父母の感情を破って」とある。⇩Q無茶・無鉄砲・無理

むぼうび【無防備】外敵や災害などを防ぐための備えがない意で、やや改まった会話や文章に用いられる漢語。〈―地帯〉〈敵国の侵攻に対しあまりにも―すぎる〉✎三浦朱門は『箱庭』で、思いもかけず目にした女性の膝の裏側を「形も色もあまりに―で、つい先刻まで、そこに何かがはりついていたのを、むりやりにはがして、はじめて外気にさらされた、という感じがする」と感覚的に描き出した。⇩油断

むほうもの【無法者】道理にもとり平気で法を犯す乱暴者の意で、会話にも文章にも使われるやや古風な漢語。〈手のつけられない―〉〈この町で―で通る男〉⇩ごろつき・ちんぴら・ならず者・Q無頼漢・暴力団・やくざ・与太者

むめい【無名】世間に名が知られていない意で、会話にも文章にも使われる漢語。〈―の歌手〉〈―時代の作品〉✎「―戦士の墓」のように、名前がわからない意で用いる場合はやや文章語に近づく。⇩無銘

むめい【無銘】刀剣や書画に作者名の記載がない意で、会話にも文章にも使われる、やや専門的な漢語。〈―の刀〉〈―の書〉⇩無名

むやみ【無闇(暗)】手当たり次第無差別に、後のことなど考えずに、といった意味合いで、会話や軽い文章に使われる和語。〈―に食いまくる〉〈―に仕事を引き受ける〉〈―にかわいがる〉〈―に人を信じる〉✎夏目漱石の『坊っちゃん』に「人の茶だと思って―に飲む奴だ」とある。⇩みだり・Qやたら

むらがる【群がる】多数の人間や生物が一定の場所に寄り集まる意で、会話にも文章にも使われる和語。〈花に蜂が―〉〈菫《すみれ》が―って咲く〉〈安売りで店に人が―〉⇩集まる・集合・たかる・つどう・Q群れる

むらさき【紫】「醬油」をさし、料亭などの会話に使われる粋筋の女性語。〈小皿に少量に―を注ぐ〉✎醬油の色からの婉曲《えんきょく》表現。⇩おしたじ・Q醬油

むらさめ【村(群・叢)雨】急に激しく降り出し、勢いが弱まったり強まったりして間もなくやむ雨をさし、今では主に文章に使われる古風な和語。〈秋の―〉✎群がって降る点に着目した命名。古典的な趣を感じさせる。⇩時雨・驟雨《しゅうう》・Q通り雨・にわか雨・夕立

むり【無理】筋が通らず不可能な意で、くだけた会話から硬い文章まで幅広く使われる日常の漢語。〈一人では―〉〈―な注文〉〈所詮―な話だ〉✎島崎藤村の『嵐』に「五間で四十円なんて、こんな安い家を探そうたって―だよ」とある。「―をして体をこわす」のように、困難なことを敢えて行う意にも使う。⇩Q無茶・無鉄砲・無謀・無理やり

むりやり【無理やり】道理に合わないことを押し切って行う意で、会話や硬くない文章に使われる日常語。〈―やらせる〉〈―売りつける〉〈―承知させる〉✎伊藤整の『馬喰の果て』に「これからずっと贔屓にしてもらえる筋なんだからと言って―に持って来た」とある。⇩Q強引・無茶・無謀・無理

むりょう【無料】料金が要らない意で、やや改まった会話や文章に用いられる漢語。〈入場―〉〈―奉仕〉〈―休憩所〉〈―で交換する〉✎商品などにも使えるが、その場合は「只《ただ》」のほうがよく使われる。⇩Q只・無償

むれる【群れる】多数の動植物が一つの場所に寄り集まって集団をなす意で、会話にも文章にも使われる和語。〈雀が―〉〈羊が―〉⇩集まる・集合・たかる・つどう・Q群がる

むろん【無論】「勿論《もちろん》」の意で、会話にも文章にも使われる、いくぶん古風な漢語。〈―賛成だ〉〈―そうするさ〉〈大都市は―のこと、小さな村でも〉✎夏目漱石の『坊っちゃん』に「兄とは―仲がよくないけれども」とある。広く使われる一般的な「勿論」に比べ、この語は子供はまず使わず、大人でも理屈っぽい男性など使う人が比較的限られているように感じられる。⇩Q勿論・もとより

め

め【目／眼】 視覚器官、特に眼球やその働き、さまざまな比喩的用法を含めて広い意味を有し、くだけた会話から硬い文章まで幅広く用いられる日常の基本的な和語。〈―が澄んでいる〉〈―が離せない〉〈―が近い〉〈―にしみる〉〈―を配る〉〈―をつける〉〈―を細める〉〈―も当てられない〉〈―を配る〉〈―を細める〉✎川端康成の『伊豆の踊子』に「この美しく光る黒眼がちの大きい―は踊子の一番美しい持ちものだった」とある。「ひどい―に遭う」「―が粗い」「畳の―」「さいころの―」「きょうで三日―」など多様な用法が多く、目の描写の多い小説ジャンルでは、人間の視覚器官をさす基本的な用法で「眼」と書く傾向が強い。「眼力」「眼識」といった意味合いでは、小説以外でも「眼」と書く例が少なくない。⇩眼球・瞳・まなこ

めあか【目垢】 目脂《めやに》の意でまれに使われる、やや古風で上品な感じの和語。〈―がたまる〉⇩目糞《めくそ》・目脂

めあて【目当て】 狙いや目印の意で、主に会話に使われる日常の和語。〈お―の品〉〈金―の行動〉〈欅《けやき》の大木を―に進む〉⇩意図・ターゲット・狙い・目的・Q目標

めいあん【名案】 優れた案や思いつきの意で、会話にも文章にもよく使われる漢語。〈―が浮かぶ〉〈これはなかなかの―だ〉✎「妙案」に比べ、論理的な筋道の通った正攻法の手段を連想しやすい。⇩妙案

めいうん【命運】「運命」の意の硬い文章語。〈社の―を賭して乗り出す〉〈―を決する〉✎「運命」と違い、「―が尽きる」の形で生命を暗示する用法もある。⇩運・運勢・Q運命・宿命・天運・天命・回り合わせ・巡り合わせ

めいか【名菓】 有名で美味な菓子の意で会話にも文章にも使われる漢語。〈この地方を代表する―〉⇩銘菓

めいか【銘菓】 特別の名を有する上製の菓子の意で、主に文章に用いられる漢語。〈老舗《しにせ》の―〉✎和菓子に用いられる例が多い。⇩名菓

めいかい【明快】 はっきりしていてわかりやすい意で、会話にも文章にも使われる漢語。〈単純―〉〈―な答弁〉〈論旨が―だ〉✎安岡章太郎の『海辺の光景』に「運動競技のルールのごとくに―」とある。⇩明らか・はっきり・明解・明白・明瞭

めいかい【明解】 明快な解釈の意で、主に文章に用いられる、使用頻度の低い漢語。〈―を示す〉⇩明快

めいかく【明確】 はっきりしていて確かな意で、改まった会話や文章に用いられる漢語。〈―な返事〉〈説明は―だ〉〈―に規定する〉⇩明らか・はっきり・明快・明白・Q明瞭

めいがら【銘柄】「商標」の意で、会話にも文章にも使われる、やや専門的な表現。〈指定―〉〈―米〉〈人気の―〉〈―にこだわる〉✎専門語として、市場で取引の対象とする物件の品目をさすこともある。⇩商標・トレードマーク・Qブランド

めいき【明記】 はっきり書き記す意で、やや改まった会話や文章に用いられる漢語。〈理由を―する〉〈条文に―されている〉⇩銘記

めいき【銘記】 深く記憶に刻み付ける意で、改まった会話や

文章に用いられる硬い漢語。〈心に―する〉⇩明記

めいげつ【名月】陰暦八月十五日の月(栗名月)および九月十三日の月(芋名月)をさし、会話にも文章にも使われる漢語。〈中秋の―〉〈―の観賞に時を忘れる〉⇩明月

めいげつ【明月】曇りなく澄み切った月の意で、主に文章に用いられる漢語。〈―をめでる〉〈今宵の―は一段と美しい〉🖋永井荷風の『濹東綺譚』に「十五夜の当夜には早くから一層曇りのない―を見た」とある。「名月」をさして使われる例もある。⇩名月

めいげん【名言】人に感銘を与えるほどの優れたことばをさし、会話にも文章にも使われる漢語。〈なかなかの―だ〉〈―を吐く〉🖋森茉莉の『贅沢貧乏』に「金を使ってやる贅沢には、空想と創造の歓びがない」とある。⇩Q至言・名文句

めいげん【明言】はっきりと言う意で、やや改まった会話や文章に用いられる漢語。〈みんなの前ではっきりそう―する〉〈核心の部分は―を避ける〉⇩言い切る・Q公言・断言

めいさく【名作】きわめて優れた作品をさし、会話にも文章にも広く使われる日常の漢語。〈―中の―〉〈二十世紀最大の―〉〈印象派を代表する―〉🖋ある程度の大きな規模を思わせる「傑作」と比べ、文学の例で言えば『夜明け前』や『細雪』のような長編小説だけでなく『羅生門』や『檸檬』のような短編小説も含まれるが、別に「名歌」「名句」「名詩」という語があるため、小説をさすことが多い。また、「名品」という語がある関係で、「傑作」と違い、工芸品・陶磁器などは連想されにくい。⇩Q傑作①・名品

めいさん【名産】その土地の有名な特産物をさし、会話にも文章にも使われる漢語。〈土地の―〉〈各地の―品を取り揃《そろ》える〉⇩名物

めいし【名士】その分野・社会・地域などでその名を知られ、重んじられており、影響力の大きい有力者をさして、会話にも文章にも使われる漢語。〈地元では―として通る〉〈各界の―を招いて記念パーティーを催す〉⇩著名人・Q有名人

めいし【名詞】事物の名を表し活用のない自立語をさす品詞名として、会話にも文章にも使われる、やや専門的な漢語。〈普通―〉〈固有―〉〈―述語文〉⇩体言

めいしゅ【名手】特定の技能に群を抜いて巧みな人の意で、会話にも文章にも使われる漢語。〈バイオリンの―〉〈弓の―として知られる〉〈守備の―として鳴らす〉🖋「名人」「達人」の域までは達していない感じがある。秀でている点も、その分野のうちのある特定の技術に焦点を合わせて言うケースが多い。⇩達人・Q名人

めいしょ【名所】風景や史跡などで有名な場所をさし、会話にも文章にも使われる日常の漢語。〈―旧跡〉〈―めぐり〉🖋「自殺の―」のように、単にある物事でよく知られた場所をさす用法もあり、その場合は俗っぽい感じに響く。⇩名勝

めいしょう【名勝】景色のすばらしい場所をさし、主に文章中に用いられる改まった感じの漢語。〈―の地として知られる〉⇩名所

めいじる【命じる】命令する、任命するの意で、改まった会話や文章に用いられるやや硬い感じの語。〈すぐに取り掛かるように―〉〈駅前で生徒に解散を―〉🖋「命ずる」より口語的でいくぶんやわらかい雰囲気がある。⇩言い付ける・

Q命ずる・命令

めいじん【名人】技芸その他のさまざまな分野で、その道を極めた人物の意で、くだけた会話から文章まで広くよく使われる日常の漢語。〈—芸〉〈囲碁の—戦を制する〉〈—の位に就く〉〈—の名をほしいままにする〉✎俗に「言いわけの—」「サボりの—」「おならの—」のようにふざけて使うこともある。⇩達人・Q名手

めいずる【命ずる】命令する、任命するの意で、主として文章中に用いられ、やや古風で正式な感じの語。〈退去を—〉〈経理課長を—〉〈選考委員に—〉✎「言い付ける」に比べて公的な役目という雰囲気が強い。「命じる」より文語的な響きが強く、重く厳めしい感じがある。⇩言い付ける・Q命じる・命令

めいせき【明晰(晳)】論理的に筋道が通る意で、改まった会話や文章に用いられる硬い漢語。〈頭脳—〉〈—な論理〉〈論拠にいささか—さを欠く〉✎事実関係や表現上の曖昧さではなく、思考の論理性に重点がある。⇩判然・明白・Q明瞭・歴然

めいちゅう【命中】「的中」の意で会話やさほど硬くない文章に使われる漢語。〈的に—する〉〈弾が鳥に—する〉✎「予測がぴたりと—する」のように抽象化した用法もあるが、「的中」に比べ、具体的な意味合いで使うことが多い。⇩的中

めいてい【酩酊】酒に酔う意で、改まった会話や文章に用いられる漢語。〈いささか—の様子〉✎北杜夫の『幽霊』に「意味ありげな錯覚が、あたかも—のように僕を領した」とある。⇩沈没②・泥酔・酔いしれる・酔い潰れる・酔う・酔っぱらう

めいとう【名答】みごとな答えの意で、会話にも文章にも使われる日常の漢語。〈ご—です〉〈なかなかの—だ〉⇩明答

めいとう【明答】はっきりした答えの意で、改まった会話や文章に用いられる硬い漢語。〈—を避ける〉〈—が得られない〉⇩名答

めいはく【明白】誰も疑う余地なくはっきりしている意で、改まった会話や文章に用いられる漢語。〈—な事実〉〈理由は—だ〉〈誰の所業かはもはや—である〉✎長与善郎の『陸奥直次郎』に「人生が目的を持ったものであることは彼には太陽の光りのように—過ぎる事実であった」とある。筋道に重点のある「明晰《めいせき》」、他と紛れないことに重点のある「明瞭」に対し、この語は事実関係に疑わしいところのないことに重点がある。⇩Q明らか・はっきり・判然・明快・明確・明晰・明瞭・歴然

めいひん【名品】きわめて優れた品をさし、少し改まった会話や文章に使われる漢語。〈室町時代の—〉〈—を所蔵する〉✎川端康成の『千羽鶴』に、「—の形見を見るうちに、菊治はなお太田夫人が、女の最高の—であったと感じて来る。—には汚濁がない」という一節があり、水指《みずさし》の評価から比喩的に女性の評価に転用している。⇩傑作①・Q名作

めいぶつ【名物】名産をはじめ、その土地に特有なものを広くさし、くだけた会話から硬い文章まで幅広く使われる日常の漢語。〈—の草団子〉〈—にうまいもの無し〉✎農産物や漆器・陶磁器などの物品のほか、「—男」「—教授」「パリ—の蚤《のみ》の市」「ロンドン—の霧」から「上州—は、かかあ天

下に空っ風」などというのもあって多彩。⇩名産

めいぶん【名文】すぐれた文章の意で、会話にも文章にも広く使われる日常の漢語。〈―家〉〈当代きっての―〉〈―として残る〉⇩明文

めいぶん【明文】条文などの形ではっきり示す意で、改まった会話や文章に用いられる、法律の雰囲気の漂う硬い漢語。〈いまだ―化されていない〉⇩名文

めいめい【命名】「名付ける」ことをさし、改まった会話や文章に用いられる正式な感じの漢語。〈―式〉〈―の由来〉Ⓔ永井荷風の『濹東綺譚』に「向島寺島町に在る遊里の見聞記をつくって、わたくしは之を濹東綺譚と―した」とある。⇩名付ける・ネーミング

めいめい【銘銘】一人ひとりの意で、会話にも文章にも使われる、やや古風な漢語。〈―皿〉〈義士―伝〉〈―の席に配る〉〈―が勝手なことを言い合う〉⇩Qおのおの・各自・それぞれ

めいもんく【名文句】人を感心させ印象に残るような巧みなことばをさし、会話にも文章にも使われる漢語。〈数々の―を残す〉〈―として記憶されている〉Ⓔ藤沢周平の『蟬しぐれ』に、ヒロインが「文四郎さんの御子が私の子で、私の子供が文四郎さんの御子であるような道はなかったのでしょうか」と、想い合いながら運命にもてあそばれてついに結ばれなかった相手に問いかける場面がある。この抑えた婉曲《えんきょく》表現はお福さまの気品を示すと同時に、この作家のたしなみを映し出す。⇩至言・Q名言

めいゆ【明喩】「直喩」の古風な用語として会話にも文章にも使われる漢語。〈「パリの老いぼれた馬車馬が、悲嘆に暮れたクリスチャンのような、大きな美しい眼をよくしている」という小林秀雄の『ゴッホの手紙』に出てくる例は典型的な―である〉Ⓔ「暗喩」と対立する語だが、「暗喩」ほど使用されない。⇩Q直喩

めいよ【名誉】世間から高い評価を与えられそれを誇りに思う意で、くだけた会話から堅い文章まで幅広く使われる日常の漢語。〈―教授〉〈―の戦死〉〈―を重んじる〉〈―にかけて守り抜く〉Ⓔ夏目漱石の『坊っちゃん』に「だれと指すと、その人の―に関係するから云えない」とある。特別の栄誉に限らず、「―毀損《きそん》」「―を回復する」のように、世の中を恥ずかしくなく生きていく人間としての誇りや尊厳をさすこともあり、その用法ではやや専門的で硬い感じになる。⇩栄冠・栄光・Q栄誉・栄え・誉れ

めいりょう【明瞭】他と紛れるところがなくはっきりしている意で、やや改まった会話や文章に用いられる漢語。〈簡単―〉〈―な誤り〉〈意味が―だ〉〈発音が―で聞き取りやすい〉Ⓔ三島由紀夫の『金閣寺』に「悪を犯したという―な意識」とある。事実や論理よりも、表現などが他と紛れずはっきりわかるところに重点があり、話し方や意図などに曖昧さがない場合によく使う。⇩明らか・はっきり・判然・Q明快・明確・明晰《めいせき》・明白・歴然

めいる【滅入る】元気を失って暗い気持ちになる意で、会話にも文章にも使われる和語。〈雨続きで気分が―〉〈暗い部屋で寂しい曲を聴くと気が―・っていけない〉Ⓔ尾崎一雄の『暢気眼鏡』に「ひどい生活に不平も云わず、私だけをたよ

りにしている芳枝を思うと、流石に気が―のだった」とあり、阿川弘之は『夜の波音』で波の音を「心を―・らせるような単調なしらべだが、その単調さの中に一とふしずつの区切りがあって」と描いている。「しょげる」などと異なり、失敗・落胆という明確な原因のない場合に使われる例が多く、「何となく気分が―」場合もある。外見からの判断も可能な「ふさぐ」と違って内面的でもっぱら気持ちについて使う。⇩Qアンニュイ・思い屈する・しおれる②・しょげ返る・しょげる・ふさぐ・物憂い

めいれい【命令】 上位者が下位者に対して自分の指示通りに事を行うように義務づける意で、会話にも文章にも使われる日常の漢語。〈―文〉〈―口調〉〈―系統〉〈―を下す〉〈―に従う〉〈―に背く〉✎夏目漱石の『坊っちゃん』に「じゃ相談じゃない、―じゃありませんか」とある。類語中で最も広範囲に使うが、「してくれるように」と丁寧さを伴う行為要求にはなじまない。⇩言い付ける・指図・指示・司令・Q指令・命じる・命ずる

めいわく【迷惑】 他人の行為によって煩わしく不快な気分を引き起こされる意で、会話にも文章にも広く使われる日常の漢語。〈―行為〉〈はた―〉〈ありがた―〉〈―千万な話だ〉〈ひとに―をかける〉✎森鷗外の『雁』に「物に柔かに当るお玉と比べて見られるのだから、田舎から出たばかりの女中こそ好い―である」とある。困る当人の気持ちに重点のある「困惑」「当惑」に比べ、そういう状態を引き起こした原因を強く意識した表現。⇩困惑・Q当惑

メインディッシュ コースの中心となる料理をさす和製英語。〈本日の―は舌平目のムニエル〉

めうえ【目上】 自分より年齢や地位が上であること、また、そういう人をさし、会話にも文章にも使われる日常の和語。〈―の人を敬う〉〈―を大事にする〉〈―に対して無礼な態度〉✎森鷗外の『雁』に「己《おれ》には―も目下もない」とある。⇩長上

メーキャップ 「化粧」に類する意味で、やや専門的な感じの外来語。〈派手な―を施す〉✎個人の化粧よりも、俳優の役づくりのための化粧を連想させ、扮装を含めたものをさす場合もある。「メークアップ」とも言う。⇩化粧・Qメーク

メーク 「メークアップ」の略。日常にもやや専門的にも使われることのあることば。〈ノー―〉〈―を落とす〉〈―に凝る〉✎俳優の役づくりのための化粧をさす例が多いが、「メーキャップ」よりは個人の化粧をさして日常使われることも少なくない。「メイク」と表記することもある。⇩化粧・Qメーキャップ

メード 「お手伝いさん」をさす古風な外来語。〈―を雇う〉✎外国人家庭やホテルなどの連想が強く、「女中」や「召し使い」ほど差別意識が話題に上らない。⇩お手伝いさん・家政婦・女中

めおと【夫婦／妻夫】 妻とその夫の意で、多く会話に使われる古めかしい和語。〈晴れて―となる〉〈お似合いの―〉✎現代では主に「―茶碗」の形で用いる。崩れて「みょうと」と発音することもある。⇩Q夫婦・夫妻

めがける【目掛ける】 具体的な目標を定めて直線的に行動を起こす意で、くだけた会話から硬い文章まで幅広く使われ

る日常の和語。〈敵陣―・けて突進する〉〈鳥を―・けて石を投げる〉〈捕手のミットを―・けて速球を投げ込む〉✎「目指す」と違い、最終目標より当座の狙いをさすことが多く、抽象的な目標には使いにくい。⇨Q狙う・目指す

めかた【目方】秤《はかり》ではかった重さをさし、会話や軽い文章に使われる、いくぶん古風な日常の和語。〈―を測る〉〈―が増える〉✎平林たい子の『鬼子母神』に「さめている時と眠っているときとでは、おとぎ噺の怪物のように―の違うことも」とある。「いかにも―がありそうだ」のように、これだけで、目方が重い意を表す用法もある。⇨重さ・重み・Q重量

めくそ【目糞(屎)】目脂《めやに》の意で、主にくだけた会話に使われる日常の俗っぽい和語。〈―を拭き取る〉✎「目脂」に比べ、病気というより寝起きの連想が強い。⇨Q目垢《めあか》・目脂

めぐむ【芽ぐむ／萌む】草木が芽を出し始める意で、主として文章に用いられる、やや古風な和語。〈木々が―〉✎芽を出しかける段階で、はっきりと「芽吹く」よりいくぶん前の状態を連想させやすい。⇨Q芽生える・芽吹く・萌《も》える

めくら【盲】目の見えない人を伝統的にさしてきた和語。差別意識が指摘されて、今では使用を控えている。✎「盲」という漢字を音読みした「モウ」という音で間接的にさす場合もある。音読みすることで語感を薄め、意味との直接のつながりをぼかして、一種の記号のような働きに変換する試み。「目の不自由な方」とやわらげた表現も見られる。なお、学問がなくて文字も読めない人を意味する「明き―」という語も「盲」を連想させるため語義とは無関係に使用を控えている。夏目漱石の『明暗』に「突発した当時の疼痛に就いて、彼は全く―であった」とあるように、知識がなくわからない意に使う比喩的用法もある。

めぐりあわせ【巡り合わせ】自然にそうなる運命や境遇をさして、会話やさほど硬くない文章に使われるやや古風な和語。〈―が悪い〉〈不思議な―だ〉⇨運・運勢・運命・宿命・天運・天命・Q回り合わせ・命運

めくる【捲る】表面にあるものを取り除いてその内側が見えるようにする意で、会話でも文章でも幅広く使われる日常生活の和語。〈一枚ずつ―〉〈カレンダーを―〉〈本のページを―〉✎サトウハチローの『センチメンタル・キッス』に「めりめりとスカートを―のです。そうすると、下にもう一枚ペチコートという、薄いスカートをはいていて」とあり、奇抜な街頭宣伝法が披露される。一枚の布などを折り返す意の「まくる」に対して、トランプの札のように何枚も重なっているものを上から順にひっくり返す場合にも用いる。⇨まくる

めぐる【巡(廻)る】一周する意で、改まった会話や文章に用いられる古風な和語。〈池を―〉〈名所旧跡を―旅〉〈あの日が今年もまた―・って来る〉〈血が全身を―〉✎谷崎潤一郎の『細雪』に「花の盛りは―・って来るけれども、雪子の盛りは今年が最後ではあるまいか」とある。「予算を―攻防」「事の真偽を―・って議論する」のように中心課題をさす用法もある。⇨回転・転がる・Q回る

めさき【目先】目の前、さしあたりの意で、会話にも文章にも使われる和語。〈面影が―に浮かぶ〉〈―の利益にとらわ

れる〉✎夏目漱石の『草枕』に「お嫁入りのときの姿が、まだ―に散らついて居る」とある。「―が利く」の形で先の見通しという意味にも使う。⇩眼前・目前

めざす【目指す】到達目標を定め、それに近づこうと努力しながら進む意で、くだけた会話から硬い文章まで幅広く使われる日常の和語。〈頂上を―・して登山道を登る〉〈優勝を―・して練習に励む〉〈弁護士を―・して法学部を受験する〉✎阿川弘之の『雲の墓標』に「敵はフィリッピンと日本本土とを―・して攻めのぼって来る」とある。具体的で段階的な「目掛ける」に比べ、遠い最終目標を見据える雰囲気があり、抽象的な目標を掲げる例も多い。⇩狙う・Q目掛ける

めざめ【目覚め】目を覚ますことをさし、会話にも文章にも使われる和語。〈―がいい〉〈お―ですか〉〈―のコーヒー〉✎「自我の―」「性の―」など、比喩的に、潜んでいた本能などが動き出す意にも使われる。⇩寝起き・Q寝覚め

めざめる【目覚める】「目を覚ます」意のやや優雅な感じの表現。〈―・めたときはすでに日が高かった〉〈春に―〉〈自我に―〉✎「起きる」が行動に重点があるのに対して、この語は意識がはっきりすることに重点がある。⇩起きる

めし【飯】主として男性がくだけた会話などで用いる「御飯」の意のぞんざいな表現。〈どんぶり―〉〈―を食う〉〈―を平らげる〉〈やっと―にありついた〉✎筒井康隆の『薬菜飯店』に「―はいつ食べてもうまいものだが、そこへさしておこげと辛いスープときたのではまさに至福の味だ」とある。「御飯」の丁寧さが薄れるにつれて、ごく普通の語だったこの「飯」が相対的にぞんざいな響きを帯びてきている。ただし、「鯛―」「焼き―」などの伝統的な用法ではぞんざいな感じはない。器がどんぶりだと、すぐにこの語が連想される。標準的な「御飯」に比べ、そういう庶民的・家庭的なくつろげる雰囲気があり、温かく親しみを感じさせる。ちなみに、新聞の投書欄に、レストランで「御飯」を注文したら、ボーイに「ライスですか」と聞き返され、思わず「―だ」とどなった、という話が載っていた。⇩御飯・ライス

めしあがる【召し上がる】「飲み食いする」意の尊敬語。〈たっぷり―・れ〉〈夕飯を客間で―・る〉✎芥川龍之介の『南京の基督』に「あなたは―・らないのでございますか」とある。「食う」「食べる」「召し上がる」と次第に上品になるように感じられるが、行為者をどう待遇するかという違いに過ぎず、別に納豆や塩辛は「食う」、茶碗蒸しや焼き鯖《さば》は「食べる」、松茸や伊勢海老は「召し上がる」がぴったり合うというわけではない。「目刺しを頭からがぶりと―」という表現が奇異に感じられるのは言語表現上の問題ではなく、そういう品のない食し方をする人間を尊敬に値するとした判断の問題に過ぎない。⇩Q頂く・食う・食する・食べる

めしあげる【召し上げる】公的な権威によって強制的に取り上げる意で、会話や軽い文章に使われる、やや古風な和語。〈永年住んでいた土地が国に―・げられる〉✎「押収」「接収」「没収」ほど法的な専門性が意識されず、被害を受けながら「召す」という尊敬表現を用いるところに、取り上げられる側からの皮肉な視線が感じられる。⇩押収・接収・Q没収

めしつかい【召し使い】下男や下女などの奉公人をさす古風な和語。✎差別意識が感じられるとして使用を控えてい

る。福原麟太郎の『チャールズ・ラム伝』に「―にして執事を兼ねたジョン・ラムという人の子」とある。⇩お手伝いさん・家政婦・下女・下男・女中・派出婦

めじり【目尻】目の耳に近いほうの端をさし、会話にも文章にも使われる日常の和語。〈―を下げる〉〈―に皺《しわ》が寄る〉🖋横光利一の『上海』に「切れ上った―から、遠く隔絶した激情を感じると」とある。「目がしら」と対立。⇩まなじり

めじるし【目印】見つけたり区別したりするのに役立つ印の意で、会話やさほど硬くない文章に使われる日常の和語。〈―を付ける〉〈灯台を―に進む〉〈ポストを―にして左に折れる〉🖋「目標」と違い、それ自体が目的物とはならない。⇩目標

めす【召す】「呼び寄せる」「飲み食いする」「着る」「入る」「引く」など、広い意味で慣用表現として使われる古風な尊敬語。〈旦那様がお―・しでございます〉〈花を―・しませ〉〈和服を―〉〈お風呂を―〉〈お風邪を―〉🖋広津柳浪の『今戸心中』に「お草履を―・して行らっしゃい」とある。⇩お召しになる

めずらしい【珍しい】実際に見たり聞いたりすることがめったにない意で、くだけた会話から硬い文章まで幅広く使われる日常の基本的な和語。〈―切手〉〈日本でも―風習〉〈―物を頂戴《ちょうだい》する〉〈―客が現れる〉〈―・く遅刻する〉🖋夏目漱石の『こころ』に「始めのうちは―ので、この隠居じみた娯楽が私にも相当の興味を与えたが」とある。出現頻度がきわめて少ないことをさす「まれ」に比べ、この語には好奇心をそそる感情的なニュアンスが含まれる。⇩稀有《けう》・Qまれ

めせん【目線】視線の意で、くだけた会話に最近よく使われる俗語。〈―をもう少し下げる〉〈―が合う〉🖋芸能界やマスコミなどの業界の仲間内のことばが、わかりやすいこともあり電波をとおして一般に広まり、「国民の―で考える」のような比喩的な拡大用法も見られるが、改まった会話や硬い文章で使うと今でも品格を落としかねない。⇩視線

めだつ【目立つ】特徴が際立って人目につく意で、くだけた会話から硬い文章まで幅広く使われる日常の和語。〈ひときわ―〉〈―看板〉〈白髪が―〉〈活躍が―〉〈体力の衰えが―〉🖋井上靖の『晩夏』に「今までどこにいたか解らなかった土地の子供の真黒い裸体がそこここに―・って来る」とある。⇩際立つ

めだま【目玉】「眼球」の意で、会話や軽い文章に使われる日常の和語。〈―を動かす〉〈―のぎょろっとした顔〉🖋高見順の『故旧忘れ得べき』に「―が病的にでッかい横柄な老人」とある。⇩眼球

めちゃくちゃ【滅(目)茶苦茶】「むちゃくちゃ」の意で、くだけた会話に使われる俗語。〈―な話〉〈―に書く〉〈―な結果になる〉🖋「―に忙しい」「―なスピード」のように、桁違《けたちが》いにひどい意に用いる点も「むちゃくちゃ」と同じであるが、この語には「めちゃめちゃ」と同じく、「―にこわれる」のように、ひどくて手がつけられない状態を表す用法もある。⇩支離滅裂・Qむちゃくちゃ・めちゃめちゃ

めちゃめちゃ【滅(目)茶滅(目)茶】論理も秩序もない散々な状態をさし、くだけた会話に使われる俗語。〈結果はもう―

だ〉〈空襲で町が―になる〉〈地震で家が―に壊れる〉〈せっかくの旅行が―になる〉✎「―に暑い」のように、桁《けた》違《ちが》いのひどさの意でも使う点は類語と共通するが、「―になる」の形で、ひどく破壊されるなど手の施しようもない状態を表す例が多い。⇩支離滅裂・むちゃくちゃ・Qめちゃくちゃ

めつき【目つき】 物を見るときの目の様子の意で、会話や軽い文章に使われる日常の和語。〈―が鋭い〉〈―が悪い〉〈いやな―をする〉✎川端康成の『千羽鶴』に「自分の鼻を見るような―」とある。「入試が近づくと生徒の―が違ってくる」のように、目の感じを含む全体の態度を表す用法もある。⇩まなざし

めっける 「見つける」の転。くだけた会話に使われた古めかしい俗語。〈こないだ、あの店でいいもの―・けちゃった〉✎小津安二郎監督の映画『彼岸花』で、母親の清子(田中絹代)が次女の久子(桑野みゆき)に結婚相手の件で「いいの―・けてよ」と言われ、同様に「―・けるって」と応じ、親子ともども「見つける」でなく「めっける」という崩れた語形を使用しているが、今ではほとんど耳にしなくなった。⇩見出す・Q見つける・発見

メッセージ 他人を通じて先方に届けることばや情報をさし、会話にも文章にも使われる外来語。〈―を残す〉〈―を伝える〉〈首相の―を届ける〉✎「ことづけ」「ことづて」「伝言」が伝える行為とその内容をともにさすのに比べ、この語は「―が正しく伝わる」というふうに、主に内容としての情報をさす。⇩ことづけ・ことづて・Q伝言

めつぼう【滅亡】 国や一族が滅びて姿を消す意で、改まった会話や文章に用いられる硬い漢語。〈一族が―する〉〈帝国の―につながる〉✎「滅びる」と違い、文明・伝統・学問など抽象的なものに用いるには抵抗がある。⇩滅びる・Q滅ぶ

メディカルチェック 会話で「健康診断」の意で使われだした和製英語。〈オフィスのクリニックで―を受ける〉✎日本人が「医学的」の意の英語「メディカル」に、「調べる」意の英語「チェック」を組み合わせ、全体として英語めかして作ったことば。一見、斬新な印象だが、日本製とわかると気品に欠け、軽佻浮薄な印象を与えかねない。⇩Q健康診断・健診・検診

めでたい【目(芽)出度い】 喜ばしく祝福したい気持ちの意で、会話にも文章にも広く使われる和語。〈誕生日で―〉〈合格できて―〉✎阿部昭の『父と子の夜』に「母よりも一と足先に死んだ。それは―ことなので、父の死そのものは誰も悲しまなかった」とある。⇩慶賀

めど【目処】 とりあえずめざす当座の目標をさし、会話や軽い文章に使われる和語。〈何とか―が立つ〉〈やりくりの―がつく〉✎幸田文の『おとうと』に「母の心の―の寄せどころが変る」とある。⇩めやす

メニュー 「献立」の意で、会話でも文章でも使われるフランス語からの外来語。〈レストランの―〉〈―がみなフランス語なのでよくわからない〉✎今でも家庭では使わない。永井荷風の『ふらんす物語』では「献立」と書いて「ムニュー」と読ませている。⇩献立

めばえ【芽生え】 植物の種が芽を出すことをさし、会話や硬くない文章に使われる和語。〈―の時を迎える〉✎「発芽」

のような理科的な雰囲気がなく、「自我の―」のように、ものごとの起こり始めの意の比喩的用法でも使う。⇩発芽

めばえる【芽生える】植物の種が芽を出す意で、会話にも文章にも使われる和語。〈朝顔の種が―〉✎種から初めて芽を出す場合に用い、樹木が新芽を出すような場合には通常用いない。「恋が―」「友情が―」のように、萌《きざ》す、始まるの意の比喩的用法も多い。⇩Q芽ぐむ・芽吹く・萌《も》える

めはなだち【目鼻立ち】「顔立ち」の意で会話や硬くない文章に使われる、やや古風な和語。〈―のはっきりした顔〉〈―が姉さんとそっくりだ〉✎石坂洋次郎の『嘱託医と孤児』に「鉛筆を嘗め嘗めしながら描いたような思い切ってハッキリした―」とある。⇩面差し・顔・Q顔立ち・顔つき・容貌

めぶく【芽吹く】樹木が新芽を出す意で、会話にも文章にも使われる和語。〈からまつが一斉に―〉〈水辺の柳が―〉⇩芽ぐむ・芽生える・Q萌《も》える

めまい【眩暈】目がくらくらして、周りが揺れたり回ったりしているように感じる症状をさし、会話にも文章にも使われる和語。〈―を起こす〉〈―がして倒れかかる〉✎井上靖の『猟銃』に「急に身が落ち込んで行くような―」とある。⇩立ち眩《くら》み

めめしい【女女しい】意気地がなく弱々しい意で、会話にも文章にも使われる古風な和語。〈―態度〉〈―ことを言う〉✎中島敦の『李陵』に「胸をかきむしられるような―己の気持」とある。男は強いはずだという価値観から、男なのに男らしくない様子を評価する語で、女性には用いない。「雄々《おお》しい」と対立。⇩意気地なし・弱虫

めやす【目安】おおよその標準をさし、会話にも文章にも使われる和語。〈大体の―を決める〉〈一般社会の漢字使用の―〉✎尾崎士郎の『人生劇場』に「何処に―を置いたらいいかわからなくなってしまう」とある。⇩めど

めやに【目脂】目から出る分泌物の固まりをさし、会話でも文章でも使われる日常の和語。〈―が出る〉〈―がひどい〉✎三島由紀夫の『金閣寺』に「目尻に固まった―と血が瑪瑙のようである」とある。「目糞《めくそ》」や「目垢《めあか》」より眼病の連想が強い。⇩目垢・Q目糞

メリケンこ【メリケン粉】一時期盛んに用いられた「小麦粉」の古風な言い方。〈―を少々加える〉✎輸入の関係か、「メリケン」は「アメリカン」の意。⇩うどん粉・Q小麦粉

メリット　得になる利点をさし、会話にも文章にも使われる比較的新しい外来語。〈―を数え上げる〉〈両案の―を比較する〉✎「デメリット」と対立。⇩利点

メルヘン　おとぎ話・童話・民話に相当するドイツ語からの外来語で、会話にも文章にも使われる、いくぶん専門的な表現。〈―の世界〉✎「―チックな話・街並み・風景」のようにも使われ、「童話」という語より神秘的・空想的で夢のような雰囲気が強い。⇩Qおとぎ話・児童文学・童話

メロディー「旋律」の意で、会話にも文章にも使われる外来語。〈聞き覚えのある―〉〈―を口ずさむ〉✎小林秀雄の『モオツァルト』に「誰でもモオツァルトの美しい―を言うが、実は―は一と息で終るほど短い」とある。⇩音律・調べ・Q旋律・節・節回し

めん【面】立体を構成している表面の平面をさし、いくぶん

専門的な話題の会話や文章に用いられる漢語。〈立方体は六つの—がいずれも大きさの等しい正方形から成る〉✐「ひょっとこの—」のように顔にかぶるものをさす場合は日常語。「経済的な—で苦しい」のように取り上げる部分の意で使う場合はやや改まった感じに響く。⇩Q側面・平面

めんかい【面会】 人と顔を合わせて会う意で、会話にも文章にも使われる漢語。〈—時間〉〈—謝絶〉〈—を求める〉〈—を拒否する〉⇩会見・対面・面接・Q面談

めんきょ【免許】 ある特定の行為を公的機関が認定し資格を与えることの意で、会話から文章まで広く使われる日常の漢語。〈教員—〉〈運転—証〉〈—を更新する〉⇩認可

めんくい【面食い】「器量好み」を意味する若干ユーモラスな俗語。〈あれは—だから、少々の相手じゃ見向きもしない〉✐笑い話に、「うちの主人ときたら大変な—なのよ」と人前でこぼしてみせる細君の間接的な自慢がある。

めんくらう【面食(喰)らう】 思っても見ない状況に出合って慌てる意で、主に会話に使われる口頭語的な表現。〈想定外の結果に—〉〈突然のことですっかり—〉✐小沼丹の『西條さんの講義』に「この二人と相談したらいいと云ったので大いに—・った。そんな伏兵が現れるとは予期しなかった」とある。⇩とまどう・Qまごつく

めんじょ【免除】 義務を果たさなくてもよいとする意で、会話にも文章にも使われる漢語。〈授業料—〉〈兵役を—する〉〈返済を—する〉⇩免ずる

めんしょく【免職】 官公吏や議員などの公職を罷免する意で、会話にも文章にも使われる、いくぶん古風な漢語。〈—処分〉〈懲戒—〉〈横領が発覚して—になる〉✐夏目漱石の『坊っちゃん』に「僕等はこの事件で—になるかも知れないね」とある。専門用語としては「罷免」とほぼ同義だが、自分の意思の反映する「依願—」もある。⇩Q解雇・解職・解任・首切り・罷免

メンス「月経」の意で用いる、ドイツ語の略形。〈—が遅れる〉✐人前で口にしにくい「月経」というストレートな表現を避け、語感の働きにくい外国語に置き換え、それも短縮した語形で用いることで婉曲《えんきょく》に表現しようとしたことば。ただし、便利な語として使いすぎた結果、最初に意図した間接性が次第に減少し、今ではかえってドキッとするようなことばになりつつあるという観察もある。「生理」も「メンス」も意味と直結して婉曲表現として機能しなくなり、広告業界などでは「アンネ」「チャーム」「フリー」といった、ほとんど関係をたどれないようなことばへの切り替えが試みられている。⇩Q月経・生理

めんずる【免ずる】 義務などを免除する意で、主として硬い文章に用いられる語。〈支払いを—〉✐役職などをやめさせる意の用法もある。⇩免除

めんせつ【面接】 人と直接会って話す意で、会話にも文章にも使われる漢語。〈—試験〉〈—調査〉✐「—を受ける」のように、それだけで選考のための面接試験をさすことが多い。⇩会見・面会・Q面談

めんだん【面談】 面会して相談する意で、会話にも文章にも使われる漢語。〈委細—〉〈親子と教師との三者—〉〈条件は—の上で取り決める〉⇩会見・面会・Q面接

めんどう【面倒】手数がかかって煩わしい意で会話や軽い文章に使われる日常の漢語。〈―をかける〉〈遠くまで出かけるのは―だ〉〈これは―なことになった〉〈―な争いを引き起こす〉✎夏目漱石の『こころ』に「万一の事があったあとで、いちばん―の起こるのは財産の問題」とある。「―を見る」のように世話の意でも使う。⇩億劫・世話・大儀・面倒臭い・Q厄介①・煩わしい

めんどうくさい【面倒臭い】手数がかかって煩わしい意で、主にくだけた会話に使われる口頭語的表現。〈―ことは嫌いな性分だ〉〈一人暮らしだと食事を作るのが―〉✎夏目漱石の『坊っちゃん』に「手紙なんぞ書くのは―」とある。ごくくだけた会話では「めんどくさい」となることが多く、その語形はさらに俗っぽさを増す。⇩億劫・大儀・面倒・Q厄介①・煩わしい

メンマ【麺麻】竹の子を茹でて塩漬けにした食品をさし、会話にも文章にも使われる中国からの外来語。〈ラーメンに―を入れる〉〈―のしゃきしゃきした食感〉⇩しなちく

めんみつ【綿密】細部まで注意が行き届き遺漏のない意で、会話にも文章にも使われる漢語。〈―な計画を立てる〉〈―に調べ上げる〉✎佐藤春夫の『田園の憂鬱』に「例の病的な―さで丹念に、研究者のように見つづけた」とある。⇩厳密・細密・精巧・精緻・精密・Q緻密

も

もう「すでに」の意で、会話や軽い文章に使われる和語。〈―いいよ〉〈―始まっている〉〈―治った〉〈―遅い〉✎徳田秋声の『縮図』に「療養所へ行ったのは―九時であった」とある。「―駄目だ」のように、これ以上はの意でも、「―すぐ試験だ」「―そろそろ来そうなものだ」のように、事が迫っている意でも、「―一つ欲しい」のように、さらにの意でも使う。⇩Qすでに・もはや

もうけ【儲け】商行為の結果として得られる利益をさし、主に会話に使われる日常の和語。〈金―〉〈―はほんのわずか〉〈―を度外視する〉⇩収益・得・Q利益・利潤

もうける【設ける】組織や機関などを設置する意で、改まった会話や文章に用いられる硬い感じの和語。〈専用の窓口を―〉〈新たに支店を―〉✎永井荷風の『濹東綺譚』に「寺島七丁目のはずれに車庫を―ようになった」とある。「備える」よりも大規模な感じがある。「宴席を―」のように、用意する意にも、「制度を―」のように、制定する意にも使う。⇩しつらえる・Q備える

もうける【儲ける】利益を上げる意で、会話や軽い文章に使われる和語。〈株で―〉〈商売が当たってがっぽり―〉✎「稼ぐ」と違い、働くことは特に意識されない。⇩稼ぐ

もうしあわせ【申し合わせ】話し合いの結果合意の得られた事柄をさし、会話にも文章にも使われる和語。〈―事項〉

〈業界の―がある〉〈委員会の―に従って処理する〉✎「取り決め」ほどの拘束力を持たない感じがある。⇩取り決め

もうしあわせる【申し合わせる】あらかじめ相談して取り決めておく意で、やや改まった会話や文章に用いられる和語。〈早期妥結を―〉〈交渉の日時を―〉✎悪いニュアンスはない。「打ち合わせる」と違い、約束が成立した場合に使う。⇩Q打ち合わせる・示し合わせる

もうしこみび【申し込み日】申し込みをする日をさす和語。申し込む側に立った発想の表現。〈―の翌日に抽籤《ちゅうせん》がある〉⇩受付日

もうしで【申し出】公の席などで要求や意見などをしかるべき相手に口頭で伝える意で、改まった会話や文章に用いられる、やや丁寧な感じの和語。〈―があれば対応する〉〈突然の―にとまどう〉✎立野信之の『軍隊病』に「私の―は針金のようにひき歪められたまま、真直に伸び悩んだ」とある。⇩申告

もうしひらき【申し開き】非難された行為について理由や事情を説明して自らの正当性を主張する意で、改まった会話や文章に用いられる丁寧な感じの和語。〈―が立つ〉〈何とも―のしようがない〉✎「言いわけ」より改まった場面での行為をさす傾向がある。⇩Q言い訳・釈明・弁解・弁明

もうしわけない【申し訳ない】日常の謝罪表現の一つで、会話にも文章にも使われる。〈これはこれは―ことです〉✎より丁寧に「何とも申し訳ありません」と言ったり、さらに丁寧に「このたびはまことに申し訳ございません」と言ったりする。「申し訳ありません」の形は、申し開きのしようがない、弁解の余地がないという意味であり、「失礼しました」や「済みません」より謝罪の程度が大きい。そのため、あまり些細《ささい》なことに連発すると、大げさ過ぎてかえって心のこもらない感じを与えかねない。例えば、「ナカヤ・サチコ」を「ナカタニ・ユキコ」と単に読み違えただけの失敗の場合は「失礼しました」程度が適当であるが、読み違えたせいで中谷（なかたに・なかや）幸子（さちこ・ゆきこ）さんが年金を貰いそこねるといった事態に発展した場合には、そういう結果をもたらした重大な過失に対してこの表現が適切になる。⇩謝る・御免・失礼・謝罪・Q済まない・陳謝・詫《わ》びる

もうしん【妄信】理屈抜きでみだりに信じ込む意で、改まった会話や文章に用いられる硬い漢語。〈新聞記事を―する〉〈宣伝文句を―する〉⇩盲信

もうしん【盲信】自分でよく考えもせずにただ信じ込む意で、やや改まった会話や文章に用いられる漢語。〈師の教えをひたすら―する〉⇩妄信

もうしん【盲進】計画や見通しも持たずやみくもに進む意で、やや改まった会話や文章に用いられる硬めの漢語。〈目的も定めずに―する〉⇩猛進

もうしん【猛進】猛烈な勢いで突き進む意で、会話にも文章にも使われる漢語。〈猪突―〉〈目標めざしてまっしぐらに―する〉⇩盲進

もうそう【妄想】むやみに想像力を働かせ、実際にはありえないこと、何の根拠もないことを信じ込むことをさし、改まった会話や文章に用いられる漢語。〈誇大―狂〉〈―にふける〉〈―にとりつかれる〉〈―を抱く〉✎夏目漱石の『明

暗』に「変な―が、今呑んでいる煙草の煙のように、淡く彼の心を掠めて過ぎた」とあり、藤枝静男の『雛祭り』に「誰しも死んだ瞬間に離れてしまう。私が何と―しようとも、父も母も兄も弟も妹も、私も、妻も(略)永久に虚空に姿を消してしまう」とある。「空想」は想像力の豊かな人、「夢想」は底抜けの楽天家を連想させやすいのに対して、この語には病的な雰囲気があり、好ましくない語感がつきまとう。また、「誇大―」「被害―」のように、科学的・論理的根拠のないことをむやみに信じ込むといった用法もある。⇩空想・幻想・想像・Q夢想

もうちょい 「もうちょっと」の崩れた語形の俗語。〈―こっちに寄れ〉〈―で合格点だ〉〈ゴールまで―だ〉〈―何とかならんか〉

もうでる【詣でる】 神社や寺院にお参りに行く意で、主に文章に用いられるやや古風で改まった感じの和語。〈神社に―〉〈元旦は氏神様に―〉〈墓を―〉⇩お参り・Q参詣・参拝

もうてん【盲点】 光や色を知覚しない部分の意から、一般の人が気がつきにくい点の意に広がり、会話にも文章にも使われる漢語。〈―を突く〉〈―となっている〉✎中谷宇吉郎の『立春の卵』に「人間の眼に―があることは、誰でも知っている。しかし人類にも―があることは、あまり人は知らない」とある。目について言う場合は専門語。⇩間隙・空隙・隙間

もうはつ【毛髪】 人体の毛、特に頭髪の意で、改まった会話や文章に用いられる漢語。〈―を染める〉〈―を傷める〉✎吉行淳之介の『驟雨』に「漆黒の豊かな―が、人の好さそうな平凡な顔を縁取っていた」とある。⇩髪・髪の毛・Q頭髪

もうれつ【猛烈】 きわめて猛々《たけだけ》しく激しい意で、会話にも文章にも使われる漢語。〈―な勢いで突進する〉〈―に働く〉〈―な反対を受ける〉〈―に腹が減る〉✎徳永直の『太陽のない街』に「馬車馬のように―に闘争し」とある。「―なスピード」「―に食う」「―に売れる」のように、程度の激しい意で日常生活によく使う。⇩Q強烈・激烈・痛烈・激しい

もえがら【燃え殻】 燃え尽くしたあとに残っている炭や灰などをさし、会話にも文章にも使われる和語。〈石炭の―〉⇩Q燃えさし・余燼《よじん》

もえさし【燃えさし】 完全に燃えきらないであとに残ったものをさし、会話にも文章にも使われる和語。〈―の薪《たきぎ》がくすぶる〉⇩燃えがら・Q余燼《よじん》

もえる【萌える】 草木が芽を出す意で、主に文学的な文章に用いられる、古風で詩的な和語。〈草―春となる〉〈―若葉〉⇩芽ぐむ・芽生える・Q芽吹く

もえる【燃える】 物が炎を上げて燃焼する意で、くだけた会話から硬い文章まで幅広く使われる日常の基本的な和語。〈火が―〉〈小屋が―〉✎川端康成の『雪国』の末尾の火事の場面に「あら、また、あんなに―・えて、あんなに火が出たわ」という駒子の台詞がある。⇩燃焼・Q焼ける

モーターバイク 「オートバイ」をさして使われる、やや正式な感じの外来語。✎通称の「バイク」の形で一般によく使われる。⇩Qオートバイ・原付・原動機付き自転車・自動二輪・自動二輪車・スクーター・単車・バイク

モーニングコール ホテルなどで宿泊客の指定した時刻に電

話して起床を促すシステムをさす和製英語。〈ホテルのフロントに―を頼む〉

もがく【踠(藻掻)く】苦しさのあまり手脚を動かす意で、会話や改まらない文章に使われる和語。〈水中で―〉〈―・きながら苦しむ〉🖋芥川龍之介の『トロッコ』に「手足を―・きながら、啜り上げ」とある。苦しんでいるようすに重点があり、「あがく」ほどの抵抗感は意識されない。「入試の直前になって―・いても遅い」のように肉体的以外の行為について比喩的に表現することもある。⇩🔍あがく・じたばたする

もぐ【捥ぐ】手でねじって本体から離す意で、会話やさほど硬くない文章に使われる日常生活の和語。〈柿の実を―〉〈洋服のボタンを―〉🖋黒井千次の『群棲』に「蘇ってしまった記憶から身を―・ぎ放すようにして」という比喩表現が出る。「ちぎる」が部分的に切り離すイメージがあるのに対して、この語は対象物をまるごと力を入れて切り離す感じが強い。⇩ちぎる

もくざい【木材】家屋や木工製品の材料として加工した木をさし、会話にも文章にも使われるいくぶん専門的な漢語。〈建築用の―〉〈加工済みの―〉🖋「材木」がまったくの日常語なのに対して、いくらか専門的な感じのする語。建築や工作など用途のきまった材料という連想が強い。長塚節の『土』に「心部を嚙まれつつある―は赤い歯を喰いしばったような無数の罅が火と煙とを吐いていた」とある。⇩材木

もくさつ【黙殺】抵抗にあってもそれに配慮しないどころか、その対象の存在さえ認めない態度で、自分の思うようにやってのける意で、やや改まった会話や文章に用いられる少し硬い漢語。〈反対意見を―する〉〈脇で泣き崩れても―する〉🖋福原麟太郎の『チャールズ・ラム伝』に「僕を―して、傷つけようがいじめようが、それは構わない」とある。「無視」以上に積極的で時に冷酷な印象を与えやすい。⇩無視

もくずとなる【藻屑となる】海で死ぬことを意味する和語による古風な比喩的間接表現。🖋死を忌む気持ちから、藻屑にたとえてそれとなくわからせる表現。「海の藻屑と消える」という形でも使う。⇩敢え無くなる・上がる②・あの世に行く・息が切れる・息が絶える・息を引き取る・往く・いけなくなる・永眠・往生・お隠れになる・落ちる②・おめでたくなる・帰らぬ人となる・くたばる・死去・死ぬ・死亡・昇天・逝去・斃《たお》れる・他界・長逝・🔍露と消える・天に召される・亡くなる・儚《はかな》くなる・不帰の客となる・不幸がある・崩御・没する・仏になる・身罷《みまか》る・脈が上がる・空しくなる・逝く・臨死・臨終

もくする【黙する】「黙る」意で、主として硬い感じの文章に用いることば。〈―・して語らず〉🖋太宰治の『桜桃』で、どこに一番汗をかくかとの問いに妻が「この、お乳とお乳のあいだに、……涙の谷」と答えた。改行して「涙の谷」と夫の鸚鵡返《おうむがえ》しだけの極小の段落を据え、次も「父は―・して、食事をつづけた」という短い一文段落を記し、さらに一行空きにする。⇩だんまり・🔍沈黙・黙秘

もくぜん【目前】空間的・時間的にごく接近している意で、やや改まった会話や文章に用いられる硬い漢語。〈―で事故が起こる〉〈応募の締め切りが―に迫る〉〈優勝を―にしてまさかの連敗〉🖋入学試験を例にすれば、「目前」は一ヵ月前ぐらい、「直前」は一週間前ぐらい、「寸前」は当日になっ

てから、といった緊迫感の差がある。森鷗外の『妄想』に「―には広々と海が横わって」とあるように、自分の目の前の意から出たが、今では時間的な用法が多い。⇩眼前・寸前・Q直前・間近・目先

もくてき【目的】実現または到達しようとしてめざす事柄の意で、会話にも文章にも幅広く使われる基本的な漢語。〈―地〉〈―を明確にする〉〈―がかなう〉〈―を達する〉⇩意図・趣旨①・ターゲット・狙い・Q目当て・目標

もくにん【黙認】暗黙のうちに認める意で、会話にも文章にも使われる漢語。〈喫煙を―する〉〈少々の遅刻は―する〉✎気がつきながら見て見ぬふりをする場合もあり、注意しないために結果として認めたのと同じことになってしまう場合もある。⇩Q黙過・黙許

もくひ【黙秘】黙ったまま何も言わない意で、改まった会話や文章に用いられる専門的な硬い漢語。〈―権〉〈―を続ける〉〈―を貫く〉✎被告や被疑者が取調べや法廷などで沈黙する連想が強い。⇩Qだんまり・沈黙

もくひょう【目標】実現しようとしてめざす対象や基準、または行動する際の目印の意で、会話にも文章にも広く使われる基本的な漢語。〈到達―〉〈募金の―額〉〈―を定める〉〈―に向かって進む〉✎三島由紀夫の『潮騒』に「エンジンから上っていた黒煙が、敵機の―になった」とある。⇩意図・ターゲット・狙い・Q目当て・目印・目的

もぐりこむ【潜り込む】物の間にもぐって中まで入り込む意で、会話やさほど硬くない文章に使われる和語。〈こたつに―〉〈布団に―〉✎夏目漱石の『坊っちゃん』に「人の波のなかへ―・んでどっかへ行って仕舞った」とある。「敵陣に―」「有名教授の講義に―」のようにひそかに入り込む意でも使う。⇩もぐる

もぐる【潜る】水の中や物の下などに入り姿が見えない状態にする意で、会話やさほど硬くない文章に使われる和語。〈水に―〉〈縁の下に―〉✎阿部知二の『冬の宿』に「風呂の中に海坊主のように―・ったり」とある。「地下に―」の形で潜伏する意を表す比喩的用法もある。⇩くぐる・Qもぐりこむ

もくれい【目礼】目で挨拶する意で、やや改まった会話や文章に用いられる漢語。〈―を交わす〉✎「黙礼」と違い、首や腰を曲げる動作が伴わない。⇩挨拶・会釈・お辞儀・敬礼・最敬礼・黙礼・礼②

もくれい【黙礼】黙ってお辞儀する意で、改まった会話や文章に用いられる漢語。〈柩《ひつぎ》に向かって―する〉〈軽く―して席を立つ〉⇩挨拶・会釈・お辞儀・敬礼・最敬礼・目礼・礼②

もくろむ【目論む】ある目標のもとに計画をめぐらす意で、会話やさほど硬くない文章に使われる和語。〈一攫《いっかく》千金を―〉〈一石二鳥を―〉〈会社の乗っ取りを―〉✎多くは悪い意味に用い、「企てる」より計画が漠然としている感じがある。そのため、単に自分にとって都合のよいことをあてにして期待するという程度の場合にも使われ、しばしば「目論見《もくろみ》が外れる」結果になる。⇩企てる

もし【若し】ある事態を仮に想定する気持ちを表し、くだけた会話から硬い文章まで幅広く使われる日常の基本的な和語。〈―雨だったら中止にする〉〈―駄目ならすぐ連絡す

る〉✎田宮虎彦の『沖縄の手記から』に「―アメリカ軍が小禄海岸に上陸作戦を行なう時は」とある。⇩もしも

もじ【文字】「字」の意で、会話にも文章にも使われる日常の漢語。〈かしら―〉〈表意―〉〈―どおり〉〈―づらがきれいだ〉✎「字」より少し正式な感じがある。⇩Q字・もんじ

もしかしたら【若しかしたら】「もしかすると」の意で主に改まらない会話に使われる和語表現。〈―もう終わっているかもしれない〉✎「もしかすると」より若干会話的で、「ひょっとしたら」ほどくだけていない。⇩あるいは②・ひょっとしたら・ひょっとすると・Qもしかすると

もしかすると【若しかすると】場合によってはそういうこともありえないではないという気持ちで仮定する際に、会話やさほど改まらない文章に使われる和語表現。〈―人違いかもしれない〉〈―休みかもしれない〉✎「あるいは」より可能性の低い場合に用いる傾向がある。⇩あるいは②・ひょっとしたら・Qひょっとすると・もしかしたら

もしくは【若しくは】「または」の意で、改まった会話や文章に用いられる古風で格式ばった感じの和語。〈父親―母親〉〈剣道または柔道、―相撲〉〈両親―兄弟、あるいは他の親族〉✎他と併用する場合は一般に、「か」や「または」より大きく「あるいは」より少し小さなまとまりに用いることが多いが、法例など一部では「鉛筆―ボールペン、または、原稿用紙―レポート用紙」のように、逆に「または」より小さな単位の接続に使う場合もある。⇩Qあるいは①・または

もしも【若しも】「もし」の強調表現で、会話にも文章にも使われる。〈―人生がやり直せたら〉〈―この世に言葉というものがなかったら〉✎「もし」に含まれる「仮に」という意味合いを強めた語で、ほとんど可能性がない場合の仮定によく使う。また、この語には「―の場合に備える」「家族に―のことがあったら」のように、天災や人の死といった最悪の場合を想定して名詞的に使う用法もある。⇩もし

もす【燃す】燃やして無くする意で、会話や軽い文章に使われる、いくぶん古風で俗っぽい感じがある。〈火を―〉〈落ち葉を―〉〈古い手紙類を―〉✎暖を取るために燃料として燃焼させるより、不要なものを処分するために灰にする場合に使う傾向がある。⇩燃焼・Q燃やす・焼く

もぞう【模(摸)造】本物に似せて造る意で、会話にも文章にも使われる漢語。〈―品〉〈―真珠〉〈名画を―する〉✎井伏鱒二の『珍品堂主人』に「―師に頼んで―させているのです」とある。「贋造《がんぞう》」と違い、本物と偽って高く売りつけるとは限らず、あくまで模造として安く売る場合もある。⇩Qイミテーション・贋造

もだえる【悶える】苦しみに耐えかねて思わず体を動かす意で、やや改まった会話や文章に用いられる和語。〈苦しみ―〉〈身を―〉✎田山花袋の『蒲団』に「時雄は―・えた、思い乱れた」とある。⇩思い悩む・思い煩う・悩む・Q煩悶《はんもん》・憂悶

もたげる【擡げる】持ち上げる意で、会話にも文章にも使われる和語。〈頭を―〉✎横光利一の『春は馬車に乗って』に「朝毎に、彼は海面から頭を―新しい陸地の上を素足で歩いた」とある。

もたれる【凭れる】他のものに体重を預ける意で、会話でも文章でも幅広く使われる日常生活の和語。〈ぐったりと椅子

に―・れてそのまま眠ってしまう〉〈途中で疲れ果て、橋の欄干に―・れてしばらく休む〉✎「寄り掛かる」よりも体重の預け方が大きいとされる。⇩寄り掛かる

もちあわせ【持ち合わせ】その時にその場に持っていた物、特に金銭をさし、会話にも文章にも使われる和語。〈たまたま―があったので、濡れた靴下を履き替えた〉〈あいにく―がなく掘り出し物を買い損ねる〉⇩所持金・Q所持品

もちいる【用いる】「使う」に近い意味で、改まった会話や硬い感じの文章中に用いる和語。〈道具を―〉〈敵の意表をつく策を―〉✎夏目漱石の『坊っちゃん』に「沖釣には竿は―・いません」とある。「使う」より堅苦しい雰囲気がある。⇩使う

もちかえり【持ち帰り】店内で食べずに買って家庭に持って帰る意で、会話でも文章でも普通に使う日常の和風表現。〈―用に包んでもらう〉⇩テイクアウト

もちぬし【持ち主】物品などを所有していたり、思想や性格や能力などを帯びていたりする人をさし、会話にも文章にも広く用いられる和語。〈車の―〉〈―に返す〉〈マルクス思想の―〉〈怪力の―〉〈優しい心の―〉✎太宰治の『斜陽』に「この山荘の以前の―」とある。⇩所有者

もちまえ【持ち前】生まれたときから具わっている意で、会話やさほど硬くない文章に使われる和語。〈―の明るさ〉〈―の器用さ〉〈―の気前のよさ〉✎古井由吉の『息災』に「―の、事が起りさえすれば勇み立つ癖が出て」とある。⇩生まれつき・生まれながら・親譲り・Q生得・生来

もちもの【持ち物】その人が所有している物、あるいは、その場に持ち合わせている物をさして、会話やさほど改まらない文章に使われる日常の和語。〈入り口で―を検査する〉〈ひとの―を勝手に使う〉〈自分の―に名前を書く〉✎所有物と所持品との総称にあたる。⇩所持品・Q所有物

もちろん【勿論】改めて言うまでもなく当然なの意で、くだけた会話から硬い文章まで幅広く使われる日常の漢語。〈―行くよ〉〈―それで構わない〉〈他人は―、自分でもちょっと変だと思っているにちがいない〉✎井上靖の『氷壁』に「下宿では、―お一人なんでしょうね」とある。「論ずる勿《なか》れ」の意。⇩Q無論・もとより

もつ【持つ】具体的・抽象的に所有・所持・負担する広い意味で、くだけた会話から硬い文章まで幅広く使われる日常の基本的な和語。〈荷物を―〉〈所帯を―〉〈機会を―〉〈思想を―〉✎夏目漱石の『坊っちゃん』に「清はおれがうちでも―・って独立したら、一所になる気で居た」とある。「勘定は俺が―」のように、負担する、まとめて支払うの意にも使う。⇩持参・所持・Q所有・携える

もつ 料理の材料となる臓物の意で、主にくだけた会話に使われる俗っぽい表現。〈―の煮込み〉✎「臓物」の短縮形。しばしば片仮名書きされる。⇩五臓六《ろっ》腑《ぷ》・臓器・臓腑・Q臓物・内臓・はらわた

もっか【目下】当面のところの意で、改まった会話や文章に用いられる硬い漢語。〈事故原因については―調査中〉〈―の課題〉〈―のところ〉〈―検討中につき〉〈―首位を独走している〉✎「現在」より時間の幅が広いが、「こんにち」ほどではない。⇩Q今・現在・今日《こんにち》・只今

もっか【黙過】気がついていながら黙って見逃す意で、改まった会話や文章に用いられる硬い漢語。〈横暴きわまる決定でとうてい―することはできない〉〈―しがたい重大な欠陥〉⇩黙認・Q黙許

もっきょ【黙許】気がつかないふりをして見逃す意で、主として文章中に用いられる硬い漢語。〈断じて―するわけにはいかない〉🖋「黙認」以上に大目に見る感じが強い。⇩Q黙認・黙過

もったいない【勿体ない】ありがたすぎて恐縮してしまう意で、改まった会話や文章に用いられる古風な表現。〈―お言葉を頂戴《ちょうだい》する〉〈―ほどのおもてなし〉🖋夏目漱石の『草枕』に「是はいい景色。和尚さん、障子をしめて居るのは―」とある。「こんな物に五万円も遣うのは―」「まだ使えるのに捨てるのは―」「わが家には―ほどの高級なソファー」のように、その価値を生かしきっていなくて惜しいといった意味合いでも使われ、その場合は古風な感じを伴わない。⇩惜しい・Q恐れ多い・勿体ぶる

もったいぶる【勿体ぶる】いかにも威厳ありげに重々しくふるまう意で、会話や軽い文章に使われる表現。〈―・った態度〉〈―・ってなかなか教えない〉⇩Q気取る・取り澄ます

もってのほか【以ての外】あまりに非常識で許しがたい意で、会話や軽い文章に使われる和語表現。〈自分だけ楽をしようなんて―だ〉〈無断外泊など―だ〉🖋悪い方向に常識をはみ出している場合に用い、単なる評価の「不届き」に比べ、驚き呆れる気分が漂う。⇩不届き

もっと それよりさらにの意で、会話や軽い文章に使われる和語。〈―安いので十分だ〉〈―勉強しなくちゃ〉〈―ずっと大きいよ〉⇩さらに・なお

もっとも【最も】他の何よりも一番の意で、やや改まった会話や文章に用いられる和語。〈わが国で―高い山〉〈―警戒を要する〉〈―難解な問題の一つである〉🖋小林秀雄の『言葉』に「歌は凡そ言葉というものの、―純粋な、本質的な使用法を保存している」とある。和語でありながら文体的なレベルが漢語の「一番」や「一等」より高く、改まった感じがある。⇩Q一番・一等

もっぱら【専ら】他を差し置いてそれだけの意で、会話にも文章にも使われる和語。〈―の評判だ〉〈休みの日は―寝ている〉〈残った金は―本に注ぎ込む〉⇩いちず・Qひたすら・ひたむき

もつれる【縺れる】糸や紐《ひも》のような細長い物が絡み合って乱れた状態になる意で、会話にも文章にも使われる和語。〈糸が―〉🖋佐藤春夫の『田園の憂鬱』に「犬どもがじっとしていないために、鎖は更に複雑に―・れ合って行く」とある。「舌が―」「脚が―」のように、思うように動かなくなる意に拡大して使い、比喩的に、「事件が―」「交渉が―」「試合が―」「感情が―」のように、すんなりと進展せずにこじれてしまう意にも使う。⇩こんがらかる

もてあそぶ【弄(玩・翫)ぶ】特定の目的もなく慰みに小手先でいじる意で、やや改まった会話や文章に用いられる和語。〈指輪を―〉〈ハンカチを―〉〈骨董《こっとう》を―〉〈盆栽を―〉〈猫が鼠《ねずみ》を―〉🖋有島武郎の『或る女』に「指輪の二つ嵌った大理石のような菓子の手に―・ばれていた」とある。

「いじる」と同様、本格的でないという謙遜の気持ちで使うこともあるが、「いじる」と違い、「女を―」「相手の感情を―」「運命に―・ばれる」のように、本気でなく遊びとしておもちゃにする意にも使う。⇩いじくる・Qいじる・ひねくる・まさぐる

もてなし【持て成し】 飲食物などでの客の扱い方の意で、会話にも文章にも使われる和語。〈丁重な―にあずかる〉〈手厚い―を受ける〉〈何のお―も致しませんで〉⇩Q饗応《きょうおう》・接待

モデル 制作などの基本となる型、雛形《ひながた》、見本例をさし、会話にも文章にも使われる外来語。〈―ケース〉〈―ルーム〉〈―チェンジ〉〈ニュー―〉〈旧型を―にして斬新さを加えたデザイン〉✎「絵の―」「小説の―」のように芸術作品の素材をさすこともある。「ファッション―」のように最新の衣装をまとって流行の宣伝を行う人をさすこともあり、その場合は細身の人間を連想させやすい。⇩Q型・典型・見本

もと【下】「した」「受けて」などの意味で、改まった会話や文章に用いられる硬い感じの和語。〈法の―に平等〉〈先生の指導の―に〉〈ただ一撃の―に倒す〉✎二葉亭四迷の『浮雲』に「梯子段の―まで来ると」とある。⇩元《もと》・基《もと》・Q本《もと》・許《もと》・因《もと》・素《もと》

もと【元】 以前、起こり、元金などきわめて広い意味で、くだけた会話から硬い文章まで幅広く使われる日常の最も基本的な和語。〈―首相〉〈発売―〉〈火の―に注意〉〈―を正せば〉〈―を絶つ〉〈―の住所〉〈これでやっと―が取れる〉✎夏目漱石の『草枕』に「―来た路へ姿をかくす」とある。「以前」の意では「旧」「故」とも書くが、かなり古い感じの表記。⇩下《もと》・Q基《もと》・本《もと》・許《もと》・因《もと》・素《もと》

もと【本】 付け根・根源の意で、会話や文章に使われる和語。〈木の―の方〉✎夏目漱石の『坊っちゃん』に「―が士族だけに双方共上品だ」とある。この意味で「元」と書くこともある。⇩元《もと》・下《もと》・Q基《もと》・許《もと》・因《もと》・素《もと》

もと【因】 原因の意で、会話にも文章にもよく使われる和語。〈火事の―〉〈不振の―〉〈喧嘩の―〉✎「原」の字をあてても「元」と書いてもよい。井上ひさしは長編小説『吉里吉里人』を極端に長い一文で書き出し、そのうち三百字近い長大な連体修飾を受けて「ノイローゼの原因《もと》になったこの事件」と展開させている。⇩因果・原因・Q元《もと》・下《もと》・基《もと》・本《もと》・許《もと》・素《もと》

もと【素】 物を作り出す材料の意で、会話にも文章にも使われる、やや俗っぽい和語。〈スープの―〉⇩Q元《もと》・下《もと》・基《もと》・本《もと》・許《もと》・因《もと》

もと【基】 土台・拠《よ》りどころの意で、会話にも文章にも使われる和語。〈資料を―に論文を書く〉〈事業の―を築く〉✎この表記は硬い感じを与える。「もとい」と読めば古風。⇩元《もと》・下《もと》・Q本《もと》・許《もと》・因《もと》・素《もと》

もと【許】 中心をなす対象の影響下といった意味合いで、やや改まった会話や文章に使われる和語。〈両親の―から通う〉✎「手―が暗い」のような用法ではまったくの日常語で改まった感じはまったくない。この意味で「元」とも「下」とも書く。「許」の表記は古めかしい感じを与える。⇩元《もと》・Q下《もと》・基《もと》・本《もと》・因《もと》・素《もと》

もどかしい じれったい意で、改まった会話や文章に用いられる和語。〈仕事が遅すぎて見ているほうも―〉〈足が痺《しび》れて思うように動かず―思いをする〉✎丸谷才一の『笹まくら』に「言葉がつづかないのが、われながら―」とある。⇩じれったい

もときん【元金】①「元手」の意で、会話や改まらない文章に使われる、やや古風な表現。〈店を出すにも―が要る〉⇩Qがん金②・資本・元手 ②利子を生ずる元となる金銭の意で、会話や軽い文章に使われる表現。〈―が少ないから微々たる利息だ〉✎「がん金」より日常語的な響きがある。⇩Qがん金①・元本《がんぽん》

もどす【戻す】飲食したものが胃から逆流して口から出る意の間接的な表現として、やや改まった会話や文章で使われる和語。〈食べた物を―〉✎谷崎潤一郎の『或る少年の怖れ』に「真白な牛乳のようなものを―んだって」とある。「吐く」に比べ露骨な感じが弱い。基本的用法は、「元どおりに―」「前の場所に―」のように、移動・変化したのを以前の状態に返す意。⇩吐く

もとで【元手】事業を始める際の資本金の意で、会話や軽い文章に使われる和語。〈何をやるにも―がかかる〉〈―の要らない商売〉⇩がん金②・Q資本・もと金①・予算

もとね【元値】商品を仕入れたときの値段の意で、会話や軽い文章に使われる和語。〈―で買い取る〉〈―を切って売る〉✎「原価」の会話的な言い方。⇩Q原価・コスト・仕入れ値

もとめる【求める】要求する意で、やや改まった会話や文章によく用いられる基本的な和語。〈説明を―〉〈辞任を―〉〈職を―〉〈名声を―〉✎夏目漱石の『坊っちゃん』に「面会を―・めれば」とある。⇩Q需《もと》める・購《もと》める

もとめる【需める】必要とする意で、主に文章に用いられるやや古風な和語。〈消費者の―品物〉✎「求める」のうち、需要の意を強く打ち出す場合の表記。⇩Q求める・購《もと》める

もとめる【購める】買い入れる意で、やや改まった会話や文章に用いられる丁寧な感じの和語。〈買い―〉〈近所の店で―〉✎この漢字表記は古い感じを与える。「求める」と書いても誤りとまでは言えない。正宗白鳥の『入江のほとり』に「兎を一匹―・めて」とある。⇩Q求める・需《もと》める

もともと【元元】「元来」の意で、会話や軽い文章に使われる和語。〈―貧乏には慣れている〉〈ここは―父の所有地だった〉〈―正直にできている〉〈―慎重派だからめったな話には乗ってこない〉✎「駄目で―だ」のように、損得なしの意にも使う。⇩Q元来・本来・もとより

もとより【固(元)より】「勿論《もちろん》」に近い意味合いで、やや改まった会話や文章に用いられる古風な和語。〈―当人も承知だ〉〈妻は―子供も大賛成だ〉✎夏目漱石の『草枕』に「―急ぐ旅でないから、ぶらぶらと七曲りへかかる」とある。「―本来は「最初から」の意で、反射的に即断する感じの「無論」「勿論」に比べ、勘だけでなく一往の筋道を考えて判断する感じがある。⇩元来・無論・もともと・Q勿論

もどる【戻る】直前の場所に引き返す、以前の状態に復するの意で、くだけた会話から硬い文章まで幅広く使われる日常生活の基本的な和語。〈振り出しに―〉〈忘れ物を取りに―〉〈元来た道を―〉〈職場に―〉〈落とし物が無事に―〉

〈体力が―〉✎夏目漱石の『坊っちゃん』に「席に―・った」とある。本来の場所を基準とする「帰る」とは違い、この語はあくまで直前の場所や状態を基準とする表現。何十年も日本に滞在して布教を続けてきた神父が久しぶりに生まれ故郷のフランスの土を踏むときに「帰る」と言うか「戻る」と言うかによって軸足をどちらに置いているかという帰属意識が明るみに出る。⇩返る・帰る

もの【物】 人間の思考や感覚や感情の対象となる有形・無形の存在、特に人間の用いる物品を広くさし、くだけた会話から硬い文章まで幅広く使われる日常の最も基本的な和語。〈割れ―〉〈―を大事にする〉〈人から―をもらう〉〈―が不足する〉✎「―がいい」のように品質をさしたり、「―になる」のように役立つ存在をさしたりするほか、「―は考えよう」「―は試し」など、「もの」という仮名表記を含めれば、具体的・抽象的なあらゆる対象をさす。吉行淳之介の『鳥獣虫魚』に「街角で出会いがしらに向い合う人間たちも、みな私の眼の中でさまざまの変形と褪色をおこし、みるみる石膏色の見馴れないモノになってしまった」とあり、そこの「モノ」という無機的な片仮名表記が、自分と有機的なかかわりを持たない対象と見る意識のあり方を端的に伝えてくる。⇩事物・物質・Q物体・物事

ものいい【物言い】 抗議を申し立てる意で、会話や改まらない文章に使われる、やや古い感じの和語。〈編集部の会議を通過した企画に、営業部から―がつく〉✎もと、相撲《すもう》で、行司の判定に対し勝負審判が異議を唱えること。そこから一般に、物事の進行を妨げる反対意見を述べる意に広がった。すでに相撲の意識は薄くなっている。⇩異議・抗議

ものうい【物憂い／懶い】 何となく気分が晴れず何をするにも気が進まない意で、改まった会話や文章に用いられる和語。〈物憂げな様子〉〈―一日を過ごす〉✎志賀直哉の『暗夜行路』に「―沈んだ気分もさすがに慰められた」とある。⇩アンニュイ・Qけだるい・大儀・ふさぐ・めいる・憂鬱

ものかき【物書き】 文章を書くことで生計を立てる人をさす和語。会話的な響きがあり、硬い文章にはなじまない。〈―の暮らし〉〈―で生計を立てる〉✎立松和平は、時代を映して凜とした響きを残す「文士」という語とは対照的に、この語には、文筆によって生計を維持しているという自虐的な響きがあると述べたが、たしかに堂々と作家・小説家と名乗ることへのためらいがあり、そういう語感によって自己に対する謙虚な呼称となっている。⇩作家・小説家・著作家・著作者・Q著述業・文学者・文士・文人・文筆家

ものかげ【物影】 姿かたちの意で、改まった会話や文章に用いられる、やや古風な和語。〈―に気づく〉〈目の前を異様な―が横切る〉⇩物陰

ものかげ【物陰】 物に隠れて見えない所の意で、やや改まった会話や文章に用いられる、やや古風な和語。〈―に隠れる〉〈―に身を潜める〉⇩物影

ものがたり【物語】 作者の体験や空想をもとに虚構として創作し、相手に語る調子で書く散文作品をさし、会話にも文章にも使われる和語。〈軍記―〉〈恋―〉〈夢―〉✎森鷗外の『雁』に「前に見た事と後に聞いた事とを、照らし合せて作ったのが此の―である」とある。平安時代・鎌倉時代の古典

を連想しやすい。⇩小説

ものがなしい【物悲しい】どこか淋《さみ》しく何となく悲しいような気持ちをさし、やや改まった会話や文章に用いられる和語。〈—気分〉〈—表情〉〈—旋律〉✐井伏鱒二の『へんろう宿』に、「脚のない将棋盤が置いてあった。これがこの部屋の唯一の装飾品になっていて、かえって—気持ちを唆るのであった」とあり、庄野潤三の『野鴨』に「午前中とか昼間とちょっと違うんでしょう、夕方というのは。何となく—くなって来るのかも知れないわ、赤ちゃんでも」とある。⇩哀感・哀愁・うら悲しい・悲しい・寂寞《せきばく》・寂寥《せきりょう》・憂愁

ものぐさ【物臭／懶】めんどくさがって物事をやりたがらない意で、会話にも文章にも使われる古風な和語。〈—を決め込む〉〈根っからの—で炬燵《こたつ》に入ったまま動かない〉⇩Ⓠ横着・ぐうたら・ずぼら・怠惰・怠慢・無精

ものごと【物事】物と事をまとめてさし、くだけた会話から文章まで幅広く使われる日常の基本的な和語。〈細かい—にこだわる〉〈—には限界がある〉〈全力で—に当たる〉〈—はそう理屈どおりには運ばない〉✐石坂洋次郎の『青い山脈』に「どんな新しい—でも(略)土が水を吸うようにスクスクと受け入れる」とある。「事物」と逆に「事」のほうに重点がある。⇩事・Ⓠ事柄・事象・事物・物

ものしり【物知(識)り】幅広い領域について豊富な知識のある意で、会話や硬くない文章に使われる日常の和語。〈町内きっての—〉〈天文学から易や武術、それにスポーツや映画の裏話まで何でも知っている大変な—だ〉✐落語に出てくる横町の隠居を連想させ、雑学が多く断片的な知識で体系立っていない情報通といった印象がある。⇩学識・博学・Ⓠ博識・有識

ものずき【物好き】常識では考えにくいほど風変わりな意で、会話やさほど硬くない文章に使われる和語。〈こんな物に大金をつぎ込むのはよほどの—だ〉〈—にも程がある〉✐小沼丹の『懐中時計』に「いまどき懐中時計を買おうなんて—は滅多にあるものではない」とある。⇩酔狂

ものたりない【物足りない】何かが欠けている感じで満足できない気持ちをさし、会話にも文章にも使われる和語。〈量が少なくて—〉〈成績が—〉〈演技力がまだ—〉✐石坂洋次郎の『若い人』に「酒と水のすりかえが行われたかのようなある物足りなさを押さえきれなかった」とある。「物足らない」の語形はやや古風で時に方言的響きを感じさせる。⇩Ⓠあっけない

ものとり【物盗り】「泥棒」の意で、やや古い感じの会話的な和語。〈—強盗〉〈—の仕業〉✐行為と人の両方をさす。⇩窃盗・賊・盗賊・Ⓠ泥棒・ぬすっと・ぬすびと

ものもち【物持ち】ちょっとした金持ちをさして、会話や軽い文章に使われる、やや古風な和語。〈町内きっての—〉〈なかなかの—らしい〉✐「富豪」や「長者」はもちろん「素封家」や「金満家」に比べてもはるかにスケールが小さい。⇩大金持ち・Ⓠ金持ち・金満家・財産家・素封家《そほうか》・長者・富豪

ものわかり【物分かり】立場・事情・状況などをのみこんで理解を示す意で、会話にも文章にも使われる和語。〈—のいい生徒〉〈今度の部長はなかなか—がいい〉✐小沼丹の『炉を塞ぐ』に「それ程—がいいとは思わなかったから、それを聞

いてたいへん嬉しかった」とある。「聞き分け」と違って子供以外にも用い、理解のある、いわゆる「話せる」親や上司などの上位者についてよく使う。⇩聞き分け

もはや【最早】今となっては既にの意で、会話にも文章にも使われる古風な和語。〈―これまで〉〈―どうにもならない〉〈成功は―望めない〉⇩すでに・Ⓠもう

もはん【模範】見習うべき理想的な在り方をさし、会話にも文章にも使われる漢語。〈―生〉〈―演技〉〈―解答〉〈社員の―になる勤務態度〉✐「手本」より真似るのが難しい雰囲気がある。「規範」に比べ、正しいという感じより、ある社会・企業・学校なりの何らかの組織にとって望ましいというイメージがある。⇩Ⓠ規範・手本・見本

もほう【模倣】まねをする意で、改まった会話や文章に用いられる、やや硬い感じの漢語。〈自然を―する〉〈先進技術を―する〉〈―の域を出ない〉✐軽い感じで広く使う「まね」に比べ、悪いニュアンスが伴いやすい。⇩なぞる・まね・まねる

もみじ【紅葉】木の葉の色が赤や黄色に変わる意、また、そうなった葉をさし、会話にも文章にも使われる和語。〈―狩り〉〈柿―〉〈流れに―が散り浮く〉✐石川達三の『日蔭の村』に「渓谷の―は錦繡の帯のように谷の屈曲に沿うて遠く上流にまで連なっていた」とある。「―が色づく」のように楓《かえで》の別称ともなる。「銀杏《いちょう》―」のように黄色い葉だけをさす場合は「黄葉」と書き分ける。文脈上「紅葉《こうよう》」と紛らわしいことも多く、仮名書きの例も少なくない。⇩紅葉・黄葉《こうよう》

もめごと【揉め事】個人間や家庭間などの比較的小規模な争いの意で、会話にも文章にも使われる和語。〈ちょっとした―が起こる〉〈―を収める〉⇩諍《いさか》い・いざこざ・ごたごた・Ⓠトラブル

もも【腿(股)】股から膝までの部分をさして、会話でも文章でも使われる日常の和語。〈―が太い〉〈―の筋肉を傷める〉✐三浦朱門の『箱庭』に「ボッタリ肉のついた―が二本、太い指のように並んでいて」という例がある。丹羽文雄は『厭がらせの年齢』で、「―のあたりの皮をつまんで右の方にひっぱると、つままれた形のままで停止してしまう」と、すっかり弾力を失った老女の悲惨な肉体の衰えを描写した。⇩Ⓠ大腿部《だいたいぶ》・太腿《ふともも》

ももいろ【桃色】桃の花のような淡い紅をさし、会話よりも文章に多く用いられるやや古風な和語。〈花びらはほのかに―がかった白〉〈―の風呂敷〉✐湯川秀樹の『旅人』に「いちょうのこずえが、日の光を受けて、あざやかな―にふちどられていた」とある。「―の帯」「ピンクのドレス」というふうに、和装に「桃色」、洋装に「ピンク」と両語を使い分けると落ち着いた印象になる。「―のハンカチ」と「ピンクのハンカチ」、「―の傘」と「ピンクの傘」というふうに同じ対象に用いた場合は、「桃色」のほうが少し古風な感じに響く。⇩ピンク

ももひき【股引き】細いズボン状の衣類をさし、会話にも文章にも使われる古風な感じの和語。〈冬はらくだの―に限る〉✐「すててこ」より厚地で長く、通常は足首近くまである。男性用の下着のほか、作業用もある。⇩すててこ・Ⓠズボ

ン下

もや【靄】視程が一キロ以上あって霧より見通しがよい状態を意味する日常的な和語。〈―がかかって遠くがかすんで見える〉壺井栄の『二十四の瞳』に「静かな海に―はふかくたちこめていて、岬の村は夢のなかに浮かんでいるように見えた」とある。「霞」や「霧」と違い、特別の季節はない。⇩朧《おぼろ》・霞・Q霧

もやす【燃やす】物に火をつけて燃えるようにする意で、くだけた会話から硬い文章まで幅広く使われる日常の基本的な和語。〈火を―〉〈落ち葉を―〉〈新聞紙を―〉秋刀魚《さんま》を焼くときに油が火に落ちて黒い煙を出して燃えることもあるが、それが目的ではないから「燃やす」とは言わない。⇩燃焼・Q燃す・焼く

もよう【模様】織物・染め物・塗り物・彫刻・紙などに装飾としてつける絵や図柄をさし、会話にも文章にも使われる日常の漢語。〈唐草―〉〈水玉―〉〈裾―〉〈派手な―をほどこす〉三島由紀夫の『仮面の告白』に「洒落た壁紙のような花―のワンピース」とある。「部屋の―替え」「雨―の空」「人生―」「どうやら無事に着いた―だ」のように、様子といった意味合いでも使う。⇩柄《がら》・Q文様《もんよう》

もようがえ【模様替え】室内の装飾を新しくしたり、備え付ける物の配置を変更したりする意で、会話やさほど硬くない文章に使われる和語。〈部屋の―〉〈キッチンの―で炊事の流れが機能的になる〉「改装」と違い、店舗に限らず事務所や一般住宅についても使う。⇩Q改装・新装

もよおし【催し】人を集めて行う会合や行事をさし、会話にも文章にも使われる和語。〈学園祭の―〉〈納涼の―〉〈歓迎の―〉二葉亭四迷の『浮雲』に「菊見の―」とある。「行事」ほど儀式ばらず、もっと楽しい連想が強く、また臨時の場合も多い。⇩行事

もらいもの【貰い物】他人からもらい受けた物をさす和語。〈友達からの―〉〈―だけど、よかったら食べて〉「頂き物」との差はくれた人をどう待遇するかという問題であり、社長か部下かといった与え手の身分や、いかの一夜干しか鰐革《わにがわ》のベルトかといった与えられた品の価値とは無関係。⇩頂き物・Q到来物

もらす【漏(洩)らす】内部にとどめておくべき液体・気体や思考内容・感情・情報などを外部に少し出してしまう意で、会話にも文章にも使われる和語。〈おしっこを―〉〈溜《た》め息を―〉〈秘密を―〉〈不平を―〉〈細大―・さず〉⇩漏洩《ろうえい》

モラル 社会道徳の意で、会話にも文章にも使われる外来語。〈最低限の―は守る〉〈―に反する〉〈―の低下が嘆かわしい〉〈エチケットどころか、これは―の問題だ〉モラルを呼びかける中吊り広告に「捨てる人は、拾わない。捨てない人が、拾っている。」というのがある。まさにそのとおりだと感心するのは捨てない人ばかりのような気がする。⇩義理・Q道徳・倫理

もり【守】(子供などの)世話をしたり危険から守ったりすることやその人をさし、会話でも文章でもまれに使われることのある古めかしい和語。〈灯台―〉〈子―〉〈赤子のお―をする〉「子供のお―」や「お―役」以外、現代ではめったに使われないが、阿川弘之の『夜の波音』は「海は、眠っ

た町を―するように、夜じゅう鳴りつづけていた」という比喩表現の冒頭文で幕を開ける。⇩守る

もり【森】多くの樹木が生い茂っている広い土地をさす和語。「森林」に比べ、改まらない日常語で、くだけた会話でも硬い文章でも広く使われる。〈―の散歩道〉〈暗い―の奥に分け入る〉✎村上春樹の『ノルウェイの森』に「彼女自身の心みたいに暗い―の奥で直子は首をくくった」とある。「林」よりも、生えている木の密集度が高く、しかも、それらの樹木がこんもりと茂っていて、向こう側が見通せない感じがある。一面に樹木が密集し、奥が闇にのみこまれそうな深い「森」では、声の反響するいわゆる「―のこだま」が聞こえるが、この雰囲気は「林」では望めない。そういう奥深い「森」は幻想をよび、小人や魔法使いでも住んでいそうなけはいを漂わせる。また、「林」よりも「森」のほうが規模が大きく歴史も古い感じがある。それだけに大木がそびえている雰囲気があり、人間が計画的に植林したのでなく、長い年月を経て自然にできあがったという印象が強く、さまざまな種類の木が乱雑に生い茂っている感じがある。「森」は山や丘のような高地にある場合が多く、神社のまわりにある木立はたとい小規模であっても「鎮守の―」と呼ばれる。「林」に比べ、暗く奥深い自然のイメージが強く、全貌をとらえきれない未知なるものへの恐れから、神秘的で夢幻的な存在として、人間はそこに「―の精」などを想像してきた。⇩樹海・森林・林

もりあがる【盛り上がる】盛ったように高くなる意で、会話にも文章にも使われる和語。〈土が―〉〈筋肉が―〉✎「試合が―」「会が―」「気分が―」のように、盛んになる意の比喩的な用法も多い。⇩隆起

もる【盛る】器にいっぱいに入れる意で、会話にも文章にも使われる和語。〈茶碗に御飯を―〉〈料理を大皿に―〉✎「盛り土」「盛り花」などの連想もあり、御飯の場合も「よそう」より内容物が積み重なって盛り上がっているイメージが浮かぶ。「酒を―」のように液体に用いると古い感じに響く。名詞の「酒盛り」は今でもまだ動詞より使われるが、それでもいくらか古風な感じが伴う。「毒を―」のように、飲食物にひそかに毒薬を混ぜる場合にも使う。近年「髪を―」とも言う。⇩装う

もる【漏る】液体・気体・光などが小さな隙間から外に出る意で、会話でも文章でも広く使われる日常生活の和語。〈水が―〉〈雨が―〉〈桶《おけ》が―〉✎佐々木邦の『いたずら小僧日記』に「(風呂桶は)なあに水ぐらい―・ったって構やしない。人さえ―・らなけりゃ大事あるまい」とある。「漏れる」が漏るもの自体に意識の中心があるのに対し、この語は漏れるもの自体よりもそういう現象の生じている場所に関心の重点があるという指摘もある。「漏れる」と違い、情報のような抽象的な対象には用いない。⇩漏れる

もれ【漏(洩)れ】「落ち」に近い意味で、会話にも文章にも使われる和語。〈記入―〉〈名簿に―がある〉〈配付先に―が出る〉✎「落ち」ほど人為的なミスという面が強くなく、原因にふれずに事実だけを伝えている感じがある。⇩Q遺漏・落ち・欠落・脱落①

もれる【漏れる】液体・気体・光や情報などが外部に出て行く

意で、会話でも文章でも広く使われる日常生活の和語。〈ガスが—〉〈明かりが外に—〉〈秘密が—〉✎立野信之の『流し鈎』に「張りつめていた胸から空気が—・れ出るように溜息をついた」とある。「漏る」は場所に、「漏れる」はものに注目した表現といわれる。⇩落ちる①・漏る

もろい【脆い】影響を受けてこわれやすい意で、会話にも文章にも使われる和語。〈—・くなった歯〉〈—・くも崩れる〉〈熱に—〉✎小川洋子の『夕暮れの給食室と雨のプール』に「桜の花びらのように—・く繊細な表情」とある。⇩Q脆弱《ぜいじゃく》・弱い

もろて【諸手】両手の意で、会話にも文章にもきまった言いまわしの中で使われる古風な和語。〈—突き〉〈—を挙げて賛成する〉⇩両手

もんく【文句】不平不満から出る「苦情」の意で、会話や軽い文章に使われる漢語。〈—たらたら〉〈扱いに—を言う〉〈仕事に—をつける〉〈—があるか〉〈完璧な出来で—のつけようがない〉✎「名—」「歌の—」のように文章中の文や語句を意味する用法では、硬い文章にも用いる。⇩Q苦情・クレーム

もんじ【文字】「もじ」の意で、きわめて改まった会話や文章にまれに用いられる古風で正式な感じの漢語。〈不立《ふりゅう》—〉(悟りは心から心に伝わるものであり、ことばや文字で伝えられるものではない、という意味の禅宗の立場を示す標語)⇩字・もじ

もんじん【門人】師匠のところに入門した人をさし、会話にも文章にも使われる古めかしい漢語。〈道場の—となる〉〈—としてじきじきに教えを受ける〉⇩教え子・弟子・Q門弟

もんだい【問題】試験の問いや、解決すべき厄介な事柄をさし、くだけた会話から硬い文章まで幅広く使われる日常の基本的な漢語。〈環境—〉〈—を提起する〉〈—の発言〉〈記述式の—を出す〉〈入試—を解く〉〈—を起こす〉〈それはまた別の—だ〉〈まるで—にならない〉✎小林秀雄の『ゴッホの手紙』に「パリに来て、ゴッホを悩ました肖像画の—には、こういう二重性があった様に思われる」とある。「解答」と対立。⇩課題

もんちゃく【悶着】互いの意見の対立や感情のもつれから争う意で、会話や軽い文章に使われる古風な漢語。〈—を起こす〉〈ひと—あることは必至だ〉✎芥川龍之介の『偸盗』に「太郎さんがこんな事を知ってごらん。また、お前さん、一—だろう」とある。⇩いさかい・いざこざ・ごたごた・トラブル・もめごと

もんてい【門弟】師匠に入門した弟子をさし、会話にも文章にも使われる古風な漢語。〈多数の—を抱える〉〈芭蕉の—の一人〉⇩教え子・弟子・Q門人

もんよう【文(紋)様】「模様」の意で、改まった会話や文章に用いられる古風で専門的な雰囲気の漢語。〈焼き物に—をほどこす〉⇩柄《がら》・Q模様

や

やおら 「おもむろに」の意で、さらに古風な感じのする語。〈—身を起こす〉国木田独歩の『運命論者』に「父は筆を擱いて—此方に向き」とある。近年、若年層に、逆に「急に」「素早く」といった意味合いに理解する例が見られる。そういう意味に使えば俗語的。⇩おもむろに

やがい【野外】建物の外や繁華街から離れた自然の多い場所をさし、会話にも文章にも使われる漢語。〈—音楽堂〉〈—劇〉〈—演習〉〈—で聞く〉〈—で過ごす〉⇩屋外・戸外

やがて【軈て】「間もなく」に近い意味で、少し改まった会話や文章に用いられるやや古風な和語。〈—日が暮れる〉〈—大きくなる〉〈—帰る日が来る〉田宮虎彦の『沖縄の手記から』に出る「はげしい空襲の中に、—朝焼けに空が焼けて、夜が明けていく日もあるようになった」という例は、さほど時間を経過しないうちの変化をさすが、すぐにではなくともいずれそのうちにというニュアンスで未来を予測する例も多い。⇩いずれ②・追って・近々《きんきん》・じきに・Qそのうち・近ぢか・程なく・間も無く

やかましい【喧しい】大きな音に悩まされて不快だの意で、会話や軽い文章に使われる日常の和語。〈さかりのついた猫の鳴き声が—〉〈ジェット機の音が—・くて話が聞こえない〉〈車の警笛の音が—〉志賀直哉の『濠端の住まい』に「暴れる猫の声が—・く、気になった」とある。「うるさい」より音量が大きく、そのために妨害される感じを伴う。「騒がしい」「騒々しい」以上に不快感が強い。「ロ—・く注意する」「親がしつけに—」のように、細部にわたって厳格だという意味にも使う。⇩うるさい・騒がしい・Q騒々しい・にぎやか

やから【輩】同類の者をさし、会話にも文章にも使われる古めかしい和語。〈不逞《ふてい》の—〉〈あの—には気をつけたほうがいい〉多く軽侮のニュアンスが伴う。⇩手合い・れんじゅう・れんちゅう

やかん【夜間】夜の間の意で、会話にも文章にも使われる漢語。〈—営業〉〈—勤務〉〈—の外出〉〈—の照明〉〈—の工事〉〈—の学校に通う〉〈—出歩く〉「夜」に比べ、そのうちのある時刻をささず、時間帯という幅をイメージさせる。常識的に人の活動する日没後数時間を意味することが多いが、「—料金」「—の工事」などでは夜全体に近い。「昼間《ちゅうかん》」と対立。⇩深更・深夜・晩・真夜中・夜半・夜分・夜《よ》・宵・夜中・夜更け・Q夜《よる》・よわ

やかん【薬缶〈鑵〉】銅・真鍮《しんちゅう》・アルマイトなどで製造した湯沸かしをさし、会話にも文章にも使われる漢語。〈—をガスにかける〉〈—から湯をポットに移す〉もと薬を煎じるのに用いたところから。⇩鉄瓶・Q湯沸かし

やかんじあい【夜間試合】夜間に行うプロ野球などの試合をさす、かなり古めかしい感じの漢語。〈—用の照明〉サトウハチローの『スタンドの古狸』に「戦争がなければ、プロよりも、六大学の方が早く正式の—をやっていたかも知れない」とある。⇩Qナイター・ナイトゲーム

やきつく【焼〈灼〉き付く】焼けてくっつく、強く印象に残っ

て忘れられない意で、会話にも文章にも使われる和語。〈—ような強烈な日差し〉〈目に—〉〈心に—〉有島武郎の『或る女』に「低い、重い声が—ように耳近く聞えた」とある。⇩Qこびり付く・しみつく

やきぶた【焼き豚】 豚肉をたれにつけてオーブンで蒸し焼きにした食品をさす和語。「チャーシュー」の使用が増えた今でもまだ使われる用語。〈ラーメンに—を入れる〉雁屋哲の『美味しんぼ探偵局』に「本物の—は香ばしくって、肉にも旨味があって」とある。⇩チャーシュー

やきめし【焼き飯】 肉や卵や野菜などを入れて油で炒《たい》めた米飯をさし、会話にも文章にも使われる、やや古風な和語。〈残り御飯を—にする〉現代では「チャーハン」のほうが一般的で、この語は高齢の男性が家庭料理について言う雰囲気がある。⇩Q炒飯《チャーハン》・ピラフ

やきもき 気をもんでいらいらしながら待つときの気持ちをさし、会話や軽い文章に使われる擬態語。〈どうなるかと—しながら見守る〉〈空港に向かうバスが遅れて—する〉小沼丹の『鶺鴒』に「待合せた相手の三人が揃って遅刻したのだから、先生も嘸—されていたのではないかしらん？」とある。⇩いらいら・Qじれったい・もどかしい

やきもち【焼き餅／嫉妬】 主として男女間での「ねたみ」をさし、主として会話に使われる日常的な和語。〈—をやく〉芥川龍之介の『偸盗』に「疑り深いね(略)—にも程があるよ」とある。嫉妬《しっと》する意の「焼く」に縁のある「餅」を添えた語という。「嫉妬」よりもやわらかく若干ユーモラス。主として男女間の感情について言う。⇩Q嫉妬・妬み

やきもの【焼き物】 陶磁器や釉薬《うわぐすり》をほどこさない素焼きの焼き物、土器などの総称として、会話にも文章にも使われる和語。〈—の古い器で趣がある〉夏目漱石の『坊っちゃん』に、「瀬戸で出来る—だから、瀬戸と云うのだ」と博物の教師に教えられる場面がある。井伏鱒二は『庄野君と古備前』で、庄野潤三が備前焼の破片にぬたを塗ったレタスを盛って酒を飲むことを知り、「大昔の—の破片まで生かしている。生かしているとは、詩にしているという意味である」と述べた。なお、この語は、「おつくりの後に—が出る」のように、魚などを焼いた料理をさす用法もある。⇩かわらけ・磁器・瀬戸物・陶器・Q陶磁器・土器

やきゅう【野球】 九人ずつのチームに分かれ、投手の投げた球を一人ずつバットで打って得点を競う球技。「ベースボール」の訳語として漢語めかして作り出した十九世紀末以来の長い伝統を持ち、すっかり日本人の生活になじんだことば。現在でも最も幅広く一般に使用されている日常語。〈草—〉〈高校—〉〈—ファン〉〈プロ—を志望する〉「ベースボール」に比べ、格別の昔なつかしさもなく、また、斬新に響くための気障っぽさも伴わない。正岡子規は幼名の「升《のぼる》」にひっかけ、「のボール」という音になるよう「野球」と署名した手紙もあるという。小沼丹の『リトル・リイグ』に「テレビで子供の—の試合を観たことがある」とある。⇩ベースボール

やきゅうじょう【野球場】 野球の試合をするための競技場をさし、会話にも文章にも使われる漢語。〈外野の両翼の広い—〉略して単に「球場」と言うことが多い。⇩運動場・Q球

場・競技場・グラウンド・グランド・コート・スタジアム

やく【妬く】 嫉妬する意で、主にくだけた会話に使われる、やや俗っぽい和語。〈やきもちを—〉〈若いカップルを見て—〉〈同期生の昇格を知って—〉✎「焼く」のうち特に嫉妬の意を明確に出すために書き分ける場合の表記。「焼く」と書いても間違いではない。獅子文六の『自由学校』に「このお嬢さん、本心では、—・いて、そして、スネていらっしゃるのだ」とある。⇩Q嫉妬・焼く

やく【焼く】 燃焼させたり食品などに火を通したりする意で、くだけた会話から硬い文章まで幅広く使われる日常の基本的な和語。〈さんまを—〉〈クッキーを—〉〈こんがりと—〉〈古い手紙を—〉〈窯で壺《つぼ》を—〉〈火事で家を—〉✎円地文子の『女坂』に「夕餉の魚を—匂いが煙にまじってそこここの軒下から迷い出て来る」とある。「日光に当てて肌を—」「写真を—」のように、光を当てて変化させる意にも使う。⇩Qあぶる・焚《た》く・妬《や》く

やく 麻薬を意味する隠語的な俗語。〈—の常習者〉〈—に手を染める〉✎漢字で書けば「薬」となるが、むしろ「ヤク」と片仮名表記する例が多い。⇩覚醒剤・しゃぶ・大麻・ドラッグ・Q麻薬・マリファナ

やく【役】 与えられる任務やその担当の意で、くだけた会話から硬い文章まで幅広く使われる日常の漢語。〈—不足〉〈大—をおおせつかる〉〈重要な—に就く〉〈難しい—を押し付けられる〉〈—を無事にこなす〉✎福原麟太郎の『チャールズ・ラム伝』に「凶のくじはしかしそれで一応—をすませた」とある。単に「—が付く」「—を演ずる」「—を降りる」として演劇の配役などをさす用法もある。⇩Q役目・役割

やく【約】 大まかに数えて、おおよその意で、会話にも文章にも使われる漢語。〈—一週間〉〈—半分〉〈—百人〉〈—二万円〉✎夏目漱石の『坊っちゃん』に「—一時間許《ばか》りのうちに」とある。数量について使われる。⇩ほぼ

やく【訳】 外国語の翻訳や古語の現代語訳をさし、会話や改まらない文章に使われる日常の漢語。〈こなれた—〉〈—がぎこちない〉〈—をつける〉✎小沼丹の『チェホフの葬式』に「どこかで誰かがちょん切った—で、無論「回想」の訳者に責任はない」とある。⇩翻訳

やくいん【役員】 会社などである部分の運営責任を持つ幹部職員をさし、会話にも文章にも使われる漢語。〈—待遇〉〈—に抜擢《ばってき》される〉⇩Q委員・係・幹事

やくざ ばくち打ち・香具師《やし》・暴力団員など世の中の役に立たないと考えられている人間の総称として、会話にも文章にも使われる和語。〈—者〉〈—っぽい身なり〉〈—から足を洗う〉✎敬遠する気持ちから「ヤーさん」とぼかしてあたりをやわらげる俗語もある。もと、賭博で「八・九・三」の札がそろうと最悪の手となることから「や・く・ざ」で役に立たない意を表したところから。「—仕事」「—な奴」はその一例であり、「人生だとか文学だとか絶望だとか孤独だとか、そういう自分でもよく意味のわからぬ—な言葉で頭を一杯にして、犬の様にうろついていたのだろう」という小林秀雄『モオツァルト』の例も同様である。⇩ごろつき・ちんぴら・ならず者・無頼漢・Q暴力団・無法者・与太者

やくざい【薬剤】 薬、特に調合したものをさし、改まった会話や文章で用いられる漢語。〈―師〉〈―を散布する〉〈医者の指示どおりに調合した―〉✎「薬」より専門的な語。⇩薬・Q薬品・薬物

やくしゃ【役者】 演劇などで役柄を演じる人をさす、やや古風な日常の漢語。〈歌舞伎―〉〈―として初舞台を踏む〉〈どさまわりの―〉✎伊藤整の『火の鳥』に「―というものは(略)他人の色恋でも、狐の通り道をかぎつけた猟犬のように身がまえる」とある。正式な職業としては「俳優」と名乗ることが多く、事実、「歌舞伎俳優」とも言うように、「役者」というこの語は、古風な演劇の連想が強く、また、昔なつかしさを感じさせるぬくもりがまつわりついている。⇩俳優

やくしょ【役所】 国や地方自治体の行政事務を行う場所をさし、会話にも文章にも使われる漢語。〈市―〉〈―勤め〉〈―に書類を提出する〉✎役人のいる所という漠然とした意識で言う場合は俗っぽい口頭語という響きがある。⇩官公庁・官庁・Q役場

やくしん【躍進】 めざましい勢いで発展する意で、やや改まった会話や文章に用いられる漢語。〈目を見張るばかりの―ぶり〉〈大―を遂げる〉⇩飛躍

やくそく【約束】 当事者の間で将来の事柄を取り決め、その実行を互いに誓う意で、くだけた会話から硬い文章まで幅広く使われる日常の基本的な漢語。〈―事〉〈結婚の―〉〈―を交わす〉〈―を破る〉〈―を果たす〉〈固く―する〉〈―どおりに支払う〉✎夏目漱石の『明暗』に「―どおりにしないのがわるいくらいは、妹に教わらないでも、よくわかっていた」とある。「誓い」より具体的で詳細な内容をもつ傾向がある。⇩誓い

やくにん【役人】 公務員の意で、主として会話や軽い文章に使われる、やや俗っぽい古風な漢語。〈省庁の―〉〈―風を吹かせる〉✎昔の官吏と公吏の総称。民間人と比べて、威張っていて融通の利かない人間が多いという印象があったところから「―根性」ということばが生まれ、「小―」などと蔑まれる風潮もあった。現在でも好ましくない語感が残っている。⇩官吏・Q公務員・公吏

やくば【役場】 町や村の地方公務員や町村長、公証人などが執務する場所をさし、会話にも文章にも使われる表現。〈町―〉〈公証人―〉〈―に届け出る〉✎「役所」より小規模で比較的親しみやすい感じがある。⇩役所

やくひん【薬品】 薬として用いるものをさし、やや改まった会話や文章で用いられる漢語。〈化学―〉〈―の取り扱い〉〈―を製造する〉〈―を調合する〉✎太宰治の『東京八景』に「Hは、生きた。私も見事に失敗した。―を用いたのである」とある。「薬」より専門的で、「薬剤」や「薬物」よりは一般的な感じの語。⇩薬・Q薬剤・薬物

やくぶそく【役不足】 その人間の能力に比べて与えられた役割が軽すぎる意の漢語表現。〈あれほどの実力があってこの任務では―の感がある〉✎近年、「この身には―で務まるかどうか自信がもてない」というふうに、「力不足」という意味の謙虚な表現に用いる例が出現して話題になっている。そのような用法の場合は誤用あるいは俗語という語感がつ

きまとう。⇩力不足

やくぶつ【薬物】薬となる物質をさし、改まった会話や文章で用いられる専門的な漢語。〈―学〉〈―療法〉〈―に依存する〉〈―を投与する〉〈―反応が出る〉⇩薬・Q薬剤・薬品

やくめ【役目】職務としてなすべきことの意で、くだけた会話から文章まで幅広く使われる日常語。〈大事な―を任される〉〈何とか―を果たす〉〈自分の―はこれで終わりだ〉✎志賀直哉の『赤西蠣太』に「彼の侍としての―」とある。⇩役・Q役割

やくわり【役割】それぞれに割り当てられた役目の意で、会話にも文章にも使われる日常語。〈―分担〉〈きちんと―を果たす〉〈途中で―を放棄する〉✎中村真一郎の『回転木馬』に「地方の小都市の社会教育課勤務の人間（略）俺の―だ」とある。全体の任務を各人に割り振る感じがあり互いの連携が意識にのぼる。⇩役・Q役目

やけ【自棄】思いどおりに行かないために癇癪《かんしゃく》を起こし、もうどうなってもかまわないという気分になる意で、多く会話に使われる日常の和語。〈―酒〉〈―になる〉〈―を起こす〉〈こうなりゃ―だ〉✎久保田万太郎の『末枯』に「―も手伝って、みずから扇朝は浪花節の仲間に身を落した」とある。⇩自暴自棄・Q捨て鉢・やけくそ・やけっぱち・やけのやん八・破れかぶれ

やけくそ【自棄糞】「やけ」の意の俗語的でぞんざいな強調表現。〈―になって攻めて来る〉✎里見弴の『多情多恨』に「―な気分が、時折胸もとへチリチリと焦《じ》きついて来た」とある。⇩自暴自棄・捨て鉢・やけ・Qやけっぱち・やけのやん八・破れかぶれ

やけっぱち【自棄っぱち】「やけ」の意の俗っぽい強調表現。〈こうなったらもう―だ〉⇩自暴自棄・捨て鉢・やけ・Qやけくそ・やけのやん八・破れかぶれ

やけのやんぱち【自棄のやん八】「やけ」をユーモラスに強調するために人名めかした古風な俗語表現。〈こちとら、もう―だ〉✎映画『男はつらいよ』シリーズの「寅さん」（渥美清）に「―日焼けのなすび」で始まるたたき売りの口上がある。⇩自暴自棄・捨て鉢・やけ・やけくそ・Qやけっぱち・破れかぶれ

やける【焼ける】物の中まで火が通る、または、燃えて灰になる意で、くだけた会話から硬い文章まで幅広く使われる日常の基本的な和語。〈家が―〉〈魚が―〉〈パンが―〉✎川端康成の『雪国』のラストシーンに「あら、あら、繭倉が―・けてるのよ」という駒子の台詞がある。「肌が日に―」「日に―・けたカーテン」のように、長い間強い日光に照らされて変色する意にも使う。田宮虎彦の『沖縄の手記から』に「暁闇の空に曳光弾が花火のように弧を描き、はげしい空襲の中に、やがて朝焼けに空が―・けて、夜が明けていく日もあるようになった」とあるように、空が赤く染まることをもさす。⇩Q燃焼・燃える

やさい【野菜】畑で栽培する食用の植物をさす日常の基本的な漢語。現代の標準的な語。〈生―〉〈―を多く摂る〉✎村上春樹の『遠い太鼓』に「トマトとホーレン草とインゲンは、口にふくむとコリッとして「―です」という香ばしさが口の中にさっと広がる」とある。古くは「青物」とも。⇩青物

やさしい【易しい】理解も実行も簡単な意で、会話やさほど硬くない文章に使われる日常の基本的な和語。〈—試験〉〈—課題〉〈子供でもできる—組み立て〉✎阿川弘之の『雲の墓標』に「ふっくらした—短い物語が読みたい」とある。「難しい」と対立。⇩Q簡単・たやすい・平易・容易

やさしい【優しい】穏やかで思いやりがある意で、くだけた会話から硬い文章まで幅広く使われる日常の和語。〈他人に—・く接する〉〈気立ての—人〉〈—顔をして辛辣なことを言う〉✎夏目漱石の『坊っちゃん』に「妙に女の様な—声を出す人」とあるように、内面とは無関係に単にやわらかい感じを与える意にも使う。⇩親切・Q情け深い

やしき【屋敷】家屋が建っている場所を含めた全体の敷地をさして、会話にも文章にも用いられる古風な和語。〈—町〉〈家はこぢんまりとした瀟洒《しょうしゃ》な造りながら、—全体が広い〉✎林芙美子の『耳輪のついた馬』に「街路樹の右側には、白い異人—が船のように肩を寄せて」とある。土地と建物の両方をまとめていう場合もあり、しばしば「邸」の字を当てる。典型的には立派な門構えに塀をめぐらした大きな邸宅を連想させる。大きな建物でも敷地いっぱいに建っている場合はイメージが合わない。「大きなお—に住んでいる」の場合、建物だけでなく庭を含めた全体を「大きな」と評したと考えられる。⇩いえ・うち・家屋・居宅・豪邸・住居・住宅・住まい・邸宅

やしなう【養う】家族などの生活を支えたり動物を飼育したりする意で、会話にも文章にも使われる古風な和語。〈妻子を—〉〈年老いた親を—〉✎島崎藤村の『嵐』に「独りで子供を—・って見ているうちに、だんだん小さなものの方へ心をひかれるようになって行った」とある。「育てる」と違い、成長させるという意味合いは含まれておらず、経済的な面が主。⇩育てる・育む・扶養・Q養育

やしょく【夜食】夜遅く小腹の空いたときに臨時にとる簡単な食事をさし、会話にも文章にも使われる漢語。〈—を取る〉〈—にうどんを食べる〉✎この意味で「夜ごはん」は使わない。⇩夜御飯

やしろ【社】神社をさし、会話にも文章にも使われる古風な和語。〈お—〉〈—の森〉✎古くは、ほこらを含め、神を祭った場所を意味した。現代では境内を含めたイメージが強い。⇩社殿・Q神社・ほこら

やしん【野心】ひそかに抱く不相応に大きな望みの意で、会話にも文章にも使われる漢語。〈—家〉〈—に燃える〉〈—を抱く〉✎福原麟太郎の『チャールズ・ラム伝』に「その—、あくなき前進」とある。特に権力や名声あるいは莫大《ばくだい》な富などを手に入れようとする場合に使う傾向がある。会社を乗っ取ったり、人妻を誘惑したりする魂胆など、一般にはマイナスイメージの用例も多いが、「—作」のように大胆な意欲を示す、むしろプラス評価の用法もある。⇩野望

やすい【安い】値段が低い意で、くだけた会話から文章まで幅広く使われる日常の基本的な和語。〈—時計〉〈—店〉〈品物のわりに—〉〈—に越したことはない〉✎夏目漱石の『坊っちゃん』に「みんなで三円なら—物だ御買なさい」とある。「高い」と対立。⇩Q安価・低価格・廉価

やすうり【安売り】商品を正規の値段より安く売る意で、会

話やさほど改まらない文章に使われる日常の和語。〈歳末の大―〉〈―の店を見つける〉⇩売り出し・セール・叩き売り・ダンピング・Q特売・投げ売り・バーゲン・廉売

やすみ【休み】仕事や勉強の義務なく休むための時間・日・期間をさし、くだけた会話から文章まで幅広く使われる日常の基本的な和語。〈―に入る〉〈―を取る〉〈―が多い〉太宰治の『思い出』に「きょうは桃の節句だから学校は―です」とある。⇩オフ・休暇・休業・休憩・休日・休息・欠勤・欠場・欠席

やすむ【休む】①一定時間仕事をせずに疲れをとる意で、会話でも文章でも広く使われる日常の基本的な和語。〈疲れたからちょっと―〉〈ゆっくり―・んで疲れを取る〉小沼丹の『片片草』に「莫迦《かば》も―・み―・み云え、と簡単に片附けられてしまった」とある。「憩う」がくつろぐことに重点があるのに対して、この語は仕事や勉強や歩行などを中断して何もしない状態をつくりだし、体力などの回復に努めるところに重点がある。⇩憩う ②「寝る」の丁寧な和風の言い方。〈夜は早く―ようにしている〉〈主人はもう―・んでおります〉〈お―・みなさい〉「休憩」「欠勤」「休業」などの意と紛らわしいため、「寝る」の意味では仮名書きする例が多い。⇩お休みになる・寝る①・Q伏せる

やすらか【安らか】平穏で心配事のない意で、改まった会話や文章に用いられる和語。〈心―に過ごす〉〈―な寝顔〉〈―に眠れ〉三島由紀夫の『潮騒』に「島の姿が隠れると、若者の心は―になった」とある。⇩Q安閑・のんき・のんびり

やせい【野生】動植物が山野に自然に成育する意で、会話にも文章にも使われる漢語。〈―の鹿〉〈―の菫《すみれ》〉⇩野性

やせい【野性】自然のままで粗野な意で、会話にも文章にも使われる漢語。〈―的な魅力〉〈―みがあふれる〉⇩野生

やせほそる【痩せ細る】体が痩せて細くなる意で、会話にも文章にも使われる和語。〈身がすっかり―〉上林暁の『薔薇盗人』に「―・ったのは飯を食わないせいもあるが、犬に対する恐怖病にもよる」とある。「痩せる」以上に不安を感じさせる。「身が―思い」のように精神的な状態に使う例も多い。⇩痩せる

やせる【痩せる】体の肉が落ちて細くなる意で、くだけた会話から文章まで使われる日常の基本的な和語。〈病気で―〉〈成人病予防のため―必要がある〉井伏鱒二の『黒い雨』に「身は骨と皮ばかりに―・せて、蒲団を三枚も四枚も敷いて寝ていても、畳の固さが骨にこたえて痛くてならなかった」とある。「肥える」「太る」と対立。「土地が―」のように植物を育てる力が乏しくなる意にも使う。⇩痩せ細る

やたら【矢鱈】節度も秩序もなく不必要にの意で、主にくだけた会話に使われる和語。〈―にふれまわる〉〈―にしゃべる〉〈―に仕事を言いつける〉〈―に英語を交ぜる〉〈値段が―に高い〉小沼丹の『外来者』に「外国人と学生の群で一杯になって、―に英語が氾濫する」とある。「氾濫」と結びつくことでマイナスイメージを強め、筆者がそれを好ましく思っていない気持ちが間接的に読者に伝わる。なお、「―とうるさい」「―と忙しい」のように、「に」でなく「と」と受ける例が近年増えたが、その場合はいっそう俗っぽい感じが増す。⇩みだり・Qむやみ

やっかい【厄介】①手数がかかって煩わしい意で、会話や軽

い文章に使われる表現。〈―をかける〉〈―な仕事〉〈―な立場に立たされる〉〈―をしょいこむ〉✎「―になる」のように世話の意でも使うなど「面倒」とほぼ同義だが、「面倒な問題」のほうが解決するまでに繁雑な手続きが必要だという感じなのに対して、「―な問題」のほうは手数よりも迷惑という意味合いが強い感じがする。⇩Q面倒・面倒臭い ②他人の世話の意で、会話や硬くない文章に使われる、やや古風な日常の漢語。〈―をかける〉〈一晩―になる〉⇩世話

やっかみ　「嫉妬」の意の若干古い感じの俗っぽい和語。〈―半分で悪口を言う〉✎主として関東地方の方言の響きがある。⇩Q嫉妬・やきもち

やっきょく【薬局】「薬屋」とほぼ同義で、改まった会話や文章に用いられる正式な感じの漢語。〈日本―方〉〈調剤―〉〈―を営む〉〈病院の―で薬を調合してもらう〉✎「薬屋」より本格的なイメージがあり、しばしば店名の一部に利用される。⇩Q薬屋・ドラッグストア

やってくる【やって来る】自分側に近づいて来る意で、主として会話や改まらない文章で使われる日常の和語。〈友達が―・きた〉〈向こうから二人連れが―〉〈電車が―〉〈やがてその日が―・きた〉〈わが家にもやっと春が―・きた〉✎小沼丹の『外来者』に「外国人連中は観光バスで―らしく」とある。⇩Q訪れる・訪ねる・訪問

やっと　かろうじて、長い時間待っての意で、会話や改まらない文章に使われる日常生活の和語。「ようやく」より会話的。〈―たどり着く〉〈―できあがった〉〈―電話が通じた〉〈―許可が出た〉〈三度目で―合格した〉✎夏目漱石の『坊っちゃん』に「思う様打《ぶ》ちのめして遣ろうと思ったが、―の事で辛抱した」とある。実現するまでの過程が意識にのぼる「ようやく」とは違って、実現の瞬間に焦点があたるとされる。⇩ようやく

やっぱ　「やっぱり」の崩れた形で、若年層に広まった、ごくくだけた会話で使われる近年の俗語。〈―、やめとこう〉〈―、ヤバいよ〉⇩案の定・果たして・Qやっぱし・やっぱり・やはり

やっぱし　「やっぱり」の意の少し崩れた形で、いくらか古風に感じられることもある。〈―悪いことはできないもんですな〉〈―旦那も下町生まれですかい〉✎「やっぱ」よりもずっと古くからある語形。⇩案の定・果たして・やっぱ・Qやっぱり・やはり

やっぱり　「やはり」の意で、主として会話で使われる和語。〈―思ったとおりだ〉〈―あの手で行けばよかった〉〈―駄目だったか〉✎「やはり」より強調の感じもあるが、くだけた雰囲気のため、少しでも改まった文章中に使うと違和感が出る。⇩案の定・果たして・やっぱ・やっぱし・Qやはり

やど【宿】旅行者などの宿泊施設の総称として、会話でも文章でも使われるやや古風な感じの和語。〈―を探す〉〈観光地に―を取る〉〈―に着く〉〈―を出る〉〈―を引き払う〉✎宿泊する施設を一般的にさす場合が多く、個々の旅館やホテルをさす例は減ってきた。物的な存在である「宿屋」「旅館」「ホテル」と違い、単に「―を経営する」という言い方はあまりしない。「異国の―」「山あいの―」「湖畔の―」「海べの―」のように文脈によっては詩的に響くこともあ

る。いずれの例も「宿屋」「旅館」「ホテル」という語に換言したとたんに詩的な味わいは消えてしまう。山本有三の『波』に「親なんてものは、ほんの仮の―だよ」とあるように比喩的用法もある。⇩ホテル・Q宿屋・旅館

やといいれる【雇い入れる】新たに人を雇って仕事に従事させる意で、会話にも文章にも使われる和語。〈手が足りず従業員を三人―〉✐永井荷風の『濹東綺譚』に「百貨店でも売子の外に大勢の女を―・れ」とある。概念的な関係を示す「雇う」に比べ、小規模で雇用者と被雇用者とが職場で直接接触するような関係を連想させやすい。⇩雇用・Q雇う

やといにん【雇い人】雇われている人をさし、会話や軽い文章に使われる、やや古風な表現。〈―を増やす〉〈―に手当をはずむ〉✐「雇い主」と対立。⇩雇用者①・従業員・Q使用人・奉公人

やといぬし【雇い主】働く人を雇う側の人間をさし、会話にも文章にも使われる和語。〈―の指示に従う〉⇩雇用者②・Q使用者

やとう【雇(傭)う】賃金を支払って人に仕事をさせる意で、会話にも文章にも使われる日常の和語。〈従業員を―〉〈人を―だけの資金がない〉✐永井荷風の『濹東綺譚』に「雷門から円タクを―・って家に帰る」とあるように、料金を払って乗り物などを一定の距離・時間、自由に使う意の用法もあるが、やや古風な感じを伴う。⇩Q雇用・採用・雇い入れる

やどす【宿す】身籠もる意で、主に文章に用いられる古風な和語。〈子を―〉〈胤《たね》を―〉〈胎内に新しい命を―〉✐「悲願を―」「月影を―」のような比喩的用法では若干詩的な響きを感じさせる。⇩懐胎・懐妊・受胎・妊娠・孕《はら》む・Q身籠もる

やどや【宿屋】「旅館」の意で、会話や改まらない文章に使う古風な感じの和語。〈―の亭主〉〈―はどこも一杯だ〉〈温泉地の―に湯治に行く〉✐夏目漱石の『坊っちゃん』に「―へ茶代を五円やった。かみさんが頭を板の間へすりつけた」とある。基本的なイメージは、「旅館」以上にほとんどが和風建築で、客室はすべて和室という感じで、この語が古くなった現在では、建物も古く、浴室や便所が共同の場合もあるなど、規模や豪華さの点で「旅館」より落ちるような雰囲気がある。ただし、食事を部屋に運んでもらえる期待は「旅館」より大きいかもしれない。⇩ホテル・宿・Q旅館

やどる【宿る】宿泊する意で、主に文章に用いられる古めかしい和語。〈秋日和の一日、高原のホテルに―〉✐現代では、「木陰に―」「露が―」のように一時的にとどまる意や、「子が―」のように身ごもる意に用いる例のほうがむしろ多いが、いずれも古風で文章語的。⇩宿泊・Q泊まる

やどろく【宿六】くだけた会話で、妻が自分の夫を軽んじたり親しみを込めたりして呼ぶ場合に使う古めかしい俗語。〈うちの―どこほっつきまわってんだか〉⇩うちの人・夫・主人②・旦那・Q亭主・ハズ

やなぎごし【柳腰】ほっそりとしなやかな腰つきをさす古めかしい和風の形容。〈しとやかな―のいい女〉✐本来は、「柳の枝のように」という比喩的な発想で成立した、しなやかな腰を意味する漢語で、「リュウヨウ」と読んだ。それを「やなぎごし」と訓読みしてできた和語。語義としては、なよなよした細い腰というだけの意味であるが、この和語の

伝統的な使用歴から、歌麿などの浮世絵に描かれている女か、鏑木《かぶらぎ》清方あたりの美人画に登場する美人を連想するのが自然で、どうしても和服姿の女性を思い浮かべる。実際には洋服姿であっても細くてしなやかな腰の持ち主は少なくないが、ジーンズ姿の女子高生や体操競技の女子選手などの場合に「柳腰」と形容するのは、着物姿でないという点で抵抗がある。それは単にこの語が古いからだけではなく、主として伝統的なイメージに合わないからである。いくら柔軟性があっても「―のボクサー」「―の技能派力士」と形容すると滑稽な感じになるのは、和服姿でなく女性でもないという点で、従来のイメージを大幅に破るからである。⇩しなやか

やなみ【家(屋)並み】「いえなみ」のやや古い感じの表現。〈昔の―の残る旧道の一郭〉⇩いえなみ

やぬし【家主】貸家の持ち主の意で、会話にも文章にも使われる、やや古風な和語。〈―から家賃の催促が来る〉〈貸家の―に掛け合う〉✎福原麟太郎の『チャールズ・ラム伝』に「あれほど気に入っていた―の夫婦が嫌いになっていた」とある。家の主《あるじ》の意に使うこともある。⇩いえぬし・Q大家

やね【屋根】建物の最上部にある覆いの部分をさし、くだけた会話から文章まで幅広く使われる和語。〈―裏〉〈瓦―〉〈―に上る〉✎和田伝の『沃土』に「陽炎のなかにトタン―もぎらぎらと漣《さざなみ》のようにさわいでいる」とある。⇩庇《ひさし》

やばい 危険である意の隠語。以前はヤクザっぽい雰囲気があったが、その後日常生活で一般の人が使うようになり、ちょっとしたインテリが親しみをこめて使うこともある。また、中高生などがことさら悪ぶって頻発する傾向もある。〈見つかると―〉〈このままじゃ、ちょっと―〉✎周囲の人にも意味がわかるので隠語本来の働きを失い、今では単なる俗語に近くなった。中には「やべえ」などと崩して不良じみた雰囲気を出そうとする者もあるが、もはや特殊な集団に属すると思わせるほどの凄みは出ない。近年、若年層では、意外だと感じると、「ヤバッ、うめえ」などと、いい意味でも使う例が目立つようになった。「ヤバい」「ヤバイ」とも書く。⇩危ない・危険

やはり【矢張り】予想どおりにの意で、少し改まった会話から硬い文章まで幅広く用いられる標準的な和語。〈―断念せざるを得ない〉〈今回もまた、―華麗な演技を披露した〉〈―偽りであった〉✎福原麟太郎の『チャールズ・ラム伝』に「遮ニ無ニにラムを弁護する。われわれはその愛情にうたれるほどだが、ラムがこのころ非常に正常であったとは―考えられない」とある。やや古風な「はたして」ほどの格式は感じさせないが、会話で多用される「やっぱり」よりも改まった感じがある。テレビの相撲《すもう》放送でNHKのアナウンサーは常にこの語を用い、解説の親方連中はたいてい「やっぱり」を使う。⇩案の定・果たして・やっぱ・やっぱし・Qやっぱり

やはん【夜半】夜中、特に真夜中あたりを漠然とさし、改まった会話や文章に用いられる漢語。〈雨は―過ぎまで降り続く見込み〉〈―には雪に変わる〉✎正宗白鳥の『入江のほとり』に「―の寒さに身震いして、寝床の中へ藻繰込んで」とある。零時前後からの一、二時間を連想しやすい。⇩深更・

深夜・Q真夜中・夜間・夜分・夜《よ》・夜中・夜更け・夜《よる》・よわ

やばん【野蛮】 嗜《たし》みがなく洗練されておらず荒々しい意で、会話にも文章にも使われる日常の漢語。〈—な人間〉〈—な行動に出る〉〈—な風習が残る〉✎太宰治の『斜陽』に「そんな—な仕草も、お母さまがなさると」とある。⇩荒々しい・荒い・荒っぽい・がさつ・粗暴・Q粗野・乱暴①

やひ【野卑(鄙)】 下品で洗練されていない意として、主に文章中に用いられる漢語。〈—なふるまい〉〈言葉遣いが—だ〉⇩下品・下劣・俗悪・通俗・低俗・低劣・Q卑俗

やぶく【破く】 破り裂く意で、くだけた会話でまれに使われる俗語。〈書き損じの手紙をびりびりっと—〉〈うっかり障子を—〉〈釘をひっかけてズボンの裾を—〉✎「破る」と「裂く」の混交による語形。「裂く」の意味合いが交じっているため、線状に引き裂くイメージが強い。「破る」と違って抽象的な意味合いでは用いない。⇩破る

やぶける【破ける】 破れ裂ける意で、くだけた会話でまれに使われる俗語。〈紙が—〉〈袋が—〉〈服が—〉✎「破る」と「裂く」の混交語「やぶく」の自動詞形。「裂ける」という意味合いが交じっているため、線状の破損を連想しやすい。「破れる」と違って抽象的な意味では使われない。⇩破れる

やぶにらみ 左右の視線の方向がずれることを伝統的にさしてきた日常の和語。そのような障害を持つ人に対する差別意識が感じられるとして今では使用を控えている。⇩斜視

やぶる【破る】 引き裂く、こわすの意で、会話でも文章でも幅広く使われる日常生活の和語。〈紙を—〉〈誤って襖《ふすま》を—〉〈力まかせに門を—〉✎俗語の「やぶく」と違って、「禁を—」「約束を—」「誓いを—」「世界記録を—」「静寂を—」「眠りを—」のような抽象化した用法も多い。有島武郎の『或る女』に「からっと—・ったように晴れ渡っていた空」という比喩表現が出る。⇩破く

やぶれかぶれ【破れかぶれ】 どうせ負けるのだと後のことなどを考えずにぶつかって行く場合の気持ちで、主にくだけた会話に使われる俗っぽい和語。〈—で向かっていく〉✎林芙美子の『うず潮』に「地の底の地獄の門まで墜落してゆきたいような—な気持ち」とある。「捨て鉢」より程度が強い感じがある。⇩自暴自棄・捨て鉢・やけ・やけくそ・Qやけっぱち・やけのやん八

やぶれる【破れる】 穴があく、裂ける、こわれるの意で、会話でも文章でも幅広く使われる日常生活の和語。〈ズボンが—〉〈書類の端が少し—・れている〉〈カーテンが—〉〈水道管が—〉〈国—・れて山河あり〉✎宇野千代の『おはん』に「町も—ような繁昌」という比喩表現が出る。俗語の「やぶける」と違って、「夢が—」「均衡が—」「恋に—」のような抽象的な意味合いの用法も見られる。⇩破ける

やぶれる【敗れる】 争いごとに負ける意で、改まった会話や文章に用いられる和語。〈戦いに—〉〈選挙に—〉〈優勝候補が—〉〈惜しくも—〉〈善戦空しく—〉✎田宮虎彦の『落城』に「すでに会津も落ち庄内も—・れていた」とある。⇩敗戦・敗北・Q負ける

やぶん【夜分】 夜の時分の意で、改まった会話や文章に用いられる古風な漢語。〈—はたいてい家にいる〉〈—にお邪魔します〉✎「—遅く申し訳ありませんが」のように、夜にな

ってからの行為で相手に迷惑がかかることを恐縮する気持ちを表す丁重な表現によく用いる。常識的に夜の前半をさし、零時以降は含まない。⇩深更・深夜・晩・真夜中・夜間・Q夜半・夜《よ》・宵・夜中・夜更け・夜《よる》

やぼ【野暮】粋という感じから遠いの意で、会話や改まらない文章に使われることば。〈―の骨頂〉〈聞くだけ―だ〉〈見るからに―な格好〉✎夏目漱石の『草枕』に「俳句は作らんでも既に俳三昧に入って居るから、作る丈―だ」とある。「野暮ったい」意のほか、男女関係に疎く気が利かないという意味でも使われる。⇩Q垢抜けない・田舎じみる・ださい・泥臭い・野暮ったい

やぼう【野望】身分不相応な大それた望みの意で、改まった会話や文章に用いられる漢語。〈―を抱く〉〈敵の―を打ち砕く〉✎福原麟太郎の『チャールズ・ラム伝』に「彼はまだ文壇への―は捨てていない」とある。広範に使える「野心」に対し、この語は大きなスケールの事柄について使い、誘拐して身代金を狙うとか、社長夫人を誘惑するとかといった個人的な問題に使うと違和感がある。⇩野心

やぼったい【野暮ったい】「やぼ」な感じがする意で、主として会話に使われることば。〈―柄の着物〉〈着こなしが―〉⇩Q垢抜けない・田舎じみる・ださい・泥臭い・野暮

やぼてん【野暮天】人情の機微がわからず気の利かない意で、くだけた会話に使われる古めかしい俗語。〈カップルの間に平気で割り込む―〉〈根っからの―で、気を利かせることを知らない〉✎「野暮」の強調表現で、特に男女の関係に鈍い場合に使われる。⇩Qとんちき・ぼんくら

やま 犯罪などの事件やその現場を意味する俗語で、刑事や事件記者などがしばしば用い、隠語の響きがある。〈大きな―を手がける〉〈―を踏む〉✎漢字で書けば「山」であるが、ほとんど漢字では書かず、「ヤマ」という片仮名表記が多い。⇩現場・事件

やま【山】平地に比べて著しく盛り上がっている地形の場所をさし、くだけた会話から文章まで幅広く使われる最も基本的な和語。〈高い―〉〈―の頂をめざす〉〈―に登る〉〈―を下る〉✎森敦の『月山』に「彼方に白く輝くまどかな―があり、この世ならぬ月の出を目のあたりにしたようで」とある。「山岳」と違い、「洗濯物の―」「事件の―」のような派生的用法も多い。⇩山岳

やまい【病】病気の意で、主に文章中に用いられる古めかしい和語。〈心の―〉〈―を得る〉〈―に倒れる〉〈―に冒される〉〈―があらたまる〉〈―が癒える〉〈―を押して出かける〉⇩障り・疾患・疾病・Q病気・病魔・患い

やまいこうこうにいる【病膏肓に入る】物事にひどく熱中する意の古風な慣用表現。〈ここまで徹底すれば、まさに―というやつだ〉✎「膏肓」の「肓」の字が「盲」に近似するところから誤って「こうもう」と読む例が多い。⇩熱中・没頭

やまいも【山芋】代表的なとろろ芋をさし、会話にも文章にも使われる和語。〈―をすりおろす〉✎野生種と栽培種に分かれる。「山の芋」ともいう。⇩自然薯《じねんじょ》・Qとろろ芋・長芋

やまごや【山小屋】登山者の宿泊や休憩、時に避難のために設けた建物をさす和語で、一般的に広く使われている日常語。〈―で一泊して山頂を目指す〉〈―のともし火〉✎「ヒ

ュッテ」よりやわらかく暖かい感じがある。島崎藤村の『千曲川のスケッチ』に「漸くのことで清水の―に辿り着いた」とある。⇩ヒュッテ

やまじ【山路】「やまみち」の意で、文学的な文章に使われる古風な和語。〈―を急ぐ〉〈―をたどる〉夏目漱石の『草枕』に「春の―をのそのそあるく」とある。⇩やまみち

やましい【疚(疾)しい】心に恥じるところがあって気が引ける意で、会話にも文章にも使われる和語。〈なんら―ところはない〉〈いささかやましさを覚える〉⇩後ろ暗い・Q後ろめたい

やますそ【山裾】山の下の方の傾斜がなだらかな部分をさし、会話にも文章にも使われる和語。〈―まで一望できる〉堀辰雄の『菜穂子』に「―に半ば傾いた村の全体が見え出した」とある。⇩山麓・裾・Q裾野・ふもと

やまづみ【山積み】うずたかく積み上げる意で、会話にも文章にも使われる和語。〈荷物が―になっている〉〈古本屋の奥に棚に入りきらない本が―にしてある〉「仕事が―だ」「問題が―だ」のようにも使うが、「山積《さんせき》」と逆に、主に具体物に使われる。⇩山積

やまとことば【大和言葉】日本語、特に、漢語や外来語を除く日本固有のことばを意味し、会話にも文章にも使われる、いくぶん古風な和語。〈純粋の―〉〈―特有のやわらかさ〉平安時代の雅語だけをさすこともある。⇩和語

やまびこ【山彦】山や谷で起こる「こだま」をさし、会話にも文章にも使われる、古風な感じの和語。〈―が答える〉もと、「山の神」の意。山の神が真似て答えるのだと考えたところから。自然の中の連想が強く、ビルや廃墟《はいきょ》やガードなど街中での反響に使うには抵抗がある。⇩エコー・Qこだま・残響・反響

やまみち【山道(路)】山の中を通っている道をさし、会話にも文章にも使われる日常の和語。〈険しい―〉〈急な―〉〈―に差し掛かる〉「山路」の表記は「やまじ」と読まれやすい。夏目漱石の『草枕』は「―を登りながら、こう考えた」で始まる。⇩やまじ

やまる【止まる】やめた状態に自然に導かれる意で、主として会話に使われることのある、使用頻度の低い和語。〈手癖の悪いのは年を取ってもまだ―・らないと見える〉〈僕なんかは何度も禁煙に失敗してるが、君はよく一度で―・ったね〉〈長い間の習慣になってしまうと、やめようと思ってもなかなか―・らない〉自然に途絶える感じの「やむ」に対して、この語には、やめようとする意志が前提になっている感じが強い。調布市の自宅を訪問した際、武者小路実篤に東大社会学科中退の事情を問うと、「あの時分は、学校出れば無試験で入っちゃうんでね。落第すればひとりでに―・るんだけど、落第しようがないんでね。だもんで、入るときから、やめる決心してね」と答えた。⇩止む

やみ【闇】暗くてものが見えない状態をさし、会話にも文章にも使われる和語。〈―に紛れる〉〈外は真の―だ〉永井龍男の『蚊帳』に「団扇を使う気配とか、蚊の鳴き声が―の中にするかも知れない」とあり、小川国夫の『相良油田』に「込み入った構造は黒土のような―に浸されてしまっていて、なに一つ分明なものはなかった」とある。「一寸先は―

だ」のように、見えない・わからない意にも、「この世は―だ」のように、まったく希望のない意にも、「―相場」「―取引」のように、裏に隠れてひそかに行う意にも使う。⇩暗がり・暗闇

やむ【止む】それまで続いていたものが終わる意で、会話でも文章でも幅広く使われる和語。〈雨が―〉〈騒ぎがようやく―〉〈攻撃の―のを待って反撃に出る〉✎川端康成の『山の音』に「音は―んだ。／音が―んだ後で、信吾ははじめて恐怖におそわれた」とある。「やまる」と違って、やめようとする意志が感じられない。⇩やまる

やむをえない【止むを得ない】「仕方がない」の意で改まった会話や文章で用いられる、やや古風で硬い感じの表現。〈もはや―〉〈―事情〉⇩Q仕方がない・仕様がない・しょうがない

やめる【止める／辞める】やっていたことや、やろうとしたことを中止する意で、くだけた会話から硬い文章まで幅広く使われる日常生活の基本的な和語。〈タバコをきっぱりと止める〉〈仕事を途中で止める〉〈今月いっぱいで役員を辞める〉✎夏目漱石の『坊っちゃん』に「新聞屋に談判に行こうと思ったが、学校から取消の手続はしたと云うから、―・めた」とある。「止《よ》す」がもっぱら人間用であるのに対して、この語は人間に限定されず、犬が吠えたり鳥がさえずったり嘶《な》いたりするのを中止するような場合でも使える。また、喧嘩を「やめる」のも「よす」のも、喧嘩を思いとどまる場合と、喧嘩を始めて途中で中止にする場合と、両方ありうる点で共通しているが、傾向として、「止める」とあると思いとどまる場合を、「止す」とあると途中で中止する場合を連想しやすいという指摘もある。⇩止す

やもめ 主として「未亡人」を意味する古風な日常の和語。〈―暮らし〉✎妻を亡くした男性をさすこともできるが、紛らわしいため、その場合は「男―に蛆《じう》がわく」などと性別をはっきりさせることが多い。それとはっきり区別したい場合は「女―に花が咲く」ということもある。⇩寡婦・Q後家・未亡人

やや【稍】他や平均・普通と比べてその程度がわずかばかり違う場合に、改まった会話や文章に用いられる和語。〈真ん中より―右寄り〉〈―大きめ〉〈―難しい問題〉✎二葉亭四迷の『平凡』に「啼声が―遠くなる」とある。「―あって」のように少しの時間的隔たりをさす用法もあり、その場合は古めかしい感じが強い。⇩幾分・幾らか・Q若干

ややもすると【動もすると】「ややもすれば」に同じ。〈―つい食べ過ぎてしまう〉✎「やや」に募る意が含まれる。⇩Qともすると・ともすれば・ややもすれば

ややもすれば【動もすれば】「ともすれば」に近い意味で、主に会話に使われる和語表現。〈―このような失敗をしやすい〉✎「ともすれば」より、以下の状態になりやすい感じがいくらか強い。⇩ともすると・Qともすれば・ややもすると

やゆ【揶揄】皮肉な態度でからかう意で、やや改まった会話や文章に用いられる漢語。〈政治を―した漫画〉〈顔を見ると―したくなる〉✎佐藤春夫の『田園の憂鬱』に「意地わるの女主人に言附かって、彼を―するために来たかとさえ思われた」とある。⇩おちょくる・Qからかう・嘲弄

やりかた【遣り方】「方法」「手段」ほど改まらない日常の和

語。〈―がよくわからない〉〈動機はいいが、―が下手だ〉✎梅崎春生の『崖』に「私は私の―で、この不祥事のつぐないをする」とある。「―が汚い」などとも言えるが、この語自体には、「やり口」や「手口」のような悪いニュアンスがしみこんでいない。⇩手段・手法・手口・方式・Q方法・やり口

やりきれない【遣り切れない】心理的に辛抱できない意で、会話にも文章にも使われる和語。〈寂しくて―思いだ〉〈気の毒でどうにも―〉✎小沼丹は『銀色の鈴』で、妻が急死して娘たちが家事をするようになったときの父親の気持ちを「しょぼしょぼ、淋しそうな格好で食事の用意をされたら―と思う」と述べた。「せつない」や「やるせない」と違い、「蒸し暑くて―」「こう寒くてはどうにも―」のように肉体的な苦痛についても用いる。別に、「仕事がこう多くてはとても一人では―」のように、なし得ない意の用法もある。⇩せつない・Qやるせない

やりくち【遣り口】やさしい日常語である「やり方」より、さらに口頭語的なレベルの和語。〈―が汚い〉〈卑怯な―〉〈あの―が気に入らない〉✎志賀直哉の『赤西蠣太』に「気前のいい離れわざをやって敵を驚かした。―になかなか鋭いところがある」とある。中立的な「やり方」に対し、好ましくないという評価を伴うため、「すばらしい―」といった用法にはなじまず、「巧みな―」とするほうが落ち着く。ただし、悪いニュアンスといってもまだ灰色で、それ以上に黒に近づけば「手口」のほうがぴったりする。⇩手段・Q手口・方法・やり方

やりくり【遣り繰り】不足気味のところを工夫して間に合わせる意で、会話や改まらない文章に使われる日常の和語。〈―算段〉〈苦しい家計をなんとか―する〉〈どうにも―がつかない〉⇩切り盛り

やりこめる【遣り込める】議論でやっつける意で、会話やさほど改まらない文章に使われる和語。〈偉そうにしゃべっていた相手を質問攻めで―〉✎夏目漱石の『坊っちゃん』に、「なんでバッタなんか、おれの床の中へ入れた」と生徒を糾明する教師の主人公が「「そりゃ、イナゴぞな、もし」と生意気におれを―・めた」と逆に生徒にやり込められる場面がある。「とっちめる」以上に口頭での攻撃にしぼられる。⇩懲らしめる・Qとっちめる

やりそこなう【遣り損なう】失敗する意で、主に会話に使われる和語。〈―・ってばかりいる〉⇩エラー・しくじる・失策・失態・失敗・とちる・抜かる・Qぽか・ミス・ミスる

やりて【遣り手】仕事をあざやかにやってのける人をさし、会話や硬くない文章に使われる和語。〈今度の部長はなかなかの―だ〉✎他の迷惑を顧みずに事を運ぶイメージがあり、いくぶん冷酷な雰囲気を感じさせることもある。⇩腕利き・Q切れ者・敏腕

やりば【遣り場】動かして持って行く先をさし、会話やさほど硬くない文章に使われる和語。〈目の―に困る〉〈腹立たしさの―がない〉✎坪田譲治の『風の中の子供』に「二人は取り組んだのである。うれしさ、恥しさの―はこれ以外になかった」とある。「はけ口」が出口のイメージなのに対し、この語は出たものの行き先というイメージが強い。⇩はけ口

やる【遣る】①「する」の意などで、主として会話か改まらな

い文章に使われる日常的な和語。〈スポーツを—〉〈ぜひ—・りたい〉〈これだけあれば何とか—・っていけそうだ〉✎夏目漱石の『坊っちゃん』に「最初の一時間は何だかいい加減に—・ってしまった」とある。「する」と両方使える例でそれぞれのニュアンスを比較してみると、例えば「する気がある」と「—気がある」、「勉強をする」と「勉強を—」では、どちらの組み合わせでも後者のほうに積極性が感じられる。また、「卓球をする」「登山をする」の場合は遊びでもかまわず技術の程度はさほど問題にならない感じがあるが、「卓球を—」「登山を—」となると、少しは本格的な経験があってある程度の専門的な技術を備えていそうな雰囲気が増すように思われる。一方、語の文体的レベルを比べれば、「する」がどこにでも適応する一般語であるのに対し、「やる」は会話的な感じが強い。⇩する・たしなむ ②同等以下の相手に与える意で、会話や軽い文章に使われる和語。〈犬にえさを—〉〈子供に小遣いを—〉〈鉢植えに水を—〉✎「上げる」よりぞんざいな感じがあり、近年この語のぞんざいな感じの響きを嫌って「上げる」を使う傾向が特に女性に強い。⇩上げる・Ｑ与える・呉れる・差し上げる・授ける・施す ③漠然と「性交」をほのめかすことのある俗語。✎すべての行為という極度に広い範囲を指示することのできる「する」と同義で、それよりやや俗っぽい語。「一杯—」「酒もタバコも—・らない」のように飲食関係の意味をぼかす場合にも用いる。漠然とした意味の動詞を提示することで言いにくい気持ちを伝え、相手に想像させる。意味は抽象的であるが、くだけた会話専門で隠語のような働きをする。表現構造のよく似た「いとなみ」がたしなみを示すのとは対照的に、この語はむしろ気品に欠ける。⇩営み・エッチ・関係②・合歓・交合・交接・情交・情を通じる・Ｑ性交・性行為・性交渉・性的行為・セックス・抱く②・契る・同衾《どうきん》・共寝・寝る②・懇ろになる・ファック・深い仲になる・房事・枕を交わす・交わる・夜伽《よとぎ》

やるき【遣る気】物事をしようとする積極的な気持ちの意で、会話や軽い文章に使われる日常表現。〈—満々〉〈—を出す〉〈—が起こらない〉⇩意気込み・意欲・意力・気概・気骨・気迫・Ｑ気力・根性・精神力・ど根性

やるせない【遣る瀬無い】どうしようもなく切なくつらい意で、会話にも文章にも使われる和語。〈—思い〉〈日ごとにやるせなさが募る〉✎庄野潤三の『小林秀雄「栗の木」』に「西行の、わが身ひとつを持てあました、—胸の嘆きに共感をよせるのも合点がいく」とある。思いを晴らす方法がないというのが原義。⇩せつない・Ｑやりきれない

やろう【野郎】男性を意味するぞんざいな口頭の漢語。〈あの—、勝手なまねをしやがって〉〈集まったのは—ばかりだ〉✎小沼丹の『猿』に「噛まれた奴は、この—とでも云うように相手を振向いた」とあり、「—、覚えてろ！」「この—、ひでえまねしやがって、ただじゃすまさんぞ！」などとののしる口調で用いることが多いが、「—の言うとおりだ」「ああ見えても、いい—なんだ」というふうに、むしろ仲間であるという親しみの感情をこめて使う例もある。⇩男

やわらかい【柔らかい】ふんわり、しなやか、あるいは穏やかといった意味合いで、会話にも文章にも使われる日常の基本的な和語。〈体が—〉〈—身のこなし〉〈—布団〉〈—

風〉〈―感触〉川端康成の『千羽鶴』に「右によじれ前にのめる上半身を、こんな―手ざわりで、どうして支えられたのだろう」とある。⇩柔軟・軟らかい

やわらかい【軟らかい】 形状が変化しやすい、融通が利く、堅苦しくない意で、会話にも文章にも使われる日常の和語。〈―材質〉〈便が―〉〈物腰が―〉〈頭が―〉〈―内容〉円地文子の『女坂』に「華奢な骨組に川魚のような―肉が繊細にまとっていて」とある。⇩柔軟・軟弱①・柔らかい

やんごとない 「身分の高い」という意味の古語的な表現。〈―身分の御仁〉〈―方々〉自分たちとは縁がないと突き放した感じの皮肉な言い方になることが少なくない。

やんちゃ 幼い子供が親の言うことを聞かずに勝手なふるまいをする意で、主にくだけた会話に使う和語。〈うちの―坊主〉〈―を言う〉「腕白」と同様に男の子を連想しやすいが、この語は女の子についても使う。⇩おきゃん・お転婆・腕白

やんぬるかな【已んぬるかな】 「もはやなす術《すべ》はない、もう終わりだ」といった意味合いで、かつて美文調・絶叫調の放送などに時折用いられた文語的な言いまわし。〈あらゆる手を尽くしてなお果たさず。―〉

ゆ

ゆ【湯】 熱して高温にした水をさし、会話にも文章にも使われる日常の和語。〈―を沸かす〉〈熱い―を冷まして飲む〉〈―につかる〉中勘助の『銀の匙』に「―が乳のへんでくびれあがって軽く糸で結えたような感じをあたえる」とある。「いい―だ」のように特に温泉などをさすこともある。会話では多く「お―」の形で使う。⇩白湯《さゆ》

ゆあがり【湯上がり】 入浴を済ませた直後をさし、会話でも文章でも使われる日常生活の和語。〈―の浴衣姿で縁側に涼む〉〈―の一杯はこたえられない〉「入浴後」と「湯上がり」とではビールの味に格段の違いがあるように思えるほど、この語にはいかにもくつろいだ気分が感じられる。

ゆいいつ【唯一】 一つだけの意で、改まった会話や文章に用いられる硬い感じの漢語。〈―無二〉〈―の欠点〉〈―の企業〉〈―の悩み〉堀田善衛の『広場の孤独』に「終戦後の―の希望」とある。⇩ただ一つ・たった一つ

ゆいごん【遺言】 死後に自分の意思、特に財産分与などに関して言い残したり書き残したりするものをさし、会話でも文章でも幅広く使う日常漢語。〈―状〉〈―を残す〉〈―に従う〉森鷗外の『半日』に「公證人を立てて、立派に―がしてある」とある。法律関係では「いごん」と読む。⇩いごん

ゆいしょ【由緒】 物事の起源と今までの歴史をさし、改まっ

た会話や文章に用いられる古風な漢語。〈―ある神社〉〈―正しい家柄〉✎福原麟太郎の『チャールズ・ラム伝』は「チャールズ・ラムはロンドンの人である。しかもテムプルという―のある地域で生れた」と始まる。「由来」に比べ、価値のある立派なものを連想させる。⇩沿革・Q由来

ゆう【夕】「夕方」の意で主として文章に使われる古風な和語。〈―景色〉〈朝―の冷え込み〉〈朝に―に〉✎今は単独ではあまり使わない。⇩暮れ方・たそがれ・薄暮・晩方・日暮れ・灯ともし頃・Q夕方・夕暮れ・夕刻・夕べ・夕間暮れ・宵・宵の口

ゆうい【有為】将来役に立ちそうな能力のあるという意味で、主に文章に用いられる硬い漢語。〈前途―の人材〉✎「うい」と読むと、「―転変」「―の奥山」と使う別語。⇩末頼もしい・Q有望

ゆううつ【憂鬱】不安や心配なことがあって気分が落ち込む様子をさし、会話にも文章にも使われる漢語。〈―そうな顔〉〈―な毎日〉〈考えただけでも―になる〉✎平林たい子の『施療室にて』に「恐ろしい―が額にかぶさっているのを感じた」とあり、金井美恵子の『夢の時間』に「ひどく―で絶望的で、不吉な気分が胃の底から頭まで雨雲のように広がり」とある。⇩暗鬱・陰鬱・Q沈鬱

ゆうえん【悠遠】「悠久」に近い意味で用い、「悠久」よりさらに古風な漢語の文章語。〈―の太古からはるかな未来まで〉⇩何時までも・永遠・永久・永劫・恒久・とこしえ・とこしなえ・とわ・Q悠久

ゆうえんち【遊園地】ぶらんこや滑り台など子供の遊ぶ設備を備えた公園をさし、会話にも文章にも使われる日常の漢語。〈児童―〉〈子供を連れて―に行く〉✎島崎藤村の『桜の実の熟する時』に「―として公開してあった」とある。⇩公園

ゆうが【優雅】洗練された美しさをさし、会話にも文章にも使われる、趣のある和語。〈―な衣装〉〈―な立ち居振る舞い〉✎太宰治の『斜陽』に「お母さまのこうして―に息づいて生きていらっしゃる事が、あまりうれしくて、ありがたくて、涙ぐんでしまった」とある。「―な生活」「―に暮らす」のように、余裕があってそうなるというニュアンスの強い場合もある。⇩Qみやびやか・優美

ゆうかい【誘拐】巧みに人を騙《だま》して連れ去る意で、会話にも文章にも使われる漢語。〈―事件〉〈―犯〉〈営利―〉〈―の手口〉⇩かどわかす・誘惑・拉致

ゆうがく【遊学】故郷を出て他の土地で勉学することをさし、主として文章に用いられる古風な漢語。〈―中の出来事〉〈京都に―する〉〈―のため英国に渡る〉✎有島武郎の『生れ出ずる悩み』に「東京に―すべき途が絶たれていた」とあるように国内に用いる例も少なくない。⇩留学

ゆうがた【夕方】日の暮れる前後の時間帯をさし、くだけた会話から硬い文章まで幅広く使われる日常の和語。〈―の混雑〉〈―までかかる〉〈―に一雨ありそう〉✎夏目漱石の『坊っちゃん』に「ある日の―折戸の蔭に隠れて、とうとう勘太郎を捕《つら》まえてやった」とある。数多くの類義語中最も基本的で最もよく使われる。⇩暮れ方・たそがれ・薄暮・晩方・日暮れ・灯ともし頃・夕・夕暮れ・Q夕刻・夕べ・夕間暮れ・宵・宵の口

ゆうぎ【遊技】娯楽のための遊びの意で、会話にも文章にも

使われる軟らかい感じの漢語。〈―場〉✎具体的にはパチンコなどの勝負事をさすことが多い。⇩遊戯

ゆうぎ【遊戯】幼児の遊びや踊りをさし、会話にも文章にも使われる、子供っぽい雰囲気の漢語。〈幼稚園でお―をする〉✎リズム感の養成などのための団体訓練といった連想が強い。永井荷風の『濹東綺譚』に「軽い恋愛の―とはいいながら」と大人に用いた例がある。⇩遊技

ゆうきゅう【悠久】遠い過去を含めた長大な時間を意味する、文章語レベルの詩的な漢語表現。〈―の歴史〉〈―の自然〉✎田山花袋の『東京の三十年』に「人生の―って言うことを感ぜずにはいられない」とある。⇩何時までも・永遠・永久・永劫・恒久・とこしえ・とこしなえ・とわ・Q悠遠

ゆうぐう【優遇】手厚くもてなし待遇をよくする意で、会話にも文章にも使われる漢語。〈―措置〉〈特別―される〉✎「厚遇」に比べ、給料や諸条件など具体的な待遇を連想させる。「冷遇」と対立。⇩厚遇

ゆうぐれ【夕暮れ】夕方になって日が暮れる頃をさし、主として文章に用いる、やや古風な和語。〈―が近づく〉〈―の街〉✎「夕方」などと違って、時刻よりも薄暗くなった状態をさすほうに重点がある。芥川龍之介の『東洋の秋』に「秋の木の間の路は、まだ―が来ない内に、砂も、石も、枯草も、しっとりと濡れているらしい」という例が出る。また、堀口大学の詩には、「―の時はよい時／かぎりなくやさしいひと時」という一節がある。小川洋子の『夕暮れの給食室と雨のプール』にも「―はもうわたしたちの間に淡い闇を運んでいた」とある。⇩暮れ方・たそがれ・薄暮・晩方・Q日暮れ・灯ともし頃・夕・夕方・夕刻・夕べ・夕間暮れ・宵・宵の口

ゆうけい【夕景】夕方の景色の意で文章に用いられる古風で趣のある漢語。〈山村の―〉〈春の―〉✎単に「夕暮れ」の意を表す用法はさらに古めかしい。⇩夕景色

ゆうげきしゅ【遊撃手】野球で二塁と三塁の間を守る内野手をさす漢語。主として書きことばで使う。口頭ではふつう「ショート」と言い、まれに「ショートストップ」という語を用いる。〈期待の大型―〉⇩ショート

ゆうげしき【夕景色】夕方の景色の意で、改まった会話や文章に用いられる趣のある和風表現。〈ひなびた町の―をカメラに収める〉✎丸谷才一の『横しぐれ』に「亡者である山頭火の後ろ姿が―のなかへ消えてゆくのを見送る、生きている山頭火……これも後ろ姿」とある。⇩夕景

ゆうこう【友好】仲間として親しくつきあう意で、やや改まった会話や文章に用いられる漢語。〈―を深める〉〈―関係を維持する〉⇩懇親・Q親善・親睦

ゆうこう【有効】効果がある意で、会話にも文章にも使われる漢語。〈―期間〉〈―な手段〉〈―に利用する〉✎田山花袋の『東京の三十年』に「とにかく、その金を―に使おう」とある。「無効」と対立。⇩有力

ゆうごう【融合】複数の物質が溶けて一つになる意で、学術的な会話や文章に用いられる専門的な漢語。〈核―〉〈金属が―する〉✎比喩的に、「両文化の―」のように抽象的な意味でも使う。⇩化合・結合・合成・Q混合・結びつき

ゆうこく【夕刻】「夕方」の意で、改まった会話や文章に用いるやや硬い感じの漢語。〈本日の―に到着する予定〉〈―ま

でには仕上げる〉〈―前に降りだす〉三島由紀夫の『潮騒』に「その日の―ちかく(略)なまこを一つ手土産にして訪ねて来た」とある。会話でも盛んに使う「夕方」より文章語的で改まりを感じさせるため、日常会話で用いると取り澄ました感じに響く。⇩暮れ方・たそがれ・薄暮・晩方・日暮れ・灯ともし頃・夕・Q夕方・夕暮れ・夕べ・夕間暮れ・宵・宵の口

ゆうごはん【夕御飯】 夕方以降にとる食事をさして、会話や軽い文章に使われる、少し丁寧な日常語。〈―のおかず〉⇩ディナー・Q晩御飯・晩餐《ばんさん》・晩飯・夕食・夕はん・夕めし

ゆうし【勇姿】 人間の勇ましい姿の意で、改まった会話や文章に用いられる漢語。〈馬上の―を仰ぐ〉〈選手団が―を現す〉⇩雄姿

ゆうし【雄姿】 立派な堂々たる姿の意で、主として文章に用いられる硬い漢語。〈富士が―を見せる〉「勇姿」と違い、動かないものにも使う。⇩勇姿

ゆうしき【有識】 広く知識のある意で主に文章に用いられる漢語。〈―者〉〈―の人〉⇩学識・博学・Q博識・物知り

ゆうしゅう【憂愁】 憂いと悲しみの情をさし、主として文章に用いられる漢語。〈―の色が浮かぶ〉〈深い―に閉ざされる〉日野啓三の『西湖幻幻』に「異郷の湖の岸に茫々と佇んでいる私自身も、世界という無限の書物の、任意の一行であることを、かすかな―とともに祝福したのだった」とあり、辻邦生の『ある告別』に「その典雅な柱の残る廃墟は、いかにも古代的な―を感じさせた」とある。⇩哀感・Q哀愁・憂い・愁い・寂しい・寂寞《せきばく》・寂寥《せきりょう》・物悲しい

ゆうしゅつ【湧(涌)出】「湧き出る」意で文章中に用いられる硬い漢語。〈石油の―量〉〈温泉が―する〉比喩的拡大用法は少ない。⇩湧き出す・湧き立つ・湧き出る

ゆうしょく【夕食】 夕方から晩にかけての原則として三回目の食事の意で、やや改まった会話や文章に用いられる表現。〈―会〉〈―を共にする〉〈―に招く〉湯桶《ゆとう》読みながら「朝食」「昼食」に対応するレベルの語。⇩ディナー・晩御飯・晩餐《ばんさん》・晩飯・夕御飯・Q夕はん・夕めし

ゆうじん【友人】「友達」の意で、改まった会話や文章に用いられる硬い漢語。〈ようやく―ができる〉〈―の紹介で知る〉〈―として親しく交際する〉「友達」のような気楽な感じが薄い。森田たまの『もめん随筆』に「男の―は西洋のお酒のように、月日がたてばたつ程まったりとした味の出てくるものである」とある。⇩友・Q友達・仲間

ゆうせい【遊星】「惑星」の意で会話にも文章にも使われた古風な漢語。〈太陽系の―の一つ〉⇩惑星

ゆうせい【優生】 優秀な遺伝子を次代に伝えようとする意で、主に文章に用いられる生物学上の専門漢語。〈―学〉〈―保護法〉⇩優性

ゆうせい【優性】 他を押さえて子に現れる遺伝形質の意で、主に文章に用いられる生物学上の専門的な漢語。〈―遺伝〉⇩優生

ゆうせい【優勢】 相手側より勢いや形勢などが優る意で、会話にも文章にも使われる漢語。〈―を保つ〉〈戦況は味方が―だ〉〈―に試合を進める〉尾崎一雄の『虫のいろいろ』に「私の病気も、一進一退というのが、どうやら、進の方が―らしく」とある。「劣勢」と対立。⇩有利

ゆうぜん【悠然】 周囲の動きに構わずゆったりとしている意で、改まった会話や文章に用いられる、やや硬い感じの漢語。〈―と構える〉〈―と見送る〉✎夏目漱石の『吾輩は猫である』に「主人がもし後架から四隣に響く大音を揚げてどなりつければ敵はあわてるけしきもなく―と根拠地へ引きあげる」とある。⇩泰然・沈着・平気・平気の平左・平静・平然・Ｑ悠々・悠揚・冷静

ゆうぞら【夕空】 晴れた日の夕方の薄赤くなった空をさし、主として文章に用いられる、やや古風で詩的な和語。〈赤みがかった―〉〈晴れた―〉✎雨空や曇天より晴れた空を連想させやすい。谷崎潤一郎は『細雪』で、花見行の最後のクライマックスをなす平安神宮の紅しだれ観賞を「―にひろがっている紅の雲を仰ぎ見る」と表現した。一面の桜花を「紅の雲」に見立てる伝統的な隠喩表現に、この「夕空」という優雅な響きが働いている。

ゆうだち【夕立】 夏の夕方に激しく降る局地的な雨をさす和語で、くだけた会話から改まった文章まで幅広く使える日常語。〈夏の―〉〈途中で―に遭う〉✎川端康成の『美しさと哀しみと』に「京都は夕方、流れるような―で、心配しましたわ」とある。「立つ」という語構成要素の原義である、風や波が起つという意味合いが影響して、はげしい雨を連想させる。そのため、夕方に弱い雨の降った場合には使いにくく、もし使えば誤用に近い感じがある。昔から「馬の背を分ける」と形容されてきた、このような局地的なはげしい雨は、積乱雲の発達する夏の夕方に降りやすく、「夕立」は夏の季語となっている。夏以外の夕刻に一時的にはげしい雨が降った際にこの語を使うと誤用になるほど季節がきびしく制限されているわけではないが、真っ先に夏を連想させ、典型的な夕立の強烈で豪快なイメージがこの語の語感として働く。⇩驟雨《しゅうう》・Ｑ通り雨・むらさめ

ゆうとう【遊蕩】 飲む・打つ・買うにうつつを抜かす意で、改まった会話や文章に用いられる古風な漢語。〈―児〉〈―三昧の暮らし〉〈―の限りを尽くす〉✎男性に用いる。語構成要素「遊」の連想からさほど悪質な感じはない。「放蕩」や「淫蕩」と同様、酒色に溺れる意であるが、「放蕩」より若干深入りした感じで、「淫蕩」よりマイナスイメージは少ない。⇩淫蕩・道楽②・放蕩

ゆうどう【誘導】 ある方向へ誘って導く意で、やや改まった会話や文章に用いられる漢語。〈車を―する〉〈―尋問〉〈客を非常出口に―する〉✎安部公房の『他人の顔』に「そんな気を起こさせたのは、もとはと言えば、ぼくの意識的な―のせいだった」とある。⇩いざなう・誘う

ゆうばえ【夕映え】 夕日の光を受けて美しく照り輝く意で、主に文章中に用いられる優雅な雰囲気の和語。〈―の雲〉✎徳冨蘆花の『不如帰』に「赤城の峰々、入日を浴びて花やかに―すれば」とある。「―の空」のように、俗に夕焼けそのものをさすこともある。⇩残光・残照・Ｑ夕焼け

ゆうはん【夕飯】「夕食」の意で、会話にも文章にも使われる日常語。〈―の支度で忙しい〉✎朝食の「あさはん」より一般的によく使う。⇩ディナー・晩御飯・晩餐《ばんさん》・晩飯・夕御飯・Ｑ夕食・夕めし

ゆうひ【夕日】 夕方の太陽(の光)をさし、くだけた会話から

硬い文章まで幅広く使われる日常生活の和語。〈—が沈む〉〈—を浴びてまぶしく光る〉〈—に映える山並み〉🖊火野葦平の『麦と兵隊』に「—が麦畑の上に赤い玉になって落ちて行く」とある。「夕日」という通常の表記ではまったくの日常語だが、「夕陽」と書くと詩的な雰囲気がきざす。⇩Q入り日・斜陽・夕陽《せきよう》・西日・落日・落陽

ゆうび【優美】上品で優しい美しさをさし、改まった会話や文章に用いられる漢語。〈—な装飾〉〈—に着こなす〉🖊島崎藤村の『桜の実の熟する時』に「—な精神生活を送った人達の生涯」とある。⇩みやびやか・Q優雅

ゆうびんうけ【郵便受け】配達される郵便物を入れるために各家庭の入り口に設ける受け箱をさし、会話にも文章にも使われる日常語。〈門の—に新聞を入れる〉⇩Qポスト・郵便箱

ゆうびんはいたつふ【郵便配達夫】「郵便集配人」を意味する古風な漢語。「夫」のつく語は肉体労働者に対する職業差別の意識が感じられるとして現在はほとんど用いられない。🖊木山捷平の『大陸の細道』に「死んで一片の白骨となって、小包紐でしばられ、未知の—の手で汽車に積まれたり」とある。差別意識を避けて「郵便配達員」ということもあるが、日常会話では「郵便配達」「郵便屋さん」などとするのがふつう。

ゆうびんばこ【郵便箱】発送する郵便物を投函《とうかん》するために道路の各所に設けてある赤い箱をさして、会話にも文章にも使われる古めかしい表現。〈街角の—に手紙を投函する〉🖊現在では「ポスト」が普通。⇩Qポスト・郵便受け

ゆうべ【夕べ】夕方から晩までをさし、主として文学的な文章に用いる、古風で詩的な感じの和語。〈—の祈り〉〈暮れなずむ春の—〉🖊論語に「朝《あした》に道を聞かば—に死すとも可なり」とある。夏目漱石が『倫敦塔』で「霜の朝《あした》、雪の—、雨の日、風の夜を何遍となく鳴らした鐘は今いずこへ行ったものやら」と、二つずつのセットを繰り返したのも同様で、「夕べ」は「朝」と対になる概念である。「軽音楽の—」のように、晩に行われる催しをさす場合もある。庄野潤三に『夕べの雲』と題する小説がある。⇩暮れ方・たそがれ・薄暮・晩方・日暮れ・灯ともし頃・Q夕・夕方・夕暮れ・夕刻・昨夜《ゆうべ》・夕間暮れ・宵・宵の口

ゆうべ【昨夜】きのうの夜の意で、主に会話で使われる日常の和語。〈—の会合〉〈—は一睡もできなかった〉🖊福原麟太郎の『気を紛らされること』に「—のことを思い思い顔を洗いに下りるのである。そうして—の決心のとおり学校を休むかな」とある。文章中では「サクヤ」と読まれるので仮名書きが無難。⇩夕べ

ゆうへい【幽閉】当人の意志を無視して隔離した場所などに閉じ込め、世間との連絡を断ち切る意で、改まった会話や文章に用いられる古風な漢語。〈—の身〉〈岩窟に—される〉🖊その人間の社会に対する影響力を阻止する目的で行う雰囲気があるため、政治力や組織力を持つ人物という連想が働きやすく、当然長期間にわたって行動の自由を奪うケースが多くなる。尾崎一雄は『虫のいろいろ』の中で、まず「窓の二枚の硝子戸の間に、一匹の蜘蛛が閉じ込められているのを発見した」と「閉じ込める」という動詞を使ったあ

と、「二枚の硝子板が重なることによって、―されたのだ」と「幽閉」と換言して事情説明を続ける。「発見」とともにこの語の時代がかった大仰な感じが滑稽に響く。通常は人間の場合に限られる。⇨Q監禁・拘束・束縛・閉じ込める・軟禁

ゆうぼう【有望】 将来に期待が持てる意で、会話にも文章にも使われる日常の漢語。〈前途―な青年〉〈―な若手選手〉✎「―株」「将来―な会社」のように人間以外にも使われる。⇨末頼もしい・Q有為《ゆうい》

ゆうほどう【遊歩道】 散歩に適するように作った道路をさし、会話でも文章でも使われる漢語。〈土手の上に―ができる〉✎「散歩道」や「散策路」の場合は自然そのままということも少なくないが、これは車を通さないなど人工的に整備した感じが強い。⇨散策路・Q散歩道・プロムナード

ゆうまぐれ【夕間暮れ】 「夕暮れ」の意で、美文調の文章に用いられる、古めかしく雅語に近い和語。〈秋の山里の―〉✎「まぐれ」は「目暗」の意という。⇨暮れ方・たそがれ・薄暮・晩方・日暮れ・灯ともし頃・夕・夕方・Q夕暮れ・夕刻・夕べ・宵・宵の口

ゆうめい【有名】 世の中にその名がよく知られている意で、くだけた会話から硬い文章まで幅広く使われる日常の基本的な漢語。〈―大学〉〈―な店〉〈―な選手〉〈一躍―になる〉✎夏目漱石の『吾輩は猫である』に「吾輩は新年来多少―になったので、猫ながら一寸鼻が高く感ぜらるるのは難有《ありがた》い」とある。「―な事件」「けちで―だ」のように、マイナス評価の場合にも使う。「著名」や「名高い」以上に世間一般に名が知られている感じがある。⇨高名・Q著名・名高い・雷名

ゆうめいじん【有名人】 広く世間に名前をよく知られている人の意で、会話にも文章にもよく使われる日常の漢語。〈―の記者会見〉〈―を追いかけまわす〉〈―のサインを求めてファンが殺到する〉〈―の出入りする名店〉〈―のスキャンダル〉✎一般には「著名人」よりさらに有名で、テレビなどを通じて名前とともに顔も知られている印象がある。芸能界やスポーツ界のスターなどが連想されやすく、皇室関係者や一般の学者などは意識に上りにくい。大泥棒や凶悪犯もテレビや新聞に連日報道されて脚光を浴び、突如有名になるが、「―の仲間入り」とするには若干抵抗があり、「有名な人」がすべて「有名人」であるとは限らない。⇨Q著名人・名士

ゆうめし【夕飯】 「夕食」の意で、主にくだけた会話や軽い文章に主として男性の使う、ぞんざいでくつろいだ感じの和語。〈―時〉〈―を食う〉✎古くは今よりぞんざいな感じが薄かった。⇨ディナー・晩御飯・晩餐《ばんさん》・Q晩飯・夕御飯・夕食・夕はん

ユーモア 緊張をやわらげる上品な笑い、特に、笑いと涙が背中合わせになった人間味あふれるしみじみとしたおかしみをさし、くだけた会話から硬い文章まで幅広く使われる日常の基本的な外来語。〈―小説〉〈―のある人〉〈―を解する〉〈―たっぷりに話す〉✎小津安二郎監督の最後の映画『秋刀魚の味』に、早く妻を亡くした父親（笠智衆）が娘の結婚披露宴のあとモーニング姿のままなじみのバーのドアを押すと、マダム（岸田今日子）が「今日はどちらのお帰り――お葬式ですか」とたわむれ半分の軽い調子で声をかけ、

「ウーム、ま、そんなもんだよ」と答える場面がある。娘の新しい門出は同時に親との離別を意味し、一方の幸福感は他方の喪失感とともに実現するから、婚礼と葬式という慶弔の二大行事は礼服以外にも心の奥で通い合う。一瞬ジョークに見えるこの応答はやがて物悲しさを湛《たた》えたしみじみとしたおかしみへと深まりを見せる。ヒューマーと呼んでいい典型的なユーモアの好例。⇩ウイット・エスプリ・機知・機転・頓智《とんち》・Qヒューマー・ユーモラス

ユーモラス ユーモアのある意で、会話にも文章にも使われる外来語。〈―なしぐさ〉〈―な話に仕立てる〉✎「コミカル」より複雑で人間味や深みのある笑いにつながりやすい。⇩可笑しい①・傑作②・滑稽・コミカル・剽軽《ひょうきん》・Qユーモア

ゆうもん【憂悶】 憂え悶《もだ》える意で文章に用いられる硬い漢語。〈人知れぬ―を抱える〉〈―の情耐えがたく〉〈―の情遣《や》るすべなし〉✎一時的な場合もある「苦悶《くもん》」や「煩悶《はんもん》」に比べ、解決に長い時間がかかる感じが強い。太宰治の『富嶽百景』に「となりの御隠居は、胸に深い―でもあるのか、他の遊覧客とちがって、富士には一瞥も与えず」とある。⇩懊悩《おうのう》・思い悩む・思い煩う・苦痛・苦悩・苦悶・苦しみ・悩み・悩む・Q煩悶・悶える

ゆうやけ【夕焼け】 日没の直前に西の空が赤くなる現象をさし、くだけた会話から硬い文章まで幅広く使われる和語。〈―雲〉〈西の空が―で真っ赤に染まる〉✎梅崎春生の『桜島』に「空は晴れ上って、朱を流したような―であった」とある。三木露風の「―小やけの赤とんぼ」や中村雨紅の「―小焼で日が暮れて」という唱歌をとおして多くの日本人に懐かしいイメージを呼び起こす。⇩残光・残照・Q夕映え

ゆうやみ【夕闇】 日が沈んで月が上るまでの闇をさし、主に文章に用いられる、やや詩的な和語。〈公園に―が迫る〉〈―に紛れる〉✎小川国夫の『施療病室』に「―が彼らの足もとからわずかに立ち籠めて来た」とある。⇩宵闇

ゆうゆう【悠悠】 ゆったりと落ち着いている意で、会話にも文章にも使われる漢語。〈―自適〉〈―と暮らす〉〈―と煙草を吸う〉✎井上靖の『あすなろ物語』に「動作は―迫らぬ緩慢さを持し、口のきき方も極めて鷹揚であった」とある。「―間に合う」のように、余裕を持っての意でも、「―たる時の流れ」「―たる大地」のように、時間・空間の遠く遥かな意でも用いられる。⇩泰然・沈着・平気・平気の平左・平静・平然・Q悠然・悠揚・冷静

ゆうよ【猶予】 すぐに行うべき事柄の決定・実行を引き延ばす意で、改まった会話や文章に用いられる、いくらか専門的な漢語。〈刑の執行を―する〉〈もはや一刻の―もならぬ〉⇩Q延期・余裕

ゆうよう【悠揚】 態度などがこせつかずゆったりとしている様子をさし、改まった会話や文章に用いられるやや古風な漢語。〈―迫らぬ態度〉✎森敦の『月山』に「臥した牛の背のように―として空に曳くながい稜線」とある。⇩悠然・悠々

ゆうり【有利】 ある側にとって都合がよく得になる関係をさし、会話にも文章にも使われる漢語。〈―な条件で契約を結ぶ〉〈争いが―に展開する〉✎「優勢」は争い事の途中での形勢判断だが、「有利」は争う前でも判断できる。「不利」

と対立。⇩優勢

ゆうりょく【有力】 勢力・権力・効力・可能性などが大きい意で、やや改まった会話や文章に用いられる漢語。〈―者〉〈―候補〉〈―な手がかり〉〈―な証拠〉〈その見方が―だ〉福永武彦の『草の花』に「様子を見た方がいいという意見が―だった」とある。⇩有効

ゆうれい【幽霊】 死者が成仏できずにこの世に姿を現すとされる現象をさして、くだけた会話から硬い文章まで幅広く使われる漢語。〈―屋敷〉〈―が出る〉〈―の正体見たり枯れ尾花〉谷崎潤一郎の『陰翳礼讃』に「われわれの空想には常に漆黒の闇があるが、彼等(西洋人)は―をさえガラスのように明るくする」とある。昔から足のない姿にぼかして描かれた。⇩お化け・化け物・亡霊・妖怪

ゆうわ【宥和】 相手の敵対的態度を大目に見て仲良くする意で、主に文章に用いられる硬い漢語。〈―政策を採る〉⇩融和

ゆうわ【融和】 打ち解け合い仲良くするの意で、改まった会話や文章に用いられる漢語。〈周囲に―する〉〈両国の―を図る〉⇩宥和《ゆうわ》

ゆうわく【誘惑】 相手の心を惑わせて悪いことに誘い込む意で、会話にも文章にも使われる漢語。〈―に乗る〉〈―に負ける〉〈甘い餌で女を―する〉川端康成の『千羽鶴』に「夫人は―するつもりはなかったろうし、菊治も―されたおぼえはなかった」とある。⇩Qかどわかす・誘拐

ゆえつ【愉悦】 心から楽しみ喜ぶ意で、文章中に用いられる古風で硬い漢語。〈―の情〉〈―を覚える〉〈―にひたる〉三浦哲郎の『忍ぶ川』に「はじめて味わう―を想い」とある。⇩歓喜・Q喜悦・欣喜雀躍《きんきじゃくやく》・随喜・法悦・喜び

ゆか【床】 建物の内部で地面より上げて水平に板などを張り渡した場所をさし、くだけた会話から文章まで広く使われる日常の和語。〈―暖房〉〈―に座り込む〉〈―にじかに置く〉〈―が抜ける〉漢字表記は「とこ」と紛らわしい。⇩床板

ゆかい【愉快】 楽しく気分のよい意で、会話にも文章にも使われる漢語。〈―な話〉〈―な人〉〈―千万〉尾崎一雄の『擬態』に「―、―、も少し飲もう!」とある。高田保の『河童ひょうろん』には「大臣の権威が画伯の声望に及ばなくなったのは―である」といった痛快に近い例もある。「不愉快」と対立。⇩Q嬉《うれ》しい・楽しい・喜ばしい

ゆかいた【床板】 床《ゆか》として張ってある板をさし、会話にも文章にも使われる和語。〈―を張る〉〈―を踏み抜く〉〈―を剝がす〉夏目漱石の『坊っちゃん』に「二階が落っこちる程どん、どん、どんと拍子を取って―を踏みならす音がした」とある。⇩ゆか

ゆがく【湯搔く】 あくを抜いたりやわらかくしたりするために野菜などを熱湯に通したり浸したりする意で、会話にも文章にも使われる日常の和語。〈ほうれん草を―〉軽く湯がくことを専門家は「あおる」と言って区別するという。⇩うでる・ゆでる・Q湯引く

ゆかした【床下】 家屋の床の下の空間をさして、会話にも文章にも使われる和語。〈―浸水〉〈―収納庫〉〈―まで水に浸っかる〉〈―に隠す〉⇩縁の下

ゆがむ【歪む】曲がったりねじれたりして本来の形から変形する意で、会話にも文章にも使われる日常の和語。〈線が―〉〈顔が―〉〈画面が―〉✎正木不如丘は『ゆがめた顔』で、正円も横から見れば楕円《だえん》に見えるとし、「美人も横から見れば、―・んだ顔にしか見えない」と展開する。「性格が―」のように、本来の素直さがなくなってひねくれる意を表す比喩的な用法もある。漢字表記は「ひずむ」と区別がつきにくい。⇩いびつ・ひずむ

ゆかり【縁／所(由)縁】何らかのつながりのある意で、改まった会話や文章に用いられる、古風な趣を感じさせる和語。〈巨匠―の品々〉〈この作家―の土地〉〈縁《えん》も―もない人〉✎福原麟太郎の『チャールズ・ラム伝』に「知名人にラムとの―を書いて貰った」とある。⇩えにし・Q縁①・関係①・関連・つながり・連関

ゆき【雪】大気中の水蒸気が凍ってできた結晶が地上に降る現象やそのもの自体をさし、くだけた会話から硬い文章まで使われる和語。〈―が降る〉〈今夜は―になる〉✎幸田文の『蜜柑の花まで』に「―が降るからこそ湯気の鍋よりむしろ潔く青い野菜などが膳へつけたかった」とある。⇩かざはな

ゆき【行(往)き】目的地に向かう間やその道の意で、会話にも文章にも使われる日常の和語。〈東京―の列車〉〈―の切符〉〈―はバスにする〉〈―に立ち寄る〉✎独立して使う場合は往復を前提としている。日常会話では「いき」と発音する例が多く、「ゆき」の形は古風な響きがある。⇩往路

ゆきおろし【雪下(降)ろし】屋根に降り積もった雪を崩して下に落とし、荷重を減らすことをさし、会話にも文章にも使われる和語。〈屋根の―をする〉⇩Q除雪・雪搔き

ゆきかえり【行き帰り】「往復」に近い意味で、会話や硬くない文章に使われる和語。〈―の交通費〉〈―に要する時間〉〈―立ちっ放しで疲れた〉✎一つの行為としてとらえる「往復」に比べ、「行きと帰り」「行きも帰りも」というふうに往路と復路を別々に意識する傾向がある。⇩往復

ゆきかき【雪搔き】路面などに降り積もった雪を搔きのける意で、会話にも文章にも使われる日常の和語。〈門の前の―をする〉⇩除雪・Q雪下ろし

ゆきがた【行き方】「ゆくえ」の意で、会話にも文章にもまれに使われる古めかしい和語。〈―知れずになる〉✎今は「―知れず」の形以外にほとんど使わない。⇩行き先・Q行方《ゆくえ》・行く先

ゆきさき【行き先】移動する目的地をさして、会話にも文章にも使われる日常の和語。〈―を告げずに出かける〉〈―を確かめずに電車に飛び乗る〉✎「行く先」に比べて到着予定の場所の意識が強いので、「明日―から電話を入れる」のようにも言える。⇩ゆきがた・行方《ゆくえ》・Q行く先

ゆきずり【行きずり】たまたま通りかかったり擦れ違ったりする意で、主として文章中に用いられる、やや古風で情緒的な和語。〈―に見た光景〉〈旅先での―の恋〉〈所詮は―の人に過ぎない〉✎岩本素白の『街の灯』に「あの時―に見た、夏の夜の入浴を楽しんでいたらしい町の人達も、果して無事に彼の劫火を免れ得たかどうかは分らない」とある。類語の中で最も偶然性が強く、二度と出会わないかもしれ

ないという気持ちから感傷的な余韻を響かせ、「―の恋」のように、「かりそめの」という意味合いを帯びる。⇩通りがかり・通りがけ・Q通りすがり

ゆきだおれ【行き倒れ】旅先などで寒さ・疲れ・飢え・病などにより道端に倒れて動けなくなる意、また、そういう人をさして、会話やさほど硬くない文章に使われる、やや古風な和語。〈山中で―になる〉〈―を担ぎ込む〉〈―の人を助ける〉✎すでに死んでいるのを発見されるケースも少なくない。「いきだおれ」ともいう。⇩Q行路病者・野垂れ死に

ゆきちがい【行き違い】双方の意志がうまく通じ合わない意で、会話やさほど硬くない文章に使われる和語。〈話の―が起こる〉〈連絡の―で思わぬ結果になる〉✎本来は、「途中で―になって相手と会えなかった」のように、出会うはずなのに擦れ違いになったり、「手紙が―になる」のように、タイミングが悪くて機能しなかったりする意で、それが抽象化した用法。そのため、単にうまく合わないだけで、「食い違い」のような矛盾感は伴わない。尾崎一雄の『玄関風呂』は、「うちでは玄関で風呂をたてているよ」と言ったら井伏鱒二は目を丸くして「君とこの玄関は、随分たてつけがいいんだね」と言うので、今度はこっちが目を丸くした、という話で結ばれる。⇩Q食い違い・ずれ・齟齬《そご》

ゆきわたる【行き渡る】すべての人や場所に届く意で、会話にも文章にも使われる和語。〈資料が全員に―〉〈指示が隅々まで―〉⇩広がる・Q広まる・普及・流布

ゆく【行(往)く】今いる場所から移動する意で、会話にも文章にも広く使われる日常の基本的な和語。〈遠くへ―〉〈電車で―〉〈海上を―〉〈足早に―〉✎幸田文の『おとうと』に「歯のへった歩きにくい足駄で、駈けるように砂利道を―」とある。「大和路を―」「―年来る年」のような古風な文学的表現で「いく」と換言すると違和感が出る。「―春」も同様で、この場合は「逝く」とも書く。「来る」と対立。⇩いく・Q赴く・出向く・参る①・逝《ゆ》く

ゆく【逝く】改まった文章表現で「死ぬ」意を美化する感じで用いられる和語の文学的でやや古風な間接表現。会話で用いると通じにくく、通じても気障《きざ》に響く。〈巨匠―〉✎死を忌む気持ちから、死というものを、どこかへ行ってしまってこの世にいなくなるという意味にとらえ直した婉曲《えんきょく》表現。永井荷風の『濹東綺譚』に「花の散るがごとく、葉の落つるがごとく、わたくしには親しかったかの人々は一人一人相ついで逝ってしまった」とある。要するに「行く」という意味だが、そう書くと通じにくいので「逝く」と書くのが通例。この語の終止・連体形を「いく」と発音すると古風な雰囲気とイメージが合わず、雅語的な響きが台無しになるため、「ゆく」と読むのがふさわしい。⇩敢え無くなる・上がる②・あの世に行く・息が切れる・息が絶える・息を引き取る・往く・いけなくなる・永眠・往生・お隠れになる・落ちる②・おめでたくなる・帰らぬ人となる・くたばる・死去・Q死ぬ・死亡・昇天・逝去・斃《たお》れる・他界・長逝・露と消える・天に召される・亡くなる・儚《はかな》くなる・不帰の客となる・不幸がある・崩御・没する・仏になる・身罷《みまか》る・脈が上がる・空しくなる・藻屑となる・臨死・臨終

ゆくえ【行方】進んで行く方向の意で、会話にも文章にも使われる和語。〈―をくらます〉〈―を捜す〉〈―が知れない〉

✎「勝敗の—を占う」のように、時間的な先や結果をさすこともある。⇩Qゆきがた・行き先・行く先

ゆくえふめい【行方不明】どこに行ったかわからなくなる意で、会話にも文章にも使われる漢語表現。〈—者に関する情報〉〈奥地に踏み込んだまま—になる〉✎当人の意思が働く場合のある「失跡」「失踪」と違い、この語は行為よりもそのような現象をさす。⇩家出・失跡・Q失踪・出奔・蒸発・逐電・夜逃げ

ゆくさき【行く先】移動する方向や予定地を漠然とさし、会話にも文章にも使われる和語。〈—を尋ねる〉〈—をはっきり決めずにともかく出発する〉✎「—にいろいろ困難が待ち構えている」とも言えるように、「行き先」に比べ、目的地までの道程を含めて意識している。そのため、「子供たちのこれからの—が楽しみだ」のように時間的な将来を漠然とさすこともある。⇩ゆきがた・Q行き先・行方《えゆく》

ゆくすえ【行く末】ずっと先の将来をさし、会話にも文章にも使われる、いくぶん古風なやわらかい感じの和語。〈来《こ》し方—〉〈子供の—が気になる〉〈国の—が案じられる〉✎宮本輝の『蛍川』に「出遭うかどうか判らぬ一生に一遍の光景に、千代はこれからの—をかけた」とある。「案じる」「気にかかる」「心配」「不安」などと結びつき、暗い展望を語る例が多い。⇩以後・今後・Q先行き・将来・未来

ゆげ【湯気】湯などの表面から立ち昇る蒸気をさし、くだけた会話から硬い文章まで幅広く使われる日常の和語。〈まだ—が立っている〉〈—が立ち込める〉✎梶井基次郎の『泥濘』に「—が屛風のように立ち騰っていて匂いが鼻を撲った」とある。⇩蒸気・水蒸気・Q湯煙

ゆけむり【湯煙】温泉や風呂から煙のように立ち昇る湯気をさして、会話にも文章にも使われる、やや美化した感じの和語。〈—が立つ〉〈—の宿〉⇩蒸気・水蒸気・Q湯気

ゆさぶる【揺さ振る】揺り動かして動揺させる意で、会話にも文章にも使われる和語。〈木を—〉〈肩を—〉〈心を—〉✎瀧井孝作の『無限抱擁』に「樹木か何か—・られているようなゝ」自分の心を訴える(略)それが恋だろうね」とある。⇩揺す振る・揺する

ゆさん【遊山】山に出かけて行って遊ぶ意で、今では主に文章に用いられる古めかしい漢語。〈物見—〉〈—好き〉〈—に出かける〉✎現在、単独ではめったに使われない。本来の意味から離れて、単によその土地に遊びに行く意に広がると「行楽」と同義になるが、語感がいかにも古い。⇩行楽

ゆすぐ【濯ぐ】水を入れて揺り動かしてざっと洗う意で、会話やさほど硬くない文章に使われる和語。〈洗濯物を—〉〈口を—〉✎「すすぐ」より会話的で、恥のような抽象的な対象には用いず、もっぱら具体物に用いる。⇩洗う①・Qすすぐ・漱《すす》ぐ

ゆすぶる【揺す振る】揺り動かす意で、会話にも文章にも使われる和語。〈枝を—〉✎森瑤子の『情事』に「魂を—・られるほど美しかった、海に落ちていく夕日」とあるように、気持ちを動かす意の比喩的用法もある。⇩Q揺さぶる・揺する

ゆすり【強請】人の弱みや秘密に付け込んで脅し、無理やり金品を奪う意で、会話やさほど硬くない文章に使われる和語。〈—たかり〉〈—のたね〉✎「恐喝」に比べ、脅す迫力が

弱い感じがある。⇩脅す・恐喝

ゆする【揺する】 揺り動かす意で、会話にも文章にも使われる日常の和語。〈体を―〉〈木を―〉 永井荷風の『深川の唄』に「動いているものに乗って、身体を―・られるのが、自分には一種の快感を起こさせる」とある。⇩揺さぶる・揺すぶる・強請る

ゆする【強請る】 脅して金品をまきあげる意で、主に会話に使われる俗っぽい和語。〈写真をネタに―〉〈会社を―〉 仮名書きの例も多く、「ユスる」のような表記も試みられる。⇩揺する

ゆずる【譲る】 自分のものや権利などを他に与える意で、くだけた会話から文章まで幅広く使われる和語。〈席を―〉〈順番を―〉〈子供に―〉〈互いに―・らない〉 「品物を安く―」のように「売る」意にも用いるが、その場合にも相手の利益や希望を受け入れるようなニュアンスを伴う。夏目漱石の『坊っちゃん』に「人間に信用程大切なものはありませんよ。よしんば今一歩―・って」とあるように、自分の考えを控えて相手の考えを受け入れる場合にも用いる。⇩Q譲渡・譲与・贈与

ゆそう【輸送】 大量の物資などをトラック・貨物列車・船舶などで遠くへ運ぶ意で、会話にも文章にも使われる漢語。〈―船〉〈―手段〉〈車輌を―する〉〈海外に―する〉 「人員―」のように人数が多ければ人間を運ぶ場合にも用いる。積載量や移動距離が「運送」より大規模な場合に使う傾向がある。⇩Q運送・運搬・搬送

ゆたか【豊(裕)か】 財産・資源・能力などが満ち溢《あふ》れている意で、くだけた会話から文章まで幅広く使われる日常の和語。〈―な国〉〈―な暮らし〉〈―な家に生まれる〉〈資源が―だ〉〈―な才能に恵まれる〉 川端康成の『眠れる美女』に「ここに眠る娘にも、あの椿のような―さはない」とある。「豊富」や「潤沢」と違って、「心―に生きる」「―な気持ちになれる」のように精神的に満ち足りた感じにも使う。「馬上―に」のように悠々としている意や、「六尺―な大男」のように余裕のある意に使うことがあり、その用法には古風な響きがある。⇩Q潤沢・豊富

ゆだねる【委ねる】 「まかせる」意で、非常に改まった会話や硬い感じの文章に用いられる和語。〈人の手に―〉〈最終決定は委員長に―〉〈流れに身を―〉 永井荷風の『濹東綺譚』に「九州から来た人の経営に―・ねられた」とある。親しい間での会話には用いず、「かぼちゃを買うのを夫に」「ゴキブリ退治を妻に」といった日常生活の話題には通常「任せる」を使う。レベルの合わない「委ねる」をあえて使うことでアンバランスなおかしみをつくりだす笑いの技法もある。⇩委任・Q任せる

ゆだん【油断】 たかをくくってつい注意を怠る意で、会話にも文章にも使われる日常の漢語。〈―大敵〉〈―は禁物〉〈―も隙もない〉〈ちょっとの―が命取りになる〉 里見弴の『縁談窶《やつ》れ』に「いいえさ、子供というやつァ、うっかり―がならないッてことさ」とある。精神的な面に重点がある。⇩手抜かり・不注意・無防備

ゆつぼ【湯壺】 温泉などで湯を湛えておく所をさし、会話にも文章にも使われる、やや古風な和語。〈岩をあしらった露

天風の―〉夏目漱石の『坊っちゃん』に「十五畳の―を泳ぎ巡」る場面が出る。大きな湯船の印象が強く、家庭用の例は少ない。⇩バスタブ・風呂桶・湯船・Ｑ浴槽

ゆでる【茹でる】食品をお湯で煮る意として、くだけた会話から硬い文章まで幅広く使われる日常の和語。〈卵を―〉〈枝豆を―〉⇩Ｑうでる・湯がく・湯引く

ゆどの【湯殿】「風呂場」の意で用いられる古めかしい和語。〈―の世話〉〈―に人のけはいがする〉サトウハチローの『おさらい横町』に「こっそりお―へ行ってお洗濯をした」とあり、徳田秋声の『風呂桶』に「大工が張って行った、―の板敷を鍬で叩きこわしていた」とある。きわめて古風な語感があり、暗く湯気が立ち込めているイメージもあり、檜《ひのき》の風呂などが雰囲気にぴったり合う。照明の明るい総タイル張りの浴室でシャワーを浴びるような場合にこの語を用いるとイメージの衝突を起こす。⇩バスルーム・風呂場・Ｑ浴室・浴場

ゆとり「余裕」に近い意で、会話にも文章にも使われるプラスイメージの和語。〈数量に少し―がある〉〈―のある設計〉〈暮らしに―がある〉〈心に―を持つ〉「座席に―がある」はゆったりとしている意。「余裕」より感じのよい表現。⇩余地・余裕

ユニフォーム スポーツなどの団体、特にそれぞれのチームで全員が試合で着る揃《そろ》いの運動服をさし、会話にも文章にも使われる外来語。〈縦縞《たてじま》の―〉〈―の背番号〉⇩制服

ゆびく【湯引く】さくか切り身の魚をさっと熱湯に通す意で、会話にも文章にも使われるやや専門的な和語。〈鱧《はも》をさっと―〉湯引いたあとすぐに冷水にとる。刺身の作り方の一つ。⇩うでる・湯がく・ゆでる

ゆびさき【指先】指の先やその働きをさし、会話にも文章にも使われる和語。〈―に垢《あか》がたまる〉〈―で遠くを指す〉〈―が器用だ〉豊島与志雄の『理想の女』に「細いしなやかな―を、顔や頸筋へ蛇のようにのたくらせながら」とある。⇩手先①

ゆぶね【湯船(槽)】入浴時に人が入るために湯を溜めておく大きな箱型の器をさし、会話にも文章にも使われる和語。〈―にどっぷり浸《つ》かる〉〈―から湯が溢《あふ》れる〉風呂桶《おけ》もその一種。⇩バスタブ・風呂桶・湯壺・Ｑ浴槽

ゆみ【弓】弦を張って矢をつがえて射る道具をさし、くだけた会話から文章まで幅広く使われる和語。〈―を引く〉〈―を引きしぼる〉〈―を携える〉井伏鱒二の『無心状』に「先生は―を持って、邸内にある弓場の方に行きながら」とあり、庄野潤三の『静物』には「(網を)ぱしっと投げて川に落ちる時に、―のようにすぼまっていないといけない」という比喩表現例がある。昔は武器、現代では武道やスポーツに使う。和弓だけでなく洋弓をも含む。⇩弓術・弓道

ゆめ【夢】①睡眠中に頭の中で現実の経験のように映像を感じる精神現象をさし、くだけた会話から硬い文章まで幅広く使われる基本的な和語。〈怖い―を見る〉夏目漱石の『坊っちゃん』に「うとうとしたら清の―を見た」とある。⇩夢想 ②将来の実現を楽しみにする事柄の意で、会話にも文章にも使われる和語の比喩的表現。〈大きな―に向かって進む〉〈子供に―を託す〉〈―がかなう〉〈―を持ち続ける〉

〈—も希望もない〉〈交響楽団の指揮をするのが—だ〉✎多くは「期待」や「希望」よりも実現が難しい場合に使う。⇩願望・期待・Q希望・願い・願い事・ねぎごと・念願・望み

ゆめうつつ【夢現】夢か現実かはっきりしない状態をさして、会話にも文章にも使われる古風な和語。〈—の状態〉〈—に聞く〉✎二葉亭四迷の『平凡』に「恍惚として暫く—の境を迷っていると」とある。「夢心地」や「夢見心地」が夢のような現実の意識をさすのに対し、この語は実際に夢である可能性を否定しない。⇩Q夢心地・夢見心地

ゆめごこち【夢心地】夢の中のように意識のはっきりしない気持ちをさし、会話にも文章にも使われる和語。〈—で話を聞く〉⇩夢うつつ・Q夢見心地

ゆめみごこち【夢見心地】まるで夢を見ている時のようにうっとりとした気分をさし、会話にも文章にも使われる和語。〈結婚してしばらくは—で過ごす〉✎太宰治の『走れメロス』に「花嫁は、—でうなずいた」とある。⇩夢うつつ・Q夢心地

ゆや【湯屋】「銭湯」の意で会話にも文章にも使われた古風な和語。〈—の番台に座る〉✎現代の東京ではめったに耳にしない。⇩公衆浴場・Q銭湯・風呂屋

ゆらい【由来】物事の起源と来歴をさし、会話にも文章にも使われる、やや古風な漢語。〈地名の—を調べる〉〈事の—がはっきりしない〉✎変遷そのものを意味する「沿革」と違い、どういう事情で生じたか、なぜそういう名になったかというふうに、何らかの謎を解き明かす雰囲気がある。⇩沿革・Q由緒

ゆらぐ【揺らぐ】ゆっくり揺れ動く意で、やや改まった会話や文章に用いられる、いくぶん古風な感じの和語。〈木の枝が風に—〉〈土台が—〉〈決心が—〉〈権威が—〉✎横光利一の『頭ならびに腹』に「群衆の頭は、俄に卓上《テーブル》をめがけて旋風のように—・ぎ出した」とある。それまで安定していたものが動き出す感じがあり、速く激しい揺れにはなじまない。⇩Qぐらつく・たゆたう・動揺・なびく・揺れる

ゆりいす【揺り椅子】腰掛けて自分で揺り動かせる椅子をさす「ロッキングチェア」の古風な呼び方。〈縁側の—に座ってぼんやり庭を眺める〉✎小沼丹に『揺り椅子』という題の小説があり、「何だか—を揺する度に、昔に戻る気がする」という一文が出てくる。「ロッキングチェア」でも揺れ方は同じだが、この語にはそういう錯覚を起こすほど懐かしい響きがあるのだろう。⇩ロッキングチェア

ゆりかご【揺り籠／揺籃】赤ん坊を入れて揺り動かす籠をさし、会話でも文章でも使われる、古風で懐かしい感じのする和語。〈—を静かに揺する〉✎人の一生を象徴的に表す「—から墓場まで」ということばは、戦後イギリスの社会保障制度の標語から出たものという。柳美里の自伝的な作品『水辺のゆりかご』の末尾に、砂浜に埋もれて朽ち果てた乳母車を見つけ、「ゆりかご」のつもりで揺すってみるシーンがある。ゆりかごの中にいた記憶のない「私」にとって、「ゆりかご」ということばは恵まれた家庭の象徴であり、ついにかなわなかった夢である。

ゆるい【緩い】引き締める力が弱くきつくない意で、くだけた会話から文章まで幅広く使われる基本的な和語。〈帽子が

―〉〈ひもが―〉〈―規則〉〈―坂〉〈便が―〉✎泉鏡花の『歌行灯』に「真黒な外套の、痩せた身体に些《ち》と広過ぎるを―・く着て」とある。「きつい」と対立。⇩緩やか

ゆるがせ【忽せ】注意を集中せずに事を行う意で、改まった会話や文章に用いられる古風な和語。〈一字一句も―にしない〉〈日ごろの練習を―にはできない〉✎心を緩めることから。⇩いい加減・Q疎《おろそ》か・ちゃらんぽらん・ないがしろ・なおざり

ゆるす【許す】認める、許可するの意で、改まった会話から硬い文章まで幅広く使われる日常の基本的な和語。〈外出を―〉〈気を―〉〈自他共に―〉〈事情が―・せば〉✎谷崎潤一郎の『細雪』に「二人きりで会うようなことを―・してよいかどうか私には分らない」とある。「入学を―」のような用法には上位者という意識がうかがわれる。⇩赦《ゆる》す

ゆるす【赦す】咎《とが》めず放免する、容赦するの意で、会話や文章に使われる和語。〈部下の失態を―〉〈相手の非礼を―〉〈若気の至りとお―・しあれ〉✎「許す」で代用することも多く、小沼丹の『のんびりした話』にも「憶えていないなら仕方が無いから許してやるが、君は酔ってひどく俺を攻撃したのだぞ」とある。⇩許す

ゆるむ【緩(弛)む】きつく張ったり締めたりしてあったものが緩くなる意で、くだけた会話から硬い文章まで幅広く使われる日常の和語。〈張り詰めた糸が―〉〈帯が―〉〈ねじが―〉✎志賀直哉の『暗夜行路』に「宿の者に買わした下駄は下まで降りると、すっかり鼻緒が―・んでしまった」とある。「たるむ」段階まで達しない場合も多い。「寒気《かんき》が―」「スピードが―」「結束が―」「気が―」のように、力が弱くなる意の比喩的用法も多い。⇩Qたるむ・だれる

ゆるやか【緩やか】緩くゆったりとした様子をさし、会話にも文章にも使われる和語。〈―な流れ〉〈―な坂〉〈―に下る〉✎永井龍男の『風ふたたび』に「うすく、オレンジがかった夕空に、紫や黄の火薬の煙が、―な線を描くと、パステルでいたずら書きをしたような、不思議な美しさが、しばらく空に残った」とある。室生犀星の『杏っ子』の「時はあぶらの垂れる―さで過ぎた」の例のように時間的経過をさすこともある。「ゆるい」がどちらかというとマイナスのイメージなのに対し、この語はむしろプラスのイメージに使う例が多い。⇩緩い

ゆれる【揺れる】支点から振れ動いて安定を失う意で、くだけた会話から硬い文章まで幅広く使われる日常の基本的な和語。〈船が―〉〈地面が―〉〈計画が―〉✎「ぐらつく」「揺らぐ」に比べ、細かい動きを規則的に何度も繰り返す感じが強く、「当初の決定が―」は「決心が揺らぐ」「計画がぐらつく」の場合より原案に戻る可能性も少なくないような感じがある。夏目漱石の『草枕』に「心は大浪にのる一枚の板子のように―」とある。⇩ぐらつく・振動・震動・たゆたう・動揺・なびく・Q揺らぐ

ゆわえる【結わえる】紐《ひも》などで結ぶ意で、やや俗語じみた口頭語。〈新聞紙を紐で―〉✎中勘助の『銀の匙』に「湯が乳のへんでくびれあがって軽く糸で―・えたような感じ」という比喩表現が出る。「髪を結ぶ」場合は綺麗に仕上がる狙いがはっきりしているが、「結わえる」場合は乱れた髪を一つ

にまとめる点が中心になる。そのように「結ぶ」ほど結果の形が意識されず、また、「括《くく》る」よりは紐状の道具が意識にのぼる。⇩括る・Q結ぶ・ゆわく

ゆわかし【湯沸かし】 湯を沸かすための器具をさし、会話にも文章にも使われる和語。〈―で湯を沸かす〉🖉鉄瓶はもちろん、広くは湯沸かし機能付きの魔法瓶やガス湯沸かし器あたりまで含まれそうだが、通常は「やかん」をさすことが多い。⇩鉄瓶・Qやかん

ゆわかしき【湯沸かし器】 ガスや電気で瞬間的に湯を沸かす装置をさし、会話にも文章にも使われる表現。〈瞬間―〉🖉業務用の連想もある「ボイラー」に比べ、家庭用の小型の機械を連想しやすい。俗に、すぐ怒る人を「瞬間―」という。⇩ボイラー

ゆわく【結わく】「ゆわえる」意の、俗語的な口頭語。〈古本をビニールの紐《ひも》で―〉🖉俗っぽさの程度を除けば、「結わえる」とほぼ同じ語感。⇩括《くく》る・結ぶ・Qゆわえる

よ

よ【夜】 日の入りから日の出までの間をさし、会話にも文章にも使われる和語。〈闇―〉〈―着〉〈夏の―〉〈―が更ける〉〈―が明ける〉〈あの―の出来事〉〈―を徹して議論する〉🖉仮名書きではわかりにくく、漢字表記は「夜《よる》」と区別しにくい場合がある。夏目漱石の『坊っちゃん』に「―はとうにあけて居る」とあるが、現在では多く一定の言いまわしの中で使い、それ以外の用法では概して古風に感じられる。修飾語を伴わない単独の形ではあまり使わない。「日」と対立。⇩深更・深夜・晩・真夜中・夜間・夜半・夜分・宵・夜中・夜更け・Q夜《よる》・よわ

よあかし【夜明かし】「徹夜」の意で会話やさほど硬くない文章に使われる、いくぶん古風な和語。〈推理小説を読みふけってとうとう―する〉〈ゆうべの―がたたって頭がぼうっとしている〉⇩徹夜

よあけ【夜明け】 日の出時分をさす一般的な日常の和語。〈―が近い〉〈―が待ち切れない〉〈―とともに畑に出る〉🖉庄野英二の『星の牧場』に「バラの花びらをすかしてみるような―の光」とある。「近代日本の―」のような比喩的用法もある。⇩暁・Q明け方・曙・朝ぼらけ・朝まだき・しののめ・日の出・払暁・未明・黎明《れいめい》

よい【良い】 優れているという方向の広範な意味で、くだけた会話から硬い文章まで幅広く使われる日常の最も基本的

な和語。〈頭が—〉〈成績が—〉〈品が—〉〈健康に—〉〈仲が—〉✎夏目漱石の『坊っちゃん』に「だまって居れば—・かった」とある。会話では「いい」となることが多い。ただし、美人の意の「いい女」は通常「よい」とは言わない。「—人」「—ことをする」のように「善良」の意味では「善い」、「天気が—」「人が—」「調子が—」「都合が—」のように「好ましい」の意味では「好い」、「この—き日」のように「めでたい」の意味では「佳い」などと書き分けることもあるが、多少とも古風な感じを与えやすい。

よい【宵】 日没後から夜が更ける前までをさし、改まった会話や文章に用いるやや古風な和語。〈—の闇〉〈—の明星〉〈—のうちは晴れているが、夜遅くなって天気が崩れる〉✎夏目漱石の『坊っちゃん』に「—から十二時過迄」とあるように昔は日常一般の語だった。前後関係で優雅な雰囲気にもなる。「今宵」となるとつねに優雅な趣を漂わせる。「—に電話があった」などと会話で単独に使うことはめったにないが、「—のうち」「—の口」などの形では会話にも用いる。⇩暮れ方・たそがれ・薄暮・Q晩方・日暮れ・灯ともし頃・夜間・夕・夕方・夕暮れ・夕刻・夕べ・夕間暮れ・宵の口

よいしれる【酔い痴れる】 酒に酔って頭が正常に働かなくなる意で、主に文章に用いられる古風な和語。〈美酒に—〉✎「名曲に思わず—」のように、うっとりする意にも使う。⇩沈没②・泥酔・Q酩酊《めいてい》・酔い潰れる・酔う・酔っ払う

よいつぶれる【酔い潰れる】 酒を飲み過ぎて正体をなくし体も思うように動かなくなる意で、会話にも文章にも使われる和語。〈—までしこたま飲む〉✎福原麟太郎の『チャールズ・ラム伝』に「ジン酒と水とを求め、気が狂うまで—れ、あきれた奴だと、戸外へ放り出される」とある。⇩沈没②・泥酔・酩酊《めいてい》・Q酔い痴れる・酔う・酔っ払う

よいのくち【宵の口】 日没後まだあまり経過していない時間帯の意で、会話でも文章でも用いられる日常の和語。〈まだ—だ〉〈—から泥酔している〉✎「宵」のうちの最初の部分。⇩暮れ方・たそがれ・薄暮・晩方・日暮れ・灯ともし頃・夕・Q夕方・夕暮れ・夕刻・夕べ・夕間暮れ・宵

よいやみ【宵闇】 宵になっても月の光がなく暗い意で、主に文章に用いられる、古風でやや詩的な和語。〈—が迫る〉〈—に紛れる〉✎特に、月の出の遅い陰暦の月の半ば過ぎをさすこともある。小川国夫の『里にしあれば』に「縁側だけは、いつまでも屋内の—から取り残されていた」とある。⇩夕闇

よいん【余韻】 鐘などが鳴ったあとに残る響きをさし、会話にも文章にも使われる漢語。〈—嫋々《じょうじょう》〉〈—を残す〉〈—を響かせる〉✎音が鳴り終わる間際の微弱な音響、鳴り終わった直後の残響、感覚主体側の心理的な反響意識から、「熱狂の—が残る会場」「名作の—に浸る」といった、物事の終わったあとまで残る余情のような感覚的・感情的な雰囲気をさす比喩的な用法へとほとんど連続的に広がる。また、「余情」と同様、ことばによって直接表現されていない言外の意味や、文学作品などの読後に感じるしみじみとした味わいをも含める。川端康成の『千羽鶴』に「文子のその言葉は、哀切な純潔の—を深めて来た」とある。⇩残響・反響・Q余情・余白

よう【酔う】 酒類を飲んで心身の正常な状態が崩れたり、船などの乗り物の揺れの影響で気分が悪くなったりする意で、会話でも文章でも幅広く使われる日常の生活和語。〈酒に—〉〈いい気持ちに—〉〈乗り物に—〉〈雰囲気に—〉✎伊藤整の『灯をめぐる虫』に「洪水の中に浮んで遠く流されてゆく死骸のように—・っている」とある。⇩沈没②・泥酔・酩《めい》酊《てい》・酔いしれる・酔い潰れる・酔っ払う

よう【用】 処理する必要のある事柄をさし、会話やさほど硬くない文章に使われる漢語。〈急ぎの—〉〈—を言いつける〉〈—があって出掛ける〉〈—を思い出す〉✎夏目漱石の『坊っちゃん』に「何か御—ですか」とある。⇩所用・Q用件・用事

ようい【用意】 次の事を想定してあれこれ気を配っておくことをさし、会話でも文章でも幅広く使われる日常生活の基本的な漢語。〈—周到〉〈—ができたら出発だ〉〈必要なものを予《あらかじ》め—する〉〈雨具を—する〉〈小銭を—する〉〈—した原稿を読み上げる〉✎二葉亭四迷の『浮雲』に「いうべき事も予《かね》て—して」とある。次の行動を円滑に行うことができるように万事を整えておくという意味合いで用い、「支度」や「準備」に比べ、そのときに必要になりそうなものを買いそろえておくことを含むニュアンスが強い。⇩支度・Q準備

ようい【容易】 することがたやすい意で、やや改まった会話や文章に用いられる漢語。〈—な方法〉〈—に解決できる〉〈誰にでもできる—な仕事〉✎芥川龍之介の『手巾』に「長い夏の夕暮れは、いつまでも薄明りをただよわせて、ガラス戸をあけはなした広いヴェランダは、まだ—に、暮れそうなけはいもない」とある。「困難」と対立。「—ならざる」の形で、重大で解決困難という意味を表す用法は、古風で硬い感じがある。⇩簡単・たやすい・平易・Q易しい・楽・楽ちん

よういく【養育】 養い育てる意で、やや改まった会話や文章に用いられる漢語。〈—費を支払う〉〈子供を—する〉⇩育てる・育む・扶養・Q養う

よういん【要因】 いくつかの原因が複合して生じた場合、そのうちの主要な原因をさし、改まった会話や文章に用いられるやや硬い感じの漢語。〈紛争の—〉〈故障の—〉〈学力低下の—〉〈成人病増加の—〉〈—を分析する〉〈—を突き止める〉⇩因子・原因・せい・要素

ようえん【妖艶】 男を惑わすほどの女の妖《あや》しい美しさをさし、主に文章に用いられる、いくぶん古風な漢語。〈—な舞い姿〉〈—な笑みを浮かべる〉⇩あだっぽい・婀娜《だあ》な・色っぽい・艶っぽい・Qなまめかしい

ようかい【妖怪】 人の知恵では説明のつかない不思議な現象としての化け物をさして、会話にも文章にも使われる古風な漢語。〈—変化《へんげ》のたぐい〉〈—の棲《す》み処《か》〉✎志賀直哉の『邦子』に「狐狸—でも」とある。⇩お化け・Q化け物・亡霊・幽霊

ようかい【容喙】 口出しの意味で主に文章に用いられる硬い漢語。〈他人の—を許さない〉✎夏目漱石の『坊っちゃん』に「校長の御考にある事だから、私の—する限ではないが」とある。語源的には、くちばしを入れる意。⇩Q口出し・ちょっかい・手出し

ようがし【洋菓子】西洋の菓子の意で、会話にも文章にも使われる漢語。〈シュークリームは代表的な―の一つ〉✎明治時代には「西洋菓子」と呼んだが、「西洋料理」を「洋食」と呼ぶようになるのに伴って「洋菓子」と呼ぶようになったという。ケーキのほか、マドレーヌ・バウムクーヘンのような半生菓子や、クッキー・チョコレート菓子のような干菓子も含まれる。⇩Ｑケーキ・生菓子・南蛮菓子・洋生《なまようがし》

ようき【容器】物を入れておくための器をさし、会話にも文章にも使われる漢語。〈適当な―がない〉〈別の―に移す〉〈プラスチック製の密封―〉✎皿などを連想しやすい「器」に比べ、長時間入れて保存するものを連想しやすい。⇩入れ物・Ｑ器・ケース①・箱

ようき【陽気】朗らかでにぎやかな様子をさし、くだけた会話から文章まで幅広く使われる日常の漢語。〈―な性格〉〈―に騒ぐ〉✎谷崎潤一郎の『細雪』に「あの姉さんの方は―で近代的だけれども」とある。「いい―になる」のように気候の意でも使う。⇩朗らか

ようぎしゃ【容疑者】警察が犯罪の嫌疑をかけている起訴前の人をさして、会話にも文章にも使われる漢語。〈殺人事件の―が捕まる〉〈―を全国に指名手配する〉✎「被疑者」のような正式な感じがなく、日常よく使われる。⇩被疑者

ようきゅう【要求】自分のほしい物や望む事柄を相手に求める意で、会話から改まった文章まで幅広く使われる日常語に近い漢語。〈撤回を―する〉〈―をはねつける〉✎平林たい子の『施療室にて』に「―は、昔から貧乏人の伝統の中を針金のように貫いて来た」とある。「要望書」に比べ「―書」は相手にきつい感じを与え、親身になってそれに応えようとする気持ちが起こりにくく、場合によっては喧嘩腰になる。「要求」ということばの奥に、そうあるのが当然であると考える姿勢が見てとれるからである。⇩申請・請願・請求・要請・要望

ようぐ【用具】一定のことをするのに役立つように出来ている道具をさし、会話にも文章にも使われる漢語。〈筆記―〉〈掃除―〉〈体育の―〉〈―の出し入れ〉⇩器具・機具・Ｑ道具・用品

ようけん【用件】用事の意で、やや改まった会話や文章に用いられる漢語。〈おもむろに―を切り出す〉〈―に入る〉〈ご―を承る〉✎庄野潤三の『秋風と二人の男』に「―はひとつもなくて、ただ酒を飲みながら話をするだけ」とある。「用事」に比べ、その内容の主旨を連想させやすい。⇩所用・用・要件・Ｑ用事

ようけん【要件】重要な案件、必要な条件の意で、主として文章に用いられる硬い漢語。〈―を先に扱う〉〈まずは―のみにて〉〈―を充たす〉⇩用件

ようご【用語】一つの話や文章の中に使うそれぞれの単語の意で、会話にも文章にも使われる漢語。〈学術―〉〈スポーツ―〉〈差別―〉〈―を統一する〉✎福原麟太郎の『チャールズ・ラム伝』に「前世紀の詩的―の廻りくどさの皮肉」とある。⇩言語・語・語彙・言葉・Ｑ単語

ようご【養護】保護し世話をするの意で、会話にも文章にも一定の用語中に使われる漢語。〈―学校〉〈―施設〉〈―教諭〉⇩擁護

ようご【擁護】侵害したり危害を加えたりするものから守ってやる意で、改まった会話や文章に用いられる硬い感じの漢語。〈人権を―する〉〈自由貿易を―する〉⇩庇護《ひご》・Ｑ保護・養護

ようこう【要項】必要事項の意で、会話にも文章にも使われる企業や学校の雰囲気を感じさせる漢語。〈募集―〉〈入試―〉〈講義―〉〈―を取り寄せる〉⇩要綱

ようこう【要綱】重要な事柄の意で、主として文章に用いられるやや専門的な硬い漢語。〈法律学―〉〈政策―がほぼ固まる〉⇩要項

ようこう【洋行】欧米に旅行または留学する意で、会話にも文章にも使われる古めかしい漢語。〈―帰りの紳士〉〈―の経験が買われる〉⇩外遊

ようこう【陽光】「日光」の意で、主に文章中に用いられる、いくらか趣のある漢語。〈南国の―〉〈―が降りそそぐ〉✒谷崎潤一郎の『陰翳礼讃』に「ようようそこまで辿りついた庭の―は、もはや物を照らし出す力もなくなり」とある。⇩日光・Ｑ日ざし

ようこうがえり【洋行帰り】旅行や留学で欧米に行って帰って来たばかりの意で、かつて、あこがれや羨ましさをこめて、会話や文章に用いた古風な言いまわし。〈―の紳士〉✒海外に留学するのはもちろん、渡航さえ珍しかった時代に、当時から先進国であった欧米に行って帰って来た人が、一般の人には輝いて見えたため、それを特別の人という思いで呼んだことば。発展途上の国に渡った人がいても、憧憬の気持ちが起こらなければこのことばは使わなかったと思われる。海外旅行も留学も海外勤務も珍しくなくなり、欧米諸国を対等と見るようになるにつれて使用されなくなり、今では相手をからかう感じでたまに冗談めかして言う程度で、あこがれや羨む気持ちはほとんど消えている。

ようし【要旨】文章や話の要点をさし、改まった会話や文章に用いられる漢語。〈発表―〉〈―をとらえる〉〈―をまとめる〉✒国語教育では、展開に沿ってまとめた大意を、論者の意見や主張をより明確にするために、さらに簡潔にまとめたものの骨子をさす。⇩大意・しゅし②・Ｑ要約・論旨

ようし【容姿】容貌や体つき・身なりをさし、改まった会話や文章に用いられる漢語。〈―端麗〉〈―が整っている〉✒「姿形《すがたかたち》」に比べ、顔の美しさの比重が重い。円地文子の『老桜』に「―が美しいに拘らず、どこか竹のように勁く暢び立って、なよなよ靡きよる風情がない」とある。⇩Ｑ姿形・風采・風体《ふうてい》

ようじ【用事】やらなければいけない用をさし、くだけた会話や硬くない文章に使われる日常的な漢語。〈―を済ませる〉〈―ができる〉〈―がたてこむ〉✒庄野潤三の『静物』に「―がある時は老人は手を叩いた」とある。「所用」や「用件」はもちろん、「用」よりも日常一般の生活語。⇩所用・用・Ｑ用件

ようじ【幼児】幼い子供をさし、会話にも文章にも使われる日常の漢語。〈―語〉〈―園〉〈―期〉〈―教育〉✒上林暁の『月魄《つきしろ》』に「私はあたかも―の心で、月に吸いつけられた」とあり、椎名麟三の『永遠なる序章』に「―のような無垢なものが感じられる」とある。⇩おさなご・Ｑ小児《しょうに》・ちのみご・乳

児

ようしき【様式】 同類・同質の文化の中に見られる共通の型をさし、改まった会話や文章に用いられる、やや専門的な感じの漢語。〈―美〉〈生活―の変化〉〈新しい―を取り入れる〉〈従来の―を変更する〉✎小林秀雄の『モオツァルト』に「優れた芸術作品が表現する一種言い難い或るものは、その作品固有の―と離す事が出来ない」とある。「形式」よりも総合的・抽象的・固定的。専門語としては、文学を含む芸術作品を特徴づける時代・地域・流派などによる共通の表現性。個人や個々の作品の特徴をも対象とする「スタイル」に比べ、この語は個性より類型認識が強い。⇩形・かっこう・Q形式・スタイル

ようしゃ【容赦(捨)】 自分に対する相手の行為を赦《ゆる》す意で、会話にも文章にも使われる古めかしい漢語。〈失礼の段、平に御―ください〉〈断じて―はならぬ〉✎泉鏡花の『高野聖』に「茫然してると、木精が攫《さら》うぜ、昼間だって―はねえよ」とある。「勘弁」よりも重大な感じがある。「情け―もなく」のように、手加減の意でも使う。⇩勘弁

ようしょ【要所】 重要な場所や大事な箇所をさし、会話にも文章にも使われる漢語。〈―を固める〉〈―を押さえる〉✎水上勉の『越前竹人形』に「精巧なしっくい止めが―にみられた」とある。⇩急所・重点・要衝・要地・要諦・Q要点

ようしょう【要衝】 交通や軍事などの面での重要な場所をさし、主に文章中に用いられるやや古風で硬い漢語。〈―の地〉⇩急所・要所・Q要地

ようじょう【養生】 病後の一定期間体を休める意で、会話にも文章にも使われる、やや古風な漢語。〈不―〉〈病後の―〉✎志賀直哉の『城の崎にて』の冒頭に「山の手線の電車に跳飛ばされて怪我をした、其後―に、一人で但馬の城崎温泉へ出掛けた」とある。⇩Q静養・保養・療養

ようしょく【容色】 女性の顔の美しさをさし、改まった会話や文章に用いられる古風な漢語。〈―に優れている〉〈―の衰えが目立つ〉✎顔立ちだけでなく肌の艶や姿を含む感じがある。永井荷風の『濹東綺譚』に「この土地の女には似合わしからぬ―と才智とを持っていた」とある。⇩器量・Q容貌

ようしょくや【洋食屋】「レストラン」の古めかしい呼び名。〈昔ながらの―〉✎「西洋料理店」の雰囲気と共通するが、「西洋料理店」の店内がすべてテーブルと椅子を連想させるのに対し、この「洋食屋」には椅子席のほか和室か畳敷きのコーナーが残っていて、中には割り箸も用意されている店もあるような雰囲気を感じさせる。志賀直哉や里見弴などの作家がひいきにしていたとか、牛タンのシチューが絶品だとか、偏屈なおやじが流行に背を向けて店の伝統の味を頑固に守り続けているとかといった想像を誘う。⇩カフェテリア・食堂・西洋料理店・Qレストラン

ようじん【用(要)心】 万一の場合に備えてあらかじめ注意する意で、会話やさほど硬くない文章に使われる、いくぶん古風な感じの漢語。〈火の―〉〈掏摸《すり》に―する〉〈―に―を重ねる〉〈―に越したことはない〉✎志賀直哉の『城の崎にて』に「(脊椎カリエスが)二三年で出なければ後は心配はいらない、兎に角―は肝心だからといわれて、それで来た」とある。「注意」や「警戒」に比べ、被害にあう確率の低い

場合に使い、念のためという雰囲気が強い。「要心」の表記は古風。⇨Q警戒・注意

ようじんぶかい【用心深い】 失敗を恐れ警戒心が強い意で、会話やさほど硬くない文章に使われる表現。〈何事にも―人〉〈―・く事を進める〉✎檀一雄の『終りの火』に「また少し蜜の汁を―・く飲んでいる」とある。慎重すぎることへの批判がこめられている。⇨慎重

ようす【様(容)子】 今見て感じられる状態や動きをさし、くだけた会話から文章まで幅広く使われる日常の最も基本的な漢語。〈雲の―〉〈この―では〉〈しばらく―を見る〉〈相手の―をうかがう〉✎夏目漱石の『坊っちゃん』に「田舎へ行くんだと云ったら、非常に失望した―で、胡麻塩の鬢の乱れを頻りに撫でた」とある。漢語らしい硬く冷たい感じがなく、和語のようなやわらかい感触。「―ありげなそぶり」のように、事情といった意味合いで使うと古風な感じになる。⇨ありさま・状況・Q状態・様相

ようする【要する】「要《い》る」意で、主に改まった文章に用いられる硬い表現。〈多額の資金を―〉〈当人の同意を―〉〈かなりの日時を―〉⇨要る

ようするに【要するに】 要約して言うならばの意で、やや改まった会話や文章に用いられる、少し理屈っぽい感じの表現。〈―努力不足だ〉〈―金が欲しいのだ〉〈―言いたいことは何だ〉✎中谷宇吉郎の『立春の卵』に「―、もっともらしい説明は何も要らないので、卵の形は、あれは昔から立つような形なのである」とあり、大岡昇平の『俘虜記』に「―この嫌悪は平和時の感覚であり、私がこのときすでに兵士でなかったことを示す」とある。細かい理屈やニュアンスを抜きにして結論を急ぐ雰囲気があり、「すなわち」や「つまり」以上にいらいらした気持ちが感じられる傾向がある。「結局」に比べ、それまでの過程に重点がかからない。到達点に意識を集中させる「つまり」以上に、次に簡潔な表現の続く感じが強い。⇨結局・すなわち・Qつまり

ようせい【天逝】 若くして亡くなる意で、文章中に用いられる漢語。〈才能を惜しまれつつの―〉✎「逝く」と間接的に表現しており、端的な「若死に」より丁寧な響きがある。「天折《ようせつ》」と同様、死者を悼む気持ちが込められている。⇨早世・早死に・Q天折・若死に

ようせい【要請】 必要だと判断したことの実現を求めて願い出る意で、改まった会話や文章に用いられる正式な感じの硬い漢語。〈出動を―する〉〈立候補を―する〉〈―に応ずる〉〈―を受諾する〉⇨申請・請願・請求・Q要求・要望

ようせつ【天折】 若くして亡くなる意で、文章中に用いられる漢語。〈―の天才詩人〉〈期待されながら―した画家〉✎「折れる」と間接的に表現しており、端的な「若死に」より丁寧な響きがある。「天逝《ようせい》」と同様、死者を悼む気持ちが込められている。⇨早世・早死に・Q天逝・若死に

ようそ【要素】 ものごとの成立に欠かせない成分をさし、会話にも文章にも使われるやや硬い漢語。〈構成―〉〈―別に分ける〉〈必須の―〉✎志賀直哉の『山科の記憶』に「その気持に少しでも不愉快な―があれば」とある。⇨因子・Q成分・要因

ようそう【様相】 状態や様子をさし、主として硬い文章に用

いられる漢語。〈―が一変する〉〈長期戦の―を呈する〉✎上林暁の『聖ヨハネ病院にて』に「生活の秩序が新しい―を帯びて来た」とある。⇩Qありさま・状況・状態・情勢・様子

ようだい【容態(体)】病気の状態の意で、やや改まった会話や文章に用いられる、少し古い感じの漢語。〈―が悪化する〉〈―が急変する〉✎阿部昭の『父と子の夜』に「わたしどもがまた腹ごしらえをしようとしている時に父の―が急変した」とある。「ようたい」ともいう。鼻風邪などのちょっとした病気に使うと大げさな感じのする表現。⇩病態

ようだん【用談】仕事上の話し合いの意で、やや改まった会話や文章に用いられる漢語。〈応接室にて―中〉〈取引先との―を済ませる〉⇩要談

ようだん【要談】重要な相談の意で、主に文章中に用いられる硬い漢語。〈―を交わす〉〈担当者との―に臨む〉⇩用談

ようち【用地】明確な利用目的を持つ土地をさし、会話にも文章にも使われる漢語。〈工場―〉〈―を買収する〉〈―を購入する〉✎団地や空港などを建設するための広大な土地をさすこともあり、逆に、自宅を建てるためなどの小規模で個人的な土地をさす場合にはあまり使わない。⇩Q地所・土地・要地

ようち【要地】肝心かなめの箇所をさし、主として文章に用いられる硬い漢語。〈交通の―〉✎太宰治の『富嶽百景』に「この峠は、甲府から東海道に出る鎌倉往還の―に当っていて」とある。⇩急所・要所・Q要衝・用地

ようてい【要諦】ものごとのきわめて肝要なところの意で、主に文章に用いられる古風で硬い漢語。〈処世の―〉〈夫婦和合の―〉✎本来は「ようたい」と読み、仏教の要《かなめ》となる悟りの意。⇩急所・要所・Q要点

ようてん【要点】重要なポイントをさし、会話にも文章にも使われる漢語。〈―をとらえる〉〈―をメモする〉〈―をかいつまんで話す〉✎宮本百合子の『若い息子』に「田端までに―はすまされ、初子の買ってある鶯谷まで乗り越すあいだに付加も話された」とある。⇩急所・重点・要所・要諦

ようと【用途】物品などを利用する先や範囲をさし、会話にも文章にも使われる漢語。〈―が広い〉〈―別に整理する〉⇩Q使途・使い道

ようなま【洋生】「西洋生菓子」の略で、主に会話に使われる古風で俗っぽい表現。〈―の詰め合わせ〉⇩Qケーキ・生菓子・南蛮菓子・洋菓子

ようにん【容認】認めて受け入れる意で、やや改まった会話や文章に用いられる硬い感じの漢語。〈現状を―する〉〈とうてい―できない行為〉〈―しがたい狡猾《こうかつ》なやり方〉✎「許容」よりも主観的な感じがあり、自分としては好ましく思わなくても状況から認めざるを得ないような場合によく使う。⇩許可・許容・受諾・承諾・承知・承認・認可・了承

ようひん【用品】一定の用途の品物の意で、会話にも文章にも広く使われる日常の漢語。〈スポーツ―〉〈事務―〉⇩洋品

ようひん【洋品】西洋風の品、特に衣料品をさして、会話や文章に使われる、やや古風な漢語。〈―店〉〈―を扱う〉⇩用品

ようぶ【腰部】腰の部分の意で、学術的な会話や硬い文章に用いられる専門的な漢語。〈湿布をして―の炎症を鎮める〉

⇩腰

ようふく【洋服】 西洋風の衣服をさして、会話にも文章にも使われる日常の漢語。〈―簞《だん》笥《す》〉〈―をあつらえる〉〈―を仕立てる〉石坂洋次郎の『麦死なず』に「青無地の―をまとい、ネクタイを無造作に垂れた」とある。「服」以上に、下着類だけの意では用いにくい。⇩衣服・衣料・着物・服

ようぼ【養母】 養子に行った先の母にあたる人、または、養い育ててくれた母親代わりの女性をさして、改まった会話や文章に用いられる硬い感じの漢語。〈―との折り合いが悪い〉⇩Q義母・継母・まま母

ようほう【用法】 どのように用いるかというその方法をさし、やや改まった会話や文章に用いられる漢語。〈副詞の意味と―〉〈―を会得する〉〈―を誤る〉⇩使い方

ようぼう【要望】 望ましい事柄が実現するよう相手に訴える意で、改まった会話や硬い文章に用いられる漢語。〈―事項〉〈政府に―する〉〈―を聞き入れる〉「要求」に比べ、当然のことだとする姿勢があまり感じられず、可能ならばそうありたいという期待の表明に見えるため、あたりがやわらかい。⇩申請・請願・請求・要求・要請

ようぼう【容貌】 美醜の面から見た顔立ちをさし、改まった会話や文章に用いられる古風な漢語。〈―魁偉《かいい》〉〈美しい―がひときわ目を引く〉夏目漱石の『草枕』に「丸顔の、達磨を草書に崩したような―」とある。⇩面差し・顔・Q顔立ち・顔つき

ようむ【用務】 務めとしてなすべき仕事をさし、改まった会話や文章に使われる漢語。〈学校の―で外出する〉「―員」の場合は特に改まった感じがない。「用事」より硬く大仰な感じがある。「用件」が主に内容をさすのに対し、この語は私用ではなく正式の任務であるところに重点があり、その中身を特に問題としていない感じがある。⇩用・用事・用件・要務

ようむ【要務】 重要な任務の意で、改まった会話や文章に用いられる硬い漢語。〈―を帯びる〉⇩用務

ようやく【漸く】 いろいろあったその後でといった意味合いで、改まった会話や文章に用いられる日常の和語表現。「やっと」より文体的レベルが高い。〈―完成にこぎつける〉〈何度も読んで―理解に達する〉夏目漱石の『坊っちゃん』に「待つより外に策はないと云うから、―の事でとうとう朝の五時迄我慢した」とある。実現時に意識の中心のある「やっと」に比べ、この語は実現に至る過程に焦点を当てた表現とされる。⇩やっと

ようやく【要約】 文章や話の要点を短くまとめる意で、会話にも文章にも使われる漢語。〈―文〉〈内容を―する〉⇩大意・Q要旨・論旨

ようりょう【用量】 使用する分量の意で、会話にも文章にも使われる専門的な感じの漢語。〈一回分の―〉〈薬剤の―をきちんと守る〉⇩容量

ようりょう【要領】 ものごとにとって特に大事なところをさし、会話にも文章にも使われる漢語。〈学習指導―〉〈―をつかむ〉〈―を得ない返事〉〈―がわからない〉夏目漱石の『坊っちゃん』に「頓と―を得ない」とある。「―がいい」の形で、うまく立ち回るさまを言う用法もある。⇩勘所《かんどころ》・

呼吸②・Qこつ・壺②・秘訣

ようりょう【容量】 容器に入る分量の意で、会話にも文章にも使われる客観的な感じの漢語。〈タンクの―が大きい〉〈コンピューターの記憶―〉⇩用量

ようれい【用例】 ことばの用法を示すための例をさし、会話にも文章にも使われる漢語。〈小説から―を探す〉〈―が豊富で説明がわかりやすい〉✎実例と作例に分かれる。⇩一例・作例・実例・Q文例・類例・例・例文

ようろういん【養老院】「老人ホーム」を意味する古風な漢語。〈―に入る〉⇩Q老人ホーム・老人養護施設

よかん【予感】 あらかじめ何となく感じ取る意で、会話にも文章にも使われる漢語。〈―が当たる〉〈不吉な―がする〉✎吉本ばななの『哀しい予感』に「その―はその時の、秋の夕暮れにとてもよく似ていた。胸の奥まで西陽が射し込んでくるようだった」とある。⇩勘・第六感・Q直感・直観

よき【予期】 多分こうなるだろうと予《あらかじ》め見当をつけて待つ意で、会話にも文章にも使われる漢語。〈―したとおり〉〈―せぬ出来事〉〈―に反して〉〈敗戦を―する〉✎夏目漱石の『明暗』に「そこに彼の―どおり、白いシーツにつつまれた蒲団が、彼の安臥を待つべく長々と延べてあった」とある。論理的・分析的にたどる感じの「予想」に比べ、主観的・総合的に感じられる場合が多く、何となく感じる「予感」ほど直観的ではない。⇩見当・展望・見込み・見通し・Q予感・予想・予測

よきょう【余興】 宴会や行事などで興を添えるために演ずる芸の類をさし、会話にも文章にも使われる漢語。〈―に手品を披露する〉✎夏目漱石の『坊っちゃん』に「(祝勝の式は)それで御仕舞だ。―は午后にあると云う話だから」とある。「座興」と違い即興性は弱く、プログラムに予定されている場合もある。⇩アトラクション・Q座興

よきん【預金】 金銭を預ける意の漢語。「貯金」より若干専門的な感じで少し改まった語。〈定期―〉〈―通帳〉〈―高〉〈―を下ろす〉✎「貯金」が郵便局を連想させるのに対し、「預金」は銀行を連想させる。⇩貯金

よく 一度や二度でなく何度もある意味で、会話にも文章にも使われる日常の和語。〈―乗り遅れる〉〈―質問する〉✎佐藤春夫の『田園の憂鬱』に「そう言う事は誰にも―ある事です」とある。頻度が相対的に多い場合に用いるため、物事によって回数に差が大きい。「―出来る」「―飲む」のように程度の意にも用いる。⇩しばしば・Q度々・ちょいちょい・ちょくちょく

よく【欲(慾)】 欲しくて手に入れたいと心の中で強く思う気持ちをさし、くだけた会話から硬い文章まで幅広く使われる日常の基本的な漢語。〈―のかたまり〉〈―が深い〉〈―が出る〉〈―のない人〉〈―に目がくらむ〉〈―を言えば〉✎「欲望」としてうごめく前のまだ行為と直結しない静的な段階を連想させる。夏目漱石の『坊っちゃん』に「―がすくなくって、心が奇麗だ」とある。現代では「欲がない」と言うほうが自然。⇩欲情・Q欲心・欲念・欲望・欲求

よくあつ【抑圧】 無理に抑え付ける意で、改まった会話や文章に用いられる漢語。〈―をはねのける〉〈自由を―する〉✎開高健の『裸の王様』に「―の腫物のかさぶたを全身につ

けたまま」とある。不快な記憶などを無意識のうちに閉じ込める精神作用をさす場合は心理学上の専門語。⇩制圧・征服・鎮圧・平定・Q抑制

よくし【抑止】 抑えて実行させない意で、主として文章中に用いられるやや硬い漢語。〈核の─力〉〈紛争を─する〉⇩禁止・Q制止

よくしつ【浴室】「風呂場」に近い意味で、改まった会話や文章に用いられる漢語。〈タイル張りの明るい─〉✎「風呂場」より正式の感じがあり、近代的でシャワーなどの設備を備えた洋風の雰囲気を感じさせる。また、近年はやりのユニットバスなどの小規模な画一商品でも「浴室」と呼んで特に違和感はない。⇩バスルーム・Q風呂場・湯殿・浴場

よくじつ【翌日】 その日の次の日をさし、やや改まった会話や文章に用いられる漢語。〈─の準備〉〈注文すると─届く〉〈徹夜をすると─に差し支える〉✎井伏鱒二の『屋根の上のサワン』に「─、私はサワンの姿が見えないのに気がつきました」とある。「前日」と対立。⇩Qあくる日・あした・あす・みょうにち

よくじょう【浴場】「風呂場」の意で主として文章に用いられる漢語。〈公衆─〉〈温泉旅館の大─〉✎「大─」の形では会話でも使うが、単に「浴場」の形では耳になじみがなく、漢字を見ないと通じにくい。また、不特定多数の人間が同時に入浴できる大規模な施設をさすことが多く、各家庭の風呂場やホテルの客室に付設された入浴用のスペースなどについては通常用いない。⇩バスルーム・風呂場・湯殿・Q浴室

よくじょう【欲情】 欲望、特に性的なそれをさし、改まった会話や文章に用いられる硬い漢語。〈─をそそる〉〈─を催す〉〈─に駆られる〉〈─を抑える〉✎壇一雄の『花筐』に「眩暈《めまい》に似た─」とある。⇩愛欲・Q情欲・欲・欲心・欲念・欲望・欲求

よくしん【欲心】 欲しいと思う気持ちをさし、主として文章に用いられる硬い漢語。〈─を刺激する〉〈─が沸き起こる〉〈─を自制する〉✎菊池寛の『恩讐の彼方に』に「市九郎の─は此の女を斬って、女の衣裳を台なしにしてはつまらないと思った」とある。⇩欲・欲情・Q欲念・欲望・欲求

よくせい【抑制】 物事の勢いや人間の感情などを抑圧して制止する意で、改まった会話や文章に用いられる漢語。〈輸出を─する〉〈インフレを─する〉〈感情を─する〉✎福原麟太郎の『チャールズ・ラム伝』に「(酒を)もう─するだけの力を失いかかったのではないか」とある。⇩制圧・征服・鎮圧・平定・Q抑圧

よくそう【浴槽】「湯船」の意で、やや改まった会話や文章に用いられる正式な感じの漢語。〈大きめの─を据える〉〈琺瑯引《ほうろうび》きの─〉✎事務的な響きがあり、「湯船」に比べ、ゆったりとくつろぐ雰囲気が薄い。⇩バスタブ・風呂桶・湯壺・Q湯船

よくねん【欲念】「欲心」の意で、主に文章中に用いられる、やや古風な漢語。〈─がきざす〉〈─が去る〉⇩欲・欲情・Q欲心・欲望・欲求

よくばり【欲張り】 欲の深いことやそういう人をさして、会話にも文章にも使われる表現。〈─根性〉〈─な人〉〈─が過ぎる〉✎夏目漱石の『坊っちゃん』に「下宿の婆さんもけ

ちん坊の—屋に相違ないが、嘘は吐かない女だ」とある。⇩強欲・胴欲・Q欲深

よくふか【欲深】欲張る気持ちが人一倍強い意で、会話や硬くない文章に使われる古風な語。〈町内でも—で知られる老人〉⇩強欲・胴欲・欲張り

よくぼう【欲望】満たされない思いから欲しがり望む気持ちの意で、やや改まった会話や文章に用いられる漢語。〈—を抱く〉〈—のはけ口〉〈—を満たす〉〈—を抑える〉✎安部公房の『他人の顔』に「全身—の結節でぐりぐりになり、ぼくは瘤だらけの老木さながら」とある。「欲」に比べ、行動に向かう積極的な感じが強く、通常の食欲程度にはなじまない。⇩Q欲・欲情・欲心・欲念・欲求

よけい【余計】必要な程度を越して無駄である意をさし、会話やさほど硬くない文章に使われるくだけた漢語。〈—な出費〉〈会費を—払う〉〈—な心配〉✎小林秀雄の『無常という事』に「—な事は何一つ考えなかった」とある。「直したら—悪くなった」のように、さらに一層の意でも使われる。⇩Q余り②・剰余・余剰・余分

よける【避ける】好ましくない対象と出合わないように方向を変える意で、会話や改まらない文章に使われる日常の和語。〈車を—〉〈歩行者を—・けて通る〉〈相手のパンチを—〉〈—・けたバットにボールが当たる〉✎抽象的なものの回避に使われる「さける」に対し、この語は具体物に対して用いられる傾向がある。したがって、同じ対象について使われた場合でもニュアンスの違いが生じる。「水溜《みずたま》りを—」の場合は、水溜りのある道を歩きながら、その水溜りのところで跳び越えたり縁をそうっと歩いたりして水溜りに入らないようにする行為を連想させ、「水溜りをさける」の場合は、水溜りに近寄らないように最初から気をつけるか、あるいは水溜りの多い道をやめて、あらかじめ舗装のよい道路を選ぶような連想が働く。森鷗外の『空車《むなぐるま》』に「此の車に逢えば、徒歩の人も避ける。騎馬の人も避ける。貴人《きにん》の馬車も避ける。富豪の自動車も避ける。隊伍をなした士卒も避ける。葬送の行列も避ける」という「避ける」の六連続の例が出て来るが、新聞掲載時にはすべて「よける」という振り仮名がついていた。⇩さける

よげん【予言】予測発言の意で、会話でも文章でも広く使われる漢語。〈未来を—する〉〈—がみごとに当たる〉✎大仏次郎の『風船』に「今の男が、こう—したと聞いた」とある。⇩預言

よげん【預言】神のことばを預かって民に告げる意で限定的に会話や文章に用いられる宗教的雰囲気の古風な漢語。〈—者〉⇩予言

よこ【横】「建物の—に立つ」のように前後に対する左右の方向をさしたり、「首を—に振る」「枝が—に広がる」「芝生に—になる」のように上下に対する水平方向をさしたりして、くだけた会話から硬い文章まで幅広く使われる日常の基本的な和語。〈—の幅が広い〉〈—を向く〉〈—から飛び出す〉✎川端康成の『伊豆の踊子』に「私の—に少年が寝ていた」とある。語源的に「よける」と関連があるという。「縦」と対立。⇩水平

よこく【予告】事前に知らせる意で、やや改まった会話や文

章に用いられる漢語。〈―編〉〈―を出す〉〈―なしに変更する〉永井龍男の『朝霧』に「帰宅の時刻を―して置かなければならないような、重要な用件」とある。⇩予報

よこしま【邪】 曲がっていて道徳的に正しくない意で、改まった会話や文章に用いられる古風な和語。〈―な心〉〈―な道に入る〉「横様」の転という。⇩Q邪悪・悪い

よこたおし【横倒し】 横になって倒れる意で、会話にも文章にも使われる和語。〈強風で自転車が―になる〉〈投げられて―に倒れる〉「よこだおし」とも。⇩横転

よこたわる【横たわる】 通常は立っている人や物が横になる意で、改まった会話や文章に用いられる和語。〈公園のベンチに―〉〈散歩道に倒木が―〉黒井千次の『群棲』に「―のでもなく、蹲《うずくま》るのでもない不自然な姿勢で俯している」祖父の死体が描かれる。「寝ころぶ」や「寝ころがる」と違って、寝床の場合にも使い、「寝そべる」と違って、眠るために横になる場合にも使える。ごろりと横になるという人間の動作のイメージが稀薄で、仰向けか横を向くかの姿勢で寝る雰囲気があり、特に粗野な感じはない。「伐採した大木が―」「平野の先に連山が―」「空に灰色の雲が―」のように人間以外にも用い、「困難が―」「危険が―」のように抽象的な対象にも使う。⇩寝転がる・Q寝転ぶ・寝そべる

よこちょう【横町(丁)】 表通りから横にはいった狭い通りやその町筋をさし、会話にも文章にも使われる日常語。〈―の駄菓子屋〉〈―に住む隠居〉沢村貞子の『味噌汁』に「庇《ひさし》と庇がかさなりあっているようなせまい―」とある。「よこまち」と読めば、通りより町に重点が移る。⇩裏通り・Q裏町・小路・小道

よこづな【横綱】 最有力者、最高権威をさす、相撲《すもう》用語の拡大用法。〈業界では―クラスの会社〉〈清酒の―〉大相撲の最高位の意から、相撲に限らず最高の権威や力量が認められている存在を広くさすようになっている。まだ若干の比喩性が残存しており、相撲の連想がともなう。⇩大御所・権威②・第一人者

よこっぱら【横っ腹】 くだけた会話で「横腹」を強めていう俗っぽい口頭語。〈―が痛い〉⇩脾腹《ひばら》・Q横腹・脇腹

よこどり【横取り】 他人の権利を脇から不正に奪う意で、会話や軽い文章に使われる和語。〈儲けを―する〉〈成果を―する〉財布などの具体物より財産やポストのようなある程度抽象的な対象に使う傾向がある。「横領」や「着服」ほどの犯罪性は感じられないが、社会的・倫理的な制裁の対象となりうる。⇩Q横領・くすねる・失敬・着服・猫ばば

よこばら【横腹】 腹の横のほうの意で、会話にも文章にも使われる和語。〈―を押さえる〉「船の―」のように比喩的に人間以外についても使われる。⇩脾腹《ひばら》・横っ腹・Q脇腹

よごれる【汚れる】 汚くなる意で、くだけた会話から硬い文章まで幅広く使われる日常の基本的な和語。〈靴が―〉〈シャツの襟が―〉〈油で―〉〈廃棄物で海が―〉川端康成の『雪国』に「うるさくしゃべらんのがいい。ぼんやりしていて、よごれてないのが」とある。まれに「―・れた金」「―・れた心」のように不純といった抽象的な意味合いでも使うが、「けがれる」と逆に、具体物の実際の汚れをさす例が圧倒的に多い。⇩けがれる

よさん【予算】あらかじめ使途や金額を決めておく費用をさし、会話にも文章にも使われる漢語。〈国家―〉〈―額〉〈―案を組む〉〈―が足りない〉〈―を使い果たす〉〈―をオーバーする〉✎森鷗外の『青年』に「―を立てているから、不用な金はない」とある。⇩Q資金・見積もり・元手

よし【葦／芦】「あし」の意で、一部の会話で使うことのある和語。〈―の髄から天井覗《のぞ》く〉✎「葦(蘆)」の「アシ」という音が「悪し」を連想させるために忌み嫌い、その逆の「善し」という音に替えてできた語。そのため、この語を使うと、縁起を担ぐ古風な人間と思われることもある。かつての吉田内閣と芦田内閣など、そういった姓にさえ「善し悪し」という連想を働かせる人もあるかもしれない。⇩あし

よしゅう【予習】授業に備えてあらかじめ学習しておく意で、会話にも文章にも使われる漢語。〈―を済ませる〉〈―を怠らない〉✎「下調べ」より狭く、学校の勉強の連想が強い。「復習」と対立。⇩下調べ

よじょう【余情】言語芸術、特に小説や、映画・演劇などで、作品が終わっても消えないで残る深い味わいをさし、会話にも文章にも使われる漢語。〈―たっぷりに描く〉〈―が漂う〉〈―を汲《く》む〉✎小林秀雄の『西行』に「まことに簡潔適確で、而も―と暗示とに富んだ言葉である」とある。作中であっても、ことばで表現されていない、いわば表現の隙間から感じとれる、主体の感慨や言外の意味を含めることもある。また、文学の場合は、文章という言語の刺激を受けて形成されたイメージに対して読者が抱く情緒、そこから読者が自身の過去の経験や記憶を思い起こすことで生ずる情緒、さらには、その読書体験がそれ以降の読者の心に生き続ける潜在的な情緒などをも含める場合もある。⇩余韻・余白

よじょう【余剰】必要な分を差し引いた残りの意で、硬い文章に用いられるやや専門的な漢語。〈―人員〉〈―農産物〉⇩余り②・Q剰余・余計・余分

よじん【余燼】燃えきらずに残った火の残骸をさし、主として文章に用いられる古風で硬い漢語。〈大火の―〉〈―がくすぶる〉✎永井龍男の『風ふたたび』に「数番の仕掛花火が、終りを告げたばかりらしく、濃い一面の白煙が、ほのかに―に映えつつ、川上へもうもうと吹き上げられていた」とある。⇩燃えがら・Q燃えさし

よしんば【縦んば】もしも仮にそうなってもという意味合いで、主として文章に用いられる古めかしく硬い和語。〈―大地震が起ころうと、びくともしない〉✎辻邦生の『天草の雅歌』に「―キリシタン宗徒がおりましても(略)証拠になるようなものは所持しておりますまい」とある。強い響きを持ち、「仮に」はもちろん「たとえ」よりも実現可能性の低い場合に使われる傾向がある。⇩Q仮に・たとえ

よす【止す】自分の意志で自発的に「やめる」意で、主として会話に使われる、やや古い感じのくだけた和語。〈おい、いじめは―・しな〉〈―・せばいいのに、よけいなことをして〉〈タバコを―・したら急に肥っちゃった〉〈勉強なんか―・して外で遊ぼう、いい天気だぜ〉✎「止める」に比べ、個人的な事柄について自発的に行う場合に用いられ、「大臣がその職を」「定年で会社を」の後には使えないという分析

もある。小津安二郎監督の映画『お茶漬の味』で茂吉役の佐分利信は「もうお―・し、もうお帰り」と言い、成瀬巳喜男監督の映画『稲妻』でも高峰秀子が母親とさんざん泣き合った後、「おかあちゃん、もう―・そうよ」と言う。小沼丹の『喧嘩』の中でも五、六歳の男の子が「おめえ、―・せよ。こんな所でよせよ」と言う。いつか荻窪の鮨屋ぴか一で、酔うほどに乱れる酒友を井伏鱒二が「―・せ、みっともない」とたしなめる現場に居合わせたこともある。会話的で親しみのあるこの「よす」も今ではすっかり衰えた感じで、若い人の口から出ると古風な人間という印象を与えるだろう。⇩止める

よそう【装う】食物を器に入れる意で、会話にも文章にも使われる和語。〈御飯のお代わりを―〉〈飯を軽く―・ってお茶漬けにする〉✎「盛る」ほど盛り上がっている連想は特になく、程よくきれいに入れてある感じがある。⇩盛る

よそう【予想】さまざまな材料や条件を考えて将来の展開について見当をつける意で、くだけた会話から硬い文章まで幅広く使われる日常の漢語。〈競馬の―〉〈―が的中する〉〈―どおりの展開〉〈大方の―をくつがえす結果〉✎夏目漱石の『こころ』に「これから先の貴方に起るべき変化を―して見ると、猶苦しくなります」とある。「予感」や「予期」より論理的な感じがあるが、「予測」ほど精密な感じはしない。⇩見当・展望・見込み・見通し・予感・予期・Q予測

よそおい【装い】衣服に装身具を含めた普段と違う好感のもてる衣装をさし、主として文章に用いられる優雅な感じの和語。〈華やかな―〉〈―を凝らす〉〈初夏らしい―で出かける〉✎獅子文六の『胡椒息子』に「まるでデパートの飾窓《ショーウィンドー》から連れてきたような、豪奢な盛夏の―の大人」とある。身につける服装だけでなく装身具や持ち物などを含めて言う。「服装」や「衣服」に比べて飾り立てた感じがあるため、「ありふれた」「地味な」「目立たない」といった形容はイメージの反発がある。⇩Q衣装・衣服・衣類・着物・服装・身なり

よそく【予測】前もって今後のことを推測する意で、やや改まった会話や文章に用いられる漢語。〈先のことはまったく―が立たない〉〈台風の進路を―する〉〈景気の動向を専門家が―する〉✎大岡昇平の『俘虜記』に「比島派遣軍の運命についてかかる楽観的―を抱懐し得た筈はない」とある。「予感」や「予期」より客観的・論理的で、「予想」よりデータを分析する過程が連想される。⇩見当・展望・見込み・見通し・予感・予期・Q予想

よそごと【余(他)所事】「ひとごと」の意で、会話にも文章にも使われる、やや古風な和語。〈―のような顔をして親身に相談に乗ってくれない〉⇩他事《たじ》・たにんごと・Qひとごと

よそみ【余所見】ほかのものに気をとられて肝心のものから目を離しそちらを見ることをさし、会話でも文章でも使われる和語。〈―をしながら運転する〉〈授業中に―をする〉✎ものごとに集中できない幼児などによく使われる。⇩脇見

よそめ【余所目】無関係な人の目の意で、会話にも文章にも使われる、やや古い感じの和語。〈―には幸せそうな家族〉〈―にも痛々しい〉⇩傍目《はため》

よそゆき【余所行き】他人を訪問するときなどに着る改まった衣装の意で、会話やさほど改まらない文章に使われる和語。〈―に着かえて出かける〉✎「よそ行きの着物」という意味の省略表現。「晴れ着」ほどの華やかさは感じない。「―の顔」という用法もあり、衣服だけには限らない。⇩晴れ着

よそよそしい【余所余所しい】親しい間柄なのに打ち解けた感じがない意で、会話にも文章にも使われる和語。〈―挨拶〉〈―態度〉〈―扱い〉✎「すげない」「そっけない」「ぶっきらぼう」などは初対面の相手の場合にも使えるが、この語は親しげな態度を見せるのが当然である間柄の場合に限る。⇩すげない・そっけない・Q他人行儀・ぶっきらぼう・水くさい

よたもの【与太者】不良やならず者の意で、会話や軽い文章に使われる古風で俗っぽい和語。〈一見―風に見える〉〈―に脅される〉✎人名化した「与太郎」と同様、「よた」はいい加減で役に立たない意。「よたを飛ばす(言う)」などともいう。⇩ごろつき・ちんぴら・ならず者・Q無頼漢・暴力団・無法者・やくざ

よだん【予断】あらかじめの判断の意で、改まった会話や文章に用いられる漢語。〈―を許さない〉⇩余談

よだん【余談】本筋を外れた話の意で、主として会話に使われる漢語。〈―はさておき〉✎福原麟太郎の『チャールズ・ラム伝』に「幻想の話を書いて送る。―になってごめん」とある。⇩予断

よち【余地】余っている場所、ゆとりの意で、やや改まった会話や文章に用いられる漢語。〈立錐《りっすい》の―もない〉〈弁解の―〉〈考え直す―がある〉✎夏目漱石の『坊っちゃん』に「短かい二十日間に於て生徒は君の学問人物を評価し得る―がない」とある。⇩余り②・Qゆとり・余分・余裕

よちょう【予兆】「兆し」に近い意味で、やや改まった会話や文章に用いられる漢語。〈大地震の―〉✎事柄がまだ起こり始めないうちに、という部分を強調した感じの語。⇩兆し・Q前兆・兆候・前触れ

よっきゅう【欲求】強く欲しがり求める意で、改まった会話や文章に用いられる漢語。〈―不満〉〈―を満たす〉〈―を抑える〉✎志賀直哉の『暗夜行路』に「他に何物をも―しない程の幸福」とある。心の中でうごめく感じの「欲望」に比べ、この語はそれが行為として現れる直前の活発な段階を連想させる。⇩欲・欲心・欲念・Q欲望

よっぱらい【酔っ払い】酒を飲んでひどく酔った人をさし、会話や硬くない文章に使われる日常の和語。〈―にからまれる〉〈―がくだをまく〉〈―は始末に負えない〉✎福原麟太郎の『交友について』に「―がよく私にいう。酒がかあっと利いて来て、自分が無限に拡がったような気持になったとき、酒の法悦境があるのですよ」とある。⇩Q酒酔い・酔客・泥酔者

よっぱらう【酔っ払う】酒などを飲み過ぎてひどく「酔う」意で、主にくだけた会話で使う口頭語。〈がぶがぶ飲んでひどく―〉〈すっかり―・ってしまい、何を言ったか覚えていない〉〈―とまるで人が変わる〉✎井伏鱒二の『夜ふけと梅の花』に「―・って電車に乗って帰って来る途中(略)急に電車がカアブして、真逆様にふり落されたんだと言いたまえ」

とある。「酔う」は程度に大きな幅があるが、この語は正常でなくなる段階以上の場合に限られる。促音とそれに続く「パ」という破裂音も影響して耳にきつい印象を与え、同時にそれがこの語を俗っぽい感じにしている面もあるかもしれない。症状がひどくても乗り物酔いには使わない。⇩沈没②・泥酔・酩酊《めいてい》・酔いしれる・酔い潰れる・酔う

よっぴて【夜っぴて】「夜通し」の意で、主に会話に使われた古風な和語表現。〈―騒がしい〉〈―寝ないで警戒に当たる〉✎「夜一夜《よひとよ》」から転じた語形という。⇩終夜・一晩中・Q夜通し・夜もすがら

よっぽど【余っ程】「相当に」「思い切って」の意で、主にくだけた会話に使われる口頭語。〈―好きなんだな〉〈―言ってやろうと思ったが〉✎夏目漱石の『坊っちゃん』に「―撲りつけてやろうかと思った」とある。促音に続く破裂音「ポ」という音構造が「よほど」以上の激しい感じを印象づけるのかもしれない。⇩よほど

よてい【予定】行事・行動などを事前に考えたり決めたりしておくことをさし、くだけた会話から硬い文章まで幅広く使われる日常の基本的な漢語。〈―表〉〈到着―〉〈今後の―〉〈―を立てる〉〈―を変更する〉〈急に―が入って参加できない〉〈―の行動に出る〉〈三泊四日の―で旅に出る〉〈正式に採用する―になっている〉〈―どおり事が運ぶ〉〈―が狂う〉〈―が立たない〉〈当初の―より大幅にずれ込む〉✎梶井基次郎の『冬の蠅』に「三里の道を歩いて次の温泉までゆくことに自分を―していた」とある。⇩Q計画・心積もり・内定

よどおし【夜通し】夜から夜明けまで通しての意で、会話にも文章にも使われる和語。〈―働く〉〈―話し合う〉⇩終夜・Q一晩中・夜っぴて・夜もすがら

よとぎ【夜伽】間接的に「性交」をほのめかす古語に近い和風表現。〈―に出る〉✎基本的な意味は、一晩中そばに付き添うこと。その一つの形として、男が寝るときに女がその相手をする場合があり、そこに含みとして体の交わりを連想させる。死者を守るために夜通し寝ないでそばについている場合にも用いるため、かなり婉曲《えんきょく》な感じになる。⇩営み・エッチ・関係②・合歓・交合・交接・情交・情を通じる・Q性交・性行為・性交渉・性的行為・セックス・抱く②・契る・同衾《どうきん》・共寝・寝る②・懇ろになる・ファック・深い仲になる・房事・枕を交わす・交わる・やる③

よなか【夜中】夜の中ほどの意で、会話にも文章にも使われる日常の和語。〈―の火事〉〈―に目が覚める〉〈―に電話で起こされる〉〈―に地震で飛び起きる〉✎夏目漱石の『坊っちゃん』に「静かにしろ、―だぞ」とある。通常の就寝時より日の出の二時間ぐらい前までをさすことが多い。⇩深更・深夜・Q真夜中・夜間・夜半・夜分・夜《よ》・夜更け・夜《よる》・よわ

よなれる【世慣(馴)れる】世の中に慣れて世情や人情に通じている意で、会話にも文章にも使われるやや古風な和語。〈―・れた苦労人〉〈若いわりに―・れている〉✎「老獪《ろうかい》」「すれっからし」「世間ずれ」のようなマイナスの語感は特に働かない。⇩擦れ枯らし・Q世間ずれ・老獪

よにげ【夜逃げ】その家に住んでいられない事情ができ、夜の間にひそかに家を抜け出て行方をくらます意で、会話や

軽い文章に使われる古風な和語。〈借金取りに追い詰められて—をする〉〈—同様の引っ越し〉✎「家出」と違い家族単位での行動。⇩家出・失跡・失踪・出奔・蒸発・Q逐電・行方不明

よのなか【世の中】人が他とかかわりながら暮らしている場の意で、会話にも文章にも広く使われる日常の和語。〈—の人〉〈世知辛い—〉〈—をうまく渡る〉〈—のことがまるでわかっていない〉〈—そんなに甘くはない〉✎林芙美子の『放浪記』に「—、何もかもが吸殻のようになってしまった」とある。自分の関係する「世間」より広い範囲をさす傾向がある。⇩社会・世界②・Q世間

よは【余波】風が静まってもまだ残る波の意、または、そこから転じて一般に影響の意で、改まった会話や文章に用いられる漢語。〈台風の—〉〈紛争の—〉✎芥川龍之介の『羅生門』に「衰微の小さな—」とある。悪い影響に使う傾向が強い。⇩影響・波及・Q波紋

よはく【余白】本のページや用紙などの本来記載すべき場所で、絵も文字も記されずに白く残っている部分をさして、いくぶん改まった会話や文章に用いられる、いくらか専門的な漢語。〈以下—〉〈用紙の—に書き込む〉〈日本画は—を大事にする〉✎「欄外」と違い、手書きの一枚の紙についても使う。小田原下曾我の自宅で尾崎一雄は質問に答えて「僕は十のものを六、七ぐらい言っといて、あとの三、四は読者の想像力で補ってもらう、読者の想像力に期待する、そういうやり方ですね。—の意味を重要視するんですよ」と語り、若い作家の書き過ぎをたしなめた。また、幸田文は『余白』で「幅も丈も急に縮まったようで、私は鏡のなかに納まりすぎるくらい納まっている。鏡の—は憎いほど秋の水色に澄んでいる」と比喩的な表現に用いた。「欄外」に比べ情緒的な側面もある。小津安二郎監督は映画づくりにあたって、観客が見たがるものは隠すよう指導したという。表現の余白が映画を見終わったときのいい後味を生み出すと考えたからだ。事細かく説明する鬱陶《うっとう》しい文章にも同じことが言える。余情をかもしだす表現の抑制という意味合いでもこの語はこのようにしばしば比喩的に使われる。⇩欄外・余韻・余情

よび【予備】事が起こる前にそれに備えて準備することをさし、会話にも文章にも使われる漢語。〈—知識〉〈—調査〉〈—を用意する〉〈—にとっておく〉〈—費〉⇩スペア

よびこう【予備校】大学などの受験指導を専門とする学校をさし、会話にも文章にも使われる漢語。〈—に通う〉✎「塾」に比べ、大学受験を連想させ、相対的に大教室での講義というイメージが強い。⇩塾

よびりん【呼び鈴】門や玄関などに取り付けて来客が押して鳴らし、訪問先の人を呼び出すための装置をさして、会話にも文章にも使われる和語。〈門の—を押す〉⇩鈴・チャイム・Qブザー・ベル

よぶ【呼ぶ】声をかける、名づけるの意で、くだけた会話から硬い文章まで幅広く使われる日常の基本的な和語。〈遠くから—〉〈名前を—〉〈医者を—〉〈さん付けで—〉✎中島敦の『山月記』に「ふと眼を覚ますと、戸外で誰かがわが名を—・んでいる」とある。「パーティーに—」「およばれ」のように招待の意で用いる場合は、意味を特定するために「招

ぶ」と書き分けることもある。⇩喚《よ》ぶ

よぶ【喚ぶ】引き起こす意で、会話にも文章にも使われる和語。〈人気を―〉〈話題を―〉〈関心を―〉〈反響を―〉✎特に好んで用いる表記で、いくぶん詩的な感じがある。この意味で「呼ぶ」と書いても誤りではない。⇩呼ぶ

よふけ【夜更(深)け】夜遅くの意で、会話にも文章にも使われる、いくぶん古風な感じのする和語。〈―まで読みふける〉〈―に人が訪ねて来る〉〈こんな―に何事ですか〉✎井伏鱒二の『夜ふけと梅の花』に「或る―のこと、正確にいえば去年の三月二十日午前二時頃」とあるが、一般には、一日の活動が終わり寝床に入りかける頃合を連想させることが多く、夜中の三時以降という連想は働きにくい。⇩Q深更・深夜・真夜中・夜間・夜半・夜分・夜《よ》・夜中・夜《よる》

よぶん【余分】必要以上で余った分をさし、会話や文章に使われる日常の漢語。〈―が出る〉〈―な仕事〉〈―があったら分けてもらう〉〈いつもより―に働く〉✎夏目漱石の『坊っちゃん』に「毎月五円―にとれる」とある。⇩余り②・剰余・余計・Q余剰・余地

よほう【予報】あらかじめ知らせる意で、会話にも文章にも使われる日常の漢語。〈天気―〉〈雨の―が外れる〉〈―をあてにする〉⇩予告

よぼう【予防】病気や災害などをあらかじめ防ぐ意で、会話にも文章にも使われる漢語。〈―医学〉〈―線を張る〉〈風邪の―になる〉〈―注射〉〈火災―〉✎森鷗外の『妄想』に「―もし治療もする」とある。⇩防ぐ・防止

よほど【余程】「相当」「よくよく」の意で、会話でも文章でも普通に使われることば。〈―好きと見える〉〈―困っているらしい〉〈―のことがない限り、彼は必ず来る〉✎井伏鱒二の『山椒魚』に「―暫くしてから山椒魚はたずねた」とある。⇩よっぽど

よみがえる【蘇(甦)る】「生き返る」または、一度失われたものが元に返る意で、主に文章に用いられる和語。〈死者が―〉〈枯れかかった花が―〉〈記憶が―〉✎「黄泉《よみ》(あの世)から帰る」という意味から。⇩Q生き返る・蘇生

よみて【読み手】文章を読む人を広くさし、会話にも文章にも使われる和語。〈―に通じない〉〈―に対するサービス〉〈―を意識して書く〉✎公刊された作品について使う「読者」と違って、刊行物に限らず作文や手紙やメモなどを読む場合も含まれる。「書き手」と対立。なお、「百人一首の―」のように声に出して読み上げる人をさす用法もある。また、和歌や俳句を作る人をさす場合は「詠み手」と書く。⇩受け手・受信者・読者

よむ【詠む】詩歌を作る意で、会話にも文章にも使われる、詩的な雰囲気の古風な和語。〈花鳥風月を―〉〈俳句を―〉✎谷崎潤一郎の『細雪』に「古人の多くが花の開くのを待ちこがれ、花の散るのを愛惜して、繰り返し繰り返し一つことを―・んでいる数々の歌」とある。⇩読む

よむ【読む】読解・音読、予測などの広い意味で、くだけた会話から硬い文章まで幅広く使われる日常の基本的な和語。〈本を―〉〈じっくり―〉〈大きな声で―〉〈相手の出方を―〉✎島崎藤村の『春』に「自分で自分のにおいを嗅いでみるように、主人公が独白の一節を―・んだ」とある。⇩詠む

よめ【嫁】 結婚相手の女性、特に、息子の妻をさし、会話やさほど硬くない文章に使われる古風な和語。〈―の尻に敷かれる〉〈―に行く〉〈―をもらう〉〈―を迎える〉〈―姑《しゅうと》の仲〉✎谷崎潤一郎の『細雪』に「来年自分が再び此の花の下に立つ頃には、恐らく雪子はもう―に行っているのではあるまいか」とある。単に「嫁」として自分の妻をさす用法もある。家制度の連想が強く、近年はこの語に抵抗を覚える人も多い。⇩妻

よめいりする【嫁入りする】 女性が「結婚する」意の古めかしい和風の言い方。生家を出て他家の人間になるという意味合いが強い。〈旧家に―らしい〉⇩家庭を持つ・結婚・結婚する・こし入れ・婚姻・所帯を持つ・嫁ぐ・Q嫁に行く

よめにゆく【嫁に行く】 女性が「結婚する」意の古めかしい和風の言い方。親元を離れて嫁ぎ先の家または結婚相手の所の人になるという感じがある。〈近く―という話だ〉✎谷崎潤一郎の『細雪』に「来年自分が再び此の花の下に立つ頃には、恐らく雪子はもう嫁に行っているのではあるまいか」とある。⇩家庭を持つ・結婚・結婚する・こし入れ・婚姻・所帯を持つ・Q嫁ぐ・嫁入りする

よもすがら【夜もすがら/終夜】 「夜通し」の意で、主に文章中に用いる古めかしい雅語的表現。〈―語り明かす〉〈―雨が降り続く〉✎石川淳の『紫苑物語』に「余韻は―ひとのこころを打った。ひとは鬼の歌がきこえるといった」とあるが、一般には「―雨やまず」「―机に向かひて一睡もせず」のような文語的な言いまわしの環境になじむ。⇩終夜・Q一晩中・夜っぴて・夜通し

よもや 「まさか」の意で主に文章に用いられる古めかしい和語。〈―と思ったことが現実になる〉〈―そのような事態には立ち至るまい〉✎強い響きがあり、「まさか」以上に信じられないという気持ちが強い。⇩まさか

よやく【予約】 品物の購入、見物席や宿泊、行為などをあらかじめ取り交わす約束をさし、会話にも文章にも使われる日常の漢語。〈―席〉〈―診療〉〈ホテルを―する〉〈―を入れる〉〈―を取り消す〉✎商取引などの連想が強く、単に人と会う約束には使いにくい。⇩アポ・Qアポイントメント・リザーブ

よゆう【余裕】 広さ・予算・人数・時間などがぎりぎりの状態でなく余分がある意で、くだけた会話から硬い文章まで幅広く使われる日常の漢語。〈―綽々《しゃくしゃく》〉〈―のある生活〉〈―を持って出かける〉✎福原麟太郎の『チャールズ・ラム伝』に「年を取って生活に―ができて」とある。「座席に―がある」はまだ空いている席がある意。⇩ゆとり・余地

より 「から」の意で、非常に改まった会話や硬い古風な文章などで用いられる丁重な格助詞。〈近代絵画展は九月九日―開催いたします〉〈本日の夕刻六時半―、モーツァルトの交響曲四十番を演奏〉✎最近は催し物の案内でも「から」を使う例が増えて気楽な感じを出している。そこをあえて伝統的な「より」にすると堅苦しい雰囲気になり、客の入りに影響すると考えるのかもしれない。以前、アメリカのある大学で開かれた学長招待のパーティーで、裸の上半身にネクタイを締めた青年を見かけたことがある。「ネクタイ着用のこと」という注意書きに忠実に従いながら、改まった服装を

期待する学長側の表現意図をみごとに外してみせたいたずらである。奇抜なアイディアを考えつく茶目っけと、それを実行に移す子供じみた大胆さ、そして、若者の不作法に眉をひそめることなく、その稚気をほほえみに包みこむ大人の勇気とユーモア精神。その場のそういった雰囲気に、自由を誇ってきたあの国の伝統が映っているように思われた。胸毛の前に揺れるあのネクタイは、いわば「きょうの夕方の六時ちょっと過ぎから盆踊りがあるってよ」の中の気楽な格助詞「から」だけを、格式ばった格助詞「より」に変更して部分的に取り澄ましてみせたような、ちぐはぐなおかしさを演出したのかもしれない。⇩から

よりあい【寄り合い】主として会話で「会合」の意で使われる古めかしい和語。〈町内会の―〉〈今晩は―があって出かける〉✎小津安二郎監督の映画『東京物語』(一九五三年)で、美容院をやっている志げ(杉村春子)が「今晩はちょいと七時から家で―があるけど」と言う。今ではめったに聞かれなくなった。⇩会・Q会合

よりかかる【寄り掛かる】何かを支えとして体を寄せる意で、会話でも文章でも幅広く使われる日常生活の和語。〈壁に―〉〈橋の欄干に―・って川面を眺める〉✎「もたれる」よりも軽く体重を預けた感じとされる。⇩もたれる

よる【由る】そこから出て来る意で、改まった会話や文章に用いられる和語。〈本人の努力如何《いか》んに―〉〈先例に―・って執り行う〉✎あり方に関連する、則《のっと》るの意であることを特に強調する表記。仮名書きの例が多いが、由来する意の「勝因の―・って来《き》たるところ」といった漢文調の古風な感じが漂う用法の場合は仮名書きはなじまない。⇩Q依《よ》る・因《よ》る・拠《よ》る

よる【因る】原因となる意で、改まった会話や文章に用いられる和語。〈子供の火遊びに―火災〉〈交通事故に―犠牲者〉✎起因する意であることを特に強調する表記。仮名書きの例が多い。⇩依《よ》る・Q拠《よ》る・由《よ》る

よる【依る】それに頼る意で改まった会話や文章に用いられる和語。〈時と場合に―〉〈アルバイトに―・って生計を維持する〉✎依存する、手段とするの意であることを特に強調する表記。仮名書きの例が多い。⇩因《よ》る・Q拠《よ》る・由《よ》る

よる【拠る】根拠とする意で、やや改まった会話や文章に使われる和語。〈百科事典に―・れば〉〈古い学説に―判断〉✎拠りどころとする意であることを特に強調する表記。仮名書きの例が多い。⇩Q依《よ》る・因《よ》る・由《よ》る

よる【夜】日の入りから日の出までの時間をさし、くだけた会話から硬い文章まで幅広く使われる日常の基本的な和語。〈―の大都会〉〈―になる〉〈―の集まり〉〈―の仕事〉〈―遅く帰宅する〉✎「夜間」と同義にも、そのうちのある時刻やひとときをさしても用いる。「晩」よりも遅いほうに重点がある。林芙美子の『うず潮』に「少しばかり開いた扉口から繻子のように光って濡れている―が見える」とある。単独で「夜《よ》」より一般的によく使う。「昼」と対立。⇩深更・深夜・晩・真夜中・Q夜間・夜半・夜分・夜《よ》・宵・夜中・夜更け・よわ

よるごはん【夜御飯】「夕飯」の意で使われることのある俗っぽい表現。〈―はまだだ〉✎朝・昼・晩の対立のうち、「晩」の使用頻度が減って、朝・昼・夜というとらえ方が一般的に

なるとともに、「晩御飯」に代わって若年層を中心に目立つようになった表現。子供っぽい感じに響くこともある。「夜食」の意味では使わない。⇩晩御飯・晩めし・夕御飯・Q夕飯・夕めし・夜食

よろく【余禄】正規の収入以外の所得の意で、会話にも文章にも使われる、やや古風な漢語。〈―にあずかる〉⇩余録

よろく【余録】こぼれ話の意で、主に文章に用いられる古風な漢語。〈幕末―〉〈太平洋戦争―〉✎「人生―の如し」という寸言は、「余録」でも「余禄」でもそれなりに意味が通るところが面白い。⇩余禄

よろける【蹌踉ける】安定を失って足許がぐらっと揺れて倒れそうになる意で、会話や硬くない文章に使われる日常の和語。〈立ち上がった拍子に足許が―〉〈一瞬めまいがして思わず―〉✎有島武郎の『或る女』に「切って落されたようにふらふらと―・けながら」とある。「よろめく」に比べ、「石に躓《つま》ずいて―」のように、その一度の足許のぐらつきをとらえた感じが強い。また、「よろめく」と違って比喩的な用法はなくもっぱら具体的な動きをさして使う。⇩ひょろつく・ふらつく・Qよろめく

よろこばしい【喜ばしい】よいことだと満足に思う気持ちをさす和語で、「嬉《うれ》しい」や「楽しい」より若干改まった語。〈あなたがお父さまと和解できたことは―限りだ〉✎網野菊の『仲のよい御夫妻』に「瀧井孝作さん、尾崎一雄さん、阿川弘之さん、それぞれ、先生のまわりの方たちがよき御夫婦であることも―」とある。「嬉しい」や「楽しい」と違い、原則として他人のことに対して感じる気持ちの表現だから、「努力が認められて我ながら―」というふうに自分のことについて言うと、自分自身を突き放して客観的に見たようなニュアンスが伴う。⇩Q嬉しい・楽しい

よろこび【喜（歓・悦・欣）び】嬉《うれ》しいと思う気持ちをさし、くだけた会話から硬い文章まで幅広く使われる日常の基本的な和語。〈二重の―〉〈―にひたる〉〈―を味わう〉〈―がこみ上げる〉〈―を共にする〉✎檀一雄の『花筐《はながたみ》』に「白い花弁がぼそぼそ散りかかってそれが肩の上に融けてしまいそうな美しい―」とある。新年や慶事などのめでたい意味合いの喜びの場合は「慶び」とも書く。⇩歓喜・Q喜悦・欣喜雀躍《きんきじゃくやく》・随喜・法悦・愉悦

よろこぶ【喜（歓・悦・欣）ぶ】嬉《うれ》しいと思う意で、くだけた会話から文章まで幅広く使われる基本的な和語。〈誕生を―〉〈成功を―〉〈無事を―〉〈泣いて―〉✎志賀直哉の『山鳩』に「山鳩も遂にいい対手を見つけ、再婚したのだと思い、これはいい事だったと―・んだ」とある。感情が表情や言動にあらわれるときに使うことが多い。「めでたい」意に用いる場合は「慶ぶ」とも書く。⇩嬉しがる

よろめく【蹌踉めく】足許が不安定で足取りがふらつく意で、会話にも文章にも使われる和語。〈石につまずいて―〉〈酒に酔って足が―〉〈―・きながら道路を斜めに横切る〉✎一瞬の動きに中心のある「よろける」に比べ、この語は一瞬だけの場合もあるが、何度も繰り返しながら移動するイメージが強い。「人妻に―」のように、ふらっと惹かれる意の用法もあり、『美徳のよろめき』と題する三島由紀夫の小説もある。⇩ひょろつく・ふらつく・Qよろける

よろん【輿論】世間一般に共通する意見の意で、改まった会話や文章に用いられる硬い漢語。〈―調査〉〈―を喚起する〉〈―に問う〉✒徳永直の『太陽のない街』に「―は、咽喉まで石炭を呑んだ汽罐のように、灼熱して破裂せんばかりにふるえ沸ぎることもあった」とある。「輿論」の言い換えである「世論《せろん》」を「ヨロン」と誤読したところから「世論《よろん》」という湯桶読みの表記が広まったとされる。文脈上「世論《せろん》」との区別は至難であり、その表記は品格の点でも好ましくない。⇩世論《せろん》

よわ【余話】「こぼれ話」の意で、主に文章中に用いられる古風な漢語。〈日米開戦―〉⇩逸話・裏話・エピソード・Qこぼれ話・挿話

よわ【夜半】漠然と夜中をさし文学的な文章などに用いられる古語に近い和語。〈―の嵐〉〈―に鳴く虫の音〉✒擬古文や美文調の文章に用いる以外、現代生活の時間表現としてはめったに使わない。⇩深更・深夜・真夜中・Q夜半《やはん》・夜《よ》・夜中・夜更け

よわい【弱い】力・作用・実力・意志・程度・影響力などが小さい意で、くだけた会話から硬い文章まで幅広く使われる日常の基本的な和語。〈力が―〉〈体が―〉〈気が―〉〈立場が―〉〈権威に―〉〈数字に―〉✒谷崎潤一郎の『蓼喰う虫』に「気の―性質なのではあるが、何処か奥の方にカチリと堅い芯を持っている」とある。福永武彦の『草の花』には「神の前にあっては葦のように―人間の姿」とある。「強い」と対立。⇩Qかよわい・弱小・弱体・脆弱《ぜいじゃく》・軟弱②・ひよわ・もろい

よわき【弱気】負けるのではないかと思って消極的になる気持ちや態度をさし、会話にも文章にも使われる日常の和語。〈すっかり―になる〉〈―の攻め〉✒堀辰雄の『かげろうの日記』に「つい―になろうとする自分を、私は一生懸命に抑えつけて」とある。態度をさす「弱腰」と違い、劣勢を感じて消極的になる場合のほか、性格的な場合をも含む。「強気」と対立。⇩弱腰

よわごし【弱腰】弱気になって消極的に事に当たる態度をさし、会話にも文章にも使われる和語。〈―で事に当たる〉〈―の外交〉✒「逃げ腰」と違い、実際の腰つきをさす用法はない。「強腰」と対立。⇩Q逃げ腰・弱気

よわむし【弱虫】意気地がなくすぐ弱音を吐く意で、会話や軽い文章に使われる、いくぶん古風な感じの和語。〈―に育つ〉〈そんなこともできないのか、この―!〉✒夏目漱石の『坊っちゃん』に「いくら威張っても、そこから飛び降りる事は出来まい。―やーい。と囃した」とある。⇩Q意気地無し・臆病・腰抜け・怖がり・小心・腑抜《ふぬ》け・女々しい

ら

ら【等】 複数の人を軽蔑または親密の気持ちを持って表し、会話や軽い文章に使われる。〈貴様―〉〈お前―〉〈やつ―〉✎宮沢賢治の『注文の多い料理店』に「君、ぼく―は大歓迎にあたっているのだ」とあり、井伏鱒二の『山椒魚』には「彼―は唐突な蛙の出現に驚かされて」とある。「僕―」「わたし―」のように一人称の代名詞につくとへりくだった感じになる。そのため、「わたくし」のように改まったことばにはなじまない。また、「同氏―の協力のもとに」「田中氏―五名を派遣する」のように、敬意を表す「氏」の下に付ける用法には違和感を覚える人も少なくない。⇩がた・たち・Qども

ラーメン 醬油味などのスープにゆでた麵を入れ、焼き豚・鳴戸巻・野菜などを入れた中国風の料理をさし、会話にも文章にも使われる現代では最も一般的な語形。〈―一丁〉〈―の出前を取る〉✎「拉(老)麵」の中国語音から。⇩しなそば・Q中華そば

ライオン アフリカなどに生息する百獣の王とされるネコ科の猛獣をさし、会話にも文章にも使われる日常の外来語。✎林芙美子の『茶色の眼』に「朝から晩まで部屋の中を、檻の中の―のように歩いている」とある。⇩獅子

らいきゃく【来客】 訪問客の意で、改まった会話や文章に用いられる漢語。〈―中〉〈今日は―がある〉〈突然の―〉〈―の応対に追われる〉✎自宅や会社などを訪ねる場合などに用い、観客や乗客に対してはあまり使わない。店の場合も単に「客」と言うことが多い。また、「客」が人自身をさすのに対し、この語は客がやって来ることに重点があるため、「―が笑う」「―が注文する」「―が腰を上げる」などと応対の間中この語を用いるより、二度目からは「客」と言うほうが自然な感じになる。⇩客

ライス 近年、レストランなどで用いるようになった、「御飯」の意の外来語。〈―の上にカレーがかけてある〉〈レストランで―を注文する〉〈このセットには、パンか―がついてくる〉✎イメージとしては、「御飯」は茶碗に盛り付けた姿、「飯《しめ》」はどんぶりに入った姿、この「ライス」は平たい皿の上に載った姿がぴったりと合うが、どの形であっても家庭では「ライス」と呼ばない。旅館などでも料理の名称以外に「ライス」という語はほとんど用いないようである。また、「御飯」や「飯」はおかずを含めて全体をさす場合もあるが、「ライス」は米の飯だけをさす。ちなみに、近所のあるドライブインで「御飯」と言って注文したら、「御飯になさいますか、―になさいますか」と聞き返されて面くらったことがある。ウエートレスの説明によると、その店では、茶碗に入って出てくる「御飯」はお代わり自由だが、平たい皿に盛ってある「ライス」の場合は、お代わりすると別料金になるのだという。量の少ないのを「半―」と称する店もある。⇩Q御飯・飯

ライスカレー 「カレーライス」をさす古風な和製英語。以前盛んに使われたが、次第に「カレーライス」のほうが一般的

となり、その後、会話では単に「カレー」と言うことが多くなって現在に至っている。〈―の具〉✎サトウハチローの『おさらい横町』に「オムスビの味を解せずして牛のゲロの如き―をたべる」とある。「カレーライス」としばらく併用されていた時期にはそれぞれの時代の様式が反映し、「カレーライス」という語形からは、ライスを盛り付けた平たい皿と別にカレーの入った容器があり、少しずつかけながら食べる形の料理で、箸休《はしやす》めのためのらっきょうやピクルスの入ったガラスの器が別についてくる形式が連想され、一方、古風な「ライスカレー」という語形からは、平たい皿に盛り付けたライスの上にすでにカレーがかけてあり、その脇に原則として福神漬けが添えてある形の料理が連想される傾向があった。この語が廃れてしまった今でも、この古風な語からは古風な料理のイメージが浮かんでくる。⇩カリー・カレー・Qカレーライス

ライト　照明の光をさし、会話にも文章にも使われる外来語。〈ヘッドー〉〈―を当てる〉〈―を消す〉✎幸田文の『流れる』に「車の混雑である。―が綾を織る」とある。⇩あかり・Q照明・灯火・ともし火

らいねん【来年】「今年」の次の年をさし、くだけた会話からそれほど改まらない文章まで広く使われる日常の基本的な漢語。〈―は下の子が学校に上がる〉〈―まで延期する〉〈―が待ち遠しい〉〈―のことを言うと鬼が笑う〉✎高田保の『若芽の雨』は、モーパッサンが養老院の庭で花壇に小石をばらばら投げて「―の春になって雨が降ったら、こいつがみんな芽を出して、小さなモウパッサンが生える」と言った逸話から始まる。⇩明年

らいねんど【来年度】今年度の次の年度をさし、会話でも文章でも普通に使われる漢語。〈―の予算をあてにする〉✎「明年度」ほど改まった感じはない。⇩明年度

らいはい【礼拝】仏教で、ひざまずき合掌して拝む意で、改まった会話や文章に用いられる、古風で硬い漢語。〈本尊を―する〉⇩参拝・Qれいはい

ライバル　広く競争相手をさし、会話やさほど硬くない文章に使われる一般的な外来語。〈永遠の―〉〈―どうしの一戦〉〈宿命の―と対決する〉〈―を押しのける〉✎スポーツなどの争いごとに限らず、選挙で当選を争ったり会社で出世を争ったりする相手や恋敵などを含め、また、政党・企業など人間以外にも用いる。⇩競争相手・Q好敵手

らいびょう【癩病】「ハンセン(氏)病」の旧称として、会話にも文章にも使われた漢語。〈―の患者〉✎不治の病であったころに不当な差別を受けたため、今は差別語として使用を控えている。⇩Qハンセン病・レプラ

ライブ　生放送や生演奏の意で会話やさほど硬くない文章に使われる新しい感じの外来語。〈オリンピックを現地から―で送る〉〈日本武道館で―をやる〉〈―で聴衆が熱狂する〉✎新しい人気歌手の個人音楽会を連想させやすく、クラシックの印象は薄い。⇩演奏会・音楽会・Qコンサート・リサイタル

らいめい【雷名】世間に響き渡っているよい評判をさし、改まった会話や文章に用いられるやや古風な漢語。〈―が天下に轟《とど》く〉✎その分野で有名であることを敬って言うことが多い。⇩高名・Q著名・名高い・有名

らいめい【雷鳴】雷の鳴る音をさし、主として文章に用いられる漢語。〈―が夜の静寂を切り裂く〉🖉井伏鱒二の『黒い雨』に「往還に出ると、広島市の上空に黒雲が湧き起って―が聞えていた」とある。このような遠雷もあるが、一般にこの語はかなり大きな音を連想させやすい。⇩かみなり

ライン「線」の意で、会話や硬くない文章に使われる外来語。〈スタート―に立つ〉〈―をまたぐ〉〈ボールが―の上に落ちる〉⇩線

らく【楽】心身ともに安らかで快い様子をさし、会話やさほど硬くない文章に使われる日常の漢語。〈体が―だ〉〈―な仕事〉〈―に合格する〉〈生活が―になる〉🖉石坂洋次郎の『颱風とざくろ』に「人間には、橇《そり》で雪の坂道を下るような、スイスイした―な暮し方は許されていないのだ」とある。⇩簡単・Q容易・楽ちん

らくえん【楽園】何の苦悩もなく安楽に過ごせる場所をさし、改まった会話や文章に用いられる漢語。〈地上の―〉〈南の―〉⇩極楽・Q天国・パラダイス

らくご【落伍】同じ目標のもとに一緒に行動している人々について行けずにそこから外れる意で、やや改まった会話や文章に用いられる、いくぶん古風な漢語。〈―者を出す〉〈予想外の強行軍で途中で―してしまう〉🖉本来は、遅れて「隊伍《たいご》」からこぼれ落ちる意なので、「落後」で代用するのはふさわしくない。⇩Q落ちこぼれ・脱落②

らくじつ【落日】沈みかけている夕日をさし、主として文章に用いられる、古風で硬い感じながら詩的な趣をかもしだす漢語。〈孤城―〉〈日本海―の大観〉🖉串田孫一の『秋の組曲』に「真紅の―へ向かって駈けて行」く乙女たちを後方から眺める印象的なシーンがある。なお、「人生の―」のように比喩的に使われることもある。⇩入り日・斜陽・夕陽《せきよう》・西日・夕日・Q落陽

らくせい【落成】工事が完了して建造物がすっかり出来上がる意で、会話にも文章にも使われる漢語。〈新庁舎の―式〉〈本社ビルが無事―する〉〈新館―記念のパーティーを催す〉🖉工事の完了に意識の重点のある「完工」「竣工《しゅんこう》」に比べ、新しく建ち上がった建物に中心を置く表現に感じられ、一般の会話にも比較的現れやすい。⇩Q完工・竣工

らくだい【落第】進級に失敗する意で、会話でも文章でも使われるやや古い感じの漢語。〈昇級試験で―する〉〈―して原級にとどまる〉🖉今では長期欠席でもしない限り現実に落第する例はまれであり、大学でも卒業できない場合に「留年」という体裁のいいことばに置き換えるため、この語自体の使用頻度が格段に減り、「何をやらせても―だ」などという比喩的な用法を除き、古い感じがしてきた。小津安二郎監督の映画『落第はしたけれど』(一九三〇年)に、子供に「―って何だい?」と聞かれた学生が、落ち込んでいる仲間の落第生をかばってとっさに「偉い事だよ」と教えたら、その子が当人の前で「大学へ行って、小父ちゃんのように偉くなるんだ」と言う滑稽な場面がある。「及第」と対立。⇩赤点

らくだいてん【落第点】及第できない悪い点数をさす漢語で、古い俗称「赤点」の正式名称。〈―をつける〉🖉小学校や中学校はもちろん高等学校でも現実に落第するケースが稀に

なり、大学でも再履修や留年という体裁のいい語でぼかされることもあり、現在では主として成績を採点する教師側の用語という印象がある。⇩赤点

らくたん【落胆】期待が大きく裏切られすっかり落ち込む意で、やや改まった会話や文章に用いられる硬い漢語。〈入試にことごとく失敗し、親の―ぶりは目を覆うばかりだ〉〈さすがに―の色は隠せない〉福原麟太郎の『チャールズ・ラム伝』に「(縁談を断ったことが)ラムを―させるに忍びなかったけれども」とあり、一人称の複数形を用いた恋文がその一因だと推定している。⇩がっかり・Q気落ち・失意・失望

らくちゃく【落着】争いなどが片づく意で、改まった会話や文章に用いられる古風な漢語。〈これで一件―だ〉〈揉《も》め事がようやく―する〉池田潔の『自由と規律』に「混乱の波動が収まり、前途に―の見透しがつき」とある。⇩解決・Q決着

らくちん【楽ちん】「楽だ」の意で、主にくだけた会話に使われるいくぶん古風で俗っぽい語。〈これは―〉〈こっちのほうがよっぽど―だ〉⇩簡単・Q楽・容易

らくのう【酪農】乳牛を飼育して牛乳や乳製品の生産・製造・販売を行う農場経営をさし、会話にも文章にも使われるやや専門的な漢語。〈―家〉〈―の盛んな地域〉⇩畜産・牧畜

らくはく【落魄】「おちぶれる」意で、主として文章中に用いられる古風な漢語。〈―の身〉〈―した姿を見るに忍びない〉島崎藤村の『破戒』に「あの―の生涯を哀れむと同時に」とあり、小沼丹の『揺り椅子』には「埃っぽい陸橋を渡った先の寒寒とした家に―の子爵が住んでいる」とある。⇩おちぶれる・凋落《ちょうらく》・転落・Q没落・零落

らくよう【落陽】「落日」の意で改まった文章に用いられ、硬質の抒情を感じさせる古めかしい感じの漢語。〈秋の―を浴びつつ高原の散策を楽しむ〉夕日そのものをさす場合と、その日ざしをさす場合とがある。⇩入り日・斜陽・夕陽《せきよう》・西日・夕日・Q落日

らくるい【落涙】涙をこぼす意で、主に文章に用いられる古風な硬い漢語。〈はらはらと―する場面もあった〉井上ひさしの『ブンとフン』に「サンスケ長官はきいてハラハラと―した」とある。⇩Q泣く・涙ぐむ・涙する

ラストスパート 競争や競泳でゴール直前に最後の力をふりしぼること。会話や改まらない文章で使われる表現。〈―でゴール寸前抜き去る〉「受験直前の―が効いて合格できた」「納期が迫り―をかける」のように、一般に、広く最後の頑張りの意でも使う。スポーツ用語の拡大用法に相当するが、多用されて比喩性はかなり薄れている。

らち【拉致】当人の意志を無視して強引に連れ去る意で、改まった会話や文章に用いられる漢語。〈―事件〉〈―の現場を目撃する〉大岡昇平の『俘虜記』に「家財を取りにきた不運な住民を―して帰った」とある。⇩誘拐

らっか【落下】物や人が高い場所から落ちる意で、改まった会話や文章に用いられる漢語。〈―物〉〈―速度〉〈垂直に―する〉〈踏みはずして階段の途中から―する〉テーブルから物が床に落ちる程度の短い距離で使うと大げさに響く。「墜落」と違い、空中を通って落ちるだけでなく、石が斜面を転がり落ちるような場合も含まれる。⇩落ちる①・降下・墜

落・Ǫ転落

らっかせい【落花生】 マメ科の一年草、特にその実をさす漢語。「ピーナツ」に比べて少し古い感じがあるが、「南京豆」と違って現在でも使われる。〈―の栽培〉✎植物として生えている状態ではふつうこの語が使われ、「ピーナツ」より正式名称の感じがある。⇩南京豆・Ǫピーナツ

ラッキー 運がいい意で、主にくだけた会話に使われる軽い感じの外来語。〈―ボーイ〉〈欲しい物が手に入ってきょうは―だった〉⇩僥倖《ぎょうこう》・幸運・Ǫつき

ラブシーン 男女の愛の場面をさし、会話や硬くない文章に使われる外来語。〈―が見ものだ〉〈―を見つかる〉〈濃厚な―〉✎芥川龍之介の『歯車』に「写真屋さん、―って何?」という女生徒の問いかけが出てくる。本来は映画や演劇などでの愛の場面。⇩濡れ場

ラブレター 「恋文」の意で会話にも文章にも使われる外来語。〈―を言付ける〉〈―を出す〉✎太宰治の『人間失格』に「女から来た―で、風呂をわかしてはいった男があるそうですよ」とある。熱烈なファンレターや切望する相手に熱意を伝える手紙などを比喩的にさす場合は俗語的。⇩恋文

ラベル 品物の名や製造元、品質、取り扱い上の注意などを表示して商品に貼り付けたり吊《つる》したりする紙片をさし、会話にも文章にも使われる外来語。〈―を貼る〉〈―を剝がす〉✎現在は「レッテル」よりよく使う。⇩レッテル

られつ【羅列】 内容や性質や種類や順序などを考慮せず、ただずらりと並べたてる意で、会話にも文章にも使われる漢語。〈数字の―〉〈単なる―に過ぎない〉✎佐藤春夫の『田園の憂鬱』に「全く無意味な文字が―されて居る」とある。「列挙」に比べ、軽蔑のニュアンスが伴う。⇩列挙

らんがい【欄外】 書物などのページで印刷面の周囲の白く空いている部分をさし、会話にも文章にも使われるいくぶん専門的な漢語。〈本の―に書き込む〉✎「余白」と違い印刷物について使う。特に比喩的用法もなく、客観的な感じの語。⇩余白

らんかん【欄干】 主に橋の両側に転落防止の目的で設ける装飾的な手摺《てす》りをさし、会話にも文章にも使われる漢語。〈橋の―にもたれて川の流れを眺める〉✎縁側の端に付けることもあるが、この語はすぐに橋を連想させ、特に擬宝珠《ぎぼし》の付いた装飾的なものにぴったり合う。⇩手摺り

ランキング 人や物の優劣や、大小・新旧や人気・売れ行きなど、何らかの基準で決定する順位をさして、会話や文章に使われる外来語。〈―を発表する〉〈世界―の上位をキープする〉〈―でベストテンに入る〉⇩クラス・グレード・等級・Ǫランク

ランク 優劣などによる細かい区分の意で、会話にも文章にも使われる外来語。〈もう一つ上の―をめざす〉〈上位に―される〉✎「等級」「グレード」「クラス」より細分されたものをさす傾向があり、個々の順位をさす場合は「ランキング」に同じ。⇩クラス・グレード・等級・Ǫランキング

らんざつ【乱雑】 秩序がなくばらばらに乱れている意で、会話にも文章にも使われる漢語。〈見るからに―な部屋〉〈家具の並べ方がいかにも―だ〉〈―を極める〉✎高村光太郎の詩『道程』に「―なる画室の様のもの淋しさよ」とある。鎌

倉の小林秀雄邸を訪問した折、初期の『Xへの手紙』で硬い「陥穽《かんせい》」と俗っぽい「しみったれた」を一文に併用する意図を問うと、この批評家は「要するに、形式が整っていないわけだね、用語が―で」と応じ、「ことばっていうものは、人間にうまく使えるもんじゃないんですよ」と一般化した。このように言語や思考などにも用いる。⇩雑然

ランジェリー 女性用の一部の下着をさして用いられる外来語。〈派手な―〉〈―に金をかける〉✎フランス語から入った語で、装飾の多い薄地の女性用下着だけをさす。肌《はだ》襦袢《じゅばん》や腰巻などの和装の下着はイメージが合わない。薄地のネグリジェや部屋着をさすこともあるが、いずれにしてもおしゃれな感じがある。⇩インナー・Q下着・肌着

ランチ 「昼飯」の意で主として日常会話に用いる外来語。〈お子様―〉〈食堂のA―〉✎太宰治の『斜陽』に「―のお菜のハムやソーセージなども、ひょいと指先でつまんで」とある。多く食堂の比較的簡単な洋食のメニューなどに見られ、パン食でも家庭での食事についてはほとんど用いない。和食やラーメンなどの場合はこの語の語感とイメージが合わない。⇩お昼・午餐《ごさん》・ちゅうじき・ちゅうしょく・昼餉《ひるげ》・昼御飯・Q昼飯

らんちきさわぎ【乱痴気騒ぎ】 大勢の人間が酒に酔ったりして抑制の利かないほど乱れ騒ぐ意で、主に会話に使われる俗っぽい表現。〈宴会で皆飲み過ぎて―に発展する〉✎やかましい音を立てる「どんちゃん騒ぎ」に比べ、騒音よりも正常な人間ならしないような行為に及ぶ乱れ方に重点がある。「乱痴気」は情事に関する嫉妬を意味したらしく、今でも「痴話喧嘩」をさす例もある。⇩どんちゃん騒ぎ

ランデブー 「デート」の意で戦後よく使われた古めかしい外来語。〈銀座で―を重ねた昔が懐かしい〉✎「アベックの―」が「カップルのデート」に座を譲り、現在ではまれに比喩的に使われることがある程度になっている。⇩逢引《あいびき》・逢瀬《おうせ》・忍び会い・Qデート・密会

ランドセル 小学生の通学用の背負い鞄をさし、会話にも文章にも使われるオランダ語からの外来語。〈ぴかぴかの―を背負った小学生〉✎壺井栄の『二十四の瞳』に「背中に手をまわすと、―はロボットのような感触で」とある。⇩デイパック・ナップザック・Q背嚢《はいのう》・リュックサック

ランナー 「走者」の意の外来語。多く口頭で使う。書きことばではふつう「走者」を用いる。〈二塁―を返す〉⇩走者

らんぴ【濫(乱)費】 金銭や物品をあまり役に立たないものにまで無計画にたくさん使う意で、改まった会話や文章に用いられる硬い漢語。〈―が目に余る〉〈―を慎む〉✎小林多喜二の『蟹工船』に「水の―を防ぐ」とある。時間や労力よりも目に見える対象に使う傾向が強い。⇩空費・散財・無駄遣い・Q浪費

らんぼう【乱暴】 ①人間の言動などが荒々しく細かい配慮に欠ける意で、会話にも文章にも使われる日常の漢語。〈言い方が―だ〉〈ドアを―に閉める〉〈議論の進め方が―だ〉✎夏目漱石の『坊っちゃん』に「―で―で行く先が案じられる」とあり、徳田秋声の『縮図』に「僕はこういう海賊みたいな―ものです」とある。「―を働く」「通行人に―する」のように暴力行為をさす用法もある。⇩荒々しい・荒い・荒っぽ

い・がさつ・Q粗暴・粗野・野蛮　②「強姦」の意を提喩的にぼかした漢語の婉曲《えんきょく》な表現。〈女に―を働く〉✎「強姦」よりも意味を広げてぼかした「暴行」という語をさらにぼかして衝撃をやわらげた表現。一般に上品な雑誌や全国紙ほど「乱暴」「暴行」のレベルにとどめ、娯楽紙に近づくほど逆に「強姦」あるいは「レイプ」と露骨な表現をとる傾向にある。⇩強姦・Q暴行・レイプ

り

リース　長期の賃貸借契約の意で、会話にも文章にも使われる外来語。〈―産業〉〈カラーコピーの機械は―でまかなう〉✎「レンタル」より長期にわたる契約で、それだけ大きな機械や設備を連想させ、また、専門性の高い用語。⇩賃貸し・賃貸・Qレンタル

リーダー　組織や集団を統率し指揮をとる人をさし、会話にも文章にも使われる外来語。〈―格の人間〉〈チームの―〉〈国の―〉〈―不在でまとまらない〉✎「指導者」に比べ、先に立って行動するイメージが強い。⇩指揮官・Q指導者

りえき【利益】　収入から支出を引いた金額を意味し、会話にも文章にも使われる漢語。〈―を上げる〉〈―になる〉〈―をもたらす〉✎辻邦生の『天草の雅歌』に「こんなことをしていても、互いに何の―もない」とあるように、金銭と無関係な損得にも使う。「住民の―を最優先する」のように、抽象的な得を意味する用法もある。⇩収益・得・儲《もう》け・Q利潤

りえん【離縁】　夫婦の縁を切る意で、会話にも文章にも使われる古めかしい漢語。〈―状〉〈永年連れ添った女房を―する〉✎養子縁組の解消にも用いる語。⇩破婚・ばついち・Q離婚

りかい【理会】　ものごとの道理を悟って受け入れる意で、主として文章に用いられる古めかしい硬い漢語。〈真意を―する〉✎三島由紀夫の『仮面の告白』に「私は―した。私が軍隊に希ったものが死だけだというのは偽わりだと」とあ

る。⇩理解

りかい【理解】物事の筋道や表現内容や相手の気持ちなどがわかる意で、くだけた会話から硬い文章まで広く使われる基本的な漢語。〈―力〉〈文意を正しく―する〉〈―を示す〉〈―に苦しむ〉✒小林秀雄の『Xへの手紙』に「女は男の唐突な欲望を―しない、或は―したくない」とある。⇩理会

りかん【罹患】病気にかかる意で、主に文章に用いられる専門的な雰囲気の漢語。〈―の割合〉〈―者の増加〉⇩罹病《りびょう》

りきし【力士】相撲取《すもうと》りの意で、いくらか改まった会話や文章に用いられる漢語。〈勝ち―〉〈控え―〉〈幕内―〉〈両―の入念な仕切りが続く〉✒「相撲取り」に比べ、正式な感じがあり、上位の力士を連想しやすい。もと、力の強い男の意。⇩Q相撲取り・関取

りきせつ【力説】力をこめて強く訴える意で、やや改まった会話や文章に用いられる漢語。〈独自の考えを―する〉〈この点を特に―しておく〉✒「声を大にして―する」に象徴されるように、相手を説得するために力をこめる点に中心がある。⇩言い張る・Q強調・主張・提言

りきりょう【力量】ものごとを巧みにこなし、それをなし遂げる能力の程度の意で、やや改まった会話や文章に用いられる漢語。〈―を試す〉〈―が問われる〉〈―の程が知れる〉✒幸田文の『おとうと』に「自分の―なりになんとかうまくやってきて」とある。「技量」に比べ、統率力・実行力などを含む総合的な実力を連想させる。⇩腕②・腕前・技量・Q手腕

りく【陸】地球の表面のうち水に覆われていない部分をさし、くだけた会話から硬い文章まで幅広く使われる漢語。〈―続き〉〈遠くに―が見える〉〈海から―に上がる〉✒「空」「海」と対立。⇩陸上・陸地

りくじょう【陸上】陸地の上をさし、会話にも文章にも使われる漢語。〈―競技〉〈―自衛隊〉〈―輸送〉✒「海上」「水上」と対立。⇩地上・陸・Q陸地

りくち【陸地】「陸」の意で、会話にも文章にも使われる漢語。〈―の面積〉〈―から遠ざかる〉✒海や湖や川などとはっきり区別する意識で使う傾向がある。横光利一の『春は馬車に乗って』に「朝毎に、彼は海面から頭を擡げる新しい―の上を素足で歩いた」とあり、広がりを意識させやすい「陸」に比べ、地面の感触とつながる感じもある。⇩Q陸・陸上

りくつ【理屈】きちんと筋道の通った考えをさし、会話や軽い文章に使われる日常の漢語。〈―をこねる〉〈―を並べる〉〈一往―が通る〉〈そうそう―通りには運ばない〉〈―抜きに楽しめる〉✒夏目漱石の『坊っちゃん』に「金や威力や―で人間の心が買える者なら、高利貸でも巡査でも大学教授でも一番人に好かれなくてはならない」とある。「―っぽい人」「―を並べる」「―だけは一人前だ」のように、日本の社会では理屈に偏ると敬遠される傾向がある。こじつけるだけの「屁《へ》理屈」はもちろん、この語はそういう軽蔑のニュアンスが伴いやすく、「道理」「理論」「論理」に比べてマイナスイメージが強い。⇩道理・Q理論・論理

りげん【俚言】民間で日常使われる地方色の強い俗語をさし、主に文章中に用いられる古風な漢語。〈―を収集する〉✒方言のうちの日常語彙をさすこともある。体系的な「方言」に比べ、個々の単語を問題にすることが多い。⇩Q里言葉・方

言

りこう【利(悧)口(巧)】聞き分けがよく賢い意で、会話にも文章にも使われる漢語。〈お—さん〉〈—な子供〉✎「—に立ち回る」のように、要領がよく抜け目のない意にも使われ、時にずるい感じを与える。夏目漱石の『坊っちゃん』に「—な顔はあまり見当らない」とある。⇩利発

りこう【履行】約束事などをそのとおり行って責務を果す意で、改まった会話や文章に用いられる専門的な硬い漢語。〈契約を—する〉〈契約不—で訴える〉✎夏目漱石の『坊っちゃん』に「此様子では留守中も勝手に御茶を入れましょうを一人で—して居るかも知れない」とあり、大仰な用語で滑稽感を出している。⇩施行《しこう》・施工《しこう》・執行・Q実行・実施・遂行・施行《せこう》・施工《せこう》

りこん【離婚】夫婦が婚姻を解消する意で、会話にも文章にも使われる正式な感じの漢語。〈協議—〉〈—率が高まる〉〈—の噂がちらほら〉〈性格の不一致による—〉〈—の手続きに入る〉⇩破婚・ばついち・Q離縁

リザーブ 予約して自分用に取っておいてもらうことをさし、会話や軽めの文章に使われる外来語。〈個室を—する〉〈席を—する〉⇩予約

りさい【罹災】火災や水害や大地震などの災害、あるいは戦争による人災に遭う意で、主として文章に用いられる専門的で硬い漢語。〈—者〉〈—地〉〈—状況を調べる〉⇩遭難・Q被害・被災

りざい【理財】財産や金銭を有利に運用する意で、改まった会話や文章に用いられる専門的な漢語。〈—に明るい〉〈—にたける〉✎「—学」など「経済」の意に使えば古めかしい感じに響く。⇩経済

リサイタル 独唱や独奏を聴かせる会をさし、会話にも文章にも使われるやや専門的な外来語。〈ピアノ—〉〈—を開く〉✎「コンサート」以上にプロ的な高い技術を期待させる。⇩演奏会・音楽会・Qコンサート・ライブ

りざや【利鞘】買値と売値との差額や、資金調達時と貸し出し時の利率の差などによって生ずる利益をさし、会話にも文章にも使われる専門的な表現。〈—を稼ぐ〉✎その道の玄人筋のこなれた用語という雰囲気があり、「差益」ほど正式な感じはしない。⇩Q差益・マージン

りし【利子】貸し金や預金に対して一定の利率で支払われる金銭をさし、会話にも文章にも使われる、やや専門的な漢語。〈—がつく〉〈低金利で—が減る〉✎日常的な「利息」に比べ、金融機関などで一般に使われている雰囲気がある。⇩金利・Q利息

りじゅん【利潤】金銭的な利益をさして、主に文章中に用いられる、やや専門的な漢語。〈—を追求する〉〈—を上げる〉〈—を分配する〉✎小林多喜二の『蟹工船』に「その石炭が巨大な機械を、資本家の「—」のために動かした」とある。⇩収益・得・儲《もう》け・Q利益

リズム 音楽や詩歌などの周期的に起こる音の長短・強弱をさし、くだけた会話から硬い文章まで幅広く使われる日常の外来語。〈—がある〉〈—を取る〉〈軽快な—に乗って〉〈七五調の—〉✎「天体運行の—」「生活の—」のように、単に規則的に繰り返される意を表す比喩的用法もある。⇩律

動

りそう【理想】考えうる範囲での最良・最高の完全な状態をさし、会話にも文章にも広く使われる漢語。〈―像〉〈―を掲げる〉〈―を追い求める〉〈―の社会〉〈―の恋人〉✎小林秀雄の『ゴッホの手紙』に「現実という石の壁に頭をぶつけて了った人間に、どうしてあれこれの―という様なものが必要であろうか」とある。実現性を欠く「空想」とは違い、目標として努力できる点で区別される。⇩空想

りそく【利息】「利子」の意で、くだけた会話から文章まで幅広く使われる日常の漢語。〈―分〉〈―が高くてばかにならない〉✎少し正式な感じの「利子」に比べ、日常会話でよく使われ、「―で暮らす」などとも言うが一般に特に融資を受ける側が用いる傾向がある。福原麟太郎の『チャールズ・ラム伝』に「本を返すとき、書き込みという―をつけてくれる」という比喩的な用例が出る。⇩金利・Q利子

りつあん【立案】発案の内容を具体化して計画を立てる段階をさし、改まった会話や文章に用いられる、やや専門的な漢語。〈―者〉〈計画―〉〈―から実施まで〉⇩発案

りっこうほ【立候補】選挙に際し候補者として自ら名乗り出る意で、会話にも文章にも使われる漢語。〈―を決意する〉〈選挙に―する〉〈―を締め切る〉⇩出馬

りっしゅん【立春】節分の次の日で暦の上で春の始まる日をさし、会話でも文章でも広く使われる漢語。〈―が近づく〉〈―も過ぎて〉✎中谷宇吉郎に『立春の卵』と題する作品がある。立春の時に卵が立つという噂に、「春さえ立つのだから卵ぐらい立ってもよかろう」と茶々を入れながら、卵というものは立つ形をしていることを立証し、「何百年もの間、世界中で卵が立たなかったのは、皆が立たないと思っていたからである」と人類の盲点を指摘する科学随筆である。

りっしょう【立証〔證〕】事柄の有無や正当性などを証拠をそろえて証明する意で、学術的な話題の会話や文章に用いられる専門的な硬い漢語。〈犯行を―する〉〈無罪を―する〉〈因果関係の有無を―する〉⇩検証・実証・Q証明・論証

りっしょく【立食】立って食べる形式をさして会話にも文章にも使われる新しい漢語。〈―パーティー〉〈会は―形式で行う〉✎行為よりも食事会などの形態をさすことが多い。⇩立ち食い

りつどう【律動】「リズム」の意で主に文章中にまれに用いられる美的で古風な漢語。〈快い―が伝わる〉✎現代では、「肉体の―」「生命力の―」のように周期的な反復運動を意味する比喩的な用法のほうがむしろ例が多い。⇩リズム

りっぱ【立派】堂々としていて見事な意で、くだけた会話から硬い文章まで幅広く使われる漢語。〈―な建物〉〈―な行い〉〈―な心がけ〉〈―にやってのける〉✎夏目漱石の『坊っちゃん』に「教頭丈に下宿はとくの昔に引き払って―な玄関を構えて居る」とある。外見から判断できる精神的なあり方や態度についても使える。なお、「あそこまで横着をきめこめば―なもんだ」のように、呆れた気持ちを皮肉に表現することもある。⇩Q偉大・偉い①・堂々・見事

りっぷく【立腹】腹を立てる意で、改まった会話や文章に用いられる漢語。〈大いに―する〉〈ご―の御様子〉✎井伏鱒二の『集金旅行』に「かんかんに―している」とある。⇩怒

り・Q腹立ち

りてん【利点】物事の他に比べて有利なところ、プラスに働く点をさし、会話にも文章にも使われる漢語。〈―を生かす〉〈数々の―が認められる〉✎価値を問題にする「美点」や「長所」と違って人間については使わず、プラスになるかマイナスになるかという尺度が中心。⇩長所・取り柄・美点・Qメリット

りにん【離任】任務を離れる意で、改まった会話や文章に用いられる硬い漢語。〈このたび―することになりました〉✎「着任」と対立。⇩辞任・Q退任

りねん【理念】行為・事業・計画・主義などの根底にある考えをさし、改まった会話や硬い文章に用いられる漢語。〈基本―〉〈教育―〉〈政治―〉〈民主主義の―〉✎本来は、経験というものを超越して完全に理性のみによって考えられる理想的概念をさす哲学用語。⇩Q概念・観念

りはつ【利(悧)発】才知があり理解の早い意で、やや改まった会話や文章に使われる、やや古風な感じの漢語。〈見るからに―そうな子〉✎「利口発明」の短縮形。樋口一葉の『十三夜』に「物の道理を心得た、―の人」とある。「利口」が年齢に関係なく使われるのに対し、この語は子供に対する評価にほぼ限られる。⇩利口

りはつ【理髪】(主に男性の)髪を切りそろえ形を整える意で、改まった会話や文章に用いられる専門的な漢語。〈―師〉〈―店〉〈―の技術〉✎「散髪」に比べ、店で専門の理容師が行う場合に限られる雰囲気がある。⇩散髪・整髪・Q調髪

りびょう【罹病】病気にかかる意で、主に文章に用いられる硬い漢語。〈―率〉〈―者数〉⇩罹患《りかん》

リビング 洋室の居間をさし、会話でも文章でも使われるようになった新しい感じの日常的な外来語。〈明るい―〉〈―でテレビを見て過ごす〉✎洋室の場合に使われる名称。同じ機能でも和室の場合は「居間」と呼んで区別する傾向がある。⇩Q居間・居室・茶の間

リベート 支払い金の一部を報奨金として割り戻す意、または、手数料の意で、会話にも文章にも使われる外来語。〈―を受け取る〉〈かなりの―を取る〉✎支払い金の一部を担当者や仲介者への謝礼として渡す場合もあり、手数料と銘打たないと賄賂の性格を帯びる。⇩袖の下・鼻薬《はなぐすり》・Q賄賂

りべつ【離別】わけあって親しい人と別れる意で、主に会話に使われる硬い漢語。〈幼時に父と―する〉〈深い事情があって―する〉✎二度と会えないかもしれない長期間の別れを連想させ、「別離」以上に特別な、あるいは深刻な事情があるような雰囲気が漂う。そのためもあって、「夫と―する」のように離婚の意でも使われ、単に「離別」として婉曲《えんきょく》に離婚を表す用法もある。⇩Q別離・別れ・別れる

りべん【利便】利益があって便利な意で、主として文章中に用いられる硬い漢語。〈通勤の―を図る〉〈使用者の―を最優先する〉✎場所や物についても使う「便利」と違い、利便性といった抽象的な意味合いで用いる。⇩重宝・Q便利

りめん【裏面】物や事柄の表に出ない側をさし、改まった会話や文章に用いられるやや硬い漢語。〈―工作〉〈なめらかな表面とうらはらに―は肌理《きめ》が粗くざらざらしている〉✎「表面」と対立。⇩裏

りゃくす【略す】 形を簡単にしたり一部を除いたりして全体を簡略にする意で、会話にも文章にも使われる語。〈漢字を―〉〈敬称を―〉〈前文を―〉〈経緯は―・して結論を述べる〉⇩割愛・Q省略・省く

りゃくそう【略装】 略式の服装の意で、改まった会話や文章に用いられる漢語。〈式に―で参列する〉✎衣服自体を連想させやすい「略服」に比べ、それを着用した姿に重点を置いた表現。⇩普段着・平服・Q略服

りゃくふく【略服】 略式の服装の意で、改まった会話や文章に用いられる漢語。〈―で式に臨む〉✎タキシードやモーニングといった儀式などにふさわしい正式の服装である「正装」ほど改まらない服装という意味であり、まったくの平服よりは改まった服装、男性であれば黒っぽいスーツにネクタイを着用した程度の服装が期待されている。「略装」に比べ、着用する衣服そのものに重点を置いた表現。⇩普段着・平服・Q略装

りゆう【理由】 なぜそうかを示す根拠をさす漢語で、「わけ」より改まった場面での会話や文章など幅広く使われる一般的な日常語。〈反対の―を述べる〉〈いかなる―があろうと〉〈離婚の―を知りたい〉✎福永武彦の『夏の花』に「幾つもの―が思い浮んでは泡沫《うたかた》のように消えた」とある。⇩Q事由・わけ

りゅうい【留意】 神経を注ぎ心にとどめる意で、改まった会話や文章に用いる、やや硬い感じの漢語。〈―点〉〈健康に―する〉〈衛生面への―が求められる〉✎具体的なある点に関してよく使う「注意」に対して、広い範囲や抽象的な対象について使う傾向が見られる。⇩注意

りゅうがく【留学】 よその土地、特に外国に長期滞在して学問や技芸などを学ぶことをさし、会話にも文章にも広く使われる日常の漢語。〈―先〉〈―生〉〈―制度〉✎夏目漱石の『倫敦塔』は「二年の―中只一度倫敦塔を見物した事がある」という一文で始まる。「内地―」のようにまれに国内にも使うが、ほとんどは海外の例である。⇩遊学

りゅうかん【流感】「流行性感冒」の略語で、主に日常会話での使用頻度が高い。〈―が広がって学級閉鎖になる〉⇩インフルエンザ・Q流行性感冒

りゅうき【隆起】 高く盛り上がる、特に、広範囲の土地が少しずつ持ち上がることをさし、改まった会話や文章に使われる漢語。〈―海岸〉〈土地が―する〉✎造山運動によって引き起こされる現象をさす場合は専門語としての用法。「沈下」と対立。⇩盛り上がる

りゅうげん【流言】 事実無根の噂話をさし、主として文章に用いられる古風な漢語。〈―飛(蜚)語の類〉〈―に惑わされる〉⇩デマ

りゅうこう【流行】 一時的にもてはやされ広まる意で、会話でも文章でも広く使われる日常漢語。〈―の服〉〈今年―の髪形〉〈―を追う〉✎小沼丹の『懐中時計』に「今日懐中時計は―からは見放されているが、その骨董的価値は莫大である」とある。⇩ナウい・Qはやり・はやる・ファッション

りゅうこうか【流行歌】 ある一定の期間大衆に人気のあった歌謡曲をさし、会話でも文章でも使われるやや古風な漢語。〈昔の―〉〈―を口ずさむ〉✎小津安二郎監督の映画『東京

物語』（一九五三年）のシナリオに、「遠く艶歌師の―が聞えている」という説明がある。⇩演歌・歌謡曲

りゅうこうせいかんぼう【流行性感冒】インフルエンザの訳語として使われる、やや専門的で少し古風な漢語。〈―と診断される〉✎この略語の「流感」のほうがよく使われる。⇩Ｑインフルエンザ・流感

りゅうこうびょう【流行病】伝染病の意の古い言い方で、古い時代を扱った小説などに使われる漢語。〈―による死者の数〉✎「流行《はや》り病《やまい》」ほどの時代性は感じられない。⇩疫病・感染症・Ｑ伝染病・流行り病

りゅうせい【流星】地球の引力で大気圏に突入した宇宙空間の微粒子が摩擦で発光しながら落下するものをさし、改まった会話や文章に用いられる専門的な漢語。〈―群〉⇩彗星《すいせい》・Ｑ流れ星・ほうき星

りゅうちょう【流暢】ことばがよどみなくすらすらと出てくる様子をさし、いくぶん改まった会話や文章に用いられる漢語。〈英語を―に話す〉〈外国人とは思えない―な日本語〉✎谷崎潤一郎の『蓼喰う虫』に「仏蘭西語も独逸語も―に話した」とある。「なめらか」がネイティブのような自然さを連想させやすいのに対し、この語はつっかえず言える表現力に重点がある。⇩なめらか

りゅうほ【留保】決定や実行を一時的に先延ばしする意で、主に文章に用いられる専門的な雰囲気の硬い漢語。〈回答を―する〉〈発表を―する〉⇩保留

リュックサック 遠足・ピクニック・登山などに使う背負い鞄をさし、会話にも文章にも使われるドイツ語からの外来語。〈―を背負って山を歩く〉✎「リュック」と略せば俗っぽくなり会話用。⇩デイパック・Ｑナップザック・背嚢《はいのう》・ランドセル

りよう【利用】その物事の機能や利点を生かして使う意で、くだけた会話から硬い文章まで幅広く使われる日常の基本的な漢語。〈廃物―〉〈―価値がある〉〈バスを―する〉〈立場を―して有利に運ぶ〉✎夏目漱石の『倫敦塔』に出る「交通機関を―仕様とすると」の例は客観的だが、「コネを―して就職する」のように悪いニュアンスでも使い、太宰治の『斜陽』に出る「お母さまは、私をおだましになったのよ。直治が来るまで、私を―していらっしゃったのよ。私は、お母さまの女中さん」の例も同様。「活用」に比べ、自分の利益のためにというずるい感じに使うこともある。⇩運用・応用・Ｑ活用・駆使

りょう【寮】学校や会社などの共同住宅をさし、会話でも文章でも普通に用いられる漢語。〈―生活〉〈学生―〉〈社員―〉〈会社の―〉〈―の決まり〉⇩寄宿舎

りょういき【領域】力の及ぶ範囲をさして、やや改まった会話や文章に用いられる、やや硬い漢語。〈専門―〉〈研究―が違う〉〈広い―にわたる〉✎野間宏の『暗い絵』に「自分の影響力の及ぶ―が拡がってゆくのを確認し」とある。国際法上の専門語としては、国家の統治権の及ぶ領土・領海・領空をさす。一般語としては、専門とする分野の意でよく使い、物理学という分野における光学、言語学という分野における音声学といったイメージだが、さらに専門的な狭い部分をさすこともある。⇩縄張り・範囲・Ｑ分野・領分

りょうが【凌（陵）駕】他を追い越してその上に出る意で、主

として文章に用いられる硬い漢語。〈先行企業を―する勢い〉〈すでに師を―する実力を身につけている〉⇩凌《しの》ぐ

りょうかい【了(諒)解】理解した上で納得する意で、やや改まった会話や文章に用いられる漢語。〈暗黙の―〉〈―を求める〉〈上司の―を取る〉✎梶井基次郎の『愛撫』に「閃光のように―した」とある。結果に重点を置く「了承」に比べ、趣旨を十分に理解するという過程が前提となる。⇩承知・了承

りょうし【漁師】漁をして生活している人をさし、幅広く用いられる日常の漢語。〈―町〉〈代々―をしてきた家〉〈―が海に出る〉✎獅子文六の『沙羅乙女』に「夕汐に―が網を張るように、塙の帰宅を待ち伏せ」という比喩表現の例がある。口頭では同音語の「猟師」との区別が紛らわしい。「漁民」よりもその人間をさす感じが強い。⇩漁夫・Q漁民

りょうじ【療治】治療の意の古めかしい漢語で、現代では針灸《しんきゅう》マッサージなどに限定的に使われる。〈揉《も》み―〉〈荒―〉⇩加療・診療・施療・Q治療・手当て

りょうしき【良識】社会を構成する人間として当然そなえているべき健全な判断力をさし、やや改まった会話や文章に用いられる漢語。〈―をそなえた社会人〉〈―ある行動を望む〉〈市民の―に訴える〉✎「常識」より高度で、知識より善悪の判断に中心がある。伊藤整の『組織と人間』に「文化的事業を―によって行っている」とある。⇩常識

りょうしゃ【両者】両方のものの意で、やや改まった会話や文章に用いられる漢語。〈―の激突〉〈―の言い分が食い違う〉〈―の関係を強化する〉✎「両人」や「両名」と違い、人だけでなく人を成員とする国や組織などにも使うが、人間を離れて単なる物や事柄をさすには少し抵抗がある。⇩双方・両人・両方・Q両名

りょうしゅう【領収】代金などを受け取る意で、主に文章に用いられる、改まった感じの漢語。〈―書〉〈―済み〉〈先月分の賃貸料を―する〉⇩Q査収・受領

りょうしゅうしょ【領収書】代金を確かに支払ったという証明になる書付をさし、会話にも文章にも使われる、正式な感じの漢語。〈―を発行する〉〈―を書いてもらう〉✎レジスターで印字した簡単なものは含まない傾向がある。⇩受け取り・受領証・Qレシート

りょうしょう【了(諒)承】先方の報告や要求などをよしとして認める意で、やや改まった会話や文章に用いられる漢語。〈―済み〉〈―を得る〉〈すでに当人も―している〉✎「了解」に比べ、理解過程よりも認めるか否かという結果に重点がある。⇩受諾・承知・承認・納得・認可・容認・了解

りょうじょく【凌(陵)辱】相手のプライドがずたずたになるほど辱める意で、主に文章中に用いられる古風で硬い漢語。〈―の限りを尽くす〉✎中島敦の『李陵』に「匡では暴民の―を受けようとし」とある。相手が女性の場合は「暴行」の間接表現ともなる。⇩Q侮辱・侮蔑

りょうしん【両親】父と母という両方の親の意で、会話にも文章にも使われる漢語。〈―に大事に育てられる〉〈相次いで―と死別する〉〈―も宜しくと申しております〉✎父母すなわち親という一つの存在という意識で扱っている感じが強く、「二親《ふたおや》」に比べ、片親ではないという意識が前面に

出ていない。⇩ちちはは・Q二親・父母

りょうしん【良心】 道徳的な善悪の判断がつき天に恥じない行為をしようとする心の動きをさし、会話にも文章にも使われる漢語。〈—に従う〉〈—がとがめる〉〈—の呵責《かしゃく》に耐えかねる〉〈—が麻痺する〉✎夏目漱石の『こころ』に「私の—は其度にちくちく刺されるように痛みました」とある。積極的な「正義感」に対し、悪いことをしないという消極的な部分まで含む。⇩Q正義感・道徳・倫理

りょうする【領する】 自分の所有として占める意で、改まった文章で時に使われる、古風で文体的レベルの高い硬い感じのことば。〈一国を—〉✎大岡昇平の『野火』に「悲しみが私の心を—・していた」とあり、北杜夫の『幽霊』にも「意味ありげな錯覚が、あたかも酩酊のように僕を—・した」とある。いずれも翻訳調の文体で客観的な筆致を印象づける方向で働く。⇩治める

りょうち【領地】 昔、貴族や大名などの領主や寺社の所有する土地をさし、会話にも文章にも使われる古風な漢語。〈—を与える〉〈—を没収する〉✎広く「領土」の意に使うこともある。⇩領土

りょうて【両手】 両方の手や腕の意で、会話にも文章にも使われる日常語。〈—でしっかりつかむ〉〈—がふさがっている〉⇩諸手《もろて》

りょうてい【料亭】 座敷で日本料理を提供する高級な料理屋をさし、会話にも文章にも使われる漢語。〈取引先のお偉方を一流の—に招待する〉〈—の女将《おかみ》〉⇩待合・料理屋

りょうど【領土】 領有している土地の意で、会話にも文章にも使われる、やや改まった感じの漢語。〈北方—〉〈日本固有の—〉〈他国の—を侵す〉✎国家主権の及ぶ全区域をさす場合と、領域の中心となる陸地の部分をさす場合とがある。佐藤春夫の『田園の憂鬱』に「紫色の—が、緑色の—を見る見る片はじから侵略して行く、と、うすれ日はだんだんと明るくなって来る」とある。⇩国土・Q領地

りょうにん【両人】 両方の人の意で、改まった会話や文章に用いられる硬い漢語。〈御—〉〈—を呼んで事情を聞く〉⇩双方・両者・両方・Q両名

りょうぶん【領分】 勢力の及ぶ範囲をさし、会話やさほど改まらない文章に用いられる漢語。〈心理学の—〉〈子供の—に属する〉〈他人の—を侵す〉✎夏目漱石の『坊っちゃん』に「勘太郎は四つ目垣を半分崩して、自分の—へ真逆様に落ちて、ぐうと云った」とあるように、本来は領有する土地を意味したが、現在は「分野」に近い抽象的な意味合いで使うことが多く、「分野」より少しくだけた感じがある。⇩縄張り・分野・Q領域

りょうほう【両方】 二人とも、二つともの意で、くだけた会話から硬い文章まで幅広く使われる日常の基本的な漢語。〈—欲しい〉〈—とも譲らない〉〈—とも捨てがたい〉〈月曜と火曜は—予定が入っている〉✎類語の中で最も広く、人・組織・物・事柄・時・方向など何にでも使える。「一方」「片方」と対立。⇩Q双方・両者・両人・両名

りょうめい【両名】 「両人」の意で、改まった会話や文章に用いられる漢語。〈田中・加藤の—〉〈—の者〉〈—に告ぐ〉✎「両人」以上に正式な雰囲気があり、上位者の視点が感じら

れる。⇩双方・両者・Q両人・両方

りょうやく【良薬】効き目のある薬をさし、主として文章に用いられる古風な漢語。〈―は口に苦し〉〈―を得て快方に向かう〉✎「秘薬」や「妙薬」よりも広く、効能さえあれば市販の薬や家庭で簡単に作れるものも含む。⇩秘薬・Q妙薬

りょうゆう【僚友】職場や軍隊などで一緒に行動している仲間をさし、主として文章に用いられる硬い感じの漢語。〈―との交際〉〈―に助けられる〉✎大岡昇平の『俘虜記』に「―が一人でもとなりにいたら、私は私自身の生命のいかんにかかわらず、猶予なく射っていたろう」とある。⇩仲間

りょうよう【両用】両方の目的に使える意で、会話にも文章にも使われる漢語。〈水陸―車〉〈遠近―眼鏡〉⇩両様

りょうよう【両様】両方の様式の意で、改まった会話や文章に用いられる古風な漢語。〈和戦―の構え〉⇩両用

りょうよう【療養】病気を治療し体を休めて保養する意で、会話にも文章にも使われる漢語。〈―生活〉〈転地―〉✎福永武彦の『風花』に「武蔵野を吹き渡る寒い風が、―所の外気小舎を取囲む松林の梢を渡って」とある。「保養」や「静養」に比べ、治療を兼ねた静養というニュアンスが強い。⇩静養・治療・保養・Q養生

りょうり【料理】食品の材料を切ったり煮たり焼いたり味をつけたりしておいしく食べられるようにする意で、会話にも文章にも広く使われる日常の漢語。〈手―〉〈家庭―〉〈―人〉〈―教室〉✎井上ひさしの『日本亭主図鑑』に「フランス―は繊細で、そこがデリケートなわたくしの舌に適《あ》う」とある。「調理」と違い、「郷土―」「中華―」「鍋―」のように、出来上がったものの種類などをさす用法もある。⇩調理

りょうりつ【両立】二つの事柄を両方うまく成り立たせる意で、会話にも文章にも使われる漢語。〈勉強とスポーツの―を図る〉〈仕事と家事を立派に―させる〉✎夏目漱石の『野分』に「音楽会と自分とは到底―するものでない」とある。道楽と仕事のように、楽しむことと金儲けといった困難な組み合わせの場合に話題になる。⇩共生・共存・併存・Q並立

りょうりや【料理屋】客室を設け、客の注文に応じて日本料理を出す店を広くさし、会話にも文章にも使われることば。〈―の二階でクラス会を開く〉✎「料亭」ほどの高級感を感じさせない。⇩割烹《かっぽう》・小料理屋・待合・Q料亭

りょかん【旅館】旅行者などの宿泊を業とする建物をさし、会話でも文章でも広く使われる日常漢語。〈温泉―〉〈―の女将《おかみ》〉〈―に泊まる〉〈―の離れをとる〉✎川端康成の『伊豆の踊子』に「崖にしがみついたような小さな―」とある。基本的なイメージは、日本建築で客室も原則として和室、池つきの和風庭園が望める場合もあり、夕食と翌日の朝食の代金が宿泊代に含まれることが多い。しかし、自宅でベッドに寝る習慣の日本人が増えるにつれて、現実にはベッドつきの洋室を備える旅館が多くなり、バス・トイレつきの部屋を備える場合も増えている。⇩Qホテル・宿・宿屋

りょくちゃ【緑茶】煎茶・抹茶など緑色を保つお茶の総称として、会話にも文章にも使われる漢語。〈羊羹《ようかん》には濃い―が合う〉✎通常は玉露や番茶を除く中級の煎茶をさす。⇩上がり・お茶・玉露・Q煎茶・茶・日本茶・番茶・碾《ひ》き茶・焙《ほう》じ茶・抹茶

りょこう【旅行】楽しむために一時的に自宅を離れて遠くに出かけ、あちこち見て回る意で、会話にも文章にも使われる漢語。〈修学―〉〈新婚―〉〈観光―〉〈海外―〉✎小沼丹の『炉を塞ぐ』に「―から帰って天狗の家に行ったら、諏訪から届いた自在鉤が部屋の片隅に転してあった」とある。諏訪古風で優雅な「旅」より日常一般によく使われる。⇩旅

りょこうかばん【旅行鞄】旅行用の鞄の総称として、会話にも文章にも使われる漢語。〈大きな―をぶら下げて旅に出る〉✎ボストンバッグ・トランク・スーツケースなど。⇩スーツケース・Qトランク・ボストンバッグ

りょひ【旅費】旅行にかかる費用をさし、会話にも文章にも使われる漢語。〈出張―〉〈―を申請する〉〈―がかさむ〉✎二葉亭四迷の『平凡』に「―だけ都合して貰いたい」とある。交通費のほか宿泊費なども含む。⇩交通費

りりしい【凛凛しい】きりりと引き締まった感じをさし、やや改まった表現として用いられる語。〈―立ち姿〉〈―顔立ちの若者〉✎井伏鱒二の『さざなみ軍記』に「みなみなの―き風貌に接し本懐の至りである」とある。このような感じは女性の場合でもありうるが、この語は男性を連想させやすい。⇩きりっとした・きりりとした・Q凛とした

りりつ【利率】元金に対する利息の割合の意で、会話にも文章にも使われる漢語。〈―がいい〉〈―が下がる〉⇩金利

りれき【履歴】経歴のうち学歴や職歴の部分をさし、改まった会話や文章に用いられる正式で事務的な感じの漢語。〈―書を提出する〉〈―に傷がつく〉✎夏目漱石の『坊っちゃん』に「―なんか構うもんですか。―より義理が大切です」とある。⇩経歴

りろ【理路】考え方や話・文章の筋道をさし、やや改まった会話や文章に用いられる漢語。〈―整然と説く〉〈―整然とまでは行かぬが、何とか筋は通る〉✎三島由紀夫の『潮騒』に「もちろんこれほど―整然とではなく」とあるように、ほとんど「―整然」の形で用い、単独ではあまり用いない。⇩条理・Q筋道

りろん【理論】個別の事象を統一的に考察・説明するために体系的に組み立てた法則的仮説をさし、会話にも文章にも使われるやや硬い感じの漢語。〈相対性―〉〈―を構築する〉〈なかなか―通りには行かない〉〈新しい―をふりかざす〉✎小林秀雄の『Xへの手紙』に「どんな細かな―の網目も平気でくぐりぬける」とある。「実践」と対立。⇩道理・理屈・Q論理

りんかく【輪郭(廓)】対象とその周囲とを分かつ境界線やそれを示す縁取りをさし、会話にも文章にも使われる漢語。〈体の―〉〈物の―を描く〉〈木々の―がぼやける〉✎小川洋子の『夕暮れの給食室と雨のプール』に「横顔の―は、その闇の奥へ吸い込まれようとしていた」とある。⇩ふち・ふちどり・へり

りんげつ【臨月】出産が予定される月をさし、改まった会話や文章に用いられる漢語。〈―を迎える〉⇩産み月

りんごく【隣国】隣の国の意で、やや改まった会話や文章に用いられる漢語。〈境を接する―〉〈―との交流を深める〉⇩隣邦

りんし【臨死】死に直面する意で専門語の雰囲気があり、学

術的な文章に用いられる硬い漢語。〈―体験〉✎実際に死んだ場合に用いる「臨終」と違い、その状態を経て生き返った場合に用いる。⇩敢え無くなる・上がる②・あの世に行く・息が切れる・息が絶える・息を引き取る・往く・いけなくなる・永眠・往生・お隠れになる・落ちる②・おめでたくなる・帰らぬ人となる・くたばる・死去・Q死ぬ・死亡・昇天・逝去・斃《おた》れる・他界・長逝・露と消える・天に召される・亡くなる・儚《はかな》くなる・不帰の客となる・不幸がある・崩御・没する・仏になる・身罷《かみま》る・脈が上がる・空しくなる・藻屑となる・逝く・臨終

りんじ【臨時】長期継続でも定期的でもなく、その時の必要に応じて一時的に行う意で、会話にも文章にも使われる日常の漢語。〈―列車〉〈―休業〉〈―雇い〉〈―の措置〉〈―に手伝う〉✎一度だけの場合もある。⇩随時・Q不定期

りんじゅう【臨終】「死にかけている時」の意で、比較的改まった会話から硬い文章まで用いられる漢語。〈ご―です〉〈―を迎える〉✎芥川龍之介の『枯野抄』に「うやうやしく―の芭蕉に礼拝した」とある。死を忌む気持ちから、「死ぬ」という語を避けて、「この世の終わりの時に臨む」ととらえ直した間接表現。⇩敢え無くなる・上がる②・あの世に行く・息が切れる・息が絶える・息を引き取る・往く・いけなくなる・永眠・往生・お隠れになる・落ちる②・おめでたくなる・帰らぬ人となる・くたばる・最期・死去・Q死ぬ・死亡・昇天・逝去・斃《おた》れる・他界・長逝・露と消える・天に召される・亡くなる・儚《はかな》くなる・不帰の客となる・不幸がある・崩御・没する・仏になる・身罷《かみま》る・脈が上がる・空しくなる・藻屑となる・逝く・臨死

りんしょくか【吝嗇家】けちな人をさし、やや古風で比較的硬い文章に用いられる漢語。〈好人物ながら―の一面もある〉⇩けち・けちん坊・Q倹約家・渋い・渋ちん・締まり屋・しみったれ・しわい・節倹家・みみっちい

りんせき【臨席】式典や改まった会合などに臨む意で、改まった会話や文章に用いられる硬い漢語。〈御―を賜る〉〈受賞式に―する〉⇩列席

りんとした【凜とした】「凜々《りり》しい」に近い意で、やや改まった文章の中で用いられる、漢語調の硬い表現。〈―姿勢を貫く〉〈―態度で接する〉✎泉鏡花の『湯島詣』に「男の、―品の可い、取って二十五の少《わか》い顔」とある。強く爽やかな響きを感じさせる。どちらかといえば男性的な感じがあるが、「凜々しい」ほどではない。⇩毅然・きりっとした・きりりとした・Q凜々しい

りんぽう【隣邦】隣国の意で、主に文章に用いられる古風で硬い漢語。〈―諸国と友好関係にある〉⇩隣国

りんり【倫理】人として当然踏み行うべき道をさし、改まった会話や文章に用いられる、やや古風で硬い漢語。〈―学〉〈―規定〉〈―感に欠ける〉✎夏目漱石の『坊っちゃん』に「嘘をつくな、正直にしろと―の先生が教えない方がいい」とある。人間関係や社会秩序を守るための道徳に当たる。⇩義理・正義感・Q道徳・モラル・良心

る

るいいご【類意語】「類義語」に同じ。⇩同意語・同義語・Q類義語

るいぎご【類義語】意味の似ている二つ以上の語の関係をさし、学術的な話題の会話や文章に用いられる専門的な漢語。〈―の微妙な意味の違いを調べる〉✒「女子」と「女性」、「ふれる」と「さわる」、「しかし」と「ところが」など。「鑑賞」と「観賞」、「配布」と「配付」のように音も同じで意味の似ている場合は同音類義語と呼び、区別が特に難しく誤用が起こりやすい。⇩同意語・同義語・Q類意語

るいじ【類似】互いに共通点があって似ている意で、やや改まった会話や文章に用いられる漢語。〈―の事件が頻発する〉〈著しい―性が認められる〉〈粗悪な―品に注意〉〈文体上の―点〉✒小林秀雄の『徒然草』に「兼好は誰にも似ていない(略)よく言われる枕草子との―なぞもほんの見掛けだけの事で」とあり、大岡昇平の『野火』には「過去に―の情況を探してみたが、無駄であった」とある。⇩Q近似・酷似・相似・似通う・似る

るいすい【類推】類似の例をもとに推量する意で会話にも文章にも使われる漢語。〈筆跡から―する〉〈過去の事例から―する〉⇩臆測・Q推察・推測・推断・推定・推理・推量・推論・忖度《そんたく》

るいべつ【類別】「分類」の意で主に硬い文章に用いるやや専門的な漢語。〈文章をジャンルの違いをもとに―する〉〈蔵書を著者名で―し、五十音順に並べる〉⇩分類

るいれい【類例】似たような例をさし、やや改まった会話や文章に用いられる漢語。〈―が見つかる〉〈―をあげる〉✒谷崎潤一郎の『痴人の愛』に「あまり世間に―がないだろうと思われる私達夫婦の間柄に就いて」とある。⇩Q一例・作例・文例・用例・例・例文

ルーキー　あるチームに新しく加わった選手の意で、主に会話に使われる外来語。〈スーパー―〉〈期待の―〉〈アンカーにいきなり―を起用する〉✒原義は新兵の意とされるが、今ではスポーツ界でよく使う。⇩新入り・新顔・新参・Q新人・ニューフェース

ルージュ　「口紅」を意味するおしゃれな感じの外来語。✒「赤」という意のフランス語。原語ではむしろ頬紅をさすことが多いという。✒尾崎一雄の『霖雨』に「少し厚いと思われる節子の唇が、―の色を失って硝子の向うで妙な形に崩れた」とある。⇩口紅

ルーズ　たるんでいて締まりがない意で、会話や硬くない文章に使われる外来語。〈時間に―だ〉〈やることが―だから、あてにならない〉✒小林多喜二の『党生活者』に「女の身体検査が―なために(略)女工の身体検査が急に厳重になり出している」とある。原語の発音は「ルース」に近い。⇩Q締まりがない・だらしない①

ルーペ　拡大鏡を意味するドイツ語からの外来語で、会話にも文章にも使われる。〈―で詳しく点検する〉✒森鷗外の『妄想』に「―(略)小さい草の花などを見る」とある。折りたたみになっている金属製のものを連想しやすい。⇩Q拡大

鏡・天眼鏡・虫眼鏡

ルール　決まりの意で、会話にも文章にも使われる外来語。〈交通—〉〈—違反〉〈—を遵守する〉〈—を無視する〉✎「—改正」「野球の—」「—ブック」など、特にスポーツの世界で盛んに使われる。安岡章太郎の『海辺の光景』に「運動競技の—のごとくに明快」という比喩表現の例がある。⇩規則・規定・規程・Q決まり・規約

るす【留守】　外出して家にいない意で、くだけた会話から文章までよく使われる日常の漢語。〈—番〉〈家を—にする〉〈—中に訪ねて来る〉〈—を預かる〉✎夏目漱石の『こころ』に「始めて先生の宅を訪ねた時、先生は—であった」とあり、小沼丹の『銀色の鈴』には「山とか海に行って何日か—にするときほど、この傾向が強い」とある。会社で席を外している場合などには使われず、もっぱら家を空けるような場合に限られる。⇩不在

るふ【流布】　世間一般に広まる意で、やや改まった会話や文章に用いられる古風な漢語。〈—本《ぼん》〉〈民間に—する〉〈略式の作法が—する〉✎大仏次郎の『地霊』に「こういう説も—せられた」とある。行為が一部の人だけでなく広く一般に行われるようになる点に中心のある「普及」に対し、一般化する過程を問題にする感じの表現。⇩広がる・広まる・Q普及・行《ゆ》き渡る

ルポ　「ルポルタージュ」の意で改まらない文章などに使われる外来語の短縮形。〈—ライター〉〈—にまとめて編集部に送る〉✎「ルポルタージュ」より軽い感じのことば。⇩探訪記事・Qルポルタージュ・レポート

ルポルタージュ　現地で取材した報告記事をさし、少し改まった会話や文章に用いられる一般的な外来語。〈現地で取材して—を書く〉✎「ルポ」より正式な感じで、「レポート」よりやや古風。⇩探訪記事・Qルポ・レポート

るろう【流浪】　あてもなくさまよう意で、主として文章に用いられる古めかしく美化された漢語。〈—の民〉〈はてしない—の身〉✎芥川龍之介の『邪宗門』に「恋がかなわなかった御恨みから、俄に世を御捨てになって、唯今では筑紫の果に—して御出でになるとやら」とある。堀辰雄の『大和路』には「舞台は、アテネに近い、或る村はずれの森。苦しい—の旅をつづけてきた父と娘との二人づれが漸っといまその森まで辿りついたところ」とある。「放浪」と比べ、住む家もなく帰るべき国もないという孤立感が強い。⇩さすらい・さまよう・漂泊・彷徨《ほうこう》・Q放浪

れ

れい【礼】 ①人間として守るべき社会生活上の作法の意で、改まった会話や文章に用いられる、やや古風な漢語。〈—にかなう〉〈—を尽くす〉〈—に始まって—に終わる〉⇩Q礼儀・礼節 ②挨拶として頭を下げる意で、会話にも文章にも使われる改まった漢語。〈起立、—〉〈全員が一斉に立ち上がって—をする〉⇩挨拶・会釈・Qお辞儀・敬礼・最敬礼・目礼・黙礼 ③感謝の気持ちをこめて相手に送る言葉や金品の意で、会話にも文章にも使われる漢語。〈—を言う〉〈厚くお—を申し上げる〉〈世話になった人に—をする〉✎夏目漱石の『坊っちゃん』に「馬鹿にされている校長や、教頭に恭しく御—を云っている」とある。⇩Q謝礼・謝金

れい【例】 同種のものの中から他を類推させるために選び出したものをさし、くだけた会話から硬い文章まで幅広く使われる日常の基本的な漢語。〈模範—〉〈一—〉〈具体—〉〈—が豊富でわかりやすい〉〈典型的な—を引く〉〈—を挙げて説明する〉〈具体的な—で示す〉〈このような—は珍しくない〉✎「世間の—に倣う」のように「しきたり」をさしたり、「これまでに—を見ない」のように「先例」をさしたり、「—の場所」「—によって」のように、いつも通りの意で使う用法もあり、夏目漱石の『坊っちゃん』にも「—の琥珀のパイプを自慢そうに啣えていた、赤シャツが急に起って」とある。「—の場所」「—の物」「—の人」など、露骨に言うのを避けてこの語が多用される。⇩Q一例・ケース②・作例・サンプル・実例・事例・例え・標本・文例・見本・用例・類例・例文

れい【零】 プラスとマイナスとの境目の数をさし、会話にも文章にも使われる漢語。〈—が三つ並ぶ〉〈夜中の—時をまわる〉✎漢数字が並ぶ際には「三〇七」のように「〇」という記号を使う。⇩ゼロ

れい【霊】 死者の魂の意で、主に文章に用いられる硬い漢語。〈死者の—を弔う〉〈先祖の—を祀《まつ》る〉〈—が乗り移る〉✎加能作次郎の『世の中へ』に「生き—が(略)小鬼のような格好をして(略)ぴょんぴょんと飛び跳ねながら」と具体的なイメージを描く例もある。「山の—」のように、人知で計り知れない不思議な力をさす場合もある。⇩魂・Q霊魂

れいえん【霊園】 広大な公園風の墓地をさし、改まった会話や文章に用いられる漢語。〈—に眠る〉〈—に詣《もう》でる〉✎「墓地」より明るい雰囲気があり、しばしば分譲用の墓地の名称の一部に利用される。⇩はかしょ・墓場・墓所・Q墓地

れいがい【例外】 原則に当て嵌《は》まらない意で、会話にも文章にも使われる漢語。〈—的な措置〉〈—を認める〉〈—中の—だ〉〈社長も—ではない〉✎夏目漱石の『坊っちゃん』に「学校には宿直があって、職員が代る代るこれをつとめる。但し狸と赤シャツは—である」とある。⇩異例・Q特例・破格・別

れいかん【霊感】 精神の感じ取る霊妙な感応をさし、主に文章に用いられる古風な漢語。〈—を得る〉〈—が働く〉✎福永武彦の『草の花』に「—が潮のように僕に寄せた」とある。祈りによってもたらされる神仏のお告げといった宗教

的な雰囲気が漂い、時に「—商法」のようないかがわしい連想もある。⇩Qインスピレーション・勘・直観・直感・閃《ひらめ》き

れいぎ【礼儀】社会生活を円滑に営むために人間として守るべき品位ある行動をさし、会話にも文章にも使われる日常の漢語。〈—作法〉〈—正しくふるまう〉〈—をわきまえる〉〈—を重んじる〉〈—を身につける〉倉田百三の『出家とその弟子』に「世の中の人は形式と—とで表面を飾って、少しも本当の心を見せて呉れません」とあり、伊藤整の『氾濫』には「—という檻」という隠喩表現が出る。⇩礼①・Q礼節

れいぎさほう【礼儀作法】社会の秩序を維持し人間関係を円滑に保つために必要な作法をさし、会話にも文章にも使われる漢語。〈—を身につける〉〈—にやかましい〉「エチケット」「マナー」より重々しく感じる。⇩エチケット・行儀・作法・マナー・Q礼法

れいけい【令閨】年配者が改まった手紙などの硬い文章でまれに用いる、他人の妻の漢語の敬称。⇩いえの者・うちの者・お上さん・奥方・奥様・奥さん・お内儀・家内・かみさん・愚妻・細君・妻・女房・伴侶・ベターハーフ・Q令室・令夫人・ワイフ

れいけん【霊験】漢語「れいげん」の比較的新しい読み方。〈—あらたかな神〉⇩れいげん

れいげん【霊験】神仏のもたらす不可思議な御利益《りやく》をさす漢語。〈—あらたかと評判の神社〉芥川龍之介の『邪宗門』に「元よりかような—は不思議もない」とある。「れいけん」の古風な読み方だが、この形もまだかなり残っている。⇩れいけん

れいこく【冷酷】心が冷たく思いやりがまったくない意で、やや改まった会話や文章に用いられる硬い漢語。〈—無比〉〈—な目つき〉〈—きわまる処分〉中山義秀の『碑《いしぶみ》』に「ぶきみな異相から、非情—な性格を感じるようになった」とある。「冷淡」よりもひどく人間味に欠ける感じがある。⇩Q残酷・残忍・薄情・不親切・不人情・冷淡

れいこん【霊魂】肉体に宿って生命活動を支える霊的存在で、肉体が亡びた後も残るとされるものをさし、改まった会話や文章に用いられる漢語。〈—不滅〉〈—が肉体に宿る〉河野多恵子の『最後の時』に「—なんて所詮、焦立たしさと口惜しさの塊りみたいなもの」とある。⇩Q魂・霊

れいしつ【令室】年配者が改まった手紙などの硬い文章で時折用いる、他人の妻の漢語の敬称。〈ご—様にはお健やかにお暮らしのことと存じます〉⇩いえの者・うちの者・お上さん・奥方・奥様・奥さん・お内儀・家内・かみさん・愚妻・細君・妻・女房・伴侶・ベターハーフ・Q令閨・令夫人・ワイフ

れいしゅ【冷酒】普通と違って燗《かん》をせずむしろ冷やして飲むほうが味がよいように造った日本酒をさし、会話にも文章にも使われる、比較的新しい漢語。〈夏は—も悪くない〉近年はやりだし、口当たりのよさや高級感を売り物にする商品例が多い。単なる冷や酒をさす場合もある。⇩燗冷《かんざ》まし・Q冷や酒

れいしょう【冷笑】軽蔑して冷ややかに笑う意で、主に文章に用いられる漢語。〈地道な努力を—の目で見る〉〈口元に—を浮かべる〉〈—を帯びた物言い〉広津和郎の『波の上』に「無理解な—嘲罵は、傷に塩をつけられるようなも

の」とある。他の類義語があくまで口元の歪《ゆが》みを基本とするイメージがあるのに対し、この語は相手を蔑む表情や態度に重点があり、最も冷酷な心を連想させる。⇩あざ笑う・Qせせら笑う・嘲笑

れいじん【麗人】「美人」の意で主に文章に用いられる古風な漢語。〈男装の―〉⇩佳人・美女・Q美人

れいせい【冷静】一時的な感情に左右されず落ち着いている意で、会話にも文章にも使われる日常の漢語。〈―に考える〉〈―な判断〉✎石坂洋次郎の『若い人』に「淡々水のごとく―な橋本先生の態度」とある。⇩落ち着く・泰然・沈着・平気・平気の平左・Q平静・平然・悠然・悠々

れいせつ【礼節】礼儀と節度の意で、改まった会話や文章に用いられる、やや古風な漢語。〈―を尊ぶ〉〈―を重んじる〉〈衣食足りて―を知る〉⇩礼①・Q礼儀

れいそう【礼装】儀式などに参列する際に身にまとう衣装の意で、やや改まった会話や文章に用いられる漢語。〈―にて会に臨む〉〈―して出かける〉✎衣服自体を連想させやすい「礼服」に比べ、それを着用して装った姿に重点を置いた表現。⇩正装・Q礼服

れいぞう【冷蔵】飲食物などの品質維持のために低温で貯蔵する意で、やや改まった会話や文章に用いられる漢語。〈要―〉〈開封後は―のこと〉✎庄野潤三の『秋風と二人の男』に「何も―庫に入りに行くんじゃないんだ」と半袖シャツの男が自分に言い聞かせる場面がある。⇩冷凍

れいたん【冷淡】他人に対する同情心に欠け冷たい態度で接する意で、会話にも文章にも使われる漢語。〈―な扱い〉〈―な態度に呆《あき》れる〉〈―な仕打ちに腹を立てる〉✎広津和郎の『波の上』に「彼の姿が、恐ろしく―に見えた。――僕らの方へ向って、彼が背中を向けているように見えた」とある。「―を装う」のように、熱意や関心を示さない意にも使う。⇩Q薄情・不親切・不人情・冷酷

れいとう【冷凍】生鮮食品などを凍らせて保存する意で、会話にも文章にも使われる日常の漢語。〈―庫〉〈―食品〉〈―保存〉✎食品の長期保存のほか、生物体の保存や医学的処置などの場合もある。「解凍」と対立。⇩冷蔵

れいはい【礼拝】「らいはい」のキリスト教式の読み方で、会話にも文章にも使われる漢語。〈日曜―〉〈―堂〉〈―の時間〉✎福原麟太郎の『チャールズ・ラム伝』に「新約の一節が、その日の―の中で読まれるのを聴きながら」とある。⇩参拝・Qらいはい

れいはいどう【礼拝堂】キリスト教で教会堂以外に設けてある礼拝所をさし、会話にも文章にも使われる漢語。〈学校の―〉⇩カテドラル・教会・教会堂・聖堂・大聖堂・Qチャペル・天主堂

レイプ「強姦」の意で用いる英語からの外来語。〈―事件〉✎「強姦」から「暴行」「乱暴」と意味範囲を広げる形で核心をぼかすのとは別に、語感の利きにくい外国語に逃げる形で衝撃をやわらげようとした表現。しかし、多用されるにつれて間接性が薄れ、今では日本語でも意味と直結する段階に達して、「強姦」と同程度の露骨な表現と化しつつあり、娯楽紙などで逆に人目を引く表現として利用される。⇩Q強姦・暴行・乱暴②

れいふく【礼服】儀式や格式ばった行事などの改まった場で

着用する衣服の意で、会話にも文章にも使われる漢語。〈儀式には―を着用のこと〉〈―に身を包む〉〈―着用には及ばず〉武田泰淳の『士魂商才』に「―とは、野獣を縛る縄、危険動物をおとなしくさせるための手かせ、足かせである」とある。具体的には紋付の羽織袴《はかま》、燕尾服《えんびふく》やフロックコート、タキシード、モーニングなど。「礼装」に比べ、着用する衣服そのものに重点を置いた表現。⇩正装・Q礼装

れいふじん【令夫人】年配者が改まった手紙などの硬い文章で時に用いる、他人の妻の漢語敬称。〈―にもよろしくお伝えいただければ幸甚に存じます〉もとは高貴な身分の人の妻に用いた。⇩いえの者・うちの者・お上さん・奥方・奥様・奥さん・お内儀・家内・かみさん・愚妻・細君・妻・女房・伴侶・ベターハーフ・令閨・Q令室・ワイフ

れいぶん【例文】具体的にわかりやすく説明するために例として出す文または文章をさし、会話にも文章にも使われる日常の漢語。〈―の豊富な辞書〉〈―を挙げる〉〈―を掲げる〉辞書では、単語の意味や用法を具体的に示す目的で、「社員の模範になる勤務態度」「政府の正式見解」のように一文より小さな単位の例を掲げることが多いが、それを「例文」と言う場合もある。⇩一例・作例・文例・用例・類例・例

れいほう【礼法】礼儀に関して伝統的に守ってきた作法をさし、主に文章中に用いられる古風で硬い漢語。〈―の心得〉〈所作が―に適《かな》う〉〈―にのっとって執り行う〉〈繁雑な―をひととおりわきまえる〉「礼儀作法」以上に伝統的な型やしきたりを強く感じさせやすい。⇩エチケット・行儀・作法・マナー・Q礼儀作法

れいぼう【冷房】室温を下げて快適にする装置をさし、会話にも文章にも使われる漢語。〈―装置〉〈―を入れる〉〈―が強過ぎる〉中村真一郎の『遠隔感応』に「私の首もとでは松籟のように、古い都のホテルの―装置の音が鳴りつづけていた」とある。⇩エアコン・Qクーラー

れいめい【黎明】「夜明け」の意の漢語で硬い文章語。〈―を迎える〉林芙美子の『放浪記』に「遠くで―をつげる鶏の声がしている」とある。比喩的に「―期」とも言う。⇩暁・明け方・曙・朝ぼらけ・朝まだき・しののめ・払暁・未明・Q夜明け

れいらく【零落】「おちぶれる」意で、改まった会話や文章に用いられる硬い漢語。〈資産家が―する〉草木の枯れる意から。小沼丹の『藁屋根』に、「一時は大きな家に暮した人間が―してそのすぐ近くの陋屋に住んでいる、一体爺さんはどんな気持でいるのかしらん？」と思いやる場面が出てくる。⇩Qおちぶれる・凋落《ちょうらく》・転落・没落・落魄《らくはく》

レール 列車などの車輛の車輪を支え、進行方向を一定に保つために線路内に設置される鋼鉄製の細長い軌条の意で、会話にも文章にも使われる外来語。〈車輪が―から外れる〉〈―を交換する〉檀一雄の『花筐』に「―は焼刃のように榊原の視覚と嗅覚にからみより」とある。「線路」と違い、厳密には金属の部分だけをさす。鉄道のほか、カーテンレールやガードレールにも使われる。⇩線路

れきし【歴史】人間の社会がたどってきた変遷をさし、会話にも文章にも使われる漢語。〈―小説〉〈まだ―が浅い〉〈輝かしい―を誇る〉〈―の重みを感じさせる〉辻邦生の『旅の終り』に「果してここに止まることは、安らかさへの

なかへの休息なのであろうか。—もなく、—に鞭うたれることもなく」とある。⇩通史・伝統

れきぜん【歴然】はっきりしていて疑わしいところがない意で、改まった会話や文章に用いられるやや硬い漢語。〈—とした事実〉〈実力の差は—としている〉⇩はっきり・判然・明晰・Q明白・明瞭

レクチャー「講義」の意で、会話や改まらない文章に用いられる外来語。〈—がある〉〈—を受ける〉✎「講義」と違い、非公式のものや個人的な場合をさすこともある。⇩講義

レシート 領収書、特にレジスターで印字した簡単なものをさし、会話や軽い文章に使われる外来語。〈レジで—を受け取る〉⇩受け取り・受領証・Q領収書

レストラン 洋風の料理店をさし、会話でも文章でも幅広く使われる外来語。〈ファミリー—〉〈高級—で食事をする〉✎洋食というイメージが強くて、ラーメンや鰻《うなぎ》は注文できない雰囲気がある。和食や中華料理では雰囲気が合わず、「食堂」より高級感があり、値段も張りそうだ。⇩カフェテリア・Q食堂・西洋料理店・洋食屋

レストルーム 間接的に「便所」の意をほのめかすことのある、英語からの外来語。✎上品さを競うデパートなどを中心に使われだしたが、まだ広がりは狭いようである。本来は「休憩するための部屋」を意味し、漢語の「休憩室」のほうは「便所」の意味で用いないから、表現を婉曲《えんきょく》にする効果はたしかに大きい。ただし、一般社会でこれで通じるかどうか心もとない面もある。こんなふうに、ことばが伝達したい対象からどんどん遠ざかるにつれて、その対象を忌み、それをストレートに表現することを避けるその人間の気持ちや性格が相手にそれだけ強く意識される。ことばとともに伝わるのは論理的な情報だけではない。表現の奥にいる人間の在り方も同時に否応なく伝わってしまう。次から次へと生まれる間接表現が回りまわって、「便所」というストレートな感じの表現のほうが、むしろこだわりなく伝わる時代に戻るかもしれない。そんなとき、たわむれに「便どころ」などと粋に読んでみるのも意外に趣があるかもしれない。「便」は必ずしも排泄関係の意味に限定されるわけではなく、好都合という意味の「便利」の便であり、くつろぐという意味の「便衣」「便服」の「便」でもあり、さらに、へつらうという意味の「便巧」の「便」でもあって、かなり多義的だから案外きつくないような気がする。⇩おトイレ・厠《かわや》・閑所・化粧室・御不浄・雪隠・洗面所・WC・手水場《ちょうずば》・手洗い・トイレ・トイレット・はばかり・Q便所

れつ【列】一続きに永く連なったものをさし、会話にも文章にも使われる漢語。〈長蛇の—〉〈—をなす〉〈—に加わる〉〈—を乱す〉〈—から抜ける〉✎武田泰淳の『風媒花』に「防波堤のような三重の(人の)—」とある。⇩行・Q行列

れっきょ【列挙】例や物・事を一つずつ挙げて並べたてる意で、改まった会話や文章に用いられる漢語。〈該当者を—する〉〈参考文献を—する〉✎夏目漱石の『草枕』に「佳人の品評に使用したもの(各国語のことば)を—したならば」とある。⇩羅列

れっこく【列国】同等の立場で並び立っている主要な国々をさし、主に文章に用いられる硬い漢語。〈—の大使〉⇩諸国

れっしゃ【列車】 輸送のために編成する客車や貨車の連なりをさし、改まった会話や文章に用いる漢語。〈貨物―〉〈―のダイヤ〉〈特急―の通過待ち〉🖋小島信夫の『汽車の中』に「―が、尻をぶっ叩かれた馬のように、仕方なしにあえぎ始める」とある。東京近郊では、通常の通勤や通学に用いる山手線や中央線などの短い区間を走るものを「電車」と呼び、この語は東海道線や中央本線などの長距離電車をさすことが多い。高齢者の中には昔からの慣用で「汽車」と言う人もある。その場合の典型的な客席のイメージはボックス型であると思われる。⇩汽車・電車

れっする【列する】 居並ぶ、参列するの意で、主に改まった文章に用いられる硬い表現。〈祝賀式典に―〉〈会議の席に―〉⇩連なる・Q並ぶ

れっせい【劣勢】 戦いや試合の争い事で形勢が悪い意で、改まった会話や文章に用いられるやや硬い漢語。〈戦況は―と伝えられる〉〈―に立たされる〉〈―をはね返す〉🖋「不利」に比べ、前でなく途中での形勢判断に使う例が多い。⇩不利

れっせき【列席】 式典や会合などの席に連なる意で、改まった会話や文章に用いられる少し硬い感じの漢語。〈会議に―する〉〈御―の方々〉〈各国首脳が―する〉⇩臨席

レッテル 商品名・製造元・用法などを記して商品に貼り付ける紙片をさし、会話にも文章にも使われる、やや古風なオランダ語からの外来語。〈―を貼る〉〈―が剝がれ落ちる〉🖋比喩的に、「怠け者の―を貼られる」のように、物事に対する簡潔な評価、特に主観的な悪い評価をさすこともあり、その用法には特に古風な感じはない。武田泰淳の『風媒花』に「好きというだけで、―が額の正面に、刻印のようにベッタリ貼りつけられる神経過敏な世の中」とある。⇩ラベル

れっとうかん【劣等感】 自分が他より劣っていると思い悩む気持ちの意で、やや改まった会話や文章に用いられる漢語。〈―を抱く〉〈―を植えつける〉〈―にさいなまれる〉⇩Qコンプレックス・引け目

れっとうせい【劣等生】 クラスなどの中で成績の劣る生徒をさし、会話にも文章にも使われる漢語。〈クラスで―の部類に入る〉〈―を相手に難しい話をする〉🖋「優等生」と対立する語で、成績が悪いが「落ちこぼれ」であるとは限らない。⇩落ちこぼれ

れっぷう【烈風】 激しく吹きつける風をさし、主として文章に用いられる硬い漢語。〈―が吹きすさぶ〉〈―に林が鳴る〉⇩嵐・おおかぜ・Q強風・颶風《ぐふう》・時化《しけ》・疾風・陣風・大風・台風・突風・はやて・暴風・暴風雨

レディー 淑女か女性一般をさし、主に会話に使われる外来語。〈―ファースト〉〈―をエスコートする〉🖋「淑女」のような古風さはないが、少し気障《きざ》に響く。⇩貴婦人・Q淑女

レディーメード 「既製品」の意で会話や軽い文章に使われる、いくぶん気取った感じの外来語。〈―のスーツ〉🖋「既製品」「既製服」のマイナスイメージをやわらげる意図で、主に衣服関係で使われだして広まった比較的新しい表現。「オーダーメード」と対立する。⇩既製・吊《つ》るし・Q出来合い

レトリック 効果的な言語表現の方法の体系、特に、古代ギリシャで自らの正当性を主張する実用的な弁論術として発達した説得の技術の総称として、会話にも文章にも使われ

る専門的な外来語。〈華麗な—を駆使する〉✎発想・配置・修辞・記憶・発表の五分科から成るが、時代が下るにつれて第三部門が中心となり、やがて実質的に表現技法をさすようになった。文章のうわべを飾る表現上の特殊なテクニックを連想させ、「単なる—に過ぎない」などとまやかしの技術として軽視された不幸な一時期を経て、現在は有効な表現法のすべてとして正当に位置づけられている。⇩修辞・Q修辞学・修辞法・美辞学

レプラ 「ハンセン(氏)病」の意で、学術的な会話や文章に用いられるドイツ語からの外来語。〈—のクランケ〉⇩Qハンセン病・らい病

レベル 物事の水準・段階・程度をさし、会話にも文章にも使われる外来語。〈世界でもトップ—にある〉〈学力の—が低い〉〈合格の—に程遠い〉✎「事務—で処理する」のような用法もあり、「水準」に置き換えにくい。⇩水準

レポート 「ルポルタージュ」や調査報告などの文章をさし、会話でも文章でも広く使われる外来語。〈現地からの—〉✎「ルポルタージュ」より軽く現代的。「期末—を提出する」のように、学校で試験の代わりに提出させる課題報告をさす用法も多い。⇩探訪記事・ルポ・ルポルタージュ・Q報告書

れんあい【恋愛】 男女が互いに相手を恋い慕う意で、会話にも文章にも使われる漢語。〈—結婚〉〈—感情が芽生える〉〈二人は—関係にある〉✎室生犀星の『杏っ子』に「—はびいるす菌みたいなものだから、いつの間にしていたのやら、終わったのやら判らないのが本物なのよ」とある。「愛」よりも狭く、「恋」よりも相互性が高く客観的に見た感じもある。⇩愛・Q恋

れんか【廉価】 値段の安い意で、改まった会話や文章に用いられる漢語。〈—販売〉〈—本〉〈—にてお頒《わか》ち致します〉✎太宰治の『斜陽』に「本棚の本は、ほとんど—の文庫本のみ」とあるが、物を売る側で使う例が多い。⇩Q安価・低価格・安い

れんかん【連(聯)関】 「関連」とほぼ同義で、改まった会話や文章に用いられる硬い漢語。〈各機関が相互に—を取り合う〉〈—がたどりにくい〉〈—を保つ〉✎武田泰淳の『司馬遷』に「個人の運命ではなく、中心をつくりなす人間の—が問題にされている」とある。よく使う「関連」に比べて、大仰な感じがあり、より抽象的で多くの事柄が関わっている場合を連想させやすい。⇩縁①・掛かり合い・関わり・係わり合い・関係①・Q関連・繋がり

れんけい【連係(繫)】 互いのつながりの意で、改まった会話や文章に用いられる漢語。〈—プレー〉〈—を保つ〉〈—が取れない〉✎「連係」は代用漢字。⇩連携

れんけい【連携】 連絡を取り合って協力しながら行う意で、会話でも文章でも使われる漢語。〈—がうまく行く〉〈立場を超えて与野党が—する〉⇩連係

れんけつ【廉潔】 欲がなく心や行いが清い意で、主に文章に用いられる硬い漢語。〈—の士〉〈数少ない—な政治家〉✎「清廉潔白」の意。中島敦の『李陵』に「—な将軍」とある。⇩潔い・高潔・Q清廉

れんこう【連行】 権力などを背景に当人の意思を無視して連れて行く意で、改まった会話や文章に用いられる専門的な

漢語。〈容疑者を―する〉✎特に、警察官が被疑者を訊問《じんもん》のため警察署に連れて行く場合によく用いる。⇩Q勾引・しょっ引く

れんごく【煉獄】カトリックで、生前に小さな罪を犯して悔い改めないまま死んだ者の霊魂が、罪を償うまで苦しみを受ける場所をさし、主として文章に用いられる硬い漢語。〈―の呵責《かしゃく》〉✎天国と地獄との間にあるとされる。⇩地獄

れんこん【蓮根】食用になる蓮《はす》の地下茎をさし、会話にも文章にも使われる漢語。〈―をいためる〉✎東京では「蓮《はす》」と言うこともある。⇩蓮

れんじつ【連日】その日つぎの日と何日も続く期間をさして、やや改まった会話や文章に用いられる漢語。〈―連夜〉〈―の雨〉〈―猛練習に明け暮れる〉〈―遊び歩く〉✎「毎日」というほど日常的でなく、一定期間連続して起こる場合に使う。⇩日々・Q毎日

れんしゅう【練習】技術をみがくために繰り返し行う意で、くだけた会話から硬い文章まで幅広く使われる、最も普通の日常漢語。〈―相手〉〈―をサボる〉〈―に精を出す〉〈猛―の成果〉〈たゆまぬ―のたまもの〉✎太宰治の『人間失格』に「鉄棒の―をさせられていました」とある。「訓練」より自主性が感じられる。精神面の鍛錬に「修錬」を用い、技術面を中心とする「習練」にも努力を重ねてというニュアンスが伴うのに対し、この語は楽しむ雰囲気を含む広い範囲に適用できる。⇩Q訓練・稽古・習練

れんじゅう【連中】「れんちゅう」と同義のより古風な表現。〈気の置けない―〉〈油断のならない―〉〈ああいう―の言うことだから〉〈あの―ときたら何をやらかすか知れない〉✎谷崎潤一郎の『愛すればこそ』に「人の物も自分の物も見さかいのない―が揃って居りまして」とある。よくないニュアンスで使う例が多い。「長唄―」など、音曲などの一座をさす用法は専門的。連歌や俳諧などの会の仲間を意味した「連衆《れんじゅ》」から出た語という。⇩手合い・やから・れんちゅう

れんせつ【連接】複数の観念や言語表現などが前後のつながりを持って一つのまとまった意味として関連し合うことをさし、改まった会話や文章に用いられる専門的な硬い漢語。〈―関係〉〈文と文とを―する〉✎「接続②」のうち、「動詞の未然形に接続する」のように、助詞や助動詞の文法的なつながりをさす部分は含まない。⇩接続②

れんそう【連(聯)想】ある事柄からそれに関連のある別の何かを思い浮かべることをさし、会話にも文章にも使われる漢語。〈雲から人の顔を―する〉〈―が働く〉〈―が悪い〉✎夏目漱石の『草枕』に「深山椿を見る度にいつでも妖女の姿を―する。黒い眼で人を釣り寄せて、しらぬ間に、嫣然たる毒を血管に吹く」とある。⇩想像

れんぞく【連続】一回限りでなく定期的に続ける、短い期間に続けざまに起こるという意味合いで、会話にも文章にも使われる日常の漢語。〈―ドラマ〉〈―放火事件〉〈身のまわりに不幸が―する〉〈地震が―して起こる〉〈失敗の―だ〉✎「続行」と違って一回ずつ切れめがある。「継続」に比べて、起こる事柄どうしの幅が広く、親の死、受験の失敗、解雇通知、家屋焼失、入院手術といった性格の違うことが相次いでも「不運の―」などと一括できる。事柄に限ら

れる他の類語と違い、「模様が—する」「境目がなく土地が—する」のように物に用いる例もある。⇩Q継続・続行・断続

れんたつ【練達】 十分な練習を積んで高度な技を身につける意で、改まった会話や文章に用いられるやや古風な漢語。〈—の士〉〈弓道に—する〉⇩Q熟達・熟練

レンタル 業者が賃貸料をとって物品を短期間貸し出す制度の意で、会話にも文章にも使われる外来語。〈—ビデオ〉〈—の晴れ着で記念撮影する〉〈しばらくは—で間に合わせる〉⇩賃貸し・賃貸・Qリース

れんちゅう【連中】 仲間の人々をさし、会話や軽い文章に使われるくだけた漢語。〈学生—〉〈会社の—と一杯やる〉〈きのう集まった—〉〈あの—のしわざだ〉✎不特定多数の人間ではなく、互いに親しい仲間であったり、何らかの基準で括《くく》った共通点をもつ人々をさす。親しみや蔑みの感情がこもっている例が多い。小沼丹の『外来者』に「外国人—は観光バスでやって来る」とあり、「学生にとっては英会話の練習に絶好の機会なんだろうが、向うの—は一体どんな気でいるのかしらん?」と続く。⇩Q手合い・やから・れんじゅう

レントゲン 「エックス線」の意で会話にも文章にも使われる外来語。〈—写真〉〈—の検査〉✎エックス線を発見したドイツの物理学者の名から。照射線量の強さの単位としても使う。⇩Qエックス線・放射線

れんばい【廉売】「安売り」の意で、改まった会話や文章に用いられる硬い感じの漢語。〈特別大—〉⇩売り出し・セール・叩き売り・ダンピング・Q特売・投げ売り・バーゲン・安売り

れんぱつ【連発】 すぐ続けて何回も発生する意で、会話にも文章にも使われる漢語。〈このところ自転車の事故が—する〉✎「続発」より短い間隔で何度も起こる感じがある。「—銃」のように、続けて発射する意や、「質問を—する」「洒落を—する」のように、続けて何度も行う意でも使い、その場合は日常語的な感じが強い。⇩群発・続発・多発・Q頻発

れんぼ【恋慕】 異性を恋い慕う意で、主に文章に使われる古風な漢語。〈横—〉〈—の情がつのる〉✎森鷗外の『キタ・セクスアリス』に「息子に—している娘」とあり、芥川龍之介の『邪宗門』には「御平生に似もやらず、—三昧に耽って御出でになりました」とある。⇩Q愛慕・懸想《けそう》・思慕

れんらく【連(聯)絡】 つながりをつける、つながるの意で、会話にも文章にも使われる日常の漢語。〈—船〉〈—を取る〉〈—がつく〉〈—が途絶える〉〈会社に—する〉〈列車の—が悪い〉✎遠藤周作の『海と毒薬』に「彼と軍との間をたえず—しているのは第二外科の講師」とある。「接続①」よりも間接的なつながりを連想させ、列車の乗換えでも待ち時間が長いイメージがある。⇩接続①

ろ

ろ【炉〈爐〉】床や壁を四角く切って火を焚《た》いて暖を取る設備をさし、会話にも文章にも使われる古風な漢語。〈―辺談義〉〈―を切る〉✎小沼丹に『炉を塞ぐ』と題する随筆があり、「書斎を建て増したとき、一隅にささやかな―を切って自在鉤を吊した」と書き出し、「深深と更けて行く夜、―に酒を煖めて飲んでいると好い気分で酔心地も申分無かった」という一節も出る。なお、この語はこのような囲炉裏や暖炉のほか、「溶鉱―」「原子―」のように大がかりなものにも使う。⇩Qいろり・暖炉

ろう【牢】今の刑務所に相当する施設をさす古い漢語。〈座敷―〉〈―名主《なぬし》〉〈―破り〉✎「牢屋」は現代でもまれに耳にすることがあるが、この語はめったに使われないため、それ以上に古めかしい感じがする。⇩監獄・刑務所・牢獄・Q牢屋

ろうえい【漏洩〈泄〉】秘密にすべき事柄が外部に漏れてしまう意で、主として文章に用いられる硬い漢語。〈入試問題―事件〉〈組織内の機密を―する〉✎国家的レベルの公的な機密や企業などの組織的な機密について用いる傾向があり、個人的な秘密に使うと大仰過ぎて違和感がある。「ろうせつ」の慣用読み。⇩漏らす

ろうか【老化】年齢とともに肉体の各器官の機能が衰える意で、会話にも文章にも使われる漢語。〈―現象〉〈―が始まる〉〈―が進む〉✎精神的な衰えには「老い」のほうがなじむ。この語は「ゴムが―する」のように、物質が長い間に劣化する場合にも使える。⇩老い

ろうか【廊下】部屋と部屋をつなぐ通常は板敷きの通路をさし、くだけた会話から文章まで幅広く使われる日常の漢語。〈―伝いに行く〉〈―に出る〉〈―の話し声〉✎宇野浩二の『蔵の中』に「重要な点は私の部屋の前で―が曲り角になっている事です」とある。⇩縁②・Q縁側・ぬれ縁

ろうかい【老獪】長年の経験を悪いほうに利用して、抜け目なくずる賢い意で、改まった会話や文章に用いられるやや古風な硬い漢語。〈―な政治家〉〈―な手段を講じて、なかなか尻尾をつかませない〉〈―きわまる政商〉✎坂口安吾の『堕落論』に「―陰鬱な陰謀家」とある。多く中高年以上の人物に用い、時に悪賢いというマイナスの語感を伴う。⇩擦れ枯らし・世間ずれ・世慣れる・老巧・Q老練

ろうきゅう【籠球】「バスケットボール」の旧称。〈―の主将〉⇩バスケットボール

ろうく【労苦】肉体的な苦労をさして、主に硬い文章に用いられる漢語。〈―を重ねる〉〈―をいとわず〉〈―を共にする〉〈―に報いる〉✎谷崎潤一郎の『細雪』に「(四人の姉妹のうちで)肉体的―に堪える点でも(略)雪子が一番であることは自分が保証する」とある。「苦労」と違って、純粋に精神的な骨折りには使いにくい。⇩苦労

ろうこ【牢乎】しっかりして動かない意で、主に漢文調の文章に用いられる古風で硬い漢語。〈―たる信念〉〈―とした揺るがぬ決意〉⇩牢固《ろうこ》

ろうこ【牢固】堅固の意で、主に文章に用いられる古風で硬

い漢語。〈―たる守り〉〈―とした城〉⇩牢乎《ろうこ》

ろうご【老後】 老人になってからの時期をさし、会話にも文章にも使われる漢語。〈―の暮らし〉〈―の楽しみ〉〈―に備える〉〈幸福な―を送る〉福原麟太郎の『チャールズ・ラム伝』に「引きとって、―を見てくれることになっていた」とある。「晩年」と違って年齢の問題でふつう六十代後半以降のイメージが強い。同じく老年をさす場合でも「晩年」より長期間を連想させる。⇩晩年

ろうこう【老巧】 十分に経験を積んで何事にも抜かりがない意で、会話にも文章にも使われる漢語。〈―な役人〉〈―な手腕を発揮する〉島崎藤村の『破戒』に「この―な教育者の為に茶話会を開きたいと言い出した」とある。万事そつなくこなすイメージがあり、「老獪《ろうかい》」のようなずるさはあまり感じられない。⇩老獪・Q老練

ろうごく【牢獄】 今の刑務所に相当する施設をさす古めかしい漢語。〈―につながれる〉〈―の窓〉芥川龍之介の『歯車』に「廊下はきょうも相変らず―のように憂鬱だった」という比喩表現の例がある。近代的な「刑務所」に比べて、食事の質も落ち、自由も大幅に制限されている雰囲気がある。また、「監獄」より古く、いくらか軽い感じもある「牢屋」よりさらに恐ろしい感じのする語。⇩Q監獄・刑務所・牢・牢屋

ろうし【労使】 労働者と使用者の意で、会話にも文章にも使われる漢語からの略称。〈―間交渉〉〈―の歩み寄り〉〈―の主張の隔たり〉⇩労資

ろうし【労資】 労働者と資本家の意で、会話にも文章にも使われる漢語からの略称。〈―協調〉〈―紛争〉「労使」と指示対象は違うが、同じような文脈で使われるため、会話では区別が極めて困難である。⇩労使

ろうじゅ【老樹】 主に文章に用いられる古風な漢語。〈山桜の―が今年も花を着けた〉野上弥生子の『哀しき少年』に「羽の抜け変った大きな鳥のようにうっそうと若やいだその樫の―」とある。「老木」より若干美化した感じもある。⇩古木・Q老木

ろうじん【老人】 年を取った人をさし、やや改まった感じの漢語。会話でも使うが、「年寄り」と比べ、親しみや蔑みといった感情が動かないだけ客観的。〈元気な―〉〈―の生きがい〉志賀直哉の『暗夜行路』に「―は山の老樹のように、あるいは苔むした岩のように、この景色の前にただそこに置かれてあるのだ」とある。⇩高齢者・年寄り

ろうじんホーム【老人ホーム】 老人の世話をし安楽に生活できるようにする施設をさし、古めかしい「養老院」に代わって現在最もふつうに使われるようになった日常語。〈―に入居する〉「養老院」より新味があり、「老人養護施設」のような堅苦しい雰囲気がなく、気軽な感じや親しみやすさをねらった呼称。⇩Q養老院・老人養護施設

ろうじんようごしせつ【老人養護施設】 「老人ホーム」の意の正式な感じの硬い語。〈―での生活〉⇩養老院・Q老人ホーム

ろうせい【老成】 経験を積んで円熟の境地に達する意で、やや改まった会話や文章に用いられる漢語。〈若くして―している〉小沼丹作品集の帯に井伏鱒二は「採りたての松茸」と評し、「小沼君は人間的に―しているが(略)習作は新鮮である」と解説している。⇩ませる

ろうどう【労働】賃金などの収入を得るために頭脳や肉体を用いて作業を行うことをさし、会話にも文章にも広く使われる日常の漢語。〈—基準法〉〈—組合〉〈—条件〉〈肉体—〉〈—に従事する〉〈—がきつい〉✎知的職業を含めて用いる場合は専門語的な色彩を帯びる。生活上は特に肉体労働を連想する傾向がある。⇩勤労・働く

ろうどうしゃ【労働者】肉体や頭脳による労務を提供し、雇用者からそれに対する賃金を得る立場の人間をさして、会話にも文章にも使われる漢語。〈—階級〉〈—の権利を擁護する〉✎小林多喜二の『蟹工船』に「資本家は「モルモット」より安く買える「—」を(略)入り代り、立ち代り雑作なく使い捨てた」とある。「—のような身なり」のように、古くは工員などのもっぱら肉体労働に従事する者をさしたが、のちに差別的な響きが問題になり、現在は事務系の職員や教員・研究者など組織に属して働くすべての人を含める用語とされる。しかし、山田洋次監督の『男はつらいよ』シリーズで主人公の「寅さん」(渥美清)が裏の印刷工場の工員に向かって偉そうに「—諸君!」と言うように、現実には依然としてすぐ肉体労働者を連想する傾向がまだ残っている。⇩会社員・勤労者・サラリーマン・勤め人・人夫・ビジネスマン

ろうどく【朗読】詩歌や文章をその趣が出るように声の大小・強弱や抑揚や間などに工夫しながら音読する意で、会話にも文章にも使われる漢語。〈詩の—〉〈立って—する〉〈—して聞かせる〉⇩音読

ろうねん【老年】年寄りの年齢の意で、やや改まった会話や文章に用いられる漢語。〈—学〉〈—になっても現役で働く〉✎安岡章太郎の『海辺の光景』に「中年女のとなりにいるのは、—の男だった」とある。少年・青年・壮年・中年などと対立するため、他の類義語に比べてその時期が比較的長く、また一定している。⇩高年・高齢・Q老齢

ろうばい【狼狽】慌てふためく意で、改まった会話や文章に用いられる硬い漢語。〈周章—〉〈—の色が見てとれる〉〈突然の指名にすっかり—する〉✎井伏鱒二の『御坂峠の碑』に「御坂の富士に—する人が、津軽富士を見て、よくも—せずにいられたものである」とあり、山田風太郎の『あと千回の晩飯』に「老いが現実のものとなったときはるかに多くの人が、きのうきょうのこととは思わなかったと—して迎える」とある。⇩あわてる・Qうろたえる

ろうひ【浪費】金銭・材料・エネルギー・時間・労力などを無駄に使い過ぎる意で、会話にも文章にも使われる漢語。〈次々に車を買い換えるのは金の—だ〉〈やってみるだけ時間や労力の—だ〉〈くだらない話で聞くだけ時間の—になる〉✎正宗白鳥の『入江のほとり』に「今まで無用な書物を買込んで月々の俸給を—したことが後悔された」とある。金銭以外にも物や時間や労力・エネルギーなど幅広い対象に使う。⇩Q空費・散財・無駄遣い・濫費

ろうほう【朗報】うれしい知らせの意で、やや改まった会話や文章に用いられる漢語。〈—が入る〉〈—に沸き返る〉✎入賞・受賞・優勝や、重病からの回復、失意のどん底にあった友人が元気を取り戻すような場合によく使われる。入試の合格や卒業・就職などの場合は「吉報」「朗報」どちらも自然に用いられる。⇩吉報

ろうぼく【老木】 樹齢を重ねて古くなった樹木をさし、会話にも文章にも使われる漢語。〈庭の中央に梅の—がある〉✎芥川龍之介の『或日の大石内蔵助』に「独り縁側の柱によりかかって、寒梅の—が、古庭の苔と石との間に、的皪《てきれき》たる花をつけたのを眺めていた」とある。「古木」が長い歴史を経てきた点に意識の中心があるのに対し、この語には老齢化して樹勢の衰えた感じが伴う。⇩古木・Q老樹

ろうむしゃ【労務者】 肉体労働を提供して収入を得る人をさす、やや改まった感じの漢語。〈日雇いの—〉〈—風の男〉✎社会の実態を反映して男性を連想させる傾向が強い。職業差別の語感も若干漂う。⇩労働者

ろうや【牢屋】 今の刑務所に相当する昔の施設をさす古めかしいことば。〈—にぶち込む〉〈—を脱け出す〉✎木山捷平の『大陸の細道』に「—のような押入れの中でひとり寂しく息をひきとるのは御免だ」という比喩表現の例がある。「監獄」よりはるかに古い感じで、江戸時代の木製の格子の中で絶大な権力をふるう牢名主《ろうなぬし》の姿が連想されたりする。「牢獄」より会話的で、イメージももっと軽い。⇩監獄・刑務所・牢・Q牢獄

ろうらく【籠絡】 相手が自分の思いどおりに動くようにことば巧みに騙《だま》す意で、主として文章に用いられる古風で硬い漢語。〈部下を巧みに—する〉✎谷崎潤一郎の『細雪』に「本家の夫婦に—されてはならないと云う警戒心も強い」とある。相手を操るのは結果であり、騙してそこまで持って行くところに重点がある。⇩懐柔・抱き込む・Q手懐《てなず》ける・丸め込む

ろうれい【老齢】 年寄りの年齢の意で、主に文章に用いられる漢語。〈—年金〉〈—に達する〉〈—の身〉✎連想として「高齢」よりさらに老いた感じがある。⇩高年・高齢・老年

ろうれん【老練】 長い間の経験で熟練し、技術的に熟達し、やり方が巧みな意で、会話にも文章にも使われる、やや古風な漢語。〈—な手さばき〉〈—な技術者〉✎三島由紀夫の『潮騒』に「漁の技術は、舟主でもあり親方でもある—な漁撈長の手にあった」とある。悪賢いイメージはなく、むしろ仕事ぶりに安心感を与える。⇩老獪《ろうかい》・Q老巧

ロープ 「綱」の意で、会話にも文章にも使われる外来語。〈—ウエー〉〈ワイヤー—〉〈荷造り用の—〉〈—でつるす〉〈—を張る〉✎小林多喜二の『蟹工船』に「麻の—が鉄管でも握るようにバリ、バリに凍えている」とある。「綱」に比べ、金属製のものを連想させやすい。⇩Q綱・縄・紐《ひも》

ろか【濾過】 液体や気体を濾紙などを通して不要な固体の粒子を除去する意で、やや改まった会話や文章に用いられる漢語。〈—器〉〈不純物を—する〉✎谷崎潤一郎の『陰翳礼讃』に「側面から射して来る外光を一旦障子の紙で—して、適当に弱める働きをしている」とある。

ろくすっぽ【碌すっぽ】 「ろくに」の意でくだけた会話に使われる俗っぽい表現。〈—漢字も読めない〉〈—挨拶もできない〉✎谷崎潤一郎の『悪魔』に「—口も利かないのに」とある。「ろくに」「ろくろく」より非難する響きが強く感じられる。⇩Q碌に・碌々

ろくに【碌に】（あとに打消しを伴って）満足にの意で、会話やさほど改まらない文章に使われる表現。〈人に会っても—挨

挘もしない〉〈朝から―食べていない〉〈―本も読まない〉✎志賀直哉の『和解』に「父は―返事をしなかったが」とある。少しは「する」のだが「した」とは言えない程度である場合に使う。⇩Q碌すっぽ・碌々

ろくろく【碌碌】「ろくに」の意で、会話にも文章にも使われる表現。〈ゆうべは―寝ていない〉〈―おかまいもせず失礼申し上げました〉✎島崎藤村の『嵐』に「独りで昼を嚙んで、仕事も―手につかない」とある。「ろくに」に比べ、いくらか古風で若干改まった感じがある。⇩碌すっぽ・Q碌に

ろけん【露頭(見)】隠していたことが明るみに出る意で、改まった会話や文章に用いられる漢語。〈悪事が―する〉〈秘密が―する〉✎「ばれる」よりも悪事を連想させるが、「発覚」よりは犯罪性が弱い感じがある。⇩Q発覚・ばれる

ろじ【路地】大通り・本通りから入り込んだ、人家の間の狭い通路の意で、会話にも文章にも使われる日常の漢語。〈―裏〉〈―の奥〉〈横丁の―を抜ける〉✎庄野潤三の『静物』に「商店街から少し引っ込んだ―の奥にある映画館」という例が出てくる。屋敷内、庭内の通路の場合は「露地」とも書き、「露路」と書くこともある。⇩Q露地・路次

ろじ【路次】道の途中の意で、主として文章に用いられる古風で改まった感じの漢語。〈帰宅の―〉⇩露地・Q路地

ろじ【露地】屋根などにおおわれていないむきだしの土地の意で、会話にも文章にも使われる、やや専門的な漢語。〈―栽培〉✎草庵風の茶室に付属する庭をさす用法は専門語の雰囲気が濃く、その場合は「路地」とも書く。⇩Q路地・路次

ろせん【路線】バスや列車などの通行する交通の道筋、転じて、一般に進路や方針をさし、会話にも文章にも使われる漢語。〈―バス〉〈赤字―〉〈強行―〉〈基本―〉〈―変更〉〈―を敷く〉⇩通り道

ろだい【露台】テラスやバルコニーをさす古めかしい漢語。〈―で名月を観賞する〉✎見晴らしや夏の夕涼み、春先や晩秋の日光浴などに利用。⇩テラス・Qバルコニー・ベランダ

ロッキングチェア「揺り椅子」の意で会話にも文章にも使われる外来語。✎今は古風な「揺り椅子」に代わって普通に使う。⇩揺り椅子

ロッジ　山小屋風の宿泊施設をさし、会話にも文章にも使われる外来語。〈―に一泊する〉⇩コテージ・山荘・山房・バンガロー・ヒュッテ・Q山小屋

ろてん【露天】野外の意で、会話にも文章にも使われる漢語。〈―風呂〉〈―商〉⇩露店

ろてん【露店】街頭に臨時に開く店の意で、会話にも文章にも使われる古風な雰囲気の漢語。〈縁日の―をひやかす〉✎川端康成の『夜店の微笑』に「花火屋と眼鏡屋の―の前に私は足を停めた」とある。⇩露天

ろてんぶろ【露天風呂】屋外にある風呂の意で、会話にも文章にも使われる漢語。〈のんびりと―を満喫する〉✎「野天」より趣を感じさせるためか温泉旅館の案内書などによく使う。⇩野天風呂

ろんぎ【論議】「議論」の意で、改まった会話や文章に用いられる硬い漢語。〈政策―〉〈―を呼ぶ〉〈―を尽くす〉〈対策を―する〉✎谷崎潤一郎の『細雪』に「―はいつの間にか(略)親子喧嘩にまで発展して行った」とある。⇩Q議論・ディ

スカッション・討議・討論

ろんきょ【論拠】議論を進める上での拠《よ》りどころ、論証の根拠をさし、改まった会話や文章に用いられる硬い漢語。〈—が弱い〉〈—が曖昧だ〉〈判断の—を示す〉⇩Q根拠・典拠

ろんし【論旨】議論の主旨をさし、改まった会話や文章に用いられる硬い漢語。〈—明快〉〈—を正しく理解する〉✎国語教育では、大意をまとめた要旨を、さらにエッセンスだけにしぼった最短の主旨をさす。⇩大意・しゅし②・Q要旨・要約

ろんしょう【論証〔證〕】ある事柄が妥当で正当性のあることを論拠を示して明らかにする意で、学術的な話題の会話や文章に用いられる専門的で硬い漢語。〈—の過程に問題がある〉〈資料をそろえて—する〉〈—が不十分だ〉⇩検証・実証・証明・Q立証

ろんせん【論戦】激しく議論を闘わす意で、改まった会話や文章に用いられる硬い漢語。〈—を繰り広げる〉✎石坂洋次郎の『若い人』に「埃をはたくような一流の栄《は》えない—」とある。「論争」より何度も応酬があるような雰囲気がある。⇩論争

ろんそう【論争】ある問題について違った立場にある者、意見を異にする者が互いに論拠を主張して言い争う意で、会話にも文章にも使われる漢語。〈人権をめぐって—する〉〈—を巻き起こす〉✎芥川龍之介の『侏儒の言葉』に「石器時代の脳髄しか持たぬ文明人は—より殺人を愛する」とある。「議論」よりも勝ち負けを争う性質が強い。⇩論戦

ろんぴょう【論評】筋道を立てた批評の意で、主に文章に用いられる硬い漢語。〈—を加える〉〈—を避ける〉✎福原麟太郎の『チャールズ・ラム伝』に「自由思想をもって文学と政治を—し、しばしば当局の忌諱にふれた」とある。「批評」にはいろいろあるため、印象だけで批評するわけではないことを特に表に出した表現。対象が限定的で「評論」より短い場合が多い。⇩批評・Q評論

ろんり【論理】判断を下すまでの思考の筋道をさし、会話にも文章にも使われる硬い漢語。〈—学〉〈—的な思考〉〈—の飛躍〉〈—矛盾を起こす〉〈—を無視する〉✎伊藤整の『灯をめぐる虫』に「頭の中では—は、なにか鋼鉄の枠のように私をしめつける」とあり、開高健の『裸の王様』には「箱庭細工のようにこじ(ぢ)んまりと整理のゆきとどいた—」とある。⇩道理・理屈・Q理論

わ

ワードプロセッサー　コンピューターで文書の作成や印字を行う装置をさし、硬い文章などで用いる正式で専門的な感じの外来語。〈―の機能を内蔵している〉✎理系の社会では「ワードプロセッサ」と表記する例が目立つ。⇩ワープロ

ワードローブ　洋服箪笥《だんす》の意味で使われだした斬新な感じの外来語。✎まだそれほど普及していないため、日常会話で使うと西洋かぶれという雰囲気があり、気取った感じを与えやすい。⇩Q箪笥・チェスト

ワープロ　「ワード・プロセッサー」の略。外来語の短縮形が一般語化。〈手書き原稿を―で打つ〉〈パソコンの―機能〉✎今では特に俗語という感じはなく、会話でも文章でも通常この形で用いる。⇩ワードプロセッサー

わいきょく【歪曲】　故意に内容を実際と違える意で、改まった会話や文章に用いられる漢語。〈事実の―も甚だしい〉⇩捻《ねじ》じ曲げる

わいせつ【猥褻】　汚らわしく淫《みだ》らな意で、会話にも文章にも使われる正式な感じの漢語。〈―図書〉〈強制―罪〉〈―な絵〉〈―行為に当たる〉✎小林多喜二の『蟹工船』に「共同便所のなかにあるような―な落書」とある。性に関することを人が不愉快に感じるほど興味本位に扱っていたずらに性欲を刺激する場合に用いられ、しばしば作品における芸術性の有無が問題になる。⇩いやらしい・Q淫猥・卑猥・淫ら

ワイフ　「妻」の意の古風な外来語。ストレートに言うのを避けて外国語に逃げた表現。最近は廃れかけている。〈―が里帰りしている〉〈俺はいいけど、―がどう言うか〉✎内田魯庵の『くれの廿八日』に「―を棄てたのを公然披露して」とある。⇩いえの者・うちの者・お上さん・奥方・奥様・奥さん・お内儀・家内・かみさん・愚妻・細君・Q妻・女房・伴侶・ベターハーフ・令閨・令室・令夫人

ワイヤー　針金や鋼線を何本も縒《よ》り合わせた「ワイヤロープ」の略で会話にも文章にも使われる外来語。〈―ガラス〉〈―ブラシ〉〈―で吊《つ》るす〉✎「ワイヤ」とも書く。⇩針金

わいろ【賄賂】　有利に扱ってもらうためにひそかに贈る不正な金品をさし、会話にも文章にも使われる漢語。〈―を贈る〉〈―を受け取る〉〈―に当たる〉✎法律用語としては、職務に関する不正な報酬の場合に適用される。⇩Q袖の下・鼻薬《はなぐすり》・リベート

ワイン　「葡萄《ぶどう》酒」の意で会話にも文章にも使われる外来語。〈―セラー〉〈―グラス〉〈飲みごろの―〉✎現代の会話では「葡萄酒」よりよく使う。村上春樹の『遠い太鼓』に「腰のある美味しいシシリーの白―を飲む」とある。⇩葡萄酒

わか【和歌】　日本固有の形式による長歌・短歌・旋頭歌などの総称として、会話にも文章にも使われる日常の漢語。〈―文学〉〈―を詠む〉〈―の心得がある〉✎現代ではほとんど短歌を意味する。⇩歌・Q短歌

わかい【若い】　生まれてからの年数が少ない意で、くだけた会話から硬い文章まで幅広く使われる日常の基本的な和語。

〈—頃〉〈まだ—〉〈—うちに〉〈夫より二歳—〉✎「年齢のわりに—」のように、若く見える場合にも言い、「若々しい」と接近する。谷崎潤一郎の『春琴抄』に「実際よりも優に十は—・く見え色飽く迄白くして襟元などは見ている者がぞくぞくと寒気がするように覚えた」とあるのはそういう例である。「—木」「—番号」のように人間以外にも使う。⇩若年・Q若々しい

わかい【和解】立場や意見が対立し争っていた相手と互いに譲歩して元通りのいい関係に戻る意で、改まった会話や文章に用いられる硬い漢語。〈親との—にこぎつける〉〈両者の—を見る〉〈相手国との—が成立する〉✎「仲直り」に比べ、個人的な関係だけでなく規模が大きく長期にわたる深刻な対立が解消した場合に用いる傾向がある。志賀直哉に父親との確執を描いた『和解』と題する小説があり、末尾近くに「別れる時、其日は自然に父の眼に快い自由さで、愛情の光りの湧くのを自分は見た。自分は—の安定をもう疑う気はしない」とある。⇩仲直り

わかきひ【若き日】若かった時期をさし、主に文章中に用いる古風で美化された感じの和語表現。〈—の夢を追う〉〈—の思い出〉〈—のあやまち〉〈—を振り返る〉✎自分の青春を振り返る雰囲気が強い。⇩青春・Q青年期

わかじに【若死に】若いうちに死ぬ意で、会話にも文章にも使われる和語。〈—したことが惜しまれてならない〉✎「早死に」よりも短命な場合に使う傾向がある。⇩早世・Q早死に・夭逝・夭折

わかつ【分かつ】「分ける」意で文章中に用いられる文語的な響きの和語。〈均等に—〉〈喜びを—〉〈昼夜を—・たず〉〈稜線《りょうせん》が山並みと空とを—〉〈苦労を—〉✎別れる意の慣用句「たもとを—」では「分け与える」に換言できない。「実費で—」のように「分ける」意に用いる場合は通常「頒つ」と書く。⇩分割・分配・分離・Q分ける

わかづくり【若作り】化粧や装いが実際の年齢より若く見えるようにする意で、会話でも文章でも幅広く用いる和語。〈—の奥さん〉✎年齢不相応な装いをする必要があるのは自分の実年齢が気になる年だからであり、二十代の女性が女子高生みたいな服装をしたり、九十代の男性が六十代に見えるような帯を締めたりするような場合に使うとぴったりしない。中年が近づいてきたあたりから老年前期あたりまでといった年齢的な語感が伴う。

わかどり【若鳥】ひなどりやまだ若い鳥一般をさし、会話にも文章にも使われる和語。〈—が巣立つ〉✎用法により詩的な雰囲気に感じられることもある。⇩若鶏

わかどり【若鶏】成長途上の鶏の意で、会話にも文章にも使われる和語。〈—のから揚げ〉⇩若鳥

わかば【若(嫩)葉】生えてきて間もないまだやわらかい木の葉をさし、会話にも文章にも使われる和語。〈—の季節〉〈—が萌える〉✎青葉となる前の段階を思わせるが、「青葉—」と並べて言うこともあり、蕪村の俳句「不二ひとつうづみ残して—かな」のイメージも豊かな緑を連想させる。室生犀星に「わらんべの洟《はな》も—を映しけり」という洒脱な句がある。⇩青葉・新緑

わがまま【我儘】相手や周囲のことを考えずに自分の思いど

おりにふるまおうとする気持ちをさし、会話にも文章にも広く使われる日常の基本的な和語。〈―な娘〉〈―に育つ〉〈―を聞いてやる〉〈―を押し通す〉〈―が増長する〉〈そうそう―ばかり言ってはいられない〉✎志賀直哉の『暗夜行路』に「―な気持ちがむやみと込み上げて来た」とある。「勝手」が個々の行為についての評価であるのに対し、この語はその背後にあるその人間の性格に言及する感じが強く、自分の思い通りにする部分に重点がある。⇩勝手①・気まま

わかもの【若者】若い人をさし、会話やさほど改まらない文章に使われる日常の和語。〈いい―だ〉〈―らしく潑剌《はつらつ》としている〉〈―向きの企画〉〈―に絶大の人気がある〉✎壺井栄の『二十四の瞳』に「素っ裸にされて検査官の前に立つ―たち」とある。「このごろの―は」として批判的な言辞が続く例が多く、軽蔑的な語感を発揮することもある。⇩青年・Q若人

わかれ【別れ】親しくしていた人と人とが離れて別々の場所に移る意で、くだけた会話から硬い文章まで幅広く使われる日常の和語。〈喧嘩―〉〈―話〉〈―の挨拶〉〈―の杯を交わす〉〈―を惜しむ〉〈―を告げる〉〈―がつらい〉✎三島由紀夫の『午後の曳航』に「―は三日前にこの船で二人が会ったときからはじまっていた」とある。⇩Q別離・離別

わかれみち【分かれ道】道が複数に分かれる場所の意で、会話にも文章にも使われる和語。✎「―でしばし別れを惜しむ」のように人と別れる地点の意では「別れ道(路)」とも書く。「ここが運命の―」のように、重要な選択を迫られる場所・時・機会などを意味する比喩的用法もある。⇩岐路

わかれる【別れる】一緒にいた複数の人間が別々に離れる意で、くだけた会話から文章まで広く使われる和語。〈交差点で―〉〈手を振って―〉〈家族と―・れて住む〉✎川端康成の『伊豆の踊子』のラストシーンに「何か御不幸でもおありになったのですか。」「いいえ、今人と―・れて来たんです。」という対話が出る。「―・れた女房とよりを戻す」というように「離婚する」意でも使うが、井伏鱒二の『珍品堂主人』に「惜しみながら別れた可愛い女に再会したような気持」とあるように、そこまで明確でない例も多い。⇩別離・離別

わかれわかれ【別れ別れ】一緒にいた人たちが別々に暮らすようになる意で、会話やさほど硬くない文章に使われる和語。〈仲の良かった家族が今では―に住んでいる〉✎「離れ離れ」に比べ、別れる辛さが意識される。⇩離れ離れ

わかわかしい【若若しい】新鮮で潑剌《はつらつ》としておりいかにも若い感じのする意で、会話にも文章にも使われる和語。〈―姿〉〈―服装〉✎外観について言う。丹羽文雄の『青麦』に「かおの小さな、―未亡人であった」とある。⇩若年・Q若い

わき【脇】横の最も近い場所をさし、くだけた会話から硬い文章まで幅広く使われる日常の和語。〈道の―に寄る〉〈―に置く〉〈―に控える〉〈運転中に―を見る〉〈―から口を出す〉✎「かたわら」「そば」「近く」の場合はすぐ隣に限定されないが、通常「―の人」は隣にいる人をさす。また、「―に置く」のように、正面でない場所をさすところから、さしあたり問題にしないというニュアンスを帯びることもある。「―に抱える」の場合は「腋」と書くこともあり、「―の下」の場合は「腋」と書き分けることが多く、まれに「掖」

と書く例もある。⇩Qかたわら・そば・近く・隣

わきあがる【沸き上がる】完全に沸く意で、会話にも文章にも使われる和語。〈お風呂が―〉✎沸騰して気泡が勢いよく水面に上がって来るようなイメージがある。「歓声が―」のように、激しく起こる意の比喩的な用法もある。⇩たぎる・沸騰・Q沸き返る・沸き立つ・沸く

わきかえる【沸き返る】十二分に沸く意で、やや改まった会話や文章に用いられる和語。〈鍋の湯が―〉✎「沸き立つ」「沸き上がる」以上に、沸騰し始めてから時間が経過した感じがある。「場内が―」のように、群衆が熱狂する意の比喩的な用法もある。⇩たぎる・沸騰・Q沸き上がる・沸き立つ・沸く

わきざし【脇差】腰に差すそれほど長くない刀の意で、会話でも文章でも使われる古風な和語。〈長―を落とし差しにした道中姿〉〈―を腰に帯びる〉✎昔の道中などで腰に指す単なる短めの刀をさす場合と、武士が大刀とともに腰に帯びる小刀をさす場合とがある。⇩匕首《あいくち》・懐剣・こがたな・Q小刀・短剣・短刀・どす・ふところがたな

わきだす【湧(涌)き出す】地中など外から見えにくい場所から外に現れ出る意で、会話にも文章にも使われる和語。〈温泉が―〉〈石油が―〉✎「湧き出る」と同義ながら、湧き出した液体を利用するために人間が意図的に湧出を促す場合に使う傾向が見られ、抽象化した比喩的用法は少ない。⇩湧出・湧き立つ・Q湧き出る

わきたつ【沸き立つ】沸騰して水面が激しく動く意で、やや改まった会話や文章に用いられる和語。〈やかんの湯が―〉✎「観客席が―」のように、群衆が興奮して騒ぐ意の比喩的な用法もある。⇩たぎる・沸騰・沸き上がる・Q沸き返る・沸く

わきたつ【湧(涌)き立つ】湧くように次々出てくる意で、主に文章中に用いられる、いくぶん詩的な和語。〈雲が―〉✎「湧く」の形では会話にも使う。⇩湧出・湧き出す・Q湧き出る

わきでる【湧(涌)き出る】基本的に「湧き出す」に近い意味で、会話にも文章にも使われる和語。〈泉が―〉〈霧が―〉〈涙が―〉〈勇気が―〉〈アイディアが次々に―〉✎「湧き出す」に比べ、抽象的な意味合いでの比喩的用法まで幅広く使う。⇩湧出・Q湧き出す・湧き立つ

わきのした【腋(脇)の下】腕の付け根の内側のくぼんだ部分をさし、会話にも文章にも使われる日常の和語。〈―の汗〉〈―に挟む〉✎伊藤整の『鳴海仙吉』に「乳房のわきの生白い谷になった―によじれた毛が五六本風に吹かれている」とある。⇩腋窩《えきか》

わきばら【脇腹】腹部の脇のほうの意で、会話にも文章にもよく使われる和語。〈―を押さえてしゃがみ込む〉✎藤枝静男の『壜の中の水』に「―だけがズンドウにふくらみ」とある。⇩脾腹《ひばら》・横っ腹・Q横腹

わきみ【脇見】肝心のものを見ずに脇の方を見る意で、会話にも文章にも使われる和語。〈―運転で事故を起こす〉〈―をしている間に勝負が終わる〉✎他のものに気をとられている場合に限らず、正面を見ないでぼんやりしている場合も含まれる。⇩余所見《よそみ》

わきみず【湧(涌)き水】地中から自然に湧き出る水をさし、会話にも文章にも使われる日常の和語。〈―の豊かな土地〉〈―を汲《く》んでおく〉✎長野まゆみの『少年アリス』に「地面

の奥深く―の水音が響いている」とある。美的な「泉」や「清水」に比べ生活の雰囲気が強い。⇩Q泉・清水

わきみち【脇道】 本道から分かれた細い横道をさし、会話にも文章にも使われる和語。〈―をとる〉〈街道の―に入る〉✎「話が―にそれる」のように、本筋から外れる意に使う比喩的用法もある。⇩Q間道・近道・抜け道

わく【沸く】 沸騰する意でくだけた会話から硬い文章まで幅広く使われる日常の基本的な和語。〈湯が―〉〈もうすぐ風呂が―〉✎「好況に―」「大漁に―」のように、活気が出る、熱狂する意を表す比喩的な用法もある。⇩たぎる・Q沸騰・沸き上がる・沸き返る・沸き立つ・湧く

わく【湧(涌)く】 自然に発生して現れる意で、会話にも文章にも使われる和語。〈清水が―〉〈雲が―〉〈虫が―〉✎「疑問が―」「勇気が―」のように、考えや感情などが内部に生じる意の比喩的な用法もある。坪田譲治の『風の中の子供』に「二人の胸の中に、次第にお父さんの帰ってくる喜びが、水のように―・いて来た」とある。⇩Q沸く

わく【枠】 周囲を縁どって囲むものをさし、会話にも文章にも使われる和語。〈―に入れる〉〈―からはみ出す〉✎「法律の―」「予算の―」「―にとらわれない」のように、制約・限度の意を表す比喩的用法も多い。伊藤整の『灯をめぐる虫』に「頭の中で論理は、なにか鋼鉄の―のように私をしめつける」とある。⇩範囲・ふち・Q輪郭

わくせい【惑星】 恒星の周囲を公転する星の総称として、会話にも文章にも使われる、やや専門的な漢語。〈―探査機〉✎「恒星」と対立。⇩遊星

わくわく 嬉《うれ》しいことを前にして期待で心が弾み、じっとしていられない意で、主として会話で使われる。〈初めての海外旅行で―する〉〈結婚式が決まって、今から胸が―する〉✎志賀直哉の『母の死と新しい母』に「嬉しさに私の胸は―した」とあるように、本来あまりの期待で胸が高鳴るような場合に用いるが、近年、単に、楽しみに待つ、という程度の軽い意味で頻用される。その場合は俗語的。⇩いそいそ・Q浮き浮き・高鳴る・ときめき

わけ【訳】 「理由」の意の和語で、くだけた日常会話で「理由」よりよく使われる軽い意味の語。〈―を話す〉〈別れた―は？〉〈大した―なんかないさ〉✎梶井基次郎の『檸檬』に「どうした―かその店頭の周囲だけが妙に暗い」とある。「―(が)ない」の形で簡単にできる意を表す用法もある。⇩事由・Q理由

わけへだて【分け隔て】 相手によって差別する意で、会話やさほど硬くない文章に使われる和語。〈―なく育てる〉〈どんな生徒も―なく教える〉〈―なく招待する〉⇩Q依怙《えこ》贔屓・贔屓《ひいき》・偏愛・身贔屓

わける【分ける】 ひとまとまりのものに境界を設けて別々に離す意で、くだけた会話から硬い文章まで幅広く使われる日常の基本的な和語。〈二つに―〉〈みんなで平等に―〉〈髪を七三に―〉〈人込みを―・けて進む〉〈血を―・けた兄弟〉〈のれんを―〉⇩分割・分配・分離・Q分かつ

わご【和(倭)語】 借用語でなくもともと日本にあったと考えられていることばをさし、学術的な会話や文章に用いられる専門的な漢語。〈漢語より―を多用する〉〈基本的な概念

は一般に―で表す〉✎漢語や外来語に対して言う場合は「やまとことば」よりこの語を使うほうがバランスがとれる。⇩大和言葉

わこうど【若人】若い人の意で主として文章中に美化して用いる、やや古風な詩的和語。〈―の祭典〉〈―の集まり〉〈―らしくすがすがしい姿〉✎太宰治の『人間失格』に「―の誇りだとかいう言葉は、聞いて寒気がして来て」とある。会話では気取った感じになりやすい。⇩青年・Q若者

わゴム【輪ゴム】ゴム製の細い輪をさし、会話にも文章にも使われる日常の和語。〈―を掛ける〉⇩ゴムバンド・Qゴム輪

わざ【技】技術・技能の意で、会話にも文章にも使われる日常の基本的な和語。〈得意の―〉〈多彩な―〉〈―をみがく〉〈―を競う〉✎夏目漱石の『草枕』に「(能は)情三分芸七分で見せる―だ」とある。⇩腕②・腕前・技巧・技術・技能・技法・テクニック・業

わざ【業】行為・仕事といった意味合いで、やや改まった会話や文章に用いられる古風な和語。〈人間―とは思えない〉〈至難の―〉✎谷崎潤一郎の『刺青』に「一点の色を注ぎ込むのも、彼に取っては容易な―でなかった」とある。⇩技

わざと【態と】意図を持って意識的にの意で、会話や軽い文章に使われる日常の和語。〈―ぶつかる〉〈―間違える〉〈―負ける〉✎谷崎潤一郎の『細雪』に「東京へ行って電車に乗ったら、―大阪弁で「降りまッせえ」と大きな声で云うてやりまんねん」とある。⇩敢《あ》えて・Q故意・強いて・わざわざ

わざわい【災い／禍】病気や天災などの不幸な出来事をこうむることをさし、会話にも文章にも使われる古風な和語。〈―を招く〉〈―が及ぶ〉〈口は―のもと〉⇩災害・災難・災厄

わざわざ【態態】敢《あ》えて意図的にの意で、会話や改まらない文章に使われる和語。〈―遠回りして時間をつぶす〉✎二葉亭四迷の『平凡』に「―廻道をして其前を通って見た事がある」とある。「―届ける」「―出向くことはない」「遠いところを―お出でいただき恐縮です」のように、ついでではなくそのことのために特にといった意味合いで使われる例が多い。⇩敢えて・故意・強いて・Qわざと

わし 男の「わたし」の古めかしい和風の言い方。〈―が社長だが、何か〉✎現代では社長でも村長でも実際には「わたし」と言うが、「…たまえ」などと同様、ドラマなどで時代を強調し、またはその役柄らしく感じさせるために用いることが多い。太宰治の『走れメロス』に「―だって、平和を望んでいるのだが」とある。⇩あたくし・あたし・おいら・俺・僕・わたくし・Qわたし

わし【鷲】タカ科のうちの大形の鳥をさし、会話にも文章にも使われる和語。〈―にさらわれる〉✎有島武郎の『生れ出ずる悩み』に「その―は静かに伸びやかに輪を造っている」とある。「鷹《たか》」以上に大空を悠々と飛ぶ雄大なイメージがある。⇩鷹

わしつ【和室】畳を敷き障子や襖《ふすま》で仕切るなど和風にしつらえた部屋をさし、いくらか改まった会話や文章に使われる漢語。〈四畳半の―〉〈庭に面した―に通される〉✎「洋室」と対立。近年は「日本間」よりよく使われる。⇩日本間

わしづかみ【鷲摑み】指を広げて物を無造作に、または荒々しくつかみ取る意で、会話や改まらない文章に使われる、

やや古風な和語。〈札束を―にする〉✎鷲が獲物をつかみ取るようすから。「手づかみ」より乱暴な感じ。⇨手づかみ

わしゃ【話者】「話し手」に近い意味で、主として改まった会話や文章に用いられる専門的な雰囲気の漢語。〈―の腕ひとつで面白くもつまらなくもなる〉〈―の交代〉✎単なる発話者ではなく、話をして聞かせる講師などをさす場合は一般語で、専門語の感じがない。⇨語り手・話し手

わずか【僅か】「少し」よりいくらか改まった感じの日常の和語。〈ほんの―の差〉〈―に及ばない〉〈―ばかりで失礼ですが〉✎志賀直哉の『焚火』に「西の空には未だ夕映えの名残りが―に残って居た」とある。⇨少々・Q少し・ちょいと・ちょこっと・ちょっと・ちょっぴり

わずらい【患い】病気の意で、主に文章に用いられる古めかしい和語。〈恋―〉〈長―〉⇨Q障り・疾患・疾病・病気・病魔・病

わずらう【患う】病気になる意で、会話にも文章にも使われる古風な和語。〈胸を―〉〈長く―〉✎二葉亭四迷の『平凡』に「長いこと―っていたから、やつれた顔は看慣れていたが」とある。⇨煩う

わずらう【煩う】悩む意で、主に文章に用いられる古風な和語。〈思い―〉〈―ことなかれ〉✎三島由紀夫の『潮騒』に「非常な難問のように、彼の心を―・わせてやまなかった」とある。⇨患う

わずらわしい【煩わしい】面倒で気が重い意で、会話にも文章にも使われる和語。〈渡航手続きが―〉〈自分で出向くのは―〉〈親戚づきあいが―〉✎永井荷風の『濹東綺譚』に「習慣になると意識よりも身体の方が先に動いてくれるので、さほど―とも思わないようになる」とある。客観的に煩雑な手続きや悪天候の日に長距離を歩くような負担を伴わなくても使い、「億劫《おっくう》」ほどではないが、「面倒」に比べれば気持ちの問題が大きい。⇨億劫・面倒・Q面倒くさい

わすれる【忘れる】記憶したことが思い出せなかったり、取り紛れてやるべきことを果たさなかったりする意で、くだけた会話から硬い文章まで幅広く使われる日常の基本的な和語。〈約束の時間を―〉〈学校の宿題を―〉〈担当者の名を―〉〈財布を―・れて外出する〉✎森田たまの『続もめん随筆』に「金額を―・れてしまうことは、まるで、茗荷でもたべさせられたようにいつもきまっている」とある。「時の経つのを―」「寝食を―・れて仕事に打ち込む」のように、物事に夢中になって、あることが一時的に意識から遠ざかる意にも使う。⇨Q失念・忘却

わせ【早生】農作物などの生長の早い意で、会話にも文章にも使われる和語。〈―みかん〉⇨早稲《わせ》

わせ【早稲】「早生《わせ》」のうち、早く成熟する稲の品種の意で、会話にも文章にも使われる専門的な和語。〈―種の銘柄米〉⇨早生

わたあめ【綿飴】ざらめを熱して繊維状にし割り箸に巻き付けて綿状にした飴をさし、会話にも文章にも使われる日常の和語。〈縁日で―を買う〉✎東日本の人間には「綿菓子」より昔懐かしい感じがいくぶん強いようだ。電気仕掛けの遠心分離機で回転させるので「電気飴」ともいう。⇨綿菓子

わだい【話題】話の中心となる事柄をさし、会話にも文章にも使われる日常の漢語。〈今―の人〉〈―が豊富だ〉〈―に

のぼる〉〈—を集めている〉〈—を投げかける〉✎伊藤整の『火の鳥』に「—が、蝶のように、蛾のように、羽虫のように群らがって、飛びまわっている」とある。会議や研究や芸術作品の連想が強い「主題」に比べ、多くは日常の談話に使い、小規模でも断片的でもよい。⇩題材・Qトピック・本題

わたがし【綿菓子】「綿飴《わたあめ》」の意で会話にも文章にも使われる表現。〈夜店で—を買って子供に持たせる〉✎「菓子」という上位概念でとらえているぶん親しみが若干薄いような気もする。林芙美子の『放浪記』に「車をぶんぶんまわして、桃色の—をつくっていた」とある。あるいは西日本で優勢な語形なのかもしれない。⇩綿飴

わたくし【私】和語「わたし」のさらに改まった言い方。〈—どもといたしましては〉〈—にお申し付け下さいませ〉✎井伏鱒二の『珍品堂主人』に「本日から、—は人妻でございます」とある。⇩あたくし・あたし・うち②・おいら・俺・僕・わし・Qわたし

わたくしごと【私事】改まった会話や文章に用いられる丁重な感じの和語。〈—になって恐縮ですが〉〈話が—にわたる〉✎「ひとごと」と対立する語。⇩Q私事《しじ》・プライバシー

わたくしたち【私達】「わたくし」の複数として、改まった会話や文章に用いられる丁寧な和語。〈—の主張〉〈—といたしましては〉✎漢字表記は「わたしたち」との区別が難しい。「あなたがた」と対立。⇩俺たち・僕たち・僕ら・わたしたち・我ら・Q我々

わたくしりつ【私立】口頭語。会話で「市立」と区別するための読み。〈—の学校を選ぶ〉✎市立大学はあまり多くないため、特に小・中・高の学校に関してよく使われる。この語形を使用することで正確な情報伝達を図る配慮が相手に伝わる。⇩私立《しりつ》

わたし【私】男では「僕」より改まった言い方、女では「あたし」よりやや改まった言い方で、ともに「わたくし」ほどは改まっていない和語。男女の比較では、男の場合は子供は用いず、女の場合は子供でも用いるし、ともに大人の場合は、男のほうが改まりの度合いが大きく、女の場合はごくふつうのことばに相当する。〈—がします〉〈—にやらせて〉〈—としたことが〉✎井伏鱒二の『珍品堂主人』に「—が悪かったそうですね。—が謝れば、それでいいんでしょう」とある。男の場合、家でくつろいでいる状況では通常「俺」か「僕」を用いるから、夫が「わたしは」と言って座り直したりすれば、車の買い替えか別居か何か重大な話題を切り出すのではないかと妻は緊張するかもしれない。時枝誠記教授の大学院の演習を聴講していたアメリカ人の宣教師が、発言する際に「わたし」と言いかけて「僕」と言い直した。家では宣教師として人に接するので「わたし」と言っているが、ここでは学生だから「僕」のほうが適切だと考えたらしい。日本語は自分が何であるかという基準でことばを選択する言語ではなく、相手との関係で適切なことばがきまるのだと、そのとき教授は解説した。つまり、その場では大学院の教員と学生という関係だから、「わたし」のほうがむしろふさわしいことになる。「わたくし」とすればさらに適切だったろう。漢字表記では「わたくし」との区別が困難。⇩あたくし・あたし・うち②・おいら・俺・僕・わし・

Qわたくし

わたしたち【私達】「わたし」の複数として、会話にも文章にも使われる和語。〈―の町〉〈―日本人〉〈―困ってます〉✎男性はやや改まった感じで使い、女性は通常の表現としてよく使う。堀辰雄の『麦藁帽子』に「秋の日を浴びながら、二人づれの女学生が下りてくるのを認めた。―は空気のようにすれちがった」とある。この場合は自分と相手のことをさす。「たち」には本来敬意が含まれており、目上の相手を含む場合は自然。現在はそのような意識が衰えた。相手を含まない用法としては「あなたたち」と対立。⇩俺たち・僕たち・僕ら・わたくしたち・我ら・Q我々

わたす【渡す】自分の所にある人や物を他人や向こう側に移す意で、会話にも文章にも使われる和語。〈対岸に橋を―〉〈代金を―〉〈賞状を―〉⇩手渡す

わたる【渡る】隔ての向こう側に移動する意で、会話にも文章にも使われる日常の和語。〈橋を―〉〈海を―〉〈家が人手に―〉✎小沼丹の『汽船』に「妙なことにミス・ダニエルズはその儘二度と海を―・って来なかった」とある。「世間を―」のような用法は若干古風。「川を歩いて―」という意味合いの場合に「渉る」と書き分けることもあるが、古めかしい感じになる。⇩亘《わた》る

わたる【亘る】空間的・時間的に広範囲に及ぶ意で、改まった会話や文章に用いられる和語。〈全般に―・ってよく出来ている〉〈すべてに―・って気を配る〉〈十ヶ月に―交渉の結果〉〈永年に―苦労に報いる〉〈再三に―警告を無視〉✎「亙る」とも書き、「渡る」で代用することもあるが、意味が抽象的なため仮名書きの例が多い。漢字表記は古風な印象を与える。⇩渡る

わな【罠】獣や鳥を生け捕りにするための仕掛け、転じて他人を陥れる手段をさし、会話にも文章にも使われる和語。〈―をかける〉〈―を仕組む〉〈―にひっかかる〉〈これは敵の―だ〉✎三島由紀夫の『仮面の告白』に「俺を―にかけて「あのこと」をきき出そうとしている」とあるように、「落とし穴」以上に相手を欺く策戦をさす比喩的用法が多い。⇩Q落とし穴・陥穽《かんせい》

わななく【戦慄く】寒さ・恐ろしさ・怒り・興奮などからぶるぶる震える意で、主に文章に用いられる古風な和語。〈あまりの寒さに―〉〈激怒のあまり―〉✎森鷗外の『山椒大夫』に「―手に紐を解いて」とある。⇩おののく・Q震え上がる・震える

わび【侘び】質素ゆえにかえって趣のある意で、主に文章に用いられる古風で閑寂な趣の和語。〈―住まい〉〈―寂《さび》の世界〉〈―の境地〉⇩Q寂・詫び

わび【詫び】謝罪の意で、会話にも文章にも使われる日常の和語。〈―状〉〈―を入れる〉〈心よりお―を申し上げます〉✎「お詫び」に比べ「詫び」は古風で文章語的。⇩侘び

わびしい【侘しい】心を慰めるものがなくて淋しく心細い意で、やや改まった会話や文章に用いられる和語。〈―夕暮れ〉〈―暮らし〉✎原民喜の『夏の花』に「ここでまた夜を迎えるのかと思うと私は妙に―・かった」とあり、円地文子の『女坂』に「旅路の果てに宿のないような行きくれたわびしさに若い須賀の心を閉ざす」とある。心細さに重点があ

り、「―食事」のように、貧しく惨めな感じをさす用法もある。⇩Qさびしい・さみしい

わびる【詫びる】自分の落ち度や相手に対する失礼なことばや態度や行為を反省して赦《ゆる》しを請う意で、会話にも文章にも使われる和語。〈心から―〉〈非礼を深く―〉✒夏目漱石の『坊っちゃん』に「人があやまったり―・びたりするのを」とある。困り抜いて相手に懇願するという雰囲気が漂い、態度や行動に表さずに「心中深く―」ことも可能であり、時に形式的にもなりうる「謝る」に比べ、心のこもった感じが強い。⇩Q謝る・御免・失礼・謝罪・済まない・陳謝・申し訳ない

わふく【和服】着物の意で、やや改まった会話や文章に使われる漢語。〈―で過ごす〉〈―を召した婦人〉〈―のほうがくつろぐ〉✒丹羽文雄の『哭壁』に「洋服から―、帯やら襟巻やら、一切合財がほうり出され」とある。衣服全体をもさす伝統的な「着物」に比べ、特に洋服ではなくてという意識が強い。⇩着物

わぶん【和文】日本語で書いた文章をさして、会話にも文章にも使われる、やや古風な漢語。〈―英訳〉〈―タイプライター〉✒「英文」「欧文」と対立する語。⇩国文・和文体

わぶんたい【和文体】原則として和語を用い仮名で綴《つづ》る文章様式。〈源氏物語は―の最高傑作とされる〉✒「漢文体」と対立する。平安時代中期に確立し、王朝貴族の女性を中心に発達。仮名文学という成果を残し、散文表現の典型として以後の時代の規範となった。広義には江戸時代以降の擬古文や明治時代に流行した美文などの雅文をも含む。⇩国文・Q国文体・和文

わへい【和平】戦争が終結し平和な状態になる意で、改まった会話や文章に用いられる硬い漢語。〈―工作〉〈―会談に臨む〉〈―交渉に入る〉✒単に争いごとのない状態を意味する「平和」に比べ、ひとたび戦争が起こってからの変化を連想させやすい。⇩講和・太平・Q平和

わぼく【和睦】争っている国・組織・人などが争いをやめて仲直りする意で、改まった会話や文章に用いられる古風な漢語。〈両者の間で―が成立する〉✒武者小路実篤の『小さき世界』に「高等科三年の人は主として下の級の人に―をすすめている」とある。⇩講和

わめく【喚く】非難や抗議の気持ちで大きな声を発する意で、主として会話や改まらない文章に使われる和語。〈泣こうが―・こうがお構いなし〉〈大きな声で―・き散らす〉✒筒井康隆の『文学部唯野教授』に「「おいっ。君。何をするんだ」―声がした」とある。「叫ぶ」と違ってすべて何らかのことばに限られる。⇩Q叫ぶ・怒鳴る

わらいがお【笑い顔】おかしくて実際に笑っているときの顔をさして、主に会話や改まらない文章に使われる和語。〈―の写真〉✒椎名麟三の『永遠なる序章』に「その―には、幼女のような無垢なものが感じられる」とある。微笑を浮かべた顔にも使えるが、他人を嘲笑している表情には用いにくい。⇩笑顔

わらいばなし【笑い話】聞くと笑い出すような滑稽で面白い話をさし、会話にも文章にも使われる和語。〈とっておきの―を披露する〉✒福原麟太郎の『チャールズ・ラム伝』に「会社へのゆきかえりに―の種を考えた」とある。小咄《こばなし》のほ

か西洋の笑話《しょうわ》などもすべて含まれる。また、「こりゃ、とんだ―だ」のように、あまりにばかばかしくまともに取り上げる価値のない話をさす用法もある。⇩小咄・Q笑話

わらう【笑う】くだけた会話から硬い文章まで幅広く使われる日常の基本的な和語。〈にっこり―〉〈腹を抱えて―〉〈―門《かど》には福来《きた》る〉林芙美子の『風琴と魚の町』に「子供たちは豆のように弾けて―・った」とある。「鼻先で―」「世間の人に―・われる」など、嘲笑の意では「嗤う」とも書く。古風な表記で、悪意が露骨に感じられて衝撃が強い。

わらべうた【童歌(唄)】昔から歌い継がれてきた子供の歌をさし、会話にも文章にも使われる古風な感じの和語。〈江戸時代の―〉「童謡」より伝統を感じさせる。現代の童謡をさす場合は美化した感じが伴う。⇩唱歌・Q童謡

わりあい【割合】他と比べての意で、会話でも文章でも広く使われる日常の和語。〈―早起きのほうだ〉〈あの店は―良心的だ〉〈成績は―いい〉「わりに」と同程度か若干改まったレベルの語。「―に暖かい」のように「に」を伴った形で用いると、この「割合」よりもさらに改まった感じになる。「男女の―」「―を計算する」といった名詞の用例では漢字表記が一般的なので、このような副詞的な用法の場合は仮名書きのほうが読みやすい。⇩比・比率・比例・わりかし・わりかた・わりと・Qわりに

わりかし「割合」の意の比較的新しい感じの俗語。〈きょうは―元気なほうだ〉「わりかた」より新しく、より俗語的。ちなみに、文章の品格を重んじる円地文子は東京上野の通称くらやみ坂の自宅で、流行語などを使うと下品になって嫌だから、「わりかし」なんていうことばは地の文には絶対使わないし、「わりと」ぐらいのレベルでも地の文には使いたくないと語った。⇩割合・わりかた・わりと・わりに

わりかた【割り方】「割合」の意のやや古風な俗語。〈おとついは―暖かくていいあんばいだった〉「わりかし」より古い感じで俗語性は少ない。⇩Q割合・わりかし・わりと・わりに

わりと【割と】「割に」の意で、主として会話に使われる和語。〈値段は―安い〉〈駅から―遠いんだね〉〈―空いてるほうじゃないかな〉「わりに」よりもくだけた感じで使う。⇩割合・わりかし・わりかた・Qわりに

わりに【割に】「比較的」に近い意で、くだけた会話から硬い文章まで幅広く使われる標準的な日常の和語。〈―よく出来ている〉〈道路が―空いている〉〈今は―暇な時期だ〉谷崎潤一郎の『細雪』に「その日は―いろいろと気軽にしゃべった」とある。⇩Q割合・わりかし・わりかた・わりと

わりびき【割引】物の値段や料金などを通常より引き下げる意で、会話にも文章にも使われる日常の和語。〈―料金〉〈学生―〉〈人数が多いと―になる〉〈老人は―がある〉さまざまな料金などにも使え、商品中心の「値引き」より使う範囲が広い。⇩値下げ・Q値引き

わる【割る】物に力を加えて二つ以上の部分に分けて離れさせる意で、くだけた会話から硬い文章まで幅広く使われる日常の基本的な和語。〈ガラスを―〉〈西瓜《すいか》を―〉〈せんべいを―・って口に入れる〉「土地を二つに―」「三〇を五で―」のように、単に分ける意でも、「ウイスキーを水で―」のように、ほかのものを混ぜて薄める意にも、「受験者

数が大台を―」や「土俵を―」のように、ある範囲の外にはみ出る意にも用いる。⇩砕く

わる【悪】悪いことをする人間をさし、くだけた会話に使う俗っぽい和語。〈ちょいとした―として知られる〉〈ああ見えても相当の―だ〉✎いたずらの過ぎる子供をさす場合もある。「ちょいワル」のように片仮名書きする例もある。⇩悪玉・悪党・悪人・悪漢《あっかん》・悪者

わるい【悪い】不正・劣悪など好ましくない評価として、くだけた会話から硬い文章まで幅広く使われる日常の最も基本的な和語。〈―人〉〈頭が―〉〈品質が―〉〈成績が―〉〈体に―〉〈気分が―〉〈相手に―〉〈他人を―・く言う〉〈天気が―〉〈都合が―〉〈人が―〉〈―ようにはしない〉✎北杜夫の『夜と霧の隅で』に「その黄色味をおびた血色の―顔が歪み」とある。「よい」と対立。⇩悪質・悪辣・Q邪悪・よこしま

わるがしこい【悪賢い】悪いことに関して頭がよく働く意で、会話にも文章にも使われる和語。〈―相手だから油断がならない〉✎伊藤整の『変容』に「彼女がだらしないのでもなく、私が―のでもない」とある。「ずるい」「こすい」以上に悪い方面で頭を使うイメージがある。⇩狡猾《こうかつ》・小賢しい・こすい・こすっ辛い・ずるい・ずる賢い

わるぎ【悪気】相手を欺くなど相手に害を与えようと意図する心の意で、主に会話に使われる日常の和語。〈―はない〉〈―があってしたことではない〉⇩悪意

わるくち【悪口】他人を悪く言う意で、会話やさほど硬くない文章に使われる日常の和語。〈上司の―を言う〉〈さすがに当人の前で―は言えない〉〈死者の―を言うのは卑怯《ひきょう》だ〉✎三島由紀夫の『潮騒』に「大声で笑い、お互いに遠慮のない―を叩き合った」とある。「わるぐち」ともいう。⇩Qあっこう・陰口

わるさ【悪さ】ちょっとした悪事の意で、主に会話に使われる、やや古風な和語。〈子供が―をする〉〈―を働く〉〈―が過ぎる〉✎子供のいたずらから大人のちょっとした悪事までを含むが、「悪事」というほど大きな犯罪等の行為を連想させない。⇩Q悪戯《いたずら》・悪ふざけ

わるふざけ【悪ふざけ】いたずらという程度を超えて他人に多大な迷惑を与える行為をさし、会話や軽い文章に使われる和語。〈―も度が過ぎる〉〈―もいい加減にしろ〉⇩悪戯《いたずら》・Q悪さ

わるもの【悪者】悪いことをする人間一般をさして、くだけた会話から文章まで幅広く使われる日常の和語。〈―扱い〉〈―呼ばわりされるいわれはない〉〈―に騙《だま》される〉✎夏目漱石の『坊っちゃん』に「虫の好かない奴が親切で、気の合った友達が―だなんて」とある。常に悪い感じの「悪人」に比べ、その時の立場や状況によって悪事を働く感じがある。⇩悪玉・悪党・Q悪人・悪漢《あっかん》・悪《わる》

われら【我(吾)等】「われわれ」の意で堅苦しい会話や文章に使われる、古風でいくらか構えた感じの和語。〈―の時代〉〈―が母校〉〈―に自由を与えよ〉〈―の行く手に立ちはだかる幾多の困難を乗り越えて〉〈―若人の夢〉✎井伏鱒二の詩『逸題』は「今宵は仲秋明月／初恋を偲ぶ夜／―万障くりあはせ／よしの屋で独り酒をのむ」と始まる。よく演説などで気張って使う。特定の人々をさす「われわれ」に比べ、

ある条件の人間一般をさす感じが強い。⇩俺たち・僕たち・僕ら・わたくしたち・わたしたち・Q我々

われわれ【我我(吾吾)】自分達の意で、やや改まった会話や文章に用いられる硬い感じの和語。〈―の意志を伝える〉〈―の任務を全うする〉〈―の言い分が通る〉〈―庶民には縁がない〉〈―凡人には区別がつかない〉🖋男性は通常の会話でも使うが、女性は正式の場面以外にあまり使わない。石川淳の『普賢』に「―は嚙み合いながらめいめい勝手な方向に遺瀬なく廻転する二枚の歯車のようなものだ」とある。小林秀雄の『様々なる意匠』は「―にとって幸福な事か不幸な事か知らないが、世に一つとして簡単に片付く問題はない」と始まる。この場合は当然読者をも含んでいるが、この類のことばはすべて、相手を含む場合と含まない場合とがあり、前者は友好的、後者は対立的な響きが感じられる。⇩俺たち・僕たち・僕ら・わたくしたち・わたしたち・Q我ら

わん【椀】半球形の木製容器をさし、会話でも文章でも使われる日常生活の漢語。〈輪島塗のお―〉〈お―に盛る〉🖋谷崎潤一郎の『陰翳礼讃』に「吸物―を前にして、―が微かに耳の奥へ沁むようにジイと鳴っている、あの遠い虫の音のようなおとを聴き」とある。⇩碗

わん【碗】半球形や円筒形の陶磁器製の容器をさし、会話でも文章でも使われる日常生活の漢語。〈湯呑み茶―〉〈古備前の―〉🖋宮沢賢治の詩『永訣の朝』では「けふのうちに／とほくへいつてしまふわたくしのいもうとよ」と呼びかけ、死を目前にした「おまへがたべるあめゆきをとらうとして」暗いみぞれの中に飛び出す。そこには「そらからおちた雪のさいごのひと―」とある。この「ひとわん」は「椀」だろうか、それとも「碗」だろうか。⇩椀

わんきょく【湾(彎)曲】弓なりに曲がる意で、改まった会話や文章に用いられる漢語。〈背骨が―している〉〈―の多い海岸沿いの道〉🖋谷崎潤一郎の『細雪』に「線路が少し―している土手の上で立ち往生したまま動かなくなっており」とある。⇩屈曲・Q曲がる

わんぱく【腕白】子供が言うことを聞かずに無茶ないたずらや乱暴な振る舞いをするようすをさし、会話でも文章でも使われる、やや古風な語。〈―坊主〉〈―ざかり〉〈―に育つ〉🖋小沼丹の『コタロオとコジロオ』に「男の子は―で悪戯ぐらいした方が良いと面白がる」とある。「やんちゃ」と違って腕力を連想させ、男の子専用という雰囲気がある。事実としては女の子にも十分にありうるが、「―小僧」「―坊主」などと伝統的に男の子に対して用いてきた関係で、この語からはすぐに男の子供が連想される。一説に、「関白」をもじった造語という。⇩おきゃん・Qお転婆・やんちゃ

わんりょく【腕力】腕の力や暴力をさし、会話にも文章にも使われる漢語。〈―でねじ伏せる〉〈―をふるう〉〈―に物を言わせる〉〈―に訴える〉🖋夏目漱石の『坊っちゃん』に「どうしても―でなくっちゃ駄目だ。成程《なるほど》世界に戦争は絶えない訳だ」とある。⇩Q腕ずく・腕っぷし・力ずく

語感体系表

Ⅰ　表現主体の陰翳《いんえい》

1　性別　男（いやあ　おやじ）／女（あら　殿方）

2　年齢　幼児（あんよ　ねんね）／子供（げんこ　うんち）／若年層（キッチン　シングルマザー）／高齢者（パーマ屋　ライスカレー）

3　出身地　（こける　しんどい）

4　職業　政治家（関係書類を提出をする）／外交関係（カードを切る）／法律関係（遺言《いごん》　婚姻）／理科系（コンピュータ　変性）／医学関係（クランケ　オペ）／建築関係（図面に落とす）／伝統芸能（師匠　梨園）／映画界（ロケ班　小津組）／マスコミ・芸能界（スクープ　ダメ出し）／粋筋（おつくり　素人衆）／相撲界（三番稽古　ごっつぁん）／仏教関係（殺生　功徳）

5　所属集団　医者（転失気）／大名（ささ）／僧侶（般若湯）／盗人仲間（すけ　とんずら）／暴力団関係（ショバ代　ムショ帰り）／警察関係（ホシ　前を洗う）／マスコミ（ブンヤ　番記者）

6　思想傾向　（大東亜戦争　敗戦）

7　立場　（報告　税）

8　教養　（一所懸命　独擅場）

9　誤解予防　（ワタクシ立　バケ学）

10　焦点　（素養・たしなみ　遠ざかる・遠のく）

11　強調　（どうぞ・どうか　仕返し・復讐）

12　驚き　（昼日中　ていたらく）

13　自負　（ピッツァ　文士）

14　気取り　（とこしなえ　ティーム）

15　マイナス評価　（手口　言いぐさ）

16　直接待遇　（おっしゃる　お召しになる）

17　間接待遇　（いただく　申し上げる）

18　丁重　（いつぞや　いかほど）

19　謙遜　（物書き　存じ上げる）

20　ぞんざい　（つら　めし）

21　軽蔑　（ほざく　おまわり）

22　差別意識　（裏日本　女中）

23　忌避　（他界　はばかり）

Ⅱ　表現対象の履歴

1　性別　男（軟弱　恰幅がいい）／女（清楚　豊満）

2　年齢　幼児（むずかる　愛くるしい）／子供（利発　悪さ）／若年（紅顔　清純）／大人（しとやか　童心）／非老齢（意地っ張り　有為）／中高年（老獪　若作り）／高齢

(矍鑠《かくしやく》)
3　特徴　(霞ヶ関　かもしか)
4　伝統文化　(狸　桜)
5　イメージ　(いでゆ　こうば　王国)
6　指示形態　(フイルム・フィルム　ごはん・めし・ライス)
7　規模　(造園・庭造り　線路・レール)
8　程度　(横領・着服・猫糞《ばば》　アマチュア・ノンプロ)
9　使用偏向　(跳ぶ・跳ねる　目掛ける・目指す)
10　連想　(看護・看病　本棚・書棚・書架)
11　雰囲気　(会・会合　社会・世界)

Ⅲ　使用言語の体臭

1　緊張度　口頭語(葉っぱ　やっぱり)／くだけた会話(しくじる　てんで)／俗語(やっぱ　でっかい)／幼児語(おべべ　ほっぺ)／文章語(佳人　用いる)／正式(火災　印鑑)／略語(スト　なつメロ)／改まり(明年　差し控える)
2　時間性　古語的(いみじくも　やんごとない)／文語的(あり　なし　べし)／廃語的(寄宿舎　職業婦人)／旧称(矩形　ミリバール)／古めかしい(ハンケチ　気散じ)／古風(宿屋　天眼鏡)／斬新(ウイッグ　アポイントメント)／新語(いまいち　まじ)／創作造語(しんめり　生き切る)／新用法(大丈夫　気になる)／流行語(目線　怠慢力)
3　品格　雅語的(みどりご　うたかた)／優雅(語らう　たそがれ)／上品(あたくし　たしなむ)／粗野(屁　喰らう)
4　間接性　露骨(強姦　小便)／婉曲(下腹部　小用)
5　硬軟　軟らかい(便り　姿)／硬い(最たる　爾後)／格式ばった(もしくは　取り揃える)／構えた感じ(われら)／大仰(未曾有　挙行)／勢い(のめる・つんのめる)／積極性(取り戻す・取り返す　学習・勉強)
6　好悪　プラスイメージ(瞳　田園)／評価(女・女性　新顔・新人)／潔さ(桜　散り際)／マイナスイメージ(小賢しい　しこたま)／不快感(どぎつい　むしかえす)／悪感情(ていたらく)／不適感(昼日中)／抵抗感(女)／取り澄ました(あす　存外)／気障(キャメラ　レディー)／宣伝的(特長)
7　印象　和風(なきがら　まどか)／ひそやか(片隅)／繊細(か細い)／なまめかしい(艶《えん》)／軽い(仕返し　ラッキー)／重大(容態　腫れ物)／凛然(文士)／新鮮(センス)／趣味的(憶い出　録る)／分野限定(ルーキー)／使用頻度少(印章)

8　情趣　雅やか（みぎわ　ひもとく）／美化（銀盤　天空）／文学的（まどろむ　えにし）／詩的（ときめき　残照）／おもむき（陽光　夕景色）／抒情的（いつしか　偲ぶ）／情緒的（昼下がり　行きずり）

9　感触　郷愁（ゆりかご　乳母車）／親しみ（母さん　へたっぴい）／思い入れ（母校　はかない）／家庭的（玉子）／くつろぎ（ひととき　湯上がり）

10　雰囲気　古典的（撰者）／歴史的（法皇）／学問的（分科　性向）／哲学的（直観　他者）／犯罪のにおい（ばらす）／宗教色（受胎　信徒）／不吉（柩　葬式）／めでたい（松竹梅　鶴亀）

11　主観性　主観的（いけ好かない　長ったらしい）／客観的（出身地　尿）

12　具体性　感覚的（むずむず）／具体的（疑る　体験）／抽象的（危うい　けがれる）／即物的（死骸）／事務的（配偶者）

13　季節感　春（うららか　陽炎）／夏（油照り　端居）／秋（赤とんぼ　秋刀魚）／冬（風花　雪晴れ）

14　位相　専門的（母語　発症　対価）／出自（ゴールイン　勇み足　続投）／方言色（おとつい　こさえる　たわけ）

15　語の性質　漢語的（漆黒　懸隔）／和製英語（パネラー　ハンドル）／外来語（エッセイ　スニーカー）／オノマトペ（どしどし　やきもき）／混交語（とらまえる　やぶく）

16　言語的性格　用字（倫敦　ふらんす語　フーゾク）／破裂音（にっぽん　かっさらう）／促音（すっぱ抜く　こっぴどく）／濁音（だぼはぜ　ばか）／造語要素のイメージ（愛欲・獣欲）／接辞のニュアンス（ど田舎　いけ図々しい）

17　多義性　（開店　調べ）

18　連想　語源の想起（矛盾　蛇足）／出自の想起（ダークホース　全力投球　成金）／同音語・類音語の連想（A図・エーズ　父さん・倒産）／同訓異語の連想（やぶ医者・竹の子医者）／比喩的用法の連想（よろめく　しびれる）／滑稽な連想（駅弁大学　新人類）

19　発想　（素っ裸・真っ裸　くるむ・包む）

20　適用範囲　（天気・天候　表情・顔色）

21　複合ニュアンス　（先祖・祖先　あっさり・さっぱり　ちょっと・ちょいと　国語・日本語　ウイット・エスプリ・ユーモア）

語感の全景

ことばがかもしだす雰囲気、ことばとともに伝わる感じ、そう表現することで相手に与える印象としての「語感」は、そのことばを選んだ人間の在り方に関する何らかの情報、そのことばで表現してきた対象の側の指示むらや、それに関する記憶の蓄積、そしてもう一つ、そのことば自体がいつのまにか帯びている体臭ともいうべき何らかの感じ、という三つの方面に大別できるように思われる。表現する〈人〉に関する語感と、表現される〈もの・こと〉にかかわる語感と、表現に用いる〈ことば〉にまつわる語感の三つである。

第Ⅰの【表現主体の陰翳】には、そのことばを使う人が男か女かという〔性別〕、子供か大人か、若い人か年寄りかといった〔年齢〕、どの地方で生まれ育った人かという〔出身地〕、政治家か理科系の人間か、医者か弁護士か僧侶か、警察関係の人間か芸能界にくわしい人かといった〔職業〕や〔所属集団〕、どちら側に立ってものを言っているか、そのことに関してどう考えているかといった〔思想傾向〕、相手との関係をどうとらえているかといった発言の〔立場〕、言語表現に関しどの程度の知識をそなえているかといった〔教養〕、相手に正確に伝わるような配慮をはらっているかといった〔誤解予防〕、どこを中心に述べているかという〔焦点〕、その点を力説しているか否かという〔強調〕、その件についてどのような態度で接しているかという〔驚き〕や〔自負〕、あるいは、伝える際の〔気取り〕、その話題に対する〔マイナス評価〕、対象に関する〔直接待遇〕や〔間接待遇〕、伝える態度としての〔丁重〕〔謙遜〕〔ぞんざい〕、その対象に対する〔軽蔑〕や〔差別意識〕、さらには、その対象自体を避けようとする〔忌避〕の気持ちなど、さまざまなものが含まれる。

第Ⅱの【表現対象の履歴】は、その語で従来さしてきた対象に指示むらがあって、そういう指示歴の累積によって受容主体側に生じている先入イメージを問題にしようとするものである。ここにも、「労務者」というと男性を、「清純」というと女性をすぐに連想するような〔性別〕、「やんちゃ」が子供を、「老獪」が中高年を連想させやすい〔年齢〕、「かもしか」というとすぐ脚部を思い浮かべるような〔特徴〕がまずあげられる。「狐」に比べて「狸」のほうが愛嬌があって憎めない感じがする〔伝統文化〕もある。これはその動物自体に対する日本人の思い込みも影響しているかもしれないが、「むじな」というとそういう感じが消えてしまうので、「たぬき」という使用言語によりかかる面が大きい。

「少女」より「乙女」のほうが上品な感じがするような〔イメージ〕、「写真機」が「カメラ」より旧式または本格的な感じがするような〔指示形態〕、「飛行場」と「空港」とで違いの感じられる〔規模〕や、「着服」と「横領」とで違いの感じられる〔程度〕もある。そのほか、「専門家」より「スペシャリスト」のほうが得意分野が狭い感じがするといった〔使用偏向〕、「看護」と「看病」とで浮かんでくる場面が違う〔連想〕、「囲む」と「取り巻く」とで感じの違う〔雰囲気〕なども考えられる。

第Ⅲの【使用言語の体臭】はさらに多種多様である。まず、〔緊張度〕の違いによって〈口頭語〉〈くだけた会話〉〈俗語〉〈幼児語〉のような文体的レベルの低い語群があり、逆に〈文章語〉のようなレベルの高い語群を取り立てることもできる。「いのち」より「生命」、「ましかく」より「正方形」に抱く〈正式〉な感じがあり、〈略語〉はその逆の印象を与えやすい。また、「まかせる」より「ゆだねる」、「先日」より「過日」に感じられる〈改まり〉もその緊張度の中に位置づけることができる。次に、〔時間性〕の違いによって「けだし」のような〈古語的〉、「あり」「なし」のような〈文語的〉、「電蓄」「級長」のような〈廃語的〉、「矩形」のような〈旧称〉のほか、「ハンケチ」のような〈古めかしい〉、あるいは「時分」のような〈古風〉、逆に「スイーツ」のような〈斬新〉という語感もあり、「イケメン」のような〈新語〉や〈創作造語〉や既成の語の〈新用法〉〈流行語〉がある。〔品格〕に着目すれば「みどりご」のような〈雅語的〉、それに近い「たそがれ」のような〈優雅〉、「たしなむ」といった〈上品〉、逆に、「喰らう」のような〈粗野〉などが立つ。

伝達の〔間接性〕から〈露骨〉と逆の〈婉曲〉、感じの〔硬軟〕から〈軟らかい〉と〈硬い〉〈格式ばった〉〈構えた感じ〉があり、〈大仰〉〈勢い〉〈積極性〉を感じさせる語群もある。〔好悪〕の情から〈プラスイメージ〉〈評価〉〈潔さ〉や、その逆の〈マイナスイメージ〉〈不快感〉〈悪感情〉、あるいは〈不適感〉〈抵抗感〉や〈取り澄ました〉〈気障〉、それに〈宣伝的〉が取り上げられ、〔印象〕という括りで〈和風〉〈ひそやか〉〈繊細〉〈なまめかしい〉、あるいは〈軽い〉〈重大〉〈凛然〉〈新鮮〉、〈趣味的〉や、「ルーキー」のような〈分野限定〉、「印章」のような〈使用頻度少〉が数えられる。

〔情趣〕の点で「みぎわ」のような〈雅やか〉、「銀幕」のような〈美化〉、「夕べ」のような〈文学的〉、「残照」のような〈詩的〉、「名残」のような〈おもむき〉、「偲ぶ」のような〈抒情的〉、「行きずり」のような〈情趣的〉などが取り上げられ、〔感触〕の点で〈郷愁〉〈親しみ〉〈思い入れ〉〈家庭的〉〈くつろぎ〉など、〔雰囲気〕の面で〈古典的〉〈歴史的〉〈学問的〉〈哲学的〉、あるいは、「ばらす」のような〈犯罪のにおい〉や「受胎」「社殿」のような〈宗教色〉、それに、〈不吉〉〈めでたい〉などが立つ。

〔主観性〕の点で〈主観的〉と〈客観的〉、〔具体性〕の面で〈感覚的〉〈具体的〉〈抽象的〉〈即物的〉、あるいは〈事務的〉などがあがる。〔季節感〕の面で「おぼろ」のような〈春〉、「油照り」のような〈夏〉、「いわし雲」のような〈秋〉、「雪晴れ」のような〈冬〉のけはいに分かれる。

語学的なニュアンスに移ると、まず、〔位相〕の面で「供述」「対価」「草本」のような〈専門的〉があり、「勇み足」「ラストスパート」のような〈出自〉、「しんどい」「しばれる」のような〈方言色〉がある。次いで、〔語の性質〕として、「懸隔」のような〈漢語的〉、「シュークリーム」のような〈和製英語〉、「マジック」のような〈外来語〉、それに、「どんどん」「いらいら」のような〈オノマトペ〉や「やぶく」のような〈混交語〉がある。それ以外の〔言語的性格〕として、「倫敦」「フーゾク」のような〈用字〉、「にっぽん」「かっぱらう」のような〈破裂音〉や〈促音〉、「だぼはぜ」のような〈濁音〉、「獣欲」のような〈造語要素のイメージ〉や「ど近眼」などの〈接辞のニュアンス〉などを立てることができる。

次に、その語が一義的であるか二つ以上の意味をもつかに注目し、多義的であるために他の意味が連想されてその背景となる語感をあげることができる。「焼き物」「調べ」などはそういう〔多義性〕の例である。〔連想〕ということになれば、「矛盾」「蛇足」などの〈語源の想起〉、「ダークホース」や「成金」などの〈出自の想起〉、「東南」から「盗難」を思い浮かべる〈同音語・類音語の連想〉や〈同訓異語の連想〉、「よろめく」から浮気を想像する〈比喩的用法の連想〉、それに、各県に設置された国立大学を「駅弁大学」と呼ぶような〈滑稽な連想〉などもあげられる。

そのほか、「叱る」と「怒《おこ》る」、「薄目」と「細目」などの〔発想〕の違い、「転居」と「移転」、「応接間」と「応接室」との〔適用範囲〕の違いなどがあり、「ウイット」と「エスプリ」と「ユーモア」、「国語」と「日本語」などには、これと一つにしぼれない多岐にわたる〔複合ニュアンス〕の違いが認められる。

以上は語感の発揮される可能性がある個々の要素を列挙して全体のひろがりを一覧したものである。しかし実際には、例えば、「払暁」ということばは、表現主体として高年齢の人間を推測させるとともに、いかにも漢語的で硬く、文章語レベルであると同時に、古風でやや優雅でもあり、時にはある種の気取りを感じさせる。このように一つの単語に複数の語感要素が働くケースは現実にけっして少なくない。というより、いくつかの語感をあわせ持っているのがむしろ自然な姿かもしれない。

そういう多面性をもった語感が伝達効果という複合体の毛細血管に行きわたり、日本語表現の雅趣と陰翳を深めていると考えられる。

あとがき

ばらも桜もコスモスも「花」であり、お茶もコーヒーも酒も、池も川も海も要するに「水」である。「雨」にも春雨・さみだれ・夕立・しぐれ・ひさめといろいろある。「梅雨」もその一種だが、さらに菜種づゆ・走りづゆ・戻りづゆと分ける人もある。感じ分けるのはそういうことばを知っているからだ。語彙が豊富になるにつれて認識が繊細になり、人生をきめ細かく味わうようになるだろう。同時に、用語に迷うという贅沢な悩みも増える。

無用な摩擦を避け、それなりの品格を維持するため、日常会話でさえ誰でもある程度ことばを選んでしゃべっている。のちのちまで残る文章となれば、言葉遣いにさらに気を配る。推敲する余裕があるときは、意味と語感の両方から最適のことばを探そうとするだろう。「森」か「林」か、「霧」か「もや」か、「日向」か「陽だまり」か、「水面」か「水上」か、「ラム」か「マトン」か、「本式」か「公式」か「正式」かといった選択は、その語が何をさすかという〈意味〉の問題で、辞書を引けばどれが適切か容易に判断がつく。

ところが、「卓球」か「ピンポン」か、「積乱雲」か「入道雲」か、「医者」か「医師」か、「海岸」か「海辺」か、「冗談」か「ジョーク」か、「首巻き」か「襟巻き」か「マフラー」か、あるいは、「霧雨」か「細雨」か「煙雨」か、「雪模様」か「雪催い」かという選択になると、そう簡単には解決しない。判断の基準になるのが、何が伝わるかという〈意味〉ではなく、どう伝わるかというまさに〈語感〉だからである。

同じ事柄をさすいくつかの言い方の候補のうち、その文体や場面、相手に与える印象などを総合的に考慮した際に、表現者の気持ちにどのことばが最もしっくり合うか、という主観的で微妙な選択となる。言語表現のこういう感覚的なレベルの問題に入りこむと、国語辞典で調べてみてもなかなか結論が出ない。どの辞書もことばの〈意味〉の解説が中心であり、その語がどのような響きをもち、どんな条件のもとで相手にどういう伝達効果を奏しやすいかというあたりはほとんど説明できていないからだ。

一項目あたり平均数行以内で解説しなければならない辞典というものの宿命として、そもそもスペース面で〈語感〉にふれる余裕がないという事情もたしかにある。が、それよりも、論理で律しがたいそういう微妙なニュアンスはきわめて把握しがたく、また、感性でとらえた情報を知性で正確に記述することは困難であり、さらに、各個人の言語感覚の違いによる印象の差も無視できず、結果として辞書に登録するだけの客観的な安定感に欠けるという面のほうがはるかに大きいだろう。

そのような事情はむろん辞書だけではない。同じ理由で、〈語感〉の問題を正面にすえてその全体像を本格的に論じた学術書も現れにくい。しかし、〈意味〉とは別種のそういう〈語感〉というものが現に存在することは明白だ。「あした」と「あす」と「明日《みょうにち》」はそれぞれ感じが違うし、「やはり」「やっぱり」「やっぱし」「やっぱ」はどれも違った響きがある。「いやあ」や「かしら」には性別の、「お勝手」「台所」「キッチン」には年齢の翳が映る。「日本」は「にほん」と読むか「にっぽん」と読むかによって響きがかなり違う。「広島」と書くか「ヒロシマ」と書くか、「風俗」と書くか「フーゾク」と書くかによってまるで違った印象になる。多少の個人差はあるにせよ、同一の対象を指示しながら、ことばによってそういった感じの違いが出ること自体は、誰にも否定できない厳然たる事実である。

「永久」と「永遠」、「叱る」と「怒《おこ》る」、「真っ裸」と「素っ裸」、「どうぞ」と「どうか」も、それぞれどこかしら違う感じがする。「わたくし」とも「わたし」とも「あたし」とも異なる「あたくし」の語感、「ちょっと」とも「ちょい」とも差のある「ちょいと」の語感など、気になりながらうまく理詰めで説得できないもどかしさもある。だが、輪郭がぼやけていて正体を写真に撮れないまでも、感じの違いというものが間違いなく存在するなら、そのイメージを淡いタッチでスケッチすることぐらいはできるかもしれない。〈語感〉の研究は、部分的であれ誰かがそういう木炭画の素描を試みるところから始まるだろう。

文学作品の文体研究に明け暮れていた自分が、表現分析の具体相でいつもぶつかる〈語感〉という不可思議な存在、その全体像に関心を抱き始めたのはいつごろからだったろうか。「まえがき」でふれた座談会が刺激になったのか、一九八六年の七月に早稲田大学の大隈小講堂で開催された日本語教育公開講座で、〈語感〉体系をめぐるぼんやりした構想を随筆風にしゃべった。そのあたりが〈語感〉の全貌という問題に探りを入れるきっかけになったような気がする。翌年『講座　日本語教育』第二三分冊に「語感のひろがり」と題してその内容を覚え書き風に記した。

その後、「意味と語感」を扱う全学オープン科目で、毎年新しい学生たちに発表させ、みんなで議論した経験も、自分の言語感覚に新鮮な息を吹きこんだことだろう。大学院文学研究科の演習や研究指導の時間でこれに関連するテーマをとりあげた時期もある。小林由紀(慶應義塾大学非常勤)・水藤新子(中央学院大学専任講師)・小出美河子(辞典編集者)・田中妙子(慶應義塾大学准教授)・石黒圭(一橋大学准教授)・高橋淑郎(ミュンヘン大学専任講師)・関綾子(プール学院大学専任講師)といった中村ゼミ所属の正規のメンバーに、時に小宮千鶴子（早稲田大学教授）・佐久間まゆみ（早稲田大学教授）・ポリー＝ザトラウスキー（ミネソタ大学教授）といったゲスト教員も交えたこのゼミの時間に、あるいは軽井沢の追分セミナーハウスでの夏合宿で、活発な議論を展開したことも思い出深い。

このような体験も目に見えない形で、〈語感〉をめぐる考察の幅と奥行きを広げる結果となっていよう。一方、類義語の意味の微差や用法の違いなどを分析する先行文献の中に散見する部分的な語感メモ風の記述や、作家たちの随筆類に時折見られる感覚的な言語論などにヒントを得るとともに、言語感覚のアンテナに偶然ひっかかったさまざまな〈語感〉現象を自分なりに観察し内省することをとおして実感的に探りあてた知見も増えた。

早稲田でしゃべった内容にそのあたりを補足し、新社になる前の中央公論社から一九九四年の八月、『センスある日本語表現のために』というただでも長いタイトルに、さらに「語感とは何か」という副題まで添えた中公新書を発表した。頭の中のおしゃべりを書きとめた「漫筆　語感のはなし」といった調子の雑然とした語学的自叙伝まがいのエッセイにすぎない。その「あとがき」に「小さな庭にはじめて石楠花の咲いた日」とあるが、その常緑の花木もすでにない。ともあれ〈語感〉というものを幅広く見わたした最初の試みとして、この方面の研究の足場を築くうえでなにがしかのヒントを与えたかもしれない。

その数百語の言及を足がかりとし、年古りていささか感度の鈍ったアンテナにそれ以後ひっかかった約一万語を対象として本邦初の『語感の辞典』を編むこのたびの企画は、まさにドン・キホーテの第二弾ともいうべきだろう。が、国語辞典が慎重である限り、こういう大胆で子供じみた叩き台でも誰かが示さなければ、〈語感〉の研究は一向に進展しない。

分析対象が数百語から一万語に増え、その全体像が変化した。頭に描く体系図も当然ながら中公新書のころのイメージから変化してきている。本辞典には現段階での「語感体系表」として三類五五種約一七〇項の区分けを示した。考察する範囲が拡大するにつれて、この表も少しずつ修正されるはずである。

ことばの用法の細かいところでは〈意味〉と〈語感〉とが連続的だから、本辞典でも微妙な〈意味〉のニュアンスにおのずと言及することになった。が、中心はあくまで〈語感〉という未開拓で主観的な領域にある。昭和十年に出羽庄内の鶴岡市で生まれ、大学入学以降は東京に住まい、国立国語研究所員や早稲田大学教授として長期にわたり文学の語学的研究に携わってきた文体論の学徒としての個人的な言語感覚が、当然ながら本書の〈語感〉の記述に色濃く反映していることだろう。

勘というほかはないレベルの思いきった感性的判断を随所で試みたつもりだが、それでも大多数の日本語話者と共通する部分がかなりの割合にのぼるような気がする。それは個人が獲得した気でいる〈語感〉というものが、それまでに聞いたり読んだりした体験を通じて必然的に多くの人間の語感とかかわり、それを背景として成立しているからである。本辞典の基礎の一部をなす前著には、早稲田大学の学生、特に大学院中村ゼミに在籍したメンバーの新鮮な感覚が反映した箇所もある。

今回の辞典執筆にあたり、徳川宗賢・宮島達夫『類義語辞典』(東京堂出版)、柴田武・國廣哲彌ほか『ことばの意味』1・2・3(平凡社)、森田良行『基礎日本語辞典』(角川書店)、大野晋・浜西正人『角川類語新辞典』、中村明・芳賀綏・森田良行『三省堂類語新辞典』、柴田武・山田進『講談社類語大辞典』、中村明・芳賀綏・森田良行『三省堂類語新辞典』、遠藤織枝・小林賢次・村木新次郎ほか『使い方の分かる類語例解辞典』(小学館)、藤原与一・磯貝英夫・室山敏昭『表現類語辞典』(東京堂出版)、中村明『文章プロのための日本語表現活用辞典』(明治書院)、中村明『漢字を正しく使い分ける辞典』(集英社)、金田一春彦・池田弥三郎『学研国語大辞典』、山田俊雄・築島裕・白藤禮幸・奥田勲『新潮現代国語辞典』、西尾実・岩淵悦太郎・水谷静夫『岩波国語辞典』、森岡健二・徳川宗賢・川端善明・中村明・星野晃一『集英社国語辞典』などの辞典類を特に参照した。いずれも〈語感〉そのものに関係した言及は少ないが、そこから得られたヒントは少なくない。

また、ここ二年ほどの間は、家庭の食事の時間や団欒のひとときにもなぜか父親の頭から離れない〈語感〉がたびたび話題になった関係で、妻の妙子(元国際基督教大学教授)には女性の言語感覚、息子の友(早稲田大学大学院文学研究科博士後期課程単位取得)と城(学習院大学法学部卒)には若いそれぞれの世代の言語感覚について多くの情報を得た。特に友には、使い分けの紛らわしい語群を選定する作業の一部でも力を借りた。

もう一つ、この辞典を生き生きしたものに仕上げる効果のあったものに、十数人の作家からじかに聞いた〈語感〉に関する貴重な言及がある。記述中に作家の発言を引用したのは、その作家訪問の際に直接うかがった当人の〈語感〉を紹介する意図もある。煩瑣になることを避けて逐一その旨を注記することは割愛したが、その大部分は筑摩書房から単行本として上梓し、今はちくま学芸文庫に入っている中村明編『作家の文体』中に記録されている。

著者の構想に端を発し、今こうして『日本語 語感の辞典』として刊行されるまでにも、いろいろな方の手をわずらわせた。岩波書店から上梓した直前の著書『文の彩り』の担当編集者であった鈴木康之氏には辞典編集部への斡旋の労をとっていただいた。編集局部長の田中正明氏には企画の初めから完成まで主たる担当者として編修のかたわら数々の貴重な意見を頂戴した。辞典編集部の加瀬ゆかり氏には編集・校閲の過程を通じて細部にわたる具体的な鋭いご指摘を賜った。訪問した作家や参考文献の著者、議論した仲間やかつての学生たち、それに家族、そしてこの岩波書店編集部の方々と、さまざまな形での善意とお力添えを得て今出帆する。その銅鑼の音に乗せて、ここに記したすべての方々に心より感謝の気持ちをお届けしたい。

今後は波のまにまに響く読者の声を聴きながら、より多くの日本語話者の共感できる語感辞典として信頼される姿をめざして航海を続けるだろう。航跡をふりかえるのはその長旅を終えてからのことである。

なお、本辞典では一般的と思われる〈語感〉に限定して扱ったため、わかっていながら言及しなかった〈語感〉もある。その一つはまったく個人的な語感だ。同じ「柿」ということばでも、渋柿に閉口した人と正岡子規のような大の柿好きとでは印象が違う。一説に奈良東大寺の鐘を聞いて想を得たとも言われるが、「柿食へば鐘が鳴るなり法隆寺」という子規の句を思い出して風流な気分になる人にとっても感触がいくらか違うかもしれない。

もう一つは文学の深みに沈潜する作家独自の語感だ。自然の意思というものを信じ、おのずと湧き起こる好悪の情を倫理の基とした志賀直哉にとって、それに逆らう「拘泥」ということばは一般の人とは違う特殊な語感をもつ。「稲妻」が川端康成にとって驚異の対象であり、「世人」が小林秀雄にとって挑みかかる社会通念の偶像であったのも、あるいは、「石膏色」が吉行淳之介にとって倦怠感の象徴として、生理的な感動を象徴する「夕焼け」と対極をなす例も同様である。「文体的語感」とも称すべきこの種の表現価値についても、やはり一般化できないと考え、本書では言及していない。

二〇一〇年　重陽

高きに登らず菊酒も酌まず

東京都小金井市の自宅にて

著　者

中村　明（なかむら　あきら）

1935年9月9日山形県鶴岡市生まれ．早稲田大学大学院文学研究科修士課程修了．国際基督教大学助手等を経て国立国語研究所室長・成蹊大学教授・早稲田大学教授を歴任し，現在早稲田大学名誉教授．主著に『比喩表現の理論と分類』(国立国語研究所報告 秀英出版)，『日本の作家 名表現辞典』『日本語レトリックの体系』『日本語の文体』『笑いのセンス』『文の彩り』『語感トレーニング』『吾輩はユーモアである』『日本語のニュアンス練習帳』(岩波書店)，『作家の文体』『名文』『現代名文案内』『悪文』『文章作法入門』『たのしい日本語学入門』『比喩表現の世界』『笑いの日本語事典』『人物表現辞典』『小津映画 粋な日本語』(筑摩書房)，『文体論の展開』『日本語の美』『日本語の芸』(明治書院)，『美しい日本語』(青土社)，『比喩表現辞典』(角川学芸出版)，『漢字を正しく使い分ける辞典』(集英社)，『感情表現辞典』『感覚表現辞典』『センスをみがく文章上達事典』『日本語の文体・レトリック辞典』(東京堂出版)など．『角川新国語辞典』編集委員，『集英社国語辞典』編者，『三省堂類語新辞典』・『文章・文体・表現事典』(朝倉書店)編集主幹．高校国語教科書(明治書院)統括委員．

日本語 語感の辞典

2010年11月25日　第1刷発行
2017年 4 月17日　第13刷発行

著　者　中村《なかむら》　明《あきら》

発行者　岡本　厚

発行所　株式会社　岩波書店
〒101-8002 東京都千代田区一ツ橋2-5-5
電話案内 03-5210-4000
http://www.iwanami.co.jp/

印刷・精興社　製本・牧製本

ISBN 978-4-00-080313-7　　Printed in Japan